# Collins
## Easy Learning
### English-Malay
Bahasa Malaysia-Inggeris
## Dictionary

**HarperCollins Publishers**
Westerhill Road
Bishopbriggs
Glasgow
G64 2QT
Great Britain

First Edition 2005

Reissue 2007

ISBN 978-0-00-726405-6

www.collinslanguage.com

A catalogue record for this book is
available from the British Library

Typeset by Jocilla Ooi

Printed in China by Imago

**Acknowledgements**
We would like to thank those authors
and publishers who kindly gave
permission for copyright material to
be used in the Collins Word Web. We
would also like to thank Times
Newspapers Ltd for providing valuable
data.

PUBLISHER/PENERBIT
Lorna Knight

SENIOR LEXICOGRAPHER/
AHLI LEKSIKOGRAFI SENIOR
Daphne Day

EDITORIAL CONSULTANT/
PENASIHAT EDITORIAL
Nigel Phillips

EDITORS/EDITOR
Tan Ling Ling
Azlina Musa
Maggie Seaton

CONCEPT DEVELOPER/
PENGHASIL KONSEP
Michela Clari

MALAY READERS/
PEMBACA BAHASA MALAYSIA
Zurina Abu
Hatijah Mazlan

We would like to thank the following
individuals for their contributions in
compiling this dictionary:

Angelina Tan, Wan Ling,
Foo Khoon Leng, Foong Mun Yee,
Noraini Ibrahim, Bob Grossmith,
Liz Potter, Russell Jones,
Hasmidar Hassan, Jeff Roberts,
Ben Murtagh, Chua Siat Sian,
Pn. Tailawati and
Ramesh Krishamurthy for the
grammar section.

# CONTENTS

**Note on trademarks**

Words which we have reason to believe constitute trademarks have been designated as such. However, neither their presence nor the absence of such designation should be regarded as affecting the legal status of any trademark.

**Nota tentang cap dagang**

*Perkataan-perkataan yang dianggap merupakan cap dagang telah ditandakan. Walau bagaimanapun, sama ada cap dagang ini ditunjukkan atau tidak ditunjukkan tidak akan menjejaskan status undang-undang mana-mana cap dagang.*

William Collins' dream of knowledge for all began with the publication of his first book in 1819. A self-educated mill worker, he not only enriched millions of lives, but also founded a flourishing publishing house. Today, staying true to this spirit, Collins books are packed with inspiration, innovation, and practical expertise. They place you at the centre of a world of possibility and give you exactly what you need to explore it.

Language is the key to this exploration, and at the heart of Collins Dictionaries is language as it is really used. New words, phrases, and meanings spring up every day, and all of them are captured and analysed by the Collins Word Web. Constantly updated, and with over 2.5 billion entries, this living language resource is unique to our dictionaries.

Words are tools for life. And a Collins Dictionary makes them work for you.

**Collins. Do more.**

It gives me enormous pleasure to offer this dictionary to learners of English. Collins has long published a dictionary of Malay and English, but this is a major event in that it is the first really new concept in Malay-English lexicography for many years.

The dictionary is based on sound pedagogical principles and sets out to help the learner every step of the way. Collins has researched the needs of bilingual dictionary users and has come up with the formula you hold in your hands today - with an exceptionally clear layout, example phrases to clarify every meaning shown, and most important of all, English as it is REALLY used, thanks to our unique language database "the Bank of English".

We at Collins believe that there is no other dictionary that fulfils its purpose for Malay speakers as this one does. I am confident that you will soon agree with me, and I hope you enjoy using it.

*Saya amat gembira kerana dapat memperkenalkan kamus ini kepada pelajar-pelajar yang ingin mempelajari bahasa Inggeris. Collins telah lama menerbitkan sebuah kamus bahasa Malaysia dan bahasa Inggeris, tetapi projek ini adalah lebih utama kerana ini adalah konsep baru yang pertama dalam bidang perkamusan bahasa Malaysia - bahasa Inggeris selama beberapa tahun.*

*Kamus ini disusun berdasarkan prinsip-prinsip pedagogi yang kukuh dan membantu dalam setiap langkah pembelajaran pelajar. Collins telah membuat kajian tentang keperluan pengguna kamus dwibahasa dan hasilnya ialah kamus yang anda miliki ini, dengan reka letak yang sangat jelas, contoh-contoh yang menunjukkan setiap makna dengan jelas dan yang paling utama menunjukkan penggunaan bahasa Inggeris yang SEBENAR. Penggunaan bahasa Inggeris yang sebenar ini adalah hasil daripada pangkalan data bahasa kami yang unik iaitu, "Bank Bahasa Inggeris".*

*Kami di Collins percaya bahawa tidak ada kamus lain yang dapat memenuhi matlamat penutur bahasa Malaysia seperti kamus ini. Saya yakin bahawa anda akan bersetuju dengan saya dan saya harap anda gembira menggunakannya.*

Lorna Sinclair Knight
Collins Publishing Director

# HOW TO USE THE DICTIONARY

Using a dictionary is a skill you can improve with practice and by following some basic guidelines. This section gives you a detailed explanation of how to use this dictionary to ensure you get the most out of it.

The answers to all the checks in this section are on page (10).

▶ MAKE SURE YOU LOOK ON THE RIGHT SIDE OF THE DICTIONARY

The English-Malay side comes first, followed by the Malay-English. At the top of the page, you will see either **English ~ Malay** or **Malay ~ English**, so you know immediately if you are looking up the side you want.

> **Check** 1: Which side of the dictionary would you look up to translate *hati?*

▶ FINDING THE WORD YOU WANT

When looking for a word, for example **fist**, look at the first letter **-f-** and find the **F** section in the English-Malay side. At the top of each page, you'll find the first and last words on that page. When you find the page with the words starting with **fi**, scan down the page until you find the word you want.

If you are looking for a Malay word, the situation is slightly different because Malay words consist of root words and derivatives. Root words are words like **lihat**, **alam**, **ini**, **besar**, **indah** and **ceria**. Derivatives are words that have *prefixes, suffixes,* or *circumfixes* for example **mengalami**, **sarapan** and **keindahan**. If the word you are looking for is a root word, all you have to do is find its position in alphabetical order. If the word is a derivative, first of all you need to find out its root word and then look for the word under this root word. For example, the root word of **membesar** is **besar**. You can find the root words at the top of each page.

> **Check** 2: On which page will you find the word *fist?*

▶ MAKE SURE YOU LOOK AT THE RIGHT ENTRY

An entry is made up of a **word**, its _translations_ and, often, example phrases to show you how to use the translations. If there is more than one entry for the same word, then there is a warning box to tell you so. Look at the following example entries:

> **flat**   KATA NAMA
> > | *rujuk juga* **flat** KATA ADJEKTIF |
> > 
> > _rumah pangsa_ **atau** _flat_
>
> **flat**   KATA ADJEKTIF
> > | *rujuk juga* **flat** KATA NAMA |
> > 
> > ☐1  _rata_
> > ◊  *a flat board*   papan yang rata
> > ☐2  _datar_
> > ◊  *a flat surface*   permukaan yang datar
> ♦ **flat rate**   kadar tetap
> ♦ **flat shoes**   kasut bertumit leper
> ♦ **I've got a flat tyre.**   Tayar saya pancit.

> **Check** 3: Which entry should you look at if you want to translate the phrase *My car has a flat tyre?*

**Always pay attention to information boxes - they tell you if there is more than one entry for the same word, give you guidance on grammatical points, or tell you more about the word or phrase.**

If the entries belong to the same part of speech, or one of them doesn't belong to a part of speech, the entries will be numbered. You'll find a lot of these cases in the Malay-English part of the dictionary. For example, the entries for **acu**, **alam** and **come across**.

▶ WORDS WITH TWO DIFFERENT PRONUNCIATIONS

In the English-Malay part, if there is a word with more than one pronunciation, you will see a warning box to tell you this. For example **lead (NOUN)**. On the Malay-English side, if there are two words with the same spelling but different pronunciations, you will see the symbol ( ´ ) above the vowel **e** in the word that has the **e taling** sound. For example **lekar** and **lékar**. Remember, the purpose of the symbol is to help you distinguish between the two words, so as to avoid confusion. (In the Malay pronunciation system, there are two pronunciations for **e**, which is called **e pepet** and **e taling**. The e pepet sounds like the **e** in **drummer** and **singer** or the **a** in **Rita** and **sofa**; while the pronunciation of **e taling** is like the vowel in **mate**, **met**, **bait**, **bet** and **lend**).

▶ FINDING THE PAST TENSE AND PAST PARTICIPLE

Most verbs in English have a past tense and a past participle. These usually end in -ed. For example, **walked** is the past tense and past participle of **walk**. This is the regular form, so it is not shown in this dictionary. The only past tenses and past participles given in this dictionary are those of irregular verbs, verbs ending in -o or -y, and verbs that have two forms of past tense and past participle. The past tense and past participle in this dictionary are set out as in the following examples:

IRREGULAR - ...to be (is,was,been)

IRREGULAR - ...to give (gave, given)

END WITH -O ...casino (casinos)

END WITH -Y ...to accompany  (accompanied, acompanied)

TWO FORMS ....to smell (smelled or smelt, smelled or smelt)

▶ CHOOSING THE RIGHT TRANSLATION

The main translation of a word is shown on a new line and is underlined to make it stand out from the rest of the entry. If there is more than one main translation for a word, each one is numbered.

Often you will see example phrases in *italics*, preceded by a white diamond ◊. These help you to choose the translation you want because they show how the translation they follow can be used.

> **Check** 4:  Use the phrases given at the entry *hard* to help you translate:
> *This bread is hard.*

Words often have more than one meaning and more than one translation. When you are translating from English into Malay or Malay into English, be careful to choose the word that has the particular meaning you want. The dictionary offers you a lot of help with this. Look at the following entry:

**trunk** KATA NAMA
   1  *batang (pokok)*
   2  *belalai (gajah)*
   3  *peti*
   4  ◈ *but kereta*

**hulu** KATA NAMA
   1  *upstream (sungai)*
   2  *handle (pisau, parang)*

The underlining highlights all the main translations, the numbers tell you that there is more than one possible translation and the word in brackets in *italics* after the translations help you choose which translation you want.

> **Check 5:** How do you translate *the trunk of an oak tree?*

**Never take the first translation you see without looking at the others. Always look to see if there is more than one underlined translation.**

If there is more than one translation of similar meaning for an entry, this dictionary will choose one of them. For example, the word **if** can equally be translated as **sekiranya**, **seandainya**, **jika** and **kalau** but this dictionary chooses **sekiranya** as the translation. However, you will also find entries with two similar **main** translations separated by the word 'atau'. You can choose either one of the translations. They are grouped into three categories, as in the following examples.

1) English words, for which one of the translations is the same word in its Malay form.

> Examples;
> **cancer** KATA NAMA
>     *barah* **atau** *kanser*
> **scientist** KATA NAMA
>     *ahli sains* **atau** *saintis*
> **Christmas** KATA NAMA
>     *Hari Natal* **atau** *Hari Krismas*

2) English/Malay words that can be translated by two interchangeable Malay/English words.

> Examples;
> **dad** KATA NAMA
>     *bapa* **atau** *ayah*
> to **arrive** KATA KERJA
>     *sampai* **atau** *tiba*
> **seseorang** KATA GANTI NAMA
>     *somebody* **atau** *someone*

3) Words which have two forms, one the full form, the other an abbreviation. Usually the abbreviation is more common than its full form.

> Examples;
> **cinema** KATA NAMA
>     *panggung wayang* **atau** *pawagam*
> **cakera padat** KATA NAMA
>     *compact disc* **atau** *CD*

Phrases in **bold type** preceded by a black diamond ♦ are phrases which are particularly common or important. They can also be set structures and compounds. Sometimes these phrases have a completely different translation from the main translation; sometimes the translation is the same. For example:

**cancer** KATA NAMA
    ① *barah* **atau** *kanser*
    ◊ *He's got cancer.* Dia menghidap barah.
♦ **breast cancer** barah payudara
    ② *Kanser*
♦ **I'm Cancer.** Zodiak saya ialah Kanser.

**am** KATA ADJEKTIF
    *general*
    ◊ *pengetahuan am* general knowledge
♦ **pada amnya** generally

When you look up a word, make sure you look beyond the main translations to see if the entry includes any **bold phrases**.

► WHY DO CERTAIN ENTRIES NOT HAVE A ONE-WORD TRANSLATION

This is because it is not possible to give a direct translation for these words, as it is clear from the following example:

**blood sports**  KATA NAMA JAMAK
  *sukan seperti pemburuan yang*
  *membunuh binatang*

**kuntum**  PENJODOH BILANGAN
  **kuntum** *tidak ada terjemahan*
  *dalam bahasa Inggeris.*
  ◊ *dua kuntum bunga*  two flowers

**peek**  KATA NAMA
  ♦ **to have a peek at something**  melihat
    sesuatu sepintas lalu  ◊ *I had a peek at*
    *your dress and it's lovely.*  Saya melihat
    gaun anda sepintas lalu dan saya dapati
    gaun itu memang cantik.

**pertua**  KATA NAMA
  ♦ **Yang Dipertua**  Governor  ◊ *Yang*
    *Dipertua Pulau Pinang*  the Governor of
    Penang

► PLURAL FORM (NOUN)

In the English-Malay part you will encounter words that are given plural forms, like **coach** (**coaches**), **casino** (**casinos**), **artery** (**arteries**), **fish** (**fish**), **deer** (**deer**), **wife** (**wives**) and **parenthesis** (**parentheses**). These words are countable nouns that end with -es, -ves when they are changed into plural form, countable nouns that end with -o or -y, countable nouns that have the same singular and plural form and countable nouns which are different from those explained above. Besides that, there are also countable nouns, which have two plural forms. They can be formed from any two of the combinations mentioned above. For example,

> **buffalo**  KATA NAMA
>   (JAMAK  **buffalo** atau **buffaloes**)
> **appendix**  KATA NAMA
>   (JAMAK  **appendices** atau **appendixes**)
> **scarf**  KATA NAMA
>   (JAMAK  **scarfs** atau **scarves**)

In the Malay-English part, only two entries are given the plural form. They are **Muslim** (**Plural: Muslimin**) and **Muslimah** (**Plural: Muslimat**). No other Malay words in the dictionary have specific plural forms. However, some translations that are English countable nouns are given their plural forms as explained above. For example,

> **rusa**  KATA NAMA
>   *deer*  (JAMAK  **deer**)
> **obor**  KATA NAMA
>   *torch*  (JAMAK  **torches**)

► MAKING USE OF THE PHRASES IN THE DICTIONARY

Sometimes when you look up a word you will find not only the word, but the exact phrase you want. For example, you might want to say *What's the date today?* Look up **date** and you will find that exact phrase and its translation.

► DON'T OVERUSE THE DICTIONARY

It takes time to look up words so try to avoid using the dictionary unnecessarily. Think carefully about what you want to say and see if you can put it another way, using the words you already know. To rephrase things you can:

Use a word with a similar meaning. This is particularly easy with adjectives, as there are a lot of words which mean "good", "bad", "big" etc and you are sure to know at least one.

Use negatives: if the cake you made was a total disaster, you could just say that it wasn't very good.

Use particular examples instead of general terms. If you are asked to describe the sports facilities in your area, and time is short, you could say something like "In our town there is a swimming pool and a football ground."

> **Check** 6: How could you say *Argentina is huge* in Malay without looking up the word *huge?*

You can also guess the meaning of a word by using others to give you a clue.

> **Check** 7: Try NOT to use the dictionary to work out the meaning of the sentence *Gadis itu sedang menulis surat kepada kawannya.*

▶ USEFUL *GRAMMAR PAGES*

You will also find a grammar section in the middle of this dictionary (page 525) helpful. This section gives useful information on English grammar. It consists of information on nouns, determiners, adjectives, possessives, pronouns, adverbials, verbs and the passive voice. It is divided into 16 units. You can choose the unit that you want by referring to the list of content on page 526.

▶ ANSWERS

1   the Malay-English side
2   on page (181)
3   the second (ADJECTIVE) entry
4   Roti ini keras.
5   batang pokok oak
6   Negara Argentina besar. or Argentina sebuah negara yang besar.
7   The girl is writing a letter to her friend.

# BAGAIMANA MENGGUNAKAN KAMUS INI

Penggunaan kamus merupakan kemahiran yang boleh dipertingkatkan dengan membuat latihan dan mengikuti beberapa garis panduan yang asas. Bahagian ini memberi anda penjelasan yang lengkap tentang cara menggunakan kamus ini supaya anda boleh menggunakannya dengan sebaik-baiknya.

Jawapan kepada semua soalan dalam petak-petak pada bahagian ini terletak pada muka surat (15).

▶ PASTIKAN ANDA MERUJUK BAHAGIAN KAMUS YANG BETUL

Kamus ini bermula dengan bahagian Bahasa Inggeris-Bahasa Malaysia, kemudian diikuti dengan bahagian Bahasa Malaysia-Bahasa Inggeris. Pada bahagian atas muka surat, anda akan nampak perkataan **B.Inggeris - B.Malaysia** atau **B.Malaysia - B.Inggeris**, jadi anda akan tahu bahagian yang ingin anda cari.

> **Soalan** 1: Bahagian yang manakah akan anda cari untuk menterjemahkan
> perkataan *hati?*

▶ MENCARI PERKATAAN YANG ANDA INGINI

Apabila anda mencari satu perkataan, misalnya **fist**, lihat huruf pertamanya -**f**- dan cari huruf **F** pada bahagian B.Inggeris-B.Malaysia. Pada bahagian atas setiap muka surat, anda akan menjumpai perkataan pertama dan perkataan terakhir pada muka surat itu. Apabila anda menjumpai halaman-halaman yang mempunyai perkataan yang bermula dengan **fi**, cari perkataan yang anda inginkan itu pada setiap halaman tersebut sehingga anda berjaya.

Jika anda ingin mencari perkataan bahasa Malaysia, keadaannya agak berbeza kerana perkataan bahasa Malaysia terdiri daripada kata dasar dan kata terbitan. Kata dasar ialah perkataan-perkataan seperti **lihat**, **alam**, **ini**, **besar**, **indah**, dan **ceria** manakala kata terbitan pula ialah kata dasar yang mempunyai imbuhan sama ada awalan, akhiran, apitan seperti **mengalami**, **sarapan** dan **keindahan**. Jika perkataan yang anda cari ialah kata dasar, anda hanya perlu mencarinya mengikut abjad. Jika perkataan itu ialah kata terbitan, anda perlu mengetahui kata dasarnya terlebih dahulu dan mencari perkataan itu di bawah kata dasar tersebut. Misalnya, kata dasar untuk **membesar** ialah **besar**. Anda boleh mencari kata dasar dengan melihat bahagian atas setiap muka surat.

> **Soalan** 2: Pada muka surat berapakah boleh anda temui perkataan *fist?*

▶ PASTIKAN ANDA MELIHAT MASUKAN YANG BETUL

Setiap masukan terdiri daripada **perkataan**, *padanan*, dan ada juga contoh-contoh frasa untuk menunjukkan kepada anda cara menggunakan padanan-padanannya. Jika terdapat lebih daripada satu masukan untuk perkataan yang sama, kotak amaran akan menunjukkannya kepada anda. Lihat contoh masukan berikut:

**flat** KATA NAMA
> rujuk juga **flat** KATA ADJEKTIF

*rumah pangsa* **atau** *flat*

**flat** KATA ADJEKTIF
> rujuk juga **flat** KATA NAMA

1 *rata*
◊ *a flat board* papan yang rata
2 *datar*
◊ *a flat surface* permukaan yang datar

♦ **flat rate** kadar tetap
♦ **flat shoes** kasut bertumit leper
♦ **I've got a flat tyre.** Tayar saya pancit.

11

**Beri perhatian kepada kotak-kotak maklumat yang ada kerana kotak tersebut memberitahu anda jika terdapat lebih daripada satu masukan untuk perkataan yang sama, memberikan panduan tentang tatabahasa atau memberikan penjelasan tentang perkataan atau frasa tertentu.**

Jika masukan tersebut terdiri daripada golongan kata yang sama atau salah satu daripadanya tidak mempunyai golongan kata, masukan tersebut akan dinombori. Anda akan menjumpai banyak kes seperti ini pada bahagian B.Malaysia-B.Inggeris. Sebagai contoh masukan untuk **acu**, **alam** dan **come across**.

▶ PERKATAAN YANG MEMPUNYAI DUA SEBUTAN

Dalam bahagian B.Inggeris-B.Malaysia, jika terdapat satu perkataan yang mempunyai lebih daripada satu sebutan, anda akan melihat kotak amaran yang memberitahu anda mengenainya. Contohnya kata masukan **lead** (KATA NAMA). Dalam bahasa Malaysia, jika terdapat dua perkataan yang sama ejaan tetapi mempunyai bunyi vokal **e** yang berlainan, huruf **e** yang mempunyai bunyi **e taling** akan ditandakan dengan simbol ( ´ ). Sebagai contoh perkataan **lekar** dan **lékar**. Harus diingat bahawa simbol ini hanya bertujuan untuk menunjukkan perbezaan bunyinya kepada anda supaya anda tidak memilih perkataan yang salah. (Dalam sistem ejaan bahasa Malaysia, terdapat dua bunyi **e**, iaitu **e pepet** dan **e taling**. Bunyi bagi **e pepet** ialah seperti **emak**, **besar** dan **kerja** manakala bunyi untuk **e taling** pula ialah seperti **ekor**, **peka** dan **leka**.)

▶ MENCARI KALA LEPAS (PAST TENSE) DAN KALA LEPAS PARTISIPEL
   (PAST PARTICIPLE) UNTUK KATA KERJA BAHASA INGGERIS

Kebanyakan kata kerja bahasa Inggeris mempunyai kala lepas dan kala lepas partisipel yang biasanya ditunjukkan dengan akhiran -ed. Sebagai contoh **walked** ialah kala lepas dan kala lepas partisipel bagi **walk**. Bentuk ini merupakan bentuk yang biasa dan tidak ditunjukkan dalam kamus ini. Kala lepas dan kala lepas partisipel yang ditunjukkan dalam kamus ini adalah bagi kata kerja tak sekata (irregular verb), kata kerja yang mempunyai akhiran -o dan -y dan kata kerja yang mempunyai dua bentuk kala lepas dan kala lepas partisipel. Kala lepas dan kala lepas partisipel dalam kamus ini diletakkan seperti contoh-contoh di bawah:

KATA KERJA TAK SEKATA -...to be (is,was,been)

KATA KERJA TAK SEKATA -... to give (gave, given)

KATA KERJA YANG BERAKHIR DENGAN -o-...casino (casinos)

KATA KERJA YANG BERAKHIR DENGAN -y -...to accompany (accompanied,acompanied)

DUA BENTUK -...to smell (smelled atau smelt,smelled atau smelt)

▶ MEMILIH PADANAN YANG BETUL

Padanan utama untuk sesuatu perkataan ditunjukkan pada baris yang baru dan digaris supaya padanan itu kelihatan lebih jelas. Jika terdapat lebih daripada satu padanan utama untuk satu perkataan, setiap satu padanan akan dinombori.

Biasanya anda akan menjumpai contoh-contoh frasa dalam bentuk *italik* dan didahului dengan daiman putih ◊. Hal ini dapat membantu anda memilih padanan yang ingin anda cari kerana contoh-contoh itu menunjukkan cara masukan itu boleh digunakan.

Setiap perkataan biasanya mempunyai lebih daripada satu makna dan lebih daripada satu padanan. Apabila anda menterjemah daripada bahasa Inggeris kepada bahasa Malaysia atau sebaliknya, berhati-hati supaya anda dapat memilih perkataan yang mempunyai makna yang ingin anda cari. Kamus ini membantu anda dari segi ini. Lihat masukan berikut:

**trunk**  KATA NAMA
   1  _batang_ (*pokok*)
   2  _belalai_ (*gajah*)
   3  _peti_
   4  ▨ _but kereta_

**hulu**  KATA NAMA
   1  _upstream_ (*sungai*)
   2  _handle_ (*pisau, parang*)

Garis bawah digunakan supaya padanan-padanan utama kelihatan lebih jelas. Nombor-nombor itu memberitahu anda bahawa terdapat lebih daripada satu padanan dan perkataan-perkataan dalam kurungan yang berbentuk italik selepas padanan membantu anda memilih padanan yang ingin anda cari.

> **Soalan** 5: Bagaimanakah anda menterjemahkan *the trunk of an oak tree?*

**Jangan sesekali memilih padanan yang pertama tanpa melihat padanan yang lain. Semak dahulu jika terdapat lebih daripada satu padanan yang bergaris.**

Jika terdapat masukan yang boleh mempunyai dua atau lebih padanan yang memberikan makna yang sama, kamus ini hanya memilih salah satu daripadanya. Misalnya perkataan **if** boleh diterjemahkan sebagai **sekiranya, seandainya, jika** dan **kalau**, tetapi kamus ini hanya mengambil salah satu daripadanya iaitu **sekiranya**. Walau bagaimanapun, anda juga akan menjumpai masukan yang mempunyai dua padanan **utama**, yang membawa maksud yang sama. Padanan-padanan ini dipisahkan dengan perkataan 'atau'. Anda boleh memilih salah satu daripada padanan ini. Masukan ini dikategorikan kepada tiga kumpulan seperti berikut.

1) Perkataan bahasa Inggeris, yang salah satu daripada padanannya merupakan kata pinjaman daripada bahasa Inggeris.

        Contoh;
        **cancer**  KATA NAMA
           _barah_ **atau** _kanser_
        **scientist**  KATA NAMA
           _ahli sains_ **atau** _saintis_
        **Christmas**  KATA NAMA
           _Hari Natal_ **atau** _Hari Krismas_

2) Perkataan B.Inggeris/B.Malaysia yang boleh diterjemahkan dengan dua perkataan B.Malaysia/ B.Inggeris yang boleh ditukar ganti.

        Contoh;
        **dad**  KATA NAMA
           _bapa_ **atau** _ayah_
      to **arrive**  KATA NAMA
           _sampai_ **atau** _tiba_
        **seseorang**  KATA GANTI NAMA
           _somebody_ **atau** _someone_

3) Perkataan yang mempunyai dua bentuk, iaitu bentuk yang lengkap dan singkatannya. Biasanya perkataan yang berbentuk singkatan lebih biasa digunakan.

        Contoh;
        **cinema**  KATA NAMA
           _panggung wayang_ **atau** _pawagam_
        **cakera padat**  KATA NAMA
           _compact disc_ **atau** _CD_

Contoh-contoh frasa dalam bentuk **huruf tebal** yang didahului dengan daiman hitam ♦ merupakan frasa-frasa yang biasa digunakan atau penting. Contoh-contoh itu juga digunakan untuk menunjukkan struktur-struktur yang tetap dan majmuk. Kadang-kadang frasa-frasa ini mempunyai terjemahan yang lain daripada padanan-padanan utama yang diberikan, kadang-kadang terjemahannya adalah sama. Contoh:

**cancer**  KATA NAMA
   1  _barah_ **atau** _kanser_
   ◊  He's got cancer.  Dia menghidap barah.
♦ **breast cancer**  barah payudara
   2  _Kanser_
♦ **I'm Cancer.**  Zodiak saya ialah Kanser.

**am**  KATA ADJEKTIF
   _general_
   ◊  pengetahuan am  general knowledge
♦ **pada amnya**  generally

Apabila anda mencari sesuatu perkataan, pastikan anda melihat juga contoh-contoh dalam bentuk **huruf tebal** selain daripada padanan utama.

▶ KENAPA SESETENGAH MASUKAN TIDAK MEMPUNYAI PADANAN DALAM SATU PERKATAAN

Ini kerana adalah mustahil untuk memberikan terjemahan langsung kepada perkataan-perkataan seumpama ini, seperti yang dapat dilihat dalam contoh-contoh berikut:

**blood sports**  KATA NAMA JAMAK
   _sukan seperti pemburuan yang_
   _membunuh binatang_

**kuntum**  PENJODOH BILANGAN
   **kuntum** _tidak ada terjemahan_
   _dalam bahasa Inggeris._
   ◊  dua kuntum bunga  two flowers

**peek**  KATA NAMA
♦ **to have a peek at something**  melihat
   sesuatu sepintas lalu  ◊  I had a peek at
   your dress and it's lovely.  Saya melihat
   gaun anda sepintas lalu dan saya dapati
   gaun itu memang cantik.

**pertua**  KATA NAMA
♦ **Yang Dipertua**  Governor  ◊  Yang
   Dipertua Pulau Pinang  the Governor of
   Penang

▶ BENTUK JAMAK (KATA NAMA)

Pada bahagian B.Malaysia - B.Inggeris, anda akan menjumpai perkataan-perkataan yang mempunyai bentuk jamak seperti **coach** (**coaches**), **casino** (**casinos**), **artery** (**arteries**), **fish** (**fish**), **deer** (**deer**), **wife** (**wives**) dan **parenthesis** (**parentheses**). Perkataan-perkataan ini merupakan kata nama hitung yang mendapat akhiran -es, -ves dalam bentuk jamak, kata nama hitung yang mempunyai akhiran -o atau -y, kata nama hitung yang tidak mempunyai perubahan dalam bentuk tunggal mahupun jamak dan kata nama hitung yang berbeza daripada yang telah diterangkan seperti di atas. Selain itu terdapat juga kata nama hitung yang mempunyai dua bentuk jamaknya. Bentuk ini boleh terdiri daripada mana-mana dua kombinasi bentuk jamak yang tersebut di atas. Misalnya,

    **buffalo**  KATA NAMA
       (JAMAK  **buffalo** atau **buffaloes**)
    **appendix**  KATA NAMA
       (JAMAK  **appendices** atau **appendixes**)
    **scarf**  KATA NAMA
       (JAMAK  **scarfs** atau **scarves**)

Pada bahagian B.Malaysia - B.Inggeris, hanya dua masukan diberi bentuk jamak, iaitu **Muslim** (**Muslimin**) dan **Muslimah** (**Muslimat**). Hal ini kerana bentuk jamak kedua-dua perkataan ini berbeza daripada bentuk jamak kata nama yang lain. Walau bagaimanapun, ada padanan-padanan bagi kata nama hitung bahasa Inggeris yang diberikan bentuk jamaknya seperti yang telah diterangkan di atas. Contohnya,

    **rusa**  KATA NAMA
       _deer_  (JAMAK  **deer**)
    **obor**  KATA NAMA
       _torch_  (JAMAK  **torches**)

► MENGGUNAKAN FRASA-FRASA DALAM KAMUS

Kadang-kadang apabila anda mencari sesuatu perkataan, anda bukan hanya akan menjumpai perkataan itu, malah anda mungkin akan menjumpai frasa yang anda benar-benar ingini. Misalnya anda ingin membuat ayat *Merokok membahayakan kesihatan?* Cari **bahaya**, lihat susunan imbuhannya dan kemudian cari **membahayakan**. Anda akan menjumpai frasa tersebut dan juga terjemahannya.

► JANGAN TERLALU BERGANTUNG PADA KAMUS

Mencari perkataan memang mengambil masa, jadi elakkan daripada menggunakan kamus jika tidak perlu. Fikir baik-baik tentang perkara yang ingin anda sampaikan dan cuba sampaikannya dengan menggunakan perkataan-perkataan yang anda tahu. Anda boleh menyusun semula ayat dengan cara:

Menggunakan perkataan yang mempunyai makna yang sama. Perkara ini lebih mudah terutama bagi kata adjektif kerana terdapat banyak perkataan yang bermakna "baik", "besar", "cantik" dan lain-lain. Anda pasti tahu sekurang-kurangnya satu perkataan.

Menggunakan kata nafi: Misalnya jika cuaca hari ini mendung dan kelihatan seperti hendak hujan, anda boleh kata cuaca hari ini tidak baik.

Menggunakan contoh-contoh yang tertentu daripada menggunakan perkataan yang umum. Jika anda disuruh memerikan kemudahan sukan di kawasan anda dan masa yang ada terlalu singkat, anda boleh berkata "Di tempat tinggal saya ada kolam renang dan padang bola."

> **Soalan** 6: Bagaimanakah anda hendak membuat ayat *Negara Perancis ialah sebuah negara yang indah* dalam bahasa Inggeris tanpa mencari makna *indah* dalam kamus?

Anda boleh meneka makna sesuatu kata dengan melihat kata-kata yang hadir bersamanya.

> **Soalan** 7: Cuba JANGAN gunakan kamus untuk mencari maksud bagi ayat *The girl is writing a letter to her friend*.

► HALAMAN TATABAHASA YANG BERGUNA

Anda juga akan mendapati bahawa halaman tabahasa di bahagian tengah kamus ini (muka surat 525) berguna untuk anda. Bahagian ini memberikan maklumat yang berguna tentang tabahasa bahasa Inggeris yang mengandungi maklumat tentang kata nama, kata penunjuk, kata adjektif, pemilikan, kata ganti nama, adverbial, kata kerja dan ragam pasif. Halaman ini terbahagi kepada 16 unit. Anda boleh memilih unit yang anda kehendaki dengan merujuk kepada senarai kandungan pada muka surat 526.

► JAWAPAN

1  pada bahagian B.Malaysia-B.Inggeris
2  pada muka surat (181)
3  masukan kedua (KATA ADJEKTIF)
4  Roti ini keras.
5  batang pokok oak
6  France is a beautiful country.
7  Gadis itu sedang menulis surat kepada kawannya.

# A

**a** KATA SANDANG TAK TENTU

　[1] *se + penjodoh bilangan*
　◊ *a pencil* sebatang pensel ◊ *a
　university* sebuah universiti ◊ *He's a
　butcher.* Dia seorang penjual daging.
　[2] *satu*
　◊ *a problem* satu masalah
　♦ **a hundred pounds** seratus paun
　♦ **once a week** sekali seminggu
　♦ **a year ago** setahun yang lalu
　　Kadang-kadang **a** tidak
　　diterjemahkan.
　◊ *I haven't got a car.* Saya tidak
　mempunyai kereta.

**abacus** KATA NAMA

　(JAMAK **abacuses**)
　*sempoa*

to **abandon** KATA KERJA

　[1] *meninggalkan*
　◊ *He abandoned his car.* Dia
　meninggalkan keretanya.
　[2] *menghentikan*
　◊ *The authorities have abandoned the
　project.* Pihak berkuasa telah
　menghentikan projek itu.
　♦ **abandoned house** rumah terbiar
　♦ **abandoned baby** bayi terbuang

**abattoir** KATA NAMA

　*tempat penyembelihan*

**abbey** KATA NAMA

　[1] *biara*
　[2] *gereja*

**abbreviation** KATA NAMA

　*singkatan*

**abdomen** KATA NAMA

　*abdomen*

to **abet** KATA KERJA

　*bersubahat*
　◊ *His wife was sentenced to seven years
　imprisonment for abetting him.* Isterinya
　dihukum penjara tujuh tahun kerana
　bersubahat dengannya.

to **abide by** KATA KERJA

　*mematuhi*
　◊ *They have to abide by the rules.*
　Mereka harus mematuhi peraturan.

**ability** KATA NAMA

　(JAMAK **abilities**)
　*kebolehan*
　◊ *to have the ability to do something*
　mempunyai kebolehan untuk melakukan
　sesuatu

**able** KATA ADJEKTIF

　*boleh*
　♦ **to be able to do something** boleh
　melakukan sesuatu ◊ *Will you be able
　to come on Saturday?* Bolehkah anda
　datang pada hari Sabtu?

**abode** KATA NAMA

　*kediaman*

to **abolish** KATA KERJA

　[1] *menghapuskan*
　◊ *We must abolish superstitions.* Kita
　mesti menghapuskan kepercayaan karut.
　[2] *memansuhkan*
　◊ *Parliament will abolish the death
　penalty.* Parlimen akan memansuhkan
　hukuman mati.

**abolition** KATA NAMA

　*penghapusan*
　◊ *the abolition of apartheid*
　penghapusan sistem aparteid

**abortion** KATA NAMA

　*pengguguran bayi*
　♦ **to have an abortion** menggugurkan
　kandungan

**about** KATA SENDI, KATA ADVERBA

　[1] *tentang*
　◊ *This book is about London.* Buku ini
　tentang London. ◊ *I don't know anything
　about it.* Saya tidak tahu apa-apa tentang
　hal itu.
　♦ **I'm phoning you about tomorrow's
　meeting.** Saya menelefon anda untuk
　bertanya tentang mesyuarat esok.
　[2] *kira-kira*
　◊ *The journey takes about ten hours.*
　Perjalanan tersebut mengambil masa
　kira-kira sepuluh jam. ◊ *at about 11
　o'clock* kira-kira pada pukul sebelas
　[3] *sekitar*
　◊ *to walk about the town* berjalan di
　sekitar bandar
　♦ **What about me?** Bagaimanakah pula
　dengan saya?
　♦ **to be about to do something** baru
　hendak melakukan sesuatu ◊ *I was
　about to go out.* Saya baru hendak keluar.
　♦ **How about going to the cinema?**
　Bagaimana kalau kita pergi tengok
　wayang?
　♦ **How about her?** Bagaimanakah pula
　dengan dia?

**above** KATA SENDI, KATA ADVERBA

　[1] *di atas*
　◊ *He put his hands above his head.* Dia
　meletakkan tangannya di atas kepalanya.
　♦ **the flat above** rumah pangsa di tingkat
　atas
　♦ **above all** yang penting sekali
　[2] *melebihi*
　◊ *above 40 degrees Celsius* melebihi
　40 darjah Celsius

**abroad** KATA ADVERBA

　*luar negara*
　◊ *to go abroad* pergi ke luar negara
　◊ *to live abroad* tinggal di luar negara

**abrupt** KATA ADJEKTIF

[1] *kasar*
◊ *He was a bit abrupt with me.* Dia agak kasar dengan saya.
[2] *tiba-tiba*
◊ *His abrupt departure aroused suspicion.* Pemergiannya secara tiba-tiba menimbulkan syak wasangka.

**abruptly** KATA ADVERBA
*secara tiba-tiba*
◊ *He got up abruptly.* Dia bangun secara tiba-tiba.

**abs** KATA NAMA JAMAK (= *abdominal muscles; abdominals*)
*otot abdomen*

to **abscond** KATA KERJA
[1] *melarikan diri*
[2] *melarikan*
◊ *The bank teller absconded with two million ringgits.* Kerani bank itu melarikan wang sebanyak dua juta ringgit.

**absence** KATA NAMA
*ketiadaan*
◊ *in my absence* semasa ketiadaan saya
♦ **absence from school** tidak hadir ke sekolah

**absent** KATA ADJEKTIF
*tidak hadir*

**absent-minded** KATA ADJEKTIF
*pelupa*

**absolute** KATA ADJEKTIF
[1] *betul-betul*
◊ *absolute beginners* orang yang betul-betul baru belajar ◊ *the absolute minimum* had yang betul-betul minimum
♦ **absolute confidence** keyakinan sepenuhnya
[2] *mutlak*
◊ *an absolute right* hak mutlak

**absolutely** KATA ADVERBA
[1] *sama sekali*
◊ *I absolutely refuse to do it.* Saya enggan melakukannya sama sekali.
[2] *benar-benar*
◊ *She was absolutely terrified.* Dia benar-benar takut.
♦ **Jill's absolutely right.** Tepat sekali kata-kata Jill itu.
♦ **It's absolutely delicious!** Sedap betul!
♦ **They did absolutely nothing to help him.** Mereka tidak membantunya langsung.
♦ **Do you think it's a good idea? - Absolutely!** Adakah ini satu cadangan yang baik? - Sudah tentu!

to **absorb** KATA KERJA
*menyerap*
◊ *Plants absorb carbon dioxide from the air.* Tumbuhan menyerap karbon dioksida

daripada udara.

**absorbed** KATA ADJEKTIF
*asyik*
♦ **to be absorbed in something** asyik dengan sesuatu

**absorption** KATA NAMA
*penyerapan*
◊ *Vitamin C increases the absorption of iron from food.* Vitamin C meningkatkan penyerapan zat besi daripada makanan.

to **abstain** KATA KERJA
*menjauhi*
◊ *Leon takes care of his health by abstaining from cigarettes and alcohol.* Leon menjaga kesihatannya dengan menjauhi rokok dan arak.

**abstract** KATA ADJEKTIF
*abstrak*
◊ *I don't really understand abstract art.* Saya tidak begitu memahami seni abstrak.

**absurd** KATA ADJEKTIF
*tidak munasabah*
◊ *That idea is absurd.* Idea itu tidak munasabah.

**abundant** KATA ADJEKTIF
*banyak*
◊ *There is an abundant supply of cheap labour.* Terdapat banyak tenaga buruh yang murah.

**abuse** KATA NAMA
| rujuk juga **abuse** KATA KERJA |
*penyalahgunaan* (*kuasa, dadah*)
♦ **child abuse** penderaan kanak-kanak
♦ **to shout abuse at somebody** memaki seseorang

to **abuse** KATA KERJA
| rujuk juga **abuse** KATA NAMA |
[1] *menyalahgunakan*
◊ *She abused her power.* Dia menyalahgunakan kuasanya.
[2] *mendera*
◊ *Parents who are under pressure may abuse their children.* Ibu bapa yang tertekan mungkin akan mendera anak-anak mereka.
♦ **abused children** kanak-kanak yang didera

**abuser** KATA NAMA
*pendera*

**abusive** KATA ADJEKTIF
*kesat*
◊ *abusive remarks* kata-kata kesat
♦ **He became abusive.** Dia mula memaki hamun.

**academic** KATA ADJEKTIF
*akademik*
◊ *the academic year* tahun akademik

**academy** KATA NAMA
(JAMAK **academies**)

*akademi*
◊ *a military academy* sebuah akademi tentera

to **accelerate**   KATA KERJA
1 *meningkat dengan pesat* (*pertumbuhan, dll*)
2 *memecut* (*kenderaan*)

**accelerator**   KATA NAMA
*pedal minyak*

**accent**   KATA NAMA
*pelat*
◊ *He's got an English accent.* Dia bercakap dengan pelat orang Inggeris.

to **accept**   KATA KERJA
*menerima*
◊ *She accepted the offer.* Dia menerima tawaran itu. ◊ *This telephone accepts ten cent coins only.* Telefon ini menerima duit syiling sepuluh sen sahaja.

**acceptable**   KATA ADJEKTIF
*boleh diterima*

**acceptance**   KATA NAMA
*penerimaan*
◊ *the acceptance of a job offer* penerimaan tawaran kerja

**accepted**   KATA ADJEKTIF
*yang diterima* (*idea, dll*)

**access**   KATA NAMA
*capaian* (*komputer*)
♦ **to have access to something**  boleh mendapatkan sesuatu ◊ *He has access to confidential information.* Dia boleh mendapatkan maklumat sulit.
♦ **to have access to somebody**  boleh berjumpa dengan seseorang ◊ *Her ex-husband has access to the children.* Bekas suaminya boleh berjumpa dengan anak-anaknya.

**accessible**   KATA ADJEKTIF
*boleh dimasuki*
◊ *This building is accessible to the public.* Bangunan ini boleh dimasuki oleh orang ramai.
♦ **Computers should be accessible to everyone.** Sepatutnya semua orang diberikan peluang untuk menggunakan komputer.

**accessory**   KATA NAMA
(JAMAK **accessories**)
1 *perhiasan*
◊ *bedroom accessories* perhiasan bilik tidur
2 *aksesori*
◊ *car accessories* aksesori kereta

**accident**   KATA NAMA
*kemalangan*
◊ *to have an accident* terlibat dalam kemalangan
♦ **by accident** secara tidak sengaja

**accidental**   KATA ADJEKTIF
*secara tidak sengaja*
◊ *I didn't do it deliberately, it was accidental.* Saya tidak berniat untuk melakukannya. Perkara itu berlaku secara tidak sengaja. ◊ *accidental death* kematian secara tidak sengaja

**accidentally**   KATA ADVERBA
*secara tidak sengaja*
◊ *Zawiyah broke the glass accidentally.* Zawiyah memecahkan gelas itu secara tidak sengaja. .

**acclaimed**   KATA ADJEKTIF
*disanjung*
◊ *Her work is highly acclaimed.* Hasil karya beliau disanjung tinggi.
♦ **The singer's mellow voice has been widely acclaimed.** Kelunakan suara penyanyi itu diakui ramai.

to **accommodate**   KATA KERJA
1 *menyediakan tempat penginapan*
◊ *The hotel will accommodate guests for the wedding.* Hotel itu akan menyediakan tempat penginapan untuk para tetamu majlis perkahwinan tersebut.
2 *memuatkan*
◊ *The hall can accommodate ten thousand people.* Dewan itu boleh memuatkan sepuluh ribu orang.

**accommodation**   KATA NAMA
*tempat penginapan*

**accompaniment**   KATA NAMA
*iringan*
◊ *musical accompaniment* iringan muzik

to **accompany**   KATA KERJA
(**accompanied, accompanied**)
1 *menemani*
2 *mengiringi*

**accomplice**   KATA NAMA
*subahat*
♦ **to be an accomplice** bersubahat

to **accomplish**   KATA KERJA
*mencapai*
◊ *If we all work together, we can accomplish our goal.* Jika kita bekerjasama, kita boleh mencapai matlamat kita.

**accomplishment**   KATA NAMA
*pencapaian*
◊ *Her accomplishments during the past year are extraordinary.* Pencapaiannya pada tahun lalu amat menakjubkan.

**accord**   KATA NAMA
*persetujuan*
◊ *to reach an accord* mencapai persetujuan
♦ **of his own accord** secara sukarela

**accordingly**   KATA ADVERBA

[1] _oleh sebab itu_
◊ _Families are encouraged to spend weekends together. Accordingly, many companies have switched to a five-day week._ Ahli keluarga digalakkan menghabiskan hujung minggu bersama. Oleh sebab itu, banyak syarikat telah menukarkan waktu kerja mereka menjadi lima hari seminggu.

[2] _sewajarnya_
◊ _The government will study the situation and act accordingly._ Kerajaan akan mengkaji keadaan itu dan mengambil tindakan yang sewajarnya.

**according to** KATA SENDI
_menurut_
◊ _According to him, everyone had gone._ Menurutnya, semua orang telah pergi.

**account** KATA NAMA
[1] _akaun_
◊ _a bank account_ akaun bank ◊ _to do the accounts_ membuat akaun
[2] _keterangan_
◊ _He gave a detailed account of what happened._ Dia memberikan keterangan yang terperinci tentang kejadian yang berlaku.
♦ **to take something into account** mempertimbangkan sesuatu
♦ **by all accounts** menurut kata orang
♦ **on account of** kerana ◊ _We couldn't go out on account of the bad weather._ Kami tidak dapat keluar kerana cuaca yang buruk.

to **account for** KATA KERJA
_menjelaskan sebab_
◊ _If she was ill, that would account for her poor results._ Jika dia sakit, itu akan menjelaskan sebab dia mendapat keputusan yang tidak baik.

**accountable** KATA ADJEKTIF
_bertanggungjawab_
♦ **to be accountable to someone** bertanggungjawab terhadap seseorang

**accountancy** KATA NAMA
_perakaunan_

**accountant** KATA NAMA
_akauntan_
◊ _She's an accountant._ Dia seorang akauntan.

**accounting** KATA NAMA
_perakaunan_
◊ _principles of accounting_ prinsip perakaunan

to **accumulate** KATA KERJA
_mengumpulkan_
◊ _Accumulate as many points as you can._ Kumpulkan sebanyak mata yang boleh.

**accuracy** KATA NAMA
_ketepatan_

**accurate** KATA ADJEKTIF
_tepat_

**accurately** KATA ADVERBA
_dengan tepat_

**accusation** KATA NAMA
_tuduhan_

to **accuse** KATA KERJA
_menuduh_
◊ _The police are accusing her of murder._ Polis menuduh dia melakukan pembunuhan.

**accused** KATA NAMA
_tertuduh_
◊ _the accused_ yang tertuduh

**accuser** KATA NAMA
_pendakwa_

**ace** KATA NAMA
_daun sat_ (pada daun terup)
◊ _the ace of hearts_ daun sat lekuk

to **ache** KATA KERJA

| rujuk juga **ache** KATA NAMA |
| --- |

_sakit_
◊ _My leg's aching._ Kaki saya sakit.

**ache** KATA NAMA

| rujuk juga **ache** KATA KERJA |
| --- |

_sakit_
◊ _stomach ache_ sakit perut

to **achieve** KATA KERJA
_mencapai_

**achievement** KATA NAMA
_pencapaian_
◊ _That was quite an achievement._ Itu satu pencapaian yang baik.

**Achilles tendon** KATA NAMA
_urat keting_

**acid** KATA NAMA
_asid_

**acidic** KATA ADJEKTIF
_berasid_

**acidity** KATA NAMA
_keasidan_

**acid rain** KATA NAMA
_hujan asid_

to **acknowledge** KATA KERJA
_mengakui_
◊ _They acknowledged the strength of their opponents._ Mereka mengakui kehebatan pihak lawan.
♦ **He didn't acknowledge my greeting.** Dia tidak menjawab sapaan saya.

**acknowledgement** KATA NAMA
_pengakuan_
◊ _His resignation appears to be an acknowledgement that he has lost all hope of keeping the country together._ Peletakan jawatan beliau nampaknya merupakan pengakuan bahawa

beliau sudah berputus asa untuk
menyatupadukan negaranya.

♦ **acknowledgements** penghargaan
(*dalam buku*)

♦ **acknowledgement slip** slip akuan
penerimaan

**acne** KATA NAMA
*akne*

> bintik-bintik pada muka dan leher
> yang biasanya dialami oleh remaja

**acquaintance** KATA NAMA
*kenalan*
◊ *Mr Rajoo is an old acquaintance of his.*
En. Rajoo merupakan kenalan lamanya.

to **acquire** KATA KERJA
1 *memperoleh*
◊ *She acquired that skill at school.* Dia
memperoleh kemahiran itu semasa
di sekolah.

♦ **She acquired some new furniture.** Dia
mendapatkan beberapa buah perabot
yang baru.
2 *membeli*
◊ *Prentice-Hall had recently been
acquired by Pearson.* Baru-baru ini
Prentice-Hall telah dibeli oleh Pearson.

to **acquit** KATA KERJA
*membebaskan*
◊ *The court acquitted Mr Ling of murder.*
Mahkamah membebaskan En. Ling
daripada tuduhan membunuh.

**acre** KATA NAMA
*ekar*

> lebih kurang 4.047 meter persegi

**acrobat** KATA NAMA
*akrobat*

**acrobatics** KATA NAMA JAMAK
*akrobatik*

**across** KATA SENDI, KATA ADVERBA
1 *seberang*
◊ *He lives across the river.* Dia tinggal
di seberang sungai. ◊ *the shop across
the road* kedai di seberang jalan
2 *merentas*
◊ *an expedition across the Sahara*
ekspedisi merentas gurun Sahara

♦ **to run across the road** berlari melintasi
jalan

♦ **across from** berdepan dengan ◊ *She
sat down across from her friend.* Dia
duduk berdepan dengan kawannya.

to **act** KATA KERJA

> rujuk juga **act** KATA NAMA

1 *bertindak*
◊ *The police acted quickly.* Pihak polis
bertindak dengan pantas.
2 *berlakon*
◊ *He acts really well.* Dia sangat
pandai berlakon.

♦ **That lady acts as his interpreter.** Wanita
itu menjadi jurubahasanya.

**act** KATA NAMA

> rujuk juga **act** KATA KERJA

*babak*
◊ *in the first act* dalam babak pertama

♦ **It was all an act.** Semuanya lakonan
sahaja.

♦ **an Act of Parliament** Akta Parlimen

**acting** KATA NAMA
*lakonan*
◊ *Her acting was very good.*
Lakonannya amat baik.

**action** KATA NAMA
1 *aksi*
◊ *The film was full of action.* Filem itu
penuh dengan aksi.
2 *perbuatan*
◊ *Lam's actions were unforgivable.*
Perbuatan Lam tidak dapat dimaafkan.

♦ **to take firm action against somebody**
mengambil tindakan tegas terhadap
seseorang

**action point** KATA NAMA
*perkara tindakan*
◊ *The report outlined 10 main action
points.* Laporan itu menggariskan 10
perkara tindakan utama.

**action shot** KATA NAMA
(*fotografi, filem*)
*gambar aksi*
◊ *this superb soccer action shot* gambar
aksi bola sepak yang sungguh hebat ini

to **activate** KATA KERJA
*mengaktifkan*
◊ *The bank will activate your card within
a day.* Pihak bank akan mengaktifkan kad
anda dalam masa sehari.

**active** KATA ADJEKTIF
*aktif*
◊ *He's a very active person.* Dia
seorang yang sangat aktif.

♦ **an active volcano** gunung berapi hidup

**actively** KATA ADVERBA
*dengan giat*
◊ *They actively campaigned for the vote.*
Mereka berkempen dengan giat untuk
mendapatkan undi tersebut.

**activist** KATA NAMA
*aktivis*

**activity** KATA NAMA
(JAMAK **activities**)
*kegiatan*
◊ *outdoor activities* kegiatan luar rumah

**actor** KATA NAMA
*pelakon* (*lelaki*)

**actress** KATA NAMA
(JAMAK **actresses**)
*pelakon* (*perempuan*)

**actual**　KATA ADJEKTIF
*sebenar*
◊ *The film is based on actual events.*
Filem itu berdasarkan kejadian sebenar.

**actually**　KATA ADVERBA
1 *benar-benar*
◊ *Did it actually happen?* Adakah
perkara itu benar-benar berlaku?
2 *sebenarnya*
◊ *Actually, I don't know him at all.*
Sebenarnya, saya tidak mengenalinya
langsung.

Kadang-kadang **actually** tidak
diterjemahkan.
◊ *You only pay for the electricity you
actually use.* Anda hanya bayar untuk
elektrik yang anda gunakan.

**acupuncture**　KATA NAMA
*akupunktur*

**acute**　KATA ADJEKTIF
*meruncing*
◊ *an acute economic crisis* krisis
ekonomi yang meruncing

**ad**　KATA NAMA
(*singkatan bagi* **advertisement**)
*iklan*

**AD**　SINGKATAN （= *Anno Domini*)
*tahun Masihi*
◊ *in 800 AD* pada tahun 800 Masihi

**Adam's apple**　KATA NAMA
*halkum*

to **adapt**　KATA KERJA
*menyesuaikan* atau *mengadaptasikan*
◊ *His novel was adapted for television.*
Novelnya telah disesuaikan untuk
tayangan televisyen.
♦ **to adapt to something** menyesuaikan
diri dengan sesuatu ◊ *He adapted to
his new school very quickly.* Dia
menyesuaikan diri di sekolah barunya
dengan cepat sekali.

**adaptation**　KATA NAMA
*pengadaptasian*
◊ *Branagh's adaptation of Shakespeare's
play was highly praised.* Pengadaptasian
drama Shakespeare oleh Branagh
mendapat pujian ramai.

**adaptor**　KATA NAMA
*penyesuai palam* (*untuk barangan
elektrik*)

to **add**　KATA KERJA
*menambahkan*
◊ *Add more flour to the dough.*
Tambahkan lebih banyak tepung ke dalam
adunan.

to **add up**　KATA KERJA
*menjumlahkan*
◊ *Add up the figures.* Jumlahkan angka-
angka itu.

**ADD**　SINGKATAN （= *attention deficit
disorder*)

keadaan yang berlaku terutamanya
pada kanak-kanak yang tidak dapat
menumpukan perhatian yang lama
pada sesuatu, sukar untuk belajar dan
biasanya berkelakuan tidak senonoh

**addict**　KATA NAMA
*penagih*
◊ *a drug addict* penagih dadah
♦ **Martin's a football addict.** Martin
seorang kaki bola.

**addicted**　KATA ADJEKTIF
*ketagihan*
◊ *She's addicted to video games.* Dia
ketagihan permainan video.
♦ **to be addicted to drugs** ketagih dadah

**addiction**　KATA NAMA
*ketagihan*
◊ *She helped Asrul fight his drug
addiction.* Dia membantu Asrul melawan
ketagihan dadahnya.
♦ **drug addiction among teenagers**
penagihan dadah di kalangan remaja

**addition**　KATA NAMA
*tambahan*
♦ **in addition** juga ◊ *He's bought a new
car and, in addition, a motorbike.* Dia
membeli sebuah kereta baru dan juga
sebuah motosikal.
♦ **in addition to** selain ◊ *In addition to
the price of the cassettes, there's a charge
for postage.* Selain harga kaset, bayaran
pos juga dikenakan.

**additional**　KATA ADJEKTIF
*tambahan*
◊ *The teacher gave the students
additional exercises.* Guru itu memberi
pelajar-pelajar latihan tambahan.

**address**　KATA NAMA
(JAMAK **addresses**)

rujuk juga **address** KATA KERJA

*alamat*

to **address**　KATA KERJA

rujuk juga **address** KATA NAMA

1 *mengalamatkan*
◊ *The secretary addressed the letter
to the principal.* Setiausaha itu
mengalamatkan surat tersebut kepada
pengetua.
2 *menyampaikan ucapan kepada*
◊ *She addressed the audience.* Dia
menyampaikan ucapan kepada para
penonton.
3 *mengajukan*
◊ *She addressed her question to the
Chairman of the society.* Dia mengajukan
soalannya kepada Pengerusi persatuan.

**adept**　KATA ADJEKTIF

_mahir_
◊ He's an adept guitar player. Dia seorang pemain gitar yang mahir.

**adequate**   KATA ADJEKTIF
_mencukupi_
◊ The western diet should be perfectly adequate for most people. Diet cara Barat seharusnya sudah mencukupi bagi kebanyakan orang.

to **adhere**   KATA KERJA
_mematuhi_
◊ She adhered to the strict Islamic dress code. Dia mematuhi kod pakaian orang Islam yang ketat.

**adhesive**   KATA NAMA
rujuk juga **adhesive** KATA ADJEKTIF
_pelekat_

**adhesive**   KATA ADJEKTIF
rujuk juga **adhesive** KATA NAMA
_pelekat_
◊ adhesive tape   pita pelekat

**adjective**   KATA NAMA
_kata adjektif_

to **adjourn**   KATA KERJA
_bersurai_
◊ The meeting is adjourned!   Mesyuarat bersurai!
♦ **The trial has now been adjourned until next week.**   Perbicaraan itu kini ditangguhkan sehingga minggu hadapan.

to **adjust**   KATA KERJA
1 _melaraskan_
◊ You can adjust the height of the chair. Anda boleh melaraskan ketinggian kerusi itu.
2 _membetulkan_
◊ It can be easily adjusted using a screwdriver.   Benda ini boleh dibetulkan dengan mudah dengan menggunakan pemutar skru.
♦ **to adjust to something**   menyesuaikan diri dengan sesuatu ◊ He adjusted to his new school very quickly.   Dia menyesuaikan diri di sekolah barunya dengan cepat sekali.

**adjustable**   KATA ADJEKTIF
_boleh dilaraskan_

**adjustment**   KATA NAMA
_pelarasan_
◊ tax adjustment   pelarasan cukai

to **administer**   KATA KERJA
_mentadbirkan_
◊ the body that administers the country badan yang mentadbirkan negara

**administration**   KATA NAMA
_pentadbiran_

**administrative**   KATA ADJEKTIF
_pentadbiran_

**administrator**   KATA NAMA
_pentadbir_

**admirable**   KATA ADJEKTIF
_mengagumkan_

**admiral**   KATA NAMA
_laksamana_

**admiration**   KATA NAMA
_kekaguman_
◊ He examined the painting with great admiration.   Dia mengamati lukisan itu dengan penuh kekaguman.

to **admire**   KATA KERJA
_mengagumi_

**admirer**   KATA NAMA
_peminat_
◊ She received a bouquet of flowers from a secret admirer.   Dia menerima sejambak bunga daripada seorang peminat rahsia.

**admission**   KATA NAMA
_kemasukan_
♦ **"admission free"**   "masuk percuma"

to **admit**   KATA KERJA
_mengaku_
◊ I must admit that I've never heard of him.   Saya mengaku bahawa saya tidak pernah mendengar tentangnya. ◊ He admitted that he'd done it.   Dia mengaku bahawa dia telah melakukan perkara itu.

to **admonish**   KATA KERJA
_menegur_
◊ They admonished me for taking risks. Mereka menegur saya kerana mengambil risiko.

**adolescent**   KATA NAMA
_remaja_

to **adopt**   KATA KERJA
_menerima dan mengamalkan_
◊ They adopted a Western lifestyle. Mereka menerima dan mengamalkan cara hidup Barat.
♦ **There are many people who want to adopt a child.**   Ada ramai orang yang ingin mengambil anak angkat.

**adopted**   KATA ADJEKTIF
_angkat_
◊ an adopted child   anak angkat

**adoption**   KATA NAMA
_pengambilan anak angkat_

**adoptive**   KATA ADJEKTIF
_angkat_
◊ adoptive father   ayah angkat ◊ They became her adoptive family after the death of her parents.   Mereka menjadi keluarga angkatnya selepas kematian ibu bapanya.

**adorable**   KATA ADJEKTIF
_sungguh menawan hati_
◊ We have three adorable children. Kami mempunyai tiga orang cahaya mata yang sungguh menawan hati.

**adoration** KATA NAMA
*pemujaan*
♦ **He had been used to female adoration all his life.** Dia sudah biasa dipuja oleh orang perempuan sepanjang hayatnya.

to **adore** KATA KERJA
⊡ *amat menyayangi*
◊ *She adored her parents.* Dia amat menyayangi ibu bapanya.
⊡ *memuja*
◊ *Teenagers adore him.* Para remaja memujanya.

to **adorn** KATA KERJA
*menghiasi*
◊ *Several magnificent oil paintings adorn the walls.* Beberapa buah lukisan cat yang mengagumkan menghiasi dinding-dinding itu.

**adrift** KATA ADJEKTIF
*terapung-apung*
◊ *The boat was adrift in the rough sea.* Bot itu terapung-apung di laut yang bergelombang.

**adult** KATA NAMA
*orang dewasa*
◊ *adult education* pendidikan untuk orang dewasa

**adultery** KATA NAMA
*zina*

to **advance** KATA KERJA
┌─────────────────────────────┐
│ *rujuk juga* **advance** KATA NAMA │
└─────────────────────────────┘
⊡ *mara*
◊ *The troops are advancing.* Askar-askar itu sedang mara.
⊡ *maju*
◊ *Technology has advanced a lot.* Teknologi telah bertambah maju.

**advance** KATA NAMA
┌─────────────────────────────┐
│ *rujuk juga* **advance** KATA KERJA │
└─────────────────────────────┘
*pendahuluan* (*wang*)
♦ **in advance** lebih awal ◊ *They bought the tickets a month in advance.* Mereka telah membeli tiket itu sebulan lebih awal.

**advance booking** KATA NAMA
*tempahan awal*

**advanced** KATA ADJEKTIF
*maju*
◊ *This is the most advanced computer in the world.* Komputer ini merupakan komputer yang paling maju di dunia.
♦ **She is suffering from advanced cancer.** Dia menghidap barah yang serius.

**advantage** KATA NAMA
*kelebihan*
◊ *Going to university has many advantages.* Banyak kelebihannya belajar di universiti.
♦ **to take advantage** mengambil kesempatan ◊ *He took advantage of his*
day off to have a rest. Dia mengambil kesempatan untuk berehat pada hari cutinya. ◊ *The company was taking advantage of its employees.* Syarikat itu mengambil kesempatan ke atas pekerjanya.

**adventure** KATA NAMA
*pengalaman yang mencabar*

**adventuresome** KATA ADJEKTIF 🖾
⊡ *penuh dengan bahaya dan cabaran*
◊ *With him every day was exciting and adventuresome.* Setiap hari bersamanya adalah sesuatu yang amat menarik dan penuh dengan bahaya dan cabaran.
⊡ *suka menempuh bahaya dan cabaran* (*orang*)

**adventurous** KATA ADJEKTIF
⊡ *penuh dengan bahaya dan cabaran* (*keadaan*)
⊡ *suka menempuh bahaya dan cabaran* (*orang*)

**adverb** KATA NAMA
*kata adverba*

**advert** KATA NAMA
(*singkatan bagi* **advertisement**)
*iklan*

to **advertise** KATA KERJA
*mengiklankan*
◊ *Jobs are advertised in the papers.* Jawatan kosong diiklankan dalam surat khabar.

**advertisement** KATA NAMA
*iklan*

**advertiser** KATA NAMA
*pengiklan*

**advertising** KATA NAMA
*pengiklanan*

**advice** KATA NAMA
*nasihat*
◊ *to ask for advice* meminta nasihat
◊ *I'd like to ask your advice.* Saya ingin meminta nasihat daripada anda.
♦ **a piece of advice** nasihat ◊ *He gave me a good piece of advice.* Dia memberi saya nasihat yang berguna.

**advice columnist** KATA NAMA 🖾
*penulis ruangan nasihat*

**advice line** KATA NAMA
*talian nasihat*
◊ *For help on crime prevention, call our 24-hour advice line.* Untuk mendapatkan bantuan mengenai pencegahan jenayah, hubungi talian nasihat kami yang beroperasi selama 24 jam.

**advisable** KATA ADJEKTIF
*sebaik-baiknya*
◊ *It is advisable to book hotels in advance.* Sebaik-baiknya tempahlah hotel

lebih awal.
+ **It is not advisable to drink the water.**
Air itu tidak elok untuk diminum.

to **advise**  KATA KERJA
*menasihati*
◊ *He advised me to wait.* Dia
menasihati saya supaya menunggu.

**adviser**  KATA NAMA
*penasihat*

**advisory**  KATA ADJEKTIF
> rujuk juga **advisory** KATA NAMA

*penasihat*
◊ *the advisory committee* jawatankuasa
penasihat

**advisory**  KATA NAMA 🖾
(JAMAK **advisories**)
> rujuk juga **advisory** KATA ADJEKTIF

*maklumat* (tentang bahaya, dll)
◊ *The United States is reviewing its
travel advisory on Kenya.* Amerika
Syarikat sedang mengkaji semula
maklumatnya mengenai pelancongan di
Kenya.

**Aedes**  KATA NAMA
*Aedes*
◊ *The Aedes mosquito causes dengue
fever.* Nyamuk Aedes ialah penyebab
kepada penyakit denggi.

**aerial**  KATA NAMA
*antena*

**aerobics**  KATA NAMA JAMAK
*senaman aerobik*
◊ *I do aerobics.* Saya melakukan
senaman aerobik.

**aerogramme**  KATA NAMA
*aerogram*

**aeroplane**  KATA NAMA
*kapal terbang*

**aerosol**  KATA NAMA
*aerosol*

**affair**  KATA NAMA
① *hubungan sulit*
◊ *to have an affair with somebody*
mengadakan hubungan sulit dengan
seseorang
② *hal*
◊ *The government has mishandled the
affair.* Kerajaan tidak menangani hal itu
dengan baik.
+ **student affairs teacher** guru hal-ehwal
murid

to **affect**  KATA KERJA
① *mempengaruhi*
◊ *The outcome of that meeting will affect
our decision.* Keputusan mesyuarat itu
akan mempengaruhi keputusan kami.
② *menjejaskan*
◊ *The drought has affected many
people's lives.* Musim kemarau telah

menjejaskan kehidupan ramai orang.

**affected**  KATA ADJEKTIF
*mengada-ada*
◊ *affected behaviour* sikap yang
mengada-ada

**affection**  KATA NAMA
*kasih sayang*
◊ *Hindi films usually focus on love and
affection.* Filem Hindi selalunya
berkisarkan percintaan dan kasih sayang.

**affectionate**  KATA ADJEKTIF
*penyayang*

to **affix**  KATA KERJA
> rujuk juga **affix** KATA NAMA

*melekatkan*

**affix**  KATA NAMA
(JAMAK **affixes**)
> rujuk juga **affix** KATA KERJA

*imbuhan*

**affluent**  KATA ADJEKTIF
*mewah*
◊ *the affluent neigbourhood of Malibu*
kawasan kediaman mewah di Malibu

to **afford**  KATA KERJA
*mampu*
◊ *I can't afford a new pair of jeans.* Saya
tidak mampu membeli seluar jean yang
baru.
+ **We can't afford to wait any longer.**
Kami tidak boleh menunggu lagi.

**afloat**  KATA ADVERBA
*terapung*
◊ *The log was afloat on the water.*
Kayu balak itu terapung di atas air.

**afraid**  KATA ADJEKTIF
*takut*
+ **to be afraid of something** takut akan
sesuatu ◊ *I'm afraid of spiders.* Saya
takut akan labah-labah.
+ **I'm afraid I can't come.** Saya minta
maaf. Saya tidak dapat hadir.
+ **I'm afraid so.** Malangnya, ya.
+ **I'm afraid not.** Malangnya, tidak.
> *Dalam bahasa Inggeris, frasa* **I'm
afraid** *digunakan untuk
menyampaikan sesuatu dalam cara
yang sopan, terutama sekali apabila
perkara yang ingin disampaikan itu
mungkin mengecewakan pendengar.*

**Africa**  KATA NAMA
*Afrika*

**African**  KATA ADJEKTIF
> rujuk juga **African** KATA NAMA

*Afrika*
◊ *an African tribe* puak Afrika
+ **He's African.** Dia berbangsa Afrika.

**African**  KATA NAMA
> rujuk juga **African** KATA ADJEKTIF

*orang Afrika*

◊ *the Africans*  orang Afrika

**after**  KATA SENDI, KATA HUBUNG, KATA ADVERBA
*selepas*
◊ *after the match*  selepas perlawanan itu  ◊ *After I'd had a rest I went for a walk.*  Selepas berehat, saya pergi berjalan-jalan.  ◊ *after dinner*  selepas makan malam
♦ **He ran after me.**  Dia mengejar saya.
♦ **after all**  maklumlah  ◊ *I thought you might know somebody. After all, you're the man with connections.*  Saya fikir anda mungkin kenal seseorang. Maklumlah, anda mempunyai ramai kenalan.
♦ **soon after**  sejurus selepas

**afternoon**  KATA NAMA
⒈ *tengah hari*
◊ *one o'clock in the afternoon*  pukul satu tengah hari
⒉ *petang*
◊ *three o'clock in the afternoon*  pukul tiga petang

**aftershave**  KATA NAMA
*losen selepas bercukur*

**afterwards**  KATA ADVERBA
*kemudian*
◊ *She left not long afterwards.*  Dia pergi tidak lama kemudian.

**again**  KATA ADVERBA
⒈ *semula*
◊ *They're friends again.*  Mereka berkawan semula.
⒉ *sekali lagi*
◊ *I'd like to hear it again.*  Saya ingin mendengarnya sekali lagi.  ◊ *Can you tell me again?*  Bolehkah anda beritahu saya sekali lagi?  ◊ *Do it again!*  Buatlah sekali lagi!
♦ **not...again**  tidak...lagi  ◊ *I won't go there again.*  Saya tidak akan pergi ke sana lagi.
♦ **again and again**  berkali-kali

**against**  KATA SENDI
⒈ *pada*
◊ *He leant against the wall.*  Dia bersandar pada dinding.
⒉ *menentang*
◊ *I'm against nuclear testing.*  Saya menentang ujian nuklear.

**agape**  KATA ADJEKTIF
*melopong*
◊ *She stood looking at Audrey with her mouth agape.*  Dia berdiri memandang Audrey dengan mulut yang melopong.

**age**  KATA NAMA
*umur*
◊ *an age limit*  had umur  ◊ *at the age of sixteen*  pada umur enam belas tahun

♦ **I haven't been to the cinema for ages.**  Sudah lama saya tidak pergi ke panggung wayang.

**aged**  KATA ADJEKTIF
*berumur*
◊ *aged ten*  berumur sepuluh tahun
♦ **She has aged.**  Dia sudah berumur.
♦ **home for the aged**  rumah orang tua

**ageing**  KATA ADJEKTIF
> rujuk juga **ageing** KATA NAMA
⒈ *semakin tua* (orang)
⒉ *sudah lama* (benda)

**ageing**  KATA NAMA
> rujuk juga **ageing** KATA ADJEKTIF
*penuaan*
◊ *ageing process*  proses penuaan

**agency**  KATA NAMA
(JAMAK **agencies**)
*agensi*

**agenda**  KATA NAMA
*agenda*

**agent**  KATA NAMA
⒈ *ejen*
◊ *She's a travel agent.*  Dia seorang ejen pelancongan.
⒉ *agen* (dalam tindak balas, proses kimia)

to **aggravate**  KATA KERJA
*memburukkan lagi*
◊ *Stress and lack of sleep can aggravate the situation.*  Tekanan dan tidur yang tidak cukup boleh memburukkan lagi keadaan.
♦ **The plan is likely to aggravate ethnic tensions.**  Rancangan itu mungkin akan menggalakkan pergeselan etnik.

**aggregate**  KATA NAMA
*agregat*

**aggressive**  KATA ADJEKTIF
*agresif*

**aggrieved**  KATA ADJEKTIF
*terkilan*
◊ *Amy was aggrieved when Peter scolded her in public.*  Amy terkilan apabila Peter memarahinya di khalayak ramai.

**agile**  KATA ADJEKTIF
*tangkas*
◊ *That netball player is very agile.*  Pemain bola jaring itu sangat tangkas.

**agility**  KATA NAMA
*ketangkasan*
◊ *Sheryl was surprised at his agility.*  Sheryl terpegun melihat ketangkasannya.

**ago**  KATA ADVERBA
*yang lalu*
◊ *two days ago*  dua hari yang lalu
♦ **not long ago**  tidak lama dahulu
♦ **How long ago did it happen?**  Sudah

berapa lamakah perkara ini berlaku?

**agony**  KATA NAMA

(JAMAK **agonies**)

_kesakitan yang amat sangat_

◊ **to be in agony**  menderita kesakitan yang amat sangat

♦ **It was agony!**  Sungguh menyeksa!

**agony aunt**  KATA NAMA

_penulis ruangan nasihat_

to **agree**  KATA KERJA

_bersetuju_

◊ _I agree with Carol._  Saya bersetuju dengan Carol.

♦ **to agree to do something**  bersetuju untuk melakukan sesuatu ◊ _They agreed to meet again next week._  Mereka bersetuju untuk berjumpa lagi pada minggu hadapan.

♦ **He was forced to agree to the demands of his child's kidnappers.**  Dia terpaksa akur dengan tuntutan penculik-penculik anaknya.

♦ **Garlic doesn't agree with me.**  Saya tidak boleh makan bawang putih.

**agreed**  KATA ADJEKTIF

_dipersetujui_

◊ _at the agreed time_  pada masa yang dipersetujui

**agreement**  KATA NAMA

_persetujuan_

◊ _to be in agreement_  mempunyai persetujuan

♦ **They've signed the agreement.**  Mereka telah menandatangani perjanjian tersebut.

**agricultural**  KATA ADJEKTIF

_pertanian_

◊ _agricultural products_  produk-produk pertanian

**agriculture**  KATA NAMA

_sektor pertanian_

**ahead**  KATA ADVERBA

_ke hadapan_

◊ _She looked straight ahead._  Dia memandang terus ke hadapan.

♦ **to plan ahead**  merancang terlebih dahulu

♦ **The Spanish are five points ahead.**  Pasukan Sepanyol mendahului sebanyak lima mata.

♦ **Go ahead! Help yourself!**  Silakan! Jangan malu-malu!

♦ **You may go ahead with your work now.**  Anda boleh teruskan kerja anda sekarang.

♦ **ahead of**  di hadapan

♦ **ahead of time**  lebih awal

**aid**  KATA NAMA

_bantuan_

♦ **in aid of children**  untuk membantu kanak-kanak

**AIDS**  SINGKATAN (= _acquired immune deficiency syndrome_)

_AIDS_ (= _sindrom kurang daya tahan penyakit_)

**ailing**  KATA ADJEKTIF

_gawat_

◊ _They are striving to restore the country's ailing economy._  Mereka sedang berusaha untuk membaik pulih keadaan ekonomi negara yang gawat.

**ailment**  KATA NAMA

_penyakit_

to **aim**  KATA KERJA

> rujuk juga **aim** KATA NAMA

_berhasrat_

◊ _to aim to do something_  berhasrat untuk melakukan sesuatu

♦ **to aim at**  mengacukan ◊ _He aimed a gun at me._  Dia mengacukan sepucuk pistol ke arah saya.

♦ **The film is aimed at children.**  Filem itu ditujukan kepada kanak-kanak.

**aim**  KATA NAMA

> rujuk juga **aim** KATA KERJA

_matlamat_

**air**  KATA NAMA

_udara_

◊ _She went out to get some fresh air._  Dia keluar untuk menyedut udara segar.

♦ **by air**  dengan menaiki kapal terbang

**air-con**  KATA NAMA

_sistem hawa dingin_

**air conditioned**  KATA ADJEKTIF

_berhawa dingin_

**air conditioner**  KATA NAMA

_alat hawa dingin_

**air conditioning**  KATA NAMA

_sistem hawa dingin_

**aircraft**  KATA NAMA

_pesawat udara_

**Air Force**  KATA NAMA

_tentera udara_

**air hostess**  KATA NAMA

(JAMAK **air hostesses**)

_pramugari_

◊ _She's an air hostess._  Dia seorang pramugari.

**airline**  KATA NAMA

_syarikat penerbangan_

**airmail**  KATA NAMA

_mel udara_

**airplane**  KATA NAMA 🔲

_kapal terbang_

**airport**  KATA NAMA

_lapangan terbang_

**air rage**  KATA NAMA

_tindakan agresif penumpang kapal terbang_

**airsick**  KATA ADJEKTIF

_mabuk udara_

**airtight** KATA ADJEKTIF
*kedap udara*

**aisle** KATA NAMA
*lorong* (di dalam kapal terbang, panggung wayang, gereja)

**akimbo** KATA ADVERBA

♦ **to stand with one's arms akimbo** bercekak pinggang ◊ *She stands with her arms akimbo.* Dia bercekak pinggang.

**alarm** KATA NAMA

> *rujuk juga* **alarm** KATA KERJA

*kebimbangan*
◊ *The news caused the minister some alarm.* Berita itu menimbulkan kebimbangan menteri itu.

♦ **a fire alarm** penggera kebakaran

to **alarm** KATA KERJA

> *rujuk juga* **alarm** KATA NAMA

*menggelisahkan*
◊ *We knew that the incident had alarmed him.* Kami tahu kejadian itu menggelisahkannya.

**alarm clock** KATA NAMA
*jam loceng*

**albino** KATA ADJEKTIF
*balar*
◊ *three albino deer* tiga ekor rusa balar

**album** KATA NAMA
*album*

**alcohol** KATA NAMA
*alkohol*

**alcoholic** KATA NAMA

> *rujuk juga* **alcoholic** KATA ADJEKTIF

*peminum*

**alcoholic** KATA ADJEKTIF

> *rujuk juga* **alcoholic** KATA NAMA

*beralkohol*

♦ **alcoholic drinks** minuman keras

**alert** KATA ADJEKTIF
1 *cerdas*
◊ *He's a very alert baby.* Dia seorang bayi yang sungguh cerdas.
2 *berjaga-jaga*
◊ *We must stay alert.* Kita mesti sentiasa berjaga-jaga.

**A levels** KATA NAMA JAMAK
*A levels*

> **A levels** setara dengan peperiksaan STPM dan merupakan syarat kelayakan untuk memasuki universiti luar negara, terutama sekali di Britain.

**algae** KATA NAMA
*alga*

**Algeria** KATA NAMA
*Algeria*

**alien** KATA ADJEKTIF

> *rujuk juga* **alien** KATA NAMA

*asing*
◊ *alien forces* kuasa-kuasa asing

**alien** KATA NAMA

> *rujuk juga* **alien** KATA ADJEKTIF

1 *pendatang asing*
2 *makhluk asing*

**alight** KATA ADJEKTIF
*berapi*
◊ *Make sure the campfire is no longer alight before you go to bed.* Pastikan unggun api itu tidak berapi lagi sebelum anda masuk tidur.

♦ **Several buildings were set alight.** Beberapa buah bangunan telah dibakar.

**alike** KATA ADVERBA
*serupa*

♦ **to look alike** kelihatan serupa ◊ *The two books look alike.* Kedua-dua buku itu kelihatan serupa.

♦ **The two sisters look alike.** Wajah kedua-dua adik-beradik itu seiras.

**alive** KATA ADJEKTIF
*hidup*

**all** KATA ADJEKTIF, KATA GANTI NAMA, KATA ADVERBA
*semua*
◊ *All of us went.* Kami semua telah pergi.

♦ **That's all I can remember.** Itu sahaja yang saya boleh ingat.

♦ **I ate all of it.** Saya telah makan kesemuanya.

♦ **all day** sepanjang hari

♦ **all alone** seorang diri

♦ **at all** langsung ◊ *He didn't eat at all.* Dia langsung tidak makan.

♦ **not at all** tidak ... langsung ◊ *I'm not tired at all.* Saya tidak letih langsung.

♦ **Thank you. - Not at all.** Terima kasih. - Sama-sama.

♦ **She talks all the time.** Dia bercakap sepanjang masa.

♦ **The score is five all.** Mata sekarang ialah lima sama.

to **allay** KATA KERJA
*mengurangkan*
◊ *He did what he could to allay his wife's fears.* Dia mencuba sedaya upaya untuk mengurangkan perasaan takut isterinya.

**allegation** KATA NAMA
*dakwaan*

**alleged** KATA ADJEKTIF
*dikatakan*
◊ *a list of alleged war criminals* senarai orang yang dikatakan sebagai penjenayah perang

**allegiance** KATA NAMA
*kesetiaan*

**allergic** KATA ADJEKTIF
*alah*

♦ **to be allergic to something** alah pada

sesuatu

**allergy** KATA NAMA
(JAMAK **allergies**)
_alahan_

**alley** KATA NAMA
_lorong_

**alliance** KATA NAMA
_perikatan_
◊ The two countries intend to form an alliance. Kedua-dua negara itu bercadang untuk membentuk satu perikatan.

**allocation** KATA NAMA
_peruntukan_
◊ the allocation from the Department of Education peruntukan daripada Kementerian Pendidikan

to **allocate** KATA KERJA
_memperuntukkan_
◊ The school authorities have allocated RM3000 to help poor students. Pihak sekolah telah memperuntukkan wang sejumlah RM3000 untuk membantu pelajar-pelajar miskin.

to **allow** KATA KERJA
_membenarkan_
◊ His mum allowed him to go out. Emaknya membenarkannya keluar.
◊ He's not allowed to go out at night. Dia tidak dibenarkan keluar pada waktu malam.
♦ **Smoking is not allowed.** Dilarang merokok.

**allowance** KATA NAMA
_elaun_
◊ He received a monthly allowance of RM50. Dia menerima elaun bulanan sebanyak RM50.

**alloy** KATA NAMA
_aloi_

**all right** KATA ADVERBA, KATA ADJEKTIF
1 _boleh tahan_
◊ The film was all right. Filem itu boleh tahan.
2 _baiklah_
◊ We'll talk about it later. - All right. Kita akan bincangkan hal itu nanti. - Baiklah.
♦ **Everything turned out all right.** Ternyata semuanya berjalan lancar.
♦ **Are you all right?** Anda tidak apa-apa?
♦ **Is that all right with you?** Anda tidak keberatan?

**alluring** KATA ADJEKTIF
_menggoda_
◊ The girl was very alluring. Gadis itu sungguh menggoda.

**alluvium** KATA NAMA
_tanah lanar_

**ally** KATA NAMA
(JAMAK **allies**)

| rujuk juga **ally** KATA KERJA |
_sekutu_
◊ That country is an ally of the United States. Negara itu merupakan sekutu Amerika Syarikat.

to **ally** KATA KERJA
(**allied, allied**)

| rujuk juga **ally** KATA NAMA |
_bersekutu_
◊ That country allied itself with Germany. Negara itu bersekutu dengan Jerman.

**almighty** KATA NAMA
_Maha Kuasa_
◊ God the Almighty Tuhan yang Maha Kuasa

**almond** KATA NAMA
_badam_

**almost** KATA ADVERBA
1 _hampir-hampir_
◊ We almost lost the match. Kami hampir-hampir tewas dalam perlawanan itu.
2 _sudah hampir_
◊ My work is almost finished. Kerja saya sudah hampir siap.

**alms** KATA NAMA JAMAK
_sedekah_

**alone** KATA ADJEKTIF, KATA ADVERBA
_seorang diri_
◊ She lives alone. Dia tinggal seorang diri.
♦ **to leave somebody alone** membiarkan seseorang
♦ **Leave her alone!** Jangan ganggu dia!
♦ **to leave something alone** membiarkan sesuatu
♦ **Leave my things alone!** Jangan usik barang-barang saya!

**along** KATA SENDI, KATA ADVERBA
_sepanjang_
◊ Calvin was walking along the beach. Calvin berjalan di sepanjang pantai itu.
♦ **all along (1)** di sepanjang ◊ There were restaurants all along the street. Ada kedai makan di sepanjang jalan itu.
♦ **all along (2)** sejak dari mula lagi ◊ He was lying to me all along. Dia telah menipu saya sejak dari mula lagi.

**alongside** KATA SENDI
_di tepi_

**aloud** KATA ADVERBA
_dengan kuat_

**alphabet** KATA NAMA
_abjad_

**alphabetically** KATA ADVERBA
_mengikut abjad_

**Alps** KATA NAMA JAMAK
_pergunungan Alp_

**already** KATA ADVERBA

*sudah*
◊ *Liz had already gone.* Liz sudah pergi.

**also** KATA ADVERBA
*juga*

**altar** KATA NAMA
*altar* (*tempat pemujaan*)

to **alter** KATA KERJA
*mengubah*
◊ *They have never altered their schedule.* Mereka tidak pernah mengubah jadual mereka.

**alternate** KATA ADJEKTIF
*berselang-seli*
◊ *alternate bands of colour* jalur-jalur warna yang berselang-seli
♦ **on alternate days** selang hari

**alternative** KATA NAMA

> rujuk juga **alternative** KATA ADJEKTIF

1 *pilihan*
◊ *You have no alternative.* Anda tidak ada pilihan.
2 *alternatif*
◊ *Fruit is a healthy alternative to chocolate.* Buah-buahan merupakan alternatif yang sihat untuk menggantikan coklat.

**alternative** KATA ADJEKTIF

> rujuk juga **alternative** KATA NAMA

*alternatif*
◊ *They made alternative plans.* Mereka membuat rancangan alternatif.
◊ *alternative medicine* ubat alternatif

**alternatively** KATA ADVERBA
*sebagai alternatif*
◊ *Alternatively, we could just stay at home.* Sebagai alternatif, kita boleh duduk di rumah sahaja.

**although** KATA HUBUNG
*walaupun*
◊ *Although she was tired, she stayed up late.* Walaupun dia letih, dia masih berjaga sehingga lewat malam.

**altogether** KATA ADVERBA
1 *semuanya*
◊ *You owe me RM20 altogether.* Anda berhutang dengan saya sebanyak RM20 semuanya.
2 *sepenuhnya*
◊ *I'm not altogether happy with your work.* Saya tidak berpuas hati dengan kerja anda sepenuhnya.

**aluminium** KATA NAMA
(AS **aluminum**)
*aluminium*

**always** KATA ADVERBA
*selalu*
◊ *He's always moaning.* Dia selalu mengeluh.

**am** KATA KERJA *rujuk* **be**

**a.m.** SINGKATAN
*pagi*
◊ *at 4 a.m.* pada pukul empat pagi

**AM (1)** SINGKATAN (= *amplitude modulation*) (*radio*)
*AM* (= *pemodulatan amplitud*)

**AM (2)** SINGKATAN (= *Assembly Member*)
*Ahli Dewan Undangan*

**amateur** KATA NAMA
*amatur*

to **amaze** KATA KERJA
*menakjubkan*
◊ *He amazed everybody with his physical strength.* Dia menakjubkan semua orang dengan kekuatan fizikalnya.

**amazed** KATA ADJEKTIF
*kagum*
◊ *I was amazed that I managed to do it.* Saya berasa kagum kerana saya dapat melakukannya.

**amazing** KATA ADJEKTIF
1 *menakjubkan*
◊ *That's amazing news!* Itu berita yang menakjubkan!
2 *hebat*
◊ *Vivian is an amazing cook.* Vivian seorang tukang masak yang hebat.

**ambassador** KATA NAMA
*duta*

**amber** KATA ADJEKTIF
*kuning keperang-perangan*
♦ **an amber light** lampu isyarat kuning

**ambiguity** KATA NAMA
(JAMAK **ambiguities**)
*ketaksaan*

**ambiguous** KATA ADJEKTIF
*taksa*
◊ *an ambiguous sentence* ayat yang taksa

**ambition** KATA NAMA
*cita-cita*

**ambitious** KATA ADJEKTIF
*bercita-cita tinggi*

**ambulance** KATA NAMA
*ambulans*

**ambush** KATA NAMA
(JAMAK **ambushes**)
*serangan hendap*
◊ *The policeman was shot dead in an ambush.* Anggota polis itu ditembak mati dalam satu serangan hendap.

to **amend** KATA KERJA
*meminda*
◊ *The government has amended the Act.* Kerajaan telah meminda Akta itu.

**amendment** KATA NAMA
1 *pindaan* (*undang-undang*)
2 *pembetulan*

◊   *I showed him the script and he made some amendments.*   Saya menunjukkan skrip itu kepadanya dan dia membuat beberapa pembetulan.

**amenities**   KATA NAMA JAMAK
*kemudahan*
◊   *The hotel has very good amenities.*   Hotel itu mempunyai kemudahan yang sangat baik.   ◊   *The town has many amenities.*   Bandar itu mempunyai kemudahan yang banyak.

**America**   KATA NAMA
1   *Amerika Syarikat*
2   *benua Amerika*

**American**   KATA ADJEKTIF
| rujuk juga **American** KATA NAMA |
*Amerika*
◊   *the American flag*   bendera Amerika
♦   **He's American.**   Dia berbangsa Amerika.

**American**   KATA NAMA
| rujuk juga **American** KATA ADJEKTIF |
*orang Amerika*
◊   *the Americans*   orang Amerika

**amicably**   KATA ADVERBA
*dengan baik*
◊   *He hoped the dispute could be settled amicably.*   Dia berharap pertelingkahan itu dapat diselesaikan dengan baik.

**amid**   KATA SENDI
*di tengah-tengah*
◊   *a tiny bungalow amid clusters of trees*   sebuah banglo kecil di tengah-tengah rimbunan pohon
♦   **Children were changing classrooms amid laughter and shouting.**   Kanak-kanak bertukar kelas sambil bergelak ketawa dan menjerit.

**ammunition**   KATA NAMA
*peluru*

**among**   KATA SENDI
*antara*
among *digunakan apabila melibatkan lebih daripada dua orang.*
♦   **I was among friends.**   Saya berada bersama kawan-kawan.

**amount**   KATA NAMA
| rujuk juga **amount** KATA KERJA |
*jumlah*
◊   *a large amount of money*   sejumlah wang yang banyak

to **amount**   KATA KERJA
| rujuk juga **amount** KATA NAMA |
♦   **to amount to (1)**   berjumlah   ◊   *His savings amount to ten thousand ringgits.*   Simpanannya berjumlah sepuluh ribu ringgit.
♦   **to amount to (2)**   sama seperti   ◊   *The banks have what amounts to a monopoly.*   Bank itu memiliki sesuatu yang sama

seperti monopoli.

**amp**   KATA NAMA
1   *ampere*
2   *pembesar suara*

**amphibian**   KATA NAMA
*amfibia*

**amplifier**   KATA NAMA
*pembesar suara*

**amulet**   KATA NAMA
*tangkal*

to **amuse**   KATA KERJA
*menghiburkan hati*
◊   *The thought seemed to amuse him.*   Nampaknya idea itu menghiburkan hatinya.
♦   **He was most amused by the story.**   Dia amat terhibur dengan cerita itu.

**amusement**   KATA NAMA
*hiburan*

**amusement arcade**   KATA NAMA
*pusat hiburan*

**amusing**   KATA ADJEKTIF
*menggelikan hati*
◊   *an amusing story*   cerita yang menggelikan hati

**an**   KATA SANDANG TAK TENTU
an *digunakan di hadapan perkataan yang bermula dengan bunyi vokal.*
1   *se + penjodoh bilangan*
◊   *an apple*   sebiji epal   ◊   *an umbrella*   sekaki payung
♦   **an hour**   sejam
2   *satu*
◊   *an expedition*   satu ekspedisi
Ada kalanya **an** tidak diterjemahkan.
◊   *an age limit*   had umur   ◊   *There is an abundant supply of cheap labour.*   Ada banyak tenaga buruh yang murah.

**anaesthetic**   KATA NAMA
*ubat bius*

to **anaesthetize**   KATA KERJA
*membius*
◊   *The doctor anaesthetized the patient before the operation.*   Doktor membius pesakit itu sebelum menjalankan pembedahan.

**analogue**   KATA ADJEKTIF
*analog*
◊   *in analogue format*   dalam format analog

to **analyse**   KATA KERJA
*mengkaji* atau *menganalisis*

**analysis**   KATA NAMA
(JAMAK   **analyses**)
*kajian* atau *analisis*

**analyst**   KATA NAMA
*penganalisis*

to **analyze**   KATA KERJA 🔲
*mengkaji* atau *menganalisis*

**anaphylactic** KATA ADJEKTIF
(*perubatan*)
 *anapilaksis*
 ◊ *anaphylactic shock* kejutan
 anapilaksis
**ancestor** KATA NAMA
 *nenek moyang*
**ancestral** KATA ADJEKTIF
 *pusaka*
 ◊ *ancestral home* rumah pusaka
 ◊ *ancestral land* tanah pusaka
**anchor** KATA NAMA
| rujuk juga **anchor** KATA KERJA |
 *sauh*
to **anchor** KATA KERJA
| rujuk juga **anchor** KATA NAMA |
 *bersauh*
 ◊ *The boat anchored in the harbour.* Bot
 itu bersauh di pelabuhan itu.
**anchovy** KATA NAMA
 (JAMAK **anchovies**)
 *ikan bilis*
**ancient** KATA ADJEKTIF
 1 *purba*
 ◊ *ancient Greece* Yunani purba
 2 *sangat lama* (*benda*)
 ♦ **an ancient monument** bangunan lama
 yang bersejarah
**and** KATA HUBUNG
 *dan*
 ◊ *Mary and Jane.* Mary dan Jane.
 ◊ *Please come and try!* Datanglah dan
 cuba!
 **and** *tidak diterjemahkan apabila
 digunakan untuk menghubungkan
 angka.*
 ◊ *two hundred and fifty* dua ratus lima
 puluh
 ♦ **He talked and talked.** Dia bercakap
 tidak berhenti-henti.
 ♦ **better and better** semakin baik
**angel** KATA NAMA
 1 *malaikat*
 2 *bidadari*
**anger** KATA NAMA
| rujuk juga **anger** KATA KERJA |
 *perasaan marah*
to **anger** KATA KERJA
| rujuk juga **anger** KATA NAMA |
 *mencetuskan kemarahan*
 ◊ *His outrageous behaviour angered his
 friend.* Sikapnya yang keterlaluan itu telah
 mencetuskan kemarahan rakannya.
**angle** KATA NAMA
 *sudut*
**angler** KATA NAMA
 *pemancing*
**anglicized** KATA ADJEKTIF
 *keinggerisan*

 ◊ *an anglicized way of speaking* gaya
 pertuturan yang keinggerisan
**angling** KATA NAMA
 *memancing*
 ◊ *His hobby is angling.* Hobinya ialah
 memancing.
**angry** KATA ADJEKTIF
 *marah*
 ◊ *Your father looks very angry.* Ayah
 anda kelihatan sangat marah.
 ♦ **to be angry with somebody** marah
 akan seseorang
 ♦ **to get angry** naik marah
**animal** KATA NAMA
 *haiwan*
**animated** KATA ADJEKTIF
 1 *rancak*
 ◊ *an animated conversation* perbualan
 yang rancak
 2 *animasi*
 ◊ *Disney's animated film 'The Lion King'*
 filem animasi Disney 'The Lion King'
**animation** KATA NAMA
 *animasi*
**ankle** KATA NAMA
 *buku lali*
 ♦ **I've twisted my ankle.** Kaki saya
 terseliuh.
**anniversary** KATA NAMA
 (JAMAK **anniversaries**)
 *ulang tahun*
 ◊ *wedding anniversary* ulang tahun
 perkahwinan
to **announce** KATA KERJA
 *mengumumkan*
**announcement** KATA NAMA
 *pengumuman*
to **annoy** KATA KERJA
 *menjengkelkan*
 ◊ *Make a note of the things that annoy
 you.* Senaraikan perkara-perkara yang
 menjengkelkan anda.
 ♦ **to be annoyed with somebody** berasa
 jengkel terhadap seseorang
 ♦ **to get annoyed** geram ◊ *Don't get
 annoyed!* Janganlah geram!
**annoyance** KATA NAMA
 *rasa jengkel*
 ♦ **To her annoyance, the stranger did not
 go away.** Yang menjengkelkannya ialah
 orang yang tidak dikenalinya itu tidak
 pergi dari situ.
**annoying** KATA ADJEKTIF
 *menjengkelkan*
 ◊ *the most annoying problem* masalah
 yang paling menjengkelkan ◊ *I find it
 very annoying.* Saya mendapati perkara
 itu sangat menjengkelkan.
**annual** KATA ADJEKTIF

*tahunan*

**annually** KATA ADVERBA

*setahun sekali*
◊ *Companies report to their shareholders annually.* Syarikat-syarikat mengemukakan laporan kepada pemegang saham setahun sekali.

**anonymous** KATA ADJEKTIF

*tidak diketahui namanya*
◊ *an anonymous donor* penderma yang tidak diketahui namanya
♦ **an anonymous letter** surat layang

**anorak** KATA NAMA

*anorak*
| *baju hujan yang mempunyai hud* |

**another** KATA ADJEKTIF, KATA GANTI NAMA

1 *satu lagi*
♦ **They're going to have another baby.** Mereka akan mendapat seorang anak lagi.
2 *yang lain*
◊ *Have you got another skirt?* Anda ada skirt yang lain?
♦ **another two kilometres** dua kilometer lagi

to **answer** KATA KERJA

| *rujuk juga* **answer** KATA NAMA |

*menjawab*
◊ *Can you answer my question?* Bolehkah anda jawab soalan saya?
♦ **to answer the phone** menjawab telefon
♦ **to answer the door** membuka pintu
(*untuk menjemput tetamu masuk*)
◊ *Can you answer the door please?* Bolehkah anda tolong buka pintu?

**answer** KATA NAMA

| *rujuk juga* **answer** KATA KERJA |

1 *jawapan* (*kepada soalan*)
2 *penyelesaian* (*kepada masalah*)

**answering machine** KATA NAMA

*mesin menjawab panggilan telefon*

**ant** KATA NAMA

*semut*

**Antarctic** KATA NAMA

*Antartika*
♦ **the Antarctic** kawasan Antartika

**anthem** KATA NAMA

*lagu kebangsaan*
♦ **the national anthem** lagu kebangsaan
♦ **the Olympic anthem** lagu Olimpik

**anthill** KATA NAMA

*busut*

**antibiotic** KATA NAMA

*antibiotik*

to **anticipate** KATA KERJA

*menjangkakan*
◊ *Sheryl had anticipated that she would visit.* Sheryl telah menjangkakan bahawa dia akan datang melawat.

**anticipation** KATA NAMA

*penuh harapan*
◊ *The children waited with anticipation for their grandfather to arrive.* Kanak-kanak itu menunggu ketibaan datuk mereka dengan penuh harapan.

**anticlockwise** KATA ADVERBA

*lawan arah jam*

**antidepressant** KATA NAMA

*antidepresan*

**antidote** KATA NAMA

*penawar*

**antique** KATA NAMA

*antik*

**antique shop** KATA NAMA

*kedai barang antik*

**antiseptic** KATA NAMA

*antiseptik*

**antonym** KATA NAMA

*perkataan berlawanan*

**anus** KATA NAMA

(JAMAK **anuses**)
*dubur*

**anxiety** KATA NAMA

(JAMAK **anxieties**)
*kebimbangan*
◊ *Her voice was full of anxiety.* Suaranya penuh dengan kebimbangan.

**anxious** KATA ADJEKTIF

*cemas*
◊ *She was anxious about her exam results.* Dia cemas memikirkan keputusan peperiksaannya.

**any** KATA ADJEKTIF, KATA ADVERBA

| *rujuk juga* **any** KATA GANTI NAMA |

1 *sebarang*
◊ *without any help* tanpa sebarang bantuan
2 *mana-mana*
◊ *Any teacher will tell you.* Mana-mana guru pun akan memberitahu anda.

*Dalam sesetengah soalan dan ayat negatif,* **any** *biasanya tidak diterjemahkan.*

◊ *Have you got any change?* Anda ada wang kecil? ◊ *Are there any beans left?* Ada kacang yang tinggal lagi?
◊ *He hasn't got any friends.* Dia tidak mempunyai kawan.
♦ **Do you speak any foreign languages?** Anda boleh bertutur dalam bahasa asing?
♦ **I haven't got any books by Cervantes.** Saya tidak mempunyai sebuah buku pun yang ditulis oleh Cervantes.
♦ **Come any time you like.** Datanglah pada bila-bila masa sahaja.
♦ **I don't love him any more.** Saya tidak mencintainya lagi.

**any** KATA GANTI NAMA

*rujuk juga* **any** KATA ADJEKTIF, KATA ADVERBA

*Biasanya* **any** *tidak diterjemahkan. Kadang-kadang perkataan yang sepatutnya digantikan oleh* **any** *akan diulangi.*

◊ *I don't like any of them.* Saya tidak menyukai mereka. ◊ *I need a stamp. Have you got any left?* Saya perlukan setem. Anda ada setem lagi? ◊ *I fancy some bread. Have we got any?* Saya rasa hendak makan roti. Kita ada roti?

♦ **Did you buy the oranges? - No, there weren't any.** Adakah anda membeli oren? - Tidak, tidak ada sebiji pun yang dijual.

**anybody** KATA GANTI NAMA

① *sesiapa*
◊ *Has anybody got a pen?* Ada sesiapa yang mempunyai pen?

② *sesiapa pun*
◊ *I can't see anybody.* Saya tidak nampak sesiapa pun. ◊ *Anybody can learn to swim.* Sesiapa pun boleh belajar berenang.

**anyhow** KATA ADVERBA

*walau bagaimanapun*
◊ *He doesn't want to go out and anyhow he's not allowed.* Dia tidak mahu keluar dan walau bagaimanapun dia memang tidak dibenarkan keluar.

**anyone** KATA GANTI NAMA

① *sesiapa*
◊ *Has anyone got a pen?* Ada sesiapa yang mempunyai pen?

② *sesiapa pun*
◊ *I can't see anyone.* Saya tidak nampak sesiapa pun. ◊ *Anyone can learn to swim.* Sesiapa pun boleh belajar berenang.

**anything** KATA GANTI NAMA

*apa-apa*
◊ *Do you need anything?* Anda memerlukan apa-apa? ◊ *I can't hear anything.* Saya tidak dapat mendengar apa-apa.

♦ **Anything could happen.** Apa-apa sahaja boleh berlaku.

**anytime** KATA ADVERBA

*bila-bila masa*
◊ *He can leave anytime he wants.* Dia boleh pergi pada bila-bila masa sahaja.

**anyway** KATA ADVERBA

*walau bagaimanapun*
◊ *He doesn't want to go out and anyway he's not allowed.* Dia tidak mahu keluar dan walau bagaimanapun dia memang tidak dibenarkan keluar.

**anywhere** KATA ADVERBA

*mana-mana*
◊ *Have you seen my coat anywhere?* Adakah anda nampak kot saya di mana-mana? ◊ *Are we going anywhere?* Adakah kita hendak ke mana-mana? ◊ *I can't find it anywhere.* Saya tidak menjumpainya di mana-mana pun.

♦ **You can buy stamps almost anywhere.** Anda boleh membeli setem hampir di mana-mana sahaja.

**apart** KATA ADVERBA

*berjauhan*
◊ *It was the first time we had been apart.* Itulah kali pertama kami berjauhan.

♦ **The two towns are 10 kilometres apart.** Jarak di antara dua bandar itu ialah 10 kilometer.

♦ **apart from** selain ◊ *Apart from that, everything's fine.* Selain itu, semuanya baik.

**apartment** KATA NAMA 🔲
*rumah pangsa* atau *flat*

**ape** KATA NAMA
*beruk*

to **apologize** KATA KERJA
*meminta maaf*
◊ *He apologized for being late.* Dia meminta maaf kerana lewat. ◊ *I apologize!* Saya minta maaf!

**apology** KATA NAMA
(JAMAK **apologies**)
*maaf*
◊ *I owe you an apology.* Saya perlu meminta maaf daripada anda.

**apostrophe** KATA NAMA

*nama bagi tanda bacaan (') yang digunakan dalam wacana bahasa Inggeris*

**appalling** KATA ADJEKTIF
*dahsyat*
◊ *the most appalling conditions* keadaan yang paling dahsyat

♦ **I developed an appalling headache.** Kepala saya sakit dengan begitu teruk.

**apparatus** KATA NAMA
(JAMAK **apparatus** atau **apparatuses**)
*alat*

**apparent** KATA ADJEKTIF
*jelas*
◊ *for no apparent reason* tanpa sebarang sebab yang jelas ◊ *It was apparent that he disliked me.* Memang jelas dia tidak menyukai saya.

**apparently** KATA ADVERBA
*rupanya*
◊ *Apparently he was abroad when it happened.* Rupanya dia berada di luar negara semasa kejadian itu berlaku.

to **appeal** KATA KERJA

*rujuk juga* **appeal** KATA NAMA

1. *merayu*
◊ *They appealed for help.* Mereka merayu untuk mendapatkan bantuan.
2. *menarik minat*
◊ *Greece doesn't appeal to me.* Negara Greece tidak menarik minat saya.

**appeal** KATA NAMA

*rujuk juga* **appeal** KATA KERJA

*rayuan*
◊ *They have launched an appeal for unity.* Mereka telah membuat rayuan untuk memupuk perpaduan.

to **appear** KATA KERJA
1. *muncul*
◊ *The bus appeared around the corner.* Bas itu muncul di selekoh jalan. ◊ *to appear on TV* muncul di kaca televisyen
2. *nampaknya*
◊ *She appeared to be asleep.* Nampaknya dia sudah tidur.

**appearance** KATA NAMA
*penampilan*
◊ *She takes great care over her appearance.* Dia mengambil berat tentang penampilannya.
♦ **to make an appearance** hadir

**appendicitis** KATA NAMA
*apendisitis*
◊ *She's got appendicitis.* Dia menghidap apendisitis.

**appendix** KATA NAMA
(JAMAK **appendices** atau **appendixes**)
1. *apendiks* (dalam badan)
2. *lampiran* (buku, dll)

**appetite** KATA NAMA
*selera*

**appetizer** KATA NAMA
*pembuka selera*

**appetizing** KATA ADJEKTIF
*menyelerakan*
◊ *appetizing food* makanan yang menyelerakan

to **applaud** KATA KERJA
*bertepuk tangan*

**applause** KATA NAMA
*tepukan*

**apple** KATA NAMA
*epal*

**applet** KATA NAMA
*applet*

> program komputer yang terdapat dalam sesuatu laman Web yang dipindahkan terus ke komputer anda dan beroperasi secara automatik ketika anda melihat laman Web tersebut

**appliance** KATA NAMA
*peralatan*

◊ *household appliances* peralatan rumah

**applicant** KATA NAMA
*pemohon*

**application** KATA NAMA
1. *permohonan*
◊ *a job application* permohonan kerja
2. *penerapan* **atau** *pengaplikasian*
◊ *the application of a concept* penerapan sesuatu konsep
3. *aplikasi*
◊ *a number of possible applications* beberapa aplikasi yang boleh digunakan

**application form** KATA NAMA
*borang permohonan*

**applied** KATA ADJEKTIF
*gunaan*
◊ *applied science* sains gunaan

to **apply** KATA KERJA
(**applied, applied**)
1. *memohon*
◊ *to apply for a job* memohon pekerjaan
2. *mengaplikasikan*
◊ *Students should apply the moral values that they've learnt to their daily lives.* Pelajar harus mengaplikasikan nilai-nilai moral yang dipelajari dalam kehidupan harian mereka.
♦ **to apply to** berkaitan dengan ◊ *This rule doesn't apply to us.* Peraturan ini tidak berkaitan dengan kami.
♦ **to apply ointment** menyapu ubat

to **appoint** KATA KERJA
*melantik*
◊ *He appointed Ali as treasurer.* Dia melantik Ali sebagai bendahari.

**appointment** KATA NAMA
1. *pelantikan*
2. *temu janji*
◊ *to make an appointment with someone* membuat temu janji dengan seseorang
◊ *I've got a dental appointment.* Saya ada temu janji dengan doktor gigi.

to **appreciate** KATA KERJA
*menghargai*
◊ *I really appreciate your help.* Saya benar-benar menghargai bantuan anda.

**appreciation** KATA NAMA
*penghargaan*
◊ *the gifts presented to them in appreciation of their contribution* hadiah yang diberikan kepada mereka sebagai penghargaan atas sumbangan mereka

**apprentice** KATA NAMA
*pelatih* **atau** *perantis*

to **approach** KATA KERJA

*rujuk juga* **approach** KATA NAMA

*mendekati*

◊ *He approached the house.* Dia mendekati rumah itu. ◊ *to approach a problem* mendekati sesuatu masalah

**approach** KATA NAMA
(JAMAK **approaches**)

rujuk juga **approach** KATA KERJA

*pendekatan*
◊ *The author takes an academic approach.* Penulis itu menggunakan pendekatan ilmiah.

**appropriate** KATA ADJEKTIF
*sesuai*
◊ *That dress isn't very appropriate for an interview.* Baju itu tidak begitu sesuai dipakai untuk menghadiri temu duga.
◊ *Tick the appropriate box.* Tandakan rait pada kotak yang sesuai.

**appropriateness** KATA NAMA
*kewajaran*
◊ *I doubted the appropriateness of his action.* Saya meragui kewajaran di sebalik tindakannya itu.

**approval** KATA NAMA
*kelulusan*

to **approve** KATA KERJA
1 *setuju*
◊ *I don't approve of his choice.* Saya tidak setuju dengan pilihannya.
2 *meluluskan (permohonan)*
♦ *They didn't approve of his girlfriend.* Mereka tidak menyukai teman wanitanya.

**approximate** KATA ADJEKTIF
*anggaran*

**approximately** KATA ADVERBA
*lebih kurang*

**apricot** KATA NAMA
*buah aprikot*

**April** KATA NAMA
*April*
◊ *on 4 April* pada 4 April
♦ *in April* pada bulan April
♦ *April Fool's Day* Hari April Fool

**apron** KATA NAMA
*apron*

**apt** KATA ADJEKTIF
1 *sesuai*
◊ *an apt description of the situation* gambaran yang sesuai mengenai keadaan itu
2 *besar kemungkinan*
◊ *She is apt to raise her voice.* Besar kemungkinan dia akan meninggikan suaranya.
♦ *She was apt to raise her voice.* Dia sering meninggikan suaranya.
♦ *This type of weather is apt to be more common in winter.* Cuaca begini lebih biasa berlaku pada musim sejuk.

**aquarium** KATA NAMA

*akuarium*

**Aquarius** KATA NAMA
*Aquarius*
♦ *I'm Aquarius.* Zodiak saya ialah Aquarius.

**Arab** KATA ADJEKTIF

rujuk juga **Arab** KATA NAMA

*Arab*

**Arab** KATA NAMA

rujuk juga **Arab** KATA ADJEKTIF

*orang Arab*
◊ *the Arabs* orang Arab

**Arabic** KATA ADJEKTIF
*bahasa Arab*

**arbitrary** KATA ADJEKTIF
*sembarangan*
◊ *Don't make an arbitrary decision.* Jangan buat keputusan sembarangan.

**arbitration** KATA NAMA
*timbang tara*

**arbitrator** KATA NAMA
*penimbang tara*

**arch** KATA NAMA
(JAMAK **arches**)
*gerbang*

**archaeologist** KATA NAMA
*ahli kaji purba* atau *ahli arkeologi*
◊ *He's an archaeologist.* Dia seorang ahli arkeologi.

**archaeology** KATA NAMA
*arkeologi*

**archaic** KATA ADJEKTIF
*kuno*
◊ *archaic language* bahasa kuno

**archbishop** KATA NAMA
*ketua biskop*

**archeologist** KATA NAMA 🅽
*ahli kaji purba* atau *ahli arkeologi*
◊ *He's an archeologist.* Dia seorang ahli arkeologi.

**archeology** KATA NAMA 🅽
*arkeologi*

**archer** KATA NAMA
*pemanah*

**archipelago** KATA NAMA
(JAMAK **archipelagos** atau **archipelagoes**)
*kepulauan*
◊ *Samui archipelago* kepulauan Samui

**architect** KATA NAMA
*arkitek*
◊ *She's an architect.* Dia seorang arkitek.

**architecture** KATA NAMA
*seni bina*

**archive** KATA NAMA
*arkib*
♦ *to keep in an archive* mengarkibkan

**arch-rival** KATA NAMA

*saingan sengit*
◊ *United and Liverpool are arch-rivals.*
United dan Liverpool merupakan saingan
sengit.

**archway** KATA NAMA
*pintu gerbang*

**Arctic** KATA NAMA
*Artik*
♦ **the Arctic** kawasan Artik

**ardent** KATA ADJEKTIF
*begitu bersungguh-sungguh*
◊ *an ardent opponent of the Vietnam War*
seorang penentang Perang Vietnam yang
begitu bersungguh-sungguh
♦ **one of the most ardent supporters of
the administration's policy** salah
seorang penyokong terkuat polisi
pentadbiran kerajaan Amerika itu

**are** KATA KERJA *rujuk* **be**

**area** KATA NAMA
① *kawasan*
◊ *a mountainous area of Malaysia*
kawasan pergunungan Malaysia
② *keluasan*
◊ *The field has an area of 1500 square
metres.* Keluasan padang itu ialah 1500
meter persegi.

**areca** KATA NAMA
*pinang*

**arena** KATA NAMA
*arena*

**aren't** = **are not**

**Argentina** KATA NAMA
*Argentina*

**Argentinian** KATA ADJEKTIF
  *rujuk juga* **Argentinian** KATA NAMA
*Argentina*
◊ *the Argentinian capital, Buenos Aires*
ibu negara Argentina, Buenos Aires
♦ **He's Argentinian.** Dia berbangsa
Argentina.

**Argentinian** KATA NAMA
  *rujuk juga* **Argentinian** KATA ADJEKTIF
*orang Argentina*

to **argue** KATA KERJA
*bertengkar*
◊ *They never stop arguing.* Mereka
sentiasa bertengkar.

**argument** KATA NAMA
① *pertengkaran*
♦ **to have an argument** bertengkar
② *hujah*
◊ *She put forth her arguments
confidently.* Dia membentangkan
hujahnya dengan yakin.

**arid** KATA ADJEKTIF
*gersang*

**Aries** KATA NAMA
*Aries*

♦ **I'm Aries.** Zodiak saya ialah Aries.

to **arise** KATA KERJA
*timbul*
◊ *If the problem arises later in the
pregnancy...* Jika masalah itu timbul
pada peringkat kehamilan yang
seterusnya...
♦ **when the opportunity arises** apabila
ada peluang

**aristocrat** KATA NAMA
*bangsawan*

**arm** KATA NAMA
*lengan*
◊ *I burnt my arm.* Lengan saya melecur.

**armadillo** KATA NAMA
(JAMAK **armadillos**)
*tenggiling*

**armchair** KATA NAMA
*kerusi tangan*

**armed** KATA ADJEKTIF
*bersenjata*

**armour** KATA NAMA
(AS **armor**)
*baju besi*

**armpit** KATA NAMA
*ketiak*

**army** KATA NAMA
(JAMAK **armies**)
*angkatan tentera*

**aroma** KATA NAMA
*aroma*

**around** KATA SENDI, KATA ADVERBA
① *kira-kira*
◊ *It costs around RM100.* Barang itu
berharga kira-kira RM100. ◊ *Shall we
meet at around eight o'clock?* Bolehkah
kita bertemu kira-kira pada pukul lapan?
♦ **She ignored the people around her.**
Dia tidak mengendahkan orang di
sekelilingnya.
♦ **She wore a scarf around her neck.** Dia
memakai skarf di keliling lehernya.
② *sekitar*
◊ *I've been walking around the town.*
Saya berjalan di sekitar bandar.
♦ **We walked around for a while.** Kami
berjalan-jalan sekejap.
♦ **around here** berhampiran kawasan ini
◊ *Is there a chemist's around here?*
Adakah kedai farmasi berhampiran
kawasan ini?

to **arouse** KATA KERJA
*menerbitkan*
◊ *Those words aroused feelings of
sadness in her.* Kata-kata itu menerbitkan
rasa sedih di hatinya.

to **arrange** KATA KERJA
*menyusun*
◊ *He arranged his books neatly.* Dia

menyusun buku-bukunya dengan kemas.

♦ **to arrange a party**  mengadakan jamuan

♦ **to arrange to do something**  membuat
rancangan untuk melakukan sesuatu
◊  *They arranged to go out together on
Friday.*  Mereka membuat rancangan
untuk keluar bersama pada hari Jumaat.

**arrangement**  KATA NAMA
1  *rancangan*
◊  *They made arrangements to go out on
Friday.*  Mereka membuat rancangan
untuk keluar pada hari Jumaat.

♦ **a flower arrangement**  gubahan bunga
2  *aturan*
◊  *Don't change the seating
arrangements.*  Jangan ubah aturan
tempat duduk.

♦ **arrangements**  persiapan ◊ *Pamela is
in charge of the travel arrangements.*
Pamela bertanggungjawab terhadap
persiapan perjalanan.

**array**  KATA NAMA
*berbagai-bagai*
◊  *A daunting array of problems confronts
him.*  Dia menghadapi berbagai-bagai
masalah yang menggentarkan.

♦ **We saw wonderful arrays of fruit and
vegetables.**  Kami nampak koleksi buah-
buahan dan sayuran yang sungguh
menarik.

**arrears**  KATA NAMA JAMAK
*tunggakan*

to **arrest**  KATA KERJA
| rujuk juga **arrest** KATA NAMA |
*menangkap*

**arrest**  KATA NAMA
| rujuk juga **arrest** KATA KERJA |
*penangkapan*

♦ **You're under arrest!**  Kamu ditahan!

**arrival**  KATA NAMA
*ketibaan*
◊  *the airport arrivals hall*  dewan
ketibaan di lapangan terbang

to **arrive**  KATA KERJA
*sampai* atau *tiba*
◊  *I arrived at five o'clock.*  Saya sampai
pada pukul lima.

**arrogance**  KATA NAMA
*keangkuhan*
◊  *Helmi was disliked for his arrogance.*
Helmi tidak disukai kerana
keangkuhannya.

**arrogant**  KATA ADJEKTIF
*angkuh*

**arrow**  KATA NAMA
*anak panah*

**art**  KATA NAMA
*seni*

♦ **works of art**  karya-karya seni

♦ **art school**  sekolah kesenian

**artefact**  KATA NAMA
*artifak*
◊  *historical artefacts from Egypt*  artifak
bersejarah dari Mesir

**artery**  KATA NAMA
(JAMAK **arteries**)
*arteri*

**art gallery**  KATA NAMA
(JAMAK **art galleries**)
*galeri seni*

**arthritis**  KATA NAMA
*artritis*

**article**  KATA NAMA
*artikel*

**artificial**  KATA ADJEKTIF
1  *buatan*
◊  *artificial lake*  tasik buatan
2  *tiruan*
◊  *artificial colouring*  pewarna tiruan

**artist**  KATA NAMA
(*pelukis, dsb*)
*artis*
◊  *She's an artist.*  Dia seorang artis.

**artiste**  KATA NAMA
*penghibur*
◊  *a cabaret artiste*  penghibur kabaret

**artistic**  KATA ADJEKTIF
*artistik*

**artistry**  KATA NAMA
*kesenian*
◊  *his artistry as a writer*  keseniannya
sebagai seorang penulis

**as**  KATA HUBUNG, KATA ADVERBA
1  *semasa*
◊  *He came in as I was leaving.*  Dia
masuk semasa saya meninggalkan.
◊  *All the jury's eyes were on him as he
continued.*  Semua ahli juri
memandangnya semasa dia menyambung
keterangannya.
2  *memandangkan*
◊  *As it's Sunday, you can have a lie-in.*
Memandangkan hari ini hari Ahad, anda
boleh tidur sepuas-puasnya.
3  *sebagai*
◊  *He works as a waiter in the holidays.*
Dia bekerja sebagai pelayan pada musim
cuti.

♦ **as...as**  se + kata adjektif yang sesuai
◊  *Peter's as tall as Michael.*  Peter
setinggi Michael.

♦ **as much...as**  sebanyak ◊ *I haven't
got as much energy as you.*  Tenaga saya
tidak sebanyak tenaga anda.

♦ **Her coat cost twice as much as mine.**
Harga kotnya dua kali ganda harga kot
saya.

♦ **as soon as possible**  secepat mungkin

---

♦ **as from tomorrow**  mulai esok
♦ **as if/as though**  seolah-olah ◊ *She acted as if she hadn't seen me.*  Dia berlagak seolah-olah dia tidak nampak saya.

**asap**  SINGKATAN  (= *as soon as possible*)
_secepat mungkin_

to **ascend**  KATA KERJA
[1]  _menaiki_ (*tangga*)
[2]  _mendaki_ (*bukit, gunung*)

**ascending**  KATA ADJEKTIF
_menaik_
◊ *in ascending order*  dalam susunan menaik

to **ascertain**  KATA KERJA
_memastikan_

**ASEAN**  SINGKATAN  (= *Association of Southeast Asian Nations*)
_ASEAN_ (= *Persatuan Negara-negara Asia Tenggara*)

**ash**  KATA NAMA
(JAMAK  **ashes**)
_abu_

**ashamed**  KATA ADJEKTIF
_malu_
♦ **to be ashamed**  berasa malu ◊ *I'm ashamed of myself for shouting at you.*  Saya berasa malu kerana menengking anda. ◊ *You should be ashamed of yourself!*  Anda patut berasa malu!

**ashore**  KATA ADVERBA
_ke tepi pantai_
◊ *The villagers rescued the prince who had been washed ashore.*  Penduduk kampung menyelamatkan putera raja yang dihanyutkan ke tepi pantai itu.
♦ **The boat was cast ashore on the muddy beach.**  Bot itu terdampar di dalam lumpur di tepi pantai itu.

**ashtray**  KATA NAMA
_tempat abu rokok_

**Asia**  KATA NAMA
_Asia_

**Asian**  KATA ADJEKTIF
| rujuk juga **Asian** KATA NAMA |
_Asia_
◊ *Asian women*  wanita Asia
♦ **She's Asian.**  Dia orang Asia.

**Asian**  KATA NAMA
| rujuk juga **Asian** KATA ADJEKTIF |
_orang Asia_
◊ *the Asians*  orang Asia

**aside**  KATA ADVERBA
_ke tepi_
◊ *Ismadi was kicking the dried leaves aside.*  Ismadi menguis daun-daun kering itu ke tepi dengan kakinya.
♦ **"Move aside," said the officer.**  "Ke tepi," kata pegawai itu.

♦ **Sarah closed the book and put it aside.**  Sarah menutup buku itu dan mengetepikannya.

to **ask**  KATA KERJA
[1]  _bertanya_
◊ *to ask about something*  bertanya tentang sesuatu ◊ *I asked about train times to Leeds.*  Saya bertanya tentang waktu perjalanan kereta api ke Leeds.
♦ **"Have you finished?" Mary asked.**  "Anda sudah siap?" tanya Mary.
♦ **to ask somebody something**  menanya seseorang tentang sesuatu
♦ **to ask somebody a question**  mengemukakan soalan kepada seseorang
[2]  _meminta_
◊ *She asked her friend to do the shopping.*  Dia meminta kawannya membeli-belah untuknya.
♦ **to ask for something**  meminta sesuatu
◊ *He asked for a cup of tea.*  Dia meminta secawan teh.
[3]  _menjemput_
◊ *Have you asked Matthew to the party?*  Sudahkah anda menjemput Matthew ke jamuan itu?
♦ **Peter asked her out.**  Peter mengajaknya keluar.

**asleep**  KATA ADJEKTIF
_tidur_
♦ **to be asleep**  tidur
♦ **to fall asleep**  tertidur

**asparagus**  KATA NAMA
_asparagus_

**aspect**  KATA NAMA
_aspek_

**aspirin**  KATA NAMA
_aspirin_

**assassin**  KATA NAMA
_pembunuh upahan_

**assault**  KATA NAMA
_serangan_

to **assemble**  KATA KERJA
_berkumpul_
◊ *The students assembled in the hall.*  Pelajar-pelajar berkumpul di dalam dewan.

**assembly**  KATA NAMA
(JAMAK  **assemblies**)
[1]  _perhimpunan_
◊ *school assembly*  perhimpunan sekolah
[2]  _Dewan Undangan_
◊ *the Welsh/Northern Ireland Assembly*  Dewan Undangan Wales/Ireland Utara

to **assess**  KATA KERJA
_menaksir_
◊ *They are assessing expenditure on the exhibition.*  Mereka sedang menaksir

jumlah perbelanjaan yang dikeluarkan untuk pameran itu.

**assessment** KATA NAMA
*penilaian*
◊ *The tests are supposed to provide a basis for the assessment of children.* Ujian itu sepatutnya menyediakan asas untuk penilaian kanak-kanak.

**asset** KATA NAMA
*aset*
◊ *Her experience will be an asset to the firm.* Pengalamannya akan menjadi aset bagi firma itu.

to **assign** KATA KERJA
*memberikan*
◊ *The manager assigned tasks to his staff.* Pengurus itu memberikan tugas kepada para pekerjanya.
♦ **Did you choose Russia or were you simply assigned there?** Adakah anda yang memilih Rusia atau anda hanya ditugaskan ke sana?

**assignment** KATA NAMA
*tugasan*

to **assist** KATA KERJA
*membantu*

**assistance** KATA NAMA
*bantuan*

**assistant** KATA NAMA
*pembantu*

**assistant referee** KATA NAMA
*penjaga garisan* (bola sepak)

to **associate** KATA KERJA
*mengaitkan*
◊ *The problem can be associated with the recent incident.* Masalah itu dapat dikaitkan dengan kejadian baru-baru ini.

**association** KATA NAMA
*persatuan*

**assortment** KATA NAMA
*beraneka jenis*

to **assume** KATA KERJA
1 *kira*
◊ *I assume she won't be coming.* Saya kira dia tidak akan datang.
2 *menganggap*
◊ *He assumed that everything will run smoothly.* Dia menganggap bahawa semuanya akan berjalan lancar.

**assumption** KATA NAMA
*andaian*
◊ *Your assumption is incorrect.* Andaian anda itu salah.

**assurance** KATA NAMA
*jaminan*
◊ *to give somebody an assurance* memberikan jaminan kepada seseorang
◊ *He asked for an assurance.* Dia mahukan jaminan.

to **assure** KATA KERJA
*menjamin*
♦ **He assured me he was coming.** Dia memberikan jaminan kepada saya bahawa dia akan datang.

**asthma** KATA NAMA
*penyakit lelah* atau *asma*
◊ *He's got asthma.* Dia menghidap penyakit lelah.

to **astonish** KATA KERJA
*menghairankan*

**astonished** KATA ADJEKTIF
*sangat hairan*
◊ *They were astonished by the six-year-old boy's intelligence.* Mereka berasa sangat hairan dengan kebijaksanaan budak berumur enam tahun itu.

**astonishment** KATA NAMA
*kehairanan*
◊ *They blinked in astonishment.* Mata mereka terkebil-kebil kehairanan.

**astray** KATA ADVERBA
♦ **to lead somebody astray** menyesatkan fikiran seseorang ◊ *They are trying to lead teenagers astray with their propaganda.* Mereka cuba menyesatkan fikiran remaja dengan dakyah mereka.

**atrocity** KATA NAMA
(JAMAK **atrocities**)
*angkara*
◊ *It was a cold-blooded killing, and those who committed this atrocity should be punished.* Pembunuhan itu sungguh kejam dan orang yang melakukan angkara ini patut dihukum.

**astrology** KATA NAMA
*astrologi*

**astronaut** KATA NAMA
*angkasawan*

**astronomy** KATA NAMA
*astronomi*

**asylum** KATA NAMA
1 *rumah sakit jiwa*
2 *perlindungan* (dari negara asing)
◊ *to ask for asylum* meminta perlindungan

**asylum seeker** KATA NAMA
*orang yang mencari perlindungan di negara asing*

**at** KATA SENDI
1 *di*
◊ *at home* di rumah ◊ *at work* di tempat kerja ◊ *at the office* di pejabat
2 *pada*
◊ *at 50 kilometres per hour* pada kelajuan 50 kilometer sejam ◊ *at night* pada waktu malam ◊ *What are you doing at the weekend?* Apakah rancangan anda pada hujung minggu?

♦ **two at a time** dua sekali

**ate** KATA KERJA *rujuk* **eat**

**Athens** KATA NAMA
*Athens*

**athlete** KATA NAMA
*atlit*

**athletic** KATA ADJEKTIF
*tegap dan cergas*

**athletics** KATA NAMA
*olahraga*
◊ *I enjoy watching the athletics on television.* Saya gemar menonton acara olahraga di televisyen.

**Atlantic** KATA NAMA
*lautan Atlantik*

**atlas** KATA NAMA
(JAMAK **atlases**)
*buku peta* atau *atlas*

**atmosphere** KATA NAMA
*atmosfera*

**atom** KATA NAMA
*atom*

**atomic** KATA ADJEKTIF
*atom*

♦ **atomic weapons** senjata nuklear/atom

to **attach** KATA KERJA
*memasang*
◊ *The astronauts will attach a motor to the satellite.* Para angkasawan itu akan memasang sebuah motor pada satelit tersebut.

♦ **They attached a rope to the car.** Mereka mengikat tali pada kereta itu.

♦ **Please find attached a cheque for RM100.** Bersama ini disertakan cek bernilai RM100.

**attached** KATA ADJEKTIF
*rapat*

♦ **to be attached to somebody** rapat dengan seseorang

**attachment** KATA NAMA
*lampiran*

to **attack** KATA KERJA
| *rujuk juga* **attack** KATA NAMA |
|---|
*menyerang*

**attack** KATA NAMA
| *rujuk juga* **attack** KATA KERJA |
|---|
*serangan*

♦ **to be under attack** diserang

**attacker** KATA NAMA
*penyerang*

to **attempt** KATA KERJA
| *rujuk juga* **attempt** KATA NAMA |
|---|
*cuba*

♦ **to attempt to do something** cuba melakukan sesuatu ◊ *I attempted to write a song.* Saya cuba menggubah sebuah lagu.

**attempt** KATA NAMA
| *rujuk juga* **attempt** KATA KERJA |
|---|
*percubaan*

to **attend** KATA KERJA
*menghadiri*
◊ *to attend a meeting* menghadiri mesyuarat

**attendance** KATA NAMA
*kehadiran*

**attention** KATA NAMA
*perhatian*

♦ **to pay attention to something** memberikan perhatian terhadap sesuatu
◊ *He didn't pay attention to what I was saying.* Dia tidak memberikan perhatian terhadap kata-kata saya.

♦ **Don't pay any attention to him!** Jangan hiraukan dia!

**attentive** KATA ADJEKTIF
*menunjukkan minat*
◊ *the attentive audience* penonton yang menunjukkan minat

♦ **Mothers are sometimes less attentive to girls.** Kadang-kadang ibu kurang memberikan perhatian kepada anak perempuan.

**attic** KATA NAMA
*loteng*

**attire** KATA NAMA
(formal)
*pakaian*
◊ *Your attire should be appropriate for the occasion.* Pakaian anda harus kena pada tempatnya.

**attitude** KATA NAMA
*sikap*

**attorney** KATA NAMA 🇺🇸
*peguam*

to **attract** KATA KERJA
*menarik*
◊ *Penang attracts lots of tourists.* Pulau Pinang menarik ramai pelancong.

**attraction** KATA NAMA
*tarikan*
◊ *a tourist attraction* tarikan pelancong

**attractive** KATA ADJEKTIF
*menarik*

**aubergine** KATA NAMA
*terung ungu*

**auction** KATA NAMA
*lelong*

to **auction off** KATA KERJA
*melelongkan*
◊ *The bank will auction off the car.* Pihak bank akan melelongkan kereta itu.

**auctioneer** KATA NAMA
*pelelong*

**audience** KATA NAMA
1 *penonton*
2 *pendengar*

**audio**   KATA ADJEKTIF
*audio*
**audiotape**   KATA NAMA

> *rujuk juga* **audiotape** KATA KERJA

1 *pita audio*
◊ *recorded on audiotape*   dirakamkan dalam pita audio
2 🖼 *kaset*

to **audiotape**   KATA KERJA 🖼

> *rujuk juga* **audiotape** KATA NAMA

*merakamkan* (*bunyi*)
◊ *We always audiotape these interviews.* Kami selalu merakamkan temu bual-temu bual ini.

**audio-visual**   KATA ADJEKTIF
*audiovisual*

to **audit**   KATA KERJA

> *rujuk juga* **audit** KATA NAMA

*mengaudit*
**audit**   KATA NAMA

> *rujuk juga* **audit** KATA KERJA

*audit*
**audition**   KATA NAMA

> *rujuk juga* **audition** KATA KERJA

*uji bakat*
to **audition**   KATA KERJA

> *rujuk juga* **audition** KATA NAMA

*menguji bakat*
**auditor**   KATA NAMA
*juruaudit*
**auditorium**   KATA NAMA
*auditorium*
**August**   KATA NAMA
*Ogos*
◊ *on 13 August*   pada 13 Ogos
♦ **in August**   pada bulan Ogos
**aunt**   KATA NAMA
*emak saudara*
♦ **my aunt and uncle**   emak dan bapa saudara saya
♦ **a present from Aunt Vera**   hadiah daripada mak cik Vera
**aunty**   KATA NAMA
(JAMAK **aunties**)
*mak cik*
**au pair**   KATA NAMA
*au pair*

> Biasanya **au pair** ialah gadis dari negara asing yang datang ke sesebuah negara dan tinggal bersama sebuah keluarga untuk belajar bahasa di negara itu. Dia akan membantu keluarga itu menjaga anak dan membuat kerja rumah untuk mendapatkan sedikit upah.

**Australia**   KATA NAMA
*Australia*
**Australian**   KATA ADJEKTIF

> *rujuk juga* **Australian** KATA NAMA

*Australia*
◊ *the Australian flag*   bendera Australia
♦ **She's Australian.**   Dia berbangsa Australia.
**Australian**   KATA NAMA

> *rujuk juga* **Australian** KATA ADJEKTIF

*orang Australia*
◊ *the Australians*   orang Australia
**Austria**   KATA NAMA
*Austria*
**Austrian**   KATA ADJEKTIF

> *rujuk juga* **Austrian** KATA NAMA

*Austria*
◊ *the Austrian flag*   bendera Austria
♦ **He's Austrian.**   Dia berbangsa Austria.
**Austrian**   KATA NAMA

> *rujuk juga* **Austrian** KATA ADJEKTIF

*orang Austria*
◊ *the Austrians*   orang Austria
**authentic**   KATA ADJEKTIF
*asli*
◊ *authentic Italian food*   makanan Itali yang asli
**author**   KATA NAMA
*penulis*
◊ *the author of the book*   penulis buku itu
**authoritative**   KATA ADJEKTIF
*berwibawa*
**authority**   KATA NAMA
(JAMAK **authorities**)
*kuasa*
◊ *She has authority to approve the application.*   Dia mempunyai kuasa untuk meluluskan permohonan itu.
♦ **the Federal Land Development Authority**   Lembaga Kemajuan Tanah Persekutuan
♦ **the authorities**   pihak berkuasa ◊ *The authorities are legally bound to arrest any suspects.*   Pihak berkuasa diwajibkan mengikut undang-undang untuk menangkap sesiapa sahaja yang disyaki.
**authorization**   KATA NAMA
*kebenaran*
◊ *They did it without his authorization.* Mereka melakukannya tanpa kebenaran beliau.
♦ **his request for authorization to use military force**   permintaannya supaya diberikan kebenaran untuk menggunakan kuasa ketenteraan
to **authorize**   KATA KERJA
*memberikan kuasa kepada*
◊ *The minister authorized his deputy to make decisions on his behalf.*   Menteri itu memberikan kuasa kepada timbalannya untuk membuat keputusan bagi pihaknya.

**autobiography** KATA NAMA
(JAMAK **autobiographies**)
_autobiografi_
> kisah hidup seseorang yang ditulis
> sendiri

**autograph** KATA NAMA
_autograf_

**automatic** KATA ADJEKTIF
_automatik_

**automatically** KATA ADVERBA
_secara automatik_

**autopsy** KATA NAMA
(JAMAK **autopsies**)
_bedah siasat_

**autumn** KATA NAMA
_musim luruh_
◊ _in autumn_ pada musim luruh

**availability** KATA NAMA
_adanya_
◊ _The availability of scholarships
encouraged poor families to send their
children to school._ Dengan adanya
biasiswa, keluarga yang miskin dapat
menghantar anak-anak mereka ke
sekolah.

**available** KATA ADJEKTIF
_ada_
◊ _According to the available information,
it can't be done._ Menurut maklumat yang
ada, perkara itu tidak boleh dilakukan.
♦ **Free brochures are available on
request.** Risalah percuma boleh didapati
atas permintaan.
♦ **Is Mr Cooke available today?** En.
Cooke senangkah hari ini?

**avalanche** KATA NAMA
_runtuhan salji_

**avenue** KATA NAMA
_lebuh_
◊ _The biggest supermarket is on this
avenue._ Pasar raya yang terbesar
terletak di lebuh ini.
♦ **We should consider other avenues to
solve this problem.** Kita patut
mempertimbangkan jalan lain untuk
menyelesaikan masalah ini.

**average** KATA NAMA
> rujuk juga **average** KATA ADJEKTIF
_purata_
◊ _on average_ secara purata

**average** KATA ADJEKTIF
> rujuk juga **average** KATA NAMA
_purata_
◊ _the average price_ harga purata

**aviation** KATA NAMA
_penerbangan_

**avocado** KATA NAMA
(JAMAK **avocados**)
_avokado_

to **avoid** KATA KERJA
1 _mengelakkan_
◊ _Avoid going out on your own at night._
Elakkan berjalan seorang diri pada waktu
malam.
2 _mengelakkan diri daripada_ (orang,
masalah)

to **await** KATA KERJA
_menanti_
◊ _A Mercedes-Benz awaits the winner of
the competition._ Sebuah kereta Mercedes
Benz menanti pemenang pertandingan itu.
◊ _I'm nervously awaiting the exam
results._ Saya berdebar-debar menanti
keputusan peperiksaan.

**awake** KATA ADJEKTIF
_bangun_
♦ **to be awake** sudah bangun ◊ _I am
awake._ Saya sudah bangun.
♦ **I was awake the whole night.** Saya
tidak tidur sepanjang malam.

to **awaken** KATA KERJA
_mengejutkan_
◊ _We were awakened by the crowing of
the cock._ Kami dikejutkan oleh kokokan
ayam itu.

**award** KATA NAMA
> rujuk juga **award** KATA KERJA
_anugerah_
◊ _the award for the best actor_
anugerah pelakon lelaki terbaik

to **award** KATA KERJA
> rujuk juga **award** KATA NAMA
1 _memberikan_ (hadiah, markah)
2 _menganugerahkan_ (pingat)
◊ _The Sultan awarded me a medal._
Sultan itu menganugerahkan satu pingat
kepada saya.

**aware** KATA ADJEKTIF
_sedar_
◊ _He wasn't aware of the consequences
of his actions._ Dia tidak sedar akan akibat
tindakannya itu.
♦ **not that I am aware of** setahu saya tidak

**awareness** KATA NAMA
_kesedaran_
◊ _The campaign is aimed at increasing
awareness about AIDS._ Kempen itu
bertujuan meningkatkan kesedaran
tentang AIDS.

**away** KATA ADJEKTIF, KATA ADVERBA
_tiada di sini_
◊ _Jason was away on a business trip._
Jason tiada di sini kerana ada urusan
perniagaan di luar. ◊ _He's away for a
week._ Dia tiada di sini selama seminggu.
♦ **The bank is two kilometres away.**
Bank itu terletak dua kilometer dari sini.
♦ **It's 30 miles away from town.** Tempat

itu terletak 30 batu dari bandar.

♦ **The coast is two hours away by car.**
Perjalanan ke pantai itu dengan kereta
mengambil masa dua jam.

♦ **The holiday was two weeks away.** Kita
akan bercuti dalam masa dua minggu lagi.

♦ **Go away!** Pergi dari sini!

♦ **away from** jauh daripada ◊ *away from
family and friends* jauh daripada keluarga
dan rakan-rakan

♦ **He was still working away in the
library.** Dia masih bekerja terus-menerus
di perpustakaan.

**away match** KATA NAMA
(JAMAK **away matches**)
*perlawanan di tempat lawan*
◊ *It is their last away match.*
Perlawanan itu merupakan perlawanan
terakhir mereka di tempat lawan.

**awe** KATA NAMA
*rasa kagum*
◊ *She gazed in awe at the beautiful
palaces.* Dia memandang istana-istana
yang cantik itu dengan rasa kagum.

**awful** KATA ADJEKTIF
*teruk*
◊ *The weather's awful.* Cuaca hari ini
teruk. ◊ *We met and I thought he was
awful.* Kami bertemu dan saya
berpendapat dia seorang yang teruk.

♦ **I feel awful.** Saya berasa tidak senang
hati.

♦ **an awful lot of work** kerja yang begitu
banyak

**awfully** KATA ADVERBA
*betul-betul*
◊ *I'm awfully sorry.* Saya betul-betul
minta maaf.

**awkward** KATA ADJEKTIF
*sukar*
◊ *It was awkward to carry.* Benda itu
sukar diangkat. ◊ *an awkward situation*
keadaan yang sukar

♦ **Mike's being awkward about letting
me have the car.** Mike sungguh cerewet
untuk membenarkan saya menggunakan
kereta itu.

♦ **It's a bit awkward for me to come and
see you.** Saya berasa agak kurang
senang datang berjumpa anda.

♦ **an awkward gesture** gerak-geri yang
kekok

**awkwardness** KATA NAMA
*kekekokan*
◊ *The awkwardness of the new
presenter became apparent when she
made a lot of mistakes.* Kekekokan
juruhebah baru itu jelas kelihatan apabila
dia sering membuat kesilapan.

**axe** KATA NAMA
(AS **ax**)
*kapak*

**axis** KATA NAMA
(JAMAK **axes**)
*paksi*

# B

**BA** SINGKATAN (= *Bachelor of Arts*)
*Sarjana Muda Sastera*
◊ *a BA in French* Sarjana Muda Sastera dalam bahasa Perancis ◊ *She's got a BA in History.* Dia memiliki ijazah Sarjana Muda Sastera dalam Sejarah.

to **babble** KATA KERJA
1 *membebel*
◊ *The madman just babbled.* Orang gila itu membebel sahaja.
2 *mengagah*
◊ *The baby is just starting to babble.* Bayi itu baru sahaja belajar mengagah.

**baboon** KATA NAMA
*babun*

**baby** KATA NAMA
(JAMAK **babies**)
*bayi*

to **babysit** KATA KERJA
(**babysat, babysat**)
*menjaga* (budak)

**babysitter** KATA NAMA
*pengasuh*

**babysitting** KATA NAMA
*menjaga budak*
◊ *I don't like babysitting.* Saya tidak suka menjaga budak.

**bachelor** KATA NAMA
*lelaki bujang*

**back** KATA NAMA

> rujuk juga **back** KATA ADJEKTIF, KATA ADVERBA, KATA KERJA

*belakang*
◊ *He's got a bad back.* Dia sakit belakang.
♦ **the back of a chair** sandaran kerusi
♦ **in the back of the car** di tempat duduk belakang kereta

**back** KATA ADJEKTIF, KATA ADVERBA

> rujuk juga **back** KATA NAMA, KATA KERJA

*belakang*
◊ *the back seat* tempat duduk belakang
♦ **He's not back yet.** Dia belum balik lagi.
♦ **to get back** pulang ◊ *What time did you get back?* Pada pukul berapakah anda pulang?
♦ **to call somebody back** menelefon seseorang semula ◊ *I'll call back later.* Saya akan telefon semula nanti.
♦ **Give it back to her.** Kembalikan barang itu kepadanya.

to **back** KATA KERJA

> rujuk juga **back** KATA NAMA, KATA ADJEKTIF

1 *menyokong*
◊ *The union is backing his claim for compensation.* Kesatuan sekerja menyokong tuntutannya untuk mendapatkan pampasan.
2 *membelakang*
◊ *a building which backs onto a busy street* bangunan yang membelakang ke jalan raya yang sibuk
♦ **She backed into the parking space.** Dia berundur masuk ke ruang letak kereta.
♦ **to back a horse** bertaruh atas kuda

to **back down** KATA KERJA
*menarik balik* (cadangan, tuntutan)
♦ **It's too late to back down now.** Sekarang sudah terlambat untuk mengalah.

to **back off** KATA KERJA
*berundur*
◊ *They backed off in terror.* Mereka berundur ketakutan.

to **back out** KATA KERJA
*menarik diri*
◊ *They promised to help us and then backed out.* Mereka berjanji untuk membantu kami tetapi kemudiannya menarik diri.

to **back up** KATA KERJA
*menyokong*
◊ *She complained, and her colleagues backed her up.* Dia membuat aduan dan rakan-rakan sekerjanya menyokong tindakannya.

**backache** KATA NAMA
*sakit belakang*
♦ **to have backache** sakit belakang

**backbench** KATA ADJEKTIF
(Parlimen)
*biasa*
◊ *a Conservative backbench MP* Ahli Parlimen biasa Parti Konservatif
♦ **The motion is a test of backbench opinion.** Usul itu merupakan ujian mengenai pendapat ahli-ahli Parlimen biasa.

**backbone** KATA NAMA
*tulang belakang*

to **backfire** KATA KERJA
*mendatangkan kesan sebaliknya*

**background** KATA NAMA
*latar belakang* (pada lukisan, gambar)
◊ *a house in the background* sebuah rumah sebagai latar belakang
♦ **his family background** latar belakang keluarganya
♦ **background noise** bunyi bising di belakang
♦ **background music** muzik latar

**backhand** KATA NAMA
*pukulan kilas*

**backing** KATA NAMA
*sokongan*
◊ *They promised their backing.* Mereka

berjanji akan memberikan sokongan.

**backpack** KATA NAMA
*beg galas*

**backpacker** KATA NAMA
*pengembara yang membawa beg galas*

**backside** KATA NAMA
*punggung*

**backstroke** KATA NAMA
*kuak lentang*

**backup** KATA NAMA
*sokongan*
◊ *They've got a generator as an emergency backup.* Mereka mempunyai penjana kuasa yang digunakan sebagai sokongan semasa kecemasan.
♦ **a backup file** fail sandaran (*komputer*)

**backwardness** KATA NAMA
*kemunduran*
◊ *He was astonished at the backwardness of his country at that time.* Dia berasa sangat hairan dengan kemunduran negaranya pada masa itu.

**backwards** KATA ADVERBA
*ke belakang*
◊ *to take a step backwards* berundur selangkah ke belakang ◊ *to fall backwards* jatuh ke belakang

**back yard** KATA NAMA
*halaman belakang*

**bacon** KATA NAMA
*bakon*
◊ *bacon and eggs* bakon dan telur

**bacteria** KATA NAMA JAMAK
(TUNGGAL **bacterium**)
*bakteria*

**bad** KATA ADJEKTIF
1 *buruk*
◊ *bad weather* cuaca buruk
2 *teruk*
◊ *a bad accident* kemalangan yang teruk
♦ **You bad boy!** Kamu ni nakal!
♦ **He's a bad person.** Dia seorang yang jahat.
♦ **to be in a bad mood** angin tidak baik
♦ **to be bad at something** lemah dalam sesuatu bidang ◊ *I'm really bad at maths.* Saya benar-benar lemah dalam mata pelajaran matematik.
♦ **I feel bad about it.** Saya rasa bersalah.
♦ **to go bad** (*makanan*) basi
♦ **How are you? - Not bad.** Apa khabar? - Boleh tahan.
♦ **That's not a bad idea!** Idea itu bagus juga!
♦ **bad language** bahasa kasar

**badge** KATA NAMA
*lencana*

**badly** KATA ADVERBA

*dengan teruk*
◊ *They played badly.* Mereka bermain dengan teruk.
♦ **badly paid** mendapat gaji yang sangat rendah
♦ **badly wounded** cedera teruk
♦ **He badly needs a rest.** Dia benar-benar memerlukan rehat.

**badminton** KATA NAMA
*badminton*
◊ *to play badminton* bermain badminton

to **bad-mouth** KATA KERJA
*mengata*
◊ *They bad-mouth each other behind their backs.* Mereka mengata antara satu sama lain di belakang masing-masing.

**bad-tempered** KATA ADJEKTIF
1 *panas baran*
◊ *He's a really bad-tempered person.* Dia memang seorang yang panas baran.
2 *angin tidak baik*
◊ *He was really bad-tempered yesterday.* Anginnya benar-benar tidak baik kelmarin.

to **baffle** KATA KERJA
*membingungkan*

**baffling** KATA ADJEKTIF
*ajaib*
◊ *a baffling experience* pengalaman yang ajaib

**bag** KATA NAMA
*beg*

**baggage** KATA NAMA
*bagasi*

**baggage reclaim** KATA NAMA
*tuntutan bagasi*

**baggy** KATA ADJEKTIF
*longgar* (*seluar*)

**bagpipes** KATA NAMA JAMAK
*begpaip*

**bail** KATA NAMA
*ikat jamin*

**bait** KATA NAMA
*umpan*

to **bake** KATA KERJA
*membuat* (*biskut, kek*)
♦ **She loves to bake.** Dia suka membuat kek.
♦ **to bake bread** membakar roti

**baked beans** KATA NAMA JAMAK
*kacang panggang*

**baker** KATA NAMA
*pembuat roti*
◊ *He's a baker.* Dia seorang pembuat roti.
♦ **at the baker's** di kedai roti

**bakery** KATA NAMA
(JAMAK **bakeries**)
*kedai roti*

**baking** KATA ADJEKTIF

*sangat panas*
◊ *It's baking in here!* Sangat panas di sini!

to **balance**   KATA KERJA

> *rujuk juga* **balance** KATA NAMA

*mengimbangkan*
♦ **She balanced on one leg.** Dia berdiri dengan sebelah kaki sambil mengimbangkan badannya.
♦ **The boxes were carefully balanced.** Kotak-kotak itu disusun dengan baik supaya tidak jatuh.

**balance**   KATA NAMA

> *rujuk juga* **balance** KATA KERJA

*keseimbangan*
◊ *to lose one's balance* hilang keseimbangan
♦ **the balance in my bank account** baki dalam akaun bank saya

**balanced**   KATA ADJEKTIF
*seimbang*
◊ *a balanced diet* diet seimbang

**balance sheet**   KATA NAMA
*kunci kira-kira*

**balcony**   KATA NAMA
(JAMAK **balconies**)
*balkoni*

**bald**   KATA ADJEKTIF
*botak*

**baldness**   KATA NAMA
*kebotakan*

**ball**   KATA NAMA
1 *bola*
2 *majlis tari-menari*

**ballet**   KATA NAMA
*tarian balet*
♦ **We went to a ballet.** Kami pergi menonton persembahan balet.
♦ **ballet lessons** latihan balet

**ballet dancer**   KATA NAMA
*penari balet*

**ballet shoes**   KATA NAMA JAMAK
*kasut balet*

**balloon**   KATA NAMA
*belon*
◊ *a hot-air balloon* belon udara panas

**ballpoint pen**   KATA NAMA
*pena mata bulat*

**ballroom dancing**   KATA NAMA
*dansa* (terjemahan umum)

**balm**   KATA NAMA
*salap* **atau** *balsam*

**bamboo**   KATA NAMA
*buluh*

to **ban**   KATA KERJA

> *rujuk juga* **ban** KATA NAMA

*mengharamkan*

**ban**   KATA NAMA

> *rujuk juga* **ban** KATA KERJA

*pengharaman*

**banana**   KATA NAMA
*pisang*
♦ **a banana skin/banana peel** penyebab kepada kesilapan yang memalukan

**band**   KATA NAMA
*kumpulan muzik*
♦ **a band of thieves** segerombolan pencuri

**bandage**   KATA NAMA

> *rujuk juga* **bandage** KATA KERJA

*kain pembalut*

to **bandage**   KATA KERJA

> *rujuk juga* **bandage** KATA NAMA

*membalut*
◊ *The nurse bandaged his arm.* Jururawat itu membalut tangan lelaki tersebut.

**bandit**   KATA NAMA
*perompak*

**bang**   KATA NAMA

> *rujuk juga* **bang** KATA KERJA, KATA ADVERBA

1 *bunyi dentum*
◊ *I heard a loud bang.* Saya terdengar bunyi dentum yang kuat.
2 *pukulan kuat*
◊ *a bang on the head* pukulan kuat pada kepala

to **bang**   KATA KERJA

> *rujuk juga* **bang** KATA NAMA, KATA ADVERBA

*terhantuk*
◊ *I banged my head.* Kepala saya terhantuk.
♦ **to bang on the door** menghentam pintu
♦ **to bang the door** menghempas pintu

**bang**   KATA ADVERBA

> *rujuk juga* **bang** KATA KERJA, KATA NAMA

*betul-betul*
◊ *bang in the middle of the track* betul-betul di tengah trek
♦ **For once you leave bang on time for work.** Buat pertama kalinya anda pergi kerja tepat pada masanya.
♦ **bang up to date** betul-betul yang terkini
◊ *This production is bang up to date.* Versi persembahan ini betul-betul yang terkini.
♦ **She wants to keep her skills bang up to date.** Dia mahu memastikan kemahirannya sentiasa yang terkini.

**banger**   KATA NAMA
(*tidak formal*)
*sosej*
◊ *bangers and mash* sosej dan kentang lecek

**bangle**   KATA NAMA
1 *gelang tangan*

② _gelang kaki_

to **banish**  KATA KERJA
_menyingkirkan_
◊ _They tried to banish him from politics._
Mereka cuba menyingkirkan beliau
daripada politik.
♦ **to be banished**  dibuang negeri
♦ **I was banished to the small bedroom
upstairs.**  Saya diusir ke dalam sebuah
bilik tidur kecil di tingkat atas.

**banister**  KATA NAMA
_susur tangga_

**bank**  KATA NAMA
① _bank_
② _tebing_

to **bank on**  KATA KERJA
_sangat mengharapkan_
◊ _I was banking on your coming today._
Saya sangat mengharapkan kehadiran
anda hari ini.
♦ **I wouldn't bank on it.**  Saya tidak akan
menaruh harapan yang tinggi dalam hal
ini.

**bank account**  KATA NAMA
_akaun bank_

**banker**  KATA NAMA
_pegawai bank_
◊ _He's a banker._  Dia seorang pegawai
bank.

**bank holiday**  KATA NAMA
_cuti umum_

**banking**  KATA NAMA
_perbankan_
◊ _The country also practises the Islamic
banking system._  Negara itu juga
mengamalkan sistem perbankan Islam.

**banknote**  KATA NAMA
_wang kertas_

**bankrupt**  KATA ADJEKTIF
_muflis_

**banned substance**  KATA NAMA
_dadah yang diharamkan_ (_dalam sukan_)

**banner**  KATA NAMA
_sepanduk_

**banquet**  KATA NAMA
_bankuet_

**baptism**  KATA NAMA
_pembaptisan_

to **baptize**  KATA KERJA
_membaptis_

**bar**  KATA NAMA
① _bar_
② _batang_ (_besi, kayu_)
③ _jeriji_ (_pada tingkap, sangkar_)
④ _palang gol_ (_bola sepak_)
♦ **a bar of chocolate**  sekeping coklat
♦ **a bar of soap**  sebuku sabun

**barbarian**  KATA NAMA
_orang gasar_

**barbaric**  KATA ADJEKTIF
_kejam_

**barbecue**  KATA NAMA
_dapur barbeku_
♦ **to have a barbecue**  mengadakan majlis
barbeku

**barber**  KATA NAMA
_tukang gunting rambut_
◊ _He's a barber._  Dia seorang tukang
gunting rambut.
♦ **at the barber's**  di kedai gunting rambut

**bar code**  KATA NAMA
_kod bar_

**bare**  KATA ADJEKTIF
_terdedah_

**barefoot**  KATA ADJEKTIF, KATA ADVERBA
_berkaki ayam_
◊ _barefoot children_  kanak-kanak yang
berkaki ayam

**barely**  KATA ADVERBA
_hampir tidak_
◊ _I could barely hear what she was
saying._  Saya hampir tidak dapat
mendengar perkara yang dikatakannya.

**bargain**  KATA NAMA
① _pembelian yang berbaloi_ (_murah tetapi
berkualiti_)
♦ **All these dresses are a bargain.**  Semua
baju ini murah.
② _perjanjian_
◊ _I'll make a bargain with you._  Biar saya
buat satu perjanjian dengan anda.

**barge**  KATA NAMA
_tongkang_

to **bark**  KATA KERJA
| rujuk juga **bark** KATA NAMA |
_menyalak_

**bark**  KATA NAMA
| rujuk juga **bark** KATA KERJA |
① _salakan_ (_anjing_)
② _kulit kayu_

**barking deer**  KATA NAMA
_kijang_

**barley**  KATA NAMA
_barli_

**barmaid**  KATA NAMA
_pelayan bar_ (_perempuan_)
◊ _She's a barmaid._  Dia seorang
pelayan bar.

**barman**  KATA NAMA
(JAMAK **barmen**)
_pelayan bar_ (_lelaki_)
◊ _He's a barman._  Dia seorang pelayan
bar.

**barn**  KATA NAMA
_bangsal_

**barrack**  KATA NAMA
_berek_
◊ _an army barracks_  sebuah berek

anggota tentera
**barrel** KATA NAMA
1 *tong*
2 *laras* (*untuk senapang*)
**barren** KATA ADJEKTIF
*gersang*
◊ *a barren desert* gurun yang gersang
**barrenness** KATA NAMA
*ketandusan*
**barricade** KATA NAMA
*perintang*
◊ *A few roads in that area have been closed off with barricades.* Beberapa batang jalan di kawasan itu telah ditutup dengan perintang.
**barrier** KATA NAMA
1 *sekatan*
◊ *trade barrier* sekatan perdagangan
2 *halangan*
◊ *Age is not a barrier.* Umur bukannya satu halangan.
3 *adang*
◊ *The road was closed to traffic by a barrier.* Jalan raya itu ditutup dengan satu adang.
**barter** KATA NAMA
*barter*
**base** KATA NAMA
*dasar*
**baseball** KATA NAMA
*besbol*
**based** KATA ADJEKTIF
*berpusat*
◊ *Both firms are based in PJ.* Kedua-dua buah firma itu berpusat di PJ.
♦ **The troops are based at Lumut.** Angkatan tentera itu berpangkalan di Lumut.
♦ **based on** berdasarkan ◊ *This criticism is based on careful analysis.* Kritikan ini dibuat berdasarkan analisis yang teliti.
**basement** KATA NAMA
*bawah tanah*
◊ *a basement flat* flat bawah tanah
**bash** KATA NAMA
(*tidak formal*)

| rujuk juga **bash** KATA KERJA |
|---|

*majlis*
♦ **to have a bash at something** mencuba melakukan sesuatu ◊ *I'll have a bash at it.* Saya akan mencubanya.
to **bash** KATA KERJA

| rujuk juga **bash** KATA NAMA |
|---|

*menghentam*
**basic** KATA ADJEKTIF
*asas*
◊ *It's a basic model.* Model ini merupakan model yang asas.
♦ **The accommodation was pretty basic.**

Tempat penginapan itu sangat sederhana.
**basically** KATA ADVERBA
*pada dasarnya*
◊ *They are basically the same thing.* Pada dasarnya perkara itu sama sahaja.
♦ **Basically, I just don't like him.** Pokoknya, saya tidak menyukainya.
**basics** KATA NAMA JAMAK
*asas*
**basil** KATA NAMA
*selasih*
**basin** KATA NAMA
*besen*
**basis** KATA NAMA
*dasar*
♦ **on the basis of what you've said** berdasarkan pernyataan anda
♦ **on a daily basis** setiap hari
♦ **on a regular basis** secara tetap
to **bask** KATA KERJA
*berjemur*
◊ *Crocodiles were basking on the beach.* Buaya-buaya berjemur di pantai itu.
**basket** KATA NAMA
*bakul*
**basketball** KATA NAMA
*bola keranjang*
◊ *to play basketball* bermain bola keranjang
**bass** KATA NAMA
(JAMAK **basses**)
*bes*
◊ *a bass guitar* gitar bes
♦ **a double bass** dabal bes (*alat muzik*)
**bass drum** KATA NAMA
*tambur*
**bassoon** KATA NAMA
*basun* (*alat muzik*)
**bat** KATA NAMA
1 *kelawar*
2 *pemukul* (*alat*)
**bath** KATA NAMA
1 *tab mandi*
2 *mandi*
◊ *a hot bath* mandi air panas
♦ **to have a bath** mandi
to **bathe** KATA KERJA
*mandi*
**bathroom** KATA NAMA
*bilik mandi*
**baths** KATA NAMA JAMAK
*tempat mandi awam*
♦ **Turkish baths** mandi wap (*terjemahan umum*)
**bath towel** KATA NAMA
*tuala mandi*
**bathtub** KATA NAMA 🖼
*tab mandi*
**batik** KATA NAMA

*batik*

**batsman**　KATA NAMA
(JAMAK **batsmen**)
*pemukul* (*pemain kriket*)

**batter**　KATA NAMA
*tepung sadur*

**battery**　KATA NAMA
(JAMAK **batteries**)
*bateri*

**battle**　KATA NAMA

> rujuk juga **battle** KATA KERJA

*pertempuran*
◊ *the Battle of Hastings* pertempuran Hastings
♦ **It was a battle, but we managed in the end.** Perkara itu memang sukar, tetapi kami berjaya juga akhirnya.

to **battle**　KATA KERJA

> rujuk juga **battle** KATA NAMA

*berlawan*
◊ *Thousands of people battled with the police.* Beribu-ribu orang berlawan dengan pihak polis.

**battlefield**　KATA NAMA
*medan perang*
◊ *Many young men were killed on the battlefield.* Ramai pemuda terkorban di medan perang.

**battleship**　KATA NAMA
*kapal perang*

**bay**　KATA NAMA
*teluk*

**bazaar**　KATA NAMA
*bazar*

**BC**　SINGKATAN (= *before Christ*)
*SM* (= *sebelum Masihi*)

to **be**　KATA KERJA
(**is, was, been**)
1 *ialah/adalah*
◊ *Paris is the capital of France.* Paris ialah ibu negara Perancis. ◊ *Attendance is compulsory.* Kehadiran adalah wajib.
2 *ada*
◊ *She was here yesterday.* Dia ada di sini kelmarin.

> Biasanya kata kerja *be tidak diterjemahkan ke dalam bahasa Melayu.*

◊ *What are you doing?* Apakah yang sedang anda lakukan? ◊ *I've never been to Madrid.* Saya belum pernah pergi ke Madrid. ◊ *I'm very happy.* Saya sangat gembira. ◊ *The window is broken.* Tingkap itu pecah. ◊ *He's dead.* Dia sudah meninggal dunia. ◊ *It's four o'clock.* Pukul empat. ◊ *It's the 28th of October today.* Hari ini ialah 28 Oktober. ◊ *She's English.* Dia berbangsa Inggeris. ◊ *He's a doctor.* Dia seorang

doktor. ◊ *He's very tall.* Dia sangat tinggi. ◊ *The house was destroyed by an earthquake.* Rumah itu musnah akibat gempa bumi. ◊ *He was killed by a terrorist.* Dia dibunuh oleh seorang pengganas. ◊ *These cars are produced in Spain.* Kereta-kereta ini dibuat di Sepanyol.
♦ **Edinburgh is in Scotland.** Edinburgh terletak di Scotland.
♦ **Is he hurt?** Adakah dia cedera?
♦ **It's a nice day, isn't it?** Hari ini cuacanya baik, bukan?
♦ **It's cold.** Sejuklah.
♦ **It's too hot.** Terlalu panaslah.
♦ **I'm hungry.** Saya lapar.
♦ **How old are you?** Berapakah umur anda?
♦ **I'm fourteen.** Umur saya empat belas tahun.
♦ **You're late.** Anda lewat.

**beach**　KATA NAMA
(JAMAK **beaches**)

> rujuk juga **beach** KATA KERJA

*pantai*

to **beach**　KATA KERJA

> rujuk juga **beach** KATA NAMA

*menaikkan ... ke darat*
◊ *We beached the canoe.* Kami menaikkan kano itu ke darat.

**beach towel**　KATA NAMA
*tuala pantai*

**bead**　KATA NAMA
*manik*

**beak**　KATA NAMA
*paruh*

**beaker**　KATA NAMA
*bikar*

to **beam**　KATA KERJA

> rujuk juga **beam** KATA NAMA

*tersenyum lebar*
◊ *She beamed when she heard the good news.* Dia tersenyum lebar apabila mendengar berita baik itu.

**beam**　KATA NAMA

> rujuk juga **beam** KATA KERJA

1 *pancaran* (*cahaya*)
2 *alang*

**bean curd**　KATA NAMA
*tauhu*

**beans**　KATA NAMA JAMAK
*kacang*
♦ **green beans** kacang hijau

**bean sprouts**　KATA NAMA JAMAK
*tauge*

**bear**　KATA NAMA

> rujuk juga **bear** KATA KERJA

*beruang*

to **bear**　KATA KERJA

(bore, borne)

> rujuk juga **bear** KATA NAMA

*menahan*

♦ **I can't bear it!** Saya tidak tahan lagi!

to **bear with** KATA KERJA

*bersabar dengan*

◊ *If you would bear with me for a moment...* Jika anda dapat bersabar dengan saya sekejap lagi...

**beard** KATA NAMA

*janggut*

♦ **He's got a beard.** Dia berjanggut.

**bearded** KATA ADJEKTIF

*berjanggut*

**beat** KATA NAMA

> rujuk juga **beat** KATA KERJA
> 1 *denyutan* (*jantung, nadi*)
> 2 *rentak* (*muzik*)

to **beat** KATA KERJA

(beat, beaten)

> rujuk juga **beat** KATA KERJA
> 1 *memukul*
> 2 *menewaskan*
> ◊ *We beat them three-nil.* Kami menewaskan mereka dengan tiga kosong.
> 3 *berdenyut* (*jantung, nadi*)

♦ **Beat it!** (*tidak formal*) Pergi dari sini!

to **beat up** KATA KERJA

*memukul*

**beautiful** KATA ADJEKTIF

*cantik*

**beautifully** KATA ADVERBA

*dengan baik*

◊ *Erica plays the violin beautifully.* Erica bermain biola dengan baik.

to **beautify** KATA KERJA

(beautified, beautified)

*mengindahkan*

◊ *They beautified the school by planting flowers.* Mereka mengindahkan sekolah itu dengan menanam pokok bunga.

**beauty** KATA NAMA

(JAMAK **beauties**)

1 *kecantikan*
2 *jelitawan*

**beauty parlour** KATA NAMA

*salun kecantikan*

**beauty shop** KATA NAMA 🔲

*salun kecantikan*

**beauty spot** KATA NAMA

*tempat yang indah*

**became** KATA KERJA *rujuk* **become**

**because** KATA HUBUNG

*kerana*

♦ **because of** disebabkan

to **beckon** KATA KERJA

*memberikan isyarat*

to **become** KATA KERJA

(became, become)

*menjadi*

**bed** KATA NAMA

*katil*

♦ **to go to bed** masuk tidur

♦ **to go to bed with somebody** meniduri seseorang

**bed and breakfast** KATA NAMA

*penginapan dan sarapan*

◊ *How much is it for bed and breakfast?* Berapakah harga untuk penginapan dan sarapan?

♦ **We stayed in a bed and breakfast.** Kami tinggal di tempat penginapan yang menyediakan sarapan.

**bedbug** KATA NAMA

*pijat*

**bedclothes** KATA NAMA JAMAK

*gebar*

**bedding** KATA NAMA

*peralatan tempat tidur*

**bedridden** KATA ADJEKTIF

*terlantar sakit di atas katil*

◊ *He was bedridden for two years.* Dia terlantar sakit di atas katilnya selama dua tahun.

**bedroom** KATA NAMA

*bilik tidur*

◊ *a three-bedroom house* rumah yang mempunyai tiga bilik tidur

**bedsit** KATA NAMA

*bilik sewa yang dijadikan tempat tidur dan juga tempat tinggal*

**bedspread** KATA NAMA

*penutup tilam bantal*

**bedtime** KATA NAMA

*waktu tidur*

♦ **Ten o'clock is my usual bedtime.** Saya biasanya masuk tidur pada pukul sepuluh.

**bee** KATA NAMA

*lebah*

**beef** KATA NAMA

*daging lembu*

**beefburger** KATA NAMA

*burger daging lembu*

**beehive** KATA NAMA

*sarang lebah*

**been** KATA KERJA *rujuk* **be**

to **beep** KATA KERJA

*berbunyi* (*hon, telefon*)

♦ **to beep the/one's horn** membunyikan hon ◊ *The driver kept beeping the horn.* Pemandu itu terus membunyikan hon.

**beer** KATA NAMA

*bir*

**beetle** KATA NAMA

*kumbang*

**beetroot** KATA NAMA

*ubi bit*

to **befall** KATA KERJA

(befell, befallen)
*menimpa*
◊ *Misfortune befell him.* Nasib malang menimpa dirinya.

**before** KATA SENDI, KATA HUBUNG, KATA ADVERBA
*sebelum*
◊ *before Tuesday* sebelum hari Selasa
◊ *Before opening the packet, read the instructions.* Baca arahan sebelum membuka bungkusan itu.
♦ **I've seen this film before.** Saya pernah menonton filem ini.
♦ **the week before** minggu sebelumnya

**beforehand** KATA ADVERBA
*terlebih dahulu*

to **befriend** KATA KERJA
*berkawan*
◊ *I befriended Johar.* Saya berkawan dengan Johar.

to **beg** KATA KERJA
1 *mengemis*
2 *merayu*
◊ *He begged me to stop.* Dia merayu supaya saya berhenti.

**began** KATA KERJA *rujuk* **begin**

**beggar** KATA NAMA
*pengemis*

to **begin** KATA KERJA
(began, begun)
1 *mula*
◊ *to begin doing something* mula melakukan sesuatu
2 *bermula*
◊ *words which begin with the letter 'z'* perkataan-perkataan yang bermula dengan huruf 'z'

**beginner** KATA NAMA
*orang yang baru belajar*

**beginning** KATA NAMA
*permulaan*
♦ **in the beginning** pada permulaannya
♦ **I knew from the beginning that she was a responsible student.** Dari awal lagi saya sudah tahu bahawa dia seorang pelajar yang bertanggungjawab.

**begun** KATA KERJA *rujuk* **begin**

**behalf** KATA NAMA
♦ **on behalf of somebody** bagi pihak seseorang

to **behave** KATA KERJA
*berkelakuan*
◊ *He behaved like an idiot.* Dia berkelakuan seperti orang bodoh.
♦ **to behave oneself** menjaga kelakuan
◊ *Did the children behave themselves?* Adakah kanak-kanak itu menjaga kelakuan mereka?
♦ **Behave!** Jangan buat perangai!

**behaviour** KATA NAMA
(AS **behavior**)
*kelakuan*

to **behead** KATA KERJA
*memenggal kepala*
◊ *He was ordered to behead the traitor.* Dia diarahkan memenggal kepala pengkhianat itu.

**behind** KATA SENDI, KATA ADVERBA
| *rujuk juga* **behind** KATA NAMA |
*di belakang*
◊ *behind the television* di belakang televisyen
♦ **to be behind** ketinggalan ◊ *I'm behind with my work.* Saya ketinggalan dalam kerja saya.

**behind** KATA NAMA
| *rujuk juga* **behind** KATA SENDI, KATA ADVERBA |
*punggung*

**beige** KATA ADJEKTIF
*kuning air*

to **belch** KATA KERJA
| *rujuk juga* **belch** KATA NAMA |
*bersendawa*

**belch** KATA NAMA
| *rujuk juga* **belch** KATA KERJA |
*sendawa*

**beleaguered** KATA ADJEKTIF
*menghadapi tekanan*
◊ *the England football team and its beleaguered manager* pasukan bola sepak England dan pengurusnya yang menghadapi tekanan

**Belgian** KATA ADJEKTIF
| *rujuk juga* **Belgian** KATA NAMA |
*Belgium*
◊ *the Belgian capital, Brussels* ibu negara Belgium, Brussels
♦ **He's Belgian.** Dia berbangsa Belgium.

**Belgian** KATA NAMA
| *rujuk juga* **Belgian** KATA ADJEKTIF |
*orang Belgium*
◊ *the Belgians* orang Belgium

**Belgium** KATA NAMA
*negara Belgium*

**belief** KATA NAMA
*kepercayaan*
◊ *They may not share the same religious beliefs.* Mungkin mereka tidak mempunyai kepercayaan agama yang sama.

**believable** KATA ADJEKTIF
*boleh dipercayai*
◊ *believable evidence* bukti yang boleh dipercayai

to **believe** KATA KERJA
*mempercayai*
◊ *I don't believe you.* Saya tidak

mempercayai anda.
♦ **I don't believe it!** Saya tidak percaya!
♦ **to believe in something** percaya bahawa sesuatu memang wujud ◊ *Do you believe in ghosts?* Adakah anda percaya bahawa hantu memang wujud?

to **belittle** KATA KERJA
*mengecil-ngecilkan*
◊ *We mustn't belittle her achievement.* Kita tidak patut mengecil-ngecilkan pencapaiannya.

**bell** KATA NAMA
*loceng*
◊ *The bell goes at three.* Loceng itu berbunyi pada pukul tiga.

**belly** KATA NAMA
(JAMAK **bellies**)
*perut*

to **belong** KATA KERJA
*milik*
♦ **to belong to somebody** milik seseorang ◊ *This ring belonged to my grandmother.* Cincin ini milik nenek saya.
♦ **Do you belong to any clubs?** Apakah anda menyertai mana-mana kelab?
♦ **Where does this belong?** Di manakah benda ini sepatutnya diletakkan?

**belongings** KATA NAMA JAMAK
*barang-barang kepunyaan*
◊ *I collected my belongings and left.* Saya mengumpulkan barang-barang kepunyaan saya dan beredar dari situ.
♦ **personal belongings** barang-barang peribadi

**beloved** KATA ADJEKTIF
*tercinta*
◊ *beloved country* negara tercinta

**below** KATA SENDI, KATA ADVERBA
1 *di bawah*
◊ *ten degrees below freezing* sepuluh darjah di bawah takat beku
2 *bawah*
◊ *seen from below* dilihat dari bawah

**belt** KATA NAMA
*tali pinggang*

**belt-tightening** KATA NAMA
*berjimat cermat*
◊ *The government has called for severe belt-tightening.* Kerajaan merayu supaya semua orang berjimat cermat.

**bench** KATA NAMA
(JAMAK **benches**)
*bangku panjang*

**bend** KATA NAMA
| rujuk juga **bend** KATA KERJA |
1 *lengkungan* (pada paip, dsb)
2 *liku* (di jalan, sungai)

to **bend** KATA KERJA
(**bent, bent**)

| rujuk juga **bend** KATA NAMA |
1 *membengkokkan*
◊ *I can't bend my arm.* Saya tidak boleh membengkokkan lengan saya.
2 *melentur*
◊ *It bends easily.* Benda ini melentur dengan mudah.

to **bend down** KATA KERJA
*membongkok*

to **bend over** KATA KERJA
*membongkok*

**beneath** KATA SENDI
*di bawah*

**beneficial** KATA ADJEKTIF
*bermanfaat*
◊ *beneficial activities* aktiviti-aktiviti yang bermanfaat

**benefit** KATA NAMA
| rujuk juga **benefit** KATA KERJA |
*faedah*
◊ *unemployment benefit* faedah pengangguran
♦ **state benefits** wang bantuan kerajaan

> *Di Britain,* **state benefit** *merupakan wang yang diberikan oleh kerajaan kepada golongan miskin, orang sakit dan penganggur.*

♦ **to be on benefit(s)** mendapat wang bantuan kerajaan

to **benefit** KATA KERJA
| rujuk juga **benefit** KATA NAMA |
*mendatangkan faedah*
◊ *This will benefit us all.* Hal ini akan mendatangkan faedah kepada kita semua.
♦ **He'll benefit from the change.** Dia akan mendapat faedah daripada perubahan itu.

**bent** KATA KERJA *rujuk* **bend**

**bent** KATA ADJEKTIF
*bengkok*
◊ *a bent fork* garpu yang bengkok
♦ **to be bent on doing something** berazam untuk melakukan sesuatu

to **bequeath** KATA KERJA
*mewariskan*
◊ *Pak Salleh bequeathed all his wealth to Imran.* Pak Salleh mewariskan semua kekayaannya kepada Imran.

**beret** KATA NAMA
*topi beret*

**berserk** KATA ADJEKTIF
♦ **to go berserk** mengamuk

**berth** KATA NAMA
*tempat tidur* (dalam kapal, kereta api)

**beside** KATA SENDI
*di sebelah*
◊ *beside the table* di sebelah meja
♦ **He was beside himself.** Dia lupa diri.
♦ **That's beside the point.** Itu bukan soalnya.

**besides** KATA ADVERBA
*lagipun*
◊ *Besides, it's too expensive.* Lagipun, benda itu terlalu mahal.
♦ **...and much more besides.** ...dan banyak lagi selain itu.

**best** KATA ADJEKTIF, KATA ADVERBA
*terbaik*
◊ *He's the best player in the team.* Dia merupakan pemain terbaik dalam pasukan itu.
♦ **Janet's the best at maths.** Janet ialah pelajar yang paling mahir dalam mata pelajaran matematik.
♦ **That's the best I can do.** Setakat itu sajalah yang mampu saya lakukan.
♦ **to do one's best** mencuba sedaya upaya ◊ *The shot's not perfect, but I did my best.* Jaringan tersebut tidaklah sempurna, tetapi saya telah mencuba sedaya upaya.
♦ **You'll just have to make the best of it.** Anda harus menerimanya dengan sebaik-baiknya.

**best man** KATA NAMA
*pengapit pengantin (lelaki)*

to **bet** KATA KERJA
**(bet, bet)**

> rujuk juga **bet** KATA NAMA

*bertaruh*
◊ *I bet you he won't come.* Saya berani bertaruh bahawa dia tidak akan datang.

**bet** KATA NAMA

> rujuk juga **bet** KATA KERJA

*pertaruhan*

**betel** KATA NAMA
*sirih*

to **betray** KATA KERJA
*mengkhianati*
◊ *Laura felt betrayed by her sister's action.* Laura berasa dikhianati dengan perbuatan kakaknya.

**betrayal** KATA NAMA
*pengkhianatan*
◊ *Kim felt that what she had done was a betrayal of her friends.* Kim menganggap perkara yang dilakukannya itu sebagai satu pengkhianatan terhadap kawan-kawannya.

**better** KATA ADJEKTIF, KATA ADVERBA
*lebih baik*
◊ *This one's better than that one.* Yang ini lebih baik daripada yang itu.
♦ **Are you feeling better now?** Adakah anda rasa lebih sihat sekarang?
♦ **That's better!** Itu lebih baik!
♦ **better still** lebih baik lagi
♦ **to get better (1)** bertambah baik
◊ *I hope the weather gets better soon.*

Saya harap cuaca akan bertambah baik.
♦ **to get better (2)** pulih ◊ *I hope you get better soon.* Saya harap anda pulih dengan cepat.
♦ **You'd better do it straight away.** Lebih baik anda lakukannya sekarang juga.
♦ **I'd better go home.** Lebih baik saya pulang.

**betting shop** KATA NAMA
*kedai judi*

**between** KATA SENDI
☐1 *antara*
◊ *between 15 and 20 minutes* antara 15 hingga 20 minit
☐2 *di antara*
◊ *She sits between Kim and Matt.* Dia duduk di antara Kim dan Matt.

**beverage** KATA NAMA
*minuman*

to **bewail** KATA KERJA
*meratapi*

to **beware** KATA KERJA
*awas*
◊ *Beware of the dog!* Awas! Ada anjing.

**bewildered** KATA ADJEKTIF
*kebingungan*

**beyond** KATA SENDI, KATA ADVERBA
*di sebalik*
◊ *There is a lake beyond the mountains.* Ada sebuah tasik di sebalik gunung itu.
♦ **We have no plans beyond the year 2005.** Kami tidak mempunyai rancangan selepas tahun 2005.
♦ **the wheat fields and the mountains beyond** ladang gandum dan gunung-ganang di sebalik sana
♦ **It's beyond me.** Perkara itu di luar kemampuan saya.
♦ **beyond belief** mustahil
♦ **beyond repair** tidak boleh diperbaiki

**bezoar** KATA NAMA
*gemala*

**bias** KATA NAMA
*sikap berat sebelah*
◊ *bias against women* sikap berat sebelah terhadap wanita
♦ **political bias** pendirian politik yang berat sebelah

**biased** KATA ADJEKTIF
*berat sebelah*

**Bible** KATA NAMA
*kitab Bible*

**bibliography** KATA NAMA
(JAMAK **bibliographies**)
*bibliografi*

**bicycle** KATA NAMA
*basikal*

to **bid** KATA KERJA
**(bid, bid)**

_mengemukakan tawaran_
◊ _The country is bidding to host the Olympics._ Negara itu mengemukakan tawaran untuk menjadi tuan rumah Sukan Olimpik.
**bifocal** KATA ADJEKTIF
_dwifokus_
◊ _bifocal lenses_ kanta dwifokus
**bifocals** KATA NAMA JAMAK
_cermin mata dwifokus_
**big** KATA ADJEKTIF
_besar_
◊ _a big house_ sebuah rumah yang besar
♦ **my big brother** abang saya
♦ **He's a big guy.** Dia berbadan besar.
♦ **Big deal!** Tak hairanlah!
**bigheaded** KATA ADJEKTIF
_besar kepala_
♦ **to be bigheaded** besar kepala
**Big Issue** KATA NAMA
_majalah 'the Big Issue'_
> majalah yang dijual di jalanan oleh orang yang tidak mempunyai tempat tinggal
◊ _an advertisement in the Big Issue_ sebuah iklan dalam majalah 'the Big Issue'
**bike** KATA NAMA
1 _basikal_
2 _motosikal_
**bike lane** KATA NAMA
_lorong basikal_
**bikini** KATA NAMA
_bikini_
**bikini line** KATA NAMA
_garis bikini_
**bile** KATA NAMA
_hempedu_
**bilingual** KATA ADJEKTIF
_dwibahasa_
**bill** KATA NAMA
1 _bil_
◊ _Can we have the bill, please?_ Tolong bawakan kami bil. ◊ _electricity bill_ bil elektrik
2 🖼 _wang kertas_
◊ _a dollar bill_ wang kertas satu dolar
3 _rang undang-undang_
**billiards** KATA NAMA
_biliard_
◊ _to play billiards_ bermain biliard
**billion** KATA NAMA
_bilion_
◊ _two billion dollars_ dua bilion dolar
to **billow** KATA KERJA
1 _beralun_
◊ _The cloth billowed in the wind._ Kain itu beralun apabila ditiup angin.
2 _berpulun-pulun_

◊ _I saw smoke billowing from factory chimneys._ Saya nampak asap berpulun-pulun dari cerobong kilang.
**bin** KATA NAMA
1 _tong sampah_
2 _bekas_ (menyimpan barang-barang)
to **bind** KATA KERJA
**(bound, bound)**
> _rujuk juga_ **bound** KATA ADJEKTIF
1 _mengikat_
◊ _the political ties that bind the USA to Britain_ hubungan politik yang mengikat Amerika Syarikat kepada Britain
♦ **The authorities are legally bound to arrest any suspects.** Pihak berkuasa diwajibkan mengikut undang-undang menangkap sesiapa sahaja yang disyaki.
2 _menjilid_ (buku, fail)
**bingo** KATA NAMA
_permainan bingo_
**binoculars** KATA NAMA JAMAK
_binokular_ atau _teropong_
◊ _a pair of binoculars_ sebuah binokular
**biochemistry** KATA NAMA
_biokimia_
**biographical** KATA ADJEKTIF
_biografi_
◊ _The book contains few biographical details._ Buku itu mengandungi beberapa maklumat biografi.
**biography** KATA NAMA
(JAMAK **biographies**)
_biografi_
**biology** KATA NAMA
_biologi_
**bird** KATA NAMA
_burung_
**birdwatching** KATA NAMA
_aktiviti memerhatikan dan mengkaji kehidupan burung_
♦ **He likes to go birdwatching.** Dia suka memerhatikan dan mengkaji kehidupan burung.
**Biro** ® KATA NAMA
_pena mata bulat_
**birth** KATA NAMA
_kelahiran_
♦ **date of birth** tarikh lahir
♦ **to give birth** bersalin
**birth certificate** KATA NAMA
_sijil kelahiran_
**birth control** KATA NAMA
_kawalan kelahiran_
**birthday** KATA NAMA
_tarikh lahir_
♦ **a birthday party** majlis hari jadi
**birth plan** KATA NAMA
_rancangan kelahiran_

---

*rancangan yang dibuat oleh ibu yang*
*mengandung tentang cara ia hendak*
*melahirkan anak*

**biscuit**   KATA NAMA
*biskut*

**bishop**   KATA NAMA
*biskop*

**bit**   KATA KERJA   rujuk **bite**

**bit**   KATA NAMA
*sedikit*
◊ *Would you like another bit?* Anda
mahu sedikit lagi?
♦ **a bit** agak ◊ *He's a bit hungry.* Dia
agak lapar.
♦ **Wait a bit!** Tunggu sekejap lagi!
♦ **a bit of (1)** sedikit ◊ *a bit of cake*
sedikit kek
♦ **a bit of (2)** agak ◊ *It's a bit of a*
*nuisance.* Perkara itu agak
menyusahkan.

*Kadangkala* **a bit of** *tidak*
*diterjemahkan.*
◊ *Put on a bit of music.* Pasangkan
muzik.
♦ **to fall to bits** berkecai
♦ **to take something to bits** mencerai-
ceraikan sesuatu
♦ **bit by bit** sedikit demi sedikit
♦ **1 bit** 1 bit *(komputer)*

**bitch**   KATA NAMA
(JAMAK **bitches**)
*anjing betina*

to **bite**   KATA KERJA
(**bit, bitten**)
rujuk juga **bite** KATA NAMA
*menggigit*
◊ *My dog's never bitten anyone.* Anjing
saya tidak pernah menggigit sesiapa pun.
◊ *I got bitten by mosquitoes.* Saya
digigit nyamuk.
♦ **to bite one's nails** menggigit kuku

**bite**   KATA NAMA
rujuk juga **bite** KATA KERJA
*gigitan*
♦ **to have a bite to eat** makan sedikit
sahaja

**bitter**   KATA ADJEKTIF
rujuk juga **bitter** KATA NAMA
① *pahit*
◊ *It tastes bitter.* Rasanya pahit.
◊ *a bitter experience* pengalaman yang
pahit
② *terlampau sejuk*
◊ *It's bitter today.* Cuaca hari ini
terlampau sejuk.
♦ **a bitter argument** pertengkaran yang
sengit
♦ **She is bitter about the way she was**
**treated.** Dia berasa marah dan kecewa

dengan cara dia diperlakukan.

**bitter**   KATA NAMA
rujuk juga **bitter** KATA ADJEKTIF
*bitter* (sejenis bir berwarna perang
muda)

**bitter gourd**   KATA NAMA
*peria*

**black**   KATA ADJEKTIF
*hitam*
◊ *a black jacket* sehelai jaket hitam
♦ **She's black.** Dia orang kulit hitam.
♦ **black and white** hitam putih

**blackberry**   KATA NAMA
(JAMAK **blackberries**)
*beri hitam*

**blackbird**   KATA NAMA
*burung hitam*

**blackboard**   KATA NAMA
*papan hitam*

**black coffee**   KATA NAMA
*kopi O*

**blackcurrant**   KATA NAMA
*anggur hitam*

to **blacken**   KATA KERJA
① *menghitamkan*
◊ *Usha blackened her teeth with*
*charcoal.* Usha menghitamkan giginya
dengan arang.
② *menjadi hitam* (benda)

**blackish**   KATA ADJEKTIF
*kehitam-hitaman*
◊ *blackish hair* rambut yang kehitam-
hitaman.

**blacklist**   KATA NAMA
rujuk juga **blacklist** KATA KERJA
*senarai hitam*

to **blacklist**   KATA KERJA
rujuk juga **blacklist** KATA NAMA
*menyenaraihitamkan*
◊ *We have blacklisted the students who*
*broke the school rules.* Kami telah
menyenaraihitamkan nama murid yang
melanggar peraturan sekolah.

**blackmail**   KATA NAMA
rujuk juga **blackmail** KATA KERJA
*peras ugut*

to **blackmail**   KATA KERJA
rujuk juga **blackmail** KATA NAMA
*memeras ugut*

**blackout**   KATA NAMA
*putus bekalan* (elektrik)
♦ **to have a blackout** pitam

**black pudding**   KATA NAMA
*sejenis sosej yang tebal, berwarna*
*hitam yang dibuat daripada darah*
*dan lemak khinzir*

**blacksmith**   KATA NAMA
*tukang besi*
◊ *He's a blacksmith.* Dia seorang

tukang besi.

**bladder** KATA NAMA
*pundi kencing*

**blade** KATA NAMA
*mata pisau*

**Blairite** KATA NAMA
> *rujuk juga* **Blairite** KATA ADJEKTIF

*penyokong Tony Blair* (*Perdana Menteri Britain*)

**Blairite** KATA ADJEKTIF
> *rujuk juga* **Blairite** KATA NAMA

*berkaitan dengan polisi Tony Blair*

to **blame** KATA KERJA
*menyalahkan*
◊ *He blamed it on my father.* Dia menyalahkan bapa saya.
♦ **Don't blame me!** Jangan salahkan saya!

**blank** KATA ADJEKTIF
> *rujuk juga* **blank** KATA NAMA

*kosong*
◊ *a blank sheet of paper* sehelai kertas kosong
♦ **My mind went blank.** Fikiran saya buntu.

**blank** KATA NAMA
> *rujuk juga* **blank** KATA ADJEKTIF

*tempat kosong*
◊ *Fill in the blanks.* Isikan tempat kosong.

**blank cheque** KATA NAMA
*cek kosong*

**blanket** KATA NAMA
*selimut*

**blast** KATA NAMA
*letupan*
◊ *a bomb blast* letupan bom

**blatant** KATA ADJEKTIF
*terang-terangan*
◊ *blatant discrimination* diskriminasi secara terang-terangan

**blaze** KATA NAMA
*kebakaran*

**blazer** KATA NAMA
*blazer*

**bleach** KATA NAMA
(JAMAK **bleaches**)
*peluntur*

**bleached hair** KATA NAMA
*rambut yang memutih*

**bleak** KATA ADJEKTIF
*suram*
◊ *His future looks bleak.* Masa depannya kelihatan suram.

to **bleat** KATA KERJA
> *rujuk juga* **bleat** KATA NAMA

*mengembek*
◊ *Goats bleat.* Kambing mengembek.

**bleat** KATA NAMA
> *rujuk juga* **bleat** KATA KERJA

*embek*

to **bleed** KATA KERJA
(**bled, bled**)
*berdarah*
◊ *to bleed to death* berdarah sehingga membawa maut

**bleeper** KATA NAMA
*alat kelui*

to **blend** KATA KERJA
*mencampurkan*
◊ *Blend the butter with the sugar.* Campurkan mentega dengan gula.

**blender** KATA NAMA
*mesin pengisar*

to **bless** KATA KERJA
[1] *memohon rahmat*
[2] *memberkati*
◊ *May God bless you.* Semoga Tuhan memberkati anda.
♦ **Bless you!**
> Dalam masyarakat Inggeris, **Bless you!** diujarkan kepada seseorang selepas orang itu bersin.

**blessing** KATA NAMA
*rahmat*
◊ *I believed that there must be some blessing in what had happened.* Saya percaya, pasti ada rahmat di sebalik kejadian ini.

**blew** KATA KERJA *rujuk* **blow**

**blind** KATA ADJEKTIF
> *rujuk juga* **blind** KATA NAMA

*buta*

**blind** KATA NAMA
> *rujuk juga* **blind** KATA ADJEKTIF

*bidai*

**blindfold** KATA NAMA
> *rujuk juga* **blindfold** KATA KERJA

*kain penutup mata*

to **blindfold** KATA KERJA
> *rujuk juga* **blindfold** KATA NAMA

*menutup mata ... dengan kain* (*orang*)

**blindness** KATA NAMA
*buta*

**blind summit** KATA NAMA
> *isyarat jalan raya yang memberikan amaran supaya berhati-hati kerana terdapat bukit/bonggol di hadapan yang belum dapat dilihat*

to **blink** KATA KERJA
> *rujuk juga* **blink** KATA NAMA

*mengerdipkan mata*

**blink** KATA NAMA
> *rujuk juga* **blink** KATA KERJA

*kedipan atau kelipan*
♦ **in the blink of an eye** sekelip mata sahaja ◊ *A month passed by in the blink of an eye.* Satu bulan sudah berlalu dalam sekelip mata sahaja.

**bliss** KATA NAMA
*kebahagiaan sepenuhnya*
♦ **It was bliss!** Alangkah bahagianya!

**blister** KATA NAMA

> rujuk juga **blister** KATA KERJA

*lepuh*

to **blister** KATA KERJA

> rujuk juga **blister** KATA NAMA

1 *melepuh*
◊ *The affected skin turns red and may blister.* Bahagian kulit itu menjadi merah dan mungkin melepuh.
2 *melecet*
◊ *Her feet were blistered from wearing her new shoes.* Kakinya melecet selepas dia memakai kasut barunya.

**blizzard** KATA NAMA
*ribut salji*

**bloated** KATA ADJEKTIF
1 *sembap*
◊ *His face was bloated.* Mukanya sembap.
2 *segah*
◊ *He felt bloated after he finished up all the food on the table.* Dia berasa segah selepas menghabiskan semua makanan di atas meja.

**blob** KATA NAMA
*tompok*
◊ *a blob of glue* setompok gam

**block** KATA NAMA

> rujuk juga **block** KATA KERJA

1 *blok*
◊ *He lives in our block.* Dia tinggal di blok kita. ◊ *a block of flats* satu blok rumah pangsa
2 *bongkah*

to **block** KATA KERJA

> rujuk juga **block** KATA NAMA

*menyekat*

**blockage** KATA NAMA
1 *benda yang tersekat*
◊ *There's a blockage in the pipe.* Ada benda yang tersekat di dalam paip itu.
2 *keadaan tersumbat*

**bloke** KATA NAMA
(*tidak formal*)
*lelaki*

**blonde** KATA ADJEKTIF
*perang kekuningan*
◊ *She's got blonde hair.* Rambutnya perang kekuningan.

**blood** KATA NAMA
*darah*

**blood pressure** KATA NAMA
*tekanan darah*
◊ *to have high blood pressure* mempunyai tekanan darah tinggi

**blood sports** KATA NAMA JAMAK
*sukan seperti pemburuan yang membunuh binatang*

**bloodsucker** KATA NAMA
1 *haiwan penghisap darah*
2 *pencekik darah* (*orang*)

**blood test** KATA NAMA
*ujian darah*

**blood vessel** KATA NAMA
*salur darah*

**bloody** KATA ADJEKTIF
*berlumuran darah*
◊ *The victim of the accident was all bloody.* Mangsa kemalangan itu berlumuran darah.
♦ **a bloody war** peperangan yang meragut banyak nyawa

to **bloom** KATA KERJA
*berbunga*
◊ *This plant blooms between May and June.* Pokok ini berbunga antara bulan Mei hingga Jun.
♦ **The flower started to bloom.** Bunga itu mula mekar.

**blouse** KATA NAMA
*blaus*

**blow** KATA NAMA

> rujuk juga **blow** KATA KERJA

1 *pukulan*
2 *tamparan* (*sesuatu yang mengecewakan*)

to **blow** KATA KERJA
(**blew, blown**)

> rujuk juga **blow** KATA NAMA

*bertiup*
◊ *A cold wind was blowing.* Angin sejuk sedang bertiup.
♦ **He blew on his fingers.** Dia menghembus jarinya.
♦ **They were one-all when the whistle blew.** Keputusan mereka satu sama sewaktu wisel berbunyi.
♦ **to blow one's nose** menghembus hingus

to **blow out** KATA KERJA
*meniup* (*supaya padam*)
◊ *Blow out the candles!* Tiup lilin itu!

to **blow up** KATA KERJA
1 *meletupkan*
◊ *They blew up a plane.* Mereka meletupkan sebuah kapal terbang.
2 *meletup*
◊ *The house blew up.* Rumah itu meletup.
3 *meniup*
◊ *We've blown up the balloons.* Kami telah meniup belon-belon itu.

**blow-dry** KATA NAMA
*mengeringkan rambut*
◊ *cut and blow-dry* memotong dan

mengeringkan rambut

**blown** KATA KERJA *rujuk* **blow**

**blowpipe** KATA NAMA
*sumpit*

**blue** KATA ADJEKTIF
*biru*
◊ *a blue dress* sehelai baju biru
♦ **a blue movie** filem lucah
♦ **out of the blue** tiba-tiba

**blue-collar** KATA ADJEKTIF
*kolar biru*

**blues** KATA NAMA JAMAK
*muzik blues*

**bluish** KATA ADJEKTIF
*kebiruan*
◊ *bluish white* putih kebiruan

**bluff** KATA NAMA
| *rujuk juga* **bluff** KATA KERJA |
*temberang*

to **bluff** KATA KERJA
| *rujuk juga* **bluff** KATA NAMA |
*temberang*
◊ *He's always bluffing.* Dia asyik temberang sahaja.

**blunder** KATA NAMA
*kesilapan besar*

**blunt** KATA ADJEKTIF
1 *lancang* (percakapan)
2 *tumpul* (pisau)
3 *terus terang* (perbuatan, dll)

**blurred** KATA ADJEKTIF
*kabur*
◊ *blurred black and white photographs* gambar hitam putih yang kabur

to **blush** KATA KERJA
*menjadi merah* (muka)

**blusher** KATA NAMA
*pemerah pipi*

**board** KATA NAMA
| *rujuk juga* **board** KATA KERJA |
*papan*
◊ *a chopping board* papan pemotong
♦ **on board** berada di dalam (kapal, kapal terbang)
♦ **board of directors** lembaga pengarah
♦ **"full board"** "hidangan penuh"
| Jika harga yang dikenakan di sesebuah hotel termasuk **full board**, harga itu termasuk harga untuk makan pagi, petang dan malam. |

to **board** KATA KERJA
| *rujuk juga* **board** KATA NAMA |
*menaiki*
◊ *They boarded the flight to Paris.* Mereka menaiki kapal terbang itu ke Paris.

**boarder** KATA NAMA
*penuntut sekolah berasrama*

**board game** KATA NAMA
*permainan papan*

**boarding card** KATA NAMA
*pas masuk* (kapal, kapal terbang)

**boarding school** KATA NAMA
*sekolah berasrama*

to **boast** KATA KERJA
*bercakap besar*
◊ *to boast about something* bercakap besar tentang sesuatu
♦ **Stop boasting!** Jangan berlagak!

**boat** KATA NAMA
*bot*

to **bob** KATA KERJA
*terapung-apung*
◊ *A lot of fishing boats were bobbing in the sea.* Banyak sampan nelayan yang terapung-apung di laut.

**body** KATA NAMA
(JAMAK **bodies**)
1 *badan*
◊ *the human body* badan manusia
◊ *government body* badan kerajaan
2 *mayat*

**bodybuilding** KATA NAMA
*bina badan*

**bodyguard** KATA NAMA
*pengawal peribadi*
◊ *He's a bodyguard.* Dia seorang pengawal peribadi.

**bog** KATA NAMA
*kawasan paya*

**boil** KATA NAMA
| *rujuk juga* **boil** KATA KERJA |
*bisul*

to **boil** KATA KERJA
| *rujuk juga* **boil** KATA NAMA |
*mendidihkan*
◊ *to boil some water* mendidihkan air
♦ **The water's boiling.** Air sedang mendidih.
♦ **to boil an egg** merebus telur

to **boil over** KATA KERJA
*meruap*

**boiled** KATA ADJEKTIF
*rebus*
◊ *a boiled egg* telur rebus

**boiling** KATA ADJEKTIF
*sangat panas*
◊ *It's boiling in here!* Sangat panas di sini!
♦ **a boiling hot day** hari yang terlampau panas

**bold** KATA ADJEKTIF
*berani*
◊ *He wasn't bold enough to ask them.* Dia tidak cukup berani untuk bertanya kepada mereka.
♦ **bold colours** warna-warna yang terang

**bolster** KATA NAMA
*bantal peluk*

**bolt**　KATA NAMA
> rujuk juga **bolt** KATA KERJA

1　*bolt*
2　*selak*

to **bolt**　KATA KERJA
> rujuk juga **bolt** KATA NAMA

*menyelak*
◊ *Inah bolts the door before going to bed.* Inah menyelak pintu sebelum masuk tidur.

**bomb**　KATA NAMA
> rujuk juga **bomb** KATA KERJA

*bom*

to **bomb**　KATA KERJA
> rujuk juga **bomb** KATA NAMA

*mengebom*

to **bombard**　KATA KERJA
*menghujani*
◊ *The panellists were bombarded with illogical questions.* Ahli panel dihujani dengan pelbagai soalan yang tidak munasabah.

**bomber**　KATA NAMA
*pengebom*

**bombing**　KATA NAMA
*pengeboman*

**bond**　KATA NAMA
1　*pertalian*
◊ *the bond between mother and child* pertalian antara emak dengan anak
2　*bon*
◊ *to issue government bonds* menawarkan bon kerajaan

**bone**　KATA NAMA
*tulang*

**bone dry**　KATA ADJEKTIF
*kering-kontang*

**bonfire**　KATA NAMA
*unggun api*

**bonnet**　KATA NAMA
*bonet*

**bonus**　KATA NAMA
(JAMAK **bonuses**)
*bonus*

**book**　KATA NAMA
> rujuk juga **book** KATA KERJA

*buku*

to **book**　KATA KERJA
> rujuk juga **book** KATA NAMA

*menempah*
◊ *We haven't booked the ticket.* Kami belum menempah tiket.

**bookcase**　KATA NAMA
*almari buku*

**booking**　KATA NAMA
*tempahan*
◊ *advance booking* tempahan awal

**booklet**　KATA NAMA
*buku kecil*

**bookmark**　KATA NAMA
> rujuk juga **bookmark** KATA KERJA

1　*penanda buku*
2　(komputer) *penanda laman web*

to **bookmark**　KATA KERJA
> rujuk juga **bookmark** KATA NAMA

*menanda* (laman web pada komputer)

**bookshelf**　KATA NAMA
(JAMAK **bookshelves**)
*rak buku*

**bookshop**　KATA NAMA
*kedai buku*

to **boom**　KATA KERJA
1　*melonjak*
◊ *By 1998 the economy was booming.* Menjelang 1998 ekonomi melonjak naik.
2　*berdentum*
◊ *Thunder boomed and lightning flashed.* Guruh berdentum dan kilat menyambar.

**boon**　KATA NAMA
*rahmat*
◊ *This battery booster is a boon for photographers.* Alat penggalak bateri ini merupakan rahmat kepada jurugambar.

to **boost**　KATA KERJA
*menggalakkan*
◊ *They're trying to boost the economy.* Mereka cuba menggalakkan pertumbuhan ekonomi.
♦ **The win boosted the team's morale.** Kemenangan itu menaikkan semangat pasukan itu.

**booster**　KATA NAMA
1　*perangsang*
◊ *a morale booster* perangsang semangat
2　*penggalak* (alat, dll)

**boot**　KATA NAMA
1　*but* (pada kereta)
2　*kasut but*
♦ **football boots** kasut bola

**booth**　KATA NAMA
*pondok* (telefon, dll)

**booze**　KATA NAMA
(tidak formal)
*minuman keras*

**border**　KATA NAMA
*sempadan*

**bore**　KATA KERJA　rujuk **bear**

to **bore**　KATA KERJA
*membosankan*
◊ *His continual nagging bored me.* Leterannya yang tidak henti-henti itu membosankan saya.

**bored**　KATA ADJEKTIF
*bosan*
♦ **to be bored** bosan
♦ **to get bored** menjadi bosan

**boredom**　KATA NAMA

_kebosanan_

**boring**  KATA ADJEKTIF
_membosankan_
◊ _The topic's boring._  Tajuk itu membosankan.

**born**  KATA ADJEKTIF
♦ **to be born**  dilahirkan  ◊ _I was born in 1982._  Saya dilahirkan pada tahun 1982.

**borne**  KATA KERJA  _rujuk_ **bear**

to **borrow**  KATA KERJA
_meminjam_
♦ **to borrow something from somebody**  meminjam sesuatu daripada seseorang
◊ _I borrowed some money from Annie._  Saya meminjam wang daripada Annie.
♦ **Can I borrow your pen?**  Bolehkah saya pinjam pen anda?

**borrower**  KATA NAMA
_peminjam_

**Bosnia**  KATA NAMA
_negara Bosnia_

**Bosnian**  KATA ADJEKTIF
_Bosnia_
◊ _the Bosnian flag_  bendera Bosnia

**boss**  KATA NAMA
(JAMAK **bosses**)
_bos_

to **boss around**  KATA KERJA
_mengarah... membuat itu dan ini_
◊ _He started bossing people around._  Dia mula mengarah orang membuat itu dan ini.

**bossy**  KATA ADJEKTIF
_suka mengarah_

**both**  KATA ADJEKTIF, KATA GANTI NAMA, KATA ADVERBA
1 _kedua-dua_
◊ _Both of your answers are wrong._  Kedua-dua jawapan anda salah.
2 _berdua_
◊ _We both went to the party._  Kami berdua pergi ke majlis tersebut.  ◊ _Both of them play the piano._  Mereka berdua bermain piano.

> _Kadang-kadang_ both _tidak diterjemahkan ke dalam bahasa Melayu._

◊ _Both Emma and Jane went._  Emma dan Jane pergi ke sana.  ◊ _He has houses in both France and Spain._  Dia mempunyai rumah di Perancis dan Sepanyol.

to **bother**  KATA KERJA

> _rujuk juga_ **bother** KATA NAMA

1 _merunsingkan_
◊ _What's bothering you?_  Apakah yang merunsingkan anda?
2 _mengganggu_
◊ _I'm sorry to bother you._  Saya

meminta maaf kerana mengganggu anda.
♦ **Don't bother!**  Tak payah!
♦ **to bother to do something**  mengambil peduli untuk melakukan sesuatu  ◊ _He didn't bother to tell me about it._  Dia tidak mengambil peduli untuk memberitahu saya hal itu.

**bother**  KATA NAMA

> _rujuk juga_ **bother** KATA KERJA

_masalah_
◊ _no bother_  tidak ada masalah

**bottle**  KATA NAMA

> _rujuk juga_ **bottle** KATA KERJA

_botol_

to **bottle**  KATA KERJA

> _rujuk juga_ **bottle** KATA NAMA

_membotolkan_
◊ _The machine bottles the wine automatically._  Mesin itu membotolkan wain secara automatik.

to **bottle up**  KATA KERJA
_memendamkan_
◊ _Tension increases if you bottle things up._  Ketegangan akan bertambah jika anda memendamkan sahaja perasaan anda.

**bottle bank**  KATA NAMA
_tong kitar semula (untuk botol)_

**bottle-opener**  KATA NAMA
_pembuka botol_

**bottom**  KATA NAMA

> _rujuk juga_ **bottom** KATA ADJEKTIF

1 _dasar_
♦ **at the bottom of the page**  pada bahagian bawah muka surat itu
♦ **He was always bottom of the class.**  Dia selalu mendapat tempat terakhir dalam kelas.
2 _punggung_

**bottom**  KATA ADJEKTIF

> _rujuk juga_ **bottom** KATA NAMA

_paling bawah_
◊ _the bottom shelf_  rak yang paling bawah

**bougainvillea**  KATA NAMA

> _Ejaan_ **bougainvillaea** _juga digunakan._

_bunga kertas_

**bought**  KATA KERJA  _rujuk_ **buy**

to **bounce**  KATA KERJA

> _rujuk juga_ **bounce** KATA NAMA

_melantun_

**bounce**  KATA NAMA

> _rujuk juga_ **bounce** KATA KERJA

_lantunan_

**bouncer**  KATA NAMA
_pengawal kelab malam_

**bound**  KATA KERJA  _rujuk_ **bind**

**bound**  KATA ADJEKTIF
_pasti_

◊  *She's bound to come.*  Dia pasti datang.

**boundary**  KATA NAMA
(JAMAK  **boundaries**)
*peminggiran*

**boundless**  KATA ADJEKTIF
*tidak terbatas*

**bounds**  KATA NAMA JAMAK
*batasan*
◊  *Discussion of such a sensitive topic must keep within bounds.*  Perbincangan tentang tajuk yang sebegitu sensitif harus mempunyai batasan.

**boutique**  KATA NAMA
*butik*

to **bow**  KATA KERJA

> rujuk juga **bow** KATA NAMA

*tunduk*

**bow**  KATA NAMA

> rujuk juga **bow** KATA KERJA

[1]  *simpulan*
◊  *to tie a bow*  mengikat simpulan
[2]  *busur*
◊  *a bow and arrow*  busur dan anak panah

**bowels**  KATA NAMA JAMAK
*usus*

**bowl**  KATA NAMA

> rujuk juga **bowl** KATA KERJA

*mangkuk*

to **bowl**  KATA KERJA

> rujuk juga **bowl** KATA NAMA

*bermain boling*

**bowler**  KATA NAMA
*pemain boling*

**bowling**  KATA NAMA
*boling*
♦  **to go bowling**  pergi bermain boling
♦  **a bowling alley**  lorong boling

**bowls**  KATA NAMA JAMAK
*boling padang*

**bow tie**  KATA NAMA
*tali leher kupu-kupu*

**box**  KATA NAMA
(JAMAK  **boxes**)

> rujuk juga **box** KATA KERJA

[1]  *kotak*
◊  *a box of matches*  sekotak mancis
◊  *a cardboard box*  kotak kadbod
[2]  *petak* atau *kotak*  (pada borang)
[3]  *kotak penalti*  (bola sepak)

to **box**  KATA KERJA

> rujuk juga **box** KATA NAMA

*bertinju*
◊  *William boxed and played rugby at school.*  William bertinju dan bermain ragbi di sekolah.

**boxer**  KATA NAMA
*peninju*

**boxer shorts**  KATA NAMA JAMAK
*seluar pendek yang longgar*

**boxing**  KATA NAMA
*tinju*

**Boxing Day**  KATA NAMA

> **Boxing Day** ialah 26 Disember, iaitu sehari selepas hari Krismas.

**boy**  KATA NAMA
*budak lelaki*
♦  **She has two boys and a girl.**  Dia mempunyai dua orang anak lelaki dan seorang anak perempuan.
♦  **a baby boy**  bayi lelaki

**boy band**  KATA NAMA
*kumpulan pemuzik lelaki*

to **boycott**  KATA KERJA

> rujuk juga **boycott** KATA NAMA

*memboikot*
◊  *The country boycotted imports from Britain.*  Negara itu memboikot barangan import dari Britain.

**boycott**  KATA NAMA

> rujuk juga **boycott** KATA KERJA

*pemboikotan*

**boyfriend**  KATA NAMA
*teman lelaki*
◊  *Have you got a boyfriend?*  Anda ada teman lelaki?

**bra**  KATA NAMA
*coli*

**brace**  KATA NAMA
*pendakap gigi*
◊  *Richard wears a brace.*  Richard memakai pendakap gigi.

**bracelet**  KATA NAMA
*rantai tangan*

**brackets**  KATA NAMA JAMAK
*tanda kurungan*
♦  **in brackets**  dalam kurungan

**brackish**  KATA ADJEKTIF
*payau*
◊  *brackish water*  air yang payau

to **brag**  KATA KERJA
*mengada-ada*
◊  *Kamsiah is always bragging about the fact that she is a school prefect.*  Kamsiah selalu mengada-ada dengan jawatannya sebagai pengawas.

**brain**  KATA NAMA
*otak*

**brain-damaged**  KATA ADJEKTIF
*mengalami kerosakan otak*
◊  *The accident left the boy severely brain-damaged.*  Kemalangan tersebut menyebabkan budak lelaki itu mengalami kerosakan otak yang teruk.

**brainless**  KATA ADJEKTIF
*tidak berotak*

**brainy**  KATA ADJEKTIF

*bijak*

**brake** KATA NAMA

> rujuk juga **brake** KATA KERJA

*brek*

to **brake** KATA KERJA

> rujuk juga **brake** KATA NAMA

*membrek*

**branch** KATA NAMA

(JAMAK **branches**)

① *dahan*

② *cawangan*

**brand** KATA NAMA

> rujuk juga **brand** KATA KERJA

*jenama*

◊ *a well-known brand of coffee* jenama kopi yang terkenal

to **brand** KATA KERJA

> rujuk juga **brand** KATA NAMA

*menyelar*

◊ *to brand cattle* menyelar lembu

**branded** KATA ADJEKTIF

*berjenama*

◊ *branded goods* barangan berjenama

**brand name** KATA NAMA

*jenama*

**brand-new** KATA ADJEKTIF

*baru*

**brandy** KATA NAMA

(JAMAK **brandies**)

*brandi*

**brass** KATA NAMA

*loyang*

♦ **the brass section** bahagian bras (*orkestra*)

**brass band** KATA NAMA

*pancaragam*

**brat** KATA NAMA

*anak nakal*

◊ *He's a spoiled brat.* Dia seorang anak nakal yang mua.

**brave** KATA ADJEKTIF

*berani*

**bravely** KATA ADVERBA

*dengan berani*

**bravery** KATA NAMA

*keberanian*

◊ *He received a medal for his bravery.* Dia menerima pingat kerana keberaniannya.

**Brazil** KATA NAMA

*Brazil*

**breach** KATA NAMA

*pelanggaran*

◊ *$1 billion breach of contract suit* saman bernilai 1 bilion dolar kerana pelanggaran kontrak

♦ **breach of trust** pecah amanah

**bread** KATA NAMA

*roti*

♦ **bread and butter** punca rezeki

**break** KATA NAMA

> rujuk juga **break** KATA KERJA

① *rehat*

◊ *to take a break* berhenti rehat

② *waktu rehat* (*di sekolah*)

♦ **the Christmas break** cuti hari Krismas

♦ **Give me a break!** Tolonglah!

to **break** KATA KERJA

(**broke, broken**)

> rujuk juga **break** KATA NAMA

*pecah*

◊ *Careful, it'll break!* Hati-hati, nanti pecah!

♦ **I broke my leg.** Kaki saya patah.

♦ **to break a promise** memungkiri janji

♦ **to break a record** memecahkan rekod

to **break down** KATA KERJA

*rosak*

◊ *The car broke down.* Kereta itu rosak.

to **break in** KATA KERJA

*memecah masuk*

◊ *The thief had broken in through a window.* Pencuri itu memecah masuk melalui tingkap.

to **break into** KATA KERJA

*memecah masuk*

◊ *Thieves broke into the house.* Pencuri memecah masuk ke dalam rumah itu.

to **break off** KATA KERJA

① *patah*

② *berhenti tiba-tiba* (*perbuatan*)

③ *memutuskan*

◊ *to break off a relationship* memutuskan hubungan

to **break out** KATA KERJA

① *meletus* (*peperangan*)

② *tercetus* (*kebakaran, rusuhan*)

③ *melarikan diri* (*banduan*)

♦ **He broke out in a rash.** Timbul bintik-bintik ruam pada badannya.

to **break up** KATA KERJA

① *menyuraikan*

◊ *Police broke up the demonstration.* Polis menyuraikan demonstrasi tersebut.

② *berpisah*

◊ *Richard and Marie have broken up.* Richard dan Marie sudah berpisah.

♦ **More and more marriages break up.** Semakin banyak rumah tangga yang runtuh.

♦ **to break up a fight** meleraikan pergaduhan

♦ **We break up next Wednesday.** Kami mula bercuti pada hari Rabu depan.

**breakdown** KATA NAMA

① *gangguan jiwa*

◊ *He had a breakdown because of the stress.* Dia mengalami gangguan jiwa akibat tekanan itu.

2 _kerosakan_ (_kenderaan, mesin_)

◆ **to have a breakdown** rosak

**breakdown van** KATA NAMA

_van penunda_

**breakfast** KATA NAMA

_sarapan_

◆ **to have breakfast** bersarapan

**break-in** KATA NAMA

_kejadian pecah rumah_

◊ _There have been a lot of break-ins in my area._ Terdapat banyak kejadian pecah rumah di kawasan rumah saya.

**break-up** KATA NAMA

_perpecahan_

◊ _a family break-up_ perpecahan dalam keluarga

◆ **a marital break-up** keruntuhan rumah tangga

**breast** KATA NAMA

_buah dada_

◆ **chicken breast** dada ayam

to **breast-feed** KATA KERJA

(**breast-fed, breast-fed**)

_menyusui_

**breast-feeding** KATA NAMA

_penyusuan ibu_

◊ _the benefits of breast-feeding_ kebaikan penyusuan ibu

**breaststroke** KATA NAMA

_kuak dada_

**breath** KATA NAMA

_nafas_

◊ _He's got bad breath._ Nafasnya berbau busuk.

◆ **I'm out of breath.** Saya termengah-mengah.

◆ **to get one's breath back** dapat bernafas seperti biasa semula

to **breathe** KATA KERJA

_bernafas_

to **breathe in** KATA KERJA

_menarik nafas_

to **breathe out** KATA KERJA

_menghembus nafas_

**breathless** KATA ADJEKTIF

_seperti tidak dapat bernafas_

◊ _We were breathless with anticipation._ Kami seperti tidak dapat bernafas kerana terlalu mengharap.

**breathtaking** KATA ADJEKTIF

_menakjubkan_

**breed** KATA NAMA

| rujuk juga **breed** KATA KERJA |
| --- |

_baka_

to **breed** KATA KERJA

(**bred, bred**)

| rujuk juga **breed** KATA NAMA |
| --- |

_membiakkan_

◊ _to breed dogs_ membiakkan anjing

**breeder** KATA NAMA

_penternak_

◊ _Janet's father was a well-known horse breeder._ Bapa Janet seorang pemelihara kuda yang terkenal.

**breeding** KATA NAMA

_pembiakan_

◊ _breeding season_ musim pembiakan

**breeze** KATA NAMA

_bayu_

**brewery** KATA NAMA

(JAMAK **breweries**)

_kilang bir_

**bribe** KATA NAMA

| rujuk juga **bribe** KATA KERJA |
| --- |

_rasuah_

to **bribe** KATA KERJA

| rujuk juga **bribe** KATA NAMA |
| --- |

_merasuahi_

**brick** KATA NAMA

_bata_

**bricklayer** KATA NAMA

_orang yang kerjanya menurap bata_

◆ **He's a bricklayer.** Dia bekerja menurap bata.

**bridal** KATA ADJEKTIF

_pengantin_

◊ _a bridal gown_ gaun pengantin

◆ **bridal couple** pasangan pengantin

◆ **bridal dais** pelamin

**bride** KATA NAMA

_pengantin perempuan_

**bridegroom** KATA NAMA

_pengantin lelaki_

**bridesmaid** KATA NAMA

_pengapit pengantin_ (_perempuan_)

**bridge** KATA NAMA

1 _jambatan_

◊ _a suspension bridge_ jambatan gantung

2 _permainan bridge_

◆ **to play bridge** bermain bridge

**brief** KATA ADJEKTIF

_ringkas_

**briefcase** KATA NAMA

_beg bimbit_

**briefing** KATA NAMA

_taklimat_

**briefly** KATA ADVERBA

_secara ringkas_

**briefs** KATA NAMA JAMAK

_seluar dalam_

**bright** KATA ADJEKTIF

1 _terang_

◊ _a bright colour_ warna yang terang

2 _cerah_

◊ _a bright day_ hari yang cerah

3 _cerdik_

◊ *He's not very bright.* Dia tidak begitu cerdik.

to **brighten** KATA KERJA

*berseri-seri*

◊ *'Oh, I'd love to!' cried Nani, her face brightening.* 'Oh, saya suka sekali!' jerit Nani dan wajahnya berseri-seri.

♦ **Her eyes brightened with interest.** Matanya bersinar penuh minat.

to **brighten up** KATA KERJA

*menyerikan*

◊ *This pink will brighten up the room.* Warna merah jambu ini akan menyerikan bilik ini.

♦ **He brightened up a bit.** Wajahnya berseri-seri sedikit.

**brightly** KATA ADVERBA

*terang*

◊ *The sun is shining brightly.* Cahaya matahari bersinar terang.

**brightness** KATA NAMA

*seri*

◊ *You'll be impressed with the brightness of the colours.* Anda pasti kagum melihat seri warna-warna itu.

**brilliant** KATA ADJEKTIF

1 *sangat bijak*

◊ *a brilliant scientist* seorang ahli sains yang sangat bijak

2 *cemerlang*

◊ *a brilliant success* kejayaan yang cemerlang

♦ **We had a brilliant time!** Kami sungguh gembira!

**brilliantly** KATA ADVERBA

*dengan cemerlang*

◊ *The team performed brilliantly.* Pasukan itu bermain dengan cemerlang.

♦ **Many of the patterns show brilliantly coloured flowers.** Kebanyakan daripada corak-corak itu mempunyai corak bunga yang terang sekali.

**brim** KATA NAMA

1 *bahagian tepi (pada topi, dll)*

2 *bibir (pada gelas, dll)*

to **bring** KATA KERJA

(**brought, brought**)

*membawa*

◊ *Bring warm clothes.* Bawa baju yang tebal. ◊ *Can I bring a friend?* Bolehkah saya bawa seorang kawan?

to **bring about** KATA KERJA

*menyebabkan*

to **bring back** KATA KERJA

*mengembalikan*

◊ *That song brings back memories.* Lagu itu mengembalikan kenangan silam.

to **bring forward** KATA KERJA

*mencepatkan*

◊ *The meeting was brought forward two days.* Mesyuarat tersebut dicepatkan dua hari.

to **bring up** KATA KERJA

*membesarkan*

◊ *She brought up five children on her own.* Dia membesarkan lima orang anaknya seorang diri.

**brinjal** KATA NAMA

*terung*

**Britain** KATA NAMA

*Britain*

**British** KATA ADJEKTIF, KATA NAMA

*British*

♦ **the British Isles** Kepulauan Britain

♦ **She's British.** Dia berbangsa British.

♦ **the British** orang British

**brittle** KATA ADJEKTIF

*rapuh*

◊ *brittle bones* tulang-tulang yang rapuh

♦ **the dry, brittle ends of the hair** hujung rambut yang kering dan mudah putus

**broad** KATA ADJEKTIF

*lebar*

♦ **in broad daylight** pada siang hari

**broadband** KATA ADJEKTIF

(komputer)

> rujuk juga **broadband** KATA NAMA

*jalur lebar*

◊ *a broadband Internet-service provider* pembekal khidmat Internet jalur lebar

> **broadband** ialah kabel fiber optik yang berkeupayaan tinggi dan digunakan untuk capaian Internet pada kelajuan yang tinggi.

**broadband** KATA NAMA

> rujuk juga **broadband** KATA ADJEKTIF

*jalur lebar*

◊ *the benefits of broadband* faedah-faedah daripada jalur lebar

**broad bean** KATA NAMA

*kacang buncis besar*

**broadcast** KATA NAMA

> rujuk juga **broadcast** KATA KERJA

*penyiaran*

♦ **live broadcast** siaran langsung

to **broadcast** KATA KERJA

(**broadcast, broadcast**)

> rujuk juga **broadcast** KATA NAMA

*menyiarkan*

◊ *The interview was broadcast all over the world.* Temu bual itu disiarkan ke seluruh dunia.

♦ **to broadcast live** menyiarkan secara langsung

**broadcaster** KATA NAMA

*juruhebah*

**broadcasting** KATA NAMA

*penyiaran*

◊　*broadcasting schedule*　jadual penyiaran

to **broaden**　KATA KERJA
　1　*melebar*
　◊　*The trails broadened into roads.*　Denai itu melebar menjadi jalan.
　♦　**The smile broadened to a grin.**　Senyumannya menjadi lebih lebar.
　2　*meluaskan*
　◊　*I thought you wanted to broaden your horizons.*　Saya ingat anda mahu meluaskan horizon anda.

**broad-minded**　KATA ADJEKTIF
　*berfikiran luas*
　◊　*He's very broad-minded.*　Dia seorang yang sangat berfikiran luas.

**broccoli**　KATA NAMA
　*brokoli*

**brochure**　KATA NAMA
　*risalah*

**broke**　KATA KERJA　*rujuk* **break**

**broke**　KATA ADJEKTIF
　(*tidak formal*)
　*pokai* (*tidak formal*)

**broken**　KATA KERJA　*rujuk* **break**

**broken**　KATA ADJEKTIF
　1　*pecah*
　◊　*It's broken.*　Barang ini sudah pecah.
　2　*patah*
　◊　*He's got a broken arm.*　Tangannya patah.

**broker**　KATA NAMA
　*broker*
　◊　*share broker*　broker saham

**bronchitis**　KATA NAMA
　*bronkitis*

**bronze**　KATA NAMA
　*gangsa*
　◊　*the bronze medal*　pingat gangsa

**brooch**　KATA NAMA
　(JAMAK **brooches**)
　*kerongsang*

**broom**　KATA NAMA
　*penyapu*

**brother**　KATA NAMA
　1　*abang*
　2　*adik* (*lelaki*)

**brother-in-law**　KATA NAMA
　(JAMAK **brothers-in-law**)
　1　*abang ipar*
　2　*adik ipar* (*lelaki*)

**brought**　KATA KERJA　*rujuk* **bring**

**brown**　KATA ADJEKTIF
　*perang*
　◊　*brown bread*　roti perang

**brownfield**　KATA ADJEKTIF
　*tidak digunakan lagi*
　◊　*brownfield sites*　tapak-tapak yang tidak digunakan lagi

♦　**brownfield land**　tanah tinggal
　◊　*brownfield land left from steel-making*　kawasan tanah tinggal daripada perusahaan membuat keluli

**brown goods**　KATA NAMA JAMAK
　*peralatan selain daripada peti sejuk, mesin basuh dan lain-lain barang yang biasanya berwarna putih, misalnya televisyen*

**Brownie**　KATA NAMA
　*Tunas Puteri*

**brownish**　KATA ADJEKTIF
　*keperang-perangan*

to **browse**　KATA KERJA
　(*komputer*)
　*menyemak imbas*

**browser**　KATA NAMA
　(*komputer*)
　*penyemak imbas* **atau** *pelayar*

**bruise**　KATA NAMA
　*rujuk juga* **bruise** KATA KERJA
　*lebam*

to **bruise**　KATA KERJA
　*rujuk juga* **bruise** KATA NAMA
　*melebam*
　◊　*She bruises easily.*　Badannya senang melebam.

**bruised**　KATA ADJEKTIF
　*lebam*

**brush**　KATA NAMA
　(JAMAK **brushes**)
　*rujuk juga* **brush** KATA KERJA
　*berus*

to **brush**　KATA KERJA
　*rujuk juga* **brush** KATA NAMA
　*memberus*
　◊　*to brush one's teeth*　memberus gigi
　♦　**to brush one's hair**　menyikat rambut

to **brush against**　KATA KERJA
　*bergeseran*
　◊　*The corridor was so narrow that their shoulders nearly brushed against each other.*　Koridor itu begitu sempit sehingga bahu mereka hampir bergeseran.

to **brush up**　KATA KERJA
　*memperbaiki*
　◊　*I had hoped to brush up my Spanish.*　Saya berharap saya dapat memperbaiki bahasa Sepanyol saya.

**Brussels**　KATA NAMA
　*Brussels*

**Brussels sprouts**　KATA NAMA JAMAK
　*kubis Brussels*

**brutal**　KATA ADJEKTIF
　*kejam*

**brutality**　KATA NAMA
　(JAMAK **brutalities**)
　*kekejaman*
　◊　*the brutality of the communists*

kekejaman pihak komunis

**brutally** KATA ADVERBA
_dengan kejam_
◊ *His friend had been brutally murdered.*
Kawannya telah dibunuh dengan kejam.

**BSc** SINGKATAN (= *Bachelor of Science*)
_Sarjana Muda Sains_
◊ *a BSc in Mathematics* Sarjana
Muda Sains dalam Matematik

**BTW** SINGKATAN (= *by the way*)
(*tidak formal, biasanya dalam e-mel*)
_oh ya_

**bubble** KATA NAMA
1 _buih_
◊ *soap bubbles* buih sabun
2 _gelembung_
◊ *a bubble of gas* satu gelembung gas

**bubble bath** KATA NAMA
_mandi buih_

**bubble gum** KATA NAMA
_gula-gula getah_

**bucket** KATA NAMA
_baldi_

**buckle** KATA NAMA
1 _kancing_
2 _kepala tali pinggang_

**bud** KATA NAMA
_kudup_
◊ *a flower bud* kudup bunga

**Buddha** KATA NAMA
_Buddha_

**Buddhism** KATA NAMA
_agama Buddha_

**Buddhist** KATA ADJEKTIF
_Buddha_

to **budge** KATA KERJA
1 _berganjak_
◊ *Her mother refused to budge from the village.* Emaknya enggan berganjak dari kampung itu.
2 _menggerakkan_
♦ **The window refused to budge.**
Tingkap itu tidak dapat digerakkan.
♦ **They said they would not budge.**
Mereka berkata bahawa mereka tidak akan mengubah pendirian.

**budget** KATA NAMA
> rujuk juga **budget** KATA KERJA
1 _peruntukan_
2 _belanjawan_

to **budget** KATA KERJA
> rujuk juga **budget** KATA NAMA
_memperuntukkan_
◊ *They budgeted 10 million pounds for advertising.* Mereka memperuntukkan sebanyak 10 juta paun untuk pengiklanan.
♦ **I'm learning how to budget.** Saya sedang belajar cara membuat belanjawan.

**budgie** KATA NAMA

_burung nuri_

**buffalo** KATA NAMA
(JAMAK **buffaloes** atau **buffalo**)
_kerbau_

**buffet** KATA NAMA
_bufet_

**buffet car** KATA NAMA
_gerabak makan-minum_ (*kereta api*)

**bug** KATA NAMA
_pepijat_
♦ **a stomach bug** kuman yang menyebabkan sakit perut

**bugged** KATA ADJEKTIF
_dipasang mikrofon rahsia_
◊ *The phone was bugged.* Telefon itu telah dipasang mikrofon rahsia.

to **build** KATA KERJA
(**built, built**)
_membina_
◊ *They're going to build houses here.*
Mereka akan membina rumah di sini.

to **build up** KATA KERJA
_bertambah_
◊ *He has built up a huge collection of stamps.* Koleksi setemnya telah bertambah banyak. ◊ *Our debts are building up.* Hutang kami semakin bertambah.

**builder** KATA NAMA
1 _jurubina_
2 _buruh binaan_

**building** KATA NAMA
1 _bangunan_
2 _pembinaan_

**built** KATA KERJA *rujuk* **build**

**bulb** KATA NAMA
1 _mentol_
2 _bebawang_

to **bulge** KATA KERJA
_tersembul_
◊ *His eyes were bulging.* Matanya tersembul.
♦ **He ate so much that his stomach started to bulge.** Dia makan begitu banyak sehingga perutnya mula buncit.

**bulk** KATA NAMA
_pukal_
◊ *to buy in bulk* membeli secara pukal

**bulky** KATA ADJEKTIF
_besar dan berat_
◊ *a bulky package* bungkusan yang besar dan berat

**bull** KATA NAMA
_lembu jantan_

**bulldozer** KATA NAMA
_jentolak_

**bullet** KATA NAMA
_peluru_

**bulletin** KATA NAMA

*buletin*
**bulletin board**  KATA NAMA
> 1 *papan kenyataan*
> 2 *papan buletin* (*komputer*)
**bullet-proof**  KATA ADJEKTIF
*kalis peluru*
**bullfighting**  KATA NAMA
*sukan lawan lembu*
> ◊ *Do you like bullfighting?* Anda suka menonton sukan lawan lembu?
**bullock cart**  KATA NAMA
*kereta lembu*
**bully**  KATA NAMA
(JAMAK **bullies**)
> rujuk juga **bully** KATA KERJA

*pembuli*
> ◊ *He's a big bully.* Dia pembuli besar.
to **bully**  KATA KERJA
(**bullied, bullied**)
> rujuk juga **bully** KATA NAMA

*membuli*
**bum**  KATA NAMA
(*tidak formal*)
*punggung*
**bum bag**  KATA NAMA
*beg pinggang*
**bump**  KATA NAMA
> rujuk juga **bump** KATA KERJA

> 1 *benjol* (*pada dahi*)
> 2 *bonggol* (*pada jalan*)
> ◆ **We had a bump while driving home.** Kami terlibat dalam satu perlanggaran ketika dalam perjalanan pulang.
to **bump**  KATA KERJA
> rujuk juga **bump** KATA NAMA

*terhantuk*
> ◊ *I bumped my head on the wall.* Kepala saya terhantuk pada dinding.
to **bump into**  KATA KERJA
> 1 *bertembung*
> ◊ *I bumped into Paul yesterday.* Saya bertembung dengan Paul kelmarin.
> 2 *melanggar*
> ◊ *We bumped into a tree.* Kami melanggar sebatang pokok.
**bumper**  KATA NAMA
*bampar*
**bumpy**  KATA ADJEKTIF
*berbonggol-bonggol* (*jalan*)
**bun**  KATA NAMA
*roti ban*
**bunch**  KATA NAMA
(JAMAK **bunches**)
> ◆ **a bunch of flowers** sejambak bunga
> ◆ **a bunch of grapes** segugus anggur
> ◆ **a bunch of keys** segugus kunci
> ◆ **a bunch of bananas** sesikat pisang
> ◆ **a bunch of people** sekumpulan orang
**bunches**  KATA NAMA JAMAK

*tocang dua*
> ◊ *She has her hair in bunches.* Dia mengikat tocang dua.
**bundle**  KATA NAMA
*ikat*
> ◊ *a bundle of fifty-ringgit notes* seikat wang kertas lima puluh ringgit
> ◆ **She gathered the bundles of clothing together and put them in the car.** Dia mengumpulkan bungkusan-bungkusan pakaian itu dan memasukkannya ke dalam kereta.
**bungalow**  KATA NAMA
*banglo*
**bunk**  KATA NAMA
*katil* (*biasanya dalam kapal, karavan*)
**bunsen burner**  KATA NAMA
*penunu Bunsen*
**burden**  KATA NAMA
> rujuk juga **burden** KATA KERJA

*beban*
> ◊ *She hopes to lighten the burden on her family.* Dia berharap dapat meringankan beban keluarganya.
to **burden**  KATA KERJA
> rujuk juga **burden** KATA NAMA

*membebani*
> ◆ **to burden somebody with something** membebani seseorang dengan sesuatu
> ◊ *His leader burdened him with the task.* Ketuanya membebaninya dengan tugas itu.
**bureau**  KATA NAMA
(JAMAK **bureaux**)
*biro*
**bureaucracy**  KATA NAMA
*birokrasi*
**burger**  KATA NAMA
*burger*
**burglar**  KATA NAMA
*pencuri* (*pecah masuk rumah, bangunan*)
**burglary**  KATA NAMA
(JAMAK **burglaries**)
*kecurian*
to **burgle**  KATA KERJA
*mencuri* (*dalam rumah, bangunan*)
> ◆ **Her house was burgled.** Rumahnya dimasuki pencuri.
**burial**  KATA NAMA
*pengebumian*
**burn**  KATA NAMA
> rujuk juga **burn** KATA KERJA

*bahagian yang terbakar*
to **burn**  KATA KERJA
(**burned** atau **burnt, burned** atau **burnt**)
> rujuk juga **burn** KATA NAMA

*membakar*
> ◊ *I burned the rubbish.* Saya membakar sampah.

♦ **I burned the cake.** Kek yang saya bakar itu hangus.

♦ **I've burned my hand.** Tangan saya terbakar.

to **burn down**  KATA KERJA
*membakar*

♦ **The factory burned down.** Kilang itu terbakar.

**burning**  KATA ADJEKTIF

| rujuk juga **burning** KATA NAMA |
|---|

1 *panas membakar*

◊ *the burning desert of Central Asia* gurun di bahagian tengah Asia yang panas membakar

2 *bersemarak*

◊ *He has a burning desire to succeed.* Semangatnya untuk berjaya bersemarak.

♦ **The firemen rescued 10 people from the burning building.** Ahli bomba menyelamatkan 10 orang dari bangunan yang sedang terbakar itu.

**burning**  KATA NAMA

| rujuk juga **burning** KATA ADJEKTIF |
|---|

*pembakaran*

◊ *open burning* pembakaran terbuka

to **burp**  KATA KERJA
*terbelahak*

◊ *Sani burped after his meal.* Sani terbelahak selepas makan.

to **burst**  KATA KERJA
(**burst, burst**)
*pecah*

◊ *The balloon burst.* Belon itu pecah.

♦ **to burst out laughing** tergelak

♦ **to burst into tears** menangis dengan tiba-tiba

♦ **to burst into flames** terbakar dengan tiba-tiba

to **bury**  KATA KERJA
(**buried, buried**)
*mengebumikan*

**bus**  KATA NAMA
(JAMAK **buses**)
*bas*

◊ *by bus* dengan bas  ◊ *the school bus* bas sekolah  ◊ *a bus ticket* tiket bas

**bush**  KATA NAMA
(JAMAK **bushes**)
*semak*

**bushy**  KATA ADJEKTIF
*lebat*

◊ *bushy eyebrows* kening yang lebat

♦ **a bushy tail** ekor yang berbulu lebat

♦ **bushy plants** tumbuhan yang berdaun lebat

**business**  KATA NAMA
(JAMAK **businesses**)
1 *perniagaan*

◊ *He's got his own business.* Dia memiliki perniagaan sendiri.

2 *urusan*

◊ *He's away on business.* Dia tidak ada di sini kerana ada urusan.

♦ **a business trip** lawatan perniagaan

♦ **It's none of my business.** Itu bukan urusan saya.

**businessman**  KATA NAMA
(JAMAK **businessmen**)
*ahli perniagaan* (*lelaki*)

**businesswoman**  KATA NAMA
(JAMAK **businesswomen**)
*ahli perniagaan* (*wanita*)

**busker**  KATA NAMA
*seniman jalanan*

**bus pass**  KATA NAMA
*pas bas*

**bus station**  KATA NAMA
*stesen bas*

**bus stop**  KATA NAMA
*perhentian bas*

**bust**  KATA NAMA

1 *patung orang* (*dari kepala hingga dada*)

2 *buah dada*

3 *serbuan* (*oleh polis*)

◊ *drugs bust* serbuan rampasan dadah

**bustle**  KATA NAMA
*kesibukan*

◊ *the bustle of the city* kesibukan bandar raya itu

**busy**  KATA ADJEKTIF
*sibuk*

◊ *She's a very busy woman.* Dia seorang wanita yang sangat sibuk.

◊ *It's been a very busy day.* Hari ini merupakan hari yang sangat sibuk.

**busybody**  KATA NAMA
(JAMAK **busybodies**)
*penyibuk*

**but**  KATA SENDI, KATA HUBUNG

1 *tetapi*

◊ *I'd like to come, but I'm busy.* Saya ingin datang, tetapi saya sibuk.

2 *kecuali*

◊ *She had no choice but to resign.* Dia tidak mempunyai pilihan lain kecuali meletakkan jawatan.

♦ **They won all but two of their matches.** Mereka hanya kalah dalam dua perlawanan.

♦ **the last but one** yang kedua akhir

**butcher**  KATA NAMA

1 *penjual daging*

◊ *He's a butcher.* Dia seorang penjual daging.

2 *penyembelih*

♦ **at the butcher's** di kedai daging

**butt**  KATA NAMA
*puntung*
◊ *cigarette butt*  puntung rokok
♦ **rifle butt**  pangkal senapang
**butt-cheeks**  KATA NAMA JAMAK 🖾
(*tidak formal*)
*punggung*
**butter**  KATA NAMA
> *rujuk juga* **butter** KATA KERJA
*mentega*
to **butter**  KATA KERJA
> *rujuk juga* **butter** KATA NAMA
*menyapu mentega*
to **butter up**  KATA KERJA
*mengampu*
◊ *I tried buttering her up.*  Saya cuba mengampunya.
**butterfly**  KATA NAMA
(JAMAK **butterflies**)
[1] *kupu-kupu* atau *rama-rama*
[2] *kuak kupu-kupu*
◊ *Her favourite stroke is the butterfly.* Acara renang kegemarannya ialah kuak kupu-kupu.
**buttocks**  KATA NAMA JAMAK
*punggung*
**button**  KATA NAMA
*butang*
**buy**  KATA NAMA
> *rujuk juga* **buy** KATA KERJA
*pembelian*
◊ *It was a good buy.*  Pembelian itu berbaloi.
to **buy**  KATA KERJA
(**bought, bought**)
> *rujuk juga* **buy** KATA NAMA
*membeli*
◊ *I bought a watch from him.*  Saya membeli seutas jam tangan daripadanya.
♦ **He bought me an ice cream.**  Dia membelikan saya aiskrim.
to **buy up**  KATA KERJA
[1] *memborong* (*barangan*)
◊ *Selvi bought up all the clothes that were available in the shop.*  Selvi memborong semua pakaian yang ada di kedai itu.
[2] *membeli* (*tanah, hak milik, komoditi*)
**buyer**  KATA NAMA
*pembeli*
to **buzz**  KATA KERJA
> *rujuk juga* **buzz** KATA NAMA
*berdengung* (*bunyi lebah*)
**buzz**  KATA NAMA
> *rujuk juga* **buzz** KATA KERJA
*dengung* (*bunyi lebah*)
**by**  KATA SENDI
[1] *oleh*
◊ *The thieves were caught by the police.* Pencuri-pencuri itu telah ditangkap oleh polis. ◊ *a painting by Picasso* sebuah lukisan oleh Picasso
[2] *dengan*
◊ *by car* dengan kereta ◊ *by train* dengan kereta api ◊ *by bus* dengan bas
[3] *di sebelah*
◊ *Where's the bank? - It's by the post office.*  Di manakah bank itu? - Bank itu terletak di sebelah pejabat pos.
♦ **We have to be there by 4 o'clock.** Kami mesti berada di sana sebelum pukul 4.
♦ **It'll be ready by the time you get back.** Kerja-kerja ini akan siap sebelum anda pulang.
♦ **by the time...**  pada waktu... ◊ *By the time I got there it was too late.*  Pada waktu saya sampai di sana, semuanya sudah terlambat.
♦ **That's fine by me.**  Saya setuju sahaja.
♦ **all by himself**  seorang diri
♦ **I did it all by myself.**  Saya melakukannya sendiri.
♦ **by the way**  oh ya
**bye**  KATA SERUAN
*selamat tinggal*
**bygone**  KATA ADJEKTIF
*silam*
◊ *a bygone age* zaman silam
**bypass**  KATA NAMA
(JAMAK **bypasses**)
*pintasan*

# C

**cab** KATA NAMA
*teksi*

**cabbage** KATA NAMA
*kubis*

**cabin** KATA NAMA
*kabin*

**cabinet** KATA NAMA
*kabinet*
◊ *an office cabinet* kabinet pejabat
♦ **the Cabinet** jemaah menteri

**cable** KATA NAMA
*kabel*

**cable car** KATA NAMA
*kereta kabel*

**cable television** KATA NAMA
*televisyen kabel*

**caddie** KATA NAMA
*kedi*
◊ *Johnson works as a caddie at the golf club.* Johnson bekerja sebagai kedi di kelab golf itu.

**cadence** KATA NAMA
*alunan*
◊ *the cadences of a song* alunan lagu

**cadet** KATA NAMA
*kadet*
◊ *He joined the army cadets two years ago.* Dia menyertai kadet tentera dua tahun yang lalu.

**café** KATA NAMA
*kafe*

**café bar** KATA NAMA
*bar kafe*
| kafe yang juga menjual minuman keras |
| --- |

**cafeteria** KATA NAMA
*kafeteria*
◊ *We're going to have lunch in the cafeteria.* Kami akan makan tengah hari di kafeteria.

**caffeine** KATA NAMA
*kafeina*

**cage** KATA NAMA
*sangkar*

**cake** KATA NAMA
*kek*

**calamity** KATA NAMA
(JAMAK **calamities**)
*bencana*
◊ *the calamity of war* bencana peperangan

to **calculate** KATA KERJA
*mengira*
◊ *We're trying to calculate our profit for this month.* Kami cuba mengira keuntungan kami pada bulan ini.

**calculation** KATA NAMA
*pengiraan*

**calculator** KATA NAMA
*mesin kira* atau *kalkulator*

**calendar** KATA NAMA
*kalendar*

**calf** KATA NAMA
(JAMAK **calves**)
[1] *anak lembu*
[2] *betis*

**calibre** KATA NAMA
*kaliber*
◊ *I was impressed with the calibre of the researchers.* Saya kagum dengan kaliber yang ditunjukkan oleh para penyelidik itu.

**caliph** KATA NAMA
*khalifah*

**call** KATA NAMA
| rujuk juga **call** KATA KERJA |
| --- |
*panggilan*
◊ *a phone call* panggilan telefon
♦ **to be on call** sedia bertugas apabila diperlukan
♦ **it's your/their call** terserah kepada anda/mereka

to **call** KATA KERJA
| rujuk juga **call** KATA NAMA |
| --- |
[1] *menelefon*
◊ *We called the police.* Kami telah menelefon polis. ◊ *I'll tell him you called.* Saya akan memberitahunya bahawa anda ada menelefonnya.
♦ **to be called** bernama ◊ *His dog is called Fluffy.* Anjingnya bernama Fluffy.
♦ **What's she called?** Siapakah namanya?
[2] *memanggil*
◊ *She waited three hours before she was called to give evidence.* Dia menunggu selama tiga jam sebelum dipanggil untuk memberikan keterangan.

to **call back** KATA KERJA
*menelefon balik*
◊ *I'll call back later.* Saya akan menelefon balik nanti.

to **call for** KATA KERJA
[1] *menjemput*
◊ *I shall be calling for you at seven o'clock.* Saya akan menjemput anda pada pukul tujuh.
[2] *memerlukan*
◊ *This job calls for strong nerves.* Pekerjaan ini memerlukan keberanian.
[3] *menuntut*
◊ *They called for the manager's resignation.* Mereka menuntut supaya pengurus tersebut meletakkan jawatan.

to **call off** KATA KERJA
*membatalkan*
◊ *The match was called off.* Perlawanan itu telah dibatalkan.

to **call on** KATA KERJA

[1] _menyeru_
◊ _The government called on the people to buy local products._ Kerajaan menyeru rakyat membeli barangan buatan tempatan.
[2] _mengunjungi_
◊ _Sofia was intending to call on Miss Kitts._ Sofia bercadang hendak mengunjungi Cik Kitts.

to **call out**   KATA KERJA
_memanggil_
◊ _I called the doctor out._ Saya memanggil doktor.

**call box**   KATA NAMA
(JAMAK **call boxes**)
_pondok telefon_

**call centre**   KATA NAMA
_pusat perkhidmatan telekomunikasi_
> pejabat yang menjalankan urusan membuat atau menjawab panggilan telefon untuk syarikat-syarikat tertentu

**calligraphy**   KATA NAMA
_kaligrafi_

**callus**   KATA NAMA
(JAMAK **calluses**)
_kematu_

**call waiting**   KATA NAMA
(_telekomunikasi_)
_panggilan menunggu_

**calm**   KATA ADJEKTIF
> rujuk juga **calm** KATA KERJA
_tenang_   (_manusia, suasana_)

to **calm**   KATA KERJA
> rujuk juga **calm** KATA ADJEKTIF
_menenangkan_
◊ _She tried to calm herself._ Dia cuba menenangkan dirinya.
♦ **His words could not calm Amy's anger.** Kata-katanya tidak dapat meredakan kemarahan Amy.

to **calm down**   KATA KERJA
_bertenang_
◊ _Calm down!_ Bertenang!

**calmness**   KATA NAMA
_ketenangan_
◊ _the calmness of the sea_ ketenangan air laut

**calorie**   KATA NAMA
_kalori_

**calves**   KATA NAMA JAMAK   _rujuk_ **calf**

**calyx**   KATA NAMA
(JAMAK **calyxes**)
_kaliks_

**camcorder**   KATA NAMA
_perakam video mudah alih_

**came**   KATA KERJA   _rujuk_ **come**

**camel**   KATA NAMA
_unta_

**camera**   KATA NAMA
_kamera_

**cameraman**   KATA NAMA
(JAMAK **cameramen**)
_jurugambar_ atau _jurukamera_

**camouflage**   KATA NAMA
_samaran_

**camp**   KATA NAMA
> rujuk juga **camp** KATA KERJA
[1] _perkhemahan_
[2] _kem_
◊ _a refugee camp_ kem pelarian

to **camp**   KATA KERJA
> rujuk juga **camp** KATA NAMA
_berkhemah_

**campaign**   KATA NAMA
> rujuk juga **campaign** KATA KERJA
_kempen_

to **campaign**   KATA KERJA
> rujuk juga **campaign** KATA NAMA
_berkempen_

**camp bed**   KATA NAMA
_katil lipat_

**camper**   KATA NAMA
_ahli perkhemahan_
♦ **a camper van**
> sebuah van yang dilengkapi dengan katil dan kelengkapan memasak supaya seseorang boleh tidur dan masak di dalam van tersebut

**camping**   KATA NAMA
_perkhemahan_
♦ **to go camping** pergi berkhemah

**camping gas** ®   KATA NAMA
_tong gas_
> digunakan untuk dapur mudah alih yang dibawa semasa pergi berkhemah

**campsite**   KATA NAMA
_tapak perkhemahan_

**campus**   KATA NAMA
(JAMAK **campuses**)
_kampus_

**can**   KATA KERJA
(**could**)
> rujuk juga **can** KATA NAMA
[1] _boleh_
◊ _You can borrow a car._ Anda boleh meminjam sebuah kereta. ◊ _Can I use your phone?_ Bolehkah saya gunakan telefon anda?
♦ **The news can't be true.** Berita tersebut tidak mungkin benar.
[2] _tahu_
◊ _I can swim._ Saya tahu berenang.
◊ _He can't drive._ Dia tidak tahu memandu.
♦ **You could be right.** Anda mungkin betul.

*Kadang-kadang* can *tidak diterjemahkan ke dalam bahasa Melayu.*

◊ *I can't understand.* Saya tidak faham.

◊ *I can't remember.* Saya tidak ingat.

**can** KATA NAMA

> *rujuk juga* **can** KATA KERJA

*tin*

◊ *a can of red beans* setin kacang merah

**Canada** KATA NAMA

*Kanada*

**Canadian** KATA ADJEKTIF

> *rujuk juga* **Canadian** KATA NAMA

*Kanada*

◊ *a Canadian flag* bendera Kanada

♦ **He's Canadian.** Dia berbangsa Kanada.

**Canadian** KATA NAMA

> *rujuk juga* **Canadian** KATA ADJEKTIF

*orang Kanada*

◊ *the Canadians* orang Kanada

**canal** KATA NAMA

*terusan*

**Canaries** KATA NAMA

♦ **the Canaries** Kepulauan Canary

**canary** KATA NAMA

(JAMAK **canaries**)

*burung kenari*

♦ **the Canary Islands** Kepulauan Canary

to **cancel** KATA KERJA

*membatalkan*

◊ *Our flight was cancelled.* Penerbangan kami dibatalkan.

**cancellation** KATA NAMA

*pembatalan*

**cancer** KATA NAMA

1 *barah* atau *kanser*

◊ *He's got cancer.* Dia menghidap barah.

♦ **breast cancer** barah payudara

2 *Kanser*

♦ **I'm Cancer.** Zodiak saya ialah Kanser.

**candidate** KATA NAMA

*calon*

**candle** KATA NAMA

*lilin*

**candlelight** KATA NAMA

*cahaya lilin*

**candy** KATA NAMA 🔲

(JAMAK **candies**)

*gula-gula*

◊ *I love candy.* Saya suka makan gula-gula.

**candyfloss** KATA NAMA

*halwa rambut*

**cane** KATA NAMA

> *rujuk juga* **cane** KATA KERJA

1 *rotan*

2 *tongkat*

to **cane** KATA KERJA

> *rujuk juga* **cane** KATA NAMA

*merotan*

◊ *He caned his naughty son.* Dia merotan anak lelakinya yang nakal.

♦ **The offender was caned.** Pesalah itu disebat.

**canine** KATA NAMA

♦ **canine tooth** gigi taring

**cannabis** KATA NAMA

*ganja*

**canned** KATA ADJEKTIF

*di dalam tin*

◊ *canned food* makanan di dalam tin

**cannon** KATA NAMA

*meriam*

**cannot** KATA KERJA = **can not**

**canoe** KATA NAMA

*kano*

**canoeing** KATA NAMA

*mendayung kano*

◊ *We went canoeing.* Kami pergi mendayung kano.

**can-opener** KATA NAMA

*pembuka tin*

**canopy** KATA NAMA

(JAMAK **canopies**)

1 *kanopi*

2 *tenda (pada katil)*

**can't** KATA KERJA = **can not**

**canteen** KATA NAMA

*kantin*

**canvas** KATA NAMA

(JAMAK **canvases**)

*kanvas*

to **canvass** KATA KERJA

*memancing undi*

◊ *to canvass for somebody* memancing undi untuk seseorang

**canyon** KATA NAMA

*kanyon*

**cap** KATA NAMA

1 *tudung botol*

2 *topi*

**capability** KATA NAMA

(JAMAK **capabilities**)

*keupayaan*

◊ *Children have different capabilities.* Kanak-kanak mempunyai keupayaan yang berbeza.

**capable** KATA ADJEKTIF

*berkebolehan*

◊ *She's capable of doing much more.* Dia berkebolehan melakukan lebih daripada itu.

**capacity** KATA NAMA

(JAMAK **capacities**)

1 *muatan*

◊ *The tank has a forty litre capacity.*

Muatan tangki tersebut ialah empat puluh liter.

2 *keupayaan*

◊ *He has a capacity for hard work.* Dia mempunyai keupayaan untuk bekerja keras.

**cape** KATA NAMA
*tanjung*

**capillary** KATA NAMA
(JAMAK **capillaries**)
*rerambut*

**capital** KATA NAMA
1 *ibu negara*
2 *ibu negeri*
3 *modal*
◊ *He has invested a large amount of capital in the project.* Dia telah melaburkan modal yang banyak dalam projek tersebut.
4 *huruf besar*
◊ *in capitals* dalam huruf besar

**capitalism** KATA NAMA
*kapitalisme*

**capitalist** KATA NAMA
*kapitalis*

**capital punishment** KATA NAMA
*hukuman mati*

**Capricorn** KATA NAMA
*Kaprikorn*
♦ **I'm Capricorn.** Zodiak saya ialah Kaprikorn.

to **capsize** KATA KERJA
*terbalik*
◊ *The ship capsized in the Atlantic Ocean.* Kapal tersebut terbalik di Lautan Atlantik.

**capsule** KATA NAMA
*kapsul*
◊ *cod liver oil capsule* kapsul minyak ikan kod

**captain** KATA NAMA
1 *kapten*
2 *ketua pasukan*
3 *nakhoda*

**caption** KATA NAMA
*keterangan gambar*

to **captivate** KATA KERJA
*mempesonakan*
◊ *The singer's beauty captivated us.* Kecantikan penyanyi itu mempesonakan kami.
♦ **You'll be captivated by the beauty of the landscape.** Anda akan terpesona dengan keindahan lanskap di tempat ini.

**captivating** KATA ADJEKTIF
*mempesona*
◊ *a captivating smile* senyuman yang mempesona

**captivity** KATA NAMA

*kurungan*
◊ *Some animals cannot breed in captivity.* Sesetengah haiwan tidak dapat membiak semasa berada dalam kurungan.

to **capture** KATA KERJA

> rujuk juga **capture** KATA NAMA

1 *menangkap*
◊ *The guerrillas have captured a group of soldiers.* Gerila-gerila tersebut telah menangkap sepasukan askar.
2 *menawan*
◊ *The Portuguese captured Malacca in 1511.* Portugis menawan Melaka pada tahun 1511.

**capture** KATA NAMA

> rujuk juga **capture** KATA KERJA

*penawanan*
◊ *the capture of the town by the rebels* penawanan bandar itu oleh pemberontak-pemberontak tersebut

**car** KATA NAMA
*kereta*
♦ **a car crash** kemalangan kereta

**caramel** KATA NAMA
*karamel*

**carat** KATA NAMA
*karat*
◊ *a huge eight-carat diamond ring* sebentuk cincin berlian lapan karat yang besar

**caravan** KATA NAMA
*karavan*

> sejenis kenderaan yang dilengkapi dengan katil dan kelengkapan lain untuk bercuti

♦ **a caravan site**

> tempat-tempat tertentu di negara Barat untuk orang ramai meletak karavan mereka dan berkhemah di situ

**carbohydrate** KATA NAMA
*karbohidrat*

**carbonate** KATA NAMA
*karbonat*
◊ *calcium carbonate* kalsium karbonat

**carbon dioxide** KATA NAMA
*karbon dioksida*

**carbon monoxide** KATA NAMA
*karbon monoksida*

**carcass** KATA NAMA
(JAMAK **carcasses**)
*bangkai*

**card** KATA NAMA
*kad*
◊ *I got lots of cards and presents on my birthday.* Saya menerima kad dan hadiah yang banyak pada hari jadi saya.
♦ **a card game** permainan daun terup

**cardboard** KATA NAMA

*kadbod*

**cardigan** KATA NAMA
*kardigan* (baju panas)

**cardiopulmonary** KATA ADJEKTIF
*kardiopulmonari*
◊ *cardiopulmonary resuscitation*
pemulihan kardiopulmonari

**care** KATA NAMA

> rujuk juga **care** KATA KERJA

*jagaan*
◊ *in somebody's care* dalam jagaan
seseorang
♦ **to take care of** menjaga ◊ *I take care
of the children on Saturdays.* Saya
menjaga budak-budak itu pada hari Sabtu.
♦ **Take care! (1)** Berhati-hati!
♦ **Take care! (2)** Jaga diri baik-baik!
♦ **care of** (AS **in care of**) menggunakan
alamat ◊ *Please write to me care of the
publishers.* Sila tuliskan surat kepada
saya dengan menggunakan alamat
penerbit tersebut.

to **care** KATA KERJA

> rujuk juga **care** KATA NAMA

*mengambil berat*
◊ *a company that cares about the
environment* sebuah syarikat yang
mengambil berat tentang alam sekitar
♦ **I don't care!** Saya tidak peduli!
♦ **Who cares?** Siapa peduli?

to **care for** KATA KERJA
*menjaga*
◊ *They employed a nurse to care for her.*
Mereka mengupah seorang jururawat
untuk menjaganya.

**career** KATA NAMA
*kerjaya*

**careful** KATA ADJEKTIF
*cermat*
◊ *She is a careful driver.* Dia seorang
pemandu yang cermat.
♦ **Be careful!** Berhati-hati!

**carefully** KATA ADVERBA
*baik-baik*
◊ *Walk carefully!* Jalan baik-baik!
♦ **Think carefully!** Fikir masak-masak!
♦ **Drive carefully!** Pandu dengan cermat!
♦ **He explained carefully what he was
doing.** Dia menjelaskan perkara yang
dilakukannya dengan teliti.

**care home** KATA NAMA
*pusat rawatan khas*

> rumah atau institusi yang
> memberikan perkhidmatan menjaga
> atau merawat orang yang mempunyai
> masalah tertentu

**careless** KATA ADJEKTIF
*cuai*
◊ *a careless driver* pemandu yang cuai

**carelessness** KATA NAMA
*kecuaian*
◊ *Ann's carelessness caused her to fail
her examinations.* Kecuaian Ann
menyebabkan dia gagal dalam
peperiksaannya.

to **caress** KATA KERJA

> rujuk juga **caress** KATA NAMA

*membelai*
◊ *Anne caressed her child's hair.* Anne
membelai rambut anaknya.

**caress** KATA NAMA
(JAMAK **caresses**)

> rujuk juga **caress** KATA KERJA

*belaian*
◊ *Her mother's caresses calmed her.*
Belaian emaknya menenangkan
perasaannya.

**caretaker** KATA NAMA
*penjaga*
◊ *school caretaker* penjaga sekolah
♦ **caretaker government** kerajaan
sementara

**car ferry** KATA NAMA
(JAMAK **car ferries**)
*feri*

**cargo** KATA NAMA
(JAMAK **cargoes**)
*muatan* atau *kargo*

**car hire** KATA NAMA
*penyewaan kereta*

**Caribbean** KATA ADJEKTIF

> rujuk juga **Caribbean** KATA NAMA

*Caribbean*
◊ *the Caribbean island* Kepulauan
Caribbean

**Caribbean** KATA NAMA

> rujuk juga **Caribbean** KATA ADJEKTIF

*Kepulauan Caribbean*
◊ *We're going to the Caribbean.* Kami
akan pergi ke Kepulauan Caribbean.
♦ **the Caribbean** Laut Caribbean

**caries** KATA NAMA
*karies*
◊ *dental caries* karies gigi

**caring** KATA ADJEKTIF
*penyayang*
◊ *a caring society* masyarakat
penyayang
♦ **the caring professions** kerjaya
penyayang

> kerjaya seperti jururawat dan
> pekerja kebajikan yang bertugas
> menjaga orang lain

**carnation** KATA NAMA
*bunga teluki*

**carnival** KATA NAMA
*karnival*

**carnivore** KATA NAMA

_karnivor_ **atau** _maging_

**carol** KATA NAMA
_karol_
◊ _a Christmas carol_   karol Krismas

> lagu keagamaan Kristian yang
> dinyanyikan semasa Krismas

**carotene** KATA NAMA
_karotena_

**car park** KATA NAMA
_tempat letak kereta_

**carpenter** KATA NAMA
_tukang kayu_

**carpet** KATA NAMA
_permaidani_

**car phone** KATA NAMA
_telefon kereta_

**carriage** KATA NAMA
① _kereta kuda_
② _gerabak_ (_kereta api_)

**carrier** KATA NAMA
① _pengangkut_ (_kenderaan_)
② _pembawa_
◊ _a carrier of the malaria virus_
pembawa kuman malaria

**carrier bag** KATA NAMA
_beg membeli-belah_ (_diperbuat daripada
kertas atau plastik_)

**carrot** KATA NAMA
_lobak merah_

to **carry** KATA KERJA
(**carried, carried**)
① _mengangkat_
◊ _I'll carry your bag._   Saya akan
mengangkat beg anda.
② _membawa_
◊ _a plane carrying 100 passengers_
sebuah kapal terbang yang membawa
100 orang penumpang

to **carry on** KATA KERJA
_meneruskan_
◊ _He carried on talking._   Dia
meneruskan percakapannya.
♦ **Carry on!** Teruskan!   ◊ _Am I boring
you? - No, carry on!_   Apakah saya
membosankan anda? -Tidak, teruskan!

to **carry out** KATA KERJA
_melaksanakan_
◊ _They have carried out their task._
Mereka telah melaksanakan tugas
mereka.

**carrycot** KATA NAMA
_bakul bayi_

**cart** KATA NAMA
_pedati_

**cartographer** KATA NAMA
_pemeta_

**carton** KATA NAMA
_karton_

**cartoon** KATA NAMA

**cartoonist** KATA NAMA
_kartunis_

**cartoon strip** KATA NAMA
_kartun_ (_dalam surat khabar, dll_)

**cartridge** KATA NAMA
_kartrij_

to **carve** KATA KERJA
① _mengukir_
◊ _a carved oak chair_   sebuah kerusi
oak yang diukir
② _memotong_
◊ _Daddy carved the meat._   Ayah
memotong daging itu.

**carver** KATA NAMA
_pengukir_

**carving** KATA NAMA
_ukiran_
◊ _The vase is decorated with fine
carving._   Pasu itu dihias dengan ukiran
yang halus.
♦ **His carving skill is unrivalled.**
Kemahiran mengukirnya tidak ada
tandingan.

**case** KATA NAMA
① _beg_
◊ _I've packed my case._   Saya telah
mengemas beg saya.
♦ **pillow case**   sarung bantal
② _kes_
◊ _in some cases_   dalam kes-kes
tertentu   ◊ _The police are investigating
the case._   Pihak polis sedang menyiasat
kes itu.
♦ **in case it rains**   kalau-kalau hujan
♦ **just in case**   kalau-kalau
♦ **Take some money with you, just in
case.**   Bawalah sedikit wang bersama
anda, kalau-kalau diperlukan.

**cash** KATA NAMA
_wang tunai_
◊ _I'm a bit short of cash._   Saya tidak
mempunyai wang tunai yang cukup.
♦ **in cash**   tunai   ◊ _RM200 in cash_   RM200
tunai
♦ **to pay cash**   membayar tunai

**cash card** KATA NAMA
_kad tunai_

**cash desk** KATA NAMA
_kaunter pembayaran_

**cash dispenser** KATA NAMA
_mesin juruwang automatik_

**cashew** KATA NAMA
_janggus_ **atau** _gajus_

**cashew nut** KATA NAMA
_biji gajus_

**cashier** KATA NAMA
_juruwang_

**cashmere** KATA NAMA

C

*kashmir*
◊ *a cashmere sweater*  baju panas kashmir

**cash register**  KATA NAMA
*mesin daftar tunai*

**casino**  KATA NAMA
(JAMAK **casinos**)
*kasino*

**casserole**  KATA NAMA
*kaserol*
♦ **a casserole dish**  kaserol

**cassette**  KATA NAMA
*kaset*
◊ *a cassette recorder*  perakam kaset

**cast**  KATA NAMA

rujuk juga **cast** KATA KERJA

*barisan pelakon*
◊ *The cast of the film includes many famous actors.*  Barisan pelakon filem itu terdiri daripada ramai pelakon terkenal.

to **cast**  KATA KERJA
(cast, cast)

rujuk juga **cast** KATA NAMA

*menebar*
◊ *The fisherman cast his fishing net into the sea.*  Nelayan itu menebar jalanya ke laut.
♦ **He cast a spell on her.**  Lelaki itu telah memukaunya.

**caste**  KATA NAMA
*kasta*

**castle**  KATA NAMA
*istanakota*

**castor**  KATA NAMA
*lereng-lereng*

**casual**  KATA ADJEKTIF
1 *kasual*
◊ *I prefer casual clothes.*  Saya lebih suka pakaian kasual.
2 *sambil lewa*
◊ *a casual attitude*  sikap sambil lewa
3 *sambilan*
◊ *It's just a casual job.*  Ini hanya pekerjaan sambilan.
♦ **a casual remark**  pernyataan bersahaja

**casually**  KATA ADVERBA
*kasual*
◊ *to dress casually*  berpakaian kasual

**casualty**  KATA NAMA
(JAMAK **casualties**)
1 *wad kecemasan*
◊ *He was taken to casualty after the accident.*  Dia dihantar ke wad kecemasan selepas kemalangan tersebut.
2 *mangsa nahas*
◊ *The casualties include an old man.*  Mangsa-mangsa nahas termasuk seorang lelaki tua.

**casuarina**  KATA NAMA

*ru*

**cat**  KATA NAMA
*kucing*

**catalogue**  KATA NAMA
*katalog*
♦ **a catalogue of errors/injuries/disasters**  rentetan kesilapan/kecederaan/malapetaka

**catalyst**  KATA NAMA
*pemangkin*
◊ *a catalyst for change*  pemangkin kepada perubahan

**catapult**  KATA NAMA
*lastik*

**cataract**  KATA NAMA
*katarak*

**catarrh**  KATA NAMA
*katar*

**catastrophe**  KATA NAMA
*malapetaka*

**catch**  KATA NAMA
(JAMAK **catches**)

rujuk juga **catch** KATA KERJA

*hasil tangkapan*
◊ *the fisherman's catch*  hasil tangkapan nelayan

to **catch**  KATA KERJA
(caught, caught)

rujuk juga **catch** KATA NAMA

1 *menangkap*
◊ *They caught the thief.*  Mereka telah menangkap pencuri tersebut.
2 *menaiki*
◊ *You won't be able to catch the last bus.*  Anda tidak akan sempat menaiki bas yang terakhir.
♦ **I didn't catch what he was saying.**  Saya tidak dapat menangkap kata-katanya.
♦ **I caught him stealing money.**  Saya mendapati dia mencuri wang.
♦ **She put a bucket under the tap to catch the drips.**  Dia meletakkan sebuah baldi di bawah pili itu untuk menadah air yang menitis keluar.
♦ **to catch a cold**  dijangkiti selesema

to **catch up**  KATA KERJA
*mengejar*
◊ *In business, we have to catch up with our competitors.*  Dalam perniagaan, kita harus mengejar pesaing kita.
♦ **I've got to catch up on my work.**  Saya terpaksa menyiapkan kerja saya.

**catching**  KATA ADJEKTIF
*mudah berjangkit*
◊ *Don't worry, it's not catching!*  Jangan bimbang, penyakit ini tidak mudah berjangkit!

**catchment**  KATA NAMA
*kawasan tadahan*

**catchment area** KATA NAMA
_kawasan perkhidmatan_
◊ the catchment areas of the district general hospitals  kawasan perkhidmatan hospital besar daerah itu

**categorization** KATA NAMA
_pengkategorian_

to **categorize** KATA KERJA
_mengkategorikan_
◊ They are required to categorize the words according to their parts of speech. Mereka dikehendaki mengkategorikan perkataan-perkataan itu mengikut kelas kata.

**category** KATA NAMA
(JAMAK **categories**)
_kategori_

**catering** KATA NAMA
_perkhidmatan katering_
◊ The hotel did all the catering for the wedding. Hotel itu menyediakan perkhidmatan katering untuk majlis perkahwinan itu.

**caterpillar** KATA NAMA
_beluncas_

**catgut** KATA NAMA
_tali tangsi_

**cathedral** KATA NAMA
_gereja besar_

**Catholic** KATA ADJEKTIF
| rujuk juga **Catholic** KATA NAMA |
_Katolik_

**Catholic** KATA NAMA
| rujuk juga **Catholic** KATA ADJEKTIF |
_pengikut mazhab Katolik_
◊ I'm a Catholic. Saya pengikut mazhab Katolik.

**cattle** KATA NAMA JAMAK
_lembu_

**cattle grid** KATA NAMA
_perintang lembu_
| kekisi yang dipasang pada permukaan jalan untuk menghalang lembu atau kambing biri-biri keluar ke jalan |

**cattle guard** KATA NAMA ▨
_perintang lembu_
| kekisi yang dipasang pada permukaan jalan untuk menghalang lembu atau kambing biri-biri keluar ke jalan |

**caught** KATA KERJA  rujuk **catch**

**cauliflower** KATA NAMA
_bunga kubis_

**cause** KATA NAMA
| rujuk juga **cause** KATA KERJA |
1 _sebab_
2 _punca_
◊ The cause of the fire was a cigarette.

Puntung rokok ialah punca kebakaran tersebut.

to **cause** KATA KERJA
| rujuk juga **cause** KATA NAMA |
1 _menyebabkan_
◊ The changeable weather caused many people to fall ill.  Cuaca yang berubah-ubah menyebabkan ramai orang jatuh sakit.
2 _menimbulkan_
◊ The attempts are likely to cause problems. Percubaan-percubaan itu mungkin akan menimbulkan masalah.

**'cause** KATA HUBUNG
(_tidak formal_)
_kerana_

**causeway** KATA NAMA
_tambak_
◊ the Johore Causeway  Tambak Johor

**caution** KATA NAMA
_sikap berjaga-jaga_
◊ Extreme caution should be exercised when buying part-worn tyres.  Sikap berjaga-jaga perlu diamalkan apabila membeli tayar terpakai.

♦ **'Caution!'** 'Awas!'

**cautious** KATA ADJEKTIF
_berhati-hati_

**cautiously** KATA ADVERBA
_dengan berhati-hati_

**cave** KATA NAMA
_gua_

**caviar** KATA NAMA
_kaviar_
| sejenis makanan daripada telur ikan sturgeon yang hidup di hemisfera utara yang digaramkan |

**cavity** KATA NAMA
(JAMAK **cavities**)
_rongga_

**CCTV** SINGKATAN (= closed-circuit television)
_CCTV_ (= televisyen litar tertutup)

**CD** KATA NAMA
_cakera padat_

**CD player** KATA NAMA
_pemain cakera padat_

**CD ROM** KATA NAMA
_CD ROM_

**CDT** SINGKATAN (= craft, design and technology)
_CDT_ (= kemahiran, reka bentuk dan teknologi)

to **cease** KATA KERJA
1 _berhenti_
◊ At one o'clock the rain had ceased. Pada pukul satu hujan sudah berhenti.
2 _menghentikan_
◊ A small number of firms have ceased

C

*operation*. Sebilangan kecil syarikat telah menghentikan operasi.

♦ **He never ceases to amaze me.** Dia sentiasa mengagumkan saya.

**ceasefire** KATA NAMA
*gencatan senjata*

**ceiling** KATA NAMA
*siling*

to **celebrate** KATA KERJA
*meraikan*
◊ *Tom celebrated his birthday yesterday.* Tom meraikan hari jadinya kelmarin.

**celebrated** KATA ADJEKTIF
*termasyhur*

**celebration** KATA NAMA
*sambutan*
◊ *his eightieth birthday celebrations* sambutan hari jadinya yang kelapan puluh

**celebrity** KATA NAMA
(JAMAK **celebrities**)
*orang yang terkenal*

**celery** KATA NAMA
*daun saderi*

**cell** KATA NAMA
*sel*
◊ *blood cells* sel darah

**cellar** KATA NAMA
*bilik bawah tanah*
♦ **a wine cellar** bilik menyimpan wain (*biasanya di bawah tanah*)

**cello** KATA NAMA
(JAMAK **cellos**)
*selo*

**Celsius** KATA NAMA
*Celsius*

**cement** KATA NAMA
*simen*

**cemetery** KATA NAMA
(JAMAK **cemeteries**)
*tanah perkuburan*

to **censor** KATA KERJA
*menapis*
◊ *to censor violent scenes in a movie* menapis adegan-adegan ganas dalam filem

**censorship** KATA NAMA
*penapisan*
◊ *film censorship* penapisan filem

**census** KATA NAMA
(JAMAK **censuses**)
*banci*

**cent** KATA NAMA
*sen*

**centenary** KATA NAMA
(JAMAK **centenaries**)
*ulang tahun keseratus*

**center** KATA NAMA 🔲
1 *pusat*
◊ *the major international insurance*

*center* pusat insurans antarabangsa yang utama
2 *bahagian tengah*

**centigrade** KATA ADJEKTIF
*Celsius*
◊ *20 degrees centigrade* 20 darjah Celsius

**centimetre** KATA NAMA
(AS **centimeter**)
*sentimeter*

**centipede** KATA NAMA
*lipan*

**central** KATA ADJEKTIF
*bahagian tengah*
◊ *a man who lived in central London* seorang lelaki yang tinggal di bahagian tengah London

**central heating** KATA NAMA
*pemanasan pusat*

**central reservation** KATA NAMA
*rizab tengah*
| satu jalur tanah yang biasanya berumput di antara jalan dua hala |

**centre** KATA NAMA
1 *pusat*
◊ *the major international insurance centre* pusat insurans antarabangsa yang utama
2 *bahagian tengah*

to **centre on** KATA KERJA
*menjurus kepada*
◊ *Their discussion centred on financial issues.* Perbincangan mereka menjurus kepada isu kewangan.

**centrepiece** KATA NAMA
*bahagian utama*
◊ *The exhibition is the centrepiece of the festival.* Pameran tersebut merupakan bahagian utama pesta itu.

**century** KATA NAMA
(JAMAK **centuries**)
*abad*
◊ *the twentieth century* abad kedua puluh
♦ **The treasure had been buried there for centuries.** Harta karun itu tertanam berabad-abad lamanya di situ.

**CEO** KATA NAMA (= *chief executive officer*)
*CEO* (= *pegawai ketua eksekutif*)

**cereal** KATA NAMA
*bijirin*
◊ *I have cereal for breakfast.* Saya makan bijirin untuk sarapan.

**ceremony** KATA NAMA
(JAMAK **ceremonies**)
*upacara*

**certain** KATA ADJEKTIF
1 *pasti*

◊ *I am certain he's not coming.* Saya pasti dia tidak akan datang.
2 *tertentu*
◊ *He couldn't come for certain reasons.* Dia tidak dapat datang atas sebab-sebab tertentu.
♦ **for certain** sudah pasti
♦ **to make certain** memastikan ◊ *I made certain the door was locked.* Saya memastikan bahawa pintu itu berkunci.

**certainly** KATA ADVERBA
*sudah tentu*
◊ *I shall certainly be there.* Sudah tentu saya akan berada di sana.

**certainty** KATA NAMA
(JAMAK **certainties**)
*kepastian*
◊ *There are no certainties and no guarantees.* Tidak ada kepastian dan jaminan.

**certificate** KATA NAMA
*sijil*
♦ **birth certificate** surat beranak

**certification** KATA NAMA
*pengesahan*
◊ *An employer can demand written certification that the relative is really ill.* Majikan boleh meminta pengesahan bertulis yang menyatakan bahawa saudara itu benar-benar sakit.

to **certify** KATA KERJA
(**certified, certified**)
*mengesahkan*
◊ *All copies of certificates must be certified.* Semua salinan sijil perlu disahkan.
♦ **a certified diver** penyelam bertauliah

**CFC** SINGKATAN (= *chlorofluorocarbon*)
*CFC* (= *klorofluorokarbon*)

**chador** KATA NAMA
*purdah*

**chain** KATA NAMA
*rantai*
◊ *a gold chain* seutas rantai emas

to **chain up** KATA KERJA
*merantai*
◊ *He chained up his dog behind the house.* Dia merantai anjingnya di belakang rumah.

**chair** KATA NAMA

> *rujuk juga* **chair** KATA KERJA

*kerusi*

to **chair** KATA KERJA

> *rujuk juga* **chair** KATA NAMA

*mempengerusikan*
◊ *Hafiz will chair the meeting this time.* Hafiz akan mempengerusikan mesyuarat itu kali ini.

**chairlift** KATA NAMA

*kerusi kabel*

**chairman** KATA NAMA
(JAMAK **chairmen**)
*pengerusi*

**chairperson** KATA NAMA
*pengerusi*

**chalet** KATA NAMA
*calet*

**chalk** KATA NAMA
*kapur*
◊ *a piece of chalk* sebatang kapur

**challenge** KATA NAMA

> *rujuk juga* **challenge** KATA KERJA

*cabaran*

to **challenge** KATA KERJA

> *rujuk juga* **challenge** KATA NAMA

*mencabar*
◊ *She challenged me to a race.* Dia mencabar saya berlumba dengannya.

**challenger** KATA NAMA
*pencabar*

**challenging** KATA ADJEKTIF
*mencabar*
◊ *a challenging job* pekerjaan yang mencabar

**chambermaid** KATA NAMA
*wanita yang mengemaskan bilik hotel*

**chambers** KATA NAMA JAMAK
*kamar*
◊ *judge's chambers* kamar hakim

**champagne** KATA NAMA
*champagne*

**champion** KATA NAMA
*johan* **atau** *juara*

**championship** KATA NAMA
*kejohanan*

**Champions' League** KATA NAMA
(bola sepak)
*Liga Juara*

**chance** KATA NAMA
1 *peluang*
◊ *She gave me a chance.* Dia memberikan peluang kepada saya.
2 *kemungkinan*
◊ *There's a chance that he will go.* Ada kemungkinan bahawa dia akan pergi.
♦ **by chance** secara kebetulan
♦ **to take a chance** mengambil risiko

**Chancellor** KATA NAMA
*canselor*

**Chancellor of the Exchequer** KATA NAMA
*Menteri Kewangan*

> *gelaran bagi Menteri Kewangan negara Britain*

**chandelier** KATA NAMA
*lampu gantung* (hiasan)

**change** KATA NAMA

> *rujuk juga* **change** KATA KERJA

1 *perubahan*

◊ *There's been a change of plan.* Ada perubahan rancangan.

♦ **a change of clothes** persalinan

② *wang kecil*
◊ *I haven't got any small change.* Saya tidak mempunyai wang kecil.

③ *baki wang*
◊ *This is your change.* Ini baki wang anda.

to **change** KATA KERJA

> rujuk juga **change** KATA NAMA

① *berubah*
◊ *The town has changed.* Bandar itu telah berubah.

♦ **to change one's mind** mengubah fikiran

② *menukar*
◊ *I'd like to change £50.* Saya ingin menukar 50 paun.

♦ **Margaret showered and changed.** Margaret mandi dan menyalin pakaiannya.

**changeable** KATA ADJEKTIF

*berubah-ubah*
◊ *The changeable weather caused many people to fall ill.* Cuaca yang berubah-ubah menyebabkan ramai orang jatuh sakit.

**changing room** KATA NAMA
*bilik persalinan*

**channel** KATA NAMA

> rujuk juga **channel** KATA KERJA

① *rangkaian* (televisyen)
② *saluran*
◊ *Keep the drainage channel clear.* Pastikan saluran penyaliran tidak tersumbat.

♦ **the English Channel** Selat Inggeris

♦ **the Channel Tunnel**

> sebuah terowong yang dibina di dalam Selat Inggeris untuk menghubungkan negara Britain dengan negara Perancis dan kereta api Eurostar melalui terowong ini ke Paris dan Brussels

to **channel** KATA KERJA

> rujuk juga **channel** KATA NAMA

*menyalurkan*
◊ *to channel water to the paddy fields* menyalurkan air ke sawah padi ◊ *the decision to channel financial aid into the region* keputusan untuk menyalurkan bantuan kewangan ke kawasan tersebut

**chant** KATA NAMA

> rujuk juga **chant** KATA KERJA

① *kata-kata yang berulang-ulang*
② *zikir* (padanan terdekat)
◊ *a Buddhist chant* zikir agama Buddha

♦ **Muslim chant** zikir

to **chant** KATA KERJA

> rujuk juga **chant** KATA NAMA

*berzikir*
◊ *Muslims chant and pray.* Orang Islam berzikir dan bersembahyang.

**chaos** KATA NAMA
*huru-hara* (keadaan)

**chaotic** KATA ADJEKTIF
*huru-hara*
◊ *The ceremony became chaotic when there was a blackout.* Majlis itu menjadi huru-hara apabila bekalan elektrik terputus.

**chap** KATA NAMA
(tidak formal)
*lelaki*

**chapel** KATA NAMA
*gereja kecil*

**chapter** KATA NAMA
*bab*

**character** KATA NAMA

① *sifat*
◊ *Perhaps you haven't seen his true character.* Mungkin anda belum melihat sifat sebenarnya lagi.

♦ **She's quite a character.** Dia pelik orangnya.

② *watak* (dalam filem, buku)
◊ *The central character is played by his friend.* Kawannya memegang watak utama.

③ *keistimewaan*
◊ *That place has its own character.* Tempat itu mempunyai keistimewaannya yang tersendiri.

④ *aksara* (komputer)

**characteristic** KATA NAMA

① *sifat* (manusia)
② *ciri* (benda)

**charcoal** KATA NAMA
*arang*

to **charge** KATA KERJA

> rujuk juga **charge** KATA NAMA

① *mengenakan bayaran*
◊ *How much did he charge you?* Berapakah bayaran yang dikenakan olehnya?

② *mendakwa*
◊ *The police have charged him with murder.* Pihak polis telah mendakwanya atas tuduhan membunuh.

**charge** KATA NAMA

> rujuk juga **charge** KATA KERJA

① *bayaran*
◊ *a charge for delivery* bayaran untuk penghantaran

② *jagaan*
◊ *They are all under my charge.* Mereka semua berada dalam jagaan saya.

3 *dakwaan*
◊ *criminal charges* dakwaan jenayah
♦ **free of charge** percuma
♦ **I'd like to reverse the charges.** Saya ingin membuat panggilan telefon caj balikan.
♦ **to be in charge** bertanggungjawab

**charisma** KATA NAMA
*karisma*
◊ *That politician lacks the charisma to influence anyone.* Ahli politik itu tidak mempunyai karisma untuk mempengaruhi orang.

**charismatic** KATA ADJEKTIF
*berkarisma*
◊ *a charismatic person* seorang yang berkarisma

**charitable** KATA ADJEKTIF
*amal*
◊ *charitable work for the disabled* kerja amal untuk membantu orang cacat
♦ **I'm quick to criticize others, but he's more charitable.** Saya mudah mengkritik orang lain tetapi dia lebih bertimbang rasa.

**charity** KATA NAMA
(JAMAK **charities**)
*amal*
◊ *charity concert* konsert amal
♦ **He gave the money to charity.** Dia mendermakan wang itu kepada pertubuhan amal.

**charm** KATA NAMA
> rujuk juga **charm** KATA KERJA

*daya tarikan*
to **charm** KATA KERJA
> rujuk juga **charm** KATA NAMA

*menawan hati*
◊ *He even charmed Mrs Prichard.* Dia juga telah menawan hati Puan Prichard.
♦ **He charmed his way out of trouble.** Dia menggunakan daya tarikannya untuk melepaskan diri dari masalah.

**charming** KATA ADJEKTIF
*menawan*

**charm offensive** KATA NAMA
*serangan mulut manis* (kepada pihak lawan, dll)
◊ *to launch a charm offensive* melancarkan serangan mulut manis

**chart** KATA NAMA
*carta*
◊ *The chart shows the rise of unemployment.* Carta tersebut menunjukkan peningkatan pengangguran.

**charter** KATA NAMA
*piagam*
◊ *Article 50 of the United Nations Charter* Fasal 50 Piagam Pertubuhan Bangsa-bangsa Bersatu

**chartered** KATA ADJEKTIF
*bertauliah*
◊ *chartered accountant* akauntan yang bertauliah

**charter flight** KATA NAMA
*penerbangan carter*

to **chase** KATA KERJA
> rujuk juga **chase** KATA NAMA

1 *mengejar*
◊ *The policeman chased the thief along the road.* Polis itu mengejar pencuri tersebut di sepanjang jalan itu.
2 *mengurat*
◊ *Tony is chasing Mary.* Tony sedang mengurat Mary.

**chase** KATA NAMA
> rujuk juga **chase** KATA KERJA

*usaha memburu*

**chat** KATA NAMA
> rujuk juga **chat** KATA KERJA

*sembang*
♦ **to have a chat** bersembang
to **chat** KATA KERJA
> rujuk juga **chat** KATA NAMA

*bersembang*
◊ *Jui Yee is chatting with her mum.* Jui Yee sedang bersembang dengan ibunya.

to **chat up** KATA KERJA
*mengurat*
◊ *Jake was chatting up one of the girls.* Jake sedang mengurat salah seorang daripada gadis-gadis itu.

**chat room** KATA NAMA
(komputer)
*bilik bual*

**chat show** KATA NAMA
> **chat show** ialah rancangan televisyen atau radio yang berbentuk perbincangan tidak formal antara pengacara dengan tetamu undangannya.

to **chatter** KATA KERJA
> rujuk juga **chatter** KATA NAMA

*berceloteh*

**chatter** KATA NAMA
> rujuk juga **chatter** KATA KERJA

*celoteh*

**cheap** KATA ADJEKTIF
*murah*
◊ *a cheap shirt* kemeja yang murah
to **cheapen** KATA KERJA
*menjadikan ... kurang berharga*
◊ *Love is a word cheapened by overuse.* Ungkapan cinta yang berlebihan menjadikannya kurang berharga.

**cheaply** KATA ADVERBA
*dengan murah*
to **cheat** KATA KERJA

C

rujuk juga **cheat** KATA NAMA
_menipu_
◊ *You're cheating!* Anda menipu!
◊ *He cheated in the examinations.* Dia menipu dalam peperiksaan tersebut.

**cheat** KATA NAMA
rujuk juga **cheat** KATA KERJA
_penipu_

**check** KATA NAMA
rujuk juga **check** KATA KERJA
1 _pemeriksaan_
◊ *a security check* pemeriksaan keselamatan
2 🖾 _cek_
◊ *to write a check* menulis sekeping cek
3 🖾 _bil_
◊ *The waiter brought us the check.* Pelayan itu membawa bil kepada kami.

to **check** KATA NAMA
rujuk juga **check** KATA NAMA
1 _menyemak_
◊ *Can you please check my homework?* Bolehkah anda menyemak kerja rumah saya?
2 _memeriksa_
◊ *He checked on the goods that had just arrived.* Dia memeriksa barangan yang baru sampai.
♦ **to check with somebody** menanya seseorang ◊ *I'll check with the driver what time the bus leaves.* Saya akan menanya pemandu bas tentang masa bas bertolak.

to **check in** KATA KERJA
_mendaftar masuk_

to **check out** KATA KERJA
_mendaftar keluar_

**checked** KATA ADJEKTIF
_berpetak-petak_
◊ *She's wearing a red shirt and a checked skirt.* Dia memakai baju merah dan skirt yang berpetak-petak.

**check-in** KATA NAMA
(JAMAK **check-ins**)
_tempat mendaftar masuk_ (*di lapangan terbang*)

**checkout** KATA NAMA
_kaunter pembayaran_ (*di pasar raya*)

**check-up** KATA NAMA
(JAMAK **check-ups**)
_pemeriksaan_ (*oleh doktor, doktor gigi*)

**cheek** KATA NAMA
_pipi_
◊ *I kissed her on the cheek.* Saya mencium pipinya.
♦ **What a cheek!** Biadab betul!

**cheeky** KATA ADJEKTIF
_nakal_

◊ *a cheeky smile* senyuman yang nakal

to **cheer** KATA KERJA
rujuk juga **cheer** KATA NAMA
1 _menghiburkan_
♦ **to cheer somebody up** menghiburkan seseorang ◊ *I was trying to cheer him up.* Saya cuba menghiburkannya.
2 _bersorak_
◊ *They cheered loudly when they scored the first goal.* Mereka bersorak dengan kuat apabila mereka berjaya menjaringkan gol yang pertama.
♦ **Cheer up!** Cerialah sikit! (*bahasa percakapan*)

**cheer** KATA NAMA
rujuk juga **cheer** KATA KERJA
_sorakan_
◊ *Three cheers for the winner!* Tiga sorakan untuk pemenang!
♦ **full of cheer** penuh kegembiraan

**cheerful** KATA ADJEKTIF
_ceria_

**cheerfulness** KATA NAMA
_keceriaan_
◊ *His cheerfulness allayed my fears.* Keceriaannya mengurangkan rasa takut saya.

**cheerio** KATA SERUAN
(*tidak formal*)
_selamat tinggal_

**cheese** KATA NAMA
_keju_

**chef** KATA NAMA
_tukang masak_

**chemical** KATA NAMA
_bahan kimia_

**chemist** KATA NAMA
1 _ahli kimia_
2 _ahli farmasi_

**chemistry** KATA NAMA
_kimia_

**chemist's** KATA NAMA
_kedai farmasi_
◊ *You can get the medicine from the chemist's.* Anda boleh membeli ubat itu di kedai farmasi.

**chemo** KATA NAMA
(*tidak formal*)
_kemoterapi_

**chemotherapy** KATA NAMA
_kemoterapi_

**cheque** KATA NAMA
_cek_
◊ *to pay by cheque* membayar dengan cek

**chequebook** KATA NAMA
_buku cek_

to **cherish** KATA KERJA

_menghargai_
◊ *I cherish the good memories I have of him.* Saya menghargai kenangan indah saya bersamanya.

**cherry** KATA NAMA
(JAMAK **cherries**)
_ceri_

to **cherry-pick** KATA KERJA
(*tidak formal*)
_memilih dengan teliti_
◊ *Schools try to cherry-pick the brightest pupils.* Sekolah-sekolah cuba memilih murid-murid yang paling cerdik dengan teliti.

**chess** KATA NAMA
_catur_

**chessboard** KATA NAMA
_papan catur_

**chest** KATA NAMA
_dada_
◊ *I've got a pain in my chest.* Dada saya sakit.

**chestnut** KATA NAMA
_buah berangan_

**chest of drawers** KATA NAMA
_almari berlaci_

to **chew** KATA KERJA
1 _mengunyah_
◊ *Eat slowly and chew your food well.* Makan perlahan-lahan dan kunyah makanan anda dengan baik.
2 _menggigit_
◊ *The girl is chewing her fingernails.* Gadis itu sedang menggigit kukunya.

**chewing gum** KATA NAMA
_gula-gula getah_

**chick** KATA NAMA
_anak ayam_
◊ *The chicks are in the garden.* Anak-anak ayam itu ada di taman.

**chicken** KATA NAMA
_ayam_

**chickenpox** KATA NAMA
_cacar air_
◊ *I've got chickenpox.* Saya dijangkiti cacar air.

**chickpeas** KATA NAMA JAMAK
_kacang kuda_

**chief** KATA NAMA
> _rujuk juga_ **chief** KATA ADJEKTIF
_ketua_
◊ *He is the chief of security.* Dia ketua bahagian keselamatan.
♦ **Commander-in-Chief** Panglima Tertinggi

**chief** KATA ADJEKTIF
> _rujuk juga_ **chief** KATA NAMA
_utama_
◊ *His chief reason for resigning was the low pay.* Sebab utama dia meletakkan

jawatan ialah gajinya yang rendah.

**child** KATA NAMA
(JAMAK **children**)
1 _kanak-kanak_
◊ *We found a four-year-old child.* Kami menjumpai seorang kanak-kanak yang berumur empat tahun.
2 _anak_
◊ *Davis has only one child.* Davis mempunyai seorang anak sahaja.

**childbirth** KATA NAMA
_bersalin_

**childhood** KATA NAMA
_zaman kanak-kanak_
◊ *a happy childhood* zaman kanak-kanak yang menggembirakan

**childish** KATA ADJEKTIF
_kebudak-budakan_

**child minder** KATA NAMA
_pengasuh kanak-kanak_

**children** KATA NAMA JAMAK *rujuk* **child**

**Chile** KATA NAMA
_negara Chile_

to **chill** KATA KERJA
> _rujuk juga_ **chill** KATA NAMA
_menyejukkan_
◊ *Chill the fruit until serving time.* Sejukkan buah-buahan itu sehingga tiba masa hidangan.
♦ **Serve chilled.** Hidangkan sejuk.

**chill** KATA NAMA
> _rujuk juga_ **chill** KATA KERJA
_seram sejuk_
◊ *to catch a chill* diserang seram sejuk

**chilli** KATA NAMA
(JAMAK **chillies** atau **chillis**)
_cili_

**chilly** KATA ADJEKTIF
_sejuk_

**chimney** KATA NAMA
_serombong_

**chin** KATA NAMA
_dagu_

**china** KATA NAMA
_tembikar_
◊ *a china plate* pinggan tembikar

**China** KATA NAMA
_negara China_

**Chinese** KATA ADJEKTIF
> _rujuk juga_ **Chinese** KATA NAMA
_Cina_
◊ *a Chinese woman* perempuan Cina

**Chinese** KATA NAMA
(JAMAK **Chinese**)
> _rujuk juga_ **Chinese** KATA ADJEKTIF
1 _orang Cina_
◊ *the Chinese* orang Cina
2 _bahasa Cina_

**chip** KATA NAMA

① _kentang goreng_
② _cip_ (_dalam komputer_)

to **chip in** KATA KERJA
① _menyumbangkan wang_
◊ *They chip in for the petrol and food.*
Mereka menyumbangkan wang untuk
membeli petrol dan makanan.
② _menyumbangkan_
◊ *They chip in a certain amount of
money each month.* Mereka
menyumbangkan sejumlah wang setiap
bulan.
③ _mencelah_
◊ *"That's true," chipped in Quiver.*
"Betul," Quiver mencelah.

**chipboard** KATA NAMA
_papan serpih_

**chipped** KATA ADJEKTIF
_sumbing_
◊ *a chipped cup* cawan yang sumbing

**chiropodist** KATA NAMA
_pakar kaki_

to **chirp** KATA KERJA
_berkicau_
◊ *The nestling chirped to get food from
its mother.* Anak burung itu berkicau
meminta makanan daripada ibunya.
♦ **Birds were chirping.** Burung-burung
berkicauan.

**chirping** KATA NAMA
_kicauan_
◊ *the chirping of birds* kicauan burung

**chisel** KATA NAMA
> rujuk juga **chisel** KATA KERJA
_pahat_

to **chisel** KATA KERJA
> rujuk juga **chisel** KATA NAMA
_memahat_
◊ *Hoong chiselled a cat out of wood.*
Hoong memahat kayu itu menjadi seekor
kucing.

**chit-chat** KATA NAMA
_borak_
◊ *I found the chit-chat exceedingly dull.*
Saya rasa borak itu sungguh
membosankan.

**chives** KATA NAMA JAMAK
_kucai_
◊ *She put some chives into the soup.*
Dia memasukkan kucai ke dalam sup itu.

**chlorination** KATA NAMA
_pengklorinan_

**chlorine** KATA NAMA
_klorin_

**chlorophyll** KATA NAMA
_klorofil_

**chock-full** KATA ADJEKTIF
_padat_

**chocolate** KATA NAMA

_coklat_

**choice** KATA NAMA
_pilihan_
♦ **a choice of colours** berbagai pilihan
warna
♦ **the drug/weapon of choice** dadah/
senjata yang menjadi pilihan ◊ *Alcohol is
still the drug of choice on college
campuses.* Alkohol masih merupakan
dadah yang menjadi pilihan di kampus-
kampus di kolej.

**choir** KATA NAMA
_koir_

to **choke** KATA KERJA
① _mencekik_
◊ *He choked her to death.* Dia
mencekiknya sehingga mati.
② _tercekik_ (_makanan tersekat di tekak_)
③ _melemaskan_
◊ *Sam tried to choke Sandra with his
pillow.* Sam cuba melemaskan Sandra
dengan menggunakan bantalnya.

**choked** KATA ADJEKTIF
_tersekat-sekat_
◊ *"Why did Ben do that?" Ema asked in
a choked voice.* "Kenapakah Ben buat
begitu?" tanya Ema dengan suara yang
tersekat-sekat.

**choking** KATA ADJEKTIF
_melemaskan_ (_asap, habuk_)

**cholera** KATA NAMA
_taun_

**cholesterol** KATA NAMA
_kolesterol_

to **choose** KATA KERJA
(**chose, chosen**)
_memilih_

**choosy** KATA ADJEKTIF
_pemilih_
◊ *She's choosy.* Dia seorang yang
pemilih.

**chop** KATA NAMA
> rujuk juga **chop** KATA KERJA
_potong_
◊ *a pork chop* sepotong daging khinzir

to **chop** KATA KERJA
> rujuk juga **chop** KATA NAMA
_memotong_
♦ **to chop and change** berdolak-dalik
◊ *He keeps chopping and changing
when he talks about that.* Dia selalu
berdolak-dalik apabila bercakap tentang
hal itu.

to **chop up** KATA KERJA
_mencincang_
◊ *My mother is chopping up meat in the
kitchen.* Emak saya sedang mencincang
daging di dapur.

**chopsticks** KATA NAMA JAMAK

_penyepit_
◊ _She eats noodles with chopsticks._ Dia makan mi dengan penyepit.

**chore**   KATA NAMA
_tugas harian_
◊ _the chore of cleaning_ kerja mencuci yang merupakan tugas harian

**chorus**   KATA NAMA
(JAMAK **choruses**)
_korus_

**chose, chosen**   KATA KERJA   _rujuk_ **choose**

**Christ**   KATA NAMA
_Jesus_ atau _Nabi Isa_

**christening**   KATA NAMA
_pembaptisan_

**Christian**   KATA NAMA
| _rujuk juga_ **Christian** KATA ADJEKTIF |
_orang Kristian_

**Christian**   KATA ADJEKTIF
| _rujuk juga_ **Christian** KATA NAMA |
_Kristian_
♦ **Most of my friends are Christian.** Kebanyakan daripada kawan-kawan saya beragama Kristian.

**Christianity**   KATA NAMA
_agama Kristian_

**Christian name**   KATA NAMA
_nama Kristian_

**Christmas**   KATA NAMA
_hari Natal_ atau _Krismas_
◊ _Merry Christmas!_ Selamat Hari Natal!
♦ **Christmas card** kad Krismas

**chrome**   KATA NAMA
_krom_ (sejenis logam bersalut)

**chromosome**   KATA NAMA
_kromosom_
◊ _Each cell of our bodies contains 46 chromosomes._ Setiap sel dalam badan kita mengandungi 46 kromosom.

**chronic**   KATA ADJEKTIF
_kronik_
◊ _chronic disease_ penyakit kronik

**chrysanthemum**   KATA NAMA
_kekwa_

**chubby**   KATA ADJEKTIF
_tembam_
◊ _chubby cheeks_ pipi yang tembam
♦ **She has two chubby daughters.** Dia mempunyai dua orang anak perempuan yang montel.

to **chuck**   KATA KERJA
_mencampak_
◊ _She chucked all her old books into the cupboard._ Dia mencampak semua buku-buku lamanya ke dalam almari.

to **chuck out**   KATA KERJA
_membuang_
◊ _You'll need to chuck out some of these

_books._ Anda perlu membuang beberapa buah buku ini.

**chunk**   KATA NAMA
_ketulan_
◊ _Cut the meat into chunks._ Potong daging itu menjadi beberapa ketulan.

**church**   KATA NAMA
(JAMAK **churches**)
_gereja_

to **churn out**   KATA KERJA
_menghasilkan ... dengan banyak dan cepat_ (hasil yang kurang bermutu)
♦ **He churned out three books a year.** Dia menghasilkan tiga buah buku yang kurang bermutu dalam setahun.

**cider**   KATA NAMA
_cider_ (minuman daripada epal)

**cigar**   KATA NAMA
_cerut_

**cigarette**   KATA NAMA
_rokok_

**cigarette lighter**   KATA NAMA
_pemetik api_

**cinema**   KATA NAMA
_panggung wayang_ atau _pawagam_

**cinnamon**   KATA NAMA
_kayu manis_

**circle**   KATA NAMA
| _rujuk juga_ **circle** KATA KERJA |
_bulatan_

to **circle**   KATA KERJA
| _rujuk juga_ **circle** KATA NAMA |
1 _membulatkan_
◊ _Circle the correct answers._ Bulatkan jawapan-jawapan yang betul.
2 _berlegar-legar_
◊ _The plane circled, awaiting permission to land._ Kapal terbang itu berlegar-legar sambil menunggu kebenaran untuk mendarat.

**circuit**   KATA NAMA
_litar_
◊ _electric circuit_ litar elektrik
◊ _racing circuit_ litar perlumbaan

**circular**   KATA ADJEKTIF
| _rujuk juga_ **circular** KATA NAMA |
_bulat_

**circular**   KATA NAMA
| _rujuk juga_ **circular** KATA ADJEKTIF |
_surat pekeliling_

to **circulate**   KATA KERJA
1 _mengedarkan_
◊ _They circulated the document among the members of the society._ Mereka mengedarkan dokumen itu di kalangan ahli-ahli persatuan.
2 _menyebarkan_
◊ _to circulate rumours_ menyebarkan khabar angin

- **The air can circulate freely using this new system.** Udara boleh bergerak dengan bebas dengan menggunakan sistem baru ini.

**circulation** KATA NAMA

1 *edaran*
◊ *The newspaper has a circulation of around 8000.* Surat khabar itu mempunyai edaran sebanyak kira-kira 8000 naskhah.

2 *peredaran darah*
◊ *She has poor circulation.* Peredaran darahnya lemah.

to **circumcise** KATA KERJA

*mengkhatankan* atau *menyunat*
◊ *The doctor circumcised several boys in his clinic.* Doktor itu menyunat beberapa orang budak lelaki di kliniknya.

- **He had been circumcised as required by Jewish law.** Dia berkhatan mengikut agama Yahudi.

**circumcision** KATA NAMA

*khatan* atau *sunat*
◊ *Muslims practise circumcision for religious reasons.* Orang Islam melakukan khatan untuk tujuan keagamaan.

- **The circumcision ceremony will be held this evening.** Upacara berkhatan akan diadakan pada petang ini.

**circumference** KATA NAMA

*lilitan*
◊ *The circumference of that circle is five metres.* Lilitan bulatan itu ialah lima meter.

**circumstances** KATA NAMA JAMAK

*keadaan*
◊ *in the circumstances* dalam keadaan ini

- **under no circumstances** jangan sekali-kali

**circus** KATA NAMA

(JAMAK **circuses**)
*sarkas*

to **cite** KATA KERJA

*memetik* (ucapan, sajak, dll)

**citizen** KATA NAMA

*warganegara*
◊ *They are Malaysian citizens.* Mereka warganegara Malaysia.

**citizenship** KATA NAMA

*kerakyatan* atau *kewarganegaraan*
◊ *Jill is applying for Malaysian citizenship.* Jill sedang memohon kerakyatan Malaysia.

**city** KATA NAMA

(JAMAK **cities**)
*bandar raya*
◊ *the city centre* pusat bandar raya

**City** KATA NAMA

- **the City** pusat perdagangan dan kewangan London

**civet** KATA NAMA

*musang*

**civics** KATA NAMA

*sivik*

**civil** KATA ADJEKTIF

*awam*
◊ *civil servant* kakitangan awam

- **civil law** undang-undang sivil

**civilization** KATA NAMA

*tamadun*
◊ *the civilization of Egypt* tamadun Mesir

**civilized** KATA ADJEKTIF

*bertamadun*

**civil servant** KATA NAMA

*kakitangan awam*
◊ *He's a civil servant.* Dia seorang kakitangan awam.

**civil war** KATA NAMA

*perang saudara*

to **claim** KATA KERJA

rujuk juga **claim** KATA NAMA

1 *menuntut*
◊ *He's claiming compensation from the company.* Dia menuntut pampasan daripada syarikat itu.

2 *mendakwa*
◊ *She claims she found the money.* Dia mendakwa bahawa dia menjumpai wang itu.

3 *meragut*
◊ *The accident claimed a young boy's life.* Kemalangan tersebut meragut nyawa seorang budak lelaki.

**claim** KATA NAMA

rujuk juga **claim** KATA KERJA

1 *tuntutan ganti rugi* (daripada polisi insurans)

2 *dakwaan*
◊ *The manufacturer's claims are untrue.* Dakwaan pengeluar tersebut tidak benar.

to **clap** KATA KERJA

*menepuk*
◊ *to clap one's hands* menepuk tangan

to **clarify** KATA KERJA

(**clarified, clarified**)
*menjelaskan*
◊ *They were unable to clarify the situation.* Mereka tidak dapat menjelaskan keadaan sebenar.

- **Discussion will clarify your thoughts.** Perbincangan akan membantu pemahaman anda.

**clarinet** KATA NAMA

*klarinet*

to **clash** KATA KERJA

---

rujuk juga **clash** KATA NAMA

[1] *bercanggah* (*pendapat, pandangan*)

[2] *bertembung*

◊ *The party clashes with the meeting.*
Waktu jamuan tersebut bertembung
dengan waktu mesyuarat.

[3] *tidak padan*

◊ *Red clashes with orange.* Warna
merah tidak padan dengan warna jingga.

**clash** KATA NAMA

(JAMAK **clashes**)

rujuk juga **clash** KATA KERJA

[1] *pertempuran*

◊ *There have been a number of clashes
between police and demonstrators.*
Beberapa pertempuran telah berlaku
antara pihak polis dengan penunjuk
perasaan.

[2] *percanggahan*

◊ *a clash of views* percanggahan
pendapat

[3] *gemerencang* (*bunyi*)

♦ *a clash in the timetable* pertembungan
jadual waktu

♦ *The clash between the two former
world champions will take place
tonight.* Pertarungan antara dua bekas
juara dunia itu akan diadakan pada malam
ini.

**clasp** KATA NAMA
*kancing*

**class** KATA NAMA
(JAMAK **classes**)
*kelas*

**classic** KATA ADJEKTIF

rujuk juga **classic** KATA NAMA

*klasik*

◊ *a classic example* satu contoh yang
klasik

**classic** KATA NAMA

rujuk juga **classic** KATA ADJEKTIF

*kata nama+ klasik* (*filem, buku, dll*)

**classical** KATA ADJEKTIF
*klasik*
◊ *classical music* muzik klasik

**classification** KATA NAMA
*klasifikasi*

to **classify** KATA KERJA
(**classified, classified**)
*mengelaskan*
◊ *We can classify the differences into
three groups.* Kita dapat mengelaskan
perbezaan-perbezaan itu kepada tiga
kumpulan.

**classmate** KATA NAMA
*rakan sekelas*

**classroom** KATA NAMA
*bilik darjah*

to **clatter** KATA KERJA

*berhantukan*

◊ *Pots and pans could be heard
clattering in the kitchen.* Bunyi periuk
belanga berhantukan kedengaran di dapur.

**clause** KATA NAMA

[1] *fasal* (*dalam undang-undang*)

[2] *klausa* (*dalam tatabahasa*)

**claw** KATA NAMA

[1] *kuku* (*untuk burung, harimau*)

[2] *sepit* (*untuk ketam*)

**clay** KATA NAMA
*tanah liat*

**clean** KATA ADJEKTIF

rujuk juga **clean** KATA KERJA

*bersih*

♦ **Write on a clean sheet of paper.**
Tulis di atas sehelai kertas kosong.

to **clean** KATA KERJA

rujuk juga **clean** KATA ADJEKTIF

*membersihkan*

♦ **I clean my teeth after every meal.** Saya
memberus gigi setiap kali selepas makan.

**cleaner** KATA NAMA

[1] *tukang cuci*

[2] *bahan pencuci*

**cleaner's** KATA NAMA

*kedai dobi*

◊ *He took his coat to the cleaner's.* Dia
menghantar kotnya ke kedai dobi.

**cleaning lady** KATA NAMA
*tukang cuci* (*perempuan*)

**cleanliness** KATA NAMA

*kebersihan*

◊ *the importance of personal cleanliness*
kepentingan kebersihan diri

**cleanser** KATA NAMA

*pembersih*

◊ *facial cleanser* pembersih muka

**cleansing lotion** KATA NAMA
*losen pembersih*

**clean-up** KATA NAMA

*pembersihan*

◊ *A clean-up of this area will be carried
out tomorrow.* Pembersihan kawasan ini
akan dilakukan esok.

**clear** KATA ADJEKTIF

rujuk juga **clear** KATA KERJA

[1] *jelas*

◊ *It's so clear that you don't believe me.*
Begitu jelas sekali bahawa anda tidak
mempercayai saya.

♦ **Have I made myself clear?** Anda faham
atau tidak kata-kata saya?

[2] *jernih*

◊ *The water is very clear.* Air itu sangat
jernih.

♦ **Wait till the road is clear.** Tunggu
sehingga tidak ada kenderaan di jalan.

[3] *terang* (*warna*)

C

to **clear** KATA KERJA

> rujuk juga **clear** KATA ADJEKTIF

[1] *membersihkan*
◊ *They are clearing the road.* Mereka sedang membersihkan jalan.
[2] *beransur-ansur hilang* (*kabus*)
♦ **She was cleared of murder.** Dia dibebaskan daripada tuduhan membunuh.
♦ **They cleared the forest for agriculture.** Mereka menebas hutan untuk bercucuk tanam.
♦ **to clear the table** mengemaskan meja

to **clear off** KATA KERJA
*pergi*
◊ *Clear off and leave me alone!* Pergi dan biarkan saya bersendirian!

to **clear up** KATA KERJA
[1] *mengemaskan*
◊ *Who's going to clear all this up?* Siapakah yang akan mengemaskan semua benda ini?
[2] *menyelesaikan*
◊ *I'm sure we can clear up this problem.* Saya pasti kita dapat menyelesaikan masalah ini.
♦ **I think it's going to clear up.** (*cuaca*) Saya rasa hari akan menjadi semakin cerah.

**clearly** KATA ADVERBA
*dengan jelas*
◊ *to speak clearly* bercakap dengan jelas
♦ **Clearly this project will cost money.** Sudah jelas, projek ini akan memakan belanja yang besar.

**clearness** KATA NAMA
*kejernihan*

**clementine** KATA NAMA
*sejenis buah oren kecil*

to **clench** KATA KERJA
[1] *menggenggam*
◊ *She clenched her fists.* Dia menggenggam tangannya.
[2] *mengetap*
◊ *Kent clenched his teeth.* Kent mengetap giginya.

**clerical** KATA ADJEKTIF
*perkeranian*
◊ *clerical work* kerja-kerja perkeranian

**clerk** KATA NAMA
*kerani*

**clever** KATA ADJEKTIF
*bijak*
◊ *She has made a very clever decision.* Dia telah membuat keputusan yang sangat bijak.

to **click** KATA KERJA
(*komputer*)

> rujuk juga **click** KATA NAMA

*mengklik*
◊ *to click on an icon* mengklik ikon

**click** KATA NAMA

> rujuk juga **click** KATA KERJA

*klik*

**clickable** KATA ADJEKTIF
(*komputer*)
*boleh klik*

**client** KATA NAMA
*pelanggan* atau *klien*

**cliff** KATA NAMA
*cenuram*

**climate** KATA NAMA
*iklim*
♦ **political climate** suasana politik

to **climb** KATA KERJA
[1] *memanjat*
◊ *They climbed a tree.* Mereka memanjat sebatang pokok.
[2] *mendaki*
◊ *Her ambition is to climb Mount Everest.* Cita-citanya adalah untuk mendaki Gunung Everest.
♦ **to climb the stairs** menaiki tangga

**climber** KATA NAMA
*pendaki*

**climbing** KATA NAMA
*pendakian*
♦ **to go climbing** pergi mendaki gunung
◊ *We're going climbing in Scotland.* Kami akan pergi mendaki gunung di Scotland.

to **cling** KATA KERJA
(**clung, clung**)
*berpaut pada* atau *memaut*
◊ *The child clung on to her mother's hand because she was scared.* Budak kecil itu berpaut pada tangan emaknya kerana takut. ◊ *Joe clung to the pole so as not to fall.* Joe memaut tiang itu supaya tidak jatuh.

**clingfilm** KATA NAMA
*pembalut plastik*

> digunakan khas untuk menutup atau membalut makanan supaya makanan itu bersih dan tetap segar

**clinic** KATA NAMA
*klinik*

to **clink** KATA KERJA
[1] *menghantukkan*
◊ *to clink glasses* menghantukkan gelas
[2] *berhantukan*
◊ *Their glasses clinked, their eyes met.* Gelas mereka berhantukan dan mereka saling berpandangan.
♦ **the clinking of chains** bunyi rantai besi yang bergemerencing

**clip** KATA NAMA

1 _klip_

2 _sepit_

◊ _hair clip_ sepit rambut

3 _sedutan_

◊ _some clips from his latest film_ beberapa sedutan daripada filem beliau yang terbaru

**clippers**   KATA NAMA JAMAK

_pengetip_

♦ **nail clippers** pengetip kuku

**cloakroom**   KATA NAMA

1 _bilik untuk menggantung kot_

2 _bilik air_

**clock**   KATA NAMA

_jam_

◊ _an alarm clock_ jam loceng

♦ **She is working round the clock.** Dia bekerja siang malam.

**clockwise**   KATA ADJEKTIF, KATA ADVERBA

_ikut arah jam_

**clockwork**   KATA NAMA

_sawat jam_

◊ _a clockwork train set_ satu set kereta api mainan sawat jam

♦ **to go like clockwork** berjalan dengan tetap dan lancar

**clone**   KATA NAMA

> rujuk juga **clone** KATA KERJA

_klon_

◊ _computer clones_ klon komputer

◊ _human clones_ klon manusia

to **clone**   KATA KERJA

> rujuk juga **clone** KATA NAMA

_menghasilkan klon_

◊ _to clone an animal_ menghasilkan klon binatang

♦ **a cloned sheep** klon biri-biri

to **close**   KATA KERJA

> rujuk juga **close** KATA ADJEKTIF

_menutup_

◊ _Please close the door._ Tolong tutup pintu.

♦ **to close a conversation** menamatkan perbualan

**close**   KATA ADJEKTIF, KATA ADVERBA

> rujuk juga **close** KATA KERJA

1 _dekat_

◊ _The hotel is very close to the station._ Hotel tersebut sangat dekat dengan stesen itu.

♦ **She was close to tears.** Dia hampir-hampir menangis.

2 _rapat_

◊ _I'm very close to my mother._ Saya sangat rapat dengan emak saya. ◊ _We have only invited close relations._ Kami hanya menjemput saudara rapat. ◊ _She's a close friend of mine._ Dia kawan rapat saya.

3 _sengit_ (_padanan terdekat_)

◊ _It was a very close contest._ Pertandingan itu sangat sengit.

**closed**   KATA ADJEKTIF

_tertutup_

**closely**   KATA ADVERBA

_dengan teliti_

◊ _If you look closely, you'll see the difference._ Jika anda melihat dengan teliti, anda akan nampak perbezaannya.

♦ **This will be a closely fought race.** Perlumbaan ini sudah pasti satu perlumbaan yang sengit.

**closeness**   KATA NAMA

_keintiman_

◊ _The closeness between the two siblings is very obvious._ Keintiman dua adik-beradik itu amat ketara.

**closing**   KATA ADJEKTIF

> rujuk juga **closing** KATA NAMA

_terakhir_

◊ _in the closing minutes of the match_ pada minit-minit terakhir perlawanan

♦ **closing remarks** ucapan penutup

**closing**   KATA NAMA

> rujuk juga **closing** KATA ADJEKTIF

_penutupan_

◊ _Since the closing of the steelworks..._ Sejak penutupan kilang keluli tersebut....

**clot**   KATA NAMA

_gumpal_

◊ _a clot of blood_ segumpal darah

**cloth**   KATA NAMA

_kain_

◊ _I would like five metres of this cloth._ Saya hendak membeli kain ini sepanjang lima meter.

**clothes**   KATA NAMA JAMAK

_pakaian_

♦ **clothes horse** kekuda pakaian

♦ **clothes line** ampaian

♦ **clothes peg** penyepit pakaian

**cloud**   KATA NAMA

> rujuk juga **cloud** KATA KERJA

_awan_

♦ **clouds of smoke** kepulan asap

to **cloud**   KATA KERJA

> rujuk juga **cloud** KATA NAMA

1 _mengaburi_

◊ _Perhaps anger had clouded his vision._ Barangkali kemarahan telah mengaburi pandangannya.

2 _mengeruhkan_

◊ _I didn't scold him because I didn't want to cloud the atmosphere._ Saya tidak memarahinya kerana tidak mahu mengeruhkan suasana.

**cloudless**   KATA ADJEKTIF

_tidak berawan_

**C**

**cloudy** KATA ADJEKTIF
*mendung*

**clove** KATA NAMA
*bunga cengkih*
♦ **a clove of garlic** seulas bawang putih

**clown** KATA NAMA
*badut*

**club** KATA NAMA
> *rujuk juga* **club** KATA KERJA

*kelab*
◊ *We went to the club yesterday.* Kami pergi ke kelab kelmarin.
♦ **a golf club (1)** kayu golf
♦ **a golf club (2)** kelab golf
♦ **clubs** (*dalam daun terup*) kelawar
◊ *the ace of clubs* daun sat kelawar

to **club** KATA KERJA
> *rujuk juga* **club** KATA NAMA

*menggodam*
◊ *to club somebody* menggodam seseorang

to **club together** KATA KERJA
*berkongsi*
◊ *We clubbed together to buy her a present.* Kami berkongsi membeli hadiah untuknya.

**clubbing** KATA NAMA
♦ **to go clubbing** pergi ke kelab malam

to **cluck** KATA KERJA
*berketak* (*ayam*)

**clue** KATA NAMA
*petunjuk*
◊ *This clue will help you solve the riddle.* Petunjuk ini akan membantu anda menyelesaikan teka-teki tersebut. ◊ *The police are still searching for clues in the hunt for the killer.* Pihak polis masih mencari petunjuk untuk menangkap pembunuh itu.
♦ **I haven't a clue.** Saya tidak tahu langsung.

**clumsiness** KATA NAMA
*kecemerkapan*
◊ *I was ashamed of my own clumsiness.* Saya berasa malu atas kecemerkapan saya sendiri.

**clumsy** KATA ADJEKTIF
1 *cemerkap*
◊ *She is very clumsy.* Dia sangat cemerkap.
2 *gabas*
◊ *a large and clumsy instrument* peralatan yang besar lagi gabas

**clung** KATA KERJA *rujuk* **cling**

**cluster** KATA NAMA
1 *kelompok*
◊ *a cluster of clouds* sekelompok awan
2 *jambak* (*bunga*)
♦ **Flowers bloom in clusters on the tree.**

Bunga tumbuh berjambak-jambak di atas pokok itu.

to **clutch** KATA KERJA
> *rujuk juga* **clutch** KATA NAMA

*memegang*
◊ *She clutched my arm and begged me not to go.* Dia memegang lengan saya dan merayu agar saya tidak pergi.

**clutch** KATA NAMA
(JAMAK **clutches**)
> *rujuk juga* **clutch** KATA KERJA

*klac*
◊ *Her car's clutch is not working.* Klac keretanya tidak berfungsi.

**coach** KATA NAMA
(JAMAK **coaches**)
1 *jurulatih*
◊ *He is the coach for the badminton team.* Dia jurulatih pasukan badminton itu.
2 *kereta kuda*
3 *koc*
> bas yang besar lagi selesa untuk perjalanan jauh

◊ *by coach* dengan menaiki koc
4 *gerabak* (*kereta api*)

**coal** KATA NAMA
*arang batu*
◊ *a coal mine* lombong arang batu
◊ *a coal miner* pelombong arang batu

**coarse** KATA ADJEKTIF
*kasar*
◊ *The sand on that beach is very coarse.* Pasir di pantai itu sangat kasar.

**coast** KATA NAMA
*pantai*
◊ *It's on the west coast of Scotland.* Tempat itu terletak di pantai barat Scotland.

**coastal** KATA ADJEKTIF
*pantai*
◊ *coastal waters* perairan pantai

**coaster** KATA NAMA
*alas* (*gelas, kole*)

**coastguard** KATA NAMA
*pengawal pantai*

**coat** KATA NAMA
> *rujuk juga* **coat** KATA KERJA

*kot*
◊ *She bought a new coat.* Dia membeli sehelai kot baru.
♦ **a coat of paint** satu lapisan cat

to **coat** KATA KERJA
> *rujuk juga* **coat** KATA KERJA

*menyalut*
◊ *Coat the fish with seasoned flour.* Salut ikan itu dengan tepung yang sudah dibubuh perasa.

**coat hanger** KATA NAMA
*penyangkut baju*

to **coax** KATA KERJA
*memujuk*
◊ *Mariam tried to coax her mother into going on holiday.* Mariam cuba memujuk emaknya supaya pergi bercuti.

**cobbler** KATA NAMA
*tukang kasut*

**cobra** KATA NAMA
*ular tedung*

**cobweb** KATA NAMA
*sarang labah-labah*

**cocaine** KATA NAMA
*kokain*

**cochlea** KATA NAMA
(JAMAK **cochleae**)
*koklea*

**cock** KATA NAMA
*ayam jantan*

**cockatoo** KATA NAMA
*sejenis burung kakaktua*

**cockerel** KATA NAMA
*ayam jantan muda*

**cockle** KATA NAMA
*kerang*

**cockpit** KATA NAMA
*kokpit*

**cockroach** KATA NAMA
(JAMAK **cockroaches**)
*lipas*

**cocktail** KATA NAMA
*koktel*

**cocoa** KATA NAMA
*koko*
◊ *a cup of cocoa* secawan koko

**coconut** KATA NAMA
*kelapa*

**cod** KATA NAMA
*ikan kod*

**code** KATA NAMA
*kod*
◊ *What code should I use if I want to make a phone call to London?* Apakah kod yang perlu saya gunakan sekiranya saya hendak membuat panggilan ke London? ◊ *The message is written in code.* Mesej itu ditulis dalam bentuk kod.
♦ **penal code** kanun jenayah

**coding** KATA NAMA
*pengekodan*
◊ *The coding system will lighten the workload of the employees.* Sistem pengekodan dapat meringankan beban pekerja.

**co-ed** KATA ADJEKTIF
*campur*
◊ *a co-ed school* sekolah campur

**coefficient** KATA NAMA
*pekali* (matematik)

**coercion** KATA NAMA
*pemaksaan*
◊ *The workers resisted the company's attempt at coercion.* Pekerja-pekerja menentang pemaksaan yang cuba dilakukan oleh syarikat itu terhadap mereka.

**coffee** KATA NAMA
*kopi*

**coffeepot** KATA NAMA
*teko kopi*

**coffee table** KATA NAMA
*meja kopi*

**coffin** KATA NAMA
*keranda*

**coil** KATA NAMA
rujuk juga **coil** KATA KERJA
*gelungan*
◊ *He swung the coil of rope over his shoulder.* Dia mengayunkan gelungan tali itu ke atas bahunya.

to **coil** KATA KERJA
rujuk juga **coil** KATA NAMA
*melingkarkan*
◊ *He coiled the wire around the lamppost.* Dia melingkarkan dawai itu pada tiang lampu.
♦ **The snake coiled itself around the chicken before swallowing it.** Ular itu melingkari ayam tersebut sebelum menelannya.
♦ **The snake lay coiled under the table.** Ular itu berlingkar di bawah meja.

to **coil up** KATA KERJA
*melingkar*
◊ *Millipedes coil up when they're touched.* Ulat gonggok melingkar apabila disentuh.

**coin** KATA NAMA
*duit syiling*
♦ **the other side of the coin** keadaan sebaliknya

**coincidence** KATA NAMA
*kebetulan*

**coincidentally** KATA ADVERBA
*secara kebetulan*

**coir** KATA NAMA
*sabut*

**Coke** ® KATA NAMA
*Coca-Cola* ®

**colander** KATA NAMA
*penapis*
◊ *She uses a colander when washing vegetables.* Dia menggunakan penapis semasa mencuci sayur.

**cold** KATA ADJEKTIF
rujuk juga **cold** KATA NAMA
1 *sejuk*
◊ *The water's cold.* Air itu sejuk.
2 *dingin*

◊ *His manner towards me was cold.*
Dia bersikap dingin terhadap saya.

**cold** KATA NAMA

> *rujuk juga* **cold** KATA ADJEKTIF

[1] *kesejukan*
◊ *I can't stand the cold.* Saya tidak
dapat menahan kesejukan.

[2] *selesema*

♦ **He has a cold.** Dia selesema.

**cold-blooded** KATA ADJEKTIF

*kejam*
◊ *a cold-blooded murderer* pembunuh
yang kejam

**cold sore** KATA NAMA

*bintik merah* (*akibat selesema*)

**coleslaw** KATA NAMA

*coleslaw*

to **collaborate** KATA KERJA

[1] *bekerjasama*
◊ *The two men met and agreed to
collaborate.* Kedua-dua orang lelaki itu
bertemu dan bersetuju untuk
bekerjasama.

[2] *bersubahat*
◊ *He was accused of having
collaborated with the communists.*
Dia dituduh bersubahat dengan pihak
komunis.

to **collapse** KATA KERJA

> *rujuk juga* **collapse** KATA NAMA

[1] *runtuh*
◊ *The bridge collapsed during the storm.*
Jambatan itu runtuh semasa ribut.

[2] *pengsan*
◊ *He collapsed while playing tennis.*
Dia pengsan semasa bermain tenis.

**collapse** KATA NAMA

> *rujuk juga* **collapse** KATA KERJA

[1] *keruntuhan*
◊ *The news of the collapse of the old
building shocked the public.* Berita
keruntuhan bangunan lama itu
mengejutkan orang ramai.

[2] *kejatuhan*
◊ *the collapse of communism in
Eastern Europe* kejatuhan komunisme
di Eropah Timur

**collar** KATA NAMA

[1] *kolar*

[2] *relang leher*
◊ *Her dog wears a collar.* Anjingnya
memakai relang leher.

**collarbone** KATA NAMA

*tulang selangka*

**colleague** KATA NAMA

*rakan sekerja*

to **collect** KATA KERJA

[1] *mengumpul*
◊ *He collects stamps.* Dia mengumpul

setem.

♦ **The teacher collected the exercise
books.** Guru itu mengumpulkan buku-
buku latihan.

[2] *mengambil*
◊ *She had just collected her pension
from the post office.* Dia baru saja
mengambil wang pencennya dari pejabat
pos.

♦ **to collect donations** mengutip derma

♦ **to collect rubbish** mengangkut
sampah

**collection** KATA NAMA

[1] *koleksi*
◊ *my CD collection* koleksi cakera
padat saya

[2] *kutipan*

♦ **What's this collection for?** Apakah
tujuan kutipan derma ini?

**collective** KATA ADJEKTIF

*bersama*
◊ *It was a collective decision.*
Keputusan itu merupakan keputusan
bersama.

**collector** KATA NAMA

[1] *pengumpul*
◊ *a stamp collector* pengumpul setem

[2] *pemungut*
◊ *a tax collector* pemungut cukai

♦ **a rubbish collector** pengangkut sampah

**college** KATA NAMA

*kolej*

♦ **a teacher training college** maktab
perguruan

to **collide** KATA KERJA

*berlanggar*
◊ *He collided with a bicycle near his
house.* Dia berlanggar dengan sebuah
basikal berdekatan rumahnya.

**collision** KATA NAMA

*perlanggaran*
◊ *They were on their way to the office
when the collision happened.* Mereka
sedang dalam perjalanan ke pejabat
apabila perlanggaran itu berlaku.

**colon** KATA NAMA

*titik bertindih* (*tanda bacaan*)

**colonel** KATA NAMA

*kolonel*

**colonial** KATA ADJEKTIF

*kolonial*

**colonization** KATA NAMA

*penjajahan*
◊ *the European colonization of America*
penjajahan Eropah ke atas Amerika

to **colonize** KATA KERJA

*menjajah*
◊ *The first British attempt to colonize
Ireland was in the twelfth century.*

Percubaan pertama British untuk menjajah Ireland adalah pada abad kedua belas.

**colonizer** KATA NAMA
*penjajah*

**colony** KATA NAMA
(JAMAK **colonies**)
　1　*tanah jajahan*
　2　*koloni*
　◊ *insect colony* koloni serangga

**colour** KATA NAMA
(AS **color**)
*warna*
♦ **with flying colours** dengan cemerlang

**colour blind** KATA ADJEKTIF
(AS **color blind**)
*buta warna*

**coloured** KATA ADJEKTIF
(AS **colored**)
*berwarna*

**colourful** KATA ADJEKTIF
(AS **colorful**)
*berwarna-warni*
　◊ *She's wearing a colourful skirt.* Dia memakai skirt yang berwarna-warni.

**colouring** KATA NAMA
(AS **coloring**)
*pewarna*
　◊ *She added a few drops of colouring into the jelly.* Dia menambahkan beberapa titik pewarna ke dalam agar-agar itu.

**column** KATA NAMA
　1　*tiang* (*pada bangunan*)
　2　*lajur*
　◊ *rows and columns* baris dan lajur
　3　*ruangan* (*dalam surat khabar*)

**coma** KATA NAMA
*keadaan koma*
　◊ *She was in a coma for seven weeks.* Dia berada dalam keadaan koma selama tujuh minggu.

**comb** KATA NAMA
| *rujuk juga* **comb** KATA KERJA |
*sikat*

to **comb** KATA KERJA
| *rujuk juga* **comb** KATA NAMA |
　1　*menyikat*
　◊ *I haven't combed my hair.* Saya belum menyikat rambut lagi.
　2　*menggeledah*
　◊ *Police officers combed the hill for the murder weapon.* Pegawai polis menggeledah kawasan bukit itu untuk mencari senjata pembunuhan tersebut.

**combats** KATA NAMA JAMAK
(*tidak formal*)
*seluar ala askar*

**combat trousers** KATA NAMA JAMAK
*seluar ala askar*

**combination** KATA NAMA

*gabungan*

to **combine** KATA KERJA
*menggabungkan*
　◊ *The film combines humour with suspense.* Filem itu menggabungkan ciri-ciri jenaka dengan saspens.
♦ **It's difficult to combine a career with a family.** Memang sukar untuk bekerja dan menjaga sebuah keluarga pada masa yang sama.

**combined** KATA ADJEKTIF
*bersama*
　◊ *Their combined efforts paid off.* Usaha bersama mereka berhasil.

to **come** KATA KERJA
(**came, come**)
　1　*datang*
　◊ *Helen came with me.* Helen datang bersama saya. ◊ *Come and see us soon.* Datanglah melawat kami.
♦ **Where do you come from?** Anda berasal dari mana?
　2　*sampai*
　◊ *The letter came this morning.* Surat itu sampai pagi tadi.
♦ **come home** balik rumah
♦ **How did you come to meet him?** Bagaimanakah anda berjumpa dengannya?
♦ **Cars come in all shapes and sizes.** Kereta terdapat dalam pelbagai bentuk dan saiz.
♦ **I know where you're coming from.** Saya memahami sudut pandangan anda.
♦ **I just want to let you know where I'm coming from.** Saya cuma hendak memberitahu anda sudut pandangan saya.

to **come across (1)** KATA KERJA
*terjumpa*
　◊ *I came across a dress that I hadn't worn for years.* Saya terjumpa sehelai baju yang sudah bertahun-tahun saya tidak pakai.

to **come across (2)** KATA KERJA
*kelihatan seperti*
　◊ *She comes across as a nice girl.* Dia kelihatan seperti seorang gadis yang baik.

to **come back** KATA KERJA
*balik*
　◊ *My father is coming back tomorrow.* Bapa saya akan balik esok.

to **come down** KATA KERJA
*turun*
　◊ *The price of petrol will come down.* Harga minyak petrol akan turun.

to **come in** KATA KERJA
*masuk*
　◊ *Come in!* Masuklah!

to **come on** KATA KERJA

C

♦ **Come on! (1)** Ayuh! (*memberikan galakan*)

♦ **Come on! (2)** Jangan mengarutlah! (*menunjukkan perasaan tidak percaya*)

to **come out** KATA KERJA

[1] *keluar*

◊ *We came out of the cinema at 10.* Kami keluar dari pawagam pada pukul 10.

♦ **Her book comes out in May.** Bukunya akan diterbitkan pada bulan Mei.

♦ **None of my photos came out.** Tidak satu pun gambar foto saya yang jadi.

[2] *tanggal*

◊ *I don't think this stain will come out.* Saya rasa kesan ini tidak akan tanggal.

to **come round** KATA KERJA

*datang*

◊ *Beryl came round this morning to apologize.* Beryl datang pagi tadi untuk meminta maaf.

to **come up** KATA KERJA

[1] *terbit*

◊ *shortly before the sun came up* tidak berapa lama sebelum matahari terbit

[2] *naik*

◊ *Come up here!* Naik ke sini!

[3] *timbul*

◊ *The subject came up at the meeting today.* Perkara itu timbul semasa mesyuarat hari ini.

♦ **to come up to somebody** menghampiri seseorang ◊ *She came up to me and kissed me.* Dia menghampiri saya lalu mencium saya.

**comedian** KATA NAMA

*pelawak*

**comedy** KATA NAMA

(JAMAK **comedies**)

*komedi*

**comet** KATA NAMA

*komet*

**comfort** KATA NAMA

| *rujuk juga* **comfort** KATA KERJA |

*keselesaan*

◊ *The shoes are padded for extra comfort.* Kasut-kasut ini dibubuh pad untuk memberikan keselesaan tambahan.

♦ **The audience sat in comfort.** Para penonton duduk dengan selesa.

♦ **The thought is a great comfort to me.** Apabila memikirkannya hati saya menjadi lebih tenang.

to **comfort** KATA KERJA

| *rujuk juga* **comfort** KATA NAMA |

*menenangkan hati*

◊ *The words comforted her.* Kata-kata itu menenangkan hatinya.

**comfortable** KATA ADJEKTIF

*selesa*

◊ *Their room is small but comfortable.* Bilik mereka kecil tetapi selesa.

**comic** KATA NAMA

*komik*

**comic strip** KATA NAMA

*kartun* (*dalam surat khabar, dll*)

**coming** KATA ADJEKTIF

*akan datang*

◊ *In the coming weeks, we will all have to work hard.* Kita semua mesti bekerja keras pada minggu-minggu yang akan datang.

**comma** KATA NAMA

*tanda koma*

to **command** KATA KERJA

| *rujuk juga* **command** KATA NAMA |

*memerintahkan*

◊ *He commanded his troops to attack.* Dia memerintahkan tenteranya supaya melakukan serangan. ◊ *The king commanded his warriors to fight the enemy.* Raja itu memerintahkan pahlawannya berjuang menentang musuh.

♦ **'Get in your car and follow me,' he commanded.** 'Masuk ke dalam kereta anda dan ikut saya,' dia memerintah.

**command** KATA NAMA

| *rujuk juga* **command** KATA KERJA |

[1] *perintah*

[2] *penguasaan*

◊ *His command of English is excellent.* Penguasaan bahasa Inggerisnya sangat baik.

♦ **a computer command** arahan komputer

**commander** KATA NAMA

*komander*

to **commemorate** KATA KERJA

*memperingati*

◊ *... to commemorate the soldiers who perished on the battlefield.* ... memperingati askar yang gugur di medan perang.

**commemoration** KATA NAMA

*memperingati*

◊ *a march in commemoration of Malcolm X* perarakan sempena memperingati Malcolm X

to **commence** KATA KERJA

*bermula*

◊ *The academic year commences in January.* Tahun akademik bermula pada bulan Januari.

**commendation** KATA NAMA

*pujian*

◊ *The workers received commendations from their manager.* Para pekerja menerima pujian daripada pengurus mereka.

**commensurate** KATA ADJEKTIF
*setimpal*
◊ The punishment should be commensurate with the offence. Hukuman itu harus setimpal dengan kesalahan.

to **comment** KATA KERJA

rujuk juga **comment** KATA NAMA

*memberikan komen*
◊ The police have not commented on these rumours. Pihak polis belum memberikan komen tentang khabar angin ini lagi.

**comment** KATA NAMA

rujuk juga **comment** KATA KERJA

*komen*

**commentary** KATA NAMA
(JAMAK **commentaries**)
*ulasan*

to **commentate** KATA KERJA
*mengulas*
◊ He commentates for the BBC. Dia mengulas untuk BBC.

**commentator** KATA NAMA
*pengulas*

**commerce** KATA NAMA
*perdagangan*

**commercial** KATA ADJEKTIF

rujuk juga **commercial** KATA NAMA

*komersial*

**commercial** KATA NAMA

rujuk juga **commercial** KATA ADJEKTIF

*iklan*

**commission** KATA NAMA
1 *komisen*
2 *tauliah*
◊ He received his commission two days ago. Dia menerima tauliahnya dua hari yang lalu.
♦ **the Reid Commission** Suruhanjaya Reid

**commissioner** KATA NAMA
*pesuruhjaya*

to **commit** KATA KERJA
*melakukan*
◊ to commit a crime melakukan jenayah
♦ **to commit suicide** membunuh diri
♦ **I don't want to commit myself to this project.** Saya tidak mahu terikat dengan projek ini.

**commitment** KATA NAMA
*komitmen*

**committed** KATA ADJEKTIF
*komited*

**committee** KATA NAMA
*jawatankuasa*

**commodity** KATA NAMA
(JAMAK **commodities**)
*komoditi*

◊ The government increased the prices of several basic commodities such as bread and meat. Kerajaan meningkatkan harga beberapa komoditi asas seperti roti dan daging.

**common** KATA ADJEKTIF
*biasa*
◊ "John" is a very common name. "John" ialah nama yang biasa.
♦ **common people** orang biasa
♦ **in common** persamaan ◊ We've got a lot in common. Kami mempunyai banyak persamaan.
♦ **as common as muck** (*tidak formal*) bertaraf rendah

**Commons** KATA NAMA JAMAK
♦ **the House of Commons**

Dewan Parlimen negara Britain yang berfungsi seperti Dewan Rakyat

**common sense** KATA NAMA
*akal*

**commonwealth** KATA NAMA
*Komanwel*
◊ Commonwealth countries negara-negara Komanwel
♦ **Commonwealth Games** Sukan Komanwel

**commotion** KATA NAMA
*kegemparan*
◊ The commotion started when two students had a fight. Kegemparan itu bermula apabila dua orang pelajar bergaduh sesama sendiri.

to **communicate** KATA KERJA
1 *berkomunikasi*
◊ My mother has never communicated with me. Emak saya tidak pernah berkomunikasi dengan saya.
2 *menyampaikan*
◊ They communicate their ideas to others well. Mereka menyampaikan idea mereka kepada orang lain dengan baik.

**communication** KATA NAMA
*perhubungan* atau *komunikasi*

**communicative** KATA ADJEKTIF
1 *bersifat terbuka*
2 *komunikatif*
◊ We have a communicative approach to language-teaching. Kami mempunyai pendekatan yang komunikatif untuk mengajar bahasa.

**communion** KATA NAMA
1 *hubungan*
◊ communion with nature hubungan dengan alam semula jadi
2 *golongan* (*yang berkongsi kepercayaan agama*)

**communism** KATA NAMA

*faharnan komunis* atau *komunisme*

**communist** KATA NAMA

> rujuk juga **communist** KATA ADJEKTIF

*komunis*

**communist** KATA ADJEKTIF

> rujuk juga **communist** KATA NAMA

*komunis*

**community** KATA NAMA

(JAMAK **communities**)

*masyarakat*

◊ *the local community* masyarakat tempatan

♦ **community service** khidmat komuniti

> Khidmat komuniti *ialah kerja yang dilakukan oleh penjenayah tanpa bayaran upah sebagai hukuman kepada mereka, bagi menggantikan hukuman penjara.*

to **commute** KATA KERJA

> rujuk juga **commute** KATA NAMA

*berulang-alik*

◊ *She commutes between Oxford and London.* Dia berulang-alik antara Oxford dengan London.

**commute** KATA NAMA

> rujuk juga **commute** KATA KERJA

*perjalanan ulang-alik*

◊ *a long commute* perjalanan ulang-alik yang panjang

**compact disc** KATA NAMA

*cakera padat*

◊ *compact disc player* pemain cakera padat

**companion** KATA NAMA

*teman*

**company** KATA NAMA

(JAMAK **companies**)

*syarikat*

◊ *He works in a big company.* Dia bekerja di sebuah syarikat yang besar.

♦ **a theatre company** kumpulan teater

♦ **to keep somebody company** menemani seseorang

**comparatively** KATA ADVERBA

*secara perbandingan*

to **compare** KATA KERJA

*membandingkan*

◊ *They compared his work to that of Joyce.* Mereka membandingkan kerjanya dengan kerja Joyce.

♦ **compared with** dibandingkan dengan

**comparison** KATA NAMA

*perbandingan*

◊ *There are no previous statistics for comparison.* Tidak ada statistik terdahulu untuk dibuat perbandingan.

**compartment** KATA NAMA

*bahagian*

◊ *I keep my things in the small*

*compartment in my jewellery box.* Saya menyimpan barang-barang saya di dalam bahagian kecil dalam kotak barang kemas saya.

**compass** KATA NAMA

(JAMAK **compasses**)

1 *kompas*

2 *jangka lukis*

**compatibility** KATA NAMA

*keserasian*

◊ *They were able to work together because of their compatibility.* Mereka dapat bekerja bersama kerana ada keserasian.

**compatible** KATA ADJEKTIF

*serasi*

◊ *Ahmad and Aminah can live happily together because they are compatible.* Ahmad dan Aminah dapat hidup dengan gembira kerana mereka serasi.

♦ **Danny and his wife are very compatible.** Danny dan isterinya memang sepadan.

to **compel** KATA KERJA

*memaksa*

◊ *legislation to compel cyclists to wear helmets* undang-undang untuk memaksa penunggang basikal memakai topi keledar

♦ **Amy's mother was compelled to take in washing to help support her family.** Emak Amy terpaksa bekerja mencuci pakaian untuk menyara keluarganya.

♦ **to feel compelled to do something** berasa terpaksa melakukan sesuatu

to **compensate** KATA KERJA

*membayar ganti rugi*

◊ *We will compensate you for the cost of repairing your car.* Kami akan membayar ganti rugi untuk kos membaiki kereta anda.

**compensation** KATA NAMA

*pampasan*

◊ *They got RM2000 compensation.* Mereka mendapat pampasan sebanyak RM2000.

**compere** KATA NAMA

> rujuk juga **compere** KATA KERJA

*pengacara*

to **compere** KATA KERJA

> rujuk juga **compere** KATA NAMA

*mengacarakan*

◊ *Latifah was chosen to compere the ceremony.* Latifah telah dipilih untuk mengacarakan majlis itu.

to **compete** KATA KERJA

*bertanding*

♦ **to compete in** bertanding dalam ◊ *I'm competing in the marathon.* Saya akan bertanding dalam maraton tersebut.

♦ **to compete for something** bersaing

untuk mendapatkan sesuatu ◊ *There are 50 students competing for the 6 scholarships offered.* 50 orang pelajar bersaing untuk mendapatkan 6 hadiah biasiswa yang ditawarkan.

**competence**   KATA NAMA
*kecekapan*
◊ *His competence as an economist is widely known.* Kecekapannya sebagai seorang ahli ekonomi telah diketahui ramai.

**competent**   KATA ADJEKTIF
*cekap*
◊ *She is a competent writer.* Dia seorang penulis yang cekap.
♦ **He always produces competent work.** Dia selalu menghasilkan kerja yang memuaskan.

**competition**   KATA NAMA
1 *pertandingan*
◊ *a singing competition* pertandingan nyanyian
2 *persaingan*
◊ *Competition in the computer sector is fierce.* Persaingan dalam sektor komputer amat sengit.
3 *peraduan*
◊ *drawing competition* peraduan melukis

**competitive**   KATA ADJEKTIF
*berdaya saing*

**competitiveness**   KATA NAMA
*daya saing*

**competitor**   KATA NAMA
1 *pesaing*
2 *peserta*
◊ *She is the oldest competitor.* Dia merupakan peserta yang paling tua.

to **compile**   KATA KERJA
*menyusun* (*laporan, buku, dll*)

**compiler**   KATA NAMA
*penyusun*
◊ *a compiler of a dictionary* penyusun kamus

to **complain**   KATA KERJA
1 *mengadu*
◊ *We're going to complain to the manager.* Kami akan mengadu kepada pengurus.
2 *bersungut*
◊ *She's always complaining about her husband.* Dia selalu bersungut tentang suaminya.

**complaint**   KATA NAMA
1 *aduan*
2 *rungutan*

**complement**   KATA NAMA
*pelengkap*

**complete**   KATA ADJEKTIF

rujuk juga **complete** KATA KERJA
1 *lengkap*
◊ *This list may not be complete.* Senarai ini mungkin tidak lengkap.
2 *siap*
◊ *It'll be two years before the project is complete.* Projek tersebut akan siap dalam tempoh dua tahun.

to **complete**   KATA KERJA

rujuk juga **complete** KATA ADJEKTIF
1 *melengkapkan*
◊ *the stickers needed to complete the collection* pelekat yang diperlukan untuk melengkapkan koleksi tersebut
2 *menyiapkan*
◊ *I will try my best to complete the painting by tomorrow.* Saya akan mencuba sedaya upaya saya untuk menyiapkan lukisan itu esok.
♦ **He completed the race in two hours.** Dia menamatkan perlumbaan itu dalam masa dua jam.

**completely**   KATA ADVERBA
*sama sekali*
◊ *Your book is completely different from mine.* Buku anda berbeza sama sekali dengan buku saya.

**complex**   KATA ADJEKTIF

rujuk juga **complex** KATA NAMA
*kompleks*
◊ *complex issues* isu-isu yang kompleks

**complex**   KATA NAMA
(JAMAK **complexes**)

rujuk juga **complex** KATA ADJEKTIF
*kompleks*
◊ *shopping complex* kompleks membeli-belah

**complexion**   KATA NAMA
*kulit*
◊ *She has a fair complexion.* Kulitnya cerah.

to **complicate**   KATA KERJA
*merumitkan*
◊ *Her interference only complicated the matter further.* Campur tangannya hanya merumitkan lagi hal itu.

**complicated**   KATA ADJEKTIF
*rumit*

**compliment**   KATA NAMA

rujuk juga **compliment** KATA KERJA
*pujian*
◊ *I took it as a compliment.* Saya menganggap itu sebagai satu pujian.
♦ **to pay somebody a compliment** memuji seseorang
♦ **Send my compliments to your parents.** Sampaikan salam saya kepada ibu bapa anda.

C

to **compliment** KATA KERJA

> rujuk juga **compliment** KATA NAMA

_memuji_
◊ They complimented me on my Spanish. Mereka memuji keupayaan saya berbahasa Sepanyol.

**complimentary** KATA ADJEKTIF
_percuma_
◊ complimentary ticket ticket percuma

**component** KATA NAMA
_komponen_
◊ The management plan has four main components. Rancangan pengurusan itu mempunyai empat komponen utama.

to **compose** KATA KERJA
1 _terdiri daripada_
◊ The group is composed of three men and three ladies. Kumpulan tersebut terdiri daripada tiga orang lelaki dan tiga orang wanita.
2 _menggubah_
◊ He earns a living by composing songs. Dia menyara hidupnya dengan menggubah lagu.
3 _mengarang_
◊ She loves to compose poems. Dia suka mengarang sajak.

**composer** KATA NAMA
_penggubah_ atau _komposer_

**composition** KATA NAMA
_karangan_
◊ The children were asked to write a composition. Kanak-kanak itu disuruh menulis sebuah karangan.

**compound** KATA NAMA

> rujuk juga **compound** KATA ADJEKTIF

1 _kawasan_
◊ It was the students themselves who decorated the school compound. Pelajar-pelajar itu sendiri yang menghias kawasan sekolah.
2 _sebatian_
◊ chemical compound sebatian kimia

**compound** KATA ADJEKTIF

> rujuk juga **compound** KATA NAMA

_majmuk_
◊ compound noun kata nama majmuk

to **comprehend** KATA KERJA
_memahami_
◊ I just cannot comprehend your attitude. Saya tidak dapat memahami sikap anda.

**comprehension** KATA NAMA
_pemahaman_
◊ Have you finished your comprehension exercise? Sudahkah anda siapkan latihan pemahaman anda?

**comprehensive** KATA ADJEKTIF
_komprehensif_

◊ This is a comprehensive dictionary. Kamus ini merupakan sebuah kamus yang komprehensif.

**comprehensive school** KATA NAMA
_sekolah komprehensif_

> sekolah yang menyediakan pendidikan untuk semua jenis pelajar di Britain

to **compress** KATA KERJA
_memampatkan_
◊ This machine is used to compress the gas. Mesin ini digunakan untuk memampatkan gas itu.

**compressed** KATA ADJEKTIF
_mampat_
◊ compressed gas gas yang mampat

**compression** KATA NAMA
1 _kemampatan_ (keadaan)
2 _pemampatan_ (proses)

**compressor** KATA NAMA
_pemampat_

to **comprise** KATA KERJA
_merangkumi_
◊ The amount comprises all the expenses including the fees. Jumlah itu merangkumi semua perbelanjaan termasuk yuran.
♦ to be comprised of terdiri daripada

**compromise** KATA NAMA

> rujuk juga **compromise** KATA KERJA

_kompromi_
◊ We reached a compromise. Kami mencapai kompromi.

to **compromise** KATA KERJA

> rujuk juga **compromise** KATA NAMA

_bertolak ansur_
◊ We should compromise a little. Kita harus bertolak ansur sedikit.

**compulsory** KATA ADJEKTIF
_wajib_
◊ Attendance is compulsory. Kehadiran adalah wajib.

**computer** KATA NAMA
_komputer_

**computer game** KATA NAMA
_permainan komputer_

**computerization** KATA NAMA
_pengkomputeran_
◊ the benefits of computerization kebaikan pengkomputeran

to **computerize** KATA KERJA
_mengkomputerkan_
◊ They want to computerize everything. Mereka mahu mengkomputerkan segala-galanya.

**computerized** KATA ADJEKTIF
_berkomputer_
◊ computerized banking system sistem perbankan berkomputer

**computer-literate**  KATA ADJEKTIF
_celik komputer_

**computer programmer**  KATA NAMA
_pengatur cara komputer_

**computer science**  KATA NAMA
_sains komputer_

**computing**  KATA NAMA
_pengiraan pengkomputeran_

**comrade**  KATA NAMA
_rakan seperjuangan_

**concave**  KATA ADJEKTIF
_cekung_
◊ _concave lens_  kanta cekung

to **conceal**  KATA KERJA
_menyembunyikan_
◊ _Sheena had concealed Hisham's diary._  Sheena telah menyembunyikan diari Hisham. ◊ _Robert could not conceal his relief._  Robert tidak dapat menyembunyikan kelegaannya.

to **concentrate**  KATA KERJA
_menumpukan perhatian_
◊ _I couldn't concentrate._  Saya tidak dapat menumpukan perhatian.

**concentrated**  KATA ADJEKTIF
_pekat_
◊ _concentrated apple juice_  jus epal yang pekat

**concentration**  KATA NAMA
[1] _penumpuan_ atau _konsentrasi_
[2] _kepekatan_ (_asid_)

**concept**  KATA NAMA
_konsep_

**concern**  KATA NAMA
> _rujuk juga_ **concern** KATA KERJA
_kebimbangan_
◊ _They have expressed concern about the reports._  Mereka menyatakan kebimbangan mereka tentang laporan tersebut.
♦ **There is no cause for concern.**  Tidak ada sebab kita harus bimbang.
♦ **a teacher's concern for his students**  keprihatinan seorang guru terhadap para pelajarnya

to **concern**  KATA KERJA
> _rujuk juga_ **concern** KATA NAMA
_membimbangkan_
◊ _That matter is beginning to concern her._  Perkara itu mula membimbangkannya.
♦ **It doesn't concern you.**  Hal itu tidak ada kaitan dengan anda.

**concerned**  KATA ADJEKTIF
[1] _mengambil berat_
◊ _His mother is concerned about him._  Emaknya mengambil berat tentangnya.
[2] _mementingkan_
◊ _The agency is more concerned with_

_making profits than improving their facilities._  Agensi itu lebih mementingkan keuntungan daripada mempertingkatkan kemudahan mereka.
♦ **As far as I'm concerned, you can come any time you like.**  Bagi saya, anda boleh datang pada bila-bila masa sahaja.
♦ **It's a stressful situation for everyone concerned.**  Semua pihak yang terlibat sedang menghadapi tekanan.

**concert**  KATA NAMA
_konsert_

**concession**  KATA NAMA
_kelonggaran_
◊ _The headmaster made a concession and allowed the students to go home early yesterday._  Guru besar memberikan kelonggaran kepada murid-murid untuk pulang awal kelmarin.

**concise**  KATA ADJEKTIF
_ringkas dan padat_

to **conclude**  KATA KERJA
_membuat kesimpulan_
♦ **So what can we conclude from this debate?**  Jadi, apakah yang dapat disimpulkan daripada perdebatan ini?

**conclusion**  KATA NAMA
_kesimpulan_
◊ _I've come to the conclusion that..._  Saya membuat kesimpulan bahawa...
◊ _I shouldn't be jumping to conclusions._  Saya tidak seharusnya membuat kesimpulan terburu-buru.

to **concoct**  KATA KERJA
_mengada-adakan_
◊ _He concocted the story so that he wouldn't have to attend sports practice._  Dia mengada-adakan cerita itu supaya dia tidak perlu menghadiri latihan sukan.

**concourse**  KATA NAMA
_ruang legar_

**concrete**  KATA NAMA
_konkrit_

**concubine**  KATA NAMA
_gundik_

to **condemn**  KATA KERJA
_mengutuk_

**condemnation**  KATA NAMA
_kutukan_
◊ _Her condemnation hasn't dampened Wati's spirits._  Kutukannya tidak melemahkan semangat Wati.

**condensation**  KATA NAMA
_pemeluapan_ atau _kondensasi_

**condition**  KATA NAMA
[1] _keadaan_
◊ _in good condition_  dalam keadaan baik
[2] _syarat_
◊ _I'll do it, on one condition._  Saya akan

melakukannya dengan satu syarat.

**conditional** KATA ADJEKTIF
*bersyarat*

**conditioner** KATA NAMA
*perapi (rambut)*

**condolence** KATA NAMA
*takziah*
◊ *Neil sent him a letter of condolence.*
Neil menghantar sepucuk surat takziah
kepadanya.

**condom** KATA NAMA
*kondom*

**condominium** KATA NAMA 🔲
*kondominium*

to **conduct** KATA KERJA
① *mengendalikan*
② *memimpin (orkestra)*

**conduction** KATA NAMA
*konduksi*
◊ *conduction of heat* konduksi haba

**conductor** KATA NAMA
① *pemimpin (orkestra)*
② *konduktor*

**cone** KATA NAMA
*kon*
◊ *an ice cream cone* kon aiskrim
◊ *a cone-shaped hat* topi berbentuk
kon
♦ **a traffic cone** sebuah kon trafik

to **confer** KATA KERJA
① *bermuafakat*
◊ *The villagers were conferring about
building a mosque.* Penduduk kampung
bermuafakat untuk membina sebuah
masjid.
② *menganugerahkan*
◊ *The Sultan conferred the title of Datuk
on the company chairman.* Sultan itu
menganugerahkan gelaran Datuk kepada
pengerusi syarikat itu.

**conference** KATA NAMA
*persidangan*

**conferment** KATA NAMA
*pengurniaan*

to **confess** KATA KERJA
*mengaku*
◊ *He confessed to the murder.* Dia
mengaku melakukan pembunuhan
tersebut.

**confession** KATA NAMA
*pengakuan*

to **confide** KATA KERJA
*mengadu*
◊ *Marian confided in me that she was
very worried.* Marian mengadu kepada
saya bahawa dia berasa sangat bimbang.

**confidence** KATA NAMA
*keyakinan*
◊ *I've got a lot of confidence in him.*

Saya mempunyai keyakinan yang penuh
terhadapnya.
♦ **She lacks confidence.** Dia kurang
berkeyakinan.
♦ **I told you that story in confidence.**
Cerita yang saya sampaikan kepada anda
itu ialah rahsia.

**confident** KATA ADJEKTIF
*yakin*
◊ *I'm confident everything will be okay.*
Saya yakin bahawa semuanya akan
berjalan lancar. ◊ *She seems confident.*
Dia kelihatan yakin.

**confidential** KATA ADJEKTIF
*sulit*

to **confine** KATA KERJA
① *membatasi*
◊ *The US will soon be taking steps to
confine the conflict.* Amerika Syarikat
akan mengambil langkah untuk membatasi
konflik itu tidak lama lagi.
② *mengurung*
◊ *Arnold's mother confined him to his
room.* Emak Arnold mengurungnya di
dalam bilik.

**confinement** KATA NAMA
*pengurungan*
◊ *Saras was held in confinement by the
military for four months.* Saras berada
dalam pengurungan tentera selama empat
bulan.

to **confirm** KATA KERJA
*mengesahkan*

**confirmation** KATA NAMA
*pengesahan*

**conflict** KATA NAMA
> rujuk juga **conflict** KATA KERJA

*konflik*

to **conflict** KATA KERJA
> rujuk juga **conflict** KATA NAMA

*bercanggah*
◊ *Personal ethics and professional ethics
sometimes conflict.* Etika peribadi dan
etika profesional kadang-kadang
bercanggah.
♦ **They have conflicting opinions.** Mereka
mempunyai percanggahan pendapat.

to **conform** KATA KERJA
*mematuhi*
◊ *The quality of crash helmets must
conform to the standards set by SIRIM.*
Kualiti topi keledar mestilah mematuhi
standard yang ditetapkan oleh SIRIM.
◊ *He felt obliged to conform to the
rules.* Dia berasa seperti dia terpaksa
mematuhi peraturan-peraturan itu.

to **confront** KATA KERJA
*menghadapi*
◊ *Her strength of will in confronting*

C

*difficulties amazed me.* Kekentalan jiwanya menghadapi dugaan membuat saya kagum.

**confrontation** KATA NAMA
*konfrontasi*
◊ *a confrontation between police and football fans* konfrontasi antara pihak polis dengan peminat-peminat bola sepak

to **confuse** KATA KERJA
*mengelirukan*

**confused** KATA ADJEKTIF
*keliru*

**confusing** KATA ADJEKTIF
*mengelirukan*
◊ *The road signs are confusing.* Tanda isyarat di jalan raya itu mengelirukan.

**confusion** KATA NAMA
*kekeliruan*

**congested** KATA ADJEKTIF
*sesak*
◊ *Some places are congested with both cars and people.* Sesetengah tempat sesak dengan kereta dan orang ramai.

**congestion** KATA NAMA
*kesesakan*
◊ *traffic congestion* kesesakan lalu lintas

to **congratulate** KATA KERJA
*mengucapkan tahniah*
◊ *My friends congratulated me on passing my test.* Kawan-kawan saya mengucapkan tahniah kerana saya telah lulus ujian saya.

**congratulations** KATA NAMA JAMAK
*tahniah*
◊ *Congratulations on your new job!* Tahniah kerana mendapat kerja baru!

**congratulatory** KATA ADJEKTIF
*tahniah*
◊ *a congratulatory card* kad ucapan tahniah

**congregation** KATA NAMA
*jemaah*

**congress** KATA NAMA
(JAMAK **congresses**)
*kongres*

**conjoined twins** KATA NAMA JAMAK
*kembar Siam*

**conjunction** KATA NAMA
*kata hubung*

**conjurer** KATA NAMA
*ahli silap mata*

to **connect** KATA KERJA
*menyambungkan*
◊ *Connect the wires.* Sambungkan wayar-wayar itu.

**connected** KATA ADJEKTIF
*berkaitan*
◊ *topics connected with Malaysian*

*history* tajuk yang berkaitan dengan sejarah Malaysia
♦ **High blood pressure is closely connected to heart disease.** Tekanan darah tinggi berkait rapat dengan penyakit jantung.

**connection** KATA NAMA
① *kaitan*
◊ *There's no connection between the two events.* Kedua-dua acara tersebut tidak ada kaitan.
② *sambungan* (*wayar, paip*)
◊ *There's a loose connection.* Ada sambungan yang longgar.

**connotation** KATA NAMA
*konotasi*
◊ *negative connotation* konotasi negatif

to **conquer** KATA KERJA
① *menakluki* (*negara*)
② *menguasai* (*musuh, ketakutan*)

**conqueror** KATA NAMA
*penakluk*

**conquest** KATA NAMA
*penaklukan*
◊ *the conquest of Europe by Napoleon* penaklukan Eropah oleh Napoleon

**conscience** KATA NAMA
*suara hati*
♦ **to have a guilty conscience** berasa bersalah

**conscious** KATA ADJEKTIF
*sedar*
◊ *She was conscious of Max looking at her.* Dia sedar bahawa Max sedang memerhatikannya.
♦ **He was still conscious when the doctor arrived.** Dia masih sedar semasa doktor itu tiba.
♦ **He made a conscious decision to tell nobody.** Dia membuat keputusan tidak mahu memberitahu sesiapa pun.

**consciousness** KATA NAMA
*kesedaran*
♦ **I lost consciousness.** Saya tidak sedarkan diri.

**conscript** KATA NAMA
*tentera kerahan*

**conscription** KATA NAMA
*pengerahan* (*untuk memasuki tentera*)

**consecutive** KATA ADJEKTIF
*berturut-turut*
◊ *two consecutive days* dua hari berturut-turut

**consensus** KATA NAMA
*kata sepakat*
◊ *to reach a consensus* mencapai kata sepakat

**consent** KATA NAMA
> rujuk juga **consent** KATA KERJA

*persetujuan*
◊ *Can my child be medically examined without my consent?* Bolehkah anak saya mendapat pemeriksaan kesihatan tanpa persetujuan saya?

to **consent** KATA KERJA

> rujuk juga **consent** KATA NAMA

*bersetuju*
◊ *She consented to let her daughter move to the city.* Dia bersetuju untuk membenarkan anak perempuannya berpindah ke bandar.

**consequence** KATA NAMA
*akibat*

**consequently** KATA ADVERBA
*akibatnya*

**conservation** KATA NAMA
*pemuliharaan*
◊ *forest conservation* pemuliharaan hutan

♦ **energy conservation** pengabadian tenaga

**conservative** KATA ADJEKTIF

> rujuk juga **conservative** KATA NAMA

*konservatif*
♦ **the Conservative Party** Parti Konservatif

**Conservative** KATA NAMA

> rujuk juga **conservative** KATA ADJEKTIF

*parti Konservatif*
◊ *to vote Conservative* mengundi parti Konservatif

**conservatory** KATA NAMA
(JAMAK **conservatories**)
*rumah pemuliharaan*

to **conserve** KATA KERJA
*menjimatkan*
◊ *to conserve energy* menjimatkan tenaga

to **consider** KATA KERJA
① *menganggap*
◊ *He considers it a waste of time.* Dia menganggap perkara itu membuang masa.
② *mempertimbangkan*
◊ *You have to consider the feelings of those around you.* Anda harus mempertimbangkan perasaan orang di sekeliling anda.

♦ **We considered cancelling our holiday.** Kami berfikir hendak membatalkan percutian kami.

**considerate** KATA ADJEKTIF
*bertimbang rasa*

**consideration** KATA NAMA
① *pertimbangan*
◊ *a decision demanding careful consideration* keputusan yang memerlukan pertimbangan yang teliti
② *timbang rasa*

♦ **Show consideration for other travellers.** Bertimbang rasalah terhadap pelancong-pelancong yang lain.

**considering** KATA SENDI
*memandangkan*
◊ *Considering we were there for a month, we did not spend too much money.* Memandangkan kami berada di sana selama sebulan, kami tidak menghabiskan wang yang banyak.

♦ **I got a good mark, considering.** Markah saya boleh dikatakan baik.

to **consist** KATA KERJA
♦ **to consist of** terdiri daripada

**consistent** KATA ADJEKTIF
*konsisten*
◊ *his consistent support of free trade* sokongannya yang konsisten terhadap perdagangan bebas

**consolation** KATA NAMA
*perkara yang menenangkan hati*
◊ *The only consolation is that we will have another chance.* Satu-satunya perkara yang menenangkan hati ialah kita akan mendapat satu lagi peluang.

**consolation prize** KATA NAMA
*hadiah sagu hati*

to **console** KATA KERJA

> rujuk juga **console** KATA NAMA

*menenangkan hati*

**console** KATA NAMA

> rujuk juga **console** KATA KERJA

*konsol* (*permainan video, dll*)

**consolidation** KATA NAMA
① *pengukuhan*
◊ *the growth and consolidation of the working class* perkembangan dan pengukuhan kelas pekerja
② *persyarikatan* (*kumpulan, firma, dll*)

**consonant** KATA NAMA
*konsonan*

**consortium** KATA NAMA
*konsortium*

**constable** KATA NAMA
*konstabel*

**constant** KATA ADJEKTIF
*tetap*

**constantly** KATA ADVERBA
*sentiasa*

**constellation** KATA NAMA
*buruj* (*nama gugusan bintang*)

**constipated** KATA ADJEKTIF
*sembelit*
◊ *I'm constipated.* Saya sembelit.

**constipation** KATA NAMA
*sembelit*

to **constitute** KATA KERJA
*membentuk*
◊ *the four companies constituting the*

C

*Aramco partnership* antara empat buah syarikat yang membentuk perkongsian Aramco

♦ **Student crime constitutes a dangerous epidemic.** Jenayah di kalangan pelajar merupakan wabak yang berbahaya.

**constitution** KATA NAMA
*perlembagaan*

**constitutional** KATA ADJEKTIF
*berperlembagaan*
◊ *constitutional monarch* raja berperlembagaan

♦ **the country's constitutional crisis** krisis perlembagaan negara itu

to **construct** KATA KERJA
*membina*

**construction** KATA NAMA
*pembinaan*

**constructive** KATA ADJEKTIF
*membina*
◊ *They make a lot of constructive suggestions.* Mereka memberikan banyak cadangan yang membina.

**consul** KATA NAMA
*konsul*
◊ *the British Consul in Zurich* Konsul British di Zurich

**consulate** KATA NAMA
*konsulat*

to **consult** KATA KERJA
[1] *mendapatkan nasihat* (*daripada doktor, pakar*)
[2] *berunding*

**consultancy** KATA NAMA
[1] *firma pakar runding*
[2] *khidmat nasihat*
◊ *The project provides both consultancy and training.* Projek itu menyediakan khidmat nasihat dan latihan.

♦ **consultancy service** khidmat nasihat

**consultant** KATA NAMA
[1] *doktor pakar*
◊ *a consultant heart surgeon* doktor pakar bedah
[2] *pakar runding*

**consumer** KATA NAMA
*pengguna*

**consumption** KATA NAMA
*penggunaan*
◊ *a reduction in fuel consumption* pengurangan dalam penggunaan minyak

♦ **The drink was unfit for human consumption.** Minuman ini tidak sesuai diminum.

**contact** KATA NAMA

  | rujuk juga **contact** KATA KERJA |

*hubungan*
◊ *He forbade contacts between directors and executives in his absence.* Dia

melarang hubungan antara pengarah dengan eksekutif semasa ketiadaannya.

♦ **I'm in frequent contact with her.** Saya sering berhubung dengannya.

to **contact** KATA KERJA

  | rujuk juga **contact** KATA NAMA |

*menghubungi*
◊ *Where can we contact you?* Di manakah boleh kami hubungi anda?

**contact lenses** KATA NAMA JAMAK
*kanta sentuh*

**contagious** KATA ADJEKTIF
*berjangkit*
◊ *a contagious disease* penyakit berjangkit

to **contain** KATA KERJA
[1] *mengandungi*
◊ *The bag contains a book.* Beg itu mengandungi sebuah buku.
[2] *mengawal*
◊ *The firemen are trying to contain the fire.* Ahli-ahli bomba itu cuba mengawal kebakaran.

**container** KATA NAMA
[1] *bekas*
◊ *You can keep the meat in this plastic container.* Anda boleh menyimpan daging itu di dalam bekas plastik ini.
[2] *kontena*
◊ *A crane was used to lift the containers onto the ship.* Sebuah kren digunakan untuk mengangkat kontena-kontena itu ke dalam kapal.

to **contaminate** KATA KERJA
*mencemari*
◊ *The river was contaminated with toxic waste.* Sungai itu telah dicemari oleh sisa toksik.

to **contemplate** KATA KERJA
[1] *berkira-kira*
◊ *She contemplates leaving for the sake of the kids.* Dia berkira-kira untuk pergi dari situ demi kebaikan kanak-kanak itu.
[2] *merenungkan*
◊ *He sat in his car and contemplated his future.* Dia duduk di dalam keretanya sambil merenungkan masa depannya.

**contemplation** KATA NAMA
*renungan*
◊ *He was lost in contemplation.* Dia begitu asyik dalam renungannya.

**contempt** KATA NAMA
*cemuhan*
◊ *Danny's clerk treated him with contempt.* Kerani Danny melayannya dengan cemuhan.

♦ **contempt of court** penghinaan mahkamah

♦ **to have contempt for someone**

memandang hina pada seseorang

**content** KATA ADJEKTIF
*berpuas hati*
◊ *I'm perfectly content with the way the campaign has gone.* Saya cukup berpuas hati dengan cara kempen itu berjalan.

**content provider** KATA NAMA
(*komputer*)
*pembekal kandungan*

**contents** KATA NAMA JAMAK
*kandungan*
♦ **table of contents** senarai kandungan

**contest** KATA NAMA
1 *pertandingan*
◊ *to take part in a contest* mengambil bahagian dalam sesuatu pertandingan
♦ **a beauty contest** pertandingan ratu cantik
2 *persaingan*
◊ *The contest between the two companies is over.* Persaingan antara dua buah syarikat itu telah berakhir.

**contestant** KATA NAMA
*peserta*

**context** KATA NAMA
*konteks*
◊ *The translation of a word depends on its context.* Terjemahan sesuatu perkataan bergantung pada konteksnya.

**continent** KATA NAMA
*benua*
♦ **the Continent** benua Eropah

**continental breakfast** KATA NAMA
*sarapan ala Eropah*
> sarapan yang terdiri daripada roti, mentega, jem serta minuman panas dan tidak ada makanan yang dimasak

**contingent** KATA NAMA
*kontinjen*

**continual** KATA ADJEKTIF
*tidak henti-henti*
◊ *the continual trickle of her tears* lelehan air matanya yang tidak henti-henti
◊ *His continual nagging bored me.* Gesaannya yang tidak henti-henti itu membosankan saya.

**continually** KATA ADVERBA
*tidak henti-henti*
◊ *The phone rings continually.* Telefon berdering tidak henti-henti.

to **continue** KATA KERJA
1 *terus*
◊ *I hope they continue to fight for equal justice after I'm gone.* Saya berharap mereka akan terus berjuang untuk keadilan selepas saya pergi.
2 *meneruskan*
◊ *She wants to continue her studies.*

Dia hendak meneruskan pengajiannya.
3 *bersambung*
◊ *The trial continues today.* Perbicaraan tersebut bersambung hari ini.

**continuity** KATA NAMA
*kesinambungan*
◊ *Every paragraph should show some continuity with the previous paragraph.* Setiap perenggan harus ada kesinambungan dengan perenggan sebelumnya.

**continuous** KATA ADJEKTIF
*berterusan*
◊ *continuous assessment* penilaian yang berterusan

**continuously** KATA ADVERBA
*terus-menerus*
◊ *Karl talked continuously for an hour.* Karl bercakap terus-menerus selama satu jam.

**contour** KATA NAMA
*kontur*

**contraceptive** KATA NAMA
*pencegah hamil*

**contract** KATA NAMA
> rujuk juga **contract** KATA KERJA
*kontrak*

to **contract** KATA KERJA
> rujuk juga **contract** KATA NAMA
*menguncup*
◊ *Our blood vessels expand and contract to pump blood to all parts of our body.* Saluran darah kita mengembang dan menguncup untuk mengepam darah ke seluruh badan.

**contraction** KATA NAMA
*penguncupan*
◊ *the contraction and expansion of blood vessels* penguncupan dan pengembangan saluran darah

**contractor** KATA NAMA
*kontraktor*
◊ *building contractor* kontraktor pembinaan

to **contradict** KATA KERJA
1 *menyangkal kata-kata*
◊ *We dare not contradict him.* Kami tidak berani menyangkal kata-katanya.
2 *bercanggah*
◊ *The results of our experiment contradict theirs.* Keputusan eksperimen kami bercanggah dengan keputusan mereka.

**contradictory** KATA ADJEKTIF
*bercanggah*
◊ *They have contradictory opinions.* Pendapat mereka bercanggah.

**contrary** KATA ADJEKTIF
> rujuk juga **contrary** KATA NAMA

C

*bertentangan*
◊ *His decision is contrary to his parents' wishes.* Keputusannya bertentangan dengan kehendak ibu bapanya.
**contrary** KATA NAMA

> *rujuk juga* **contrary** KATA ADJEKTIF

♦ **on the contrary** sebaliknya
**contrast** KATA NAMA
1 *perbezaan*
◊ *She should know about the contrast between town and village.* Dia sepatutnya tahu perbezaan antara bandar dengan kampung.
2 *kontras*
◊ *This television has better contrast.* Televisyen ini mempunyai kontras yang lebih baik.

to **contribute** KATA KERJA
*menyumbangkan*
◊ *We contributed RM400 to this school.* Kami telah menyumbangkan sebanyak RM400 kepada sekolah ini.
♦ **The negligence of the workers contributed to the tragedy.** Kecuaian pekerja merupakan antara sebab tragedi itu berlaku.
**contribution** KATA NAMA
*sumbangan*
◊ *He is well-known for his contribution to world peace.* Dia terkenal kerana sumbangannya kepada keamanan sejagat.
**contributor** KATA NAMA
*penyumbang*
**control** KATA NAMA

> *rujuk juga* **control** KATA KERJA

*kawalan*
◊ *All those events were beyond my control.* Semua peristiwa itu berlaku di luar kawalan saya.
♦ **He lost control of his car.** Dia tidak dapat mengawal keretanya.
♦ **the controls** alat kawalan
♦ **He is always in control of the situation.** Dia selalu dapat mengawal keadaan.
♦ **She can't keep control of the class.** Dia tidak dapat mengawal murid-muridnya.
♦ **That boy is out of control.** Budak lelaki itu tidak dapat dikawal lagi.
to **control** KATA KERJA

> *rujuk juga* **control** KATA NAMA

1 *mengawal*
◊ *I couldn't control the horse.* Saya tidak dapat mengawal kuda tersebut.
2 *menguasai*
◊ *They are controlling the second half of the game.* Mereka menguasai permainan pada separuh masa kedua.
**controversial** KATA ADJEKTIF

*menimbulkan kontroversi* **atau** *kontroversial*
◊ *Abortion is a controversial subject.* Pengguguran bayi merupakan subjek yang menimbulkan kontroversi.
**controversy** KATA NAMA
(JAMAK **controversies**)
*kontroversi*
◊ *a political controversy over human rights abuses* kontroversi politik tentang penyalahgunaan hak asasi manusia
**convenient** KATA ADJEKTIF
1 *sesuai*
◊ *This is not a convenient time for me.* Masa ini tidak sesuai untuk saya.
2 *berdekatan*
◊ *The hotel's convenient for the airport.* Hotel tersebut berdekatan dengan lapangan terbang.
**convention** KATA NAMA
*konvensyen*
◊ *the Geneva Convention* Konvensyen Geneva
**conventional** KATA ADJEKTIF
*konvensional*
◊ *She is not conventional.* Dia tidak konvensional.
**convent school** KATA NAMA
*sekolah yang diselenggarakan oleh rahib wanita*
**conversation** KATA NAMA
*perbualan*
◊ *I waited for her to finish a telephone conversation.* Saya menunggu dia menamatkan perbualan telefonnya.
**conversion** KATA NAMA
*penukaran*
◊ *the conversion of disused rail lines into cycle routes* penukaran landasan kereta api lama kepada laluan basikal
to **convert** KATA KERJA
*menukarkan*
◊ *We've converted the shop into a hotel.* Kami telah menukarkan kedai tersebut menjadi sebuah hotel.
♦ **He converted to Hinduism in 1987.** Dia memeluk agama Hindu pada tahun 1987.
**convex** KATA ADJEKTIF
*cembung*
◊ *convex lens* kanta cembung
to **convict** KATA KERJA

> *rujuk juga* **convict** KATA NAMA

*menyabitkan bersalah*
◊ *She was convicted of the murder.* Dia disabitkan bersalah atas pembunuhan tersebut.
**convict** KATA NAMA

> *rujuk juga* **convict** KATA KERJA
> *banduan*

to **convince** KATA KERJA
  *meyakinkan*
  ◊ *We have to convince them that we are innocent.* Kita perlu meyakinkan mereka bahawa kita tidak bersalah.

**convinced** KATA ADJEKTIF
  *yakin*
  ◊ *I'm not convinced.* Saya tidak yakin.
  ◊ *I am convinced of his ability.* Saya yakin dengan keupayaannya.

**convincing** KATA ADJEKTIF
  *meyakinkan*
  ◊ *a convincing argument* satu hujah yang meyakinkan

**convincingly** KATA ADVERBA
  *dengan yakin*
  ◊ *He spoke convincingly.* Dia bercakap dengan yakin.

**convocation** KATA NAMA
  *konvokesyen*

to **cook** KATA KERJA
> *rujuk juga* **cook** KATA NAMA
  *memasak*
  ◊ *I can't cook.* Saya tidak tahu memasak.
  ♦ **The chicken isn't cooked.** Ayam itu belum masak.

**cook** KATA NAMA
> *rujuk juga* **cook** KATA KERJA
  *tukang masak*
  ◊ *He's a cook in that hotel.* Dia tukang masak di hotel tersebut.
  ♦ **Maria's an excellent cook.** Maria pandai memasak.

**cookbook** KATA NAMA
  *buku masakan*

**cooker** KATA NAMA
  *dapur*
  ◊ *gas cooker* dapur gas
  ♦ **rice cooker** periuk nasi

**cookery** KATA NAMA
  *masakan*
  ◊ *The school runs cookery courses throughout the year.* Sekolah itu mengendalikan kursus masakan sepanjang tahun.

**cooking** KATA NAMA
  *masakan*
  ◊ *French cooking* masakan Perancis
  ♦ **I like cooking.** Saya suka memasak.

**cool** KATA ADJEKTIF
> *rujuk juga* **cool** KATA KERJA
  *dingin*
  ◊ *a cool place* tempat yang dingin
  ♦ **to stay cool** tenang ◊ *He stayed cool throughout the crisis.* Dia tenang sahaja sepanjang krisis itu.

to **cool** KATA KERJA
> *rujuk juga* **cool** KATA ADJEKTIF
  *menyejukkan*
  ◊ *The lotion cools and refreshes the skin.* Losen itu menyejukkan dan menyegarkan kulit.

to **cool down** KATA KERJA
  *menyejukkan*
  ◊ *This drink will cool you down.* Minuman ini akan menyejukkan badan anda.
  ♦ **The manager tried to cool the angry workers down.** Pengurus itu cuba menenangkan pekerja-pekerja yang sedang marah itu.

**cooler** KATA NAMA
  *penyejuk* (*bekas*)

**coop** KATA NAMA
  *sangkar*

to **co-operate** KATA KERJA
  *bekerjasama*
  ◊ *We're going to co-operate to make the exhibition a success.* Kami akan bekerjasama untuk menjayakan pameran itu.

**co-operation** KATA NAMA
  *kerjasama*
  ◊ *Your co-operation is appreciated.* Kerjasama anda amat dihargai.

**co-operative** KATA NAMA
  *koperasi*
  ◊ *teachers' co-operative* koperasi guru

to **co-ordinate** KATA KERJA
> *rujuk juga* **co-ordinate** KATA NAMA
  *menyelaraskan*
  ◊ *to co-ordinate the duties of the volunteers* menyelaraskan tugas-tugas sukarelawan

**co-ordinate** KATA NAMA
> *rujuk juga* **co-ordinate** KATA KERJA
  *koordinat*

**co-ordination** KATA NAMA
  *penyelarasan*
  ◊ *The co-ordination of duties is very important to the success of this project.* Penyelarasan tugas amat penting untuk menjayakan projek ini.

**co-ordinator** KATA NAMA
  *penyelaras*

**cop** KATA NAMA
  (*tidak formal*)
  *polis*

to **cope** KATA KERJA
  1 *mengatasi*
  ◊ *The problem was difficult but we managed to cope with it.* Masalah itu memang sukar, tetapi kami berjaya mengatasinya.
  2 *mengawal*

◊ *I cannot cope with my own feelings.* Saya tidak dapat mengawal perasaan saya sendiri.

**copper** KATA NAMA
1 *tembaga* **atau** *kuprum*
♦ **copper chloride** kuprum klorida
2 (*tidak formal*) *polis*

**copra** KATA NAMA
*kelapa kering*

to **copulate** KATA KERJA
*mengawan*
◊ *Whales take twenty-four hours to copulate.* Ikan paus mengambil masa dua puluh empat jam untuk mengawan.

**copulation** KATA NAMA
*pengawanan*

**copy** KATA NAMA
(JAMAK **copies**)
| rujuk juga **copy** KATA KERJA |
1 *salinan*
◊ *Keep a copy of the receipt.* Simpan satu salinan resit tersebut.
2 *naskhah*
◊ *She ordered ten copies of the English books.* Dia memesan sepuluh naskhah buku bahasa Inggeris tersebut.

to **copy** KATA KERJA
| rujuk juga **copy** KATA NAMA |
1 *meniru*
2 *menyalin*
◊ *The students copied notes from the blackboard.* Pelajar menyalin nota dari papan hitam.

to **copy down** KATA KERJA
*menyalin*
◊ *The pupils are copying down notes.* Murid-murid sedang menyalin nota.

**copycat** KATA NAMA
*peniru*

**copyright** KATA NAMA
*hak cipta*

**coquettish** KATA ADJEKTIF
*genit*
◊ *She's a coquettish young lady who likes to attract attention.* Dia seorang gadis genit yang suka menarik perhatian orang.

**coral** KATA NAMA
*batu karang*

**core** KATA NAMA
| rujuk juga **core** KATA KERJA |
*empulur* (*buah*)
♦ **core business/activity** perniagaan/ aktiviti utama ◊ *They will concentrate on six core businesses.* Mereka akan menumpukan perhatian pada enam perniagaan utama.
♦ **the earth's core** teras bumi

to **core** KATA KERJA
| rujuk juga **core** KATA NAMA |
*mengeluarkan empulur*

**cork** KATA NAMA
| rujuk juga **cork** KATA KERJA |
*gabus*

to **cork** KATA KERJA
| rujuk juga **cork** KATA NAMA |
*menyumbat... dengan gabus*
◊ *He corked the bottle.* Dia menyumbat botol itu dengan gabus.

**corkscrew** KATA NAMA
*skru pencungkil gabus*

**corn** KATA NAMA
1 *bijirin*
◊ *Barley is a type of corn.* Barli merupakan sejenis bijirin.
2 *jagung*

**corn cob** KATA NAMA
*tongkol jagung*

**cornea** KATA NAMA
*kornea*

**corner** KATA NAMA
1 *penjuru*
◊ *Stick the stamp in the right-hand corner of the envelope.* Lekatkan setem pada penjuru kanan sampul surat itu.
2 *selekoh*
◊ *There's a policeman at the corner of that road.* Ada seorang polis di selekoh jalan tersebut.
♦ **corner kick** tendangan sudut
♦ **the shop on the corner** kedai di hujung
♦ **Our examinations are just around the corner.** Peperiksaan kami hampir tiba.

**cornet** KATA NAMA
1 *kornet* (*alat muzik*)
2 *kon* (*aiskrim*)

**cornflakes** KATA NAMA JAMAK
*emping jagung*

**coronary** KATA ADJEKTIF
*koronari*
◊ *coronary artery* arteri koronari

**coroner** KATA NAMA
*koroner*

**corporal** KATA NAMA
*koperal*

**corporal punishment** KATA NAMA
*hukuman sebat*

**corporate** KATA ADJEKTIF
*korporat*
◊ *corporate figure* tokoh korporat

**corporation** KATA NAMA
1 *syarikat*
2 *perbadanan*
◊ *a corporation that is free from government controls* sebuah perbadanan yang bebas daripada kawalan kerajaan

**corpse** KATA NAMA

C

_mayat_
**corpus** KATA NAMA
(JAMAK **corpuses**)
_korpus_
◊ *a corpus of two hundred million words*
korpus yang terdiri daripada dua ratus juta
perkataan
**correct** KATA ADJEKTIF

> rujuk juga **correct** KATA KERJA

_betul_
◊ *Your answer is correct.* Jawapan anda
betul.
to **correct** KATA KERJA

> rujuk juga **correct** KATA ADJEKTIF

1 _membetulkan_
◊ *I have to correct her pronunciation
from time to time.* Saya perlu
membetulkan sebutannya dari semasa
ke semasa.
2 _memeriksa_
◊ *I took an hour to correct their
exercise books.* Saya mengambil masa
satu jam untuk memeriksa buku latihan
mereka.
**correction** KATA NAMA
_pembetulan_
**correctly** KATA ADVERBA
_dengan betul_
◊ *The students answered the question
correctly.* Para pelajar menjawab soalan
itu dengan betul.
to **correspond** KATA KERJA
1 _sama_
◊ *The two maps of Kuala Lumpur
correspond closely.* Kedua-dua peta
Kuala Lumpur itu hampir-hampir sama.
2 _mengutus surat_
◊ *We corresponded regularly.* Kami
sering mengutus surat.
**correspondence** KATA NAMA
_surat-menyurat_
**correspondent** KATA NAMA
_wartawan_
**corridor** KATA NAMA
_koridor_
to **corrode** KATA KERJA
_mengakis_
◊ *Acid rain destroys trees and corrodes
buildings.* Hujan asid memusnahkan
tumbuhan dan mengakis bangunan.
**corrosion** KATA NAMA
_kakisan_
◊ *Zinc is used to protect other metals
from corrosion.* Zink digunakan untuk
melindungi logam lain daripada kakisan.
**corrupt** KATA ADJEKTIF
_menyeleweng_
◊ *corrupt business practices* urusan
perniagaan yang menyeleweng

**corruption** KATA NAMA
_penyelewengan_
◊ *He faces 20 charges of corruption.*
Dia didakwa dengan 20 tuduhan
penyelewengan.
**cosine** KATA NAMA
_kosinus_ (*matematik*)
**cosmetics** KATA NAMA JAMAK
_kosmetik_
**cosmic** KATA ADJEKTIF
_kosmik_
◊ *cosmic radiation* radiasi kosmik
◊ *cosmic ray* sinar kosmik
**cosmonaut** KATA NAMA
_angkasawan_ (*dari Rusia*)
**cosmopolitan** KATA ADJEKTIF
_kosmopolitan_
◊ *cosmopolitan city* bandar raya
kosmopolitan
**cost** KATA NAMA

> rujuk juga **cost** KATA KERJA

_harga_
♦ **the cost of advertising** kos pengiklanan
♦ **the cost of living** kos sara hidup
♦ **at all costs** dengan apa cara sekalipun
to **cost** KATA KERJA
(**cost, cost**)

> rujuk juga **cost** KATA NAMA

_berharga_
◊ *The food cost RM20.* Makanan
tersebut berharga RM20.
**costume** KATA NAMA
1 _kostum_
◊ *The actors are still wearing their
costumes.* Pelakon-pelakon itu masih
memakai kostum mereka.
2 _pakaian_
◊ *She is wearing her national costume.*
Dia memakai pakaian kebangsaannya.
♦ **swimming costume** baju mandi
**cosy** KATA ADJEKTIF
_nyaman dan selesa_
◊ *a cosy room* sebuah bilik yang
nyaman dan selesa
**cot** KATA NAMA
_katil bayi_
**cottage** KATA NAMA
_kotej_

> rumah kecil di kawasan luar bandar

◊ *They have a cottage in Wales.*
Mereka mempunyai sebuah kotej di Wales.
**cottage cheese** KATA NAMA
_keju kotej_ (*dibuat daripada susu masam*)
**cotton** KATA NAMA
_kapas_
**cotton wool** KATA NAMA
_kapas_
**couch** KATA NAMA
(JAMAK **couches**)

1 *kerusi panjang*
◊ *She's sitting on the couch.* Dia sedang duduk di atas kerusi panjang.
2 *katil* (*di dalam bilik doktor*)

**couchette**   KATA NAMA
*katil lipat* (*di dalam kereta api, kapal*)

to **cough**   KATA KERJA

> rujuk juga **cough** KATA NAMA

*batuk*

**cough**   KATA NAMA

> rujuk juga **cough** KATA KERJA

*batuk*
♦ **I've got a cough.** Saya batuk.
♦ **cough mixture** ubat batuk

**could**   KATA KERJA   *rujuk* **can**

**council**   KATA NAMA
*majlis*
◊ *the Municipal Council of Penang* Majlis Perbandaran Pulau Pinang

**councillor**   KATA NAMA
*anggota Majlis Perbandaran*

**counsel**   KATA NAMA
*peguam*
◊ *defence counsel* peguam bela

**counselling**   KATA NAMA
*kaunseling*

**counsellor**   KATA NAMA
*kaunselor*

**count**   KATA NAMA

> rujuk juga **count** KATA KERJA

*pengiraan*
◊ *At the last count the police had 247 people in custody.* Dalam pengiraan yang terakhir, pihak polis mempunyai sebanyak 247 orang tahanan.
♦ **on both/several/all counts** dari kedua-dua/beberapa/semua aspek ◊ *Is it intelligible? Is it original? - The answer is yes on both counts.* Bolehkah anda memahaminya? Apakah karya ini asli? Jawapannya ialah ya dari kedua-dua aspek. ◊ *The movie is unique on several counts.* Filem itu unik dari beberapa aspek. ◊ *This is a magnificent book on all counts.* Buku ini sebuah buku yang cukup mengagumkan dari semua aspek.

to **count**   KATA KERJA

> rujuk juga **count** KATA NAMA

*mengira*
◊ *He's counting his money.* Dia sedang mengira wangnya.

to **count on**   KATA KERJA
*mengharapkan*
◊ *You can count on me.* Anda boleh mengharapkan saya.

**countable noun**   KATA NAMA
*kata nama hitung*

**counter**   KATA NAMA
*kaunter*

♦ **under the counter** secara haram

**counter-attack**   KATA NAMA
*serang balas*

**counterfeit**   KATA ADJEKTIF
*palsu*
◊ *counterfeit currency* wang palsu

**counterpart**   KATA NAMA
*rakan sejawat*

**countertop**   KATA NAMA 🖼
*tempat penyediaan makanan* (*di dapur*)

**countless**   KATA ADJEKTIF
*tidak terkira banyaknya*

**country**   KATA NAMA
(JAMAK **countries**)
1 *negara*
2 *desa*
◊ *I live in the country.* Saya tinggal di desa.

**countryside**   KATA NAMA
*kawasan luar bandar*

**county**   KATA NAMA
(JAMAK **counties**)
*wilayah*
◊ *Over 50 events are planned throughout the county.* Lebih daripada 50 acara telah dirancang di seluruh wilayah tersebut.
♦ **county council** majlis daerah

**couple**   KATA NAMA
1 *pasangan*
◊ *The couple have no children.* Pasangan itu tidak mempunyai anak.
2 *beberapa*
◊ *a couple of hours* beberapa jam

**coupon**   KATA NAMA
*kupon*

**courage**   KATA NAMA
*keberanian*

**courageous**   KATA ADJEKTIF
*berani*
◊ *They were very courageous.* Mereka sangat berani.

**courgette**   KATA NAMA
*zukini* (*sejenis labu*)

**courier**   KATA NAMA
*kiriman cepat*
◊ *We sent our letters by courier service.* Kami menghantar surat kami melalui perkhidmatan kiriman cepat.

**course**   KATA NAMA
1 *kursus*
◊ *a Japanese course* kursus bahasa Jepun
2 *sajian*
◊ *the main course* sajian utama
3 *haluan*
◊ *The captain altered the course of the ship.* Kapten itu mengubah haluan kapal tersebut.

**C**

♦ **golf course** padang golf
♦ **of course** sudah tentu
**court** KATA NAMA
  1 *mahkamah*
  2 *gelanggang*
  ◊ tennis court gelanggang tenis
  3 *istana*
  ◊ *She was taken to the court of King James I.* Dia dibawa ke istana Raja James I.
**courteous** KATA ADJEKTIF
  *penuh dengan budi bahasa*
  ◊ *He was a kind and courteous man.* Dia seorang lelaki yang baik hati dan penuh dengan budi bahasa.
**courtesy** KATA NAMA
  *kesusilaan*
**courtship** KATA NAMA
  *bercinta*
  ◊ *They were more interested in courtship and cars than in school.* Mereka lebih berminat tentang kereta dan bercinta daripada bersekolah.
**courtyard** KATA NAMA
  *kawasan lapang* (yang dikelilingi bangunan atau dinding)
**cousin** KATA NAMA
  *sepupu*
**cover** KATA NAMA
  | rujuk juga **cover** KATA KERJA |
  1 *kulit* (buku, majalah)
  ◊ *The cover of my book is torn.* Kulit buku saya telah koyak.
  2 *penutup*
  ◊ *Use a cover to protect your food.* Gunakan penutup untuk melindungi makanan anda.
  3 *perlindungan*
  ◊ *He could not provide cover for them.* Dia tidak dapat memberikan perlindungan kepada mereka.
♦ **She placed a lace cover on the chair.** Dia meletakkan alas yang berenda pada kerusi.
♦ **This song is a cover version.** Lagu ini tidak dinyanyikan oleh penyanyi asal.
to **cover** KATA KERJA
  | rujuk juga **cover** KATA NAMA |
  1 *menutup*
  ◊ *Cover your face with a handkerchief.* Tutup muka anda dengan sehelai sapu tangan.
  2 *merangkumi*
  ◊ *Our insurance didn't cover it.* Insurans kami tidak merangkumi perkara ini.
  3 *bergerak sejauh*
  ◊ *We have covered 20 miles.* Kami telah bergerak sejauh 20 batu.

  4 *melitupi*
  ◊ *The mountain top was covered with snow.* Puncak gunung tersebut dilitupi salji.
  5 *memenuhi*
  ◊ *The desk was covered with papers.* Meja tersebut dipenuhi dengan kertas.
♦ **Make sure the table is covered.** Pastikan meja itu beralas.
♦ **He sat on the grass, which was covered with a mat.** Dia duduk di atas rumput dengan beralaskan tikar.
♦ **to cover one's back/rear/ass** (tidak formal) melindungi diri sendiri ◊ *He had covered his back by getting written permission from his boss.* Dia melindungi diri sendiri dengan mendapatkan kebenaran bertulis daripada bosnya.
to **cover up** KATA KERJA
  *menyembunyikan*
  ◊ *The government tried to cover up the details of the accident.* Kerajaan cuba menyembunyikan butir-butir kemalangan itu.
**coverage** KATA NAMA
  *liputan*
  ◊ *The event was given extensive coverage.* Peristiwa itu mendapat liputan meluas.
**cow** KATA NAMA
  *lembu* (betina)
**coward** KATA NAMA
  *pengecut*
  ◊ *You're a coward.* Kau pengecut.
**cowardly** KATA ADJEKTIF
  *pengecut*
**cowboy** KATA NAMA
  *koboi*
**CPR** KATA NAMA (= cardiopulmonary resuscitation) (perubatan)
  *CPR* (= pemulihan kardiopulmonari)
  ◊ *I gave her CPR.* Saya memberinya CPR.
**CPU** KATA NAMA (= central processing unit)
  *CPU* (= Unit Pemprosesan Pusat) (komputer)
**crab** KATA NAMA
  *ketam*
**crack** KATA NAMA
  | rujuk juga **crack** KATA KERJA |
  1 *rekahan*
  ◊ *Kathryn saw him through a crack in the wall.* Kathryn melihatnya melalui rekahan pada dinding.
  2 *retakan*
♦ **The plate had a crack in it.** Pinggan itu retak.
♦ **He opened the door a crack and closed**

**it.** Dia membuka pintu itu sedikit dan menutupnya semula.

♦ **I'll have a crack at it.** Saya akan cuba melakukannya.

to **crack** KATA KERJA

> rujuk juga **crack** KATA NAMA

1 _memecahkan_ (_telur_)

2 _terhantuk_

◊ *He cracked his head on the wall.* Kepalanya terhantuk pada dinding.

3 _menyelesaikan_

◊ *She has finally cracked that problem.* Akhirnya dia dapat menyelesaikan masalah itu.

♦ **to crack a joke** berjenaka

♦ **The paint on my house cracked because it was exposed to the weather.** Cat rumah saya lekang kerana terdedah kepada cuaca.

♦ **The land was so dry that it cracked.** Tanah itu kering sehingga merekah.

to **crack down on** KATA KERJA

_bertindak keras_

◊ *The police are cracking down on motorists who drive too fast.* Polis bertindak keras terhadap pemandu yang memandu terlalu laju.

to **crack on** KATA KERJA

(_tidak formal_)

_meneruskan dengan segera_

◊ *Let's crack on.* Mari kita teruskan dengan segera.

**cracked** KATA ADJEKTIF

1 _retak_

◊ *Throw away that cracked mirror.* Buang cermin yang sudah retak itu.

2 _serak_

◊ *His voice was cracked when he spoke.* Suaranya serak apabila dia bercakap.

**cracker** KATA NAMA

1 _biskut_

2 _mercun_

**cradle** KATA NAMA

1 _katil buaian_

2 _tempat letak gagang telefon_

♦ **I dropped the receiver back in its cradle.** Saya meletakkan gagang telefon ke tempatnya semula.

**craft** KATA NAMA

1 _pertukangan_

◊ *We must preserve traditional craft industries.* Kita mesti memelihara industri pertukangan tradisional.

♦ **the craft of writing poems** seni penulisan sajak

2 _pesawat_ (_udara_)

3 _kapal angkasa_

4 _bot_

**craftsman** KATA NAMA

(JAMAK **craftsmen**)

_tukang_

> seseorang yang mahir menggunakan tangan untuk menghasilkan sesuatu

**craftsmanship** KATA NAMA

_ketukangan_

◊ *The creativity and craftsmanship of the people of ancient times...* Kreativiti dan ketukangan orang zaman purba...

**crafty** KATA ADJEKTIF

_licik_

to **cram** KATA KERJA

_memadatkan_

◊ *We crammed our stuff into the boot.* Kami memadatkan barang-barang kami ke dalam but.

♦ **to cram for an exam** bersungguh-sungguh mengulang kaji untuk peperiksaan

**cramp** KATA NAMA

_kekejangan_

◊ *muscle cramp* kekejangan otot

**cramped** KATA ADJEKTIF

_sempit_

◊ *He lived in a cramped little flat.* Dia tinggal di sebuah rumah pangsa yang kecil dan sempit.

**crane** KATA NAMA

1 _kren_

◊ *They lifted the car with a crane.* Mereka mengangkat kereta tersebut dengan sebuah kren.

2 _burung jenjang_

**crash** KATA NAMA

(JAMAK **crashes**)

> rujuk juga **crash** KATA KERJA

1 _kemalangan_

◊ *Daniel was killed in a crash last year.* Daniel terbunuh dalam satu kemalangan pada tahun lalu.

2 _bunyi yang kuat_

◊ *They heard a loud crash last night.* Mereka mendengar bunyi yang kuat semalam.

♦ **a crash course** kursus kilat

to **crash** KATA KERJA

> rujuk juga **crash** KATA NAMA

1 _berlanggar_

◊ *The two cars crashed.* Kedua-dua kereta tersebut berlanggar.

2 _terhempas_

◊ *The plane crashed.* Kapal terbang itu terhempas.

to **crave** KATA KERJA

1 _ketagih_ (_rokok, arak, dll_)

2 _menagih_

◊ *The girl craves his attention.* Gadis itu menagih perhatian daripadanya.

C

♦ **The expectant mother craved pickled papayas.** Ibu yang mengandung itu mengidamkan jeruk betik.

to **crawl** KATA KERJA

> rujuk juga **crawl** KATA NAMA

1 *merangkak*
◊ *The baby is crawling.* Bayi itu sedang merangkak.
2 *merayap*
◊ *I saw a fly crawl along the table.* Saya nampak seekor lalat merayap di atas meja.

**crawl** KATA NAMA

> rujuk juga **crawl** KATA KERJA

*gaya rangkak*
◊ *to do the crawl* berenang dengan gaya rangkak

♦ **The traffic on the road slowed to a crawl.** Lalu lintas di jalan raya menjadi sangat perlahan.

**crayon** KATA NAMA
*krayon*

**crazy** KATA ADJEKTIF
*gila*
◊ *He is acting like a crazy man.* Dia berkelakuan seperti orang gila.

**cream** KATA NAMA

> rujuk juga **cream** KATA ADJEKTIF

*krim*
◊ *strawberries and cream* strawberi dan krim ◊ *This cream can soften your skin.* Krim ini boleh melembutkan kulit anda.

♦ **a cream cake** kek berkrim

**cream** KATA ADJEKTIF

> rujuk juga **cream** KATA NAMA

*putih kuning*
◊ *a cream shirt* sehelai kemeja yang berwarna putih kuning

**crease** KATA NAMA

> rujuk juga **crease** KATA KERJA

1 *kesan renyuk*
2 *kesan lipatan*

to **crease** KATA KERJA

> rujuk juga **crease** KATA NAMA

*mengedutkan*
◊ *She sat down carefully so as not to crease her skirt.* Dia duduk dengan baik supaya tidak mengedutkan skirtnya.

**creased** KATA ADJEKTIF
*berkedut* (kain, kertas)

to **create** KATA KERJA
1 *mewujudkan*
◊ *The government is trying to create a caring society.* Kerajaan cuba mewujudkan sebuah masyarakat penyayang.
2 *mencipta*
◊ *God created the world.* Tuhan

mencipta dunia ini.

**creation** KATA NAMA
*ciptaan*
◊ *Human beings are God's creation.* Manusia merupakan ciptaan Tuhan.

♦ **the creation of planets** penciptaan planet

**creative** KATA ADJEKTIF
*kreatif*
◊ *His work is very creative.* Kerjanya sangat kreatif.

**creativity** KATA NAMA
*kreativiti*

**creator** KATA NAMA
*pencipta*

♦ **the Creator** Tuhan

**creature** KATA NAMA
*makhluk*
◊ *They believe that every living creature has a soul.* Mereka percaya bahawa setiap makhluk yang hidup mempunyai roh.

♦ **She was a beautiful creature.** Dia seorang wanita yang cantik.

**crèche** KATA NAMA
*pusat jagaan kanak-kanak*

**credit** KATA NAMA

> rujuk juga **credit** KATA KERJA

1 *kredit*
◊ *on credit* secara kredit
2 *penghargaan*
◊ *Give him some credit.* Berilah dia sedikit penghargaan.

to **credit** KATA KERJA

> rujuk juga **credit** KATA NAMA

*mengkreditkan*
◊ *The bank credited RM10 to his account.* Pihak bank mengkreditkan sebanyak RM10 ke dalam akaunnya.

**credit card** KATA NAMA
*kad kredit*

**creditor** KATA NAMA
*pemiutang*

**creed** KATA NAMA
1 *fahaman*
2 *agama*

to **creep** KATA KERJA
(**crept, crept**)
1 *menyusup*
◊ *The rabbit creeps away and hides in a hole.* Arnab itu menyusup dari situ dan bersembunyi di dalam lubang.
2 *menjalar* (haiwan, tumbuhan)

to **creep up** KATA KERJA
*mendekati secara diam-diam*
◊ *to creep up on somebody* mendekati seseorang secara diam-diam

**creeper** KATA NAMA
*tumbuhan yang menjalar*

**cremation** KATA NAMA
  _pembakaran mayat_
**crept** KATA KERJA _rujuk_ **creep**
**crescent** KATA NAMA
  _bulan sabit_
**cress** KATA NAMA
  _selada_
**crest** KATA NAMA
  _jambul_
  ◊ _Both birds have a dark blue crest._
  Kedua-dua ekor burung itu mempunyai
  jambul yang berwarna biru tua.
**crevice** KATA NAMA
  _celah_
  ◊ _Ivan peeped at the girl through the
  crevice in the wall._ Ivan mengintai gadis
  itu melalui celah dinding itu.
**crew** KATA NAMA
  _anak kapal_
  ◊ _The crew's mission was over._ Misi
  untuk anak kapal itu telah berakhir.
  ♦ **a film crew** pekerja filem
**crew cut** KATA NAMA
  _crew cut_
  | sejenis potongan rambut lelaki
  | yang sangat pendek
**cricket** KATA NAMA
  ① _kriket_
  ◊ _I play cricket._ Saya bermain kriket.
  ② _cengkerik_ (_serangga_)
**cricketer** KATA NAMA
  _pemain kriket_
**crime** KATA NAMA
  _jenayah_
  ◊ _He committed a crime._ Dia telah
  melakukan jenayah.
  ♦ **a crime against humanity** kezaliman
  terhadap manusia
**criminal** KATA NAMA
  | _rujuk juga_ **criminal** KATA ADJEKTIF
  _penjenayah_
**criminal** KATA ADJEKTIF
  | _rujuk juga_ **criminal** KATA NAMA
  _jenayah_
  ◊ _This is a criminal offence._ Perbuatan
  ini merupakan kesalahan jenayah.
**crippled** KATA ADJEKTIF
  _lumpuh_
  ◊ _He was crippled in an accident._ Dia
  lumpuh akibat satu kemalangan.
  ♦ **He was crippled with arthritis.**
  Pergerakannya terjejas akibat penyakit
  artritis.
**crisis** KATA NAMA
  (JAMAK **crises**)
  _krisis_
**crisp** KATA ADJEKTIF
  _rangup_
  ◊ _The French fries are nice and crisp._

Kentang goreng itu sedap dan rangup.
  ♦ **a crisp autumn day** suatu hari pada
  musim luruh yang sejuk dan segar
**crisps** KATA NAMA JAMAK
  _kerepek kentang_
**crispy** KATA ADJEKTIF
  _rangup_
**criterion** KATA NAMA
  (JAMAK **criteria**)
  _kriteria_
  ◊ _Only one candidate satisfied all the
  criteria._ Hanya seorang calon sahaja
  yang memenuhi semua kriteria tersebut.
**critic** KATA NAMA
  _pengkritik_
  ◊ _The critics had praised her
  performance._ Para pengkritik memuji
  pertunjukannya.
**critical** KATA ADJEKTIF
  ① _kritis_
  ◊ _The teacher was very critical about
  my homework._ Guru itu sangat kritis
  terhadap kerja rumah saya.
  ② _genting_ **atau** _kritikal_
  ◊ _The injured man is in a critical
  condition._ Lelaki yang cedera itu berada
  dalam keadaan yang kritikal.
**critically** KATA ADVERBA
  _parah_
  ◊ _critically injured_ cedera parah
  ♦ **The patient is critically ill.** Pesakit itu
  sedang tenat.
**criticism** KATA NAMA
  _kritikan_
to **criticize** KATA KERJA
  _mengkritik_
**Croatia** KATA NAMA
  _Croatia_
**crochet** KATA NAMA
  | _rujuk juga_ **crochet** KATA KERJA
  _kait_
  ◊ _crochet hook_ jarum kait
to **crochet** KATA KERJA
  | _rujuk juga_ **crochet** KATA NAMA
  _mengait_
  ◊ _She likes crocheting._ Dia suka
  mengait.
**crockery** KATA NAMA
  _pinggan mangkuk_
**crocodile** KATA NAMA
  _buaya_
**crook** KATA NAMA
  _penyangak_
  ◊ _The man is a crook._ Orang itu
  penyangak.
**crooked** KATA ADJEKTIF
  ① _bengkok_
  ◊ _a crooked little tree_ sebatang pohon
  kecil yang bengkok

C

[2] _tidak jujur_
◊ _a crooked cop_ pegawai polis yang tidak jujur ◊ _crooked business deals_ urusan perniagaan yang tidak jujur

**crop** KATA NAMA

rujuk juga **crop** KATA KERJA

[1] _tanaman_
◊ _The main crop here is rice._ Tanaman utama di sini ialah padi.
[2] _hasil tanaman_
◊ _a good crop of apples_ hasil tanaman epal yang baik

to **crop** KATA KERJA

rujuk juga **crop** KATA NAMA

_membuahkan hasil_ (tanaman)

to **crop up** KATA KERJA
_timbul_
◊ _All sorts of problems cropped up._ Pelbagai jenis masalah timbul.

**cross** KATA NAMA
(JAMAK **crosses**)

rujuk juga **cross** KATA ADJEKTIF, KATA KERJA

[1] _salib_
◊ _She is wearing a cross on her neck._ Dia memakai salib pada lehernya.
[2] _tanda pangkah_
◊ _Put a cross to indicate that the answer is wrong._ Letakkan tanda pangkah untuk menunjukkan bahawa jawapan itu salah.
[3] _kacukan_
◊ _This is a cross between a red and a yellow hibiscus._ Bunga ini merupakan kacukan antara bunga raya merah dengan bunga raya kuning.

**cross** KATA ADJEKTIF

rujuk juga **cross** KATA NAMA, KATA KERJA

_marah_
◊ _He was cross about something._ Ada sesuatu yang membuat dia marah.

to **cross** KATA KERJA

rujuk juga **cross** KATA NAMA, KATA ADJEKTIF

_menyeberangi_
◊ _You have to cross the bridge to get there._ Anda perlu menyeberangi jambatan itu untuk sampai ke sana.
♦ **The matter has never crossed my mind.** Perkara itu tidak pernah terlintas dalam fikiran saya.

to **cross out** KATA KERJA
_memotong_
◊ _He crossed out the word and replaced it with another._ Dia memotong perkataan itu dan menggantikannya dengan perkataan lain.

**crossbar** KATA NAMA
_palang_

**cross-country** KATA NAMA
_merentas desa_
◊ _a cross-country race_ perlumbaan merentas desa

**crossing** KATA NAMA
[1] _penyeberangan_
◊ _a 10-hour crossing_ penyeberangan selama 10 jam
[2] _lintasan pejalan kaki_

**crossing** juga merujuk kepada **pedestrian crossing**

**cross-legged** KATA ADVERBA
_bersila_
◊ _They sat cross-legged on the floor._ Mereka duduk bersila di atas lantai.

**crossroads** KATA NAMA
_persimpangan jalan_

**crossword** KATA NAMA
_silang kata_

to **crouch down** KATA KERJA
_membongkok_
◊ _He crouched down to pick up his pen._ Dia membongkok untuk mengambil pennya.

**crow** KATA NAMA

rujuk juga **crow** KATA KERJA

_burung gagak_

to **crow** KATA KERJA

rujuk juga **crow** KATA NAMA

_berkokok_
◊ _Cocks crow._ Ayam berkokok.

**crowd** KATA NAMA

rujuk juga **crowd** KATA KERJA

_orang ramai_
◊ _A huge crowd gathered in front of his house._ Orang ramai berkumpul di depan rumahnya. ◊ _The crowd shouted._ Orang ramai menjerit.

to **crowd** KATA KERJA

rujuk juga **crowd** KATA NAMA

_berpusu-pusu_
◊ _Thousands of demonstrators crowded the streets._ Beribu-ribu penunjuk perasaan berpusu-pusu di jalan raya.

**crowded** KATA ADJEKTIF
_penuh sesak_
◊ _The street was crowded and noisy._ Jalan tersebut penuh sesak dan bising.
♦ **My timetable is crowded with activities.** Jadual waktu saya penuh dengan aktiviti.

**crown** KATA NAMA

rujuk juga **crown** KATA KERJA

_mahkota_

to **crown** KATA KERJA

rujuk juga **crown** KATA NAMA

_memahkotai_
◊ _The Sultan crowned his son with the title Raja Pancar Alam._ Sultan itu memahkotai puteranya dengan gelaran

Raja Pancar Alam.

**Crown Prince**   KATA NAMA
_Putera Mahkota_

**Crown Princess**   KATA NAMA
(JAMAK **Crown Princesses**)
_Puteri Mahkota_

**crucifix**   KATA NAMA
(JAMAK **crucifixes**)
_patung salib_

**crude**   KATA ADJEKTIF
_kasar_
◊ _crude language_ bahasa kasar
♦ **crude wooden boxes** kotak kayu yang kasar buatannya
♦ **crude oil** minyak mentah

**cruel**   KATA ADJEKTIF
_kejam_
◊ _He is very cruel to animals._ Dia sangat kejam terhadap binatang.

**cruelty**   KATA NAMA
_kezaliman_
◊ _the cruelty of the pharaohs_ kezaliman firaun

**cruise**   KATA NAMA
_pelayaran persiaran_
◊ _He and his wife were planning to go on a world cruise._ Dia dan isterinya merancang untuk menyertai pelayaran persiaran mengelilingi dunia.

**crumb**   KATA NAMA
_serdak_
◊ _bread crumbs_ serdak roti
♦ **a crumb of information** secebis maklumat

to **crumple**   KATA KERJA
_merenyukkan_
◊ _She crumpled the paper._ Dia merenyukkan kertas itu.

**crumpled**   KATA ADJEKTIF
_ronyok_
◊ _His uniform was crumpled._ Pakaian seragamnya ronyok.

**crusade**   KATA NAMA
_perjuangan_
◊ _his crusade to teach children to love books_ perjuangannya untuk mengajar kanak-kanak supaya suka membaca
♦ **They fought a crusade to destroy the wicked ruler.** Mereka berjihad menghapuskan pemerintah yang kejam itu.

to **crush**   KATA KERJA
| rujuk juga **crush** KATA NAMA |
1. _meremukkan_
◊ _Andrew crushed the empty can._ Andrew meremukkan tin kosong itu.
2. _menghancurkan_
◊ _Crush two cloves of garlic._ Hancurkan dua ulas bawang putih.

**crush**   KATA NAMA
| rujuk juga **crush** KATA KERJA |
_cinta monyet (padanan terdekat)_
◊ _Her love for him was only a crush._ Cintanya pada lelaki itu hanya cinta monyet.
♦ **to have a crush on somebody** jatuh hati pada seseorang

**crusher**   KATA NAMA
_penghancur_

**crust**   KATA NAMA
_kerak_
◊ _the crust on cooked rice_ kerak nasi
◊ _the earth's crust_ kerak bumi

**crutch**   KATA NAMA
(JAMAK **crutches**)
_topang ketiak_
◊ _I can walk without the aid of crutches._ Saya dapat berjalan tanpa bantuan topang ketiak.

**cry**   KATA NAMA
(JAMAK **cries**)
| rujuk juga **cry** KATA KERJA |
_laungan_
◊ _Sandy's cries frightened her neighbours._ Laungan Sandy menakutkan jiran-jirannya.
♦ **He gave a cry of pain.** Dia menjerit kesakitan.
♦ **She had a good cry.** Dia menangis sepuas-puasnya.

to **cry**   KATA KERJA
(**cried, cried**)
| rujuk juga **cry** KATA NAMA |
1. _menangis_
◊ _The baby's crying._ Bayi itu sedang menangis.
2. _berteriak_
◊ _"You're wrong," he cried._ "Anda salah," dia berteriak.

to **cry out**   KATA KERJA
_melaung_
◊ _She cried out with joy._ Dia melaung dengan gembira.

**crying**   KATA NAMA
_tangisan_
◊ _She couldn't sleep because of her baby's crying._ Dia tidak dapat tidur kerana diganggu oleh tangisan bayinya.

**crystal**   KATA NAMA
1. _hablur_
◊ _salt crystal_ hablur garam
2. _kristal_
◊ _He bought a crystal ring for his wife._ Dia membeli sebentuk cincin kristal untuk isterinya.

**crystallization**   KATA NAMA
_penghabluran_
◊ _experiments on the crystallization of_

*glass* eksperimen tentang penghabluran kaca

**CTC** KATA NAMA (= *city technology college*)
*CTC* (= *city technology college*)

**cub** KATA NAMA
*anak* (*haiwan*)
◊ *They've caught a lion cub.* Mereka telah menangkap seekor anak singa.
♦ **the Cub Scouts** Anak Serigala

**cube** KATA NAMA
1 *kubus*
◊ *The table is shaped like a cube.* Meja tersebut berbentuk kubus.
2 *kiub*
◊ *I have to buy sugar cubes.* Saya perlu membeli kiub gula.
3 *kuasa tiga*
◊ *Eight is the cube of two.* Lapan ialah kuasa tiga kepada dua.

**cubic** KATA ADJEKTIF
*padu*
◊ *two million cubic metres of water* dua juta meter padu air

**cucumber** KATA NAMA
*timun*

to **cuddle** KATA KERJA
*memeluk*
◊ *He cuddled the newborn girl.* Dia memeluk bayi perempuan yang baru lahir itu.

**cue** KATA NAMA
*kiu* (*kayu biliard, snuker*)

**cuisine** KATA NAMA
*masakan*
◊ *southern cuisine* masakan selatan

**culottes** KATA NAMA JAMAK
> *sejenis seluar perempuan yang panjangnya sampai ke lutut dan kelihatan seperti skirt*

**culprit** KATA NAMA
*pesalah*

to **cultivate** KATA KERJA
*mengusahakan*
◊ *She cultivated a small garden of her own.* Dia mengusahakan sebuah taman kecil miliknya sendiri.
♦ **She cultivated vegetables on her farm.** Dia menanam sayur di kebunnya.

**cultivation** KATA NAMA
*penanaman*
◊ *the cultivation of fruit and vegetables* penanaman buah-buahan dan sayur-sayuran

**cultural** KATA ADJEKTIF
*kebudayaan*
◊ *cultural heritage* warisan kebudayaan

**culture** KATA NAMA
1 *peradaban*
◊ *We should learn about other people's cultures.* Kita perlu mempelajari peradaban orang lain.
2 *kebudayaan*
◊ *Malaysian popular culture* kebudayaan rakyat Malaysia
3 *kultur*
◊ *a culture of human cells* kultur sel manusia

**cum** KATA SENDI
*merangkap*
◊ *receptionist cum clerk* penyambut tetamu merangkap kerani

**cumin** KATA NAMA
*jintan*

**cunning** KATA ADJEKTIF
*licik*
◊ *Sam is a very cunning student.* Sam merupakan seorang pelajar yang licik.

**cup** KATA NAMA
1 *cawan*
2 *piala*
◊ *We had a good chance of winning one of the cups.* Kami mempunyai peluang yang cerah untuk memenangi satu daripada piala tersebut.

**cupboard** KATA NAMA
*almari*

to **curb** KATA KERJA
*mengawal*
◊ *advertisements aimed at curbing the spread of AIDS* iklan-iklan yang bertujuan untuk mengawal merebaknya AIDS

to **curdle** KATA KERJA
*menjadi kental*
◊ *The sauce should not boil or the egg will curdle.* Jangan biarkan sos mendidih, jika tidak telur itu akan menjadi kental.
♦ **curdled milk** susu yang kental

to **cure** KATA KERJA
> rujuk juga **cure** KATA NAMA

*menyembuhkan*
◊ *Finally, the doctor cured his illness.* Akhirnya, doktor itu berjaya menyembuhkan penyakitnya.

**cure** KATA NAMA
> rujuk juga **cure** KATA KERJA

*ubat*
◊ *There is still no cure for cancer.* Masih tidak ada ubat untuk barah.

**curfew** KATA NAMA
*perintah berkurung*

**curiosity** KATA NAMA
*perasaan ingin tahu*
♦ **out of curiosity** kerana ingin tahu

**curious** KATA ADJEKTIF
1 *ingin tahu*
◊ *Steve was curious about her secret.* Steve ingin tahu rahsianya.
2 *pelik*

◊ *There is a curious thing about her writing.* Ada sesuatu yang pelik tentang hasil penulisannya.

**curl** KATA NAMA

> rujuk juga **curl** KATA KERJA

*kerinting*

to **curl** KATA KERJA

> rujuk juga **curl** KATA NAMA

① *lentik* (*bulu mata, jari*)

◊ *Her eyelashes curl.* Bulu matanya lentik.

② *mengerintingkan*

♦ **She has hair that refuses to curl.** Rambutnya sukar untuk dikerintingkan.

to **curl up** KATA KERJA

*mengerekot*

◊ *Aziani curled up in her bed because she was cold.* Aziani mengerekot di atas katil kerana kesejukan.

**curly** KATA ADJEKTIF

*kerinting*

◊ *She has curly hair.* Rambutnya kerinting.

**currant** KATA NAMA

*kismis*

**currency** KATA NAMA

(JAMAK **currencies**)

*mata wang*

◊ *foreign currency* mata wang asing

**currency trader** KATA NAMA

(*ekonomi*)

*pedagang mata wang*

**currency trading** KATA NAMA

(*ekonomi*)

*dagangan mata wang*

**current** KATA NAMA

> rujuk juga **current** KATA ADJEKTIF

*arus*

◊ *The current is very strong.* Arus itu sangat deras.

**current** KATA ADJEKTIF

> rujuk juga **current** KATA NAMA

① *pada masa ini*

◊ *the current situation* keadaan pada masa ini

② *semasa*

◊ *the current financial year* tahun kewangan semasa

**current account** KATA NAMA

*akaun semasa*

◊ *I have a current account in that bank.* Saya mempunyai akaun semasa di bank itu.

**current affairs** KATA NAMA JAMAK

*hal-ehwal semasa*

**currently** KATA ADVERBA

*pada masa ini*

**curriculum** KATA NAMA

(JAMAK **curriculums** atau **curricula**)

*kurikulum*

**curriculum vitae** KATA NAMA

(JAMAK **curriculum vitaes** atau **curricula vitae**)

*CV*

> dokumen yang mengandungi butir-butir peribadi dan digunakan semasa memohon kerja

**curry** KATA NAMA

(JAMAK **curries**)

*kari*

to **curse** KATA KERJA

> rujuk juga **curse** KATA NAMA

*menyumpah*

◊ *The witch cursed the prince and turned him into a monkey.* Ahli sihir itu menyumpah putera raja itu menjadi seekor monyet.

**curse** KATA NAMA

> rujuk juga **curse** KATA KERJA

*sumpah*

♦ **Groans and curses filled the air.** Keluhan dan sumpah seranah memenuhi segenap ruang.

**cursor** KATA NAMA

*kursor*

**curtain** KATA NAMA

① *langsir*

② *tirai* (*di pentas*)

**curve** KATA NAMA

> rujuk juga **curve** KATA KERJA

① *lengkungan*

② *keluk* (*biasanya pada graf*)

to **curve** KATA KERJA

> rujuk juga **curve** KATA NAMA

*melengkung*

◊ *The line curves downwards.* Garisan itu melengkung ke bawah.

♦ **The road curves.** Jalan itu berlengkok.

**curve ball** KATA NAMA

(*biasanya* AS)

*masalah yang tidak diduga*

♦ **to throw somebody a curve ball** memberikan kejutan kepada seseorang

**curved** KATA ADJEKTIF

*melengkung*

◊ *He used a curved bamboo stick to kill the animal.* Dia menggunakan sebatang buluh yang melengkung untuk membunuh haiwan itu.

**cushion** KATA NAMA

*kusyen*

**custard** KATA NAMA

*kastard*

**custody** KATA NAMA

① *hak jagaan*

◊ *The wife has custody of the children.* Isterinya mempunyai hak jagaan ke atas anak-anaknya.

C

② _tahanan_
◊ _The two boys were in police custody._
Kedua-dua budak lelaki itu berada dalam tahanan polis.

**custom** KATA NAMA
① _adat_
◊ _It's an old custom._ Adat itu merupakan adat lama.
② _kebiasaan_
◊ _It was his custom to wake up early._ Sudah menjadi kebiasaannya untuk bangun awal.

**customer** KATA NAMA
_pelanggan_

**customs** KATA NAMA JAMAK
_kastam_
♦ **to go through customs** melalui kastam

**customs officer** KATA NAMA
_pegawai kastam_

**cut** KATA NAMA
| rujuk juga **cut** KATA KERJA |
① _luka_
♦ **He's got a cut on his forehead.** Dahinya luka.
② _pemotongan_
◊ _The strike had led to cuts in electricity in many areas._ Mogok tersebut telah menyebabkan pemotongan bekalan elektrik di banyak kawasan.
♦ **a price cut** potongan harga

to **cut** KATA KERJA
**(cut, cut)**
| rujuk juga **cut** KATA NAMA |
① _memotong_
◊ _I'll cut some bread._ Saya akan memotong beberapa keping roti.
♦ **Johnson cut himself while shaving.** Johnson luka semasa bercukur.
② _menggunting_
③ _mengurangkan_ (_harga, perbelanjaan_)
♦ **He couldn't cut it as a singer.** Dia tidak berjaya dengan kerjaya sebagai seorang penyanyi.

to **cut down (1)** KATA KERJA
_menebang_ (_pokok_)

to **cut down (2)** KATA KERJA
_mengurangkan_
◊ _I'm cutting down on coffee and cigarettes._ Saya akan mengurangkan pengambilan kopi dan rokok.

to **cut off** KATA KERJA
_memotong_
◊ _The electricity has been cut off._ Bekalan elektrik telah dipotong.
♦ **We were cut off while we were talking.** Talian telefon terputus ketika kami sedang berbual.

to **cut up** KATA KERJA
_memotong_ (_sayur, daging_)

**cutback** KATA NAMA
_pengurangan_
◊ _A cutback in staff of 200 people was announced yesterday._ Pengurangan kakitangan seramai 200 orang diumumkan kelmarin.

**cute** KATA ADJEKTIF
_comel_
◊ _Isn't he cute!_ Comelnya dia!

**cutlery** KATA NAMA
_pisau-sudu-garpu_

**cutter** KATA NAMA
_pemotong_

**cutting** KATA NAMA
_keratan_
◊ _newspaper cuttings_ keratan akhbar

**CV** KATA NAMA (= _curriculum vitae_)
_CV_ (= _curriculum vitae_)

**cybercafé** KATA NAMA
_kafe siber_

to **cycle** KATA KERJA
| rujuk juga **cycle** KATA NAMA |
_berbasikal_
◊ _I cycle to school._ Saya berbasikal ke sekolah.

**cycle** KATA NAMA
| rujuk juga **cycle** KATA KERJA |
① _basikal_
◊ _cycle path_ lorong basikal
② _kitaran_
◊ _the life cycle of plants_ kitaran hidup tumbuh-tumbuhan

**cycling** KATA NAMA
_berbasikal_
◊ _The roads here are ideal for cycling._ Jalan-jalan di sini sesuai sekali untuk berbasikal.

**cyclist** KATA NAMA
_penunggang basikal_

**cylinder** KATA NAMA
_silinder_

**cynical** KATA ADJEKTIF
_sinis_
◊ _a cynical expression_ pandangan yang sinis

**Cyprus** KATA NAMA
_negara Cyprus_

**Czech** KATA ADJEKTIF
| rujuk juga **Czech** KATA NAMA |
_Czech_
♦ **the Czech Republic** Republik Czech

**Czech** KATA NAMA
| rujuk juga **Czech** KATA ADJEKTIF |
① _orang Czech_
◊ _the Czechs_ orang Czech
② _bahasa Czech_

# D

to **dab** KATA KERJA

   1 _membubuh_
◊ *He dabbed iodine on the cuts.* Dia membubuh iodin pada luka itu.

   2 _memedap_
◊ *He dabbed at the wound with a napkin.* Dia memedap lukanya dengan sapu tangan.

**dad** KATA NAMA

_bapa atau ayah_
◊ *my dad* bapa saya

**daddy** KATA NAMA

_bapa atau ayah_

**daffodil** KATA NAMA

_bunga dafodil_

**daft** KATA ADJEKTIF

_bodoh_

**daily** KATA ADJEKTIF, KATA ADVERBA

   1 _harian_
◊ *daily life* kehidupan harian ◊ *It's part of my daily routine.* Perkara itu merupakan sebahagian daripada rutin harian saya.

   2 _setiap hari_
◊ *The pool is open daily.* Kolam renang itu dibuka setiap hari.

**dairy** KATA NAMA

(JAMAK **dairies**)
_tenusu_

**dairy products** KATA NAMA JAMAK

_hasil tenusu_

**daisy** KATA NAMA

(JAMAK **daisies**)
_bunga daisy_

to **dally** KATA KERJA

(**dallied, dallied**)
_berlengah_
◊ *He did not dally over the choice of a suitable partner.* Dia tidak berlengah dalam mencari pasangan hidupnya yang sesuai.

**dam** KATA NAMA

_empangan_

to **damage** KATA KERJA

> rujuk juga **damage** KATA NAMA

_merosakkan_

**damage** KATA NAMA

> rujuk juga **damage** KATA KERJA

_kerosakan_
◊ *The storm did a lot of damage.* Ribut itu telah menyebabkan banyak kerosakan.

**damn** KATA NAMA

(*tidak formal*)

> rujuk juga **damn** KATA ADJEKTIF

_celaka_ (bahasa kasar)
♦ **I don't give a damn!** Saya tidak peduli!

**damn** KATA ADJEKTIF

(*tidak formal*)

> rujuk juga **damn** KATA NAMA
> Biasanya **damn** tidak diterjemahkan.

◊ *It's a damn nuisance!* Kacau betullah!
◊ *There's not a damn thing you can do about it now.* Tidak ada sesuatu pun yang dapat anda lakukan mengenainya sekarang.

**damp** KATA ADJEKTIF

_lembap_

to **dampen** KATA KERJA

   1 _melemahkan_
◊ *Her condemnation hasn't dampened Wati's spirits.* Kutukannya tidak melemahkan semangat Wati.

   2 _melembapkan_
◊ *She dampened the cloth with water.* Dia melembapkan kain itu dengan air.

to **dance** KATA KERJA

> rujuk juga **dance** KATA NAMA

_menari_

**dance** KATA NAMA

> rujuk juga **dance** KATA KERJA

_tarian_

**dancer** KATA NAMA

_penari_
♦ **He is not a very good dancer.** Dia tidak begitu pandai menari.

**dancing** KATA NAMA

_menari_
◊ *to go dancing* pergi menari

to **dandle** KATA KERJA

_menimang_
◊ *Pak Ali dandled his grandchild.* Pak Ali menimang cucunya.

**dandruff** KATA NAMA

_kelemumur_

**Dane** KATA NAMA

_orang Denmark_
◊ *the Danes* orang Denmark

**danger** KATA NAMA

_bahaya_
◊ *in danger* dalam bahaya
♦ **We were in danger of missing the plane.** Kami mungkin akan ketinggalan kapal terbang.

**dangerous** KATA ADJEKTIF

_berbahaya_

to **dangle** KATA KERJA

_berjuntai_
◊ *Lights were dangling from the ceiling.* Lampu-lampu berjuntai dari siling.
♦ **The boy was sitting on the table and letting his legs dangle.** Budak lelaki itu duduk di atas meja sambil menjuntaikan kakinya.

**Danish** KATA ADJEKTIF

> rujuk juga **Danish** KATA NAMA

_Denmark_
◊ *the Danish coast* pantai Denmark

**Danish** KATA NAMA

> *rujuk juga* **Danish** KATA ADJEKTIF

*bahasa Denmark*

to **dare** KATA KERJA
*berani*
◊ *I didn't dare tell my parents.* Saya tidak berani memberitahu ibu bapa saya.
♦ **I dare say it'll be okay.** Segala-galanya mungkin juga akan berjalan dengan lancar.
♦ **Don't you dare!** Jangan kau cuba-cuba hendak melakukannya!
♦ **I dare you!** Saya cabar awak!

**daring** KATA ADJEKTIF
*berani*

**dark** KATA ADJEKTIF

> *rujuk juga* **dark** KATA NAMA

1 *gelap*
◊ *It's dark in here.* Keadaan di sini gelap. ◊ *He's got dark skin.* Dia berkulit gelap. ◊ *It's getting dark.* Hari semakin gelap.
2 *tua*
◊ *dark green* hijau tua
♦ **She's got dark hair.** Rambutnya hitam.

**dark** KATA NAMA

> *rujuk juga* **dark** KATA ADJEKTIF

*kegelapan*
◊ *I'm afraid of the dark.* Saya takut akan kegelapan.
♦ **after dark** apabila hari sudah malam

to **darken** KATA KERJA
1 *menjadi gelap*
◊ *The sky darkened abruptly.* Langit menjadi gelap dengan tiba-tiba.
2 *menggelapkan*
◊ *She had put on her make-up and darkened her eyelashes.* Dia memakai alat solek dan menggelapkan bulu matanya.

**darkness** KATA NAMA
*kegelapan*
◊ *in the darkness* dalam kegelapan
♦ **The room was in darkness.** Bilik itu gelap.

**darling** KATA NAMA
*sayang*
◊ *Thank you, darling.* Terima kasih, sayang.

**dart** KATA NAMA
*damak*
♦ **to play darts** bermain baling damak

to **dash** KATA KERJA

> *rujuk juga* **dash** KATA NAMA

*meluru*
◊ *Everyone dashed to the window.* Semua orang meluru ke tingkap.
♦ **I've got to dash!** Saya perlu pergi segera!

**dash** KATA NAMA

(JAMAK **dashes**)

> *rujuk juga* **dash** KATA KERJA

1 *sedikit*
◊ *a dash of vinegar* sedikit cuka
2 *tanda sempang* (*tanda bacaan*)

**dashboard** KATA NAMA
*papan pemuka* (*pada kereta*)

**data** KATA NAMA JAMAK
*data*

**database** KATA NAMA
*pangkalan data*

**date** KATA NAMA
1 *tarikh*
◊ *my date of birth* tarikh lahir saya
♦ **What's the date today?** Hari ini berapa hari bulan?
♦ **He's got a date with his girlfriend.** Dia ada temu janji dengan teman wanitanya.
♦ **out of date (1)** (*dokumen*) tamat tempoh
◊ *My passport's out of date.* Pasport saya telah tamat tempoh.
♦ **out of date (2)** (*teknologi, idea*) ketinggalan zaman
2 *buah kurma*

**daughter** KATA NAMA
*anak perempuan*

**daughter-in-law** KATA NAMA
(JAMAK **daughters-in-law**)
*menantu* (*perempuan*)

**daunting** KATA ADJEKTIF
*menggentarkan*

to **dawdle** KATA KERJA
*berlengah-lengah*
◊ *He dawdled over writing an essay for the competition.* Dia berlengah-lengah menulis esei untuk pertandingan itu.

**dawn** KATA NAMA
*waktu subuh*
◊ *at dawn* pada waktu subuh

**day** KATA NAMA
*hari*
◊ *every day* setiap hari
♦ **during the day** pada siang hari
♦ **the day after tomorrow** lusa
♦ **the day before yesterday** kelmarin dulu
♦ **to take a day off** mengambil cuti sehari
♦ **a day return** tiket pergi balik untuk sehari

to **daydream** KATA KERJA

> *rujuk juga* **daydream** KATA NAMA

*berkhayal*
◊ *Michael's teacher scolds him because he's always daydreaming in class.* Guru Michael memarahinya kerana dia sering berkhayal di dalam kelas.

**daydream** KATA NAMA

> *rujuk juga* **daydream** KATA KERJA

*khayalan*
◊ *Wendy was startled from her daydream.* Wendy tersentak dari

khayalannya.

**daytime** KATA NAMA
*waktu siang*

**day trader** KATA NAMA
(*ekonomi*)
*pedagang harian*

**day trading** KATA NAMA
(*ekonomi*)
*dagangan harian*

to **dazzle** KATA KERJA
*mempesonakan*
◊ *David dazzled Gina with his knowledge of the world.* David mempesonakan Gina dengan pengetahuannya tentang dunia.
♦ **I was dazzled by the lights.** Mata saya silau terkena pancaran cahaya.

**dead** KATA ADJEKTIF
| rujuk juga **dead** KATA ADVERBA |
*mati*
◊ *He was dead.* Dia sudah mati.
◊ *He was shot dead.* Dia ditembak mati.

**dead** KATA ADVERBA
| rujuk juga **dead** KATA ADJEKTIF |
*sekali*
◊ *You're dead right!* Sangkaan anda tepat sekali! ◊ *It was dead easy.* Perkara itu mudah sekali.
♦ **dead centre** di tengah-tengah
♦ **dead on time** tepat pada masanya

**dead end** KATA NAMA
*jalan mati*

**deadline** KATA NAMA
*tarikh akhir*
◊ *31st October is the deadline for applications.* Tarikh akhir permohonan ialah 31 Oktober.

**deadlock** KATA NAMA
*jalan buntu*
◊ *The negotiations between the two sides ended in deadlock.* Rundingan antara dua pihak itu menemui jalan buntu.

**deadly** KATA ADJEKTIF
*membawa maut*
◊ *Many died because of the deadly virus.* Ramai yang terkorban lantaran virus yang membawa maut itu.
♦ **The factory produces deadly waste.** Kilang itu menghasilkan bahan buangan yang sangat beracun.

**deaf** KATA ADJEKTIF
*pekak*

to **deafen** KATA KERJA
*memekakkan telinga*
◊ *Their cheering deafened me.* Sorakan mereka memekakkan telinga saya.

**deafening** KATA ADJEKTIF

*memekakkan telinga*

**deal** KATA NAMA
| rujuk juga **deal** KATA KERJA |
*urus janji*
◊ *It's a good deal.* Itu satu urus janji yang baik.
♦ **He made a deal with the kidnappers.** Dia membuat perjanjian dengan penculik-penculik tersebut.
♦ **It's a deal!** Setuju!
♦ **'I was introduced to the manager!'** - **'Big deal!'** 'Saya telah diperkenalkan kepada pengurus itu!' - 'Tak hairanlah!'
♦ **It's no big deal.** Itu perkara kecil sahaja.
♦ **a great deal** banyak ◊ *a great deal of money* sejumlah wang yang banyak

to **deal** KATA KERJA
(**dealt, dealt**)
| rujuk juga **deal** KATA NAMA |
1 *memarih*
◊ *It's your turn to deal.* Giliran anda untuk memarih daun terup.
2 *menjalankan perniagaan*
◊ *They deal in antiques.* Mereka menjalankan perniagaan barangan antik.

to **deal with** KATA KERJA
1 *menguruskan*
◊ *He promised to deal with it immediately.* Dia berjanji akan menguruskan hal itu dengan serta-merta.
2 *menangani* (*masalah, dll*)

**dealer** KATA NAMA
*pengedar*
◊ *a drug dealer* pengedar dadah
♦ **an antique dealer** peniaga barang-barang antik

**dealt** KATA KERJA *rujuk* **deal**

**dean** KATA NAMA
*dekan*

**dear** KATA ADJEKTIF
1 *yang dikasihi*
◊ *Dear Dad* Ayah yang dikasihi
♦ **Dear Paul** Paul
♦ **Dear Sir/Madam** Tuan/Puan
♦ **Oh dear! I've spilled my coffee.** Alamak! Kopi saya tertumpah.
2 *mahal*
◊ *These shoes are too dear.* Harga kasut ini sangat mahal.

**dearly** KATA ADVERBA
*amat*
◊ *She loved her father dearly.* Dia amat menyayangi bapanya.

**death** KATA NAMA
*kematian*
◊ *after his death* selepas kematiannya
♦ **I was bored to death.** Saya sungguh bosan.

**debate** KATA NAMA

**D**

rujuk juga **debate** KATA KERJA

*perbahasan*

to **debate** KATA KERJA

rujuk juga **debate** KATA NAMA

*membahaskan*

◊ *to debate a topic* membahaskan sesuatu topik

**debater** KATA NAMA

*pembahas*

to **debit** KATA KERJA

rujuk juga **debit** KATA NAMA

*mendebitkan*

◊ *The bank will debit my account every month.* Bank itu akan mendebitkan akaun saya setiap bulan.

**debit** KATA NAMA

rujuk juga **debit** KATA KERJA

*debit*

◊ *The total debits must balance the total credits.* Jumlah debit mestilah seimbang dengan jumlah kredit.

**debt** KATA NAMA

*hutang*

◊ *heavy debts* hutang yang banyak

♦ *to be in debt* berhutang

**debt burden** KATA NAMA

*beban hutang*

◊ *The country is struggling under a terrible debt burden.* Negara itu sedang menghadapi masalah beban hutang yang teruk.

**debt crisis** KATA NAMA

*krisis hutang*

**debt forgiveness** KATA NAMA

*pelepasan hutang*

**debtor** KATA NAMA

*penghutang*

**debt relief** KATA NAMA

*pelepasan hutang*

**debt rescheduling** KATA NAMA

*penjadualan semula hutang*

menunda tarikh akhir yang dipersetujui untuk membayar pinjaman

**debut** KATA NAMA

*kemunculan buat pertama kalinya*

**decade** KATA NAMA

*dekad*

**decaffeinated** KATA ADJEKTIF

*nyahkafeina*

◊ *decaffeinated coffee* kopi nyahkafeina

**decay** KATA NAMA

*kerosakan*

◊ *tooth decay* kerosakan gigi

**deceit** KATA NAMA

*penipuan*

**deceitful** KATA ADJEKTIF

*tidak jujur*

to **deceive** KATA KERJA

*memperdaya*

◊ *He tried to deceive us with his sweet words.* Dia cuba memperdaya kami dengan kata-kata manisnya.

♦ *I was deceived by him.* Saya terpedaya olehnya.

**December** KATA NAMA

*Disember*

◊ *on 22 December* pada 22 Disember

♦ *in December* pada bulan Disember

**decency** KATA NAMA

*kesopanan*

**decent** KATA ADJEKTIF

1 *sopan* (*tingkah laku*)

2 *baik*

◊ *lack of decent education* kekurangan pendidikan yang baik

♦ *a decent meal* hidangan yang agak memuaskan

**decently** KATA ADVERBA

*dengan sopan*

◊ *Can't you dress more decently?* Bolehkah anda berpakaian dengan lebih sopan?

**deception** KATA NAMA

*penipuan*

to **decide** KATA KERJA

1 *memutuskan*

◊ *I decided to write to her.* Saya memutuskan untuk menulis surat kepadanya.

2 *membuat keputusan*

◊ *Have you decided yet?* Sudahkah anda membuat keputusan?

to **decide on** KATA KERJA

*memutuskan untuk + kata kerja*

◊ *Therese decided on a career in engineering.* Therese memutuskan untuk memilih kejuruteraan sebagai kerjayanya.

**decimal** KATA ADJEKTIF

*perpuluhan*

◊ *the decimal system* sistem perpuluhan

♦ *decimal point* titik perpuluhan

**decision** KATA NAMA

*keputusan*

◊ *to make a decision* membuat keputusan

**decisive** KATA ADJEKTIF

1 *muktamad* (*jawapan, keputusan*)

2 *tegas* (*orang*)

**deck** KATA NAMA

1 *geladak atau dek* (*kapal*)

2 *tingkat* (*bas*)

3 🖾 *beranda*

♦ *a deck of cards* 🖾 satu set daun terup

**deckchair** KATA NAMA

*kerusi anduh*

**declaration** KATA NAMA

*pengisytiharan*
to **declare**  KATA KERJA
*mengisytiharkan*
to **decline**  KATA KERJA

> *rujuk juga* **decline** KATA NAMA

[1] *merosot*
◊ *The birth rate has declined by five per cent.* Kadar kelahiran merosot sebanyak lima peratus.
[2] *menolak*
◊ *She declined his invitation to dinner.* Dia menolak pelawaannya untuk makan malam.

**decline**  KATA NAMA

> *rujuk juga* **decline** KATA KERJA

*kemerosotan*
◊ *a decline in the performance of the students* kemerosotan prestasi pelajar-pelajar
♦ **a decline in morals** keruntuhan akhlak
♦ **Aswarani went into a decline when her boyfriend left her.** Aswarani merana selepas ditinggalkan kekasihnya.

to **decode**  KATA KERJA
*nyahkod*
to **decommission**  KATA KERJA
*menghentikan operasi*
◊ *a decommissioned power plant in Colorado* loji kuasa di Colorado yang dihentikan operasinya
to **decorate**  KATA KERJA
*menghias*
◊ *I decorated the cake with glacé cherries.* Saya menghias kek tersebut dengan halwa ceri.
**decoration**  KATA NAMA
*perhiasan*
**decorator**  KATA NAMA
*tukang hias*
to **decrease**  KATA KERJA

> *rujuk juga* **decrease** KATA NAMA

*mengurangkan*
**decrease**  KATA NAMA

> *rujuk juga* **decrease** KATA KERJA

[1] *penurunan*
◊ *a decrease in price* penurunan harga
[2] *pengurangan*
◊ *a decrease in the number of students* pengurangan bilangan pelajar
♦ **There has been a decrease in the number of unemployed people.** Bilangan pengangguran sudah berkurangan.
to **dedicate**  KATA KERJA
*menujukan*
◊ *I'd like to dedicate this song to my parents.* Saya ingin menujukan lagu ini kepada ibu dan bapa saya.
♦ **He dedicated himself to politics.** Dia mengabdikan dirinya dalam bidang politik.

**dedicated**  KATA ADJEKTIF
*berdedikasi*
◊ *a very dedicated teacher* seorang guru yang sangat berdedikasi
♦ **dedicated fans of classical music** peminat setia muzik klasik
**dedication**  KATA NAMA
*dedikasi*
to **deduct**  KATA KERJA
[1] *menolak*
[2] *memotong*
◊ *The company deducted this payment from his compensation.* Syarikat tersebut memotong pembayaran ini daripada pampasannya.
**deed**  KATA NAMA
[1] *perbuatan*
◊ *praiseworthy deed* perbuatan yang terpuji
♦ **He's just using a mask of virtue to hide his evil deeds.** Dia hanya bertopengkan kebaikan untuk menutup kejahatannya.
[2] *surat ikatan*
**deep**  KATA ADJEKTIF
[1] *dalam*
◊ *He's got a deep voice.* Dia mempunyai suara yang dalam. ◊ *How deep is the lake?* Berapakah dalam tasik itu?
♦ **a hole four metres deep** lubang sedalam empat meter
[2] *tebal*
◊ *a deep layer of snow* lapisan salji yang tebal
♦ **to take a deep breath** menarik nafas panjang
♦ **to be deep in debt** hutang keliling pinggang
to **deepen**  KATA KERJA
*memperdalam*
◊ *to deepen one's knowledge and understanding* memperdalam ilmu pengetahuan dan pemahaman
♦ **If no action is taken, the financial crisis will deepen.** Jika tindakan tidak diambil, krisis kewangan akan menjadi lebih teruk.
**deeply**  KATA ADVERBA
*amat*
◊ *deeply grateful* amat berterima kasih
**deer**  KATA NAMA
(JAMAK **deer**)
*rusa*
to **defeat**  KATA KERJA

> *rujuk juga* **defeat** KATA NAMA

*mengalahkan*
**defeat**  KATA NAMA

> *rujuk juga* **defeat** KATA KERJA

*kekalahan*

**D**

to **defecate**   KATA KERJA
*membuang air besar*

**defect**   KATA NAMA
1 *kerosakan*
◊ *A defect in the aircraft caused the crash.* Kerosakan pada kapal terbang menyebabkan nahas itu berlaku.
2 *kecacatan*
◊ *hearing defect* kecacatan pendengaran

**defective**   KATA ADJEKTIF
*rosak*
◊ *Her sight was becoming defective.* Penglihatannya sudah mula rosak.

**defence**   KATA NAMA
1 *pertahanan*
2 *pembelaan* (*di mahkamah*)

to **defend**   KATA KERJA
1 *mempertahankan*
2 *membela*

**defendant**   KATA NAMA
*defendan*

**defender**   KATA NAMA
1 *pembela*
2 *pemain pertahanan* (*bola sepak*)

**defense**   KATA NAMA 🇺🇸
1 *pertahanan*
2 *pembelaan* (*di mahkamah*)

**defensive**   KATA ADJEKTIF
*pertahanan*
◊ *defensive measures* langkah-langkah pertahanan
♦ **Clairy is defensive about his pet project.** Clairy begitu mempertahankan dirinya dalam mengendalikan projek kesayangannya itu.

to **define**   KATA KERJA
*mentakrifkan*

**definite**   KATA ADJEKTIF
*pasti*
◊ *Maybe we'll go to Spain, but it's not definite.* Mungkin kami akan pergi ke Sepanyol, tetapi perkara itu belum pasti lagi. ◊ *He was definite about it.* Dia pasti tentang hal itu.

**definitely**   KATA ADVERBA
*sudah tentu*
◊ *He's the best player. - Definitely!* Dia ialah pemain yang terbaik. - Sudah tentu!
◊ *Are you going out with him? - Definitely not!* Apakah anda akan keluar dengannya? - Sudah tentu tidak!
♦ **He's definitely the best player.** Jelas sekali dialah pemain yang terbaik.

**definition**   KATA NAMA
*takrif* atau *definisi*

to **deflate**   KATA KERJA
*mengempiskan*
◊ *to deflate a life jacket* mengempiskan jaket keselamatan
♦ **The lifebelt has become deflated.** Pelampung itu sudah kempis.
♦ **Like any actor he can be self-centred but I think I've worked out how to deflate him.** Kadang-kadang dia juga mementingkan diri seperti pelakon lain tetapi saya tahu cara untuk membuatnya mati angin.

**deflation**   KATA NAMA
*deflasi*

to **deflect**   KATA KERJA
*menepis*
◊ *Their goalkeeper deflected the ball.* Penjaga gol mereka menepis bola itu.
♦ **Never let a little problem deflect you.** Jangan biarkan masalah yang kecil memesongkan anda.

**deflection**   KATA NAMA
1 *biasan*
◊ *a deflection of light* biasan cahaya
2 *tangkisan*
◊ *The deflection by the goalkeeper ensured Arsenal's victory.* Tangkisan penjaga gol itu memberikan kemenangan kepada Arsenal.

to **defy**   KATA KERJA
(**defied, defied**)
1 *mengingkari*
◊ *This was the first time that I dared to defy my mother.* Inilah kali pertama saya berani mengingkari ibu saya.
2 *mencabar*
◊ *He was defying me to argue with him.* Dia mencabar saya supaya bertengkar dengannya.

**degree**   KATA NAMA
1 *darjah*
◊ *a temperature of 30 degrees* suhu setinggi 30 darjah
2 *ijazah*
◊ *She's got a degree in English.* Dia mempunyai ijazah dalam bahasa Inggeris.

**dehumidifier**   KATA NAMA
*penyahlembap* (*alat untuk mengurangkan kelembapan udara*)

to **deify**   KATA KERJA
(**deified, deified**)
*mempertuhankan*
◊ *people who deify wealth* orang yang mempertuhankan kekayaan

**deity**   KATA NAMA
(JAMAK **deities**)
1 *dewa*
2 *dewi*

to **delay**   KATA KERJA
> rujuk juga **delay** KATA NAMA

*menangguhkan*
◊ *We decided to delay our departure.*

Kami membuat keputusan untuk
menangguhkan masa bertolak kami.
* **Don't delay!** Jangan berlengah lagi!
* **to be delayed** lewat ◊ *Our flight was delayed.* Penerbangan kami lewat.

**delay** KATA NAMA

> rujuk juga **delay** KATA KERJA

*kelewatan*
◊ *The delay was due to bad weather.* Kelewatan itu disebabkan oleh cuaca yang buruk.
* **The tests have caused some delays.** Ujian-ujian itu telah menyebabkan beberapa perkara tergendala.
* **without further delay** tanpa berlengah-lengah lagi

**delegate** KATA NAMA
*utusan*

**delegation** KATA NAMA
*delegasi*

to **delete** KATA KERJA
[1] *memadamkan* (*maklumat dalam komputer*)
[2] *memotong* (*maklumat bertulis*)

**deliberate** KATA ADJEKTIF
*disengajakan*

**deliberately** KATA ADVERBA
*sengaja*
◊ *She deliberately scolded me in front of him.* Dia sengaja memarahi saya di hadapan lelaki itu.

**delicate** KATA ADJEKTIF
*halus*
* **a delicate smell** bau yang lembut

**delicatessen** KATA NAMA
*kedai delikatesen*

> kedai yang menjual makanan berkualiti seperti keju dan daging sejuk yang diimport dari luar negara

**delicious** KATA ADJEKTIF
*sedap*

**delight** KATA NAMA
*keseronokan*
* **It was a delight working with him.** Saya seronok bekerja dengannya.
* **To my great delight, it worked perfectly.** Saya sungguh seronok kerana rancangan itu berjalan lancar.
* **He roared with delight.** Dia ketawa riang.

**delighted** KATA ADJEKTIF
*gembira*
◊ *He'll be delighted to see you.* Dia tentu gembira berjumpa anda.

**delightful** KATA ADJEKTIF
*menawan*
◊ *Jane is absolutely delightful.* Jane seorang yang sungguh menawan.
* **She has a delightful garden.** Dia

mempunyai taman yang cantik.

**delinquent** KATA NAMA
*budak yang jahat*
◊ *a nine-year-old delinquent* budak berumur sembilan tahun yang jahat

**delirious** KATA ADJEKTIF
*meracau*
◊ *His grandfather, who had a fever, became delirious.* Datuknya yang deman itu mula meracau.

to **deliver** KATA KERJA
*menghantar*
◊ *I deliver newspapers.* Saya menghantar surat khabar.
* **Doctor Hamilton delivered the twins.** Doktor Hamilton menyambut kelahiran bayi kembar itu.

**delivery** KATA NAMA
(JAMAK **deliveries**)
*penghantaran*
◊ *Allow 28 days for delivery.* Penghantaran akan mengambil masa selama 28 hari.

to **demand** KATA KERJA

> rujuk juga **demand** KATA NAMA

*menuntut*
◊ *to demand justice* menuntut keadilan
* **I demand an explanation from you.** Saya mahukan penjelasan daripada anda.

**demand** KATA NAMA

> rujuk juga **demand** KATA KERJA

[1] *permintaan*
◊ *His demand for compensation was rejected.* Permintaannya untuk mendapatkan pampasan telah ditolak.
◊ *Demand for coal is down.* Permintaan bagi arang batu telah berkurangan.
[2] *tuntutan*
◊ *They met to discuss the union's demands.* Mereka berjumpa untuk membincangkan tuntutan kesatuan sekerja.

**demanding** KATA ADJEKTIF
[1] *memerlukan masa dan tenaga yang banyak*
◊ *It's a very demanding job.* Kerja itu memerlukan masa dan tenaga yang banyak.
[2] *tidak mudah berpuas hati*
◊ *a demanding child* seorang kanak-kanak yang tidak mudah berpuas hati

**demo** KATA NAMA
(JAMAK **demos**)
*demonstrasi*

**democracy** KATA NAMA
*demokrasi*

**democratic** KATA ADJEKTIF
*demokratik*

to **demolish** KATA KERJA

*merobohkan* (*bangunan*)

**demolition**   KATA NAMA
   *perobohan*
   ◊  *The demolition of old buildings in the area caused public anger.*   Perobohan bangunan-bangunan lama di kawasan itu menimbulkan kemarahan orang ramai.

to **demonstrate**   KATA KERJA
   ① *menunjukkan*
   ◊  *You have to demonstrate that you are reliable.*   Anda perlu menunjukkan bahawa anda seorang yang boleh diharap.  ◊  *She demonstrated the technique.*   Dia menunjukkan teknik tersebut.
   ② *menunjuk perasaan*
   ◊  *They demonstrated outside the court.*   Mereka menunjuk perasaan di luar mahkamah.

**demonstration**   KATA NAMA
   ① *demonstrasi*
   ◊  *a cooking demonstration*   demonstrasi memasak
   ② *tunjuk perasaan*

**demonstrative**   KATA ADJEKTIF
   *mudah menunjukkan perasaan*
   ◊  *Richard was not normally demonstrative.*   Biasanya Richard tidak mudah menunjukkan perasaannya.

**demonstrator**   KATA NAMA
   *penunjuk perasaan*

**den**   KATA NAMA
   *sarang*

**dengue**   KATA NAMA
   *denggi*

**denial**   KATA NAMA
   *penafian*
   ◊  *an official denial*   penafian rasmi

**denim**   KATA NAMA
   *denim*
   ◊  *a denim jacket*   jaket denim

**denims**   KATA NAMA JAMAK
   *seluar denim*

**Denmark**   KATA NAMA
   *Denmark*

**denominator**   KATA NAMA
   *pembawa* (*matematik*)

to **denounce**   KATA KERJA
   ① *mengecam*
   ◊  *Some 25,000 demonstrators denounced him as a traitor.*   Seramai 25,000 orang penunjuk perasaan mengecamnya sebagai pengkhianat.
   ② *melaporkan kepada pihak berkuasa*
   ◊  *An informer might any moment denounce him.*   Pada bila-bila masa sahaja seorang pemberi maklumat boleh melaporkan kepada pihak berkuasa tentang dirinya.

**dense**   KATA ADJEKTIF

   *tebal* (*asap, kabus, hutan*)
   ♦  **He's so dense!** (*tidak formal*)   Dia sungguh bodoh!

**density**   KATA NAMA
   (JAMAK **densities**)
   *ketumpatan*
   ◊  *the density of the moon*   ketumpatan bulan
   ♦  **She estimated the population density in that area.**   Dia membuat anggaran kepadatan penduduk di kawasan itu.

to **dent**   KATA KERJA
   ┌─────────────────────────────────┐
   │  *rujuk juga* **dent** KATA NAMA  │
   └─────────────────────────────────┘
   *melekukkan*

**dent**   KATA NAMA
   ┌─────────────────────────────────┐
   │  *rujuk juga* **dent** KATA KERJA │
   └─────────────────────────────────┘
   *bahagian yang kemik*

**dental**   KATA ADJEKTIF
   *pergigian*
   ◊  *dental treatment*   rawatan pergigian
   ♦  **a dental appointment**   temu janji dengan doktor gigi
   ♦  **dental floss**   flos gigi

**dented**   KATA ADJEKTIF
   *kemik*
   ◊  *dented cans*   tin-tin kemik

**dentist**   KATA NAMA
   *doktor gigi*
   ◊  *Catherine is a dentist.*   Catherine seorang doktor gigi.
   ♦  **at the dentist's**   di klinik pergigian

**Denver boot**   KATA NAMA 🇦
   *pengapit roda* (*dipasang pada kereta yang disalah letak*)

to **deny**   KATA KERJA
   (**denied, denied**)
   *menafikan*
   ◊  *She denied everything.*   Dia menafikan segala-galanya.

**deodorant**   KATA NAMA
   *deodoran*

to **deodorize**   KATA KERJA
   *mengenyahkan bau*

to **depart**   KATA KERJA
   *bertolak*
   ◊  *He departed at three o'clock precisely.*   Dia bertolak tepat pada pukul tiga.
   ◊  *Trains depart for the airport every half hour.*   Kereta api bertolak ke lapangan terbang setiap setengah jam.

**department**   KATA NAMA
   ① *bahagian*
   ◊  *the toy department*   bahagian mainan
   ② *jabatan*
   ◊  *the English department*   jabatan bahasa Inggeris

**department store**   KATA NAMA
   *gedung serbaneka*

**departure**   KATA NAMA

*waktu berlepas*
◊ *The departure of this flight has been delayed.* Waktu berlepas bagi penerbangan ini telah ditangguhkan.
♦ **His sudden departure worried us.** Pemergiannya secara tiba-tiba merisaukan kami.

**departure lounge** KATA NAMA
*balai berlepas*

to **depend** KATA KERJA
*bergantung*
♦ **to depend on** bergantung pada
◊ *The price depends on the quality.* Harga barangan bergantung pada kualitinya.
♦ **You can depend on him.** Anda boleh mengharapkannya.
♦ **depending on** bergantung pada
◊ *depending on the weather* bergantung pada keadaan cuaca
♦ **It depends.** Itu bergantung pada keadaan.

**dependant** KATA NAMA
*tanggungan*
◊ *He has three dependants.* Dia mempunyai tiga orang tanggungan.

to **depict** KATA KERJA
*memaparkan*
◊ *The story depicts the difficulty of a farmer's life.* Cerita itu memaparkan kesusahan hidup petani.

to **deplete** KATA KERJA
*menipiskan*
◊ *CFCs can deplete the ozone layer.* CFC boleh menipiskan lapisan ozon.
♦ **Their supplies of ammunition are depleted.** Bekalan peluru mereka sudah habis.

to **deport** KATA KERJA
*menghantar pulang (pendatang haram)*

**deposit** KATA NAMA
┌─────────────────────────────┐
│ *rujuk juga* **deposit** KATA KERJA │
└─────────────────────────────┘
① *simpanan*
◊ *fixed deposit* simpanan tetap
② *wang pendahuluan*
◊ *You have to pay a deposit when you book.* Anda perlu membayar wang pendahuluan semasa membuat tempahan.

to **deposit** KATA KERJA
┌─────────────────────────────┐
│ *rujuk juga* **deposit** KATA NAMA │
└─────────────────────────────┘
① *menyimpan*
◊ *You are advised to deposit valuables in the safe.* Anda dinasihatkan supaya menyimpan barang-barang yang berharga di dalam peti simpanan.
② *mendepositkan (wang)*
♦ **He deposited the parcel there.** Dia meletakkan bungkusan itu di sana.

**depreciation** KATA NAMA

*susut nilai*

**depressed** KATA ADJEKTIF
*sangat sedih*
◊ *I'm feeling depressed.* Saya berasa sangat sedih.

**depressing** KATA ADJEKTIF
*menyedihkan*

**depression** KATA NAMA
① *kemurungan*
◊ *Her depression makes me very worried.* Kemurungannya benar-benar merisaukan saya.
② *kemelesetan*
◊ *economic depression* kemelesetan ekonomi

**deprivation** KATA NAMA
*kedaifan*
◊ *They face a life of deprivation.* Mereka akan hidup dalam kedaifan.
♦ **the deprivation of the right to choose** tidak mendapat hak untuk memilih

**deprived** KATA ADJEKTIF
*serba kekurangan*
◊ *Helen likes helping deprived children.* Helen suka membantu kanak-kanak yang serba kekurangan.

**depth** KATA NAMA
*kedalaman*
◊ *We were impressed by the depth of her knowledge.* Kami kagum dengan kedalaman pengetahuannya.
♦ **The hole is 14 feet in depth.** Lubang itu sedalam 14 kaki.
♦ **to deal with a subject in depth** membincangkan sesuatu perkara dengan mendalam

**deputy** KATA NAMA
(JAMAK **deputies**)
*timbalan*

**deputy head** KATA NAMA
*timbalan ketua*

to **descend** KATA KERJA
*turun*
◊ *They descended from the roof slowly.* Mereka turun dari bumbung itu dengan perlahan-lahan.

**descendant** KATA NAMA
▓▓▓▓▓▓▓▓▓▓▓▓▓▓▓▓▓▓▓▓▓▓▓▓▓▓▓▓
**descendant** *biasanya digunakan dalam bentuk jamak.*
▓▓▓▓▓▓▓▓▓▓▓▓▓▓▓▓▓▓▓▓▓▓▓▓▓▓▓▓
*keturunan*

**descending** KATA ADJEKTIF
*menurun*
◊ *in descending order* dalam susunan menurun

to **describe** KATA KERJA
① *menggambarkan (keadaan, bentuk, paras rupa)*
② *menerangkan*

**description** KATA NAMA

**D**

1  _pemerian_
2  _gambaran_ (*bentuk, paras rupa*)
**descriptive**   KATA ADJEKTIF
_deskriptif_

**desert**   KATA NAMA
_gurun_

**desert island**   KATA NAMA
_pulau yang tidak berpenghuni_

to **deserve**   KATA KERJA
_patut_
◊  *She deserves a trophy.*  Dia patut mendapat sebuah piala.

**desiccated**   KATA ADJEKTIF
_kering_
◊  *desiccated coconut*  kelapa kering

to **design**   KATA KERJA
| rujuk juga **design** KATA NAMA |
1  _mereka_
◊  *She designed the dress herself.*  Dia sendiri yang mereka baju tersebut.
2  _merancang_
◊  *We will design an exercise plan specially for you.*  Kami akan merancang satu program senaman yang khas untuk anda.

**design**   KATA NAMA
| rujuk juga **design** KATA KERJA |
1  _reka bentuk_
◊  *The design of the plane makes it safer.*  Reka bentuk kapal terbang itu menjadikannya lebih selamat.
2  _corak_
◊  *a geometric design*  corak geometri
♦  **fashion design**  rekaan fesyen

**designated driver**   KATA NAMA
_pemandu yang ditetapkan_
| **Designated driver** *dalam sesebuah kumpulan yang melakukan perjalanan bersama-sama ialah orang yang bersetuju atau yang diberi insurans untuk memandu.* |

**designer**   KATA NAMA
_pereka_
♦  **designer clothes**  pakaian berjenama

**desire**   KATA NAMA
| rujuk juga **desire** KATA KERJA |
_keinginan_

to **desire**   KATA KERJA
| rujuk juga **desire** KATA NAMA |
_ingin_
◊  *to desire to do something*  ingin melakukan sesuatu
♦  **to desire something**  menginginkan sesuatu

**desk**   KATA NAMA
1  _meja_ (*di sekolah, pejabat*)
2  _kaunter_ (*di hospital, hotel, dll*)

**despair**   KATA NAMA
_putus asa_

◊  *a feeling of despair*  perasaan putus asa
♦  **to be in despair**  berputus asa

**desperate**   KATA ADJEKTIF
_genting_
◊  *a desperate situation*  situasi yang genting
♦  **I was starting to get desperate.**  Saya mula berasa terdesak.

**desperately**   KATA ADVERBA
1  _amat_
◊  *We're desperately worried.*  Kami amat risau.
2  _sedaya upaya_
◊  *He was desperately trying to persuade her.*  Dia mencuba sedaya upaya untuk memujuknya.

**desperation**   KATA NAMA
_keadaan terdesak_
◊  *In desperation I joined an aerobics class.*  Dalam keadaan terdesak, saya menyertai kelas aerobik.
♦  **a feeling of desperation and helplessness**  rasa terdesak dan tidak berupaya

**despicable**   KATA ADJEKTIF
_keji_
◊  *Your behaviour was despicable.*  Kelakuan anda memang keji.

to **despise**   KATA KERJA
_membenci_

**despite**   KATA SENDI
_sungguhpun_ atau _walaupun_

**dessert**   KATA NAMA
_pencuci mulut_

**destination**   KATA NAMA
_destinasi_

**destined**   KATA ADJEKTIF
_ditakdirkan_
◊  *He feels that he was destined to become a musician.*  Dia berasa bahawa dia ditakdirkan menjadi seorang pemuzik.

**destiny**   KATA NAMA
(JAMAK  **destinies**)
_takdir_

**destitute**   KATA ADJEKTIF
_melarat_
◊  *destitute children who live on the streets*  kanak-kanak yang hidup melarat di jalanan

to **destroy**   KATA KERJA
1  _memusnahkan_
◊  *destroying the building*  memusnahkan bangunan itu
2  _menghapuskan_
◊  *We must fight shoulder to shoulder to destroy our enemy.*  Kita mesti berganding bahu untuk menghapuskan musuh kita.

**destroyer** KATA NAMA
[1] *kapal pembinasa*
[2] *penghancur*
◊ *I was accused of being a destroyer of other people's happiness.* Saya dituduh sebagai penghancur kebahagiaan orang lain.

**destruction** KATA NAMA
*kemusnahan*

**destructive** KATA ADJEKTIF
*mendatangkan kebinasaan*
◊ *Guilt can be very destructive.* Rasa bersalah boleh mendatangkan kebinasaan yang teruk.
♦ **the destructive power of nuclear weapons** kuasa pembinasa senjata-senjata nuklear

**detached house** KATA NAMA
*rumah sebuah*

**detail** KATA NAMA
*butir*
◊ *I can't remember the details.* Saya tidak ingat butir-butirnya.
♦ **in detail** secara terperinci

**detailed** KATA ADJEKTIF
*terperinci*

to **detain** KATA KERJA
*menahan*
◊ *The police detained him for questioning.* Pihak polis menahannya untuk disoal siasat.
♦ **We won't detain you any further.** Kami tidak akan mengganggu masa anda lagi.

**detainee** KATA NAMA
*orang tahanan*

to **detect** KATA KERJA
*mengesan*
◊ *Cancer can be detected by X-rays.* Kanser boleh dikesan melalui x-ray.
♦ **I detected a glimmer of interest in his eyes.** Saya dapat melihat dari matanya bahawa dia agak berminat.

**detective** KATA NAMA
*penyiasat*
◊ *He's a detective.* Dia seorang penyiasat. ◊ *a private detective* penyiasat persendirian
♦ **a detective story** cerita penyiasatan

**detector** KATA NAMA
*pengesan*
◊ *Infra-red detectors have many uses.* Pengesan inframerah mempunyai banyak kegunaannya.

**detention** KATA NAMA
*penahanan*
◊ *The police say that the detention was necessary.* Pihak polis mengatakan bahawa penahanan tersebut adalah perlu.
♦ **to get a detention** dikenakan kelas

tahanan (*di sekolah*)

to **deter** KATA KERJA
*menakutkan*
◊ *The new law would deter criminals from carrying guns.* Undang-undang yang baru itu akan menakutkan penjenayah daripada membawa pistol.

**detergent** KATA NAMA
*serbuk pencuci*

to **deteriorate** KATA KERJA
[1] *merosot*
◊ *Gary's health deteriorated.* Tahap kesihatan Gary semakin merosot.
[2] *bertambah buruk*
◊ *The weather conditions are deteriorating.* Keadaan cuaca bertambah buruk.

**determinant** KATA NAMA
*penentu*

**determination** KATA NAMA
*keazaman*
◊ *Ken's determination to lose weight* keazaman Ken untuk mengurangkan berat badannya

to **determine** KATA KERJA
*menentukan*
◊ *The track surface determines his tactics in a race.* Taktiknya dalam sesuatu perlumbaan ditentukan oleh permukaan trek. ◊ *The date has still to be determined.* Tarikh belum ditentukan lagi.

**determined** KATA ADJEKTIF
[1] *bertekad*
◊ *She's determined to succeed.* Dia bertekad untuk berjaya.
[2] *cekal*
◊ *She's a determined person.* Dia seorang yang cekal.

**determiner** KATA NAMA
*kata penunjuk* (*seperti a, the*)

to **detest** KATA KERJA
*sangat benci*
◊ *My mother detests him.* Ibu saya sangat benci akan dia.

**detour** KATA NAMA
*lencongan*

**devaluation** KATA NAMA
*penurunan nilai*

**devastated** KATA ADJEKTIF
*sungguh terkejut*
◊ *I was devastated when her words came true.* Saya sungguh terkejut apabila kata-katanya menjadi kenyataan.
♦ **Maria was devastated because she never imagined that Amir would be capable of such a thing.** Hancur luluh hati Maria. Dia tidak menduga bahawa Amir sanggup berbuat demikian.

**devastating** KATA ADJEKTIF

*sangat buruk*
◊ *Unemployment has a devastating effect on people.* Pengangguran mempunyai kesan yang sangat buruk terhadap seseorang. ◊ *She received some devastating news.* Dia menerima berita yang sangat buruk.

to **develop** KATA KERJA
[1] *mengembangkan* (*idea, kualiti*)
◊ *I developed his original idea.* Saya mengembangkan idea asalnya.
[2] *membangunkan*
◊ *The government is going to develop that area.* Kerajaan akan membangunkan kawasan itu.
[3] *matang*
◊ *Girls develop faster than boys.* Perempuan matang lebih cepat daripada lelaki.
[4] *mencuci*
◊ *to get a film developed* mencuci filem
♦ **to develop into** bertukar menjadi
◊ *The argument developed into a fight.* Pertelingkahan itu bertukar menjadi pergaduhan.

**developed** KATA ADJEKTIF
*maju*
◊ *developed countries* negara-negara maju

**developer** KATA NAMA
*pemaju*

**developing** KATA ADJEKTIF
*sedang membangun*
◊ *a developing country* sebuah negara yang sedang membangun

**development** KATA NAMA
*pembangunan*
◊ *economic development in Pakistan* pembangunan ekonomi di Pakistan
♦ **the latest developments** perkembangan terbaru

to **deviate** KATA KERJA
*menyimpang*
◊ *He didn't deviate from his schedule.* Dia tidak menyimpang daripada jadualnya.
◊ *Don't deviate from the script.* Jangan menyimpang daripada skrip.

**deviation** KATA NAMA
*penyimpangan*

**device** KATA NAMA
*alat*

**devil** KATA NAMA
*syaitan*

to **devise** KATA KERJA
*merancang*

to **devote** KATA KERJA
*mengabdikan*
◊ *He has devoted himself to his master for 10 years.* Sudah 10 tahun dia

mengabdikan diri kepada tuannya.
♦ **Despite his great age he still devotes his energies to the country.** Dia masih menyumbangkan tenaganya kepada negara walaupun usianya sudah tua.

**devoted** KATA ADJEKTIF
*amat setia* (*sahabat, isteri*)
◊ *a devoted wife* seorang isteri yang amat setia
♦ **He's completely devoted to her.** Dia benar-benar menyayanginya.

**devotion** KATA NAMA
[1] *kasih sayang yang mendalam*
[2] *kekhusyukan*
◊ *Tom's devotion to his job worries me.* Kekhusyukan Tom terhadap kerjanya membimbangkan saya.

**dew** KATA NAMA
*embun*

**dewlap** KATA NAMA
*gelambir*

**DFEE** SINGKATAN (= *Department for Education and Employment*)
*DFEE* (= *Jabatan Pendidikan dan Pekerjaan*)

**diabetes** KATA NAMA
*kencing manis* atau *diabetes*

**diabetic** KATA ADJEKTIF
*kencing manis* atau *diabetes*
♦ **I'm diabetic.** Saya menghidap penyakit kencing manis.
♦ **diabetic chocolate** coklat untuk penghidap kencing manis

**diagnosis** KATA NAMA
*diagnosis*

**diagnostic** KATA ADJEKTIF
*diagnostik*

**diagonal** KATA ADJEKTIF
*condong*
◊ *a diagonal line* garis condong

**diagram** KATA NAMA
*gambar rajah* atau *diagram*

**dial** KATA NAMA
| rujuk juga **dial** KATA KERJA |
*dail*
♦ **The dial on the clock showed five minutes to seven.** Jarum pada jam itu menunjukkan pukul enam lima puluh lima.

to **dial** KATA KERJA
| rujuk juga **dial** KATA NAMA |
*mendail*

**dialect** KATA NAMA
*loghat* atau *dialek*
◊ *northern dialect* dialek utara

**dialling tone** KATA NAMA
*nada dail*

**dialogue** KATA NAMA
(AS **dialog**)
*dialog*

D

**diamond** KATA NAMA
*berlian*
◊ *a diamond ring* sebentuk cincin berlian
♦ **diamonds** (*dalam daun terup*) daiman
◊ *the ace of diamonds* daun sat daiman

**diaper** KATA NAMA 🔲
*lampin*

**diarrhoea** KATA NAMA
*cirit-birit*
◊ *to have diarrhoea* mengalami cirit-birit

**diary** KATA NAMA
(JAMAK **diaries**)
*diari*
◊ *I've got her phone number in my diary.* Nombor telefonnya ada dalam diari saya.

**dice** KATA NAMA
(JAMAK **dice**)
*dadu*

**dictation** KATA NAMA
*perencanaan*

**dictator** KATA NAMA
*diktator*

**dictatorship** KATA NAMA
*pemerintahan diktator*

**dictionary** KATA NAMA
(JAMAK **dictionaries**)
*kamus*

**did** KATA KERJA *rujuk* **do**

**didactic** KATA ADJEKTIF
*berunsur pengajaran*
◊ *a didactic poem* puisi yang berunsur pengajaran

**didn't** = **did not**

to **die** KATA KERJA
[1] *meninggal dunia*
◊ *He died last year.* Dia meninggal dunia pada tahun lepas.
[2] *mati*
◊ *My cat has died.* Kucing saya sudah mati.
♦ **She's dying.** Dia sedang nazak.
♦ **to be dying to do something** ingin sekali melakukan sesuatu

to **die down** KATA KERJA
*reda*
◊ *The wind is dying down.* Tiupan angin itu semakin reda.

**diesel** KATA NAMA
[1] *diesel*
[2] *kereta yang menggunakan enjin diesel*

**diet** KATA NAMA
┌─────────────────────────────┐
│ *rujuk juga* **diet** KATA KERJA │
└─────────────────────────────┘
*diet*
◊ *a healthy diet* diet yang sihat
♦ **I'm on a diet.** Saya sedang berdiet.

♦ **a diet Coke** ® minuman Coke ® diet

to **diet** KATA KERJA
┌─────────────────────────────┐
│ *rujuk juga* **diet** KATA NAMA │
└─────────────────────────────┘
*berdiet*
◊ *I've been dieting for two months.* Saya sudah berdiet selama dua bulan.

**difference** KATA NAMA
*perbezaan*
◊ *There's not much difference in age between us.* Perbezaan umur antara kami berdua tidak begitu banyak.
♦ **Exercise makes all the difference.** Senaman memberikan kesan yang besar.
♦ **It makes no difference.** Tidak ada bezanya.

**different** KATA ADJEKTIF
*berbeza*

to **differentiate** KATA KERJA
*membezakan*
◊ *They couldn't differentiate between truth and falsehood.* Mereka tidak dapat membezakan antara kebenaran dengan kepalsuan.

**difficult** KATA ADJEKTIF
*sukar*
◊ *It was difficult to choose.* Sukar untuk membuat pilihan.

**difficulty** KATA NAMA
(JAMAK **difficulties**)
*kesukaran*
◊ *to have difficulty doing something* menghadapi kesukaran melakukan sesuatu
♦ **What's the difficulty?** Apakah masalahnya?

to **dig** KATA KERJA
(**dug, dug**)
*menggali*
◊ *They're digging a hole in the road.* Mereka sedang menggali lubang di jalan.
♦ **The dog dug a hole in the sand.** Anjing itu mengorek lubang di pasir.

to **dig up** KATA KERJA
[1] *mengorek keluar*
◊ *The dog's dug up a bone.* Anjing itu mengorek keluar seketul tulang.
[2] *menggali*
◊ *The police have dug up a body.* Pihak polis telah menggali satu mayat.

to **digest** KATA KERJA
*menghadamkan*
◊ *She couldn't digest food properly.* Perutnya tidak dapat menghadamkan makanan dengan sempurna.
♦ **to digest information** memahami sesuatu maklumat

**digestion** KATA NAMA
*penghadaman*

**digger** KATA NAMA

*penggali* (*alat*)

**digicam** KATA NAMA
*kamera digital*

**digit** KATA NAMA
*digit*

**digital** KATA ADJEKTIF
*digital*
◊ *digital watch* jam digital

**digital camera** KATA NAMA
*kamera digital*

**digital television** KATA NAMA
*televisyen digital*

**digital watch** KATA NAMA
(JAMAK **digital watches**)
*jam digital*

**dignitary** KATA NAMA
(JAMAK **dignitaries**)
*orang kenamaan*

**dignity** KATA NAMA
*maruah*
♦ **with dignity** dengan tenang ◊ *She conducted herself with dignity.* Dia membawa dirinya dengan tenang.

to **digress** KATA KERJA
*melencong*
◊ *to digress from the topic under discussion* melencong daripada topik perbincangan

**dilemma** KATA NAMA
*dilema*

**diligence** KATA NAMA
*ketekunan*

**diligent** KATA ADJEKTIF
*tekun*

to **dilly-dally** KATA KERJA
(**dilly-dallied, dilly-dallied**)
*berlengah-lengah*
◊ *Hurry up! Don't dilly-dally.* Cepat! Jangan berlengah-lengah. ◊ *She made the decision immediately, without dilly-dallying any further.* Dia membuat keputusan itu tanpa berlengah-lengah lagi.

to **dilute** KATA KERJA
*mencairkan*
◊ *Dilute the juice with water.* Cairkan jus itu dengan air.

**dilution** KATA NAMA
*cairan*

**dim** KATA ADJEKTIF
> rujuk juga **dim** KATA KERJA
1. *malap* (*cahaya*)
2. *bodoh* (*orang*)

to **dim** KATA KERJA
> rujuk juga **dim** KATA ADJEKTIF
*memalapkan*
◊ *Eric dimmed his bedroom light before going to bed.* Eric memalapkan lampu biliknya sebelum tidur.

**dimension** KATA NAMA

*ukuran* **atau** *dimensi*

to **diminish** KATA KERJA
*berkurangan*
◊ *Our natural resources are diminishing.* Sumber alam kita semakin berkurangan.
♦ **The new policy will diminish his power.** Polisi baru itu akan mengurangkan kuasanya.

**dimly** KATA ADVERBA
*dengan malap*
◊ *The two lamps burned dimly.* Dua lampu itu menyala dengan malap.
♦ **a dimly lit kitchen** dapur yang diterangi cahaya malap
♦ **From a distance the house was only dimly visible.** Rumah itu nampak samar-samar dari jauh.

**dimness** KATA NAMA
*kemalapan*
◊ *The dimness of the light in the room made it difficult for us to read.* Kemalapan lampu di dalam bilik itu menyebabkan kami sukar untuk membaca.

**dimple** KATA NAMA
*lesung pipit*

**din** KATA NAMA
*bunyi bising*

**diner** KATA NAMA 🖾
*restoran kecil dua puluh empat jam*

**dinghy** KATA NAMA
(JAMAK **dinghies**)
*kolek*
♦ **a rubber dinghy** bot getah
♦ **a sailing dinghy** bot layar yang kecil

**dining car** KATA NAMA
*gerabak makan-minum* (*kereta api*)

**dining room** KATA NAMA
*ruang makan*

**dinner** KATA NAMA
1. *makan malam*
2. *jamuan makan malam*
> **Dinner** *juga bermaksud waktu makan pada waktu tengah hari.*
♦ **The children have dinner at school.** Kanak-kanak itu makan tengah hari di sekolah.

**dinner jacket** KATA NAMA
*baju tuksedo*

**dinner party** KATA NAMA
(JAMAK **dinner parties**)
*jamuan makan malam*

**dinner time** KATA NAMA
*waktu makan malam*

**dinosaur** KATA NAMA
*dinosaur*

to **dip** KATA KERJA
> rujuk juga **dip** KATA NAMA
*mencelup*
◊ *He dipped a biscuit into his tea.* Dia

mencelup sekeping biskut ke dalam
tehnya.

**dip**   KATA NAMA

> *rujuk juga* **dip** KATA KERJA

1 *celupan*

2 *sos*

◊ *a spicy dip*   sos pedas

♦ **to go for a dip**   pergi berenang

**diphthong**   KATA NAMA
*diftong*

**diploma**   KATA NAMA
*diploma*

**diplomacy**   KATA NAMA
*diplomasi*

**diplomat**   KATA NAMA
*diplomat*

**diplomatic**   KATA ADJEKTIF
*diplomatik*
◊ *diplomatic relations*   hubungan
diplomatik

**diplomatically**   KATA ADVERBA
*secara diplomatik*

**dipper**   KATA NAMA
*pencedok*

**direct**   KATA ADJEKTIF, KATA ADVERBA

> *rujuk juga* **direct** KATA KERJA

1 *terus*

◊ *You can't fly to Manchester direct
from Seville.*   Anda tidak boleh membuat
penerbangan terus dari Seville ke
Manchester.

2 *langsung*

◊ *direct effect*   kesan langsung

♦ **the most direct route**   jalan yang paling
singkat

to **direct**   KATA KERJA

> *rujuk juga* **direct** KATA ADJEKTIF

1 *mengarah* (filem, drama, program)

2 *mengarahkan*

◊ *She will direct the science project.*
Dia akan mengarahkan projek sains itu.

**direction**   KATA NAMA
*arah*
◊ *We're going in the wrong direction.*
Kita sedang menuju ke arah yang salah.

♦ **to ask somebody for directions**
bertanyakan arah kepada seseorang

**directly**   KATA ADVERBA
*terus*
◊ *The book will be sold directly to the
public.*   Buku ini akan dijual terus kepada
orang ramai.

♦ **The second rainbow will be directly
above the first.**   Pelangi yang kedua akan
berada betul-betul di atas pelangi yang
pertama.

♦ **He will be there directly.**   Dia akan
berada di sana sekejap lagi.

**director**   KATA NAMA

*pengarah*

**directory**   KATA NAMA

(JAMAK **directories**)

1 *panduan telefon*

♦ **directory enquiries**   perkhidmatan
panduan telefon

2 *direktori* (*dalam komputer*)

**dirt**   KATA NAMA
*kotoran*

**dirtiness**   KATA NAMA
*kekotoran*

**dirty**   KATA ADJEKTIF
*kotor*
◊ *It's dirty.*   Benda itu kotor.

♦ **to get dirty**   menjadi kotor

♦ **to get something dirty**   mengotorkan
sesuatu ◊ *He got his hands dirty.*   Dia
telah mengotorkan tangannya.

♦ **a dirty joke**   gurauan yang kotor

**disability**   KATA NAMA

(JAMAK **disabilities**)

*kecacatan*

◊ *He learned to overcome his disability.*
Dia belajar mengatasi kecacatannya.

**disabled**   KATA ADJEKTIF, KATA NAMA
*hilang upaya*
◊ *disabled people*   orang yang hilang
upaya

**disablement**   KATA NAMA
*kecacatan*
◊ *permanent disablement*   kecacatan
seumur hidup

**disadvantage**   KATA NAMA
*kelemahan*

♦ **to be at a disadvantage**   berada dalam
keadaan yang merugikan

to **disagree**   KATA KERJA
*tidak bersetuju*
◊ *He disagrees with me.*   Dia tidak
bersetuju dengan saya.

♦ **We always disagree.**   Pendapat kami
selalu bercanggah.

**disagreement**   KATA NAMA
*perselisihan*

to **disallow**   KATA KERJA
*menolak*
◊ *The judge disallowed the child's
evidence.*   Hakim itu menolak keterangan
budak tersebut.

♦ **The goal was disallowed.**   Gol itu
dibatalkan.

to **disappear**   KATA KERJA
*hilang*
◊ *He has disappeared.*   Dia hilang.

**disappearance**   KATA NAMA
*kehilangan*

to **disappoint**   KATA KERJA
*mengecewakan*
◊ *She didn't want to disappoint her*

D

*family.* Dia tidak mahu mengecewakan keluarganya.

**disappointed** KATA ADJEKTIF
*kecewa*
◊ *I'm disappointed.* Saya kecewa.

**disappointing** KATA ADJEKTIF
*mengecewakan*
◊ *It's disappointing.* Perkara itu amat mengecewakan.

**disappointment** KATA NAMA
*kekecewaan*

**disapproval** KATA NAMA
*rasa tidak setuju*

to **disapprove** KATA KERJA
*tidak bersetuju*
◊ *Her mother disapproved of her working in a pub.* Emaknya tidak bersetuju dia bekerja di pub.

to **disarm** KATA KERJA
1 *merampas senjata*
2 *melucutkan senjata*
◊ *We are not ready to disarm.* Kami belum bersedia untuk melucutkan senjata.

**disarray** KATA NAMA
*kucar-kacir*
◊ *The power failure left the new security system in disarray.* Gangguan elektrik menyebabkan sistem keselamatan yang baru itu kucar-kacir.
♦ **The whole house was in disarray.** Rumah itu berselerak.

**disaster** KATA NAMA
*bencana*

**disastrous** KATA ADJEKTIF
*sungguh dahsyat*
◊ *a disastrous earthquake* kejadian gempa bumi yang sungguh dahsyat

**disbelief** KATA NAMA
*rasa tidak percaya*
◊ *I looked at him in disbelief.* Saya memandangnya dengan rasa tidak percaya.

**disc** KATA NAMA
1 *cakera*
2 *piring hitam*

to **discard** KATA KERJA
*membuang*
◊ *Read the manufacturer's guidelines before discarding the box.* Baca panduan pengeluar sebelum membuang kotak itu.

to **discharge** KATA KERJA
| rujuk juga **discharge** KATA NAMA |
1 *membenarkan keluar*
◊ *Tom was discharged from the hospital.* Tom dibenarkan keluar dari hospital.
♦ **He was discharged from the prison yesterday.** Dia dibebaskan dari penjara kelmarin.
2 *menjalankan*

◊ *He discharged many duties.* Dia menjalankan banyak tugas.
♦ **The goods will be sold in order to discharge the debt.** Barang-barang itu akan dijual untuk menjelaskan hutang.

**discharge** KATA NAMA
| rujuk juga **discharge** KATA KERJA |
1 *pembebasan*
◊ *a conditional discharge* pembebasan bersyarat
2 *buangan* (*dari kilang, dll*)
3 *lelehan* (*dari mata, hidung, dll*)

**disciplinary** KATA ADJEKTIF
*disiplin*
◊ *disciplinary action* tindakan disiplin

**discipline** KATA NAMA
| rujuk juga **discipline** KATA KERJA |
*disiplin*

to **discipline** KATA KERJA
| rujuk juga **discipline** KATA NAMA |
*mendisiplinkan*
◊ *I tried to discipline myself.* Saya cuba mendisiplinkan diri sendiri.

**disciplined** KATA ADJEKTIF
*berdisiplin*
◊ *a disciplined student* seorang pelajar yang berdisiplin

**disc jockey** KATA NAMA
*pengacara lagu* **atau** *DJ*
◊ *He's a disc jockey.* Dia seorang DJ.

to **disclaim** KATA KERJA
*tidak mengaku*
◊ *The government has disclaimed responsibility.* Kerajaan itu tidak mengaku bertanggungjawab.

to **disclose** KATA KERJA
*mendedahkan*
◊ *The company disclosed that its chairman would step down in May.* Syarikat itu mendedahkan bahawa pengarahnya akan mengundurkan diri pada bulan Mei.

**disclosure** KATA NAMA
*pembongkaran*
◊ *The disclosure of the secret was made by an employee of that company.* Pembongkaran rahsia itu dilakukan oleh salah seorang pekerja di syarikat tersebut.

**disco** KATA NAMA
(JAMAK **discos**)
1 *disko*
2 *majlis tari-menari*
◊ *There's a disco at school tonight.* Ada majlis tari-menari di sekolah pada malam ini.

to **discolour** KATA KERJA
(AS **discolor**)
*melunturkan warna*

◊ *The chemical can discolour leaves.*
Bahan kimia itu boleh melunturkan warna
daun.
♦ **His shirt has discoloured.** Warna
bajunya sudah rosak.
**discomfort** KATA NAMA
*ketidakselesaan*
◊ *the discomforts of camping*
ketidakselesaan sewaktu perkhemahan
♦ **Steve had some discomfort, but no real
pain.** Steve berasa kurang selesa, tetapi
dia tidak berasa sakit.
♦ **She heard the discomfort in his voice.**
Dia dapat mendengar keresahan pada
suara lelaki itu.
to **disconnect** KATA KERJA
*memutuskan*
◊ *to disconnect the water supply*
memutuskan bekalan air
**discontent** KATA NAMA
*rasa tidak puas hati*
**discotheque** KATA NAMA
*disko*
**discount** KATA NAMA
*diskaun*
◊ *a 20% discount* diskaun dua puluh
peratus
to **discourage** KATA KERJA
*melemahkan semangat*
♦ **to get discouraged** tawar hati
**discourse** KATA NAMA
*wacana*
to **discover** KATA KERJA
*menemui*
**discovery** KATA NAMA
(JAMAK **discoveries**)
*penemuan*
to **discriminate** KATA KERJA
1 *membezakan*
◊ *He can discriminate between a good
idea and a terrible one.* Dia dapat
membezakan idea yang baik dengan idea
yang teruk.
2 *mendiskriminasikan*
◊ *In several countries, men still
discriminate against women.* Di beberapa
buah negara, kaum lelaki masih
mendiskriminasikan kaum wanita.
**discrimination** KATA NAMA
*diskriminasi*
◊ *racial discrimination* diskriminasi
kaum
**discus** KATA NAMA
(JAMAK **discuses**)
*cakera*
♦ **Yuki represented Japan in the discus
event.** Yuki mewakili negara Jepun dalam
acara lempar cakera.
to **discuss** KATA KERJA

*membincangkan*
◊ *I'll discuss it with my parents.* Saya
akan membincangkan perkara itu dengan
ibu bapa saya.
**discussion** KATA NAMA
*perbincangan*
**disease** KATA NAMA
*penyakit*
to **disempower** KATA KERJA
*melemahkan*
**disgrace** KATA NAMA
| rujuk juga **disgrace** KATA KERJA |
*malu*
◊ *The vice president had to resign in
disgrace.* Timbalan presiden itu terpaksa
meletakkan jawatan dalam keadaan malu.
♦ **Her behaviour will just bring disgrace
on her family.** Tindakannya hanya akan
mengaibkan keluarganya.
♦ **The dirty classrooms were a disgrace.**
Kelas-kelas yang kotor itu sungguh
memalukan.
♦ **He was a disgrace to this school.** Dia
memalukan sekolah ini.
to **disgrace** KATA KERJA
| rujuk juga **disgrace** KATA NAMA |
*memalukan*
◊ *Her son has disgraced her.* Anak
lelakinya telah memalukannya.
**disgraceful** KATA ADJEKTIF
*memalukan*
**disguise** KATA NAMA
| rujuk juga **disguise** KATA KERJA |
*penyamaran*
♦ **in disguise** menyamar
to **disguise** KATA KERJA
| rujuk juga **disguise** KATA NAMA |
*menyamar*
◊ *She disguised herself as a man.* Dia
menyamar sebagai lelaki.
**disguised** KATA ADJEKTIF
*menyamar*
◊ *He was disguised as a policeman.*
Dia menyamar sebagai anggota polis.
to **disgust** KATA KERJA
*menjijikkan*
◊ *Raj's bad habits disgusted us.* Tabiat-
tabiat buruk Raj menjijikkan kami.
**disgusted** KATA ADJEKTIF
*meluat atau menyampah*
◊ *I was completely disgusted.* Saya
betul-betul menyampah.
**disgusting** KATA ADJEKTIF
*menjijikkan* (makanan, bau)
◊ *It looks disgusting.* Benda itu nampak
menjijikkan.
♦ **That's disgusting!** Sungguh menjijikkan!
**dish** KATA NAMA
(JAMAK **dishes**)

D

*pinggan*
◊ *a china dish* pinggan tembikar
♦ **to do the dishes** mencuci pinggan mangkuk
♦ **a satellite dish** piring satelit
♦ **a vegetarian dish** masakan vegetarian
♦ **a soap dish** bekas sabun

**dishevelled** KATA ADJEKTIF
*tidak kemas*

**dishonest** KATA ADJEKTIF
*tidak jujur*

to **dishonour** KATA KERJA
(AS **dishonor**)
*memalukan*
◊ *She has never dishonoured her family.* Dia tidak pernah memalukan keluarganya.

**dishonourable** KATA ADJEKTIF
(AS **dishonorable**)
*hina*
◊ *a dishonourable occupation* pekerjaan yang hina

**dishwasher** KATA NAMA
*mesin pencuci pinggan mangkuk*

**disinfectant** KATA NAMA
*disinfektan*

to **disintegrate** KATA KERJA
[1] *berpecah belah*
◊ *During that time, the empire began to disintegrate.* Pada masa itu, empayar tersebut mula berpecah belah.
[2] *berkecai*
◊ *At 420 miles per hour the windscreen disintegrated.* Cermin depan kereta itu berkecai pada kelajuan 420 batu sejam.

**disk** KATA NAMA
*cakera*
◊ *the hard disk* cakera keras

**diskette** KATA NAMA
*disket*

to **dislike** KATA KERJA
| rujuk juga **dislike** KATA NAMA |
*tidak menyukai*
◊ *I dislike him.* Saya tidak menyukainya.

**dislike** KATA NAMA
| rujuk juga **dislike** KATA KERJA |
*perkara yang tidak disukai*
♦ **my likes and dislikes** perkara yang saya suka dan tidak suka
♦ **to take a dislike to somebody** mula tidak menyukai seseorang

to **dislodge** KATA KERJA
**dislodge** *diterjemahkan mengikut konteks.*
◊ *Faizal used a pole to dislodge the mango from the tree.* Faizal mengambil galah untuk menjolok buah mangga di atas pokok itu. ◊ *Tom's hat had become dislodged.* Topi Tom telah tanggal. ◊ *He hopes that he can dislodge her in the*

*election.* Dia berharap dia dapat mengalahkannya dalam pilihan raya itu.

**disloyal** KATA ADJEKTIF
*tidak setia*

**disloyalty** KATA NAMA
*ketidaksetiaan*

**dismay** KATA NAMA
*perasaan terkejut dan gelisah*
◊ *Meg looked up at her in dismay.* Meg memandangnya dengan perasaan terkejut dan gelisah.
♦ **Lucy discovered to her dismay that she was pregnant.** Lucy terkejut dan gelisah apabila mendapati dia hamil.

to **dismiss** KATA KERJA
[1] *memecat* (pekerja)
[2] *menyuraikan* (kelas)
[3] *menggugurkan* (kes di mahkamah)

**dismissal** KATA NAMA
*pemecatan*
◊ *They went on strike in protest at Cindy's dismissal.* Mereka mogok kerana membantah pemecatan Cindy.

**disobedient** KATA ADJEKTIF
*ingkar*

to **disobey** KATA KERJA
*mengingkari*
◊ *He disobeyed the order.* Dia mengingkari perintah itu.
♦ **He disobeyed his parents.** Dia tidak menurut kata ibu bapanya.

**disorder** KATA NAMA
*penyakit*
◊ *a severe mental disorder* penyakit mental yang serius
♦ **The room was in disorder.** Bilik itu tidak teratur.
♦ **public disorder** gangguan awam

**disorganized** KATA ADJEKTIF
*tidak teratur*
◊ *a disorganized plan* rancangan yang tidak teratur ◊ *He is completely disorganized and leaves the most important items until very late.* Dia betul-betul tidak teratur dan meninggalkan perkara-perkara yang penting sehingga saat akhir.
♦ **a disorganized household** rumah tangga yang kacau-bilau

to **disown** KATA KERJA
*menafikan sebarang kaitan*
◊ *If he is guilty I will disown him.* Jika dia bersalah, saya akan menafikan sebarang kaitan dengannya.

to **dispatch** KATA KERJA
| rujuk juga **dispatch** KATA NAMA |
*menghantar*

**dispatch** KATA NAMA
| rujuk juga **dispatch** KATA KERJA |

_penghantaran_

to **dispense**  KATA KERJA
_mengagih-agihkan_
◊ *The Union had already dispensed £400 in grants.*  Kesatuan itu telah mengagih-agihkan sebanyak 400 paun bantuan kewangan.

to **disperse**  KATA KERJA
_bersurai_
◊ *The demonstrators dispersed peacefully.*  Penunjuk perasaan bersurai dengan aman.
♦ **The police used tear gas to disperse the demonstrators.**  Pihak polis menggunakan gas pemedih mata untuk menyuraikan penunjuk perasaan.

to **display**  KATA KERJA
| rujuk juga **display** KATA NAMA |
1 _menunjukkan_
◊ *She proudly displayed her medal.*  Dia menunjukkan pingatnya dengan bangga.
2 _memperagakan_ (di jendela kedai)

**display**  KATA NAMA
| rujuk juga **display** KATA KERJA |
_pertunjukan_
◊ *a firework display*  pertunjukan bunga api
♦ **The assistant took the watch out of the display case.**  Pembantu itu mengeluarkan jam tangan itu dari kotak peragaan.
♦ **There was a lovely display of fruit in the window.**  Buah-buahan yang dipamerkan di jendela itu disusun dengan begitu menarik.
♦ **to be on display**  diperagakan

**disposable**  KATA ADJEKTIF
_pakai buang_
◊ *a disposable razor*  pisau cukur pakai buang

**disposal**  KATA NAMA
_pembuangan_
◊ *waste disposal sites*  tempat pembuangan sampah

to **dispose**  KATA KERJA
1 _membuang_
◊ *the safest means of disposing of nuclear waste*  cara-cara yang paling selamat untuk membuang bahan buangan nuklear
2 _menyelesaikan_ (masalah, tugas, dll)
3 _membunuh_
◊ *They had hired an assassin to dispose of him.*  Mereka telah mengupah seorang pembunuh upahan untuk membunuhnya.

**dispute**  KATA NAMA
| rujuk juga **dispute** KATA KERJA |
_pertikaian_

to **dispute**  KATA KERJA
| rujuk juga **dispute** KATA NAMA |
_mempertikaikan_
◊ *Fauzi disputed the allegations.*  Fauzi mempertikaikan dakwaan-dakwaan itu.

to **disqualify**  KATA KERJA
(**disqualified, disqualified**)
_membatalkan penyertaan_
◊ *They were disqualified from the competition.*  Penyertaan mereka dalam pertandingan itu dibatalkan.
♦ **He was disqualified from driving.**  Lesen memandunya telah digantung.

to **disregard**  KATA KERJA
_tidak mempedulikan_
◊ *Gary disregarded the advice of his friends.*  Gary tidak mempedulikan nasihat kawan-kawannya.

**disrespect**  KATA NAMA
_sikap tidak hormat_

to **disrupt**  KATA KERJA
_mengganggu_
◊ *The meeting was disrupted by a group of protesters.*  Mesyuarat itu telah diganggu oleh sekumpulan pembantah.
♦ **Train services are being disrupted by the strike.**  Perkhidmatan kereta api terganggu akibat daripada mogok tersebut.

**dissatisfaction**  KATA NAMA
_rasa tidak puas hati_
◊ *Many residents voiced their dissatisfaction.*  Ramai penghuni mengutarakan rasa tidak puas hati mereka.

**dissatisfied**  KATA ADJEKTIF
_tidak berpuas hati_
◊ *We were dissatisfied with the service.*  Kami tidak berpuas hati dengan perkhidmatan itu.

**dissolution**  KATA NAMA
_pembubaran_
◊ *the dissolution of parliament*  pembubaran parlimen

to **dissolve**  KATA KERJA
1 _melarutkan_
2 _larut_
◊ *Sugar and salt dissolve in water.*  Gula dan garam larut di dalam air.
3 _membubarkan_ (parlimen)

to **dissuade**  KATA KERJA
_meyakinkan ... supaya tidak_
◊ *Doctors had tried to dissuade patients from smoking.*  Para doktor telah cuba untuk meyakinkan pesakit supaya tidak merokok.
♦ **Nothing could dissuade me from my belief in him.**  Tidak ada perkara yang dapat menggoyahkan kepercayaan saya

terhadapnya.

**distance**   KATA NAMA
*jarak*
◊ *a distance of forty kilometres*  jarak sejauh empat puluh kilometer
♦ **It's within walking distance.**  Kita boleh berjalan kaki ke tempat itu.
♦ **I saw him in the distance.**  Saya nampak dia di kejauhan.

**distant**   KATA ADJEKTIF
*jauh*
◊ *in a distant land*  di negara yang jauh
♦ **in the distant future**  pada masa hadapan yang masih jauh

**distended**   KATA ADJEKTIF
*membusung*
◊ *a distended belly*  perut yang membusung

**distillation**   KATA NAMA
*penyulingan*

**distilled water**   KATA NAMA
*air suling*

**distinct**   KATA ADJEKTIF
1 *berbeza*
◊ *This book is divided into two distinct parts.*  Buku ini dibahagikan kepada dua bahagian yang berbeza.
2 *jelas*
◊ *to impart a distinct flavour with a minimum of cooking fat*  untuk memberikan perisa yang jelas dengan menggunakan sedikit minyak masak
♦ **a distinct change in her attitude**  perubahan sikapnya yang ketara

**distinction**   KATA NAMA
1 *perbezaan*
◊ *to make a distinction between two things*  membuat perbezaan antara dua benda
2 *kepujian* (dengan cemerlang)
◊ *a distinction in Spanish*  kepujian dalam bahasa Sepanyol

**distinctive**   KATA ADJEKTIF
*tersendiri*

to **distinguish**   KATA KERJA
1 *membezakan*
◊ *Could he distinguish right from wrong?*  Dapatkah dia membezakan antara yang benar dengan yang salah?
2 *mendengar*
◊ *I heard shouting but was unable to distinguish the words.*  Saya terdengar jeritan tetapi tidak dapat mendengar kata-katanya.
3 *melihat*

**distinguished**   KATA ADJEKTIF
*ternama*
◊ *He comes from a distinguished family.*  Dia datang daripada keluarga yang

ternama.
♦ **a distinguished surgeon**  pakar bedah yang unggul

to **distract**   KATA KERJA
1 *mengganggu tumpuan*
◊ *Playing video games sometimes distracts him from his homework.*  Bermain permainan video kadang-kadang mengganggu tumpuannya daripada membuat kerja rumah.
2 *mengalihkan perhatian* (dengan sengaja)

to **distress**   KATA KERJA
*menyedihkan*
◊ *His son's death distressed him.*  Kematian anaknya menyedihkannya.
♦ **Alison was distressed because her son was badly injured in the accident.**  Alison bimbang kerana anaknya cedera parah dalam kemalangan itu.

to **distribute**   KATA KERJA
1 *mengedarkan*
2 *membahagi-bahagikan*
◊ *He distributed the cake among the children.*  Dia membahagi-bahagikan kek itu kepada kanak-kanak tersebut.

**distribution**   KATA NAMA
1 *pengagihan*
◊ *They control the distribution of aid.*  Mereka mengawal pengagihan bantuan.
2 *taburan*
◊ *population distribution*  taburan penduduk

**distributor**   KATA NAMA
*pengedar*
◊ *film distributors*  pengedar filem

**district**   KATA NAMA
*daerah*

to **disturb**   KATA KERJA
*mengganggu*
◊ *I'm sorry to disturb you.*  Maafkan saya kerana mengganggu anda.

**disturbance**   KATA NAMA
*kekacauan*
◊ *Three men were injured during the disturbance.*  Tiga orang lelaki cedera semasa kekacauan itu berlaku.

**disused**   KATA ADJEKTIF
*tidak digunakan lagi*

**ditch**   KATA NAMA
(JAMAK **ditches**)
> rujuk juga **ditch** KATA KERJA
*parit*

to **ditch**   KATA KERJA
(tidak formal)
> rujuk juga **ditch** KATA NAMA
*meninggalkan*
◊ *She's just ditched her boyfriend.*  Dia baru sahaja meninggalkan teman

lelakinya.

to **dive** KATA KERJA

> rujuk juga **dive** KATA NAMA

1 *terjun*

2 *menyelam*

♦ **The car dived into the ravine.** Kereta itu terjunam ke dalam gaung.

**dive** KATA NAMA

> rujuk juga **dive** KATA KERJA

1 *terjunan*

2 *penyelaman* (*di dalam laut, dll*)

**diver** KATA NAMA

1 *penerjun*

2 *penyelam*

to **diversify** KATA KERJA

(**diversified, diversified**)

*mempelbagaikan*

◊ *to diversify the country's markets* mempelbagaikan pasaran negara

**diversion** KATA NAMA

*lencongan* (*lalu lintas*)

**diversity** KATA NAMA

(JAMAK **diversities**)

*kepelbagaian*

◊ *Birmingham, with its rich cultural diversity ...* Birmingham yang kaya dengan kepelbagaian kebudayaannya ...

to **divide** KATA KERJA

*membahagikan*

◊ *12 divided by 3 is 4.* 12 dibahagikan dengan 3 ialah 4.

♦ **Divide the cake in half.** Bahagi dua kek itu.

♦ **The rebels did not succeed in dividing the people of the country.** Pihak pemberontak gagal memecahbelahkan rakyat negara itu.

**dividend** KATA NAMA

*dividen*

**divider** KATA NAMA

*pembahagi*

◊ *room divider* pembahagi bilik

**divine** KATA ADJEKTIF

*Tuhan/tuhan* (*bergantung pada konteks*)

◊ *divine punishment* hukuman daripada tuhan

♦ **There must be a divine purpose behind all this.** Tentu ada hikmat di sebalik semua perkara ini.

**diving** KATA NAMA

1 *menyelam*

♦ **diving equipment** peralatan selam

2 *terjun air*

◊ *a diving competition* pertandingan terjun air

**diving board** KATA NAMA

*papan junam*

**divinity** KATA NAMA

(JAMAK **divinities**)

1 *ketuhanan*

2 *tuhan*

**division** KATA NAMA

*bahagian*

**divorce** KATA NAMA

> rujuk juga **divorce** KATA KERJA

*perceraian*

to **divorce** KATA KERJA

> rujuk juga **divorce** KATA NAMA

*bercerai*

◊ *He and Lillian had got divorced.* Dia dan Lillian sudah bercerai.

♦ **He has divorced his wife.** Dia telah menceraikan isterinya.

**divorced** KATA ADJEKTIF

*bercerai*

◊ *My parents are divorced.* Ibu bapa saya telah bercerai.

**divorcee** KATA NAMA

*janda* (*perempuan*)

to **divulge** KATA KERJA

*membongkar*

◊ *to divulge secret information* membongkar maklumat sulit

**DIY** KATA NAMA

*pasang sendiri*

♦ **to do DIY** memasang sendiri

♦ **a DIY shop** kedai yang menjual barangan pasang sendiri

**dizziness** KATA NAMA

*kepeningan*

◊ *This medicine can also cause dizziness.* Ubat ini juga boleh menyebabkan kepeningan.

**dizzy** KATA ADJEKTIF

*pening*

◊ *I feel dizzy.* Saya berasa pening.

**DJ** KATA NAMA

*DJ*

◊ *He's a DJ.* Dia seorang DJ.

**DNA** KATA NAMA (= *deoxyribonucleic acid*)

*DNA* (= *asid deoksiribonukleik*)

**DNA test** KATA NAMA

*ujian DNA*

to **do** KATA KERJA

(**does, did, done**)

*melakukan*

◊ *What are you doing?* Apakah yang sedang anda lakukan? ◊ *She did it by herself.* Dia melakukannya sendiri.

♦ **I'll do my best.** Saya akan cuba sedaya upaya.

♦ **What are you doing this evening?** Apakah rancangan anda pada petang ini?

♦ **What does your father do?** Apakah pekerjaan bapa anda?

♦ **She's doing well at school.** Prestasinya di sekolah baik.

♦ **How are you doing?** Apa khabar?

D

- **How do you do?** Apa khabar?
- **Will RM10 do?** Apakah RM10 mencukupi?
- **That'll do, thanks.** Itu sudah mencukupi. Terima kasih.

> *do tidak diterjemahkan apabila digunakan untuk membentuk soalan.*

◊ *Do you speak English?* Anda boleh berbahasa Inggeris? ◊ *Do you like reading?* Anda suka membaca? ◊ *Where does he live?* Di manakah dia tinggal?

> *Gunakan* **tidak** *untuk menterjemahkan* **don't.**

◊ *I don't understand.* Saya tidak faham. ◊ *You didn't tell me anything.* Anda tidak memberitahu saya apa-apa pun. ◊ *He didn't come.* Dia tidak datang.

- **I hate maths. - So do I.** Saya benci mata pelajaran matematik. - Begitu juga dengan saya.
- **I didn't like the film. - Neither did I.** Saya tidak suka akan filem itu. - Saya juga begitu.
- **Do you like horses? - No, I don't.** Anda suka kuda? Tidak, saya tidak suka.
- **You go swimming on Fridays, don't you?** Anda pergi berenang pada hari Jumaat, bukan?
- **to do drugs** mengambil dadah

to **do up** KATA KERJA
*menghias* (*rumah, bilik*)
- **Do up your shoes!** Ikat tali kasut anda!
- **Do your coat up.** Butangkan kot anda.
- **Do up your zip!** Tarik zip anda!

to **do with** KATA KERJA
*perlu*
◊ *I could do with a holiday.* Saya perlu pergi bercuti.

to **do without** KATA KERJA
*boleh hidup*
◊ *I can't do without my computer.* Saya tidak boleh hidup tanpa komputer saya.

**doable** KATA ADJEKTIF
*boleh dilakukan*
◊ *Is this project something that you think is doable?* Anda fikir, projek ini boleh dilakukan?

**dock** KATA NAMA
> rujuk juga **dock** KATA KERJA

*limbungan*

to **dock** KATA KERJA
> rujuk juga **dock** KATA NAMA

*berlabuh*
◊ *The ship docked in Port Klang.* Kapal itu berlabuh di Pelabuhan Klang.

**doctor** KATA NAMA
*doktor*
◊ *He's a doctor.* Dia seorang doktor.

- **at the doctor's** di klinik

**doctorate** KATA NAMA
*ijazah kedoktoran*

**doctrine** KATA NAMA
*doktrin*

**document** KATA NAMA
> rujuk juga **document** KATA KERJA

*dokumen*

to **document** KATA KERJA
> rujuk juga **document** KATA NAMA

*mendokumenkan*
◊ *They will document the trial.* Mereka akan mendokumenkan perbicaraan itu.

**documentary** KATA NAMA
(JAMAK **documentaries**)
*dokumentari*

**documentation** KATA NAMA
*dokumentasi*

**docusoap** KATA NAMA
*siri drama dokumentari popular*
> *memaparkan kehidupan harian orang yang bekerja di sesebuah tempat*

**doddery** KATA ADJEKTIF
*berjalan terhuyung-hayang* (*kerana sudah tua dan uzur*)

to **dodge** KATA KERJA
*mengelak* (*daripada tumbukan, pukulan*)

**does** KATA KERJA *rujuk* **do**

**doesn't** = **does not**

**dog** KATA NAMA
*anjing*

**do-it-yourself** KATA NAMA
*pasang sendiri*

**dole** KATA NAMA
*elaun pengangguran*
◊ *He's on the dole.* Dia menerima elaun pengangguran.

**doll** KATA NAMA
*anak patung*

**dollar** KATA NAMA
*dolar*

**dolphin** KATA NAMA
*ikan lumba-lumba*

**domain** KATA NAMA
(*komputer*)
*domain*

**domain name** KATA NAMA
(*komputer*)
*nama domain*

**dome** KATA NAMA
*kubah*

**domestic** KATA ADJEKTIF
*dalam negeri* atau *domestik*
◊ *a domestic flight* penerbangan domestik
- **domestic help** pembantu rumah

**dominant** KATA ADJEKTIF
[1] *paling berpengaruh*
◊ *She was a dominant figure in the*

*French film industry.* Beliau merupakan tokoh yang paling berpengaruh dalam industri perfileman Perancis.

[2] *paling menonjol* (*benda, perkara*)

[3] *dominan*

◊ *a dominant gene* gen dominan

**dominoes** KATA NAMA JAMAK

*domino*

♦ **to have a game of dominoes** bermain domino

to **donate** KATA KERJA

*menderma*

**donation** KATA NAMA

*derma*

◊ *The students collected donations for poor children.* Pelajar-pelajar memungut derma untuk kanak-kanak miskin.

♦ **the donation of his collection to the art gallery** pendermaan koleksinya kepada galeri seni

**done** KATA KERJA *rujuk* **do**

**done** KATA ADJEKTIF

*masak*

◊ *Is the pasta done?* Pasta itu sudah masak?

♦ **How do you like your steak? - Well done.** Bagaimanakah anda mahu stik anda dimasak? - Masak sepenuhnya.

**donkey** KATA NAMA

*keldai*

**donor** KATA NAMA

*penderma*

**don't** = **do not**

**door** KATA NAMA

*pintu*

**doorbell** KATA NAMA

*loceng pintu*

**doorman** KATA NAMA

(JAMAK **doormen**)

[1] *penjaga pintu* (*di hotel*)

[2] *pengawal* (*di kelab malam, dll*)

**doormat** KATA NAMA

*pengesat kaki*

**doorstep** KATA NAMA

*anak tangga*

♦ **on my doorstep** berhampiran tempat tinggal saya

**dormitory** KATA NAMA

(JAMAK **dormitories**)

*bilik asrama*

**dose** KATA NAMA

*dos*

**dot** KATA NAMA

*titik*

♦ **on the dot** tepat pada masanya

♦ **He arrived at nine on the dot.** Dia sampai tepat pada pukul sembilan.

**dot-com** KATA NAMA

(*komputer*)

*firma Internet*

**double** KATA ADJEKTIF, KATA ADVERBA

> *rujuk juga* **double** KATA KERJA

*sekali ganda*

◊ *to cost double* kos bertambah sekali ganda

♦ **a double bed** katil kelamin

♦ **a double room** bilik kelamin

to **double** KATA KERJA

> *rujuk juga* **double** KATA ADJEKTIF, KATA ADVERBA

[1] *menggandakan*

◊ *They doubled their prices.* Mereka menggandakan harga mereka.

[2] *berganda*

◊ *The number of attacks has doubled.* Jumlah serangan telah berganda.

**double bass** KATA NAMA

(JAMAK **double basses**)

*dabal bes*

to **double-click** KATA KERJA

> *rujuk juga* **double-click** KATA NAMA

*mengklik dua kali*

◊ *to double-click on an icon* mengklik dua kali ikon

**double-click** KATA NAMA

> *rujuk juga* **double-click** KATA KERJA

*klik dua kali*

**double-decker bus** KATA NAMA

*bas dua tingkat*

**double glazing** KATA NAMA

*kaca dua lapis*

**doubles** KATA NAMA JAMAK

*beregu* (*dalam sukan*)

◊ *to play mixed doubles* bermain dalam beregu campuran

**doubt** KATA NAMA

> *rujuk juga* **doubt** KATA KERJA

*keraguan*

♦ **I have my doubts.** Saya ragu-ragu juga.

♦ **no doubt** sudah tentu ◊ *as you no doubt know* sudah tentu anda tahu

to **doubt** KATA KERJA

> *rujuk juga* **doubt** KATA NAMA

*meragui*

◊ *I doubt it.* . Saya meraguinya.

♦ **I doubt if he'll agree.** Saya fikir dia tidak akan setuju.

**doubtful** KATA ADJEKTIF

*ragu-ragu*

◊ *to be doubtful about doing something* berasa ragu-ragu untuk melakukan sesuatu

♦ **It's doubtful.** Besar kemungkinan tidak.

♦ **You sound doubtful.** Anda seolah-olah tidak yakin.

**dough** KATA NAMA

*adunan*

**doughnut** KATA NAMA

**D**

_donat_
◊ *a jam doughnut* donat berjem

to **dovetail**   KATA KERJA

> _rujuk juga_ **dovetail** KATA NAMA

_bersesuaian_
◊ *These discoveries dovetail with findings from other research.* Penemuan-penemuan ini bersesuaian dengan dapatan penyelidikan lain.

**dovetail**   KATA NAMA

> _rujuk juga_ **dovetail** KATA KERJA

_tanggam_

**down**   KATA ADJEKTIF, KATA ADVERBA, KATA SENDI
_bawah_
◊ *It's down there.* Benda itu ada di bawah sana.
♦ **His office is down on the first floor.** Pejabatnya terletak di tingkat dua. (*rujuk* **floor**)
♦ **He threw down his racket.** Dia membaling raketnya ke tanah.
♦ **They live just down the road.** Mereka tinggal di jalan ini sahaja.
♦ **to feel down** berasa sedih
♦ **The computer's down.** Komputer itu tidak berfungsi.

**downfall**   KATA NAMA
_kejatuhan_
◊ *the downfall of the government* kejatuhan kerajaan itu

**downhearted**   KATA ADJEKTIF
_susah hati_
◊ *He looks downhearted.* Dia nampak susah hati.

to **download**   KATA KERJA
_memuat turun_
◊ *to download a file* memuat turun fail

**downloadable**   KATA ADJEKTIF
(*komputer*)
_boleh dimuat turun_

**downpour**   KATA NAMA
_hujan lebat_

to **downshift**   KATA KERJA
_bertukar kepada cara hidup yang kurang dari segi kebendaan tetapi lebih memuaskan hati_

to **downsize**   KATA KERJA
_mengecilkan_
◊ *The company downsized its factory in Penang.* Syarikat itu mengecilkan kilangnya di Pulau Pinang.

**downstairs**   KATA ADVERBA, KATA ADJEKTIF
_tingkat bawah_
◊ *The bathroom's downstairs.* Bilik mandi terletak di tingkat bawah.
♦ **to go downstairs** turun ke bawah

**downstream**   KATA ADVERBA
_ke hilir_

◊ *The logs had drifted downstream.* Balak-balak itu telah hanyut ke hilir.

**downtown**   KATA ADVERBA
(*biasanya* AS)
_pusat bandar_

**downturn**   KATA NAMA
_kemerosotan_
◊ *the downturn in the construction industry* kemerosotan dalam industri pembinaan
♦ **economic downturn** kemelesetan ekonomi

**downwards**   KATA ADVERBA
_ke bawah_

**dowry**   KATA NAMA
(JAMAK **dowries**)
_mas kahwin_

to **doze**   KATA KERJA
_melelapkan mata sekejap_

to **doze off**   KATA KERJA
_terlelap_

**dozen**   KATA NAMA
_dozen_
◊ *a dozen eggs* sedozen telur
♦ **I've told you that dozens of times.** Sudah berkali-kali saya memberitahu anda perkara itu.

**dpi**   SINGKATAN (= *dots per inch*)
(*komputer*)
_dpi_ (= *titik per inci*)

**drab**   KATA ADJEKTIF
① _kusam_ (*pakaian*)
② _membosankan_ (*keadaan*)

**draft**   KATA NAMA

> _rujuk juga_ **draft** KATA KERJA

_draf_
◊ *I sent a first draft of this article to him.* Saya menghantar draf pertama artikel ini kepadanya. ◊ *bank draft* draf bank

to **draft**   KATA KERJA

> _rujuk juga_ **draft** KATA NAMA

_mendraf_
◊ *He drafted a letter of protest.* Dia mendraf sekeping surat bantahan.

to **drag**   KATA KERJA

> _rujuk juga_ **drag** KATA NAMA

_mengheret_ (*barang, orang*)

**drag**   KATA NAMA
(*tidak formal*)

> _rujuk juga_ **drag** KATA KERJA

_sesuatu yang membosankan_
♦ **Writing that essay was a real drag.** Kerja menulis esei itu amat membosankan.

to **drag on**   KATA KERJA
_berlarutan_
◊ *Assembly that day dragged on until ten o'clock.* Perhimpunan hari itu berlarutan sehingga pukul sepuluh.

to **drag up**   KATA KERJA

_mengungkit_
◊ *I don't want to drag that incident up again.* Saya tidak mahu mengungkit kejadian itu lagi.

**dragon** KATA NAMA
_naga_

**dragonfly** KATA NAMA
(JAMAK **dragonflies**)
_pepatung_

to **drain** KATA KERJA

| rujuk juga **drain** KATA NAMA |
| --- |

1 _mengetus_ (sayur, mi)
2 _menyalirkan_ (air)

**drain** KATA NAMA

| rujuk juga **drain** KATA KERJA |
| --- |

_longkang_

**drainage** KATA NAMA
_saliran_
◊ *The drainage system has collapsed owing to excessively heavy rainfall.* Sistem saliran itu tidak berfungsi kerana hujan itu terlalu lebat. ◊ *Line the pots with pebbles to ensure good drainage.* Masukkan batu-batu kecil ke dalam pasu itu untuk memastikan saliran yang baik.

**draining board** KATA NAMA
_rak untuk mengetus_ (pinggan, dll)

**drainpipe** KATA NAMA
_paip salir_

**drake** KATA NAMA
_itik jantan_

**drama** KATA NAMA
_drama_
◊ *a TV drama* drama televisyen
◊ *Drama is my favourite subject.* Drama merupakan mata pelajaran kegemaran saya.
♦ **drama school** sekolah lakonan

**dramatic** KATA ADJEKTIF
_dramatik_
◊ *a dramatic effect* kesan yang dramatik
♦ **a dramatic rise** peningkatan yang mendadak
♦ **dramatic news** berita yang mengejutkan

**drank** KATA KERJA *rujuk* **drink**

**drastic** KATA ADJEKTIF
_drastik_
◊ *to take drastic action* mengambil tindakan yang drastik

**drastically** KATA ADVERBA
_secara drastik_

**draught** KATA NAMA
_angin_
◊ *There's a draught from the window.* Angin masuk melalui tingkap itu.
♦ **draught beer** bir yang disimpan dalam tong

**draughts** KATA NAMA

_dam_
◊ *to play draughts* bermain dam

**draughts board** KATA NAMA
_papan dam_

**draw** KATA NAMA

| rujuk juga **draw** KATA KERJA |
| --- |

1 _keputusan seri_
◊ *The game ended in a draw.* Permainan itu berakhir dengan keputusan seri.
2 _cabutan_
◊ *The draw takes place on Saturday.* Cabutan itu akan dilakukan pada hari Sabtu.

to **draw** KATA KERJA
(**drew, drawn**)

| rujuk juga **draw** KATA NAMA |
| --- |

_melukis_
◊ *to draw a picture of somebody* melukis potret seseorang
♦ **We drew two-all.** Keputusan kami seri dua sama.
♦ **to draw the curtains (1)** membuka langsir
♦ **to draw the curtains (2)** menutup langsir

to **draw on** KATA KERJA
_menggunakan_
◊ *He drew on his own experience to write the book.* Dia menggunakan pengalamannya sendiri untuk menulis buku itu.

to **draw up** KATA KERJA
_tiba_
◊ *The car drew up in front of the house.* Kereta tersebut tiba di hadapan rumah itu.

**drawback** KATA NAMA
_kelemahan_

**drawer** KATA NAMA
_laci_

**drawing** KATA NAMA
_lukisan_
♦ **He's good at drawing.** Dia pandai melukis.

**drawing pin** KATA NAMA
_paku tekan_

**drawing room** KATA NAMA
(formal)
_ruang tamu_

**drawn** KATA KERJA *rujuk* **draw**

**dreadful** KATA ADJEKTIF
1 _dahsyat_
◊ *a dreadful accident* kemalangan yang dahsyat
2 _sangat buruk_
◊ *The weather was dreadful.* Cuaca sangat buruk.
♦ **You look dreadful.** Rupa anda nampak teruk sekali.

**D**

♦ **I feel dreadful about not having phoned you.** Saya berasa tidak senang hati kerana tidak menelefon anda.

to **dream** KATA KERJA

(**dreamed** atau **dreamt, dreamed** atau **dreamt**)

> *rujuk juga* **dream** KATA NAMA
> 1 *bermimpi*
> ◊ *Do you dream every night?* Adakah anda bermimpi setiap malam?
> 2 *berangan-angan*
> ◊ *She dreams of becoming an actress.* Dia berangan-angan hendak menjadi seorang pelakon.

**dream** KATA NAMA

> *rujuk juga* **dream** KATA KERJA
> 1 *mimpi*
> 2 *idaman*
> ◊ *her dream guy* jejaka idamannya

**dreamer** KATA NAMA
*pengkhayal*

**dregs** KATA NAMA
*hampas*

to **drench** KATA KERJA
*menyebabkan ... basah kuyup*
♦ **to get drenched** basah kuyup ◊ *I got drenched.* Saya basah kuyup.

**dress** KATA NAMA

(JAMAK **dresses**)

> *rujuk juga* **dress** KATA KERJA
> 1 *gaun* (pakaian perempuan)
> 2 *pakaian*

to **dress** KATA KERJA

> *rujuk juga* **dress** KATA NAMA
> 1 *berpakaian*
> ◊ *Kelly always dresses neatly.* Kelly selalu berpakaian kemas.
> 2 *mengenakan pakaian*
> ◊ *I got up, dressed, and went downstairs.* Saya bangun dan mengenakan pakaian lalu turun ke bawah.

♦ **to get dressed** mengenakan pakaian
♦ **to dress somebody** mengenakan pakaian pada seseorang

to **dress up** KATA KERJA

> 1 *berpakaian*
> ◊ *I dressed up as a princess.* Saya berpakaian seperti seorang puteri.
> 2 *menghias diri*
> ◊ *She likes to dress up.* Dia suka menghias diri.

**dressed** KATA ADJEKTIF
*berpakaian*
◊ *I'm not dressed yet.* Saya belum siap berpakaian lagi. ◊ *She was dressed in white.* Dia berpakaian serba putih.
♦ **She was dressed in a green sweater and jeans.** Dia memakai baju sejuk berwarna hijau dan berseluar jean.

**dresser** KATA NAMA
*kabinet*

**dressing** KATA NAMA
*kuah* (untuk salad)

**dressing gown** KATA NAMA
*jubah santai*

**dressing table** KATA NAMA
*meja solek*

**dressmaker** KATA NAMA
*tukang jahit*

**drew** KATA KERJA *rujuk* **draw**

**dried** KATA ADJEKTIF
*kering*
◊ *dried fruits* buah-buahan kering
♦ **dried milk** susu tepung

**drier** = **dryer**

**drift** KATA NAMA

> *rujuk juga* **drift** KATA KERJA
> *kukup salji*

♦ **a snow drift** kukup salji
♦ **a drift of sand** kukup pasir
♦ **a drift of smoke** satu kepulan asap yang tipis

to **drift** KATA KERJA

> *rujuk juga* **drift** KATA NAMA
> *hanyut*

to **drift off** KATA KERJA
*beransur-ansur*
◊ *to drift off to sleep* beransur-ansur tertidur

**drill** KATA NAMA

> *rujuk juga* **drill** KATA KERJA
> 1 *gerudi*
> 2 *latihan*
> ◊ *a fire drill* latihan kebakaran

to **drill** KATA KERJA

> *rujuk juga* **drill** KATA NAMA
> *menggerudi*
> ◊ *He drilled a hole in the wall.* Dia menggerudi satu lubang pada dinding.

to **drink** KATA KERJA

(**drank, drunk**)

> *rujuk juga* **drink** KATA NAMA
> *minum*
> ◊ *What would you like to drink?* Anda hendak minum apa?

♦ **He had been drinking.** Dia minum arak.

**drink** KATA NAMA

> *rujuk juga* **drink** KATA KERJA
> *minuman*
> ◊ *a cold drink* minuman sejuk

♦ **They've gone out for a drink.** Mereka telah keluar minum.

**drinking water** KATA NAMA
*air minum*

to **drip** KATA KERJA
*menitis*
◊ *The tap drips all the time.* Air paip itu menitis sepanjang masa.

to **drive** KATA KERJA
(drove, driven)

> rujuk juga **drive** KATA NAMA

1 *memandu*
◊ *Can you drive?* Bolehkah anda memandu? ◊ *We never drive into the town centre.* Kami tidak pernah memandu kereta ke pusat bandar.

2 *menghantar*
◊ *My mother drives me to school.* Emak saya menghantar saya ke sekolah. ◊ *to drive somebody home* menghantar seseorang balik ke rumah

♦ **to drive somebody mad** membuat seseorang naik gila ◊ *He drives his neighbour mad.* Dia membuat jirannya naik gila.

**drive** KATA NAMA

> rujuk juga **drive** KATA KERJA

1 *jalan masuk ke rumah*
◊ *He parked his car in the drive.* Dia meletakkan keretanya di jalan masuk ke rumah.

♦ **to go for a drive** pergi bersiar-siar dengan kereta

♦ **We've got a long drive tomorrow.** Kita akan membuat perjalanan jauh esok.

2 *kempen*
◊ *a recruitment drive* kempen pengambilan pekerja

♦ **She is admired for her drive.** Dia dikagumi kerana semangatnya.

♦ **He has no drive at all.** Dia tidak bersemangat langsung.

♦ **disk drive** pemacu cakera

**driver** KATA NAMA
*pemandu*
◊ *He's a bus driver.* Dia seorang pemandu bas. ◊ *She's an excellent driver.* Dia seorang pemandu yang cekap.

**driver's license** KATA NAMA ⬧
*lesen memandu*

**driving instructor** KATA NAMA
*pengajar memandu*
◊ *He's a driving instructor.* Dia seorang pengajar memandu.

**driving lesson** KATA NAMA
*kelas memandu*

**driving licence** KATA NAMA
*lesen memandu*

**driving test** KATA NAMA
*ujian memandu*
◊ *to take one's driving test* mengambil ujian memandu ◊ *She's just passed her driving test.* Dia baru sahaja lulus ujian memandunya.

**drizzle** KATA NAMA

> rujuk juga **drizzle** KATA KERJA

*hujan renyai-renyai*

to **drizzle** KATA KERJA

> rujuk juga **drizzle** KATA NAMA

*hujan renyai-renyai*

**drone** KATA NAMA
*dengung*
◊ *the constant drone of traffic* bunyi dengung kenderaan yang berterusan

to **drool** KATA KERJA
*air liur ... meleleh*
◊ *The baby is drooling.* Air liur bayi itu meleleh.

**drop** KATA NAMA

> rujuk juga **drop** KATA KERJA

1 *titis*
◊ *a drop of water* setitis air

♦ **Would you like some milk? - Just a drop.** Anda hendak minum susu? - Ya, tetapi sedikit sahaja.

2 *penurunan*
◊ *a drop in temperature* penurunan suhu

to **drop** KATA KERJA

> rujuk juga **drop** KATA NAMA

1 *turun*
◊ *The temperature will drop tonight.* Suhu akan turun pada malam ini.

♦ **Could you drop me at the station?** Bolehkah anda turunkan saya di stesen itu?

2 *menjatuhkan*
◊ *I dropped the glass.* Saya telah menjatuhkan gelas itu.

♦ **The cat dropped the mouse at my feet.** Kucing itu membuang tikus tersebut dekat dengan kaki saya.

3 *menggugurkan*
◊ *The US Air Force dropped a nuclear bomb on Hiroshima.* Tentera udara Amerika telah menggugurkan sebiji bom nuklear di Hiroshima.

♦ **I'm going to drop chemistry.** Saya akan berhenti belajar kimia.

to **drop by** KATA KERJA
*singgah*
◊ *Danny will drop by later.* Danny akan singgah di sini nanti.

to **drop in** KATA KERJA
*mengunjungi*
◊ *She spent most of the day dropping in on friends in Ipoh.* Dia menghabiskan kebanyakan masanya pada hari itu untuk mengunjungi kawan-kawannya di Ipoh.

♦ **Why not drop in for a chat?** Singgahlah sekejap untuk bersembang.

**drought** KATA NAMA
*kemarau*

**drove** KATA KERJA *rujuk* **drive**

to **drown** KATA KERJA
*lemas*

◊ *A boy drowned here yesterday.*
Seorang budak lelaki lemas di sini
kelmarin.
♦ **He drowned himself in the river.** Dia
membunuh diri dengan terjun ke dalam
sungai.

**drowsy**   KATA ADJEKTIF
*mengantuk*

**drug**   KATA NAMA

1   *dadah*
◊ **hard drugs** dadah yang sangat
berbahaya ◊ **soft drugs** dadah yang
kurang berbahaya

2   *ubat*
◊ *They need food and drugs.* Mereka
memerlukan makanan dan ubat-ubatan.
♦ **to take drugs** mengambil dadah
♦ **a drug addict** penagih dadah
♦ **a drug dealer** pengedar dadah
♦ **a drug smuggler** penyeludup dadah
♦ **the drugs squad** pasukan pencegah
dadah

**drugstore**   KATA NAMA  🇦
*kedai farmasi*

**drum**   KATA NAMA

1   *gendang* **atau** *dram*
◊ *an African drum* gendang Afrika
◊ *a drum kit* set gendang ◊ *to play
the drums* bermain gendang

2   *tong dram*

**drummer**   KATA NAMA
*pemain dram*

**drunk**   KATA KERJA   **rujuk** **drink**

**drunk**   KATA ADJEKTIF

> **rujuk juga drunk** KATA NAMA

*mabuk*
◊ *He was drunk.* Dia mabuk.
♦ **to get drunk** mabuk

**drunk**   KATA NAMA

> **rujuk juga drunk** KATA ADJEKTIF

*pemabuk*

**drunkard**   KATA NAMA
*pemabuk*

**dry**   KATA ADJEKTIF

> **rujuk juga dry** KATA KERJA

*kering*
◊ *The paint isn't dry yet.* Cat itu belum
kering lagi. ◊ *It's been exceptionally dry
this spring.* Musim bunga kali ini sangat
kering.
♦ **a long dry period** musim kemarau yang
panjang

to **dry**   KATA KERJA
**(dried, dried)**

> **rujuk juga dry** KATA ADJEKTIF

1   *mengeringkan*
♦ **to dry the dishes** mengelap pinggan
mangkuk

2   *kering*

◊ *The washing will dry quickly in the sun.*
Cucian itu akan kering dengan cepat di
bawah cahaya matahari.

**dry-cleaner's**   KATA NAMA
*kedai cucian kering*

**dry-cleaning**   KATA NAMA
*cucian kering*

**dryer**   KATA NAMA
*pengering*
◊ *a hair dryer* pengering rambut
♦ **a tumble dryer** mesin pengering
pakaian

**dryness**   KATA NAMA
*kekeringan*

**dual**   KATA ADJEKTIF
*dua*
◊ *his dual role as head of the party and
head of state* dua peranan beliau sebagai
ketua parti dan ketua negara

to **dub**   KATA KERJA

1   *menggelar*
♦ **the teacher whom the students dubbed
'superman'** guru yang digelar oleh para
pelajar sebagai 'superman'

2   *mengalih suara*
◊ *The film has been dubbed into Malay.*
Filem itu telah dialih suara ke dalam
bahasa Melayu.

**dubbed**   KATA ADJEKTIF
*dialih suara*
◊ *The film was dubbed into English.*
Filem itu dialih suara ke dalam bahasa
Inggeris.

**dubious**   KATA ADJEKTIF
*ragu-ragu*
◊ *My parents were a bit dubious about
it.* Ibu bapa saya agak ragu-ragu tentang
hal itu.

**duck**   KATA NAMA
*itik*

**duckling**   KATA NAMA
*anak itik*

**due**   KATA ADJEKTIF
*dijangka*
◊ *He's due to arrive tomorrow.* Dia
dijangka sampai esok.
♦ **The plane's due in half an hour.** Kapal
terbang itu dijangka mendarat dalam masa
setengah jam lagi.
♦ **When's the baby due?** Bilakah bayi itu
akan dilahirkan?
♦ **due to** disebabkan oleh ◊ *The plane
crash was due to bad weather.* Nahas
kapal terbang itu berlaku disebabkan oleh
cuaca yang buruk.

**duel**   KATA NAMA
*pertarungan*
◊ *He killed the man in the duel.* Dia
membunuh lelaki itu dalam pertarungan

tersebut.

**duet**  KATA NAMA

*duet*

**dug**  KATA KERJA  *rujuk* **dig**

**dull**  KATA ADJEKTIF

> *rujuk juga* **dull** KATA KERJA

  ① *membosankan*

◊ *He's nice, but a bit dull.* Dia baik tetapi agak membosankan.

  ② *suram*

◊ *It's always dull and wet.* Cuaca di sini selalu suram dan lembap.

to **dull**  KATA KERJA

> *rujuk juga* **dull** KATA ADJEKTIF

*mengurangkan*

◊ *He took the medicine to dull the pain.* Dia makan ubat itu untuk mengurangkan kesakitannya.

♦ **He can dull your senses with facts and figures.** Dia boleh membosankan anda dengan fakta dan perangkaan.

**duly**  KATA ADVERBA

*seperti yang sepatutnya*

◊ *Watson demanded an apology, which he duly received.* Watson menuntut ucapan maaf, yang diterimanya juga seperti yang sepatutnya.

**dumb**  KATA ADJEKTIF

  ① *bisu*

◊ *She's deaf and dumb.* Dia pekak dan bisu.

  ② (*tidak formal*) *bodoh*

◊ *Don't be so dumb!* Jangan jadi begitu bodoh! ◊ *That was a really dumb thing I did!* Perbuatan saya itu bodoh sekali!

**dumbfounded**  KATA ADJEKTIF

*tercengang-cengang*

◊ *Jean was dumbfounded when Kelvin scolded her for no reason.* Jean tercengang-cengang apabila Kelvin memarahinya dengan tidak semena-mena.

**dummy**  KATA NAMA

(JAMAK **dummies**)

*patung*

to **dump**  KATA KERJA

> *rujuk juga* **dump** KATA NAMA

*membuang*

♦ **"No dumping"** "Dilarang membuang sampah"

**dump**  KATA NAMA

> *rujuk juga* **dump** KATA KERJA

*tempat pembuangan sampah*

♦ **a rubbish dump** tempat pembuangan sampah

♦ **It's a real dump!** Teruk betul tempat itu!

**dungarees**  KATA NAMA JAMAK

*seluar dungari*

**dungeon**  KATA NAMA

*kurungan bawah tanah*

to **duplicate**  KATA KERJA

> *rujuk juga* **duplicate** KATA KERJA

*membuat salinan*

◊ *a business which duplicates video tapes and CDs* perniagaan membuat salinan pita video dan cakera padat

**duplicate**  KATA NAMA

> *rujuk juga* **duplicate** KATA KERJA

*pendua*

**durable**  KATA ADJEKTIF

*tahan lama*

◊ *School uniforms should be made of durable material.* Pakaian seragam sekolah seharusnya dibuat daripada bahan yang tahan lama.

**duration**  KATA NAMA

*jangka masa*

◊ *Courses are of two years' duration.* Jangka masa kursus-kursus itu ialah dua tahun.

♦ **for the duration of the trial** sepanjang perbicaraan itu

**during**  KATA SENDI

*semasa*

**dusk**  KATA NAMA

*waktu senja*

◊ *at dusk* pada waktu senja

**dust**  KATA NAMA

> *rujuk juga* **dust** KATA KERJA

*debu*

to **dust**  KATA KERJA

> *rujuk juga* **dust** KATA NAMA

*menyapu habuk*

◊ *I dusted the shelves.* Saya menyapu habuk pada rak-rak itu.

**dustbin**  KATA NAMA

*tong sampah*

**duster**  KATA NAMA

  ① *kain pengesat*

  ② *pemadam*

**dustman**  KATA NAMA

(JAMAK **dustmen**)

*tukang angkat sampah*

**dustpan**  KATA NAMA

*penyodok sampah*

**dusty**  KATA ADJEKTIF

*berdebu*

**Dutch**  KATA ADJEKTIF

> *rujuk juga* **Dutch** KATA NAMA

*Belanda*

◊ *the Dutch Prime Minister* Perdana Menteri Belanda

♦ **She's Dutch.** Dia berbangsa Belanda.

**Dutch**  KATA NAMA

> *rujuk juga* **Dutch** KATA ADJEKTIF

  ① *bahasa Belanda*

  ② *orang Belanda*

◊ *the Dutch* orang Belanda

◆ **Let's go Dutch!** Kita bayar asing-asing!

**Dutchman** KATA NAMA
(JAMAK **Dutchmen**)
_lelaki Belanda_

**Dutchwoman** KATA NAMA
(JAMAK **Dutchwomen**)
_wanita Belanda_

**duty** KATA NAMA
(JAMAK **duties**)
_kewajipan_
◊ *It was his duty to tell the police.*
Memang kewajipannya untuk memberitahu pihak polis perkara itu.

◆ **to be on duty** bertugas

**duty-free** KATA ADJEKTIF
_bebas cukai_

**duvet** KATA NAMA
_duvet_
> penutup seperti selimut yang diisi
> dengan bulu atau bahan yang
> serupa dengannya

**DVD** KATA NAMA (= *digital versatile disc*
atau *digital video disc*)
_DVD_ (= *cakera video digital*)

◆ **DVD player** pemain DVD

**dwarf** KATA NAMA
(JAMAK **dwarves**)
_orang kerdil_

to **dwell** KATA KERJA
(**dwelt** atau **dwelled, dwelt** atau **dwelled**)
[1] _memikirkan_
◊ *'I'd rather not dwell on the past,'* he told me. 'Saya tidak mahu memikirkan tentang

kisah silam,' katanya kepada saya.
[2] _terlalu memperkatakan_ (ketika bercakap, menulis)
◊ *He didn't want to dwell on the unpleasant details.* Dia tidak mahu terlalu memperkatakan tentang perkara-perkara yang tidak menyenangkan itu.
[3] _tinggal_

**dweller** KATA NAMA
_penghuni_

to **dye** KATA KERJA
| rujuk juga **dye** KATA NAMA |
_mewarnakan_
◊ *She dyed her hair blue.* Dia mewarnakan rambutnya biru.

**dye** KATA NAMA
| rujuk juga **dye** KATA KERJA |
_pencelup_

**dying** KATA KERJA *rujuk* **die**

**dyke** KATA NAMA
_bendung_

**dynamic** KATA ADJEKTIF
_dinamik_

**dynamite** KATA NAMA
_dinamit_

**dynamo** KATA NAMA
(JAMAK **dinamos**)
_dinamo_

**dynasty** KATA NAMA
(JAMAK **dynasties**)
_dinasti_

**dyslexia** KATA NAMA
_disleksia_

# E

**e-** AWALAN (= *electronic*)
*e-* (= *elektronik*)
◊ ... *e-money* ... *e-wang* ◊ ... *e-cash*
... *e-tunai* ◊ ... *e-currency* ... *e-mata*
*wang* ◊ ... *e-business* ... *e-niaga*

**each** KATA ADJEKTIF, KATA GANTI NAMA
1 *setiap*
◊ *each day* setiap hari ◊ *Each house
has its own garden.* Setiap rumah
mempunyai tamannya sendiri. ◊ *He gave
each person RM10.* Dia memberi setiap
orang RM10.
2 *masing-masing*
◊ *They have ten points each.* Mereka
masing-masing mendapat sepuluh mata.
♦ **The plates cost RM5 each.** Pinggan
itu berharga RM5 setiap satu.
*Gunakan* **saling** *dengan kata kerja
yang sesuai untuk menterjemahkan*
**each other**
◊ *They hate each other.* Mereka saling
membenci. ◊ *We write to each other.*
Kami saling berutus surat.
♦ **They don't know each other.** Mereka
tidak mengenali antara satu sama lain.

**eager** KATA ADJEKTIF
*tidak sabar-sabar*
◊ *He was eager to tell us about his
experiences.* Dia tidak sabar-sabar
hendak menceritakan pengalamannya
kepada kami.

**eagle** KATA NAMA
*burung helang*

**ear** KATA NAMA
*telinga*

**earache** KATA NAMA
*sakit telinga*
♦ **to have earache** sakit telinga

**eardrum** KATA NAMA
*gegendang telinga*

**earlier** KATA ADVERBA
1 *tadi*
◊ *I saw him earlier.* Saya berjumpa
dengannya tadi.
2 *lebih awal*
◊ *I ought to get up earlier.* Saya patut
bangun lebih awal.

**earliest** KATA ADJEKTIF
♦ **at the earliest** secepat-cepatnya
◊ *I'll finish the work on Monday at the
earliest.* Saya akan menyiapkan kerja
ini secepat-cepatnya pada hari Isnin.
♦ **I'll do it at the earliest opportunity.**
Saya akan melakukannya secepat
mungkin.
♦ **March is the earliest the exhibition can
be held.** Pameran itu boleh diadakan
paling awal pada bulan Mac.

**earlobe** KATA NAMA

*cuping telinga*

**early** KATA ADVERBA, KATA ADJEKTIF
*awal*
◊ *I have to get up early.* Saya perlu
bangun awal. ◊ *I came early to avoid the
heavy traffic.* Saya datang awal untuk
mengelakkan kesesakan lalu lintas.
♦ **to have an early night** tidur awal

**to earmark** KATA KERJA
*mengekhaskan*
◊ *The government earmarked the area
to build a school.* Kerajaan
mengekhaskan kawasan itu untuk
membina sekolah.

**to earn** KATA KERJA
*mendapat* (upah, gaji, bayaran)
◊ *She earns RM5 an hour.* Dia
mendapat sebanyak RM5 sejam.

**earnest** KATA ADJEKTIF
*bersungguh-sungguh*
◊ *to do something in earnest* melakukan
sesuatu dengan bersungguh-sungguh
♦ **I answered with an earnest smile.** Saya
menjawab dengan senyuman yang ikhlas.

**earnings** KATA NAMA JAMAK
*pendapatan*
◊ *Average earnings rose two percent
last year.* Pendapatan purata meningkat
sebanyak dua peratus pada tahun lepas.

**earring** KATA NAMA
*subang*

**earth** KATA NAMA
| rujuk juga **earth** KATA KERJA |
1 *bumi*
2 *tanah*
◊ *They dug a hole in the earth.* Mereka
menggali lubang di dalam tanah.
♦ **What on earth are you doing here?**
Apa pula yang anda buat di sini?

**to earth** KATA KERJA
| rujuk juga **earth** KATA NAMA |
*membumikan*
◊ *to earth a wire* membumikan wayar

**earthenware** KATA ADJEKTIF
*tanah liat*
◊ *earthenware bowls* mangkuk tanah
liat
♦ **an earthenware pot** periuk tanah

**earthquake** KATA NAMA
*gempa bumi*

**earthworm** KATA NAMA
*cacing tanah*

**to ease** KATA KERJA
*mengurangkan*
◊ *They hope to ease traffic congestion
in the area.* Mereka berharap dapat
mengurangkan kesesakan lalu lintas di
kawasan itu.
♦ **I gave him some medicine to ease the**

**pain.** Saya memberinya ubat untuk melegakan kesakitan.

♦ **to do something with ease** melakukan sesuatu dengan mudah

♦ **to feel at ease** berasa selesa ◊ *It's important to feel at ease with your doctor.* Anda perlu berasa selesa apabila bersama dengan doktor anda.

**easily** KATA ADVERBA
*dengan mudah*

**east** KATA NAMA

> rujuk juga **east** KATA ADJEKTIF, KATA ADVERBA

*timur*

♦ **in the east of the country** di bahagian timur negara itu

**east** KATA ADJEKTIF, KATA ADVERBA

> rujuk juga **east** KATA NAMA

*timur*
◊ *an east wind* angin timur ◊ *the east coast* pantai timur

♦ **We were travelling east.** Kami menuju ke timur.

♦ **east of** di timur ◊ *It's east of London.* Tempat itu terletak di timur London.

**Easter** KATA NAMA
*Easter* (perayaan orang Kristian)

♦ **Easter egg** telur Easter

> dibuat daripada coklat dan diberikan sebagai hadiah semasa Easter

♦ **the Easter holidays** cuti Easter

**eastern** KATA ADJEKTIF
*timur*
◊ *the eastern part of the island* bahagian timur pulau itu

♦ **Eastern Europe** Eropah Timur

**East Timor** KATA NAMA
*Timor Timur*

**easy** KATA ADJEKTIF
*mudah*

**easy chair** KATA NAMA
*kerusi malas*

**easy-going** KATA ADJEKTIF
*periang*

♦ **to be easy-going** periang ◊ *She's very easy-going and gets on well with everybody.* Dia periang dan senang bergaul dengan semua orang.

to **eat** KATA KERJA
(**ate, eaten**)
*makan*
◊ *Would you like something to eat?* Anda hendak makan?

**eaves** KATA NAMA JAMAK
*cucur atap*

to **ebb** KATA KERJA
*surut* (*air laut*)

♦ **ebbing tide** pasang surut

**e-book** KATA NAMA (= *electronic book*)

*e-buku* (= *buku elektronik*)

**EC** KATA NAMA (= *European Community*)
*Kesatuan Eropah*

**ECB** KATA NAMA (= *European Central Bank*)
*ECB* (= *Bank Pusat Eropah*)

**eccentric** KATA ADJEKTIF
*aneh*

**echo** KATA NAMA
(JAMAK **echoes**)

> rujuk juga **echo** KATA KERJA

*gema*

to **echo** KATA KERJA

> rujuk juga **echo** KATA NAMA

*bergema*
◊ *Her voice echoed in the valley.* Suaranya bergema di lembah itu. ◊ *The hall echoed.* Dewan itu bergema.

**eclipse** KATA NAMA
*gerhana*
◊ *solar eclipse* gerhana matahari

**ecological** KATA ADJEKTIF
*ekologi*
◊ *ecological balance* keseimbangan ekologi

**ecology** KATA NAMA
*ekologi*

**e-commerce** KATA NAMA
*e-dagang* (*urusan perniagaan menerusi Internet*)

**economic** KATA ADJEKTIF
1 *ekonomi*
◊ *economic growth* pertumbuhan ekonomi
2 *menguntungkan*
◊ *The new system may be more economic.* Sistem yang baru itu mungkin lebih menguntungkan.

**economical** KATA ADJEKTIF
*menjimatkan wang*
◊ *My car is very economical to run.* Kereta saya sungguh menjimatkan wang.

**economics** KATA NAMA
*ekonomi*
◊ *the economics of the third world* ekonomi negara-negara Dunia Ketiga
◊ *They are doing economics at university.* Mereka sedang belajar ekonomi di universiti.

to **economize** KATA KERJA
*berjimat cermat*

♦ **to economize on something** menjimatkan sesuatu ◊ *The company is economizing on filming budgets.* Syarikat itu sedang cuba menjimatkan kos penggambaran.

**economy** KATA NAMA
(JAMAK **economies**)
*ekonomi*

**eco-warrior** KATA NAMA

(*tidak formal*)
   *pejuang alam sekitar*

**ecstasy**   KATA NAMA
   *ekstasi* (*dadah*)
♦ **to be in ecstasy**   berasa sangat gembira

**ECU**   KATA NAMA (= *European Currency Unit*)
   *ECU* (= *Unit Mata Wang Eropah*)

**eczema**   KATA NAMA
   *ekzema*
   ◊ *She's got eczema.*   Dia menghidap ekzema.

**edge**   KATA NAMA
   *tepi*
   ◊ *on the edge of the desk*   di tepi meja itu
♦ **They live on the edge of the town.** Mereka tinggal di pinggir bandar itu.
♦ **She was standing at the water's edge.** Dia berdiri di gigi air.
♦ **to be on the edge of tears**   hampir-hampir menangis

**edgy**   KATA ADJEKTIF
   *gelisah*

**edible**   KATA ADJEKTIF
   *boleh dimakan*

**Edinburgh**   KATA NAMA
   *Edinburgh*

to **edit**   KATA KERJA
   *menyunting atau mengedit*
   ◊ *to edit an article*   menyunting artikel

**editing**   KATA NAMA
   *penyuntingan*

**edition**   KATA NAMA
   *edisi*

**editor**   KATA NAMA
   *penyunting atau editor*

**editorial**   KATA ADJEKTIF
  | rujuk juga **editorial** KATA NAMA |
  *editorial*

**editorial**   KATA NAMA
  | rujuk juga **editorial** KATA ADJEKTIF |
  *rencana pengarang atau lidah pengarang*

**educated**   KATA ADJEKTIF
   *berpelajaran atau berpendidikan*

**education**   KATA NAMA
   *pendidikan*
♦ **There should be more investment in education.** Pelaburan dalam sektor pendidikan perlu ditingkatkan.
♦ **She works in education.** Dia berkhidmat dalam bidang pendidikan.

**educational**   KATA ADJEKTIF
   *pendidikan*
   ◊ *pupils with special educational needs* murid-murid dengan keperluan pendidikan yang khusus
♦ **educational experience**   pengalaman yang memberikan pengajaran
♦ **educational film**   filem yang berbentuk

pendidikan
♦ **educational toy**   alat mainan yang membolehkan kanak-kanak mempelajari sesuatu daripadanya

**educator**   KATA NAMA
   *pendidik*

**EEC**   KATA NAMA (= *European Economic Community*)
   *EEC* (= *Kesatuan Ekonomi Eropah*)

**eel**   KATA NAMA
   *belut*

**eerie**   KATA ADJEKTIF
   *menggerunkan*
   ◊ *an eerie sound*   bunyi yang menggerunkan

**effect**   KATA NAMA
  | rujuk juga **effect** KATA KERJA |
  *kesan*
   ◊ *special effects*   kesan khas
♦ **to take effect (1)**   berkuat kuasa (*undang-undang, polisi*)
♦ **to take effect (2)**   menunjukkan kesan (*ubat, tindakan*)

to **effect**   KATA KERJA
  | rujuk juga **effect** KATA NAMA |
  *melakukan*
   ◊ *Payment of this bill may only be effected at certain counters.*   Pembayaran bil ini hanya boleh dilakukan di kaunter-kaunter tertentu.

**effective**   KATA ADJEKTIF
   *berkesan atau efektif*

**effectiveness**   KATA NAMA
   *keberkesanan*
   ◊ *Many scientists doubt the effectiveness of the medicine.*   Ramai ahli sains meragui keberkesanan ubat itu.

**efficiency**   KATA NAMA
   *kecekapan*
   ◊ *with tact and efficiency*   dengan kebijaksanaan dan kecekapan

**efficient**   KATA ADJEKTIF
   *cekap atau efisien*
   ◊ *His secretary is very efficient.* Setiausahanya sangat cekap. ◊ *It's a very efficient system.*   Sistem ini sangat cekap.

**effluent**   KATA NAMA
   *sisa buangan cecair*

**effort**   KATA NAMA
   *usaha*
♦ **to make an effort to do something** berusaha melakukan sesuatu

**e.g.**   SINGKATAN
   *contohnya*

**egg**   KATA NAMA
   *telur*
   ◊ *a hard-boiled egg*   telur rebus ◊ *a soft-boiled egg*   telur rebus setengah

masak   ◊   *a fried egg*   telur goreng
◊   *scrambled eggs*   telur hancur

**egg cup**   KATA NAMA
*mangkuk telur*

**Egypt**   KATA NAMA
*Mesir*

**eight**   ANGKA
*lapan*
♦   **She's eight.**   Dia berumur lapan tahun.

**eighteen**   ANGKA
*lapan belas*
♦   **She's eighteen.**   Dia berumur lapan belas tahun.

**eighteenth**   KATA ADJEKTIF
*kelapan belas*
◊   *the eighteenth place*   tempat kelapan belas
♦   **the eighteenth of January**   lapan belas hari bulan Januari

**eighth**   KATA ADJEKTIF
*kelapan*
◊   *the eighth place*   tempat kelapan
♦   **the eighth of August**   lapan hari bulan Ogos

**eighties**   KATA NAMA JAMAK
*lapan puluhan*

**eightieth**   KATA ADJEKTIF
*kelapan puluh*

**eighty**   ANGKA
*lapan puluh*
♦   **He's eighty.**   Dia berumur lapan puluh tahun.

**either**   KATA ADJEKTIF, KATA HUBUNG, KATA GANTI NAMA, KATA ADVERBA
*juga*
◊   *I don't like milk, and I don't like eggs either.*   Saya tidak suka susu dan juga telur.   ◊   *I've never been to Spain. - I haven't either.*   Saya belum pernah pergi ke Sepanyol. - Begitu juga dengan saya.
♦   **either...or...**   sama ada...atau...   ◊   *You can have either ice cream or yoghurt.*   Anda boleh pilih sama ada aiskrim atau yogurt.
♦   **either of them**   kedua-duanya   ◊   *I don't like either of them.*   Saya tidak suka akan kedua-duanya.
♦   **Choose either of them.**   Pilih salah satu.
♦   **on either side of the road**   di kiri kanan jalan

to **elaborate**   KATA KERJA
*mengembangkan* (*rancangan, teori*)
♦   **to elaborate on something**   menghuraikan sesuatu perkara dengan lebih lanjut   ◊   *You need to elaborate on this point.*   Anda perlu menghuraikan perkara ini dengan lebih lanjut.

**elastic**   KATA NAMA
*getah* (*pada pakaian*)

**elastic band**   KATA NAMA
*gelang getah*

**elbow**   KATA NAMA
*siku*

**elder**   KATA ADJEKTIF
| rujuk juga **elder** KATA NAMA |
*lebih tua*
♦   **my elder sister**   kakak saya
♦   **my elder brother**   abang saya

**elder**   KATA NAMA
| rujuk juga **elder** KATA ADJEKTIF |
*orang yang lebih tua*
◊   *They have no respect for their elders.*   Mereka tidak menghormati orang yang lebih tua daripada mereka.

**elderly**   KATA ADJEKTIF
*sudah berumur*
◊   *an elderly man*   seorang lelaki yang sudah berumur
♦   **the elderly**   warga tua

**eldest**   KATA ADJEKTIF, KATA NAMA
*sulung*
◊   *my eldest sister*   kakak sulung saya
◊   *my eldest brother*   abang sulung saya
♦   **He's the eldest.**   Dia anak sulung.

to **elect**   KATA KERJA
*memilih*

**elected**   KATA ADJEKTIF
*terpilih*
◊   *the elected candidate*   calon yang terpilih

**election**   KATA NAMA
*pilihan raya*

**elector**   KATA NAMA
*pemilih* (*dalam pilihan raya*)

**electric**   KATA ADJEKTIF
*elektrik*
◊   *an electric fire*   alat pemanas elektrik
◊   *an electric guitar*   gitar elektrik
◊   *an electric blanket*   selimut elektrik

**electrical**   KATA ADJEKTIF
*elektrik*
◊   *electrical engineering*   kejuruteraan elektrik

**electrician**   KATA NAMA
*juruelektrik*
◊   *He's an electrician.*   Dia seorang juruelektrik.

**electricity**   KATA NAMA
*kuasa elektrik*

**electrode**   KATA NAMA
*elektrod*

**electrolysis**   KATA NAMA
*elektrolisis*

**electronic**   KATA ADJEKTIF
*elektronik*

**electronics**   KATA NAMA
*elektronik*

**electrostatic**  KATA ADJEKTIF
*elektrostatik*

**elegance**  KATA NAMA
*keanggunan*
◊ *I was struck by the elegance of her clothes.*  Saya terpesona dengan keanggunan pakaiannya.

**elegant**  KATA ADJEKTIF
*anggun*

**element**  KATA NAMA
*unsur*

**elementary**  KATA ADJEKTIF
*asas*
◊ *elementary computer skills* kemahiran asas komputer

**elephant**  KATA NAMA
*gajah*

**elevator**  KATA NAMA
*lif*

**eleven**  ANGKA
*sebelas*
♦ **She's eleven.**  Dia berumur sebelas tahun.

**eleventh**  KATA ADJEKTIF
*kesebelas*
◊ *the eleventh place* tempat kesebelas
♦ **the eleventh of August** sebelas hari bulan Ogos

**eligible**  KATA ADJEKTIF
*layak*
◊ *You could be eligible for a university scholarship.*  Anda mungkin layak menerima biasiswa universiti.

to **eliminate**  KATA KERJA
*menyingkirkan*
◊ *They eliminated him from the investigation.*  Mereka menyingkirkannya daripada penyiasatan itu.

**elite**  KATA NAMA
*golongan elit*

**else**  KATA ADVERBA
*lain*
◊ *somebody else* orang lain
◊ *something else* hal yang lain
◊ *somewhere else* tempat lain
♦ **nobody else** tidak ada orang lain lagi
♦ **anywhere else** tempat lain ◊ *Did you look anywhere else?* Adakah anda mencarinya di tempat lain? ◊ *I wouldn't be happy anywhere else.* Saya pasti tidak akan berasa gembira di tempat lain.
♦ **nothing else** tidak ada apa-apa lagi
♦ **Would you like anything else?** Anda mahu apa-apa lagi?
♦ **I don't want anything else.** Saya tidak mahu apa-apa lagi.
♦ **Arrive on time or else!** Datang tepat pada masanya, kalau tidak...!

**elsewhere**  KATA ADVERBA
*di tempat lain*
◊ *He would rather be elsewhere.*  Dia lebih suka berada di tempat lain.

**e-mail**  KATA NAMA
> rujuk juga **e-mail** KATA KERJA

*e-mel*

to **e-mail**  KATA KERJA
> rujuk juga **e-mail** KATA NAMA

*menghantar e-mel*
◊ *I e-mailed her last night.*  Saya menghantar e-mel kepadanya semalam.
♦ **She e-mailed me the document.**  Dia menghantar dokumen itu kepada saya melalui e-mel.

**e-mail address**  KATA NAMA
*alamat e-mel*

**embankment**  KATA NAMA
*benteng*

**embargo**  KATA NAMA
*embargo*

to **embark**  KATA KERJA
*memulakan*
◊ *My brother is embarking on a new career as a writer.*  Abang saya sedang memulakan kerjaya barunya sebagai seorang penulis.

to **embarrass**  KATA KERJA
*memalukan*
◊ *She embarrassed me in front of everybody.*  Dia telah memalukan saya di hadapan semua orang.

**embarrassed**  KATA ADJEKTIF
*malu*
◊ *I was really embarrassed.*  Saya sungguh malu.

**embarrassing**  KATA ADJEKTIF
*memalukan*
◊ *It was so embarrassing.*  Perkara itu sungguh memalukan.
♦ **How embarrassing!** Sungguh memalukan!

**embarrassment**  KATA NAMA
*malu*
◊ *She turned her face away in embarrassment.*  Dia memalingkan mukanya kerana malu.

**embassy**  KATA NAMA
(JAMAK **embassies**)
*kedutaan*

**embellishment**  KATA NAMA
*pengindahan*

**ember**  KATA NAMA
*bara*
◊ *The stingray was cooked over the embers.*  Ikan pari itu dibakar di atas bara.

to **embezzle**  KATA KERJA
*menggelapkan*
◊ *That employee was sacked for*

embezzling the company's money.
Pekerja itu dipecat kerana menggelapkan wang syarikat.

**emblem** KATA NAMA
   1 *jata*
   ◊ *the emblem of the city* jata bandar raya itu
   2 *lambang*
   ◊ *an emblem of strength and courage* lambang kekuatan dan keberanian

to **embrace** KATA KERJA
   rujuk juga **embrace** KATA NAMA
   *memeluk*

**embrace** KATA NAMA
   rujuk juga **embrace** KATA KERJA
   *pelukan*
   ◊ *She was happy to be in her mother's embrace.* Dia gembira berada dalam pelukan emaknya.

to **embroider** KATA KERJA
   *menyulam*

**embroidery** KATA NAMA
   *sulaman*
   ♦ **I do embroidery at night.** Saya menyulam pada waktu malam.

**embryo** KATA NAMA
   (JAMAK **embryos**)
   *embrio*

**emerald** KATA NAMA
   *zamrud*

to **emerge** KATA KERJA
   *muncul*
   ◊ *The postman emerged from his van.* Posmen itu muncul dari vannya.
   ♦ **The country is emerging from the recession.** Negara itu sedang bangkit daripada kemerosotan ekonomi.

**emergence** KATA NAMA
   *kemunculan*

**emergency** KATA NAMA
   (JAMAK **emergencies**)
   *kecemasan*
   ◊ *This is an emergency!* Ini hal kecemasan! ◊ *an emergency exit* pintu kecemasan ◊ *an emergency landing* pendaratan kecemasan
   ♦ **in case of emergency** sekiranya berlaku kecemasan
   ♦ **the emergency services** badan-badan perkhidmatan kecemasan (*bomba, polis, ambulans*)

**emergency brake** KATA NAMA 🇦🇺
   *brek tangan*

**emigrant** KATA NAMA
   *emigran*

to **emigrate** KATA KERJA
   *berhijrah*

**emigration** KATA NAMA
   *emigrasi*

**eminent** KATA ADJEKTIF
   *terkemuka*
   ◊ *an eminent scientist* saintis yang terkemuka

**emotion** KATA NAMA
   *emosi*

**emotional** KATA ADJEKTIF
   *emosional*
   ◊ *She's very emotional.* Dia sangat emosional. ◊ *He got very emotional at the farewell party.* Dia menjadi begitu emosional ketika berada di jamuan perpisahan itu.

**empathy** KATA NAMA
   *empati*

**emperor** KATA NAMA
   *maharaja*

**emphasis** KATA NAMA
   (JAMAK **emphases**)
   *penekanan*
   ◊ *This test places the emphasis on grammar.* Ujian ini memberikan penekanan terhadap tatabahasa.

to **emphasize** KATA KERJA
   *menekankan*
   ◊ *He emphasized the importance of the issue.* Dia menekankan kepentingan isu itu.

**emphatic** KATA ADJEKTIF
   *tegas*
   ◊ *His response was immediate and emphatic.* Responsnya segera dan tegas.

**empire** KATA NAMA
   *empayar*

to **employ** KATA KERJA
   *menggaji*
   ◊ *The factory employs 600 people.* Kilang itu menggaji 600 orang pekerja.
   ♦ **Thousands of people are employed in tourism.** Beribu-ribu orang diambil bekerja dalam sektor pelancongan.

**employee** KATA NAMA
   *pekerja*

**employer** KATA NAMA
   *majikan*

**employment** KATA NAMA
   *pekerjaan*

**emporium** KATA NAMA
   *emporium*

to **empower** KATA KERJA
   *memberikan kuasa kepada*
   ◊ *The army is now empowered to operate on a shoot-to-kill basis.* Pasukan tentera itu kini diberikan kuasa untuk menjalankan operasi atas dasar menembak sehingga mati.

**empress** KATA NAMA
   (JAMAK **empresses**)

E

_maharani_

**emptiness** KATA NAMA
_kekosongan_
◊ _the emptiness of the desert_
kekosongan gurun itu ◊ _a feeling of
emptiness_ rasa kekosongan

**empty** KATA ADJEKTIF

> rujuk juga **empty** KATA KERJA

_kosong_

to **empty** KATA KERJA
(**emptied, emptied**)

> rujuk juga **empty** KATA ADJEKTIF

_mengosongkan_
◊ _to empty something out_
mengosongkan sesuatu

**EMU** SINGKATAN (= _Economic and
Monetary Union_)
_EMU_ (= _Kesatuan Kewangan dan
Ekonomi_)

**emulsion** KATA NAMA
_emulsi_

to **enable** KATA KERJA
_membolehkan_
◊ _The new test should enable doctors
to detect the disease early._ Ujian yang
baru itu akan membolehkan doktor
mengesan penyakit itu lebih awal.
◊ _The hot sun enables the grapes to
reach optimum ripeness._ Cahaya
matahari yang terik membolehkan buah
anggur masak sepenuhnya.

to **enact** KATA KERJA
1 _menggubal_
◊ _to enact a law_ menggubal undang-
undang
2 _melakonkan_
◊ _The students enacted the story of
Cinderella._ Pelajar-pelajar itu melakonkan
cerita Cinderella.

**enactment** KATA NAMA
_penggubalan_
◊ _the enactment of a law_ penggubalan
undang-undang

**enchanting** KATA ADJEKTIF
_memukau_
◊ _Her singing is really enchanting._
Nyanyiannya sungguh memukau.

to **encircle** KATA KERJA
1 _mengelilingi_
◊ _A forty-foot-high concrete wall
encircles the jail._ Sebuah tembok konkrit
setinggi empat puluh kaki mengelilingi
penjara itu.
2 _mengepung_
◊ _The bear managed to escape from the
crowd that encircled it._ Beruang itu
berjaya melepaskan diri daripada orang
ramai yang mengepungnya.

**encirclement** KATA NAMA

_kepungan_

to **enclose** KATA KERJA
1 _memasukkan_
◊ _Samples must be enclosed in two
watertight containers._ Sampel mestilah
dimasukkan ke dalam dua bekas yang
kedap air.
♦ **The surrounding land was enclosed
by an eight foot wire fence.** Kawasan di
sekitarnya dilingkungi oleh pagar dawai
setinggi lapan kaki.
2 _menyertakan_
◊ _I have enclosed a cheque for twenty
ringgits._ Saya telah menyertakan cek
bernilai dua puluh ringgit.

to **encounter** KATA KERJA
_menemui_
◊ _Sheila was the most gifted child he
had ever encountered._ Sheila ialah
kanak-kanak yang paling berbakat yang
pernah ditemuinya.
♦ **Every day of our lives we encounter
major and minor stresses of one kind
or another.** Setiap hari dalam hidup kita,
kita berhadapan dengan pelbagai jenis
tekanan.

to **encourage** KATA KERJA
_menggalakkan_
◊ _to encourage somebody to do
something_ menggalakkan seseorang
melakukan sesuatu

**encouragement** KATA NAMA
_galakan_

**encouraging** KATA ADJEKTIF
_memberangsangkan_
◊ _His words were encouraging._
Kata-katanya memberangsangkan.

**encyclopedia** KATA NAMA
Ejaan **encyclopaedia** _juga digunakan._
_ensiklopedia_

**end** KATA NAMA

> rujuk juga **end** KATA KERJA

1 _penghujung_
◊ _the end of the film_ penghujung filem
itu ◊ _at the end of the street_ di
penghujung jalan
2 _hujung_
◊ _at the end of the table_ di hujung
meja itu
♦ **in the end** akhirnya ◊ _In the end I
decided to stay at home._ Akhirnya saya
membuat keputusan untuk tinggal di
rumah.
♦ **It turned out all right in the end.**
Semuanya berakhir dengan baik.
♦ **for hours on end** berjam-jam lamanya

to **end** KATA KERJA

> rujuk juga **end** KATA NAMA

_tamat_

◊ *What time does the film end?* Pada pukul berapakah filem itu tamat?

♦ **to end up doing something** membuat sesuatu yang lain pada akhirnya

♦ **I ended up walking home.** Kesudahannya saya berjalan kaki balik ke rumah.

to **endanger** KATA KERJA
*membahayakan*
◊ *a driver who endangers the safety of others* pemandu yang membahayakan keselamatan orang lain

♦ **endangered species** spesies yang terancam

to **endeavour** KATA KERJA
*berikhtiar*
◊ *They will endeavour to arrange the programme.* Mereka akan berikhtiar untuk mengatur rancangan tersebut.

**ending** KATA NAMA
*kesudahan* (filem, buku cerita)
♦ **a happy ending** cerita yang berakhir dengan kegembiraan

**endless** KATA ADJEKTIF
*tidak ada penghujungnya*
◊ *The journey seemed endless.* Perjalanan itu seolah-olah tidak ada penghujungnya.

**endurance** KATA NAMA
*daya ketahanan*
♦ **an athlete's power of endurance** daya ketahanan seorang atlit

to **endure** KATA KERJA
*menanggung*
◊ *The company endured heavy financial losses.* Syarikat itu menanggung kerugian yang besar dari segi kewangan.
♦ **Somehow the language endures and continue to exist.** Entah bagaimana bahasa itu dapat bertahan dan terus kekal.

**enemy** KATA NAMA
(JAMAK **enemies**)
*musuh*

**energetic** KATA ADJEKTIF
*bertenaga*
◊ *She's very energetic.* Dia sangat bertenaga.

**energy** KATA NAMA
*tenaga*

to **enforce** KATA KERJA
*menguatkuasakan*
◊ *The regulations are not being enforced.* Peraturan itu tidak dikuatkuasakan.

**enforcement** KATA NAMA
*penguatkuasaan*
◊ *enforcement of the peace treaty* penguatkuasaan perjanjian damai

**engaged** KATA ADJEKTIF

E

1 *bertunang*
◊ *Brian and Mary are engaged.* Brian dan Mary sudah bertunang.
♦ **to get engaged** bertunang
2 *sedang digunakan* (telefon, tandas)

**engaged tone** KATA NAMA
*nada telefon sedang digunakan*

**engagement** KATA NAMA
*pertunangan*
◊ *They announced their engagement yesterday.* Mereka mengumumkan pertunangan mereka kelmarin.
◊ *engagement ring* cincin pertunangan

**engine** KATA NAMA
*enjin*

**engineer** KATA NAMA
*jurutera*
◊ *He's an engineer.* Dia seorang jurutera.

**engineering** KATA NAMA
*kejuruteraan*

**England** KATA NAMA
*England*

**English** KATA ADJEKTIF
> *rujuk juga* **English** KATA NAMA
*Inggeris*
◊ *an English aristocrat* bangsawan Inggeris
♦ **the English football team** pasukan bola sepak England
♦ **He's English.** Dia berbangsa Inggeris.
♦ **English people** orang Inggeris

**English** KATA NAMA
> *rujuk juga* **English** KATA ADJEKTIF
*bahasa Inggeris*
◊ *the English teacher* guru bahasa Inggeris
♦ **the English** orang Inggeris

**Englishman** KATA NAMA
(JAMAK **Englishmen**)
*lelaki Inggeris*

**Englishwoman** KATA NAMA
(JAMAK **Englishwomen**)
*wanita Inggeris*

**engrossed** KATA ADJEKTIF
*leka*
◊ *Sammy was engrossed in the magazines.* Sammy leka membaca majalah.

**engrossing** KATA ADJEKTIF
*mengasyikkan*
◊ *This book is very sad and totally engrossing.* Buku ini sangat sedih dan sangat mengasyikkan.

to **engulf** KATA KERJA
*menimbus*
◊ *A landslide had engulfed a block of flats.* Tanah runtuh telah menimbus satu blok rumah pangsa.

♦ **The houses have been engulfed by flames.** Rumah-rumah itu habis dijilat api.

♦ **There was an explosion, and flames engulfed the hotel.** Satu letupan telah berlaku dan hotel tersebut habis dijilat api.

♦ **A tidal wave engulfed the beach.** Ombak besar melanda seluruh pantai itu.

to **enjoy** KATA KERJA

*seronok*

◊ *I enjoyed playing cricket.* Saya seronok bermain kriket.

♦ **Did you enjoy the film?** Seronokkah filem itu?

♦ **to enjoy oneself** berseronok ◊ *Did you enjoy yourselves at the party?* Adakah anda berseronok di majlis itu?

**enjoyable** KATA ADJEKTIF

*menyeronokkan*

to **enlarge** KATA KERJA

*memperbesar*

◊ *the plan to enlarge the stadium* rancangan untuk memperbesar stadium

♦ **to enlarge a photo** membesarkan gambar

**enlargement** KATA NAMA

*pembesaran*

to **enlighten** KATA KERJA

*meningkatkan pemahaman ... melalui ilmu pengetahuan*

◊ *They have fought for years to enlighten public opinion.* Mereka telah berusaha bertahun-tahun lamanya untuk meningkatkan pemahaman orang ramai melalui ilmu pengetahuan.

♦ **I'm afraid I can't enlighten you.** Maaf, saya tidak tahu.

to **enliven** KATA KERJA

*menyerikan*

◊ *Even the most boring meeting was enlivened by Dan's presence.* Mesyuarat yang paling membosankan sekalipun dapat diserikan dengan kehadiran Dan.

**enmity** KATA NAMA

(JAMAK **enmities**)

*permusuhan*

◊ *Children are the ones who will suffer from the enmity between their parents.* Anak-anak yang akan menderita kerana permusuhan ibu bapa mereka.

**enormous** KATA ADJEKTIF

*sangat besar*

**enough** KATA ADJEKTIF, KATA GANTI NAMA, KATA ADVERBA

*cukup*

◊ *I didn't have enough money.* Saya tidak mempunyai wang yang cukup.

◊ *big enough* cukup besar

♦ **Have you got enough?** Cukupkah?

♦ **I've had enough!** Saya sudah tidak tahan lagi!

♦ **That's enough!** Cukup!

to **enquire** KATA KERJA

1 *bertanya*

◊ *to enquire about something* bertanya tentang sesuatu

2 *menyiasat*

◊ *They were asked to enquire into the matter.* Mereka telah disuruh menyiasat perkara itu.

**enquiry** KATA NAMA

(JAMAK **enquiries**)

1 *pertanyaan*

◊ *She made some enquiries to get the information that she needed.* Dia membuat beberapa pertanyaan untuk mendapatkan maklumat yang diperlukannya.

2 *penyiasatan rasmi*

◊ *Their leader has called for an enquiry into the incident.* Ketua mereka telah menuntut satu penyiasatan rasmi dijalankan untuk menyiasat kejadian itu.

to **enrich** KATA KERJA

*memperkaya*

◊ *Reading can enrich one's vocabulary.* Membaca boleh memperkaya perbendaharaan kata seseorang.

to **enslave** KATA KERJA

*memperhamba*

◊ *Often entire populations were enslaved.* Sering kali semua penduduk diperhamba.

♦ **He's enslaved by his addiction to heroin.** Dia sudah menjadi hamba kepada heroin.

♦ **She seems to have enslaved herself to that cruel man.** Dia seolah-olah menghambakan dirinya kepada lelaki yang zalim itu.

**enslavement** KATA NAMA

*penghambaan*

◊ *The enslavement of so many Africans must be the biggest crime in history.* Penghambaan orang Afrika tentunya merupakan kesalahan jenayah yang paling besar dalam sejarah.

to **ensure** KATA KERJA

*memastikan*

◊ *Elena ensured that the conditions were included in the contract.* Elena memastikan bahawa syarat-syarat itu terkandung dalam kontrak tersebut.

to **enter** KATA KERJA

*masuk ke dalam*

◊ *He entered the room and sat down.* Dia masuk ke dalam bilik lalu duduk.

♦ **to enter a competition** menyertai

pertandingan

to **entertain**   KATA KERJA
  1  _menghiburkan_
  2  _meraikan_ (_tetamu_)

**entertainer**   KATA NAMA
  _penghibur_

**entertaining**   KATA ADJEKTIF
  _menghiburkan_

**entertainment**   KATA NAMA
  _hiburan_

to **enthral**   KATA KERJA
  _mempesonakan_
♦ **We were enthralled by the scenery.**
  Kami terpesona melihat pemandangan
  di situ.

**enthusiasm**   KATA NAMA
  _keghairahan_

**enthusiast**   KATA NAMA
  _penggemar_
  ◊ _He's a car enthusiast._ Dia penggemar
  kereta.

**enthusiastic**   KATA ADJEKTIF
  _sangat suka_
  ◊ _Tom was enthusiastic about the place._
  Tom sangat suka akan tempat itu.
♦ **She didn't seem very enthusiastic
  about your idea.** Nampaknya dia kurang
  berminat dengan idea anda.

to **entice**   KATA KERJA
  1  _mengumpan_
  ◊ _A man tried to entice the boy into his
  car._ Seorang lelaki cuba mengumpan
  budak lelaki itu ke dalam keretanya.
  2  _menarik_
  ◊ _They're trying to entice new graduates
  into teaching._ Mereka sedang cuba
  untuk menarik graduan yang baru keluar
  dari universiti supaya menjadi guru.

**entire**   KATA ADJEKTIF
  _seluruh_
  ◊ _the entire world_ seluruh dunia

**entirely**   KATA ADVERBA
  _sepenuhnya_
  ◊ _an entirely new approach_ pendekatan
  yang baru sepenuhnya ◊ _I agree entirely._
  Saya bersetuju sepenuhnya.

to **entitle**   KATA KERJA
  _berhak mendapat_
  ◊ _They are entitled to first class travel._
  Mereka berhak mendapat perjalanan
  kelas pertama.
♦ **a book entitled 'Matahari'** sebuah buku
  bertajuk 'Matahari'

**entrance**   KATA NAMA
  _pintu masuk_
♦ **an entrance exam** peperiksaan
  kemasukan
♦ **entrance fee** bayaran masuk

to **entrap**   KATA KERJA

  _menjerat_

**entrepreneur**   KATA NAMA
  _usahawan_

**entrepreneurial**   KATA ADJEKTIF
  _keusahawanan_
  ◊ _entrepreneurial qualities_ ciri-ciri
  keusahawanan

**entrepreneurship**   KATA NAMA
  _keusahawanan_
  ◊ _commerce and entrepreneurship_
  perdagangan dan keusahawanan

to **entrust**   KATA KERJA
  _mengamanahkan_
  ◊ _The teacher entrusted the duty to the
  class monitor._ Cikgu mengamanahkan
  tugas itu kepada ketua darjah.

**entry**   KATA NAMA
  (JAMAK **entries**)
  _kemasukan_
♦ **"no entry"** "dilarang masuk"
♦ **an entry form** borang penyertaan

**entry phone**   KATA NAMA
  _interkom luar bangunan_
  | Interkom jenis ini terletak di luar
  | bangunan dan digunakan oleh
  | tetamu untuk meminta kebenaran
  | masuk.

**entryway**   KATA NAMA
  _laluan masuk_

**envelope**   KATA NAMA
  _sampul surat_

**envious**   KATA ADJEKTIF
  _iri hati_

**environment**   KATA NAMA
  _persekitaran_
  ◊ _They grew up in different
  environments._ Mereka dibesarkan dalam
  persekitaran yang berlainan.
♦ **the environment** alam sekitar ◊ _We
  must protect the environment._ Kita mesti
  menjaga alam sekitar.

**Environment Agency**   KATA NAMA
  _Jabatan Alam Sekitar_

**environmental**   KATA ADJEKTIF
  _alam sekitar_
  ◊ _environmental pollution_ pencemaran
  alam sekitar
♦ **environmental groups** golongan
  pencinta alam

**environment-friendly**   KATA ADJEKTIF
  _mesra alam sekitar_

**envy**   KATA NAMA
  | rujuk juga **envy** KATA KERJA
  _perasaan iri hati_

to **envy**   KATA KERJA
  (**envied, envied**)
  | rujuk juga **envy** KATA NAMA
  _iri hati_

**enzyme**   KATA NAMA

*enzim*

**epic**  KATA NAMA
*epik*

**epidemic**  KATA NAMA
*wabak*
◊ *The epidemic killed thousands.*
Wabak itu telah membunuh beribu-ribu orang.

**epilepsy**  KATA NAMA
*sawan babi* atau *epilepsi*

**epileptic**  KATA NAMA
*penghidap sawan babi*
◊ *He's an epileptic.* Dia penghidap sawan babi.

**epilogue**  KATA NAMA
*epilog*

**episode**  KATA NAMA
1 *episod*
2 *peristiwa*
◊ *This episode has been very embarrassing.* Peristiwa ini amat memalukan.

**equal**  KATA ADJEKTIF
*sama*
◊ *The cake was divided into 12 equal parts.* Kek itu dibahagikan kepada 12 bahagian yang sama. ◊ *Women demand equal rights at work.* Kaum wanita menuntut hak yang sama di tempat kerja.

**equality**  KATA NAMA
*kesamaan* (dari segi status, hak, dll)

to **equalize**  KATA KERJA
1 *menyamakan*
◊ *to equalize wages internationally* menyamakan kadar upah antara negara
2 *menyamakan kedudukan* (dalam sukan)

**equalizer**  KATA NAMA
*mata penyamaan*

**equally**  KATA ADVERBA
*sama rata*
◊ *to divide the profits equally* membahagikan keuntungan sama rata
♦ **That consideration is equally important.** Alasan itu sama pentingnya.
♦ **She has to divide her time equally between her family and her career.** Dia perlu mengimbangkan masanya antara keluarga dengan kerjaya.

**equation**  KATA NAMA
*persamaan* (matematik)

**equator**  KATA NAMA
*khatulistiwa*

**equinox**  KATA NAMA
(JAMAK **equinoxes**)
*ekuinoks*

to **equip**  KATA KERJA
*melengkapi*
◊ *The boat was equipped with a folding propeller.* Bot itu dilengkapi dengan kipas yang boleh dilipat.
♦ **to equip oneself with a skill** melengkapkan diri dengan kemahiran

**equipment**  KATA NAMA
*kelengkapan*
◊ *skiing equipment* kelengkapan luncur salji

**equipped**  KATA ADJEKTIF
*dilengkapi*
♦ **equipped with** dilengkapi dengan
◊ *All rooms are equipped with phones and computers.* Semua bilik dilengkapi dengan telefon dan komputer.
♦ **He was well equipped for the job.** Dia telah mendapat latihan yang secukupnya untuk kerja itu.

**equity**  KATA NAMA
*ekuiti*

**equivalent**  KATA NAMA
rujuk juga **equivalent** KATA ADJEKTIF
*padanan* (untuk perkataan)
♦ **One glass of wine is the equivalent of half a pint of beer.** Segelas wain sama dengan setengah pain bir.

**equivalent**  KATA ADJEKTIF
rujuk juga **equivalent** KATA NAMA
*sama*
♦ **to be equivalent to something** bersamaan dengan sesuatu ◊ *One litre is equivalent to a thousand millilitres.* Satu liter adalah bersamaan dengan seribu mililiter.

**era**  KATA NAMA
*era*

to **eradicate**  KATA KERJA
*membasmi*
◊ *to eradicate drug smuggling* membasmi kegiatan penyeludupan dadah
◊ *to eradicate malaria* membasmi penyakit malaria

**eradication**  KATA NAMA
*pembasmian*

to **erase**  KATA KERJA
*memadamkan*
◊ *I erased the names from the diskettes.* Saya memadamkan nama-nama itu daripada disket.

**eraser**  KATA NAMA
*getah pemadam*

to **erect**  KATA KERJA
*mendirikan*
◊ *Badar erected a fence around his house.* Badar mendirikan pagar di sekeliling rumahnya.

to **erode**  KATA KERJA
*menghakis*
◊ *Wind and rain eroded the soil there.* Angin dan air hujan menghakis tanah di

situ.

**eroded** KATA ADJEKTIF
*terhakis*
◊ *eroded rock* batu yang terhakis

**erosion** KATA NAMA
*hakisan*
◊ *soil erosion* hakisan tanah

**errand** KATA NAMA
*sesuatu kerja* (padanan terdekat)
◊ *She went off on an errand.* Dia pergi melakukan sesuatu kerja. ◊ *to run an errand for someone* melakukan sesuatu kerja untuk seseorang

**errant** KATA ADJEKTIF
*menyeleweng*

**error** KATA NAMA
*kesilapan*

to **erupt** KATA KERJA
*meletus*
◊ *The volcano erupted last night.* Gunung berapi itu meletus semalam.

**eruption** KATA NAMA
*letusan*
◊ *a volcanic eruption* letusan gunung berapi

**escalator** KATA NAMA
*tangga bergerak* **atau** *eskalator*

to **escape** KATA KERJA
> rujuk juga **escape** KATA NAMA

[1] *terlepas*
◊ *A lion has escaped.* Seekor singa telah terlepas.
[2] *melarikan diri*
◊ *to escape from prison* melarikan diri dari penjara
♦ **The passengers escaped unhurt.** Penumpang-penumpang itu terselamat tanpa sebarang kecederaan.

**escape** KATA NAMA
> rujuk juga **escape** KATA KERJA

*perbuatan melarikan diri*
♦ **to make one's escape** melarikan diri
◊ *The man made his escape in a car.* Lelaki itu melarikan diri dengan sebuah kereta.
♦ **We had a narrow escape.** Kami nyaris-nyaris nahas.

**escort** KATA NAMA
> rujuk juga **escort** KATA KERJA

*pengiring*
◊ *a police escort* polis pengiring

to **escort** KATA KERJA
> rujuk juga **escort** KATA NAMA

*mengiringi*
◊ *I escorted him to the door.* Saya mengiringinya sehingga ke pintu.

**Eskimo** KATA NAMA
(JAMAK **Eskimos**)
*orang Eskimo*

**especially** KATA ADVERBA
*terutama*
◊ *It's very hot there, especially in the summer.* Tempat itu sangat panas terutama pada musim panas.

**espionage** KATA NAMA
*pengintipan*

**essay** KATA NAMA
*esei*
◊ *a history essay* esei sejarah

**essence** KATA NAMA
[1] *inti pati*
◊ *Change is the essence of life.* Perubahan merupakan inti pati kehidupan.
[2] *esen*
◊ *vanilla essence* esen vanila

**essential** KATA ADJEKTIF
*penting*
♦ **It's essential to bring warm clothes.** Barang yang mesti dibawa ialah pakaian panas.

to **establish** KATA KERJA
[1] *membangunkan*
◊ *Douglas took five years to establish his company.* Douglas mengambil masa selama lima tahun untuk membangunkan syarikatnya.
[2] *menjalinkan*
◊ *June and Lily managed to establish a good relationship in a short time.* June dan Lily dapat menjalinkan hubungan yang baik dalam masa yang singkat.

**establishment** KATA NAMA
*penubuhan*
◊ *With the establishment of this hospital...* Dengan penubuhan hospital ini...

**estate** KATA NAMA
*estet*
> merujuk kepada sebidang tanah yang luas di desa yang dimiliki oleh individu, sesebuah keluarga atau organisasi
◊ *He's got a large estate in the country.* Dia memiliki estet yang luas di desa.
♦ **a housing estate** kawasan perumahan

**estate agent** KATA NAMA
*ejen hartanah*
◊ *She's an estate agent.* Dia seorang ejen hartanah.

**estate car** KATA NAMA
*kereta station wagon*
> kereta panjang yang mempunyai pintu di bahagian belakang dan ruang belakang yang luas

**esteem** KATA NAMA
*sanjungan*

to **estimate** KATA KERJA
*menganggarkan*

E

◊ *They estimated the project would take three weeks.* Mereka menganggarkan projek itu akan mengambil masa selama tiga minggu.

**estuary** KATA NAMA
(JAMAK **estuaries**)
*kuala*

**etc** SINGKATAN (= *et cetera*)
*dsb* atau *dll* (= *dan sebagainya* atau *dan lain-lain*)

to **etch** KATA KERJA
*mengukir* (*dengan asid, benda tajam*)
◊ *Crosses were etched into the walls.* Bentuk salib diukir pada dinding.
♦ **the sweet smile that was etched on her face** senyuman manis yang terukir pada wajahnya

**eternal** KATA ADJEKTIF
*kekal*

**ethics** KATA NAMA JAMAK
*etika*

**Ethiopia** KATA NAMA
*negara Ethiopia*

**ethnic** KATA ADJEKTIF
[1] *etnik*
◊ *ethnic cleansing* penghapusan etnik
♦ **an ethnic minority** kumpulan etnik minoriti
[2] *tradisional* (*pakaian, muzik, makanan*)

**etiquette** KATA NAMA
*tatasusila*

**EU** KATA NAMA (= *European Union*)
*Kesatuan Eropah*

**eulogy** KATA NAMA
(JAMAK **eulogies**)
*eulogi* (*ucapan atau tulisan sanjungan*)

**Eurasian** KATA ADJEKTIF
*Eropah dan Asia*
◊ *the Eurasian continent* benua Eropah dan Asia
♦ **a Eurasian girl** gadis berketurunan Nasrani

**euro** KATA NAMA
(JAMAK **euros**)
*euro*

> unit mata wang negara-negara Kesatuan Eropah yang menyertai kesatuan kewangan Eropah

**Eurocheque** KATA NAMA

> sistem bank bersepadu yang dijalankan di kebanyakan negara Eropah Barat yang membolehkan pelanggan dari satu negara menjalankan urusan perbankan seperti menjelaskan cek di negara lain

**Euroland** KATA NAMA
*negara Euro*

> negara-negara Kesatuan Eropah yang bercadang membentuk sebuah kesatuan kewangan dengan menggunakan euro sebagai mata wang

**Europe** KATA NAMA
*Eropah*

**European** KATA ADJEKTIF

> rujuk juga **European** KATA NAMA

*Eropah*
◊ *European countries* negara-negara Eropah
♦ **He's European.** Dia berbangsa Eropah.

**European** KATA NAMA

> rujuk juga **European** KATA ADJEKTIF

*orang Eropah*

to **evacuate** KATA KERJA
[1] *memindahkan* (*orang*)
[2] *mengosongkan* (*kawasan*)

**evacuation** KATA NAMA
[1] *pemindahan*
◊ *the evacuation of the sick and wounded* pemindahan orang yang sakit dan yang cedera
[2] *pengosongan*
◊ *Evacuation of the area must be carried out without delay.* Pengosongan kawasan itu perlu dilakukan dengan segera.

to **evaluate** KATA KERJA
*menilai*
◊ *They will evaluate the requirements of each situation.* Mereka akan menilai keperluan setiap keadaan.

**evaluation** KATA NAMA
*penilaian*
◊ *student evaluation report* laporan penilaian pelajar

to **evaporate** KATA KERJA
*sejat*
◊ *The water had evaporated.* Air itu sudah sejat.

**evaporation** KATA NAMA
*penyejatan*

**eve** KATA NAMA
*hari menjelang*
◊ *Christmas Eve* hari menjelang Krismas
♦ **New Year's Eve** malam Tahun Baru

**even** KATA ADVERBA

> rujuk juga **even** KATA ADJEKTIF

*pun*
◊ *He didn't even say hello.* Dia tidak mengucap helo pun.
♦ **I like all animals, even snakes.** Saya suka semua jenis haiwan, termasuklah ular.
♦ **not even** walaupun ◊ *There's nothing there, not even a shop.* Tidak ada apa-

apa di situ, walaupun sebuah kedai.

♦ **even if** walaupun ◊ *I'd never do that, even if you asked me.* Saya tidak akan melakukannya, walaupun anda meminta saya melakukannya.

♦ **even though** walaupun ◊ *He's never got any money, even though his parents are quite rich.* Dia tidak pernah ada wang walaupun ibu bapanya agak kaya.

♦ **even more** lebih ◊ *I liked Penang even more than KL.* Saya lebih suka Pulau Pinang daripada KL .

**even** KATA ADJEKTIF

> *rujuk juga* **even** KATA ADVERBA

*rata*

◊ *an even layer of snow* lapisan salji yang rata ◊ *an even surface* permukaan yang rata

♦ **an even number** nombor genap

♦ **to get even with somebody** membalas dendam terhadap seseorang

to **even up** KATA KERJA

*menyeimbangkan*

◊ *to even up the company's balance of trade* menyeimbangkan imbangan perdagangan syarikat

♦ **I would like to see the championship evened up a little bit.** Saya ingin melihat kejohanan itu menjadi lebih seimbang.

**evening** KATA NAMA

1 *petang* (pukul enam ke atas)

2 *malam* (pukul 7 ke atas)

◊ *in the evening* pada waktu petang/ malam

♦ **Good evening! (1)** Selamat petang!

♦ **Good evening! (2)** Selamat sejahtera! (pada waktu malam)

♦ **evening class** kelas malam

**event** KATA NAMA

1 *peristiwa*

◊ *It was one of the most important events in his life.* Peristiwa itu merupakan salah satu peristiwa yang paling penting dalam hidupnya.

2 *acara*

◊ *She took part in two events at the last Olympic Games.* Dia mengambil bahagian dalam dua acara pada Sukan Olimpik yang lalu.

♦ **a sporting event** acara sukan

♦ **in the event of** sekiranya berlaku

◊ *in the event of an accident* sekiranya berlaku kemalangan

**eventful** KATA ADJEKTIF

*penuh peristiwa*

**eventually** KATA ADVERBA

*akhirnya*

**ever** KATA ADVERBA

> *Biasanya* **ever** *hanya diterjemahkan apabila hadir bersama perkataan lain.*

♦ **Have you ever been to Portugal?** Pernahkah anda pergi ke negara Portugal?

♦ **Have you ever seen her?** Pernahkah anda melihatnya?

♦ **the best I've ever seen** yang terbaik pernah saya lihat

♦ **I haven't ever done that.** Saya belum pernah melakukannya.

♦ **It will become ever more complex.** Perkara ini akan menjadi lebih rumit.

♦ **for the first time ever** buat pertama kalinya

♦ **ever since** sejak ◊ *ever since I met him* sejak saya bertemu dengannya

♦ **ever since then** sejak itu

♦ **It's ever so kind of you.** Anda sungguh baik hati.

**everlasting** KATA ADJEKTIF

*kekal abadi*

◊ *May our friendship be everlasting.* Semoga hubungan kita kekal abadi.

**every** KATA ADJEKTIF

*setiap*

◊ *every pupil* setiap murid ◊ *every time* setiap kali

♦ **every now and then** sekali-sekala

**everybody** KATA GANTI NAMA

1 *semua orang*

◊ *Everybody makes mistakes.* Semua orang melakukan kesilapan.

◊ *Everybody had a good time.* Semua orang bergembira.

2 *setiap orang*

◊ *Everybody is entitled to a gift.* Setiap orang berhak mendapat hadiah.

**everyday** KATA ADJEKTIF

*harian*

◊ *everyday routine* rutin harian

**everyone** KATA GANTI NAMA

1 *semua orang*

◊ *Everyone makes mistakes.* Semua orang melakukan kesilapan.

◊ *Everyone had a good time.* Semua orang bergembira.

2 *setiap orang*

◊ *Everyone is entitled to a gift.* Setiap orang berhak mendapat hadiah.

**everything** KATA GANTI NAMA

*segala-galanya*

◊ *Money isn't everything.* Wang bukanlah segala-galanya.

**everywhere** KATA ADVERBA

*di merata-rata tempat*

◊ *I looked everywhere, but I couldn't find it.* Saya sudah mencari di merata-rata tempat tetapi saya tidak menjumpainya.

+ **I see him everywhere I go.** Saya nampak dia di mana-mana sahaja saya pergi.

to **evict** KATA KERJA

*mengusir*

◊ *The developer evicted the tenants from their homes.* Pemaju itu mengusir penyewa-penyewa dari rumah mereka.

**evidence** KATA NAMA

*bukti*

◊ *There is no evidence to support this theory.* Tidak ada bukti untuk menyokong teori ini.

**evil** KATA NAMA

> rujuk juga **evil** KATA ADJEKTIF

*kejahatan*

◊ *a conflict between good and evil* konflik antara kebaikan dengan kejahatan

**evil** KATA ADJEKTIF

> rujuk juga **evil** KATA NAMA

① *jahat* (manusia, roh, niat)

② *durjana* (rancangan)

**evolution** KATA NAMA

*evolusi*

**evolutionism** KATA NAMA

*fahaman evolusi* atau *evolusionisme*

**evolutionist** KATA NAMA

> rujuk juga **evolutionist** KATA ADJEKTIF

*orang yang berfahaman evolusi*

**evolutionist** KATA ADJEKTIF

> rujuk juga **evolutionist** KATA NAMA

*berfahaman evolusi*

**ex-** AWALAN

*bekas*

◊ *his ex-wife* bekas isterinya

**exact** KATA ADJEKTIF

*tepat*

**exactly** KATA ADVERBA

*betul-betul*

◊ *exactly the same* betul-betul sama

+ **It's exactly 10 o'clock.** Waktu sekarang tepat pukul sepuluh.

to **exaggerate** KATA KERJA

*membesar-besarkan cerita*

**exaggeration** KATA NAMA

*tokok tambah*

◊ *Like many stories about him, it smacks of exaggeration.* Seperti kebanyakan cerita mengenai beliau, cerita ini juga mempunyai unsur-unsur tokok tambah.

to **exalt** KATA KERJA

*mengagungkan*

◊ *The book exalts the virtues we hold dear.* Buku itu mengagungkan nilai-nilai kebaikan yang kita sanjungi.

**exam** KATA NAMA

*peperiksaan*

◊ *a French exam* peperiksaan

bahasa Perancis ◊ *the exam results* keputusan peperiksaan

**examination** KATA NAMA

*peperiksaan*

to **examine** KATA KERJA

*memeriksa*

◊ *He examined my passport.* Dia memeriksa pasport saya. ◊ *The doctor examined him.* Doktor itu memeriksanya.

**examiner** KATA NAMA

*pemeriksa*

**example** KATA NAMA

*contoh*

+ **for example** contohnya

to **exasperate** KATA KERJA

*menggusarkan*

◊ *Her son's behaviour really exasperates her.* Perangai anak lelakinya benar-benar menggusarkannya.

**exasperated** KATA ADJEKTIF

*gusar*

◊ *Bill was exasperated.* Bill berasa gusar.

**exasperation** KATA NAMA

*kegusaran*

◊ *Stanley tried to hide his exasperation.* Stanley cuba menyembunyikan kegusarannya.

to **exceed** KATA KERJA

*melebihi*

◊ *to exceed the speed limit* melebihi had laju

+ **His performance exceeded all expectations.** Persembahannya di luar jangkaan semua orang.

**exceedingly** KATA ADVERBA

*sungguh*

◊ *I found the lecture exceedingly dull.* Saya rasa kuliah itu sungguh membosankan.

**excellence** KATA NAMA

*kecemerlangan*

◊ *academic excellence* kecemerlangan akademik

**Excellency** KATA NAMA

*Yang Terutama*

+ **His Excellency** Tuan Yang Terutama

+ **Your Excellency** Tuan Yang Terutama

**excellent** KATA ADJEKTIF

*cemerlang*

**except** KATA SENDI

*kecuali*

◊ *everyone except me* semua orang kecuali saya

+ **except for** kecuali

+ **except that** cuma ◊ *The weather was great, except that it was a bit cold.* Cuaca di situ sangat baik cuma sedikit sejuk.

**exception** KATA NAMA
_pengecualian_
◊ *to make an exception* membuat
pengecualian
**exceptional** KATA ADJEKTIF
_luar biasa_ (*orang, kebolehan, kuasa*)
**exceptionally** KATA ADVERBA
_luar biasa_
◊ *He's an exceptionally talented dancer.*
Dia seorang penari yang luar biasa
bakatnya.
**excess** KATA ADJEKTIF
_berlebihan_
◊ *Excess weight is bad for one's
health.* Berat badan yang berlebihan
membahayakan kesihatan.
**excess baggage** KATA NAMA
_bagasi berlebihan_
**excessive** KATA ADJEKTIF
_berlebihan_
◊ *The excessive intake of sugar can
cause diabetes.* Pengambilan gula
yang berlebihan boleh menyebabkan
penyakit kencing manis.
to **exchange** KATA KERJA

> rujuk juga **exchange** KATA NAMA

_menukarkan_
◊ *I exchanged the book for a CD.* Saya
menukarkan buku itu dengan sekeping
cakera padat.
**exchange** KATA NAMA

> rujuk juga **exchange** KATA KERJA

_pertukaran_
◊ *a cultural exchange* pertukaran
budaya
♦ **in exchange for** sebagai tukaran
♦ **I'd like to do an exchange with an
English student.** Saya ingin menyertai
rancangan pertukaran pelajar dengan
seorang pelajar Inggeris.
**exchangeable** KATA ADJEKTIF
_boleh ditukar ganti_
**exchange rate** KATA NAMA
_kadar pertukaran_
**excise** KATA NAMA
_eksais_
◊ *excise duties* cukai eksais
**excited** KATA ADJEKTIF
_gembira_
**exciting** KATA ADJEKTIF
_menyeronokkan_
**exclamation** KATA NAMA
_kata seruan_
**exclamation mark** KATA NAMA
_tanda seru_
to **exclude** KATA KERJA
_mengecualikan_
◊ *We should not be excluded from this
discussion.* Kami tidak patut dikecualikan

dalam perbincangan ini.
**excluding** KATA SENDI
_tidak termasuk_
**exclusion** KATA NAMA
[1] _larangan_
◊ *Certain exclusions and limitations
apply.* Terdapat larangan dan sekatan-
sekatan tertentu. ◊ *women's exclusion
from political power* larangan kepada
wanita daripada menyertai kuasa politik
[2] _penggantungan_ (*dari sekolah*)
◊ *exclusion of errant pupils*
penggantungan pelajar-pelajar yang
menyeleweng
**exclusive** KATA ADJEKTIF
_eksklusif_
**excreta** KATA NAMA
_kumuhan_
**excursion** KATA NAMA
_rombongan_
**excuse** KATA NAMA

> rujuk juga **excuse** KATA KERJA

_alasan_
to **excuse** KATA KERJA

> rujuk juga **excuse** KATA NAMA

_memaafkan_
◊ *to excuse somebody for doing
something wrong* memaafkan kesalahan
seseorang
♦ **Excuse me! (1)** Maafkan saya!
♦ **Excuse me! (2)** Tumpang lalu!
**ex-directory** KATA ADJEKTIF
_tidak tersenarai_
◊ *an ex-directory number* nombor
telefon yang tidak tersenarai
♦ **She's ex-directory.** Nombor telefonnya
tidak tersenarai dalam buku panduan
telefon.
**exec** KATA NAMA
(*singkatan untuk executive*)
_eksekutif_
to **execute** KATA KERJA
[1] _melaksanakan hukuman mati_ (*ke atas
seseorang*)
♦ **to be executed** menjalani hukuman mati
[2] _melaksanakan_
◊ *to execute a plan* melaksanakan
sesuatu rancangan
**execution** KATA NAMA
[1] _pelaksanaan hukuman mati_
[2] _pelaksanaan_
◊ *the execution of a plan* pelaksanaan
sesuatu rancangan
**executive** KATA NAMA
_eksekutif_
◊ *He's an executive.* Dia seorang
eksekutif.
**executor** KATA NAMA
_wasi_

**exemplary** KATA ADJEKTIF
_contoh_
◊ *exemplary student* pelajar contoh
**exempt** KATA ADJEKTIF
_dikecualikan_
◊ *Students are exempt from military service.* Pelajar dikecualikan daripada perkhidmatan tentera.
**exemption** KATA NAMA
_pengecualian_
◊ *tax exemption* pengecualian cukai
to **exercise** KATA KERJA

> _rujuk juga_ **exercise** KATA NAMA
> 1 _menggunakan_ (hak, kuasa)
> 2 _bersenam_

**exercise** KATA NAMA

> _rujuk juga_ **exercise** KATA KERJA
> 1 _senaman_
> ◊ *an exercise bike* basikal senaman

♦ **to take some exercise** bersenam
> 2 _latihan_
> ◊ *page ten, exercise three* muka surat sepuluh, latihan tiga ◊ *exercise book* buku latihan

**exhalation** KATA NAMA
_hembusan_
◊ *exhalation of breath* hembusan nafas
to **exhale** KATA KERJA
1 _menghembuskan nafas_
2 _menghembuskan_ (asap rokok, dsb)
to **exhaust** KATA KERJA

> _rujuk juga_ **exhaust** KATA NAMA
> _amat meletihkan_
> ◊ *The work exhausted Pak Mail.* Kerja itu amat meletihkan Pak Mail.

**exhaust** KATA NAMA

> _rujuk juga_ **exhaust** KATA KERJA
> _ekzos_

**exhausted** KATA ADJEKTIF
_amat letih_
**exhaust fumes** KATA NAMA JAMAK
_wasap ekzos_
**exhaust pipe** KATA NAMA
_paip ekzos_
**exhibition** KATA NAMA
_pameran_
**exhortation** KATA NAMA
_gesaan_
to **exist** KATA KERJA
_wujud_
**existence** KATA NAMA
_kewujudan_
**exit** KATA NAMA
_pintu keluar_
**exotic** KATA ADJEKTIF
_eksotik_
to **expand** KATA KERJA
1 _mengembang_
◊ *The pipes were not expanding as*

*expected.* Paip-paip itu tidak mengembang seperti yang dijangkakan.
2 _mengembangkan_
◊ *I owned a bookshop and wished to expand the business.* Saya memiliki sebuah kedai buku dan saya ingin mengembangkan perniagaan itu. ◊ *to expand an idea* mengembangkan idea
♦ **to expand on** menghuraikan ◊ *He used today's speech to expand on remarks he made yesterday.* Dia menggunakan ucapan hari ini untuk menghuraikan kenyataan yang dibuatnya kelmarin.
**expansion** KATA NAMA
_pengembangan_
◊ *expansion and contraction* pengembangan dan pengenduran
to **expect** KATA KERJA
1 _menjangka_
◊ *I expect he'll be late.* Saya menjangka dia akan datang lewat. ◊ *I didn't expect that from him.* Saya tidak menjangka perkara itu daripadanya.
2 _menunggu_
◊ *I'm expecting him for dinner.* Saya menunggunya untuk makan malam.
♦ **She's expecting a baby.** Dia mengandung.
♦ **I expect so.** Saya rasa begitu.
**expectant** KATA ADJEKTIF
_penuh harapan_
◊ *She turned to me with an expectant look on her face.* Dia memandang ke arah saya dengan wajah yang penuh harapan.
♦ **an expectant mother** ibu yang mengandung
**expectation** KATA NAMA
1 _jangkaan_
◊ *The good news exceeded Aileen's expectations.* Berita yang baik itu di luar jangkaan Aileen.
2 _harapan_
◊ *They tried to meet their father's expectations.* Mereka cuba memenuhi harapan bapa mereka.
**expedition** KATA NAMA
_ekspedisi_
to **expel** KATA KERJA
♦ **to get expelled** dibuang sekolah
**expenditure** KATA NAMA
_perbelanjaan_
◊ *to reduce public expenditure* mengurangkan perbelanjaan awam
◊ *statement of income and expenditure* penyata pendapatan dan perbelanjaan
**expense** KATA NAMA
_perbelanjaan_
◊ *household expenses* perbelanjaan

rumah tangga ◊ *at great expense*
dengan perbelanjaan yang besar
♦ **to claim something on expenses**
menuntut bayaran untuk sesuatu
perbelanjaan

**expensive** KATA ADJEKTIF
*mahal*

**experience** KATA NAMA
> rujuk juga **experience** KATA KERJA

*pengalaman*

to **experience** KATA KERJA
> rujuk juga **experience** KATA NAMA

*mengalami*
◊ *She experienced pain in her
shoulders.* Dia mengalami kesakitan
pada bahunya.

**experienced** KATA ADJEKTIF
*berpengalaman*
◊ *an experienced teacher* seorang
guru yang berpengalaman ◊ *She's very
experienced in looking after children.* Dia
sangat berpengalaman mengasuh kanak-
kanak.

**experiment** KATA NAMA
*uji kaji* atau *eksperimen*

**expert** KATA NAMA
> rujuk juga **expert** KATA ADJEKTIF

*pakar*
◊ *He's a computer expert.* Dia seorang
pakar komputer.

**expert** KATA ADJEKTIF
> rujuk juga **expert** KATA NAMA

*mahir*
◊ *He's an expert cook.* Dia seorang
tukang masak yang mahir.

**expertise** KATA NAMA
*kepakaran*
◊ *Mr Kent's expertise in economics*
kepakaran En. Kent dalam bidang
ekonomi

to **expire** KATA KERJA
*tamat tempoh*
◊ *My passport has expired.* Pasport
saya telah tamat tempoh.

**expiry** KATA NAMA
*tamatnya tempoh* (*kontrak, dll*)
♦ **expiry date** tarikh luput

to **explain** KATA KERJA
*menjelaskan*

**explanation** KATA NAMA
*penjelasan*

**explicit** KATA ADJEKTIF
*sangat jelas*
♦ **explicit meaning** makna yang tersurat

to **explode** KATA KERJA
*meletup*

to **exploit** KATA KERJA
*mengeksploitasi*

**exploitation** KATA NAMA

*eksploitasi*

**exploration** KATA NAMA
*penerokaan*
♦ **oil and gas exploration** cari gali minyak
dan gas

to **explore** KATA KERJA
*menjelajah*

**explorer** KATA NAMA
*penjelajah*

**explosion** KATA NAMA
*letupan*

**explosive** KATA NAMA
> rujuk juga **explosive** KATA ADJEKTIF

*bahan letupan*

**explosive** KATA ADJEKTIF
> rujuk juga **explosive** KATA NAMA

*mudah meletup*

**expo** KATA NAMA
(JAMAK **expos**)
*ekspo*

to **export** KATA KERJA
> rujuk juga **export** KATA NAMA

*mengeksport*

**export** KATA NAMA
> rujuk juga **export** KATA KERJA

*eksport*

**exporter** KATA NAMA
*pengeksport*

to **expose** KATA KERJA
*mendedahkan*
◊ *The story he told me exposed many
family secrets.* Cerita yang
disampaikannya kepada saya telah
mendedahkan banyak rahsia keluarga.
♦ **His whole back was exposed.** Bahagian
belakangnya terdedah.
♦ **People exposed to high levels of
radiation...** Orang ramai yang terdedah
kepada radiasi yang tinggi...

**exposure** KATA NAMA
*pendedahan*
◊ *They have been given an enormous
amount of exposure on television.* Mereka
diberi banyak pendedahan melalui
televisyen.

to **express** KATA KERJA
*menyatakan*
♦ **to express oneself** menyuarakan
pendapat ◊ *It's not easy to express
oneself in a foreign language.* Bukannya
senang untuk menyuarakan pendapat
dalam bahasa asing.
♦ **to express one's feelings** meluahkan
perasaan

**expression** KATA NAMA
*ungkapan*
◊ *It's an English expression.* Itu
ungkapan bahasa Inggeris.
♦ **facial expression** air muka

**expressway**  KATA NAMA
  _lebuh raya_

**expulsion**  KATA NAMA
  _penyingkiran_
  ◊ *His expulsion from the school angered his parents.*  Penyingkirannya dari sekolah itu menaikkan kemarahan ibu bapanya.

to **extend**  KATA KERJA
  1 _menganjur_
  ◊ *The caves extend for some 18 kilometres.*  Gua-gua itu menganjur sejauh lebih kurang 18 kilometer.
  2 _memperbesar_
  ◊ *They're going to extend their kitchen.*  Mereka akan memperbesar dapur mereka.
  3 _meluaskan_
  ◊ *The company plans to extend its range.*  Syarikat itu merancang untuk meluaskan keluarannya.

**extension**  KATA NAMA
  1 _tambahan_ (pada bangunan)
  2 _sambungan_ (telefon)
  ◊ *Extension three one three seven, please.*  Tolong dapatkan sambungan tiga satu tiga tujuh.

**extensive**  KATA ADJEKTIF
  _luas_
  ◊ *The hotel is situated in extensive grounds.*  Hotel itu terletak di kawasan yang luas. ◊ *My friend has an extensive knowledge of this subject.*  Kawan saya mempunyai pengetahuan yang luas tentang subjek ini.
  ♦ **extensive damage**  kerosakan yang teruk
  ♦ **extensive powers**  kuasa yang banyak

**extent**  KATA NAMA
  _takat_
  ◊ *to some extent*  sehingga takat tertentu

**exterior**  KATA ADJEKTIF
  _luar_

**extinct**  KATA ADJEKTIF
  _pupus_
  ◊ *Dinosaurs are extinct.*  Dinosaur sudah pupus.
  ♦ **to become extinct**  pupus

**extinction**  KATA NAMA
  _kepupusan_
  ◊ *The project is designed to prevent the extinction of pandas.*  Projek itu dirancang untuk mencegah kepupusan panda.

to **extinguish**  KATA KERJA
  _memadamkan_ (api, lampu)
  ◊ *They finally extinguished the fire.*  Akhirnya mereka dapat memadamkan api itu.

**extinguisher**  KATA NAMA
  _alat pemadam api_

to **extort**  KATA KERJA
  _memeras_

**extortion**  KATA NAMA
  _peras ugut_
  ◊ *The man has been charged with extortion.*  Lelaki itu didakwa melakukan peras ugut.

**extortionate**  KATA ADJEKTIF
  _terlalu tinggi_
  ◊ *The prices in that shop were extortionate.*  Harga barangan di kedai itu terlalu tinggi.

**extortionist**  KATA NAMA
  _pemeras_

**extra**  KATA ADJEKTIF, KATA ADVERBA
  _lebih_
  ◊ *to pay extra*  membayar lebih ◊ *Be extra careful!*  Tolong lebih berhati-hati!
  ♦ **He gave me an extra blanket.**  Dia memberi saya sehelai selimut lagi.
  ♦ **Breakfast is extra.**  Bayaran tambahan dikenakan bagi sarapan pagi.

to **extract**  KATA KERJA
  _mengeluarkan_
  ◊ *Citric acid can be extracted from the juice of oranges and lemons.*  Asid sitrik boleh dikeluarkan daripada jus oren atau lemon.
  ♦ **to extract a tooth**  mencabut gigi

**extracurricular**  KATA ADJEKTIF
  _luar kurikulum_

**extraordinary**  KATA ADJEKTIF
  _luar biasa_

**extravagant**  KATA ADJEKTIF
  _boros_ (sifat)

**extravagantly**  KATA ADVERBA
  _dengan boros_
  ◊ *He spends his father's money extravagantly.*  Dia membelanjakan wang ayahnya dengan boros.

**extreme**  KATA ADJEKTIF
  _amat_
  ◊ *with extreme caution*  dengan amat berhati-hati

**extremely**  KATA ADVERBA
  _sangat_
  ◊ *Houses in Penang are extremely expensive.*  Rumah-rumah di Pulau Pinang sangat mahal.

**extremist**  KATA NAMA
  _pelampau_

**eye**  KATA NAMA
  _mata_
  ◊ *I've got green eyes.*  Mata saya berwarna hijau.
  ♦ **to keep an eye on something**  mengawasi sesuatu

**eyebrow** KATA NAMA
_bulu kening_
**eyelash** KATA NAMA
(JAMAK **eyelashes**)
_bulu mata_
**eyelid** KATA NAMA
_kelopak mata_
**eyeliner** KATA NAMA
_celak_
**eye shadow** KATA NAMA
_pembayang mata_

**eyesight** KATA NAMA
_penglihatan_
◊  _to have good eyesight_  mempunyai
penglihatan yang baik
**eye strain** KATA NAMA
_ketegangan pada mata_
**e-zine** KATA NAMA
(_komputer_)
_e-majalah_

# F

**fable** KATA NAMA
*dongeng* (berunsur pengajaran)

**fabric** KATA NAMA
*kain* **atau** *fabrik*

**fabulous** KATA ADJEKTIF
*hebat*

**face** KATA NAMA

> *rujuk juga* **face** KATA KERJA

*muka*
◊ *He was red in the face.* Mukanya merah.
♦ **the north face of the mountain** permukaan sebelah utara gunung
♦ **on the face of it** pada zahirnya
♦ **in the face of these difficulties** semasa menghadapi kesukaran ini
♦ **face to face** bersemuka

to **face** KATA KERJA

> *rujuk juga* **face** KATA NAMA

① *berhadapan*
◊ *They stood facing each other.* Mereka berdiri berhadapan dengan satu sama lain.
♦ **The garden faces south.** Taman itu menghadap ke selatan.
② *menghadapi*
◊ *They face serious problems.* Mereka menghadapi masalah yang serius.
♦ **Let's face it, we're lost.** Mengaku sajalah, kita sudah sesat.

to **face up to** KATA KERJA
① *memikul*
◊ *He refuses to face up to his responsibilities.* Dia enggan memikul tanggungjawabnya.
② *menghadapi* (masalah, kesukaran)

**face cloth** KATA NAMA
*tuala muka*

**facial** KATA ADJEKTIF
*muka*
◊ *His facial expression didn't change.* Air mukanya tidak berubah.

to **facilitate** KATA KERJA
*memudahkan*
◊ *The new airport will facilitate the development of tourism.* Lapangan terbang baru itu akan memudahkan perkembangan bidang pelancongan.

**facilitator** KATA NAMA
*fasilitator*

**facility** KATA NAMA
(JAMAK **facilities**)
*kemudahan*
◊ *This school has excellent facilities.* Sekolah ini mempunyai kemudahan yang sangat baik. ◊ *The youth hostel has cooking facilities.* Asrama belia itu menyediakan kemudahan memasak.

**facsimile** KATA NAMA
*faksimile*

**fact** KATA NAMA
*fakta*
◊ *facts and figures* fakta dan perangkaan
♦ **The fact that you are very busy is of no interest to me.** Saya tidak kisah sama ada anda sibuk atau tidak.
♦ **Mr Major didn't go to university. In fact he left school at 16.** En. Major tidak melanjutkan pelajarannya di universiti, malah dia berhenti sekolah semasa berumur 16 tahun.
♦ **That sounds rather simple, but in fact it's very difficult.** Perkara itu nampak sahaja mudah, tetapi sebenarnya sangat sukar.

**factor** KATA NAMA
*faktor*

**factory** KATA NAMA
(JAMAK **factories**)
*kilang*

**factual** KATA ADJEKTIF
① *dari segi fakta*
◊ *The editorial contained several factual errors.* Rencana pengarang itu mengandungi beberapa kesalahan dari segi fakta.
② *berdasarkan fakta*
◊ *a comparison that is not strictly factual* perbandingan yang tidak betul-betul berdasarkan fakta

**faculty** KATA NAMA
(JAMAK **faculties**)
*fakulti*

to **fade** KATA KERJA
① *pudar* (warna)
◊ *My jeans have faded.* Warna seluar jean saya sudah pudar.
② *menjadi kelam*
◊ *The light was fading fast.* Cahaya itu menjadi kelam dengan cepat.
♦ **The noise gradually faded.** Bunyi itu semakin lama semakin perlahan.

**faeces** KATA NAMA
*tahi*

**fag** KATA NAMA
(*tidak formal*)
*rokok*

to **fail** KATA KERJA

> *rujuk juga* **fail** KATA NAMA

① *gagal*
◊ *He failed his driving test.* Dia gagal dalam ujian memandunya. ◊ *The plan failed.* Rancangan itu gagal.
♦ **to fail to do something** gagal melakukan sesuatu ◊ *They failed to reach the quarter finals.* Mereka gagal memasuki peringkat suku akhir.
② *rosak*

◇ *The lorry's brakes failed.* Brek lori itu rosak.

♦ **The bomb failed to explode.** Bom itu tidak meletup.

**fail** KATA NAMA

> *rujuk juga* **fail** KATA KERJA

*gagal*

◇ *D is a pass, E is a fail.* Gred D lulus, gred E gagal.

♦ **without fail** sentiasa ◇ *He attended every meeting without fail.* Dia sentiasa menghadiri setiap mesyuarat yang diadakan.

**failure** KATA NAMA

[1] *kegagalan*

◇ *He couldn't accept failure.* Dia tidak dapat menerima kegagalan.

[2] *kerosakan*

◇ *a mechanical failure* kerosakan mekanikal

♦ **I feel a failure.** Saya merasakan diri saya ini seorang yang gagal.

♦ **The attempt was a complete failure.** Percubaan itu gagal sama sekali.

**faint** KATA ADJEKTIF

> *rujuk juga* **faint** KATA KERJA

*tidak jelas*

◇ *His voice was very faint.* Suaranya tidak jelas.

♦ **to feel faint** berasa lemah

to **faint** KATA KERJA

> *rujuk juga* **faint** KATA ADJEKTIF

*pengsan*

**faintly** KATA ADVERBA

*sedikit*

◇ *The bed smelled faintly of mildew.* Katil itu berbau sedikit hapak.

♦ **John smiled faintly and shook his head.** John tersenyum tipis dan menggelengkan kepalanya.

**fair** KATA ADJEKTIF

> *rujuk juga* **fair** KATA NAMA

[1] *adil*

◇ *That's not fair.* Itu tidak adil.

♦ **I paid more than my fair share.** Saya membayar lebih daripada bahagian saya yang sepatutnya.

[2] *cerah*

◇ *people with fair skin* orang yang berkulit cerah ◇ *The weather was fair.* Cuaca cerah. ◇ *I have a fair chance of winning.* Saya mempunyai peluang yang cerah untuk menang.

♦ **That's a fair distance.** Jarak itu agak jauh.

♦ **He's got fair hair.** Rambutnya berwarna perang kekuning-kuningan.

**fair** KATA NAMA

> *rujuk juga* **fair** KATA ADJEKTIF

*pesta*

♦ **a trade fair** pameran perdagangan

**fairground** KATA NAMA

*tapak pesta*

**fair-haired** KATA ADJEKTIF

*berambut perang kekuning-kuningan*

**fairly** KATA ADVERBA

[1] *sama rata*

◇ *The cake was divided fairly.* Kek itu dibahagi sama rata.

[2] *agak*

◇ *My car is fairly new.* Kereta saya agak baru.

**fairy** KATA NAMA

(JAMAK **fairies**)

*pari-pari*

**fairy tale** KATA NAMA

*cerita dongeng*

**faith** KATA NAMA

[1] *keyakinan*

◇ *People have lost faith in the government.* Orang ramai telah hilang keyakinan terhadap kerajaan.

[2] *kepercayaan*

◇ *the Catholic faith* kepercayaan Katolik

♦ **strong faith** keimanan yang teguh

**faithful** KATA ADJEKTIF

*setia*

**faithfully** KATA ADVERBA

*dengan setia*

◇ *He has served the company faithfully for ten years.* Dia telah berkhidmat dalam syarikat itu dengan setia selama sepuluh tahun.

♦ **Yours faithfully...** (*surat*) Yang benar...

**fake** KATA ADJEKTIF

> *rujuk juga* **fake** KATA NAMA

*palsu*

◇ *a fake banknote* wang kertas palsu

♦ **a fake fur coat** kot bulu tiruan

**fake** KATA NAMA

> *rujuk juga* **fake** KATA ADJEKTIF

*kata nama + palsu*

◇ *The painting was a fake.* Lukisan itu lukisan palsu.

**fall** KATA NAMA

> *rujuk juga* **fall** KATA KERJA

[1] *jatuhnya* (*orang, benda*)

♦ **She had a nasty fall.** Dia jatuh dengan teruk.

♦ **a fall of snow** salji

♦ **Niagara Falls** Air Terjun Niagara

[2] *musim luruh*

to **fall** KATA KERJA

(**fell, fallen**)

> *rujuk juga* **fall** KATA NAMA

[1] *jatuh*

◇ *He tripped and fell.* Dia tersandung

lalu jatuh. ◊ *The book fell off the shelf.* Buku itu jatuh dari rak. ◊ *Prices are falling.* Harga barangan semakin jatuh.
♦ **Bombs fell on the town.** Bom-bom digugurkan di bandar itu.
♦ **to fall in love with someone** jatuh cinta pada seseorang
[2] *turun* (*hujan, salji*)

to **fall apart** KATA KERJA
*berkecai* (*kaca*)
♦ **The book fell apart when he opened it.** Muka surat buku itu terlerai apabila dia membukanya.

to **fall down** KATA KERJA
*terjatuh*
◊ *She's fallen down.* Dia terjatuh.
♦ **Buildings were falling down all around them.** Bangunan-bangunan di sekeliling mereka sedang roboh.

to **fall for** KATA KERJA
[1] *tertipu*
◊ *They fell for it!* Mereka sudah tertipu!
[2] *jatuh hati*
◊ *He was so handsome, I fell for him immediately.* Dia sungguh kacak. Saya terus jatuh hati padanya.

to **fall out** KATA KERJA
[1] *gugur* (*rambut*)
[2] *bergaduh*
◊ *Sarah's fallen out with her boyfriend.* Sarah telah bergaduh dengan teman lelakinya.

to **fall through** KATA KERJA
*gagal*
◊ *Our plans have fallen through.* Rancangan kita gagal.

**fallen** KATA KERJA *rujuk* **fall**

**false** KATA ADJEKTIF
*palsu*
◊ *a false alarm* amaran palsu
◊ *false teeth* gigi palsu
♦ **"True or False"** "Benar atau salah"

**false beginner** KATA NAMA
*pelajar baru yang sudah mempunyai pengetahuan asas* (*dalam bahasa kedua*)

**falsehood** KATA NAMA
*kepalsuan*
◊ *They couldn't differentiate between truth and falsehood.* Mereka tidak dapat membezakan antara kebenaran dengan kepalsuan.

**falsely** KATA ADVERBA
*dengan tidak betul*
◊ *He was falsely accused of murder.* Dia dituduh dengan tidak betul atas tuduhan membunuh.

to **falsify** KATA KERJA
(**falsified, falsified**)
*memalsukan*

◊ *They said he had falsified the records.* Mereka mengatakan bahawa dia telah memalsukan rekod-rekod tersebut.

**falsity** KATA NAMA
*kepalsuan*
◊ *the falsity of the statement* kepalsuan pernyataan tersebut

**fame** KATA NAMA
*kemasyhuran*
◊ *The film earned her international fame.* Filem itu menyebabkan dia memperoleh kemasyhuran antarabangsa.

**familiar** KATA ADJEKTIF
*biasa*
♦ **to be familiar with something** biasa dengan sesuatu ◊ *I'm familiar with his work.* Saya biasa dengan kerjanya.
♦ **The name sounded familiar to me.** Saya rasa nama itu pernah saya dengar.
♦ **a familiar face** seseorang yang pernah dilihat

to **familiarize** KATA KERJA
*membiasakan*
◊ *Henry is familiarizing himself with his father's business.* Henry sedang membiasakan dirinya dengan perniagaan bapanya.

**family** KATA NAMA
(JAMAK **families**)
*keluarga*
◊ *the Cooke family* keluarga Cooke
♦ **a family tree** salasilah

**family values** KATA NAMA JAMAK
*nilai-nilai kekeluargaan*

**famine** KATA NAMA
*kebuluran*

**famous** KATA ADJEKTIF
*terkenal*

**fan** KATA NAMA
| *rujuk juga* **fan** KATA KERJA |
[1] *peminat*
◊ *the England fans* peminat pasukan England ◊ *a rap music fan* peminat muzik rap ◊ *I'm one of his greatest fans.* Saya adalah salah seorang daripada peminat setianya.
[2] *kipas*
◊ *a silk fan* kipas sutera ◊ *an electric fan* kipas elektrik

to **fan** KATA KERJA
| *rujuk juga* **fan** KATA NAMA |
*mengipas*
◊ *He fanned his grandmother as she slept.* Dia mengipas neneknya yang sedang tidur.

**fanatic** KATA NAMA
*fanatik*

**fanatical** KATA ADJEKTIF
*fanatik*

◊ *He's fanatical about his religion.* Dia seorang yang fanatik tentang agamanya.

to **fancy** KATA KERJA
(**fancied, fancied**)
*ingin*
◊ *I fancy an ice cream.* Saya ingin makan aiskrim. ◊ *What do you fancy doing?* Apakah yang anda ingin buat?
♦ **That man fancies you.** Lelaki itu menaruh minat pada anda.

**fancy dress** KATA NAMA
*pakaian beragam*
♦ **a fancy dress ball** majlis tari-menari pakaian beragam

**fang** KATA NAMA
*taring*
◊ *The fierce dog showed its fangs.* Anjing yang garang itu menunjukkan taringnya.

**fantastic** KATA ADJEKTIF
*hebat*

**fantasy** KATA NAMA
(JAMAK **fantasies**)
*fantasi*

**FAO** SINGKATAN (= *for the attention of*)
*untuk perhatian*

**far** KATA ADJEKTIF, KATA ADVERBA
*jauh*
◊ *It's not far from London.* Tempat itu tidak jauh dari London. ◊ *How far is it to Madrid?* Berapakah jauhnya ke Madrid?
♦ **Is it far?** Jauhkah?
♦ **It's far from easy.** Perkara itu bukannya senang.
♦ **How far have you got?** Sudah berapa banyakkah yang anda lakukan?
♦ **far better** jauh lebih baik
♦ **as far as I know** setahu saya
♦ **so far** setakat ini

**far-away** KATA ADJEKTIF
*jauh*
◊ *such a far-away place* tempat yang sebegitu jauh

**fare** KATA NAMA
*tambang*
◊ *Rail fares are very high in Britain.* Tambang kereta api sangat mahal di Britain. ◊ *The air fare was very reasonable.* Tambang kapal terbang itu amat berpatutan.
♦ **full fare** tambang penuh

**Far East** KATA NAMA
*Timur Jauh*
♦ **the Far East** Timur Jauh

**farewell** KATA NAMA
[1] *selamat tinggal* (ucapan)
[2] *perpisahan*
◊ *a farewell party* jamuan perpisahan

**farm** KATA NAMA

> *rujuk juga* **farm** KATA KERJA

*ladang*

to **farm** KATA KERJA

> *rujuk juga* **farm** KATA NAMA

*bertani*
◊ *They have farmed in the area for 40 years.* Mereka sudah bertani di kawasan itu selama 40 tahun.

**farmer** KATA NAMA
[1] *petani*
◊ *He's a farmer.* Dia seorang petani.
[2] *penternak*
◊ *He's a fish farmer.* Dia seorang penternak ikan.

**farmhouse** KATA NAMA
*rumah ladang*

**farming** KATA NAMA
*pertanian*
◊ *organic farming* pertanian organik
♦ **dairy farming** penternakan lembu tenusu

to **fart** KATA KERJA
(*tidak formal, kasar*)
*kentut*

to **fascinate** KATA KERJA
*mempesonakan*
◊ *She fascinated me, both on and off stage.* Dia mempesonakan saya, sama ada di atas pentas mahupun di belakang pentas.

**fascinating** KATA ADJEKTIF
*mempesonakan*

**fascism** KATA NAMA
*fasisme*

**fascist** KATA NAMA
*fasis*
◊ *He's a fascist.* Dia seorang fasis.

**fashion** KATA NAMA
*fesyen*
♦ **to be in fashion** menjadi fesyen
♦ **to go out of fashion** ketinggalan zaman

**fashionable** KATA ADJEKTIF
*sangat popular*
◊ *Red is very fashionable just now.* Warna merah sangat popular sekarang ini.
♦ **Jane wears fashionable clothes.** Jane memakai pakaian mengikut fesyen.

**fast** KATA ADJEKTIF, KATA ADVERBA

> *rujuk juga* **fast** KATA NAMA,
> KATA KERJA

*laju*
◊ *a fast car* kereta yang laju
♦ **They work very fast.** Mereka bekerja dengan sangat cepat.
♦ **That clock's fast.** Jam itu cepat.
♦ **He's fast asleep.** Dia sudah tidur nyenyak.

to **fast** KATA KERJA

> *rujuk juga* **fast** KATA ADJEKTIF,
> KATA ADVERBA, KATA NAMA

**F**

_berpuasa_
◊ _I fasted for a day._ Saya berpuasa selama sehari.

**fast**   KATA NAMA

> _rujuk juga_ **fast** KATA ADJEKTIF, KATA ADVERBA, KATA KERJA

_puasa_
◊ _to break one's fast_ berbuka puasa

to **fasten**   KATA KERJA
1 _ditutup_
◊ _the dress, which fastens with long back zip_ baju yang ditutup dengan zip yang panjang di bahagian belakangnya
2 _mengenakan_ (butang, zip, dll)
3 _mengikat_ (rambut, dll)
♦ **She got into her car and fastened the seat belt.** Dia masuk ke dalam kereta dan memakai tali pinggang keledar.

**fastener**   KATA NAMA
_kancing_
◊ _the fastener of a dress_ kancing baju

**fastidious**   KATA ADJEKTIF
1 _cerewet_ (tentang kebersihan, dll)
2 _sangat teliti_

**fat**   KATA ADJEKTIF

> _rujuk juga_ **fat** KATA NAMA

_gemuk_
◊ _She thinks she's too fat._ Dia merasakan bahawa dirinya terlalu gemuk.

**fat**   KATA NAMA

> _rujuk juga_ **fat** KATA ADJEKTIF

1 _lemak_
◊ _It's very high in fat._ Makanan itu mengandungi lemak yang banyak.
2 _minyak_ (untuk memasak)

**fatal**   KATA ADJEKTIF
1 _mengakibatkan maut_
◊ _a fatal accident_ kemalangan yang mengakibatkan maut
2 _membawa padah_
◊ _a fatal mistake_ kesilapan yang membawa padah

**fate**   KATA NAMA
_takdir_

**fated**   KATA ADJEKTIF
_ditakdirkan_
◊ _He was fated not to score._ Dia sudah ditakdirkan tidak dapat menjaringkan gol.

**father**   KATA NAMA
_bapa_
♦ **my father and mother** ibu bapa saya
♦ **Father Christmas** Santa Klaus

**father-in-law**   KATA NAMA
(JAMAK **fathers-in-law**)
_bapa mertua_

**fatherly**   KATA ADJEKTIF
_bersifat kebapaan_
◊ _Tony's not at all fatherly._ Tony tidak bersifat kebapaan langsung.

♦ **fatherly love for his children** kasih sayang seorang bapa kepada anak-anaknya

**fatigue**   KATA NAMA
_keletihan_
◊ _Serena rested for a while to recover from her fatigue._ Serena berehat sebentar untuk menghilangkan keletihannya.

**fatness**   KATA NAMA
_kegemukan_

to **fatten**   KATA KERJA
_menggemukkan_
◊ _The cattle are being fattened for slaughter._ Lembu itu digemukkan untuk disembelih.

**fattening**   KATA ADJEKTIF
_menggemukkan_
◊ _fattening food_ makanan yang menggemukkan

**fatty**   KATA ADJEKTIF
_berlemak_
◊ _fatty food_ makanan yang berlemak

**faucet**   KATA NAMA 🇦🇺
_paip_ (pili air)

**fault**   KATA NAMA
1 _salah_
◊ _It wasn't my fault._ Bukan salah saya.
2 _kelemahan_
◊ _He has his faults, but I still like him._ Saya masih menyukainya walaupun dia mempunyai kelemahan.
♦ **a mechanical fault** kerosakan mekanikal

**faulty**   KATA ADJEKTIF
_rosak_
◊ _faulty equipment_ peralatan yang rosak
♦ **a faulty argument** hujah yang tidak betul

**fauna**   KATA NAMA
_fauna_

**favour**   KATA NAMA
(AS **favor**)
_pertolongan_
◊ _I've come to ask you to do me a favour._ Saya datang untuk meminta pertolongan daripada anda.
♦ **Could you do me a favour?** Bolehkah anda menolong saya?
♦ **to be in favour of something** menyokong sesuatu

**favourite**   KATA ADJEKTIF
(AS **favorite**)

> _rujuk juga_ **favourite** KATA NAMA

_kegemaran_
◊ _Blue's my favourite colour._ Warna biru ialah warna kegemaran saya.

**favourite**   KATA NAMA
(AS **favorite**)

> _rujuk juga_ **favourite** KATA ADJEKTIF

① _kegemaran_ (benda, subjek, dll)
② _kata nama + pilihan_
◊ _Liverpool are favourites to win the Cup._
Pasukan Liverpool merupakan pasukan
pilihan untuk memenangi piala itu.

**fawn**  KATA ADJEKTIF
> rujuk juga **fawn** KATA NAMA

_perang kekuning-kuningan_

**fawn**  KATA NAMA
> rujuk juga **fawn** KATA ADJEKTIF

_anak rusa_

**fax**  KATA NAMA
(JAMAK **faxes**)
> rujuk juga **fax** KATA KERJA

_faks_

to **fax**  KATA KERJA
> rujuk juga **fax** KATA NAMA

_memfakskan_
◊ _I'll fax you the details._ Saya akan
memfakskan butir-butirnya kepada anda.

**fear**  KATA NAMA
> rujuk juga **fear** KATA KERJA

_ketakutan_

to **fear**  KATA KERJA
> rujuk juga **fear** KATA NAMA

_takut_
◊ _You have nothing to fear._ Anda tidak
perlu takut.

**fearless**  KATA ADJEKTIF
_berani_

**feast**  KATA NAMA
_jamuan_

**feat**  KATA NAMA
_hasil ... yang menakjubkan_
◊ _A racing car is an extraordinary feat of
engineering._ Kereta lumba merupakan
hasil kejuruteraan yang amat
menakjubkan.

**feather**  KATA NAMA
_bulu_ (pada burung, ayam)

**feature**  KATA NAMA
_ciri_
◊ _an important feature_ ciri yang penting
♦ **facial features** wajah

**February**  KATA NAMA
_Februari_
◊ _on 18 February_ pada 18 Februari
♦ **in February** pada bulan Februari

**fed**  KATA KERJA  _rujuk_ **feed**

**federal**  KATA ADJEKTIF
_persekutuan_
◊ _federal government_ kerajaan
persekutuan

**fed up**  KATA ADJEKTIF
_bosan_
♦ **to be fed up with something** sudah
bosan dengan sesuatu

**fee**  KATA NAMA
① _yuran_

◊ _The amount comprises all the
expenses including the fees._ Jumlah itu
merangkumi semua perbelanjaan
termasuk yuran.
② _bayaran_
◊ _entrance fee_ bayaran masuk

**feeble**  KATA ADJEKTIF
_lemah_
◊ _He was old and feeble._ Dia sudah
tua dan lemah. ◊ _a feeble argument_
hujah yang lemah

to **feed**  KATA KERJA
(**fed, fed**)
_memberi ... makan_
◊ _Have you fed the cat?_ Sudahkah
anda beri kucing itu makan?
♦ **He worked hard to feed his family.** Dia
bekerja keras untuk menyara keluarganya.

to **feel**  KATA KERJA
(**felt, felt**)
① _merasa_
◊ _I didn't feel much pain._ Saya tidak
merasa begitu sakit. ◊ _The doctor felt his
forehead._ Doktor itu merasa dahinya.
② _berasa_
◊ _I felt lonely._ Saya berasa sunyi.
◊ _I was feeling hungry._ Saya berasa
lapar.
♦ **to feel like doing something** terasa
hendak melakukan sesuatu ◊ _I don't
feel like going out tonight._ Saya tidak
terasa hendak keluar malam ini.
♦ **Do you feel like an ice cream?** Adakah
anda terasa hendak makan aiskrim?

**feeler**  KATA NAMA
_sesungut_

**feelgood**  KATA ADJEKTIF
_ceria_ (filem, lagu)
♦ **the feelgood factor** perasaan puas hati
◊ _The feelgood factor will get stronger as
economic recovery continues._ Perasaan
puas hati akan bertambah apabila
ekonomi terus pulih.

**feeling**  KATA NAMA
① _perasaan_
◊ _He was afraid of hurting my feelings._
Dia takut akan menyinggung perasaan
saya.
② _rasa_
◊ _an itchy feeling_ rasa gatal
♦ **What are your feelings about it?**
Apakah pendapat anda tentang perkara
ini?
♦ **to have feelings for somebody**
mempunyai perasaan terhadap seseorang
(kasih, sayang) ◊ _I no longer have any
feelings for her._ Saya tidak mempunyai
sebarang perasaan lagi terhadapnya.

**fee-paying**  KATA ADJEKTIF

F

[1] (pelajar) *perlu membayar yuran*
◊ *fee-paying postgraduate students*
pelajar lepasan ijazah yang perlu
membayar yuran
[2] (sekolah) *berbayar*

**feet**  KATA NAMA JAMAK  rujuk **foot**

to **feint**  KATA KERJA
*mengacah* (dalam permainan)
◊ *I feinted to the left, then to the right...*
Saya mengacah ke kiri dan ke kanan...

**fell**  KATA KERJA  rujuk **fall**

**fellow**  KATA ADJEKTIF
*rakan*
◊ *fellow students* rakan pelajar
◊ *fellow workers* rakan sekerja

**felt**  KATA KERJA  rujuk **feel**

**felt-tip pen**  KATA NAMA
*pen bermata felt*

**female**  KATA ADJEKTIF

> rujuk juga **female** KATA NAMA

[1] *perempuan* (orang)
◊ *the female sex* kaum perempuan
[2] *betina* (haiwan, tumbuhan)
◊ *a female bat* kelawar betina

**female**  KATA NAMA

> rujuk juga **female** KATA ADJEKTIF

[1] *perempuan* (orang)
[2] *betina* (haiwan, tumbuhan)

**feminine**  KATA ADJEKTIF
*bersifat kewanitaan*

**feminist**  KATA NAMA
*feminis*

**feminity**  KATA NAMA
*kewanitaan*

**fence**  KATA NAMA

> rujuk juga **fence** KATA KERJA

*pagar*

to **fence**  KATA KERJA

> rujuk juga **fence** KATA NAMA

*memagari*
◊ *William fenced the garden.* William
memagari kebun itu.

to **fend off**  KATA KERJA
*menangkis*
◊ *He fended off questions from the
press.* Dia menangkis soalan-soalan
daripada pihak akhbar. ◊ *He raised his
hand to fend off the blow.* Dia mengangkat
tangannya untuk menangkis pukulan itu.

to **ferment**  KATA KERJA
*menapai*

**fermentation**  KATA NAMA
*penapaian*

**fern**  KATA NAMA
*paku pakis*

**ferocious**  KATA ADJEKTIF
*ganas*

**ferry**  KATA NAMA
(JAMAK **ferries**)

*feri*

**fertile**  KATA ADJEKTIF
*subur*

**fertility**  KATA NAMA
*kesuburan*

**fertilization**  KATA NAMA
*persenyawaan*

to **fertilize**  KATA KERJA
[1] *mensenyawakan*
◊ *to fertilize an egg* mensenyawakan
telur
[2] *menyuburkan*
◊ *The farmer used manure to fertilize the
soil.* Petani itu menggunakan baja untuk
menyuburkan tanah.

**fertilizer**  KATA NAMA
*baja*

**fervour**  KATA NAMA
*keghairahan*
♦ **Jerry spoke with great fervour.**  Jerry
berucap dengan semangat yang berkobar-
kobar.

**festival**  KATA NAMA
[1] *pesta*
◊ *a jazz festival* pesta jaz
[2] *perayaan*
◊ *Chinese New Year festival* perayaan
Tahun Baru Cina

**festive**  KATA ADJEKTIF
*perayaan*
◊ *a festive time of singing and dancing*
waktu perayaan dengan nyanyian dan
tarian
♦ **They spend a lot on Christmas
presents and festive food.**  Mereka
banyak berbelanja untuk membeli hadiah
Krismas dan makanan sempena perayaan
itu.

**festivity**  KATA NAMA
*kemeriahan*
◊ *We sensed the warmth and festivity of
the occasion.* Kami dapat merasakan
kehangatan dan kemeriahan majlis itu.

to **fetch**  KATA KERJA
*mengambil*
◊ *Fetch the bucket.* Ambil baldi itu.
◊ *to fetch something for someone*
mengambil sesuatu untuk seseorang
♦ **His painting fetched five thousand
pounds.**  Lukisannya dijual dengan harga
lima ribu paun.

**feud**  KATA NAMA

> rujuk juga **feud** KATA KERJA

*pertelagahan*
◊ *a feud between the two countries*
pertelagahan antara dua buah negara itu

to **feud**  KATA KERJA

> rujuk juga **feud** KATA NAMA

*bertelagah*

◊ *These two families have been feuding for a long time.* Kedua-dua keluarga itu sudah lama bertelagah.

**feudal** KATA ADJEKTIF
*feudal*

**feudalism** KATA NAMA
*feudalisme*

**fever** KATA NAMA
*demam*

**fever blister** KATA NAMA [Aus]
*bintik merah* (akibat selesema)

**few** KATA ADJEKTIF, KATA GANTI NAMA
*sedikit*
♦ **He has few friends.** Dia tidak mempunyai ramai kawan.
♦ **a few** beberapa ◊ *a few cars* beberapa buah kereta ◊ *She was silent for a few seconds.* Dia membisu beberapa ketika.
♦ **quite a few people** agak ramai orang

**fewer** KATA ADJEKTIF
*kurang*
◊ *There were fewer people than yesterday.* Bilangan orang pada hari ini kurang daripada kelmarin.

**fiancé** KATA NAMA
*tunang* (lelaki)

**fiancée** KATA NAMA
*tunang* (perempuan)

**fibre** KATA NAMA
*gentian*

**fibrous** KATA ADJEKTIF
*mempunyai gentian*

**fiction** KATA NAMA
*cereka* atau *fiksyen*

to **fidget** KATA KERJA
*menggelisah*
◊ *Brenda fidgeted in her seat.* Brenda menggelisah di tempat duduknya.
♦ **He fidgeted with his tie.** Dia bermain-main dengan tali lehernya.

**field** KATA NAMA
[1] *ladang*
◊ *a field of wheat* sebuah ladang gandum
[2] *padang*
◊ *a football field* padang bola sepak
[3] *bidang*
◊ *He's an expert in the field of biology.* Dia pakar dalam bidang biologi.

**fierce** KATA ADJEKTIF
[1] *garang*
◊ *a fierce Alsatian* anjing Alsatian yang garang
[2] *sengit*
◊ *There's fierce competition between the companies.* Terdapat persaingan yang sengit antara syarikat-syarikat itu.
[3] *ganas*
◊ *a fierce attack* serangan yang ganas

**fiery** KATA ADJEKTIF
[1] *membara*
◊ *fiery spirit* jiwa yang membara
[2] *garang* (warna)
[3] *pedas* (makanan)
[4] *panas baran* (orang)

**fifteen** ANGKA
*lima belas*
♦ **I'm fifteen.** Saya berumur lima belas tahun.

**fifteenth** KATA ADJEKTIF
*kelima belas*
◊ *the fifteenth place* tempat kelima belas
♦ **the fifteenth of December** lima belas hari bulan Disember

**fifth** KATA ADJEKTIF
*kelima*
◊ *the fifth place* tempat kelima
♦ **the fifth of August** lima hari bulan Ogos

**fifties** KATA NAMA JAMAK
*lima puluhan*

**fiftieth** KATA ADJEKTIF
*kelima puluh*

**fifty** ANGKA
*lima puluh*
♦ **He's fifty.** Dia berumur lima puluh tahun.

**fifty-fifty** KATA ADJEKTIF, KATA ADVERBA
*sama banyak*
◊ *They split the prize money fifty-fifty.* Mereka membahagikan wang hadiah itu sama banyak.
♦ **a fifty-fifty chance** peluang lima puluh lima puluh

**fight** KATA NAMA

rujuk juga **fight** KATA KERJA

[1] *pergaduhan*
◊ *There was a fight in the pub.* Satu pergaduhan telah berlaku di dalam pub itu.
♦ **She had a fight with her best friend.** Dia bergaduh dengan kawan karibnya.
[2] *perjuangan*
◊ *the fight against cancer* perjuangan untuk melawan penyakit barah

to **fight** KATA KERJA
**(fought, fought)**

rujuk juga **fight** KATA NAMA

[1] *bergaduh*
◊ *The football fans started fighting.* Peminat-peminat bola sepak itu mula bergaduh.
[2] *menentang*
◊ *She has fought against racism all her life.* Dia telah menentang sikap perkauman sepanjang hidupnya.
♦ **The doctors tried to fight the disease.** Doktor-doktor itu berusaha untuk mengubati penyakit tersebut.

F

to **fight back**   KATA KERJA
  *melawan balik*
**fighter**   KATA NAMA
  [1] *kapal terbang pejuang*
  [2] *pejuang*
  ◊ *fighter for independence* pejuang kemerdekaan
**fighting**   KATA NAMA
  [1] *pergaduhan*
  ◊ *Fighting broke out outside the pub.* Pergaduhan tercetus di luar pub itu.
  [2] *pertempuran*
  ◊ *Many people have died in the fighting.* Ramai orang telah terkorban dalam pertempuran itu.
**figurative**   KATA ADJEKTIF
  *figuratif*
**figure**   KATA NAMA
  [1] *angka*
  ◊ *Can you give me the exact figures?* Bolehkah anda berikan angka yang tepat kepada saya?
  [2] *susuk tubuh*
  ◊ *Helen saw the figure of a man on the bridge.* Helen nampak susuk tubuh seorang lelaki di atas jambatan itu.
  ◆ **She's got a good figure.** Dia mempunyai potongan badan yang cantik.
  ◆ **I have to watch my figure.** Saya mesti menjaga berat badan saya.
  [3] *tokoh*
  ◊ *She's an important political figure.* Dia seorang tokoh politik yang penting.
to **figure out**   KATA KERJA
  [1] *mengira*
  ◊ *I'll try to figure out how much it'll cost.* Saya akan cuba mengira jumlah kosnya.
  [2] *memahami*
  ◊ *I couldn't figure out what it meant.* Saya tidak dapat memahami maksudnya.
**filament**   KATA NAMA
  *filamen*
**file**   KATA NAMA
  | *rujuk juga* **file** KATA KERJA |
  [1] *fail*
  ◊ *She put the photocopy into her file.* Dia menyimpan salinan itu di dalam failnya. ◊ *a computer file* fail komputer
  ◆ **The police have a file on him.** Pihak polis mempunyai rekod tentang dirinya.
  [2] *kikir*
  ◊ *a nail file* kikir kuku
to **file**   KATA KERJA
  | *rujuk juga* **file** KATA NAMA |
  [1] *memfailkan*
  ◊ *You have to file all these documents.* Anda perlu memfailkan kesemua dokumen ini.
  [2] *mengikir*

◊ *She was filing her nails.* Dia sedang mengikir kukunya.
to **fill**   KATA KERJA
  *mengisi*
  ◊ *She filled the glass with water.* Dia mengisi gelas itu dengan air.
to **fill in**   KATA KERJA
  *mengisi*
  ◊ *He filled the hole in with soil.* Dia mengisi lubang itu dengan tanah.
  ◆ **Can you fill in this form, please?** Sila isikan borang ini.
to **fill up**   KATA KERJA
  *mengisi*
  ◊ *He filled the cup up to the brim.* Dia mengisi cawan itu sehingga penuh.
  ◆ **Fill it up, please.** Isikan penuh. (*di stesen minyak*)
**filling**   KATA NAMA
  [1] *tampalan* (*pada gigi*)
  [2] *inti* (*dalam kek, roti, kuih*)
**film**   KATA NAMA
  | *rujuk juga* **film** KATA KERJA |
  *filem*
  ◊ *my favourite film* filem kegemaran saya ◊ *I need a thirty six exposure film.* Saya memerlukan segulung filem 36 keping.
to **film**   KATA KERJA
  | *rujuk juga* **film** KATA NAMA |
  *memfilemkan*
  ◊ *The director plans to film the fight scene in a nightclub.* Pengarah itu bercadang memfilemkan babak pergaduhan itu di kelab malam.
**film star**   KATA NAMA
  *bintang filem*
**filmy**   KATA ADJEKTIF
  *jarang*
  ◊ *a filmy nightdress* gaun tidur yang jarang
to **filter**   KATA KERJA
  | *rujuk juga* **filter** KATA NAMA |
  *menapis*
  ◊ *My mother filtered the water before boiling it.* Emak saya menapis air itu sebelum memasaknya.
**filter**   KATA NAMA
  | *rujuk juga* **filter** KATA KERJA |
  *penapis*
  ◊ *water filter* penapis air
**filth**   KATA NAMA
  *kotoran*
**filthy**   KATA ADJEKTIF
  *sangat kotor*
**filtration**   KATA NAMA
  *penapisan*
  ◊ *This enzyme would make filtration easier.* Enzim ini akan memudahkan

proses penapisan.

**fin** KATA NAMA

*sirip*

◊ *shark's fin* sirip yu

**final** KATA ADJEKTIF

> *rujuk juga* **final** KATA NAMA

① *akhir*

◊ *a final attempt* percubaan yang akhir

② *muktamad*

◊ *a final decision* keputusan muktamad

♦ **I'm not going and that's final.** Saya tidak akan pergi dan keputusan itu adalah muktamad.

**final** KATA NAMA

> *rujuk juga* **final** KATA ADJEKTIF

*peringkat akhir*

◊ *Billy is in the final.* Billy berjaya memasuki peringkat akhir.

to **finalize** KATA KERJA

*membuat keputusan muktamad*

◊ *We will finalize the plan tomorrow.* Kami akan membuat keputusan muktamad mengenai rancangan itu esok.

**finally** KATA ADVERBA

① *akhir sekali*

◊ *Finally, I would like to say thank you to all of you.* Akhir sekali, saya ingin mengucapkan terima kasih kepada anda semua.

② *akhirnya*

◊ *They finally decided to leave on Saturday.* Akhirnya mereka membuat keputusan untuk bertolak pada hari Sabtu.

to **finance** KATA KERJA

> *rujuk juga* **finance** KATA NAMA

*membiayai*

◊ *His father financed the entire cost of his studies.* Bapanya membiayai segala perbelanjaan untuk pembelajarannya.

**finance** KATA NAMA

> *rujuk juga* **finance** KATA KERJA

*kewangan*

◊ *the finance division* bahagian kewangan

♦ **the Finance Minister** Menteri Kewangan

**financial** KATA ADJEKTIF

*kewangan*

◊ *The company is in financial difficulties.* Syarikat itu sedang menghadapi masalah kewangan.

**financial controller** KATA NAMA

*pengawal kewangan*

to **find** KATA KERJA

**(found, found)**

*mencari*

◊ *I can't find the exit.* Saya tidak dapat mencari pintu keluar.

to **find out** KATA KERJA

*mendapat tahu*

◊ *I found out what happened.* Saya mendapat tahu tentang perkara yang berlaku.

♦ **to find out about something** mendapatkan maklumat tentang sesuatu

◊ *Try to find out about the cost of a hotel.* Cuba dapatkan maklumat tentang kos penginapan di sesebuah hotel. ◊ *Find out as much as possible about the town.* Dapatkan seberapa banyak maklumat yang mungkin tentang bandar itu.

**finding** KATA NAMA

*dapatan*

> Biasanya **finding** digunakan dalam bentuk jamak, iaitu **findings**.

**fine** KATA ADJEKTIF, KATA ADVERBA

> *rujuk juga* **fine** KATA NAMA, KATA KERJA

*halus*

◊ *She's got very fine hair.* Rambutnya halus sekali.

♦ **He's a fine musician.** Dia seorang ahli muzik yang sangat berbakat.

♦ **How are you? - I'm fine.** Apa khabar? - Khabar baik.

♦ **I feel fine.** Saya berasa sihat.

♦ **It'll be ready tomorrow. - That's fine, thanks.** Kerja itu akan siap esok. - Baiklah, terima kasih.

♦ **The weather will be fine today.** Cuaca akan elok hari ini.

**fine** KATA NAMA

> *rujuk juga* **fine** KATA ADJEKTIF, KATA KERJA

*denda*

♦ **I got a fine for driving through a red light.** Saya didenda kerana melanggar lampu merah.

to **fine** KATA KERJA

> *rujuk juga* **fine** KATA ADJEKTIF, KATA NAMA

*mendenda*

◊ *The magistrate fined him for contempt of court.* Majistret itu mendendanya kerana menghina mahkamah. ◊ *Ken was fined for speeding.* Ken didenda kerana memandu melebihi had laju.

**finesse** KATA NAMA

*kehalusan*

◊ *the finesse of the workmanship* kehalusan kerja tangan itu

**finger** KATA NAMA

*jari*

♦ **my little finger** jari kelengkeng saya

♦ **index finger** jari telunjuk

♦ **middle finger** jari hantu

♦ **ring finger** jari manis

**fingernail** KATA NAMA

*kuku jari*

F

**fingerprint** KATA NAMA
*cap jari*

**fingertip** KATA NAMA
*hujung jari*

**fingertip search** KATA NAMA
*pemeriksaan terperinci* (*tentang kes jenayah, kemalangan*)
◊ *a painstaking fingertip search* pemeriksaan terperinci yang cermat dan teliti

to **finish** KATA KERJA

> *rujuk juga* **finish** KATA NAMA

1 *siap*
◊ *I've finished!* Saya sudah siap!
2 *habis*
◊ *to finish doing something* habis melakukan sesuatu ◊ *Have you finished eating?* Anda sudah habis makan?
3 *berakhir*
◊ *The meeting will finish soon.* Mesyuarat itu akan berakhir sebentar lagi.

**finish** KATA NAMA

> *rujuk juga* **finish** KATA KERJA

1 *penghabisan*
◊ *from start to finish* dari mula hingga ke penghabisan
2 *bahagian akhir*
◊ *We saw the finish of the London Marathon.* Kami menyaksikan bahagian akhir Maraton London.

**Finland** KATA NAMA
*negara Finland*

**Finn** KATA NAMA
*orang Finland*
◊ *the Finns* orang Finland

**Finnish** KATA ADJEKTIF

> *rujuk juga* **Finnish** KATA NAMA

*Finland*
◊ *the Finnish flag* bendera Finland
♦ **She's Finnish.** Dia berbangsa Finland.

**Finnish** KATA NAMA

> *rujuk juga* **Finnish** KATA ADJEKTIF

*bahasa Finland*

**fir** KATA NAMA
*pokok fir*

**fire** KATA NAMA

> *rujuk juga* **fire** KATA KERJA

1 *api*
◊ *The fire spread quickly.* Api itu merebak dengan cepat. ◊ *Vincent made a fire to warm himself up.* Vincent menyalakan api untuk memanaskan badannya.
2 *kebakaran*
◊ *The house was destroyed by a fire.* Rumah itu musnah akibat kebakaran.
♦ **to be on fire** terbakar
3 *bedilan*

◊ *enemy fire* bedilan oleh pihak musuh
♦ **small arms/cannon fire** tembakan daripada senjata ringan/meriam
4 *alat pemanas*
◊ *an electric fire* alat pemanas elektrik

to **fire** KATA KERJA

> *rujuk juga* **fire** KATA NAMA

*menembak*
◊ *She fired at the intruder.* Dia menembak ke arah penceroboh itu.
♦ **to fire a gun** menembak
♦ **to fire somebody** memecat seseorang
◊ *He was fired from his job.* Dia dipecat daripada jawatannya.

to **fire up** KATA KERJA
1 *memberikan perangsang*
◊ *Sam was trying to fire Costantino up.* Sam cuba untuk memberikan perangsang kepada Constantino.
2 *menggalakkan*
◊ *2000 was a magic number that fired up the imagination of many people.* 2000 merupakan angka ajaib yang telah menggalakkan imaginasi ramai orang.

**fire alarm** KATA NAMA
*penggera kebakaran*

**firearm** KATA NAMA
*senjata api*

**fire brigade** KATA NAMA
*pasukan bomba*

**firecracker** KATA NAMA
*mercun*

**fire engine** KATA NAMA
*kereta bomba*

**fire escape** KATA NAMA
*tangga kecemasan*

**fire extinguisher** KATA NAMA
*alat pemadam api*

**firefly** KATA NAMA
(JAMAK **fireflies**)
*kelip-kelip*

**fireman** KATA NAMA
(JAMAK **firemen**)
*ahli bomba*
◊ *He's a fireman.* Dia seorang ahli bomba.

**fireplace** KATA NAMA
*perdiangan*

> tempat khas di dalam rumah yang boleh digunakan untuk menyalakan api supaya dapat memanaskan badan pada musim sejuk

**fire station** KATA NAMA
*balai bomba*

**firewall** KATA NAMA
(*komputer*)
*peranti keselamatan*

**firewood** KATA NAMA
*kayu api*

**fireworks** KATA NAMA JAMAK
*bunga api*

**firm** KATA NAMA

> rujuk juga **firm** KATA ADJEKTIF

*firma*

**firm** KATA ADJEKTIF

> rujuk juga **firm** KATA NAMA

1. *tegas*
♦ **to be firm with somebody** bertegas dengan seseorang
2. *pejal*
◊ *a firm mattress* tilam yang pejal
3. *kukuh* (benda, hubungan)
4. *erat* (pegangan, pelukan)

**first** KATA ADJEKTIF, KATA NAMA, KATA ADVERBA

1. *pertama*
◊ *for the first time* buat pertama kalinya
◊ *my first job* kerja saya yang pertama
◊ *She was the first to arrive.* Dialah orang yang pertama sampai.
2. *juara*
◊ *Rachel came first in the race.* Rachel muncul juara dalam perlumbaan itu.
♦ **the first of September** satu hari bulan September
♦ **at first** pada mulanya
3. *dahulu*
◊ *I want to get a job, but first I have to pass my exams.* Saya ingin mendapatkan pekerjaan, tetapi saya mesti lulus peperiksaan dahulu.
♦ **first of all** mula-mula sekali

**first aid** KATA NAMA
*pertolongan cemas*
♦ **a first aid kit** alat pertolongan cemas

**first-aider** KATA NAMA
*ahli pertolongan cemas*

**first-class** KATA ADJEKTIF
1. *kelas pertama*
◊ *a first-class ticket* tiket kelas pertama
2. *sangat baik*
◊ *a first-class meal* sajian yang sangat baik
♦ **a first-class stamp**

> Di Britain **first-class stamp** merupakan sejenis setem yang lebih mahal dan digunakan untuk menghantar surat dengan lebih cepat.

**firstly** KATA ADVERBA
*pertama sekali*

**First Minister** KATA NAMA
*Menteri Pertama* (di Scotland, Ireland Utara)

**fiscal** KATA ADJEKTIF
*fiskal*
◊ *The government has tightened the fiscal policy.* Kerajaan telah mengetatkan polisi fiskal.

**fish** KATA NAMA
(JAMAK **fish**)

> rujuk juga **fish** KATA KERJA

*ikan*
◊ *I caught three fish.* Saya berjaya menangkap tiga ekor ikan. ◊ *I don't like fish.* Saya tidak suka makan ikan.
◊ *fish and chips* ikan dan kentang goreng

to **fish** KATA KERJA

> rujuk juga **fish** KATA NAMA

*memancing*
♦ **to go fishing** pergi memancing

**fisherman** KATA NAMA
(JAMAK **fishermen**)
*nelayan*
◊ *He's a fisherman.* Dia seorang nelayan.

**fishery** KATA NAMA
(JAMAK **fisheries**)
*kawasan perikanan*

**fish fingers** KATA NAMA JAMAK
*jejari ikan*

**fishing** KATA NAMA
*memancing*
◊ *I enjoy fishing.* Saya suka memancing.
♦ **a fishing boat** bot nelayan

**fishing rod** KATA NAMA
*joran*

**fishing tackle** KATA NAMA
*kelengkapan memancing*

**fishmonger's** KATA NAMA
*gerai menjual ikan*

**fish sticks** KATA NAMA JAMAK ▣
*jejari ikan*

**fishy** KATA ADJEKTIF
1. *hanyir* (bau)
2. *mencurigakan*
◊ *There seems to be something fishy about the witness's statement.* Ada sesuatu yang mencurigakan dalam kenyataan saksi tersebut.

**fist** KATA NAMA
*penumbuk* (genggaman tangan)

**fit** KATA ADJEKTIF

> rujuk juga **fit** KATA KERJA, KATA NAMA

1. *sihat*
◊ *He felt relaxed and fit after his holiday.* Dia berasa tenang dan sihat selepas bercuti.
♦ **Will he be fit to play next Saturday?** Apakah dia cukup cergas untuk bermain pada hari Sabtu depan?
2. (tidak formal) *menarik* (orang, tubuh)

**fit** KATA NAMA

> rujuk juga **fit** KATA ADJEKTIF, KATA KERJA

♦ **to have a fit (1)** kena sawan

F

♦ **to have a fit (2)** melenting ◊ *My Mum will have a fit when she sees the carpet!* Emak saya tentu akan melenting jika dia melihat permaidani itu!

to **fit** KATA KERJA

> rujuk juga **fit** KATA ADJEKTIF, KATA NAMA

1 *muat*
◊ *Does it fit?* Muatkah?

♦ **It's small enough to fit into your pocket.** Benda ini cukup kecil untuk dimuatkan ke dalam saku anda.

2 *padan*
◊ *Make sure the cork fits well into the bottle.* Pastikan gabus itu betul-betul padan dengan botol itu.

♦ **Look for a job which fits your qualifications.** Carilah kerja yang bersesuaian dengan kelayakan anda.

♦ **to fit somebody** padan dengan seseorang ◊ *These trousers don't fit me.* Seluar ini tidak padan dengan saya.

3 *memasang*
◊ *He fitted an alarm in his car.* Dia memasang penggera di dalam keretanya.

to **fit in** KATA KERJA
*menyesuaikan diri*
◊ *She fitted in well at her new school.* Dia dapat menyesuaikan dirinya dengan baik di sekolah barunya.

♦ **That story doesn't fit in with what he told us.** Cerita itu bercanggah dengan cerita yang disampaikannya kepada kami.

**fitted carpet** KATA NAMA
*permaidani yang dipasang dari dinding ke dinding*

**fitted kitchen** KATA NAMA
*dapur dengan perabot yang terbina di dalamnya*

**fitting room** KATA NAMA
*bilik mencuba pakaian*

**five** ANGKA
*lima*
♦ **He's five.** Dia berumur lima tahun.

to **fix** KATA KERJA
1 *membaiki*
◊ *Can you fix my bike?* Bolehkah anda baiki basikal saya?
2 *menetapkan*
◊ *Let's fix a date for the party.* Mari kita tetapkan tarikh untuk majlis itu.

**fixed** KATA ADJEKTIF
*tetap*
◊ *fixed rules* peraturan tetap
♦ **at a fixed time** pada masa yang ditetapkan
♦ **My parents have very fixed ideas.** Pandangan ibu bapa saya tidak dapat

diubah.

**fixed penalty** KATA NAMA
*denda tetap*

> untuk pelanggaran undang-undang yang tidak begitu serius

to **fizz** KATA KERJA
*berbusa*
◊ *The shaking caused the water in the bottle to fizz.* Goncangan itu menyebabkan air di dalam botol itu berbusa.

**fizzy** KATA ADJEKTIF
*bergas* (minuman)

**flabby** KATA ADJEKTIF
*menggeleber* (kulit, dll)

**flag** KATA NAMA
*bendera*

**flagpole** KATA NAMA
*tiang bendera*

**flame** KATA NAMA

> rujuk juga **flame** KATA KERJA

*nyalaan api*

to **flame** KATA KERJA

> rujuk juga **flame** KATA NAMA

1 *menjadi merah dengan tiba-tiba*
◊ *Her cheeks flamed an angry red.* Pipinya menjadi merah dengan tiba-tiba kerana marah.
2 *menghantar e-mel yang kesat*

**flamingo** KATA NAMA
(JAMAK **flamingos** atau **flamingoes**)
*burung flamingo*

**flannel** KATA NAMA
*flanel* (sejenis kain)

to **flap** KATA KERJA
*mengibas-ngibaskan*
◊ *The bird flapped its wings.* Burung itu mengibas-ngibaskan sayapnya.

to **flare** KATA KERJA
*marak*
◊ *Camp fires flared in the dark.* Unggun api marak dalam kegelapan.

♦ **Tempers flared and harsh words were exchanged.** Mereka saling memarahi dan mengeluarkan kata-kata yang kasar.

**flash** KATA NAMA
(JAMAK **flashes**)

> rujuk juga **flash** KATA KERJA

1 *pancaran*
◊ *a flash of lightning* pancaran kilat
2 *lampu kamera*
♦ **in a flash** dalam sekelip mata

to **flash** KATA KERJA

> rujuk juga **flash** KATA NAMA

*memancarkan cahaya lampu*
◊ *A lorry driver flashed him.* Seorang pemandu lori memancarkan cahaya lampu ke arahnya.

♦ **They flashed a torch in his face.**

Mereka menyuluh mukanya dengan lampu picit.

**flashback** KATA NAMA
*imbas kembali*
◊ *a story containing many flashbacks* cerita yang mengandungi banyak imbas kembali

**flash flood** KATA NAMA
*banjir kilat*

**flask** KATA NAMA
1. *termos*
2. *kelalang*

**flat** KATA NAMA

> rujuk juga **flat** KATA ADJEKTIF

*rumah pangsa* atau *flat*

**flat** KATA ADJEKTIF

> rujuk juga **flat** KATA NAMA

1. *rata*
◊ *a flat board* papan yang rata
2. *datar*
◊ *a flat surface* permukaan yang datar
♦ **flat rate** kadar tetap
♦ **flat shoes** kasut bertumit leper
♦ **I've got a flat tyre.** Tayar saya kempis.

**flatness** KATA NAMA
*kerataan*
◊ *Notice the flatness and fertility of the red soil.* Perhatikan kerataan dan kesuburan tanah merah itu.

to **flatten** KATA KERJA
1. *meleperkan*
◊ *He used a hammer to flatten the metal.* Dia menggunakan tukul untuk meleperkan logam itu.
2. *meranapkan*
◊ *The coconut tree that fell down flattened the chicken coop.* Pokok kelapa yang tumbang itu meranapkan reban ayam tersebut.

to **flatter** KATA KERJA
*mengangkat-angkat*
◊ *I knew he was just trying to flatter me.* Saya tahu dia hanya hendak mengangkat-angkat saya.

**flattered** KATA ADJEKTIF
*berbesar hati*

**flatulence** KATA NAMA
*kentut*

**flavour** KATA NAMA
(AS **flavor**)

> rujuk juga **flavour** KATA KERJA

*perisa*
◊ *a very strong flavour* perisa yang sangat kuat ◊ *Which flavour of ice cream would you like?* Perisa aiskrim yang mana satukah yang anda mahu?

to **flavour** KATA KERJA

> rujuk juga **flavour** KATA NAMA

*memberikan rasa pada* (makanan, dll)

**flavouring** KATA NAMA
(AS **flavoring**)
*bahan perisa*

**flaw** KATA NAMA
*kecelaan*
◊ *Almost all of these studies have serious flaws.* Hampir kesemua kajian ini mempunyai kecelaan yang serius.

**flea** KATA NAMA
*kutu*

to **flee** KATA KERJA
(**fled, fled**)
1. *melarikan diri*
◊ *In 1984, he fled to Costa Rica.* Pada tahun 1984, dia melarikan diri ke Costa Rica.
2. *melarikan diri dari*
◊ *Thousands have been compelled to flee the country in makeshift boats.* Beribu-ribu orang terpaksa melarikan diri dari negara itu dengan bot sementara.

**flesh** KATA NAMA
1. *daging*
2. *isi* (buah)

**flew** KATA KERJA *rujuk* **fly**

**flexible** KATA ADJEKTIF
*anjal* atau *fleksibel*
◊ *flexible timetable* jadual waktu anjal
◊ *flexible working hours* waktu kerja yang fleksibel

to **flick** KATA KERJA
*memetik* (suis)
◊ *She flicked the switch to turn the light on.* Dia memetik suis untuk memasang lampu.
♦ **to flick through a book** menyelak-nyelak sebuah buku

to **flicker** KATA KERJA
*berkelip-kelip* (cahaya)

**flight** KATA NAMA
*penerbangan*
◊ *What time is the flight to Paris?* Pukul berapakah penerbangan ke Paris?
♦ **a flight of stairs** satu deretan tangga

**flight attendant** KATA NAMA
1. *pramugara* (lelaki)
2. *pramugari* (perempuan)

to **fling** KATA KERJA
(**flung, flung**)
*melemparkan*
◊ *He flung the dictionary onto the floor.* Dia melemparkan kamus itu ke lantai.

to **flip** KATA KERJA
*memetik*
◊ *He flipped on the lights as he walked in.* Dia memetik suis lampu sambil melangkah masuk.
♦ **He flipped through the pages of the magazine.** Dia menyelak-nyelak

majalah itu.
+ **to flip a coin**  melambung syiling
**flip-flops**  KATA NAMA JAMAK
*selipar Jepun*
to **flirt**  KATA KERJA
*bermain cinta*
to **float**  KATA KERJA

| rujuk juga **float** KATA NAMA |
| --- |

1 *terapung-apung*
◊ *They saw a fifty-ringgit note floating in the water.*  Mereka nampak sekeping wang kertas lima puluh ringgit terapung-apung di atas air.
2 *mengapungkan*
◊ *The children float paper boats in the stream.*  Kanak-kanak itu mengapungkan sampan kertas dalam sungai.
**float**  KATA NAMA

| rujuk juga **float** KATA KERJA |
| --- |

*pelampung*
**flock**  KATA NAMA
*kawan (penjodoh bilangan)*
◊ *a flock of goats*  sekawan kambing
◊ *a flock of birds*  sekawan burung
**flood**  KATA NAMA

| rujuk juga **flood** KATA KERJA |
| --- |

*banjir*
+ **a flood of letters**  surat yang banyak
to **flood**  KATA KERJA

| rujuk juga **flood** KATA NAMA |
| --- |

*membanjiri*
◊ *The river has flooded the village.*
Air sungai telah membanjiri kampung itu.
+ **The public flooded into the post offices to buy the first day cover.**  Orang ramai membanjiri pejabat pos untuk mendapatkan sampul surat hari pertama.
**flooding**  KATA NAMA
*banjir*
◊ *The flooding was caused by three days of torrential rain.*  Banjir itu disebabkan oleh hujan yang turun mencurah-curah selama tiga hari.
**floodlights**  KATA NAMA
*lampu sorot*
**floor**  KATA NAMA
1 *lantai*
◊ *a tiled floor*  lantai yang berjubin
+ **the dance floor**  tempat menari
2 *tingkat*
+ **the ground floor**  tingkat satu/tingkat bawah sekali
+ **the first floor (1)**  tingkat dua
+ **the first floor (2)** 🇬🇧 tingkat satu/tingkat bawah sekali
+ **the second floor (1)**  tingkat tiga
+ **the second floor (2)** 🇬🇧 tingkat dua
to **flop**  KATA KERJA

| rujuk juga **flop** KATA NAMA |
| --- |

*merebahkan badan*
◊ *Dorothy flopped down on the bed and rested her tired feet.*  Dorothy merebahkan badannya di atas katil dan merehatkan kakinya yang lenguh.
**flop**  KATA NAMA

| rujuk juga **flop** KATA KERJA |
| --- |

*gagal*
◊ *It is the public who decide whether a film is a hit or a flop.*  Orang ramailah yang menentukan sama ada sesebuah filem itu berjaya atau gagal.
**floppy disk**  KATA NAMA
*cakera liut*
**flora**  KATA NAMA
*flora*
**floral**  KATA ADJEKTIF
*berbunga*
◊ *a floral fabric*  kain yang berbunga
+ **floral arrangements**  gubahan bunga
+ **floral fragrance**  haruman bunga-bungaan
**florist**  KATA NAMA
1 *penjual bunga*
2 *kedai bunga*
**flour**  KATA NAMA
*tepung*
to **flow**  KATA KERJA

| rujuk juga **flow** KATA NAMA |
| --- |

*mengalir*
◊ *The river flows through the valley.*
Sungai itu mengalir melalui lembah itu.
+ **Traffic is now flowing normally.**  Lalu lintas kini bergerak seperti biasa.
**flow**  KATA NAMA

| rujuk juga **flow** KATA KERJA |
| --- |

*aliran*
◊ *the flow of electric current*  aliran arus elektrik
+ **The flow of blood in the veins is slower.**  Pengaliran darah di dalam pembuluh darah adalah lebih perlahan.
+ **to obstruct the flow of traffic**  menghalang kelancaran lalu lintas
**flow chart**  KATA NAMA
*carta aliran*
**flower**  KATA NAMA

| rujuk juga **flower** KATA KERJA |
| --- |

*bunga*
to **flower**  KATA KERJA

| rujuk juga **flower** KATA NAMA |
| --- |

*berbunga*
**flowerpot**  KATA NAMA
*pasu bunga*
**flown**  KATA KERJA  *rujuk* **fly**
**flu**  KATA NAMA
*demam selesema*
+ **I've got flu.**  Saya demam selesema.
**fluency**  KATA NAMA

_kefasihan_
◊ *Amy's fluency in Japanese made it easy for her to get the job.* Kefasihan Amy berbahasa Jepun memudahkan dia mendapat kerja itu.

**fluent** KATA ADJEKTIF
_fasih_
◊ *He speaks fluent Spanish.* Dia fasih berbahasa Sepanyol.

**fluffy** KATA ADJEKTIF
_gebu_
◊ *fluffy white towels* tuala putih yang gebu

**fluid** KATA NAMA
_bendalir_

**flung** KATA KERJA *rujuk* fling

**fluorescent lamp** KATA NAMA
_lampu kalimantang_

**fluoride** KATA NAMA
_fluorida_

to **flush** KATA KERJA
_mengepam_
◊ *to flush the toilet* mengepam tandas

**flute** KATA NAMA
_seruling_

**fly** KATA NAMA
(JAMAK **flies**)
> rujuk juga **fly** KATA KERJA

_lalat_

to **fly** KATA KERJA
**(flew, flown)**
> rujuk juga **fly** KATA NAMA

_terbang_
◊ *The bird flew away.* Burung itu sudah terbang.
♦ **He flew from London to Glasgow.** Dia menaiki kapal terbang dari London ke Glasgow.

**flying saucer** KATA NAMA
_piring terbang_

**foal** KATA NAMA
_anak kuda_

**foam** KATA NAMA
_buih_

**focal point** KATA NAMA
_titik fokus_
♦ **The place is the focal point of tourists.** Tempat itu menjadi tumpuan pelancong.

to **focus** KATA KERJA
> rujuk juga **focus** KATA NAMA

_memfokuskan_
◊ *Try to focus the binoculars.* Cuba fokuskan binokular itu.
♦ **to focus on something (1)** memfokuskan ... pada sesuatu (*dengan kamera, teleskop*) ◊ *The cameraman focused on the bird.* Jurukamera itu memfokuskan kameranya pada burung tersebut.

♦ **to focus on something (2)** menumpukan perhatian pada sesuatu

**focus** KATA NAMA
(JAMAK **focuses**)
> rujuk juga **focus** KATA KERJA

_tumpuan_
◊ *He was the focus of attention.* Dia menjadi tumpuan ramai.
♦ **to be out of focus** (*imej dalam kamera, teleskop*) kabur

**focused** KATA ADJEKTIF
_mempunyai matlamat yang jelas_
◊ *I spent the next year just wandering. I wasn't focused.* Saya menghabiskan tahun berikutnya dengan merayau-rayau sahaja. Saya tidak mempunyai matlamat yang jelas. ◊ *Their new album is more focused.* Album baru mereka mempunyai matlamat yang lebih jelas.

**focus group** KATA NAMA
_kumpulan tumpuan_ (*politik, TV, dll*)
> orang awam yang berkumpul dan dibayar untuk berbincang tentang sesuatu produk, program atau perkhidmatan

**foe** KATA NAMA
_musuh_

**foetus** KATA NAMA
(JAMAK **foetuses**)
_fetus_

**fog** KATA NAMA
_kabut_

**foggy** KATA ADJEKTIF
_berkabut_
◊ *It's foggy.* Hari ini berkabut. ◊ *a foggy day* hari yang berkabut

**foil** KATA NAMA
_kerajang_

**fold** KATA NAMA
> rujuk juga **fold** KATA KERJA

_lipatan_

to **fold** KATA KERJA
> rujuk juga **fold** KATA NAMA

_melipat_
◊ *He folded the newspaper.* Dia melipat surat khabar itu.
♦ **to fold one's arms** berpeluk tubuh

to **fold up** KATA KERJA
_melipat_
◊ *She folded the chair up and walked off.* Dia melipat kerusi tersebut dan beredar dari situ.

**folder** KATA NAMA
1 _fail_
2 (*komputer*) _folder_

**folding** KATA ADJEKTIF
_boleh dilipat_ (*katil, kerusi*)

**folio** KATA NAMA
(JAMAK **folios**)

F

*folio*

**folk tales** KATA NAMA
  *dongeng rakyat*

**follicle** KATA NAMA
  *folikel*
  ◊ *hair follicle* folikel rambut

to **follow** KATA KERJA
  *mengikut*
  ◊ *He followed my advice.* Dia mengikut nasihat saya. ◊ *You go first and I'll follow.* Anda pergi dahulu dan saya akan ikut.

**follower** KATA NAMA
  *pengikut*

**following** KATA ADJEKTIF
  *berikutnya*
  ◊ *the following day* hari berikutnya

**folly** KATA NAMA
  (JAMAK **follies**)
  *perkara yang bodoh*
  ◊ *a reminder of the follies of war* peringatan tentang perkara-perkara yang bodoh semasa peperangan

**fond** KATA ADJEKTIF
  *suka*
  ♦ **to be fond of somebody** menyukai seseorang ◊ *I'm very fond of her.* Saya amat menyukainya.

**font** KATA NAMA
  *fon*

**food** KATA NAMA
  *makanan*
  ◊ *cat food* makanan kucing ◊ *We need to buy some food.* Kita perlu membeli sedikit makanan.

**food processor** KATA NAMA
  *pemproses makanan*

**foodstuff** KATA NAMA
  *barang makanan*

**food technology** KATA NAMA
  *teknologi makanan*

**fool** KATA NAMA
  | rujuk juga **fool** KATA KERJA |
  *orang yang bodoh*

to **fool** KATA KERJA
  | rujuk juga **fool** KATA NAMA |
  *memperdaya*

to **fool around** KATA KERJA
  *bermain-main*
  ◊ *Don't fool around with that madman.* Jangan bermain-main dengan lelaki yang tidak siuman itu.

**foolish** KATA ADJEKTIF
  *bodoh*

**foolishly** KATA ADVERBA
  *dengan bodoh*

**foot** KATA NAMA
  (JAMAK **feet**)
  *kaki*
  ◊ *My feet are aching.* Kaki saya sakit.

♦ **on foot** berjalan kaki
♦ **Dave is six foot tall.** Tinggi Dave ialah enam kaki.

**foot-and-mouth disease** KATA NAMA
  *penyakit kuku dan mulut*

**football** KATA NAMA
  [1] *bola sepak*
  ◊ *to play football* bermain bola sepak
  ♦ **football strip** jersi bola sepak
  [2] *bola*
  ◊ *Paul threw the football over the fence.* Paul membaling bola itu melepasi pagar.

**footballer** KATA NAMA
  *pemain bola sepak*

**football player** KATA NAMA
  *pemain bola sepak*

**footing** KATA NAMA
  *dasar*
  ♦ **to lose one's footing** jatuh ◊ *Eric lost his footing and began to slide into the pit.* Eric jatuh dan mula menggelongsor ke dalam lubang itu.

**footpath** KATA NAMA
  *lorong pejalan kaki*

**footprint** KATA NAMA
  *kesan tapak kaki*
  ◊ *He saw some footprints in the sand.* Dia nampak beberapa kesan tapak kaki di atas pasir.

**footstep** KATA NAMA
  *bunyi tapak kaki*
  ◊ *I can hear footsteps on the stairs.* Saya dapat mendengar bunyi tapak kaki di atas tangga.
  ♦ **to follow in someone's footsteps** mengikut jejak seseorang ◊ *Samad followed in his father's footsteps and became a teacher.* Samad mengikut jejak bapanya dan menjadi seorang guru.

**for** KATA SENDI
  [1] *untuk*
  ◊ *a present for me* hadiah untuk saya
  ◊ *He works for the government.* Dia bekerja untuk kerajaan. ◊ *Can you do it for tomorrow's meeting?* Bolehkah anda lakukannya untuk mesyuarat esok?
  ♦ **What's the English for "lelong"?** Apakah perkataan dalam bahasa Inggeris yang bermaksud "lelong"?
  [2] *kerana*
  ◊ *for fear of being criticized* kerana takut dikritik
  [3] *selama*
  ◊ *She will be away for a month.* Dia tidak akan berada di sini selama sebulan.
  ♦ **I'm sorry for Steve, but it's his own fault.** Saya bersimpati dengan Steve, tetapi dia sendiri yang bersalah.
  ♦ **I sold it for RM5.** Saya menjualnya

dengan harga RM5.
- **I haven't seen her for two years.** Sudah dua tahun saya tidak berjumpa dengannya.
- **the train for London** kereta api ke London
- **There are road works for three kilometres.** Kerja-kerja pembaikan jalan raya sedang dilaksanakan sejauh tiga kilometer.
- **What did he do that for?** Kenapakah dia melakukan perkara itu?
- **It's time for lunch.** Sudah tiba masanya untuk makan tengah hari.
- **Are you for or against the idea?** Anda menyokong atau membangkang idea itu?

to **forage** KATA KERJA
  1 _mencari_
  ◊ _They were forced to forage for clothing and fuel._ Mereka terpaksa mencari pakaian dan bahan api.
  2 _mencari makanan_ (_haiwan_)
- **The cat forages for food.** Kucing itu mencari makanan.

to **forbid** KATA KERJA
  (**forbade, forbidden**)
  _melarang_
  ◊ _to forbid somebody to do something_ melarang seseorang melakukan sesuatu

to **force** KATA KERJA
  | rujuk juga **force** KATA NAMA |
  _memaksa_
  ◊ _They forced him to open the safe._ Mereka memaksanya membuka peti simpanan itu.

**force** KATA NAMA
  | rujuk juga **force** KATA KERJA |
  _kuasa_
  ◊ _the force of the explosion_ kuasa letupan itu
- **UN forces** pasukan Bangsa-bangsa Bersatu
- **in force** berkuat kuasa

**forceful** KATA ADJEKTIF
  1 _tegas dan berkeyakinan_ (_orang_)
  2 _tegas_
  ◊ _He promised that he would take forceful action._ Dia berjanji bahawa dia akan mengambil tindakan tegas.

**forceps** KATA NAMA JAMAK
  _forsep_

**forecast** KATA NAMA
  _ramalan_
  ◊ _the weather forecast_ ramalan cuaca

**foreground** KATA NAMA
  _latar depan_ (_lukisan, pemandangan_)
  ◊ _in the foreground_ pada latar depan

**forehead** KATA NAMA
  _dahi_

**foreign** KATA ADJEKTIF
  1 _asing_
  ◊ _a foreign language_ bahasa asing
  2 _luar negara_
  ◊ _US foreign policy_ dasar luar negara Amerika Syarikat

**foreigner** KATA NAMA
  _orang asing_

**foreman** KATA NAMA
  (JAMAK **foremen**)
  _mandur_

**foremost** KATA ADJEKTIF
  _terpenting_
  ◊ _He was one of the world's foremost scholars of Indian culture._ Dia merupakan salah seorang daripada cendekiawan yang terpenting di dunia dalam kebudayaan India.
- **first and foremost** terlebih dahulu

to **foresee** KATA KERJA
  (**foresaw, foreseen**)
  _menjangkakan_
  ◊ _They didn't foresee the problem._ Mereka tidak menjangkakan masalah itu.

**forest** KATA NAMA
  _hutan_

**Forest Enterprise** KATA NAMA
  _Jabatan Perhutanan_

**forestry** KATA NAMA
  _kehutanan_
  ◊ _Shima decided to take a course in forestry._ Shima bercadang untuk mengambil kursus kehutanan.

**forever** KATA ADVERBA
  1 _selama-lamanya_
  ◊ _He's gone forever._ Dia telah pergi buat selama-lamanya.
  2 _selalu_
  ◊ _She's forever complaining._ Dia selalu merungut.

**forgave** KATA KERJA _rujuk_ **forgive**

to **forge** KATA KERJA
  _meniru_
  ◊ _She forged her friend's signature._ Dia meniru tandatangan kawannya.

**forger** KATA NAMA
  _peniru_ (_lukisan_)

**forgery** KATA NAMA
  (JAMAK **forgeries**)
  _pemalsuan_
  ◊ _the forgery of Van Gogh's paintings_ pemalsuan lukisan Van Gogh

to **forget** KATA KERJA
  (**forgot, forgotten**)
  _lupa_
  ◊ _I've forgotten his name._ Saya sudah lupa namanya.
- **to forget to do something** terlupa membuat sesuatu ◊ _I forgot to close the_

*window.* Saya terlupa menutup tingkap.

♦ **I'm sorry, I had completely forgotten!**
Saya minta maaf, saya betul-betul terlupa!

♦ **Forget it!** Lupakan sahaja!

**forgetful** KATA ADJEKTIF
*pelupa*

to **forgive** KATA KERJA
**(forgave, forgiven)**
*memaafkan*
◊ *I forgive you.* Saya maafkan anda.

♦ **to forgive somebody for doing something** memaafkan seseorang kerana melakukan sesuatu

**forgiveness** KATA NAMA
*maaf*
◊ *I asked for his forgiveness.* Saya meminta maaf daripadanya.

**forgiving** KATA ADJEKTIF
*pemaaf*
◊ *Tim is a forgiving person.* Tim seorang yang pemaaf.

**forgot, forgotten** KATA KERJA *rujuk* **forget**

**fork** KATA NAMA

> *rujuk juga* **fork** KATA KERJA

[1] *garpu*
[2] *penggembur* (*untuk berkebun*)
[3] *pencakar* (*rumput kering*)
◊ *He was piling up hay with a fork.* Dia melonggokkan rumput kering dengan menggunakan pencakar.
[4] *cabang* (*pada jalan*)

to **fork** KATA KERJA

> *rujuk juga* **fork** KATA NAMA

*mengambil... dengan garpu*
◊ *He forked an egg onto his plate.* Dia mengambil sebiji telur ke pinggannya dengan garpu. ◊ *She forked some fish into her mouth.* Dia mengambil sedikit ikan dengan garpu dan memasukkannya ke dalam mulutnya.

♦ **He forked the hay onto a cart.** Dia mengangkat rumput kering itu ke pedati dengan pencakar.

♦ **The road forks into two.** Jalan itu mempunyai dua cabang.

to **fork out** KATA KERJA
[1] *membelanjakan*
◊ *Britons fork out more than a billion pounds a year on toys.* Rakyat Britain membelanjakan lebih daripada satu bilion paun setahun untuk membeli barang mainan.
[2] *membelanjakan wang yang banyak*
◊ *He will have to fork out for private school fees for Nina.* Dia mungkin terpaksa membelanjakan wang yang banyak untuk membayar yuran sekolah swasta untuk Nina.

**form** KATA NAMA

> *rujuk juga* **form** KATA KERJA

[1] *borang*
◊ *to fill in a form* mengisi borang
[2] *bentuk*
◊ *I'm against hunting in any form.* Saya menentang semua bentuk pemburuan binatang.

♦ **in top form** berada pada tahap kecergasan yang tinggi

♦ **She's in the first form.** Dia berada di tingkatan satu.

to **form** KATA KERJA

> *rujuk juga* **form** KATA NAMA

[1] *membentuk*
◊ *They formed a circle and sang 'Rasa Sayang'.* Mereka membentuk satu bulatan dan menyanyi lagu 'Rasa Sayang'.
◊ *The liquid vaporized and formed a kind of gas.* Cecair itu mengewap dan membentuk sejenis gas.

♦ **Plaque forms on the surface of the teeth.** Plak terbentuk pada permukaan gigi.
[2] *menubuhkan*
◊ *to form a company* menubuhkan sebuah syarikat

♦ **The society was formed as a result of the union of the two clubs.** Persatuan itu tertubuh hasil daripada penyatuan dua buah kelab itu.

**formal** KATA ADJEKTIF
[1] *rasmi*
◊ *a formal occasion* majlis rasmi
◊ *a formal dinner* majlis makan malam rasmi
[2] *formal*
◊ *In English, "residence" is a formal term for house.* Dalam bahasa Inggeris, perkataan "residence" ialah perkataan yang formal bagi rumah. ◊ *He's got no formal education.* Dia tidak menerima sebarang pendidikan formal. ◊ *formal clothes* pakaian formal

**format** KATA NAMA

> *rujuk juga* **format** KATA KERJA

*format*

to **format** KATA KERJA

> *rujuk juga* **format** KATA NAMA

*memformatkan*
◊ *I'll format this diskette.* Saya akan memformatkan disket ini.

**formation** KATA NAMA
*pembentukan*
◊ *the formation of the new government of Pakistan* pembentukan kerajaan baru di Pakistan

**former** KATA ADJEKTIF
*bekas*
◊ *a former pupil* bekas murid

**formerly**   KATA ADVERBA
*sebelum ini*
◊   *The company was formerly controlled by the state.*   Sebelum ini, syarikat tersebut dikawal oleh kerajaan.
♦   **He had formerly been in the navy.**   Dia bekas tentera laut.

**formic acid**   KATA NAMA
*cuka getah*

**formula**   KATA NAMA
(JAMAK **formulae** atau **formulas**)
*formula*

to **fornicate**   KATA KERJA
*berzina* (*pasangan yang belum berkahwin*)

**fornication**   KATA NAMA
*zina*
◊   *Fornication is a serious offence in Islamic countries.*   Zina merupakan kesalahan yang berat di negara-negara Islam.

to **forsake**   KATA KERJA
(**forsook, forsaken**)
*meninggalkan*
◊   *I would never forsake him.*   Saya tidak akan meninggalkannya.

**fort**   KATA NAMA
*kubu*

**forth**   KATA ADVERBA
♦   **to go back and forth**   berulang-alik
♦   **and so forth**   dan sebagainya

**forties**   KATA NAMA JAMAK
*empat puluhan*

**fortieth**   KATA ADJEKTIF
*keempat puluh*

**fortification**   KATA NAMA
*benteng*
◊   *They built fortifications to defend themselves from the attacks of their enemies.*   Mereka membina benteng untuk mempertahankan diri mereka daripada serangan musuh.

**fortitude**   KATA NAMA
*ketabahan*
◊   *Roy's fortitude in fighting cancer was an inspiration to everybody.*   Ketabahan Roy melawan penyakit kanser menjadi inspirasi kepada semua orang.

**fortnight**   KATA NAMA
*dua minggu*
♦   **a fortnight**   dua minggu   ◊   *I'm going on holiday for a fortnight.*   Saya akan bercuti selama dua minggu.

**fortress**   KATA NAMA
(JAMAK **fortresses**)
*kubu*

**fortunate**   KATA ADJEKTIF
*bernasib baik*
◊   *He was extremely fortunate to survive.*

Dia sungguh bernasib baik kerana terselamat.
♦   **It's fortunate that I remembered the map.**   Nasib baik saya teringat akan peta itu.

**fortunately**   KATA ADVERBA
*mujurlah*
◊   *Fortunately, the rain stopped.*   Mujurlah, hujan sudah berhenti.

**fortune**   KATA NAMA
*kekayaan*
◊   *He made his fortune in car sales.*   Dia memperoleh kekayaannya melalui penjualan kereta.
♦   **Kate earns a fortune!**   Kate memperoleh pendapatan yang lumayan!
♦   **to cost a fortune**   terlalu mahal
♦   **to tell somebody's fortune**   menilik nasib seseorang
♦   **good fortune**   nasib baik

**fortune-teller**   KATA NAMA
*tukang tilik*

**forty**   ANGKA
*empat puluh*
♦   **He's forty.**   Dia berumur empat puluh tahun.

**forum**   KATA NAMA
*forum*

**forward**   KATA ADVERBA

| rujuk juga **forward** KATA KERJA |

*hadapan*
◊   *to move forward*   bergerak ke hadapan

to **forward**   KATA KERJA

| rujuk juga **forward** KATA ADVERBA |

*mengirim semula* (*surat*)

**forward slash**   KATA NAMA
*garisan condong* (*ke kanan*)

**fossil**   KATA NAMA
*fosil*

to **foster**   KATA KERJA
1  *memelihara*
◊   *She has fostered more than fifteen children.*   Dia telah memelihara lebih daripada lima belas orang kanak-kanak.
2  *memupuk*
◊   *to foster good relations*   memupuk hubungan yang baik

**foster child**   KATA NAMA
(JAMAK **foster children**)
*anak angkat*

**fought**   KATA KERJA   *rujuk* **fight**

**foul**   KATA ADJEKTIF

| rujuk juga **foul** KATA NAMA |

1  *teruk*
◊   *The weather was foul.*   Cuaca hari itu teruk.
2  *busuk*
◊   *It smells foul.*   Benda itu berbau busuk.

♦ **Brenda is in a foul mood.** Angin Brenda tidak baik.

**foul** KATA NAMA

> rujuk juga **foul** KATA ADJEKTIF
> _faul_ (kesalahan dalam permainan sukan)

**found** KATA KERJA _rujuk_ **find**

to **found** KATA KERJA
_mengasaskan_ **atau** _menubuhkan_

**foundation** KATA NAMA

1 _asas_
◊ a strong foundation asas yang kukuh

♦ **the foundation of success** tunggak kejayaan

2 _yayasan_

♦ **foundations** asas (_pada bangunan_)

**founder** KATA NAMA
_pengasas_
◊ The founder of the scouts movement was Lord Baden Powell. Pengasas pergerakan pengakap ialah Lord Baden Powell.

**fountain** KATA NAMA
_air pancut_

**fountain pen** KATA NAMA
_pen dakwat_

**four** ANGKA
_empat_
♦ **She's four.** Dia berumur empat tahun.

**fourteen** ANGKA
_empat belas_
♦ **I'm fourteen.** Saya berumur empat belas tahun.

**fourteenth** KATA ADJEKTIF
_keempat belas_
◊ the fourteenth place tempat keempat belas

♦ **the fourteenth of February** empat belas hari bulan Februari

**fourth** KATA ADJEKTIF
_keempat_
◊ the fourth place tempat keempat

♦ **the fourth of July** empat hari bulan Julai

**fox** KATA NAMA
(JAMAK **foxes**)
_rubah_

**fraction** KATA NAMA
_pecahan_
◊ Give your answers in fractions. Berikan jawapan anda dalam bentuk pecahan.

♦ **She hesitated for a fraction of a second before responding.** Dia teragak-agak seketika sebelum menjawab.

♦ **a fraction of the cost** sebahagian kecil daripada kos

**fragile** KATA ADJEKTIF
1 _tidak kukuh_ (situasi, sistem)
2 _mudah pecah_ (kaca, dll)
3 _mudah patah_ (tulang, dll)

4 _mudah rosak_ (barang)
5 _lemah_ (orang)

**fragment** KATA NAMA
_serpihan_
◊ glass fragments serpihan kaca

**fragrance** KATA NAMA
_keharuman_
◊ the fragrance of her perfume keharuman minyak wanginya

**fragrant** KATA ADJEKTIF
_harum_
◊ a fragrant smell bau yang harum

**frail** KATA ADJEKTIF
_lemah_
◊ The patient's body is frail. Badan pesakit itu lemah.

**frame** KATA NAMA

> rujuk juga **frame** KATA KERJA
> _bingkai_
◊ a silver frame bingkai perak
◊ glasses with plastic frames cermin mata dengan bingkai plastik

to **frame** KATA KERJA

> rujuk juga **frame** KATA NAMA
> 1 _membingkaikan_
◊ She framed the certificate. Dia membingkaikan sijil itu.
> 2 _memerangkap_
◊ I need to find out who tried to frame me. Saya perlu mengetahui orang yang cuba memerangkap saya.

**framework** KATA NAMA
_rangka_

**France** KATA NAMA
_negara Perancis_

**franchise** KATA NAMA
_francais_

**frangipani** KATA NAMA
_kemboja_

**frank** KATA ADJEKTIF
_berterus terang_
◊ Let me be frank with you. Biar saya berterus terang dengan anda.

**frankly** KATA ADVERBA
_terus terang_
◊ You can talk frankly to me. Anda boleh bercakap terus terang dengan saya.

**frantic** KATA ADJEKTIF
_kelam-kabut_
◊ There was frantic activity backstage on the opening night. Keadaan di belakang pentas itu kelam-kabut pada malam pembukaan.

♦ **I was going frantic.** Saya seperti hendak gila jadinya.

♦ **to be frantic with worry** menjadi seperti hendak gila kerana bimbang

**fraud** KATA NAMA
1 _penipuan_ **atau** _fraud_

◊  *He was jailed for fraud.*  Dia dipenjarakan kerana melakukan penipuan.
2 *penipu*
♦ **You're a fraud!**  Penipu!

**freckles**  KATA NAMA JAMAK
*tetua* **atau** *jagat*

**free**  KATA ADJEKTIF

> *rujuk juga* **free** KATA KERJA

1 *percuma*
◊  *a free brochure*  risalah percuma
◊  *You can get it for free.*  Anda boleh mendapatkannya dengan percuma.
2 *lapang*
◊  *Are you free after school?*  Anda lapangkah selepas sekolah?
♦ **Is this seat free?**  Adakah kerusi ini kosong?
3 *bebas*
◊  *She is now free of her troubles.*  Kini, dia bebas daripada masalahnya.

to **free**  KATA KERJA

> *rujuk juga* **free** KATA ADJEKTIF

*membebaskan*

**freebie**  KATA NAMA
(*tidak formal*)
*hadiah percuma*

**freedom**  KATA NAMA
*kebebasan*
♦ **freedom of speech**  kebebasan bersuara
♦ **freedom of choice**  kebebasan memilih

**freely**  KATA ADVERBA
*dengan bebas*
◊  *the pleasure of being able to walk about freely*  nikmat dapat berjalan ke sana ke sini dengan bebas

**freeware**  KATA NAMA
(*komputer*)
*perisian percuma*

**freeway**  KATA NAMA Ⓐ
*lebuh raya*

to **freeze**  KATA KERJA
(**froze, frozen**)

> *rujuk juga* **freeze** KATA NAMA

1 *membekukan*
◊  *She froze the rest of the raspberries.*  Dia membekukan buah raspberi yang selebihnya.
2 *membeku*
◊  *The water had frozen.*  Air sudah membeku.

**freeze**  KATA NAMA

> *rujuk juga* **freeze** KATA KERJA

1 *cuaca yang terlampau sejuk*
2 *pembekuan*
◊  *a freeze on the number of workers*  pembekuan bilangan pekerja

**freezer**  KATA NAMA
*penyejuk beku*

**freezing**  KATA ADJEKTIF

*sejuk*
◊  *It's freezing!*  Sejuknya!
♦ **I'm freezing!**  Saya kesejukan!
♦ **freezing point**  takat beku
♦ **three degrees below freezing**  tiga darjah di bawah takat beku

**freight**  KATA NAMA
1 *pengangkutan*
◊  *air freight*  pengangkutan udara
2 *angkutan* (*barang*)
♦ **a freight train**  kereta api barang

**French**  KATA ADJEKTIF

> *rujuk juga* **French** KATA NAMA

*Perancis*
◊  *the French Parliament*  Parlimen Perancis
♦ **He's French.**  Dia berbangsa Perancis.

**French**  KATA NAMA

> *rujuk juga* **French** KATA ADJEKTIF

*bahasa Perancis*
♦ **the French**  orang Perancis

**French beans**  KATA NAMA JAMAK
*kacang buncis*

**French fries**  KATA NAMA JAMAK
*kentang goreng*

**French horn**  KATA NAMA
*hon Perancis* (*alat muzik*)

**French loaf**  KATA NAMA
(JAMAK **French loaves**)
*roti Perancis*

**Frenchman**  KATA NAMA
(JAMAK **Frenchmen**)
*lelaki Perancis*

**French windows**  KATA NAMA JAMAK
*pintu kaca*

**Frenchwoman**  KATA NAMA
(JAMAK **Frenchwomen**)
*wanita Perancis*

**frequent**  KATA ADJEKTIF
*kerap*

**frequently**  KATA ADVERBA
*sering kali*
◊  *Although she had tried frequently, she still could not do it.*  Walaupun sudah sering kali dia mencuba, dia masih gagal melakukannya.

**fresh**  KATA ADJEKTIF
*segar*
◊  *I always buy fresh fish.*  Saya selalu membeli ikan segar.  ◊  *I need some fresh air.*  Saya memerlukan udara segar.

to **freshen up**  KATA KERJA
*membersihkan diri* (*membasuh muka, tangan, dll*)

**freshness**  KATA NAMA
*kesegaran*

**freshwater**  KATA ADJEKTIF
*air tawar*

to **fret**  KATA KERJA

**F**

**Friday**   KATA NAMA
*hari Jumaat*
◊ *I saw her on Friday.* Saya bertemu dengannya pada hari Jumaat. ◊ *every Friday* setiap hari Jumaat ◊ *last Friday* hari Jumaat lepas ◊ *next Friday* hari Jumaat depan

**fridge**   KATA NAMA
*peti sejuk*

**fried**   KATA ADJEKTIF
*goreng*
◊ *a fried egg* telur goreng

**friend**   KATA NAMA
*kawan*

**friendliness**   KATA NAMA
*keramahan*
◊ *Alison is well-liked because of her friendliness.* Alison disukai kerana keramahannya.

**friendly**   KATA ADJEKTIF
*peramah*
◊ *She's really friendly.* Dia sungguh peramah.
♦ *Liverpool is a friendly city.* Penduduk di Liverpool sungguh peramah.
♦ *a friendly match* perlawanan persahabatan

**friendship**   KATA NAMA
*persahabatan*

**fright**   KATA NAMA
*ketakutan*
◊ *To hide my fright I asked a question.* Saya menanyakan soalan untuk menyembunyikan ketakutan saya.
♦ *She gave us a fright.* Dia menakutkan kami.
♦ *to get a fright* terperanjat

to **frighten**   KATA KERJA
*menakutkan*
◊ *She was trying to frighten him.* Dia cuba menakutkannya.

**frightened**   KATA ADJEKTIF
*takut*
♦ *to be frightened* takut ◊ *I'm frightened!* Saya takut!

**frightening**   KATA ADJEKTIF
*menakutkan*
◊ *a frightening experience* pengalaman yang menakutkan

**frill**   KATA NAMA
*ropol*
◊ *She sewed some frills on to the curtain.* Dia menjahit ropol pada kain langsir itu.

**fringe**   KATA NAMA
*rambut yang dipotong menutupi dahi*

**fringe benefit**   KATA NAMA
*faedah sampingan*

**Frisbee** ®   KATA NAMA
*Frisbee* ®
| cakera plastik ringan yang dilemparkan dalam permainan |

**fro**   KATA ADVERBA
♦ *to go to and fro* bergerak ke depan dan ke belakang
♦ *to walk to and fro* berjalan mundar-mandir

**frog**   KATA NAMA
*katak*

**from**   KATA SENDI
1 *dari*
Gunakan **dari** bagi tempat atau masa.
◊ *Where do you come from?* Anda berasal dari mana? ◊ *Breakfast is available from 6 a.m.* Sarapan pagi dihidangkan dari pukul enam pagi. ◊ *The hotel is one kilometre from the beach.* Hotel itu terletak satu kilometer dari pantai.
2 *daripada*
◊ *a letter from my sister* sepucuk surat daripada kakak saya ◊ *The price was reduced from RM10 to RM5.* Harga barang itu telah dikurangkan daripada RM10 menjadi RM5.
♦ *from...onwards* dari ◊ *We'll be at home from seven o'clock onwards.* Kami akan berada di rumah dari pukul tujuh.

**frond**   KATA NAMA
*pelepah*

**front**   KATA NAMA
| rujuk juga **front** KATA ADJEKTIF |
*bahagian depan*
◊ *The switch is at the front of the vacuum cleaner.* Suisnya ada di bahagian depan pembersih vakum itu. ◊ *the front of the dress* bahagian depan baju ◊ *the front of the house* bahagian depan rumah ◊ *I was sitting in the front.* Saya duduk di bahagian depan.
♦ *in front* di hadapan ◊ *the car in front* kereta di hadapan
♦ *in front of* di hadapan ◊ *Irene sits in front of me in class.* Irene duduk di hadapan saya di dalam kelas.

**front**   KATA ADJEKTIF
| rujuk juga **front** KATA NAMA |
*hadapan*
◊ *the front row* barisan hadapan
♦ *the front door* pintu depan
♦ *the front seats of the car* tempat duduk bahagian depan di dalam kereta

**frontier**   KATA NAMA
*sempadan*

**frost**   KATA NAMA
*fros*
◊ *There was a frost last night.* Semalam ada fros.

**frosty** KATA ADJEKTIF
_di bawah takat beku_
◊ *It's frosty today.* Suhu hari ini di bawah takat beku.

**frothy** KATA ADJEKTIF
_berbusa_

to **frown** KATA KERJA
_mengerutkan kening_

**froze, frozen** KATA KERJA rujuk **freeze**

**frozen** KATA ADJEKTIF
_beku_

**fruit** KATA NAMA
| rujuk juga **fruit** KATA KERJA |
_buah_
♦ **fruit juice** jus buah-buahan
♦ **fruit salad** salad buah-buahan

to **fruit** KATA KERJA
| rujuk juga **fruit** KATA NAMA |
_berbuah_
◊ *The tree is fruiting.* Pokok itu sedang berbuah.

**fruitful** KATA ADJEKTIF
1 _membuahkan hasil_
◊ *The talks had been fruitful.* Ceramah-ceramah itu telah membuahkan hasil.
2 _subur_ (*tanah*)

**fruit machine** KATA NAMA
_mesin judi_

**frustrated** KATA ADJEKTIF
_kecewa_

to **fry** KATA KERJA
(**fried, fried**)
_menggoreng_

**fryer** KATA NAMA
_kuali_

**frying pan** KATA NAMA
_kuali leper_

**fuel** KATA NAMA
_bahan api_
◊ *We've run out of fuel.* Kami sudah kehabisan bahan api.

to **fulfil** KATA KERJA
_mencapai_
◊ *He fulfilled his dream to visit China.* Dia mencapai impiannya untuk melawat ke negara China.
♦ **to fulfil a promise** menunaikan janji

**full** KATA ADJEKTIF
1 _penuh_
◊ *The tank's full.* Tangki itu penuh.
◊ *My full name is Ian John Marr.* Nama penuh saya ialah Ian John Marr.
♦ **I'm full.** Saya sudah kenyang.
♦ **There was a full moon last night.** Bulan mengambang semalam.
2 _lengkap_
◊ *He asked for full details of the job.* Dia meminta butir-butir lengkap tentang kerja itu.

♦ **at full speed** pada kelajuan maksimum

**full-on** KATA ADJEKTIF
(*tidak formal*)
_secara habis-habisan_
◊ *He believes in full-on attack.* Dia yakin dengan serangan secara habis-habisan.

**full stop** KATA NAMA
_tanda nokhtah_

**full-time** KATA ADJEKTIF, KATA ADVERBA
_sepenuh masa_
◊ *She's got a full-time job.* Dia mempunyai kerja sepenuh masa. ◊ *She works full-time.* Dia bekerja sepenuh masa.

**fully** KATA ADVERBA
1 _benar-benar_
◊ *She was fully aware of my thoughts.* Dia benar-benar memahami isi hati saya.
2 _sepenuhnya_
◊ *He hasn't fully recovered from his illness.* Dia belum pulih sepenuhnya.
♦ **I don't fully agree with that idea.** Saya tidak berapa setuju dengan idea itu.

to **fume** KATA KERJA
_meradang_
◊ *He was still fuming over the remarks.* Dia masih meradang dengan kata-kata itu.

**fumes** KATA NAMA JAMAK
_wasap_
◊ *exhaust fumes* wasap ekzos

to **fumigate** KATA KERJA
_mengasap_
◊ *Health officers fumigated the houses to stop mosquitoes breeding.* Pegawai kesihatan mengasap rumah-rumah itu untuk mencegah pembiakan nyamuk.

**fun** KATA NAMA
| rujuk juga **fun** KATA ADJEKTIF |
_keseronokan_
♦ **to have fun** berseronok
♦ **It's fun!** Seronok!
♦ **Have fun!** Berseronoklah!
♦ **for fun** untuk suka-suka
♦ **to make fun of somebody** mempermainkan seseorang

**fun** KATA ADJEKTIF
| rujuk juga **fun** KATA NAMA |
_menyeronokkan_
◊ *a fun time* masa yang menyeronokkan
♦ **She's a fun person.** Dia seorang yang periang.

**function** KATA NAMA
_fungsi_
◊ *The function of roots is to absorb water from the ground.* Fungsi akar adalah untuk menyerap air dari tanah.

♦ **The millionaire who attended the function is under police protection.** Jutawan yang menghadiri majlis itu berada di bawah jagaan polis.

**functional** KATA ADJEKTIF
*fungsian*
◊ *modern, functional furniture* perabot fungsian yang moden

**fund** KATA NAMA
*tabung*
◊ *welfare fund* tabung kebajikan

♦ **funds** wang ◊ *to raise funds* mengumpulkan wang

**fundamental** KATA ADJEKTIF
*asas*
◊ *The doctrine was based on three fundamental principles.* Doktrin itu berdasarkan tiga rukun yang asas.

**funeral** KATA NAMA
*upacara pengebumian*

**funfair** KATA NAMA
*pesta ria*

**fungus** KATA NAMA
(JAMAK **fungi**)
*kulat*

**funnel** KATA NAMA
*corong*
◊ *Lina uses a funnel to fill the bottle with oil.* Lina menggunakan corong untuk mengisi botol itu dengan minyak.

**funny** KATA ADJEKTIF
1 *lucu*
◊ *a funny joke* jenaka yang lucu
2 *ganjil*
◊ *There's something funny about him.* Ada sesuatu yang ganjil tentang dirinya.

**fur** KATA NAMA
*bulu*
◊ *the cat's fur* bulu kucing ◊ *a fur coat* kot bulu

**furious** KATA ADJEKTIF
1 *meradang*
◊ *She was furious because her son told lies.* Dia meradang kerana anaknya bercakap bohong.
2 *bengis*
◊ *to look furious* nampak bengis

**furnace** KATA NAMA
*relau* (*tempat meleburkan timah, dll*)

to **furnish** KATA KERJA
*menghias* (*dengan perabot dan hiasan*)
◊ *They furnished their hotels with antiques.* Mereka menghias hotel mereka dengan barang antik.

**furnished** KATA ADJEKTIF
*dilengkapi dengan perabot*

**furniture** KATA NAMA
*perabot*
◊ *a piece of furniture* sebuah perabot

**furrow** KATA NAMA
1 *alur*
2 *kedut* (*pada muka*)

**further** KATA ADVERBA, KATA ADJEKTIF
1 *lebih jauh*
◊ *London is further from Singapore than Paris.* London lebih jauh dari Singapura jika dibandingkan dengan Paris.

♦ **I can't walk any further.** Saya tidak mampu berjalan lagi.

♦ **How much further is it?** Berapa jauh lagi tempat itu?
2 *lanjut*
◊ *Please write to us if you need any further information.* Sila tulis surat kepada kami sekiranya anda memerlukan sebarang maklumat lanjut.

**further education** KATA NAMA
*pendidikan lanjutan bagi golongan yang sudah menamatkan persekolahan terutamanya orang dewasa dan lebih bersifat praktikal*

**furthermore** KATA ADVERBA
*tambahan pula*

**fury** KATA NAMA
*kemarahan yang meluap-luap*

**fuse** KATA NAMA
*fius*
◊ *The fuse has blown.* Fius itu sudah terbakar.

**fuss** KATA NAMA
*kecoh*
◊ *He's always making a fuss about nothing.* Dia selalu membuat kecoh.

♦ **What's all the fuss about?** Apakah yang dikecohkan itu?

**fussy** KATA ADJEKTIF
*cerewet*
◊ *She is very fussy about her food.* Dia sangat cerewet tentang makanannya.

**futile** KATA ADJEKTIF
*sia-sia*
◊ *The attempt was futile.* Percubaan itu sia-sia sahaja.

**future** KATA NAMA
*masa hadapan*
◊ *What are your plans for the future?* Apakah rancangan anda pada masa hadapan?

♦ **Be more careful in future.** Anda perlu lebih berhati-hati lain kali.

♦ **In future, the chairman of the society will be chosen by the members.** Pada masa hadapan, pengerusi persatuan akan dipilih oleh ahli.

**FYI** SINGKATAN (= *for your information*)
*untuk makluman anda*

# G

**gadget** KATA NAMA
*alat kecil*

to **gain** KATA KERJA
*memperoleh*
◊ *What do you hope to gain from this?*
Apakah yang ingin anda peroleh daripada
tindakan ini?
♦ **to gain speed** menambahkan kelajuan

**gait** KATA NAMA
*lenggok* (ketika berjalan)

**galaxy** KATA NAMA
(JAMAK **galaxies**)
*galaksi*

**gallery** KATA NAMA
(JAMAK **galleries**)
*galeri*

**gallon** KATA NAMA
*gelen*

**gambier** KATA NAMA
*gambir*

**gamble** KATA NAMA

> rujuk juga **gamble** KATA KERJA

*risiko*
◊ *We have to take a gamble.* Kita perlu
mengambil risiko.

to **gamble** KATA KERJA

> rujuk juga **gamble** KATA NAMA

*berjudi*
◊ *He gambled £100 at the casino.* Dia
berjudi sebanyak 100 paun di kasino.
◊ *He likes to gamble.* Dia suka berjudi.

**gambler** KATA NAMA
*kaki judi*

**gambling** KATA NAMA
*perjudian*
◊ *Gambling is forbidden.* Perjudian
diharamkan.

**game** KATA NAMA
1 *permainan*
◊ *a game of football* permainan bola
sepak ◊ *a game of cards* permainan
daun terup
♦ **The children were playing a game.**
Kanak-kanak itu sedang bermain.
♦ **We have games on Thursdays.** Kami
ada aktiviti sukan pada hari Khamis.
♦ **the Commonwealth Games** Sukan
Komanwel
2 *binatang buruan*

**gang** KATA NAMA
*kumpulan* atau *geng*

**gangbuster** KATA NAMA
♦ **to be going gangbusters** berjalan
dengan lancar sekali
♦ **to do something like gangbusters**
melakukan sesuatu dengan penuh
bertenaga

**gangster** KATA NAMA
*samseng*

**gap** KATA NAMA
*ruang*
◊ *There's a gap in the hedge.* Ada satu
ruang pada pagar hidup itu.
♦ **He went back to work after a gap of
four years.** Dia kembali bekerja selepas
berhenti selama empat tahun.

to **gape** KATA KERJA
*mengoyak* (luka)
♦ **A hole gaped in the roof.** Sebuah
lubang terpelohong di bumbung itu.

**gap year** KATA NAMA
*waktu ketika menanti untuk melanjutkan
pelajaran*

**garage** KATA NAMA
1 *garaj*
2 *bengkel kereta*

**garbage** KATA NAMA
*sampah*
◊ *the garbage can* tong sampah
♦ **That's garbage!** Mengarut!

**garden** KATA NAMA

> rujuk juga **garden** KATA KERJA

*taman*

to **garden** KATA KERJA

> rujuk juga **garden** KATA NAMA

*berkebun*

**gardener** KATA NAMA
*tukang kebun*
◊ *He's a gardener.* Dia seorang tukang
kebun.

**gardening** KATA NAMA
*berkebun*
◊ *Margaret loves gardening.* Margaret
suka berkebun.

to **gargle** KATA KERJA
*berkumur*
◊ *Try gargling with salt water.* Cuba
kumur dengan air garam.

**garland** KATA NAMA

> rujuk juga **garland** KATA KERJA

*kalungan bunga*

to **garland** KATA KERJA

> rujuk juga **garland** KATA NAMA
>
> Biasanya **garland** digunakan dalam
> bentuk pasif.

*mengalungkan*
◊ *The athletes were garlanded with
flowers.* Para atlit dikalungkan dengan
bunga.

**garlic** KATA NAMA
*bawang putih*

**garment** KATA NAMA
*pakaian*

**gas** KATA NAMA
(JAMAK **gases**)
1 *gas*
◊ *a gas cooker* dapur gas ◊ *a gas
cylinder* tong gas

---

② 🖼 *minyak petrol*

**gastric**   KATA ADJEKTIF
   *gastrik*

**gate**   KATA NAMA
   *pintu pagar*
♦ **Please go to gate seven.**  Sila pergi ke pintu pelepasan nombor tujuh.

to **gather**   KATA KERJA
   ① *berkumpul*
   ◊ *We gathered around the campfire.* Kami berkumpul mengelilingi unggun api.
   ② *mengumpulkan*
   ◊ *to gather information*  mengumpulkan maklumat  ◊ *We gathered enough firewood for a week.*  Kami mengumpulkan kayu api yang mencukupi untuk seminggu.
♦ **to gather speed**  menambahkan kelajuan  ◊ *The train gathered speed.* Kereta api itu menambahkan kelajuannya.
♦ **He's very angry. - I gathered that.** Dia sangat marah. - Saya tahu.

**gathering**   KATA NAMA
   *perjumpaan*

**gauze**   KATA NAMA
   *kain kasa*

**gave**   KATA KERJA   *rujuk* **give**

**gay**   KATA ADJEKTIF
   *homoseksual*

to **gaze**   KATA KERJA
   | *rujuk juga* **gaze** KATA NAMA |
   *merenung*
♦ **to gaze at**  merenung  ◊ *He was gazing at the woman.*  Dia sedang merenung wanita itu.

**gaze**   KATA NAMA
   | *rujuk juga* **gaze** KATA KERJA |
   *renungan*
   ◊ *The man's gaze scared Nicole.* Renungan lelaki itu menakutkan Nicole.

**GCSE**   KATA NAMA  (= *General Certificate of Secondary Education*)
   *GCSE*  (= *Sijil Am Pendidikan Menengah*)
   | Di Britain, pelajar-pelajar yang berumur 16 tahun akan menduduki peperiksaan awam ini. |

**gear**   KATA NAMA
   ① *gear*
   ◊ *to change gear*  menukar gear
♦ **Leave the car in gear in case the brakes don't hold.**  Masukkan gear sebelum meninggalkan kereta, kalau-kalau brek tidak berfungsi.
   ② *peralatan*
   ◊ *camping gear*  peralatan untuk berkhemah
   ③ *pakaian*
   ◊ *sports gear*  pakaian sukan

**gear lever**   KATA NAMA
   *batang gear*

**geese**   KATA NAMA JAMAK   *rujuk* **goose**

to **gee up**   KATA KERJA
   (*tidak formal*)
   *menggalakkan*

**gel**   KATA NAMA
   *gel*
   ◊ *hair gel*  gel rambut

**gem**   KATA NAMA
   *permata*

**Gemini**   KATA NAMA
   *Gemini*
♦ **I'm Gemini.**  Zodiak saya ialah Gemini.

**gender**   KATA NAMA
   *jantina*

**gene**   KATA NAMA
   *gen*

**genealogy**   KATA NAMA
   (JAMAK **genealogies**)
   *susur galur*

**general**   KATA NAMA
   | *rujuk juga* **general** KATA ADJEKTIF |
   *jeneral*

**general**   KATA ADJEKTIF
   | *rujuk juga* **general** KATA NAMA |
   *umum* atau *am*
♦ **in general**  pada amnya

**general election**   KATA NAMA
   *pilihan raya umum*

**general knowledge**   KATA NAMA
   *pengetahuan am*

**generally**   KATA ADVERBA
   *biasanya*
   ◊ *I generally go shopping on Saturdays.* Biasanya, saya pergi membeli-belah pada hari Sabtu.

to **generate**   KATA KERJA
   ① *menjanakan*
   ◊ *to generate nuclear power* menjanakan kuasa nuklear
   ② *mewujudkan*
   ◊ *The reforms would generate new jobs.* Pembaharuan-pembaharuan itu akan mewujudkan peluang pekerjaan baru.

**generation**   KATA NAMA
   *generasi*
   ◊ *the younger generation*  generasi muda

**generator**   KATA NAMA
   *penjana kuasa*

**generosity**   KATA NAMA
   *kemurahan hati*
   ◊ *Everybody knows about his generosity.*  Semua orang tahu tentang kemurahan hatinya.

**generous**   KATA ADJEKTIF
   *murah hati*
   ◊ *That's very generous of you.*  Anda sungguh murah hati.

**genetically modified**   KATA ADJEKTIF

*diubahsuai secara genetik*

**genetics**  KATA NAMA
*genetik*

**genius**  KATA NAMA
(JAMAK **geniuses**)
*genius*
◊  *Einstein was a genius.*  Einstein
seorang genius.

**gentle**  KATA ADJEKTIF
*lemah lembut*
◊  *She is a gentle person.*  Dia seorang
yang lemah lembut.
♦  **a gentle touch**  sentuhan yang lembut
♦  **a gentle breeze**  angin sepoi-sepoi
bahasa
♦  **a gentle knock**  ketukan yang perlahan
♦  **a gentle smile**  senyuman yang manis

**gentleman**  KATA NAMA
(JAMAK **gentlemen**)
*lelaki budiman*
♦  **ladies and gentlemen**  tuan-tuan dan
puan-puan

**gentleness**  KATA NAMA
*kelembutan*
◊  *Ayu's gentleness captured the young
man's heart.*  Kelembutan Ayu menawan
hati pemuda itu.

**gently**  KATA ADVERBA
*dengan lemah lembut*
◊  *He spoke gently to me.*  Dia bercakap
dengan lemah lembut kepada saya.
♦  **She touched her face gently.**  Dia
menyentuh mukanya dengan lembut.

**gents**  KATA NAMA
*tandas lelaki*

> *Perkataan* **gents** *merupakan cara
> yang sopan untuk merujuk kepada
> tandas lelaki.*

**genuine**  KATA ADJEKTIF
[1]  *asli*
◊  *This bag is made from genuine leather.*
Beg ini diperbuat daripada kulit asli.
♦  **These are genuine diamonds.**  Berlian
ini berlian tulen.
[2]  *ikhlas*
◊  *She's a very genuine person.*  Dia
seorang yang sangat ikhlas.

**geography**  KATA NAMA
*geografi*

**geometric**  KATA ADJEKTIF
*geometri*

**geometry**  KATA NAMA
*geometri*

**germ**  KATA NAMA
*kuman*

**German**  KATA ADJEKTIF

> *rujuk juga* **German** KATA NAMA

*Jerman*
♦  **She is German.**  Dia berbangsa German.

**German**  KATA NAMA

> *rujuk juga* **German** KATA ADJEKTIF

[1]  *orang Jerman*
◊  *the Germans*  orang Jerman
[2]  *bahasa Jerman*

**German measles**  KATA NAMA
*rubela*
◊  *to have German measles*  dijangkiti
rubela

**Germany**  KATA NAMA
*negara Jerman*

to **germinate**  KATA KERJA
*bercambah*
◊  *The seeds have germinated.*  Benih-
benih itu telah bercambah.

**germination**  KATA NAMA
*percambahan*

**gesture**  KATA NAMA
*gerak isyarat*

to **get**  KATA KERJA
(**got, got**)

> *Ada beberapa cara untuk
> menterjemahkan* **get.** *Sila lihat
> contoh ayat untuk memastikan
> maksud sebenar yang anda cuba
> sampaikan.*

[1]  *menerima*
◊  *I got a letter from him.*  Saya
menerima sepucuk surat daripadanya.
[2]  *mendapatkan*
◊  *He had trouble getting a hotel room.*
Dia menghadapi masalah untuk
mendapatkan bilik hotel.  ◊  *Quick, get
help!*  Cepat, dapatkan bantuan!
♦  **to get something for somebody**
mendapatkan sesuatu untuk seseorang
◊  *The librarian got the book for me.*
Pustakawan itu mendapatkan buku
tersebut untuk saya.
♦  **Jackie got good exam results.**  Jackie
mendapat keputusan peperiksaan yang
baik.
[3]  *menangkap*
◊  *They've got the thief.*  Mereka telah
menangkap pencuri itu.
♦  **I'm getting the bus into town.**  Saya
akan menaiki bas ke bandar.
[4]  *faham*
◊  *I don't get it.*  Saya tidak faham.
[5]  *sampai*
◊  *He should get here soon.*  Dia akan
sampai tidak lama lagi.
♦  **How do I get to the cinema?**
Bagaimanakah saya hendak pergi ke
panggung wayang?
♦  **to get angry**  marah
♦  **to get tired**  letih
♦  **I'm getting my car fixed.**  Kereta saya
sedang dibaiki.

G

◆ **I got my hair cut.** Saya telah menggunting rambut.

◆ **I'll get it! (1)** Biar saya jawab! (*telefon*)

◆ **I'll get it! (2)** Biar saya buka! (*pintu*)

to **get across** KATA KERJA
*menyampaikan*
◊ *I had created a way to get my message across.* Saya sudah mendapat cara untuk menyampaikan mesej saya.

to **get along** KATA KERJA
1 *berbaik-baik*
◊ *It's impossible to get along with him.* Mustahil ada orang yang dapat berbaik-baik dengannya.

◆ **They seemed to be getting along fine.** Hubungan mereka nampak baik sahaja.
2 *bertahan*
◊ *You can't get along without water.* Anda tidak dapat bertahan tanpa air.

to **get away** KATA KERJA
*melepaskan diri*
◊ *One of the burglars got away.* Salah seorang daripada pencuri itu berjaya melepaskan diri.

to **get away with** KATA KERJA
*terlepas* (*daripada kesalahan, masalah*)
◊ *You'll never get away with it.* Anda tidak akan terlepas daripada perbuatan ini.

to **get back** KATA KERJA
1 *pulang*
◊ *What time did you get back?* Anda pulang pada pukul berapa?
2 *mendapat semula*
◊ *He got his money back.* Dia mendapat wangnya semula.

to **get down** KATA KERJA
*turun*
◊ *Get down from there!* Turun dari situ!

to **get in** KATA KERJA
*sampai*
◊ *What time does the train get in?* Pukul berapakah kereta api itu akan sampai?

to **get into** KATA KERJA
*masuk ke dalam*
◊ *How did you get into the house?* Bagaimanakah anda dapat masuk ke dalam rumah itu? ◊ *Sharon got into the car.* Sharon masuk ke dalam kereta.

◆ **Get into bed!** Pergi tidur!

◆ **to get into films** berlakon dalam filem

to **get off** KATA KERJA
1 *turun dari*
◊ *Isobel got off the train.* Isobel turun dari kereta api.
2 *balik*
◊ *He managed to get off early from work yesterday.* Dia dapat balik awal dari kerja semalam.

to **get off with** KATA KERJA
*bertemu dan menjalinkan hubungan dengan*

to **get on** KATA KERJA
*menaiki*
◊ *Phyllis got on the bus.* Phyllis menaiki bas.

◆ **We got on really well.** Hubungan kami sangat baik.

◆ **He doesn't get on with his parents.** Hubungannya dengan ibu bapanya tidak baik.

◆ **How are you getting on?** Bagaimanakah keadaan anda sekarang?

to **get out** KATA KERJA
1 *keluar*
◊ *Get out!* Keluar! ◊ *She got out of the car.* Dia keluar dari kereta itu.
2 *mengeluarkan*
◊ *She got the map out.* Dia mengeluarkan peta itu.

to **get over** KATA KERJA
1 *sembuh*
◊ *It took her a long time to get over the illness.* Dia mengambil masa yang lama untuk sembuh daripada penyakit itu.
2 *mengatasi*
◊ *He managed to get over the problem.* Dia berjaya mengatasi masalah itu.

to **get round to** KATA KERJA
*meluangkan masa*
◊ *I'll get round to it eventually.* Lambat-laun saya akan meluangkan masa untuk melakukannya.

to **get together** KATA KERJA
1 *berjumpa*
◊ *Could we get together this evening?* Bolehkah kita berjumpa malam ini?
2 *berkumpul* (*melibatkan ramai orang*)

to **get up** KATA KERJA
*bangun*

**getaway** KATA NAMA
*perbuatan melarikan diri*

◆ **to make one's getaway** melarikan diri

◆ **the burglar's getaway car** kereta yang digunakan oleh pencuri itu untuk melarikan diri

**ghost** KATA NAMA
*hantu*

**GHz** SINGKATAN (= *gigahertz*)
*GHz* (= *gigahertz*)

**giant** KATA ADJEKTIF
> rujuk juga **giant** KATA NAMA
*sangat besar*

**giant** KATA NAMA
> rujuk juga **giant** KATA ADJEKTIF
*gergasi*

**gift** KATA NAMA

_hadiah_
- **to have a gift for something** berbakat dalam sesuatu bidang ◊ _Dave's got a gift for painting._ Dave berbakat dalam bidang seni lukis.

**gifted** KATA ADJEKTIF
_berbakat_

**gift shop** KATA NAMA
_kedai cenderamata_

**gift token** KATA NAMA
_baucar hadiah_

**gigantic** KATA ADJEKTIF
_raksasa_ atau _sangat besar_

to **giggle** KATA KERJA
_ketawa_ (secara malu-malu)

**gill** KATA NAMA
_insang_

**gin** KATA NAMA
_gin_ (sejenis minuman keras)

**ginger** KATA NAMA
> rujuk juga **ginger** KATA ADJEKTIF
_halia_

**ginger** KATA ADJEKTIF
> rujuk juga **ginger** KATA NAMA
_perang kemerah-merahan_
◊ _She's got ginger hair._ Rambutnya berwarna perang kemerah-merahan.

**ginseng** KATA NAMA
_ginseng_

**gipsy** KATA NAMA
(JAMAK **gipsies**)
_gipsi_

**giraffe** KATA NAMA
_zirafah_

**girl** KATA NAMA
1 _budak perempuan_
- **They've got a girl and two boys.** Mereka mempunyai seorang anak perempuan dan dua orang anak lelaki.
2 _gadis_
◊ _teenage girls_ gadis belasan tahun

**girl band** KATA NAMA
_kumpulan pemuzik wanita_

**girlfriend** KATA NAMA
1 _teman wanita_
2 _kawan perempuan_

**girlie** KATA ADJEKTIF
1 _lucah_ (majalah, kalendar)
2 _kebudak-budakan_ (bagi wanita)
♦ **a girlie dress** baju untuk wanita muda

**girlish** KATA ADJEKTIF
_seperti budak perempuan_

to **give** KATA KERJA
(**gave, given**)
_memberi_
◊ _He gave me RM10._ Dia memberi saya RM10.
♦ **to give something to somebody** memberikan sesuatu kepada seseorang

♦ **to give way** memberikan laluan

to **give away** KATA KERJA
_memberikan_
◊ _She gave away all her money._ Dia memberikan kesemua wangnya.
♦ **She was given away by her father.** Dia diserahkan sebagai pengantin oleh bapanya.

to **give back** KATA KERJA
_memulangkan_
◊ _I gave the book back to him._ Saya memulangkan buku tersebut kepadanya.

to **give in** KATA KERJA
_mengalah_
◊ _I give in!_ Saya mengalah!

to **give out** KATA KERJA
_mengedarkan_
◊ _He gave out the exam papers._ Dia mengedarkan kertas peperiksaan.

to **give up** KATA KERJA
_mengaku kalah_
◊ _I couldn't do it, so I gave up._ Saya tidak dapat melakukannya, jadi saya mengaku kalah.
♦ **to give oneself up** menyerah diri
♦ **to give up doing something** berhenti melakukan sesuatu ◊ _He gave up smoking._ Dia berhenti merokok.
♦ **to give up hope** berputus asa

**giver** KATA NAMA
_pemberi_

**GLA** SINGKATAN (= _Greater London Authority_)
_GLA_ (= _Lembaga London Raya_)
> badan atau lembaga yang menjalankan pemerintahan sendiri untuk London

**glad** KATA ADJEKTIF
_gembira_
◊ _She's glad she's done it._ Dia gembira kerana dia telah melakukannya. ◊ _I'm glad you're here._ Saya gembira kerana anda ada di sini.

to **gladden** KATA KERJA
_menggembirakan_
◊ _The news will gladden the hearts of all animal-rights activists._ Berita itu akan menggembirakan hati semua pejuang hak asasi haiwan.

**gladly** KATA ADVERBA
_dengan senang hati_

**gladness** KATA NAMA
_kegembiraan_

**glamorous** KATA ADJEKTIF
_penuh daya tarikan_

**glamour** KATA NAMA
(AS **glamor**)
_glamor_

to **glance** KATA KERJA

G

rujuk juga **glance** KATA NAMA
_memandang sepintas lalu_

♦ **to glance at something** memandang sesuatu sepintas lalu ◊ _Peter glanced at his watch._ Peter memandang jam tangannya sepintas lalu.

**glance** KATA NAMA

rujuk juga **glance** KATA KERJA
_pandangan sepintas lalu_

♦ **We exchanged a glance.** Kami berpandangan sepintas lalu.

♦ **at first glance** pada pandangan pertama

**gland** KATA NAMA
_kelenjar_

to **glare** KATA KERJA
_memandang dengan marah_

♦ **to glare at somebody** memandang seseorang dengan marah ◊ _She glared at him._ Dia memandangnya dengan marah.

**glaring** KATA ADJEKTIF
_amat menonjol_
◊ _a glaring mistake_ suatu kesilapan yang amat menonjol

**glass** KATA NAMA
(JAMAK **glasses**)
⒈ _gelas_
◊ _a glass of milk_ segelas susu
⒉ _kaca_
◊ _a glass door_ pintu kaca

**glasses** KATA NAMA JAMAK
_cermin mata_

to **gleam** KATA KERJA
_bersinar_
◊ _Her eyes gleamed with excitement._ Matanya bersinar kerana kegembiraan.

to **glide** KATA KERJA
_melayang_
◊ _The aeroplane is gliding through the air._ Kapal terbang itu melayang di udara.

**glider** KATA NAMA
_pesawat peluncur_

**glimmer** KATA NAMA
_cahaya yang samar-samar_

**glimpse** KATA NAMA
_pandangan sepintas lalu_

♦ **to catch a glimpse of** melihat sepintas lalu ◊ _They had waited outside the hotel to catch a glimpse of their heroine._ Mereka menunggu di luar hotel itu untuk melihat wanita pujaan mereka sepintas lalu.

to **glitter** KATA KERJA

rujuk juga **glitter** KATA NAMA
_berkilau_

**glitter** KATA NAMA

rujuk juga **glitter** KATA KERJA
_kilauan_
◊ _The glitter of the lights along the street_

_is very beautiful._ Kilauan lampu-lampu di sepanjang jalan itu sungguh indah.

**global** KATA ADJEKTIF
_sejagat_
◊ _on a global scale_ pada skala sejagat

♦ **a global view** pandangan yang menyeluruh

**global warming** KATA NAMA
_pemanasan global_

**globe** KATA NAMA
⒈ _dunia_
⒉ _glob_

**gloom** KATA NAMA
_kesuraman_
◊ _The house was wrapped in gloom._ Rumah itu diselubungi kesuraman.
◊ _When we saw the gloom on his face we just ignored him._ Apabila kami melihat kesuraman pada wajahnya, kami tidak menegurnya.

**gloomy** KATA ADJEKTIF
⒈ _kelam_
◊ _He lives in a small gloomy flat._ Dia tinggal di sebuah rumah pangsa yang kecil lagi kelam.
⒉ _muram_
◊ _She's been feeling very gloomy recently._ Sejak akhir-akhir ini, dia berasa sungguh muram.

to **glorify** KATA KERJA
(**glorified, glorified**)
_mengagung-agungkan_
◊ _The song glorifies Western culture too much._ Lagu itu terlalu mengagung-agungkan budaya Barat.

**glorious** KATA ADJEKTIF
_gemilang_

**glory** KATA NAMA
(JAMAK **glories**)
_kegemilangan_
◊ _World Cup glory_ kegemilangan Piala Dunia

**glossary** KATA NAMA
(JAMAK **glossaries**)
_glosari_

**glossy** KATA ADJEKTIF
_berkilat_

**glove** KATA NAMA
_sarung tangan_

**glove compartment** KATA NAMA
_tempat menyimpan barang-barang kecil (di dalam kereta)_

**glow** KATA NAMA

rujuk juga **glow** KATA KERJA
_warna kemerah-merahan pada kulit_

♦ **His face had a healthy glow.** Wajahnya kemerah-merahan kerana sihat.

to **glow** KATA KERJA

rujuk juga **glow** KATA NAMA

_bersinar_
◊ _He bought a watch which glows in the dark._ Dia membeli jam tangan yang bersinar dalam gelap.

**glucose** KATA NAMA
_glukosa_

**glue** KATA NAMA

> rujuk juga **glue** KATA KERJA

_gam_ atau _perekat_

to **glue** KATA KERJA

> rujuk juga **glue** KATA NAMA

_melekatkan_
◊ _to glue something_ melekatkan sesuatu
♦ **They were glued to the television.** Mereka duduk terpaku di hadapan televisyen.

**glutinous** KATA ADJEKTIF
_sangat melekit_
♦ **glutinous rice** pulut

**GM** KATA ADJEKTIF (= _genetically modified_)
_diubahsuai secara genetik_
◊ _GM foods_ makanan yang diubahsuai secara genetik

**GMO** SINGKATAN (= _genetically modified organism_)
_GMO_ (= _organisma yang diubahsuai secara genetik_)

**go** KATA NAMA

> rujuk juga **go** KATA KERJA

_giliran_
◊ _Whose go is it?_ Giliran siapa sekarang?
♦ **to have a go at doing something** mencuba melakukan sesuatu

to **go** KATA KERJA
(**went, gone**)

> rujuk juga **go** KATA NAMA

[1] _pergi_
◊ _I'm going now._ Saya akan pergi sekarang. ◊ _Where are you going?_ Anda hendak pergi ke mana?
[2] _bergerak_
◊ _My car won't go._ Kereta saya tidak boleh bergerak.
♦ **to go into** masuk ke dalam ◊ _She went into the kitchen._ Dia masuk ke dalam dapur.
♦ **to go for a walk** pergi berjalan-jalan
♦ **How did the exam go?** Bagaimanakah dengan peperiksaan tadi?
♦ **I'm going to do it tomorrow.** Saya akan melakukannya esok.
♦ **It's going to be difficult.** Hal ini semestinya sukar.
♦ **He went past the shop.** Dia lalu di hadapan kedai itu.

to **go after** KATA KERJA
_mengejar_

◊ _Quick, go after them!_ Cepat, kejar mereka!

to **go against** KATA KERJA
_menentang_
◊ _Ramlah always goes against her parents' wishes._ Ramlah selalu menentang kehendak ibu bapanya.

to **go ahead** KATA KERJA
_meneruskan_
◊ _We'll go ahead with your suggestion._ Kami akan teruskan dengan cadangan anda.

to **go around** KATA KERJA
_tersebar_
◊ _There are rumours going around._ Banyak khabar angin yang tersebar.

to **go away** KATA KERJA
_pergi_
◊ _Go away!_ Pergi!

to **go back** KATA KERJA
_kembali_
◊ _We went back to the same place._ Kami kembali ke tempat yang sama.
♦ **He's gone back home.** Dia sudah pulang ke rumah.

to **go by** KATA KERJA
_berlalu_
♦ **Two policemen went by.** Dua orang polis lalu di situ.

to **go down** KATA KERJA
[1] _turun_
◊ _He went down the stairs._ Dia turun dari tangga.
[2] _kempis_
◊ _My tyre's gone down._ Tayar kenderaan saya kempis.
♦ **My brother's gone down with flu.** Adik saya selesema.

to **go for** KATA KERJA
_menyerang_
◊ _Suddenly the dog went for me._ Tiba-tiba anjing itu menyerang saya.
♦ **I don't go for it much.** Saya tidak begitu menyukainya.

to **go in** KATA KERJA
_masuk_
◊ _He knocked on the door and went in._ Dia mengetuk pintu lalu masuk.

to **go off** KATA KERJA
[1] _pergi_
◊ _They went off after lunch._ Mereka pergi selepas makan tengah hari.
[2] _meletup_
◊ _The bomb went off at 10 o'clock._ Bom itu meletup pada pukul sepuluh.
[3] _berbunyi_
◊ _My alarm goes off at seven._ Jam loceng saya berbunyi pada pukul tujuh.
[4] _busuk_

**G**

◊ *This food has gone off.* Makanan ini sudah busuk.

⑤ *terpadam*
◊ *All the lights went off.* Semua lampu terpadam.

♦ **I've gone off that idea.** Saya sudah tidak berminat dengan idea itu lagi.

to **go on** KATA KERJA

① *berlaku*
◊ *What's going on?* Apakah yang sedang berlaku?

② *meneruskan*
◊ *He went on reading.* Dia meneruskan bacaannya.

③ *berlangsung*
◊ *The concert went on until 11 o'clock at night.* Konsert itu berlangsung sehingga pukul sebelas malam.

♦ **to go on at somebody** meleteri seseorang ◊ *They're always going on at me.* Mereka selalu meleteri saya.

♦ **Go on!** Teruskan! ◊ *Go on, tell me what the problem is!* Teruskan, beritahu saya masalah itu!

to **go out** KATA KERJA

① *keluar*
◊ *They went out for a meal.* Mereka keluar makan.

♦ **Are you going out with him?** Adakah anda selalu keluar dengannya?

② *terpadam*
◊ *Suddenly the lights went out.* Tiba-tiba lampu terpadam.

to **go round** KATA KERJA

*melawat*
◊ *We want to go round the museum today.* Kami ingin melawat ke muzium hari ini.

♦ **to go round to somebody's house** berkunjung ke rumah seseorang ◊ *We're all going round to Linda's house tonight.* Kami semua akan berkunjung ke rumah Linda malam ini.

♦ **Is there enough food to go round?** Cukupkah makanan untuk semua orang?

to **go through** KATA KERJA

① *melalui*
◊ *We went through London to get to Brighton.* Kami melalui London untuk pergi ke Brighton.

♦ **I know what you're going through.** Saya memahami masalah yang sedang anda alami.

② *meneliti*
◊ *They went through the plan again.* Mereka meneliti rancangan itu sekali lagi.

♦ **Someone had gone through her things.** Ada orang telah menggeledah barang-barangnya.

③ (sukan) *memasuki*
◊ *to go through to the next round* memasuki pusingan seterusnya

to **go up** KATA KERJA

*naik*
◊ *The price has gone up.* Harganya telah naik.

♦ **She went up the stairs.** Dia menaiki tangga.

♦ **to go up in flames** terbakar

to **go with** KATA KERJA

*sesuai*
◊ *Does this blouse go with that skirt?* Adakah baju ini sesuai dengan skirt itu?

**goal** KATA NAMA

① *gol*
◊ *He scored the first goal.* Dia menjaringkan gol yang pertama.

② *matlamat*
◊ *His goal is to become the world champion.* Matlamatnya adalah untuk menjadi juara dunia.

**goalkeeper** KATA NAMA
*penjaga gol*

**goalpost** KATA NAMA
*tiang gol*

**goat** KATA NAMA
*kambing*

♦ **goat's cheese** keju yang diperbuat daripada susu kambing

to **gobble up** KATA KERJA
*membaham*
◊ *a tiger that might gobble you up* seekor harimau yang mungkin membaham anda

**god** KATA NAMA
*tuhan*
◊ *I believe in God.* Saya percaya akan Tuhan.

> *Perkataan* god *dan* tuhan *bermula dengan huruf besar sekiranya merujuk kepada tuhan dalam agama Yahudi, Kristian dan Islam.*

**goddaughter** KATA NAMA
*anak angkat* (perempuan)

**goddess** KATA NAMA
(JAMAK **goddesses**)
*dewi*

**godfather** KATA NAMA
*bapa angkat*

**godmother** KATA NAMA
*emak angkat*

**godson** KATA NAMA
*anak angkat* (lelaki)

**goggles** KATA NAMA JAMAK
*gogal*

**gold** KATA NAMA
*emas*

**golden** KATA ADJEKTIF

*berwarna keemasan*
◊ *golden hair* rambut yang berwarna keemasan
♦ **a golden opportunity** peluang keemasan
**goldfish** KATA NAMA
(JAMAK **goldfish**)
*ikan emas*
**gold-plated** KATA ADJEKTIF
*bersalut emas*
**goldsmith** KATA NAMA
*tukang emas*
**golf** KATA NAMA
*golf*
♦ **a golf club (1)** kayu golf
♦ **a golf club (2)** kelab golf
♦ **a golf course** padang golf
**gone** KATA KERJA *rujuk* **go**
**good** KATA ADJEKTIF
[1] *baik*
◊ *It's a very good film.* Filem itu amat baik. ◊ *They were very good to me.* Mereka cukup baik terhadap saya.
♦ **Be good!** Jangan nakal!
♦ **The soup is very good here.** Sup di sini sangat sedap.
[2] *baik hati*
◊ *That's very good of you.* Anda sungguh baik hati.
♦ **Have a good journey!** Selamat jalan!
♦ **Good!** Bagus!
♦ **Good morning!** Selamat pagi!
♦ **I'm feeling really good today.** Saya berasa sangat gembira hari ini.
♦ **to be good for somebody** baik untuk seseorang ◊ *Vegetables are good for you.* Sayur-sayuran baik untuk anda.
♦ **Jane's very good at Maths.** Jane sangat mahir dalam Matematik.
♦ **for good** buat selamanya ◊ *One day he left for good.* Pada suatu hari, dia telah meninggalkan mereka buat selamanya.
♦ **It's no good complaining.** Tidak ada gunanya merungut.
**goodbye** KATA SERUAN
*selamat tinggal*
**Good Friday** KATA NAMA
*Good Friday*

> **Good Friday** jatuh pada hari Jumaat sebelum hari Easter.

**good-looking** KATA ADJEKTIF
*kacak*
**good-natured** KATA ADJEKTIF
*baik hati*
**goodness** KATA NAMA
*kebaikan*
**goods** KATA NAMA JAMAK
*barangan*
◊ *They sell a wide range of goods.*

Mereka menjual pelbagai jenis barangan.
♦ **a goods train** kereta api barang
**goose** KATA NAMA
(JAMAK **geese**)
*angsa*
**gooseberry** KATA NAMA
(JAMAK **gooseberries**)

> *buah kecil berwarna hijau yang mempunyai rasa yang kuat*

to **gore** KATA KERJA
*menanduk*
◊ *The boy was gored by a bull.* Budak lelaki itu ditanduk oleh seekor lembu jantan.
**gorgeous** KATA ADJEKTIF
*sungguh cantik*
◊ *She's gorgeous!* Dia sungguh cantik!
♦ **The weather was gorgeous.** Cuaca sangat baik.
**gorilla** KATA NAMA
*gorila*
**gospel** KATA NAMA
*gospel*

> *satu bahagian dalam kitab Bible*

**gossip** KATA NAMA

> *rujuk juga* **gossip** KATA KERJA

[1] *gosip*
◊ *Tell me the gossip!* Beritahu saya gosip itu!
[2] *pengumpat*
◊ *What a gossip!* Dia itu memang pengumpat!
to **gossip** KATA KERJA

> *rujuk juga* **gossip** KATA NAMA

*bergosip*
◊ *They were always gossiping.* Mereka selalu bergosip.
**got** KATA KERJA *rujuk* **get**
**got** KATA KERJA
♦ **to have got** mempunyai ◊ *Have you got any ideas?* Apakah anda mempunyai sebarang idea?
♦ **to have got to do something** perlu melakukan sesuatu ◊ *I've got to tell him.* Saya perlu memberitahunya.
to **govern** KATA KERJA
*memerintah*
◊ *They were unfit to govern the country.* Mereka tidak layak untuk memerintah negara itu.
**governance** KATA NAMA
*tatanegara*
**government** KATA NAMA
*kerajaan*
**governor** KATA NAMA
*gabenor*
**gown** KATA NAMA
*gaun*
**GP** KATA NAMA (= *general practitioner*)

_doktor_

to **grab** KATA KERJA
_menyambar_
◊ *He grabbed my arm.* Dia menyambar tangan saya.

**grace** KATA NAMA
_gaya yang menarik_
◊ *He moved with the grace of a trained boxer.* Dia bergerak dengan gaya yang menarik seperti seorang peninju terlatih.

**graceful** KATA ADJEKTIF
_lemah lembut_

to **grade** KATA KERJA
| rujuk juga **grade** KATA NAMA |
_menggredkan_

**grade** KATA NAMA
| rujuk juga **grade** KATA KERJA |
_gred_
◊ *He got good grades in his exams.* Dia mendapat gred yang baik dalam peperiksaannya.

**gradient** KATA NAMA
_kecerunan_

**gradual** KATA ADJEKTIF
_beransur-ansur_

**gradually** KATA ADVERBA
_secara beransur-ansur_

**graduate** KATA NAMA
| rujuk juga **graduate** KATA KERJA |
1 _siswazah_
2 _lepasan (sekolah menengah di AS)_
◊ *a high school graduate* lepasan sekolah menengah

to **graduate** KATA KERJA
| rujuk juga **graduate** KATA NAMA |
_berijazah_
◊ *She graduated last year.* Dia berijazah pada tahun lepas.
♦ **She graduated in English from Manchester University.** Dia memperoleh ijazah dalam bahasa Inggeris daripada Universiti Manchester.

**graffiti** KATA NAMA JAMAK
_contengan_

**graft** KATA NAMA
| rujuk juga **graft** KATA KERJA |
_graf (kulit, dll yang menggantikan bahagian yang rosak melalui pembedahan)_

to **graft** KATA KERJA
| rujuk juga **graft** KATA NAMA |
_mengacukkan_
◊ *They grafted the two plants together to obtain fruit of better quality.* Mereka mengacukkan dua tumbuhan itu untuk mendapatkan buah yang lebih berkualiti.

**grain** KATA NAMA
1 _butir_
◊ *a grain of rice* sebutir nasi

2 _bijirin_
◊ *She only eats grain and pulses.* Dia cuma makan bijirin dan kekacang.

**gram** KATA NAMA
_gram_

**grammar** KATA NAMA
_tatabahasa_
◊ *a grammar exercise* latihan tatabahasa

**grammar school** KATA NAMA
| _sekolah khas untuk kanak-kanak berumur antara sebelas dan lapan belas tahun yang mempunyai kebolehan akademik yang tinggi_ |

**grammatical** KATA ADJEKTIF
_tatabahasa_
◊ *grammatical errors* kesalahan tatabahasa

**gramme** KATA NAMA
_gram_

**gramophone** KATA NAMA
_gramofon_

**grand** KATA ADJEKTIF
_besar lagi indah_
◊ *Her house is very grand.* Rumahnya sangat besar lagi indah.

**grandchildren** KATA NAMA JAMAK
_cucu_

**granddad** KATA NAMA
_datuk_

**granddaughter** KATA NAMA
_cucu (perempuan)_

**grandfather** KATA NAMA
_datuk_

**grandma** KATA NAMA
_nenek_

**grandmother** KATA NAMA
_nenek_

**grandpa** KATA NAMA
_datuk_

**grandparents** KATA NAMA JAMAK
_datuk dan nenek_

**grandson** KATA NAMA
_cucu (lelaki)_

**granny** KATA NAMA
(JAMAK **grannies**)
_nenek_

**grant** KATA NAMA
| rujuk juga **grant** KATA KERJA |
_bantuan kewangan_

to **grant** KATA KERJA
| rujuk juga **grant** KATA NAMA |
1 _memberikan_
◊ *to grant independence* memberikan kemerdekaan
2 _memenuhi_
◊ *He granted their request to hold a concert.* Beliau memenuhi permintaan mereka untuk mengadakan sebuah

konsert.

**grape**  KATA NAMA
*anggur*

**grapefruit**  KATA NAMA
*limau gedang*

**graph**  KATA NAMA
*graf*

**graphic**  KATA NAMA
*grafik*

to **grasp**  KATA KERJA

| rujuk juga **grasp** KATA NAMA |
*menggenggam*

**grasp**  KATA NAMA

| rujuk juga **grasp** KATA KERJA |
*genggaman*
◊   Danielle tried to free the bag from my
grasp.  Danielle cuba melepaskan beg itu
daripada genggaman saya.

**grass**  KATA NAMA
(JAMAK **grasses**)
*rumput*
◊   The grass is long.  Rumput itu
panjang.  ◊ "Keep off the grass"
"Jangan pijak rumput"

**grasshopper**  KATA NAMA
*belalang*

**grassy**  KATA ADJEKTIF
*berumput*

to **grate**  KATA KERJA
*memarut*
♦   **grated cheese**  keju parut

**grateful**  KATA ADJEKTIF
*berterima kasih*

**grater**  KATA NAMA
*pemarut*

**gratitude**  KATA NAMA
*kesyukuran*
◊   He expressed his gratitude for the
successful operation.  Dia menyatakan
kesyukurannya kerana pembedahan itu
berjalan lancar.
♦   **I wish to express my gratitude to Kathy
Davis for her help.**  Saya ingin
mengucapkan rasa terima kasih saya
kepada Kathy Davis kerana bantuan
beliau.

**grave**  KATA NAMA
*kubur*

**gravel**  KATA NAMA
*kerikil*

**graveyard**  KATA NAMA
*tanah perkuburan*

**gravity**  KATA NAMA
*graviti*

**gravy**  KATA NAMA
*kuah*

**gray**  KATA ADJEKTIF Ⓐ
*kelabu*

to **graze**  KATA KERJA

*meragut rumput*
◊   Cows are grazing in the field.  Lembu-
lembu sedang meragut rumput di padang.
♦   **They grazed their arms and legs in the
fight.**  Kaki dan tangan mereka tergesel
akibat daripada pergelutan itu.

**grease**  KATA NAMA
[1]  *minyak* (pada rambut, kulit)
[2]  *gris* (untuk kereta, mesin)

**greaseproof paper**  KATA NAMA
*kertas minyak*

**greasy**  KATA ADJEKTIF
*berminyak*
◊   The food was very greasy.  Makanan
itu amat berminyak.  ◊ He has greasy
hair.  Dia mempunyai rambut yang
berminyak.

**great**  KATA ADJEKTIF
[1]  *bagus*
♦   **That's great!**  Bagus!
[2]  *besar*
◊   a great oak tree  sebatang pokok
oak yang besar
[3]  *agung*
◊   a great warrior  pahlawan yang agung
♦   **a greatest hits album**  album lagu-lagu
popular

**Great Britain**  KATA NAMA
*Great Britain*

**great-grandfather**  KATA NAMA
*moyang* (lelaki)

**great-grandmother**  KATA NAMA
*moyang* (perempuan)

**greatly**  KATA ADVERBA
*sangat*
◊   The suffering of the people there
moved me greatly.  Penderitaan penduduk
di situ sangat mengharukan perasaan
saya.
♦   **a greatly respected leader**  pemimpin
yang disanjung tinggi

**Greece**  KATA NAMA
*negara Greece*

**greed**  KATA NAMA
*ketamakan*

**greedily**  KATA ADVERBA
*dengan lahap*
◊   He ate greedily.  Dia makan dengan
lahap.

**greedy**  KATA ADJEKTIF
[1]  *gelojoh*
◊   Don't be greedy, you've already had
three doughnuts.  Jangan gelojoh, anda
sudah makan tiga biji donat.
[2]  *tamak*
◊   She is greedy and selfish.  Dia
seorang yang tamak dan mementingkan
diri sendiri.

**Greek**  KATA ADJEKTIF

G

> rujuk juga **Greek** KATA NAMA

_Greece_

◊ *the Greek army* angkatan tentera Greece

♦ **She's Greek.** Dia berbangsa Greek.

**Greek** KATA NAMA

> rujuk juga **Greek** KATA ADJEKTIF

[1] _orang Greek_

◊ *the Greeks* orang Greek

[2] _bahasa Greek_

**green** KATA ADJEKTIF

> rujuk juga **green** KATA NAMA

_hijau_

◊ *a green car* kereta berwarna hijau

◊ *a green light* lampu hijau

♦ **the Green Party** parti politik yang mementingkan isu-isu alam sekitar

**green** KATA NAMA

> rujuk juga **green** KATA ADJEKTIF

_hijau_

◊ *a dark green* hijau tua

♦ **greens** sayur-sayuran

**greenfield** KATA ADJEKTIF

_kosong_

◊ *greenfield land* tanah kosong

> tanah yang belum digunakan untuk pembinaan

**greengrocer's** KATA NAMA

_penjual sayur dan buah-buahan_

**greenhouse** KATA NAMA

_rumah kaca_ **atau** _rumah hijau_

♦ **the greenhouse effect** kesan rumah hijau

**greenish** KATA ADJEKTIF

_kehijauan_

◊ *greenish eyes* mata yang kehijauan

to **greet** KATA KERJA

[1] _menyambut_

◊ *He greeted me with a kiss.* Dia menyambut saya dengan satu ciuman.

[2] _menegur_

**greetings** KATA NAMA JAMAK

_salam_

◊ *Greetings from London!* Salam dari London!

♦ **Season's greetings** Selamat Hari Krismas dan Tahun Baru (*pada kad ucapan*)

**greetings card** KATA NAMA

_kad ucapan_

**grew** KATA KERJA *rujuk* **grow**

**grey** KATA ADJEKTIF

_kelabu_

◊ *They wore grey suits.* Mereka memakai sut kelabu.

♦ **He's going grey.** Rambutnya semakin memutih.

♦ **grey hair** uban

**grey-haired** KATA ADJEKTIF

_beruban_

**greyhound** KATA NAMA

_anjing greyhound_

**greyish** KATA ADJEKTIF

(AS **grayish**)

_kekelabu-kelabuan_

◊ *greyish green* hijau kekelabu-kelabuan

**grid** KATA NAMA

_grid_

**grief** KATA NAMA

_kesedihan_

to **grieve** KATA KERJA

_berduka_

◊ *I didn't have any time to grieve.* Saya tidak ada masa untuk berduka.

♦ **I was grieved to see the old woman's condition.** Saya sedih melihat keadaan wanita tua itu.

**grievous** KATA ADJEKTIF

[1] _amat serius_

◊ *a very grievous mistake* kesilapan yang teramat serius

[2] _teruk_

◊ *grievous injuries* kecederaan teruk

**grill** KATA NAMA

> rujuk juga **grill** KATA KERJA

[1] _jeriji_ (*pada pintu dan tingkap*)

[2] _gril_ (*untuk memasak, memanggang*)

♦ **a mixed grill** gril aneka

to **grill** KATA KERJA

> rujuk juga **grill** KATA NAMA

_memanggang_

♦ **grilled fish** ikan bakar

♦ **grilled chicken** ayam panggang

**grille** KATA NAMA

_kekisi_

◊ *They fix grilles to all the windows in the house.* Mereka memasang kekisi pada semua tingkap di rumah itu.

**grim** KATA ADJEKTIF

_suram_

◊ *The outskirts of the city are very grim.* Keadaan di pinggir bandar itu amat suram.

to **grin** KATA KERJA

> rujuk juga **grin** KATA NAMA

_tersenyum lebar_

◊ *Dave grinned at me.* Dave tersenyum lebar pada saya.

**grin** KATA NAMA

> rujuk juga **grin** KATA KERJA

_senyuman lebar_

to **grind** KATA KERJA

(**ground, ground**)

_mengisar_ (*kopi, lada, daging, dll*)

**grinder** KATA NAMA

[1] _pengisar_

[2] _pencanai_

to **grip** KATA KERJA

*menggenggam*

**gripping**  KATA ADJEKTIF
*mempesona*

**grit**  KATA NAMA
*batu halus*

to **groan**  KATA KERJA

> rujuk juga **groan** KATA NAMA

*mengerang*
◊ *He groaned with pain.*  Dia mengerang kesakitan.

**groan**  KATA NAMA

> rujuk juga **groan** KATA KERJA

*keluhan*

**grocer**  KATA NAMA
1 *peruncit*
2 *kedai runcit*

**groceries**  KATA NAMA JAMAK
*barang-barang runcit*
◊ *I'll get some groceries.*  Saya akan membeli sedikit barang-barang runcit.

**grocer's**  KATA NAMA
*kedai runcit*

**groom**  KATA NAMA

> rujuk juga **groom** KATA KERJA

*pengantin lelaki*
◊ *the groom and his best man* pengantin lelaki dan pengapitnya

to **groom**  KATA KERJA

> rujuk juga **groom** KATA NAMA

*memberus dan membersihkan*
◊ *The horses were groomed.*  Kuda-kuda itu diberus dan dibersihkan.
♦ **He was groomed for the post of Chairman of that company.**  Dia dilatih untuk memegang jawatan Pengerusi syarikat itu.

to **grope**  KATA KERJA
*meraba-raba*
♦ **to grope for something**  meraba-raba mencari sesuatu ◊ *He groped for the light switch.*  Dia meraba-raba mencari suis lampu.

**gross**  KATA ADJEKTIF
1 *menjijikkan*
♦ **That's gross!**  Menjijikkan!
2 *kasar*
◊ *gross income*  pendapatan kasar

**grossly**  KATA ADVERBA
*amat*
◊ *It's grossly unfair.*  Itu amat tidak adil.
◊ *We're grossly underpaid.*  Kami dibayar gaji yang amat rendah.

**ground**  KATA NAMA

> rujuk juga **ground** KATA KERJA

1 *tanah*
◊ *The ground's wet.*  Tanah basah.
2 *padang*
◊ *a football ground*  padang bola sepak
3 *sebab*

◊ *We've got grounds for complaint.*  Kami mempunyai sebab untuk membuat aduan.

**ground**  KATA KERJA  *rujuk* **grind**

> rujuk juga **ground** KATA NAMA

**ground coffee**  KATA NAMA
*kopi kisar*

**ground floor**  KATA NAMA
*tingkat satu* (*rujuk* **floor**)

**groundless**  KATA ADJEKTIF
*tidak berasas*

**group**  KATA NAMA
*kumpulan*

to **grow**  KATA KERJA
(**grew**, **grown**)
1 *membesar*
♦ **Haven't you grown!**  Kamu sudah besar sekarang!
2 *bertambah*
◊ *The number of unemployed has grown.*  Bilangan pengangguran telah bertambah.
3 *menanam*
◊ *He grew vegetables in his garden.*  Dia menanam sayur-sayuran di tamannya.
♦ **He's grown out of his jacket.**  Jaketnya sudah tidak muat lagi untuknya.
♦ **to grow a beard**  menyimpan janggut

to **grow up**  KATA KERJA
*dibesarkan*
◊ *I grew up in Rome.*  Saya dibesarkan di Rom.
♦ **Oh, grow up!**  Cubalah matang sikit!

to **growl**  KATA KERJA
*menggeram*

**grown**  KATA KERJA  *rujuk* **grow**

**growth**  KATA NAMA
1 *pertumbuhan*
◊ *economic growth*  pertumbuhan ekonomi
2 *ketumbuhan*

**grub**  KATA NAMA
1 (*ulat*) *lundi*
2 (*tidak formal*) *makanan*

**grubby**  KATA ADJEKTIF
*comot*
◊ *The kids came back with grubby faces.*  Kanak-kanak itu pulang dengan muka yang comot.

**grudge**  KATA NAMA
*dendam*
◊ *to bear a grudge against somebody* menyimpan dendam terhadap seseorang
♦ **He's always had a grudge against me.**  Dia sememangnya berdendam dengan saya.

**gruesome**  KATA ADJEKTIF
*mengerikan*

G

to **grumble**  KATA KERJA
*merungut*
  ◊ *I shouldn't grumble about Harry.*
Saya tidak patut merungut tentang
Harry.

**grumbler**  KATA NAMA
*perungut*

**grumpy**  KATA ADJEKTIF
*perengus*
  ◊ *a grumpy person* seorang yang
perengus

**GSM**  SINGKATAN  (= *Global System for
Mobile Communications*)
*GSM* (= *Sistem Global untuk Komunikasi
Mudah Alih*)

to **guarantee**  KATA KERJA
> rujuk juga **guarantee** KATA NAMA

*menjamin*
  ◊ *I can't guarantee he'll come.* Saya
tidak dapat menjamin bahawa dia akan
datang.

**guarantee**  KATA NAMA
> rujuk juga **guarantee** KATA KERJA

*jaminan*
  ◊ *a five-year guarantee* jaminan selama
lima tahun
  ♦ **It's still under guarantee.** Barang ini
masih berada dalam tempoh jaminan.

**guarantor**  KATA NAMA
*penjamin*

to **guard**  KATA KERJA
> rujuk juga **guard** KATA NAMA

*mengawal*
  ◊ *The police were guarding the entrance.*
Pihak polis sedang mengawal pintu
masuk.

**guard**  KATA NAMA
> rujuk juga **guard** KATA KERJA

*pengawal*
  ◊ *a security guard* pengawal
keselamatan

**guard dog**  KATA NAMA
*anjing pengawal*

**guardian**  KATA NAMA
*penjaga*

**guard of honour**  KATA NAMA
*barisan kehormat*

**guava**  KATA NAMA
*jambu batu*

**guerrilla**  KATA NAMA
*gerila*

to **guess**  KATA KERJA
> rujuk juga **guess** KATA NAMA

*meneka*
  ◊ *Can you guess what it is?* Bolehkah
anda meneka benda itu?
  ♦ **to guess wrong** membuat tekaan yang
silap
  ♦ **Guess what!** Kamu tahu?

**guess**  KATA NAMA
(JAMAK **guesses**)
> rujuk juga **guess** KATA KERJA

*tekaan*
  ◊ *It's just a guess.* Itu cuma satu
tekaan.
  ♦ **Have a guess!** Cuba teka!

**guest**  KATA NAMA
*tetamu*
  ◊ *We have guests staying with us.* Ada
tetamu yang tinggal bersama kami.

**guesthouse**  KATA NAMA
*rumah tetamu*

**guidance**  KATA NAMA
*bimbingan*
  ◊ *The performance of the students
improved under his guidance.* Prestasi
pelajar meningkat di bawah bimbingannya.

**guide**  KATA NAMA
> rujuk juga **guide** KATA KERJA

  1  *buku panduan*
  ◊ *We bought a guide to Singapore.*
Kami membeli sebuah buku panduan
untuk melawat ke Singapura.
  2  *pemandu pelancong*
  ◊ *The guide showed us around the
castle.* Pemandu pelancong itu membawa
kami melihat sekeliling istanakota itu.
  3  *pembimbing*
  ♦ **Girl Guide** Pandu Puteri

to **guide**  KATA KERJA
> rujuk juga **guide** KATA NAMA

  1  *membawa*
  ◊ *He guided us through tombs and
temples.* Dia membawa kami ke makam
dan kuil.
  2  *membimbing*
  ◊ *Parents are responsible for teaching
and guiding their children at home.* Ibu
bapa bertanggungjawab mendidik dan
membimbing anak-anak di rumah.

**guidebook**  KATA NAMA
*buku panduan*

**guided missile**  KATA NAMA
*peluru berpandu*

**guide dog**  KATA NAMA
*anjing pemandu*

**guideline**  KATA NAMA
*garis panduan*

**guilt**  KATA NAMA
*perasaan bersalah*

**guilty**  KATA ADJEKTIF
*bersalah*
  ◊ *She was found guilty.* Dia didapati
bersalah. ◊ *He felt guilty about lying to
Hannah.* Dia berasa bersalah kerana
menipu Hannah.
  ♦ **He has a guilty conscience.** Dia berasa
bersalah.

**guinea pig** KATA NAMA
  1 _tikus belanda_
  ◊ *She's got a guinea pig.* Dia memelihara seekor tikus belanda.
  2 _bahan kajian_
  ◊ *Dr Rogers used himself as a human guinea pig to test the new drugs.* Dr. Roger menjadikan dirinya sendiri sebagai bahan kajian untuk menguji ubat yang baru itu.

**guitar** KATA NAMA
  _gitar_

**guitarist** KATA NAMA
  _pemain gitar_

**gulf** KATA NAMA
  _teluk_

**gulp** KATA NAMA
  _teguk_
  ◊ *a few gulps of water* beberapa teguk air

to **gulp down** KATA KERJA
  1 _meneguk_ (*air*)
  ◊ *Imran gulped down three glasses of water after running 10 kilometres.* Imran meneguk tiga gelas air setelah berlari sejauh 10 kilometer.
  2 _terus menelan_ (*makanan, dll*)

**gum** KATA NAMA
  1 _gula-gula getah_
  2 _gam_
♦ **gums** gusi

**gummy** KATA ADJEKTIF
  _bergetah_
  ◊ *The fruit is gummy.* Buah itu bergetah.

**gun** KATA NAMA
  _pistol_

**gunman** KATA NAMA
  (JAMAK **gunmen**)
  _penjenayah yang bersenjata api_

**gunpoint** KATA NAMA
♦ **at gunpoint** diancam dengan senjata api

**gunshot** KATA NAMA
  _das tembakan_

  ◊ *I heard the gunshot when I was sleeping.* Saya mendengar das tembakan itu ketika sedang tidur.

to **gush** KATA KERJA
  _berpancaran_
  ◊ *Water gushed out of the pipe when a car ran into it.* Air dari paip itu berpancaran keluar apabila dilanggar oleh sebuah kereta.

**gust** KATA NAMA
  _angin kencang yang bertiup dengan tiba-tiba_
♦ **a gust of wind** angin kencang yang bertiup dengan tiba-tiba

**guts** KATA NAMA JAMAK
  1 _isi perut_
  2 _keberanian_
♦ **He's certainly got guts.** Dia memang berani.
♦ **I hate his guts.** (*tidak formal*) Saya benci akan dia.

**guy** KATA NAMA
  (*tidak formal*)
  _lelaki_
  ◊ *Who's that guy?* Siapakah lelaki itu?
  ◊ *He's a nice guy.* Dia seorang lelaki yang baik.

**gym** KATA NAMA
  _gimnasium_
  ◊ *I go to the gym every day.* Saya pergi ke gimnasium setiap hari.
♦ **gym classes** kelas gimnasium

**gymnasium** KATA NAMA
  _gimnasium_

**gymnast** KATA NAMA
  _ahli gimnastik_

**gymnastics** KATA NAMA
  _gimnastik_

**gypsy** KATA NAMA
  (JAMAK **gypsies**)
  _gipsi_

G

# H

**habit** KATA NAMA
1. _tabiat_
2. _amalan_
◊ _Saving money is a good habit._
Menabung merupakan amalan yang baik.

**habitual** KATA ADJEKTIF
1. _kebiasaan_
◊ _If bad posture becomes habitual, you risk long-term effects._ Jika postur yang tidak baik dijadikan kebiasaan, anda boleh mendapat kesan jangka panjang.
2. _selalu_
◊ _a habitual daydreamer_ orang yang selalu berangan-angan ◊ _habitual criminals_ orang yang selalu melakukan jenayah
♦ **a habitual liar** pembohong

to **hack** KATA KERJA
1. _menetak_
◊ _Some were hacked to death with machetes._ Sesetengahnya ditetak sehingga mati dengan golok.
♦ **We undertook the task of hacking our way through the jungle.** Kami mengambil tugas menebas jalan untuk melalui hutan tersebut.
2. _menceroboh_ (ke dalam sistem komputer)

**hacker** KATA NAMA (komputer)
1. _penceroboh_
2. _kutu komputer_

**had** KATA KERJA rujuk **have**

**haddock** KATA NAMA (JAMAK **haddock**)
_ikan hadok_

**hadn't** = **had not**

to **haggle** KATA KERJA
_tawar-menawar_
◊ _"No haggling"_ "Tidak boleh tawar-menawar"

to **hail** KATA KERJA
> rujuk juga **hail** KATA NAMA

_menyanjung_
◊ _He has been hailed as the greatest writer of his generation._ Dia disanjung sebagai penulis yang paling hebat pada zamannya.
♦ **It started to hail.** Hujan batu mulai turun.
♦ **to hail from** berasal dari ◊ _I hail from Seremban._ Saya berasal dari Seremban.

**hail** KATA NAMA
> rujuk juga **hail** KATA KERJA

_hujan batu_

**hair** KATA NAMA
1. _rambut_
◊ _She's got long hair._ Rambutnya panjang.
2. _bulu_

◊ _I'm allergic to cat hair._ Saya alah pada bulu kucing.
♦ **to have one's hair cut** menggunting rambut
♦ **grey hair** uban
♦ **to brush one's hair** memberus rambut
♦ **to wash one's hair** mencuci rambut
♦ **to feel one's hair stand on end** terasa seram ◊ _Every time he passes the house he feels his hair stand on end._ Setiap kali dia lalu di hadapan rumah itu dia terasa seram.

**hairbrush** KATA NAMA (JAMAK **hairbrushes**)
_berus rambut_

**haircut** KATA NAMA
_potongan rambut_
♦ **You need a haircut.** Anda perlu menggunting rambut.
♦ **to have a haircut** menggunting rambut

**hairdresser** KATA NAMA
_pendandan rambut_
◊ _He's a hairdresser._ Dia seorang pendandan rambut.
♦ **at the hairdresser's** di kedai mendandan rambut

**hair dryer** KATA NAMA
_pengering rambut_

**hair gel** KATA NAMA
_gel rambut_

**hairgrip** KATA NAMA
_sepit rambut_

**hair spray** KATA NAMA
_penyembur rambut_

**hairstyle** KATA NAMA
_fesyen rambut_

**hairy** KATA ADJEKTIF
_berbulu_
◊ _He's very hairy._ Badannya berbulu lebat.
♦ **He's got hairy legs.** Kakinya berbulu lebat.

**half** KATA NAMA (JAMAK **halves**)
> rujuk juga **half** KATA ADJEKTIF

_separuh_
◊ _half of the cake_ separuh daripada kek itu
♦ **to cut something in half** memotong dua sesuatu
♦ **One and two halves, please.** Tolong beri saya satu tiket dewasa dan dua tiket kanak-kanak.
♦ **two and a half** dua setengah
♦ **half a kilo** setengah kilo
♦ **half an hour** setengah jam
♦ **half past ten** pukul sepuluh setengah

**half** KATA ADJEKTIF, KATA ADVERBA
> rujuk juga **half** KATA NAMA

*setengah*
◊ *a half chicken*  setengah ekor ayam
♦ **They were half drunk.**  Mereka separuh mabuk.
♦ **She was half asleep.**  Dia separuh lelap.

**half-hearted**  KATA ADJEKTIF
*tidak bersungguh-sungguh*
◊ *half-hearted efforts*  usaha yang tidak bersungguh-sungguh

**half-heartedly**  KATA ADVERBA
*dengan tidak bersungguh-sungguh*
◊ *He did his job half-heartedly.*  Dia menjalankan kerjanya dengan tidak bersungguh-sungguh.

**half-price**  KATA ADJEKTIF, KATA ADVERBA
*separuh harga*
◊ *I bought it half-price.*  Saya membeli barang itu pada separuh harga.

**half-term**  KATA NAMA
*cuti pertengahan penggal*

> Di Britain, **half-term** merupakan cuti pendek di tengah-tengah satu penggal sekolah.

**half-time**  KATA NAMA
*separuh masa* (masa rehat dalam permainan)

**halfway**  KATA ADVERBA
1 *pertengahan jalan*
◊ *Reading is halfway between Oxford and London.*  Reading terletak di pertengahan jalan di antara Oxford dengan London.
2 *separuh jalan*
◊ *He left halfway through the film.*  Dia pergi apabila filem itu sampai separuh jalan.

**hall**  KATA NAMA
1 *ruang depan*

> Di kebanyakan rumah di Britain, **hall** ialah ruang yang kelihatan sebaik sahaja anda melalui pintu depan dan masuk ke dalam rumah.

2 *dewan*
◊ *a lecture hall*  dewan kuliah ◊ *a concert hall*  dewan konsert
♦ **village hall**  balai raya
3 🏢 *koridor*
◊ *the room across the hall*  bilik di seberang koridor

**hall of residence**  KATA NAMA
*asrama*

**Hallowe'en**  KATA NAMA
*Halloween*

> **Hallowe'en** ialah waktu malam 31 Oktober. Mengikut tradisi, hantu dan ahli sihir dikatakan dapat dilihat pada waktu itu.

**hallucination**  KATA NAMA
*halusinasi*

◊ *Hallucinations are common among patients who have suffered brain damage.*  Halusinasi merupakan perkara biasa bagi pesakit yang mengalami kecederaan otak.

**hallway**  KATA NAMA
1 *koridor*
2 *ruang depan* (di dalam rumah atau bangunan lain)

**halt**  KATA NAMA
*berhenti*
♦ **to come to a halt**  terhenti ◊ *Her political career came to a halt in 1999.*  Kerjaya politiknya terhenti pada tahun 1999.

**halting**  KATA ADJEKTIF
*tertahan-tahan*
◊ *May related her sad story in a halting voice.*  May menceritakan kisahnya yang sedih dengan suara yang tertahan-tahan.

**halves**  KATA NAMA JAMAK  *rujuk* **half**

**ham**  KATA NAMA
*ham*

> merujuk kepada daging daripada bahagian atas kaki belakang khinzir yang diproses supaya dapat disimpan untuk jangka masa yang panjang

**hamburger**  KATA NAMA
*hamburger*

**hammer**  KATA NAMA
*tukul*

to **hamper**  KATA KERJA

> rujuk juga **hamper** KATA NAMA

*menghalang*
◊ *The bad weather hampered rescue operations.*  Cuaca buruk menghalang operasi menyelamat.

**hamper**  KATA NAMA

> rujuk juga **hamper** KATA KERJA

*hamper*

**hamster**  KATA NAMA
*hamster*

**hand**  KATA NAMA

> rujuk juga **hand** KATA KERJA

1 *tangan*
2 *jarum* (pada jam)
♦ **to give someone a hand**  menolong seseorang ◊ *Can you give me a hand?*  Bolehkah anda menolong saya?
♦ **on the one hand..., on the other hand...**  dari satu segi..., sebaliknya...

to **hand**  KATA KERJA

> rujuk juga **hand** KATA NAMA

*memberikan*
◊ *He handed me the book.*  Dia memberikan buku itu kepada saya.

to **hand in**  KATA KERJA
*menyerahkan*
◊ *Martin handed in his exam paper.*

Martin menyerahkan kertas peperiksaannya.

to **hand on** KATA KERJA
*menyerahkan*
◊ *His car will be handed on to his successor.* Keretanya akan diserahkan kepada penggantinya.

to **hand out** KATA KERJA
*memberikan*
◊ *The teacher handed out the books.* Guru itu memberikan buku-buku tersebut.

to **hand over** KATA KERJA
*menyerahkan*
◊ *She handed the keys over to me.* Dia menyerahkan kunci-kunci itu kepada saya.

**handbag** KATA NAMA
*beg tangan*

**handball** KATA NAMA
*bola baling*

**handbook** KATA NAMA
*buku panduan*

**handbrake** KATA NAMA
*brek tangan*

to **handcuff** KATA KERJA
*menggari*
◊ *The police grabbed Julie's wrists and handcuffed her.* Polis itu menarik pergelangan tangan Julie dan menggarinya.

**handcuffs** KATA NAMA JAMAK
*gari*

**handful** KATA NAMA
*genggam*
◊ *a handful of rice* segenggam nasi
♦ **He surveyed the handful of customers at the bar.** Dia meninjau sebilangan kecil pelanggan di bar itu.

**handicap** KATA NAMA
*kecacatan*
◊ *He learned to overcome his handicap.* Dia belajar mengatasi kecacatannya.

**handicapped** KATA ADJEKTIF
*cacat*

**handicraft** KATA NAMA
*kraf tangan*

**handkerchief** KATA NAMA
(JAMAK **handkerchieves**)
*sapu tangan*

**handle** KATA NAMA
| *rujuk juga* **handle** KATA KERJA |
1 *pemegang* (pada pintu, beg bimbit)
2 *telinga* (pada cawan)
3 *tangkai* (pada periuk)
4 *hulu* (pada pisau)

to **handle** KATA KERJA
| *rujuk juga* **handle** KATA NAMA |
1 *mengawal*
◊ *It was a difficult situation, but he handled it well.* Keadaan itu agak sukar,

tetapi dia mengawalnya dengan baik.
2 *mengendalikan*
◊ *Kath handled the travel arrangements.* Kath mengendalikan persiapan perjalanan itu.
3 *menjaga*
◊ *She's good at handling children.* Dia pandai menjaga kanak-kanak.
♦ **"handle with care"** "mudah pecah"

**handlebars** KATA NAMA JAMAK
*hendal*

**handmade** KATA ADJEKTIF
*buatan tangan*

**handover** KATA NAMA
*penyerahan*

**hands-free** KATA ADJEKTIF
*bebas tangan*
♦ **hands-free kit** alat bebas tangan

**handsome** KATA ADJEKTIF
*tampan*
◊ *My father's very handsome.* Ayah saya sungguh tampan.

**handwriting** KATA NAMA
*tulisan tangan*
◊ *His handwriting is terrible.* Tulisan tangannya teruk.

**handy** KATA ADJEKTIF
1 *berguna*
◊ *This knife's very handy.* Pisau ini sangat berguna.
2 *dekat dengan*
◊ *Have you got a pen handy?* Apakah anda mempunyai sebatang pen dekat dengan anda?

to **hang** KATA KERJA
(**hung**, **hung**)
1 *menggantungkan*
◊ *Mike hung the painting on the wall.* Mike menggantungkan lukisan itu pada dinding.
2 *tergantung*
◊ *There was a bulb hanging from the ceiling.* Ada sebiji lampu mentol tergantung pada siling.
3 *menggantung*
Gunakan **hanged** bagi kala lepas untuk maksud ini.
◊ *In the past criminals were hanged.* Pada masa lalu, penjenayah akan digantung.

to **hang around** KATA KERJA
*melepak*
◊ *On Saturdays we hang around in the park.* Pada hari Sabtu, kami melepak di taman.

to **hang on** KATA KERJA
*tunggu*
◊ *Hang on a minute please.* Tolong tunggu sekejap.

to **hang up**    KATA KERJA

1 _menggantungkan_
◊ He hangs up his jacket in the cupboard. Dia menggantungkan jaketnya di dalam almari.

2 _meletakkan gagang telefon_
◊ Don't hang up! Jangan letakkan gagang telefon! ◊ Everytime I phone him, he hangs up on me. Setiap kali saya menelefonnya, dia meletakkan gagang telefon.

**hanger**    KATA NAMA
_penyangkut_

**hang-gliding**    KATA NAMA
_luncur angin_
◊ to go hang-gliding pergi bermain luncur angin

**hangover**    KATA NAMA
_rasa sakit kepala kerana minum terlalu banyak minuman keras_
◊ I woke up with a hangover. Saya bangun dengan rasa sakit kepala kerana minum terlalu banyak minuman keras.

**hank**    KATA NAMA
_unting_ (untuk tali)

to **happen**    KATA KERJA
_terjadi_
◊ What happened? Apakah yang terjadi?

♦ **As it happens, I do know him.** Secara kebetulan, saya memang mengenalinya.

♦ **Do you happen to know if she's at home?** Apakah anda tahu sama ada dia berada di rumah atau tidak?

**happily**    KATA ADVERBA

1 _dengan gembira_
◊ "Don't worry!" he said happily. "Jangan bimbang!" dia berkata dengan gembira.

2 _bahagia_
◊ And they lived happily ever after. Mereka pun hidup bahagia selama-lamanya.

♦ **He's happily married.** Dia sudah berumah tangga dan hidup bahagia.

3 _mujurlah_
◊ Happily, everything went well. Mujurlah, semuanya berjalan lancar.

**happiness**    KATA NAMA
1 _kegembiraan_
2 _kebahagiaan_ (mendapat kepuasan dalam hidup)

**happy**    KATA ADJEKTIF
_gembira_
◊ Janet looks happy. Janet kelihatan gembira.

♦ **to be happy with something** berpuas hati dengan sesuatu ◊ I'm very happy with your work. Saya amat berpuas hati

dengan kerja anda.

♦ **Happy birthday!** Selamat hari jadi!

♦ **a happy ending** kisah yang berakhir dengan kegembiraan

**harbour**    KATA NAMA
(AS **harbor**)
_pelabuhan_

**hard**    KATA ADJEKTIF, KATA ADVERBA
1 _keras_
◊ This cheese is very hard. Keju ini sangat keras. ◊ to work hard bekerja keras

2 _sukar_
◊ The exam was very hard. Peperiksaan itu amat sukar.

**hardcore**    KATA NAMA
1 _sangat komited_
◊ a hardcore group of members sekumpulan ahli yang sangat komited
2 _batu kerikil_

**hard disk**    KATA NAMA
_cakera keras_

to **harden**    KATA KERJA
_mengeraskan_
◊ We can harden this clay bowl by firing it. Kita boleh mengeraskan mangkuk tanah liat ini dengan membakarnya.

♦ **Do it after the concrete hardens.** Lakukannya selepas konkrit menjadi keras.

♦ **Their action can only serve to harden the attitude of landowners.** Tindakan mereka hanya akan menyebabkan pemilik tanah bersikap keras.

**hardly**    KATA ADVERBA
_tidak begitu_
◊ I hardly know you. Saya tidak begitu mengenali anda.

♦ **I've got hardly any money.** Saya mempunyai sedikit wang sahaja.

♦ **hardly ever** jarang sekali

♦ **hardly anything** hampir tidak ada apa-apa

**hardship**    KATA NAMA
_kesusahan_
◊ Sue advised her friend to face the hardships of life patiently. Sue menasihati kawannya supaya tabah menghadapi kesusahan hidup.

**hard up**    KATA ADJEKTIF
(tidak formal)
_kesempitan wang_
♦ **to be hard up** kesempitan wang

**hardware**    KATA NAMA
_perkakasan_ (komputer)

**hardworking**    KATA ADJEKTIF
_rajin_
◊ a hardworking student pelajar yang rajin

H

**hardy** KATA ADJEKTIF
_tahan lasak_

**hare** KATA NAMA
_arnab_

**hare-lipped** KATA ADJEKTIF
_berbibir sumbing_

to **harm** KATA KERJA

> _rujuk juga_ **harm** KATA NAMA

_mencederakan_

♦ to **harm somebody** mencederakan
seseorang ◊ _I didn't mean to harm you._
Saya tidak berniat untuk mencederakan
anda.

♦ to **harm something** menjejaskan
sesuatu ◊ _Chemicals harm the
environment._ Bahan kimia menjejaskan
alam sekitar.

**harm** KATA NAMA

> _rujuk juga_ **harm** KATA KERJA

_mudarat_

◊ _to cause harm_ membawa mudarat

♦ **The abuse of your powers does harm to
all other officers who do their job
properly.** Penyalahgunaan kuasa anda
mendatangkan keburukan kepada semua
pegawai yang menjalankan tugas mereka
dengan baik.

**harmful** KATA ADJEKTIF
_berbahaya_

♦ **harmful to the environment**
membahayakan alam sekitar

**harmless** KATA ADJEKTIF
_tidak berbahaya_

**harmonica** KATA NAMA
_harmonika_

**harmonious** KATA ADJEKTIF
_harmoni_

◊ _their harmonious relationship_
hubungan mereka yang harmoni

**harmony** KATA NAMA
_keharmonian_

◊ _They live in harmony._ Mereka hidup
dalam keharmonian.

**harpoon** KATA NAMA
_tempuling_

**harsh** KATA ADJEKTIF

1 _berat_

◊ _He deserves a harsh punishment for
what he did._ Dia patut menerima
hukuman yang berat kerana perbuatannya.

2 _garau_

◊ _She's got a very harsh voice._ Dia
mempunyai suara yang sungguh garau.

to **harvest** KATA KERJA
_memungut_

◊ _The farmers are harvesting their
crops._ Para petani sedang memungut
hasil tanaman mereka.

♦ to **harvest wheat** menuai gandum

**has** KATA KERJA _rujuk_ **have**

**hash** KATA NAMA

(JAMAK **hashes**)
_butang hash_ (_pada telefon, dll_)

♦ to **make a hash of something**
merosakkan sesuatu perkara ◊ _Watson
had made a thorough hash of it._ Watson
betul-betul telah merosakkannya.

**hasn't** = **has not**

**hasty** KATA ADJEKTIF

1 _segera_

◊ _I made a hasty departure._ Saya pergi
dengan segera.

2 _terburu-buru_

◊ _Don't make a hasty decision._ Jangan
buat keputusan yang terburu-buru.

**hat** KATA NAMA
_topi_

to **hatch** KATA KERJA
_menetas_

◊ _The eggs have hatched._ Telur-telur itu
telah menetas.

to **hate** KATA KERJA
_benci_

**hateful** KATA ADJEKTIF

1 _keji_

◊ _It was a hateful thing to say._ Kata-kata
itu sungguh keji.

2 _pembenci_ (_orang_)

♦ **a lying, hateful and racist campaign**
kempen yang penuh dengan penipuan,
kebencian dan sifat perkauman

**hatred** KATA NAMA
_perasaan benci_

to **haul** KATA KERJA
_mengheret_

◊ _A crane had to be used to haul the car
out of the stream._ Sebuah kren terpaksa
digunakan untuk mengheret kereta itu
keluar dari sungai.

to **haunt** KATA KERJA
_menghantui_

◊ _Her decision to leave her children now
haunts her._ Keputusannya meninggalkan
anak-anaknya kini menghantui
fikirannya.

**haunted** KATA ADJEKTIF
_berhantu_

◊ _a haunted house_ rumah berhantu

to **have** KATA KERJA

(**had, had**)

> Gunakan **has** _untuk kata ganti nama_
> **he, she, it** _dan kata nama tunggal._

1 _sudah_

◊ _I've already seen that film._ Saya
sudah menonton filem itu.

2 _mempunyai_ **atau** _ada_

◊ _I have two brothers._ Saya mempunyai
dua orang abang.

**have** *juga mempunyai pelbagai terjemahan mengikut konteks.*
◊ *I have a terrible cold.* Saya menghidap selesema yang teruk. ◊ *She had a baby last year.* Dia melahirkan seorang bayi pada tahun lalu. ◊ *I'll have a coffee.* Saya mahu minum kopi.
♦ **Shall we have a drink?** Mari kita minum.
♦ **If you had phoned me I would have come around.** Jika anda menelefon saya, saya tentu akan datang.
♦ **Have you read that book? - Yes, I have.** Sudahkah anda membaca buku itu? - Ya, sudah.
♦ **Has he told you? - No, he hasn't.** Sudahkah dia memberitahu anda? - Belum.
♦ **to have a shower** mandi
♦ **to have one's hair cut** menggunting rambut

**haven**  KATA NAMA
*tempat perlindungan*
◊ *Lake Baringo, a freshwater haven for birds* Tasik Baringo, tempat perlindungan air tawar untuk burung

**haven't** = **have not**

**havoc**  KATA NAMA
*keadaan kucar-kacir*
◊ *The fighting caused havoc in the court.* Pergaduhan itu menyebabkan keadaan di mahkamah kucar-kacir.

**hawk**  KATA NAMA
*burung helang*

**hawker**  KATA NAMA
*penjaja*

**hay**  KATA NAMA
*rumput kering*

**hay fever**  KATA NAMA
*demam alergi*

**hazard**  KATA NAMA
*bahaya*
◊ *a health hazard* bahaya kepada kesihatan

**hazardous**  KATA ADJEKTIF
*berbahaya*
◊ *hazardous waste* sisa buangan yang berbahaya
♦ **Smoking can be hazardous to health.** Merokok boleh membahayakan kesihatan.

**haze**  KATA NAMA
*jerebu*

**hazelnut**  KATA NAMA
*kacang hazel*

**he**  KATA GANTI NAMA
**he** *digunakan untuk merujuk kepada orang lelaki.*
① *dia*
◊ *He is very tall.* Dia sangat tinggi.
♦ **He did it but she didn't.** Yang lelaki

melakukannya tetapi yang perempuan tidak.
② *beliau* (*untuk orang yang dihormati*)

**head**  KATA NAMA
rujuk juga **head** KATA KERJA
① *kepala*
♦ **Mind your head!** Berhati-hati, nanti terhantuk!
♦ **The wine went to my head.** Wain itu menjadikan saya mabuk.
② *akal*
◊ *He lost his head and started screaming.* Dia hilang akal lalu mula menjerit.
③ *guru besar* (*sekolah rendah*)
④ *pengetua* (*sekolah menengah*)
⑤ *ketua*
◊ *a head of state* ketua negara
♦ **I've got no head for figures.** Saya tidak pandai membuat kira-kira.
♦ **Heads or tails? - Heads.** Kepala atau bunga? - Kepala.

to **head**  KATA KERJA
rujuk juga **head** KATA NAMA
*mengetuai*
◊ *The parson will head the procession.* Paderi itu akan mengetuai perarakan tersebut.
♦ **to head for** menuju ke ◊ *They headed for the church.* Mereka menuju ke gereja.

**headache**  KATA NAMA
*sakit kepala*
♦ **I've got a headache.** Saya sakit kepala.

**headband**  KATA NAMA
*ikat kepala*

**head count**  KATA NAMA
*bilangan orang*

**headdress**  KATA NAMA
(JAMAK **headdresses**)
*hiasan yang dipakai di kepala*

**headgear**  KATA NAMA
*sesuatu yang dipakai di kepala* (*topi, dll*)

**headlight**  KATA NAMA
*lampu besar* (*pada kenderaan*)

**headline**  KATA NAMA
*tajuk berita*

**headman**  KATA NAMA
(JAMAK **headmen**)
*penghulu*

**headmaster**  KATA NAMA
*guru besar* (*lelaki*)

**headmistress**  KATA NAMA
(JAMAK **headmistresses**)
*guru besar* (*perempuan*)

**headphones**  KATA NAMA JAMAK
*fon kepala*

**headquarters**  KATA NAMA JAMAK
① *markas* (*tentera*)

2 *ibu pejabat*
◊ *The bank's headquarters are in London.* Ibu pejabat bank itu terletak di London.

**headscarf** KATA NAMA
(JAMAK **headscarves**)
*skarf kepala*

**headstrong** KATA ADJEKTIF
*degil*

**headteacher** KATA NAMA
*guru besar*

to **heal** KATA KERJA
*sembuh*

**healer** KATA NAMA
*tabib*

**health** KATA NAMA
*kesihatan*
♦ **She's in good health.** Dia sihat.

**healthy** KATA ADJEKTIF
*sihat*
◊ *She's very healthy.* Dia sangat sihat.
◊ *a healthy diet* pemakanan yang sihat

**heap** KATA NAMA
*longgokan*

to **hear** KATA KERJA
(**heard, heard**)
*mendengar*
◊ *We heard the dog bark.* Kami mendengar anjing itu menyalak. ◊ *She can't hear very well.* Dia tidak dapat mendengar dengan jelas. ◊ *Did you hear the good news?* Sudahkah anda mendengar berita baik itu?
♦ **to hear about something** mendengar berita tentang sesuatu ◊ *I've heard about your new job.* Saya sudah mendengar berita tentang pekerjaan baru anda.
♦ **to hear from somebody** menerima berita daripada seseorang ◊ *I haven't heard from him recently.* Saya tidak menerima berita daripadanya akhir-akhir ini.

**heart** KATA NAMA
1 *jantung*
2 *hati*
◊ *with a heart full of revenge* dengan hati yang penuh dengan dendam
♦ **Adam's words filled her heart with pride.** Kata-kata Adam itu membuatnya berasa bangga.
♦ **hearts** (*dalam daun terup*) lekuk ◊ *the ace of hearts* daun sat lekuk
♦ **to learn something by heart** menghafal sesuatu

**heartache** KATA NAMA
*seksaan jiwa*

**heart attack** KATA NAMA
*serangan penyakit jantung*

**heartbeat** KATA NAMA
*denyutan jantung*

**heartbreaking** KATA ADJEKTIF
*menyayat hati*
◊ *a heartbreaking story* cerita yang menyayat hati

**heartbroken** KATA ADJEKTIF
*patah hati*
♦ **to be heartbroken** patah hati

to **hearten** KATA KERJA
*menggembirakan*
◊ *The news heartened everybody.* Berita itu menggembirakan semua orang.

**heartily** KATA ADVERBA
1 *terbahak-bahak*
◊ *She laughed heartily.* Dia ketawa terbahak-bahak.
2 *benar-benar*
◊ *I heartily agree with her comments.* Saya benar-benar bersetuju dengan komennya.

**heartless** KATA ADJEKTIF
*tidak berhati perut*

**heat** KATA NAMA

| rujuk juga **heat** KATA KERJA |
|---|

*haba*

to **heat** KATA KERJA

| rujuk juga **heat** KATA NAMA |
|---|

*memanaskan*
◊ *Heat gently for five minutes.* Panaskan dengan api yang perlahan selama lima minit.

to **heat up** KATA KERJA
1 *memanaskan*
◊ *He heated the soup up.* Dia memanaskan sup itu.
2 *semakin panas* (*air, ketuhar*)
◊ *The water is heating up.* Air itu semakin panas.

**heated** KATA ADJEKTIF
*hangat*
◊ *a heated discussion* perbincangan yang hangat

**heatedly** KATA ADVERBA
*dengan hangat*
◊ *The news was discussed heatedly in the village.* Berita itu diperkatakan dengan hangat di kampung itu.

**heater** KATA NAMA
*alat pemanas*
◊ *a water heater* alat pemanas air

**heather** KATA NAMA

| pokok rendah yang mempunyai bunga-bunga kecil yang berwarna ungu, merah jambu atau putih |
|---|

**heating** KATA NAMA
*pemanasan*

to **heave** KATA KERJA
1 *mengangkat*

◊ *Gina and Doris heaved the heavy table into the room.* Gina dan Doris mengangkat meja yang berat itu ke dalam bilik.

2 *kembang kempis*
◊ *His chest heaved.* Dadanya kembang kempis.

**heaven** KATA NAMA
*syurga*
◊ *to go to heaven* masuk syurga

**heavily** KATA ADVERBA
**heavily** *mempunyai terjemahan yang berbeza mengikut konteks.*
◊ *It rained heavily in the night.* Hujan lebat pada waktu malam. ◊ *He's a heavily built man.* Dia seorang lelaki yang berbadan besar. ◊ *He drinks heavily.* Dia kuat minum arak.

**heavy** KATA ADJEKTIF
1 *berat*
◊ *a heavy load* beban yang berat
♦ **heavy rain** hujan lebat
♦ **He's a heavy drinker.** Dia kuat minum arak.
2 *mengancam* (sikap)
3 *tegang* (keadaan)

**hectare** KATA NAMA
*hektar*

**he'd** = he would, = he had

**hedge** KATA NAMA
*pagar hidup*

**hedgehog** KATA NAMA
*landak kecil*

**heel** KATA NAMA
*tumit*

**height** KATA NAMA
*ketinggian*

to **heighten** KATA KERJA
1 *menambahkan*
◊ *The move has heightened tension in the state.* Tindakan itu telah menambahkan ketegangan dalam negeri tersebut.
2 *memuncak*
◊ *Cross's interest heightened.* Minat Cross memuncak.

**heir** KATA NAMA
*pewaris* (lelaki)

**heiress** KATA NAMA
(JAMAK **heiresses**)
*pewaris* (perempuan)

**heirloom** KATA NAMA
*pusaka*

**held** KATA KERJA *rujuk* **hold**

**helicopter** KATA NAMA
*helikopter*

**hell** KATA NAMA
*neraka*
♦ **Hell!** Celaka!

**he'll** = he will, = he shall

**hello** KATA SERUAN
*helo*

**helmet** KATA NAMA
*topi keselamatan*
♦ **crash helmet** topi keledar

**helmsman** KATA NAMA
(JAMAK **helmsmen**)
*jurumudi*

to **help** KATA KERJA
| *rujuk juga* **help** KATA NAMA |
*membantu*
♦ **Help!** Tolong!
♦ **Help yourself!** Jangan malu-malu!
♦ **I couldn't help laughing.** Saya tidak dapat menahan ketawa.

**help** KATA NAMA
| *rujuk juga* **help** KATA KERJA |
*bantuan*
◊ *Do you need any help?* Anda perlukan sebarang bantuan?

**helpful** KATA ADJEKTIF
*berguna*
◊ *a helpful advice* nasihat yang berguna
♦ **You've been very helpful!** Anda telah banyak membantu!

**helpless** KATA NAMA
*tidak berupaya*

**helplessness** KATA NAMA
*keadaan tidak berupaya*

**help menu** KATA NAMA
*menu bantu* (komputer)

**helter-skelter** KATA ADVERBA
| *rujuk juga* **helter-skelter** KATA NAMA |
*lintang-pukang*
◊ *to run helter-skelter* berlari lintang-pukang

**helter-skelter** KATA NAMA
| *rujuk juga* **helter-skelter** KATA ADVERBA |
*gelongsor berpilin*

**hem** KATA NAMA
*kelepet*

**hemisphere** KATA NAMA
*hemisfera*
◊ *the northern hemisphere* hemisfera utara

**hemp** KATA NAMA
*ganja* (tumbuhan)

**hen** KATA NAMA
*ayam betina*

**hence** KATA ADVERBA
*oleh itu*

**henna** KATA NAMA
*inai*

**her** KATA ADJEKTIF
| *rujuk juga* **her** KATA GANTI NAMA |
**her** *digunakan untuk merujuk kepada orang perempuan.*

**H**

[1] *-nya*
◊ *her father* ayahnya
[2] *beliau* (*untuk orang yang dihormati*)

**her**   KATA GANTI NAMA

> *rujuk juga* **her** KATA ADJEKTIF
> **her** *digunakan untuk merujuk kepada orang perempuan.*

[1] *dia*
◊ *I saw her.* Saya nampak dia.
♦ **It must be her.** Tentu dialah orangnya.
[2] *-nya*
◊ *I gave her a book.* Saya memberinya sebuah buku.
[3] *beliau* (*untuk orang yang dihormati*)

**herb**   KATA NAMA
*herba*

**herbal**   KATA ADJEKTIF
*herba*
◊ *herbal tea* teh herba

**herbivore**   KATA NAMA
*herbivor* **atau** *maun*

**herd**   KATA NAMA
*kawan* (lembu, gajah, dll)
◊ *a herd of cattle* sekawan lembu

**herdsman**   KATA NAMA
(JAMAK **herdsmen**)
*gembala*

**here**   KATA ADVERBA
*di sini*
◊ *I live here.* Saya tinggal di sini.
♦ **Here he is!** Itu pun dia!
♦ **Here are the books.** Ini buku-bukunya.
♦ **Have you got my pen? - Here you are.** Pen saya ada pada anda? - Ini dia.

**heritage**   KATA NAMA
*warisan*
◊ *cultural heritage* warisan kebudayaan

**hermit**   KATA NAMA
*pertapa*

**hero**   KATA NAMA
(JAMAK **heroes**)
*wira* **atau** *hero*

**heroin**   KATA NAMA
*heroin*
◊ *a heroin addict* penagih heroin

**heroine**   KATA NAMA
*wirawati* **atau** *heroin*

**heroism**   KATA NAMA
*keperwiraan*

**hers**   KATA GANTI NAMA

> **hers** *digunakan untuk merujuk kepada orang perempuan.*

[1] *objek +* *dia/-nya*
◊ *Is this her coat? - No, hers is black.* Apakah ini kotnya? - Tidak, kotnya berwarna hitam. ◊ *my parents and hers* ibu bapa saya dan ibu bapanya
[2] *miliknya*
◊ *Is that car hers?* Adakah kereta itu

miliknya? ◊ *Whose is this? - It's hers.* Barang ini milik siapa? - Miliknya.
[3] *objek +* *beliau* (*untuk orang yang dihormati*)
[4] *milik beliau* (*untuk orang yang dihormati*)

**herself**   KATA GANTI NAMA

> **herself** *digunakan untuk merujuk kepada orang perempuan.*

[1] *dirinya*
◊ *She talked mainly about herself.* Dia lebih banyak bercerita tentang dirinya.
♦ **She's hurt herself.** Dia tercedera.
[2] *diri beliau* (*untuk orang yang dihormati*)
[3] *sendiri*
◊ *She did it herself.* Dia melakukannya sendiri.
♦ **by herself** seorang diri ◊ *She came by herself.* Dia datang seorang diri.

**he's** = **he is, = he has**

to **hesitate**   KATA KERJA
*teragak-agak*
◊ *Don't hesitate to ask.* Jangan teragak-agak untuk bertanya.

**hesitation**   KATA NAMA
*sikap teragak-agak*
◊ *Andy's hesitation in accepting the offer angered his mother.* Sikap Andy yang teragak-agak untuk menerima tawaran itu menyebabkan ibunya marah.
♦ **without hesitation** tanpa teragak-agak
◊ *They signed the contract without hesitation.* Mereka menandatangani perjanjian itu tanpa teragak-agak.

**heterosexual**   KATA ADJEKTIF
*heteroseksual*

**hexagon**   KATA NAMA
*heksagon*

**hexagonal**   KATA ADJEKTIF
*berbentuk enam segi*
◊ *a hexagonal container* bekas yang berbentuk enam segi

**hi**   KATA SERUAN
*hai*

**hibiscus**   KATA NAMA
(JAMAK **hibiscus**)
*bunga raya*

**hiccup**   KATA NAMA
*sedu*
♦ **The baby's got hiccups.** Bayi itu tersedu.

**hid, hidden**   KATA KERJA *rujuk* **hide**

**hidden**   KATA ADJEKTIF
*tersembunyi*
◊ *hidden facts* fakta-fakta yang tersembunyi
♦ **hidden talent** bakat terpendam

to **hide**   KATA KERJA
(**hid, hidden**)

> *rujuk juga* **hide** KATA NAMA
> ① *menyembunyikan*
> ◊ *Paula hid the present.* Paula menyembunyikan hadiah itu.
> ② *bersembunyi*
> ◊ *He hid behind a bush.* Dia bersembunyi di sebalik semak.

**hide** KATA NAMA

> *rujuk juga* **hide** KATA KERJA
> *belulang*
> ◊ *the process of tanning animal hides* proses menyamak belulang haiwan

**hide-and-seek** KATA NAMA
*main sembunyi-sembunyi*
♦ **to play hide-and-seek** bermain sembunyi-sembunyi

**hideous** KATA ADJEKTIF
*sangat hodoh*

**hideout** KATA NAMA
*tempat persembunyian*

**hierarchy** KATA NAMA
(JAMAK **hierarchies**)
*hierarki*

**hi-fi** KATA NAMA
*hi-fi*

**higgledy-piggledy** KATA ADJEKTIF, KATA ADVERBA
*berkaparan*
◊ *Books are often in higgledy-piggledy piles on the floor.* Buku-buku biasanya dalam timbunan yang berkaparan di atas lantai.
♦ **The children were sleeping higgledy-piggledy on the bed.** Kanak-kanak itu tidur bergelimpangan di atas katil.

**high** KATA ADJEKTIF, KATA ADVERBA
*tinggi*
◊ *The gate's too high.* Pagar itu terlalu tinggi. ◊ *She's got a very high voice.* Dia memiliki suara yang sangat tinggi. ◊ *at high speed* pada kelajuan yang tinggi
♦ **How high is the wall?** Berapa tinggikah dinding itu?
♦ **to be high** (*tidak formal*) khayal (*kerana mengambil dadah*)
♦ **to get high** (*tidak formal*) khayal (*kerana mengambil dadah*)

**higher education** KATA NAMA
*pengajian tinggi*

**high-heeled** KATA ADJEKTIF
*bertumit tinggi*
◊ *high-heeled shoes* kasut bertumit tinggi

**high jump** KATA NAMA
*lompat tinggi*

to **highlight** KATA KERJA

> *rujuk juga* **highlight** KATA NAMA
> *menekankan* (*hujah*)

**highlight** KATA NAMA

> *rujuk juga* **highlight** KATA KERJA
> *acara kemuncak*
> ◊ *the highlight of the evening* acara kemuncak pada malam itu

**highlighter** KATA NAMA
*pen penyerlah*

**highly** KATA ADVERBA
*sangat*
◊ *The students are highly motivated.* Pelajar-pelajar itu sangat bermotivasi.
♦ **His brother is highly educated.** Abangnya berpelajaran tinggi.
♦ **Jack is highly respected because he's kind-hearted.** Jack dihormati ramai kerana dia seorang yang baik hati.

**Highness** KATA GANTI NAMA
(JAMAK **Highnesses**)
♦ **Your Highness** Tuanku
♦ **His Royal Highness** Yang Amat Mulia (*lelaki*)
♦ **Her Royal Highness** Yang Amat Mulia (*perempuan*)
♦ **His Highness** Yang Mulia (*lelaki*)
♦ **Her Highness** Yang Mulia (*perempuan*)

**high-octane** KATA ADJEKTIF
*sangat menarik*
◊ *high-octane thrillers* cerita seram yang sangat menarik

**high-pitched** KATA ADJEKTIF
*nyaring*
◊ *a high-pitched voice* suara yang nyaring

**high-rise** KATA NAMA
*bangunan yang tinggi dan bertingkat*

**high school** KATA NAMA
*sekolah menengah*

**high tide** KATA NAMA
*air pasang*

**highway** KATA NAMA
*lebuh raya*

to **hijack** KATA KERJA
*merampas* (*kapal terbang*)

**hijacker** KATA NAMA
*perampas* (*kapal terbang*)

**hike** KATA NAMA
*mengembara dengan berjalan kaki*

**hiking** KATA NAMA
*mengembara dengan berjalan kaki*
◊ *to go hiking* pergi mengembara dengan berjalan kaki

**hilarious** KATA ADJEKTIF
*sangat kelakar*

**hill** KATA NAMA
*bukit*
◊ *a house at the top of a hill* sebuah rumah di atas bukit ◊ *I climbed the hill up to the office.* Saya mendaki bukit untuk sampai ke pejabat.

**hill-walking** KATA NAMA

H

_mendaki bukit_
◊ *to go hill-walking* pergi mendaki bukit

**hilly** KATA ADJEKTIF
_berbukit-bukit_
◊ *a hilly area* kawasan berbukit-bukit

**him** KATA GANTI NAMA

> **him** *digunakan untuk merujuk kepada orang lelaki.*

[1] _dia_
◊ *I saw him.* Saya nampak dia.
♦ **It must be him.** Tentu dialah orangnya.
[2] _-nya_
◊ *I gave him a book.* Saya memberinya sebuah buku.
[3] _beliau_ (*untuk orang yang dihormati*)

**himself** KATA GANTI NAMA

> **himself** *digunakan untuk merujuk kepada orang lelaki.*

[1] _dirinya_
◊ *He talked mainly about himself.* Dia lebih banyak bercakap tentang dirinya.
♦ **He's hurt himself.** Dia tercedera.
[2] _diri beliau_ (*untuk orang yang dihormati*)
[3] _sendiri_
◊ *He did it himself.* Dia melakukannya sendiri.
♦ **by himself** seorang diri ◊ *He came by himself.* Dia datang seorang diri.

to **hinder** KATA KERJA
_menghalang_
◊ *A thigh injury increasingly hindered her mobility.* Kecederaan pada pahanya semakin menghalang pergerakannya.
♦ **Further investigation was hindered by a lack of documentation.** Penyiasatan lanjut terhalang kerana kekurangan dokumentasi.

**hindrance** KATA NAMA
[1] _halangan_
◊ *They boarded their flight to London without hindrance.* Mereka menaiki kapal terbang ke London tanpa halangan.
[2] _penghalang_
◊ *You're a hindrance to my career.* Anda merupakan penghalang kerjaya saya.

**Hindu** KATA ADJEKTIF
_Hindu_

**Hinduism** KATA NAMA
_agama Hindu_

**hinge** KATA NAMA
_engsel_

**hint** KATA NAMA

> *rujuk juga* **hint** KATA KERJA

_bayangan_
◊ *to drop a hint* memberikan bayangan
♦ **to take a hint** mengerti perkara yang dibayangkan

to **hint** KATA KERJA

> *rujuk juga* **hint** KATA NAMA

_membayangkan_
◊ *He hinted that I had a good chance of getting the job.* Dia membayangkan kepada saya bahawa saya mempunyai peluang yang baik untuk mendapat kerja itu.

**hinterland** KATA NAMA
_kawasan pedalaman_

**hip** KATA NAMA
_pinggul_
◊ *She put her hands on her hips.* Dia meletakkan tangannya pada pinggulnya.

**hippie** KATA NAMA
_hipi_

**hippo** KATA NAMA
(JAMAK **hippos**)
_badak air_

**hippopotamus** KATA NAMA
(JAMAK **hippopotamuses**)
_badak air_

to **hire** KATA KERJA

> *rujuk juga* **hire** KATA NAMA

[1] _menyewa_
◊ *We hired a car.* Kami menyewa sebuah kereta.
[2] _mengupah_
◊ *They hired a lawyer.* Mereka mengupah seorang peguam.

**hire** KATA NAMA

> *rujuk juga* **hire** KATA KERJA

_penyewaan_
◊ *car hire* penyewaan kereta
♦ **"for hire"** "untuk disewa"

**hire car** KATA NAMA
_kereta sewa_

**hire purchase** KATA NAMA
_sewa beli_

**his** KATA ADJEKTIF

> *rujuk juga* **his** KATA GANTI NAMA
> **his** *digunakan untuk merujuk kepada orang lelaki.*

[1] _-nya_
◊ *his father* ayahnya
[2] _beliau_ (*untuk orang yang dihormati*)

**his** KATA GANTI NAMA

> *rujuk juga* **his** KATA ADJEKTIF
> **his** *digunakan untuk merujuk kepada orang lelaki.*

[1] _objek + dia/-nya_
◊ *Is this his coat? - No, his is black.* Apakah ini kotnya? - Tidak, kotnya berwarna hitam. ◊ *my parents and his* ibu bapa saya dan ibu bapanya
[2] _miliknya_
◊ *Is that car his?* Adakah kereta itu miliknya? ◊ *Whose is this? - It's his.* Barang ini milik siapa? - Miliknya.
[3] _objek + beliau_ (*untuk orang yang*

dihormati)

④ *milik beliau* (*untuk orang yang dihormati*)

**historic** KATA ADJEKTIF
*bersejarah*
◊ *historic building* bangunan bersejarah
◊ *This is an historic moment for all Malaysians.* Ini merupakan detik yang bersejarah bagi semua rakyat Malaysia.

**historical** KATA ADJEKTIF
*sejarah*
◊ *The book is a historical study of...* Buku itu merupakan kajian sejarah mengenai... ◊ *historical context* konteks sejarah
♦ **historical artefacts from Egypt** artifak bersejarah dari Mesir

**history** KATA NAMA
(JAMAK **histories**)
*sejarah*
◊ *his family's history* sejarah keluarganya

to **hit** KATA KERJA
(hit, hit)
| rujuk juga **hit** KATA NAMA |
① *memukul*
◊ *He hit the ball.* Dia memukul bola itu.
◊ *Andrew hit him.* Andrew memukulnya.
② *melanggar*
◊ *The car hit a road sign.* Kereta itu melanggar papan isyarat jalan raya. ◊ *He was hit by a car.* Dia dilanggar oleh sebuah kereta.
♦ **The ball hit the post.** Bola itu terkena tiang.
♦ **to hit the target** mengenai sasaran
♦ **to hit it off with somebody** secocok dengan seseorang

**hit** KATA NAMA
| rujuk juga **hit** KATA KERJA |
① *lagu/filem/drama yang mendapat sambutan hangat*
◊ *Britney Spears' latest hit* lagu terbaru Britney Spears yang mendapat sambutan hangat
② (komputer) *carian yang tepat*
| Jika seseorang yang mencari maklumat di Internet mendapat **hit**, orang itu menjumpai tapak web yang mempunyai maklumat yang dikehendakinya. |
③ *lawatan* (ke laman web)

**hitch** KATA NAMA
(JAMAK **hitches**)
*masalah*
◊ *There's been a slight hitch.* Ada sedikit masalah.

to **hitchhike** KATA KERJA
*mengembara dengan menumpang kenderaan*

**hitchhiker** KATA NAMA
*pengembara yang menumpang kenderaan*

**hitchhiking** KATA NAMA
*mengembara dengan menumpang kenderaan*

**hitman** KATA NAMA
(JAMAK **hitmen**)
*pembunuh upahan*

**HIV** KATA NAMA (= *human immunodeficiency virus*)
*HIV* (= *human immunodeficiency virus*)

**HIV-positive** KATA ADJEKTIF
*HIV-positif*

**hoarse** KATA ADJEKTIF
*garau*

**hoax** KATA NAMA
(JAMAK **hoaxes**)
*tipu helah*
♦ **a hoax call** panggilan palsu

**hob** KATA NAMA
*hob* (pada dapur)

**hobby** KATA NAMA
(JAMAK **hobbies**)
*hobi*

**hockey** KATA NAMA
*hoki*

**hoe** KATA NAMA
| rujuk juga **hoe** KATA KERJA |
*cangkul*

to **hoe** KATA KERJA
| rujuk juga **hoe** KATA NAMA |
*mencangkul*
◊ *The farmer hoed the ground to grow vegetables.* Petani itu mencangkul tanah untuk menanam sayur.

to **hold** KATA KERJA
(held, held)
① *memegang*
◊ *Hold the ladder.* Pegang tangga ini.
♦ **Joe was holding Kelly in his arms.** Joe sedang memeluk Kelly.
② *muat*
◊ *This bottle holds one litre.* Botol ini muat satu liter air.
③ *mengadakan*
◊ *to hold a meeting* mengadakan mesyuarat
♦ **Hold the line!** Tunggu sebentar! (*semasa menjawab panggilan telefon*)
♦ **Hold it!** Berhenti!
♦ **to get hold of something** mendapatkan sesuatu

to **hold on** KATA KERJA
① *berpaut*
◊ *The cliff was slippery but he managed to hold on.* Tebing itu licin tetapi dia dapat berpaut padanya.
♦ **to hold on to something (1)** berpaut

pada sesuatu

♦ **to hold on to something (2)** memegang sesuatu

   2 *tunggu*

   ◊ *Hold on, I'm coming!* Tunggu, saya datang!

♦ **Hold on!** Tunggu sebentar!

to **hold up** KATA KERJA

   1 *mengangkat*

   ◊ *Peter held up his hand.* Peter mengangkat tangannya.

   2 *merompak*

   ◊ *to hold up a bank* merompak bank

♦ **We were held up by the traffic.** Kami lewat kerana kesesakan lalu lintas.

♦ **I was held up at the office.** Saya lewat kerana ada urusan di pejabat.

**holder** KATA NAMA

   *pemegang*

   ◊ *share holder* pemegang saham

♦ **a holder of the SPM** lulusan SPM

**hold-up** KATA NAMA

   1 *rompakan*

   ◊ *A bank clerk was injured in the hold-up.* Seorang kerani bank tercedera dalam rompakan itu.

   2 *penangguhan*

   ◊ *No one explained the reason for the hold-up.* Tidak ada sesiapa pun yang menjelaskan sebab penangguhan ini.

♦ **a hold-up on the motorway** kesesakan lalu lintas di lebuh raya

**hole** KATA NAMA

   *lubang*

   ◊ *a hole in the wall* lubang pada dinding

♦ **I played nine holes with Gary today.** Saya bermain golf sebanyak sembilan lubang bersama Gary hari ini.

**holiday** KATA NAMA

   *cuti*

   ◊ *the school holidays* cuti sekolah ◊ *He took a day's holiday.* Dia mengambil cuti sehari.

♦ **on holiday** bercuti ◊ *to go on holiday* pergi bercuti

♦ **to be on holiday** bercuti

**holiday camp** KATA NAMA

   *tempat percutian*

**Holland** KATA NAMA

   *negara Belanda*

**hollow** KATA ADJEKTIF

   *berongga*

   ◊ *a hollow cylinder* silinder yang berongga

**holly** KATA NAMA

   (JAMAK **hollies**)

> pokok yang daunnya keras, berkilat dan berduri dan mengeluarkan buah beri merah pada musim sejuk

**holy** KATA ADJEKTIF

   1 *suci*

   ◊ *a holy place* tempat suci

   2 *alim*

   ◊ *a holy person* orang yang alim

♦ **the Holy Spirit** Roh Kudus (*dalam agama Kristian*)

**home** KATA NAMA

> rujuk juga **home** KATA ADVERBA

   *rumah*

   ◊ *at home* di rumah

♦ **Make yourself at home.** Buatlah seperti rumah sendiri.

♦ **an old people's home** rumah orang tua

**home** KATA ADVERBA

> rujuk juga **home** KATA NAMA

   *balik ke rumah*

   ◊ *I'll be home at five o'clock.* Saya akan balik ke rumah pada pukul lima.

♦ **to get home** sampai di rumah

**home address** KATA NAMA

   *alamat rumah*

**home entertainment system** KATA NAMA

   *sistem hiburan rumah*

**home field** KATA NAMA ▣

(*sukan*)

   *tempat sendiri*

**home game** KATA NAMA

   *perlawanan di tempat sendiri*

**home ground** KATA NAMA

(*sukan*)

   *tempat sendiri*

**homeland** KATA NAMA

   *tanah air*

**homeless** KATA ADJEKTIF, KATA NAMA

   *tidak ada tempat tinggal*

   ◊ *homeless people* orang yang tidak ada tempat tinggal

**homeopathy** KATA NAMA

   *homeopati*

**home page** KATA NAMA

   *laman*

**homesick** KATA ADJEKTIF

   *merindui kampung halaman*

♦ **to be homesick** merindui kampung halaman

**homework** KATA NAMA

   *kerja rumah*

   ◊ *Have you done your homework?* Sudahkah anda siapkan kerja rumah anda?

**homicide** KATA NAMA

   *pembunuhan*

   ◊ *The police classified the case as homicide.* Pihak polis menggolongkan kes itu sebagai kes pembunuhan.

**homosexual** KATA ADJEKTIF

   *homoseksual*

**honest** KATA ADJEKTIF

H

_jujur_
◊ *She's a very honest person.* Dia seorang yang sangat jujur.
♦ **To be honest, I don't like the idea.** Terus terang saya katakan, saya tidak menyukai idea itu.

**honestly** KATA ADVERBA
_betul-betul_
◊ *I honestly don't know.* Saya betul-betul tidak tahu.

**honesty** KATA NAMA
_kejujuran_

**honey** KATA NAMA
_madu_

**honeymoon** KATA NAMA
| rujuk juga **honeymoon** KATA KERJA |
_bulan madu_
♦ **to go on honeymoon** pergi berbulan madu

to **honeymoon** KATA KERJA
| rujuk juga **honeymoon** KATA NAMA |
_berbulan madu_
◊ *They honeymooned in Paris.* Mereka berbulan madu di Paris.

**honor guard** KATA NAMA 🇦🇺
_barisan kehormat_

**honour** KATA NAMA
(AS **honor**)
| rujuk juga **honour** KATA KERJA |
[1] _kemuliaan_
[2] _penghormatan_

to **honour** KATA KERJA
(AS **honor**)
| rujuk juga **honour** KATA NAMA |
_memberikan penghormatan_
♦ **Mr Smith has been honoured by the minister.** En. Smith diberi penghormatan oleh menteri itu.

**honourable** KATA ADJEKTIF
(AS **honorable**)
_mulia_
◊ *He's an honourable man.* Dia seorang yang mulia.
♦ **the Honourable Datuk Ramli** Yang Berhormat Datuk Ramli

**honoured** KATA ADJEKTIF
(AS **honored**)
_kehormat_
◊ *Our honoured guest will arrive in a short while.* Tetamu kehormat kita akan tiba sebentar lagi.

**hood** KATA NAMA
[1] _hud_ (pada baju)
[2] 🇦🇺 _bonet kereta_

**hoof** KATA NAMA
(JAMAK **hoofs** atau **hooves**)
_kuku_ (kuda, dll)

**hook** KATA NAMA
| rujuk juga **hook** KATA KERJA |

[1] _cangkuk_
◊ *He hung the painting on the hook.* Dia menggantungkan lukisan itu pada cangkuk.
[2] _mata kail_
◊ *He felt a fish pull at his hook.* Dia terasa seekor ikan menarik mata kailnya.
♦ **to take the phone off the hook** mengangkat gagang telefon dari tempatnya dan membiarkannya

to **hook** KATA KERJA
| rujuk juga **hook** KATA NAMA |
_mencangkuk_
◊ *The labourer hooked the sacks of rice from the lorry.* Buruh itu mencangkuk guni beras dari lori.
♦ **Lam hooked the ripe mangoes with a pole.** Lam mengait buah mangga yang sudah masak dengan galah.

**hooligan** KATA NAMA
_budak jahat_

**hooray** KATA SERUAN
_hore_

**Hoover** ® KATA NAMA
_pembersih vakum_

to **hoover** KATA KERJA
_membersihkan ... dengan pembersih vakum_
◊ *He hoovered the lounge.* Dia membersihkan ruang rehat itu dengan pembersih vakum.

to **hop** KATA KERJA
[1] _melompat dengan sebelah kaki_ (manusia)
[2] _melompat-lompat_ (haiwan)

to **hope** KATA KERJA
| rujuk juga **hope** KATA NAMA |
_harap_
◊ *I hope he comes.* Saya harap dia datang. ◊ *I hope so.* Saya harap begitulah. ◊ *I hope not.* Saya harap tidak.

**hope** KATA NAMA
| rujuk juga **hope** KATA KERJA |
_harapan_
♦ **to give up hope** berputus asa

**hopeful** KATA ADJEKTIF
_ada harapan_
◊ *The prospects look hopeful.* Prospek itu nampaknya ada harapan.
♦ **He's hopeful of winning.** Dia berasa ada harapan untuk menang.
♦ **How did the interview go? - I'm hopeful.** Bagaimanakah dengan temu duga itu? - Saya mempunyai harapan.
♦ **We're hopeful everything will go okay.** Kami menaruh harapan agar semuanya berjalan dengan lancar.

**hopefully** KATA ADVERBA
_harap-harap_

◊  *Hopefully, he'll make it in time.*  Harap-harap dia akan sempat.

**hopeless**  KATA ADJEKTIF
_tidak pandai langsung_
◊  *She's hopeless at maths.*  Dia tidak pandai langsung dalam matematik.

♦  **It's hopeless!**  Tidak ada harapan lagi!

**horizon**  KATA NAMA
_kaki langit_

**horizontal**  KATA ADJEKTIF
_mendatar_

**hormone**  KATA NAMA
_hormon_

**horn**  KATA NAMA
1  _hon_
◊  *He sounded the horn.*  Dia membunyikan hon. (*kereta*) ◊ *He plays the horn.*  Dia bermain hon. (*alat muzik*)
2  _tanduk_
◊  *a bull's horns*  tanduk lembu

**hornet**  KATA NAMA
_tebuan_

**horoscope**  KATA NAMA
_horoskop_

**horrible**  KATA ADJEKTIF
_teruk_
◊  *What a horrible dress!*  Teruk betul baju ini!

**horrified**  KATA ADJEKTIF
_ngeri_
◊  *I was really horrified when I heard the story.*  Saya berasa sungguh ngeri apabila mendengar kisah itu.

♦  **When I saw these figures I was horrified.**  Apabila saya nampak angka-angka itu, saya berasa sangat terkejut.

to **horrify**  KATA KERJA
(**horrified, horrified**)
_mengejutkan_

**horror**  KATA NAMA
_ketakutan_

♦  **To my horror I discovered I was locked out.**  Saya begitu takut apabila mendapati saya terkunci di luar.

**horror film**  KATA NAMA
_filem seram_

**horse**  KATA NAMA
_kuda_

**horse mango**  KATA NAMA
(JAMAK **horse mangoes** atau **horse mangos**)
_bacang_

**horsepower**  KATA NAMA
_kuasa kuda_

**horse-racing**  KATA NAMA
_lumba kuda_

**horseshoe**  KATA NAMA
_ladam_

**hose**  KATA NAMA
_hos_

**hosepipe**  KATA NAMA
_hos_

**hospital**  KATA NAMA
_hospital_
◊  *to go into hospital*  masuk hospital

**hospitality**  KATA NAMA
_layanan baik_

**host**  KATA NAMA
| rujuk juga **host** KATA KERJA |
_hos_ (*tuan rumah, dll*)

to **host**  KATA KERJA
| rujuk juga **host** KATA NAMA |
_menjadi tuan rumah_
◊  *The city is bidding to host the Olympic Games.*  Bandar raya itu mengemukakan tawaran untuk menjadi tuan rumah Sukan Olimpik.

**hostage**  KATA NAMA
_tebusan_

♦  **to take somebody hostage**  menahan seseorang sebagai tebusan

**hostel**  KATA NAMA
_asrama_

**hostess**  KATA NAMA
(JAMAK **hostesses**)
1  _hos_ (*wanita*)
2  _pelayan_ (*wanita*)

**hostile**  KATA ADJEKTIF
_menentang_
◊  *Many people felt they would be hostile to the idea.*  Ramai orang berasa bahawa mereka akan menentang idea itu.

**hot**  KATA ADJEKTIF
1  _panas_
◊  *a hot bath*  mandi air panas ◊ *a hot country*  negara yang bercuaca panas
◊  *It's hot today.*  Cuaca hari ini panas.
2  _pedas_
◊  *Mexican food's too hot.*  Makanan Mexico terlalu pedas.

**hot-desking**  KATA NAMA
_berkongsi meja di pejabat_
| pekerja A menggunakan meja apabila pekerja B bekerja di rumah dan sebaliknya |

**hot dog**  KATA NAMA
_hot dog_

**hotel**  KATA NAMA
_hotel_

**hot-tempered**  KATA ADJEKTIF
_panas baran_
◊  *William is hot-tempered.*  William seorang yang panas baran.

**hour**  KATA NAMA
_jam_
◊  *They waited for about two hours.*  Mereka menunggu selama kira-kira dua jam.

♦ **She always takes hours to get ready.**
Dia selalu mengambil masa berjam-jam
lamanya untuk bersiap.

♦ **a quarter of an hour**  lima belas minit

♦ **two and a half hours**  dua setengah jam

♦ **half an hour**  setengah jam

**hourly**  KATA ADJEKTIF, KATA ADVERBA
*setiap jam*
◊ *There are hourly buses.* Ada bas
setiap jam.

♦ **She's paid hourly.** Dia dibayar mengikut
jam.

**house**  KATA NAMA
*rumah*
◊ *at his house* di rumahnya

**household**  KATA NAMA
1 *isi rumah*
2 *rumah tangga*
◊ *My husband gave me cash to manage
the household.* Suami saya memberikan
wang kepada saya untuk menguruskan
rumah tangga.

**housemate**  KATA NAMA
*kawan serumah*

**housewife**  KATA NAMA
(JAMAK **housewives**)
*suri rumah*
◊ *She's a housewife.* Dia seorang suri
rumah.

**housework**  KATA NAMA
*kerja rumah*

**housing**  KATA NAMA
*perumahan*

to **hover**  KATA KERJA
1 *berlegar-legar*
◊ *The helicopter hovered above the
school.* Helikopter itu berlegar-legar di
atas bangunan sekolah itu.
2 *berbelah bagi*
◊ *She hovered between studying here or
overseas.* Dia berbelah bagi sama ada
mahu belajar di sini atau di luar negara.

**hovercraft**  KATA NAMA
*hoverkraf*

**how**  KATA ADVERBA
1 *bagaimana*
◊ *How do you keep the place so clean?*
Bagaimanakah anda menjaga kebersihan
tempat ini?

♦ **How are you?**  Apa khabar?
2 *betapa*
◊ *He told them how happy he was.* Dia
memberitahu mereka betapa gembiranya
dia.

♦ **How strange!**  Peliknya!

♦ **How many?**  Berapa banyak?

♦ **How much?**  Berapa?

♦ **How much is it?**  Berapakah harganya?

♦ **How much sugar do you want?**  Berapa

banyak gula yang anda mahu?

♦ **How old are you?**  Berapakah umur
anda?

♦ **How far is it to Edinburgh?**  Berapa
jauhkah jarak ke Edinburgh?

♦ **How long have you been here?**  Sudah
berapa lamakah anda berada di sini?

♦ **How long does it take?**  Berapa lamakah
masa yang diambil?

**however**  KATA HUBUNG
*walau bagaimanapun*
◊ *This, however, isn't true.* Walau
bagaimanapun, perkara ini tidak benar.

to **howl**  KATA KERJA
*meraung*
◊ *The dog howled all night.* Anjing itu
meraung sepanjang malam. ◊ *He howled
with pain.* Dia meraung kesakitan.

**HTML**  KATA NAMA (= *hypertext markup
language*) (*komputer*)
*HTML* = (*bahasa penanda hiperteks*)

**HTTP**  KATA NAMA (= *hypertext transfer
protocol*) (*komputer*)
*HTTP* (= *protokol pemindahan hiperteks*)

**hubbub**  KATA NAMA
*kegamatan*
◊ *I don't want to be involved in the
hubbub of this year's elections.* Saya tidak
mahu terlibat dalam kegamatan pilihan
raya pada tahun ini.

to **hug**  KATA KERJA
| rujuk juga **hug** KATA NAMA |
*memeluk*

♦ **They hugged each other.** Mereka
berpelukan.

**hug**  KATA NAMA
| rujuk juga **hug** KATA KERJA |
*pelukan*

♦ **to give somebody a hug**  memeluk
seseorang ◊ *She gave them a hug.* Dia
memeluk mereka.

**huge**  KATA ADJEKTIF
*sangat besar*

to **hum**  KATA KERJA
*berdengung*

**human**  KATA ADJEKTIF
*manusia*
◊ *the human body* tubuh manusia

**human being**  KATA NAMA
*manusia*

**humane**  KATA ADJEKTIF
*berperikemanusiaan*
◊ *Leon is a humane man.* Leon seorang
lelaki yang berperikemanusiaan.

**humanitarian**  KATA ADJEKTIF
*kemanusiaan*
◊ *humanitarian aid* bantuan
kemanusiaan

**humanities**  KATA NAMA JAMAK

H

_ilmu kemanusiaan_

**humanity** KATA NAMA

[1] _manusia_

◊ _They face charges of committing crimes against humanity._ Mereka didakwa melakukan jenayah terhadap manusia.

[2] _kemanusiaan_

◊ _The murderer is completely without humanity._ Pembunuh itu sudah hilang kemanusiaaannya.

[3] _perikemanusiaan_

◊ _Her speech showed maturity and humanity._ Ucapannya memperlihatkan kematangan dan perikemanusiaan.

**human resources** KATA NAMA

_sumber manusia_

**humble** KATA ADJEKTIF

_merendah diri_

**humidity** KATA NAMA

_kelembapan_

◊ _The heat and humidity were insufferable._ Kepanasan dan kelembapan itu menjengkelkan.

**humiliated** KATA ADJEKTIF

_malu_

◊ _I have never felt so humiliated in my life._ Saya tidak pernah berasa begitu malu dalam hidup saya.

**humiliation** KATA NAMA

_malu_

**humility** KATA NAMA

_rendah hati_

**hummingbird** KATA NAMA

_kelicap_

**humorous** KATA ADJEKTIF

_lucu_

◊ _He is humorous._ Dia seorang yang lucu.

**humour** KATA NAMA

(AS **humor**)

_kelucuan_

♦ **to have a sense of humour** mempunyai rasa humor

**hump** KATA NAMA

_bonggol_

**hundred** ANGKA

_ratus_

◊ _a hundred people_ seratus orang ◊ _a hundred and one_ seratus satu ◊ _five hundred people_ lima ratus orang

♦ **hundreds of people** beratus-ratus orang

**hundredth** KATA ADJEKTIF

_keseratus_

**hung** KATA KERJA _rujuk_ **hang**

**Hungary** KATA NAMA

_Hungary_

**hunger** KATA NAMA

_kelaparan_

**hungry** KATA ADJEKTIF

_lapar_

♦ **to be hungry** lapar ◊ _I'm very hungry._ Saya sangat lapar.

to **hunt** KATA KERJA

_memburu_

◊ _They hunt foxes._ Mereka memburu rubah. ◊ _The police are hunting the killer._ Polis sedang memburu pembunuh itu.

♦ **to go hunting** pergi berburu

♦ **to hunt for something** mencari-cari sesuatu ◊ _I've hunted everywhere for that book._ Saya mencari-cari buku itu di merata-rata tempat.

**hunter** KATA NAMA

_pemburu_

**hunting** KATA NAMA

_pemburuan_

◊ _fox-hunting_ pemburuan rubah

to **hurl** KATA KERJA

_melontarkan_

◊ _A group of angry rioters hurled stones at the police._ Sekumpulan perusuh yang marah melontarkan batu ke arah polis.

♦ **The taxi driver hurled abuse at her.** Pemandu teksi itu melemparkan cacian kepadanya.

**hurricane** KATA NAMA

_ribut taufan_

**hurriedly** KATA ADVERBA

_dengan tergopoh-gapah_

◊ _Sarah walked hurriedly towards me._ Sarah berjalan ke arah saya dengan tergopoh-gapah.

to **hurry** KATA KERJA

(**hurried, hurried**)

| _rujuk juga_ **hurry** KATA NAMA |
| --- |

_bergegas_

◊ _Sharon hurried back home._ Sharon bergegas pulang.

♦ **Hurry up!** Cepat!

**hurry** KATA NAMA

| _rujuk juga_ **hurry** KATA KERJA |
| --- |

♦ **to be in a hurry** hendak cepat

♦ **to do something in a hurry** melakukan sesuatu secara tergesa-gesa

♦ **There's no hurry.** Tidak perlu terburu-buru.

to **hurt** KATA KERJA

(**hurt, hurt**)

| _rujuk juga_ **hurt** KATA ADJEKTIF |
| --- |

[1] _menyakiti_

◊ _You're hurting me!_ Anda menyakiti saya!

♦ **Have you hurt yourself?** Apakah anda tercedera?

[2] _sakit_

◊ _My leg hurts._ Kaki saya sakit.

♦ **Hey! That hurts!** Hei! Sakitlah!

[3] _melukakan hati_

◊ *His remarks really hurt me.* Kata-katanya betul-betul melukakan hati saya.

**hurt**   KATA ADJEKTIF

> rujuk juga **hurt** KATA KERJA

*tercedera*

◊ *Luckily, nobody got hurt.* Nasib baik, tidak ada sesiapa yang tercedera.

♦ **I was hurt by what he said.** Hati saya luka dengan kata-katanya.

**husband**   KATA NAMA

*suami*

to **hush up**   KATA KERJA

*menyembunyikan*

◊ *They tried to hush up the whole affair.* Mereka cuba menyembunyikan keseluruhan hal itu.

**husk**   KATA NAMA

*sekam (bijirin)*

to **hustle**   KATA KERJA

*menggesa-gesakan*

◊ *The guards hustled Harry out of the car.* Pengawal-pengawal itu menggesa-gesakan Harry keluar dari kereta.

♦ **You'll have to hustle if you're to get home for supper.** Anda perlu cepat jika anda mahu pulang ke rumah untuk makan malam.

**hut**   KATA NAMA

*pondok*

**hydro-electric**   KATA NAMA

*hidroelektrik*

◊ *a hydro-electric power station* stesen kuasa hidroelektrik

**hydroponics**   KATA NAMA

*hidroponik*

**hygiene**   KATA NAMA

*kebersihan*

◊ *He needs to improve his personal hygiene.* Dia perlu menjaga kebersihan dirinya dengan lebih baik.

**hymn**   KATA NAMA

*gita puja (untuk upacara keagamaan)*

**hypermarket**   KATA NAMA

*pasar raya besar*

**hyperlink**   KATA NAMA

(*komputer*)

> rujuk juga **hyperlink** KATA KERJA

*hiperpautan (perkataan bergaris pada laman web)*

to **hyperlink**   KATA KERJA

> rujuk juga **hyperlink** KATA NAMA

♦ **hyperlinked sites** tapak yang mempunyai hiperpautan

**hypertext**   KATA NAMA

*hiperteks*

**hyphen**   KATA NAMA

*tanda sempang*

**hypocrite**   KATA NAMA

*hipokrit*

**hypocritical**   KATA ADJEKTIF

*hipokrit*

◊ *He's hypocritical.* Dia seorang yang hipokrit.

**hysteria**   KATA NAMA

*histeria*

H

# I

**I** KATA GANTI NAMA
  1. *saya*
  2. *aku* (tidak formal)
♦ **Ann and I** Saya dan Ann

**ice** KATA NAMA
  *ais*

**iceberg** KATA NAMA
  *aisberg*
  > ais yang sangat tinggi lagi besar
  > dan timbul di atas permukaan laut

**ice-cool** KATA ADJEKTIF
  *begitu tenang*
  ◊ *an ice-cool driver* seorang pemandu
  yang begitu tenang

**ice cream** KATA NAMA
  *aiskrim*

**ice cube** KATA NAMA
  *kiub ais*

**iced** KATA ADJEKTIF
  1. *ais*
  ◊ *iced tea* teh O ais
  2. *beraising*
  ◊ *iced cake* kek beraising

**ice hockey** KATA NAMA
  *hoki ais*
  ◊ *I like playing ice hockey.* Saya suka
  bermain hoki ais.

**Iceland** KATA NAMA
  *Iceland*

**ice lolly** KATA NAMA
  (JAMAK **ice lollies**)
  *aiskrim batang*

**ice rink** KATA NAMA
  *gelanggang ais*

**ice-skating** KATA NAMA
  *luncur ais*
  ◊ *Yesterday we went ice-skating.* Kami
  bermain luncur ais kelmarin.

**icing** KATA NAMA
  *aising* (pada kek, kuih)
♦ **icing sugar** gula aising

**icon** KATA NAMA
  *ikon*

**ICT** SINGKATAN (= *Information and
  Communication Technology*)
  *ICT* (= Teknologi Maklumat dan
  Komunikasi)

**icy** KATA ADJEKTIF
  1. *sangat sejuk*
  ◊ *an icy wind* angin yang sangat sejuk
  2. *dilitupi ais*
  ◊ *The roads are icy.* Jalan-jalan itu
  dilitupi ais.
  3. *dingin*
  ◊ *His behaviour was icy.* Sikapnya
  dingin sahaja.

**I'd** = **I had**, = **I would**

**idea** KATA NAMA
  1. *idea*
  ◊ *Good idea!* Idea yang baik!
  2. *gambaran*
  ◊ *This document will give you some idea
  about the project.* Dokumen ini akan
  memberi anda sedikit gambaran tentang
  projek itu.
  3. *tujuan*
  ◊ *She gave up her job with the idea of
  helping her mother at home.* Dia
  meletakkan jawatan dengan tujuan untuk
  membantu ibunya di rumah.

**ideal** KATA NAMA
  > rujuk juga **ideal** KATA ADJEKTIF
  *cita-cita*
  ◊ *He has lofty ideals.* Dia mempunyai
  cita-cita yang tinggi menggunung.

**ideal** KATA ADJEKTIF
  > rujuk juga **ideal** KATA NAMA
  1. *paling sesuai*
  ◊ *He said that I was the ideal person to
  take over the job.* Dia mengatakan
  bahawa sayalah orang yang paling sesuai
  untuk mengambil alih pekerjaan itu.
  2. *ideal*
  ◊ *an ideal world* dunia yang ideal

**ideally** KATA ADVERBA
  *seelok-eloknya*
  ◊ *Ideally you should use a pencil.*
  Seelok-eloknya, gunakan pensel.

**identical** KATA ADJEKTIF
  *serupa*
  ◊ *Nearly all the houses were
  identical.* Hampir semua rumah di situ
  serupa.
♦ **identical twins** kembar seiras

**identification** KATA NAMA
  *pengenalpastian*

to **identify** KATA KERJA
  (**identified, identified**)
  1. *mengenal pasti*
  ◊ *Police have already identified 10
  murder suspects.* Polis sudah
  mengenal pasti 10 orang yang disyaki
  membunuh.
  2. *menunjukkan*
  ◊ *His uniform identifies him as the
  captain of the team.* Pakaian seragamnya
  menunjukkan bahawa dialah ketua
  pasukan.

**identity** KATA NAMA
  (JAMAK **identities**)
  *identiti*

**identity card** KATA NAMA
  *kad pengenalan*

**ideology** KATA NAMA
  (JAMAK **ideologies**)
  *ideologi*
  ◊ *The two parties have very different
  ideologies.* Kedua-dua parti itu

mempunyai ideologi yang sangat berbeza.

**idiom**    KATA NAMA
*simpulan bahasa*

**idiot**    KATA NAMA
*orang yang bodoh*

♦ **You're an idiot!**    Kamu memang bodoh!

**idiotic**    KATA ADJEKTIF
*bodoh*
◊ *What an idiotic thing to say!*
Kata-kata itu sungguh bodoh!

**idle**    KATA ADJEKTIF
[1] *tidak ada kerja untuk dibuat*
[2] *terbiar*
◊ *The factory had been idle for years.*
Kilang itu sudah terbiar bertahun-tahun
lamanya.
[3] *malas*
◊ *I've never met such idle workers in all
my life!*  Saya tidak pernah berjumpa
dengan pekerja-pekerja yang begitu malas
sepanjang hidup saya!

♦ **I asked out of idle curiosity.**  Saya
bertanya kerana sahaja ingin tahu.

♦ **idle gossip**  gosip kosong

**idly**    KATA ADVERBA
*sahaja*
◊ *We were not idly sitting around.*  Kami
bukan duduk-duduk sahaja di situ. ◊ *idly
curious*  sahaja ingin tahu

♦ **to talk idly**  berbual kosong

**idol**    KATA NAMA
[1] *berhala*
[2] *idola*
◊ *The actor is the idol of young girls.*
Pelakon itu menjadi idola gadis-gadis
remaja.

to **idolize**    KATA KERJA
*memuja*
◊ *Although the singer is very old, there
are still fans who idolize him.*  Walaupun
penyanyi itu sangat tua, masih ada
peminat yang memujanya.

**i.e.**    KATA SINGKATAN
*iaitu*

**if**    KATA HUBUNG
[1] *sekiranya*
◊ *You can go if you like.*  Anda boleh
pergi sekiranya anda mahu. ◊ *If it's fine
we'll go swimming.*  Kita akan pergi
berenang sekiranya cuaca baik.
[2] *sama ada*
◊ *He asked me if I had eaten.*  Dia
bertanya sama ada saya sudah makan
atau belum.

♦ **if only**  kalaulah ◊ *If only I had more
money!*  Kalaulah saya mempunyai wang
yang lebih!

♦ **if not**  jika tidak ◊ *Are you coming? If
not, I'll go with Mark.*  Anda hendak ikut?
Jika tidak, saya akan pergi dengan Mark.

♦ **if so**  kalau ya ◊ *Are you coming? If
so, I'll wait.*  Anda hendak ikut? Kalau
ya, saya akan tunggu.

♦ **If I were you I would go to Spain.**
Kalau saya jadi anda, saya akan pergi ke
Sepanyol.

**ignorance**    KATA NAMA
*kejahilan*
◊ *Andy felt embarrassed by his
ignorance of current affairs.*  Andy berasa
malu dengan kejahilannya tentang
hal-ehwal semasa.

**ignorant**    KATA ADJEKTIF
*jahil*
◊ *She was ignorant of her own culture.*
Dia jahil tentang kebudayaannya sendiri.

to **ignore**    KATA KERJA
*tidak mengendahkan*
◊ *She ignored my advice.*  Dia tidak
mengendahkan nasihat saya. ◊ *She saw
me, but she ignored me.*  Dia tidak
mengendahkan saya walaupun dia
nampak saya.

♦ **Just ignore him!**  Jangan pedulikannya!

**ill**    KATA ADJEKTIF
*sakit*

♦ **She was taken ill.**  Dia jatuh sakit tiba-
tiba.

♦ **an ill-written essay**  karangan yang tidak
memuaskan

**I'll**  =  **I will**

**illegal**    KATA ADJEKTIF
[1] *haram*
◊ *illegal organization*  organisasi haram
[2] *salah di sisi undang-undang*
◊ *Keeping guns without a licence is
illegal.*  Menyimpan senjata tanpa lesen
adalah salah di sisi undang-undang.

♦ **illegal immigrants**  pendatang tanpa izin

**illegally**    KATA ADVERBA
*secara haram*
◊ *to enter a country illegally*  memasuki
sesebuah negara secara haram

**illegible**    KATA ADJEKTIF
*tidak dapat dibaca*  (*tulisan*)

**illiterate**    KATA ADJEKTIF
*buta huruf*

**ill-mannered**    KATA ADJEKTIF
*kurang adat*

**illness**    KATA NAMA
(JAMAK  **illnesses**)
*penyakit*

**illogical**    KATA ADJEKTIF
*tidak logik*
◊ *The panellists were bombarded with
illogical questions.*  Ahli panel dihujani
dengan pelbagai soalan yang tidak logik.

to **illuminate**    KATA KERJA

*menerangi*
◊ *No streetlights illuminated the street.* Tidak ada lampu jalan yang menerangi jalan itu.

**illuminated** KATA ADJEKTIF
*bercahaya*
◊ *an illuminated sign* papan tanda yang bercahaya

**illusion** KATA NAMA
*ilusi*
♦ **an optical illusion** maya
♦ **He was under the illusion that he would win the competition.** Dia tersilap menyangka bahawa dia akan memenangi pertandingan itu.

to **illustrate** KATA KERJA
[1] *menunjukkan*
◊ *The example of the United States illustrates this point.* Contoh dari Amerika Syarikat menunjukkan perkara ini.
[2] *mengilustrasikan*
◊ *He illustrated the story with cartoons.* Dia mengilustrasikan cerita itu dengan gambar-gambar kartun.

**illustration** KATA NAMA
[1] *contoh*
◊ *Can you give us an illustration of what you mean?* Bolehkah anda beri kami satu contoh tentang perkara yang anda maksudkan?
[2] *gambar* atau *ilustrasi*
◊ *The illustrations in the book are very clear.* Gambar-gambar di dalam buku itu sangat jelas.

**I'm = I am**

**image** KATA NAMA
*imej*
◊ *The company has changed its image.* Syarikat tersebut telah menukar imejnya.

**imaginary** KATA ADJEKTIF
*khayalan*
◊ *creating an imaginary world* mencipta satu dunia khayalan

**imagination** KATA NAMA
*khayalan* atau *imaginasi*
◊ *It's only your imagination.* Perkara itu hanyalah imaginasi anda.

**imaginative** KATA ADJEKTIF
*imaginatif*

to **imagine** KATA KERJA
[1] *membayangkan*
♦ **You can imagine how I felt!** Bayangkanlah perasaan saya!
♦ **I realized that I had imagined the whole incident.** Saya sedar bahawa kejadian itu merupakan khayalan saya semata-mata.
[2] *rasa*
◊ *Is he angry? - I imagine so!* Adakah

dia marah? - Saya rasa begitu!

**imbalance** KATA NAMA
*ketidakseimbangan*
◊ *trade imbalance* ketidakseimbangan perdagangan

**IMF** KATA NAMA (= *International Monetary Fund*)
*IMF* (= *Dana Kewangan Antarabangsa*)

to **imitate** KATA KERJA
[1] *meniru*
◊ *Kelly tries to imitate Jenny's behaviour.* Kelly cuba meniru kelakuan Jenny.
[2] *mengajuk*
◊ *He can imitate a dog's bark.* Dia boleh mengajuk salakan anjing.

**imitation** KATA NAMA
[1] *peniruan*
◊ *the imitation of French fashions* peniruan fesyen-fesyen Perancis
[2] *tiruan*
◊ *imitation leather* kulit tiruan

**imitative** KATA ADJEKTIF
*suka meniru*
◊ *Babies of eight to twelve months are generally highly imitative.* Biasanya bayi yang berumur lapan hingga dua belas bulan sangat suka meniru.

**immature** KATA ADJEKTIF
*tidak matang*
◊ *Catherine is very immature.* Catherine seorang yang tidak matang.

**immediate** KATA ADJEKTIF
[1] *langsung*
◊ *These tragic incidents have had an immediate effect.* Insiden yang penuh tragik ini mempunyai kesan langsung.
[2] *segera*
◊ *We need an immediate answer.* Kami memerlukan jawapan segera.
♦ **Jane is her only immediate family member.** Jane merupakan satu-satunya ahli keluarganya yang terdekat.

**immediately** KATA ADVERBA
[1] *dengan segera*
◊ *Julia replied to David's letter immediately.* Julia membalas surat David dengan segera.
[2] *secara langsung*
◊ *We caught the people immediately involved in the robbery.* Kami telah menangkap orang yang terlibat secara langsung dalam rompakan tersebut.

**immense** KATA ADJEKTIF
*begitu banyak*
◊ *They reaped immense financial rewards from the project.* Mereka memperoleh keuntungan yang begitu banyak daripada projek tersebut.
♦ **an immense cloud of smoke** satu

kepulan asap yang sangat besar

**immensely**   KATA ADVERBA
*sangat*
◊ *I enjoyed this movie immensely.*
Saya sangat seronok menonton filem ini.

to **immerse**   KATA KERJA
*merendam*
◊ *The electrodes are immersed in a
solution.* Elektrod-elektrod itu direndam di
dalam sejenis larutan.

**immigrant**   KATA NAMA
*pendatang* atau *imigran*

**immigration**   KATA NAMA
*imigrasi*
◊ *The government has tightened its
immigration policy.* Kerajaan telah
mengetatkan polisi imigrasinya.
♦ **an immigration officer** pegawai
imigresen

**immobilizer**   KATA NAMA

> *alat pada kereta yang mengelakkan
> kereta daripada dihidupkan dan
> memerlukan kunci khas untuk
> membukanya*

**immoral**   KATA ADJEKTIF
*tidak berakhlak* atau *tidak bermoral*

to **immortalize**   KATA KERJA
*mengabadikan*
◊ *D H Lawrence immortalized her in his
novel 'Women in Love'.* D H Lawrence
mengabadikan wanita itu dalam novelnya
'Women in Love'.

**immune**   KATA ADJEKTIF
1 *lali*
◊ *She is immune to measles.* Dia lali
terhadap demam campak.
2 *kebal*
◊ *Members of parliament were immune
from prosecution.* Ahli-ahli parlimen kebal
daripada pendakwaan.

**immunity**   KATA NAMA
*kekebalan*
◊ *diplomatic immunity* kekebalan
diplomatik

**immunization**   KATA NAMA
*imunisasi*
◊ *immunization against disease*
imunisasi menentang penyakit

**impact**   KATA NAMA
*impak*

to **impart**   KATA KERJA
1 *menyampaikan*
◊ *to impart knowledge* menyampaikan
ilmu
2 *memberikan*
◊ *She imparted great elegance to her
simple dress.* Dia memberikan
keanggunan yang menawan pada
pakaiannya yang ringkas itu.

**impartial**   KATA ADJEKTIF
*tidak berat sebelah*

**impassive**   KATA ADJEKTIF
*selamba*
◊ *Her face was impassive.* Wajahnya
selamba sahaja.

**impassively**   KATA ADVERBA
*dengan selamba*
◊ *"I don't know," he replied impassively.*
"Saya tidak tahu," jawabnya dengan
selamba.

**impatience**   KATA NAMA
*ketidaksabaran*

**impatient**   KATA ADJEKTIF
*tidak sabar*
♦ **to get impatient** hilang sabar ◊ *People
are getting impatient.* Orang ramai mula
hilang sabar.

**impatiently**   KATA ADVERBA
*dengan tidak sabar*

**imperative**   KATA ADJEKTIF
*sangat penting*
◊ *That's why it is imperative to know
what your rights are.* Itulah sebabnya
mengetahui hak-hak anda adalah sangat
penting.

**imperfect**   KATA ADJEKTIF
*tidak sempurna*

**impersonal**   KATA ADJEKTIF
*tidak mesra*
◊ *The health service has been criticized
for being too impersonal.* Perkhidmatan
kesihatan dikritik kerana sikap
kakitangannya yang tidak mesra.

**impervious**   KATA ADJEKTIF
1 *lali*
◊ *She seems impervious to criticism.*
Dia seperti sudah lali dengan kritikan.
2 *kalis* (air, haba, dll)

to **implant**   KATA KERJA
*memasukkan* (melalui kaedah perubatan)
◊ *Doctors in Arizona say they have
implanted a heart in a 46-year-old woman.*
Para doktor di Arizona mengatakan
bahawa mereka telah memasukkan satu
jantung ke dalam badan seorang wanita
yang berumur 46 tahun.

to **implement**   KATA KERJA
*melaksanakan*
◊ *It will take a few months to implement
the plan.* Beberapa bulan diperlukan
untuk melaksanakan rancangan itu.

**implementation**   KATA NAMA
*perlaksanaan*

**implication**   KATA NAMA
*implikasi*

to **implore**   KATA KERJA
*merayu*
◊ *'Tell me what to do!' she implored him.*

'Beritahu saya perkara yang perlu
dilakukan!' dia merayu kepadanya.

to **imply** KATA KERJA

(**implied, implied**)

1. *membayangkan*
◊ *Are you implying I did it on purpose?*
Adakah anda cuba membayangkan
bahawa saya melakukannya dengan
sengaja?

2. *menandakan*
◊ *Exports rose 1.5% implying that the
economy is recovering.* Jumlah eksport
yang meningkat sebanyak 1.5%
menandakan ekonomi sedang pulih.

**impolite** KATA ADJEKTIF
*tidak sopan*

to **import** KATA KERJA

| rujuk juga **import** KATA NAMA |

*mengimport*

♦ **imported goods** barangan import

**import** KATA NAMA

| rujuk juga **import** KATA KERJA |

*import*

**importance** KATA NAMA
*kepentingan*

**important** KATA ADJEKTIF
*penting*

**importation** KATA NAMA
*pengimportan*
◊ *restrictions concerning the importation
of birds* sekatan-sekatan mengenai
pengimportan burung

**importer** KATA NAMA
*pengimport*

**impossible** KATA ADJEKTIF
*mustahil*
◊ *He thinks the task is impossible to
carry out.* Dia berpendapat bahawa tugas
tersebut mustahil untuk dilaksanakan.

♦ **The government was now in an
impossible position.** Kini kerajaan itu
berada dalam keadaan yang genting.

**imposter** KATA NAMA
*penyamar*

to **impoverish** KATA KERJA
*menyebabkan ... menjadi miskin*
◊ *a society impoverished by wartime
inflation* masyarakat yang menjadi
miskin disebabkan inflasi semasa
peperangan

♦ **The burden of taxes impoverishes the
economy.** Beban cukai menyebabkan
ekonomi menjadi teruk.

**imprecise** KATA ADJEKTIF
*tidak tepat*

to **impress** KATA KERJA
*menarik hati*
◊ *She's trying to impress you.* Dia cuba
menarik hati anda.

**impressed** KATA ADJEKTIF
*kagum*
◊ *I'm very impressed!* Saya sungguh
kagum!

**impression** KATA NAMA

1. *tanggapan*
♦ **I was under the impression that you
were going out.** Saya menyangka anda
hendak keluar.

2. *kesan*
◊ *Their feet left impressions in the sand.*
Kesan tapak kaki mereka dapat dilihat di
atas pasir.

**impressionist** KATA NAMA
*pelakon ajuk*

**impressive** KATA ADJEKTIF
*mengagumkan*

to **imprison** KATA KERJA
*memenjarakan*
◊ *They were imprisoned for three years.*
Mereka dipenjarakan selama tiga tahun.

**imprisonment** KATA NAMA
*hukuman penjara*
◊ *life imprisonment* hukuman penjara
seumur hidup

**improper** KATA ADJEKTIF

1. *salah*
◊ *He maintained that he had done
nothing improper.* Dia tetap mengatakan
bahawa dia tidak melakukan perkara yang
salah.

2. *tidak elok*
◊ *improper behaviour* kelakuan yang
tidak elok

**improperly** KATA ADVERBA

1. *dengan tidak baik*
♦ **an improperly sterilized needle** jarum
yang tidak disteril dengan baik

2. *tidak sopan*
◊ *to behave improperly* berkelakuan
tidak sopan

to **improve** KATA KERJA

1. *bertambah baik*
◊ *The weather is improving.* Cuaca
sudah bertambah baik.

2. *mempertingkatkan*
◊ *They have improved their service.*
Mereka telah mempertingkatkan mutu
perkhidmatan mereka.

**improvement** KATA NAMA
*kemajuan*
◊ *There's been an improvement in his
French.* Sudah ada kemajuan dalam
bahasa Perancisnya.

♦ **Her family is happy with the
improvement in her health.**
Keluarganya gembira kerana dia sudah
bertambah sihat.

to **improvise** KATA KERJA

_membuat sesuatu dengan apa-apa sahaja
yang ada_ (_tanpa persediaan_)
♦ **They improvised a tent out of sheets of
heavy plastic.** Mereka membuat khemah
dengan kepingan plastik yang berat.
♦ **improvised comedy** komedi yang
direka-reka

**impulse** KATA NAMA
_gerak hati_
◊ _to yield to an impulse_ tunduk kepada
gerak hati

**in** KATA SENDI, KATA ADVERBA
Kata sendi **di dalam** digunakan
untuk merujuk kepada frasa nama
yang mempunyai ruang fizikal yang
nyata, manakala **dalam** digunakan
untuk frasa nama abstrak.
☐1 _di dalam_
◊ _in the house_ di dalam rumah ◊ _in
my bag_ di dalam beg saya ◊ _the best
pupil in the class_ pelajar terbaik di dalam
kelas itu
☐2 _dalam_
◊ _in French_ dalam bahasa Perancis
◊ _in the rain_ dalam hujan ◊ _I'll see you
in three weeks._ Saya akan berjumpa
dengan anda dalam masa tiga minggu.
◊ _in good condition_ dalam keadaan baik
◊ _one person in ten_ seorang dalam
sepuluh
Ada banyak cara lain untuk
menterjemahkan **in**.
☐3 _di_
◊ _in Spain_ di Sepanyol ◊ _in school_
di sekolah
☐4 _pada_
◊ _I've got an exam in the morning._ Saya
ada peperiksaan pada waktu pagi. ◊ _in
spring_ pada musim bunga
♦ **in the sun** di bawah cahaya matahari
♦ **to be written in pencil** ditulis dengan
pensel
♦ **in a loud voice** dengan suara yang kuat
♦ **to be in** ada ◊ _I'd like to see Vivian,
please. - Sorry, she's not in._ Bolehkah
saya berjumpa dengan Vivian? - Maaf, dia
tidak ada.
♦ **in writing** secara bertulis
♦ **the boy in the blue shirt** budak lelaki
yang memakai baju biru
Ada kalanya **in** tidak diterjemahkan.
◊ _in here_ di sini ◊ _It's hot in here._ Di
sini panas. ◊ _at two o'clock in the
afternoon_ pada pukul dua petang

**inability** KATA NAMA
_ketidakupayaan_

**inaccessible** KATA ADJEKTIF
☐1 _sangat sukar dihubungi_
◊ _people living in remote and_

_inaccessible parts of China_ penduduk
yang tinggal di kawasan pedalaman dan
sangat sukar dihubungi di negara China
☐2 _tidak dibuka_ (_tempat, bangunan_)
◊ _inaccessible to the public_ tidak dibuka
kepada orang ramai

**inaccurate** KATA ADJEKTIF
_tidak tepat_

**inactive** KATA ADJEKTIF
_tidak aktif_

**inadequacy** KATA NAMA
(JAMAK **inadequacies**)
_kekurangan_

**inadequate** KATA ADJEKTIF
_tidak mencukupi_
◊ _Supplies of food and medicines are
inadequate._ Bekalan makanan dan ubat-
ubatan tidak mencukupi.

**inadvertently** KATA ADVERBA
_tidak sengaja_
◊ _He inadvertently pressed the wrong
button._ Dia tidak sengaja menekan
butang yang salah.

**inappropriate** KATA ADJEKTIF
_tidak sesuai_

**inattentive** KATA ADJEKTIF
_tidak memberikan sepenuh perhatian_

**inauguration** KATA NAMA
☐1 _pelantikan_ (_pemimpin, pembesar_)
☐2 _perasmian_ (_bangunan_)

**incantation** KATA NAMA
_mantera_

**incapable** KATA ADJEKTIF
_tidak berupaya_

**incapacitated** KATA ADJEKTIF
_hilang upaya_
◊ _Her husband is incapacitated._
Suaminya hilang upaya.

**incarnation** KATA NAMA
_penjelmaan_
◊ _She was the very incarnation of evil._
Dia merupakan penjelmaan sebenar
kejahatan.

**incense** KATA NAMA
_kemenyan_

**incentive** KATA NAMA
_galakan_ **atau** _insentif_
◊ _There's no incentive to work._ Tidak
ada insentif untuk bekerja.

**incessantly** KATA ADVERBA
_tidak berhenti-henti_
◊ _It rained incessantly._ Hujan turun
tidak berhenti-henti.

**inch** KATA NAMA
(JAMAK **inches**)
_inci_
♦ **She didn't move an inch when the dog
attacked her.** Dia tidak bergerak sedikit
pun apabila anjing itu menyerangnya.

**incident**  KATA NAMA
*kejadian*
◊ *Several people were killed in a shooting incident yesterday.* Beberapa orang terbunuh dalam satu kejadian tembak-menembak kelmarin.

**incision**  KATA NAMA
[1] *torehan*
◊ *The incision on the rubber tree is quite deep.* Torehan pada pokok getah itu agak dalam.

[2] *pembedahan*
◊ *The technique involves making a tiny incision in the skin.* Teknik itu melibatkan pembedahan kecil pada kulit.

**incisor**  KATA NAMA
*gigi kacip*

to **incite**  KATA KERJA
*menghasut*
◊ *He incited them to take revenge.* Dia menghasut mereka supaya membalas dendam.

**incitement**  KATA NAMA
*hasutan*
◊ *incitement to murder* hasutan untuk membunuh

**inclination**  KATA NAMA
*kecenderungan*
◊ *She showed no inclination to go.* Dia tidak menunjukkan kecenderungan untuk pergi.

**inclined**  KATA ADJEKTIF
*cenderung*
♦ **to be inclined to do something** cenderung melakukan sesuatu ◊ *I am inclined to agree with her.* Saya cenderung untuk menyokong pendapatnya.
♦ **Nobody felt inclined to argue with John.** Tidak ada sesiapa yang terdorong untuk bertengkar dengan John.
♦ **He's inclined to arrive late.** Dia selalu datang lewat.

to **include**  KATA KERJA
*termasuk*
◊ *Service is not included.* Caj perkhidmatan tidak termasuk.
♦ **The clerk will include the invoice with the parcel.** Kerani itu akan menyertakan invois bersama dengan bungkusan tersebut.

**including**  KATA SENDI
*termasuk*
◊ *It will be two hundred pounds, including tax.* Harganya ialah dua ratus paun termasuk cukai.

**inclusive**  KATA ADJEKTIF
*termasuk*
◊ *inclusive of VAT* termasuk cukai nilai tambahan
♦ **Training will take place from Tuesday to Saturday inclusive.** Latihan akan diadakan pada setiap hari dari hari Selasa hingga hari Sabtu.
♦ **The inclusive price is two hundred pounds.** Semua sekali, harganya dua ratus paun.

**income**  KATA NAMA
*pendapatan*

**income tax**  KATA NAMA
*cukai pendapatan*

**incoming**  KATA ADJEKTIF
*masuk*
◊ *incoming calls* panggilan masuk
◊ *incoming flights* penerbangan masuk
♦ **the incoming president** presiden baru

**incomparable**  KATA ADJEKTIF
*tiada bandingannya*
◊ *The views from the house are incomparable.* Pemandangan dari rumah itu tiada bandingannya.

**incompetence**  KATA NAMA
*ketidakcekapan*

**incompetent**  KATA ADJEKTIF
*tidak cekap*

**incomplete**  KATA ADJEKTIF
[1] *belum siap*
◊ *The clearing of drains is still incomplete.* Kerja-kerja pembersihan longkang masih belum siap.

[2] *tidak lengkap*
◊ *The form is incomplete.* Borang itu tidak lengkap.

**inconvenience**  KATA NAMA
*kesulitan*
◊ *I don't want to cause any inconvenience.* Saya tidak mahu menimbulkan sebarang kesulitan.

**inconvenient**  KATA ADJEKTIF
*tidak sesuai*
◊ *It's a bit inconvenient at the moment.* Masa ini tidak begitu sesuai.
♦ **"It's very inconvenient to have to wait for so long," said John.** "Sungguh menyusahkan jika perlu menunggu begitu lama," kata John.

to **incorporate**  KATA KERJA
*menggabungkan*
◊ *The new cars will incorporate a number of new features.* Kereta-kereta baru itu akan menggabungkan beberapa ciri yang baru.

**incorrect**  KATA ADJEKTIF
*salah*

to **increase**  KATA KERJA
rujuk juga **increase** KATA NAMA
*meningkat*
◊ *Traffic on motorways has increased.*

Kesesakan di lebuh raya sudah meningkat.
+ **They have increased his salary.** Mereka telah menaikkan gajinya.

**increase**  KATA NAMA

> rujuk juga **increase** KATA KERJA

_peningkatan_
◊ _an increase in road accidents_ peningkatan dalam kemalangan jalan raya
+ **the increase in population** pertambahan jumlah penduduk

**increasingly**  KATA ADVERBA
_semakin_ atau _kian_
◊ _She finds it increasingly difficult to make decisions._ Dia mendapati semakin sukar untuk membuat keputusan.

**incredible**  KATA ADJEKTIF
[1] _hebat_
◊ _She's really incredible._ Dia sungguh hebat.
+ **Thanks for taking me out, I had an incredible time.** Terima kasih kerana membawa saya keluar. Saya sungguh seronok.
[2] _sukar dipercayai_
◊ _It seems incredible that he didn't apologize for his mistakes._ Sukar dipercayai dia tidak meminta maaf atas kesilapannya.

to **incubate**  KATA KERJA
_mengeram_
◊ _The birds returned to their nests and continued to incubate the eggs._ Burung-burung itu pulang ke sarang dan kembali mengeram telur.

**incubation**  KATA NAMA
_pengeraman_

to **incur**  KATA KERJA
_menanggung_
◊ _to incur huge debts_ menanggung hutang yang banyak
+ **a project that will incur very high expenses** projek yang akan memakan belanja yang sangat tinggi

**incurable**  KATA ADJEKTIF
_tidak dapat diubati_
◊ _an incurable disease_ penyakit yang tidak dapat diubati

**indecent**  KATA ADJEKTIF
_tidak senonoh_

**indecisive**  KATA ADJEKTIF
[1] _sukar membuat keputusan_
◊ _He was criticized as a weak and indecisive leader._ Dia dikritik sebagai pemimpin yang lemah dan sukar membuat keputusan.
[2] _tidak muktamad_
◊ _The outcome of the competition was indecisive._ Keputusan pertandingan itu tidak muktamad.

**indeed**  KATA ADVERBA
[1] _memang_
◊ _The examination is very hard indeed._ Peperiksaan tersebut memang sangat susah.
[2] _malah_
◊ _We have nothing against development, indeed we want more of it._ Kami tidak menentang pembangunan, malah kami inginkan lebih banyak lagi pembangunan.
+ **It's rare indeed for an Irish Prime Minister to visit Belfast.** Sesungguhnya memang jarang bagi Perdana Menteri Ireland untuk melawat ke Belfast.
+ **Know what I mean? - Indeed I do.** Anda faham maksud saya? - Sudah tentu saya faham.
+ **Thank you very much indeed!** Terima kasih banyak-banyak!

to **indent**  KATA KERJA
_mengengsot_
◊ _Don't indent the second line._ Jangan engsot baris yang kedua.

**independence**  KATA NAMA
[1] _kemerdekaan_
◊ _Malaysia gained its independence on the 31st August 1957._ Malaysia mencapai kemerdekaan pada 31hb Ogos 1957.
[2] _kebebasan_
◊ _He was afraid of losing his independence after marriage._ Dia takut akan hilang kebebasan selepas berkahwin.

**independent**  KATA ADJEKTIF
[1] _berasingan_
◊ _Two independent studies have been carried out._ Dua kajian yang berasingan telah dilaksanakan.
[2] _berdikari_
◊ _a single independent woman_ wanita bujang yang berdikari
[3] _swasta_
◊ _an independent school_ sebuah sekolah swasta
[4] _merdeka_
◊ _Papua New Guinea became independent from Australia in 1975._ Papua New Guinea merdeka daripada penjajahan Australia pada tahun 1975.
[5] _bebas_
◊ _independent candidate_ calon bebas

**indescribable**  KATA ADJEKTIF
_tidak terkata_
◊ _indescribable joy_ kegembiraan yang tidak terkata

**index**  KATA NAMA
(JAMAK **indexes**)
_indeks_ (_dalam buku_)

**index finger** KATA NAMA
*jari telunjuk*

**India** KATA NAMA
*India*

**Indian** KATA ADJEKTIF

> rujuk juga **Indian** KATA NAMA

*India*
◊ *the Indian government* kerajaan India
♦ **She's Indian.** Dia berbangsa India.

**Indian** KATA NAMA

> rujuk juga **Indian** KATA ADJEKTIF

*orang India*
◊ *the Indians* orang India
♦ **American Indian** orang asli Amerika

to **indicate** KATA KERJA
[1] *menunjukkan*
◊ *The report indicates that changes are needed.* Laporan tersebut menunjukkan bahawa perubahan perlu dilakukan.
[2] *membayangkan*
◊ *Mr Smith has indicated that he may resign.* En. Smith telah membayangkan bahawa dia mungkin akan meletakkan jawatan.
[3] *memberikan isyarat*
◊ *He indicated right and turned into Macalister Road.* Dia memberikan isyarat ke kanan dan membelok ke Jalan Macalister.

**indication** KATA NAMA
*tanda*
◊ *Muthu gave no indication that he was ready to forgive Shanti.* Muthu tidak menunjukkan sebarang tanda bahawa dia akan memaafkan Shanti.

**indicator** KATA NAMA
[1] *penunjuk*
◊ *The number of wells is a fair indicator of the demand for water.* Bilangan perigi yang ada menjadi penunjuk yang jelas tentang permintaan terhadap air.
[2] *lampu penunjuk (pada kereta)*

**indifferent** KATA ADJEKTIF
*bersikap acuh tak acuh*
◊ *The public were simply indifferent to the problem.* Orang ramai bersikap acuh tak acuh sahaja terhadap masalah ini.

**indigestion** KATA NAMA
*ketakcernaan*
◊ *I've got indigestion.* Saya mengalami ketakcernaan.

**indirect** KATA ADJEKTIF
*tidak langsung*
◊ *indirect effect* kesan tidak langsung

**indistinct** KATA ADJEKTIF
*tidak jelas*

**individual** KATA ADJEKTIF

> rujuk juga **individual** KATA NAMA

[1] *individu*

[2] *tersendiri*
◊ *individual personality* personaliti tersendiri

**individual** KATA NAMA

> rujuk juga **individual** KATA ADJEKTIF

*individu*
◊ *individual rights* hak individu

**indoor** KATA ADJEKTIF
*tertutup*
◊ *an indoor swimming pool* kolam renang tertutup

**indoors** KATA ADVERBA
*di dalam (rumah, bangunan)*
◊ *There're indoors.* Mereka ada di dalam.
♦ **We'd better go indoors.** Lebih baik kita masuk ke dalam.

to **induce** KATA KERJA
*menyebabkan*
◊ *Doctors said surgery could induce a heart attack.* Doktor mengatakan bahawa pembedahan boleh menyebabkan serangan penyakit jantung.
♦ **to induce labour** mengaruh proses bersalin

**induction** KATA NAMA
*induksi*
◊ *Science is based on the principle of induction.* Sains berdasarkan prinsip induksi.

to **indulge** KATA KERJA
[1] *memuaskan*
◊ *You can indulge yourself without spending a fortune.* Anda boleh memuaskan diri anda tanpa banyak berbelanja.
[2] *memanjakan*
◊ *He did not agree with indulging children.* Dia tidak bersetuju dengan perbuatan memanjakan kanak-kanak.

**indulgence** KATA NAMA
*kegemaran*
◊ *The car is one of my few indulgences.* Kereta merupakan salah satu daripada kegemaran saya.
♦ **The king's indulgence towards his sons angered the people.** Sikap raja itu yang suka memanjakan putera-putera baginda menimbulkan kemarahan rakyat.

**indulgent** KATA ADJEKTIF
*memanjakan + orang*
◊ *His indulgent mother let him do anything he wanted.* Emaknya yang memanjakannya membenarkannya melakukan apa sahaja.

**industrial** KATA ADJEKTIF
*perindustrian*

**industrial estate** KATA NAMA
*kawasan perindustrian*

**industrialization** KATA NAMA
_pengindustrian_
◊ the industrialization of rural areas pengindustrian kawasan luar bandar
**industrious** KATA ADJEKTIF
_rajin_
**industry** KATA NAMA
(JAMAK **industries**)
_perusahaan_ **atau** _industri_
◊ the oil industry industri minyak
♦ **No one doubted his ability and industry.** Tidak ada sesiapa yang meragui keupayaan dan kerajinannya.
**inefficiency** KATA NAMA
(JAMAK **inefficiencies**)
_ketidakcekapan_
**inefficient** KATA ADJEKTIF
_tidak cekap_ **atau** _tidak efisien_
**inevitable** KATA ADJEKTIF
_tidak dapat dielakkan_
**inexpensive** KATA ADJEKTIF
_murah_
**inexperienced** KATA ADJEKTIF
_tidak berpengalaman_
**infamous** KATA ADJEKTIF
_terkenal_ (dengan sesuatu yang tidak baik)
**infant school** KATA NAMA
_tadika_
to **infect** KATA KERJA
_menjangkiti_
◊ A single mosquito can infect a large number of people. Seekor nyamuk dapat menjangkiti ramai orang. ◊ He was infected with chickenpox. Dia dijangkiti penyakit cacar air.
**infection** KATA NAMA
1 _penyakit_
◊ an ear infection penyakit telinga
2 _jangkitan_
◊ the main source of the infection punca utama jangkitan tersebut
**infectious** KATA ADJEKTIF
_berjangkit_
◊ an infectious disease penyakit berjangkit
**inferior** KATA ADJEKTIF
1 _lebih rendah_
◊ June felt inferior to her successful brother. June merasakan dirinya lebih rendah di sisi abangnya yang berjaya.
2 _kurang bermutu_
◊ inferior products produk-produk yang kurang bermutu
♦ **inferior quality** kualiti yang rendah
**infertile** KATA ADJEKTIF
1 _mandul_
◊ The study found that one woman in eight was infertile. Kajian itu mendapati bahawa seorang daripada lapan wanita

adalah mandul.
2 _tidak subur_ (tanah)
**infertility** KATA NAMA
_kemandulan_
◊ infertility treatment rawatan kemandulan
**infidel** KATA NAMA
_kafir_ (padanan terdekat)
**infidelity** KATA NAMA
(JAMAK **infidelities**)
_kecurangan_
◊ Smith's wife found out about his infidelity. Isteri Smith mendapat tahu tentang kecurangannya.
to **infiltrate** KATA KERJA
_menyusup_
◊ Activists had infiltrated the student movement. Para aktivis telah menyusup ke dalam pergerakan pelajar itu.
**infiltration** KATA NAMA
_penyusupan_
**infinitive** KATA NAMA
_infinitif_
Dalam bahasa Inggeris, **infinitif** ialah bentuk asas kata kerja seperti 'take' yang biasanya mempunyai perkataan 'to' di hadapan.
**infirm** KATA ADJEKTIF
_uzur_
**infirmary** KATA NAMA
(JAMAK **infirmaries**)
_rumah sakit_ **atau** _hospital_
**infix** KATA NAMA
(JAMAK **infixes**)
_sisipan_
to **inflame** KATA KERJA
1 _menaikkan kemarahan_ (orang)
2 _menghangatkan_ (keadaan)
◊ The shooting has only inflamed the situation even more. Kejadian penembakan itu hanya menghangatkan lagi keadaan.
**inflammation** KATA NAMA
_radang_
◊ throat inflammation radang kerongkong
**inflatable** KATA ADJEKTIF
_boleh kembung_ (diisi udara)
◊ an inflatable mattress tilam boleh kembung
to **inflate** KATA KERJA
1 _mengembung_
◊ His life jacket failed to inflate. Jaket keselamatannya tidak mengembung.
2 _mengembungkan_
◊ He jumped into the sea and inflated the life raft. Dia terjun ke dalam laut dan mengembungkan bot keselamatan itu.
**inflation** KATA NAMA

*inflasi*

**inflationary** KATA ADJEKTIF

[1] *inflasi*

[2] *menyebabkan inflasi*

◊ *Inflationary pressures continued to slacken last month.* Tekanan-tekanan yang menyebabkan inflasi terus berkurangan pada bulan lepas.

**influence** KATA NAMA

rujuk juga **influence** KATA KERJA

*pengaruh*

◊ *Television is a bad influence on students.* Televisyen merupakan pengaruh yang tidak baik terhadap pelajar.

♦ **He's a bad influence on the girl.** Dia merupakan contoh yang tidak baik terhadap gadis itu.

to **influence** KATA KERJA

rujuk juga **influence** KATA NAMA

*mempengaruhi*

**influential** KATA ADJEKTIF

*berpengaruh*

◊ *Ian has a lot of influential friends.* Ian mempunyai ramai kawan yang berpengaruh.

**influenza** KATA NAMA

*selesema* atau *influenza*

to **inform** KATA KERJA

*memberitahu*

◊ *Nobody informed me of the change of plan.* Tidak ada sesiapa pun yang memberitahu saya tentang pertukaran rancangan tersebut.

**informal** KATA ADJEKTIF

*tidak formal*

◊ *informal language* bahasa tidak formal

♦ **an informal visit** lawatan tidak rasmi

♦ **informal dress** pakaian kasual

**information** KATA NAMA

*maklumat*

◊ *Could you give me some information about trains to Barcelona?* Bolehkah anda berikan maklumat tentang kereta api yang pergi ke Barcelona?

**information office** KATA NAMA

*pejabat penerangan*

**information technology** KATA NAMA

*teknologi maklumat*

**informative** KATA ADJEKTIF

*informatif*

◊ *an informative television programme* rancangan televisyen yang informatif

**informer** KATA NAMA

*pemberi maklumat*

**infra-red** KATA ADJEKTIF

*inframerah*

**infrastructure** KATA NAMA

*infrastruktur*

to **infringe** KATA KERJA

[1] *melanggar*

◊ *The publishers were accused of infringing copyright law.* Penerbit itu didakwa melanggar undang-undang hak cipta.

[2] *mencabuli*

◊ *The police should not infringe human rights.* Polis tidak patut mencabuli hak asasi rakyat.

**infringement** KATA NAMA

*pelanggaran*

◊ *infringement of privacy* pelanggaran hak persendirian

**infuriating** KATA ADJEKTIF

*sungguh menyakitkan hati*

**ingenuity** KATA NAMA

*kepintaran*

**ingot** KATA NAMA

*jongkong*

◊ *gold ingots* jongkong emas

to **ingratiate** KATA KERJA

♦ **to ingratiate oneself with somebody** mengampu seseorang ◊ *A few people tried to ingratiate themselves with our boss.* Beberapa orang cuba mengampu majikan kami.

**ingredient** KATA NAMA

*ramuan*

**inhabitant** KATA NAMA

[1] *penduduk*

◊ *the inhabitants of Glasgow* penduduk Glasgow

[2] *penghuni*

◊ *The tiger is an inhabitant of the forest.* Harimau merupakan penghuni hutan.

to **inhale** KATA KERJA

*menyedut*

◊ *We inhale polluted air every day.* Kita menyedut udara yang tercemar setiap hari.

♦ **to inhale deeply** menarik nafas yang panjang

to **inherit** KATA KERJA

*mewarisi*

◊ *She inherited her father's house.* Dia mewarisi rumah bapanya.

**inheritance** KATA NAMA

*warisan*

to **inhibit** KATA KERJA

[1] *melambatkan*

◊ *Wine and sugary drinks inhibit digestion.* Wain dan minuman bergula melambatkan penghadaman.

[2] *menghalang*

◊ *His shyness inhibited him from speaking to the girl.* Sifat malunya menghalang dia daripada bercakap dengan gadis itu.

**inhuman**  KATA ADJEKTIF
*tidak berperikemanusiaan*

**initial**  KATA ADJEKTIF

> rujuk juga **initial** KATA KERJA

*permulaan*
◊ *at the initial stage*  pada peringkat permulaan

to **initial**  KATA KERJA

> rujuk juga **initial** KATA ADJEKTIF

*memarap*
◊ *She initialled the voucher.*  Dia memarap baucar itu.

**initials**  KATA NAMA JAMAK
*parap*
◊ *Her initials are CDT.*  Parapnya ialah CDT.

to **initiate**  KATA KERJA
1 *memulakan*
◊ *They wanted to initiate a discussion on economics.*  Mereka mahu memulakan perbincangan tentang ekonomi.
2 *memperkenalkan*
◊ *David initiated Helen into the study of other cultures.*  David memperkenalkan Helen kepada kajian mengenai kebudayaan-kebudayaan lain kepada Helen.

**initiative**  KATA NAMA
*daya usaha atau inisiatif*

**initiator**  KATA NAMA
*penggerak*
◊ *He was the initiator of the modernization of our country.*  Beliau merupakan penggerak pemodenan negara kita.

to **inject**  KATA KERJA
1 *menyuntik*
◊ *They injected me with antibiotics.*  Mereka menyuntik saya dengan antibiotik.
2 *menyelitkan*
◊ *She tried to inject some humour into the meeting.*  Dia cuba menyelitkan sedikit unsur jenaka dalam mesyuarat itu.

**injection**  KATA NAMA
*suntikan*
◊ *The doctor gave me an injection.*  Doktor memberi saya satu suntikan.

to **injure**  KATA KERJA
*mencederakan*
◊ *He injured his girlfriend.*  Dia telah mencederakan teman wanitanya.
♦ *He injured his leg.*  Kakinya tercedera.

**injured**  KATA ADJEKTIF
*cedera*

**injury**  KATA NAMA
(JAMAK **injuries**)
*kecederaan*

**injury time**  KATA NAMA
*masa kecederaan* (*bola sepak*)

**injustice**  KATA NAMA

*ketidakadilan*
◊ *They oppose the injustices of the system.*  Mereka menentang ketidakadilan sistem tersebut.

**ink**  KATA NAMA
*dakwat*

**Inland Revenue**  KATA NAMA
*Jabatan Hasil Dalam Negeri*

**in-laws**  KATA NAMA JAMAK
*keluarga suami/isteri*

**inlet**  KATA NAMA
*serokan*

**inmate**  KATA NAMA
1 *penghuni*
◊ *the inmates of a psychiatric hospital*  penghuni rumah sakit jiwa
2 *banduan*

**inn**  KATA NAMA
*rumah penginapan*

**innate**  KATA ADJEKTIF
*semula jadi*
◊ *innate character*  sifat semula jadi

**inner**  KATA ADJEKTIF
1 *bahagian dalam*
◊ *the inner part of the container*  bahagian dalam bekas tersebut
2 *bahagian tengah*
◊ *the inner city*  bahagian tengah bandar raya
♦ **Michael needed to express his inner feelings.**  Michael perlu meluahkan perasaan yang terpendam dalam hatinya.

**inner tube**  KATA NAMA
*tiub dalam* (*tayar*)

**innocence**  KATA NAMA
*tidak bersalah*
◊ *He claims he has evidence which could prove his innocence.*  Dia mendakwa dia mempunyai bukti yang boleh menunjukkan dia tidak bersalah.

**innocent**  KATA ADJEKTIF
1 *tidak bersalah*
◊ *The police knew that I was innocent.*  Polis tahu bahawa saya tidak bersalah.
2 *tidak berdosa*
◊ *The war was killing innocent people.*  Peperangan itu telah meragut nyawa orang yang tidak berdosa.
3 *tidak bermaksud apa-apa*
◊ *It was an innocent question but Martin was angry.*  Soalan itu tidak bermaksud apa-apa, tetapi Martin naik berang.

**innovation**  KATA NAMA
*inovasi*

**innovative**  KATA ADJEKTIF
*inovatif*
◊ *an innovative idea*  idea yang inovatif

**input**  KATA NAMA

_input_

**inquest** KATA NAMA
_penyiasatan rasmi_ (berkenaan kematian)
to **inquire** KATA KERJA
_bertanya_
◊ to inquire about something   bertanya
tentang sesuatu
♦ **They were asked to inquire into the
matter.**   Mereka telah disuruh menyiasat
perkara itu.

**inquiry** KATA NAMA
(JAMAK **inquiries**)
1 _pertanyaan_
◊ She made some inquiries to get the
information that she needed.   Dia
membuat beberapa pertanyaan untuk
mendapatkan maklumat yang
diperlukannya.
2 _penyiasatan rasmi_
◊ Their leader has called for an inquiry
into the incident.   Ketua mereka telah
menuntut satu penyiasatan rasmi
dijalankan bagi menyiasat kejadian
tersebut.

**inquisitive** KATA ADJEKTIF
_mempunyai sikap ingin tahu_
◊ Aaron was inquisitive by nature.
Aaron mempunyai sikap ingin tahu yang
semula jadi.

**insane** KATA ADJEKTIF
_tidak siuman_

**insanity** KATA NAMA
_ketidakwarasan_

**inscription** KATA NAMA
_inskripsi_
> Inskripsi ialah tulisan yang diukir
> pada duit syiling, monumen dan
> sebagainya.

**insect** KATA NAMA
_serangga_

**insecticide** KATA NAMA
_racun serangga_

**insect repellent** KATA NAMA
_pencegah serangga_

**insecure** KATA ADJEKTIF
1 _tidak yakin_
◊ Most mothers are insecure about their
ability as mothers.   Kebanyakan ibu tidak
yakin dengan kebolehan mereka sebagai
seorang ibu.
2 _tidak terjamin_
◊ insecure jobs   pekerjaan yang tidak
terjamin

**insensitive** KATA ADJEKTIF
_tidak peka_
◊ My husband is very insensitive about
my problem.   Suami saya tidak peka
langsung tentang masalah saya.

to **insert** KATA KERJA

1 _memasukkan_
◊ I inserted the coin into the parking
meter.   Saya memasukkan syiling ke
dalam meter letak kereta.
2 _menyelitkan_
◊ He inserted my comments into the
article.   Dia menyelitkan komen saya
dalam artikel itu.

**inside** KATA SENDI, KATA ADVERBA
> rujuk juga **inside** KATA NAMA
1 _di dalam_
◊ inside the house   di dalam rumah
2 _ke dalam_
◊ Come inside!   Silalah masuk ke
dalam!   ◊ Let's go inside, it's starting to
rain.   Mari masuk ke dalam, hujan sudah
mula turun.
♦ **He opened the envelope and read what
was inside.**   Dia membuka sampul surat
itu dan membaca kandungannya.
♦ **inside out**   terbalik   ◊ He put his coat on
inside out.   Dia memakai baju kotnya
terbalik.

**inside** KATA NAMA
> rujuk juga **inside** KATA SENDI,
> KATA ADVERBA
_dalam_
◊ The doors were locked from the inside.
Pintu-pintu itu dikunci dari dalam.

**insincere** KATA ADJEKTIF
_tidak ikhlas_

to **insinuate** KATA KERJA
1 _menyindir_
◊ Are you insinuating that I smell?
Adakah anda menyindir saya bahawa saya
berbau?
2 _membayangkan_
◊ an article which insinuated that the
President was lying   artikel yang
membayangkan bahawa Presiden itu
berbohong

**insinuation** KATA NAMA
_sindiran_

to **insist** KATA KERJA
1 _mendesak_
◊ I didn't want to, but he insisted.   Saya
tidak mahu, tetapi dia mendesak.
2 _menegaskan_
◊ He insisted he was innocent.   Dia
menegaskan bahawa dia tidak bersalah.
♦ **to insist on doing something**   berkeras
untuk melakukan sesuatu   ◊ She insisted
on paying.   Dia berkeras untuk membayar.

**insistence** KATA NAMA
_desakan_
◊ She attended the interview at her
mother's insistence.   Dia menghadiri temu
duga itu kerana desakan ibunya.

**insolent** KATA ADJEKTIF

*kurang ajar*

to **inspect** KATA KERJA

*memeriksa*

◊ *The sergeant inspects the camps every morning.* Sarjan itu memeriksa kem-kem itu setiap pagi.

**inspector** KATA NAMA

[1] *pegawai pemeriksaan*

◊ *The factory was shut down by the safety inspector.* Kilang tersebut telah ditutup oleh pegawai pemeriksaan keselamatan.

[2] *inspektor (polis)*

**inspiration** KATA NAMA

*inspirasi*

to **inspire** KATA KERJA

*memberikan inspirasi*

◊ *The life of the people there inspired me to write the book.* Kehidupan penduduk di situ memberikan inspirasi kepada saya untuk menulis buku itu.

**instability** KATA NAMA

*ketidakstabilan*

◊ *political instability* ketidakstabilan politik

to **install** KATA KERJA

[1] *memasang*

◊ *They had installed a new phone line in their house.* Mereka telah memasang talian telefon yang baru di dalam rumah mereka.

[2] *melantik*

◊ *Professor Lim was installed as President last Wednesday.* Profesor Lim telah dilantik sebagai Presiden pada hari Rabu lepas.

♦ **Within two months she had installed herself in a new house.** Dalam masa dua bulan sahaja dia telah tinggal di sebuah rumah baru.

**installation** KATA NAMA

[1] *pemasangan*

◊ *the installation of a fire alarm* pemasangan penggera kebakaran

[2] *upacara pelantikan*

◊ *Naomi attended Jeffrey's installation as President of the club.* Naomi menghadiri upacara pelantikan Jeffrey sebagai Presiden kelab itu.

**instalment** KATA NAMA

[1] *ansuran*

◊ *to pay in instalments* membayar secara ansuran

[2] *siri (rancangan TV, radio)*

**instance** KATA NAMA

*contoh*

◊ *for instance* sebagai contoh

**instant** KATA NAMA

| rujuk juga **instant** KATA ADJEKTIF |

*ketika*

◊ *At that instant...* Pada ketika itu...

**instant** KATA ADJEKTIF

| rujuk juga **instant** KATA NAMA |

[1] *serta-merta*

◊ *It was an instant success.* Kejayaan itu datang serta-merta.

[2] *segera*

◊ *instant coffee* kopi segera

**instantly** KATA ADVERBA

*dengan serta-merta*

◊ *The man was killed instantly.* Lelaki itu terbunuh dengan serta-merta.

**instead** KATA SENDI, KATA ADVERBA

*sebaliknya*

◊ *We didn't play tennis. Instead, we went swimming.* Kami tidak bermain tenis, sebaliknya kami pergi berenang.

♦ **instead of** dan bukannya ◊ *Jane went instead of Peter.* Jane yang pergi ke sana dan bukannya Peter.

*Ada kalanya* **instead** *tidak diterjemahkan.*

◊ *The pool was closed, so we played tennis instead.* Kolam renang itu ditutup, jadi kami bermain tenis.

**instigator** KATA NAMA

*penghasut*

◊ *William was accused of being the main instigator of the riot.* William didakwa sebagai penghasut utama rusuhan itu.

**instinct** KATA NAMA

[1] *naluri*

◊ *We can trust his instinct.* Kita boleh mempercayai nalurinya.

[2] *gerak hati*

◊ *She hadn't followed her instinct and because of this Frank was dead.* Dia tidak mengikut gerak hatinya dan itulah yang menyebabkan kematian Frank.

**institute** KATA NAMA

*institut*

**institution** KATA NAMA

*institusi*

to **instruct** KATA KERJA

*mengarahkan*

◊ *to instruct somebody to do something* mengarahkan seseorang melakukan sesuatu

♦ **She instructed us to wait outside.** Dia menyuruh kami menunggu di luar.

♦ **He instructed the children in swimming techniques.** Dia mengajar kanak-kanak itu tentang teknik-teknik berenang.

**instruction** KATA NAMA

*arahan*

◊ *I'm waiting for your instructions.* Saya sedang menunggu arahan anda.

♦ **All children must receive some**

**religious instruction.** Semua kanak-kanak mesti mendapat didikan agama.

**instructor** KATA NAMA
*pengajar*
◊ *driving instructor* pengajar memandu

**instrument** KATA NAMA
1 *peralatan*
◊ *surgical instruments* peralatan pembedahan
2 *alat muzik*
◊ *Do you play an instrument?* Adakah anda bermain sebarang alat muzik?

**instrumental** KATA ADJEKTIF
1 *memainkan peranan penting*
◊ *He was instrumental in the release of the hostages.* Dia memainkan peranan penting dalam pembebasan para tebusan itu.
2 *instrumental*
◊ *instrumental music* muzik instrumental

**insufferable** KATA ADJEKTIF
*sungguh menjengkelkan*

**insufficient** KATA ADJEKTIF
*tidak mencukupi*
◊ *He decided that the evidence was insufficient to sue the doctor.* Dia memutuskan bahawa bukti yang ada tidak mencukupi untuk mendakwa doktor tersebut.

to **insulate** KATA KERJA
*menebat*
◊ *In order to make it safe, the element is insulated.* Elemen itu ditebat bagi menjamin keselamatan.

**insulator** KATA NAMA
*penebat*

**insulin** KATA NAMA
*insulin*

to **insult** KATA KERJA
> rujuk juga **insult** KATA NAMA

*menghina*

**insult** KATA NAMA
> rujuk juga **insult** KATA KERJA

*penghinaan*

**insurance** KATA NAMA
*insurans*
◊ *an insurance policy* polisi insurans

to **insure** KATA KERJA
*menginsuranskan*
◊ *Lena insured her house against fire.* Lena menginsuranskan rumahnya daripada kebakaran.

**intake** KATA NAMA
*pengambilan*
◊ *Reduce your sugar intake.* Kurangkan pengambilan gula. ◊ *the intake of students* pengambilan pelajar

**intangible** KATA ADJEKTIF

*tak nyata*
◊ *intangible asset* aset tak nyata (perakaunan)

to **integrate** KATA KERJA
1 *mengintegrasikan*
◊ *He wanted to integrate the activities of both companies.* Dia mahu mengintegrasikan aktiviti kedua-dua buah syarikat itu.
2 *berintegrasi*
◊ *If they want to integrate, that's fine with me.* Saya tidak kisah jika mereka hendak berintegrasi.

**integrated** KATA ADJEKTIF
*bersepadu*
◊ *A more integrated approach is needed to solve the problem.* Pendekatan yang lebih bersepadu diperlukan untuk mengatasi masalah itu.

**integration** KATA NAMA
*integrasi*

**integrity** KATA NAMA
*integriti*
◊ *a man of integrity* seorang lelaki yang mempunyai integriti

**intellect** KATA NAMA
*intelek*

**intellectual** KATA ADJEKTIF
> rujuk juga **intellectual** KATA NAMA

*intelektual*
◊ *intellectual discussion* perbincangan intelektual

**intellectual** KATA NAMA
> rujuk juga **intellectual** KATA ADJEKTIF

*cendekiawan*

**intelligence** KATA NAMA
*kepintaran*
◊ *Thanks to Kamarul's intelligence the problem was solved.* Masalah itu dapat diselesaikan kerana kepintaran Kamarul.

**intelligent** KATA ADJEKTIF
*cerdik*

**intelligentsia** KATA NAMA
*cerdik pandai*

**intelligible** KATA ADJEKTIF
*mudah difahami*

to **intend** KATA KERJA
*bercadang*
♦ **to intend to do something** bercadang untuk melakukan sesuatu ◊ *I intend to do languages at university.* Saya bercadang untuk belajar bidang bahasa di universiti.

**intense** KATA ADJEKTIF
1 *terlalu*
◊ *He was sweating from the intense heat.* Dia berpeluh kerana keadaan yang terlalu panas.

[2] *sangat serius*
◊ *I found the poet a very intense young man.* Saya mendapati penyair itu seorang pemuda yang sangat serius.
♦ **He puts intense effort into his game.** Dia seorang pemain yang sangat gigih.

to **intensify**   KATA KERJA
(**intensified, intensified**)
*menggiatkan*
◊ *They are intensifying their efforts.* Mereka sedang menggiatkan usaha.
♦ **The conflict is bound to intensify.** Konflik itu pasti menjadi lebih hebat.

**intensive**   KATA ADJEKTIF
*intensif*

**intention**   KATA NAMA
*niat*

**intentional**   KATA ADJEKTIF
*disengajakan*
◊ *Was it accidental or intentional?* Adakah perkara itu dilakukan dengan tidak sengaja atau disengajakan?

to **interact**   KATA KERJA
*berinteraksi*
◊ *Tommy doesn't like interacting with others.* Tommy tidak suka berinteraksi dengan orang lain.

**interaction**   KATA NAMA
*interaksi*

**interchangeable**   KATA ADJEKTIF
*boleh ditukar ganti*
◊ *interchangeable parts* bahagian-bahagian yang boleh ditukar ganti

**intercom**   KATA NAMA
*interkom*

**interconnection**   KATA NAMA
*perkaitan*
◊ *interconnection of drug abuse and AIDS infection* penyalahgunaan dadah dengan jangkitan AIDS

**interest**   KATA NAMA

rujuk juga **interest** KATA KERJA

[1] *minat*
◊ *to show an interest in something* menunjukkan minat dalam sesuatu
[2] *faedah*
◊ *an interest rate of 6.5%* kadar faedah sebanyak 6.5%

to **interest**   KATA KERJA

rujuk juga **interest** KATA NAMA

*menarik minat*
◊ *It doesn't interest me.* Perkara itu tidak menarik minat saya.
♦ **to be interested in something** tertarik dengan sesuatu ◊ *I'm very interested in what you're telling me.* Saya sangat tertarik dengan kata-kata anda.
♦ **Are you interested in politics?** Adakah anda berminat dalam bidang politik?

**interesting**   KATA ADJEKTIF
*menarik*

**interface**   KATA NAMA
[1] *titik pertemuan*
◊ *the interface of bureaucracy and the working world* titik pertemuan antara birokrasi dengan dunia pekerjaan
[2] (*komputer*) *antara muka*
*litar yang menyambungkan sebuah mesin, dengan mesin yang lain*

to **interfere**   KATA KERJA
*masuk campur*
◊ *Please don't interfere.* Tolong jangan masuk campur. ◊ *My neighbour likes to interfere in other people's business.* Jiran saya suka masuk campur dalam hal orang lain.

**interference**   KATA NAMA
*campur tangan*
◊ *interference from the government* campur tangan kerajaan

**interior**   KATA NAMA
*bahagian dalam*
◊ *The interior of the house was painted white.* Bahagian dalam rumah itu dicat dengan warna putih.
♦ **Interior Ministry** Kementerian Dalam Negeri

**interior designer**   KATA NAMA
*pereka dalaman*

**intermediate**   KATA ADJEKTIF
*pertengahan*
◊ *intermediate stage* tahap pertengahan

to **intermingle**   KATA KERJA
[1] *menggabungjalinkan*
◊ *to intermingle two different cultures* menggabungjalinkan dua budaya yang berbeza
[2] *bergabung*
◊ *This allow the two cultures to intermingle.* Ini membolehkan dua budaya tersebut bergabung.
♦ **to intermingle with the citizens of other countries** bercampur gaul dengan rakyat negara lain

**internal**   KATA ADJEKTIF
*dalaman*
◊ *internal bleeding* pendarahan dalaman
♦ **internal security** keselamatan dalam negeri

**international**   KATA ADJEKTIF
*antarabangsa*

**Internet**   KATA NAMA
*Internet*
◊ *on the Internet* di Internet

**Internet Café**    KATA NAMA
*kafe Internet*
**Internet service provider**    KATA NAMA
*Pembekal Khidmat Internet*
to **interpret**    KATA KERJA
  1  *mentafsirkan*
  ◊  *The move was interpreted as a defeat for the manager.*  Langkah itu ditafsirkan sebagai kekalahan pengurus tersebut.
  2  *menterjemahkan*
  ◊  *Steve couldn't speak Malay so his friend interpreted.*  Steve tidak tahu berbahasa Melayu jadi kawannya menterjemahkannya.
**interpretation**    KATA NAMA
  *interpretasi*
  ◊  *an accurate interpretation* interpretasi yang tepat
  ♦  **the interpretation of Koranic verses** pentafsiran ayat-ayat al-Quran
**interpreter**    KATA NAMA
  1  *jurubahasa*
  2  *pentafsir*
  ◊  *She's well-known as the foremost interpreter of Mozart.*  Dia terkenal sebagai pentafsir utama karya Mozart.
to **interrogate**    KATA KERJA
  *menyoal siasat*
**interrogation**    KATA NAMA
  *soal siat*
  ◊  *Carl remained silent during the interrogation.*  Carl hanya mendiamkan diri semasa soal siasat itu dijalankan.
**interrogative**    KATA ADJEKTIF
  *penuh pertanyaan (dari gerak isyarat, nada suara)*
to **interrupt**    KATA KERJA
  *mencelah*
  ◊  *He tried to speak, but his girlfriend interrupted him.*  Dia cuba bercakap tetapi teman wanitanya mencelah.
  ♦  **The match took nearly three hours and was interrupted by rain.**  Perlawanan itu mengambil masa hampir tiga jam dan tergendala disebabkan hujan.
**interruption**    KATA NAMA
  *gangguan*
  ◊  *I was able to get on with my work without interruption.*  Saya dapat meneruskan kerja saya tanpa gangguan.
**intersection**    KATA NAMA
  1  *persimpangan*
  ◊  *a busy highway intersection* persimpangan lebuh raya yang sibuk
  2  *persilangan*
  ◊  *point of intersection* titik persilangan
**interval**    KATA NAMA
  1  *jarak waktu*

  ◊  *The ferry service has restarted after an interval of 12 years.*  Perkhidmatan feri telah dimulakan semula selepas jarak waktu selama 12 tahun.
  2  *waktu rehat*
  ◊  *During the interval, wine was served to the guests.*  Wain dihidangkan kepada para tetamu pada waktu rehat.
  3  *jeda  (muzik)*
  ♦  **at regular intervals**  selalu
**interview**    KATA NAMA
  | *rujuk juga* **interview** KATA KERJA |
  1  *temu duga*
  ◊  *Not everyone who writes in can be invited for interview.*  Bukan semua orang yang memohon akan dipanggil untuk temu duga.
  2  *temu ramah*
  ◊  *There'll be an interview with Mr Douglas after the news.*  Satu temu ramah dengan En. Douglas akan diadakan selepas berita.
to **interview**    KATA KERJA
  | *rujuk juga* **interview** KATA NAMA |
  1  *menemu duga*
  ◊  *The manager interviewed the candidates.*  Pengurus itu menemu duga calon-calon tersebut.
  2  *menemu ramah*
  ◊  *I was interviewed on the radio.*  Saya ditemu ramah dalam radio.
**interviewer**    KATA NAMA
  1  *penemu duga*
  2  *penemu ramah*
**intestine**    KATA NAMA
  *usus*
**intimacy**    KATA NAMA
  *kemesraan*
  ◊  *He became jealous of our intimacy.*  Dia cemburu melihat kemesraan kami.
**intimate**    KATA ADJEKTIF
  1  *rapat*
  ◊  *intimate friends*  kawan-kawan rapat
  2  *peribadi*
  ◊  *He wrote about the intimate details of his life.*  Dia menulis tentang butir-butir peribadi hidupnya.
  3  *romantik*
  ◊  *an intimate candlelight dinner for two* makan malam yang romantik untuk dua orang dengan diterangi cahaya lilin
**into**    KATA SENDI
  *ke dalam*
  ◊  *Translate it into Spanish.* Terjemahkannya ke dalam bahasa Sepanyol.  ◊  *I poured the milk into a cup.* Saya menuang susu ke dalam cawan.
  ♦  **I'm going into town.**  Saya hendak pergi ke bandar.

♦ **to get into bed** masuk tidur
♦ **They divided into two groups.** Mereka berpecah kepada dua kumpulan.
♦ **to walk into a lamppost** terlanggar tiang lampu

**intonation** KATA NAMA
_intonasi_

**intoxicating** KATA ADJEKTIF
_memabukkan_
◊ _intoxicating drink_ minuman yang memabukkan

**Intranet** KATA NAMA
(komputer)
_Intranet_

to **introduce** KATA KERJA
1 _memperkenalkan_
◊ _He introduced me to his parents._ Dia memperkenalkan saya kepada ibu bapanya.
2 _memulakan_
◊ _He introduced his speech with a poem._ Dia memulakan ucapannya dengan sebuah puisi.

**introduction** KATA NAMA
_pendahuluan_ (di dalam buku)

**introductory** KATA ADJEKTIF
_pengenalan_
◊ _an introductory chapter_ bab pengenalan

**intruder** KATA NAMA
_penceroboh_
◊ _There was an intruder in the sitting room._ Ada penceroboh di ruang tamu.

**intuition** KATA NAMA
_gerak hati_
◊ _Her intuition was telling her that something was wrong._ Gerak hatinya memberitahu bahawa ada sesuatu yang tidak kena.

to **invade** KATA KERJA
1 _menyerang_
◊ _Japan invaded Malaya in 1942._ Jepun menyerang Tanah Melayu pada tahun 1942.
2 _membanjiri_
◊ _Tourists invade the city every summer._ Pelancong membanjiri bandar raya itu setiap musim panas.

**invalid** KATA NAMA
_orang sakit_

**invaluable** KATA ADJEKTIF
_tidak ternilai_

to **invent** KATA KERJA
1 _mencipta_
◊ _He invented the television._ Beliau telah mencipta televisyen.
2 _mereka-reka_
◊ _I tried to invent an excuse._ Saya cuba mereka-reka satu alasan.

**invention** KATA NAMA
1 _ciptaan_
◊ _The spinning wheel was a Chinese invention._ Roda pintal ialah ciptaan orang Cina.
2 _rekaan_
◊ _The story was certainly an invention._ Cerita tersebut sememangnya satu rekaan sahaja.

**inventor** KATA NAMA
_pencipta_
◊ _Alexander Graham Bell was the inventor of the telephone._ Alexander Graham Bell ialah pencipta telefon.

**inventory** KATA NAMA
(JAMAK **inventories**)
_inventori_

**inverse** KATA ADJEKTIF
| rujuk juga **inverse** KATA NAMA |
_songsang_
◊ _in inverse proportion_ dalam kadar songsang

**inverse** KATA NAMA
| rujuk juga **inverse** KATA ADJEKTIF |
_songsangan_ (matematik)

**inversion** KATA NAMA
_penyongsangan_
◊ _an inversion of the truth_ penyongsangan kebenaran

to **invert** KATA KERJA
1 _menterbalikkan_
◊ _After that, you need to invert the cake onto a wire rack._ Selepas itu, anda perlu menterbalikkan kek itu di atas rak dawai.
2 _menyongsangkan_
◊ _I inverted the number 9 to make a number 6._ Saya menyongsangkan nombor 9 menjadi nombor 6.

**invertebrate** KATA NAMA
_invertebrat_

to **invest** KATA KERJA
_melabur_
◊ _They intend to invest in shares._ Mereka bercadang untuk melabur dalam pasaran saham.

to **investigate** KATA KERJA
_menyiasat_
◊ _I'll investigate the matter._ Saya akan memeriksa perkara itu.

**investigation** KATA NAMA
_penyiasatan_

**investment** KATA NAMA
_pelaburan_

**investor** KATA NAMA
_pelabur_

to **invigorate** KATA KERJA
_mencergaskan_
◊ _Take a deep breath to invigorate yourself._ Tarik nafas panjang untuk

mencergaskan diri anda.

♦ **The shampoo contains lavender oil to invigorate the scalp.** Syampu itu mengandungi minyak lavender untuk menyamankan kulit kepala.

**invigorated** KATA ADJEKTIF
*cergas*
◊ *She seemed invigorated and full of energy.* Dia kelihatan cergas dan bertenaga.

**invigorating** KATA ADJEKTIF
*nyaman*
◊ *invigorating air* udara yang nyaman

**invisible** KATA ADJEKTIF
1 *tidak dapat dilihat*
◊ *Their house is invisible from the road.* Rumah mereka tidak dapat dilihat dari jalan.
2 *halimunan*
◊ *the invisible man* lelaki halimunan
♦ **invisible earnings** perolehan tak nampak

**invitation** KATA NAMA
*undangan*

to **invite** KATA KERJA
*mengundang*
◊ *Sarah's not invited.* Sarah tidak diundang.

**inviting** KATA ADJEKTIF
*menarik*
◊ *an inviting restaurant* sebuah restoran yang menarik
♦ **an inviting smile** senyuman yang menggoda

**invoice** KATA NAMA
*invois*

to **involve** KATA KERJA
1 *melibatkan*
◊ *It involves a lot of work.* Perkara ini melibatkan kerja yang banyak.
♦ **She was involved in politics.** Dia melibatkan dirinya dalam politik.
2 *terlibat*
◊ *He wasn't involved in the robbery.* Dia tidak terlibat dalam rompakan itu.
♦ **I don't want to get involved in the argument.** Saya tidak mahu terlibat dalam pertelingkahan itu.
♦ **to be involved with somebody** menjalinkan hubungan dengan seseorang
◊ *She was involved with a married man.* Dia telah menjalinkan hubungan dengan suami orang.

**involvement** KATA NAMA
*penglibatan*
◊ *their involvement in the project* penglibatan mereka dalam projek itu

**invulnerable** KATA ADJEKTIF
*kebal*

**inwardly** KATA ADVERBA
*dalam hati*
◊ *Tara smiled inwardly.* Tara tersenyum dalam hati.

**iodine** KATA NAMA
*iodin*

**IQ** SINGKATAN (= *intelligence quotient*)
*IQ* (*darjah kecerdasan otak*)

**Iran** KATA NAMA
*Iran*

**Iraq** KATA NAMA
*Iraq*

**IRC** KATA NAMA (= *Internet Relay Chat*)
*IRC* (*perbualan di Internet*)

**Ireland** KATA NAMA
*negara Ireland*

**Irish** KATA ADJEKTIF
| rujuk juga **Irish** KATA NAMA |
*Ireland*
◊ *traditional Irish music* muzik tradisional Ireland
♦ **He's Irish.** Dia berbangsa Ireland.

**Irish** KATA NAMA
| rujuk juga **Irish** KATA ADJEKTIF |
1 *orang Ireland*
◊ *the Irish* orang Ireland
2 *bahasa Ireland*

**Irishman** KATA NAMA
(JAMAK **Irishmen**)
*lelaki Ireland*

**Irishwoman** KATA NAMA
(JAMAK **Irishwomen**)
*wanita Ireland*

to **irk** KATA KERJA
1 *sebal*
◊ *It irks me to see the old lady being treated like that.* Saya berasa sebal apabila melihat orang tua itu diperlakukan seperti itu.
2 *menjengkelkan*
◊ *The process also irked him increasingly.* Proses itu juga semakin menjengkelkannya.

**iron** KATA NAMA
| rujuk juga **iron** KATA KERJA |
1 *besi*
◊ *an iron gate* pintu pagar besi
2 *seterika*

to **iron** KATA KERJA
| rujuk juga **iron** KATA NAMA |
*menyeterika*

**ironic** KATA ADJEKTIF
*ironis*
◊ *It's ironic that the person found guilty of theft was none other than the school Head Prefect.* Yang ironisnya ialah orang yang terbukti terlibat dalam kecurian itu merupakan Ketua Pengawas sendiri.

**ironing** KATA NAMA

*menggosok pakaian*
♦ **to do the ironing**  menggosok pakaian
**ironing board**  KATA NAMA
  *bangku seterika*
**ironmonger's**  KATA NAMA
  *kedai barang-barang besi*
**irregular**  KATA ADJEKTIF
  [1] *tidak tetap*
  ◊ *Cars passed at irregular intervals.*
  Kereta lalu-lalang pada masa yang tidak
  tetap. ◊ *He worked irregular hours.*
  Waktu kerjanya tidak tetap.
  [2] *tidak rata* (*permukaan*)
  [3] *tidak teratur* (*gigi*)
**irrelevant**  KATA ADJEKTIF
  *tidak berkaitan* atau *tidak relevan*
  ◊ *The judge decided that their testimony*
  *would be irrelevant to the case.*  Hakim itu
  memutuskan bahawa testimoni mereka
  tidak berkaitan dengan kes tersebut.
♦ **If he has the qualifications, his age is**
  **irrelevant.**  Kalau dia berkelayakan,
  umurnya tidak menjadi soal.
♦ **That's irrelevant.**  Perkara itu tidak ada
  kena-mengena dengan hal ini.
**irresistible**  KATA ADJEKTIF
  [1] *sangat menarik*
  ◊ *an irresistible film*  filem yang sangat
  menarik
  [2] *tidak dapat dielakkan*
  ◊ *irresistible pressure*  tekanan yang
  tidak dapat dielakkan
  [3] *amat sukar ditolak* (*godaan, tarikan*)
**irresponsible**  KATA ADJEKTIF
  *tidak bertanggungjawab*
  ◊ *That was irresponsible of him.*
  Sikapnya itu tidak bertanggungjawab.
to **irrigate**  KATA KERJA
  *mengairi*
  ◊ *The canal was built to irrigate the*
  *paddy fields.*  Terusan itu dibina untuk
  mengairi sawah padi.
**irrigation**  KATA NAMA
  *pengairan*
  ◊ *a sophisticated irrigation system*
  sistem pengairan yang canggih
to **irritate**  KATA KERJA
  [1] *menjengkelkan*
  ◊ *Their attitude irritates me.*  Sikap
  mereka menjengkelkan saya.
  [2] *merengsakan*
  ◊ *Chillies can irritate the skin.*  Cili boleh
  merengsakan kulit.
**irritated**  KATA ADJEKTIF
  *jengkel*
  ◊ *I felt really irritated by his attitude.*
  Saya betul-betul rasa jengkel dengan
  perangainya.
**irritating**  KATA ADJEKTIF

  [1] *menjengkelkan*
  ◊ *Jill can be very irritating.*  Kadang-
  kadang sikap Jill sungguh menjengkelkan.
  [2] *merengsakan*
  ◊ *In heavy concentrations, ozone is*
  *irritating to the eyes, nose and throat.*
  Ozon boleh merengsakan mata, hidung
  dan tekak apabila berada dalam
  kepekatan yang tinggi.
**is**  KATA KERJA  *rujuk* **be**
**ISA**  SINGKATAN  (= *Individual Savings*
  *Account*)
  *Akaun Simpanan Individu*
**ISDN**  SINGKATAN  (= *Integrated Service*
  *Digital Network*)
  *RDKS* (= *Rangkaian Perkhidmatan*
  *Digital Bersepadu*)
**Islam**  KATA NAMA
  [1] *Islam*
  [2] *negara Islam*
**Islamic**  KATA ADJEKTIF
  *Islam*
  ◊ *Islamic law*  undang-undang Islam
**island**  KATA NAMA
  *pulau*
**isle**  KATA NAMA
  *pulau*
**islet**  KATA NAMA
  *pulau kecil*
**isn't**  = **is not**
to **isolate**  KATA KERJA
  *mengasingkan*
**isolated**  KATA ADJEKTIF
  [1] *terpencil*
  ◊ *Most of the refugee villages are in*
  *isolated areas.*  Kebanyakan
  perkampungan pelarian terletak di
  kawasan-kawasan yang terpencil.
  [2] *terasing*
  ◊ *She feels very isolated.*  Dia berasa
  sangat terasing.
**isolation**  KATA NAMA
  *kesepian*
♦ **Many deaf people have a feeling of**
  **isolation.**  Ramai orang pekak berasa
  sepi.
♦ **in isolation (1)**  secara berasingan
  ◊ *Punishment cannot be discussed in*
  *isolation from social theory.*  Hukuman
  tidak boleh dibincangkan secara
  berasingan daripada teori sosial.
♦ **in isolation (2)**  sendirian  ◊ *Malcolm*
  *works in isolation.*  Malcolm bekerja
  sendirian.
**ISP**  KATA NAMA  (= *Internet service provider*)
  *ISP* (= *Pembekal Khidmat Internet*)
**Israel**  KATA NAMA
  *negara Israel*
**issue**  KATA NAMA

---

*rujuk juga* **issue** KATA KERJA

[1] *isu*
◊ *a controversial issue*   isu kontroversial

[2] *terbitan*
◊ *the latest issue of Asiaweek*   terbitan majalah Asiaweek yang terbaru

[3] *masalah*
◊ *They have issues to do with kids.* Mereka mempunyai masalah yang berkaitan dengan kanak-kanak.

♦ **day of issue**   hari dikeluarkan

♦ **a back issue**   edisi lama

to **issue** KATA KERJA

*rujuk juga* **issue** KATA NAMA

[1] *mengeluarkan*
◊ *The minister issued a statement yesterday.*   Menteri tersebut mengeluarkan satu kenyataan kelmarin.

[2] *memberi*
◊ *Staff will be issued with new grey-and-yellow uniforms.*   Kakitangan akan diberi pakaian seragam baru yang berwarna kelabu dan kuning.

**isthmus** KATA NAMA
(JAMAK **isthmuses**)
*genting tanah*

**it** KATA GANTI NAMA

**it** mesti diterjemahkan mengikut kesesuaian. Jika **it** merujuk kepada sesuatu yang khusus, perkataan itu akan **diulang**. Jika tidak, gunakan istilah yang umum seperti **perkara**, **hal** dan **benda** mengikut kesesuaian.
◊ *Where's my book? - It's on the table.* Di manakah buku saya? - Buku anda ada di atas meja. ◊ *It's expensive.* Harga barang itu mahal. ◊ *I'm against it.* Saya menentang perkara itu. ◊ *I spoke to him about it.* Saya sudah bercakap dengannya tentang hal itu.

Kadang-kadang **it** diterjemahkan sebagai **-nya**.
◊ *I doubt it.* Saya meraguinya. ◊ *It's a good film. Have you seen it?* Filem itu bagus. Sudahkah anda menontonnya?

Ada kalanya **it** tidak diterjemahkan.
◊ *It's raining.* Hujanlah. ◊ *It's Friday tomorrow.* Esok hari Jumaat. ◊ *Who is it? - It's me.* Siapa itu? - Saya. ◊ *There's a biscuit left. Do you want it?* Ada sekeping biskut lagi. Anda mahu? ◊ *Give it another coat of paint.* Sapu satu lapisan cat lagi.

♦ **It's six o'clock.** Sudah pukul enam.

**Italian** KATA ADJEKTIF

*rujuk juga* **Italian** KATA NAMA
*Itali*
◊ *I watch Italian football a lot.* Saya selalu menonton bola sepak Itali.

♦ **She's Italian.** Dia berbangsa Itali.

**Italian** KATA NAMA

*rujuk juga* **Italian** KATA ADJEKTIF

[1] *orang Itali*
◊ *the Italians*   orang Itali

[2] *bahasa Itali*

**italics** KATA NAMA JAMAK
*huruf condong* **atau** *italik*
◊ *The words are printed in italics.* Perkataan-perkataan itu dicetak dalam huruf condong.

**Italy** KATA NAMA
*Itali*

to **itch** KATA KERJA

[1] *gatal*
◊ *My head is itching.* Kepala saya gatal.

[2] (tidak formal) *ingin sekali*
◊ *I was itching to go to England.* Saya ingin sekali pergi ke England.

**itchy** KATA ADJEKTIF
*gatal*

**it'd** = **it had**, = **it would**

**item** KATA NAMA

[1] *barang*
◊ *The first item he bought was a clock.* Barang pertama yang dibelinya ialah sebuah jam.

♦ **a collector's item**   barang kegemaran pengumpul

[2] *perkara*
◊ *The next item on the agenda is...* Perkara berikutnya dalam agenda ialah...

[3] *butir*
◊ *He checked the items on his bill.* Dia menyemak butir-butir yang terdapat dalam bilnya.

[4] *berita*
◊ *There was an item in the paper about him.* Ada berita tentang dirinya dalam surat khabar.

**itinerary** KATA NAMA
(JAMAK **itineraries**)
*jadual perjalanan*

**it'll** = **it will**

**its** KATA ADJEKTIF
*nya*
◊ *Everything is in its place.* Segala-galanya berada pada tempatnya. ◊ *The bird was in its cage.* Burung itu berada di dalam sangkarnya. ◊ *Old age has its advantages.* Usia tua ada kebaikannya.

♦ **The dog is losing its hair.** Bulu anjing itu semakin berkurangan.

**it's** = **it is**, = **it has**

**itself** KATA GANTI NAMA
*sendiri* (sebagai penekanan)
◊ *The lesson itself was easy but the homework was very difficult.* Pelajaran itu sendiri mudah tetapi kerja rumahnya

sangat sukar. ◊ *I think life itself is a learning process.* Saya berpendapat bahawa hidup itu sendiri merupakan satu proses pembelajaran.

♦ **The dog scratched itself.** Anjing itu menggaru-garu badannya.

♦ **The heating switches itself off.** Sistem pemanasan itu terpadam dengan sendiri.

**I've = I have**

**ivory tower** KATA NAMA
  *menara gading*

# J

**jab** KATA NAMA
*suntikan*

**jack** KATA NAMA
1. *jek*
◊ *The jack's in the boot.* Jek itu ada di dalam but kereta.
2. *daun pekak* (dalam daun terup)

**jacket** KATA NAMA
*jaket*
♦ **jacket potatoes** ubi kentang yang dimasak bersama kulitnya

**jackfruit** KATA NAMA
*nangka*

**jackpot** KATA NAMA
*cepumas*
◊ *to win the jackpot* memenangi cepumas

**jade** KATA NAMA
*jed*

**jail** KATA NAMA
> rujuk juga **jail** KATA KERJA
*penjara*

to **jail** KATA KERJA
> rujuk juga **jail** KATA NAMA
*menghukum penjara*
◊ *He was jailed for ten years.* Dia dihukum penjara selama sepuluh tahun.

**jam** KATA NAMA
*jem*
◊ *strawberry jam* jem strawberi
♦ **a traffic jam** kesesakan lalu lintas

**jamboree** KATA NAMA
*jambori*

**jammed** KATA ADJEKTIF
*rosak* (tidak dapat digerakkan)
◊ *The window's jammed.* Tingkap itu rosak.

**jam-packed** KATA ADJEKTIF
*penuh sesak*
◊ *The room was jam-packed.* Bilik itu penuh sesak.

**janitor** KATA NAMA
*penjaga bangunan*
◊ *He's a janitor.* Dia seorang penjaga bangunan.

**January** KATA NAMA
*Januari*
◊ *on 22 January* pada 22 Januari
♦ **in January** pada bulan Januari

**Japan** KATA NAMA
*Jepun*

**Japanese** KATA ADJEKTIF
> rujuk juga **Japanese** KATA NAMA
*Jepun*
◊ *Japanese culture* kebudayaan Jepun
♦ **She's Japanese.** Dia berbangsa Jepun.

**Japanese** KATA NAMA
(JAMAK **Japanese**)
> rujuk juga **Japanese** KATA ADJEKTIF

1. *orang Jepun*
◊ *the Japanese* orang Jepun
2. *bahasa Jepun*

**jar** KATA NAMA
*balang*
◊ *a jar of honey* sebalang madu

**jasmine** KATA NAMA
*melur*

**jaundice** KATA NAMA
*demam kuning*
◊ *He's got jaundice.* Dia menghidap demam kuning.

**javelin** KATA NAMA
1. *lembing* (alat)
2. *rejam lembing* (acara sukan)

**jaw** KATA NAMA
*rahang*

**jazz** KATA NAMA
*jaz*

**jealous** KATA ADJEKTIF
*cemburu*
♦ **to be jealous** cemburu ◊ *She was jealous of his wealth.* Dia cemburu akan kekayaan lelaki itu.

**jealousy** KATA NAMA
*perasaan cemburu*

**jeans** KATA NAMA JAMAK
*seluar jean*
◊ *a pair of jeans* sehelai seluar jean

**jeep** KATA NAMA
*jip*

**Jehovah's Witness** KATA NAMA
(JAMAK **Jehovah's Witnesses**)
> *ahli organisasi agama yang menerima sebahagian daripada idea Kristian dan mempercayai dunia akan kiamat tidak lama lagi*

**jelly** KATA NAMA
(JAMAK **jellies**)
*agar-agar* atau *jeli*

**jellyfish** KATA NAMA
(JAMAK **jellyfish**)
*ubur-ubur*

**jersey** KATA NAMA
*jersi*

**Jesus** KATA NAMA
*Jesus* atau *Nabi Isa*

**jet** KATA NAMA
*jet*

**jet lag** KATA NAMA
♦ **to be suffering from jet lag** keletihan kerana perjalanan jauh menaiki kapal terbang (terutamanya ke tempat yang mempunyai perbezaan waktu selama beberapa jam)

**jetty** KATA NAMA
(JAMAK **jetties**)
*jeti*

**Jew** KATA NAMA

_orang Yahudi_

**jewel** KATA NAMA
_permata_

**jeweller** KATA NAMA
(AS **jeweler**)
_tukang emas_
◊ *She's a jeweller.* Dia seorang tukang emas.

**jeweller's shop** KATA NAMA
(AS **jeweler's shop**)
_kedai emas_

**jewellery** KATA NAMA
(AS **jewelry**)
_barang kemas_

**Jewish** KATA ADJEKTIF
_Yahudi_
◊ *a Jewish festival* perayaan Yahudi
♦ **Most of his friends are Jewish.**
Kebanyakan daripada kawan-kawannya beragama Yahudi.

**jigsaw** KATA NAMA
_susun suai gambar_

**job** KATA NAMA
_kerja_
◊ *a part-time job* kerja sambilan
♦ **You've done a good job!** Syabas!

**job centre** KATA NAMA
_agensi pekerjaan_

**jobless** KATA ADJEKTIF
_menganggur_

**job seeker** KATA NAMA
_pencari kerja_

**jockey** KATA NAMA
_joki_

to **jog** KATA KERJA
_berjoging_

**jogging** KATA NAMA
_joging_
♦ **to go jogging** pergi berjoging

to **join** KATA KERJA
_menyertai_
◊ *I'm going to join the ski club.* Saya akan menyertai kelab ski. ◊ *I'll join you later.* Saya akan menyertai anda nanti.
♦ **If you're going for a walk, do you mind if I join you?** Jika anda hendak pergi bersiar-siar, bolehkah saya ikut?

to **join in** KATA KERJA
_turut serta_
◊ *He doesn't join in with what we do.* Dia tidak turut serta dalam aktiviti yang kami lakukan.
♦ **She started singing, and the audience joined in.** Dia mula menyanyi dan para penonton turut menyanyi bersama.

**joiner** KATA NAMA
_tukang kayu_
◊ *He's a joiner.* Dia seorang tukang kayu.

**joint** KATA NAMA
  ⬚1 _sendi_
◊ *I've got pains in my joints.* Sendi saya sakit.
  ⬚2 *(tidak formal)* _rokok ganja_
♦ **We had a joint of lamb for lunch.** Kami makan sepotong daging biri-biri untuk makan tengah hari.

**joint venture** KATA NAMA
_usaha sama_
◊ *The business is a joint venture between Tim and her sister.* Perniagaan itu merupakan usaha sama antara Tim dengan kakaknya.

**joke** KATA NAMA
| rujuk juga **joke** KATA KERJA |
  ⬚1 _gurauan_
◊ *Don't get upset, it was only a joke.* Janganlah marah, itu hanya satu gurauan.
♦ **to play a joke on somebody**
mempermainkan seseorang
  ⬚2 _jenaka_
♦ **to tell a joke** berjenaka

to **joke** KATA KERJA
| rujuk juga **joke** KATA NAMA |
_bergurau_
♦ **You must be joking!** Takkanlah!

**joker** KATA NAMA
_pelawak_

**jollity** KATA NAMA
_keceriaan_

**jolly** KATA ADJEKTIF
_riang_

**Jordan** KATA NAMA
_negara Jordan_

**joss stick** KATA NAMA
_colok_

to **jostle** KATA KERJA
_berasak-asak_
◊ *They had to jostle with the crowds when they went shopping in the sales.* Mereka terpaksa berasak-asak dengan orang ramai untuk membeli-belah semasa jualan murah.
♦ **Sally jostled her way through the crowd to get to the front.** Sally mengasak di celah-celah orang ramai untuk pergi ke hadapan.

to **jot down** KATA KERJA
_mencatat_

**journal** KATA NAMA
_jurnal_

**journalism** KATA NAMA
_kewartawanan_

**journalist** KATA NAMA
_wartawan_
◊ *I'm a journalist.* Saya seorang wartawan.

**journey** KATA NAMA

*perjalanan*
◊   The journey to school takes about half
an hour.  Perjalanan ke sekolah
mengambil masa kira-kira setengah jam.

**jovial**   KATA ADJEKTIF
*riang*

**joy**   KATA NAMA
*kegembiraan*

**joyful**   KATA ADJEKTIF
*gembira*
◊   a joyful heart  hati yang gembira
♦   **joyful music**  muzik yang
menggembirakan

**joyfully**   KATA ADVERBA
*dengan gembira*
◊   They greeted him joyfully.  Mereka
menegurnya dengan gembira.

**joystick**   KATA NAMA
*kayu bedik* (untuk permainan komputer)

**jubilee**   KATA NAMA
*jubli*

**Judaism**   KATA NAMA
*agama Yahudi*

**judge**   KATA NAMA
| rujuk juga **judge** KATA KERJA |
*hakim*

to **judge**   KATA KERJA
| rujuk juga **judge** KATA NAMA |
*mengadili*

**judgement**   KATA NAMA
1️⃣  *pertimbangan*
2️⃣  *keputusan*
◊   The company was awaiting a
judgement from the court.  Syarikat itu
sedang menunggu keputusan mahkamah.
♦   **I don't want to make any judgement on
their decisions.**  Saya tidak mahu
membuat sebarang anggapan tentang
keputusan mereka.

**judiciary**   KATA NAMA
*badan kehakiman*

**judo**   KATA NAMA
*judo*
◊   My favourite sport is judo.  Sukan
kegemaran saya ialah judo.

**jug**   KATA NAMA
*jag*

**juggler**   KATA NAMA
*pemain lambung tangkap*

**juice**   KATA NAMA
*jus*
◊   orange juice  jus oren

**July**   KATA NAMA
*Julai*
◊   on 19 July  pada 19 Julai
♦   **in July**  pada bulan Julai

**jumble sale**   KATA NAMA
*jualan lambak*

to **jump**   KATA KERJA

| rujuk juga **jump** KATA NAMA |
*melompat*
◊   He jumped out of the window.  Dia
melompat keluar dari tingkap itu.  ◊  He
jumped off the roof.  Dia melompat dari
bumbung.
♦   **They jumped over the wall.**  Mereka
melompati tembok itu.
♦   **You made me jump!**  Anda
memeranjatkan saya!

**jump**   KATA NAMA
| rujuk juga **jump** KATA KERJA |
*lompatan*
◊   She won the championship with a jump
of 2.37 metres.  Dia memenangi kejuaraan
itu dengan membuat lompatan setinggi
2.37 meter.
♦   **He was a parachutist who had done
over 150 jumps.**  Dia seorang penerjun
yang telah melakukan lebih daripada 150
terjunan.
♦   **a jump in the number of crimes**
kadar jenayah yang meningkat dengan
mendadak

**jumper**   KATA NAMA
*baju panas*

**junction**   KATA NAMA
*simpang*

**June**   KATA NAMA
*Jun*
◊   on 13 June  pada 13 Jun
♦   **in June**  pada bulan Jun

**jungle**   KATA NAMA
*hutan*

**junior**   KATA NAMA
*junior*
♦   **She now lives with Penny, 10 years her
junior.**  Sekarang dia tinggal bersama
Penny yang 10 tahun lebih muda
daripadanya.

**junior school**   KATA NAMA
*sekolah rendah*

**junk**   KATA NAMA
*barang-barang lama*
◊   The attic's full of junk.  Loteng itu
penuh dengan barang-barang lama.
♦   **to eat junk food**  makan makanan ringan
♦   **junk shop**  kedai barang-barang terpakai

**Jupiter**   KATA NAMA
*Musytari*

**jury**   KATA NAMA
(JAMAK **juries**)
*juri*

**just**   KATA ADVERBA
*hanya*
◊   It's just a suggestion.  Itu hanyalah
satu cadangan.
♦   **just in time**  tepat pada masanya
♦   **just after Christmas**  tidak lama selepas

hari Krismas
- **We had just enough money.**  Wang kami cukup-cukup sahaja.
- **He's just arrived.**  Dia baru sahaja sampai.
- **I did it just now.**  Saya baru melakukannya tadi.
- **I'm rather busy just now.**  Saya agak sibuk tadi.
- **I'm just coming!**  Saya baru hendak datang!
- **just here**  di sini sahaja
- **I just thought that you would like it.**  Cuma saya fikir anda akan menyukainya.
- **Just a minute!**  Tunggu sebentar!
- **just about**  hampir ◊ *It's just about finished.*  Kerja ini hampir siap.

**justice**  KATA NAMA
  *keadilan*
**Justice Department**  KATA NAMA ◪
  *Kementerian Kehakiman*
to **justify**  KATA KERJA
  (**justified, justified**)
  *memberikan alasan yang kukuh*
  ◊ *No argument can justify a war.*  Tidak ada hujah yang dapat memberikan alasan yang kukuh sebab berlakunya sesuatu peperangan.
**jute**  KATA NAMA
  *rami*
**juvenile**  KATA NAMA
  *juvenil*

J

# K

**kangaroo** KATA NAMA
(JAMAK **kangaroos**)
*kanggaru*

**karate** KATA NAMA
*karate*
◊ *My favourite sport is karate.* Sukan kegemaran saya ialah karate.

**kebab** KATA NAMA
*kebab*

**keen** KATA ADJEKTIF
1 *berminat*
◊ *I'm not very keen on going there.* Saya tidak begitu berminat hendak pergi ke sana.
2 *gigih*
◊ *She's a keen student.* Dia seorang pelajar yang gigih.
♦ **a keen supporter** penyokong setia
♦ **I'm not very keen on maths.** Saya tidak begitu meminati mata pelajaran matematik.
♦ **He's keen on that girl.** Dia menaruh hati pada gadis itu.

to **keep** KATA KERJA
(**kept, kept**)
*menyimpan*
◊ *You can keep the watch.* Anda boleh simpan jam tangan itu.
♦ **to keep fit** menjaga kesihatan
♦ **Keep still!** Jangan bergerak!
♦ **Keep quiet!** Jangan bising!
♦ **Keep straight on.** Ikut jalan ini terus.
♦ **I keep forgetting my keys.** Saya selalu terlupa mengambil kunci saya.
♦ **"Keep Out"** "Dilarang Masuk"
♦ **"Keep off the Grass"** "Jangan pijak rumput"

to **keep on** KATA KERJA
*terus*
◊ *He kept on reading.* Dia terus membaca.
♦ **The car keeps on breaking down.** Kereta itu selalu rosak.

to **keep up** KATA KERJA
*menyaingi (berjalan seiring)*
◊ *Matthew walks so fast I can't keep up.* Matthew berjalan terlalu cepat sehingga saya tidak dapat menyainginya.

**keep-fit** KATA NAMA
*senaman*
◊ *I go to keep-fit classes.* Saya menyertai kelas senaman.

**kennel** KATA NAMA
*rumah anjing*
♦ **a kennels** tempat pemeliharaan anjing

**kept** KATA KERJA *rujuk* **keep**

**kettle** KATA NAMA
*cerek*

**key** KATA NAMA
*kunci*

♦ **key role** peranan utama

**keyboard** KATA NAMA
*papan kekunci (komputer)*

**key card** KATA NAMA
*kad kunci (di hotel, dll)*

**keyring** KATA NAMA
*gelang kunci*

to **kick** KATA KERJA

> rujuk juga **kick** KATA NAMA

*menendang*
◊ *He kicked me.* Dia menendang saya.
◊ *He kicked the ball hard.* Dia menendang bola itu dengan kuat.
♦ **to kick off** memulakan perlawanan dengan tendangan pertama (*bola sepak*)

**kick** KATA NAMA

> rujuk juga **kick** KATA KERJA

*tendangan*

**kick-off** KATA NAMA
*permulaan perlawanan (bola sepak)*
♦ **The kick-off is at 3 o'clock.** Perlawanan itu bermula pada pukul tiga.

**kid** KATA NAMA
(*tidak formal*)

> rujuk juga **kid** KATA KERJA

*anak*
◊ *They've got three kids.* Mereka mempunyai tiga orang anak.
♦ **the kids** budak-budak

to **kid** KATA KERJA

> rujuk juga **kid** KATA NAMA

*bergurau*
◊ *I'm not kidding, it's snowing.* Saya tidak bergurau, memang ada salji. ◊ *I'm just kidding.* Saya cuma bergurau.

to **kidnap** KATA KERJA
*menculik*

**kidnapper** KATA NAMA
*penculik*

**kidnapping** KATA NAMA
*penculikan*

**kidney** KATA NAMA
*buah pinggang*
◊ *He's got kidney trouble.* Dia sakit buah pinggang.
♦ **I don't like kidneys.** Saya tidak suka makan ginjal.

to **kill** KATA KERJA
*membunuh*
◊ *She killed her husband.* Dia telah membunuh suaminya.
♦ **to be killed** terbunuh ◊ *He was killed in a car accident.* Dia terbunuh dalam kemalangan jalan raya.
♦ **to kill oneself** membunuh diri ◊ *He killed himself.* Dia membunuh diri.

**killer** KATA NAMA
*pembunuh*
◊ *The police are searching for the killer.*

Pihak polis sedang mencari pembunuh itu.

♦ **Meningitis can be a killer.** Penyakit meningitis boleh membawa maut.

**kilo** KATA NAMA
_kilo_
(JAMAK **kilos**)
◊ *at RM5 a kilo* pada harga RM5 sekilo

**kilometre** KATA NAMA
(AS **kilometer**)
_kilometer_

**kilt** KATA NAMA
_kilt_
> sejenis skirt yang dipakai oleh kaum lelaki sebagai pakaian tradisi negara, terutamanya di Scotland

**kind** KATA NAMA
> rujuk juga **kind** KATA ADJEKTIF

_jenis_
◊ *He's eating a kind of sausage.* Dia makan sejenis sosej. ◊ *all kinds of...* pelbagai jenis...

**kind** KATA ADJEKTIF
> rujuk juga **kind** KATA NAMA

_baik hati_
◊ *He's very kind.* Dia sangat baik hati.
♦ **Thank you for being so kind.** Terima kasih atas jasa baik anda.

**kindergarten** KATA NAMA
_tadika_

**kind-hearted** KATA ADJEKTIF
_baik hati_

**kindly** KATA ADJEKTIF
> rujuk juga **kindly** KATA ADVERBA

_baik hati_
◊ *a kindly man* lelaki yang baik hati

**kindly** KATA ADVERBA
> rujuk juga **kindly** KATA ADJEKTIF

_dengan baik hati_

**kindness** KATA NAMA
(JAMAK **kindnesses**)
> Ada dua jenis **kindness**. Yang pertama boleh wujud dalam bentuk jamak dan tunggal, manakala yang satu lagi hanya wujud dalam bentuk tunggal sahaja. **kindness** yang pertama itu ialah perbuatan dan yang kedua ialah sifat.

_kebaikan_ (perbuatan)
◊ *We are grateful for his kindness.* Kami berterima kasih atas kebaikan beliau. ◊ *You have done us many kindnesses.* Anda telah banyak berbuat kebaikan kepada kami.
♦ **He was treated with kindness by everybody.** (sifat) Dia dilayan dengan baik oleh semua orang.

**kinetic** KATA ADJEKTIF
_kinetik_
◊ *kinetic energy* tenaga kinetik

**king** KATA NAMA
_raja_
♦ **the King and Queen** Raja dan Permaisuri

**kingcrab** KATA NAMA
_belangkas_

**kingdom** KATA NAMA
_kerajaan_

**kingfisher** KATA NAMA
_burung raja udang_

**kinship** KATA NAMA
_hubungan kekeluargaan_

**kiosk** KATA NAMA
_kios_
♦ **a telephone kiosk** pondok telefon

**kipper** KATA NAMA
_ikan hering salai_

to **kiss** KATA KERJA
> rujuk juga **kiss** KATA NAMA

_mencium_
◊ *He kissed his girlfriend.* Dia mencium teman wanitanya.
♦ **They kissed.** Mereka bercium.

**kiss** KATA NAMA
(JAMAK **kisses**)
> rujuk juga **kiss** KATA KERJA

_ciuman_

**kit** KATA NAMA
_perlengkapan_
◊ *I've forgotten my gym kit.* Saya terlupa membawa perlengkapan gimnasium saya.
♦ **a tool kit** kotak yang dilengkapi perkakas
♦ **a sewing kit** kelengkapan menjahit
♦ **a first aid kit** alat pertolongan cemas
♦ **a puncture repair kit** peralatan untuk membaiki tayar pancit

**kitchen** KATA NAMA
_dapur_
◊ *She's cooking in the kitchen.* Dia sedang memasak di dapur.
♦ **kitchen units** kabinet dapur
♦ **a kitchen knife** pisau dapur
♦ **a fitted kitchen** dapur dengan perabot yang terbina di dalamnya

**kite** KATA NAMA
_layang-layang_

**kitten** KATA NAMA
_anak kucing_

to **knead** KATA KERJA
1 _menguli_
◊ *Aminah is kneading dough in the kitchen.* Aminah sedang menguli adunan di dapur.
2 _memicit_
◊ *She kneaded her mother's shoulders.* Dia memicit bahu emaknya.

**knee** KATA NAMA
> rujuk juga **knee** KATA KERJA

**K**

_lutut_
- **to be on one's knees**  melutut
to **knee**  KATA KERJA

> _rujuk juga_ **knee** KATA NAMA

_menghentak dengan lutut_
◊ _to knee somebody_  menghentak seseorang dengan lutut

to **kneel**  KATA KERJA
(knelt atau kneeled, knelt atau kneeled)
_melutut_

to **kneel down**  KATA KERJA
_melutut_

**knew**  KATA KERJA _rujuk_ **know**

**knickers**  KATA NAMA JAMAK
_seluar dalam wanita_
◊ _a pair of knickers_  sehelai seluar dalam wanita

**knife**  KATA NAMA
(JAMAK **knives**)
_pisau_
- **a sheath knife**  pisau yang mempunyai sarung
- **a penknife**  pisau lipat
- **to cut through something like a knife through butter**  memotong sesuatu dengan amat mudah

to **knit**  KATA KERJA
_mengait_
◊ _I like knitting._  Saya suka mengait.

**knives**  KATA NAMA JAMAK _rujuk_ **knife**

**knob**  KATA NAMA
1 _tombol_ (pada pintu)
2 _punat_ (pada radio, televisyen)

**knock**  KATA NAMA

> _rujuk juga_ **knock** KATA KERJA

_ketukan_
to **knock**  KATA KERJA

> _rujuk juga_ **knock** KATA NAMA

_mengetuk_
◊ _Someone's knocking at the door._  Ada orang sedang mengetuk pintu.
- **to knock somebody down**  melanggar seseorang ◊ _She was knocked down by a car._  Dia dilanggar oleh sebuah kereta.
- **to knock somebody out (1)**  menumpaskan ◊ _They were knocked out early in the tournament._  Mereka telah ditumpaskan pada awal perlawanan.
- **to knock somebody out (2)**  menyebabkan seseorang pengsan ◊ _Alice hit him with a stick! Nearly knocked him out._  Alice memukulnya dengan kayu! Pukulan itu hampir-hampir menyebabkan dia pengsan.

to **knock back**  KATA KERJA
1 _minum dengan cepat_
◊ _He knocked back the drink quickly._  Dia minum minuman itu dengan cepat sekali.

2 _menolak_
◊ _I applied for the job but was knocked back._  Saya memohon kerja itu tetapi permohonan saya ditolak.

**knockback**  KATA NAMA
(tidak formal)
_penolakan_
- **He wasn't used to getting a knockback from a woman.**  Dia tidak biasa ditolak oleh seorang wanita.
- **to suffer a knockback**  menghadapi halangan

**knot**  KATA NAMA

> _rujuk juga_ **knot** KATA KERJA

_simpul_
- **to make a knot**  menyimpul
- **to tie the knot**  berkahwin
to **knot**  KATA KERJA

> _rujuk juga_ **knot** KATA NAMA

_menyimpulkan_
◊ _She knotted a scarf round her neck._  Dia menyimpulkan skarf yang dililitkan pada lehernya.

to **know**  KATA KERJA
(knew, known)
1 _tahu_
◊ _Yes, I know._  Ya, saya tahu. ◊ _I don't know._  Saya tidak tahu. ◊ _I don't know any German._  Saya tidak tahu berbahasa Jerman.
- **to know that...**  tahu bahawa... ◊ _I didn't know that your dad was a policeman._  Saya tidak tahu bahawa bapa anda seorang anggota polis.
2 _mengenali_
◊ _I know her._  Saya mengenalinya.
- **to know about something**  tahu tentang sesuatu ◊ _Do you know about the meeting this afternoon?_  Adakah anda tahu tentang mesyuarat petang ini? ◊ _He knows a lot about cars._  Dia tahu banyak perkara tentang kereta.
- **to get to know somebody**  mengenali seseorang
- **How should I know?**  Manalah saya tahu?
- **You never know!**  Siapa tahu!

**know-all**  KATA NAMA
_orang yang menyangka dirinya serba tahu_
- **He's such a know-all!**  Dia ingat dia serba tahu!

**know-how**  KATA NAMA
_kepakaran_
◊ _He hasn't got the know-how to run a farm._  Dia tidak mempunyai kepakaran untuk mengendalikan sebuah ladang.

**knowledge**  KATA NAMA
_pengetahuan_
◊ _scientific knowledge_  pengetahuan

saintifik

♦ **my knowledge of French** kemahiran saya berbahasa Perancis

**knowledgeable** KATA ADJEKTIF

_berpengetahuan luas_

♦ **to be knowledgeable about something** berpengetahuan luas tentang sesuatu

**known** KATA KERJA *rujuk* **know**

**known** KATA ADJEKTIF

① _terkenal_ (orang)

② _diketahui_ (benda)

**Koran** KATA NAMA

_Quran_

**Korea** KATA NAMA

_Korea_

**kosher** KATA ADJEKTIF

_halal_

> mengikut undang-undang agama Yahudi

**Kosovan** KATA ADJEKTIF

> rujuk juga **Kosovan** KATA NAMA

_Kosovo_

◊ *the Kosovan Albanians* orang Albania Kosovo

**Kosovan** KATA NAMA

> rujuk juga **Kosovan** KATA ADJEKTIF

_orang Kosovo_

**Kosovar** KATA ADJEKTIF, KATA NAMA

*rujuk* **Kosovan**

**Kosovo** KATA NAMA

_Kosovo_

# L

**lab** KATA NAMA
_makmal_
◊ *a lab assistant* pembantu makmal

**label** KATA NAMA
> rujuk juga **label** KATA KERJA

_label_

to **label** KATA KERJA
> rujuk juga **label** KATA NAMA

_melabel_
◊ *All the books were labelled with red tags.* Kesemua buku itu dilabel dengan tanda merah.

**laboratory** KATA NAMA
(JAMAK **laboratories**)
_makmal_

**labor union** KATA NAMA ⚐
_kesatuan sekerja_

**Labour** KATA NAMA
_Parti Buruh_
◊ *My parents vote Labour.* Ibu bapa saya mengundi Parti Buruh.

**labour** KATA NAMA
(AS **labor**)
_buruh_
◊ *the labour market* pasaran buruh
♦ **to be in labour** sakit hendak bersalin

**labourer** KATA NAMA
(AS **laborer**)
_buruh_
♦ **a farm labourer** pekerja ladang

**labour relations** KATA NAMA JAMAK
_hubungan antara pekerja dengan pihak pengurusan_

**lace** KATA NAMA
1 _tali (kasut)_
2 _renda_
♦ **a lace collar** kolar berenda

**lack** KATA NAMA
_kekurangan_
◊ *The charges were dropped for lack of evidence.* Dakwaan-dakwaan itu digugurkan kerana kekurangan bukti.
♦ **He got the job, despite his lack of experience.** Dia mendapat kerja tersebut walaupun dia kurang berpengalaman.

**lacquer** KATA NAMA
_sampang_ atau _lekar_

**lad** KATA NAMA
_budak lelaki_

**ladder** KATA NAMA
_tangga_

**ladle** KATA NAMA
> rujuk juga **ladle** KATA KERJA

_senduk_

to **ladle** KATA KERJA
> rujuk juga **ladle** KATA NAMA

_mencedok_
◊ *I ladled out the soup.* Saya mencedok sup itu.

**lady** KATA NAMA
(JAMAK **ladies**)
_wanita_
◊ *a young lady* seorang wanita muda
♦ **Ladies and gentlemen...** Tuan-tuan dan puan-puan...
♦ **the ladies** tandas perempuan

**ladybird** KATA NAMA
_kumbang kura-kura_

to **lag behind** KATA KERJA
_ketinggalan di belakang_

**lager** KATA NAMA
_lager_
> sejenis bir yang kandungan alkoholnya rendah

**lagoon** KATA NAMA
_lagun_

**laid** KATA KERJA rujuk **lay**

**laid-back** KATA ADJEKTIF
(tidak formal)
_relaks_

**lain** KATA KERJA rujuk **lie**

**lake** KATA NAMA
_tasik_
◊ *Lake Michigan* Tasik Michigan

**lamb** KATA NAMA
_anak biri-biri_
♦ **a lamb chop** sepotong daging biri-biri muda

**lame** KATA ADJEKTIF
_tempang_
◊ *The accident left her lame.* Kemalangan tersebut menyebabkannya tempang.
♦ **to be lame** tempang ◊ *My pony is lame.* Kuda padi saya tempang.

**laminated** KATA ADJEKTIF
_bersalut plastik_
◊ *a laminated card* kad yang bersalut plastik

**lamp** KATA NAMA
_lampu_

**lamppost** KATA NAMA
_tiang lampu_

**lampshade** KATA NAMA
_terendak lampu_

**lance** KATA NAMA
_tombak_

**land** KATA NAMA
> rujuk juga **land** KATA KERJA

1 _tanah_
◊ *We have a lot of land.* Kami mempunyai tanah yang banyak. ◊ *a piece of land* sebidang tanah
♦ **to work on the land** bertani
2 _darat_

to **land** KATA KERJA
> rujuk juga **land** KATA NAMA

_mendarat_

◊ *The plane landed at five o'clock.*
Kapal terbang itu mendarat pada pukul
lima.

**landing** KATA NAMA
1. *pendaratan* (kapal terbang)
2. *anjung tangga*

**landlady** KATA NAMA
(JAMAK **landladies**)
1. *tuan rumah* (wanita)
2. *tuan punya bangunan* (wanita)

**landlord** KATA NAMA
1. *tuan rumah* (lelaki)
2. *tuan punya bangunan* (lelaki)

**landmark** KATA NAMA
*mercu tanda*
◊ *Big Ben is one of London's landmarks.*
Big Ben merupakan salah satu mercu
tanda di London.

**landowner** KATA NAMA
*pemilik tanah*

**landscape** KATA NAMA
*landskap*

**landslide** KATA NAMA
*tanah runtuh*

**lane** KATA NAMA
*lorong*
◊ *the outside lane* lorong memotong
♦ **a country lane** denai

**language** KATA NAMA
*bahasa*
◊ *English is a difficult language.* Bahasa
Inggeris ialah bahasa yang sukar. ◊ *to
use bad language* menggunakan bahasa
kasar

**language laboratory** KATA NAMA
(JAMAK **language laboratories**)
*makmal bahasa*

to **languish** KATA KERJA
1. *menderita*
♦ **Pollard continues to languish in prison.**
Pollard terus meringkuk dalam penjara.
2. *menjadi lembap*
◊ *Without the old manager, the company
languished.* Syarikat itu menjadi lembap
tanpa bekas pengurus itu.

**lantern** KATA NAMA
*tanglung*

**lap** KATA NAMA
1. *riba*
◊ *Andrew was sitting on his mother's lap.*
Andrew duduk di atas riba emaknya.
2. *pusingan*
◊ *I ran ten laps.* Saya berlari sepuluh
pusingan.

to **lapse** KATA KERJA
*berlalu*
◊ *A year has lapsed since I was
promoted.* Satu tahun sudah berlalu sejak
saya dinaikkan pangkat.

♦ **She lapsed into silence.** Dia diam.
♦ **Her membership of the party has
lapsed.** Keahliannya dalam parti itu telah
tamat.

**laptop** KATA NAMA
*komputer riba*

**larder** KATA NAMA
*almari makanan*

**large** KATA ADJEKTIF
*besar*
◊ *a large house* sebuah rumah yang
besar
♦ **a large number of people** ramai orang

**largely** KATA ADVERBA
*sebahagian besar*

**laser** KATA NAMA
*laser*

**lass** KATA NAMA
(JAMAK **lasses**)
*gadis*

**last** KATA ADJEKTIF, KATA ADVERBA

> rujuk juga **last** KATA KERJA

1. *lepas*
◊ *last Friday* Jumaat lepas
2. *terakhir*
◊ *the last time* kali terakhir ◊ *the team
which finished last* pasukan yang
menduduki tangga terakhir ◊ *He arrived
last.* Dia orang yang terakhir tiba.
♦ **I've lost my bag. - When did you last see
it?** Beg saya hilang. - Bilakah kali terakhir
anda melihatnya?
♦ **last night** semalam
♦ **at last** akhirnya

to **last** KATA KERJA

> rujuk juga **last** KATA ADJEKTIF,
> KATA ADVERBA

*berlanjutan*
◊ *The concert lasts two hours.* Konsert
itu berlanjutan selama dua jam.

**lasting** KATA ADJEKTIF
*berkekalan*
◊ *lasting peace* kedamaian yang
berkekalan
♦ **Anita left a lasting impression on him.**
Anita meninggalkan kesan yang
mendalam dalam hatinya.

**lastly** KATA ADVERBA
*akhir sekali*

**late** KATA ADJEKTIF, KATA ADVERBA
*lewat*
◊ *I'm often late for school.* Saya selalu
lewat ke sekolah. ◊ *The flight will be one
hour late.* Kapal terbang itu akan tiba
lewat satu jam.
♦ **in the late afternoon** lewat petang
♦ **in late May** hujung bulan Mei
♦ **the late Mr Robert** mendiang En. Robert
♦ **the late Tunku Abdul Rahman**

Allahyarham Tunku Abdul Rahman
♦ **the late Fatimah**  Allahyarhamah Fatimah

**lately**  KATA ADVERBA
_sejak kebelakangan ini_
◊ *I haven't seen him lately.*  Saya tidak berjumpa dengannya sejak kebelakangan ini.

**later**  KATA ADVERBA
_kemudian_
◊ *I'll do it later.*  Saya akan melakukannya kemudian.
♦ **See you later!**  Jumpa nanti!

**latest**  KATA ADJEKTIF
_terbaru_
◊ *their latest album*  album terbaru mereka
♦ **at the latest**  selewat-lewatnya ◊ *by 10 o'clock at the latest*  selewat-lewatnya pada pukul 10

**latex**  KATA NAMA
_susu getah_

**Latin**  KATA NAMA
_bahasa Latin_
◊ *I'm learning Latin.*  Saya sedang belajar bahasa Latin.

**Latin America**  KATA NAMA
_Amerika Latin_

**Latin American**  KATA ADJEKTIF
> rujuk juga **Latin American** KATA NAMA

_Amerika Latin_
◊ *the Latin American countries*  negara-negara Amerika Latin

**Latin American**  KATA NAMA
> rujuk juga **Latin American** KATA ADJEKTIF

_orang Amerika Latin_
◊ *the Latin Americans*  orang Amerika Latin

**latitude**  KATA NAMA
_latitud_

**latte**  KATA NAMA
_kopi latte_
◊ *iced lattes*  kopi latte ais

**latter**  KATA GANTI NAMA
_yang kedua_

**lattice**  KATA NAMA
_jerjak_

to **laugh**  KATA KERJA
> rujuk juga **laugh** KATA NAMA

_ketawa_
♦ **to laugh at something**  mentertawakan sesuatu
♦ **to laugh at somebody**  mentertawakan seseorang

**laugh**  KATA NAMA
> rujuk juga **laugh** KATA KERJA

_ketawa_
♦ **It was a good laugh.**  Sungguh menyeronokkan.

**laughter**  KATA NAMA
_ketawa_

to **launch**  KATA KERJA
_melancarkan_

to **launder**  KATA KERJA
_mendobi_
◊ *He sent his clothes to be laundered.*  Dia menghantar pakaiannya untuk didobi.

**Launderette** ®  KATA NAMA
(AS  **Laundromat** ®)
_kedai dobi layan diri_

**laundry**  KATA NAMA
_pakaian kotor_
◊ *She does my laundry.*  Dia mencuci pakaian kotor saya.

**laureate**  KATA NAMA
_sasterawan_

**lava**  KATA NAMA
_lahar_

**lavatory**  KATA NAMA
(JAMAK  **lavatories**)
_tandas_

**lavender**  KATA NAMA
_pokok lavender_

**law**  KATA NAMA
_undang-undang_
◊ *strict laws*  undang-undang yang ketat
◊ *It's against the law.*  Perkara itu salah di sisi undang-undang.

**lawn**  KATA NAMA
_halaman berumput_

**lawnmower**  KATA NAMA
_mesin rumput_

**law school**  KATA NAMA 🇦
_kolej undang-undang_

**lawyer**  KATA NAMA
_peguam_
◊ *My mother's a lawyer.*  Emak saya seorang peguam.

**lax**  KATA ADJEKTIF
1 _tidak ketat_ (sistem, peraturan)
2 _cuai_ (orang)

**laxity**  KATA NAMA
_kelonggaran_
◊ *The laxity of the law has led to a rise in the crime rate.*  Kelonggaran undang-undang telah menyebabkan meningkatnya kadar jenayah.

**lay**  KATA KERJA  rujuk  **lie**

to **lay**  KATA KERJA
(**laid, laid**)
_membentangkan_
◊ *Lay a sheet of newspaper on the floor.*  Bentangkan sehelai surat khabar di atas lantai.
♦ **She laid the baby in the cot.**  Dia membaringkan bayi itu di atas katil.
♦ **to lay the table**  menyediakan meja makan

to **lay down**  KATA KERJA
  1  _meletakkan_
  ◊  _Daniel laid the newspaper down on his desk._  Daniel meletakkan surat khabar itu di atas mejanya.
  2  _menetapkan_
  ◊  _The Act lays down a set of minimum requirements._  Akta itu menetapkan satu set keperluan minimum.

to **lay off**  KATA KERJA
  _memberhentikan kerja_
  ◊  _My father's been laid off._  Bapa saya telah diberhentikan kerja.

to **lay on**  KATA KERJA
  _menyediakan_
  ◊  _They laid on extra buses._  Mereka menyediakan bas-bas tambahan. ◊  _They laid on a special meal._  Mereka telah menyediakan satu hidangan istimewa.

**lay-by**  KATA NAMA
  _hentian sebelah_

**layer**  KATA NAMA
  _lapisan_

**layout**  KATA NAMA
  1  _susun atur_ (bangunan, dll)
  2  _reka letak_ (hasil penerbitan)

to **laze about**  KATA KERJA
  _bermalas-malas_
  ◊  _He was lazing about on the beach._  Dia bermalas-malas di pantai itu.

**lazily**  KATA ADVERBA
  _dengan malas_

**laziness**  KATA NAMA
  _kemalasan_
  ◊  _That student is well-known for his laziness._  Pelajar itu memang terkenal dengan kemalasannya.

**lazy**  KATA ADJEKTIF
  _malas_

**lead**  KATA NAMA
  > rujuk juga **lead** KATA KERJA
  > _Perkataan ini mempunyai dua sebutan. Pastikan anda memilih terjemahan yang betul._
  1  _petunjuk_ (maklumat)
  2  _tali cawak_
  ◊  _Dogs must be kept on a lead._  Anjing mesti diikat dengan tali cawak.
  ♦  **to be in the lead**  mendahului ◊ _England took the lead after 31 minutes with a goal by Peter Nail._  England mendahului selepas minit ke-31 menerusi jaringan Peter Nail.
  3  _plumbum_
  ◊  _a lead pipe_  paip plumbum

to **lead**  KATA KERJA
  **(led, led)**
  > rujuk juga **lead** KATA NAMA
  1  _menuju_

  ◊  _the street that leads to the station_  jalan yang menuju ke stesen
  ♦  **It could lead to a war.**  Perkara itu boleh menyebabkan terjadinya peperangan.
  2  _mengetuai_
  ◊  _Mr Mendes was leading the expedition._  En. Mendes mengetuai ekspedisi itu.
  ♦  **to lead the way**  berjalan di hadapan

to **lead away**  KATA KERJA
  _membawa pergi_
  ◊  _The police led the man away._  Polis membawa lelaki itu pergi.

**leaded petrol**  KATA NAMA
  _petrol berplumbum_

**leader**  KATA NAMA
  _ketua_

**leadership**  KATA NAMA
  _kepimpinan_
  ◊  _leadership by example_  kepimpinan melalui teladan
  ♦  **The country developed rapidly under the leadership of the Prime Minister.**  Negara itu berkembang pesat di bawah pucuk pimpinan Perdana Menterinya.

**lead-free petrol**  KATA NAMA
  _petrol tanpa plumbum_

**leading**  KATA ADJEKTIF
  _utama_
  ◊  _a leading role_  peranan utama
  ♦  **a leading member of the local society**  tokoh terkemuka di kalangan masyarakat tempatan

**lead singer**  KATA NAMA
  _penyanyi utama_

**leaf**  KATA NAMA
  (JAMAK **leaves**)
  _daun_

**leaflet**  KATA NAMA
  _risalah_

to **leaf through**  KATA KERJA
  _menyelak-nyelak_
  ◊  _He was leafing through the magazine in the living room._  Dia sedang menyelak-nyelak majalah di ruang tamu.

**leafy**  KATA ADJEKTIF
  _rimbun_
  ◊  _leafy trees_  pokok-pokok yang rimbun

**league**  KATA NAMA
  _liga_
  ◊  _They are at the top of the league._  Mereka berada di tangga teratas liga itu.
  ♦  **the Premier League**  Liga Premier

**league table**  KATA NAMA
  _senarai kecemerlangan_
  ◊  _a league table of schools_  senarai kecemerlangan sekolah-sekolah (berdasarkan keputusan peperiksaan)

to **leak**  KATA KERJA
  > rujuk juga **leak** KATA NAMA

**L**

*bocor*

**leak** KATA NAMA

> rujuk juga **leak** KATA KERJA

*kebocoran*

◊ *a gas leak* kebocoran gas

♦ **a leak in the roof** bocoran pada bumbung

**leakage** KATA NAMA

*kebocoran*

◊ *A leakage of kerosene has polluted the water supply.* Kebocoran minyak tanah telah mencemarkan bekalan air.

**leaky** KATA ADJEKTIF

*bocor*

◊ *a leaky roof* bumbung yang bocor

to **lean** KATA KERJA

(**leaned** atau **leant, leaned** atau **leant**)

*menyandarkan*

◊ *to lean something against the wall* menyandarkan sesuatu pada dinding

♦ **to lean on something** bersandar pada sesuatu ◊ *He leant on the table.* Dia bersandar pada meja itu.

♦ **to be leaning against something** tersandar pada sesuatu ◊ *The ladder was leaning against the wall.* Tangga itu tersandar pada dinding.

to **lean forward** KATA KERJA

*membongkok ke hadapan*

to **lean out** KATA KERJA

*menjengah ke luar*

◊ *She leant out of the window.* Dia menjengah ke luar tingkap.

to **lean over** KATA KERJA

*membongkok*

♦ **Don't lean over too far.** Jangan jenguk terlalu ke bawah.

**leant** KATA KERJA *rujuk* **lean**

to **leap** KATA KERJA

(**leaped** atau **leapt, leaped** atau **leapt**)

*melompat*

◊ *He leapt out of his chair when his team scored.* Dia melompat dari kerusinya apabila pasukannya menjaringkan gol.

**leap year** KATA NAMA

*tahun lompat*

to **learn** KATA KERJA

(**learned** atau **learnt, learned** atau **learnt**)

*belajar*

◊ *I'm learning to ski.* Saya sedang belajar bermain ski.

**learner** KATA NAMA

*pelajar*

◊ *She's a quick learner.* Dia seorang pelajar yang terang hati.

**learner driver** KATA NAMA

*pelajar memandu*

**learning** KATA NAMA

*pembelajaran*

♦ **He was a man of great learning.** Dia seorang lelaki yang berpelajaran tinggi.

**learnt** KATA KERJA *rujuk* **learn**

**lease** KATA NAMA

> rujuk juga **lease** KATA KERJA

*sewa*

to **lease** KATA KERJA

> rujuk juga **lease** KATA NAMA

[1] *memajak*

◊ *He leases land from my brother to grow vegetables.* Dia memajak tanah daripada abang saya untuk menanam sayur.

♦ **Samad refused to lease his land to the villagers.** Samad tidak mahu memajakkan tanahnya kepada penduduk kampung.

[2] *menyewa*

◊ *He leases a house in Kuala Lumpur.* Dia menyewa sebuah rumah di Kuala Lumpur.

♦ **He leased the room to students.** Dia menyewakan bilik itu kepada pelajar.

**least** KATA ADJEKTIF, KATA GANTI NAMA, KATA ADVERBA

*paling sedikit*

◊ *Go for the ones with least fat.* Pilihlah makanan yang mengandungi paling sedikit lemak.

♦ **the least expensive hotel** hotel yang paling murah

♦ **It takes the least time.** Kerja ini mengambil masa yang paling singkat.

♦ **It's the least I can do.** Tidak mengapa, itu perkara kecil sahaja. (*selepas memberikan bantuan*)

♦ **Maths is the subject I like the least.** Matematik merupakan mata pelajaran yang paling saya tidak suka.

♦ **That's the least of my worries.** Banyak lagi perkara yang lebih membimbangkan saya jika dibandingkan dengan yang ini.

♦ **I haven't the least idea.** Saya tidak tahu-menahu langsung.

♦ **at least** sekurang-kurangnya ◊ *It'll cost at least RM200.* Barang itu berharga sekurang-kurangnya RM200.

♦ **It's very unfair, at least that's my opinion.** Hal itu sungguh tidak adil. Setidak-tidaknya itulah pendapat saya.

**leather** KATA NAMA

*kulit*

◊ *a black leather jacket* jaket kulit berwarna hitam

**leave** KATA NAMA

> rujuk juga **leave** KATA KERJA

*cuti*

♦ **to be on leave** bercuti ◊ *My brother is on leave for a week.* Abang saya bercuti selama seminggu.

to **leave** KATA KERJA
(**left, left**)

> *rujuk juga* **leave** KATA NAMA

1 *meninggalkan*
◊ *Don't leave your camera in the car.*
Jangan tinggalkan kamera anda di dalam
kereta. ◊ *We left London at six o'clock.*
Kami meninggalkan London pada pukul
enam.
♦ **They left yesterday.** Mereka pergi
kelmarin.
2 *bertolak*
◊ *The bus leaves at eight.* Bas itu
bertolak pada pukul lapan.
♦ **to leave somebody/something alone**
membiarkan seseorang/sesuatu
♦ **Leave me alone!** Jangan ganggu saya!
♦ **Leave my things alone!** Jangan usik
barang-barang saya!

to **leave behind** KATA KERJA
*meninggalkan*
♦ **I left my umbrella behind in the shop.**
Saya tertinggal payung di kedai itu.

to **leave out** KATA KERJA
*mengetepikan*
◊ *Not knowing the language I felt really
left out.* Saya berasa begitu diketepikan
kerana tidak memahami bahasa itu.

**leaves** KATA NAMA JAMAK *rujuk* **leaf**

**Lebanon** KATA NAMA
*Lebanon*

**lecherous** KATA ADJEKTIF
*gasang*

**lecture** KATA NAMA

> *rujuk juga* **lecture** KATA KERJA

*kuliah*

to **lecture** KATA KERJA

> *rujuk juga* **lecture** KATA NAMA

1 *memberikan kuliah*
◊ *She lectures at the technical college.*
Dia memberikan kuliah di kolej teknik itu.
2 *bersyarah*
◊ *He's always lecturing us.* Dia selalu
bersyarah kepada kami.

**lecturer** KATA NAMA
*pensyarah*
◊ *She's a lecturer in German.* Dia
seorang pensyarah bahasa Jerman.

**led** KATA KERJA *rujuk* **lead**

**ledge** KATA NAMA
*belebas*

**ledger** KATA NAMA
*lejar*

**leech** KATA NAMA
(JAMAK **leeches**)
*lintah*

**leek** KATA NAMA
*bawang perai*

**left** KATA KERJA *rujuk* **leave**

**left** KATA ADJEKTIF, KATA ADVERBA

> *rujuk juga* **left** KATA NAMA

*kiri*
◊ *my left hand* tangan kiri saya
♦ **I haven't got any money left.** Saya tidak
mempunyai wang lagi.
♦ **Is there any ice cream left?** Ada aiskrim
lagi?

**left** KATA NAMA

> *rujuk juga* **left** KATA ADJEKTIF

*kiri*
◊ *on the left* di sebelah kiri

to **left-click** KATA KERJA
*klik kiri tetikus*

**left-hand** KATA ADJEKTIF
*sebelah kiri*
◊ *The bank is on the left-hand side.*
Bank itu terletak di sebelah kiri.

**left-handed** KATA ADJEKTIF
*kidal*

**left-luggage office** KATA NAMA
*pejabat bagasi*

**leftovers** KATA NAMA JAMAK
*saki-baki makanan*
◊ *Refrigerate any leftovers.* Simpan
saki-baki makanan di dalam peti sejuk.

**left-wing** KATA ADJEKTIF
*beraliran kiri*

**leg** KATA NAMA
*kaki*
◊ *She's broken her leg.* Kakinya patah.
♦ **a chicken leg** paha ayam

**legacy** KATA NAMA
(JAMAK **legacies**)
1 *pusaka* (wang/harta yang ditinggalkan)
2 *warisan*

**legal** KATA ADJEKTIF
1 *undang-undang*
◊ *legal action* tindakan undang-undang
2 *sah di sisi undang-undang*
◊ *What I did was perfectly legal.* Perkara
yang saya lakukan itu sah di sisi undang-
undang.

to **legalize** KATA KERJA
*membenarkan ... di sisi undang-undang*
◊ *the decision of the government to
legalize prostitution* keputusan kerajaan
untuk membenarkan pelacuran di sisi
undang-undang

**legally** KATA ADVERBA
*dari segi undang-undang*

**legend** KATA NAMA
*legenda*

**leggings** KATA NAMA
*seluar ketat* (untuk wanita)

**legible** KATA ADJEKTIF
*mudah dibaca*

**legislation** KATA NAMA

L

_undang-undang_
◊ _legislation to protect children_
undang-undang untuk melindungi kanak-kanak

**legislative** KATA ADJEKTIF
_perundangan_
◊ _legislative body_ badan perundangan

**legislator** KATA NAMA
_penggubal undang-undang_

**legitimate** KATA ADJEKTIF
1 _sah_
◊ _legitimate business activities_ aktiviti perniagaan yang sah
2 _munasabah_
◊ _a legitimate claim_ dakwaan yang munasabah

**leisure** KATA NAMA
_masa lapang_
◊ _What do you do in your leisure time?_ Apakah yang anda lakukan pada masa lapang?

**leisure centre** KATA NAMA
_pusat rekreasi_

**lemon** KATA NAMA
_lemon_

**lemonade** KATA NAMA
_lemoned_

**lemongrass** KATA NAMA
_serai_

to **lend** KATA KERJA
(lent, lent)
_meminjamkan_
◊ _I can lend you some money._ Saya boleh meminjamkan wang kepada anda.

**lender** KATA NAMA
_peminjam_ (orang yang memberikan pinjaman)

**length** KATA NAMA
_panjang_
◊ _It's about a metre in length._ Panjangnya lebih kurang satu meter.

**lenient** KATA ADJEKTIF
_bersikap lembut_
◊ _Mr Choong's very lenient._ En. Choong seorang yang bersikap lembut.
♦ **a lenient rule** peraturan yang longgar

**lens** KATA NAMA
(JAMAK **lenses**)
_kanta_

**Lent** KATA NAMA
> tempoh 40 hari sebelum Hari Easter dan pada masa itu sesetengah orang Kristian berpuasa atau menahan diri daripada melakukan sesuatu yang disukai

**lent** KATA KERJA _rujuk_ **lend**

**lentil** KATA NAMA
_kekacang lentil_

**Leo** KATA NAMA

_Leo_
♦ **I'm Leo.** Zodiak saya ialah Leo.

**leotard** KATA NAMA
_leotad_
> pakaian ketat yang dipakai semasa menari atau bersenam

**leprosy** KATA NAMA
_penyakit kusta_

**lesbian** KATA NAMA
_lesbian_

**less** KATA ADJEKTIF, KATA GANTI NAMA, KATA ADVERBA
1 _kurang_
◊ _It's less than a kilometre from here._ Tempat itu terletak kurang daripada satu kilometer dari sini.
♦ **A bit less, please.** Tolong kurangkan sedikit.
2 _lebih murah_
◊ _It cost less than we thought._ Harganya lebih murah daripada yang kami sangka.
♦ **less and less** semakin kurang

**lesson** KATA NAMA
1 _pelajaran_ (dalam buku teks)
◊ _"Lesson Sixteen"_ "Pelajaran Enam Belas"
2 _kelas_
◊ _The lessons last forty minutes._ Kelas itu berlangsung selama empat puluh minit.
♦ **The experience will teach him a lesson.** Pengalaman itu akan memberikan pengajaran kepadanya.

to **let** KATA KERJA
(let, let)
_membenarkan_
◊ _to let somebody do something_ membenarkan seseorang melakukan sesuatu
♦ **Let me have a look.** Biar saya tengok.
♦ **Let me go!** Lepaskan saya!
♦ **to let somebody know something** memberitahu seseorang sesuatu ◊ _We must let him know that we are coming._ Kita mesti memberitahunya bahawa kita akan datang.
♦ **When can you come to dinner? - I'll let you know.** Bilakah anda akan datang makan malam? - Saya akan beritahu anda.
♦ **to let in** membenarkan masuk ◊ _They wouldn't let me in because I was under 18._ Mereka tidak membenarkan saya masuk kerana umur saya bawah 18 tahun.
♦ **Let's go to the cinema!** Mari kita pergi tengok wayang!
♦ **Let's have a break! - Yes, let's.** Mari kita berehat! - Mari.
♦ **"To Let"** "Untuk Disewa"

♦ **let alone** apatah lagi **atau** apalagi
◊ *She has never scolded her child, let alone hit him.* Dia tidak pernah memarahi anaknya apatah lagi memukulnya.

to **let down** KATA KERJA
*mengecewakan*
◊ *I won't let you down.* Saya tidak akan mengecewakan anda.

to **let off** KATA KERJA
*melepaskan*
◊ *The manager let me off attending the meeting.* Pengurus itu melepaskan saya daripada menghadiri mesyuarat itu.

♦ **He let off fireworks to celebrate National Day.** Dia membakar mercun untuk menyambut Hari Kebangsaan.

**lethal** KATA ADJEKTIF
*boleh membawa maut*
◊ *a lethal dose of sleeping pills* satu dos pil tidur yang boleh membawa maut

♦ **chemicals lethal to fish** bahan kimia yang boleh menyebabkan ikan mati

**letter** KATA NAMA
1 *surat*
◊ *She wrote me a long letter.* Dia menulis sepucuk surat yang panjang kepada saya.
2 *huruf*
◊ *A is the first letter of the alphabet.* A ialah huruf pertama dalam abjad.

**letterbox** KATA NAMA
(JAMAK **letterboxes**)
*peti surat* (*di rumah, dll*)

**lettuce** KATA NAMA
*daun salad*

**leukaemia** KATA NAMA
(AS **leukemia**)
*leukemia*
◊ *He suffers from leukaemia.* Dia menghidap leukemia.

**level** KATA NAMA
| rujuk juga **level** KATA ADJEKTIF, KATA KERJA |
*paras*
◊ *The level of the river is rising.* Paras sungai tersebut sedang naik.

♦ **"A" levels** peperiksaan "A" levels

**level** KATA ADJEKTIF
| rujuk juga **level** KATA NAMA, KATA KERJA |
*rata*
◊ *a level surface* permukaan yang rata

to **level** KATA KERJA
| rujuk juga **level** KATA ADJEKTIF, KATA NAMA |
1 *menyamakan kedudukan* (*sukan*)
2 *meratakan*
◊ *Workers are levelling the road.* Pekerja-pekerja sedang meratakan jalan.

**level crossing** KATA NAMA
*lintasan kereta api*

**lever** KATA NAMA
*tuil*

**lexicography** KATA NAMA
*perkamusan*

**liable** KATA ADJEKTIF
*mudah*
◊ *He's liable to panic.* Dia mudah cemas.

**liar** KATA NAMA
*pembohong*

**liberal** KATA ADJEKTIF
*liberal*

♦ **the Liberal Democrats** Parti Demokrat Liberal

**liberation** KATA NAMA
*pembebasan*

**liberty** KATA NAMA
(JAMAK **liberties**)
*kebebasan*
◊ *He gives his child too much liberty.* Dia memberi anaknya kebebasan yang terlalu banyak.

**Libra** KATA NAMA
*Libra*

♦ **I'm Libra.** Zodiak saya ialah Libra.

**librarian** KATA NAMA
*pustakawan*
◊ *I'm a librarian.* Saya seorang pustakawan.

**library** KATA NAMA
(JAMAK **libraries**)
*perpustakaan*

**Libya** KATA NAMA
*Libya*

**lice** KATA NAMA JAMAK *rujuk* **louse**

**licence** KATA NAMA
(AS **license**)
*lesen*
◊ *a driving licence* lesen memandu

to **license** KATA KERJA
*memberikan lesen*
◊ *The council can license the company to produce the drug.* Majlis itu boleh memberikan lesen kepada syarikat itu untuk mengeluarkan ubat tersebut.

**licensed** KATA ADJEKTIF
*berlesen*

to **lick** KATA KERJA
*menjilat*

**lid** KATA NAMA
*tudung*

**lie** KATA NAMA
| rujuk juga **lie** KATA KERJA |
*bohong*
◊ *to tell a lie* bercakap bohong

to **lie** KATA KERJA
| rujuk juga **lie** KATA NAMA |

L

*Ada dua cara untuk menggunakan perkataan* **lie**. *Bagi makna yang pertama, gunakan* **lied** *untuk kala lepas dan* **past participle**.

[1] *berbohong*
◊ *I know she's lying.* Saya tahu bahawa dia berbohong. ◊ *You lied to me!* Anda telah berbohong kepada saya.

*Bagi makna yang kedua, gunakan* **lay** *untuk kala lepas dan* **lain** *untuk* **past participle**.

[2] *berbaring*
◊ *I lay on the floor.* Saya berbaring di atas lantai. ◊ *He was lying on the sofa.* Dia sedang berbaring di atas sofa.

to **lie down** KATA KERJA
*berbaring*
◊ *Why not go and lie down for a while?* Pergilah berbaring seketika.

**lie-in** KATA NAMA
*bangun lebih lewat daripada biasa*
♦ **to have a lie-in** bangun lebih lewat daripada biasa ◊ *I have a lie-in on Sundays.* Saya bangun lebih lewat daripada biasa pada hari Ahad.

**lieutenant** KATA NAMA
*leftenan*

**life** KATA NAMA
(JAMAK **lives**)
[1] *kehidupan*
[2] *nyawa*
◊ *Your life is in danger.* Nyawa anda dalam bahaya.

**lifebelt** KATA NAMA
*pelampung keselamatan*

**lifeboat** KATA NAMA
*bot penyelamat*

**lifeguard** KATA NAMA
*anggota penyelamat*

**life jacket** KATA NAMA
*jaket keselamatan*

**life-saving** KATA NAMA
*kemahiran dan aktiviti menyelamat*
♦ **I've done a course in life-saving.** Saya telah mengikuti satu kursus penyelamat.
♦ **She teaches swimming and life-saving.** Dia mengajar berenang dan kaedah menyelamat.

**lifestyle** KATA NAMA
*cara hidup*

**lifetime** KATA NAMA
*seumur hidup*

to **lift** KATA KERJA
    | *rujuk juga* **lift** KATA NAMA |
*mengangkat*
◊ *It's too heavy, I can't lift it.* Barang itu terlalu berat. Saya tidak dapat mengangkatnya.

**lift** KATA NAMA
    | *rujuk juga* **lift** KATA KERJA |
*lif*
◊ *The lift isn't working.* Lif itu tidak berfungsi.
♦ **He gave me a lift to the cinema.** Dia menumpangkan saya ke pawagam.
♦ **Would you like a lift?** Anda hendak tumpang?

**light** KATA NAMA
    | *rujuk juga* **light** KATA ADJEKTIF, KATA KERJA |
*lampu*
◊ *He switched on the light.* Dia memasang lampu.
♦ **the traffic lights** lampu isyarat
♦ **Have you got a light?** Anda ada api?

**light** KATA ADJEKTIF
    | *rujuk juga* **light** KATA NAMA, KATA KERJA |
[1] *ringan*
◊ *a light jacket* jaket yang ringan ◊ *a light meal* sajian yang ringan
[2] *muda*
◊ *a light blue sweater* baju panas yang berwarna biru muda

to **light** KATA KERJA
(**lit, lit**)
    | *rujuk juga* **light** KATA ADJEKTIF, KATA NAMA |
*menyalakan*

**light bulb** KATA NAMA
*mentol*

**light cream** KATA NAMA 🔲
*krim yang mengandungi sedikit lemak*

to **lighten** KATA KERJA
*meringankan*
◊ *The new system will lighten our workload.* Sistem baru itu akan meringankan beban kerja kita.
♦ **She lightens her hair.** Dia mewarnakan rambutnya dengan warna yang lebih cerah.

**lighter** KATA NAMA
*pemetik api*

**light-fingered** KATA ADJEKTIF
*cepat tangan*

**light-headed** KATA ADJEKTIF
*berasa sedikit pening*

**lighthouse** KATA NAMA
*rumah api*

**lightly** KATA ADVERBA
*dengan bersahaja*
◊ *"Don't worry," he said lightly.* "Jangan bimbang," katanya dengan bersahaja.
♦ **to take something lightly** memandang ringan pada sesuatu ◊ *These warnings should not be taken lightly.* Amaran-amaran ini tidak patut dipandang ringan.

**lightning** KATA NAMA

_kilat_
◊ *a flash of lightning* pancaran kilat
♦ **thunder and lightning** petir

**like** KATA SENDI

> rujuk juga **like** KATA KERJA

_seperti_
◊ *a city like Paris* sebuah bandar seperti Paris
♦ **What's the weather like?** Bagaimanakah dengan keadaan cuaca?
♦ **It's fine like that.** Begitu pun sudah elok.
♦ **You are not allowed to act like this.** Anda tidak dibenarkan buat begini.
♦ **The incident was like a nightmare.** Kejadian itu bagaikan satu mimpi ngeri.

to **like** KATA KERJA

> rujuk juga **like** KATA SENDI

_menyukai_
◊ *I like him.* Saya menyukainya.
♦ **...if you like...** ...jika anda suka...
♦ **I'd like an orange juice, please.** Tolong beri saya jus oren.
♦ **I'd like to go to China.** Saya ingin pergi ke negara China.
♦ **Would you like some coffee?** Anda hendak minum kopi?

**likelihood** KATA NAMA
_kemungkinan_

**likely** KATA ADJEKTIF
_besar kemungkinan_
◊ *She's likely to come.* Besar kemungkinan dia akan datang.
♦ **That's not very likely.** Mustahil perkara itu terjadi.

to **liken** KATA KERJA
_mengibaratkan ... sebagai_
◊ *She likens her life to a journey.* Dia mengibaratkan hidupnya sebagai satu perjalanan.

**lilo** ® KATA NAMA
(JAMAK **lilos**)
_tilam angin_

**limb** KATA NAMA
_anggota_

**lime** KATA NAMA
_limau nipis_

**limestone** KATA NAMA
_batu kapur_

**limit** KATA NAMA

> rujuk juga **limit** KATA KERJA

_had_
◊ *the speed limit* had laju

to **limit** KATA KERJA

> rujuk juga **limit** KATA NAMA

_mengehadkan_
◊ *Robert has to limit how much he spends.* Robert perlu mengehadkan perbelanjaannya.

**limitation** KATA NAMA

_pengehadan_

**limited** KATA ADJEKTIF
_terhad_
◊ *limited sources of information* sumber maklumat yang terhad

**limousine** KATA NAMA
_limousin_

to **limp** KATA KERJA
_berjalan tempang_

**line** KATA NAMA

> rujuk juga **line** KATA KERJA

1 _garis_
◊ *a straight line* garis lurus
2 _baris_
◊ *The poem has three lines.* Puisi itu terdiri daripada tiga baris. ◊ *a line of people* sebaris orang
3 _baka_
♦ **a railway line** landasan kereta api
♦ **Hold the line, please.** Sila tunggu sebentar.
♦ **It's a very bad line.** Talian ini tidak jelas.

to **line** KATA KERJA

> rujuk juga **line** KATA NAMA

1 _mengalas_
◊ *Amy lined the cake tin with greaseproof paper.* Amy mengalas tin kek itu dengan kertas minyak.
2 _berbaris di tepi_
◊ *Thousands of people lined the streets of the capital.* Beribu-ribu orang berbaris di tepi-tepi jalan di ibu negara.

to **line up** KATA KERJA
_berbaris_
◊ *The students lined up in front of the school.* Pelajar-pelajar berbaris di hadapan sekolah.

**linebacker** KATA NAMA 🇦
_pemain pertahanan_ (*bola sepak Amerika*)

**linen** KATA NAMA
_linen_
◊ *a linen jacket* jaket linen

**liner** KATA NAMA
_kapal pelayaran_

to **linger** KATA KERJA
_berlengah-lengah_

**lining** KATA NAMA
1 _lapis dalam_
◊ *a coat with a fur lining* kot dengan lapis dalam yang diperbuat daripada bulu
2 _lapik_
◊ *He used newspapers as a lining.* Dia menggunakan surat khabar sebagai lapik.

**link** KATA NAMA

> rujuk juga **link** KATA KERJA

1 _hubung kait_
◊ *the link between smoking and cancer* hubung kait antara merokok dengan barah
♦ **cultural links** hubungan budaya

**L**

2 _pautan_ (komputer)
to **link**  KATA KERJA

> rujuk juga **link** KATA NAMA

1 _menghubungkan_ (bandar, jalan)
2 _mengaitkan_ (fakta)
3 _dipaut_
◊ _The system enables browsers to link in to VR websites._  Sistem itu membolehkan penyemak imbas dipaut ke tapak web VR.

**lino**  KATA NAMA
_lino_ (pelapik lantai)

**lintel**  KATA NAMA
_ambang_

**lion**  KATA NAMA
_singa_

**lioness**  KATA NAMA
(JAMAK **lionesses**)
_singa betina_

**lip**  KATA NAMA
_bibir_

**lip liner**  KATA NAMA
_alit bibir_

**lippy**  KATA NAMA
(tidak formal)
_gincu_

to **lip-read**  KATA KERJA
(**lip-read, lip-read**)
_membaca gerak bibir_

**lip salve**  KATA NAMA
_salap bibir_

**lipstick**  KATA NAMA
_gincu_

**liqueur**  KATA NAMA
_minuman beralkohol yang manis_

**liquid**  KATA NAMA
_cecair_

**liquidity**  KATA NAMA
_kecairan_
◊ _The company maintains a high degree of liquidity._  Syarikat tersebut mengekalkan tahap kecairan yang tinggi.

to **liquidize**  KATA KERJA
_mengisar_
◊ _Liquidize the vegetables and then sieve them._  Kisar dan kemudian ayak sayur-sayur itu.

**liquidizer**  KATA NAMA
_mesin pengisar_

**liquor**  KATA NAMA 🔊
_arak_

**Lisbon**  KATA NAMA
_Lisbon_

**list**  KATA NAMA

> rujuk juga **list** KATA KERJA

_senarai_
to **list**  KATA KERJA

> rujuk juga **list** KATA NAMA

_menyenaraikan_
to **listen**  KATA KERJA

_mendengar_
◊ _Listen to me!_  Dengar cakap saya!

**listener**  KATA NAMA
_pendengar_

**listless**  KATA ADJEKTIF
_rengsa_
◊ _He is listless and weak._  Dia berasa rengsa dan tidak bermaya.

**listlessness**  KATA NAMA
_kerengsaan_

**lit**  KATA KERJA  rujuk **light**

**lite**  KATA ADJEKTIF
(tidak formal)
_ringan_
◊ _lite beer_  bir ringan

**liter**  KATA NAMA 🔊
_liter_

**literally**  KATA ADVERBA
_betul-betul_
◊ _The views are literally breathtaking._  Pemandangan itu betul-betul mengagumkan.
♦ **It was literally impossible to find a seat.**  Tidak ada tempat duduk langsung.
♦ **to translate literally**  menterjemah secara hurufiah

**literary**  KATA ADJEKTIF
1 _kesusasteraan_
◊ _Mina's works clearly show that she has literary talents._  Karya-karya Mina jelas menunjukkan bahawa dia berbakat dalam bidang kesusasteraan.
2 _sastera_
◊ _literary criticism_  kritik sastera

> _pembelajaran akademik tentang teknik yang digunakan dalam penulisan teks sastera_

**literate**  KATA ADJEKTIF
_celik huruf_

**literature**  KATA NAMA
_kesusasteraan_

**litigation**  KATA NAMA
_perguaman_
◊ _litigation process_  proses perguaman

**litre**  KATA NAMA
_liter_

**litter**  KATA NAMA
_sampah_

**litter bin**  KATA NAMA
_tong sampah_

**little**  KATA ADJEKTIF, KATA GANTI NAMA
_kecil_
◊ _a little boy_  budak lelaki yang kecil
♦ **a little** sedikit ◊ _How much would you like? - Just a little._  Berapa banyakkah yang anda mahu? - Sedikit sahaja.
♦ **very little**  sangat sedikit
♦ **We've got very little time.**  Kami tidak mempunyai banyak masa.

♦ **little by little**  sedikit demi sedikit
**live**  KATA ADJEKTIF

> *rujuk juga* **live** KATA KERJA

_hidup_
◊ *I'm against tests on live animals.*
Saya menentang ujian yang dilakukan ke
atas binatang hidup.
♦ **a live broadcast**  siaran langsung
♦ **a live concert**  konsert secara langsung
to **live**  KATA KERJA

> *rujuk juga* **live** KATA ADJEKTIF

_tinggal_
◊ *I live with my grandmother.*  Saya
tinggal dengan nenek saya.
♦ **Where do you live?**  Di manakah anda
tinggal?
to **live together**  KATA KERJA
_bersekedudukan_
◊ *The couple had been living together for
16 years.*  Pasangan tersebut telah
bersekedudukan selama 16 tahun.
to **live up to**  KATA KERJA
_seperti yang_
◊ *Sales have not lived up to expectations
this year.*  Jumlah jualan tidak seperti yang
dijangkakan pada tahun ini.
**livelihood**  KATA NAMA
_mata pencarian_
◊ *Fishermen depend on the sea for their
livelihood.*  Nelayan bergantung pada laut
untuk mata pencarian mereka.
**liveliness**  KATA NAMA
_kerancakan_
◊ *The liveliness of the song made Tina
feel like dancing.*  Kerancakan lagu itu
menyebabkan Tina terasa ingin menari.
**lively**  KATA ADJEKTIF
_cergas dan ceria_
◊ *She's got a lively personality.*  Dia
mempunyai perwatakan yang cergas dan
ceria.
to **liven up**  KATA KERJA
_memeriahkan lagi_
◊ *The arrival of the children livened up
the party.*  Kehadiran kanak-kanak itu
memeriahkan lagi majlis itu.
**liver**  KATA NAMA
_hati_
**lives**  KATA NAMA JAMAK  *rujuk* **life**
**livestock**  KATA NAMA
_ternakan_
**living**  KATA NAMA
_hidup_
◊ *standard of living*  taraf hidup
♦ **to make a living**  menyara hidup
♦ **What does she do for a living?**  Apakah
pekerjaannya?
**living room**  KATA NAMA
_ruang tamu_

**lizard**  KATA NAMA
_cicak_
to **load**  KATA KERJA

> *rujuk juga* **load** KATA NAMA

_memuatkan_
◊ *They loaded the goods into the car.*
Mereka memuatkan barang-barang itu ke
dalam kereta.  ◊ *I can't load the
programme.*  Saya tidak dapat memuatkan
program tersebut.
♦ **He's loading the van right now.**
Sekarang dia sedang mengisi van itu
dengan muatan.
♦ **a trolley loaded with luggage**  sebuah
troli yang sarat dengan bagasi
**load**  KATA NAMA

> *rujuk juga* **load** KATA KERJA

_muatan_
◊ *He was carrying a very heavy load.*
Dia membawa muatan yang sangat berat.
♦ **loads of**  (*tidak formal*)  banyak
◊ *They've got loads of money.*  Mereka
mempunyai wang yang banyak.
♦ **You're talking a load of rubbish!**  Kamu
merepek sahaja!
**loaf**  KATA NAMA
(JAMAK **loaves**)
_buku_
◊ *a loaf of bread*  sebuku roti
**loan**  KATA NAMA

> *rujuk juga* **loan** KATA KERJA

_pinjaman_
to **loan**  KATA KERJA

> *rujuk juga* **loan** KATA NAMA

_meminjamkan_
**loan shark**  KATA NAMA
_lintah darat_
to **loathe**  KATA KERJA
_membenci_
◊ *I loathe her.*  Saya membencinya.
**loathing**  KATA NAMA
_perasaan benci_
◊ *Danny looked at him with loathing.*
Danny memandangnya dengan perasaan
benci.
**loaves**  KATA NAMA JAMAK  *rujuk* **loaf**
to **lobby**  KATA KERJA
(**lobbied, lobbied**)

> *rujuk juga* **lobby** KATA NAMA

_melobi_
◊ *They are lobbying hard for new laws.*
Mereka melobi bersungguh-sungguh
untuk mendapatkan undang-undang baru.
**lobby**  KATA NAMA
(JAMAK **lobbies**)

> *rujuk juga* **lobby** KATA KERJA

_lobi_
**lobster**  KATA NAMA
_udang karang_

**L**

**local** KATA ADJEKTIF
*tempatan*
◊ *the local paper* surat khabar tempatan
◊ *a local call* panggilan tempatan

to **localize** KATA KERJA
1 *mengenal pasti*
◊ *Examine the painful area and localize the most tender point.* Periksa bahagian yang sakit dan kenal pasti tempat yang paling sakit.
2 *menyetempatkan*
◊ *They are attempting to localize the conflict.* Mereka sedang mencuba untuk menyetempatkan konflik tersebut.

**locally** KATA ADVERBA
*tempatan*
◊ *a book published locally* sebuah buku terbitan tempatan

to **locate** KATA KERJA
1 *menemui*
◊ *The missing boy was located by the police.* Budak yang hilang itu sudah ditemui oleh pihak polis.
2 *menempatkan*
◊ *Mohan thinks that Penang is the best place in which to locate a business.* Mohan berpendapat bahawa Pulau Pinang merupakan tempat yang terbaik untuk menempatkan sesuatu perniagaan.

**location** KATA NAMA
*lokasi*
◊ *the office's location* lokasi pejabat itu

**loch** KATA NAMA
*tasik*

**lock** KATA NAMA
> rujuk juga **lock** KATA KERJA

*kunci*

to **lock** KATA KERJA
> rujuk juga **lock** KATA NAMA

*mengunci*
◊ *Make sure you lock the door.* Pastikan anda mengunci pintu.

to **lock out** KATA KERJA
*mengunci pintu* (*tidak membenarkan masuk*)
♦ **The door slammed and I was locked out.** Pintu itu tertutup dan saya terkunci di luar.

**locker** KATA NAMA
*lokar*
◊ *left-luggage lockers* lokar bagasi
◊ *locker room* bilik lokar

**locket** KATA NAMA
*loket*

**lodger** KATA NAMA
*penyewa*

**lodging** KATA NAMA
*tempat penginapan*

**loft** KATA NAMA
*loteng*

**lofty** KATA ADJEKTIF
*murni*
◊ *He had lofty aims.* Dia mempunyai matlamat yang murni.

**log** KATA NAMA
> rujuk juga **log** KATA KERJA

1 *balak*
2 *log*

to **log** KATA KERJA
> rujuk juga **log** KATA NAMA

1 *merekodkan*
◊ *They log the details of the crime in the computer.* Mereka merekodkan butir-butir jenayah itu dalam komputer.
2 *membalak*
◊ *They are logging in Sabah.* Mereka membalak di Sabah.

to **log in** KATA KERJA
*log masuk*

to **log off** KATA KERJA
*log keluar*

to **log on** KATA KERJA
*log masuk*
◊ *to log on to the Net* log masuk ke Internet

to **log out** KATA KERJA
*log keluar*

**log book** KATA NAMA
*buku log*

**logging** KATA NAMA
*pembalakan*

**logic** KATA NAMA
*logik*

**logical** KATA ADJEKTIF
*masuk akal* **atau** *logik*

**logo** KATA NAMA
(JAMAK **logos**)
*logo*

**loincloth** KATA NAMA
*cawat*

to **loiter** KATA KERJA
*melepak*
◊ *Instead of going to school he loitered in amusement arcades.* Dia tidak pergi ke sekolah, sebaliknya melepak di pusat hiburan.

**loiterer** KATA NAMA
*perayau*

**lollipop** KATA NAMA
*gula-gula lolipop*

**lolly** KATA NAMA
(JAMAK **lollies**)
*gula-gula lolipop*
♦ **an ice lolly** aiskrim batang

**London** KATA NAMA
*London*

**Londoner** KATA NAMA
*penduduk London*

**lone** KATA ADJEKTIF
*sendirian*
◊ *a lone woman motorist* pemandu wanita yang sendirian
♦ **He was shot by a lone gunman.** Dia ditembak oleh seorang penjenayah yang bersenjata api.
♦ **lone parent (1)** ibu tunggal
♦ **lone parent (2)** bapa tunggal
**loneliness** KATA NAMA
*kesunyian*
**lonely** KATA ADJEKTIF
*sunyi*
◊ *I sometimes feel lonely.* Kadang-kadang saya berasa sunyi.
♦ **a lonely house** rumah yang terpencil
**long** KATA ADJEKTIF, KATA ADVERBA
> *rujuk juga* **long** KATA KERJA
*panjang*
◊ *She's got long hair.* Rambutnya panjang. ◊ *The room is six metres long.* Panjang bilik itu enam meter.
♦ **a long time** masa yang lama ◊ *It takes a long time.* Perkara itu memakan masa yang lama.
♦ **How long?** Berapa lama? ◊ *How long have you been here?* Sudah berapa lamakah anda berada di sini?
♦ **as long as** selagi ◊ *I'll come as long as it's not too expensive.* Saya akan datang selagi perbelanjaannya tidak begitu mahal.
to **long** KATA KERJA
> *rujuk juga* **long** KATA ADJEKTIF
1 *rindu*
◊ *Steve longed for the good old days.* Steve rindu akan masa dahulu yang menggembirakan.
2 *ingin sekali*
◊ *to long to do something* ingin sekali melakukan sesuatu
**long-distance** KATA ADJEKTIF
*jarak jauh*
◊ *a long-distance call* panggilan jarak jauh
**longer** KATA ADVERBA
> *rujuk juga* **long** KATA ADJEKTIF
♦ **no longer** tidak lagi ◊ *They're no longer going out together.* Mereka tidak lagi keluar bersama.
♦ **I can't stand it any longer.** Saya sudah tidak tahan lagi.
**longing** KATA NAMA
*kerinduan*
◊ *She spoke of her longing for her parents.* Dia bercakap tentang kerinduannya terhadap ibu bapanya.
**long jump** KATA NAMA
*lompat jauh*
**long-sighted** KATA ADJEKTIF

*rabun dekat*
**long-wearing** KATA ADJEKTIF ⬛
*tahan lasak*
**long-winded** KATA ADJEKTIF
*meleret-leret*
◊ *His speech was long-winded and very boring.* Ucapannya meleret-leret dan sungguh membosankan.
**loo** KATA NAMA
*tandas*
**look** KATA NAMA
> *rujuk juga* **look** KATA KERJA
*rupa*
◊ *He greeted her with a happy look.* Dia menyambutnya dengan rupa yang ceria.
♦ **looks** rupa ◊ *I never choose people just because of their looks.* Saya tidak pernah memilih seseorang kerana rupanya.
♦ **to have a look (1)** melihat ◊ *Have a look at this!* Lihatlah ini!
♦ **to have a look (2)** memeriksa ◊ *The mechanic had to come over to have a look at my car.* Mekanik itu terpaksa datang untuk memeriksa kereta saya.
♦ **to have a look (3)** mencari ◊ *Go and have another look.* Pergi cari sekali lagi.
♦ **I don't like the look of it.** Saya berasa tidak sedap hati.
to **look** KATA KERJA
> *rujuk juga* **look** KATA NAMA
1 *melihat*
◊ *Look!* Lihat!
♦ **to look at something** melihat sesuatu
◊ *Look at the picture.* Lihat gambar itu.
♦ **Look out!** Hati-hati!
2 *nampak*
◊ *She looks surprised.* Dia nampak terperanjat. ◊ *That cake looks nice.* Kek itu nampak cantik.
♦ **to look like somebody** menyerupai seseorang ◊ *He looks like his friend.* Wajahnya menyerupai kawannya.
♦ **What does she look like?** Bagaimanakah rupanya?
to **look after** KATA KERJA
*menjaga*
◊ *I look after my little sister.* Saya menjaga adik perempuan saya.
to **look down on** KATA KERJA
*memandang rendah pada*
to **look for** KATA KERJA
*mencari*
◊ *I'm looking for my passport.* Saya sedang mencari pasport saya.
to **look forward to** KATA KERJA
*tidak sabar*
♦ **to look forward to doing something** tidak sabar untuk melakukan sesuatu

◊ *I'm looking forward to meeting you.*
Saya tidak sabar untuk berjumpa dengan anda.

♦ **Looking forward to hearing from you.**
Saya menanti berita daripada anda.

> *Walaupun kata kerja yang mengikuti* **to** *biasanya kata dasar, kata kerja yang mengikuti frasa* **to look forward to** *mestilah diakhiri dengan* -ing.

to **look into** KATA KERJA
*mengkaji*
◊ *The researchers are looking into the problem.* Para penyelidik sedang mengkaji masalah itu.

to **look on** KATA KERJA
1 *melihat*
2 *menganggap*
◊ *A lot of people looked on him as a healer.* Ramai orang menganggapnya sebagai bomoh.

to **look out for** KATA KERJA
*mencari*
◊ *Look out for special deals.* Cari urus janji yang istimewa.

to **look round** KATA KERJA
1 *melihat-lihat*
◊ *I'm just looking round.* Saya cuma melihat-lihat. ◊ *to look round the exhibition* melihat-lihat di pameran itu
2 *menoleh ke belakang*
◊ *I called his name and he looked round.* Saya memanggilnya dan dia menoleh ke belakang.

to **look through** KATA KERJA
1 *memeriksa dengan teliti*
◊ *Peter started looking through the mail.* Peter mula memeriksa surat itu dengan teliti.
2 *membaca seimbas lalu*
◊ *He happened to be looking through the magazine at the time.* Pada masa itu, dia sedang membaca majalah itu seimbas lalu.

to **look up** KATA KERJA
*mencari*
◊ *If you don't know a word, look it up in the dictionary.* Jika anda tidak tahu makna sesuatu perkataan, carilah dalam kamus.

**loop** KATA NAMA
*gelung*

**loose** KATA ADJEKTIF
*longgar*
◊ *a loose shirt* baju longgar
♦ **loose change** tukaran wang kecil

**loose-fitting** KATA ADJEKTIF
*longgar*
◊ *My trousers are loose-fitting.* Seluar saya longgar.

to **loosen** KATA KERJA
1 *melonggarkan*
◊ *She tried to loosen the screw on her table.* Dia cuba melonggarkan skru pada mejanya.
2 *menggemburkan*
◊ *to loosen the soil* menggemburkan tanah

to **loosen up** KATA KERJA
*mengendurkan*
◊ *Squeeze the foot to loosen up the muscles.* Picit bahagian kaki untuk mengendurkan otot-otot.

**lord** KATA NAMA
*bangsawan*
♦ **the House of Lords** Dewan Pertuanan
♦ **the Lord** Tuhan
♦ **Good Lord!** Ya Tuhan!

**lorry** KATA NAMA
(JAMAK **lorries**)
*lori*

**lorry driver** KATA NAMA
*pemandu lori*
◊ *He's a lorry driver.* Dia seorang pemandu lori.

to **lose** KATA KERJA
(**lost, lost**)
1 *hilang*
◊ *I've lost my purse.* Dompet saya hilang.
2 *kalah*
♦ **to get lost** tersesat ◊ *I was afraid of getting lost.* Saya takut tersesat.

**loss** KATA NAMA
(JAMAK **losses**)
1 *kehilangan*
◊ *loss of sight* kehilangan penglihatan
♦ **hair loss** keguguran rambut
2 *kerugian* (*dari segi kewangan*)

**lost** KATA KERJA *rujuk* **lose**

**lost** KATA ADJEKTIF
*hilang*

**lost property office** KATA NAMA
> *tempat untuk menuntut barang-barang yang hilang atau yang tertinggal di tempat awam*

**lot** KATA NAMA
*kumpulan*
◊ *We've just sacked one lot of builders.* Kami baru sahaja memecat sekumpulan buruh binaan.
♦ **a lot** banyak ◊ *She talks a lot.* Dia banyak bercakap.
♦ **Do you like football? - Not a lot.** Adakah anda meminati bola sepak? - Saya tidak begitu meminatinya.
♦ **a lot of** banyak ◊ *I drink a lot of coffee.* Saya banyak minum kopi.
♦ **He's got lots of friends.** Dia mempunyai

ramai kawan.

♦ **She's got lots of self-confidence.** Dia seorang yang amat berkeyakinan.

♦ **That's the lot.** Itu sahaja.

**lotion**   KATA NAMA
    _losen_

**lottery**   KATA NAMA
    (JAMAK **lotteries**)
    _loteri_
    ◊ _to win the lottery_ memenangi loteri

**lotus**   KATA NAMA
    (JAMAK **lotuses**)
    _teratai_

**loud**   KATA ADJEKTIF
    _kuat_
    ◊ _The television is too loud._ Suara televisyen itu terlalu kuat.

**loudly**   KATA ADVERBA
    _dengan kuat_

**louse**   KATA NAMA
    (JAMAK **lice**)
    _kutu_

**loudspeaker**   KATA NAMA
    _pembesar suara_

**lounge**   KATA NAMA
    _ruang rehat_

**lousy**   KATA ADJEKTIF
    (_tidak formal_)
    _teruk_
    ◊ _It was a lousy meal._ Hidangan itu teruk.

♦ **I feel lousy.** Saya berasa tidak sihat.

**lovable**   KATA ADJEKTIF
    _mudah disayangi_
    ◊ _Joey's character makes him even more lovable._ Perwatakan Joey menjadikannya lebih mudah disayangi.

to **love**   KATA KERJA

| rujuk juga **love** KATA NAMA |

    [1] _mencintai_

♦ **I love you.** Aku cinta pada mu.

    [2] _suka_
    ◊ _I love chocolate._ Saya suka makan coklat.

♦ **Everybody loves her.** Semua orang menyukainya.

    [3] _menyayangi_
    ◊ _You'll never love anyone the way you love your baby._ Anda tidak akan menyayangi orang lain sebagaimana anda menyayangi bayi anda.

♦ **Would you like to come? - Yes, I'd love to.** Sudikah anda datang? - Ya, sudah tentu.

**love**   KATA NAMA

| rujuk juga **love** KATA KERJA |

    [1] _cinta_
    ◊ _She's in love._ Dia sedang dilamun cinta.

    [2] _kasih sayang_
    ◊ _the undying love of a mother_ kasih sayang seorang ibu yang tidak terhingga

♦ **She's in love with Paul.** Dia mencintai Paul.

♦ **to make love** bersetubuh

♦ **Give Gloria my love.** Sampaikan salam sayang saya kepada Gloria.

♦ **Love, Rosemary.** Sayang, Rosemary. (_dalam surat tidak rasmi_)

**lovely**   KATA ADJEKTIF
    [1] _sangat menarik_
    ◊ _She's a lovely person._ Dia seorang yang sangat menarik.
    [2] _cantik_
    ◊ _They've got a lovely house._ Mereka memiliki sebuah rumah yang cantik.

♦ **It's a lovely day.** Cuaca hari ini baik.

♦ **Is your meal okay? - Yes, it's lovely.** Adakah hidangan anda memuaskan? - Ya, sungguh sedap.

♦ **Have a lovely time!** Bergembiralah!

**lover**   KATA NAMA
    [1] _kekasih_
    [2] _pencinta_
    ◊ _nature lover_ pencinta alam

**lovestruck**   KATA ADJEKTIF
    _dilamun cinta_
    ◊ _a lovestruck young man_ seorang pemuda yang dilamun cinta

**loving**   KATA ADJEKTIF
    _pengasih_
    ◊ _My mother is a loving person._ Ibu saya seorang yang pengasih.

**low**   KATA ADJEKTIF, KATA ADVERBA
    _rendah_
    ◊ _low prices_ harga yang rendah
    ◊ _That plane is flying very low._ Kapal terbang itu terbang begitu rendah.

♦ **in the low season** pada musim lengang

**lower**   KATA ADJEKTIF

| rujuk juga **lower** KATA KERJA |

    [1] _bawah_
    ◊ _She bit her lower lip._ Dia menggigit bibir bawahnya.
    [2] _rendah_
    ◊ _officers of lower rank_ pegawai-pegawai berpangkat rendah

to **lower**   KATA KERJA

| rujuk juga **lower** KATA ADJEKTIF |

    _menurunkan_
    ◊ _He was so tall that the dentist had to lower the chair._ Dia begitu tinggi sehinggakan doktor gigi itu terpaksa menurunkan kerusi.

**lower-class**   KATA ADJEKTIF
    _kelas bawahan_

**low-fat**   KATA ADJEKTIF
    _rendah lemak_

L

**low-impact** KATA ADJEKTIF
*mempunyai impak yang rendah*
(*senaman, senaman aerobik*)

**lowlands** KATA NAMA JAMAK
*kawasan tanah pamah*

**low tide** KATA NAMA
*air surut*

**loyal** KATA ADJEKTIF
*setia*

**loyalty** KATA NAMA
(JAMAK **loyalties**)
*kesetiaan*

**loyalty card** KATA NAMA
*kad ahli* (*boleh mengumpul mata*)

**LPG** SINGKATAN (= *liquefied petroleum gas*)
*LPG* (= *gas petroleum cecair*)

**L-plate** KATA NAMA
*plat L*

**LRP** SINGKATAN (= *lead replacement petrol*)
*LRP* (= *petrol pengganti plumbum*)

**lubricant** KATA NAMA
*pelincir*

to **lubricate** KATA KERJA
*melincirkan*
◊ *That oil is used to lubricate machinery.* Minyak itu digunakan untuk melincirkan pergerakan mesin.

**luck** KATA NAMA
*nasib*
♦ **She hasn't had much luck.** Dia tidak begitu bernasib baik.
♦ **Bad luck!** Kasihan!
♦ **Good luck!** Semoga berjaya!

**luckily** KATA ADVERBA
*mujurlah*

**lucky** KATA ADJEKTIF
*bernasib baik*
◊ *I consider myself lucky.* Saya menganggap diri saya bernasib baik.
◊ *He's lucky, he's got a job.* Dia bernasib baik kerana sudah mendapat kerja.
♦ **That was lucky!** Nasib baik!
♦ **Black cats are supposed to be lucky.** Kucing hitam dianggap membawa tuah.
♦ **a lucky star** bintang bertuah

**luggage** KATA NAMA
*bagasi*

**lukewarm** KATA ADJEKTIF
*suam-suam kuku*

to **lull** KATA KERJA
*menyebabkan ... mengantuk*
◊ *The quiet music lulled me to sleep.* Muzik yang perlahan itu menyebabkan saya mengantuk lalu tertidur.
♦ **to be lulled into a false sense of security** terpedaya untuk berasa selamat

**lullaby** KATA NAMA
(JAMAK **lullabies**)
*dodoi*

**lumberjack** KATA NAMA
*pembalak*

**luminous** KATA ADJEKTIF
*berkilau*
◊ *luminous stars* bintang-bintang yang berkilau

**lump** KATA NAMA
1 *ketul*
◊ *a lump of butter* seketul mentega
2 *benjol*
◊ *He's got a lump on his forehead.* Ada benjol pada dahinya.

**lumpy** KATA ADJEKTIF
*bergumpal*
◊ *If rice isn't cooked properly, it goes lumpy.* Nasi akan bergumpal jika tidak dimasak dengan baik.

**lunatic** KATA NAMA
*orang gila*
♦ **He's an absolute lunatic.** Dia betul-betul gila.

**lunch** KATA NAMA
(JAMAK **lunches**)
*makan tengah hari*
◊ *We have lunch at half past twelve.* Kami makan tengah hari pada pukul dua belas setengah.

**luncheon voucher** KATA NAMA
*baucar makan tengah hari*

**lung** KATA NAMA
*paru-paru*
◊ *lung cancer* barah paru-paru

to **lure** KATA KERJA
*menjebak*
◊ *They lured him into a trap.* Mereka menjebaknya ke dalam perangkap.
♦ **He tried to lure the squirrel from the tree with peanuts.** Dia cuba mengumpan tupai itu dari pokok itu dengan kacang tanah.

to **lurk** KATA KERJA
*menghendap*
◊ *Harry lurked behind the bushes with his friends.* Harry menghendap di belakang semak samun bersama kawan-kawannya.

**luscious** KATA ADJEKTIF
*menggiurkan*
◊ *a luscious woman* wanita yang menggiurkan

**lush** KATA ADJEKTIF
*subur* (*tanah*)

**lust** KATA NAMA
*nafsu*

**lustful** KATA ADJEKTIF
*ghairah*

**lustre**  KATA NAMA
    _kilat_
    ◊  *Gold retains its lustre longer than other
    metals.*  Kilat emas lebih kekal daripada
    logam lain.
**Luxembourg**  KATA NAMA
    _negara Luxembourg_
**luxurious**  KATA ADJEKTIF
    _mewah_
**luxury**  KATA NAMA
    (JAMAK  **luxuries**)

1  _kemewahan_
2  _mewah_
    ◊  *It was luxury!*  Mewah sungguh!  ◊  *a
    luxury hotel*  hotel mewah
**lychee**  KATA NAMA
    _laici_
**lying**  KATA KERJA  *rujuk*  **lie**
**lymphatic gland**  KATA NAMA
    _kelenjar limfa_
**lyrics**  KATA NAMA JAMAK
    _lirik_

# M

**mac** KATA NAMA
*baju hujan*

**macaroni** KATA NAMA
*makaroni*

**mace** KATA NAMA
*cokmar*

**machete** KATA NAMA
*golok*

**machine** KATA NAMA
*mesin*
◊ *I put my clothes in the washing machine.* Saya meletakkan baju saya ke dalam mesin basuh.

**machine gun** KATA NAMA
*mesingan*

**machinery** KATA NAMA
*jentera*

**mackerel** KATA NAMA
(JAMAK **mackerel**)
*ikan mekerel*

**mad** KATA ADJEKTIF
1 *gila*
◊ *You're mad!* Engkau gila!
2 *marah*
◊ *She'll be mad when she finds out.* Dia tentu marah jika dia mengetahuinya.
♦ **He's mad about football.** Dia sangat meminati permainan bola sepak.

**madam** KATA NAMA
> panggilan yang formal dan bersopan untuk wanita yang tidak dikenali atau yang berkedudukan

1 *puan* (wanita yang berusia)
◊ *How may I help you, Madam?* Puan, bolehkah saya tolong?
2 *cik* (wanita muda)
◊ *How may I help you, Madam?* Cik, bolehkah saya tolong?

**made** KATA KERJA *rujuk* **make**

**madly** KATA ADVERBA
*sepenuh hati*
◊ *She was devoted to her husband, but she no longer loved him madly.* Dia amat menyayangi suaminya, tetapi dia tidak lagi mencintai suaminya sepenuh hati.
♦ **They're madly in love.** Mereka sedang mabuk asmara.

**madman** KATA NAMA
(JAMAK **madmen**)
*lelaki gila*

**madness** KATA NAMA
*kegilaan*
◊ *It's absolute madness.* Itu kegilaan semata-mata.

**magazine** KATA NAMA
*majalah*

**maggot** KATA NAMA
*renga*

**magic** KATA NAMA
> *rujuk juga* **magic** KATA ADJEKTIF

1 *kuasa ajaib*
2 *silap mata*
◊ *My hobby is magic.* Hobi saya ialah bermain silap mata.

**magic** KATA ADJEKTIF
> *rujuk juga* **magic** KATA NAMA

*ajaib*
◊ *a magic wand* tongkat sakti ajaib
♦ **It was magic!** Sungguh ajaib!

**magical** KATA ADJEKTIF
*ajaib*

**magician** KATA NAMA
*ahli silap mata*
◊ *There was a magician at the party.* Ada seorang ahli silap mata di majlis itu.

**magic mushroom** KATA NAMA
> cendawan yang boleh menyebabkan orang yang memakannya mengalami halusinasi

**magistrate** KATA NAMA
*majistret*

**magnet** KATA NAMA
*magnet*

**magnificent** KATA ADJEKTIF
1 *indah dan mengagumkan*
◊ *a magnificent view* pemandangan yang indah dan mengagumkan
2 *sangat baik*
◊ *It was a magnificent film.* Filem itu sangat baik.
♦ **It was a magnificent effort on their part.** Mereka telah mencurahkan usaha yang baik sekali.

to **magnify** KATA KERJA
(**magnified, magnified**)
1 *membesarkan*
◊ *A lens will magnify the picture.* Sebuah kanta akan membesarkan gambar itu.
♦ **using bank loans to magnify his buying power** menggunakan pinjaman bank untuk meningkatkan kuasa belinya
2 *membesar-besarkan*
◊ *Don't magnify unimportant details.* Jangan membesar-besarkan perkara yang tidak penting.

**magnifying glass** KATA NAMA
(JAMAK **magnifying glasses**)
*kanta pembesar*

**maid** KATA NAMA
1 *pembantu rumah*
2 *pembantu hotel*
♦ **an old maid** anak dara tua **atau** andartu

**maiden name** KATA NAMA
*nama keluarga sebelum berkahwin*

**mail** KATA NAMA
*mel* (surat, bungkusan, dll)
◊ *We receive a lot of mail.* Kami

menerima banyak mel.
- **by mail** melalui pos

**mailbox** KATA NAMA 🖼
_peti surat_ (di rumah, dll)

**mailman** KATA NAMA 🖼
(JAMAK **mailmen**)
_posmen_

**mailshot** KATA NAMA
[1] _pengedaran risalah_ (untuk
mengiklankan barangan, meminta
derma)
[2] _risalah_ (untuk mengiklankan
barangan, meminta derma)

**main** KATA ADJEKTIF
_utama_
◊ _the main reason_ sebab utama
- **the main suspect** orang yang paling
disyaki
- **The main thing is to get it finished.**
Yang paling penting ialah menyiapkan
kerja ini.

**mainly** KATA ADVERBA
_sebahagian besar_
◊ _Their customers were mainly from
Japan._ Sebahagian besar pelanggan
mereka adalah dari Jepun. ◊ _The
bedroom is mainly blue._ Sebahagian
besar bilik tidur itu berwarna biru.
- **The plan failed mainly because of the
bad weather.** Sebab utama rancangan
itu gagal ialah cuaca yang buruk.

**main road** KATA NAMA
_jalan besar_

**Main Street** KATA NAMA 🖼
[1] _jalan di pekan kecil yang mempunyai
banyak kedai_
[2] _orang yang tinggal di pekan kecil_
[3] _orang yang kurang berada_

to **maintain** KATA KERJA
_mengekalkan_
◊ _Teachers try hard to maintain
standards._ Guru-guru berusaha keras
untuk mengekalkan standard.
- **Old houses are expensive to maintain.**
Rumah-rumah lama memerlukan
perbelanjaan yang banyak untuk
diselenggarakan.

**maintenance** KATA NAMA
_penyelenggaraan_
◊ _car maintenance_ penyelenggaraan
kereta ◊ _RM30 a week in maintenance_
wang penyelenggaraan sebanyak RM30
seminggu

**maize** KATA NAMA
_jagung_

**majestic** KATA ADJEKTIF
_agung_
◊ _The Palace of Versailles in France is a
majestic sight._ Istana Versailles di

Perancis kelihatan agung.

**majestically** KATA ADVERBA
_dengan megah_

**majesty** KATA NAMA
(JAMAK **majesties**)
_keagungan_
- **Your Majesty** tuanku
- **His Majesty** baginda
- **Her Majesty** baginda

**major** KATA ADJEKTIF
| rujuk juga **major** KATA KERJA |
_utama_
◊ _a major factor_ faktor utama
- **Drugs are a major problem.** Masalah
dadah merupakan masalah yang besar.
- **in C major** (muzik) dalam C major

to **major** KATA KERJA 🖼
| rujuk juga **major** KATA ADJEKTIF |
_mengkhusus_
◊ _I majored in Translation and
Interpretation._ Saya mengkhusus dalam
bidang Terjemahan dan Interpretasi.

**Majorca** KATA NAMA
_Majorca_

**majority** KATA NAMA
(JAMAK **majorities**)
_majoriti_

**make** KATA NAMA
| rujuk juga **make** KATA KERJA |
_jenama_
◊ _What make is it?_ Apakah jenamanya?

to **make** KATA KERJA
(**made, made**)
| rujuk juga **make** KATA NAMA |
[1] _membuat_
◊ _I'm going to make a cake._ Saya akan
membuat sebiji kek. ◊ _I'd like to make a
phone call._ Saya ingin membuat
panggilan telefon.
- **It's well made.** Barang itu dibuat dengan
baik.
- **I make my bed every morning.** Saya
mengemaskan katil saya setiap pagi.
- **She's making lunch.** Dia sedang
menyediakan makanan tengah hari.
- **Two and two make four.** Dua tambah
dua menjadi empat.
- **"made in Malaysia"** "buatan Malaysia"
[2] _memperoleh_
◊ _He makes a lot of money._ Dia
memperoleh wang yang banyak.
- **to make somebody do something**
memaksa seseorang membuat sesuatu
◊ _My mother makes me eat vegetables._
Ibu memaksa saya makan sayur-sayuran.
- **You'll have to make do with a cheaper
car.** Anda terpaksa menggunakan
kereta yang lebih murah.
- **What time do you make it?** Pukul

M

berapa sekarang?
♦ **to make something of oneself /one's life** menjadi seorang yang berjaya ◊ *She wanted me to make something of myself.* Dia mahu saya menjadi seorang yang berjaya.

to **make out** KATA KERJA

1 *membaca*
◊ *I can't make out the address on the label.* Saya tidak dapat membaca alamat yang tertulis pada label itu.

2 *mendengar*
◊ *Can you make out what they are saying?* Dapatkah anda mendengar perbualan mereka?

3 *memahami*
◊ *I can't make her out at all.* Saya langsung tidak memahaminya.

♦ **They're making out it was my fault.** Mereka membuat seolah-olah saya yang bersalah.

♦ **to make a cheque out to somebody** menulis cek atas nama seseorang

to **make up** KATA KERJA

1 *terdiri daripada*
◊ *Women make up thirty per cent of the police force.* Tiga puluh peratus daripada pasukan polis terdiri daripada kaum wanita.

2 *mereka*
◊ *He made up the whole story.* Dia mereka keseluruhan cerita itu.

3 *bersolek*
◊ *She spends hours making herself up.* Dia mengambil masa berjam-jam lamanya untuk bersolek.

4 *berbaik semula*
◊ *They had a quarrel, but soon made up.* Mereka bergaduh tetapi tidak lama kemudian mereka berbaik semula.

**maker** KATA NAMA

*pembuat*
◊ *Spain's biggest car maker* pembuat kereta yang terbesar di Sepanyol

**makeshift** KATA ADJEKTIF

*sementara*

**make-up** KATA NAMA

*alat solek* atau *mekap*
♦ **She put on her make-up.** Dia bersolek.

**making** KATA NAMA

*pembikinan*
◊ *That company was involved in the making of the film Tarzan.* Syarikat itu terlibat dalam pembikinan filem Tarzan.

**Malay** KATA ADJEKTIF

| rujuk juga **Malay** KATA NAMA |

*Melayu*
♦ **She's Malay.** Dia berbangsa Melayu.

**Malay** KATA NAMA

| rujuk juga **Malay** KATA ADJEKTIF |

1 *orang Melayu*
◊ *the Malay* orang Melayu
2 *bahasa Malaysia*

**Malaysia** KATA NAMA

*Malaysia*

**male** KATA ADJEKTIF

| rujuk juga **male** KATA NAMA |

1 *lelaki*
◊ *Most football players are male.* Kebanyakan pemain bola sepak ialah lelaki. ◊ *a male nurse* jururawat lelaki
2 *jantan* (haiwan, tumbuhan)

**male** KATA NAMA

| rujuk juga **male** KATA ADJEKTIF |

1 *lelaki* (orang)
2 *jantan* (haiwan, tumbuhan)

**mall** KATA NAMA

*kawasan membeli-belah*

**mallet** KATA NAMA

*tukul kayu*

**Malta** KATA NAMA

*negara Malta*

**mammal** KATA NAMA

*mamalia*

**man** KATA NAMA
(JAMAK **men**)
*lelaki*

to **manage** KATA KERJA

*menguruskan*
◊ *She manages a big store.* Dia menguruskan sebuah kedai yang besar.
◊ *He manages our football team.* Dia menguruskan pasukan bola sepak kami.

♦ **to manage to do something** berjaya melakukan sesuatu

♦ **Luckily I managed to pass the exam.** Nasib baik saya lulus peperiksaan itu.

♦ **We haven't got much money, but we manage.** Kami tidak mempunyai wang yang banyak tetapi kami dapat bertahan.

♦ **Can you manage with that suitcase?** Bolehkah anda mengangkat beg pakaian itu?

♦ **Can you manage a bit more?** Bolehkah anda makan sedikit lagi?

**manageable** KATA ADJEKTIF

*mudah diurus*

**management** KATA NAMA

*pengurusan*
◊ *He's responsible for the management of the project.* Dia bertanggungjawab ke atas pengurusan projek itu.

♦ **management and workers** pihak pengurusan dan pekerja

**manager** KATA NAMA

*pengurus*
◊ *I complained to the manager.* Saya

membuat aduan kepada pengurus itu.

◊ *the England manager* pengurus pasukan England

**manageress** KATA NAMA
(JAMAK **manageresses**)
*pengurus* (*wanita*)

**mandarin** KATA NAMA
*limau mandarin*

**mandate** KATA NAMA
*mandat*
◊ *A mandate from the UN is necessary before any plan can be implemented.* Mandat daripada PBB perlu diperoleh sebelum melaksanakan sebarang rancangan.

**mandatory** KATA ADJEKTIF
*mandatori*

**mane** KATA NAMA
*surai* (*bulu pada tengkuk kuda, dll*)

**mango** KATA NAMA
(JAMAK **mangos** atau **mangoes**)
*mangga*

**mangosteen** KATA NAMA
*manggis*

**mangrove** KATA NAMA
*bakau*

**maniac** KATA NAMA
*orang gila*
◊ *He drives like a maniac.* Dia memandu seperti orang gila.

to **manicure** KATA KERJA
*menjaga* (*tangan atau kuku*)

to **manipulate** KATA KERJA
*memanipulasikan*

**manipulation** KATA NAMA
*manipulasi*

**mankind** KATA NAMA
*umat manusia*

**manliness** KATA NAMA
*kelelakian*

**man-made** KATA ADJEKTIF
*buatan manusia*

**manner** KATA NAMA
*cara*
◊ *He conducted the interview in a professional manner.* Dia mengendalikan temu duga itu dengan cara yang profesional.
♦ **She was behaving in an odd manner.** Dia berkelakuan ganjil.
♦ **He has a confident manner.** Dia seorang yang berkeyakinan.

**manners** KATA NAMA JAMAK
*tingkah laku*
◊ *Her manners are appalling.* Tingkah lakunya amat buruk.
♦ **good manners** adab
♦ **It's bad manners to speak with your mouth full.** Tidak elok bercakap dengan mulut yang penuh dengan makanan.

**manpower** KATA NAMA
*tenaga manusia*

**mansion** KATA NAMA
*rumah yang sangat besar*

**mantelpiece** KATA NAMA
*para perdiangan*

**manual** KATA NAMA
*buku panduan*

to **manufacture** KATA KERJA
*mengilang*

**manufacturer** KATA NAMA
*pengilang*

**manufacturing** KATA NAMA
1 *pembuatan*
◊ *the car manufacturing industry* industri pembuatan kereta
2 *perkilangan*
◊ *manufacturing sector* sektor perkilangan

**manure** KATA NAMA
*baja asli*

**manuscript** KATA NAMA
*manuskrip*

**many** KATA ADJEKTIF, KATA GANTI NAMA
1 *ramai*
◊ *He hasn't got many friends.* Dia tidak mempunyai ramai kawan.
2 *banyak*
◊ *I haven't got very many CDs.* Saya tidak mempunyai begitu banyak cakera padat.
♦ **too many** terlalu banyak ◊ *Sixteen people? That's too many.* Enam belas orang? Jumlah itu terlalu banyak.
♦ **so many** banyak ◊ *He told so many lies!* Dia banyak berbohong!
♦ **How many?** Berapa? ◊ *How many hours a week do you work?* Berapa jamkah anda bekerja dalam seminggu?
♦ **very many** sangat banyak
♦ **Not very many.** Tidak begitu banyak.
♦ **Many thanks.** Terima kasih banyak-banyak.

**map** KATA NAMA
*peta*

**mapping** KATA NAMA
*pemetaan*
◊ *The mapping of that area has been done.* Pemetaan kawasan itu telah siap.

**marathon** KATA NAMA
*maraton*

**marble** KATA NAMA
1 *marmar*
◊ *a marble statue* patung marmar
2 *guli*
◊ *a marble* sebiji guli
♦ **to play marbles** bermain guli

**March** KATA NAMA

M

*Mac*
◊ *on 9 March* pada 9 Mac
♦ **in March** pada bulan Mac
to **march** KATA KERJA

> rujuk juga **march** KATA NAMA

*berkawat*
◊ *The troops marched past the King.*
Askar-askar itu berkawat di hadapan raja.
**march** KATA NAMA
(JAMAK **marches**)

> rujuk juga **march** KATA KERJA

*perarakan*
◊ *a peace march* perarakan keamanan
**mare** KATA NAMA
*kuda betina*
**margarine** KATA NAMA
*marjerin*
**margin** KATA NAMA
*jidar* (pada muka surat)
◊ *She wrote a note in the margin.* Dia
menulis nota pada jidar muka surat itu.
**marijuana** KATA NAMA
*ganja*
to **marinate** KATA KERJA
*memerapkan*
◊ *She marinated the chicken with oyster
sauce and honey.* Dia memerapkan ayam
itu dengan sos tiram dan madu.
**marine** KATA NAMA

> rujuk juga **marine** KATA ADJEKTIF

*marin*
**marine** KATA ADJEKTIF

> rujuk juga **marine** KATA NAMA

*laut*
◊ *marine life* hidupan laut
**marital** KATA ADJEKTIF
*perkahwinan*
◊ *Her son had no marital problems.*
Anak lelakinya tidak mempunyai masalah
perkahwinan.
**marital status** KATA NAMA
*status perkahwinan*
**mark** KATA NAMA

> rujuk juga **mark** KATA KERJA

1 *tanda*
◊ *There were red marks all over his
back.* Ada tanda-tanda merah pada
seluruh bahagian belakangnya. ◊ *You've
got a mark on your shirt.* Ada tanda pada
kemeja anda.
2 *markah*
◊ *I got good marks for French.* Saya
mendapat markah yang baik dalam
bahasa Perancis.
3 *mark* (mata wang Jerman)
◊ *30 million marks* 30 juta mark
to **mark** KATA KERJA

> rujuk juga **mark** KATA NAMA

1 *menyemak*

◊ *The teacher hasn't marked my
homework yet.* Guru itu belum lagi
menyemak kerja rumah saya.
2 *menandakan*
◊ *Mark its position on the map.*
Tandakan kedudukannya pada peta itu.
**marker** KATA NAMA
*penanda*
**market** KATA NAMA

> rujuk juga **market** KATA KERJA

*pasar*
to **market** KATA KERJA

> rujuk juga **market** KATA NAMA

*memasarkan*
◊ *The company will market its new
dictionary soon.* Syarikat itu akan
memasarkan kamus barunya tidak lama
lagi.
**market-driven** KATA ADJEKTIF
*mengikut kehendak pasaran* (produk,
keputusan, perubahan, syarikat)
**marketing** KATA NAMA
*pemasaran*
**market-led** KATA ADJEKTIF
*mengikut kehendak pasaran* (produk,
keputusan, perubahan, syarikat)
◊ *This change in sales strategy was
market-led.* Perubahan dalam strategi
penjualan ini adalah mengikut kehendak
pasaran.
**market-town** KATA NAMA
*pekan pasar*

> **market-town** ialah pekan,
> terutamanya di kawasan luar bandar
> yang mempunyai pasar atau pernah
> mempunyai pasar.

**marking** KATA NAMA
*pemarkahan*
◊ *The marking is done by two teachers.*
Pemarkahan itu dilakukan oleh dua orang
guru.
**marmalade** KATA NAMA
*marmalad* (sejenis jem)
**maroon** KATA ADJEKTIF
*merah manggis*
**marriage** KATA NAMA
*perkahwinan*
**marriageable** KATA ADJEKTIF
*layak berkahwin*
◊ *a marriageable daughter* anak
perempuan yang layak berkahwin
**married** KATA ADJEKTIF
*sudah berkahwin*
◊ *They are married.* Mereka sudah
berkahwin.
♦ **They are not married.** Mereka belum
berkahwin.
♦ **a married couple** pasangan suami isteri
♦ **to get married** berkahwin

**marrow** KATA NAMA
*labu air*
♦ **bone marrow** sumsum tulang
to **marry** KATA KERJA
**(married, married)**
*berkahwin*
◊ *They married in June.* Mereka
berkahwin pada bulan Jun. ◊ *He wants
to marry her.* Dia ingin berkahwin
dengannya.
♦ **to get married** berkahwin ◊ *My friend's
getting married in March.* Kawan saya
akan berkahwin pada bulan Mac.
to **marry off** KATA KERJA
*mengahwinkan*
**Mars** KATA NAMA
*Marikh*
to **marvel** KATA KERJA
*berasa kagum*
◊ *Sara and I read the story and
marvelled.* Saya dan Sara membaca
cerita itu dan kami berasa kagum.
**marvellous** KATA ADJEKTIF
**(AS marvelous)**
*sangat baik*
◊ *The weather was marvellous.* Cuaca
sangat baik. ◊ *That's a marvellous idea!*
Itu satu idea yang sangat baik!
**marzipan** KATA NAMA
*krim marzipan* (untuk diletakkan di atas
kek)
**mascara** KATA NAMA
*maskara*
**mascot** KATA NAMA
*maskot*
**masculine** KATA ADJEKTIF
*kelelakian*
to **mash** KATA KERJA
*melecek*
◊ *Aminah mashed the potatoes with a
fork.* Aminah melecek ubi kentang
dengan garpu.
**mashed potatoes** KATA NAMA JAMAK
*kentang lecek*
**mask** KATA NAMA
*topeng*
**masked** KATA ADJEKTIF
*bertopeng*
◊ *The masked man kidnapped the
millionaire's wife.* Lelaki yang bertopeng
itu telah menculik isteri jutawan itu.
**mass** KATA NAMA
**(JAMAK masses)**
1 *timbunan*
◊ *a mass of books and papers*
timbunan buku dan kertas
2 *banyak sekali* (benda)
♦ **She had a mass of red hair.** Rambutnya
tebal berwarna merah.

3 *upacara mass* (di gereja)
◊ *We go to mass on Sunday.* Kami
pergi ke upacara mass pada hari Ahad.
♦ **the mass media** media massa
**massage** KATA NAMA

> rujuk juga **massage** KATA KERJA

*mengurut*
◊ *Massage isn't a long-term cure for
stress.* Mengurut bukanlah rawatan
jangka panjang untuk mengatasi masalah
tekanan.
♦ **Alex asked me if I wanted a massage.**
Alex bertanya sama ada saya mahu diurut.
to **massage** KATA KERJA

> rujuk juga **massage** KATA NAMA

*mengurut*
◊ *She massaged her aching feet.* Dia
mengurut kakinya yang sakit.
**masseur** KATA NAMA
*tukang urut* (lelaki)
**masseuse** KATA NAMA
*tukang urut* (perempuan)
**massive** KATA ADJEKTIF
*sangat besar*
**master** KATA NAMA

> rujuk juga **master** KATA KERJA

1 *guru* (lelaki)
2 *tuan*
3 *pakar*
◊ *She was a master of the English
language.* Dia pakar bahasa Inggeris.
to **master** KATA KERJA

> rujuk juga **master** KATA NAMA

*menguasai*
◊ *Students need to master a second
language.* Pelajar perlu menguasai
bahasa kedua.
to **mastermind** KATA KERJA

> rujuk juga **mastermind** KATA NAMA

*merancang*
◊ *He masterminded the project.* Dia
merancang projek itu.
**mastermind** KATA NAMA

> rujuk juga **mastermind** KATA KERJA

*dalang*
◊ *Simon was the mastermind behind the
plan.* Simon merupakan dalang di sebalik
rancangan itu.
**master of ceremonies** KATA NAMA
*pengacara*
**masterpiece** KATA NAMA
*karya agung*
**mat** KATA NAMA
1 *alas*
◊ *a table mat* alas meja
2 *tikar*
3 *pengesat kaki*
**match** KATA NAMA
**(JAMAK matches)**

M

---

> *rujuk juga* **match** KATA KERJA
> 1. *perlawanan*
> ◊ *a football match* perlawanan bola
> sepak
> 2. *mancis*
> ◊ *a box of matches* sekotak mancis

to **match** KATA KERJA

> *rujuk juga* **match** KATA NAMA
> *padan*
> ◊ *The jacket matches the trousers.*
> Jaket itu padan dengan seluar itu.

♦ **These colours don't match.** Warna-
warna ini tidak sepadan.

**matching** KATA ADJEKTIF
*berpadanan*
◊ *My bedroom has matching wallpaper
and curtains.* Bilik tidur saya mempunyai
kertas hias dinding dan langsir yang
berpadanan.

**match point** KATA NAMA
*mata penamat*

**mate** KATA NAMA

> *rujuk juga* **mate** KATA KERJA
> *teman*
> ◊ *He always goes on holiday with his
> mates.* Dia selalu pergi bercuti dengan
> teman-temannya.

to **mate** KATA KERJA

> *rujuk juga* **mate** KATA NAMA
> *bersenyawa*
> ◊ *The animals are mating.* Haiwan-
> haiwan itu sedang bersenyawa.

**material** KATA NAMA
> 1. *kain*
> ◊ *The curtains are made of a thin
> material.* Langsir-langsir itu dibuat
> daripada kain yang nipis.
> 2. *bahan*
> ◊ *I'm collecting material for my project.*
> Saya sedang mengumpulkan bahan untuk
> projek saya.

**materialistic** KATA ADJEKTIF
*materialistik*

**mathematics** KATA NAMA
*matematik*

**maths** KATA NAMA
*matematik*

**matron** KATA NAMA
*ketua jururawat*

**matter** KATA NAMA

> *rujuk juga* **matter** KATA KERJA
> *soal*
> ◊ *It's a matter of life and death.* Ini soal
> hidup dan mati.

♦ **What's the matter?** Apa halnya?

♦ **as a matter of fact** sebenarnya

♦ **no matter how** walau ... sekalipun
◊ *I will never forgive his wrongdoings,
no matter how small.* Saya tidak akan

memaafkan kesalahannya, walau sekecil
mana sekalipun. ◊ *No matter how often
they were urged, they could not bring
themselves to join in.* Walau berapa kerap
sekalipun mereka didesak, mereka tetap
tidak dapat menyertainya.

♦ **no matter what** walau apa pun yang
terjadi ◊ *He had to publish the
manuscript, no matter what.* Dia
terpaksa menerbitkan manuskrip itu,
walau apa pun yang terjadi.

♦ **No matter what your age, you can lose
weight by following this program.**
Tidak kira berapa umur anda, anda boleh
mengurangkan berat badan anda dengan
mengikuti program ini.

♦ **no matter when** tidak kira bila ◊ *He
would reward all investors, no matter when
they made their investment.* Dia akan
memberikan ganjaran kepada semua
pelabur, tidak kira bila mereka melabur.

to **matter** KATA KERJA

> *rujuk juga* **matter** KATA NAMA
> 1. *menjadi hal*
> ◊ *I can't give you the money today. - It
> doesn't matter.* Saya tidak dapat
> memberi anda wang itu hari ini. - Itu
> tidak menjadi hal. ◊ *Shall I phone today
> or tomorrow? - Whenever, it doesn't
> matter.* Saya patut menelefon hari ini atau
> esok? - Bila-bila sahaja, itu tidak menjadi
> hal.
> 2. *penting*
> ◊ *It matters a lot to me.* Perkara itu
> sangat penting bagi saya.

**mattress** KATA NAMA
(JAMAK **mattresses**)
*tilam*

**mature** KATA ADJEKTIF
*matang*

**maturity** KATA NAMA
*kematangan*

to **maximize** KATA KERJA
*memaksimumkan*
◊ *to maximize profits* memaksimumkan
keuntungan

**maximum** KATA ADJEKTIF

> *rujuk juga* **maximum** KATA NAMA
> *maksimum*
> ◊ *The maximum speed is 100 km/h.*
> Kelajuan maksimum ialah 100 km/j.

**maximum** KATA NAMA

> *rujuk juga* **maximum** KATA ADJEKTIF
> *maksimum*
> ◊ *a maximum of two years in prison*
> hukuman penjara selama dua tahun
> maksimum

**May** KATA NAMA
*Mei*

◊ *on 7 May* pada 7 Mei
♦ **in May** pada bulan Mei
♦ **May Day** Hari Pekerja

**may** KATA KERJA
*mungkin*
◊ *The police may come and catch us here.* Pihak polis mungkin datang dan menangkap kita di sini. ◊ *I may go.* Saya mungkin akan pergi. ◊ *It may rain.* Mungkin hari ini akan hujan.
♦ **May I smoke?** Bolehkah saya merokok?

**maybe** KATA ADVERBA
*mungkin*
◊ *Maybe she's at home.* Mungkin dia berada di rumah.

**mayonnaise** KATA NAMA
*mayones*

**mayor** KATA NAMA
*datuk bandar*

**maze** KATA NAMA
*pagar sesat*

> *lorong-lorong yang rumit dan dipisahkan dengan tembok atau pagar hidup untuk mengelirukan orang sebagai sejenis hiburan*

**MD (1)** KATA NAMA
*MD (Doktor Perubatan)*

**MD (2)** KATA NAMA (= *minidisc*)
*cakera mini*

**me** KATA GANTI NAMA
*saya*
◊ *Look at me!* Pandanglah saya!
◊ *Could you lend me your pen?* Bolehkah anda pinjamkan pen anda kepada saya? ◊ *without me* tanpa saya
♦ **It's me.** Saya.

to **meander** KATA KERJA
*berliku-liku*
◊ *We crossed a small bridge over a meandering stream.* Kami menyeberangi sebuah jambatan kecil yang merentangi sebatang anak sungai yang berliku-liku.
♦ **a meandering speech** ucapan yang berbelit-belit

**meal** KATA NAMA
*hidangan*
♦ **Enjoy your meal!** Selamat menjamu selera!

**mealtime** KATA NAMA
*waktu makan*
◊ *at mealtimes* pada waktu makan

to **mean** KATA KERJA
**(meant, meant)**
> *rujuk juga* **mean** KATA ADJEKTIF
1 *makna*
◊ *What does "ambal" mean?* Apakah makna "ambal"? ◊ *I don't know what it means.* Saya tidak tahu maknanya.
2 *maksud*

◊ *That's not what I meant.* Bukan begitu maksud saya.
♦ **Which one did he mean?** Yang mana satukah yang dimaksudkannya?
♦ **to mean to do something** bermaksud untuk melakukan sesuatu ◊ *I didn't mean to hurt you.* Saya tidak bermaksud untuk menyakiti hati anda.
♦ **Do you really mean it?** Adakah anda serius?
♦ **He means what he says.** Dia benar-benar maksudkan kata-katanya.

**mean** KATA ADJEKTIF
> *rujuk juga* **mean** KATA KERJA
*kedekut*
◊ *He's too mean to buy presents.* Dia terlalu kedekut untuk membeli hadiah.
♦ **That's a really mean thing to say!** Tidak baik anda berkata begitu!
♦ **Mack had been mean to them.** Mack melayan mereka dengan buruk.
♦ **You're being mean to me.** Anda tidak patut memperlakukan saya seburuk ini.
♦ **I'd feel mean saying no.** Saya akan berasa bersalah jika saya menolak.

**meaning** KATA NAMA
*makna*

**meaningful** KATA ADJEKTIF
*penuh makna*
◊ *a meaningful relationship* hubungan yang penuh makna

**means** KATA NAMA
*cara*
◊ *a means of transport* cara pengangkutan ◊ *He'll do it by any possible means.* Dia akan melakukannya dengan apa cara sekalipun.
♦ **by means of** melalui ◊ *They reached an agreement by means of secret negotiations.* Mereka mencapai persetujuan melalui rundingan rahsia.
♦ **Can I come in? - By all means!** Bolehkah saya masuk? - Silakan.

**meant** KATA KERJA *rujuk* **mean**

**meanwhile** KATA ADVERBA
*sementara itu*

**measles** KATA NAMA
*demam campak*
◊ *I've got measles.* Saya menghidap demam campak.

to **measure** KATA KERJA
1 *mengukur* (panjang, jarak)
2 *menyukat* (cecair)

**measurement** KATA NAMA
1 *ukuran*
◊ *accurate measurement* ukuran yang tepat
2 *sukatan*
◊ *measurement of blood pressure*

M

sukaten tekanan darah
♦ **measurements** ukuran (*saiz pinggang, dada, dll*)
**meat** KATA NAMA
*daging*
**Mecca** KATA NAMA
*Mekah*
**mechanic** KATA NAMA
*mekanik*
◊ *He's a mechanic.* Dia seorang mekanik.
**mechanical** KATA ADJEKTIF
*mekanikal*
**medal** KATA NAMA
*pingat*
to **meddle** KATA KERJA
*masuk campur*
◊ *Do scientists have any right to meddle in such matters?* Adakah saintis berhak untuk masuk campur dalam hal-hal seperti ini?
**media** KATA NAMA JAMAK
*media*
♦ **the media** pihak media
**median strip** KATA NAMA Ⓐ
*rizab tengah*
> satu jalur tanah yang biasanya berumput di antara jalan dua hala
**mediation** KATA NAMA
*perantaraan*
◊ *She was released from prison through the mediation of President Kenneth.* Dia dibebaskan dari penjara dengan perantaraan Presiden Kenneth.
**medical** KATA ADJEKTIF
> rujuk juga **medical** KATA NAMA
*perubatan*
◊ *medical treatment* rawatan perubatan
◊ *She's a medical student.* Dia pelajar perubatan.
♦ **to have medical problems** mempunyai masalah kesihatan
**medical** KATA NAMA
> rujuk juga **medical** KATA ADJEKTIF
*pemeriksaan kesihatan*
◊ *He had a medical last week.* Dia menjalani pemeriksaan kesihatan pada minggu lepas.
**medically** KATA ADVERBA
*dari segi perubatan*
**medicated** KATA ADJEKTIF
*berubat*
◊ *medicated powder* bedak berubat
**medication** KATA NAMA
*ubat*
◊ *oral medication* ubat yang dimakan
**medicine** KATA NAMA
1 *bidang perubatan*
◊ *I want to study medicine.* Saya ingin

belajar dalam bidang perubatan.
2 *ubat*
◊ *I need some medicine.* Saya memerlukan ubat.
to **meditate** KATA KERJA
1 *merenungkan*
◊ *He meditated on the problem.* Dia merenungkan masalah itu.
2 *bertafakur*
**meditation** KATA NAMA
*tafakur*
**Mediterranean** KATA NAMA
> rujuk juga **Mediterranean** KATA ADJEKTIF
♦ **the Mediterranean** Laut Mediterranean
**Mediterranean** KATA ADJEKTIF
> rujuk juga **Mediterranean** KATA NAMA
*Mediterranean*
**medium** KATA ADJEKTIF
> rujuk juga **medium** KATA NAMA
*sederhana*
◊ *a man of medium height* seorang lelaki yang sederhana tinggi
**medium** KATA NAMA
> rujuk juga **medium** KATA ADJEKTIF
*wahana*
◊ *Films can be used as a medium for conveying messages.* Filem boleh digunakan sebagai wahana untuk menyampaikan mesej.
♦ **English is the medium of instruction.** Bahasa Inggeris ialah bahasa pengantar.
**medium-sized** KATA ADJEKTIF
*sederhana besar*
◊ *a medium-sized town* bandar yang sederhana besar
to **meet** KATA KERJA
(met, met)
1 *berjumpa*
◊ *I met Paul in town.* Saya berjumpa dengan Paul di bandar. ◊ *I'm going to meet my friends at the swimming pool.* Saya akan berjumpa dengan kawan-kawan saya di kolam renang. ◊ *Have you met her before?* Pernahkah anda berjumpa dengannya sebelum ini?
♦ **We met by chance in the supermarket.** Kami bertembung di pasar raya.
2 *berkenalan*
◊ *He met Tim at the party.* Dia berkenalan dengan Tim di majlis itu.
♦ **The committee met at two o'clock.** Jawatankuasa itu bermesyuarat pada pukul dua.
**meeting** KATA NAMA
1 *perjumpaan* (*secara sosial*)
◊ *their first meeting* perjumpaan pertama mereka
2 *mesyuarat*

◊ *a business meeting* mesyuarat perniagaan

**mega** KATA ADJEKTIF
*(tidak formal)*
*sangat*
◊ *He's mega rich.* Dia sangat kaya.

**melancholy** KATA ADJEKTIF
*rawan*
◊ *She tried to hide her melancholy feelings.* Dia cuba menyembunyikan perasaan rawannya.

**mellow** KATA ADJEKTIF
[1] *lembut* (*warna*)
[2] *lunak* (*suara, bunyi*)

**melodious** KATA ADJEKTIF
*merdu*
◊ *She has a melodious voice.* Dia memiliki suara yang merdu.

**melody** KATA NAMA
(JAMAK **melodies**)
*melodi*

**melon** KATA NAMA
*tembikai*

to **melt** KATA KERJA
[1] *mencairkan*
◊ *Melt 100 grams of butter.* Cairkan 100 gram mentega.
[2] *mencair*
◊ *The snow is melting.* Salji sedang mencair.

to **melt down** KATA KERJA
*meleburkan*
◊ *Coins were melted down to make jewellery.* Duit syiling dileburkan untuk membuat barang kemas.

**meltdown** KATA NAMA
[1] *peleburan* (*logam*)
[2] *kegagalan sepenuhnya* (*syarikat, organisasi, sistem*)

**melting** KATA NAMA
*peleburan*

**member** KATA NAMA
*ahli*
♦ "members only" "untuk ahli sahaja"
♦ a Member of Parliament Ahli Parlimen

**membership** KATA NAMA
*keahlian*
♦ I'm going to apply for membership of the club. Saya akan memohon untuk menjadi ahli kelab itu.

**membership card** KATA NAMA
*kad ahli*

**membrane** KATA NAMA
*selaput*

**memento** KATA NAMA
(JAMAK **mementos** atau **mementoes**)
*cenderamata*

**memorable** KATA ADJEKTIF
*tidak dapat dilupakan*

**memorial** KATA NAMA
*tugu peringatan*
◊ *a war memorial* tugu peringatan perang

to **memorize** KATA KERJA
*menghafal*

**memory** KATA NAMA
(JAMAK **memories**)
[1] *daya ingatan*
◊ *I've got a terrible memory.* Daya ingatan saya tidak baik.
[2] *kenangan*
◊ *happy memories* kenangan manis
♦ computer memory memori komputer

**men** KATA NAMA JAMAK *rujuk* **man**

to **mend** KATA KERJA
*membaiki*

**meningitis** KATA NAMA
*meningitis*
◊ *Her daughter's got meningitis.* Anak perempuannya menghidap penyakit meningitis.

**menopause** KATA NAMA
*putus haid*

**menstruation** KATA NAMA
*haid*

**mental** KATA ADJEKTIF
*mental*
◊ *mental illness* penyakit mental
♦ mental hospital rumah sakit jiwa

**mentally** KATA ADVERBA
*dalam fikiran*
◊ *I might not have been overseas with them but mentally I was with them.* Walaupun saya tidak pergi ke luar negara dengan mereka, dalam fikiran saya, saya berada bersama mereka.
♦ mentally handicapped cacat akal

to **mention** KATA KERJA
*menyebut*
◊ *He didn't mention it to me.* Dia tidak menyebut tentang hal itu kepada saya.
◊ *I mentioned she might come later.* Saya ada menyebut bahawa dia mungkin akan datang kemudian.
♦ Thank you! - Don't mention it! Terima kasih! - Sama-sama!

**menu** KATA NAMA
*menu*
♦ menu bar bar menu
♦ pull-down menu menu tarik ke bawah

**merchandise** KATA NAMA
*barang niaga*

**merchant** KATA NAMA
*pedagang*
◊ *a wine merchant* pedagang wain

**merciful** KATA ADJEKTIF
*menunjukkan belas kasihan*
◊ *He was merciful to the old man.*

M

Dia menunjukkan belas kasihannya kepada lelaki tua itu.

♦ **His injuries were so severe death would be merciful.** Kecederaannya sangat teruk, hinggakan akan menjadi satu rahmat jika Tuhan mencabut nyawanya.

♦ **Eventually the session came to a merciful end.** Nasib baik sesi itu akhirnya tamat juga.

**merciless** KATA ADJEKTIF
*tanpa belas kasihan*
◊ *with merciless efficiency* dengan kecekapan tanpa belas kasihan

**mercury** KATA NAMA
*merkuri*

**Mercury** KATA NAMA
*Utarid*

**mercy** KATA NAMA
*belas kasihan*

**mere** KATA ADJEKTIF
*cuma*
◊ *a mere five percent* cuma lima peratus

♦ **It's a mere formality.** Itu hanyalah sekadar formaliti.

**merely** KATA ADVERBA
*cuma*
◊ *Michael is now merely a good friend.* Sekarang Michael cuma seorang kawan baik.

♦ **We should not merely follow our passions.** Kita tidak sepatutnya bertindak mengikut hawa nafsu sahaja.

to **merge** KATA KERJA
*bergabung*
◊ *The two countries merged into one.* Dua negara itu bergabung menjadi satu.

♦ **How do you merge the graphics with text on the same screen?** Bagaimanakah anda menggabungkan grafik dengan teks pada skrin yang sama?

**merger** KATA NAMA
*penggabungan*
◊ *a merger between two of Britain's biggest trades unions* penggabungan dua kesatuan sekerja yang terbesar di Britain
◊ *Bank mergers were proposed in order to strengthen financial institutions.* Penggabungan bank dicadangkan bagi mengukuhkan institusi kewangan.

**meringue** KATA NAMA
*meringue* (sejenis kek)

**merit** KATA NAMA
*merit*
♦ **merits** kelebihan-kelebihan ◊ *the technical merits of a film* kelebihan-kelebihan teknikal sesebuah filem

**mermaid** KATA NAMA
*duyung*

**merrily** KATA ADVERBA
*riang*
◊ *Thomas laughed merrily.* Thomas ketawa riang.

**merry** KATA ADJEKTIF
*riang* (orang, suasana)
♦ **Merry Christmas!** Selamat Hari Krismas!

**merry-go-round** KATA NAMA
*kuda pusing*

to **mesmerize** KATA KERJA
*memukau*
♦ **The concert audience was mesmerized by the strangeness of the music.** Penonton konsert itu terpukau dengan keanehan muzik yang dimainkan.

**mess** KATA NAMA
*tidak kemas*
◊ *My hair's a mess, it needs cutting.* Rambut saya tidak kemas dan perlu digunting.
♦ **I'll be in a mess if I fail the exam.** Teruklah saya jika saya gagal dalam peperiksaan itu.

to **mess about** KATA KERJA
*bermain-main*
◊ *Stop messing about with my computer!* Jangan bermain-main dengan komputer saya!
♦ **I didn't do much at the weekend, just messed about with some friends.** Saya tidak membuat apa-apa pada hujung minggu, cuma bersuka-suka dengan beberapa orang kawan.

to **mess up** KATA KERJA
*gagal*
◊ *If I messed up, I would probably be fired.* Jika saya gagal, saya mungkin akan diberhentikan.
♦ **I messed up my chemistry exam.** Saya gagal dengan teruk dalam peperiksaan kimia saya.
♦ **Don't mess up the bathroom.** Jangan kotorkan bilik air itu.
♦ **You've messed up my cassettes!** Anda telah merosakkan kaset-kaset saya!

**message** KATA NAMA
*pesanan*
◊ *a secret message* pesanan sulit
◊ *Would you like to leave him a message?* Anda mahu meninggalkan pesanan untuknya?

**messenger** KATA NAMA
*penghantar utusan*

**messy** KATA ADJEKTIF
*tidak kemas*
◊ *Your room is really messy.* Bilik anda betul-betul tidak kemas. ◊ *She's so messy!* Dia betul-betul tidak kemas!

◊ *Her writing is very messy.* Tulisannya tidak kemas langsung.

♦ **a really messy job** kerja yang betul-betul leceh

**met** KATA KERJA *rujuk* **meet**

**metabolism** KATA NAMA
*metabolisme*

**metal** KATA NAMA
*logam*

**meteorology** KATA NAMA
*kaji cuaca*

**meter** KATA NAMA
*meter*
◊ *taxi meter* meter teksi ◊ *the electricity meter* meter elektrik

**method** KATA NAMA
*kaedah*

**Methodist** KATA NAMA
*pengikut mazhab Methodist*
◊ *He's a Methodist.* Dia pengikut mazhab Methodist.

**meticulous** KATA ADJEKTIF
*teliti*
◊ *a meticulous person* orang yang teliti

**metre** KATA NAMA
(AS **meter**)
*meter* (unit ukuran)

**metric** KATA ADJEKTIF
*metrik*

**Mexico** KATA NAMA
*Mexico*

to **miaow** KATA KERJA
*mengiau*

**mice** KATA NAMA JAMAK *rujuk* **mouse**

**microchip** KATA NAMA
*mikrocip*

**microphone** KATA NAMA
*mikrofon*

**micro-scooter** KATA NAMA

> *alat yang mempunyai dua roda, papan dan pemegang yang digerakkan dengan sebelah kaki dan sebelah kaki lagi di atas papan*

**microscope** KATA NAMA
*mikroskop*

**microwavable** KATA ADJEKTIF
1 *boleh dimasak dalam ketuhar gelombang mikro* (makanan)
2 *boleh diletakkan dalam ketuhar gelombang mikro* (benda)

**microwave** KATA NAMA
*ketuhar gelombang mikro*

**mid** KATA ADJEKTIF
*pertengahan*
◊ *in mid May* pada pertengahan bulan Mei ◊ *He's in his mid twenties.* Umurnya dalam pertengahan dua puluhan.

**midday** KATA NAMA
*tengah hari*

◊ *at midday* pada waktu tengah hari

**middle** KATA NAMA

> *rujuk juga* **middle** KATA ADJEKTIF

*tengah*
◊ *The car was in the middle of the road.* Kereta itu berada di tengah jalan.

♦ **in the middle of May** pada pertengahan bulan Mei

♦ **I woke up in the middle of the morning.** Saya bangun pada lewat pagi.

♦ **She was in the middle of her exams.** Dia sedang menduduki peperiksaannya.

**middle** KATA ADJEKTIF

> *rujuk juga* **middle** KATA NAMA

*tengah*
◊ *the middle seat* tempat duduk tengah

**middle-aged** KATA ADJEKTIF
*pertengahan umur*

**Middle Ages** KATA NAMA JAMAK
*Zaman Pertengahan*

♦ **the Middle Ages** Zaman Pertengahan

**middle-class** KATA ADJEKTIF
*kelas pertengahan*

**Middle East** KATA NAMA
*Timur Tengah*

♦ **the Middle East** Timur Tengah

**middleman** KATA NAMA
(JAMAK **middlemen**)
*pengantara atau perantara*

**middle name** KATA NAMA
*nama tengah*

**midge** KATA NAMA
*agas*

**midnight** KATA NAMA
*tengah malam*
◊ *at midnight* pada waktu tengah malam

**mid-range** KATA ADJEKTIF
*sederhana*

> *produk atau perkhidmatan bukan yang paling mahal atau paling murah berbanding dengan jenisnya yang sama*

◊ *the price of a mid-range family car* harga sebuah kereta keluarga yang sederhana

**midwife** KATA NAMA
(JAMAK **midwives**)
*bidan*
◊ *She's a midwife.* Dia seorang bidan.

**midwifery** KATA NAMA
*perbidanan*

**might** KATA KERJA

> *rujuk juga* **might** KATA NAMA

*mungkin*
◊ *The teacher might come at any moment.* Guru itu mungkin datang pada bila-bila masa sahaja. ◊ *She might not have understood.* Mungkin dia tidak

**M**

faham. ◊ *We might go to Spain next year.* Kami mungkin akan pergi ke Sepanyol pada tahun hadapan.

**might** KATA NAMA

> rujuk juga **might** KATA KERJA

*kekuatan*

◊ *the might of the military* kekuatan angkatan tentera

♦ **with all his might** dengan seluruh tenaganya

**migraine** KATA NAMA

*migrain*

◊ *I've got a migraine.* Saya menghidap migrain.

**migrant** KATA NAMA

*penghijrah*

to **migrate** KATA KERJA

*berhijrah*

◊ *Many people migrate to cities like Kuala Lumpur and Johor Bahru to look for work.* Ramai orang berhijrah ke bandar seperti Kuala Lumpur dan Johor Bahru untuk mencari kerja.

**migration** KATA NAMA

*penghijrahan*

◊ *the migration of Jews to Israel* penghijrahan orang Yahudi ke Israel

**mike** KATA NAMA

*mikrofon*

**mil** SINGKATAN (= *million (s)*)

*juta*

◊ *$75 mil* $75 juta

**mild** KATA ADJEKTIF

*tidak begitu kuat*

◊ *a mild flavour* perisa yang tidak begitu kuat ◊ *mild soap* sabun yang tidak begitu kuat

♦ **The winters are quite mild.** Suhu pada musim sejuk agak sederhana.

**mildew** KATA NAMA

*kulat*

**mile** KATA NAMA

*batu*

> Satu batu bersamaan dengan kira-kira 1.6 kilometer.

◊ *It's five miles from here.* Jaraknya lima batu dari sini. ◊ *at 50 miles per hour* pada kelajuan 50 batu sejam

♦ **We walked for miles!** Kami telah berjalan berbatu-batu jauhnya!

**mileage** KATA NAMA

*perbatuan*

**military** KATA ADJEKTIF

*tentera*

**milk** KATA NAMA

> rujuk juga **milk** KATA KERJA

*susu*

to **milk** KATA KERJA

> rujuk juga **milk** KATA NAMA

[1] *memerah susu*

[2] *memeras*

◊ *A few people tried to milk the insurance companies.* Beberapa orang cuba memeras syarikat-syarikat insurans.

**milk chocolate** KATA NAMA

*coklat susu*

**milkman** KATA NAMA

(JAMAK **milkmen**)

*penjual susu*

**milk shake** KATA NAMA

*susu kocak*

**mill** KATA NAMA

*kilang* (*untuk memproses bijirin*)

**millennium** KATA NAMA

(JAMAK **millennia** atau **millenniums**)

*alaf*

♦ **the millennium bug** pepijat alaf

**millilitre** KATA NAMA

(AS **milliliter**)

*mililiter*

**millimetre** KATA NAMA

(AS **millimeter**)

*milimeter*

**million** KATA NAMA

*juta*

**millionaire** KATA NAMA

*jutawan*

**millipede** KATA NAMA

*gonggok*

to **mimic** KATA KERJA

(**mimicked, mimicked**)

*mengajuk*

**mimicry** KATA NAMA

*ajukan*

◊ *One of his strengths is his skill at mimicry.* Salah satu daripada kelebihannya ialah kemahirannya melakukan ajukan.

**minaret** KATA NAMA

*menara* (*pada masjid*)

**mince** KATA NAMA

*daging kisar*

**mince pie** KATA NAMA

> pai dengan ramuan buah-buahan kering dan biasanya dimakan pada hari Krismas

**mind** KATA NAMA

> rujuk juga **mind** KATA KERJA

*fikiran*

◊ *He's changed his mind.* Dia telah mengubah fikirannya.

♦ **What have you got in mind?** Apakah yang anda fikirkan?

♦ **I haven't made up my mind yet.** Saya masih belum membuat keputusan.

♦ **Are you out of your mind?** Awak sudah gila?

♦ **to be in two minds** berbelah bagi

◊ *He's in two minds about the decision.*
Dia berbelah bagi hendak membuat
keputusan itu.

to **mind** KATA KERJA

> rujuk juga **mind** KATA NAMA

[1] *kisah*
◊ *I don't mind the noise.* Saya tidak
kisah tentang bunyi bising itu.

♦ **Do you mind if I open the window? -
No, not at all.** Bolehkah saya buka
tingkap? - Boleh, silakan.

[2] *jaga-jaga*
◊ *Mind you don't fall.* Jaga-jaga, nanti
terjatuh! ◊ *Mind the step!* Jaga-jaga
dengan tangga itu!

[3] *menjaga*
◊ *Could you mind the baby this
afternoon?* Bolehkah anda tolong
menjaga bayi pada tengah hari ini?
◊ *Could you mind my bags for a few
minutes?* Bolehkah anda menjaga beg
saya sekejap?

♦ **Never mind!** Tidak mengapa!

♦ **'Johnny didn't seem to think so.' -
'Never mind what Johnny said!'**
'Johnny tidak fikir begitu.' - 'Peduli apa
dengan kata-kata Johnny itu!'

**mine** KATA GANTI NAMA

> rujuk juga **mine** KATA NAMA,
> KATA KERJA

[1] *kata nama + saya*
◊ *Is this your coat? - No, mine is black.*
Ini kot anda? - Bukan, kot saya berwarna
hitam. ◊ *your parents and mine* ibu
bapa anda dan ibu bapa saya

[2] *milik saya*
◊ *That car is mine.* Kereta itu milik saya.

♦ **Isabel is a friend of mine.** Isabel ialah
kawan saya.

**mine** KATA NAMA

> rujuk juga **mine** KATA GANTI NAMA,
> KATA KERJA

*lombong*
◊ *a coal mine* lombong arang batu

♦ **a land mine** periuk api

to **mine** KATA KERJA

> rujuk juga **mine** KATA GANTI NAMA,
> KATA NAMA

*melombong*
◊ *They mined tin in Lembah Kinta.*
Mereka melombong bijih timah di Lembah
Kinta.

**miner** KATA NAMA

*pelombong*
◊ *My father was a miner.* Bapa saya
seorang pelombong.

**mineral** KATA NAMA

*galian*

**mineral water** KATA NAMA

*air mineral*

**miniature** KATA ADJEKTIF

*kecil*

**mini-break** KATA NAMA

*cuti pendek*

**minibus** KATA NAMA

(JAMAK **minibuses**)
*bas mini*

**minicab** KATA NAMA

*teksi*

> Di Britain, perkhidmatan **minicab**
> digunakan dengan menelefon
> syarikat teksi itu terlebih dahulu.

**minicam** KATA NAMA

*kamera televisyen mini*

**minidisc** KATA NAMA

*cakera mini*

♦ **minidisc player** pemain cakera mini

**minimum** KATA ADJEKTIF

> rujuk juga **minimum** KATA NAMA

*minimum*
◊ *minimum wage* upah minimum

♦ **The minimum age for driving is 17.**
Hanya mereka yang berumur 17 tahun ke
atas layak mendapat lesen memandu.

**minimum** KATA NAMA

> rujuk juga **minimum** KATA ADJEKTIF

*minimum*

**mining** KATA NAMA

*perlombongan*
◊ *the mining sector* sektor
perlombongan

**minion** KATA NAMA

*orang suruhan*

**miniskirt** KATA NAMA

*miniskirt*

**minister** KATA NAMA

[1] *menteri*

♦ **the Minister for Education** Menteri
Pendidikan

[2] *paderi*

**ministry** KATA NAMA

(JAMAK **ministries**)
*kementerian*

**minor** KATA ADJEKTIF

*kecil*
◊ *a minor problem* masalah kecil
◊ *a minor operation* pembedahan kecil

♦ **in D minor** (*muzik*) dalam D minor

**minority** KATA NAMA

(JAMAK **minorities**)
*sebilangan kecil*
◊ *Only a minority of students passed the
test.* Hanya sebilangan kecil pelajar lulus
dalam ujian tersebut.

♦ **the country's ethnic minorities**
kumpulan minoriti etnik di negara itu

**mint** KATA NAMA

[1] *gula-gula berperisa pudina*

M

② *pudina*
◊ *mint sauce* sos pudina
**minus** KATA SENDI
*tolak*
◊ *sixteen minus three* enam belas tolak
tiga ◊ *I got a B minus for my English.*
Saya mendapat B tolak dalam mata
pelajaran bahasa Inggeris.
♦ **minus two degrees** dua darjah di bawah
takat beku
**minute** KATA NAMA

> rujuk juga **minute** KATA ADJEKTIF

*minit*
♦ **Wait a minute!** Tunggu sekejap!
**minute** KATA ADJEKTIF

> rujuk juga **minute** KATA NAMA

*sangat kecil*
◊ *Her flat is minute.* Rumah pangsanya
sangat kecil.
**miracle** KATA NAMA
*keajaiban*
**miraculous** KATA ADJEKTIF
*sungguh mengajaibkan*
◊ *The change was miraculous.*
Perubahan itu sungguh mengajaibkan.
♦ **The success of his business seemed
miraculous.** Kejayaan perniagaannya
bagaikan satu keajaiban.
**mirror** KATA NAMA
*cermin*
◊ *She looked at herself in the mirror.*
Dia melihat dirinya dalam cermin. ◊ *She
got in the car and adjusted the mirror.* Dia
masuk ke dalam kereta dan membetulkan
cermin keretanya.
**mirror site** KATA NAMA
(*komputer*)
*tapak cermin*

> tapak web yang sama dengan satu
> tapak web lain yang popular, tetapi
> alamat Internetnya berbeza sedikit,
> direka untuk memudahkan orang
> melayari tapak web yang popular

to **misbehave** KATA KERJA
*berperangai buruk*
**miscarriage** KATA NAMA
*keguguran*
**miscellaneous** KATA ADJEKTIF
*beraneka jenis*
◊ *miscellaneous items* beraneka jenis
barangan
**mischief** KATA NAMA
*kenakalan*
♦ **She's always up to mischief.** Dia selalu
nakal.
♦ **full of mischief** sungguh nakal
**mischief-maker** KATA NAMA
*pengganggu*
◊ *She received a phone call from an*

*unknown mischief-maker.* Dia menerima
panggilan telefon daripada pengganggu
yang tidak dikenali.
**mischievous** KATA ADJEKTIF
*nakal*
**misconception** KATA NAMA
*tanggapan yang salah*
**miser** KATA NAMA
*orang yang kedekut*
**miserable** KATA ADJEKTIF
*sengsara*
◊ *a miserable life* kehidupan yang
sengsara
♦ **I'm feeling miserable.** Saya berasa
sangat sedih.
♦ **miserable weather** cuaca buruk
**misery** KATA NAMA
(JAMAK **miseries**)
*kesengsaraan*
◊ *the miseries of his youth*
kesengsaraan pada masa mudanya
♦ **The peasants live in misery.** Petani-
petani itu hidup dalam kedaifan.
**misfortune** KATA NAMA
*nasib malang*
**mishap** KATA NAMA
*kejadian yang tidak diingini*
♦ **without mishap** dengan selamat
to **misinterpret** KATA KERJA
*menyalahtafsirkan*
**misinterpretation** KATA NAMA
*salah tafsir*
to **misjudge** KATA KERJA
*salah anggap*
◊ *I may have misjudged him.* Mungkin
saya salah anggap terhadapnya.
♦ **The driver misjudged the bend.**
Pemandu itu salah agak selekoh itu.
to **mislay** KATA KERJA
(**mislaid, mislaid**)
*lupa tempat seseorang letakkan sesuatu*
◊ *I've mislaid my glasses.* Saya sudah
lupa tempat saya letakkan cermin mata
saya.
**misleading** KATA ADJEKTIF
*mengelirukan*
**misprint** KATA NAMA
*kesalahan cetak*
to **misremember** KATA KERJA
(*biasanya* AS)
*tersilap ingat*
**Miss** KATA NAMA
*Cik*
◊ *Miss Brown wants to see you.* Cik
Brown mahu berjumpa dengan anda.
to **miss** KATA KERJA
① *tidak kena*
◊ *He missed the target.* Tembakannya
tidak kena pada sasaran.

2 *rundu*
◊ *I miss my family.* Saya rindu akan keluarga saya.
♦ **You've missed a page.** Anda tertinggal satu muka surat.
♦ **Hurry or you'll miss the bus.** Cepat! Jika tidak, anda akan ketinggalan bas.
♦ **It's too good an opportunity to miss.** Peluang ini tidak boleh dilepaskan.

**missing** KATA ADJEKTIF
*hilang*
◊ *Two members of the group are missing.* Dua orang ahli kumpulan itu telah hilang.
♦ **a missing person** orang yang hilang dari rumah
♦ **the missing link** pelengkap yang dicari-cari

**mission** KATA NAMA
*misi*
◊ *an impossible mission* satu misi yang mustahil

**missionary** KATA NAMA
(JAMAK **missionaries**)
*mubaligh*

**mission statement** KATA NAMA
*penyata misi*

penyata yang mengandungi matlamat perniagaan atau organisasi

**mist** KATA NAMA
*kabus*

**mistake** KATA NAMA

rujuk juga **mistake** KATA KERJA

*kesilapan*
◊ *There must be some mistake.* Sudah tentu ada kesilapan.
♦ **a spelling mistake** kesalahan ejaan
♦ **to make a mistake (1)** membuat kesilapan ◊ *He makes a lot of mistakes when he speaks English.* Dia melakukan banyak kesilapan semasa dia bercakap dalam bahasa Inggeris.
♦ **to make a mistake (2)** tersilap ◊ *I'm sorry, I made a mistake.* Maafkan saya. Saya tersilap.
♦ **by mistake** tersilap

to **mistake** KATA KERJA
(**mistook, mistaken**)

rujuk juga **mistake** KATA NAMA

*tersilap menyangka*
◊ *He mistook me for his friend.* Dia tersilap menyangka saya sebagai kawannya.

**mistaken** KATA ADJEKTIF
*silap*
◊ *If you think I'm going to pay, you're mistaken.* Jika anda fikir saya akan bayar, anda silap. ◊ *If I'm not mistaken, he will come at four.* Kalau tidak silap saya, dia

akan datang pada pukul empat.
♦ **mistaken identity** tersilap orang

**mistletoe** KATA NAMA
*mistletoe*

pokok parasit dengan buah beri putih yang digunakan di Britain dan Amerika sebagai perhiasan hari Krismas

**mistook** KATA KERJA *rujuk* **mistake**

to **mistreat** KATA KERJA
*menganiaya*
◊ *Animals should not be mistreated.* Haiwan tidak patut dianiaya.

**mistress** KATA NAMA
(JAMAK **mistresses**)
1 *guru* (perempuan)
2 *perempuan simpanan*
◊ *He's got a mistress.* Dia mempunyai seorang perempuan simpanan.

to **mistrust** KATA KERJA
*tidak mempercayai*

**misty** KATA ADJEKTIF
*berkabus*
◊ *a misty morning* pagi yang berkabus

to **misunderstand** KATA KERJA
(**misunderstood, misunderstood**)
*salah faham*
◊ *Sorry, I misunderstood you.* Maaf, saya salah faham maksud anda.

**misunderstanding** KATA NAMA
*salah faham*

**misunderstood** KATA KERJA *rujuk* **misunderstand**

to **misuse** KATA KERJA
*menyalahgunakan*
◊ *She misused her position.* Dia telah menyalahgunakan kedudukannya.

to **mitigate** KATA KERJA
*mengurangkan*
◊ *Nothing can mitigate the horror of war.* Tidak ada apa-apa yang dapat mengurangkan keadaan peperangan yang dahsyat.

**mix** KATA NAMA
(JAMAK **mixes**)

rujuk juga **mix** KATA KERJA

*gabungan*
◊ *The film is a mix of science fiction and comedy.* Filem itu merupakan gabungan sains fiksyen dan komedi.
♦ **a cake mix** adunan kek

to **mix** KATA KERJA

rujuk juga **mix** KATA NAMA

1 *mencampurkan*
◊ *Mix the flour with the sugar.* Campurkan tepung dengan gula.
♦ **He's mixing business with pleasure.** Dia mencampuradukkan urusan kerja dengan hiburan.
2 *bergaul*

**M**

◊ *I like mixing with all sorts of people.* Saya suka bergaul dengan pelbagai jenis orang. ◊ *He doesn't mix much.* Dia kurang bergaul.

to **mix up** KATA KERJA
*keliru*
◊ *He mixed up their names.* Dia keliru dengan nama-nama mereka.
♦ **The travel agent mixed up the bookings.** Agen pelancongan itu telah mencampuradukkan tempahan-tempahan itu.
♦ **I'm getting mixed up.** Fikiran saya bercelaru.

**mixed** KATA ADJEKTIF
*campur*
◊ *a mixed salad* salad campur ◊ *a mixed school* sekolah campur
♦ **I've got mixed feelings about it.** Perasaan saya bercampur baur tentang perkara itu.

**mixed parentage** KATA NAMA
*peranakan*

**mixer** KATA NAMA
*pengadun*

**mixture** KATA NAMA
*campuran*
◊ *a mixture of spices* campuran rempah
♦ **a cake mixture** adunan kek

**mix-up** KATA NAMA
*kekeliruan*

**MLA** SINGKATAN (= *Member of the Legislative Assembly*) (JAMAK **MLAs**)
*Ahli Parlimen* (*di Australia dan sesetengah negara lain*)

**MMR** SINGKATAN (= *measles, mumps, rubella*)
*campak, beguk dan rubela*
◊ *the MMR (measles, mumps and rubella) vaccine* vaksin untuk campak, beguk dan rubela

to **moan** KATA KERJA
*mengeluh*
◊ *She's always moaning about something.* Dia sentiasa mengeluh.

**mobile home** KATA NAMA
*rumah bergerak*

> **mobile home** ialah karavan besar yang didiami orang dan biasanya berada di tempat yang tetap. Karavan ini boleh juga ditunda ke tempat lain dengan kereta atau van.

**mobile phone** KATA NAMA
*telefon bimbit*

**mobility** KATA NAMA
*pergerakan*
◊ *A thigh injury increasingly hindered her mobility.* Kecederaan pada pahanya

semakin menghalang pergerakannya.

to **mock** KATA KERJA

> *rujuk juga* **mock** KATA ADJEKTIF

*mempersendakan*

**mock** KATA ADJEKTIF

> *rujuk juga* **mock** KATA KERJA

*olok-olok*
◊ *a mock execution* pelaksanaan hukuman mati olok-olok
♦ **His voice was raised in mock horror.** Dia meninggikan suaranya dan berpura-pura takut.
♦ **a mock exam** peperiksaan percubaan

**mockery** KATA NAMA
*cemuhan*
◊ *Anita ignored her friend's mockery.* Anita tidak mempedulikan cemuhan kawannya.

**mod cons** KATA NAMA JAMAK
*kelengkapan moden*
◊ *with all mod cons* dengan semua kelengkapan moden

**model** KATA NAMA

> *rujuk juga* **model** KATA ADJEKTIF

[1] *model*
◊ *a model of the castle* model istanakota itu ◊ *His car is the latest model.* Keretanya merupakan model yang terbaru.
[2] *peragawati*
◊ *She's a famous model.* Dia seorang peragawati yang terkenal.

**model** KATA ADJEKTIF

> *rujuk juga* **model** KATA NAMA

*model*
◊ *a model plane* model kapal terbang
♦ **He's a model pupil.** Dia pelajar contoh.

**modem** KATA NAMA
(*komputer*)
*modem*

**moderate** KATA ADJEKTIF
*sederhana*
◊ *a moderate growth* pertumbuhan yang sederhana
♦ **His views are quite moderate.** Pandangannya tidak keterlaluan.

**modern** KATA ADJEKTIF
*moden*

**modernity** KATA NAMA
*kemodenan*

**modernization** KATA NAMA
*pemodenan*
◊ *a five-year modernization programme* program pemodenan lima tahun

to **modernize** KATA KERJA
*memodenkan*

**modest** KATA ADJEKTIF
[1] *sederhana*

◊ *a modest house* rumah yang sederhana

2 *merendah diri* (*orang*)

**modification** KATA NAMA

*pengubahsuaian*

◊ *modification of a building* pengubahsuaian yang dibuat pada sesebuah bangunan

to **modify** KATA KERJA

(**modified, modified**)

*mengubahsuai*

**moist** KATA ADJEKTIF

*lembap*

◊ *The soil is reasonably moist after the rain.* Tanah itu agak lembap selepas hujan.

to **moisten** KATA KERJA

*membasahkan*

◊ *Danielle moistened the cloth to wipe the table.* Danielle membasahkan kain itu untuk mengelap meja.

**moisture** KATA NAMA

*lembapan*

**moisturizer** KATA NAMA

*pelembap*

**molar** KATA NAMA

*geraham*

**moldy** KATA ADJEKTIF 🗚

*berkulat*

**mole** KATA NAMA

1 *tahi lalat*

2 *cencorot tanah* (*haiwan*)

**molecule** KATA NAMA

*molekul*

to **molest** KATA KERJA

*mencabul kehormatan*

◊ *The weird man tried to molest her.* Lelaki yang pelik itu cuba mencabul kehormatannya.

**molestation** KATA NAMA

*pencabulan*

**molester** KATA NAMA

*pencabul*

**molten** KATA ADJEKTIF

*lebur*

◊ *molten glass* kaca yang lebur

**moment** KATA NAMA

*ketika*

◊ *He was there for a moment.* Dia berada di situ buat seketika.

♦ **Just a moment!** Sebentar!

♦ **at the moment** buat masa ini

♦ **any moment now** pada bila-bila masa sahaja

**monarch** KATA NAMA

1 *raja*

2 *ratu*

**monarchy** KATA NAMA

(JAMAK **monarchies**)

*monarki*

**monastery** KATA NAMA

(JAMAK **monasteries**)

*biara*

**Monday** KATA NAMA

*hari Isnin*

◊ *I saw her on Monday.* Saya bertemu dengannya pada hari Isnin. ◊ *every Monday* setiap hari Isnin ◊ *last Monday* hari Isnin lepas ◊ *next Monday* hari Isnin depan

**monetary** KATA ADJEKTIF

*kewangan*

◊ *monetary control* kawalan kewangan

◊ *shortcomings in the country's monetary system* kepincangan dalam sistem kewangan negara

**money** KATA NAMA

*wang*

◊ *I need to change some money.* Saya perlu menukar wang.

♦ **to make money** mendapat keuntungan

**money changer** KATA NAMA

*pengurup wang*

**money laundering** KATA NAMA

*dobian wang* (*melaburkan wang haram*)

**money-mad** KATA ADJEKTIF

*gila wang*

**money-minded** KATA ADJEKTIF

*mata duitan*

**money order** KATA NAMA

*kiriman wang*

**mongrel** KATA NAMA

*kata nama + kacukan*

◊ *My dog's a mongrel.* Anjing saya ialah anjing kacukan.

to **monitor** KATA KERJA

| rujuk juga **monitor** KATA NAMA |

*meninjau*

◊ *The police monitored the activities of the secret society.* Pihak polis meninjau kegiatan kongsi gelap itu.

**monitor** KATA NAMA

| rujuk juga **monitor** KATA KERJA |

*monitor*

**monitor lizard** KATA NAMA

*biawak*

**monk** KATA NAMA

*sami*

**monkey** KATA NAMA

*monyet*

**monolingual** KATA ADJEKTIF

*ekabahasa*

◊ *monolingual dictionary* kamus ekabahasa

**monologue** KATA NAMA

*monolog*

to **monopolize** KATA KERJA

*memonopoli*

M

◊ *As usual, Johnson monopolized the discussion.* Seperti biasa, Johnson memonopoli perbincangan itu.

**monopoly**  KATA NAMA
(JAMAK **monopolies**)
*monopoli*

**monotonous**  KATA ADJEKTIF
*membosankan*
◊ *It's monotonous work, like most factory jobs.* Kerja itu membosankan seperti kebanyakan kerja kilang.

**monsoon**  KATA NAMA
*monsun*

**monster**  KATA NAMA
*raksasa*

**month**  KATA NAMA
*bulan*
◊ *this month* bulan ini ◊ *next month* bulan depan ◊ *last month* bulan lepas ◊ *at the end of the month* pada hujung bulan

**monthly**  KATA ADJEKTIF
*bulanan*
◊ *monthly report* laporan bulanan
♦ **Make sure the machine is serviced monthly.** Pastikan bahawa mesin itu diservis sebulan sekali.

**monument**  KATA NAMA
*monumen*

to **moo**  KATA KERJA
┌─────────────────────────────┐
│ *rujuk juga* **moo** KATA NAMA │
└─────────────────────────────┘
*melenguh*
◊ *Cows moo.* Lembu melenguh.

**moo**  KATA NAMA
┌─────────────────────────────┐
│ *rujuk juga* **moo** KATA KERJA │
└─────────────────────────────┘
*lenguh* (*bunyi lembu*)

**mood**  KATA NAMA
*angin*
♦ **to be in a good mood** angin baik
♦ **to be in a bad mood** angin tidak baik

**moody**  KATA ADJEKTIF
*angin tidak baik*
♦ **to be moody** angin tidak baik ◊ *She's moody today.* Anginnya tidak baik hari ini.

**moon**  KATA NAMA
*bulan*
◊ *There's a full moon tonight.* Malam ini bulan mengambang.
♦ **She's over the moon about it.** Dia sangat gembira tentang hal itu.

**moonlight**  KATA NAMA
*cahaya bulan*

**moor**  KATA NAMA
┌─────────────────────────────┐
│ *rujuk juga* **moor** KATA KERJA │
└─────────────────────────────┘
*tanah mor*

to **moor**  KATA KERJA
┌─────────────────────────────┐
│ *rujuk juga* **moor** KATA NAMA │
└─────────────────────────────┘
*menambat* (*perahu*)

**mop**  KATA NAMA
┌─────────────────────────────┐
│ *rujuk juga* **mop** KATA KERJA │
└─────────────────────────────┘
*mop*

to **mop**  KATA KERJA
┌─────────────────────────────┐
│ *rujuk juga* **mop** KATA NAMA │
└─────────────────────────────┘
*mengelap*
◊ *to mop the floor* mengelap lantai

**moped**  KATA NAMA
*basikal berenjin*

**moral**  KATA NAMA
*pengajaran*
◊ *the moral of the story is...* pengajaran daripada cerita ini ialah...
♦ **morals** akhlak

**morale**  KATA NAMA
*semangat*
◊ *The team's morale was at an all-time low.* Semangat pasukan itu berada pada tahap yang paling rendah.

**more**  KATA ADJEKTIF, KATA GANTI NAMA, KATA ADVERBA
1 *lebih*
◊ *It costs a lot more.* Kosnya lebih mahal.
2 *lagi*
◊ *There isn't any more.* Tidak ada lagi. ◊ *A bit more?* Sedikit lagi? ◊ *Is there any more?* Ada lagi? ◊ *The process will take a few more days.* Proses ini akan mengambil masa beberapa hari lagi.
♦ **more than** lebih daripada ◊ *He's more intelligent than me.* Dia lebih pandai daripada saya. ◊ *I spent more than RM100.* Saya berbelanja lebih daripada RM100.
♦ **more or less** lebih kurang
♦ **more than ever** lebih daripada sebelum ini
♦ **more and more** semakin lama semakin banyak

**moreover**  KATA ADVERBA
*lagipun*

**morning**  KATA NAMA
*pagi*
◊ *in the morning* pada waktu pagi ◊ *at 7 o'clock in the morning* pada pukul 7 pagi ◊ *on Saturday morning* pada pagi Sabtu ◊ *tomorrow morning* pagi esok
♦ **the morning papers** akhbar pagi

**Morocco**  KATA NAMA
*negara Maghribi*

**mortar**  KATA NAMA
1 *mortar* (*sejenis meriam*)
2 *lesung*

**mortgage**  KATA NAMA
┌─────────────────────────────────┐
│ *rujuk juga* **mortgage** KATA KERJA │
└─────────────────────────────────┘
*gadai janji*

to **mortgage**  KATA KERJA
┌─────────────────────────────────┐
│ *rujuk juga* **mortgage** KATA NAMA │
└─────────────────────────────────┘

*mencagarkan*
◊ *Edward had to mortgage their house to pay the bills.* Edward terpaksa mencagarkan rumah mereka untuk membayar bil-bil itu.

**Moscow** KATA NAMA
*Moscow*

**Moslem** KATA NAMA
*orang Islam*
♦ **He's a Moslem.** Dia beragama Islam.

**mosque** KATA NAMA
*masjid*

**mosquito** KATA NAMA
(JAMAK **mosquitoes**)
*nyamuk*

**moss** KATA NAMA
*lumut*

**mossy** KATA ADJEKTIF
*berlumut*

**most** KATA ADJEKTIF, KATA GANTI NAMA, KATA ADVERBA
1 *paling*
◊ *the thing she feared most* perkara yang paling ditakutinya ◊ *the most expensive restaurant* restoran yang paling mahal
2 *paling banyak*
◊ *He's the one who talks the most.* Dialah yang paling banyak bercakap.
♦ **most of** kebanyakan ◊ *most of the time* kebanyakan masa ◊ *I did most of the work alone.* Saya melakukan kebanyakan kerja itu seorang diri.
♦ **most of them** kebanyakan daripada mereka ◊ *Most of them have cars.* Kebanyakan daripada mereka mempunyai kereta.
♦ **Most people go out on weekends.** Kebanyakan orang keluar pada hujung minggu.
♦ **He won the most votes.** Dia memenangi undi yang paling banyak.
♦ **at the most (1)** paling lama ◊ *two hours at the most* paling lama dua jam
♦ **at the most (2)** paling banyak ◊ *four subjects at the most* paling banyak empat subjek
♦ **to make the most of something** menggunakan sesuatu dengan sepenuhnya ◊ *He made the most of his holiday.* Dia menggunakan waktu cutinya dengan sepenuhnya.

**mostly** KATA ADVERBA
*hampir kesemuanya*
◊ *The teachers are mostly quite nice.* Guru-guru di situ hampir kesemuanya agak baik.

**motel** KATA NAMA
*motel*

**moth** KATA NAMA
*kupu-kupu*

**mothball** KATA NAMA
*ubat gegat*

**mother** KATA NAMA
*emak*
♦ **my mother and father** ibu bapa saya
♦ **mother tongue** bahasa ibunda

**mother-in-law** KATA NAMA
(JAMAK **mothers-in-law**)
*ibu mertua*

**motherland** KATA NAMA
*tanah air*

**motherly** KATA ADJEKTIF
*bersifat keibuan*
◊ *Josie's not at all motherly.* Josie tidak bersifat keibuan langsung.

**Mother's Day** KATA NAMA
*Hari Ibu*

**motion** KATA NAMA
1 *pergerakan*
2 *usul*
◊ *The conference is now debating the motion.* Sekarang persidangan itu sedang membahaskan usul tersebut.

**motionless** KATA ADJEKTIF
*tidak bergerak*

to **motivate** KATA KERJA
*memotivasikan*
◊ *A good teacher knows how to motivate her students.* Guru yang baik tahu cara untuk memotivasikan pelajar-pelajarnya.

**motivated** KATA ADJEKTIF
*bermotivasi*
◊ *He is highly motivated.* Dia seorang yang bermotivasi tinggi.

**motivation** KATA NAMA
*motivasi*

**motivator** KATA NAMA
*pendorong*

**motive** KATA NAMA
*motif*
◊ *the motive for the killing* motif pembunuhan tersebut
♦ **for the best of motives** dengan niat yang baik

**motor** KATA NAMA
*motor*

**motorbike** KATA NAMA
*motosikal*

**motorboat** KATA NAMA
*motobot*

**motorcycle** KATA NAMA
*motosikal*

**motorcyclist** KATA NAMA
*penunggang motosikal*

**motorist** KATA NAMA
*pemandu kereta*

**motor mechanic** KATA NAMA

**M**

_mekanik_

**motor racing** KATA NAMA
_lumba kereta_

**motorway** KATA NAMA
_lebuh raya_
◊ _I had an accident on the motorway._
Saya terlibat dalam satu kemalangan di
lebuh raya.

**motto** KATA NAMA
(JAMAK **mottoes** atau **mottos**)
_moto_

**mould** KATA NAMA
_acuan_

**mouldy** KATA ADJEKTIF
_berkulat_

to **mount** KATA KERJA
1 _menganjurkan_
◊ _a security operation mounted by the
army_ operasi keselamatan yang
dianjurkan oleh angkatan tentera
2 _memuncak_
◊ _For several hours the tension
mounted._ Ketegangan memuncak
selama beberapa jam.

**mountain** KATA NAMA
_gunung_
♦ **in the mountains** di kawasan
pergunungan
♦ **a mountain bike** basikal gunung

**mountaineer** KATA NAMA
_pendaki gunung_

**mountaineering** KATA NAMA
_aktiviti mendaki gunung_
◊ _I go mountaineering._ Saya menyertai
aktiviti mendaki gunung.

**mountainous** KATA ADJEKTIF
_bergunung-ganang_

to **mourn** KATA KERJA
_berdukacita_ (_kerana kematian_)
◊ _She's still mourning for her husband._
Dia masih berdukacita atas kematian
suaminya.

**mourning** KATA NAMA
_perkabungan_
◊ _mourning period_ tempoh
perkabungan
♦ **He was in mourning after the sudden
death of his mother.** Dia berkabung
selepas kematian mengejut ibunya.

**mouse** KATA NAMA
(JAMAK **mice**)
1 _tikus_
2 _tetikus_ (_komputer_)

**mouse deer** KATA NAMA
_kancil_

**mouse mat** KATA NAMA
_alas tetikus_

**mousse** KATA NAMA
_mousse_ (_makanan_)

◊ _chocolate mousse_ mousse coklat
♦ **hair mousse** mousse rambut

**moustache** KATA NAMA
_misai_
◊ _He's got a moustache._ Dia
mempunyai misai.

**mouth** KATA NAMA
_mulut_

**mouthful** KATA NAMA
1 _suap_ (_makanan_)
2 _teguk_ (_minuman_)

**mouth organ** KATA NAMA
_harmonika_

**mouthwash** KATA NAMA
_cecair pencuci mulut_

**move** KATA NAMA
| rujuk juga **move** KATA KERJA |
| --- |
1 _tindakan_
◊ _That was a good move!_ Itu satu
tindakan yang bijak!
♦ **It's your move.** Giliran anda sekarang.
2 _perpindahan_
◊ _our move from Oxford to Luton_
perpindahan kami dari Oxford ke Luton
♦ **Get a move on!** Cepat!

to **move** KATA KERJA
| rujuk juga **move** KATA NAMA |
| --- |
1 _bergerak_
◊ _Don't move!_ Jangan bergerak!
◊ _The car was moving very slowly._
Kereta itu bergerak dengan sangat
perlahan.
2 _menggerakkan_
◊ _He can't move his arm._ Dia tidak
dapat menggerakkan tangannya.
♦ **Could you move your stuff please?**
Bolehkah anda mengalihkan barang-
barang anda?
♦ **to move house** berpindah rumah
♦ **We're moving in July.** Kami akan
berpindah pada bulan Julai.
♦ **I was very moved by the film.** Filem
itu betul-betul menyentuh perasaan saya.

to **move forward** KATA KERJA
_bergerak ke hadapan_

to **move in** KATA KERJA
_berpindah masuk_
◊ _When are the new tenants moving in?_
Bilakah penyewa-penyewa baru itu akan
berpindah masuk?

to **move over** KATA KERJA
_beranjak_
◊ _Could you move over a bit, please?_
Bolehkah anda beranjak sedikit?

**movement** KATA NAMA
_pergerakan_

**movie** KATA NAMA
_wayang gambar_
♦ **the movies** pawagam

♦ **Let's go to the movies!** Mari kita pergi tengok wayang!

**moving** KATA ADJEKTIF
  1 _bergerak_
  ◊ _a moving stairway_ tangga bergerak
  2 _mengharukan_
  ◊ _a moving story_ cerita yang mengharukan

to **mow** KATA KERJA
  (**mowed, mowed** atau **mown**)
  _memotong rumput_
  ◊ _I sometimes mow the lawn._ Kadang-kadang saya memotong rumput di halaman.

**mower** KATA NAMA
  _mesin rumput_

**mown** KATA KERJA rujuk **mow**

**MP** SINGKATAN (= _Member of Parliament_)
  _Ahli Parlimen_

**MP3** KATA NAMA
  _MP3_

> teknologi yang membolehkan seseorang merakamkan dan memainkan muzik dari Internet

♦ **MP3-player** pemain MP3

**Mr** SINGKATAN
  1 _Encik_ **atau** _En_.
  ◊ _Mr Jones wants to see you._ Encik Jones mahu berjumpa dengan anda.
  2 _Tuan_ (_untuk panggilan hormat_)

**Mrs** SINGKATAN
  _Puan_
  ◊ _Mrs Philips is a teacher._ Puan Philips seorang guru.

**Ms** SINGKATAN
  _Cik_
  ◊ _Ms Peters lives next door._ Cik Peters tinggal di sebelah.

**MSP** KATA NAMA (= _Member of the Scottish Parliament_) (JAMAK **MSPs**)
  _Ahli Parlimen Scotland_

**much** KATA ADJEKTIF, KATA GANTI NAMA, KATA ADVERBA
  _lebih_
  ◊ _I feel much better now._ Saya berasa lebih baik sekarang.

♦ **I haven't got much money.** Saya tidak mempunyai wang yang banyak.

♦ **very much** sangat ◊ _I enjoyed myself very much._ Saya berasa sangat seronok.

♦ **Thank you very much.** Terima kasih banyak-banyak.

♦ **how much?** berapa banyak? ◊ _How much time have you got?_ Berapa banyakkah masa yang anda ada?

♦ **How much is it?** Berapakah harganya?

♦ **too much** terlalu banyak ◊ _They give us too much homework._ Mereka memberi

kami terlalu banyak kerja rumah.

♦ **That's too much!** Itu sudah lebih!

♦ **I didn't think it would cost so much.** Saya tidak sangka harganya begitu mahal.

♦ **I've never seen so much rain.** Saya tidak pernah melihat hujan selebat itu.

♦ **What's on TV? - Not much.** Ada apa-apa rancangan yang menarik di televisyen? - Tidak ada apa-apa yang menarik.

**muck** KATA NAMA
  (_tidak formal_)
  1 _kotoran_
  2 _tahi binatang_

**mucus** KATA NAMA
  _lendir_

**mud** KATA NAMA
  _lumpur_

**muddle** KATA NAMA
  _kekeliruan_
  ◊ _to be in a muddle_ berada dalam kekeliruan

♦ **The photos are in a muddle.** Gambar-gambar itu telah bercampur aduk.

to **muddle up** KATA KERJA
  _terkeliru_
  ◊ _He muddles me up with my friend._ Dia terkeliru antara saya dengan kawan saya.

♦ **to get muddled up** keliru ◊ _I'm getting muddled up._ Saya keliru.

**muddy** KATA ADJEKTIF
  _berlumpur_

**mud hole** KATA NAMA
  _kubangan_

**muesli** KATA NAMA
  _muesli_ (_bijirin sarapan_)

**muffler** KATA NAMA
  1 🇺🇸 _alat penyengap_ (pada ekzos kereta)
  2 _skarf_

**mug** KATA NAMA

> rujuk juga **mug** KATA KERJA

  _kole_
  ◊ _Do you want a cup or a mug?_ Anda mahu cawan atau kole? ◊ _a beer mug_ kole bir

to **mug** KATA KERJA

> rujuk juga **mug** KATA NAMA

  _menyamun_
  ◊ _He was mugged in the city centre._ Dia disamun di pusat bandar.

**mugger** KATA NAMA
  _penyamun_

**mugging** KATA NAMA
  _penyamunan_

**muggy** KATA ADJEKTIF
  _panas dan lembap_
  ◊ _It's muggy today._ Cuaca hari ini panas dan lembap.

**multicoloured** KATA ADJEKTIF

M

_aneka warna_
◊ _multicoloured decorations_ perhiasan aneka warna
♦ **a multicoloured piece of cloth** sehelai kain yang beraneka warna

**multicultural** KATA ADJEKTIF
_pelbagai budaya_

**multinational** KATA ADJEKTIF
_multinasional_

**multiple choice test** KATA NAMA
_ujian aneka pilihan_

**multiple sclerosis** KATA NAMA
_sklerosis berbilang_
◊ _She's got multiple sclerosis._ Dia menghidap penyakit sklerosis berbilang.

**multiplication** KATA NAMA
[1] _pendaraban_
[2] _pembiakan_
◊ _the multiplication of bacteria_ pembiakan bakteria

**multiplication table** KATA NAMA
_sifir_

to **multiply** KATA KERJA
(**multiplied, multiplied**)
_mendarab_
◊ _to multiply six by three_ mendarab enam dengan tiga

**multiracial** KATA ADJEKTIF
_berbilang bangsa_
◊ _multiracial society_ masyarakat berbilang bangsa

**multi-storey** KATA ADJEKTIF
_bertingkat-tingkat_
◊ _a multi-storey building_ bangunan yang bertingkat-tingkat

**multi-storey car park** KATA NAMA
_tempat letak kereta bertingkat_

**multivitamin** KATA NAMA
_multivitamin_

**mum** KATA NAMA
_emak_
◊ _I'll ask Mum._ Saya akan tanya emak.
◊ _my mum_ emak saya

**mummy** KATA NAMA
(JAMAK **mummies**)
[1] _emak_
◊ _Mummy says I can go._ Emak berkata saya boleh pergi.
[2] _mumia_

**mumps** KATA NAMA
_beguk_
◊ _He's got mumps._ Dia menghidap penyakit beguk.

**municipal** KATA ADJEKTIF
_perbandaran_
◊ _the Municipal Council_ Majlis Perbandaran

**mural** KATA NAMA
_mural_

**murder** KATA NAMA
| rujuk juga **murder** KATA KERJA |
_pembunuhan_

to **murder** KATA KERJA
| rujuk juga **murder** KATA NAMA |
_membunuh_
◊ _He was murdered._ Dia dibunuh.

**murderer** KATA NAMA
_pembunuh_

**murky** KATA ADJEKTIF
[1] _kelam_
◊ _a murky room_ bilik yang kelam
[2] _keruh_
◊ _The water in the container is murky._ Air di dalam bekas itu keruh.

**muscle** KATA NAMA
_otot_

**muscular** KATA ADJEKTIF
_berotot_
◊ _He's got very muscular legs._ Kakinya sangat berotot.

**museum** KATA NAMA
_muzium_

**mushroom** KATA NAMA
_cendawan_

**music** KATA NAMA
_muzik_

**musical** KATA ADJEKTIF
| rujuk juga **musical** KATA NAMA |
_muzik_
◊ _a musical instrument_ alat muzik
♦ **I'm not musical.** Saya tidak berbakat dalam bidang muzik.

**musical** KATA NAMA
| rujuk juga **musical** KATA ADJEKTIF |
[1] _filem muzikal_
[2] _drama muzikal_

**music centre** KATA NAMA
_set hi-fi_

**musician** KATA NAMA
_ahli muzik_
◊ _He's a musician._ Dia seorang ahli muzik.

**Muslim** KATA NAMA
_orang Islam_
♦ **She's a Muslim.** Dia beragama Islam.

**mussel** KATA NAMA
_siput (boleh dimakan)_

**must** KATA KERJA
| rujuk juga **must** KATA NAMA |
[1] _mesti_
◊ _I must do it._ Saya mesti melakukannya. ◊ _I really must go now._ Saya mesti pergi sekarang.
♦ **You must come again next year.** Datanglah lagi pada tahun hadapan.
♦ **You mustn't forget to send her a card.** Jangan lupa hantar sekeping kad kepadanya.

2  *tentu*
  ◊  *There must be some problem.*  Tentu
  ada masalah yang timbul.  ◊  *You must be
  tired.*  Anda tentu letih.
**must**   KATA NAMA
  | rujuk juga **must** KATA KERJA
  *kemestian*
  ◊  *This trip is a must.*  Lawatan ini
  merupakan satu kemestian.
**mustard**   KATA NAMA
  *sos biji sawi*
**mustn't**   KATA KERJA = **must not**
**musty**   KATA ADJEKTIF
  *hapak*
to **mutilate**   KATA KERJA
  *mencacatkan*
  ◊  *He tortured and mutilated six young
  men.*  Dia mendera dan mencacatkan
  enam orang pemuda.
  ♦  **The beggar's left hand is mutilated.**
  Tangan kiri pengemis itu kudung.
to **mutter**   KATA KERJA
  *menggumam*
  ◊  *She mutters in her sleep.*  Dia
  menggumam dalam tidur.
**mutton**   KATA NAMA
  *daging kambing biri-biri*
**mutual**   KATA ADJEKTIF
  *saling*
  ◊  *The feeling was mutual.*  Perasaan itu
  saling dirasai.
  ♦  **a mutual friend**  kawan yang sama
  ♦  **mutual benefit**  faedah bersama
  ♦  **They had a mutual interest in rugby.**
  Mereka sama-sama berminat dalam ragbi.
**muzzle**   KATA NAMA
  1  *berangus*
  2  *muncung*
  ◊  *the muzzle of a gun*  muncung

senapang
**my**   KATA ADJEKTIF
  *saya*
  ◊  *my father*  bapa saya  ◊  *my house*
  rumah saya
**myself**   KATA GANTI NAMA
  1  *diri saya*
  ◊  *I introduced myself as Amanda.*  Saya
  memperkenalkan diri saya sebagai
  Amanda.
  ♦  **I can take care of myself.**  Saya boleh
  menjaga diri saya sendiri.
  ♦  **a beginner like myself**  orang yang baru
  belajar seperti saya
  2  *sendiri*
  ◊  *I made it myself.*  Saya membuatnya
  sendiri.
  ♦  **by myself**  seorang diri  ◊  *I don't like
  travelling by myself.*  Saya tidak suka
  mengembara seorang diri.
**mysterious**   KATA ADJEKTIF
  *penuh misteri*
**mystery**   KATA NAMA
  (JAMAK **mysteries**)
  *misteri*
  ◊  *a murder mystery*  misteri
  pembunuhan
**mysticism**   KATA NAMA
  *kebatinan*
  ◊  *Since he began to study mysticism, he
  has lost interest in worldly matters.*  Sejak
  dia belajar ilmu kebatinan, dia telah hilang
  minat tentang hal-hal keduniaan.
**myth**   KATA NAMA
  *mitos*
  ◊  *a Greek myth*  mitos Yunani
  ♦  **That's a myth.**  Itu cuma dongengan!
**mythology**   KATA NAMA
  *mitologi*

M

# N

to **nag**  KATA KERJA
*meleteri*
◊ *She's always nagging me.*  Dia selalu meleteri saya.

**nagging**  KATA NAMA
*leteran*
◊ *Steven tolerated his grandmother's nagging patiently.*  Steven menerima leteran neneknya dengan sabar.

**nail**  KATA NAMA
rujuk juga **nail** KATA KERJA
1 *paku*
2 *kuku*
◊ *Diane bites her nails.*  Diane menggigit kukunya.

to **nail**  KATA KERJA
rujuk juga **nail** KATA NAMA
*memakukan*
◊ *Kamal nailed a piece of wood to the wall.*  Kamal memakukan sebatang kayu pada dinding.

**nailbrush**  KATA NAMA
(JAMAK **nailbrushes**)
*berus kuku*

**nailfile**  KATA NAMA
*pengasah kuku*

**nail scissors**  KATA NAMA JAMAK
*gunting kuku*

**nail varnish**  KATA NAMA
(JAMAK **nail varnishes**)
*pengilat kuku*
◊ *nail varnish remover*  pembersih pengilat kuku

**naive**  KATA ADJEKTIF
*naif*
◊ *a naive girl*  seorang gadis yang naif

**naivety**  KATA NAMA
*kenaifan*
◊ *Don't take advantage of people's naivety.*  Jangan ambil kesempatan atas kenaifan orang lain.

**naked**  KATA ADJEKTIF
*bogel*

**name**  KATA NAMA
rujuk juga **name** KATA KERJA
*nama*

to **name**  KATA KERJA
rujuk juga **name** KATA NAMA
*menamakan*
◊ *They insisted on naming their daughter Esther.*  Mereka berkeras untuk menamakan anak perempuan mereka Esther.

**namely**  KATA ADVERBA
*iaitu*
◊ *One group of people seems to be forgotten, namely pensioners.*  Ada satu golongan yang nampaknya sering dilupakan, iaitu golongan pesara.

**nanny**  KATA NAMA
(JAMAK **nannies**)
*pengasuh*

**nap**  KATA NAMA
rujuk juga **nap** KATA KERJA
*tidur sekejap*
♦ **She likes to have a nap in the afternoon.**  Dia suka tidur sekejap pada waktu petang.

to **nap**  KATA KERJA
rujuk juga **nap** KATA NAMA
*tidur sekejap* (biasanya pada waktu siang)

**nape**  KATA NAMA
*tengkuk*

**napkin**  KATA NAMA
*tuala makan*

**nappy**  KATA NAMA
(JAMAK **nappies**)
*lampin*

to **narrate**  KATA KERJA
*menceritakan*
◊ *They narrate the events from different perspectives.*  Mereka menceritakan peristiwa-peristiwa itu dari perspektif yang berlainan.

**narration**  KATA NAMA
*penceritaan*

**narrative**  KATA NAMA
*naratif*

**narrator**  KATA NAMA
*tukang cerita*

**narrow**  KATA ADJEKTIF
rujuk juga **narrow** KATA KERJA
*sempit*

to **narrow**  KATA KERJA
rujuk juga **narrow** KATA ADJEKTIF
*menjadi kecil*
◊ *The gap between the two main parties has narrowed.*  Jurang antara dua parti utama itu telah menjadi kecil.

**narrowly**  KATA ADVERBA
1 *dengan teliti*
◊ *He looked narrowly at his colleague.*  Dia memerhatikan rakan sekerjanya dengan teliti.
2 *hampir-hampir*
◊ *She narrowly failed to win.*  Dia hampir-hampir kalah. ◊ *His blow narrowly missed my head.*  Tumbukannya hampir-hampir terkena kepala saya.

**narrow-minded**  KATA ADJEKTIF
*berfikiran sempit*

**narrowness**  KATA NAMA
1 *kesempitan*
◊ *the narrowness of the channel*  kesempitan selat itu
♦ **the narrowness of the government's majority**  kemenangan kerajaan dengan kelebihan undi yang sedikit

**nasal** KATA ADJEKTIF
*sengau*
◊ *his nasal voice* suaranya yang
sengau
♦ **nasal cavity** rongga hidung
**nasty** KATA ADJEKTIF
*jahat*
◊ *Don't be nasty.* Jangan jahat.
♦ **What nasty weather!** Cuaca hari ini
buruk sekali!
♦ **a nasty smell** bau yang busuk
♦ **He gave me a nasty look.** Dia
memandang saya dengan pandangan
yang kurang menyenangkan.
**nation** KATA NAMA
*negara*
**national** KATA ADJEKTIF
*nasional*
**national anthem** KATA NAMA
*lagu kebangsaan*
**National Health Service** KATA NAMA
*Perkhidmatan Kesihatan Negara*
**nationalism** KATA NAMA
*nasionalisme*
**nationalist** KATA NAMA
*nasionalis*
**nationality** KATA NAMA
(JAMAK **nationalities**)
*kewarganegaraan*
to **nationalize** KATA KERJA
*memiliknegarakan*
◊ *The government is planning to
nationalize those companies.* Kerajaan
bercadang untuk memiliknegarakan
syarikat-syarikat itu.
**national park** KATA NAMA
*taman negara*
**nationwide** KATA ADJEKTIF, KATA ADVERBA
*seluruh negara*
◊ *a nationwide sale* jualan murah di
seluruh negara
**native** KATA ADJEKTIF
> *rujuk juga* **native** KATA NAMA

*asal*
◊ *my native country* negara asal saya
♦ **his native language** bahasa ibundanya
**native** KATA NAMA
> *rujuk juga* **native** KATA ADJEKTIF

*anak kelahiran*
◊ *a native of St Blaise* anak kelahiran
St Blaise
**natural** KATA ADJEKTIF
*semula jadi*
◊ *natural instinct* naluri semula jadi
♦ **Helping him seemed the natural thing
to do.** Membantunya kelihatan seperti
perkara yang sewajarnya dilakukan.
**naturalist** KATA NAMA
*pengkaji hidupan*

**naturally** KATA ADVERBA
*sudah tentu*
◊ *Naturally, we were very disappointed.*
Sudah tentu kami sangat kecewa.
**natural parents** KATA NAMA
*ibu bapa kandung*
**nature** KATA NAMA
*alam semula jadi*
◊ *the wonders of nature* keajaiban alam
semula jadi
♦ **It's not in his nature to behave like that.**
Dia tidak pernah berkelakuan seperti itu
sebelum ini.
**naughtiness** KATA NAMA
*kenakalan*
**naughty** KATA ADJEKTIF
*nakal*
◊ *a naughty girl* budak perempuan
yang nakal
**nausea** KATA NAMA
*loya*
◊ *I was overcome with a feeling of
nausea.* Saya berasa sangat loya.
to **nauseate** KATA KERJA
*meloyakan*
◊ *The smell of rubbish by the roadside
nauseates me.* Bau sampah di tepi jalan
itu meloyakan saya.
**nauseous** KATA ADJEKTIF
*loya*
◊ *I feel nauseous.* Saya berasa loya.
**navel** KATA NAMA
*pusat*
to **navigate** KATA KERJA
*mengemudikan*
◊ *to navigate a ship* mengemudikan
kapal
♦ **Their aim was to navigate the straits.**
Matlamat mereka adalah untuk melayari
selat itu.
**navy** KATA NAMA
(JAMAK **navies**)
*tentera laut*
◊ *He's in the navy.* Dia berkhidmat
dengan tentera laut.
**navy-blue** KATA ADJEKTIF
*biru tua*
◊ *a navy-blue skirt* skirt biru tua
**near** KATA SENDI, KATA ADVERBA
> *rujuk juga* **near** KATA ADJEKTIF

*berdekatan*
◊ *Is there a bank near here?* Adakah
bank berdekatan dengan kawasan ini?
◊ *I live near Liverpool.* Saya tinggal
berdekatan dengan Liverpool.
♦ **near to** dekat dengan ◊ *It's very near
to the school.* Tempat itu sangat dekat
dengan sekolah.
**near** KATA ADJEKTIF

**N**

*rujuk juga* **near** KATA SENDI,
KATA ADVERBA

*dekat*

◊ *It's fairly near.* Tempat itu agak dekat.

♦ **My house is near enough to walk.**
Rumah saya dekat sahaja, berjalan kaki
pun sampai.

♦ **Where's the nearest petrol station?**
Di manakah stesen minyak yang terdekat?

♦ **in the near future** tidak lama lagi

**nearby** KATA ADVERBA

*rujuk juga* **nearby** KATA ADJEKTIF

*berdekatan*

◊ *There's a supermarket nearby.* Ada
sebuah pasar raya berdekatan dengan
tempat ini.

**nearby** KATA ADJEKTIF

*rujuk juga* **nearby** KATA ADVERBA

*berdekatan*

◊ *a nearby village* kampung berdekatan

**nearly** KATA ADVERBA

*hampir*

◊ *Dinner's nearly ready.* Makan malam
sudah hampir siap. ◊ *I'm nearly fifteen.*
Umur saya hampir lima belas tahun.

♦ **I nearly missed the bus.** Saya hampir-
hampir ketinggalan bas.

**neat** KATA ADJEKTIF

*kemas*

◊ *My roommate's not very neat.* Rakan
sebilik saya tidak begitu kemas. ◊ *He
always looks very neat.* Dia selalu
nampak kemas.

**neatly** KATA ADVERBA

*kemas*

◊ *neatly folded* dilipat kemas ◊ *neatly
dressed* berpakaian kemas

**necessarily** KATA ADVERBA

*semestinya*

♦ **not necessarily** tidak semestinya

**necessary** KATA ADJEKTIF

*perlu*

**necessity** KATA NAMA

(JAMAK **necessities**)

*keperluan*

◊ *A car is a necessity, not a luxury.*
Kereta merupakan satu keperluan
bukannya satu kemewahan.

**neck** KATA NAMA

*leher*

◊ *She had a stiff neck.* Lehernya
kejang.

♦ **the back of your neck** tengkuk anda

♦ **a V-neck sweater** baju panas berkolar V

**necklace** KATA NAMA

*rantai leher*

to **need** KATA KERJA

*rujuk juga* **need** KATA NAMA

*memerlukan*

◊ *I need a bigger size.* Saya
memerlukan saiz yang lebih besar.

♦ **I need to change some money.** Saya
perlu menukar wang.

♦ **You don't need to go.** Anda tidak perlu
pergi.

**need** KATA NAMA

*rujuk juga* **need** KATA KERJA

*keperluan*

◊ *the special nutritional needs of the
elderly, babies and children* keperluan-
keperluan pemakanan yang khusus bagi
orang tua, bayi dan kanak-kanak

♦ **There's no need to book.** Tidak perlu
membuat tempahan.

♦ **There's no need for you to do that.**
Anda tidak perlu berbuat begitu.

**needle** KATA NAMA

*jarum*

**needlework** KATA NAMA

*jahit-menjahit*

**need-to-know** KATA NAMA

♦ **on a need-to-know basis** hanya yang
perlu diketahui

**negative** KATA ADJEKTIF

*rujuk juga* **negative** KATA NAMA

*negatif*

◊ *He's got a very negative attitude.*
Sikapnya amat negatif.

**negative** KATA NAMA

*rujuk juga* **negative** KATA ADJEKTIF

*negatif* (foto)

to **neglect** KATA KERJA

*rujuk juga* **neglect** KATA NAMA

*mengabaikan*

◊ *He neglected his responsibilities.* Dia
mengabaikan tanggungjawabnya.

**neglect** KATA NAMA

*rujuk juga* **neglect** KATA KERJA

*pengabaian*

**neglected** KATA ADJEKTIF

*terbiar*

◊ *a neglected garden* taman yang
terbiar

**negligence** KATA NAMA

*kecuaian*

◊ *Amy's negligence caused them to
meet with an accident.* Kecuaian Amy
merupakan punca mereka terlibat dalam
kemalangan.

**negligent** KATA ADJEKTIF

*cuai*

◊ *The airline was negligent in
supervising the crew.* Syarikat
penerbangan itu cuai semasa menyelia
pekerjanya.

♦ **Power and influence often make people
negligent.** Kuasa dan pengaruh sering
membuat manusia terleka.

to **negotiate**  KATA KERJA
  _berunding_
**negotiations**  KATA NAMA JAMAK
  _perundingan_
**neighbour**  KATA NAMA
  (AS **neighbor**)
  _jiran_
**neighbourhood**  KATA NAMA
  (AS **neighborhood**)
  _kawasan kejiranan_
**neighbourly**  KATA ADJEKTIF
  (AS **neighborly**)
  _baik dengan jiran_
♦ **neighbourly spirit**  semangat kejiranan
**neither**  KATA ADJEKTIF, KATA HUBUNG,
KATA GANTI NAMA
  _begitu juga_
  ◊ _I don't like him. - Neither do I!_  Saya
  tidak menyukainya. - Begitu juga saya!
  ◊ _I've never been to Spain. - Neither_
  _have we._  Saya belum pernah pergi ke
  Sepanyol. - Begitu juga kami.
♦ **neither...nor...**  baik...mahupun...
  ◊ _Neither the cinema nor the swimming_
  _pool was open._  Baik pawagam mahupun
  kolam renang, kedua-duanya tidak dibuka.
♦ **Carrots or peas? - Neither, thanks.**
  Lobak merah atau kacang pis? - Kedua-
  duanya pun saya tidak mahu, terima kasih.
♦ **Neither of them is coming.**  Mereka
  berdua tidak akan datang.
♦ **Neither woman looked happy.**  Kedua-
  dua wanita itu kelihatan tidak gembira.
♦ **They can neither read nor write.**
  Mereka tidak boleh membaca mahupun
  menulis.
♦ **Professor Tanaka spoke neither English**
  **nor Malay.**  Profesor Tanaka tidak tahu
  bertutur dalam bahasa Inggeris mahupun
  bahasa Melayu.
**neon**  KATA NAMA
  _neon_
  ◊ _a neon light_  lampu neon
**nephew**  KATA NAMA
  _anak saudara_ (_lelaki_)
**Neptune**  KATA NAMA
  _Neptun_
**nerve**  KATA NAMA
  _saraf_
♦ **That noise really gets on my nerves.**
  Bunyi bising itu betul-betul menjengkelkan
  saya.
♦ **He's got a nerve!**  Dia memang berani!
♦ **I wouldn't have the nerve to do that!**
  Saya tidak akan berani melakukannya!
**nerve-racking**  KATA ADJEKTIF
  _sungguh mendebarkan_ (_pengalaman_)
**nervous**  KATA ADJEKTIF
  _gementar_

  ◊ _I bite my nails when I'm nervous._
  Saya menggigit kuku saya apabila saya
  berasa gementar.  ◊ _Everyone's a bit_
  _nervous about the exams._  Semua orang
  berasa agak gementar tentang
  peperiksaan itu.
**nest**  KATA NAMA
  _sarang_
**nestling**  KATA NAMA
  _anak burung_
**net**  KATA NAMA

  | _rujuk juga_ **net** KATA KERJA |

  _jaring_
♦ **a fishing net**  jala ikan
♦ **the Net**  Internet  ◊ _to surf the Net_
  melayari Internet
to **net**  KATA KERJA

  | _rujuk juga_ **net** KATA NAMA |

  _menjaring_
  ◊ _to net fish_  menjaring ikan
**netball**  KATA NAMA
  _bola jaring_
**Netherlands**  KATA NAMA JAMAK
  _negara Belanda_
♦ **the Netherlands**  negara Belanda
**netspeak**  KATA NAMA
  (_tidak formal_)
  _bahasa Internet_
**netsurfing**  KATA NAMA
  _melayari Internet_
**network**  KATA NAMA

  | _rujuk juga_ **network** KATA KERJA |

  _rangkaian_
to **network**  KATA KERJA

  | _rujuk juga_ **network** KATA NAMA |

  _menjalinkan hubungan_
  ◊ _He began networking with colleagues._
  Dia sudah mula menjalinkan hubungan
  dengan rakan-rakan sekerjanya.
**neurotic**  KATA ADJEKTIF
  _neurotik_
**neutral**  KATA ADJEKTIF
  _neutral_
**never**  KATA ADVERBA
  _tidak pernah_
  ◊ _Have you ever been to Argentina? -_
  _No, never._  Pernahkah anda pergi ke
  Argentina? - Tidak pernah.  ◊ _I never_
  _believed him._  Saya tidak pernah
  mempercayainya.
♦ **Never leave valuables in your car.**
  Jangan sekali-kali meninggalkan barang
  yang berharga di dalam kereta anda.
♦ **Never, ever do that again!**  Jangan
  sekali-kali melakukan perkara itu lagi!
♦ **Never again!**  Tidak lagi!
♦ **Never mind.**  Tidak mengapa.
**nevertheless**  KATA ADVERBA
  (_formal_)

**N**

*walaupun begitu*
◊ *They were very poor. Nevertheless the children were always well dressed.* Mereka sangat miskin. Walaupun begitu anak-anak itu selalu berpakaian kemas.
♦ **He looks serious, but he's very friendly nevertheless.** Wajahnya nampak serius, tetapi dia sangat peramah.

**new** KATA ADJEKTIF
*baru*
◊ *her new boyfriend* teman lelakinya yang baru

**newbie** KATA NAMA
(*tidak formal*)
*orang baru*

**newborn** KATA ADJEKTIF
*baru lahir*
◊ *a newborn baby* bayi yang baru lahir

**newcomer** KATA NAMA
*pendatang baru*
◊ *They were newcomers to the area.* Mereka merupakan pendatang baru di kawasan itu.

**news** KATA NAMA
*berita*
◊ *good news* berita baik
♦ **an interesting piece of news** berita yang menarik
♦ **It was nice to have your news.** Saya gembira mendengar khabar daripada anda.

**newsagent** KATA NAMA
*wakil penjual akhbar*

**newscaster** KATA NAMA ⬛
*penyampai berita*

**news dealer** KATA NAMA ⬛
*wakil penjual akhbar*

**newspaper** KATA NAMA
*surat khabar*

**newsreader** KATA NAMA
*penyampai berita*

**New Testament** KATA NAMA
*Injil*

**New Year** KATA NAMA
*Tahun Baru*
◊ *to celebrate New Year* meraikan Tahun Baru
♦ **Happy New Year!** Selamat Tahun Baru!
♦ **New Year's Day** Hari Tahun Baru
♦ **New Year's Eve** Malam Tahun Baru
♦ **a New Year's Eve party** majlis Malam Tahun Baru

**New Zealand** KATA NAMA
*New Zealand*

**New Zealander** KATA NAMA
*orang New Zealand*

**next** KATA ADJEKTIF, KATA ADVERBA, KATA SENDI
[1] *depan*

◊ *next Saturday* hari Sabtu depan
♦ **the next time I see you...** lain kali apabila saya berjumpa anda...
[2] *yang berikutnya*
◊ *Next please!* Silakan yang berikutnya!
◊ *The next day we visited Gerona.* Pada hari yang berikutnya, kami melawat ke Gerona.
[3] *selepas itu*
◊ *What did you do next?* Apakah yang anda lakukan selepas itu?
♦ **next to** di sebelah ◊ *next to the bank* di sebelah bank
♦ **next door** di sebelah rumah ◊ *They live next door.* Mereka tinggal di sebelah rumah kami.
♦ **the next-door neighbours** jiran sebelah rumah
♦ **the next room** bilik di sebelah

**NGO** KATA NAMA (= *non-governmental organization*)
*NGO* (= *organisasi bukan kerajaan*)

**NHS** SINGKATAN (= *National Health Service*)
*NHS* (= *Perkhidmatan Kesihatan Negara*)

**nib** KATA NAMA
*mata pena*

to **nibble** KATA KERJA
*menggigit-gigit*
◊ *He started to nibble his biscuit.* Dia mula menggigit-gigit biskutnya.
♦ **The rabbit was nibbling a carrot.** Arnab itu sedang mengunggis sebiji lobak merah.

**nice** KATA ADJEKTIF
[1] *cantik*
◊ *That's a nice dress!* Baju itu cantik!
◊ *Ipoh is a nice town.* Ipoh merupakan sebuah bandar yang cantik.
[2] *baik*
◊ *Your parents are very nice.* Ibu bapa anda sangat baik. ◊ *She was always very nice to me.* Dia selalu baik terhadap saya.
♦ **nice weather** cuaca yang elok
♦ **It's a nice day.** Cuaca hari ini elok.
♦ **It was nice of you to remember my birthday.** Baik sungguh hati anda kerana mengingati hari jadi saya.
[3] *sedap*
◊ *This cake is very nice.* Kek ini sangat sedap. ◊ *a nice cup of coffee* secawan kopi yang sedap
♦ **Have a nice time!** Bergembiralah!

**nick** KATA NAMA
*kelar*
◊ *He had a tiny nick under his eye.* Ada tanda kelar yang kecil di bawah matanya.

**nickname** KATA NAMA

*nama panggilan*

**niece** KATA NAMA
*anak saudara (perempuan)*

**night** KATA NAMA
*malam*
◊ *I want a single room for two nights.*
Saya mahu sebuah bilik bujang untuk dua malam.
♦ **at night** pada waktu malam
♦ **Good night!** Selamat malam!

> **Good night** *diucapkan sebelum tidur atau sebelum berpisah pada waktu malam.*

♦ **last night** semalam ◊ *We went to a party last night.* Kami menghadiri satu majlis semalam.

**nightclub** KATA NAMA
*kelab malam*

**nightdress** KATA NAMA
(JAMAK **nightdresses**)
*gaun tidur*

**nightie** KATA NAMA
*gaun tidur*

**nightingale** KATA NAMA
*burung bulbul*

**nightlife** KATA NAMA
*hiburan malam*
◊ *There's plenty of nightlife in Madrid.*
Di Madrid ada banyak hiburan malam.

**nightmare** KATA NAMA
*mimpi ngeri*
♦ **to have nightmares** bermimpi ngeri
♦ **The whole trip was a nightmare.**
Seluruh perjalanan itu bagaikan satu mimpi ngeri.

**nightshift** KATA NAMA
*syif malam*

**nil** KATA NAMA
*kosong*
◊ *We won one-nil.* Kami menang satu kosong.

**nine** ANGKA
*sembilan*
♦ **She's nine.** Dia berumur sembilan tahun.

**nineteen** ANGKA
*sembilan belas*
♦ **She's nineteen.** Dia berumur sembilan belas tahun.

**nineteenth** KATA ADJEKTIF
*kesembilan belas*
◊ *the nineteenth place* tempat kesembilan belas
♦ **the nineteenth of September** sembilan belas hari bulan September

**nineties** KATA NAMA JAMAK
*sembilan puluhan*

**ninetieth** KATA ADJEKTIF
*kesembilan puluh*

**ninety** ANGKA

*sembilan puluh*
♦ **He's ninety.** Dia berumur sembilan puluh tahun.

**ninth** KATA ADJEKTIF
*kesembilan*
◊ *the ninth place* tempat kesembilan
♦ **the ninth of August** sembilan hari bulan Ogos

to **nip** KATA KERJA
　① *menyepit*
◊ *The crab nipped my finger with its claw.* Ketam itu menyepit jari saya dengan sepitnya.
　② *menggigit*
◊ *I have heard of cases where dogs have nipped babies.* Saya pernah mendengar kes anjing menggigit bayi.

**no** KATA ADVERBA, KATA ADJEKTIF
　① *tidak*
◊ *Are you coming? - No.* Anda hendak ikut? - Tidak. ◊ *Would you like some more? - No thank you.* Anda hendak lagi? - Tidak, terima kasih saja.
　② *tidak ada*
◊ *There's no hot water.* Tidak ada air panas. ◊ *I have no questions.* Saya tidak ada soalan.
♦ **No way!** Tidak mungkin!
♦ **"no smoking"** "dilarang merokok"

**nobility** KATA NAMA
　① *kaum bangsawan*
　② *kemuliaan*
◊ *The king was praised for his nobility of character.* Raja itu disanjung kerana kemuliaan sifat baginda.

**noble** KATA ADJEKTIF
*mulia*
◊ *a noble idea* idea yang mulia

**nobody** KATA GANTI NAMA
*tidak ada seorang pun*
◊ *Who's going with you? - Nobody.*
Siapakah yang akan pergi bersama anda?
- Tidak ada seorang pun. ◊ *There was nobody in the office.* Tidak ada seorang pun di dalam pejabat itu.
♦ **I've got nobody to play with.** Saya tidak ada teman untuk bermain bersama.

**nod** KATA NAMA

> *rujuk juga* **nod** KATA KERJA

*anggukan*
◊ *A mere nod of the head is not a sign of agreement.* Anggukan kepala sahaja bukan tanda persetujuan.

to **nod** KATA KERJA

> *rujuk juga* **nod** KATA NAMA

*mengangguk*

to **nod off** KATA KERJA
*tertidur*

**noise** KATA NAMA

**N**

*bunyi bising*
♦ **to make a noise** membuat bising
**noisy** KATA ADJEKTIF
*bising*
◊ *the noisiest city in the world* bandar
yang paling bising di dunia ◊ *It's very
noisy here.* Suasana di sini sangat bising.
to **nominate** KATA KERJA
*mencalonkan*
◊ *She was nominated for the post.* Dia
telah dicalonkan untuk jawatan itu.
**nomination** KATA NAMA
*pencalonan*
◊ *A number of students did not support
the nomination of Asman as monitor.*
Beberapa orang pelajar tidak menyokong
pencalonan Asman sebagai ketua darjah.
**non-durable** KATA ADJEKTIF
*tidak tahan lama*
◊ *non-durable goods* barangan tidak
tahan lama
**none** KATA GANTI NAMA
1 *tidak ada seorang pun*
◊ *How many nieces and nephews have
you got? - None.* Berapa orangkah anak
saudara anda? - Tidak ada seorang pun.
◊ *None of my friends wanted to come.*
Tidak ada seorang pun kawan-kawan saya
yang mahu datang.
2 *tidak ada satu pun* (benda yang boleh
dikira)
◊ *There are none left.* Tidak ada satu
pun yang tinggal.
3 *tidak ada sedikit pun* (benda yang
tidak boleh dikira)
◊ *There's none left.* Tidak ada sedikit
pun yang tinggal.
**nonsense** KATA NAMA
*perkara yang karut*
◊ *She talks a lot of nonsense.* Dia
banyak bercakap perkara-perkara yang
karut.
♦ **Nonsense!** Mengarut!
**non-smoker** KATA NAMA
*orang yang tidak merokok*
♦ **He's a non-smoker.** Dia tidak merokok.
**non-smoking** KATA ADJEKTIF
1 *dilarang merokok*
◊ *a non-smoking area* kawasan
dilarang merokok
2 *tidak merokok* (orang)
**non-stop** KATA ADJEKTIF, KATA ADVERBA
1 *terus*
◊ *a non-stop flight* penerbangan terus
♦ **We flew non-stop.** Kami terbang tanpa
henti.
2 *tidak berhenti-henti*
◊ *He talks non-stop.* Dia bercakap tidak
berhenti-henti.

**noodles** KATA NAMA JAMAK
*mi*
**noon** KATA NAMA
*waktu tengah hari*
◊ *at noon* pada waktu tengah hari
**no one** KATA GANTI NAMA
*tidak ada seorang pun*
◊ *Who's going with you? - No one.*
Siapakah yang akan pergi bersama anda?
- Tidak ada seorang pun. ◊ *There was
no one in the office.* Tidak ada seorang
pun di dalam pejabat itu.
♦ **I've got no one to play with.** Saya tidak
ada teman untuk bermain bersama.
**nor** KATA HUBUNG
*begitu juga*
◊ *I didn't like the film. - Nor did I.* Saya
tidak suka akan filem itu. - Begitu juga
saya. ◊ *We haven't seen him. - Nor have
we.* Kami belum berjumpa dengannya. -
Begitu juga kami.
♦ **neither...nor...** baik...mahupun
◊ *Neither the cinema nor the swimming
pool was open.* Baik pawagam mahupun
kolam renang, kedua-duanya tidak dibuka.
♦ **They can neither read nor write.** Mereka
tidak boleh membaca mahupun menulis.
♦ **Professor Tanaka spoke neither English
nor Malay.** Profesor Tanaka tidak tahu
bertutur dalam bahasa Inggeris mahupun
bahasa Melayu.
**norm** KATA NAMA
*norma*
**normal** KATA ADJEKTIF
*normal*
to **normalize** KATA KERJA
*menormalkan*
◊ *treatment to normalize blood pressure*
rawatan untuk menormalkan tekanan
darah
**normally** KATA ADVERBA
*biasanya*
◊ *I normally arrive at nine o'clock.*
Biasanya saya tiba pada pukul sembilan.
♦ **In spite of the strike, airports are
working normally.** Lapangan terbang
masih beroperasi seperti biasa walaupun
ada mogok.
**north** KATA NAMA

> *rujuk juga* **north** KATA ADJEKTIF,
> KATA ADVERBA

*utara*
◊ *in the north of Spain* di utara negara
Sepanyol
**north** KATA ADJEKTIF, KATA ADVERBA

> *rujuk juga* **north** KATA NAMA

1 *utara*
◊ *North London* London Utara
2 *ke utara*

◊  *We were travelling north.*  Kami
menuju ke utara.
♦ **north of**  di utara  ◊ *It's north of London.*
Tempat itu terletak di utara London.
♦ **the north coast**  pantai utara
**North America**  KATA NAMA
  *Amerika Utara*
**northbound**  KATA ADJEKTIF
  *ke utara*
  ◊  *Northbound traffic is moving very
  slowly.*  Lalu lintas ke utara bergerak
  dengan sangat perlahan.
**north-east**  KATA NAMA
  *timur laut*
  ◊  *in the north-east*  di timur laut
**northern**  KATA ADJEKTIF
  *utara*
  ◊  *the northern part of the island*
  bahagian utara pulau itu
♦ **Northern Europe**  Eropah Utara
**Northern Ireland**  KATA NAMA
  *Ireland Utara*
**North Pole**  KATA NAMA
  *Kutub Utara*
♦ **the North Pole**  Kutub Utara
**North Sea**  KATA NAMA
  *Laut Utara*
♦ **the North Sea**  Laut Utara
**north-west**  KATA NAMA
  *barat laut*
  ◊  *in the north-west*  di barat laut
**Norway**  KATA NAMA
  *negara Norway*
**Norwegian**  KATA ADJEKTIF
  ┌─────────────────────────────────┐
  │ *rujuk juga* **Norwegian** KATA NAMA │
  └─────────────────────────────────┘
  *Norway*
  ◊  *a Norwegian ship*  kapal Norway
♦ **He's Norwegian.**  Dia berbangsa Norway.
**Norwegian**  KATA NAMA
  ┌────────────────────────────────────┐
  │ *rujuk juga* **Norwegian** KATA ADJEKTIF │
  └────────────────────────────────────┘
  [1]  *orang Norway*
  ◊  *the Norwegians*  orang Norway
  [2]  *bahasa Norway*
**nose**  KATA NAMA
  *hidung*
**nosebleed**  KATA NAMA
  *hidung berdarah*
♦ **I often get nosebleeds.**  Hidung saya
  selalu berdarah.
**nostalgia**  KATA NAMA
  *nostalgia*
**nostril**  KATA NAMA
  *lubang hidung*
**nosy**  KATA ADJEKTIF
  *menyibuk*
**not**  KATA ADVERBA
  *tidak*
  ◊  *I'm not sure.*  Saya tidak pasti.
  ◊  *Did you like it? - Not really.*  Apakah

anda menyukainya? - Tidak begitu suka.
♦ **Thank you very much. - Not at all.**
  Terima kasih. - Sama-sama.
♦ **not yet**  belum  ◊ *They haven't arrived
  yet.*  Mereka belum tiba.
**notch**  KATA NAMA
  (JAMAK **notches**)
  *takik*
  ◊  *The notch in the tree trunk is 5 cm
  deep.*  Takik pada batang pokok itu
  sedalam 5 cm.
**note**  KATA NAMA
  [1]  *nota*
  ◊  *I'll drop her a note.*  Saya akan
  tinggalkan nota untuknya.  ◊  *Remember
  to take notes.*  Jangan lupa ambil nota.
♦ **to make a note of something**
  mengingati sesuatu
  [2]  *wang kertas*
  ◊  *a five pound note*  wang kertas lima
  paun
to **note down**  KATA KERJA
  *mencatat*
**notebook**  KATA NAMA
  [1]  *buku nota*
  [2]  *komputer buku*
**notepad**  KATA NAMA
  *buku nota*
**notepaper**  KATA NAMA
  *kertas catatan*
**nothing**  KATA NAMA
  *tidak ada apa-apa*
  ◊  *What's wrong? - Nothing.*  Apakah
  yang tidak kena? - Tidak ada apa-apa.
  ◊  *What are you doing tonight? - Nothing
  special.*  Apakah yang akan anda lakukan
  malam ini? - Tidak ada apa-apa yang
  istimewa.  ◊ *Nothing will happen.*  Tidak
  ada apa-apa yang akan berlaku.
♦ **He did nothing all day.**  Dia tidak
  melakukan apa-apa pun sepanjang hari.
♦ **He does nothing but sleep.**  Dia tidak
  melakukan apa-apa pun kecuali tidur.
♦ **Nothing frightens him.**  Tidak ada apa-
  apa pun yang menakutkannya.
to **notice**  KATA KERJA
  ┌─────────────────────────────────┐
  │ *rujuk juga* **notice** KATA NAMA │
  └─────────────────────────────────┘
  *perasan*
  ◊  *Don't worry. He won't notice the
  mistake.*  Jangan bimbang. Dia tidak
  akan perasan kesilapan itu.
**notice**  KATA NAMA
  ┌──────────────────────────────────┐
  │ *rujuk juga* **notice** KATA KERJA │
  └──────────────────────────────────┘
  *notis*
  ◊  *There was a notice outside the house.*
  Ada satu notis di luar rumah.  ◊  *There's a
  notice on the board about the trip.*  Ada
  satu notis pada papan kenyataan tentang
  perjalanan itu.  ◊ *He was transferred*

**N**

*without notice.* Dia ditukarkan tanpa sebarang notis. ◊ *a warning notice* notis amaran
♦ **until further notice** sehingga diberitahu kelak
♦ **Don't take any notice of him!** Jangan pedulikan dia!

**noticeable** KATA ADJEKTIF
*ketara*
◊ *the most noticeable effect* kesan yang paling ketara

**noticeboard** KATA NAMA
*papan kenyataan*

to **notify** KATA KERJA
(**notified, notified**)
*memaklumkan*
◊ *You must notify us of any change of address.* Anda mesti memaklumkan kami tentang sebarang pertukaran alamat.

**nought** KATA NAMA
*sifar*

**noun** KATA NAMA
*kata nama*

**novel** KATA NAMA
*novel*

**novelist** KATA NAMA
*novelis*

**November** KATA NAMA
*November*
◊ *on 7 November* pada tujuh November
♦ **in November** pada bulan November

**now** KATA ADVERBA
*sekarang*
◊ *What are you doing now?* Apakah yang anda sedang buat sekarang?
♦ **just now** tadi ◊ *I'm rather busy just now.* Saya agak sibuk tadi. ◊ *I did it just now.* Saya baru sahaja melakukannya tadi.
♦ **The dinner should be ready by now.** Sepatutnya makan malam sudah disediakan sekarang.
♦ **from now on** mulai sekarang
♦ **now and then** sekali-sekala

**nowhere** KATA ADVERBA
*tidak ke mana-mana*
◊ *Where are you going for your holidays? - Nowhere.* Ke manakah anda akan pergi semasa cuti? - Tidak ke mana-mana.
♦ **nowhere else** tidak ada tempat lain
♦ **You can go to the shops but nowhere else.** Kamu boleh pergi ke kedai, tetapi jangan pergi ke tempat lain.
♦ **The children were nowhere to be seen.** Kanak-kanak itu tidak kelihatan di mana-mana pun.
♦ **There was nowhere to play.** Tidak ada

tempat untuk bermain.

**nuclear** KATA ADJEKTIF
*nuklear*
◊ *nuclear power* kuasa nuklear

**nude** KATA ADJEKTIF
| rujuk juga **nude** KATA NAMA |
*bogel*

**nude** KATA NAMA
| rujuk juga **nude** KATA ADJEKTIF |
*keadaan bogel*
◊ *in the nude* dalam keadaan bogel
♦ **to draw somebody in the nude** melukis gambar seseorang yang berbogel

**nudist** KATA NAMA
*orang yang berbogel, biasanya di tempat-tempat yang dikhaskan seperti di tepi pantai*

**nuisance** KATA NAMA
*menyusahkan*
◊ *It's a nuisance having to clean the car.* Mencuci kereta memang menyusahkan.
♦ **Sorry to be a nuisance.** Maaf kerana mengganggu.
♦ **You're such a nuisance!** Awak memang pengacau!

to **nullify** KATA KERJA
(**nullified, nullified**)
*membatalkan*
◊ *He used his powers to nullify decisions by local governments.* Dia menggunakan kuasanya untuk membatalkan keputusan kerajaan tempatan.

**numb** KATA ADJEKTIF
| rujuk juga **numb** KATA KERJA |
*kebas*
◊ *numb with cold* kebas kerana kesejukan

to **numb** KATA KERJA
| rujuk juga **numb** KATA ADJEKTIF |
*mengebaskan*
◊ *The cold weather numbed my fingers.* Cuaca yang sejuk mengebaskan jari saya.

**number** KATA NAMA
*nombor*
◊ *I can't read the second number.* Saya tidak dapat membaca nombor yang kedua. ◊ *They live at number five.* Mereka tinggal di alamat nombor lima. ◊ *You've got the wrong number.* Anda mendail nombor yang salah.
♦ **a large number of people** ramai orang
♦ **What's your number?** Apakah nombor telefon anda?
♦ **a decrease in the number of students** pengurangan bilangan pelajar

**numbering** KATA NAMA
*penomboran*

**number plate** KATA NAMA
*plat nombor*

**numeral** KATA NAMA
   _angka_
   ◊ _Roman numerals_ angka Roman
**numerator** KATA NAMA
   _pembilang_ (matematik)
**nun** KATA NAMA
   _biarawati_
**nurse** KATA NAMA
   _jururawat_
   ◊ _She's a nurse._ Dia seorang jururawat.
**nursery** KATA NAMA
   (JAMAK **nurseries**)
   1 _taska_
   2 _tapak semaian_
**nursery school** KATA NAMA
   _tadika_
**nursery slope** KATA NAMA
   _lereng ski_ (untuk orang yang baru
   belajar)
**nut** KATA NAMA
   1 _kacang_
   ◊ _I don't like nuts._ Saya tidak suka
   makan kacang.
   2 _nat_

**nutmeg** KATA NAMA
   _buah pala_
**nutrient** KATA NAMA
   _nutrien_
**nutrition** KATA NAMA
   _pemakanan_
   ◊ _The effects of poor nutrition are
   evident._ Kesan-kesan pemakanan yang
   tidak sempurna adalah jelas.
**nutritional** KATA ADJEKTIF
   _pemakanan_
   ◊ _nutritional content_ kandungan
   pemakanan
**nutritious** KATA ADJEKTIF
   _berkhasiat_
**nuts** KATA ADJEKTIF
   (tidak formal)
   _gila_
   ◊ _He's nuts._ Dia gila.
**nylon** KATA NAMA
   _nilon_

N

# O

---

**oak** KATA NAMA
1. _pokok oak_
2. _kayu oak_
◊ _an oak barrel_ tong yang diperbuat daripada kayu oak

**oar** KATA NAMA
_pengayuh_ atau _dayung_

**oath** KATA NAMA
_sumpah_

**oats** KATA NAMA JAMAK
_oat_

**obedience** KATA NAMA
_kepatuhan_
◊ _He wanted unquestioning obedience._ Dia mahu kepatuhan sepenuhnya.

**obedient** KATA ADJEKTIF
_patuh_

**obesity** KATA NAMA
_kegemukan_
◊ _Excessive consumption of sugar can lead to problems of obesity._ Pengambilan gula yang berlebihan boleh mengakibatkan masalah kegemukan.

to **obey** KATA KERJA
_patuh_
◊ _to obey somebody_ patuh kepada seseorang
♦ **to obey the rules** mematuhi peraturan

**object** KATA NAMA
rujuk juga **object** KATA KERJA
_objek_

to **object** KATA KERJA
rujuk juga **object** KATA NAMA
_membangkang_
◊ _The management objected to the ideas suggested by their employees._ Pihak pengurusan membangkang cadangan yang diberikan oleh para pekerjanya.

**objection** KATA NAMA
_bantahan_
◊ _There were no objections to the plan._ Tidak ada bantahan terhadap rancangan itu.

**objective** KATA NAMA
rujuk juga **objective** KATA ADJEKTIF
_matlamat_

**objective** KATA ADJEKTIF
rujuk juga **objective** KATA NAMA
_objektif_

**obligation** KATA NAMA
_kewajipan_

**obligatory** KATA ADJEKTIF
_wajib_
◊ _He took the test although it's not obligatory._ Walaupun ujian itu tidak wajib, dia mengambilnya.

to **oblige** KATA KERJA
_mewajibkan_
◊ _a rule obliging students to follow the_

orientation programme peraturan yang mewajibkan pelajar mengikuti program orientasi ◊ _All workers are obliged to contribute to the EPF._ Semua pekerja diwajibkan mencarum wang mereka dalam KWSP.

**oblong** KATA NAMA
_segi empat panjang_

**oboe** KATA NAMA
_obo_ (alat muzik)

**obscene** KATA ADJEKTIF
_lucah_

**obscenity** KATA NAMA
_kelucahan_

**observant** KATA ADJEKTIF
_mempunyai daya pemerhatian yang tajam_

**observation** KATA NAMA
_pemerhatian_
◊ _The scientist made an observation of the movement of the planets._ Ahli sains itu membuat pemerhatian tentang pergerakan planet-planet.

to **observe** KATA KERJA
1. _mengamati_
◊ _The doctor observes the behaviour of the newborn baby._ Doktor itu mengamati tingkah laku bayi yang baru lahir itu.
2. _memerhatikan_
◊ _The police observed the man's movements._ Polis memerhatikan gerak-geri lelaki itu.

**observer** KATA NAMA
_pemerhati_

**obsessed** KATA ADJEKTIF
_terlalu memikirkan_
♦ **He's obsessed with trains.** Dia sangat menggemari kereta api.

**obsession** KATA NAMA
_kegilaan_
♦ **Football's an obsession of mine.** Saya sangat menggemari sukan bola sepak.

**obsolete** KATA ADJEKTIF
1. _usang_ (barang, rumah, perkataan)
2. _lapuk_ (idea)

**obstacle** KATA NAMA
_rintangan_
◊ _He had to overcome a lot of obstacles._ Dia perlu mengatasi banyak rintangan.
♦ **He hit an obstacle.** Dia terlanggar pengadang.
♦ **Being disabled is not an obstacle to success.** Kecacatan bukanlah penghalang kepada kejayaan.

**obstinate** KATA ADJEKTIF
1. _nekad_
◊ _She's very obstinate in her refusal to go._ Dia benar-benar nekad tidak mahu pergi.
2. _degil_

◊ *an obstinate child* seorang kanak-kanak yang degil

to **obstruct** KATA KERJA
*menghalang*
◊ *A lorry was obstructing the traffic.* Sebuah lori menghalang lalu lintas.

**obstruction** KATA NAMA
*halangan*

to **obtain** KATA KERJA
*memperoleh*

**obtuse** KATA ADJEKTIF
1 *lembap* (orang)
2 *cakah*
◊ *obtuse angle* sudut cakah

**obvious** KATA ADJEKTIF
*jelas*

**obviously** KATA ADVERBA
*jelas*
◊ *The plan was obviously impossible.* Rancangan itu jelas mustahil.
♦ **Do you want to pass the exam? - Obviously!** Anda mahu lulus dalam peperiksaan itu? - Sudah tentu.
♦ **Obviously not!** Sudah tentu tidak!

**occasion** KATA NAMA
**occasion** *diterjemahkan mengikut konteks.*
◊ *Christmas is an occasion for the whole family.* Krismas merupakan perayaan untuk seisi keluarga. ◊ *It was a special occasion for John.* Hari itu merupakan hari yang istimewa bagi John.
♦ **on several occasions** beberapa kali
♦ **on that occasion** pada ketika itu

**occasionally** KATA ADVERBA
*sekali-sekala*

**occupation** KATA NAMA
*pekerjaan*

to **occupy** KATA KERJA
(**occupied, occupied**)
1 *menggunakan*
◊ *The toilet was occupied.* Tandas itu sedang digunakan.
2 *mendiami* (rumah)
♦ **The house is not occupied at present.** Rumah itu tidak ada penghuni buat masa ini.

to **occur** KATA KERJA
*berlaku*
◊ *The accident occurred yesterday.* Kemalangan itu berlaku kelmarin.
♦ **It suddenly occurred to me that...** Terlintas dalam fikiran saya bahawa...

**occurrence** KATA NAMA
*kejadian*
♦ **Complaints were an everyday occurrence.** Setiap hari ada sahaja aduan.

**ocean** KATA NAMA

*lautan*

**o'clock** KATA ADVERBA
*pukul* (jam)
◊ *at four o'clock* pada pukul empat
◊ *It's one o'clock.* Sudah pukul satu.

**octagonal** KATA ADJEKTIF
*berbentuk lapan segi*
◊ *an octagonal container* bekas yang berbentuk lapan segi

**October** KATA NAMA
*Oktober*
◊ *on 21 October* pada 21 Oktober
♦ **in October** pada bulan Oktober

**octopus** KATA NAMA
(JAMAK **octopuses**)
*sotong kurita*

**odd** KATA ADJEKTIF
1 *pelik*
◊ *That's odd!* Peliknya!
2 *ganjil*
◊ *an odd number* nombor ganjil
♦ **odd socks** stoking berlainan warna

**odour** KATA NAMA
*bau*
◊ *body odour* bau badan

**oesophagus** KATA NAMA
(JAMAK **oesophaguses**)
*esofagus*

**of** KATA SENDI
**Biasanya of** *tidak diterjemahkan.*
◊ *a kilo of oranges* sekilo buah oren ◊ *a glass of wine* segelas wain ◊ *the wheels of the car* roda kereta ◊ *There were three of us.* Kami bertiga. ◊ *a friend of mine* kawan saya
♦ **That's very kind of you.** Anda sungguh baik hati.
♦ **a boy of 10** seorang budak lelaki yang berusia 10 tahun
♦ **made of wood** diperbuat daripada kayu

**off** KATA ADJEKTIF, KATA ADVERBA, KATA SENDI
*Untuk ungkapan-ungkapan lain yang hadir bersama* **off**, *sila lihat kata kerja* **get, take, turn** *dan sebagainya.*
1 *padam* (lampu)
◊ *All the lights are off.* Semua lampu sudah padam.
2 *ditutup* (paip air, gas, barang elektrik)
◊ *Are you sure the tap is off?* Anda pasti paip air itu sudah ditutup?
3 *tidak elok lagi* (susu, daging, santan)
♦ **to be off sick** cuti sakit
♦ **a day off** cuti satu hari ◊ *She took a day off work to go to the wedding.* Dia mengambil cuti satu hari untuk menghadiri majlis perkahwinan tersebut.
♦ **I've got tomorrow off.** Esok saya cuti.
♦ **She's off school today.** Dia tidak pergi ke sekolah hari ini.

O

- **I must be off now.** Saya mesti pergi sekarang.
- **I'm off.** Saya pergi sekarang.
- **The match is off.** Perlawanan itu dibatalkan.

**offence** KATA NAMA
(AS **offense**)
_kesalahan_ (jenayah)

to **offend** KATA KERJA
_menyinggung perasaan_
◊ *I didn't mean to offend you.* Saya tidak bermaksud untuk menyinggung perasaan anda.

**offended** KATA ADJEKTIF
_tersinggung_
◊ *Linda is easily offended.* Linda seorang yang mudah tersinggung.

**offensive** KATA ADJEKTIF
| rujuk juga **offensive** KATA NAMA |
_menyinggung perasaan_

**offensive** KATA NAMA
| rujuk juga **offensive** KATA ADJEKTIF |
_serangan_

to **offer** KATA KERJA
| rujuk juga **offer** KATA NAMA |
_menawarkan_
◊ *He offered me a cigarette.* Dia menawarkan sebatang rokok kepada saya. ◊ *He offered to help me.* Dia menawarkan bantuan kepada saya.

**offer** KATA NAMA
| rujuk juga **offer** KATA KERJA |
_tawaran_
◊ *There was a special offer on books.* Ada tawaran istimewa untuk membeli buku.

**office** KATA NAMA
_pejabat_
◊ *during office hours* semasa waktu pejabat

**officer** KATA NAMA
_pegawai_

**official** KATA ADJEKTIF
_rasmi_

to **officiate** KATA KERJA
_menjalankan upacara_
◊ *The priest officiated at the funeral.* Paderi itu menjalankan upacara pengebumian tersebut.
- **Mary was invited to officiate at the opening ceremony.** Mary dijemput untuk merasmikan upacara pembukaan itu.

**off-key** KATA ADJEKTIF
_sumbang_
◊ *His singing was off-key.* Nyanyiannya sumbang.

**off-licence** KATA NAMA
(AS **liquor store**)
_kedai arak_

**off-message** KATA ADJEKTIF
_menyimpang daripada polisi parti_

**off-peak** KATA ADJEKTIF
_waktu tidak sibuk_
◊ *off-peak calls* panggilan pada waktu tidak sibuk

**off-roader** KATA NAMA
(tidak formal)
_kenderaan untuk jalan yang lekak-lekuk_

**offside** KATA ADJEKTIF
_kedudukan yang salah_ (bola sepak, hoki)

**often** KATA ADVERBA
_selalu_
◊ *It often rains in Scotland.* Hujan selalu turun di Scotland.
- **How often do you go to the gym?** Berapa kerapkah anda pergi ke gimnasium?

**oh** KATA SERUAN
_oh_
◊ *Oh, he's gone!* Oh, dia sudah pergi!

**oil** KATA NAMA
| rujuk juga **oil** KATA KERJA |
_minyak_
◊ *an oil painting* lukisan minyak

to **oil** KATA KERJA
| rujuk juga **oil** KATA NAMA |
_membubuh minyak_

**oil lamp** KATA NAMA
_lampu minyak_

**oil paint** KATA NAMA
_cat minyak_

**oil palm** KATA NAMA
_kelapa sawit_

**oil rig** KATA NAMA
_pelantar minyak_

**oil slick** KATA NAMA
_tumpahan minyak_

**oil well** KATA NAMA
_telaga minyak_

**oily** KATA ADJEKTIF
_berminyak_

**ointment** KATA NAMA
_salap_

**o.j.** SINGKATAN (= *orange juice*) 🇦🇺
_jus oren_

**okay** KATA SERUAN, KATA ADVERBA
1 _baiklah_
◊ *Your appointment's at six o'clock. - Okay.* Temu janji anda pada pukul enam. - Baiklah.
2 _okey_
◊ *I'll meet you at six o'clock, okay?* Saya akan jumpa anda pada pukul enam, okey?
- **Are you okay?** Anda tidak apa-apa?
- **I'll do it tomorrow, if that's okay with you.** Saya akan melakukannya esok, jika anda tidak keberatan.
- **The film was okay.** Filem itu boleh tahan.

**old** KATA ADJEKTIF
1. *tua*
◊ *old people* orang tua ◊ *an old man* seorang lelaki tua
2. *lama*
◊ *an old house* sebuah rumah lama
3. *bekas*
◊ *my old English teacher* bekas guru bahasa Inggeris saya
♦ **How old are you?** Berapakah umur anda?
♦ **How old is the baby?** Berapakah umur bayi itu?
♦ **a twenty-year-old woman** wanita yang berumur dua puluh tahun
♦ **He's ten years old.** Umurnya sepuluh tahun.
♦ **older** lebih tua ◊ *She's two years older than me.* Dia dua tahun lebih tua daripada saya.
♦ **I'm the oldest in the family.** Saya anak sulung dalam keluarga saya.
♦ **my older brother** abang saya
♦ **my older sister** kakak saya

**old age pensioner** KATA NAMA
*pesara*

**old-fashioned** KATA ADJEKTIF
1. *fesyen lama* (pakaian)
2. *jenis lama* (barang)
3. *kolot* (fikiran)
◊ *My parents are rather old-fashioned.* Ibu bapa saya agak kolot.

**olive** KATA NAMA
*zaitun*

**olive oil** KATA NAMA
*minyak zaitun*

**olive tree** KATA NAMA
*pokok zaitun*

**Olympic** KATA ADJEKTIF
*Olimpik*
♦ **the Olympics** Sukan Olimpik

**omelette** KATA NAMA
*telur dadar*

**omen** KATA NAMA
*gejala*
◊ *They regard her appearance at this moment as an omen of disaster.* Mereka menganggap kehadirannya pada ketika ini sebagai gejala akan berlakunya malapetaka.

to **omit** KATA KERJA
*tidak memasukkan*
◊ *They omitted his name from the article.* Mereka tidak memasukkan namanya dalam artikel itu.

**omnivore** KATA NAMA
*omnivor* atau *maserba*

**on** KATA SENDI, KATA ADVERBA
> *rujuk juga* **on** KATA ADJEKTIF

1. *di atas*
◊ *on the table* di atas meja
> *Selain daripada* **di atas**, *ada juga cara lain untuk menterjemahkan* **on**.
2. *di*
◊ *on an island* di sebuah pulau
◊ *on TV* di televisyen ◊ *on TV2* di TV2
♦ **on the left** di sebelah kiri
3. *pada*
◊ *on the wall* pada dinding ◊ *on Friday* pada hari Jumaat
4. *dengan*
◊ *I go to school on my bike.* Saya pergi ke sekolah dengan menunggang basikal.
◊ *We went on the train.* Kami pergi dengan menaiki kereta api.
♦ **a book on Ghandi** sebuah buku tentang Ghandi
♦ **on holiday** sedang bercuti
♦ **It's about 10 minutes on foot.** Kita boleh sampai ke tempat itu dalam masa kira-kira 10 minit jika berjalan kaki.
♦ **She was on antibiotics for a week.** Dia mengambil ubat antibiotik selama seminggu.
♦ **The coffee is on the house.** Kopi itu diberikan percuma.
♦ **The drinks are on me.** Saya akan bayar untuk minuman itu.
♦ **What is he on about?** Apakah yang dibebelkannya itu?

**on** KATA ADJEKTIF
> *rujuk juga* **on** KATA SENDI, KATA ADVERBA

1. *sudah dipasang* (TV, lampu, alat pemanas)
◊ *Is the light on?* Sudahkah lampu itu dipasang?
♦ **I think I left the TV on.** Saya rasa saya terlupa menutup televisyen.
2. *terbuka* (paip air)
♦ **Turn on the gas.** Buka gas itu.
3. *berjalan* (mesin)
♦ **What's on at the cinema?** Apakah filem yang sedang ditayangkan di pawagam?
♦ **Is the party still on?** Jadikah majlis itu diadakan?
♦ **I've got a lot on this weekend.** Saya sibuk pada hujung minggu ini.

**once** KATA ADVERBA
*sekali*
◊ *once a week* seminggu sekali
◊ *once more* sekali lagi ◊ *I've been to Italy once before.* Saya pernah pergi ke Itali sekali.
♦ **once in a while** sekali-sekali
♦ **once and for all** untuk kali terakhir
♦ **at once** dengan segera

O

♦ **Once upon a time...** Pada suatu masa dahulu...

**one** ANGKA, KATA GANTI NAMA

1 *satu*

◊ *one o'clock* pukul satu

2 *yang*

◊ *I need a smaller one.* Saya memerlukan yang lebih kecil.

> *Ada kalanya* **one** *diterjemahkan dengan menggunakan penjodoh bilangan yang bersesuaian.*

◊ *I've got one dog and one cat.* Saya ada seekor anjing dan seekor kucing.

◊ *one book* sebuah buku

♦ **One never knows...** Seseorang itu tidak akan tahu ...

♦ **one by one** satu demi satu

♦ **one another** satu sama lain ◊ *They all looked at one another.* Mereka semua berpandangan antara satu sama lain.

**one-on-one** KATA NAMA

*satu lawan satu*

**oneself** KATA GANTI NAMA

1 *diri sendiri*

♦ **to hurt oneself** tercedera

♦ **to wash oneself** membersihkan diri

2 *sendiri*

◊ *It's quicker to do it oneself.* Lebih cepat jika melakukannya sendiri.

**one-way** KATA ADJEKTIF

*sehala*

◊ *a one-way street* jalan sehala ◊ *a one-way ticket* tiket perjalanan sehala

**onion** KATA NAMA

*bawang*

**online** KATA ADJEKTIF

*dalam talian*

◊ *More and more businesses are going online.* Semakin banyak perniagaan menjalankan aktiviti dalam talian. ◊ *You can chat to other people who are online.* Anda boleh bersembang dengan orang lain yang berada dalam talian.

**only** KATA ADVERBA

> rujuk juga **only** KATA ADJEKTIF, KATA HUBUNG

*hanya*

◊ *How much was it? - Only RM10.* Berapakah harganya? - Hanya RM10.

◊ *We only want to stay for one night.* Kami hanya mahu tinggal selama satu malam. ◊ *It's only a game!* Itu hanyalah satu permainan!

**only** KATA ADJEKTIF

> rujuk juga **only** KATA ADVERBA, KATA HUBUNG

*satu-satunya*

◊ *Monday is the only day I'm free.* Hari Isnin merupakan satu-satunya hari yang

saya tidak sibuk.

♦ **She's an only child.** Dia anak tunggal.

**only** KATA HUBUNG

> rujuk juga **only** KATA ADJEKTIF, KATA ADVERBA

*cuma*

◊ *It's a bit like my house, only nicer.* Rumah itu lebih kurang macam rumah saya, cuma lebih cantik.

♦ **I'd like the same sweater, only in black.** Saya mahu baju panas yang sama, tetapi yang berwarna hitam.

**on-message** KATA ADJEKTIF

*mengikut polisi parti*

◊ *They kept the campaign on-message.* Mereka memastikan kempen itu mengikut polisi parti.

**onside** KATA ADJEKTIF

1 *kedudukan yang betul* (*dalam bola sepak, hoki*)

2 *memberikan sokongan*

◊ *He stayed onside during the election campaign.* Dia terus memberikan sokongan semasa kempen pilihan raya itu.

**onto** KATA SENDI

1 *ke atas*

◊ *The boy jumped onto the bed.* Budak lelaki itu melompat ke atas katil.

2 *ke*

◊ *He turned his car onto the main road.* Dia membelokkan keretanya ke jalan utama.

**onwards** KATA ADVERBA

*ke hadapan*

◊ *The most important thing now is to move onwards.* Yang paling penting sekarang ialah kita mesti terus maju ke hadapan.

♦ **from July onwards** mulai bulan Julai

♦ **The bus continued onwards.** Bas itu meneruskan perjalanannya.

to **ooze** KATA KERJA

*meleleh*

◊ *Blood is oozing from his wound.* Darah meleleh keluar dari lukanya.

**opaque** KATA ADJEKTIF

*legap*

to **open** KATA KERJA

> rujuk juga **open** KATA ADJEKTIF

*membuka*

◊ *Can I open the window?* Bolehkah saya buka tingkap itu? ◊ *What time do the shops open?* Pada pukul berapakah kedai-kedai itu akan dibuka?

♦ **The door opens automatically.** Pintu itu terbuka secara automatik.

**open** KATA ADJEKTIF

> rujuk juga **open** KATA KERJA

*dibuka*

◊ *The shop's open on Sunday mornings.*
Kedai itu dibuka pada pagi Ahad. ◊ *Are
you open tomorrow?* Apakah kedai anda
dibuka esok?
♦ **in the open air** di luar bangunan
**opener** KATA NAMA
*pembuka*
◊ *tin opener* pembuka tin
**opening** KATA ADJEKTIF

> rujuk juga **opening** KATA NAMA

*pembukaan*
◊ *opening ceremony* majlis pembukaan
**opening** KATA NAMA

> rujuk juga **opening** KATA ADJEKTIF

1 *lubang*
◊ *He squeezed through a narrow
opening in the fence.* Dia meloloskan
badannya melalui lubang yang kecil pada
pagar.
2 *pembukaan* (bangunan, dll)
3 *bahagian pertama* (buku, drama, dll)
**opening hours** KATA NAMA JAMAK
1 *waktu perniagaan* (kedai, bank)
2 *waktu dibuka* (galeri, klinik)
**openly** KATA ADVERBA
*terang-terangan*
◊ *We can now talk openly about AIDS.*
Sekarang, kita boleh bercakap secara
terang-terangan tentang penyakit AIDS.
**open-minded** KATA ADJEKTIF
*berfikiran terbuka*
**opera** KATA NAMA
*opera*
to **operate** KATA KERJA
1 *mengendalikan*
◊ *to operate a business* mengendalikan
perniagaan
2 *berfungsi* (mesin, peralatan)
♦ **to operate on somebody** membedah
seseorang
**operation** KATA NAMA
1 *operasi* (kilang, perniagaan)
2 *pembedahan*
◊ *I've never had an operation.* Saya
belum pernah menjalani pembedahan.
**operator** KATA NAMA
*operator*
**opinion** KATA NAMA
*pendapat*
◊ *in my opinion* pada pendapat saya
**opinion former** KATA NAMA
*orang yang dapat mempengaruhi
pendapat masyarakat*
**opinion poll** KATA NAMA
*tinjauan pendapat*
**opium** KATA NAMA
*candu*
**opponent** KATA NAMA
*pihak lawan*

**opportunist** KATA NAMA
*orang yang pandai mengambil
kesempatan*
**opportunity** KATA NAMA
(JAMAK **opportunities**)
1 *peluang*
♦ **I've never had the opportunity to go to
Spain.** Saya belum berpeluang melawat
ke Sepanyol.
2 *kesempatan*
◊ *to take the opportunity* mengambil
kesempatan
to **oppose** KATA KERJA
*menentang*
◊ *Many parents opposed the motion
proposed by the principal.* Ramai ibu
bapa menentang usul yang dicadangkan
oleh pengetua itu.
**opposed** KATA ADJEKTIF
*berlawanan* (idea, sistem, matlamat)
♦ **to be opposed to something**
menentang sesuatu ◊ *I've always been
opposed to violence.* Saya sentiasa
menentang keganasan.
**opposing** KATA ADJEKTIF
*berlawanan*
♦ **the opposing team** pihak lawan
**opposite** KATA ADJEKTIF, KATA ADVERBA,
KATA SENDI
1 *bertentangan*
◊ *the opposite direction* arah yang
bertentangan
♦ **people of the opposite sex** orang yang
berlainan jantina
2 *berhadapan dengan*
◊ *the girl sitting opposite me* gadis yang
duduk berhadapan dengan saya
♦ **They live opposite.** Mereka tinggal di
seberang jalan.
**opposition** KATA NAMA
1 *tentangan*
◊ *There is a lot of opposition to the new
law.* Terdapat banyak tentangan terhadap
undang-undang baru itu.
2 *pembangkang*
◊ *the opposition party* parti
pembangkang
to **oppress** KATA KERJA
*menindas*
◊ *He oppressed his employees.* Dia
menindas pekerja-pekerjanya.
**oppression** KATA NAMA
*penindasan*
◊ *political oppression* penindasan politik
**oppressor** KATA NAMA
*penindas*
to **opt** KATA KERJA
*memilih*
◊ *You can opt for either method.* Anda

O

boleh memilih salah satu kaedah.

**optical** KATA ADJEKTIF
*optik*
◊ *optical disk* cakera optik

**optician** KATA NAMA
*pakar optik*
♦ **at the optician's** di klinik pakar optik

**optics** KATA NAMA
*optik*

**optimist** KATA NAMA
*optimis*

**optimistic** KATA ADJEKTIF
*optimistik*

to **optimize** KATA KERJA
*mengoptimumkan*
◊ *to optimize production*
mengoptimumkan pengeluaran

**optimum** KATA ADJEKTIF
*optimum*
◊ *optimum production* pengeluaran
pada tahap optimum

**option** KATA NAMA
1 *pilihan*
◊ *I've got no option.* Saya tidak
mempunyai pilihan.
2 *mata pelajaran pilihan*
◊ *I'm doing geology as my option.* Saya
mengambil geologi sebagai mata pelajaran
pilihan.

**optional** KATA ADJEKTIF
1 *pilihan*
2 *tidak diwajibkan* (mata pelajaran)
◊ *Biology was optional at my school.*
Biologi tidak diwajibkan di sekolah saya.

**or** KATA HUBUNG
1 *atau*
◊ *Would you like tea or coffee?* Anda
mahu teh atau kopi?
♦ **Hurry up or you'll miss the bus.** Cepat,
kalau anda tidak akan ketinggalan bas.
2 *mahupun*
◊ *I don't eat meat or fish.* Saya tidak
makan daging mahupun ikan.

**oral** KATA ADJEKTIF
┌─────────────────────────────┐
│ *rujuk juga* **oral** KATA NAMA │
└─────────────────────────────┘
*lisan*
◊ *an oral exam* ujian lisan
♦ **oral hygiene** kebersihan mulut

**oral** KATA NAMA
┌─────────────────────────────┐
│ *rujuk juga* **oral** KATA ADJEKTIF │
└─────────────────────────────┘
*ujian lisan*
◊ *I've got my Spanish oral soon.* Saya
akan menduduki ujian lisan bahasa
Sepanyol tidak lama lagi.

**orange** KATA ADJEKTIF
┌─────────────────────────────┐
│ *rujuk juga* **orange** KATA NAMA │
└─────────────────────────────┘
*jingga*

**orange** KATA NAMA
┌─────────────────────────────┐
│ *rujuk juga* **orange** KATA ADJEKTIF │
└─────────────────────────────┘

*buah oren*
♦ **orange juice** jus oren

**orbit** KATA NAMA
┌─────────────────────────────┐
│ *rujuk juga* **orbit** KATA KERJA │
└─────────────────────────────┘
*orbit*

to **orbit** KATA KERJA
┌─────────────────────────────┐
│ *rujuk juga* **orbit** KATA NAMA │
└─────────────────────────────┘
*mengorbit*
◊ *a satellite that orbits the earth* satelit
yang mengorbit bumi

**orchard** KATA NAMA
*kebun*

**orchestra** KATA NAMA
*orkestra*

**orchid** KATA NAMA
*orkid*

**order** KATA NAMA
┌─────────────────────────────┐
│ *rujuk juga* **order** KATA KERJA │
└─────────────────────────────┘
1 *susunan*
◊ *in alphabetical order* mengikut
susunan abjad
2 *arahan*
◊ *to obey an order* mematuhi arahan
3 *pesanan*
◊ *The waiter took our order.* Pelayan itu
mengambil pesanan kami.
4 *ketenteraman*
♦ **in order to** untuk ◊ *He does it in order
to earn money.* Dia berbuat demikian
untuk mendapatkan wang.
♦ **"out of order"** "rosak"

to **order** KATA KERJA
┌─────────────────────────────┐
│ *rujuk juga* **order** KATA NAMA │
└─────────────────────────────┘
1 *memesan*
◊ *We ordered two cups of coffee.* Kami
memesan dua cawan kopi.
2 *mengarahkan*
◊ *The Chief of Police ordered his men to
rush to the scene.* Ketua polis itu
mengarahkan orang-orangnya bergegas
ke tempat kejadian.

to **order about** KATA KERJA
*mengarah ... membuat itu dan ini*
◊ *She was fed up with being ordered
about.* Dia bosan kerana sering diarah
membuat itu dan ini.

**orderly** KATA ADJEKTIF
*teratur*
◊ *an orderly system* sistem yang teratur

**ordinary** KATA ADJEKTIF
*biasa*
◊ *He's an ordinary man.* Dia cuma
manusia biasa. ◊ *an ordinary day* hari
yang biasa

**ore** KATA NAMA
*bijih*

**organ** KATA NAMA
*organ*

**organic** KATA ADJEKTIF

_organik_

**organism** KATA NAMA
_organisma_

**organization** KATA NAMA
_organisasi_

to **organize** KATA KERJA
1. _menganjurkan (seminar, konsert)_
2. _menyediakan (kemudahan)_
3. _mengatur (barang)_
4. _mengurus (diri, perniagaan)_

**organized** KATA ADJEKTIF
_teratur_
◊ _She is very organized._ Dia seorang yang sangat teratur.

**organizer** KATA NAMA
_penganjur_
◊ _The organizers are offering a lot of prizes for the contest._ Pihak penganjur menawarkan hadiah yang banyak untuk pertandingan itu.

**orientation** KATA NAMA
_orientasi_

**origin** KATA NAMA
_asal_

**original** KATA ADJEKTIF
_asli_
◊ _an original idea_ idea yang asli
♦ **our original plan** rancangan asal kami

**originality** KATA NAMA
_keaslian_
◊ _The originality of the restaurant's food was widely praised._ Keaslian masakan restoran itu dipuji ramai.

**originally** KATA ADVERBA
_pada asalnya_

**ornament** KATA NAMA

| rujuk juga **ornament** KATA KERJA |
| --- |

_barang perhiasan_

to **ornament** KATA KERJA

| rujuk juga **ornament** KATA NAMA |
| --- |

_menghiasi_

**orphan** KATA NAMA
_anak yatim_

**orphanage** KATA NAMA
_rumah anak yatim_

to **ostracize** KATA KERJA
_memulaukan_
◊ _She was ostracized by her neighbours._ Dia dipulaukan oleh jiran-jirannya.

**ostrich** KATA NAMA
(JAMAK **ostriches**)
_burung unta_

**other** KATA ADJEKTIF, KATA GANTI NAMA
_lain_
◊ _Have you got these jeans in other colours?_ Anda ada seluar jean ini dengan warna yang lain?
♦ **the other day** hari itu
♦ **on the other side of the street** di seberang jalan
♦ **the other one** yang satu lagi ◊ _This one? - No, the other one._ Yang ini? - Bukan, yang satu lagi.
♦ **the others** yang lain ◊ _The others are going but I'm not._ Mereka yang lain akan pergi tetapi saya tidak.

**otherwise** KATA ADVERBA, KATA HUBUNG
_jika tidak_
◊ _Note down the number, otherwise you'll forget it._ Catatkan nombor itu, jika tidak anda akan lupa.
♦ **I'm tired, but otherwise I'm fine.** Saya sihat, cuma letih sahaja.

**ouch** KATA SERUAN
_aduh_

**ought** KATA KERJA
_patut_
◊ _I ought to phone my parents._ Saya patut menelefon ibu bapa saya. ◊ _You ought not to do that._ Anda tidak patut berbuat demikian.
♦ **You ought to have warned me.** Anda sepatutnya mengingatkan saya.
♦ **He ought to have known.** Sepatutnya dia sudah tahu.

**ounce** KATA NAMA
_auns_

**our** KATA ADJEKTIF

> _Gunakan_ **kita** _jika termasuk orang yang bercakap dengan anda._
> _Gunakan_ **kami** _jika tidak termasuk orang yang bercakap dengan anda._

1. _kita_
◊ _We need to take responsibility for looking after our own health._ Kita harus bertanggungjawab menjaga kesihatan kita sendiri.
2. _kami_
◊ _We are expecting our first baby._ Kami sedang menanti kelahiran anak pertama kami.

**ours** KATA GANTI NAMA

> _Gunakan_ **kita** _jika termasuk orang yang bercakap dengan anda._
> _Gunakan_ **kami** _jika tidak termasuk orang yang bercakap dengan anda._

1. _Kata Nama + kita_
◊ _"Half the houses here had been fitted with alarms and ours hadn't,"_ he said to his wife. "Separuh daripada rumah-rumah di sini sudah dilengkapi dengan alat penggera, kecuali rumah kita," katanya kepada isterinya.
2. _Kata Nama + kami_
◊ _Your car is much bigger than ours._ Kereta anda lebih besar daripada kereta kami.

**ourselves** KATA GANTI NAMA

**O**

*Gunakan* **kita** *jika termasuk orang yang bercakap dengan anda. Gunakan* **kami** *jika tidak termasuk orang yang bercakap dengan anda.*

1. *kita*
◊ *"We should sit round the fire to keep ourselves warm," he said.* "Kita patut duduk mengelilingi api untuk memanaskan badan kita," katanya.

2. *kami*
◊ *We sat round the fire to keep ourselves warm.* Kami duduk mengelilingi api untuk memanaskan badan kami.

3. *sendiri*
◊ *We built our garage ourselves.* Kami membina garaj kami sendiri.

♦ **by ourselves** bersendirian ◊ *We prefer to be by ourselves.* Kami lebih suka bersendirian.

♦ **Let's not talk about ourselves anymore.** Tidak usahlah kita bercakap tentang diri sendiri lagi.

♦ **We really enjoyed ourselves.** Kami betul-betul bergembira.

**out** KATA SENDI, KATA ADVERBA

> *rujuk juga* **out** KATA ADJEKTIF

*luar*
◊ *It's cold out.* Di luar sejuk. ◊ *It's dark out there.* Di luar sana gelap.

♦ **to go out** keluar ◊ *I'm going out tonight.* Saya akan keluar malam ini.

♦ **She's out.** Dia sudah keluar.

♦ **She's out for the afternoon.** Dia keluar petang ini.

♦ **to go out with somebody** keluar dengan seseorang ◊ *I've been going out with him for two months.* Saya sudah keluar dengannya selama dua bulan.

♦ **a night out with my friends** keluar dengan kawan-kawan saya pada waktu malam

♦ **"way out"** "keluar"

♦ **out of town** luar bandar ◊ *He lives out of town.* Dia tinggal di luar bandar.

♦ **three kilometres out of town** tiga kilometer dari bandar

♦ **to take something out of your pocket** mengeluarkan sesuatu dari poket anda

♦ **out of curiosity** kerana ingin tahu

♦ **We're out of milk.** Kita sudah kehabisan susu.

♦ **nine cases out of ten** sembilan daripada sepuluh kes

**out** KATA ADJEKTIF

> *rujuk juga* **out** KATA SENDI, KATA ADVERBA

1. *padam* (*lampu, api*)
◊ *All the lights are out.* Semua lampu sudah padam.

2. *disingkirkan*
◊ *That's it, Liverpool are out.* Ya, pasukan Liverpool telah disingkirkan.

♦ **The film is now out on video.** Filem itu sudah diterbitkan dalam bentuk video.

**outbreak** KATA NAMA
*meletusnya*
◊ *a cholera outbreak* meletusnya wabak taun

♦ **the outbreak of war** tercetusnya peperangan

**outburst** KATA NAMA
*luahan*
◊ *The girl was moved by the old woman's outburst.* Luahan hati nenek itu menyentuh perasaan gadis itu.

**outcome** KATA NAMA
1. *keputusan* (*proses, aktiviti*)
2. *kesudahan* (*keadaan*)

**outdated** KATA ADJEKTIF
*ketinggalan zaman*

to **outdo** KATA KERJA
(**outdid, outdone**)
*mengatasi*
◊ *The bank wants to outdo its competitor.* Bank itu ingin mengatasi saingannya.

**outdoor** KATA ADJEKTIF
*luar*
◊ *outdoor activities* kegiatan luar

♦ **an outdoor swimming pool** kolam renang terbuka

**outdoors** KATA ADVERBA
*di luar*

**outer** KATA ADJEKTIF
*luar*
◊ *outer layer* lapisan luar

**outfit** KATA NAMA
*pakaian*
◊ *a cowboy outfit* pakaian koboi

**outflow** KATA NAMA
*pengaliran keluar*
◊ *an increasing outflow of money* pengaliran keluar wang yang semakin banyak

**outgoing** KATA ADJEKTIF
1. *akan bersara* (*presiden, menteri, pengerusi*)
2. *peramah* (*sikap*)

**outing** KATA NAMA
*bersiar-siar*
◊ *to go on an outing* keluar bersiar-siar

**outlet** KATA NAMA
*saluran keluar*

to **outline** KATA KERJA

> *rujuk juga* **outline** KATA NAMA

*menggariskan*
◊ *The book outlines some ways of solving these problems.* Buku itu

menggariskan beberapa cara untuk menyelesaikan masalah-masalah ini.

**outline**  KATA NAMA

> *rujuk juga* **outline** KATA KERJA

1 *garis kasar*
◊ *This is an outline of the plan.* Ini merupakan garis kasar rancangan tersebut.

2 *garis bentuk*
◊ *We could see the outline of the mountain.* Kami boleh nampak garis bentuk gunung tersebut.

**outlook**  KATA NAMA
*pandangan*
◊ *I adopted a positive outlook on life.* Saya mengamalkan pandangan hidup yang positif.
♦ **the uncertain outlook for the motor industry** masa depan yang belum pasti bagi industri motor

**out-of-court**  KATA ADJEKTIF
*di luar mahkamah* (*penyelesaian*)

**out-of-town**  KATA ADJEKTIF
*di luar bandar*
◊ *out-of-town supermarkets* pasar raya di luar bandar

**output**  KATA NAMA
*output*

**outrageous**  KATA ADJEKTIF
1 *amat keterlaluan* (*sikap*)
2 *terlampau tinggi* (*harga*)
3 *menjolok mata* (*pakaian*)

**outset**  KATA NAMA
*permulaan*
◊ *at the outset* pada permulaannya
♦ **from the outset** dari awal lagi

**outside**  KATA NAMA, KATA ADJEKTIF

> *rujuk juga* **outside** KATA SENDI, KATA ADVERBA

1 *bahagian luar*
◊ *the outside of the house* bahagian luar rumah
2 *luar*
◊ *the outside walls* dinding luar

**outside**  KATA SENDI, KATA ADVERBA

> *rujuk juga* **outside** KATA NAMA, KATA ADJEKTIF

*luar*
◊ *It's very cold outside.* Cuaca di luar sangat sejuk. ◊ *outside the school* di luar kawasan sekolah ◊ *outside school hours* di luar waktu sekolah
♦ **Don't go outside!** Jangan keluar!

**outsider**  KATA NAMA
*orang luar*

**outsize**  KATA ADJEKTIF
*luar biasa besar*
◊ *outsize clothes* pakaian yang luar biasa besar

**outskirts**  KATA NAMA JAMAK
*pinggir*
◊ *on the outskirts of town* di pinggir bandar ◊ *a hotel on the outskirts of New York* sebuah hotel di pinggir bandar New York

**outspoken**  KATA ADJEKTIF
*lantang*
◊ *Several groups are very outspoken in their criticism of the administration.* Ada beberapa pihak yang begitu lantang mengkritik pihak pentadbiran.

**outspokenness**  KATA NAMA
*kelantangan*
◊ *His outspokenness in discussing sensitive issues has often created controversy.* Kelantangannya membahaskan isu-isu yang sensitif sering menimbulkan kontroversi.

**outstanding**  KATA ADJEKTIF
1 *sungguh cemerlang* (*pelajar, atlit*)
◊ *He was outstanding at tennis and golf.* Dia sungguh cemerlang dalam tenis dan golf.
2 *hebat*
◊ *an outstanding young novelist* novelis muda yang hebat
♦ **an outstanding leader** pemimpin yang ulung

**outstretched**  KATA ADJEKTIF
*terentang*
◊ *outstretched hands* tangan yang terentang
♦ **an eagle with outstretched wings** seekor burung helang dengan sayapnya yang mengembang

**oval**  KATA ADJEKTIF
*bujur*

**ovary**  KATA NAMA
(JAMAK **ovaries**)
*ovari*

**oven**  KATA NAMA
*ketuhar*

**over**  KATA ADJEKTIF, KATA ADVERBA, KATA SENDI
1 *di atas*
◊ *There's a mirror over the washbasin.* Ada cermin di atas singki.
2 *melepasi*
◊ *The ball went over the fence.* Bola itu melepasi pagar.
♦ **a bridge over the Thames** jambatan yang merentangi Sungai Thames
3 *melebihi*
◊ *over 20 kilos* melebihi 20 kilo ◊ *The temperature was over 30 degrees.* Suhu telah melebihi 30 darjah.
4 *semasa*
◊ *over the holidays* semasa cuti

**O**

◊ *over Christmas* semasa Krismas
5 *tamat*
◊ *I'll be happy when the exams are over.*
Saya akan berasa gembira apabila
peperiksaan tamat.
+ **over here** di sini
+ **over there** di sana
+ **all over Scotland** di seluruh negara
Scotland
+ **The shop is over the road.** Kedai itu
terletak di seberang jalan.
+ **I spilled coffee over my shirt.** Saya
tertumpah kopi pada kemeja saya.
**over-age** KATA ADJEKTIF
*terlalu tua*
◊ *over-age players* pemain-pemain
yang terlalu tua
**overall** KATA ADJEKTIF

rujuk juga **overall** KATA ADVERBA
*keseluruhan*
◊ *What was your overall impression?*
Apakah tanggapan keseluruhan anda?
**overall** KATA ADVERBA

rujuk juga **overall** KATA ADJEKTIF
*secara keseluruhannya*
◊ *Overall, we played very well.* Secara
keseluruhannya, kami bermain dengan
baik sekali.
**overalls** KATA NAMA JAMAK
*baju luar*
**overcame** KATA KERJA *rujuk* **overcome**
**overcast** KATA ADJEKTIF
*mendung*
◊ *The sky was overcast.* Langit
mendung.
to **overcharge** KATA KERJA
*mengenakan bayaran berlebihan*
◊ *They overcharged us for the meal.*
Mereka mengenakan bayaran berlebihan
untuk makanan itu.
**overcoat** KATA NAMA
*kot luar*
to **overcome** KATA KERJA
(**overcame, overcome**)
*mengatasi*
◊ *We should co-operate to overcome our
country's economic crisis.* Kita perlu
bekerjasama untuk mengatasi masalah
ekonomi negara.
+ **to overcome bad habits** mengikis tabiat
buruk
to **overdo** KATA KERJA
(**overdid, overdone**)
*keterlaluan*
◊ *He has overdone it.* Dia sudah
keterlaluan.
**overdone** KATA ADJEKTIF
*terlalu masak*
**overdose** KATA NAMA

*dos berlebihan*
**overdraft** KATA NAMA
*overdraf*
**overdue** KATA ADJEKTIF
*lewat*
◊ *to pay overdue salaries and
allowances* membayar gaji dan elaun
yang lewat
+ **The debate is long overdue.**
Perbahasan itu sepatutnya sudah lama
diadakan.
+ **The book was overdue.** Buku itu
dipulangkan lewat.
to **overestimate** KATA KERJA
1 *terlebih menganggar*
◊ *We overestimated how long it would
take.* Kami terlebih menganggar jumlah
masa yang diperlukan.
2 *membuat jangkaan yang berlebihan*
◊ *He overestimated their desire for
peace.* Dia membuat jangkaan yang
berlebihan tentang keinginan mereka
untuk mendapatkan keamanan.
to **overflow** KATA KERJA

rujuk juga **overflow** KATA NAMA
*melimpah*
◊ *The water in the basin overflowed.*
Air di dalam besen itu melimpah.
+ **The water from the drain overflowed
onto the road.** Air longkang melimpahi
jalan raya itu.
**overflow** KATA NAMA

rujuk juga **overflow** KATA KERJA
*limpahan*
**overgrown** KATA ADJEKTIF
*ditumbuhi*
◊ *The playground is neglected and
overgrown with weeds.* Taman permainan
itu terabai dan ditumbuhi lalang.
**overhead bridge** KATA NAMA
*jejantas*
**overhead projector** KATA NAMA
*projektor*
**overheads** KATA NAMA JAMAK
*kos overhed*
to **overhear** KATA KERJA
(**overheard, overheard**)
*terdengar*
◊ *I overheard the two doctors discussing
the operation.* Saya terdengar dua orang
doktor itu berbincang tentang
pembedahan tersebut.
to **overlap** KATA KERJA

rujuk juga **overlap** KATA NAMA
*bertindih*
◊ *Overlap the slices so there are no
gaps.* Susun kepingan itu bertindih
supaya tidak ada ruang. ◊ *The research
of the two students overlapped.* Kajian

dua orang pelajar itu bertindih.

**overlap** KATA NAMA

> rujuk juga **overlap** KATA KERJA

_pertindihan_

to **overlook** KATA KERJA

[1] _dapat dilihat_
◊ _The hotel overlooked the beach._
Pantai itu dapat dilihat dari hotel.
[2] _terlepas dari perhatian_
◊ _He had overlooked one important problem._ Satu masalah yang besar telah terlepas dari perhatiannya.

**overripe** KATA ADJEKTIF

_ranum_
◊ _overripe fruit_ buah yang ranum

**overseas** KATA ADVERBA

_luar negara_
◊ _I'd like to work overseas._ Saya ingin bekerja di luar negara.

to **overshoot** KATA KERJA

(**overshot, overshot**)
_terlajak_
◊ _The plane overshot the runway._ Kapal terbang itu terlajak dari landasannya.

**oversight** KATA NAMA

[1] _kesilapan_
[2] _kealpaan_ (kerana cuai, tidak sedar)

to **oversleep** KATA KERJA

(**overslept, overslept**)
_terlambat bangun_
◊ _I overslept this morning._ Saya terlambat bangun pagi ini.

to **overstep** KATA KERJA

_melampaui_
◊ _He has overstepped the limit._ Dia sudah melampaui batas.

to **overtake** KATA KERJA

(**overtook, overtaken**)
_memotong_ (kenderaan)

to **overthrow** KATA KERJA

(**overthrew, overthrown**)
_menggulingkan_
◊ _an attempt to overthrow the president_ percubaan untuk menggulingkan presiden

**overtime** KATA NAMA

_lebih masa_
◊ _to work overtime_ bekerja lebih masa

**overtook** KATA NAMA rujuk **overtake**

to **overturn** KATA KERJA

_terbalik_
◊ _The lorry overturned and smashed into a wall._ Lori itu terbalik dan terlanggar tembok.

to **overuse** KATA KERJA

_terlebih menggunakan_

**overweight** KATA ADJEKTIF

_berat badan berlebihan_
♦ **to be overweight** berat badan berlebihan

**ovum** KATA NAMA

(JAMAK **ova**)
_ovum_

to **owe** KATA KERJA

_berhutang_
◊ _Blake already owed him nearly £50._
Blake sudah berhutang dengannya hampir 50 paun.
♦ **How much do I owe you?** Berapa banyakkah hutang saya kepada anda?

**owing to** KATA SENDI

_akibat_
◊ _The match was cancelled owing to bad weather._ Perlawanan itu dibatalkan akibat cuaca yang buruk.

**owl** KATA NAMA

_burung hantu_

**own** KATA ADJEKTIF, KATA GANTI NAMA

> rujuk juga **own** KATA KERJA

_sendiri_
◊ _This is my own recipe._ Resipi ini merupakan resipi saya sendiri. ◊ _I wish I had a room of my own._ Saya harap saya mempunyai bilik sendiri.
♦ **on his own** bersendirian
♦ **She lives on her own.** Dia tinggal bersendirian.
♦ **We did it on our own.** Kami melakukannya sendiri.

to **own** KATA KERJA

> rujuk juga **own** KATA ADJEKTIF

_memiliki_

to **own up** KATA KERJA

_mengaku_
◊ _to own up to something_ mengaku melakukan sesuatu

**owner** KATA NAMA

_pemilik_

**ownership** KATA NAMA

_pemilikan_
◊ _My mother transferred the ownership of the land to her brother._ Ibu saya menukarkan pemilikan tanah itu kepada abangnya.

**ox** KATA NAMA

_lembu jantan_

**oxygen** KATA NAMA

_oksigen_

**oyster** KATA NAMA

_tiram_

**oyster mushroom** KATA NAMA

_cendawan tiram_

**ozone** KATA NAMA

_ozon_

**ozone layer** KATA NAMA

_lapisan ozon_

**O**

# P

**PA** KATA NAMA (= *personal assistant*)
*pembantu peribadi*
◊ *She's a PA.* Dia seorang pembantu peribadi.
♦ **the PA system** (= *the public address system*) sistem siar raya

**pace** KATA NAMA
1 *kadar*
◊ *Many people were not satisfied with the pace of change.* Ramai orang tidak berpuas hati dengan kadar perubahan itu.
2 *langkah* (*ketika berjalan*)
♦ **the frantic pace of life in London** kehidupan di London yang kelam-kabut

**Pacific** KATA NAMA
*Lautan Pasifik*
♦ **the Pacific** Lautan Pasifik

to **pacify** KATA KERJA
(**pacified, pacified**)
*menenangkan*
◊ *Is this just something to pacify the critics?* Adakah ini hanya dilakukan untuk menenangkan pihak pengkritik?

to **pack** KATA KERJA

> *rujuk juga* **pack** KATA NAMA

1 *membungkus*
◊ *to pack something* membungkus sesuatu
2 *mengemas*
◊ *I've already packed my case.* Saya telah mengemas beg saya.
♦ **I'll help you pack.** Saya akan menolong anda berkemas.
♦ **Pack it in!** Sudahlah!

**pack** KATA NAMA

> *rujuk juga* **pack** KATA KERJA

*bungkus*
◊ *a pack of cigarettes* sebungkus rokok
♦ **a pack of cards** satu set daun terup

**package** KATA NAMA
1 *bungkusan*
2 *pakej*
◊ *a package holiday* percutian pakej

**packed** KATA ADJEKTIF
*penuh sesak*
◊ *The cinema was packed.* Pawagam itu penuh sesak.

**packed lunch** KATA NAMA
(JAMAK **packed lunches**)
*bekal* (*untuk makan tengah hari*)
◊ *I take a packed lunch to school.* Saya membawa bekal ke sekolah.

**packet** KATA NAMA
*bungkus*
◊ *a packet of cigarettes* sebungkus rokok ◊ *a packet of crisps* sebungkus kerepek kentang

**pad** KATA NAMA
*pad*

**paddle** KATA NAMA

> *rujuk juga* **paddle** KATA KERJA

*dayung*
♦ **to go for a paddle** pergi berdayung

to **paddle** KATA KERJA

> *rujuk juga* **paddle** KATA NAMA

*mendayung*
◊ *to paddle a canoe* mendayung kano

**paddy** KATA NAMA
(JAMAK **paddies**)
*padi*
◊ *paddy field* sawah padi

**padlock** KATA NAMA
*mangga*

**page** KATA NAMA

> *rujuk juga* **page** KATA KERJA

*muka surat*
◊ *on page 13* pada muka surat 13

to **page** KATA KERJA

> *rujuk juga* **page** KATA NAMA

*mengelui*
◊ *to page somebody* mengelui seseorang

**pager** KATA NAMA
*alat kelui*

**pagoda** KATA NAMA
*pagoda*

**paid** KATA KERJA *rujuk* **pay**

**paid** KATA ADJEKTIF
*bergaji*
◊ *to do paid work* melakukan kerja bergaji ◊ *three weeks' paid holiday* cuti bergaji selama tiga minggu

**pail** KATA NAMA
*baldi*

**pain** KATA NAMA
*kesakitan*
◊ *a terrible pain* kesakitan yang teruk
♦ **I've got a pain in my stomach.** Perut saya sakit.
♦ **I find him a real pain.** (*tidak formal*) Bagi saya dia seorang yang amat menyusahkan.

**painful** KATA ADJEKTIF
1 *menyakitkan*
◊ *a painful injury* kecederaan yang menyakitkan
2 *sakit*
◊ *Her feet were swollen and painful.* Kakinya bengkak dan sakit.
♦ **Is it painful?** Sakitkah?
♦ **The incident was too painful to remember.** Peristiwa itu terlalu perit untuk dikenang.

**painkiller** KATA NAMA
*ubat penahan sakit*

**painstaking** KATA ADJEKTIF
*cermat dan teliti* (*pemeriksaan, penyiasatan*)

**paint** KATA NAMA
> *rujuk juga* paint KATA KERJA

*cat*

to **paint** KATA KERJA
> *rujuk juga* paint KATA NAMA

*mengecat*
◊ *to paint something green* mengecat sesuatu dengan warna hijau

**paintbrush** KATA NAMA
(JAMAK **paintbrushes**)
1 *berus lukisan*
2 *berus cat*

**painter** KATA NAMA
1 *tukang cat*
◊ *He hired a painter to paint his house.* Dia mengupah seorang tukang cat untuk mengecat rumahnya.
2 *pelukis*
◊ *He is a very talented painter.* Dia seorang pelukis yang sangat berbakat.

**painting** KATA NAMA
1 *lukisan*
◊ *a painting by Picasso* lukisan oleh Picasso
2 *melukis*
◊ *My hobby is painting.* Hobi saya ialah melukis.

**pair** KATA NAMA
1 *pasang*
◊ *a pair of shoes* sepasang kasut
♦ **a pair of scissors** sebilah gunting
♦ **a pair of trousers** sehelai seluar
2 *pasangan* (*suami isteri, kekasih*)
♦ **A pair of teenage boys were smoking cigarettes.** Dua orang remaja lelaki sedang menghisap rokok.
♦ **in pairs** berpasangan

to **pair up** KATA KERJA
*menggandingkan*
◊ *The coach paired up Krishna and Seng Chee for the game.* Jurulatih itu menggandingkan Krishna dengan Seng Chee untuk perlawanan tersebut.

**pairing** KATA NAMA
*gandingan*
◊ *The pairing of those two tennis players is difficult to beat.* Gandingan dua pemain tenis itu sukar ditandingi.

**pajamas** KATA NAMA JAMAK ⊠
*pijama*
◊ *a pair of pajamas* sepasang pijama

**Pakistan** KATA NAMA
*Pakistan*

**Pakistani** KATA ADJEKTIF
> *rujuk juga* **Pakistani** KATA NAMA

*Pakistan*
◊ *Pakistani cricketers* pemain kriket Pakistan
♦ **He's Pakistani.** Dia berbangsa Pakistan.

**Pakistani** KATA NAMA
> *rujuk juga* **Pakistani** KATA ADJEKTIF

*orang Pakistan*
◊ *the Pakistanis* orang Pakistan

**pal** KATA NAMA
*kawan*

**palace** KATA NAMA
*istana*

**palate** KATA NAMA
*lelangit*

**pale** KATA ADJEKTIF
*pucat*
◊ *She still looks very pale.* Wajahnya masih kelihatan sangat pucat. ◊ *pale green* hijau pucat
♦ **to turn pale** menjadi pucat

**paleness** KATA NAMA
*kepucatan*

**Palestine** KATA NAMA
*Palestin*

**Palestinian** KATA ADJEKTIF
> *rujuk juga* **Palestinian** KATA NAMA

*Palestin*
◊ *Palestinian children* kanak-kanak Palestin
♦ **He's Palestinian.** Dia berbangsa Palestin.

**Palestinian** KATA NAMA
> *rujuk juga* **Palestinian** KATA ADJEKTIF

*orang Palestin*
◊ *the Palestinians* orang Palestin

**pallor** KATA NAMA
*kepucatan*

**palm** KATA NAMA
*tapak tangan*
♦ **the palm of your hand** tapak tangan anda
♦ **a palm tree** pokok palma

**palm oil** KATA NAMA
*minyak sawit*

**palpable** KATA ADJEKTIF
*dapat dirasakan*
◊ *The tension between Amy and Jim is palpable.* Perasaan tegang antara Amy dengan Jim dapat dirasakan.

to **pamper** KATA KERJA
*memanjakan*
◊ *He tends to pamper his child.* Dia sering memanjakan anaknya.

**pampered** KATA ADJEKTIF
*manja*
◊ *a pampered child* anak manja

**pamphlet** KATA NAMA
*buku kecil*

**pan** KATA NAMA
> *rujuk juga* pan KATA KERJA

*kuali leper*

to **pan** KATA KERJA
> *rujuk juga* pan KATA NAMA

P

_mendulang_
◊ *Every year they panned about one ton of gold.* Setiap tahun mereka mendulang hampir satu tan emas.
♦ **The movie called 'Brain Donors' was panned by the critics.** Filem yang bertajuk 'Brain Donors' dikritik hebat oleh para pengkritik.

**pancake** KATA NAMA
_pankek_

**pancreas** KATA NAMA
(JAMAK **pancreases**)
_pankreas_

**pandemonium** KATA NAMA
_keadaan riuh-rendah_
◊ *Pandemonium broke out as they ran into the street shouting.* Keadaan menjadi riuh-rendah apabila mereka berlari ke jalan sambil menjerit-jerit.

**pane** KATA NAMA
_kaca_ (pada tingkap atau pintu)

**panel** KATA NAMA
_panel_

**panellist** KATA NAMA
_ahli panel_

**panic** KATA NAMA

> rujuk juga **panic** KATA KERJA

_keadaan panik_
◊ *The shouting caused quite a panic.* Jeritan itu menyebabkan keadaan menjadi agak panik.

to **panic** KATA KERJA
(**panicked, panicked**)

> rujuk juga **panic** KATA NAMA

_panik_
◊ *He panicked as soon as he saw the blood.* Dia panik sebaik sahaja ternampak darah. ◊ *Don't panic!* Jangan panik!

**panicky** KATA ADJEKTIF
_panik_
◊ *Many women feel panicky travelling home at night alone.* Ramai wanita berasa panik pulang ke rumah seorang diri pada waktu malam.

to **pant** KATA KERJA
_tercungap-cungap_
◊ *She was panting as she came up to the finishing line.* Dia tercungap-cungap semasa tiba di garisan penamat.

**panther** KATA NAMA
_harimau kumbang_

**panties** KATA NAMA JAMAK
_seluar dalam wanita_

**pantomime** KATA NAMA
_pantomim_

> drama muzikal untuk kanak-kanak berdasarkan cerita dongeng dan biasanya dipersembahkan semasa hari Krismas di negara Britain

**pants** KATA NAMA JAMAK
[1] _seluar dalam_
[2] 🅰 _seluar panjang_

**papaya** KATA NAMA
_betik_

**paper** KATA NAMA
[1] _kertas_
◊ *a paper bag* beg kertas ◊ *a piece of paper* sehelai kertas
♦ **an exam paper** kertas peperiksaan
[2] _surat khabar_
◊ *I saw an advert in the paper.* Saya ternampak sebuah iklan dalam surat khabar.

**paperback** KATA NAMA
_buku berkulit lembut_

**paper boy** KATA NAMA
_penghantar surat khabar_ (lelaki)

**paper clip** KATA NAMA
_klip kertas_

**paper girl** KATA NAMA
_penghantar surat khabar_ (perempuan)

**paper round** KATA NAMA
_kerja menghantar surat khabar_
♦ **to do a paper round** menghantar surat khabar

**paper route** KATA NAMA 🅰
_kerja menghantar surat khabar_
♦ **to do a paper route** menghantar surat khabar

**paperweight** KATA NAMA
_penindih kertas_

**paperwork** KATA NAMA
_kerja-kerja menulis_
◊ *I've got a lot of paperwork to do.* Saya perlu menyiapkan banyak kerja-kerja menulis.

**par** KATA NAMA
♦ **on a par** setanding ◊ *He has become a political figure on a par with Tunku Abdul Rahman.* Beliau telah menjadi seorang tokoh politik yang setanding dengan Tunku Abdul Rahman.
♦ **This was a disaster on a par with Chernobyl.** Bencana ini sama teruk dengan bencana di Chernobyl.

**parachute** KATA NAMA
_payung terjun_

**parachutist** KATA NAMA
_penerjun_ (dengan payung terjun)

**parade** KATA NAMA
_perbarisan_

**paradise** KATA NAMA
_syurga_

**paraffin** KATA NAMA
_minyak tanah_
◊ *a paraffin lamp* lampu minyak tanah

**paragraph** KATA NAMA
_perenggan_

**parallel**  KATA ADJEKTIF
_selari_

to **paralyse**  KATA KERJA
_melumpuhkan_
◊  *The virus paralysed his legs.*  Virus itu
telah melumpuhkan kakinya. ◊  *The
strike paralysed the island.*  Mogok itu
melumpuhkan pulau tersebut.

**paralysed**  KATA ADJEKTIF
_lumpuh_

**paralysis**  KATA NAMA
_kelumpuhan_
◊  *paralysis of the leg*  kelumpuhan kaki

**paramedic**  KATA NAMA
_paramedik_

**parasite**  KATA NAMA
_parasit_

**parcel**  KATA NAMA
_bungkusan_

**parched**  KATA ADJEKTIF
1  _kering-kontang_ (*tanah*)
2  _kering_ (*mulut, bibir*)

**pardon**  KATA NAMA
_pengampunan_ (*daripada raja, kerajaan*)
♦  **Pardon?**  Boleh anda ulang sekali lagi?

**parentage**  KATA NAMA
_keturunan_
♦  **a girl of mixed parentage**  gadis kacukan

**parental**  KATA ADJEKTIF
_ibu bapa_
◊  *Parental attitudes vary widely.*  Sikap
ibu bapa sangat berbeza antara satu sama
lain.

**parental leave**  KATA NAMA

> cuti tanpa gaji untuk pasangan yang
> bekerja dan baru menjadi ibu bapa

**parents**  KATA NAMA JAMAK
_ibu bapa_

**Paris**  KATA NAMA
_Paris_

**park**  KATA NAMA

> rujuk juga **park** KATA KERJA

_taman_
◊  *a national park*  taman negara ◊  *a
theme park*  taman tema
♦  **a car park**  tempat letak kereta

to **park**  KATA KERJA

> rujuk juga **park** KATA NAMA

_meletakkan_ (*kenderaan*)
◊  *Where can I park my car?*  Di
manakah saya boleh meletakkan kereta
saya?
♦  **"no parking"**  "dilarang meletak
kenderaan"

**parking lot**  KATA NAMA 🇺🇸
_tempat letak kereta_

**parking meter**  KATA NAMA
_meter letak kereta_

**parking ticket**  KATA NAMA
_saman_ (*letak kereta*)

**Parkinson's disease**  KATA NAMA
_penyakit Parkinson_

**parliament**  KATA NAMA
_parlimen_
◊  *the Malaysian Parliament*  Parlimen
Malaysia

**parole**  KATA NAMA
_parol_
♦  **on parole**  dengan parol

> dibebaskan dari penjara lebih awal
> jika berkelakuan baik tetapi masih
> di bawah pengawasan pihak
> berkuasa

**parrot**  KATA NAMA
_burung nuri_

**parsley**  KATA NAMA
_daun pasli_

**parson**  KATA NAMA
_paderi_

**part**  KATA NAMA

> rujuk juga **part** KATA KERJA

1  _bahagian_
◊  *The first part of the play was boring.*
Bahagian awal drama itu membosankan.
2  _peranan_
◊  *She had a small part in the film.*  Dia
memegang peranan yang kecil dalam filem
itu.
♦  **spare parts**  alat ganti
♦  **to take part in something**  mengambil
bahagian dalam sesuatu ◊  *Thousands
of people took part in the demonstration.*
Beribu-ribu orang mengambil bahagian
dalam demonstrasi itu.

to **part**  KATA KERJA

> rujuk juga **part** KATA NAMA

_berpisah_
◊  *to part with somebody*  berpisah
dengan seseorang
♦  **to part with something**  memberikan
sesuatu (*dengan menjual atau
memberikan percuma*) ◊  *I hate to part
with this lamp.*  Saya berasa berat hati
untuk memberikan lampu ini.
♦  **to part with one's money**  mengeluarkan
wang

**partial**  KATA ADJEKTIF
_separa_
◊  *a partial ban on the use of cars on
campus*  pengharaman separa ke atas
penggunaan kereta di dalam kampus
♦  **partial blindness**  keadaan separuh buta

**partially**  KATA ADVERBA
_separuh_
◊  *She's partially blind.*  Dia separuh
buta.

**participant**  KATA NAMA
_peserta_

P

to **participate** KATA KERJA
*menyertai*
◊ *They expected him to participate in
the ceremony.* Mereka mengharapkan dia
menyertai upacara itu.
**participation** KATA NAMA
*penyertaan*
◊ *participation in religious activities*
penyertaan dalam aktiviti keagamaan
**particle** KATA NAMA
[1] *zarah*
[2] *partikel*
**particular** KATA ADJEKTIF
*khusus*
◊ *He showed a particular interest in the
subject.* Dia menunjukkan minat yang
khusus terhadap subjek itu.
♦ **old boys of a particular school** bekas
pelajar lelaki sekolah tertentu
*Kadang-kadang particular tidak
diterjemahkan.*
◊ *I can't remember that particular film.*
Saya tidak ingat filem tersebut.
♦ **in particular** khusus ◊ *Are you looking
for anything in particular?* Apakah anda
sedang mencari sesuatu yang khusus?
◊ *nothing in particular* tidak ada apa-
apa yang khusus
**particularly** KATA ADVERBA
*terutama sekali*
♦ **a particularly boring lecture** kuliah
yang luar biasa bosannya
**particulars** KATA NAMA JAMAK
*butir-butir*
**parting** KATA NAMA
*perpisahan*
**partition** KATA NAMA
*adang*
**partly** KATA ADVERBA
*sebahagian*
◊ *It was partly my own fault.*
Sebahagiannya merupakan kesalahan
saya sendiri.
**partner** KATA NAMA
[1] *pasangan*
◊ *That doesn't mean you don't love your
partner.* Itu tidak bermakna anda tidak
menyayangi pasangan anda. ◊ *my
dancing partner* pasangan menari saya
[2] *rakan kongsi*
◊ *He's a partner in a law firm.* Dia
seorang rakan kongsi dalam sebuah firma
guaman.
**partnership** KATA NAMA
*perkongsian*
◊ *the partnership between Alex and
Mikhail* perkongsian antara Alex dengan
Mikhail
**part of speech** KATA NAMA

*kelas kata*
**part-time** KATA ADJEKTIF, KATA ADVERBA
*sambilan*
◊ *a part-time job* kerja sambilan
♦ **She works part-time.** Dia bekerja secara
sambilan.
**party** KATA NAMA
(JAMAK **parties**)
| *rujuk juga* **party** KATA KERJA |
[1] *parti*
◊ *the Conservative Party* Parti
Konservatif
[2] *majlis*
◊ *a birthday party* majlis hari jadi
[3] *kumpulan*
◊ *a party of tourists* sekumpulan
pelancong
to **party** KATA KERJA
(**partied, partied**)
| *rujuk juga* **party** KATA NAMA |
*berfoya-foya*
◊ *He only likes to party.* Dia hanya suka
berfoya-foya.
**party popper** KATA NAMA
*benda yang mengeluarkan jalur
kertas yang berwarna-warni apabila
ditarik*
**pass** KATA NAMA
(JAMAK **passes**)
| *rujuk juga* **pass** KATA KERJA |
[1] *laluan*
◊ *The pass was blocked with snow.*
Laluan tersebut tersekat oleh salji.
[2] *hantaran* (bola sepak, hoki, dll)
◊ *a short pass* hantaran pendek
[3] *pas*
◊ *a bus pass* pas bas
♦ **She got a pass in her piano exam.** Dia
lulus ujian pianonya.
♦ **I got six passes.** Saya lulus enam mata
pelajaran.
to **pass** KATA KERJA
| *rujuk juga* **pass** KATA NAMA |
[1] *lalu*
◊ *I pass his house on my way to school.*
Saya lalu di hadapan rumahnya dalam
perjalanan ke sekolah.
♦ **We were passed by a huge lorry.**
Sebuah lori yang besar berlalu melepasi
kami.
♦ **the passing cars** kereta yang lalu-lalang
[2] *berlalu*
◊ *The time has passed quickly.* Masa
berlalu dengan cepat.
[3] *menghulurkan*
◊ *Could you pass me the salt, please?*
Tolong hulurkan garam itu.
[4] *lulus*
◊ *Did you pass?* Adakah anda lulus?

◊　*to pass an exam* lulus peperiksaan

♦　**to pass sentence** menjatuhkan hukuman

to **pass away** KATA KERJA
*meninggal dunia*

to **pass by** KATA KERJA
*lalu*

to **pass on** KATA KERJA
1. *memberikan*
◊　*The Queen is passing the money on to her favourite charities.* Permaisuri akan memberikan wang itu kepada pertubuhan amal yang disukainya.
♦　**He caught chickenpox and passed it on to his roommate.** Dia menghidap penyakit cacar air dan menjangkiti rakan sebiliknya.
2. *meninggal dunia*

to **pass out** KATA KERJA
*pengsan*

to **pass through** KATA KERJA
*melalui*

**passage** KATA NAMA
1. *laluan*
◊　*a narrow passage* laluan yang sempit
2. *petikan*
◊　*Read the passage carefully.* Baca petikan itu dengan teliti.

**passenger** KATA NAMA
*penumpang*

**passion** KATA NAMA
*keghairahan*
◊　*Fred's passion for a life of glamour had caused his wife to leave him.* Keghairahan Fred mengejar glamor menyebabkan isterinya meninggalkannya.
♦　**Football is a passion of his.** Bola sepak merupakan permainan yang sangat digemarinya.

**passionate** KATA ADJEKTIF
*kuat*
◊　*his passionate commitment to peace* komitmennya yang kuat terhadap keamanan
♦　**He is very passionate about the project.** Dia begitu beria-ia dengan projek tersebut.
♦　**a passionate speech** ucapan yang penuh semangat

**passive** KATA ADJEKTIF
*pasif*
♦　**a passive smoker** orang yang menyedut asap rokok kerana berada berhampiran dengan perokok

**Passover** KATA NAMA
> perayaan orang Yahudi yang bermula pada bulan Mac atau April dan berlanjutan selama tujuh atau lapan hari

**passport** KATA NAMA
*pasport*
◊　*passport control* kawalan pasport

**password** KATA NAMA
*kata laluan*

**past** KATA NAMA
> rujuk juga **past** KATA ADJEKTIF, KATA ADVERBA, KATA SENDI

*masa silam*
◊　*I try not to think of the past.* Saya cuba melupakan masa silam.
♦　**Death in childbirth was common in the past.** Kematian bayi baru lahir merupakan perkara yang biasa pada zaman dahulu.

**past** KATA ADJEKTIF, KATA ADVERBA, KATA SENDI
> rujuk juga **past** KATA NAMA

*lalu*
◊　*This past year has been very difficult.* Tahun lalu, keadaannya amat sukar.
♦　**The school is 100 metres past the traffic lights.** Sekolah itu terletak dalam jarak 100 meter selepas lampu isyarat itu.
♦　**The bus goes past our house.** Bas itu lalu di hadapan rumah kami.
♦　**It's half past ten.** Sudah pukul sepuluh setengah.
♦　**It's a quarter past nine.** Sudah pukul sembilan suku.
♦　**It's ten past eight.** Sudah pukul lapan sepuluh minit.
♦　**It's past midnight.** Sudah lepas tengah malam.

**pasta** KATA NAMA
*pasta*

**paste** KATA NAMA
> rujuk juga **paste** KATA KERJA

*perekat*

to **paste** KATA KERJA
> rujuk juga **paste** KATA NAMA

*merekatkan*
◊　*She pasted the poster on to the wall.* Dia merekatkan poster itu pada dinding.

**pasteurization** KATA NAMA
*pempasteuran*

**pasteurized** KATA ADJEKTIF
*pasteur*

**pastime** KATA NAMA
*kegiatan masa lapang*

**pastry** KATA NAMA
*pastri*

to **pat** KATA KERJA
*menepuk*
◊　*He patted his son's shoulder.* Dia menepuk bahu anak lelakinya.

**patch** KATA NAMA
(JAMAK **patches**)
> rujuk juga **patch** KATA KERJA

P

*tampalan*
◊ *a patch of material* tampalan kain
♦ **a bald patch** bahagian botak
♦ **They're going through a bad patch.**
Mereka sedang menghadapi saat-saat yang sukar.

to **patch** KATA KERJA

> rujuk juga **patch** KATA NAMA

*menampal*
◊ *She patched the torn blanket with a piece of cloth.* Dia menampal selimut yang koyak itu dengan secebis kain.
◊ *He patched the barn roof.* Dia menampal bumbung bangsal itu.

**patched** KATA ADJEKTIF
*bertampal*
◊ *a pair of patched jeans* sehelai seluar jean yang bertampal

**paté** KATA NAMA
*paté (sejenis makanan)*

**patent** KATA NAMA
*paten*

**path** KATA NAMA
*laluan*

**pathetic** KATA ADJEKTIF
*menyedihkan (keadaan orang, haiwan)*
♦ **That was a pathetic excuse.** Itu merupakan alasan yang langsung tidak boleh diterima.

**patience** KATA NAMA
1 *kesabaran*
♦ **He hasn't got much patience.** Dia bukan seorang yang sangat penyabar.
2 *solitaire (permainan daun terup)*
◊ *She was playing patience.* Dia sedang bermain solitaire.

**patient** KATA NAMA

> rujuk juga **patient** KATA ADJEKTIF

*pesakit*

**patient** KATA ADJEKTIF

> rujuk juga **patient** KATA NAMA

*sabar*

**patiently** KATA ADVERBA
*dengan sabar*
◊ *She waited patiently for Yogan.* Dia menunggu Yogan dengan sabar.

**patio** KATA NAMA
(JAMAK **patios**)
*bahagian halaman yang berturap*

**patriotic** KATA ADJEKTIF
*patriotik*

to **patrol** KATA KERJA

> rujuk juga **patrol** KATA NAMA

*meronda*
◊ *Every morning the police will patrol the area.* Setiap pagi polis akan meronda di kawasan itu.

**patrol** KATA NAMA

> rujuk juga **patrol** KATA KERJA

*rondaan*
◊ *to be on patrol* membuat rondaan

**patrol car** KATA NAMA
*kereta peronda*

**patron** KATA NAMA
*penaung*
◊ *She will be the patron of the organization.* Beliau akan menjadi penaung pertubuhan itu.

to **patter** KATA KERJA
*berketak-ketik*
◊ *Rain pattered gently outside.* Hujan turun dan berketak-ketik dengan perlahan di luar.

**pattern** KATA NAMA
1 *corak*
◊ *a geometric pattern* corak geometri
2 *pola (jahitan)*

**pauper** KATA NAMA
*fakir*

**pause** KATA NAMA
*berhenti sejenak*

**pavement** KATA NAMA
*laluan pejalan kaki*

**pavilion** KATA NAMA
*astaka*

**paw** KATA NAMA
*kaki (kucing, anjing, dll)*
♦ **a cat's paw-mark** jejak kucing

to **pawn** KATA KERJA
*menggadaikan*
◊ *He had to pawn his watch to buy the book.* Dia terpaksa menggadaikan jam tangannya untuk membeli buku itu.

**pawn shop** KATA NAMA
*pajak gadai*

**pay** KATA NAMA

> rujuk juga **pay** KATA KERJA

*gaji*

to **pay** KATA KERJA
(**paid, paid**)

> rujuk juga **pay** KATA NAMA

*membayar*
◊ *Can I pay by cheque?* Bolehkah saya bayar dengan cek? ◊ *I'll pay you back tomorrow.* Saya akan membayar balik wang anda esok.
♦ **They pay me more on Sundays.** Mereka membayar saya gaji yang lebih pada hari Ahad.
♦ **to pay for something** membayar untuk sesuatu ◊ *I paid RM50 for the bag.* Saya membayar sebanyak RM50 untuk beg itu.
♦ **I paid for my ticket.** Saya membayar harga tiket saya.
♦ **to pay money into an account** memasukkan wang ke dalam akaun
♦ **Does your current account pay**

**interest?** Adakah anda menerima faedah daripada akaun semasa anda?
- **to pay somebody a visit** melawat seseorang ◊ *Paul paid us a visit last night.* Paul melawat kami semalam.

to **pay off** KATA KERJA
*menjelaskan*
◊ *He had to sell his house to pay off his debts.* Dia terpaksa menjual rumahnya untuk menjelaskan hutang-hutangnya.
- **All his efforts have paid off.** Segala usahanya telah berhasil.

**payable** KATA ADJEKTIF
*perlu dibayar*
◊ *Purchase tax is not payable on goods for export.* Cukai belian tidak perlu dibayar untuk barangan yang dieksport.
- **Who's the cheque payable to?** Siapakah penerima cek ini?

**payback** KATA NAMA 🗛
*pulangan*
- **to have a big payback** mendapat pulangan yang lumayan ◊ *a big payback in environmental terms* pulangan yang lumayan dari segi alam sekitar
- **It's payback time.** Inilah masanya untuk membalas balik.

**pay claim** KATA NAMA
*tuntutan kenaikan gaji*

**payment** KATA NAMA
*bayaran*
◊ *monthly payments* bayaran bulanan
- **Payment of this bill may only be effected at certain counters.** Pembayaran bil ini hanya boleh dilakukan di kaunter-kaunter tertentu.

**payphone** KATA NAMA
*telefon awam*

**PC** KATA NAMA (= *personal computer*)
*komputer peribadi*

**PCI** SINGKATAN (= *Peripheral Component Interconnect*) (*komputer*)
*PCI* (= *Komponen Persisian Saling Sambung*)

**PDA** KATA NAMA (= *Personal Digital Assistant*)
*PDA* (= *Pembantu Digital Peribadi*)
komputer kecil dan ringan yang digunakan untuk membantu merancang aktiviti peribadi

**PE** KATA NAMA (= *physical education*)
*pendidikan jasmani*
◊ *We do PE twice a week.* Kami melakukan pendidikan jasmani dua kali seminggu.

**pea** KATA NAMA
*kacang pis*

**peace** KATA NAMA
*keamanan*

- **peace talks** rundingan damai
- **a peace treaty** perjanjian damai

**peaceful** KATA ADJEKTIF
1 *aman*
- **a peaceful protest** tunjuk perasaan secara aman
2 *tenang*
◊ *a peaceful afternoon* petang yang tenang

**peacefully** KATA ADVERBA
*dengan tenang*
◊ *The demonstrators dispersed peacefully.* Penunjuk perasaan bersurai dengan tenang.

**peacemaker** KATA NAMA
*pendamai*

**peach** KATA NAMA
(JAMAK **peaches**)
*buah pic*

**peacock** KATA NAMA
*burung merak*

**peak** KATA NAMA
*puncak*
◊ *the snow-covered peaks* puncak yang dilitupi salji
- **She's at the peak of her career.** Dia berada pada kemuncak kerjayanya.
- **in the peak season** semasa musim sibuk

**peak rate** KATA NAMA
*kadar tertinggi*
◊ *You pay peak rate for calls before one.* Kadar bayaran tertinggi dikenakan bagi panggilan yang dibuat sebelum pukul satu.

**peanut** KATA NAMA
*kacang tanah*

**peanut butter** KATA NAMA
*mentega kacang*

**pear** KATA NAMA
*buah lai*

**pearl** KATA NAMA
*mutiara*

**peasant** KATA NAMA
*petani*

**pebble** KATA NAMA
*batu kerikil*

to **peck** KATA KERJA
*mematuk*
◊ *The bird pecked his leg.* Burung itu mematuk kakinya.

**peckish** KATA ADJEKTIF
(*tidak formal*)
*agak lapar*
◊ *to feel a bit peckish* berasa agak lapar

**peculiar** KATA ADJEKTIF
*pelik*
◊ *He's a peculiar person.* Dia seorang yang pelik. ◊ *It tastes peculiar.* Rasanya

**P**

pelik.

**peculiarity** KATA NAMA
(JAMAK **peculiarities**)
*kepelikan*

**pedal** KATA NAMA

> rujuk juga **pedal** KATA KERJA

*pedal*

to **pedal** KATA KERJA

> rujuk juga **pedal** KATA NAMA

*mengayuh*

**pedestrian** KATA NAMA
*pejalan kaki*

**pedestrian crossing** KATA NAMA
*lintasan pejalan kaki*

**pedestrianized** KATA ADJEKTIF
*untuk pejalan kaki*
◊ *a pedestrianized street* kawasan untuk pejalan kaki

**pedestrian mall** KATA NAMA 🇦
*kawasan pejalan kaki*

**pedigree** KATA ADJEKTIF
*baka baik*
◊ *a pedigree dog* anjing baka baik

**pee** KATA NAMA
(*tidak formal*)
♦ **to have a pee** membuang air kecil

**peek** KATA NAMA
♦ **to have a peek at something** melihat sesuatu sepintas lalu ◊ *I had a peek at your dress and it's lovely.* Saya melihat gaun anda sepintas lalu dan saya dapati gaun itu memang cantik.

**peel** KATA NAMA

> rujuk juga **peel** KATA KERJA

*kulit (buah-buahan)*

to **peel** KATA KERJA

> rujuk juga **peel** KATA NAMA

*mengupas*
◊ *Shall I peel the potatoes?* Perlukah saya mengupas ubi kentang ini?
♦ **My nose is peeling.** Hidung saya mengelupas.

**peeler** KATA NAMA
*pengupas*

to **peep** KATA KERJA
*mengintai*
◊ *The man was peeping at her through a small hole.* Lelaki itu sedang mengintainya melalui satu lubang kecil.

**Peeping Tom** KATA NAMA
*pengintai*

**peg** KATA NAMA
1 *penyangkut*
2 *penyepit baju*
3 *pancang khemah*

**Pekinese** KATA NAMA
*anjing Pekinese*

**pelican** KATA NAMA
*burung undan*

**pellet** KATA NAMA
*gentel*

**pelvis** KATA NAMA
(JAMAK **pelvises**)
*pelvis*

**pen** KATA NAMA
*pen*
◊ *a fountain pen* pen dakwat
♦ **a ballpoint pen** pena mata bulat

**penal code** KATA NAMA
*kanun jenayah*

to **penalize** KATA KERJA
*mendenda*
◊ *She was penalized by her teacher.* Dia didenda oleh gurunya.

**penalty** KATA NAMA
(JAMAK **penalties**)
1 *hukuman*
◊ *The penalty for this offence is life imprisonment.* Hukuman bagi kesalahan ini ialah penjara seumur hidup. ◊ *the death penalty* hukuman mati
2 *penalti (bola sepak)*
♦ **a penalty shoot-out** tendangan penalti

**penance** KATA NAMA
*penebusan dosa*

**pence** KATA NAMA JAMAK
(TUNGGAL **penny**)
*pence (wang syiling negara Britain)*
◊ *24 pence* 24 pence

**pencil** KATA NAMA
*pensel*
◊ *to write in pencil* menulis dengan pensel

**pencil case** KATA NAMA
*kotak pensel*

**pencil sharpener** KATA NAMA
*pengasah pensel*

**pendant** KATA NAMA
*loket*

**pendulum** KATA NAMA
*bandul*

to **penetrate** KATA KERJA
*menembusi*
◊ *X-rays can penetrate many objects.* X-ray dapat menembusi banyak objek.

**penetration** KATA NAMA
*penembusan*
◊ *The wall was built to block enemy penetration.* Tembok itu dibina untuk menghalang penembusan pihak musuh.

**penfriend** KATA NAMA
*sahabat pena*

**penguin** KATA NAMA
*burung penguin*

**penicillin** KATA NAMA
*penisilin*

**peninsula** KATA NAMA
*semenanjung*

**penis** KATA NAMA
(JAMAK **penises**)
_zakar_

**penknife** KATA NAMA
(JAMAK **penknives**)
_pisau lipat_

**penny** KATA NAMA
(JAMAK **pence**)
_peni_ (wang syiling negara Britain)

**pension** KATA NAMA
_pencen_

**pensionable** KATA ADJEKTIF
_berpencen_
◊ _pensionable job_ kerja yang berpencen
♦ **people of pensionable age** orang yang mencapai umur bersara

**pensioner** KATA NAMA
_pesara_

**pentagonal** KATA ADJEKTIF
_berbentuk lima segi_
◊ _a pentagonal logo_ logo yang berbentuk lima segi

**pentathlon** KATA NAMA
_pancalumba_ (sukan)

**penultimate** KATA ADJEKTIF
_praakhir_

**people** KATA NAMA JAMAK
_orang_
◊ _The people were nice._ Orang di situ baik-baik belaka. ◊ _a lot of people_ ramai orang ◊ _Spanish people_ orang Sepanyol
♦ **People say that...** Kononnya...
♦ **How many people are there in your family?** Berapakah bilangan ahli keluarga anda?

**pepper** KATA NAMA
_lada_
◊ _Pass the pepper, please._ Tolong hulurkan lada itu.
♦ **a green pepper** lada benggala

**peppermill** KATA NAMA
_pengisar lada_

**peppermint** KATA NAMA
_pudina_
♦ **peppermint chewing gum** gula-gula getah berperisa pudina

**per** KATA SENDI
_setiap_
◊ _per person_ setiap orang
♦ **per day** sehari
♦ **per week** seminggu
♦ **30 miles per hour** 30 batu sejam

to **perceive** KATA KERJA
_melihat_
◊ _We must help pupils to perceive for themselves the relationship between success and effort._ Kita mesti membantu

murid-murid melihat sendiri hubungan antara usaha dengan kejayaan.

**per cent** KATA ADVERBA
_peratus_
◊ _50 per cent_ 50 peratus

**percentage** KATA NAMA
_peratusan_

**perception** KATA NAMA
_tanggapan_
◊ _their perception of foreigners_ tanggapan mereka terhadap orang asing

to **perch** KATA KERJA
_bertenggek_
◊ _He perched on the side of the bed._ Dia bertenggek di tepi katil itu.

**perched** KATA ADJEKTIF
_tertenggek_
◊ _She was perched on the edge of the sofa._ Dia tertenggek di tepi sofa itu.

**percolator** KATA NAMA
_pembancuh kopi_

**percussion** KATA NAMA
_genderang_ (padanan terdekat)
◊ _I play percussion._ Saya bermain genderang.

**perfect** KATA ADJEKTIF
_sempurna_
◊ _Nobody is perfect._ Tidak ada orang yang sempurna.
♦ **Dave speaks perfect Spanish.** Dave fasih berbahasa Sepanyol.

**perfection** KATA NAMA
_kesempurnaan_
◊ _Everyone looks for perfection in life._ Semua orang mencari kesempurnaan dalam hidup.

**perfectly** KATA ADVERBA
_betul-betul_
◊ _The food are perfectly safe to eat._ Makanan itu betul-betul selamat untuk dimakan. ◊ _a perfectly normal child_ seorang budak yang betul-betul normal
♦ **You know perfectly well what happened.** Anda lebih tahu perkara yang sebenarnya berlaku.

**perforation** KATA NAMA
_tebukan_

to **perform** KATA KERJA
_mempersembahkan_
◊ _to perform Hamlet_ mempersembahkan drama 'Hamlet'
♦ **The team performed brilliantly.** Pasukan itu bermain dengan cemerlang.

**performance** KATA NAMA
① _persembahan_
◊ _The performance lasts two hours._ Persembahan itu berlangsung selama dua jam.
② _lakonan_

P

◊ *his performance as Hamlet*
lakonannya sebagai Hamlet

**perfume** KATA NAMA
*minyak wangi*

**perhaps** KATA ADVERBA
*barangkali*
◊ *Perhaps they were tired.* Barangkali
mereka letih.

**peril** KATA NAMA
*keadaan bahaya*
◊ *perils of the sea* keadaan bahaya di
laut

**period** KATA NAMA
[1] *tempoh*
◊ *for a limited period* untuk tempoh
yang terhad
[2] *waktu*
◊ *Each period lasts forty minutes.*
Setiap waktu mengambil masa selama
empat puluh minit.
[3] *zaman*
◊ *the Victorian period* zaman Victoria
[4] *haid*
◊ *I'm having my period.* Saya datang
haid.

**periodical** KATA ADJEKTIF
*berkala*
◊ *periodical visits by the doctor*
rawatan berkala oleh doktor

**period pain** KATA NAMA
*sakit semasa datang haid*

to **perish** KATA KERJA
*terkorban*
◊ *193 passengers perished in the
disaster.* Seramai 193 orang penumpang
terkorban dalam nahas tersebut.

to **perk up** KATA KERJA
[1] *menjadi riang*
◊ *He perked up and joked with them.*
Dia menjadi riang dan bergurau senda
dengan mereka.
[2] *meningkat*
◊ *House prices could perk up during the
autumn.* Harga rumah mungkin akan
meningkat pada musim luruh.

**perm** KATA NAMA
> *rujuk juga* **perm** KATA KERJA
*kerinting*
◊ *She's had a perm.* Rambutnya
didanda kerinting.

to **perm** KATA KERJA
> *rujuk juga* **perm** KATA NAMA
*mengerintingkan*

**permanent** KATA ADJEKTIF
[1] *berkekalan*
◊ *a permanent state of tension* keadaan
tegang yang berkekalan
[2] *tetap*
◊ *a permanent job* pekerjaan tetap

**permanently** KATA ADVERBA
[1] *selama-lamanya*
◊ *The only way to lose weight
permanently is to change your attitudes
toward food.* Satu-satunya cara untuk
mengurangkan berat badan selama-
lamanya adalah dengan mengubah sikap
anda terhadap makanan.
[2] *sentiasa*
◊ *the heavy, permanently locked gate*
pintu pagar yang berat dan sentiasa
terkunci
[3] *secara tetap*
◊ *permanently employed workers*
pekerja yang digaji secara tetap

**permission** KATA NAMA
*kebenaran*
◊ *Could I have permission to leave
early?* Bolehkah saya mendapat
kebenaran untuk pulang lebih awal?

**permit** KATA NAMA
*permit*
◊ *a work permit* permit kerja

**perpetual** KATA ADJEKTIF
[1] *berkekalan*
◊ *a perpetual state of tension*
keadaan tegang yang berkekalan
[2] *tidak henti-henti*
◊ *her perpetual complaints*
rungutannya yang tidak henti-henti

to **perplex** KATA KERJA
*membingungkan*
◊ *an aspect of modern technology that
has always perplexed me* satu aspek
dalam teknologi moden yang selalu
membingungkan saya

to **persevere** KATA KERJA
*tabah*
◊ *We must persevere in the face of
difficulties.* Kita mesti tabah ketika
menghadapi kesukaran.

**Persian** KATA ADJEKTIF
*Parsi*
◊ *a Persian cat* kucing Parsi

to **persist** KATA KERJA
*berterusan*
◊ *Contact your doctor if the cough
persists.* Hubungi doktor anda jika batuk
itu berterusan.

**persistent** KATA ADJEKTIF
*berterusan*

**persistently** KATA ADVERBA
*secara berterusan*
◊ *The allegations have been persistently
denied by ministers.* Dakwaan-dakwaan
itu dinafikan secara berterusan oleh para
menteri.
♦ *to ask persistently* bertanya bertubi-tubi

**person** KATA NAMA

(JAMAK **people**)
_orang_
◊ _She's a very nice person._ Dia
seorang yang sangat baik.
♦ **in person** sendiri
**personal** KATA ADJEKTIF
_peribadi_
◊ _Those letters are personal._ Surat-
surat itu merupakan surat peribadi.
♦ **He's a personal friend of mine.** Dia
kawan rapat saya.
**personal column** KATA NAMA
_ruangan peribadi_ (dalam akhbar)
**personality** KATA NAMA
(JAMAK **personalities**)
_keperibadian_
**personally** KATA ADVERBA
_sendiri_
◊ _The manager is returning to Paris to
answer the questions personally._
Pengurus itu akan pulang ke Paris untuk
menjawab soalan-soalan itu sendiri.
♦ **Personally I don't agree.** Secara
peribadi, saya tidak setuju.
♦ **I don't know him personally.** Saya tidak
begitu mengenalinya.
♦ **Don't take it personally.** Jangan ambil
hati.
**personal stereo** KATA NAMA
_Walkman_®
**personnel** KATA NAMA
_kakitangan_
**perspective** KATA NAMA
_perspektif_
**perspiration** KATA NAMA
_peluh_
to **persuade** KATA KERJA
1 _memujuk_
◊ _She persuaded me to go with her._
Dia memujuk saya supaya pergi
bersamanya.
2 _meyakinkan_
◊ _We're trying to persuade
manufacturers to sell them here._ Kami
sedang cuba meyakinkan pengeluar
supaya menjual barang itu di sini.
**persuasion** KATA NAMA
_pemujukan_
♦ **Attempts at persuasion are useless
once she has made up her mind.**
Tidak ada gunanya kita cuba memujuk
apabila dia sudah membuat keputusan.
**persuasive** KATA ADJEKTIF
_meyakinkan_
◊ _persuasive arguments_ hujah-hujah
yang meyakinkan
**Peru** KATA NAMA
_Peru_
**Peruvian** KATA ADJEKTIF

rujuk juga **Peruvian** KATA NAMA

_Peru_
◊ _a Peruvian flag_ bendera Peru
**Peruvian** KATA NAMA

rujuk juga **Peruvian** KATA ADJEKTIF

_orang Peru_
◊ _the Peruvians_ orang Peru
**pessimist** KATA NAMA
_pesimis_
**pessimistic** KATA ADJEKTIF
_pesimistik_
◊ _Don't be so pessimistic!_ Janganlah
terlalu pesimistik!
**pest** KATA NAMA
_haiwan perosak_
♦ **He's a real pest!** Dia memang pengacau!
to **pester** KATA KERJA
_mengacau_
◊ _He's always pestering me._ Dia selalu
mengacau saya.
**pesticide** KATA NAMA
_racun perosak_
**pet** KATA NAMA
_haiwan peliharaan_
◊ _Have you got a pet?_ Anda ada
haiwan peliharaan?
♦ **She's the teacher's pet.** Dia merupakan
murid kesayangan guru.
**petal** KATA NAMA
_ranggi_ **atau** _kelopak bunga_
**petite** KATA ADJEKTIF
_kecil molek_
**petition** KATA NAMA
_petisyen_
**pet name** KATA NAMA
_nama timang-timangan_
**pet passport** KATA NAMA
_pasport haiwan peliharaan_

_pemvaksinan dan pengesahan untuk
anjing dan kucing dari negara-negara
Kesatuan Eropah dan lain-lain negara
yang diluluskan dan haiwan-haiwan
tersebut tidak perlu lagi dikuarantin_

**petrified** KATA ADJEKTIF
_sangat takut_
◊ _She's petrified of spiders._ Dia sangat
takut akan labah-labah.
**petrol** KATA NAMA
_petrol_
♦ **unleaded petrol** petrol tanpa plumbum
♦ **4-star petrol** petrol berplumbum
**petrol station** KATA NAMA
_stesen minyak_
**petrol tank** KATA NAMA
_tangki minyak_
**petty** KATA ADJEKTIF
_remeh-temeh_
◊ _a petty problem_ masalah yang
remeh-temeh

P

♦ **I think that attitude is a bit petty.** Saya rasa sikap itu menandakan orang itu berfikiran sempit.

**pewter** KATA NAMA
_piuter_

**PG-13** SINGKATAN (= _Parental Guidance 13_) 🔊

> Filem yang mempunyai label PG-13 tidak sesuai ditonton oleh kanak-kanak di bawah umur 13 tahun tetapi ibu bapa boleh membuat keputusan sama ada membenarkan anak-anak mereka menontonnya atau tidak.

**PFI** SINGKATAN (= _Private Finance Initiative_)
_PFI_ (= _Inisiatif Kewangan Swasta_)

**phantom** KATA NAMA
_hantu_

**pharaoh** KATA NAMA
_firaun_

**pharmacist** KATA NAMA
_ahli farmasi_

**pharmacy** KATA NAMA
(JAMAK **pharmacies**)
_farmasi_

**phase** KATA NAMA
_fasa_

**pheasant** KATA NAMA
_burung kuang_

**phenomenon** KATA NAMA
(JAMAK **phenomena**)
_fenomena_

**philanthropist** KATA NAMA
_dermawan_

**philosopher** KATA NAMA
_ahli falsafah_

**philosophical** KATA ADJEKTIF
_kefalsafahan_
◊ _I don't like to get involved in philosophical discussions._ Saya tidak suka melibatkan diri dalam perbincangan kefalsafahan.

♦ **the philosophical works of Plato** karya-karya falsafah Plato

to **philosophize** KATA KERJA
_berfalsafah_

**philosophy** KATA NAMA
_falsafah_

**phlegm** KATA NAMA
_kahak_

**phobia** KATA NAMA
_fobia_

**phone** KATA NAMA

> rujuk juga **phone** KATA KERJA

_telefon_
◊ _by phone_ menerusi telefon
♦ **to be on the phone (1)** bercakap di telefon ◊ _She's on the phone at the moment._ Dia sedang bercakap di telefon

sekarang.
♦ **to be on the phone (2)** mempunyai telefon ◊ _We're not on the phone._ Kami tidak mempunyai telefon.
♦ **Can I use your phone, please?** Bolehkah saya gunakan telefon anda?

to **phone** KATA KERJA

> rujuk juga **phone** KATA NAMA

_menelefon_
◊ _I'll phone you tomorrow._ Saya akan menelefon anda esok.
♦ **Could you phone me a taxi, please?** Tolong telefon teksi untuk saya.
♦ **He phoned in sick yesterday.** Kelmarin dia menelefon untuk memberitahu bahawa dia sakit.

**phone bill** KATA NAMA
_bil telefon_

**phone book** KATA NAMA
_buku panduan telefon_

**phone box** KATA NAMA
(JAMAK **phone boxes**)
_pondok telefon_

**phone call** KATA NAMA
_panggilan telefon_
◊ _There's a phone call for you._ Ada panggilan telefon untuk anda. ◊ _to make a phone call_ membuat panggilan telefon

**phone card** KATA NAMA
_kad telefon_

**phone-in** KATA NAMA
_rancangan panggilan terus_

> rancangan di radio atau televisyen yang membolehkan orang menelefon untuk bertanya soalan atau memberikan pendapat dan panggilan mereka dapat didengar oleh orang yang mengikuti rancangan itu

**phone number** KATA NAMA
_nombor telefon_

**phonetics** KATA NAMA
_fonetik_

**phosphate** KATA NAMA
_fosfat_

**phosphorus** KATA NAMA
_fosforus_

**photo** KATA NAMA
(JAMAK **photos**)
_foto_
♦ **to take a photo** mengambil gambar
◊ _I took a photo of the bride and groom._ Saya mengambil gambar pasangan pengantin itu.

**photocopier** KATA NAMA
_mesin fotokopi_

**photocopy** KATA NAMA
(JAMAK **photocopies**)

> rujuk juga **photocopy** KATA KERJA

_fotokopi_

to **photocopy** KATA KERJA
(photocopied, photocopied)

> rujuk juga **photocopy** KATA NAMA

*memfotokopi*

**photogenic** KATA ADJEKTIF
*fotogenik*

**photograph** KATA NAMA

> rujuk juga **photograph** KATA KERJA

*fotograf*

♦ **to take a photograph** mengambil
gambar ◊ *I took a photograph of the
bride and groom.* Saya mengambil
gambar pasangan pengantin itu.

to **photograph** KATA KERJA

> rujuk juga **photograph** KATA NAMA

*mengambil gambar*

**photographer** KATA NAMA
*jurugambar*
◊ *She's a photographer.* Dia seorang
jurugambar.

**photography** KATA NAMA
*fotografi*

♦ **My hobby is photography.** Hobi saya
ialah mengambil gambar.

**photosynthesis** KATA NAMA
*fotosintesis*

**phrase** KATA NAMA
*frasa*

**phrase book** KATA NAMA
*buku ungkapan*

**physical** KATA ADJEKTIF
*fizikal*

**physicist** KATA NAMA
*ahli fizik*
◊ *a nuclear physicist* ahli fizik nuklear

**physics** KATA NAMA
*fizik*
◊ *She teaches physics.* Dia mengajar
fizik.

**physiology** KATA NAMA
*fisiologi*

**physiotherapist** KATA NAMA
*ahli fisioterapi*

**physiotherapy** KATA NAMA
*fisioterapi*

**physique** KATA NAMA
*perawakan*

**pianist** KATA NAMA
*pemain piano*

**piano** KATA NAMA
(JAMAK **pianos**)
*piano*

**pick** KATA NAMA

> rujuk juga **pick** KATA KERJA

*pilihan*

♦ **to take one's pick** memilih salah satu
◊ *Take your pick!* Pilihlah salah satu!
◊ *Accountants can take their pick of
company cars.* Akauntan boleh memilih
salah satu daripada kereta syarikat.

to **pick** KATA KERJA

> rujuk juga **pick** KATA NAMA

1 *memilih*
◊ *I picked the biggest piece.* Saya
memilih bahagian yang terbesar. ◊ *I've
been picked for the team.* Saya telah
dipilih untuk menyertai pasukan tersebut.

2 *memetik* (buah-buahan, bunga)

♦ **to pick on somebody** mencari
kesalahan seseorang ◊ *She's always
picking on me.* Dia selalu mencari
kesalahan saya.

to **pick out** KATA KERJA
*memilih*
◊ *I like them all. - It's difficult to pick one
out.* Saya suka akan kesemuanya. Sukar
untuk saya memilih salah satu.

to **pick up** KATA KERJA
1 *mengutip*
◊ *Could you help me pick up the toys?*
Bolehkah anda tolong saya mengutip
mainan itu?

♦ **We'll come to the airport to pick you up.**
Kami akan menjemput anda di lapangan
terbang.

2 *belajar*
◊ *I picked up some Spanish during my
holiday.* Saya belajar sedikit bahasa
Sepanyol semasa cuti.

to **pickle** KATA KERJA
*menjeruk*

**pickles** KATA NAMA JAMAK
*jeruk*

**pickpocket** KATA NAMA
*penyeluk saku*

**picnic** KATA NAMA

> rujuk juga **picnic** KATA KERJA

*perkelahan*

♦ **to have a picnic** berkelah

to **picnic** KATA KERJA
(picnicked, picnicked)

> rujuk juga **picnic** KATA NAMA

*berkelah*
◊ *They picnicked at the seaside.*
Mereka berkelah di tepi pantai.

**picture** KATA NAMA

> rujuk juga **picture** KATA KERJA

1 *gambar*
◊ *Children's books have lots of pictures.*
Buku kanak-kanak mengandungi banyak
gambar. ◊ *My picture was in the paper.*
Gambar saya ada dalam surat khabar.

2 *lukisan*
◊ *a picture by Picasso* lukisan oleh
Picasso

♦ **to paint a picture of something**
memberikan gambaran tentang sesuatu

♦ **Shall we go to the pictures?** Mari kita

**P**

pergi menonton wayang.

to **picture** KATA KERJA

> rujuk juga **picture** KATA NAMA

*membayangkan*

◊ He pictured Claire waiting for him. Dia membayangkan Claire sedang menunggunya.

**picture library** KATA NAMA

(JAMAK **picture libraries**)

*pustaka gambar*

> koleksi gambar yang disimpan oleh sesebuah syarikat atau organisasi dan boleh digunakan oleh pihak akhbar atau penerbit dengan dikenakan bayaran.

**picturesque** KATA ADJEKTIF

*cantik*

**pie** KATA NAMA

*pai*

◊ an apple pie pai epal

**piece** KATA NAMA

*keping*

◊ a 500-piece jigsaw puzzle susun suai gambar 500 keping ◊ a 10p piece sekeping syiling 10 pence

> **piece** *juga diterjemahkan dengan penjodoh bilangan yang sesuai.*

◊ a piece of cake sepotong kek ◊ A small piece of chicken, please. Tolong beri saya seketul ayam yang kecil.

◊ a piece of furniture sebuah perabot Kadang-kadang **piece** *tidak diterjemahkan.*

◊ a piece of advice nasihat

to **piece together** KATA KERJA

[1] *menjalinkan*

◊ In the following days, he was able to piece together what had happened. Pada hari-hari yang berikutnya, dia dapat menjalinkan perkara yang telah berlaku.

[2] *mencantumkan*

◊ He pieced together the torn letter. Dia mencantumkan surat yang koyak itu.

**pie chart** KATA NAMA

*carta pai*

**pier** KATA NAMA

*jeti*

to **pierce** KATA KERJA

[1] *menembusi*

◊ The weapon pierced his lung. Senjata itu menembusi paru-parunya.

[2] *menindik*

◊ Liz had her ears pierced when she was nine years old. Liz menindik telinga semasa dia berumur sembilan tahun.

**pierced** KATA ADJEKTIF

*bertindik* (telinga)

◊ I've got pierced ears. Telinga saya bertindik.

**piety** KATA NAMA

*kewarakan*

◊ He is known for his goodness and piety. Beliau terkenal kerana kebaikan dan kewarakannya.

**pig** KATA NAMA

*khinzir*

**pigeon** KATA NAMA

*burung merpati*

**piggyback** KATA NAMA

♦ **to give somebody a piggyback** mendukung seseorang di belakang

**piggy bank** KATA NAMA

*tabung* (bentuk khinzir)

**pigsty** KATA NAMA

(JAMAK **pigsties**)

*kandang khinzir*

**pigtail** KATA NAMA

*tocang*

**pile** KATA NAMA

*timbun*

◊ a pile of dirty laundry setimbun baju kotor

♦ **Put your books in a pile on my desk.** Susun dan letakkan buku-buku anda di atas meja saya.

to **pile up** KATA KERJA

[1] *melonggokkan*

◊ The labourer piled the bricks up near the construction site. Buruh itu melonggokkan batu bata itu berhampiran dengan tapak pembinaan.

[2] *bertimbunan*

◊ Work had piled up while she was on holiday. Kerja-kerja bertimbunan semasa dia sedang bercuti.

**piles** KATA NAMA JAMAK

*buasir*

**pile-up** KATA NAMA

*perlanggaran yang bertindih-tindih*

**pilgrim** KATA NAMA

[1] *jemaah haji* (Islam)

[2] *penziarah*

**pilgrimage** KATA NAMA

*ziarah* (ke tempat suci)

**piling** KATA NAMA

*cerucuk*

**pill** KATA NAMA

*pil*

♦ **to be on the pill** mengambil pil perancang

**pillar** KATA NAMA

*tiang*

**pillar box** KATA NAMA

(JAMAK **pillar boxes**)

*peti surat*

**pillion** KATA ADVERBA

♦ **to ride pillion** membonceng ◊ He rode pillion on Raju's motorcycle. Dia membonceng motosikal Raju.

**pillow** KATA NAMA
_bantal_

**pillowcase** KATA NAMA
_sarung bantal_

**pilot** KATA NAMA
_juruterbang_
◊ He's a pilot. Dia seorang juruterbang.

**pimple** KATA NAMA
_jerawat_

**pin** KATA NAMA
| rujuk juga **pin** KATA KERJA |
_jarum peniti_
♦ **pins and needles** kesemutan **atau** kebas

to **pin** KATA KERJA
| rujuk juga **pin** KATA NAMA |
1 _mengepin_
◊ Serena pinned the flower onto her dress. Serena mengepin bunga itu pada gaunnya.
2 _menindih_
◊ Ken pinned his brother to the ground while they were fighting. Ken menindih adik lelakinya di atas tanah semasa mereka bergaduh.

**PIN** KATA NAMA (= personal identification number)
_PIN_ (= nombor pengenalan peribadi)

**pinafore** KATA NAMA
_baju pinafor_

**pinball** KATA NAMA
_pinball_
◊ They're playing pinball. Mereka sedang bermain pinball.

**pincers** KATA NAMA JAMAK
_kakaktua_ (alat)

to **pinch** KATA KERJA
| rujuk juga **pinch** KATA NAMA |
1 _mencubit_
◊ He pinched me! Dia mencubit saya!
2 (tidak formal) _mencuri_
◊ Who's pinched my pen? Siapakah yang mencuri pen saya?

**pinch** KATA NAMA
(JAMAK **pinches**)
| rujuk juga **pinch** KATA KERJA |
_cubitan_
♦ **He gave me a little pinch.** Dia mencubit saya dengan perlahan.
♦ **a pinch of salt** secubit garam

**pine** KATA NAMA
_pokok pain_

**pineapple** KATA NAMA
_nenas_

**pink** KATA ADJEKTIF
_merah jambu_

to **pinpoint** KATA KERJA
_mengenal pasti_
◊ The police couldn't pinpoint the motive for the crime. Pihak polis tidak dapat mengenal pasti motif jenayah itu.

**pint** KATA NAMA
_pain_
| sukatan cecair bersamaan dengan kira-kira 0.6 liter |
♦ **to have a pint** minum bir ◊ He's gone out for a pint. Dia pergi minum bir.

**pioneer** KATA NAMA
| rujuk juga **pioneer** KATA KERJA |
1 _perintis_
◊ one of the pioneers of genetic engineering salah seorang perintis bidang kejuruteraan genetik
2 _peneroka_
◊ the first pioneers from Europe peneroka pertama dari benua Eropah

to **pioneer** KATA KERJA
| rujuk juga **pioneer** KATA NAMA |
_mempelopori_
◊ We pioneered the technique. Kami mempelopori teknik itu.

**pious** KATA ADJEKTIF
_alim_

**pipe** KATA NAMA
_paip_
◊ steel pipes paip besi ◊ He smokes a pipe. Dia menghisap paip.
♦ **The pipes froze.** Air paip telah membeku.
♦ **the pipes** begpaip (alat muzik)
◊ He plays the pipes. Dia bermain begpaip.

**piracy** KATA NAMA
1 _kegiatan melanun_
2 _cetak rompak_

**pirate** KATA NAMA
_lanun_

**pirated** KATA ADJEKTIF
_cetak rompak_
◊ a pirated video video cetak rompak

**Pisces** KATA NAMA
_Pisces_
♦ **I'm Pisces.** Zodiak saya ialah Pisces.

**pissed** KATA ADJEKTIF
(bahasa kasar)
_mabuk_

**pistol** KATA NAMA
_pistol_

**pit** KATA NAMA
1 _lombong arang batu_
2 _lubang_
◊ Eric lost his footing and began to slide into the pit. Eric jatuh dan mula menggelongsor ke dalam lubang itu.

**pitch** KATA NAMA
(JAMAK **pitches**)
| rujuk juga **pitch** KATA KERJA |
_padang_

P

◊ *a football pitch* padang bola sepak

to **pitch** KATA KERJA

> *rujuk juga* **pitch** KATA NAMA

*mendirikan*

◊ *We pitched our tent near the beach.* Kami mendirikan khemah berdekatan dengan pantai.

**pitch-black** KATA ADJEKTIF

*gelap-gelita*

◊ *It was pitch-black in the room and I couldn't see a thing.* Bilik itu gelap-gelita dan saya tidak nampak apa-apa.

**pitcher** KATA NAMA

1 *buyung*

2 *pembaling* (besbol)

**pith** KATA NAMA

*empulur*

**pitiful** KATA ADJEKTIF

1 *menimbulkan rasa belas kasihan*

◊ *It was the most pitiful sight I had ever seen.* Pemandangan itu paling menimbulkan rasa belas kasihan berbanding dengan pemandangan-pemandangan lain yang pernah saya lihat.

2 *sangat sedikit*

◊ *The choice is pitiful and the quality of some of the products is very low.* Pilihan yang ada sangat sedikit dan kualiti sesetengah produk pula sangat rendah.

**pity** KATA NAMA

> *rujuk juga* **pity** KATA KERJA

*belas kasihan*

◊ *They showed no pity.* Mereka langsung tidak menunjukkan belas kasihan.

♦ **What a pity!** Sayang sekali!

to **pity** KATA KERJA

(pitied, pitied)

> *rujuk juga* **pity** KATA KERJA

*kasihan*

◊ *I don't hate him, I pity him.* Saya tidak membencinya tetapi saya kasihan padanya.

**pizza** KATA NAMA

*piza*

**PJ's** SINGKATAN (= pyjamas)

*pijama*

**placard** KATA NAMA

*sepanduk*

**place** KATA NAMA

> *rujuk juga* **place** KATA KERJA

*tempat*

◊ *It's a quiet place.* Tempat ini sunyi.

◊ *Book your place for the trip now.* Tempahlah tempat anda untuk perjalanan itu sekarang. ◊ *Britain won third place in the games.* Britain memenangi tempat ketiga dalam perlawanan itu.

♦ **a parking place** tempat letak kereta

♦ **to take place** diadakan ◊ *Elections will take place on Monday.* Pilihan raya akan diadakan pada hari Isnin.

♦ **at your place** di rumah anda

to **place** KATA KERJA

> *rujuk juga* **place** KATA NAMA

*meletakkan*

◊ *He placed his hand on hers.* Dia meletakkan tangannya di atas tangan gadis itu.

to **plagiarize** KATA KERJA

*memplagiat*

◊ *She was accused of plagiarizing someone else's novel.* Dia dituduh memplagiat novel orang lain.

**plain** KATA ADJEKTIF, KATA ADVERBA

> *rujuk juga* **plain** KATA NAMA

*tidak bercorak*

◊ *a plain tie* tali leher yang tidak bercorak

♦ **a plain white blouse** blaus putih kosong

♦ **It was plain to see.** Jelas sekali.

**plain** KATA NAMA

> *rujuk juga* **plain** KATA ADJEKTIF, KATA ADVERBA

*dataran*

**plain chocolate** KATA NAMA

*coklat pahit*

to **plait** KATA KERJA

> *rujuk juga* **plait** KATA NAMA

*mendandan*

◊ *to plait someone's hair* mendandan rambut seseorang

♦ **It is made of strips of fabric plaited together.** Benda ini diperbuat daripada jurai-jurai kain yang dianyam.

**plait** KATA NAMA

> *rujuk juga* **plait** KATA KERJA

*tocang*

◊ *She wears her hair in plaits.* Dia mengikat tocang.

**plan** KATA NAMA

> *rujuk juga* **plan** KATA KERJA

1 *rancangan*

◊ *What are your plans for the holidays?* Apakah rancangan anda untuk cuti ini?

♦ **to make plans** membuat perancangan

♦ **Everything went according to plan.** Segala-galanya berjalan seperti yang dirancang.

2 *pelan*

◊ *a plan of the campsite* pelan tapak perkhemahan itu

♦ **my essay plan** rangka karangan saya

to **plan** KATA KERJA

> *rujuk juga* **plan** KATA NAMA

*merancang*

◊ *We're planning a trip to France.* Kami sedang merancang satu percutian ke

Perancis. ◊ *Plan your revision carefully.*
Rancang jadual ulang kaji anda dengan
teliti.

**plane**   KATA NAMA

> rujuk juga **plane** KATA KERJA

*kapal terbang*
◊ *by plane*  dengan kapal terbang

to **plane**   KATA KERJA

> rujuk juga **plane** KATA NAMA

*mengetam*
◊ *I planed the surface of the wood.*
Saya mengetam permukaan kayu itu.

**planet**   KATA NAMA
*planet*

**plank**   KATA NAMA
*papan*

**planner**   KATA NAMA
*perancang*

**planning**   KATA NAMA
*perancangan*
◊ *The trip needs careful planning.*
Perjalanan itu memerlukan perancangan
yang teliti. ◊ *family planning*
perancangan keluarga

**plant**   KATA NAMA

> rujuk juga **plant** KATA KERJA

*tumbuhan*
♦ **I water my plants every week.**  Saya
menyiram pokok-pokok saya setiap
minggu.
♦ **a chemical plant**  loji kimia

to **plant**   KATA KERJA

> rujuk juga **plant** KATA NAMA

*menanam*
◊ *We planted fruit trees and vegetables.*
Kami menanam pokok buah-buahan dan
sayur-sayuran.

**plantation**   KATA NAMA
*ladang*

**planting**   KATA NAMA
*tanam-menanam*

**plant pot**   KATA NAMA
*pasu bunga*

**plaque**   KATA NAMA
*plak*

**plasma**   KATA NAMA
*plasma*

**plaster**   KATA NAMA

> rujuk juga **plaster** KATA KERJA

*plaster*
◊ *Have you got a plaster?*  Anda ada
plaster?
♦ **Her leg's in plaster.**  Kakinya bersimen.

to **plaster**   KATA KERJA

> rujuk juga **plaster** KATA NAMA

1 *menurap*
◊ *to plaster the wall*  menurap tembok
2 *menampal*
◊ *He has plastered his room with*

*posters.*  Dia telah menampal segenap
biliknya dengan poster.

**plastered**   KATA ADJEKTIF
1 *bertempek-tempek*
◊ *His shirt was plastered with mud.*
Kemejanya bertempek-tempek dengan
lumpur.
2 *terpapar*
◊ *The story was plastered all over the
papers.*  Cerita itu terpapar di semua surat
khabar.

**plastic**   KATA NAMA

> rujuk juga **plastic** KATA ADJEKTIF

*plastik*
◊ *It's made of plastic.*  Barang ini
diperbuat daripada plastik.

**plastic**   KATA ADJEKTIF

> rujuk juga **plastic** KATA NAMA

*plastik*
◊ *a plastic bag*  beg plastik

**Plasticine** ®   KATA NAMA
*plastisin*

**plastic wrap**   KATA NAMA 🔼
*pembalut plastik*

> digunakan khas untuk menutup atau
> membalut makanan supaya makanan
> itu bersih dan tetap segar

**plate**   KATA NAMA
*pinggan*

**plated**   KATA ADJEKTIF
*bersadur*

**platform**   KATA NAMA
1 *pentas* (*untuk berucap, berlakon*)
2 *platform* (*di stesen kereta api*)
3 *pelantar* (*untuk pekerja cari gali
minyak*)

**plating**   KATA NAMA
*saduran*

**platoon**   KATA NAMA
*platun*

**play**   KATA NAMA

> rujuk juga **play** KATA KERJA

*drama*
◊ *a play by Shakespeare*  drama
Shakespeare ◊ *to put on a play*
mementaskan sebuah drama

to **play**   KATA KERJA

> rujuk juga **play** KATA NAMA

1 *bermain*
◊ *He's playing with his friends.*  Dia
sedang bermain dengan kawan-
kawannya.
2 *berlawan dengan*
◊ *Spain will play Scotland next month.*
Sepanyol akan berlawan dengan Scotland
pada bulan hadapan.
3 *memainkan*
◊ *She's always playing that record.*  Dia
selalu memainkan piring hitam itu.

**P**

4   _melakonkan watak_
◊   _I would love to play Cleopatra._ Saya
ingin melakonkan watak Cleopatra.

to **play down**   KATA KERJA
_mengecil-ngecilkan_
◊   _to play down a problem_   mengecil-
ngecilkan sesuatu masalah
♦   **He tried to play down his illness.**   Dia
cuba mengatakan bahawa penyakitnya
tidak serius.

to **play up**   KATA KERJA
_meragam_
◊   _The engine's playing up again._
Enjin itu meragam lagi.

**Play-Doh** ®   KATA NAMA
_Play-Doh_ ®
> _bahan berwarna yang lembut seperti_
> _tanah liat dan digunakan oleh_
> _kanak-kanak untuk membuat model_

**player**   KATA NAMA
_pemain_
◊   _a football player_   pemain bola sepak

**playful**   KATA ADJEKTIF
_suka bermain-main_

**playground**   KATA NAMA
_taman permainan_

**playgroup**   KATA NAMA
_tabika_

**playing card**   KATA NAMA
_daun terup_

**playing field**   KATA NAMA
_padang_

**playmate**   KATA NAMA
_teman sepermainan_

**play park**   KATA NAMA
_taman permainan kanak-kanak_

**playtime**   KATA NAMA
_waktu bermain_ _(di sekolah)_

**playwright**   KATA NAMA
_penulis drama_

**plea**   KATA NAMA
_rayuan_
◊   _They ignored his pleas._   Mereka tidak
mempedulikan rayuannya.

**pleasant**   KATA ADJEKTIF
_menyeronokkan_
♦   **We had a very pleasant evening.**
Kami sungguh seronok petang itu.

**please**   KATA SERUAN
> _rujuk juga_ **please** KATA KERJA
1   _tolong_
◊   _Two coffees, please._   Tolong bawakan
kami dua cawan kopi. ◊   _Can we have_
_the bill please?_   Tolong bawakan bil.
◊   _Would you please be quiet?_   Tolong
jangan bising.
2   _sila_
◊   _Please come in._   Sila masuk.

to **please**   KATA KERJA

> _rujuk juga_ **please** KATA SERUAN
_menyenangkan hati_
◊   _I want to please you._   Saya mahu
menyenangkan hati anda.

**pleased**   KATA ADJEKTIF
_gembira_
◊   _My mother's not going to be very_
_pleased._   Emak saya tentu tidak akan
begitu gembira.
♦   **It's beautiful. She'll be very pleased**
**with it.**   Cantik sekali. Dia tentu gembira.
♦   **Pleased to meet you!**   Apa khabar?

**pleasure**   KATA NAMA
_keseronokan_
◊   _Watching horror movies gave him_
_great pleasure._   Dia mendapat
keseronokan dengan menonton cerita-
cerita seram.
♦   **I read for pleasure.**   Saya membaca
untuk mendapatkan hiburan.

**pleat**   KATA NAMA
_lisu_

**pledge**   KATA NAMA
> _rujuk juga_ **pledge** KATA KERJA
_ikrar_

to **pledge**   KATA KERJA
> _rujuk juga_ **pledge** KATA NAMA
_berjanji_
◊   _They pledged their support._   Mereka
berjanji akan memberikan sokongan.

**plenty**   KATA GANTI NAMA
_banyak_
◊   _That's plenty, thanks._   Itu sudah
banyak. Terima kasih. ◊   _I've got plenty to_
_do._   Saya ada banyak perkara yang perlu
dilakukan.
♦   **Fifteen minutes is plenty.**   Lima belas
minit sudah cukup lama.
♦   **plenty of**   banyak ◊   _He's got plenty of_
_energy._   Dia mempunyai tenaga yang
banyak.
♦   **Malaysia is a land of plenty.**   Malaysia
sebuah negara yang makmur.

**pliers**   KATA NAMA
_playar_

**plight**   KATA NAMA
_keadaan yang menyedihkan_

**plot**   KATA NAMA
> _rujuk juga_ **plot** KATA KERJA
1   _jalan cerita_
2   _komplot_
◊   _a plot against the president_   komplot
menentang presiden
3   _petak_ _(untuk tanaman)_

to **plot**   KATA KERJA
> _rujuk juga_ **plot** KATA NAMA
_berkomplot_

**plough**   KATA NAMA
> _rujuk juga_ **plough** KATA KERJA

*tenggala*
to **plough** KATA KERJA

> rujuk juga **plough** KATA NAMA

*menenggala*
◊ *It took two days to plough the land.*
Kerja-kerja menenggala tanah itu
mengambil masa dua hari.

**pls** SINGKATAN (= *please*)
*tolong*

to **pluck** KATA KERJA
*memetik*
◊ *I plucked a lemon from the tree.*
Saya memetik sebiji buah lemon dari
pokok itu.

♦ **to pluck up the courage** memberanikan
diri

**plug** KATA NAMA
① *palam* (elektrik)
② *penyumbat* (*untuk menutup lubang*)

to **plug in** KATA KERJA
*memasang palam*
◊ *Is the iron plugged in?* Sudahkah
palam seterika itu dipasang?

**plum** KATA NAMA
*buah plum*

**plumber** KATA NAMA
*tukang paip*
◊ *He's a plumber.* Dia seorang tukang
paip.

**plumb line** KATA NAMA
*tali unting-unting*

**plump** KATA ADJEKTIF
*montok*

to **plunge** KATA KERJA
*terjun*
◊ *He plunged into the water.* Dia terjun
ke dalam air.

**plural** KATA NAMA
*jamak*

**plus** KATA SENDI, KATA ADJEKTIF
*campur*
◊ *4 plus 3 equals 7.* 4 campur 3
bersamaan dengan 7. ◊ *I got a B plus.*
Saya mendapat B campur.

♦ **three children plus a dog** tiga orang
kanak-kanak serta seekor anjing

**p.m.** SINGKATAN
① *petang*
◊ *at 2 p.m.* pada pukul 2 petang
② *malam*
◊ *at 9 p.m.* pada pukul 9 malam

**pneumonia** KATA NAMA
*pneumonia* atau *radang paru-paru*

to **poach** KATA KERJA
*memburu secara haram*
◊ *They poach elephants for their tusks.*
Mereka memburu gajah secara haram
untuk mendapatkan gadingnya.

♦ **Poach the eggs for four minutes.**
Masak telur yang telah dibuang kulit itu di
dalam air yang mendidih selama empat
minit.

♦ **a poached egg** telur carak

**pocket** KATA NAMA
*saku*
◊ *He had his hands in his pockets.* Dia
menyeluk sakunya.

**pocket calculator** KATA NAMA
*mesin kira saku*

**pocket money** KATA NAMA
*duit belanja*
◊ *How much pocket money do you get?*
Berapakah duit belanja yang anda dapat?

**poem** KATA NAMA
*puisi*

**poet** KATA NAMA
*penyair*

**poetry** KATA NAMA
*puisi*

**point** KATA NAMA

> rujuk juga **point** KATA KERJA

① *pendapat*
◊ *He made some interesting points.* Dia
mengemukakan beberapa pendapat yang
menarik.
② *mata*
◊ *They scored five points.* Mereka
mendapat lima mata.
③ *hujung*
◊ *a pencil with a sharp point* pensel
dengan hujung yang tajam

♦ **There's no point.** Tidak ada gunanya.
◊ *There's no point in waiting.* Tidak ada
gunanya menunggu.

♦ **What's the point?** Apa gunanya?
◊ *What's the point of leaving so early?*
Apa gunanya pergi begitu awal?
④ *ketika*
◊ *At that point, we decided to leave.*
Pada ketika itu, kami membuat keputusan
untuk pergi.

♦ **Sorry, I don't get the point.** Maaf, saya
tidak faham.

♦ **a point of view** sudut pandangan

♦ **From the financial point of view...**
Dari segi kewangan...

♦ **That's a good point!** Betul kata anda!

♦ **That's not the point.** Itu bukan soalnya.

♦ **They were on the point of finding it.**
Mereka hampir-hampir menjumpainya.

♦ **Punctuality isn't his strong point.**
Dia seorang yang sukar menepati masa.

♦ **two point five (2.5)** dua perpuluhan lima
(2.5)

to **point** KATA KERJA

> rujuk juga **point** KATA NAMA

*menuding*
◊ *Don't point!* Jangan menuding!

**P**

♦ **to point at somebody** menuding ke arah seseorang ◊ *She pointed at Anne.* Dia menuding ke arah Anne.

♦ **to point a gun at somebody** mengacukan pistol ke arah seseorang

to **point out** KATA KERJA

[1] *menunjukkan*

◊ *The guide pointed out the tower to us.* Pemandu itu menunjukkan menara itu kepada kami.

[2] *menegaskan*

◊ *I should point out that...* Saya patut menegaskan bahawa...

**pointed** KATA ADJEKTIF

*tajam*

◊ *a pointed stick* kayu yang tajam

♦ **His house has a pointed roof.** Rumahnya mempunyai bumbung yang lonjong.

♦ **a pointed nose** hidung mancung

**pointless** KATA ADJEKTIF

*tidak ada gunanya*

◊ *It's pointless arguing.* Tidak ada gunanya bertengkar.

**poison** KATA NAMA

> rujuk juga **poison** KATA KERJA

*racun*

to **poison** KATA KERJA

> rujuk juga **poison** KATA NAMA

*meracuni*

**poisoner** KATA NAMA

*peracun*

**poisoning** KATA NAMA

*keracunan*

◊ *Vomiting and diarrhoea are among the symptoms of food poisoning.* Muntah dan cirit-birit merupakan antara gejala keracunan makanan.

♦ **She was sentenced to twenty years' imprisonment for attempted murder and poisoning.** Dia dijatuhkan hukuman penjara dua puluh tahun atas cubaan membunuh dan meracun.

**poisonous** KATA ADJEKTIF

*beracun*

◊ *poisonous gases* gas-gas beracun

to **poke** KATA KERJA

*mencucuk*

◊ *He poked me in the eye.* Dia mencucuk mata saya.

**poker** KATA NAMA

*poker*

◊ *I play poker.* Saya bermain poker.

**poker face** KATA NAMA

*selamba*

◊ *With a poker face, he told me that I was fired.* Dengan selamba, dia memberitahu saya bahawa saya dipecat.

**Poland** KATA NAMA

*Poland*

**polar bear** KATA NAMA

*beruang kutub*

**Pole** KATA NAMA

*orang Poland*

**pole** KATA NAMA

*tiang*

◊ *a tent pole* tiang khemah

♦ **the North Pole** Kutub Utara

♦ **the South Pole** Kutub Selatan

**pole vault** KATA NAMA

*lompat galah*

♦ **the pole vault** lompat galah

**police** KATA NAMA JAMAK

*polis*

◊ *We called the police.* Kami telah menelefon polis.

**police car** KATA NAMA

*kereta polis*

**policeman** KATA NAMA

(JAMAK **policemen**)

*anggota polis* (*lelaki*)

**police station** KATA NAMA

*balai polis*

**policewoman** KATA NAMA

(JAMAK **policewomen**)

*anggota polis* (*wanita*)

**policy** KATA NAMA

(JAMAK **policies**)

*polisi*

**polio** KATA NAMA

*polio*

**Polish** KATA ADJEKTIF

> rujuk juga **Polish** KATA NAMA

*Poland*

◊ *a Polish flag* bendera Poland

♦ **She's Polish.** Dia berbangsa Poland.

**Polish** KATA NAMA

> rujuk juga **Polish** KATA ADJEKTIF

[1] *orang Poland*

◊ *the Polish* orang Poland

[2] *bahasa Poland*

**polish** KATA NAMA

(JAMAK **polishes**)

> rujuk juga **polish** KATA KERJA

*penggilap*

to **polish** KATA KERJA

> rujuk juga **polish** KATA NAMA

*menggilap*

◊ *to polish the furniture* menggilap perabot

to **polish off** KATA KERJA

(*tidak formal*)

*menghabiskan*

◊ *He polished off all his food.* Dia menghabiskan semua makanannya.

**polished** KATA ADJEKTIF

[1] *berkilat*

◊ *polished leather shoes* kasut kulit

yang berkilat

2 _halus budi bahasa_
◊ *He is polished and handsome.* Dia seorang yang halus budi bahasanya dan kacak.

**polite** KATA ADJEKTIF
_sopan_
◊ *a polite child* anak yang sopan
◊ *It's not polite to point.* Menuding ke arah seseorang adalah tidak sopan.

**politeness** KATA NAMA
_kesopanan_

**political** KATA ADJEKTIF
_politik_
◊ *political crisis* krisis politik

**politician** KATA NAMA
_ahli politik_

**politics** KATA NAMA
_politik_
◊ *I'm not interested in politics.* Saya tidak berminat dalam politik.

**poll** KATA NAMA
_tinjauan pendapat_

**pollen** KATA NAMA
_debunga_

to **pollute** KATA KERJA
_mencemarkan_

**polluted** KATA ADJEKTIF
_tercemar_
◊ *polluted air* udara yang tercemar

**pollution** KATA NAMA
_pencemaran_

**polo-necked sweater** KATA NAMA
_baju panas berkolar polo_

**polo shirt** KATA NAMA
_kemeja-T berkolar_

**polyclinic** KATA NAMA
_poliklinik_

**polygamy** KATA NAMA
_poligami_

**polymer** KATA NAMA
_polimer_

**polytechnic** KATA NAMA
_politeknik_

**polythene** KATA NAMA
_politena_

**polythene bag** KATA NAMA
_beg politena_

**pomelo** KATA NAMA
_limau bali_

**pompous** KATA ADJEKTIF
_angkuh_
◊ *He was pompous and had a high opinion of his own capabilities.* Dia angkuh dan memandang tinggi kepada kebolehan dirinya.

**pond** KATA NAMA
_kolam_

to **ponder** KATA KERJA

_merenungkan_
◊ *She lay on the bed and pondered her mother's words.* Dia berbaring di atas katil sambil merenungkan kata-kata emaknya.

**pony** KATA NAMA
(JAMAK **ponies**)
_kuda padi_

**ponytail** KATA NAMA
_tocang ekor kuda_
◊ *He's got a ponytail.* Dia mengikat tocang ekor kuda.

**pony trekking** KATA NAMA
_menunggang kuda padi_
◊ *to go pony trekking* pergi menunggang kuda padi

**poodle** KATA NAMA
_anjing poodle_

**pool** KATA NAMA

| rujuk juga **pool** KATA KERJA |
1 _kolam_
2 _kolam renang_
3 _pool_ (permainan)
◊ *a pool table* meja pool
♦ **the pools** teka permainan bola
♦ **I do the pools every week.** Saya meneka permainan bola setiap minggu.

to **pool** KATA KERJA

| rujuk juga **pool** KATA NAMA |
_berkongsi_
◊ *We pooled ideas and information.* Kami berkongsi idea dan maklumat.

**poor** KATA ADJEKTIF
_miskin_
◊ *a poor family* keluarga yang miskin
♦ **Poor David, he's very unlucky!** Kasihan David, nasibnya sungguh malang!
♦ **He's a poor speaker.** Dia tidak pandai berucap.
♦ **the poor** golongan miskin

**poorly** KATA ADJEKTIF
_tidak sihat_
♦ **She's feeling a bit poorly.** Dia berasa kurang sihat.

**pop** KATA ADJEKTIF
_pop_
◊ *pop music* muzik pop ◊ *a pop star* seorang bintang pop

to **pop in** KATA KERJA
_singgah_
◊ *I'll pop in on my way to the shops.* Saya akan singgah di sana dalam perjalanan saya ke kedai.

to **pop out** KATA KERJA
_keluar sebentar_

to **pop round** KATA KERJA
_singgah_
◊ *I'm just popping round to John's.* Saya akan singgah di rumah John.

**popcorn** KATA NAMA

**P**

*bertih jagung*

**Pope** KATA NAMA
*Paus* (ketua gereja Roman Katolik)

**poppy** KATA NAMA
(JAMAK **poppies**)
*pokok popi*

**popular** KATA ADJEKTIF
*popular*
◊ *Football is the most popular game in this country.* Bola sepak ialah permainan yang paling popular di negara ini. ◊ *She's a very popular girl.* Dia seorang gadis yang sangat popular.

**popularity** KATA NAMA
*kepopularan*

to **popularize** KATA KERJA
*mempopularkan*
◊ *They tried to popularize the new sport.* Mereka cuba mempopularkan sukan baru itu. ◊ *He popularized the concept.* Beliau mempopularkan konsep itu.

**population** KATA NAMA
*populasi*

**porch** KATA NAMA
(JAMAK **porches**)
*anjung*

**porcupine** KATA NAMA
*landak*

**pore** KATA NAMA
*liang roma*

**pork** KATA NAMA
*daging khinzir*
◊ *a pork chop* sepotong daging khinzir

**porn** KATA NAMA
| rujuk juga **porn** KATA ADJEKTIF |
*bahan-bahan lucah*

**porn** KATA ADJEKTIF
| rujuk juga **porn** KATA NAMA |
*lucah*
◊ *a porn film* filem lucah

**pornographic** KATA ADJEKTIF
*lucah*
◊ *a pornographic magazine* majalah lucah

**pornography** KATA NAMA
*bahan-bahan lucah*

**porous** KATA ADJEKTIF
1 *telap* (tanah, dll)
2 *poros* (kulit, tulang, dll)

**porridge** KATA NAMA
*bubur*

**port** KATA NAMA
*pelabuhan*

**portable** KATA ADJEKTIF
*mudah alih*
◊ *a portable TV* televisyen mudah alih

**portal** KATA NAMA
*portal*

**porter** KATA NAMA

*porter*

**portion** KATA NAMA
*bahagian*
◊ *a small portion of your salary* sebahagian kecil daripada gaji anda
♦ **a large portion of chips** hidangan kentang goreng yang banyak

**portrait** KATA NAMA
*potret*

to **portray** KATA KERJA
1 *melakonkan watak*
◊ *He portrayed King Arthur in the film 'Camelot'.* Dia melakonkan watak King Arthur dalam filem 'Camelot'.
2 *menggambarkan*
◊ *The book portrays life in a working-class family.* Buku itu menggambarkan kehidupan dalam sebuah keluarga kaum buruh.

**Portugal** KATA NAMA
*Portugal*

**Portuguese** KATA ADJEKTIF
| rujuk juga **Portuguese** KATA NAMA |
*Portugis*
◊ *a Portuguese village* sebuah perkampungan Portugis
♦ **She's Portuguese.** Dia berbangsa Portugis.

**Portuguese** KATA NAMA
| rujuk juga **Portuguese** KATA ADJEKTIF |
1 *orang Portugis*
◊ *the Portuguese* orang Portugis
2 *bahasa Portugis*

**posh** KATA ADJEKTIF
*mewah dan anggun*
◊ *a posh car* kereta yang mewah dan anggun

**position** KATA NAMA
1 *kedudukan*
◊ *an uncomfortable position* kedudukan yang tidak selesa
2 *jawatan*

**positive** KATA ADJEKTIF
1 *positif*
◊ *a positive attitude* sikap yang positif
2 *pasti*
◊ *I'm positive.* Saya pasti.

to **possess** KATA KERJA
*memiliki*
◊ *She lost everything she possessed.* Dia kehilangan segala yang dimilikinya.

**possessed** KATA ADJEKTIF
*kena rasuk*
◊ *He behaved like someone possessed.* Dia berkelakuan seperti orang yang kena rasuk.

**possession** KATA NAMA
*barang kepunyaan*
◊ *Have you got all your possessions?*

Sudahkah anda mengambil semua barang
kepunyaan anda?

**possessive**  KATA ADJEKTIF

1 *cemburu*

◊ *a possessive husband*  suami yang
cemburu

2 *tidak mahu berkongsi*

◊ *People were very possessive about
their coupons.*  Orang ramai tidak mahu
berkongsi kupon mereka.

**possibility**  KATA NAMA

(JAMAK **possibilities**)

*kemungkinan*

◊ *There were several possibilities.*
Terdapat beberapa kemungkinan.

**possible**  KATA ADJEKTIF

*mungkin*

◊ *It's possible that he's gone away.*
Mungkin dia sudah pergi ke tempat lain.

♦ **as soon as possible**  secepat mungkin

♦ **if possible**  kalau boleh  ◊ *I need to see
you, right away if possible.*  Saya hendak
berjumpa dengan anda, kalau boleh
secepat mungkin.

♦ **if at all possible**  seboleh-bolehnya
◊ *If at all possible, do come for the
dinner tonight.*  Seboleh-bolehnya,
datanglah ke jamuan malam ini.

**possibly**  KATA ADVERBA

*mungkin*

◊ *Are you coming to the party? -
Possibly.*  Anda akan hadir ke majlis itu? -
Mungkin.

♦ **...if you possibly can.**  ...jika anda boleh.

♦ **I can't possibly go.**  Tidak mungkin saya
dapat pergi.

**post**  KATA NAMA

rujuk juga **post** KATA KERJA

1 *surat*

◊ *Is there any post for me?*  Ada surat
untuk saya?

♦ **by post**  melalui pos

2 *tiang*

◊ *The ball hit the post.*  Bola itu terkena
tiang.

3 *jawatan*

to **post**  KATA KERJA

rujuk juga **post** KATA NAMA

*mengepos*

◊ *You could post it.*  Anda boleh
mengeposnya.

♦ **Would you post this letter for me?**
Bolehkah anda pos surat ini untuk saya?

♦ **I've got some cards to post.**  Saya perlu
mengirim beberapa keping kad.

**postage**  KATA NAMA

*bayaran pos*

**postal**  KATA ADJEKTIF

*pos*

◊ *postal service*  perkhidmatan pos

♦ **postal address**  alamat surat-menyurat

**postal order**  KATA NAMA

*wang pos*

**post box**  KATA NAMA

(JAMAK **post boxes**)

*peti surat*

**postcard**  KATA NAMA

*poskad*

**postcode**  KATA NAMA

*poskod*

**poster**  KATA NAMA

*poster*

◊ *There are posters all over town.*
Poster-poster ditampal di seluruh bandar.

**postgraduate**  KATA NAMA

*pelajar lepasan ijazah*

**postman**  KATA NAMA

(JAMAK **postmen**)

*posmen*

**postmark**  KATA NAMA

*cap pos*

**post-mortem**  KATA NAMA

*post-mortem*

**post office**  KATA NAMA

*pejabat pos*

◊ *She works for the post office.*  Dia
bekerja di pejabat pos.

**postoperative**  KATA ADJEKTIF

*lepas bedah*

to **postpone**  KATA KERJA

*menangguhkan*

◊ *The match has been postponed.*
Perlawanan itu telah ditangguhkan.

**postponement**  KATA NAMA

*penangguhan*

**posture**  KATA NAMA

*posisi tubuh* atau *postur*

**postwoman**  KATA NAMA

(JAMAK **postwomen**)

*penghantar surat wanita*

**pot**  KATA NAMA

1 *periuk*

♦ **pots and pans**  periuk belanga

♦ **a pot of jam**  sebotol jem

♦ **a pot of flowers**  sepasu bunga

♦ **a pot of paint**  satu tin cat

♦ **a coffee pot**  teko kopi

2 (*tidak formal*) *ganja*

◊ *to smoke pot*  menghisap ganja

**potassium**  KATA NAMA

*kalium*

**potato**  KATA NAMA

(JAMAK **potatoes**)

*kentang*

◊ *a baked potato*  kentang bakar

**pot-bellied**  KATA ADJEKTIF

*buncit*

**potential**  KATA ADJEKTIF

rujuk juga **potential** KATA NAMA
*bakal*
◊ *potential employees of the company*
bakal pekerja-pekerja syarikat itu
♦ **a potential problem** masalah yang
mungkin timbul

**potential** KATA NAMA
rujuk juga **potential** KATA ADJEKTIF
*potensi*
◊ *He has great potential.* Dia
mempunyai potensi yang tinggi.

**pothole** KATA NAMA
*lekuk* (*di jalan*)

**potion** KATA NAMA
*posyen*

**pot plant** KATA NAMA
*pokok pasu*

**pottery** KATA NAMA
(JAMAK **potteries**)
[1] *tembikar*
[2] *kilang tembikar*

**pouch** KATA NAMA
(JAMAK **pouches**)
*uncang*

**poultice** KATA NAMA
*tuam*

**poultry** KATA NAMA
*ayam itik*

to **pounce** KATA KERJA
*menyerkap*
◊ *He pounced on the man hiding in the
bushes.* Dia menyerkap lelaki yang
sedang bersembunyi di dalam semak itu.
♦ **...like a tiger pouncing on its prey.**
...seperti harimau menerkam mangsanya.

**pound** KATA NAMA
rujuk juga **pound** KATA KERJA
[1] *paun*
Satu paun bersamaan dengan
kira-kira 450 gram.
◊ *a pound of carrots* satu paun lobak
merah
[2] *paun sterling* (*mata wang Britain*)
♦ **The book costs 20 pounds.** Buku itu
berharga 20 paun.
♦ **a pound coin** duit syiling satu paun

to **pound** KATA KERJA
rujuk juga **pound** KATA NAMA
[1] *menumbuk*
◊ *to pound something* menumbuk
sesuatu
[2] *berdebar-debar*
◊ *My heart was pounding.* Hati saya
berdebar-debar.

to **pour** KATA KERJA
*menuang*
◊ *She poured some water into the pan.*
Dia menuang sedikit air ke dalam kuali
leper itu.

♦ **It's pouring.** Hujan sedang turun
mencurah-curah.
♦ **in the pouring rain** dalam hujan yang
mencurah-curah

to **pour out** KATA KERJA
[1] *menuang*
◊ *Larry was pouring out four glasses of
wine.* Larry sedang menuang wain ke
dalam empat biji gelas.
[2] *mencurahkan*
◊ *Suzana poured out her feelings to her
parents.* Suzana mencurahkan segala isi
hatinya kepada ibu bapanya.

to **pout** KATA KERJA
*memuncungkan bibir*

**poverty** KATA NAMA
*kemiskinan*

**powder** KATA NAMA
rujuk juga **powder** KATA KERJA
[1] *bedak*
[2] *serbuk*
◊ *a fine white powder* serbuk putih yang
halus

to **powder** KATA KERJA
rujuk juga **powder** KATA NAMA
*membedakkan*

**power** KATA NAMA
rujuk juga **power** KATA KERJA
[1] *kuasa*
♦ **The power's off.** Kuasa elektrik telah
dipadamkan.
[2] *tenaga*
◊ *nuclear power* tenaga nuklear
◊ *solar power* tenaga suria
♦ **in power** berkuasa ◊ *They were in
power for 18 years.* Mereka berkuasa
selama 18 tahun.
♦ **a power point** soket pada dinding

to **power** KATA KERJA
rujuk juga **power** KATA NAMA
*menggerakkan*
◊ *The plane is powered by jet engines.*
Kapal terbang itu digerakkan oleh enjin jet.

to **power down** KATA KERJA
*mati kuasa*

to **power up** KATA KERJA
*hidup kuasa*

**power cut** KATA NAMA
*gangguan bekalan elektrik*

**powerful** KATA ADJEKTIF
[1] *berkuasa*
◊ *the most powerful country in the world*
negara yang paling berkuasa di dunia
[2] *berkeupayaan tinggi*
◊ *a powerful computer system* sistem
komputer yang berkeupayaan tinggi

**power-mad** KATA ADJEKTIF
*gila kuasa*

**power station** KATA NAMA

_stesen jana kuasa_

**power walking**   KATA NAMA
_senaman berjalan_ (_dengan mengeluarkan
tenaga yang banyak_)
◊   _to go power walking_   pergi melakukan
senaman berjalan

**PPV**   SINGKATAN (= _pay-per-view_)
_sistem televisyen berbayar_
> _sistem televisyen satelit atau kabel
> yang mengenakan bayaran kepada
> penonton yang ingin menonton
> rancangannya_

**practical**   KATA ADJEKTIF
1   _praktikal_
◊   _a practical suggestion_   cadangan
yang praktikal.   ◊   _She's very practical._
Dia seorang yang sangat praktikal.
2   _amali_ (_ujian, latihan_)

**practically**   KATA ADVERBA
_boleh dikatakan_
◊   _It's practically impossible._   Perkara itu
boleh dikatakan mustahil.

**practice**   KATA NAMA
1   _amalan_
◊   _It's normal practice in our school._   Itu
amalan biasa di sekolah kami.
2   _latihan_
◊   _football practice_   latihan bola sepak
♦   **You'll get better with practice.**
Pencapaian anda akan bertambah baik
jika anda selalu berlatih.
♦   **in practice**   pada praktiknya
♦   **I'm out of practice.**   Sudah lama saya
tidak mempraktikkannya.
♦   **a medical practice**   praktik perubatan

to **practise**   KATA KERJA
(AS **practice**)
1   _berlatih_
◊   _I ought to practise more._   Saya patut
berlatih lebih kerap.   ◊   _I practised my
Spanish when we were on holiday._   Saya
berlatih bercakap bahasa Sepanyol
semasa kami pergi bercuti.
2   _mengamalkan_
◊   _to practise religious teachings_
mengamalkan ajaran agama

**practising**   KATA ADJEKTIF
_taat_
◊   _She's a practising Catholic._   Dia
seorang penganut Katolik yang taat.

**practitioner**   KATA NAMA
_pengamal_
◊   _medical practitioner_   pengamal
perubatan

to **praise**   KATA KERJA
> rujuk juga **praise** KATA NAMA

_memuji_
◊   _Everyone praises her cooking._
Semua orang memuji masakannya.

**praise**   KATA NAMA
> rujuk juga **praise** KATA KERJA

_pujian_

**praiseworthy**   KATA ADJEKTIF
_patut dipuji_
◊   _praiseworthy efforts_   usaha yang patut
dipuji

**pram**   KATA NAMA
_kereta sorong bayi_

**prawn**   KATA NAMA
_udang_

**prawn cocktail**   KATA NAMA
_koktel udang_

to **pray**   KATA KERJA
_berdoa_
◊   _to pray for something_   berdoa untuk
sesuatu

**prayer**   KATA NAMA
1   _doa_
◊   _God will answer your prayer._   Tuhan
akan memakbulkan doa anda.
2   _sembahyang_
◊   _late afternoon prayer_ (_Islam_)
sembahyang asar
♦   **prayers**   sembahyang   ◊   _The religious
ceremony is prayers._   Upacara
keagamaan itu ialah sembahyang.

**pre-**   AWALAN
_pra_

to **preach**   KATA KERJA
_berkhutbah_

**preacher**   KATA NAMA
_pengkhutbah_

**precaution**   KATA NAMA
_langkah berjaga-jaga_
◊   _to take precautions_   mengambil
langkah berjaga-jaga

**precautionary**   KATA ADJEKTIF
_berjaga-jaga_
◊   _The school has taken precautionary
measures to prevent food poisoning._
Sekolah itu telah mengambil langkah
berjaga-jaga untuk mencegah masalah
keracunan makanan.

**preceding**   KATA ADJEKTIF
_sebelum ini_
◊   _In the preceding chapter..._   Dalam bab
sebelum ini...

**precinct**   KATA NAMA
_kawasan_
◊   _a pedestrian precinct_   kawasan
pejalan kaki
♦   **a shopping precinct**   pusat membeli-
belah

**precious**   KATA ADJEKTIF
_berharga_
◊   _a precious stone_   batu permata yang
berharga

**precise**   KATA ADJEKTIF

P

*tepat*
- **to be precise** lebih tepat lagi
- **at that precise moment** pada ketika itu juga

**precisely** KATA ADVERBA

*tepat*
◊ *at 10 a.m. precisely* tepat pada pukul 10 pagi
- **Precisely!** Tepat sekali!
- **That is precisely what it's meant for.** Memang itulah tujuannya.

**predator** KATA NAMA

*pemangsa*

**predecessor** KATA NAMA

*pendahulu*
◊ *He learned everything from his predecessor.* Dia belajar segala-galanya daripada pendahulunya.

**predicament** KATA NAMA

*kesusahan*
◊ *Hank explained our predicament.* Hank menjelaskan kesusahan kami.

to **predict** KATA KERJA

*meramalkan*

**predictable** KATA ADJEKTIF

*boleh diramalkan*

**prediction** KATA NAMA

*ramalan*

**preface** KATA NAMA

*prakata*

**prefect** KATA NAMA

*pengawas*

to **prefer** KATA KERJA

*lebih suka*
◊ *Which would you prefer?* Yang manakah anda lebih suka? ◊ *I prefer chemistry to maths.* Saya lebih suka kimia berbanding dengan matematik.

**preference** KATA NAMA

*kesukaan*

**prefix** KATA NAMA

(JAMAK **prefixes**)

*awalan*

**pregnant** KATA ADJEKTIF

*mengandung*
◊ *She's six months pregnant.* Dia mengandung enam bulan.

**prehistoric** KATA ADJEKTIF

*prasejarah*

**prejudice** KATA NAMA

*prasangka* atau *prejudis*
◊ *That's just a prejudice.* Itu hanyalah prasangka. ◊ *There's a lot of racial prejudice.* Terdapat banyak prasangka kaum.

**prejudiced** KATA ADJEKTIF

*berprasangka*
- **to be prejudiced against somebody** berprasangka terhadap seseorang

**preliminary** KATA ADJEKTIF

*awal*
◊ *preliminary results* keputusan awal

**premature** KATA ADJEKTIF

*sebelum waktunya*
- **a premature baby** bayi tidak cukup bulan

**Premier League** KATA NAMA

*Liga Premier*

**premises** KATA NAMA JAMAK

*premis*
◊ *They're moving to new premises.* Mereka sedang berpindah ke premis baru.

**premonition** KATA NAMA

*firasat*

**preoccupation** KATA NAMA

*tumpuan perhatian*
◊ *His main preoccupation was to find a job.* Tumpuan perhatiannya yang utama ialah mencari kerja.

**preoccupied** KATA ADJEKTIF

*asyik*
◊ *She looked very preoccupied.* Dia kelihatan begitu asyik.

**preordained** KATA ADJEKTIF

*ditakdirkan*
◊ *Everything that happens has been preordained.* Segala yang berlaku telah ditakdirkan.

**prep** KATA NAMA

*kerja rumah*
◊ *history prep* kerja rumah sejarah

**preparation** KATA NAMA

*persediaan*
◊ *The event took months of preparation.* Persediaan untuk acara itu memakan masa beberapa bulan.
- **They are packing in preparation for a holiday.** Mereka sedang berkemas untuk pergi bercuti.
- **This preparation can make your hair grow again.** Ubat ini boleh menumbuhkan semula rambut kamu.
- **preparations** persediaan ◊ *Preparations are being made for the visit of the Queen.* Persediaan sedang dibuat untuk menyambut kedatangan Ratu.

to **prepare** KATA KERJA

*menyediakan*
◊ *He was preparing dinner.* Dia sedang menyediakan makan malam.
- **to prepare for something** membuat persediaan untuk sesuatu ◊ *We're preparing for our holiday.* Kami sedang membuat persediaan untuk pergi bercuti.

**prepared** KATA ADJEKTIF

*bersedia*
- **to be prepared to do something** bersedia melakukan sesuatu ◊ *I'm prepared to help you.* Saya bersedia

membantu anda.

**preposition** KATA NAMA
*kata sendi nama*

**prep school** KATA NAMA
*sekolah persediaan*

**prerequisite** KATA NAMA
*prasyarat*

**Presbyterian** KATA ADJEKTIF

> *rujuk juga* **Presbyterian** KATA NAMA

*Presbyterian*

> *berkaitan dengan gereja Protestan khususnya di Scotland atau Amerika Syarikat*

**Presbyterian** KATA NAMA

> *rujuk juga* **Presbyterian** KATA ADJEKTIF

*pengikut Presbyterian*

**pre-school** KATA ADJEKTIF
*prasekolah*

to **prescribe** KATA KERJA
*mempreskripsikan*
◊ *The doctor prescribed a course of antibiotics for me.* Doktor itu mempreskripsikan antibiotik untuk saya.

**prescription** KATA NAMA
*preskripsi*
◊ *a prescription for penicillin* preskripsi untuk ubat penisilin
♦ **on prescription** dengan preskripsi

**presence** KATA NAMA
*kehadiran*
♦ **presence of mind** sikap yang tenang

**present** KATA ADJEKTIF

> *rujuk juga* **present** KATA NAMA, KATA KERJA

① *hadir*
◊ *He wasn't present at the meeting.* Dia tidak hadir di mesyuarat itu.
② *sekarang*
◊ *the present situation* keadaan sekarang
♦ **the present tense** kala kini

**present** KATA NAMA

> *rujuk juga* **present** KATA ADJEKTIF, KATA KERJA

*hadiah*
♦ **to give somebody a present** memberi seseorang hadiah ◊ *He gave me a lovely present.* Dia memberi saya hadiah yang cantik.
♦ **to live in the present** menghadapi realiti
♦ **at present** pada masa ini
♦ **for the present** buat masa ini
♦ **up to the present** sehingga kini

to **present** KATA KERJA

> *rujuk juga* **present** KATA ADJEKTIF, KATA NAMA

*menyampaikan*
♦ **to present somebody with something**

menyampaikan sesuatu kepada seseorang ◊ *The Mayor presented the winner with a medal.* Datuk bandar menyampaikan pingat kepada pemenang.
♦ **He agreed to present the show.** Dia bersetuju untuk mengacarakan rancangan itu.

**presentation** KATA NAMA
① *penyampaian*
◊ *presentation of the proposal* penyampaian kertas cadangan
♦ **We keep the presentation of the food simple.** Kami menyediakan hiasan makanan itu agar nampak ringkas sahaja.
② *upacara penyampaian hadiah/anugerah* (bergantung pada konteks)
◊ *at the presentation ceremony* di upacara penyampaian hadiah/anugerah
◊ *after receiving his award at a presentation in London yesterday* selepas menerima anugerahnya di upacara penyampaian anugerah di London kelmarin
③ *persembahan*
◊ *a short presentation* persembahan yang pendek

**presenter** KATA NAMA
*penyampai*

**presently** KATA ADVERBA
① *sekarang*
◊ *They're presently on tour.* Mereka sedang mengadakan lawatan sekarang.
② *sebentar lagi*
◊ *You'll feel better presently.* Anda akan berasa lebih baik sebentar lagi.

**preservative** KATA NAMA
*pengawet*

to **preserve** KATA KERJA
① *mengekalkan*
◊ *We will do everything possible to preserve peace.* Kami akan melakukan segala-galanya yang mungkin untuk mengekalkan keamanan.
② *memelihara*
◊ *We need to preserve our forests.* Kita perlu memelihara hutan kita.
♦ **to preserve food** mengawet makanan

**president** KATA NAMA
*presiden*

to **press** KATA KERJA

> *rujuk juga* **press** KATA NAMA

*menekan*
◊ *Don't press too hard!* Jangan tekan terlalu kuat! ◊ *He pressed the accelerator.* Dia menekan pedal minyak.

**press** KATA NAMA

> *rujuk juga* **press** KATA KERJA

*surat khabar*

P

◊ *The story appeared in the press last week.* Cerita itu keluar dalam surat khabar minggu lepas.

**press conference** KATA NAMA
*sidang akhbar*

**pressed** KATA ADJEKTIF
1 *kesuntukan*
◊ *We are pressed for time.* Kami kesuntukan masa.
2 *kesempitan*
◊ *I'm pressed for cash.* Saya kesempitan wang.

**press-up** KATA NAMA
*tekan tubi*

**pressure** KATA NAMA
*tekanan*
♦ **to be under pressure** menghadapi tekanan ◊ *She was under pressure from the management.* Dia menghadapi tekanan daripada pihak pengurusan.
♦ **a pressure group** kumpulan pendesak

**pressured** KATA ADJEKTIF
*tertekan*
◊ *to feel pressured* berasa tertekan

to **pressurize** KATA KERJA
*memaksa*
♦ **to pressurize somebody to do something** memaksa seseorang melakukan sesuatu ◊ *My parents are pressurizing me to stay on at school.* Ibu bapa saya memaksa saya untuk terus bersekolah.

**prestige** KATA NAMA
*prestij*

**prestigious** KATA ADJEKTIF
*berprestij*

**presumably** KATA ADVERBA
*agaknya*
◊ *Presumably she already knows what's happened.* Agaknya dia sudah tahu tentang perkara yang berlaku.

to **presume** KATA KERJA
*kira*
◊ *I presume he'll come.* Saya kira dia akan datang.
♦ **I presume so.** Saya agak begitulah.

**presumption** KATA NAMA
*anggapan*
◊ *the presumption that somebody is innocent* anggapan bahawa seseorang itu tidak bersalah

to **pretend** KATA KERJA
*berpura-pura*
◊ *to pretend to be asleep* berpura-pura tidur

**pretty** KATA ADJEKTIF, KATA ADVERBA
1 *cantik*
◊ *She wore a pretty dress.* Dia memakai gaun yang cantik. ◊ *She's very*

pretty. Dia sangat cantik.
2 *agak*
◊ *The weather was pretty awful.* Keadaan cuaca agak buruk.
♦ **It's pretty much the same.** Lebih kurang sama sahaja.

to **prevail** KATA KERJA
*mengatasi*
◊ *Good will prevail over evil.* Kebaikan akan mengatasi kejahatan.
♦ **Rick still believes that justice will prevail.** Rick masih yakin bahawa keadilan akan mengatasi yang lain.
♦ **He prevailed over his enemies.** Dia mengalahkan musuhnya.
♦ **A similar situation prevails in America.** Situasi yang serupa berlaku di Amerika.
♦ **prevailing customs** adat yang biasa diamalkan

to **prevent** KATA KERJA
1 *mencegah*
◊ *Every effort had been made to prevent the accident.* Pelbagai langkah telah diambil untuk mencegah kemalangan itu.
2 *menghalang*
◊ *I want to prevent this happening again.* Saya mahu menghalang perkara ini daripada berlaku lagi.
♦ **to prevent somebody from doing something** menghalang seseorang daripada melakukan sesuatu ◊ *My only idea was to prevent him from speaking.* Satu-satunya tujuan saya adalah untuk menghalang dia daripada bercakap.

**prevention** KATA NAMA
*pencegahan*
◊ *the prevention of heart disease* pencegahan penyakit jantung

**preventive** KATA ADJEKTIF
*pencegahan*
◊ *to take adequate preventive measures* mengambil langkah-langkah pencegahan yang mencukupi

**previous** KATA ADJEKTIF
*sebelumnya*
◊ *the previous night* malam sebelumnya
♦ **He has no previous experience.** Dia tidak mempunyai pengalaman sebelum ini.

**previously** KATA ADVERBA
*sebelum ini*

**prey** KATA NAMA
*mangsa*
♦ **a bird of prey** burung pemangsa

**price** KATA NAMA
*harga*
◊ *What price is this painting?* Berapakah harga lukisan ini?
♦ **to go up in price** naik harga
♦ **to come down in price** turun harga

**priceless** KATA ADJEKTIF

[1] *tidak ternilai harganya*

◊ *a priceless painting* lukisan yang tidak ternilai harganya

[2] *sangat berguna*

◊ *The influence of someone like David York will be priceless.* Pengaruh orang tertentu seperti David York sangat berguna.

**price list** KATA NAMA

*senarai harga*

to **prick** KATA KERJA

*mencucuk* (*dengan benda tajam*)

♦ **I've pricked my finger.** Jari saya tercucuk jarum.

to **prickle** KATA KERJA

*seperti mencucuk-cucuk*

◊ *He felt his scalp prickling.* Dia berasa kulit kepalanya seperti mencucuk-cucuk.

♦ **His skin prickled when he entered the room.** Bulu romanya meremang sebaik sahaja dia masuk ke dalam bilik itu.

**pride** KATA NAMA

[1] *kebanggaan*

◊ *These young athletes are the pride of the nation.* Atlit-atlit muda ini merupakan kebanggaan negara.

[2] *harga diri*

**priest** KATA NAMA

*paderi*

**primary** KATA ADJEKTIF

*utama*

◊ *the primary reason for his success* sebab utama kejayaannya

♦ **primary education** pendidikan awal

**primary school** KATA NAMA

*sekolah rendah*

**prime minister** KATA NAMA

*perdana menteri*

**primitive** KATA ADJEKTIF

*primitif*

**prince** KATA NAMA

*putera*

◊ *the Prince of Wales* Putera Wales

**princess** KATA NAMA

(JAMAK **princesses**)

*puteri*

◊ *Princess Victoria* Puteri Victoria

**principal** KATA NAMA

| *rujuk juga* **principal** KATA NAMA |

*utama*

**principal** KATA ADJEKTIF

| *rujuk juga* **principal** KATA ADJEKTIF |

*pengetua*

**principle** KATA NAMA

*prinsip*

◊ *the basic principles of physics* prinsip-prinsip asas fizik

♦ **in principle** pada dasarnya

♦ **on principle** kerana saya berpegang pada pendirian saya

*Perkataan* **saya** *boleh ditukarkan dengan perkataan lain seperti* **beliau, mereka** *dan* **dia** *mengikut kesesuaian ayat dan makna yang ingin disampaikan.*

**principled** KATA ADJEKTIF

*berpendirian*

◊ *He's a principled man.* Dia seorang lelaki yang berpendirian.

to **print** KATA KERJA

| *rujuk juga* **print** KATA NAMA |

*mencetak*

◊ *The students printed pamphlets.* Para pelajar itu mencetak risalah.

♦ **Print your name and address.** Tulis nama dan alamat anda dengan kemas.

**print** KATA NAMA

| *rujuk juga* **print** KATA KERJA |

[1] *cetakan*

◊ *colour prints* cetakan berwarna

◊ *in small print* dalam cetakan yang kecil

[2] *cap jari*

◊ *The policeman took his prints.* Anggota polis itu mengambil cap jarinya.

**printer** KATA NAMA

*pencetak*

**printing** KATA NAMA

*pencetakan*

◊ *The printing took three days to complete.* Kerja-kerja pencetakan itu mengambil masa tiga hari.

**print-out** KATA NAMA

*cetakan*

**priority** KATA NAMA

(JAMAK **priorities**)

*keutamaan*

◊ *priority lane* lorong keutamaan

♦ **My family takes priority over my work.** Keluarga saya lebih utama daripada kerja saya.

**prism** KATA NAMA

*prisma*

**prison** KATA NAMA

*penjara*

◊ *in prison* dalam penjara

♦ **to send somebody to prison for 5 years** menjatuhkan hukuman penjara selama 5 tahun ke atas seseorang

**prisoner** KATA NAMA

[1] *banduan*

[2] *tawanan*

◊ *to take somebody prisoner* menahan seseorang sebagai tawanan

**prison officer** KATA NAMA

*pegawai penjara*

**privacy** KATA NAMA

**P**

*hak persendirian*
◊ *infringement of privacy* pelanggaran hak persendirian
♦ **in privacy** bersendirian tanpa sebarang gangguan

**private** KATA ADJEKTIF
*swasta*
◊ *a private school* sekolah swasta
♦ **private property** harta benda persendirian
♦ **private life** kehidupan peribadi
♦ **a private secretary** setiausaha sulit
♦ **"private"** "sulit" (*pada sampul surat*)
♦ **in private** secara sulit

**privatization** KATA NAMA
*penswastaan*

to **privatize** KATA KERJA
*menswastakan*

**privilege** KATA NAMA
*hak istimewa*

**prize** KATA NAMA
*hadiah*
◊ *to win a prize* memenangi hadiah

**prize-giving** KATA NAMA
*penyampaian hadiah*

**prizewinner** KATA NAMA
*pemenang hadiah*

**pro** KATA NAMA
(JAMAK **pros**)
*pro*
◊ *the pros and cons* pro dan kontra

**probable** KATA ADJEKTIF
*besar kemungkinan*

**probably** KATA ADVERBA
*barangkali*
◊ *He'll probably come tomorrow.* Barangkali dia akan datang esok.

**probation** KATA NAMA
*tempoh percubaan*

to **probe** KATA KERJA
1 *menyiasat*
◊ *They probed into his background.* Mereka menyiasat latar belakangnya.
2 *memeriksa dengan teliti*
◊ *Dr Amid probed around the sensitive area.* Dr. Amid memeriksa bahagian yang sensitif itu dengan teliti.

**problem** KATA NAMA
*masalah*
◊ *the drug problem* masalah dadah
♦ **No problem! (1)** Tidak ada masalah!
◊ *Can you repair it? - No problem!* Bolehkah anda membaikinya? - Tidak ada masalah!
♦ **No problem! (2)** Tidak mengapa.
◊ *I'm sorry about that. - No problem!* Saya minta maaf. - Tidak mengapa.

**procedure** KATA NAMA
*prosedur*

to **proceed** KATA KERJA
*meneruskan*
◊ *The police decided not to proceed with the case.* Pihak polis memutuskan untuk tidak meneruskan kes itu.

**proceeds** KATA NAMA JAMAK
*hasil kutipan*
◊ *All proceeds will go to charity.* Semua hasil kutipan akan didermakan.

**process** KATA NAMA
(JAMAK **processes**)

> *rujuk juga* **process** KATA KERJA

*proses*
◊ *the peace process* proses damai
♦ **We're in the process of painting the kitchen.** Kami sedang mengecat dapur.

to **process** KATA KERJA

> *rujuk juga* **process** KATA NAMA

*memproses*

**processing** KATA NAMA
*pemprosesan*
◊ *petroleum processing plant* loji pemprosesan petroleum ◊ *The advances in communications altered the nature of information processing.* Kemajuan dalam bidang komunikasi mengubah corak pemprosesan maklumat.

**procession** KATA NAMA
*perarakan*

**processor** KATA NAMA
*pemproses*

to **procrastinate** KATA KERJA
*berlengah-lengah*
◊ *I didn't want to do it, so procrastinated.* Saya tidak mahu melakukannya, jadi saya berlengah-lengah.

to **produce** KATA KERJA
1 *mengeluarkan* (*barangan*)
2 *menerbitkan* (*filem*)

**producer** KATA NAMA
*penerbit* (*filem, rekod, rancangan televisyen*)

**product** KATA NAMA
*produk*

**production** KATA NAMA
1 *pengeluaran*
◊ *They're increasing production of luxury models.* Mereka sedang menambahkan pengeluaran model mewah.
2 *penerbitan* (*filem, drama, program*)
♦ **a production of "Hamlet"** pementasan drama "Hamlet"

**productivity** KATA NAMA
*produktiviti*

to **profess** KATA KERJA
1 *mendakwa*
◊ *He professed support for traditional family values.* Dia mendakwa bahawa dia menyokong nilai-nilai kekeluargaan

tradisional.

2 _menyatakan_

◊ *She professed to be satisfied with the arrangement.* Dia menyatakan bahawa dia berpuas hati dengan rancangan itu.

**profession** KATA NAMA

_profesion_

**professional** KATA ADJEKTIF

> _rujuk juga_ **professional** KATA NAMA

_profesional_

◊ *a professional musician* ahli muzik profesional ◊ *a very professional piece of work* hasil kerja yang sungguh profesional

**professional** KATA NAMA

> _rujuk juga_ **professional** KATA ADJEKTIF

_profesional_

to **professionalize** KATA KERJA

_mengikhtisaskan_

◊ *They want to professionalize the organization.* Mereka ingin mengikhtisaskan organisasi tersebut.

**professionally** KATA ADVERBA

_secara profesional_

◊ *She sings professionally.* Dia menyanyi secara profesional.

**professor** KATA NAMA

_profesor_

**profile** KATA NAMA

_profil_

**profit** KATA NAMA

_keuntungan_

◊ *to make a profit* mendapat keuntungan ◊ *a profit of RM10,000* keuntungan sebanyak RM10,000

**profitable** KATA ADJEKTIF

_menguntungkan_

**program** KATA NAMA

> _rujuk juga_ **program** KATA KERJA

_atur cara_

◊ *a computer program* atur cara komputer

♦ **a TV program** 🇦 program televisyen

to **program** KATA KERJA

> _rujuk juga_ **program** KATA NAMA

_memprogramkan_

**programme** KATA NAMA

> _rujuk juga_ **programme** KATA KERJA

1 _program_ atau _rancangan_

◊ *a TV programme* program televisyen

2 _atur cara_ (majlis, acara)

to **programme** KATA KERJA

> _rujuk juga_ **programme** KATA NAMA

_memprogramkan_

◊ *He programmed the machine to shut down after two hours.* Dia memprogramkan mesin itu berhenti selepas dua jam.

**programmer** KATA NAMA

_pengatur cara_

◊ *She's a programmer.* Dia seorang pengatur cara.

**programming** KATA NAMA

(_komputer_)

_pengaturcaraan_

**progress** KATA NAMA

> _rujuk juga_ **progress** KATA KERJA

_kemajuan_

◊ *There has been some progress on this project.* Sudah ada kemajuan dalam projek ini.

♦ **You're making progress!** Pencapaian anda semakin baik!

to **progress** KATA KERJA

> _rujuk juga_ **progress** KATA NAMA
>
> **progress** diterjemahkan mengikut konteks.

◊ *The country progressed under his leadership.* Negara itu maju dibawah pimpinan beliau. ◊ *He's here to see how the new staff are progressing.* Dia datang ke sini untuk melihat perkembangan pekerja-pekerja barunya. ◊ *Thanks to the new medication, the patient is progressing very satisfactorily.* Dengan adanya ubat baru itu, pesakit itu semakin bertambah baik. ◊ *He sketched at first and then progressed to painting.* Mula-mula dia melakar dan kemudian dia melukis.

**progressive** KATA ADJEKTIF

_progresif_

to **prohibit** KATA KERJA

_melarang_

◊ *Smoking is prohibited.* Dilarang merokok.

**project** KATA NAMA

> _rujuk juga_ **project** KATA KERJA

_projek_

◊ *an international project* projek antarabangsa ◊ *I'm doing a project on the greenhouse effect.* Saya sedang membuat projek tentang kesan rumah hijau.

to **project** KATA KERJA

> _rujuk juga_ **project** KATA NAMA

1 _merancang_

◊ *They projected a 5% price increase.* Mereka merancang kenaikan harga sebanyak 5%.

♦ **a projected profit of $1.5 million** jangkaan keuntungan sebanyak $1.5 juta

2 _menonjolkan_

◊ *He succeeded in projecting himself as a good leader.* Dia berjaya menonjolkan dirinya sebagai seorang pemimpin yang baik.

**projector** KATA NAMA

P

_projektor_

to **prolong** KATA KERJA

_memanjangkan_

◊ _This incident could prolong the war._ Kejadian ini boleh memanjangkan peperangan itu.

**promenade** KATA NAMA

_laluan pejalan kaki_ (_di tepi pantai_)

**prominent** KATA ADJEKTIF

⊡ _terkenal_

◊ _a prominent lawyer_ seorang peguam yang terkenal

⊡ _ketara_

◊ _Violence is a prominent feature of our society._ Keganasan merupakan kejadian yang ketara dalam masyarakat kita.

**prominently** KATA ADVERBA

_dengan sangat jelas_

♦ **Posters of the singer are prominently displayed in the shopping centre.** Poster penyanyi itu terpampang di pusat membeli-belah itu.

to **promise** KATA KERJA

> rujuk juga **promise** KATA NAMA

_berjanji_

◊ _She promised to write._ Dia berjanji akan menulis surat. ◊ _I'll write, I promise!_ Saya akan mengutus surat. Saya berjanji!

♦ **He didn't do what he promised.** Dia tidak mengotakan janjinya.

**promise** KATA NAMA

> rujuk juga **promise** KATA KERJA

_janji_

♦ **He made me a promise.** Dia sudah berjanji dengan saya.

♦ **That's a promise!** Saya berjanji!

**promising** KATA ADJEKTIF

_mempunyai masa depan yang cerah_

◊ _a promising tennis player_ pemain tenis yang mempunyai masa depan yang cerah

to **promote** KATA KERJA

⊡ _mempromosikan_

◊ _The company is promoting its products._ Syarikat itu sedang mempromosikan barangannya.

⊡ _menaikkan pangkat_

◊ _She was promoted six months later._ Dia telah dinaikkan pangkat enam bulan kemudian.

**promoter** KATA NAMA

_penganjur_

◊ _tennis promoters_ penganjur pertandingan tenis

**promotion** KATA NAMA

⊡ _kenaikan pangkat_

⊡ _promosi_

**prompt** KATA ADJEKTIF, KATA ADVERBA

⊡ _cepat_

◊ _a prompt reply_ balasan yang cepat

⊡ _menepati masa_

◊ _He's always very prompt._ Dia selalu menepati masa.

♦ **at eight o'clock prompt** tepat pada pukul lapan

**promptly** KATA ADVERBA

⊡ _terus_

◊ _He sat down and promptly fell asleep._ Dia duduk dan terus tertidur.

⊡ _tepat_

◊ _We left promptly at seven._ Kami bertolak tepat pada pukul tujuh.

**prone** KATA ADJEKTIF

_mudah_

◊ _Men are more prone to heart disease._ Orang lelaki lebih mudah menghidap penyakit jantung.

♦ **to lie prone** tertelungkup ◊ _The boy lay prone on the ground._ Budak lelaki itu tertelungkup di atas tanah.

**pronoun** KATA NAMA

_kata ganti nama_

to **pronounce** KATA KERJA

_menyebut_

◊ _How do you pronounce that word?_ Bagaimanakah anda menyebut perkataan itu?

**pronunciation** KATA NAMA

_sebutan_

**proof** KATA NAMA

⊡ _bukti_

◊ _I've got proof that he did it._ Saya mempunyai bukti bahawa dia yang melakukan perkara itu.

⊡ _pruf_

to **prop** KATA KERJA

> rujuk juga **prop** KATA NAMA

_menyandarkan_

◊ _He propped his bike against the wall._ Dia menyandarkan basikalnya pada dinding.

♦ **He propped his feet on the desk.** Dia meletakkan kakinya di atas meja.

**prop** KATA NAMA

> rujuk juga **prop** KATA KERJA

_sangga_

**propaganda** KATA NAMA

_propaganda_

to **propagandize** KATA KERJA

_mempropagandakan_

**propagation** KATA NAMA

⊡ _penyebaran_

◊ _the propagation of Buddhism_ penyebaran agama Buddha

⊡ _pembiakan_ (_tumbuhan_)

**propeller** KATA NAMA

_kipas_ (_pada kapal terbang, bot_)

**proper** KATA ADJEKTIF

1 *betul*
◊ *If you had come at the proper time...* Jika anda datang pada masa yang betul...
2 *sesuai*
◊ *You have to have the proper equipment.* Anda perlu mempunyai peralatan yang sesuai.
♦ **It's difficult to get a proper job.** Susah hendak mencari kerja yang betul-betul.

**properly** KATA ADVERBA
*dengan betul*
◊ *You're not doing it properly.* Anda tidak melakukannya dengan betul.
♦ **Dress properly for your interview.** Pakailah pakaian yang sesuai untuk temu duga anda.

**property** KATA NAMA
*harta*
♦ **"private property"** "harta benda persendirian"
♦ **stolen property** barang curi

**prophecy** KATA NAMA
(JAMAK **prophecies**)
*ramalan*

to **prophesy** KATA KERJA
(**prophesied, prophesied**)
*meramalkan*
◊ *He prophesied that within five years his opponent would be dead.* Dia meramalkan bahawa pihak lawannya akan meninggal dunia dalam masa lima tahun.

**prophet** KATA NAMA
*nabi*

**prophetic** KATA ADJEKTIF
*kenabian*
◊ *prophetic powers* kuasa kenabian
♦ **They recalled Elisabeth's prophetic words of several years ago.** Mereka teringat kembali kata-kata Elisabeth yang berupa ramalan beberapa tahun yang lalu.

**proportional** KATA ADJEKTIF
*berkadar*
◊ *proportional representation* perwakilan berkadar

**proportionate** KATA ADJEKTIF
*berkadar*
◊ *an increase in wages proportionate to the level of economic growth* pertambahan gaji yang berkadar dengan pertumbuhan ekonomi

**proposal** KATA NAMA
1 *cadangan*
◊ *The government's proposal is to abolish free health care.* Cadangan kerajaan adalah untuk menghentikan perkhidmatan kesihatan percuma.
2 *kertas cadangan*
◊ *The manager is presenting his*

*proposal.* Pengurus itu sedang membentangkan kertas cadangannya.

to **propose** KATA KERJA
*mencadangkan*
◊ *What do you propose to do?* Apakah yang ingin anda cadangkan? ◊ *I propose a new plan.* Saya mencadangkan satu rancangan yang baru.
♦ **to propose to somebody** melamar seseorang

**proposer** KATA NAMA
*pencadang*

**proprietor** KATA NAMA
*tuan punya*
◊ *the proprietor of a local restaurant* tuan punya sebuah restoran tempatan

**prose** KATA NAMA
*prosa*

to **prosecute** KATA KERJA
*mendakwa*
◊ *They were prosecuted for murder.* Mereka didakwa atas tuduhan membunuh.

**prosecution** KATA NAMA
1 *pendakwaan*
2 *pihak pendakwa*

**prosecutor** KATA NAMA
*pendakwa raya*

**prospect** KATA NAMA
*prospek*
◊ *His future prospects are good.* Prospek masa depannya cerah.

**prospectus** KATA NAMA
(JAMAK **prospectuses**)
*prospektus*

to **prosper** KATA KERJA
1 *makmur*
◊ *The country prospered under the rule of the new king.* Negara itu makmur di bawah pemerintahan raja yang baru itu.
2 *maju*
◊ *The company continues to prosper.* Syarikat itu terus maju.

**prosperity** KATA NAMA
*kemakmuran*
◊ *a new era of peace and prosperity* era baru untuk keamanan dan kemakmuran

**prosperous** KATA ADJEKTIF
*makmur*

**prostitute** KATA NAMA
*pelacur*
♦ **a male prostitute** gigolo

**prostitution** KATA NAMA
*pelacuran*

to **prostrate** KATA KERJA
| *rujuk juga* **prostrate** KATA ADJEKTIF |
*meniarapkan*
◊ *They prostrated themselves in awe.* Mereka meniarapkan diri mereka dengan

**P**

perasaan kagum.

**prostrate** KATA ADJEKTIF

> rujuk juga **prostrate** KATA KERJA

♦ **to lie prostrate** meniarap ◊ *The girl was lying prostrate on the floor.* Budak perempuan itu meniarap di atas lantai.

to **protect** KATA KERJA

*melindungi*

**protection** KATA NAMA

*perlindungan*

**protector** KATA NAMA

*pelindung*

**protectorate** KATA NAMA

*negeri naungan*

**protégé** KATA NAMA

*anak didik*

**protein** KATA NAMA

*protein*

to **protest** KATA KERJA

> rujuk juga **protest** KATA NAMA

*membantah*

**protest** KATA NAMA

> rujuk juga **protest** KATA KERJA

*bantahan*

◊ *He ignored their protests.* Dia tidak mengendahkan bantahan mereka. ◊ *a protest march* perarakan bantahan

**Protestant** KATA NAMA

> rujuk juga **Protestant** KATA ADJEKTIF

*pengikut mazhab Protestan*

◊ *I'm a Protestant.* Saya pengikut mazhab Protestan.

**Protestant** KATA ADJEKTIF

> rujuk juga **Protestant** KATA NAMA

*Protestan*

◊ *a Protestant church* sebuah gereja Protestan

**protester** KATA NAMA

*pembantah*

**protest vote** KATA NAMA

*undi menentang parti yang disokong* (kerana tidak berpuas hati dengan sesuatu)

**protocol** KATA NAMA

*protokol*

**protractor** KATA NAMA

*jangka sudut* atau *protraktor*

**proud** KATA ADJEKTIF

[1] *bangga*

◊ *Her parents are proud of her.* Ibu bapanya bangga dengannya.

[2] *sombong*

◊ *He's a very proud man.* Dia seorang lelaki yang sangat sombong.

**proudly** KATA ADVERBA

*dengan bangga*

◊ *'That's the first part finished,' he said proudly.* 'Itulah bahagian pertama yang telah siap,' katanya dengan bangga.

♦ **The Malaysian flag flutters proudly on Mount Everest.** Jalur Gemilang berkibar megah di Gunung Everest.

to **prove** KATA KERJA

(**proved, proved** atau **proven**)

*membuktikan*

◊ *The police failed to prove the case.* Pihak polis gagal membuktikan kes itu.

◊ *If you think I'm guilty, prove it!* Jika anda fikir saya bersalah, buktikanlah!

♦ **It is proven that he is a good father.** Terbukti, dia seorang bapa yang baik.

**proven** KATA ADJEKTIF

*terbukti*

◊ *He's a proven fighter.* Beliau ialah seorang pejuang yang sudah terbukti.

**proverb** KATA NAMA

*peribahasa*

◊ *a Chinese proverb* peribahasa Cina

to **provide** KATA KERJA

*memberikan*

◊ *They would not provide any details.* Mereka tidak akan memberikan sebarang maklumat terperinci.

♦ **to provide somebody with something** memberi seseorang sesuatu ◊ *They provided us with maps.* Mereka memberi kami peta.

to **provide for** KATA KERJA

*menyara*

◊ *He can't provide for his family any more.* Dia tidak mampu menyara keluarganya lagi.

**provided** KATA HUBUNG

*jika*

◊ *He'll play in the next match provided he's fit.* Dia akan bermain dalam pertandingan berikutnya jika dia sihat.

**provider** KATA NAMA

(komputer)

*pembekal*

**province** KATA NAMA

*wilayah*

**provision** KATA NAMA

[1] *peruntukan*

◊ *nursery provision for children with special needs* peruntukan taska untuk kanak-kanak istimewa ◊ *the bill's provision for the sale and purchase of land* peruntukan rang undang-undang itu tentang jual beli tanah

♦ **The department is responsible for the provision of health services.** Jabatan itu bertanggungjawab memperuntukkan perkhidmatan kesihatan.

[2] *persediaan*

◊ *to make provision for her children* membuat persediaan untuk masa depan anak-anaknya

- **provisions** bekalan makanan ◊ *We have enough provisions for two weeks.* Kami mempunyai bekalan makanan yang mencukupi untuk dua minggu.

to **prowl** KATA KERJA
*merayau-rayau*
◊ *He prowled around the room.* Dia merayau-rayau di sekitar bilik itu.

**prowler** KATA NAMA
*perayau yang berniat jahat*

**proximity** KATA NAMA
*kedekatan*
◊ *He became aware of the proximity of the soldiers.* Dia sedar akan kedekatan askar-askar itu.
- **Families are no longer in close proximity to each other.** Keluarga-keluarga tidak tinggal dekat antara satu sama lain lagi.

**prune** KATA NAMA
> rujuk juga **prune** KATA KERJA

*buah prun*

to **prune** KATA KERJA
> rujuk juga **prune** KATA NAMA

*mencantas*
◊ *He pruned his neighbour's mango tree.* Dia mencantas pokok mangga jirannya.
- **The company is pruning its product ranges.** Syarikat itu sedang mengurangkan jenis-jenis barangan keluarannya.

**prurient** KATA ADJEKTIF
*gasang*

to **pry** KATA KERJA
**(pried, prided)**
*mengambil tahu*
◊ *He's always prying into other people's affairs.* Dia selalu mengambil tahu urusan orang lain.

**pseudonym** KATA NAMA
*nama samaran*

**psychiatric** KATA ADJEKTIF
*sakit jiwa*
◊ *psychiatric hospital* hospital sakit jiwa
- **psychiatric help** bantuan psikiatri

**psychiatrist** KATA NAMA
*pakar sakit jiwa*

**psychoanalysis** KATA NAMA
*psikoanalisis*

**psychoanalyst** KATA NAMA
*ahli psikoanalisis*

**psychological** KATA ADJEKTIF
*psikologi*

**psychologist** KATA NAMA
*ahli psikologi*

**psychology** KATA NAMA
*psikologi*

**PTO** SINGKATAN (= *please turn over*)
*sila lihat di sebelah*

**pub** KATA NAMA
*pub*

**public** KATA NAMA
> rujuk juga **public** KATA ADJEKTIF

*orang ramai*
- **the public** orang ramai ◊ *open to the public* dibuka kepada orang ramai
- **in public** di khalayak ramai

**public** KATA ADJEKTIF
> rujuk juga **public** KATA NAMA

*awam*
◊ *public phone* telefon awam
- **a public holiday** cuti umum
- **public opinion** pendapat umum
- **the public address system** sistem siar raya
- **to be in the public eye** di mata umum

**publican** KATA NAMA
*pemilik pub*
◊ *He's a publican.* Dia seorang pemilik pub.

**publication** KATA NAMA
*penerbitan*
◊ *The publication of a good dictionary will improve the status of the Malay language.* Penerbitan sebuah kamus yang baik akan dapat memartabatkan bahasa Melayu.

**publicity** KATA NAMA
*publisiti*

**public relations** KATA NAMA
*perhubungan awam*

**public school** KATA NAMA
*sekolah swasta*
> Di Britain, **public school** ialah sekolah yang tidak dibiayai oleh kerajaan atau disebut sebagai **sekolah swasta**, tetapi di kebanyakan negara lain seperti Amerika Syarikat **public school** bermaksud **sekolah kerajaan**.

**public transport** KATA NAMA
*pengangkutan awam*

to **publish** KATA KERJA
*menerbitkan*

**publisher** KATA NAMA
*penerbit*

**pudding** KATA NAMA
[1] *puding*
◊ *rice pudding* puding nasi
[2] *pencuci mulut*
◊ *What's for pudding?* Apakah pencuci mulut hari ini?

**puddle** KATA NAMA
*lopak*

to **puff out** KATA KERJA
*menghembus keluar*
◊ *He puffed out a cloud of cigarette smoke.* Dia menghembus keluar asap rokoknya.

**puff pastry** KATA NAMA
_pastri lapis_

to **pull** KATA KERJA
_menarik_
◊ *Pull as hard as you can.* Tariklah sekuat hati anda. ◊ *She pulled my hair.* Dia menarik rambut saya.
♦ **He pulled the trigger.** Dia memetik picu.
♦ **I pulled a muscle when I was training.** Saya terseliuh semasa berlatih.
♦ **You're pulling my leg!** Tentu anda bergurau!
♦ **Pull yourself together!** Bertenanglah!

to **pull down** KATA KERJA
_merobohkan_
◊ *The old school was pulled down last year.* Sekolah lama itu telah dirobohkan tahun lepas.

to **pull out** KATA KERJA
1 _bergerak keluar_
◊ *The car pulled out to overtake.* Kereta itu bergerak keluar untuk memotong.
2 _menarik diri_
◊ *She pulled out of the tournament.* Dia menarik diri daripada pertandingan itu.
3 _mencabut_
◊ *to pull a tooth out* mencabut gigi

to **pull through** KATA KERJA
_sembuh_
◊ *They think he'll pull through.* Mereka berpendapat dia akan sembuh.

to **pull up** KATA KERJA
_berhenti_
◊ *A black car pulled up beside me.* Sebuah kereta hitam berhenti di tepi saya.

**pulley** KATA NAMA
_takal_

**pullover** KATA NAMA
_baju sejuk_ atau _baju panas_

**pulp** KATA NAMA
1 _isi_ (buah)
2 _pulpa_

**pulse** KATA NAMA
_nadi_
♦ **The nurse took his pulse.** Jururawat itu mengambil denyutan nadinya.

**pulses** KATA NAMA JAMAK
_kekacang_

**pump** KATA NAMA
| rujuk juga **pump** KATA KERJA |
1 _pam_
◊ *a bicycle pump* pam basikal
2 _kasut kanvas_
◊ *She was wearing black pumps.* Dia memakai kasut kanvas berwarna hitam.

to **pump** KATA KERJA
| rujuk juga **pump** KATA NAMA |
_mengepam_
◊ *to pump up a tyre* mengepam tayar

**pumpkin** KATA NAMA
_labu_

to **punch** KATA KERJA
| rujuk juga **punch** KATA NAMA |
_menumbuk_
◊ *He punched me!* Dia menumbuk saya!

**punch** KATA NAMA
(JAMAK **punches**)
| rujuk juga **punch** KATA KERJA |
1 _tumbukan_
2 _punch_ (sejenis minuman)

**punch-up** KATA NAMA
_perkelahian_

**punctual** KATA ADJEKTIF
_menepati masa_

**punctuality** KATA NAMA
_menepati masa_

**punctuation** KATA NAMA
_tanda baca_

**puncture** KATA NAMA
| rujuk juga **puncture** KATA KERJA |
_tayar pancit_
♦ **I had a puncture on the motorway.** Tayar saya pancit di lebuh raya.

to **puncture** KATA KERJA
| rujuk juga **puncture** KATA NAMA |
1 _membocorkan_
◊ *The naughty boy punctured the ball with a nail.* Budak lelaki yang nakal itu membocorkan bola itu dengan paku.
2 _pancit_ (tayar)
3 _hancur_ (perasaan, kepercayaan)

to **punish** KATA KERJA
_menghukum_
◊ *to punish somebody for doing something* menghukum seseorang kerana melakukan sesuatu ◊ *They were severely punished for their disobedience.* Mereka dihukum dengan teruk kerana keingkaran mereka.

**punishment** KATA NAMA
_hukuman_

**punk** KATA NAMA
_punk_

**pupa** KATA NAMA
(JAMAK **pupae**)
_pupa_

**pupil** KATA NAMA
_murid_

**puppet** KATA NAMA
_boneka_

**puppeteer** KATA NAMA
_dalang_

**puppy** KATA NAMA
(JAMAK **puppies**)
_anak anjing_

to **purchase** KATA KERJA
_membeli_

**pure** KATA ADJEKTIF
_tulen_
◊ *He's doing pure maths.* Dia belajar matematik tulen.

**purification** KATA NAMA
_penulenan_
◊ *a water purification plant* loji penulenan air

to **purify** KATA KERJA
(**purified, purified**)
_menulenkan_
◊ *to purify water* menulenkan air
♦ **I take these tablets to purify the blood.** Saya mengambil pil-pil ini untuk membersihkan darah.

**purity** KATA NAMA
[1] _ketulenan_
◊ *The purity of this water is guaranteed.* Ketulenan air ini telah dijamin.
[2] _kesucian_
◊ *the purity of his heart* kesucian hatinya

**purple** KATA ADJEKTIF
_ungu_

**purplish** KATA ADJEKTIF
_keungu-unguan_

**purpose** KATA NAMA
_tujuan_
◊ *What is the purpose of these changes?* Apakah tujuan perubahan-perubahan ini?
♦ **his purpose in life** matlamat hidupnya
♦ **on purpose** sengaja ◊ *He did it on purpose.* Dia sengaja berbuat demikian.

to **purr** KATA KERJA
_mendengkur (bunyi kucing)_

**purse** KATA NAMA
rujuk juga **purse** KATA KERJA
[1] _dompet_
[2] 🖾 _beg tangan_

to **purse** KATA KERJA
rujuk juga **purse** KATA NAMA
_memuncungkan_
◊ *She pursed her lips in disapproval.* Dia memuncungkan bibirnya kerana tidak berpuas hati.

to **pursue** KATA KERJA
_mengejar_
◊ *to pursue victory* mengejar kejayaan
♦ **Mr Menendez is now pursuing a new trade.** En. Menendez sedang mengusahakan sebuah perniagaan baru.
♦ **She has come to England to pursue her acting career.** Dia datang ke England untuk meneruskan kerjaya lakonannya.

**pursuit** KATA NAMA
_kegiatan_ atau _aktiviti_
◊ *outdoor pursuits* aktiviti luar

**pus** KATA NAMA
_nanah_

**push** KATA NAMA
(JAMAK **pushes**)
rujuk juga **push** KATA KERJA
_tolakan_
♦ **to give somebody a push** menolak seseorang

to **push** KATA KERJA
rujuk juga **push** KATA NAMA
[1] _menolak_
◊ *Don't push!* Jangan tolak!
[2] _menekan_
◊ *to push a button* menekan butang
♦ **to push drugs** mengedar dadah
♦ **I'm pushed for time today.** Saya kesuntukan masa hari ini.
♦ **Push off!** Pergi!
♦ **Don't push your luck!** Jangan ambil risiko!
[3] _berasak-asak_
◊ *Dix pushed forward carrying a glass.* Dix berasak-asak ke hadapan sambil membawa sebiji gelas. ◊ *Jamie pushed his way towards her.* Jamie berasak-asak menuju ke arahnya.

to **push around** KATA KERJA
_menyuruh ... membuat itu dan ini_
◊ *He likes pushing people around.* Dia suka menyuruh orang membuat itu dan ini.

to **push on** KATA KERJA
_meneruskan_
◊ *There's a lot to do, so I must push on now.* Banyak kerja yang perlu saya buat, jadi saya mesti meneruskannya sekarang.

to **push through** KATA KERJA
_berasak-asak_
◊ *I pushed my way through to the front.* Saya berasak-asak pergi ke hadapan.

**pushchair** KATA NAMA
_kereta sorong bayi_

**pusher** KATA NAMA
_pengedar dadah_

to **put** KATA KERJA
(**put, put**)
_meletakkan_
◊ *Where shall I put my things?* Di manakah saya patut meletakkan barang-barang saya?
♦ **Don't forget to put your name on the paper.** Jangan lupa menulis nama anda di atas kertas itu.
♦ **She's putting the baby to bed.** Dia sedang menidurkan bayi itu.

to **put across** KATA KERJA
_menyampaikan_
◊ *He finds it hard to put his ideas across.* Dia mendapati sukar untuk menyampaikan ideanya.

P

to **put aside**  KATA KERJA
*menyimpan*
◊ *Can you put this aside for me till tomorrow?*  Bolehkah anda menyimpan barang ini untuk saya sehingga esok?

to **put away**  KATA KERJA
1 *menyimpan*
◊ *Can you put the dishes away, please?*  Bolehkah anda menyimpan pinggan mangkuk ini?
2 *mengurung*
◊ *I hope they put him away for a long time.*  Saya harap mereka mengurungnya dalam jangka masa yang panjang.

to **put back**  KATA KERJA
1 *meletakkan semula*
◊ *Put it back when you've finished with it.*  Letakkan semula di tempat asalnya apabila anda sudah habis menggunakannya.
2 *menunda*
◊ *The meeting has been put back till 2 o'clock.*  Mesyuarat itu telah ditunda sehingga pukul 2.

to **put down**  KATA KERJA
1 *meletakkan*
◊ *I'll put these bags down for a minute.*  Saya akan meletakkan beg-beg ini sekejap.
2 *menulis*
◊ *I've put down a few ideas.*  Saya telah menulis beberapa idea.
♦ **to have an animal put down**  membunuh binatang (*kerana berbahaya, berpenyakit*)
◊ *We had to have our dog put down.*  Kami terpaksa membunuh anjing kami.
♦ **to put the phone down**  meletakkan telefon

to **put forward**  KATA KERJA
1 *memutarkan jarum jam ke hadapan*
2 *mengemukakan* (*cadangan, idea*)

to **put in**  KATA KERJA
*memasang*
◊ *We're going to get central heating put in.*  Kami akan memasang sistem pemanasan pusat.
♦ **He has put in a lot of work on this project.**  Dia telah banyak berusaha untuk projek ini.
♦ **I've put in for a new job.**  Saya telah memohon kerja baru.

to **put off**  KATA KERJA
1 *menunda*
◊ *I keep putting it off.*  Saya asyik menundanya.
2 *memadamkan*
◊ *Shall I put the light off?*  Perlukah saya padamkan lampu?
3 *berputus asa*

◊ *He's not easily put off.*  Dia tidak mudah berputus asa.
♦ **Stop putting me off!**  Jangan ganggu saya!

to **put on**  KATA KERJA
1 *memakai*
◊ *I put my coat on.*  Saya memakai kot saya.
2 *mementaskan*
◊ *We're putting on a play.*  Kami sedang mementaskan sebuah drama.
♦ **to put on weight**  berat badan bertambah ◊ *He has put on a lot of weight.*  Berat badannya telah bertambah dengan banyak.
3 *memasang*
◊ *Shall I put the heater on?*  Perlukah saya pasang alat pemanas? ◊ *Please put on some music.*  Tolong pasang muzik.
♦ **I'll put the potatoes on.**  Saya akan masak ubi kentang itu.
♦ **She's not ill: She's just putting it on.**  Dia tidak sakit. Dia hanya berpura-pura.

to **put out**  KATA KERJA
*memadamkan*
◊ *It took them five hours to put out the fire.*  Mereka mengambil masa lima jam untuk memadamkan api itu.
♦ **He's a bit put out that nobody came.**  Dia berasa agak tersinggung kerana tidak ada orang yang datang.

to **put through**  KATA KERJA
*menyambungkan*
◊ *Can you put me through to the manager?*  Tolong sambungkan saya kepada pengurus anda.

to **put up**  KATA KERJA
1 *menampal*
◊ *The poster's great. I'll put it up in my room.*  Poster itu cantik. Saya akan menampalnya dalam bilik saya.
2 *mendirikan*
◊ *We put up our tent in a field.*  Kami mendirikan khemah di sebuah padang.
3 *menaikkan*
◊ *They've put up the price.*  Mereka telah menaikkan harganya.
♦ **My friend will put me up for the night.**  Kawan saya akan menumpangkan saya di rumahnya malam ini.
♦ **to put one's hand up**  mengangkat tangan ◊ *If you have any questions, put your hand up.*  Jika anda ada sebarang soalan, sila angkat tangan.
♦ **to put up with something**  bersabar dengan sesuatu ◊ *I'm not going to put up with it any longer.*  Saya tidak akan bersabar lagi.
♦ **to put something up for sale**  menjual

sesuatu ◊ *They're going to put their*
*house up for sale.* Mereka akan menjual
rumah mereka.
to **puzzle** KATA KERJA

> rujuk juga **puzzle** KATA NAMA

*membingungkan*
◊ *My sister puzzles me.* Adik
perempuan saya membingungkan saya.
♦ **Researchers continue to puzzle over**
**the relationship between HIV and AIDS.**
Para penyelidik masih berfikir dengan
mendalam tentang hubungan antara HIV
dengan AIDS.
**puzzle** KATA NAMA

> rujuk juga **puzzle** KATA KERJA

*teka-teki*

**puzzled** KATA ADJEKTIF
  *bingung*
  ◊ *You look puzzled!* Anda nampak
  bingung!
**puzzling** KATA ADJEKTIF
  *membingungkan*
**pyjamas** KATA NAMA JAMAK
  *pijama*
  ◊ *my pyjamas* pijama saya
♦ **a pair of pyjamas** sepasang pijama
**pyramid** KATA NAMA
  *piramid*
**Pyrenees** KATA NAMA JAMAK
♦ **the Pyrenees** Pyrenees (*tempat*
  *percutian di negara Perancis*)
**python** KATA NAMA
  *ular sawa*

P

# Q

**Q and A** SINGKATAN (= *question and answer*)
*soal jawab*
◊ *the Q and A session* sesi soal jawab

**quadruplets** KATA NAMA JAMAK
*kembar empat*

**quail** KATA NAMA
*puyuh*

**quaint** KATA ADJEKTIF
*luar biasa tetapi menarik* (*rumah, kampung*)

**qualification** KATA NAMA
*kelulusan*
◊ *He left school without any qualifications.* Dia meninggalkan sekolah tanpa sebarang kelulusan. ◊ *vocational qualifications* kelulusan vokasional
♦ **a teaching qualification** kelayakan mengajar

**qualified** KATA ADJEKTIF
*berkelulusan*
◊ *a qualified translator* penterjemah yang berkelulusan
♦ **She was well qualified for the position.** Dia amat berkelayakan untuk memegang jawatan tersebut.

to **qualify** KATA KERJA
(**qualified, qualified**)
*mendapat kelulusan*
◊ *Mary qualified as a teacher last year.* Mary mendapat kelulusan sebagai guru pada tahun lepas.
♦ **Our team didn't qualify for the finals.** Kumpulan kami gagal melayakkan diri ke pertandingan akhir.

**qualitative** KATA ADJEKTIF
*kualitatif*

**quality** KATA NAMA
(JAMAK **qualities**)
1 *mutu atau kualiti*
◊ *a good quality of life* mutu kehidupan yang baik
♦ **good-quality paper** kertas yang bermutu tinggi
2 *sifat*
◊ *She's got lots of good qualities.* Dia mempunyai banyak sifat yang baik.

**quantitative** KATA ADJEKTIF
*kuantitatif*

**quantity** KATA NAMA
(JAMAK **quantities**)
*jumlah atau kuantiti*

**quarantine** KATA NAMA
*kuarantin*
♦ **in quarantine** dikuarantin

**quarrel** KATA NAMA

> rujuk juga **quarrel** KATA KERJA

*pertelingkahan*
♦ **We had a quarrel.** Kami bertelingkah.

to **quarrel** KATA KERJA

> rujuk juga **quarrel** KATA NAMA

*bertelingkah*

**quarry** KATA NAMA
(JAMAK **quarries**)
*kuari*
◊ *an old limestone quarry* kuari batu kapur yang lama

**quarter** KATA NAMA
*suku*
◊ *three quarters* tiga suku
♦ **a quarter of an hour** lima belas minit
♦ **a quarter past ten** pukul sepuluh suku
♦ **a quarter to eleven** kurang lima belas minit ke pukul sebelas
♦ **quarters** tempat penginapan (*askar, kelasi, orang gaji*)

**quarter-finals** KATA NAMA JAMAK
*suku akhir*

**quartet** KATA NAMA
*kuartet* (*gubahan muzik untuk empat orang*)
♦ **a string quartet** kumpulan empat orang pemuzik yang bermain alat tali

**quay** KATA NAMA
*bagan*

**queasy** KATA ADJEKTIF
*loya*
◊ *I feel queasy.* Saya berasa loya.

**queen** KATA NAMA
1 *ratu*
◊ *Queen Elizabeth* Ratu Elizabeth
2 *permaisuri*
♦ **the queen of hearts** ratu lekuk (*dalam daun terup*)
♦ **the Queen Mother** bonda ratu

**queer** KATA ADJEKTIF
*pelik*

to **quench** KATA KERJA
*menghilangkan*
◊ *Russel drank two glasses of water to quench his thirst.* Russel minum dua gelas air untuk menghilangkan dahaganya.

**query** KATA NAMA
(JAMAK **queries**)

> rujuk juga **query** KATA KERJA

*pertanyaan*

to **query** KATA KERJA
(**queried, queried**)

> rujuk juga **query** KATA NAMA

*mempersoalkan*
◊ *No one queried my decision.* Tidak ada orang yang mempersoalkan keputusan saya. ◊ *They queried the bill.* Mereka mempersoalkan bil tersebut.

**question** KATA NAMA

> rujuk juga **question** KATA KERJA

1 *soalan*
◊ *Can I ask a question?* Bolehkah saya

bertanya satu soalan?

[2] *persoalan*

◊ *It's just a question of...* Persoalannya cuma...

♦ **It's out of the question.** Mustahil.

to **question** KATA KERJA

> rujuk juga **question** KATA NAMA

[1] *menyoal*

◊ *He was questioned by the police.* Dia disoal oleh pihak polis.

[2] *mempersoalkan*

◊ *It never occurs to them to question his decisions.* Mereka tidak pernah terlintas untuk mempersoalkan keputusannya.

**question mark** KATA NAMA

*tanda soal*

**questionnaire** KATA NAMA

*soal selidik*

**queue** KATA NAMA

> rujuk juga **queue** KATA KERJA

*barisan*

◊ *People were standing in a queue outside the cinema.* Orang ramai berdiri dalam satu barisan di luar pawagam itu.

to **queue** KATA KERJA

> rujuk juga **queue** KATA NAMA

*beratur*

◊ *We had to queue for tickets.* Kami terpaksa beratur untuk mendapatkan tiket.

♦ **Please queue up!** Sila beratur!

**quick** KATA ADJEKTIF, KATA ADVERBA

*cepat*

◊ *a quick lunch* makan tengah hari yang cepat ◊ *It's quicker by train.* Perjalanan itu lebih cepat dengan menaiki kereta api.

♦ **She's a quick learner.** Dia seorang pelajar yang terang hati.

♦ **Quick, phone the police!** Cepat, telefon polis!

♦ **Be quick!** Cepat!

to **quicken** KATA KERJA

[1] *mencepatkan*

◊ *I quickened my steps as the sky grew darker.* Saya mencepatkan langkah apabila hari semakin gelap.

[2] *bertambah cepat*

◊ *Ainslie's pulse quickened in alarm.* Nadi Ainslie bertambah cepat kerana cemas.

**quickly** KATA ADVERBA

*dengan cepat*

◊ *It was all over very quickly.* Segala-galanya berlalu dengan begitu cepat.

**quickness** KATA NAMA

*kecepatan*

**quicksand** KATA NAMA

*pasir jerlus*

**quick-tempered** KATA ADJEKTIF

*cepat marah*

**quiet** KATA ADJEKTIF

[1] *senyap*

◊ *You're very quiet today.* Anda sangat senyap hari ini. ◊ *The engine's very quiet.* Enjin itu sangat senyap.

♦ **She's a very quiet girl.** Dia seorang gadis yang pendiam.

[2] *tenteram*

◊ *a quiet little town* pekan kecil yang tenteram ◊ *a quiet weekend* hujung minggu yang tenteram

♦ **Be quiet!** Tolong diam!

♦ **Quiet!** Diam!

**quietly** KATA ADVERBA

*dengan perlahan*

◊ *She's dead. - He said quietly.* Dia sudah tiada. - Katanya dengan suara yang perlahan.

♦ **He quietly opened the door.** Dia membuka pintu itu dengan perlahan-lahan.

**quietness** KATA NAMA

[1] *kesenyapan*

◊ *the quietness of the engine* kesenyapan enjin itu

[2] *ketenangan*

◊ *I miss the quietness of the countryside.* Saya rindu akan ketenangan kawasan luar bandar.

**quilt** KATA NAMA

*kuilt*

**quinine** KATA NAMA

*kuinin*

◊ *Quinine is used to treat malaria.* Kuinin digunakan untuk menyembuhkan penyakit malaria.

to **quit** KATA KERJA

*meletakkan jawatan*

◊ *I quit my job last week.* Saya meletakkan jawatan pada minggu lepas.

♦ **I've been given notice to quit.** Saya diberi notis supaya berhenti kerja.

**quite** KATA ADVERBA

[1] *agak*

◊ *It's quite warm today.* Hari ini agak panas. ◊ *It's quite a long way.* Perjalanan itu agak jauh. ◊ *I quite liked the film, but it was too long.* Saya agak menyukai filem itu, tetapi ceritanya terlalu panjang.

♦ **How was the film? - Quite good.** Bagaimanakah dengan filem itu? - Boleh tahan.

[2] *sekali*

◊ *It's quite different.* Perkara itu berlainan sekali. ◊ *It's quite clear that this plan won't work.* Jelas sekali rancangan ini tidak akan berjaya.

♦ **I quite agree with you.** Saya sangat

**Q**

bersetuju dengan anda.
- **not quite...** tidak begitu... ◊ *I'm not quite sure.* Saya tidak begitu pasti.
- **It's not quite the same.** Perkara itu agak berbeza.
- **quite a...** amat... ◊ *It was quite a shock.* Perkara itu amat mengejutkan.
- **That's quite an experience.** Itu merupakan suatu pengalaman yang amat sukar untuk dilupakan.

> *Dalam contoh-contoh di bawah,* **quite** *boleh bermakna agak atau sangat bergantung pada intonasi.*

- **quite a lot** agak banyak ◊ *quite a lot of money* jumlah wang yang agak banyak ◊ *It costs quite a lot to go abroad.* Perbelanjaan yang agak banyak diperlukan untuk pergi ke luar negara.
- **There were quite a few people there.** Agak ramai orang di sana.

**quiz** KATA NAMA
(JAMAK **quizzes**)
*kuiz*
  ◊ *a quiz show* rancangan kuiz

**quota** KATA NAMA
*kuota*

**quotation** KATA NAMA
*petikan*
  ◊ *a quotation from Shakespeare* petikan daripada karya Shakespeare

**quotation marks** KATA NAMA JAMAK
*tanda petikan*

to **quote** KATA KERJA
> *rujuk juga* **quote** KATA NAMA

*memetik*
  ◊ *He quoted a phrase from Shakespeare.* Dia memetik satu frasa daripada karya Shakespeare.

**quote** KATA NAMA
> *rujuk juga* **quote** KATA KERJA

  [1] *petikan*
  ◊ *a Shakespeare quote* petikan daripada karya Shakespeare
  [2] *sebut harga*
  ◊ *Can you give me a quote for the work?* Bolehkah anda beri saya sebut harga untuk tugasan tersebut?

- **quotes** pengikat kata ◊ *in quotes* dalam pengikat kata

# R

**rabbi** KATA NAMA
*pemimpin agama Yahudi*

**rabbit** KATA NAMA
*arnab*

**rabies** KATA NAMA
*penyakit anjing gila*
+ **a dog with rabies** seekor anjing gila

**race** KATA NAMA

| rujuk juga **race** KATA KERJA |

1 *perlumbaan*
◊ *a cycle race* perlumbaan basikal
2 *bangsa*
◊ *race relations* hubungan bangsa
◊ *the human race* bangsa manusia

to **race** KATA KERJA

| rujuk juga **race** KATA NAMA |

*berlumba*
◊ *I'll race you!* Mari kita berlumba!

**racecourse** KATA NAMA
*padang lumba kuda*

**racehorse** KATA NAMA
*kuda lumba*

**racer** KATA NAMA
*pelumba*

**racetrack** KATA NAMA
1 *litar (untuk kereta, motosikal)*
2 *velodrom (untuk basikal)*

**racial** KATA ADJEKTIF
*kaum*
◊ *racial discrimination* diskriminasi kaum

**racing car** KATA NAMA
*kereta lumba*

**racing driver** KATA NAMA
*pelumba kereta*

**racism** KATA NAMA
*rasialisme*

**racist** KATA ADJEKTIF

| rujuk juga **racist** KATA NAMA |

*bersifat perkauman*

**racist** KATA NAMA

| rujuk juga **racist** KATA ADJEKTIF |

*orang yang bersifat perkauman*
◊ *He's a racist.* Dia seorang yang bersifat perkauman.

**rack** KATA NAMA

| rujuk juga **rack** KATA KERJA |

*rak*

to **rack** KATA KERJA

| rujuk juga **rack** KATA NAMA |

*memeras*
◊ *The students racked their brains to answer the question correctly.* Para pelajar memeras otak untuk menjawab soalan itu dengan betul.
+ **a teenager racked with guilt and anxiety** seorang remaja yang terseksa oleh perasaan bersalah dan bimbang

**racket** KATA NAMA

*raket*
◊ *my tennis racket* raket tenis saya
+ **They're making a terrible racket.**
Mereka sungguh bising.

**racquet** KATA NAMA
*raket*

**radar** KATA NAMA
*radar*

**radiant** KATA ADJEKTIF
*berseri-seri*
◊ *The bride looked radiant.* Pengantin itu kelihatan berseri-seri.

**radiation** KATA NAMA
*radiasi*

**radiator** KATA NAMA
*radiator*

**radical** KATA ADJEKTIF
*radikal*

**radio** KATA NAMA
(JAMAK **radios**)
*radio*
◊ *on the radio* disiarkan dalam radio
◊ *a radio station* stesen radio

**radioactive** KATA ADJEKTIF
*radioaktif*

**radio cassette** KATA NAMA
*radio*

**radio-controlled** KATA ADJEKTIF
*kawalan radio*
◊ *radio-controlled model planes* model kapal terbang kawalan radio

**radish** KATA NAMA
(JAMAK **radishes**)
*lobak*

**radius** KATA NAMA
(JAMAK **radii**)
1 *lingkungan*
◊ *There are three golf courses within a two mile radius of the hotel.* Ada tiga buah padang golf dalam lingkungan dua batu dari hotel itu.
2 *jejari (bulatan)*

**RAF** SINGKATAN (= *Royal Air Force*)
*RAF* (= *Tentera Udara Diraja*) (*di UK*)
+ **He's in the RAF.** Dia berkhidmat dalam pasukan Tentera Udara Diraja United Kingdom.

**raffia** KATA NAMA
*rafia*

**raffle** KATA NAMA
*loteri (terjemahan umum)*
◊ *a raffle ticket* tiket loteri

**raft** KATA NAMA
*rakit*

**rag** KATA NAMA
*kain buruk*
◊ *a piece of rag* sehelai kain buruk
+ **dressed in rags** berpakaian compang-camping

**rage** KATA NAMA
　　*radang*
　　◊ *He flew into a terrible rage.* Dia betul-betul naik radang.
♦ **to be in a rage** naik radang
♦ **It's all the rage.** Benda itu sangat popular sekarang.

to **raid** KATA KERJA
| rujuk juga **raid** KATA NAMA |
| --- |
　　① *menyerang*
　　② *menyerbu*
　　◊ *The police raided a club in Soho.* Polis menyerbu sebuah kelab di Soho.

**raid** KATA NAMA
| rujuk juga **raid** KATA KERJA |
| --- |
　　① *serangan*
　　◊ *a bank raid* serangan ke atas sebuah bank
　　② *serbuan* (oleh polis)

**rail** KATA NAMA
　　① *susur* (pada tangga, titi)
　　② *rel* (pada langsir)
♦ **by rail** dengan kereta api

**railcard** KATA NAMA
　　*kad kereta api*

**railway** KATA NAMA
　　*kereta api*
　　◊ *railway line* landasan kereta api
　　◊ *railway station* stesen kereta api

**rain** KATA NAMA
| rujuk juga **rain** KATA KERJA |
| --- |
　　*hujan*
　　◊ *in the rain* dalam hujan

to **rain** KATA KERJA
| rujuk juga **rain** KATA NAMA |
| --- |
　　*hujan*
　　◊ *It rains a lot here.* Di sini selalu hujan.
♦ **It's raining.** Hujan!

**rainbow** KATA NAMA
　　*pelangi*

**raincoat** KATA NAMA
　　*baju hujan*

**rainfall** KATA NAMA
　　*hujan*

**rainforest** KATA NAMA
　　*hutan hujan*

**rainy** KATA ADJEKTIF
　　*hujan*
　　◊ *rainy season* musim hujan

to **raise** KATA KERJA
　　① *mengangkat*
　　◊ *He raised his hand.* Dia mengangkat tangannya.
　　② *meningkatkan*
　　◊ *They want to raise standards in schools.* Mereka mahu meningkatkan standard di sekolah.
　　③ *menaikkan*
　　◊ *to raise interest rates* menaikkan kadar bunga

♦ **to raise money** mengutip wang ◊ *The school is raising money for a new gym.* Sekolah itu sedang mengutip wang untuk mendirikan sebuah gimnasium yang baru.

**raisin** KATA NAMA
　　*kismis*

**rake** KATA NAMA
　　*pencakar*

**rally** KATA NAMA
　　(JAMAK **rallies**)
| rujuk juga **rally** KATA KERJA |
| --- |
　　① *perhimpunan*
　　◊ *There was rally in Trafalgar Square.* Ada perhimpunan di Trafalgar Square.
　　② *rali* (perlumbaan di jalan raya)
　　◊ *a rally driver* pemandu rali
　　③ *pukulan* (tenis, badminton, dll)

to **rally** KATA KERJA
　　(**rallied, rallied**)
| rujuk juga **rally** KATA NAMA |
| --- |
　　① *bersatu*
　　◊ *They have continued to rally to her support.* Mereka terus bersatu untuk menyokongnya.
　　② *pulih*
　　◊ *He rallied enough to thank his doctors.* Dia sudah cukup pulih untuk mengucapkan terima kasih kepada doktor-doktornya.

to **rally round** KATA KERJA
　　*bersatu*
　　◊ *Many people have rallied round to help the family.* Ramai orang bersatu untuk membantu keluarga itu.

to **ram** KATA KERJA
　　*menghentam*
　　◊ *The thieves rammed a police car.* Pencuri-pencuri itu menghentam sebuah kereta polis.

**ramble** KATA NAMA
| rujuk juga **ramble** KATA KERJA |
| --- |
　　*berjalan-jalan*
　　◊ *to go for a ramble* pergi berjalan-jalan

to **ramble** KATA KERJA
| rujuk juga **ramble** KATA NAMA |
| --- |
　　① *berjalan-jalan*
　　② *merewang* (dalam ucapan, tulisan)

to **ramble on** KATA KERJA
　　*berceloteh*
　　◊ *He rambled on for hours about Lillian.* Dia berceloteh tentang Lillian selama berjam-jam lamanya.

**rambler** KATA NAMA
　　*orang yang suka berjalan-jalan*

**ramp** KATA NAMA
　　*tanjakan* (permukaan yang bercerun)

**rampant** KATA ADJEKTIF
　　*menular*

◊ *Corruption was rampant in the company.* Masalah rasuah menular dalam syarikat itu.

**ran** KATA KERJA *rujuk* **run**

**ranch** KATA NAMA

(JAMAK **ranches**)
*ladang ternak*

**rancid** KATA ADJEKTIF
*tengik (bau)*

**random** KATA ADJEKTIF
*secara rawak*
◊ *a random selection* pemilihan secara rawak
♦ **at random** secara rawak ◊ *We picked the number at random.* Kami memilih nombor itu secara rawak.

**rang** KATA KERJA *rujuk* **ring**

**range** KATA NAMA

| *rujuk juga* **range** KATA KERJA |
|---|

①  *jenis*
◊ *There's a wide range of colours.* Ada pelbagai jenis warna.
♦ **It's out of my price range.** Harga itu terlalu mahal untuk saya.
②  *julat (matematik)*
♦ **a range of mountains** banjaran gunung

to **range** KATA KERJA

| *rujuk juga* **range** KATA NAMA |
|---|

♦ **to range from...to...** antara...hingga...
◊ *Temperatures in summer range from 20 to 35 degrees.* Suhu pada musim panas adalah antara 20 hingga 35 darjah.
◊ *Tickets range from RM2 to RM20.* Tiket-tiket berharga antara RM2 hingga RM20.

**ranger** KATA NAMA
*renjer*

**rank** KATA NAMA

| *rujuk juga* **rank** KATA KERJA |
|---|

*pangkat*
♦ **a taxi rank** perhentian teksi

to **rank** KATA KERJA

| *rujuk juga* **rank** KATA NAMA |
|---|

*menyenaraikan*
◊ *He's ranked third in the badminton team.* Dia disenaraikan sebagai pemain pilihan ketiga dalam pasukan badminton.

to **ransack** KATA KERJA
*menggeledah*
◊ *The thief ransacked the house and stole several objects of value.* Pencuri itu menggeledah dan mencuri beberapa barang berharga di dalam rumah itu.

**ransom** KATA NAMA

| *rujuk juga* **ransom** KATA KERJA |
|---|

*wang tebusan*

to **ransom** KATA KERJA

| *rujuk juga* **ransom** KATA NAMA |
|---|

*menebus*

◊ *He ransomed his son for RM1 million.* Dia menebus anak lelakinya dengan wang berjumlah RM1 juta.

**rap** KATA NAMA
*rap (muzik)*

to **rape** KATA KERJA

| *rujuk juga* **rape** KATA NAMA |
|---|

*merogol*

**rape** KATA NAMA

| *rujuk juga* **rape** KATA KERJA |
|---|

*rogol*

**rapid** KATA ADJEKTIF
*pantas*
◊ *The breathing becomes more rapid.* Pernafasan menjadi lebih pantas.
♦ **rapid development** pembangunan yang pesat

**rapidity** KATA NAMA
*kepesatan*
◊ *the rapidity of the town's development* kepesatan pembangunan bandar itu
♦ **The water rushed through the holes with great rapidity.** Air mengalir menerusi lubang-lubang itu dengan deras sekali.

**rapidly** KATA ADVERBA
①  *dengan pesat*
◊ *The city is developing rapidly.* Bandar itu berkembang dengan pesat.
②  *dengan cepat*
◊ *He was moving rapidly around the room.* Dia bergerak dengan cepat di sekitar bilik itu.

**rapids** KATA NAMA JAMAK
*jeram*

**rapist** KATA NAMA
*perogol*

**rare** KATA ADJEKTIF
①  *luar biasa (benda, haiwan, dll)*
②  *jarang (perkara, kejadian)*
③  *kurang masak (daging)*

**rarely** KATA ADVERBA
*jarang*
◊ *Cases like this rarely happen.* Kes seperti ini jarang berlaku.

**rash** KATA ADJEKTIF

| *rujuk juga* **rash** KATA NAMA |
|---|

*terburu-buru*
◊ *Don't do anything rash.* Jangan buat sebarang perkara yang terburu-buru.

**rash** KATA NAMA

(JAMAK **rashes**)

| *rujuk juga* **rash** KATA ADJEKTIF |
|---|

*ruam*
◊ *I've got a rash on my chest.* Ada ruam pada dada saya.

**rasher** KATA NAMA
*hiris*
◊ *a rasher of bacon* sehiris bakon

**R**

**raspberry** KATA NAMA
(JAMAK **raspberries**)
_raspberi_

**rat** KATA NAMA
_tikus_

**rate** KATA NAMA

> rujuk juga **rate** KATA KERJA

_kadar_
◊ _a high rate of interest_ kadar faedah
yang tinggi ◊ _the birth rate_ kadar
kelahiran
♦ **There are reduced rates for students.**
Terdapat potongan harga untuk pelajar.

to **rate** KATA KERJA

> rujuk juga **rate** KATA NAMA

_menilai_
◊ _They were rated on the basis of the
test._ Mereka dinilai berdasarkan ujian
tersebut.
♦ **He was rated the best player.** Dia
dianggap sebagai pemain terbaik.

**rather** KATA ADVERBA
_agak_
◊ _I was rather disappointed._ Saya agak
kecewa.
♦ **rather a lot of** agak banyak ◊ _I've got
rather a lot of homework to do._ Saya
mempunyai kerja rumah yang agak
banyak untuk dibuat.
♦ **Twenty pounds! That's rather a lot!**
Dua puluh paun! Banyaknya!
♦ **I'd rather...** Saya lebih suka... ◊ _Would
you like a sweet? - I'd rather have an
apple._ Anda mahu gula-gula? - Saya lebih
suka buah epal. ◊ _I'd rather he didn't
come to the party._ Saya lebih suka jika
dia tidak datang ke majlis itu.
♦ **rather than...** daripada... ◊ _We
decided to camp, rather than stay at a
hotel._ Kami membuat keputusan pergi
berkhemah daripada menginap di hotel.

**ratification** KATA NAMA
_ratifikasi_

to **ratify** KATA KERJA
(**ratified, ratified**)
_meratifikasi_

**ratio** KATA NAMA
(JAMAK **ratios**)
_nisbah_

**ration** KATA NAMA

> rujuk juga **ration** KATA KERJA

_catuan_
◊ _The meat ration was down to one
kilogram per person._ Catuan daging
dikurangkan menjadi sekilo seorang.

to **ration** KATA KERJA

> rujuk juga **ration** KATA NAMA

_mencatu_
◊ _The decision to ration rice was made_

_yesterday._ Keputusan untuk mencatu
beras dibuat kelmarin.

**rational** KATA ADJEKTIF
_rasional_

**rationing** KATA NAMA
_pencatuan_

**rattan** KATA NAMA
_rotan_

**rattle** KATA NAMA

> rujuk juga **rattle** KATA KERJA

_bunyi detar_
◊ _They was a rattle of rifle-fire._ Ada
bunyi detar tembakan senapang.

to **rattle** KATA KERJA

> rujuk juga **rattle** KATA NAMA

_berdetar_
◊ _I heard glasses rattling in the kitchen._
Saya terdengar bunyi gelas berdetar di
dapur.

to **rattle on** KATA KERJA
_berceloteh_

**rattling** KATA NAMA
_bunyi detar_
◊ _At that moment, there was a rattling at
the door._ Pada masa itu, terdengar bunyi
detar pada pintu.

to **rave** KATA KERJA
1 _meracau_
2 _mengomel_
◊ _He started raving about being treated
badly._ Dia mula mengomel tentang dirinya
yang diperlakukan dengan buruk.
♦ **They raved about the film.** Mereka tidak
habis-habis bercerita tentang filem itu.

**raven** KATA NAMA
_burung raven_

**ravine** KATA NAMA
_gaung_

**raving** KATA ADJEKTIF, KATA ADVERBA
_betul-betul_
◊ _a raving lunatic_ orang yang betul-
betul gila ◊ _to be raving mad_ betul-betul
gila

**ravings** KATA NAMA JAMAK
_igauan_

**raw** KATA ADJEKTIF
_mentah_
◊ _raw food_ makanan mentah
◊ _raw material_ bahan mentah

**ray** KATA NAMA
_sinar_
◊ _The sun's rays can penetrate water._
Sinar cahaya matahari boleh menembusi
air.

**razor** KATA NAMA
_pencukur_
♦ **razor blade** pisau cukur

**RE** SINGKATAN (= _Religious Education_)
_Pendidikan Agama_

to **reach** KATA KERJA

> *rujuk juga* **reach** KATA NAMA

[1] *sampai*
◊ *We reached the hotel at seven o'clock.* Kami sampai di hotel pada pukul tujuh.
♦ **We hope to reach the final.** Kami berharap dapat memasuki pertandingan akhir.
♦ **Eventually they reached a decision.** Akhirnya mereka mencapai keputusan.
[2] *menghubungi*
◊ *How can I reach you?* Bagaimanakah saya dapat menghubungi anda?

**reach** KATA NAMA

> *rujuk juga* **reach** KATA KERJA

*jangkauan*
◊ *out of reach* di luar jangkauan
♦ **Keep medicines out of the reach of children.** Jauhkan ubat-ubatan daripada kanak-kanak.
♦ **within easy reach of** dekat dengan
◊ *The hotel is within easy reach of the town centre.* Hotel itu dekat dengan pusat bandar.

to **react** KATA KERJA

[1] *menunjukkan reaksi*
◊ *He reacted badly to the news.* Dia tidak menunjukkan reaksi yang baik terhadap berita itu.
♦ **How did she react?** Bagaimanakah reaksinya?
[2] *bertindak balas*

**reaction** KATA NAMA

[1] *reaksi*
◊ *You need a good eye and quick reactions.* Penglihatan anda perlu tajam dan reaksi anda perlu cepat.
[2] *tindak balas*
◊ *chemical reaction* tindak balas kimia

**reactor** KATA NAMA

*reaktor*
◊ *a nuclear reactor* reaktor nuklear

to **read** KATA KERJA

**(read, read)**
*membaca*
◊ *I don't read much.* Saya tidak banyak membaca. ◊ *Read the text out loud.* Baca teks itu dengan kuat.

to **read out** KATA KERJA

*membaca*
◊ *I was reading it out to the children.* Saya sedang membacanya untuk anak-anak.

**readable** KATA KERJA

[1] *menarik untuk dibaca*
◊ *This is a very readable book.* Buku ini sangat menarik untuk dibaca.
[2] *boleh dibaca*
◊ *a readable script* skrip yang boleh

dibaca

**reader** KATA NAMA

*pembaca*

**readily** KATA ADVERBA

*sanggup*
◊ *When I was invited to the party, I readily accepted.* Apabila saya dijemput ke majlis itu, saya sanggup pergi.
♦ **Petrol evaporates more readily than water.** Petrol lebih mudah sejat berbanding air.

**reading** KATA NAMA

*bacaan*
◊ *I'll see you in the reading room.* Saya akan berjumpa dengan anda di bilik bacaan.
♦ **I like reading.** Saya suka membaca.

**ready** KATA ADJEKTIF

*bersedia*
◊ *He's always ready to help.* Dia sentiasa bersedia untuk membantu.
♦ **The meal is ready.** Hidangan sudah disediakan.
♦ **She's nearly ready.** Dia sudah hampir siap.
♦ **to get ready** bersedia
♦ **to get something ready** menyiapkan sesuatu ◊ *He's getting the dinner ready.* Dia sedang menyiapkan makan malam.

**real** KATA ADJEKTIF

[1] *sebenar*
◊ *the real reason* alasan sebenar
♦ **It was a real nightmare.** Peristiwa itu benar-benar satu mimpi ngeri.
[2] *asli*
◊ *It's real leather.* Ini kulit asli.

**real estate** KATA NAMA

*harta tanah*

**realistic** KATA ADJEKTIF

*realistik*

**reality** KATA NAMA

*kenyataan* atau *realiti*

**realization** KATA NAMA

[1] *kesedaran*
◊ *There is now a realization that things cannot go on like this.* Sekarang sudah ada kesedaran bahawa keadaan tidak boleh diteruskan seperti ini lagi.
[2] *realisasi*
◊ *the realization of her dream* realisasi impiannya

to **realize** KATA KERJA

*menyedari*
◊ *We realized that something was wrong.* Kami menyedari bahawa ada sesuatu yang tidak kena.
♦ **He finally realized his ambition of becoming a pilot.** Angan-angannya untuk menjadi seorang juruterbang

**R**

akhirnya menjadi kenyataan.

**really** KATA ADVERBA

*betul*

◊ *I'm learning German. - Really?* Saya sedang belajar bahasa Jerman. - Betulkah?

♦ **Do you really think so?** Anda betul-betul fikir begitu?

♦ **She's really nice.** Dia sangat baik.

♦ **Do you like him? - Not really.** Adakah anda menyukainya? - Tidak, saya tidak begitu menyukainya.

to **reap** KATA KERJA

[1] *memungut*

◊ *The painting depicts peasants reaping a harvest of fruits and vegetables.* Lukisan itu menggambarkan para petani sedang memungut hasil buah-buahan dan sayur-sayuran.

[2] *memperoleh*

◊ *They reaped immense financial rewards from the project.* Mereka memperoleh keuntungan yang banyak daripada projek itu.

**rear** KATA NAMA

> *rujuk juga* **rear** KATA ADJEKTIF, KATA KERJA

*bahagian belakang*

◊ *at the rear of the train* pada bahagian belakang kereta api

**rear** KATA ADJEKTIF

> *rujuk juga* **rear** KATA NAMA, KATA KERJA

*belakang*

◊ *the rear wheel* roda belakang

to **rear** KATA KERJA

> *rujuk juga* **rear** KATA ADJEKTIF, KATA NAMA

[1] *membesarkan*

◊ *She reared five children.* Dia membesarkan lima orang anak.

[2] *memelihara*

◊ *She spends a lot of time rearing animals.* Dia menghabiskan banyak masanya untuk memelihara binatang.

**reason** KATA NAMA

> *rujuk juga* **reason** KATA KERJA

*alasan*

◊ *There's no reason to think that he's dangerous.* Tidak ada alasan untuk menganggap dia seorang yang berbahaya.

♦ **for security reasons** atas sebab-sebab keselamatan

♦ **That was the main reason I went.** Itulah sebab utama saya pergi ke sana.

to **reason** KATA KERJA

> *rujuk juga* **reason** KATA NAMA

*menaakul*

◊ *He reasoned that the conclusion was true.* Dia menaakul bahawa kesimpulan itu benar.

**reasonable** KATA ADJEKTIF

[1] *munasabah*

◊ *a reasonable decision* keputusan yang munasabah

♦ **Be reasonable!** Bertimbang rasalah sedikit!

[2] *agak baik*

◊ *He wrote a reasonable essay.* Dia menulis sebuah karangan yang agak baik.

♦ **The price is quite reasonable.** Harganya agak berpatutan.

**reasonably** KATA ADVERBA

[1] *agak*

◊ *The team played reasonably well.* Pasukan itu bermain dengan agak baik.

[2] *berpatutan*

◊ *reasonably priced accommodation* harga penginapan yang berpatutan

**reasoning** KATA NAMA

*penaakulan*

to **reassure** KATA KERJA

*menenangkan*

◊ *I tried to reassure her that everything would be OK.* Saya cuba menenangkannya bahawa segala-galanya akan menjadi baik.

**reassuring** KATA ADJEKTIF

*menenangkan*

**rebel** KATA NAMA

> *rujuk juga* **rebel** KATA KERJA

*pemberontak*

to **rebel** KATA KERJA

> *rujuk juga* **rebel** KATA NAMA

*memberontak*

◊ *to rebel against the government* memberontak melawan kerajaan

**rebellious** KATA ADJEKTIF

*suka memberontak*

**rebelliousness** KATA NAMA

*sikap suka memberontak*

◊ *Joe's rebelliousness is a reaction to his mother's restrictions.* Sikap Joe yang suka memberontak merupakan tindak balas daripada kongkongan emaknya.

to **rebrand** KATA KERJA

*menukar imej* (produk, organisasi)

**rebranding** KATA NAMA

*penukaran imej*

◊ *the rebranding of a company* penukaran imej syarikat

**rebuke** KATA NAMA

*teguran*

◊ *The naughty student ignored his teacher's rebuke.* Pelajar yang nakal itu tidak menghiraukan teguran gurunya.

to **rebut** KATA KERJA

_menyangkal_
◊ Ken rebutted the statement made against him. Ken menyangkal kenyataan yang dibuat terhadapnya.

to **recall** KATA KERJA
_mengingati_
◊ I tried to recall her name. Saya cuba mengingati namanya.
♦ **I recalled the way they had danced together.** Saya teringat kembali cara mereka menari bersama.

**receipt** KATA NAMA
_resit_

to **receive** KATA KERJA
_menerima_

**receiver** KATA NAMA
_penerima_
♦ **to pick up the receiver** mengangkat gagang telefon

**recent** KATA ADJEKTIF
_terkini_
◊ recent scientific discoveries penemuan saintifik yang terkini
♦ **in recent weeks** beberapa minggu kebelakangan ini

**recently** KATA ADVERBA
_kebelakangan ini_
◊ I haven't seen him recently. Saya tidak nampak dia kebelakangan ini.
♦ **until recently** sehingga kini

**receptacle** KATA NAMA
_bekas_

**reception** KATA NAMA
1 _tempat menyambut tetamu_
◊ Please leave your key at reception. Sila tinggalkan kunci anda di tempat menyambut tetamu.
2 _majlis_
◊ The reception will be at a big hotel. Majlis itu akan diadakan di sebuah hotel yang besar.

**receptionist** KATA NAMA
_penyambut tetamu_
◊ She's a receptionist in a hotel. Dia bekerja sebagai penyambut tetamu di sebuah hotel.

**receptive** KATA ADJEKTIF
_terbuka_
◊ Your mind will be more receptive when your horizons expand. Anda akan berfikiran lebih terbuka apabila horizon anda semakin meluas.

**recession** KATA NAMA
_kemelesetan_

**recipe** KATA NAMA
_resipi_

**recipient** KATA NAMA
_penerima_

to **recite** KATA KERJA

_mendeklamasikan_
◊ They recited poetry at the ceremony. Mereka mendeklamasikan sajak dalam upacara itu.

**reckless** KATA ADJEKTIF
_bertindak melulu_
◊ She was reckless. Dia bertindak melulu.
♦ **a reckless driver** pemandu yang memandu dengan cara yang berbahaya

**recklessly** KATA ADVERBA
_secara melulu_
◊ He always acts recklessly. Dia selalu bertindak secara melulu.

to **reckon** KATA KERJA
_menganggap_
◊ the price is reckoned to be too high harga barang itu dianggap terlalu mahal
♦ **What do you reckon?** Apakah pendapat anda?

to **reclaim** KATA KERJA
1 _mendapat balik_
◊ She reclaimed her property. Dia mendapat balik hartanya.
2 _menebus guna_
◊ They have reclaimed a lot of land from the sea. Mereka menebus guna banyak tanah dari laut.

**reclining** KATA ADJEKTIF
_boleh direbahkan_
◊ a reclining seat tempat duduk yang boleh direbahkan

**recognition** KATA NAMA
_pengiktirafan_
◊ Her work was not given the recognition it deserved. Kerjanya tidak diberi pengiktirafan yang sewajarnya.
♦ **Mazlan searched for a sign of recognition on Ali's face.** Mazlan melihat air muka Ali untuk mengetahui sama ada Ali mengenalinya.

**recognizable** KATA ADJEKTIF
_dapat dikenali_

to **recognize** KATA KERJA
1 _mengecam_
◊ The receptionist recognized him at once. Penyambut tetamu itu dapat mengecamnya dengan serta-merta.
2 _memperakui_
◊ The company did not recognize his degree. Syarikat itu tidak memperakui ijazahnya.

to **recommend** KATA KERJA
_mengesyorkan_
◊ What do you recommend? Apakah yang anda syorkan?
♦ **to recommend against something** mengesyorkan supaya jangan ◊ They recommended against revising the

R

standards. Mereka mengesyorkan supaya jangan mengubah standard.

to **reconsider** KATA KERJA
_mempertimbangkan semula_

**record** KATA NAMA

> rujuk juga record KATA KERJA

① _piring hitam_
② _rekod_
◊ _the world record_ rekod dunia
◊ _criminal record_ rekod jenayah
♦ **He won the race in record time.** Dia memenangi perlumbaan itu dalam catatan masa terpantas.

to **record** KATA KERJA

> rujuk juga record KATA NAMA

_merakamkan_
◊ _They've just recorded their new album._ Mereka baru sahaja merakamkan album terbaru mereka.

**recorded delivery** KATA NAMA
_surat berdaftar_
◊ _to send something recorded delivery_ menghantar sesuatu melalui surat berdaftar

**recorder** KATA NAMA
① _rekoder_
② _perakam_
◊ _cassette recorder_ perakam kaset
◊ _video recorder_ perakam video

**recording** KATA NAMA
_rakaman_

**record player** KATA NAMA
_pemain piring hitam_

to **recover** KATA KERJA
_pulih_
◊ _He's recovering from a knee injury._ Kecederaan lututnya semakin pulih.

**recovery** KATA NAMA
_pemulihan_
♦ **Best wishes for a speedy recovery!** Semoga cepat sembuh!

**recreation** KATA NAMA
_rekreasi_

**recreational** KATA ADJEKTIF
_rekreasi_
◊ _parks and other recreational facilities_ taman dan kemudahan rekreasi yang lain
♦ **recreational use of alcohol** penggunaan alkohol untuk berekreasi

**recruit** KATA NAMA
_rekrut_

**recruitment** KATA NAMA
① _pengambilan_ (pekerja, tentera)
② _pengambilan ahli baru_ (dalam kelab, dll)

**rectangle** KATA NAMA
_segi empat tepat_

**rectangular** KATA ADJEKTIF
_berbentuk segi empat tepat_

to **rectify** KATA KERJA
**(rectified, rectified)**
_membetulkan_
◊ _That mistake can be rectified within 28 days._ Kesilapan itu boleh dibetulkan dalam masa 28 hari.

to **recycle** KATA KERJA
_mengitar semula_
♦ **The report is printed on recycled paper.** Laporan itu dicetak di atas kertas kitar semula.

**recycling** KATA NAMA
_kitaran semula_

**recycling bin** KATA NAMA
_tong kitar semula_

**red** KATA ADJEKTIF
_merah_
◊ _a red rose_ sekuntum bunga ros merah ◊ _to go through a red light_ melanggar lampu merah ◊ _red wine_ wain merah
♦ **red meat** daging merah

> _daging lembu atau biri-biri yang berwarna perang setelah dimasak_

♦ **Gavin's got red hair.** Rambut Gavin berwarna perang kemerah-merahan.

**red bean** KATA NAMA
_kacang merah_

**red card** KATA NAMA
_kad merah_ (bola sepak, ragbi)

**Red Cross** KATA NAMA
_Persatuan Palang Merah_

**redcurrant** KATA NAMA
_kismis merah_

to **redden** KATA KERJA
_menjadi merah_
◊ _She reddened instantly._ Mukanya menjadi merah dengan serta-merta.

**reddish** KATA ADJEKTIF
_kemerah-merahan_

to **redecorate** KATA KERJA
_menghias semula_ (dengan cat atau kertas hias dinding)

to **redeem** KATA KERJA
_menebus maruah_
◊ _He wanted to redeem himself._ Dia ingin menebus maruahnya.

**redemption** KATA NAMA
_penebusan_
◊ _the redemption of the loan_ penebusan pinjaman itu

**red-haired** KATA ADJEKTIF
_berambut perang kemerah-merahan_

**red-handed** KATA ADJEKTIF
_ketika sedang melakukan kesalahan_
◊ _to catch somebody red-handed_ menangkap seseorang ketika sedang melakukan kesalahan

**redhead** KATA NAMA

*orang yang berambut perang*
*kemerah-merahan*

to **redo** KATA KERJA
(**redid, redone**)
*membuat semula*

to **redouble** KATA KERJA
*melipatgandakan*
◊ *Students should redouble their efforts in order to achieve better results.* Pelajar harus melipatgandakan usaha untuk mendapat keputusan yang lebih baik.

to **reduce** KATA KERJA
*mengurangkan*
◊ *This reduces the risk of fire.* Ini mengurangkan risiko kebakaran.
♦ **at a reduced price** pada harga potongan
♦ **"reduce speed now"** "kurangkan kelajuan sekarang"

**reduction** KATA NAMA
*pengurangan*
◊ *a five per cent reduction* pengurangan sebanyak lima peratus
♦ **"Huge reductions!"** "Potongan hebat!"

**redundancy** KATA NAMA
(JAMAK **redundancies**)
*pemberhentian*
♦ **Thousands of bank employees are facing redundancy as their employers cut costs.** Beribu-ribu pekerja bank mungkin diberhentikan kerana majikan mereka mahu mengurangkan kos.
♦ **a redundancy payment** bayaran pampasan untuk pekerja yang diberhentikan

**redundant** KATA ADJEKTIF
*tidak diperlukan*
◊ *Changes in technology may mean that once-valued skills are now redundant.* Perubahan teknologi mungkin bermaksud kemahiran yang dahulunya berharga, sudah tidak diperlukan lagi sekarang.
♦ **to be made redundant** diberhentikan

**reed** KATA NAMA
*sejenis tumbuhan yang panjang, tumbuh di kawasan cetek dan berpaya serta digunakan untuk membuat alas atau raga*

**reef** KATA NAMA
*terumbu*

**reel** KATA NAMA
*gelendong*

to **refer** KATA KERJA
*merujuk*
◊ *He referred to his notebook.* Dia merujuk kepada buku notanya.
♦ **What are you referring to?** Apakah yang anda maksudkan?

**referee** KATA NAMA
*pengadil*

**reference** KATA NAMA
*rujukan*
◊ *a reference book* buku rujukan
♦ **He made no reference to the murder.** Dia tidak menyebut tentang pembunuhan itu.
♦ **Would you please give me a reference?** Bolehkah anda beri saya surat sokongan?

to **refill** KATA KERJA
*mengisi semula*
◊ *He refilled my glass.* Dia mengisi gelas saya semula.

to **refine** KATA KERJA
*menapis*
◊ *Oil is refined to remove impurities.* Minyak ditapis untuk menyingkirkan bendasing.

**refined** KATA ADJEKTIF
*bertapis*
◊ *refined sugar* gula bertapis

**refinery** KATA NAMA
(JAMAK **refineries**)
*kilang penapisan*

to **reflect** KATA KERJA
[1] *mencerminkan* (*sifat, keadaan*)
♦ **Happiness was reflected in her face.** Kegembiraan terbayang pada wajahnya.
[2] *memantulkan* (*imej, cahaya*)

**reflection** KATA NAMA
[1] *bayang*
[2] *pantulan*

**reflex** KATA NAMA
(JAMAK **reflexes**)
*tindakan refleks*

**reflexive** KATA ADJEKTIF
*refleksif*
◊ *a reflexive verb* kata kerja refleksif

**reform** KATA NAMA
*rujuk juga* **reform** KATA KERJA
*pembaharuan*

to **reform** KATA KERJA
*rujuk juga* **reform** KATA NAMA
*merombak*
◊ *The new manager reformed the company's administrative system.* Pengurus baru itu merombak sistem pentadbiran syarikatnya.

to **refract** KATA KERJA
*membiaskan*
◊ *The student used a lens to refract light.* Pelajar itu menggunakan kanta untuk membiaskan cahaya.
♦ **Light is refracted when it enters water.** Cahaya terbias apabila masuk ke dalam air.

to **refrain** KATA KERJA
*menahan diri*
◊ *She refrained from making any*

**R**

*comment.* Dia menahan diri daripada memberikan sebarang komen.

to **refresh**   KATA KERJA
*menyegarkan*
◊ *The lotion cools and refreshes the skin.* Losen itu menyejukkan dan menyegarkan kulit.

**refresher course**   KATA NAMA
*kursus meningkatkan pengetahuan*

> **refresher course** *ialah kursus latihan yang dapat meningkatkan pengetahuan dan kemahiran seseorang. Kursus ini membolehkan seseorang itu mengetahui perkembangan baru yang berkaitan dengan pekerjaannya.*

**refreshing**   KATA ADJEKTIF
① *menyegarkan*
◊ *a refreshing drink* minuman yang menyegarkan
② *memberangsangkan*
◊ *It was a refreshing change.* Perubahan itu memberangsangkan.

**refreshments**   KATA NAMA JAMAK
*makanan dan minuman ringan*

to **refrigerate**   KATA KERJA
*menyejukkan* (*di dalam peti sejuk*)

**refrigerator**   KATA NAMA
*peti sejuk*

to **refuel**   KATA KERJA
*mengisi minyak*
◊ *The plane stops in Boston to refuel.* Kapal terbang itu berhenti di Boston untuk mengisi minyak.

**refuge**   KATA NAMA
*tempat perlindungan*

**refugee**   KATA NAMA
*pelarian*

**refund**   KATA NAMA
> *rujuk juga* **refund** KATA KERJA

*bayaran balik*

to **refund**   KATA KERJA
> *rujuk juga* **refund** KATA NAMA

*membayar balik*

**refusal**   KATA NAMA
*keengganan*
◊ *her refusal to accept money* keengganannya menerima wang

to **refuse**   KATA KERJA
> *rujuk juga* **refuse** KATA NAMA

*enggan*
◊ *He refused to comment.* Dia enggan memberikan komen.

**refuse**   KATA NAMA
> *rujuk juga* **refuse** KATA KERJA

*sampah*
◊ *refuse collection* kutipan sampah

to **regain**   KATA KERJA
*mendapatkan semula*

◊ *Troops have regained control of the city.* Pihak tentera berjaya mendapatkan semula kuasa mereka di bandar itu.
♦ **to regain consciousness** sedar semula

to **regard**   KATA KERJA
> *rujuk juga* **regard** KATA NAMA

*menganggap*
◊ *They regarded it as unfair.* Mereka menganggap perkara itu tidak adil.
♦ **as regards...** berkaitan dengan...

**regard**   KATA NAMA
> *rujuk juga* **regard** KATA KERJA

*salam*
◊ *Give my regards to Alice.* Sampaikan salam saya kepada Alice.
♦ **"with kind regards"** "salam mesra"
♦ **with regard to** berhubung dengan

**regarding**   KATA SENDI
*berkaitan dengan*
◊ *the laws regarding the export of animals* undang-undang yang berkaitan dengan eksport haiwan
♦ **Regarding John,...** Berkenaan dengan John,...

**regardless**   KATA ADVERBA
♦ **to carry on regardless** tetap meneruskan ◊ *I told her to stop but she carried on regardless.* Saya menyuruh dia berhenti, tetapi dia tetap meneruskannya. ◊ *We felt desperate but decided to carry on regardless.* Kami berasa terdesak tetapi kami mengambil keputusan untuk tetap meneruskannya.
♦ **regardless of** tanpa mengira
◊ *regardless of religion, colour or creed* tanpa mengira agama, warna kulit atau fahaman

**regiment**   KATA NAMA
*rejimen*

**region**   KATA NAMA
① *kawasan*
② *wilayah*

**regional**   KATA ADJEKTIF
*wilayah*

**register**   KATA NAMA
> *rujuk juga* **register** KATA KERJA

*daftar*
♦ **to call the register** mengambil kedatangan

to **register**   KATA KERJA
> *rujuk juga* **register** KATA NAMA

*mendaftar*
♦ **The car was registered in his wife's name.** Kereta itu didaftarkan atas nama isterinya.

**registered**   KATA ADJEKTIF
*berdaftar*
◊ *a registered letter* surat berdaftar

**registrar**   KATA NAMA

*pendaftar*

**registration**　KATA NAMA

*pendaftaran*

◊ *Registration starts at 8.30.*
Pendaftaran bermula pada pukul 8.30.

to **regret**　KATA KERJA

> rujuk juga **regret** KATA NAMA

*menyesal*

◊ *Try it, you won't regret it!* Cubalah,
anda pasti tidak akan menyesal!

♦ **to regret doing something** menyesal
kerana melakukan sesuatu ◊ *I regret
saying that.* Saya menyesal kerana
berkata demikian.

**regret**　KATA NAMA

> rujuk juga **regret** KATA KERJA

*sesalan*

♦ **I've got no regrets.** Saya tidak
menyesal.

**regretful**　KATA ADJEKTIF

*penuh sesal*

◊ *He gave a regretful smile.* Dia
senyum dengan penuh sesal.

**regular**　KATA ADJEKTIF

1 *tetap*

◊ *at regular intervals* pada jeda yang
tetap ◊ *to take regular exercise*
melakukan senaman yang tetap

2 *biasa*

◊ *a regular portion of fries* kentang
goreng saiz biasa

**regularly**　KATA ADVERBA

1 *selalu*

2 *secara tetap*

◊ *to breathe regularly* bernafas secara
tetap

**regulations**　KATA NAMA JAMAK

*peraturan*

◊ *It's against the regulations.* Perbuatan
itu melanggar peraturan. ◊ *safety
regulations* peraturan keselamatan

to **rehabilitate**　KATA KERJA

*memulihkan*

◊ *Efforts must be made to rehabilitate
drug addicts.* Usaha perlu dilakukan
untuk memulihkan penagih dadah.

**rehearsal**　KATA NAMA

*latihan*

♦ **dress rehearsal** latihan penuh

to **rehearse**　KATA KERJA

*berlatih*

to **reimburse**　KATA KERJA

*membayar balik*

◊ *The company will reimburse you for
your expenses.* Syarikat akan membayar
balik perbelanjaan anda.

to **reincarnate**　KATA KERJA

*menjelma semula*

◊ *They believe that they will be*

*reincarnated after they die.* Mereka
percaya bahawa mereka akan menjelma
semula selepas mereka mati.

**reincarnation**　KATA NAMA

*penjelmaan semula*

**reindeer**　KATA NAMA

*rusa kutub*

to **reinforce**　KATA KERJA

*memperkuat*

◊ *Extra soldiers were sent to reinforce
the army.* Askar tambahan dihantar untuk
memperkuat barisan tentera itu.

♦ **to reinforce a belief** memperkukuhkan
sesuatu kepercayaan

to **rein in**　KATA KERJA

1 *mengawal*

◊ *to rein in inflation* mengawal inflasi

2 *mengekang*

◊ *Walter was not able to rein the horse
in.* Walter tidak berupaya mengekang
kuda itu.

**reins**　KATA NAMA JAMAK

*tali kekang kuda*

to **reject**　KATA KERJA

*menolak*

◊ *I applied but they rejected me.* Saya
memohon tetapi mereka menolak
permohonan saya.

**rejection**　KATA NAMA

*penolakan*

◊ *the rejection of an application*
penolakan permohonan

to **relapse**　KATA KERJA

> rujuk juga **relapse** KATA NAMA

1 *berbalik*

◊ *He relapsed into his childish
behaviour.* Dia berbalik kepada perangai
keanak-anakannya.

2 *kambuh*

◊ *The patient relapsed within six months.*
Pesakit itu kambuh dalam masa enam
bulan.

**relapse**　KATA NAMA

> rujuk juga **relapse** KATA KERJA

*kambuh*

♦ **to have a relapse** kambuh

to **relate**　KATA KERJA

1 *berkaitan*

◊ *Elizabeth is interested in any job
relating to real estate.* Elizabeth meminati
semua kerja yang berkaitan dengan harta
tanah.

♦ **She tried to relate the two matters.**
Dia cuba mengaitkan dua perkara itu.

2 *menceritakan*

◊ *Mother related the incident to me.*
Ibu menceritakan kejadian itu kepada
saya.

**related**　KATA ADJEKTIF

R

[1] _mempunyai hubungan kekeluargaan_
◊ _We're related._ Kami mempunyai hubungan kekeluargaan. ◊ _Are you related to her?_ Apakah anda mempunyai hubungan kekeluargaan dengannya?
[2] _berkaitan_
◊ _The two events are not related._ Kedua-dua peristiwa itu tidak berkaitan.

**relation** KATA NAMA
[1] _saudara_
◊ _He's a distant relation._ Dia saudara jauh saya.
[2] _kaitan_
◊ _It has no relation to his business._ Hal itu tidak ada kaitan dengan perniagaannya.
♦ **in relation to** berkenaan dengan

**relationship** KATA NAMA
_hubungan_
◊ _Their relationship is over._ Hubungan mereka telah putus.
♦ **I'm not in a relationship at the moment.** Saya tidak terlibat dalam sebarang hubungan yang serius pada masa ini.

**relative** KATA NAMA
_saudara_

**relatively** KATA ADVERBA
_jika dibandingkan dengan + kata nama_
◊ _It's relatively easy._ Perkara itu mudah sahaja jika dibandingkan dengan perkara lain.

**relaunch** KATA NAMA
_pelancaran semula_ (_skim, majalah, buku, dll_)

to **relax** KATA KERJA
_berehat_
◊ _I relax by listening to music._ Saya berehat dengan mendengar muzik.
♦ **Relax! Everything's fine.** Bertenang! Semuanya berjalan lancar.

**relaxation** KATA NAMA
_bersantai_
◊ _I don't have much time for relaxation._ Saya tidak mempunyai banyak masa untuk bersantai.

**relaxed** KATA ADJEKTIF
_relaks_

**relaxing** KATA ADJEKTIF
_merelakskan_
◊ _Having a bath is very relaxing._ Mandi amat merelakskan. ◊ _I find cooking relaxing._ Saya mendapati memasak merelakskan.

**relay** KATA NAMA
_perlumbaan berganti-ganti_
♦ **a relay race** perlumbaan berganti-ganti

to **release** KATA KERJA
| _rujuk juga_ **release** KATA NAMA |
[1] _membebaskan_ (_banduan_)

[2] _melaporkan_ (_laporan, berita_)
[3] _mengeluarkan_ (_rekod, video_)
[4] _melepaskan_ (_haiwan, dari tanggungjawab, dll_)

**release** KATA NAMA
| _rujuk juga_ **release** KATA KERJA |
_pembebasan_
◊ _the release of Nelson Mandela_ pembebasan Nelson Mandela
♦ **the band's latest release** album terbaru kumpulan muzik tersebut

**relegated** KATA ADJEKTIF
_diturunkan_
◊ _Our team was relegated._ Pasukan kami telah diturunkan.

**relevant** KATA ADJEKTIF
_berkaitan_
◊ _We've passed all relevant information on to the police._ Kami telah menyerahkan semua maklumat yang berkaitan kepada pihak polis.

**reliable** KATA ADJEKTIF
_boleh diharap_
◊ _a reliable car_ kereta yang boleh diharap ◊ _He's not very reliable._ Dia tidak begitu boleh diharap.

**relief** KATA NAMA
_kelegaan_
♦ **That's a relief!** Lega rasanya!
♦ **Much to my relief she made no objection.** Saya berasa lega kerana dia tidak membuat sebarang bantahan.

to **relieve** KATA KERJA
_melegakan_
◊ _This injection will relieve the pain._ Suntikan ini akan melegakan kesakitan.

**relieved** KATA ADJEKTIF
_lega_
♦ **to be relieved** berasa lega ◊ _I was relieved to hear he was better._ Saya berasa lega apabila mengetahui dia sudah beransur pulih.

**religion** KATA NAMA
_agama_
◊ _What religion are you?_ Apakah agama anda?

**religious** KATA ADJEKTIF
[1] _agama_
◊ _different religious beliefs_ kepercayaan agama yang berbeza
[2] _sangat patuh kepada ajaran agama_
◊ _He's very religious._ Dia sangat patuh kepada ajaran agamanya.

to **relocate** KATA KERJA
_menempatkan semula_

**reluctant** KATA ADJEKTIF
_keberatan_
♦ **to be reluctant to do something** keberatan untuk melakukan sesuatu

◊ *They were reluctant to help us.*
Mereka keberatan untuk membantu kami.
**reluctantly**   KATA ADVERBA
*dengan berat hati*
◊ *She reluctantly accepted the offer.*
Dia menerima tawaran itu dengan berat hati.
to **rely on**   KATA KERJA
*berharap pada*
◊ *I'm relying on you.*  Saya berharap pada anda.
to **remain**   KATA KERJA
*terus*
◊ *to remain silent*  terus membisu
◊ *The government remained in control.*
Kerajaan itu terus berkuasa.
♦ **The situation remains tense.**  Situasi itu masih tegang.
♦ **He remains patient even when the children misbehave.**  Dia tetap sabar walaupun ketika budak-budak itu nakal.
**remainder**   KATA NAMA
*selebihnya*
◊ *Put the remainder of the food into the fridge.*  Simpan makanan yang selebihnya ke dalam peti sejuk.
**remaining**   KATA ADJEKTIF
*tinggal*
◊ *the remaining ingredients*  bahan-bahan yang tinggal
**remains**   KATA NAMA JAMAK
*saki-baki*
◊ *the remains of the picnic*  saki-baki daripada perkelahan tersebut
♦ **human remains**  jasad
♦ **Roman remains**  tinggalan Rom
**remake**   KATA NAMA
*filem versi baru*
**remark**   KATA NAMA
1 *komen*
2 *kata-kata*
◊ *His remarks hurt me.*  Kata-katanya menyakitkan hati saya.
**remarkable**   KATA ADJEKTIF
*luar biasa*
**remarkably**   KATA ADVERBA
*sungguh menakjubkan*
◊ *Remarkably, he was unhurt in the accident.*  Sungguh menakjubkan, dia tidak cedera dalam kemalangan itu.
♦ **She was remarkably calm when she heard the news.**  Dia tenang sahaja apabila mendengar berita itu.
to **remarry**   KATA KERJA
**(remarried, remarried)**
*berkahwin semula*
◊ *She remarried three years ago.*  Dia berkahwin semula tiga tahun yang lalu.
**rematch**   KATA NAMA

(JAMAK **rematches**)
*perlawanan semula*
**remedial**   KATA ADJEKTIF
*pemulihan*
◊ *remedial class*  kelas pemulihan
**remedy**   KATA NAMA
(JAMAK **remedies**)
*ubat*
◊ *a good remedy for a sore throat*  ubat yang mujarab untuk sakit kerongkong
to **remember**   KATA KERJA
*ingat*
◊ *I don't remember.*  Saya tidak ingat.
♦ **Remember your passport!**  Jangan lupa pasport anda!
**remembrance**   KATA NAMA
*kenangan*
◊ *her remembrances of her childhood*
kenangannya tentang zaman kanak-kanaknya
♦ **They wore black in remembrance of those who had died.**  Mereka berpakaian hitam sempena memperingati orang yang telah meninggal dunia.
**Remembrance Day**   KATA NAMA

> *Di Britain,* **Remembrance Day** *ialah hari Ahad yang terdekat dengan 11 November, sempena memperingati orang yang meninggal dunia semasa Perang Dunia I dan Perang Dunia II.*

to **remind**   KATA KERJA
*mengingatkan*
◊ *The scenery here reminds me of Scotland.*  Pemandangan di sini mengingatkan saya tentang Scotland.
◊ *Remind me to speak to Daniel.*  Tolong ingatkan saya supaya bercakap dengan Daniel.
**reminder**   KATA NAMA
*peringatan*
**remnant**   KATA NAMA
1 *saki-baki*
◊ *the remnants of an old building*
saki-baki sebuah bangunan lama
2 *perca kain*
◊ *Shops usually sell remnants cheaply.*
Kedai-kedai biasanya menjual perca kain dengan murah.
**remorse**   KATA NAMA
*perasaan sesal*
◊ *He showed no remorse.*  Dia langsung tidak menunjukkan perasaan sesal.
**remorseful**   KATA ADJEKTIF
*menyesal*
**remote**   KATA ADJEKTIF
*terpencil*
◊ *a remote village*  kampung yang terpencil

**R**

**remote control** KATA NAMA
*alat kawalan jauh*

**removable** KATA ADJEKTIF
*boleh ditanggalkan*

**removal** KATA NAMA
*pemindahan* (perabot, peralatan)
♦ **a removal van** van untuk memunggah barang

to **remove** KATA KERJA
[1] *mengalihkan*
◊ *He removed his things from the table.* Dia mengalihkan barang-barangnya dari meja itu.
[2] *mengeluarkan*
◊ *As soon as the cake is done, remove it from the oven.* Sebaik sahaja kek itu masak, keluarkannya dari ketuhar. ◊ *At least three bullets were removed from his wounds.* Sekurang-kurangnya tiga butir peluru telah dikeluarkan dari lukanya.
♦ **Please remove your hand from my arm.** Tolong angkat tangan anda dari tangan saya.
[3] *menanggalkan*
◊ *Did you manage to remove the stain?* Dapatkah anda menanggalkan kotoran itu?

**remover** KATA NAMA
*penghilang*

**rendezvous** KATA NAMA
[1] *pertemuan rahsia*
[2] *tempat pertemuan rahsia*

to **renew** KATA KERJA
*memperbaharui* (pasport, lesen)

**renewable** KATA ADJEKTIF
*boleh diperbaharui*

to **renovate** KATA KERJA
*mengubahsuai*
◊ *The building's been renovated.* Bangunan itu telah diubahsuai.

**renowned** KATA ADJEKTIF
*terkenal*

to **rent** KATA KERJA
| rujuk juga **rent** KATA NAMA |
*menyewa*
◊ *We rented a car.* Kami menyewa sebuah kereta.

**rent** KATA NAMA
| rujuk juga **rent** KATA KERJA |
*sewa*

**rental** KATA NAMA
*sewa*
◊ *Car rental is included in the price.* Harga itu termasuk harga sewa kereta.
♦ **Scotland's largest video rental company** syarikat penyewaan video yang terbesar di Scotland

**reorganization** KATA NAMA
*penyusunan semula*

to **reorganize** KATA KERJA
*menyusun semula*

**rep** KATA NAMA (= representative)
*wakil*

**repaid** KATA KERJA *rujuk* **repay**

to **repair** KATA KERJA
| rujuk juga **repair** KATA NAMA |
*membaiki*
◊ *Can you repair this for me?* Bolehkah anda membaiki benda ini untuk saya?

**repair** KATA NAMA
| rujuk juga **repair** KATA KERJA |
*pembaikan*
♦ **Many women know how to carry out repairs on their cars.** Ramai wanita tahu cara untuk membaiki kereta mereka.

to **repay** KATA KERJA
(repaid, repaid)
*membayar balik* (wang)
♦ **I don't know how I can ever repay your kindness.** Saya tidak tahu cara hendak membalas budi baik anda.

**repayment** KATA NAMA
*pembayaran balik*
◊ *mortgage repayments* pembayaran balik gadai janji

to **repeat** KATA KERJA
| rujuk juga **repeat** KATA NAMA |
*mengulangi*

**repeat** KATA NAMA
| rujuk juga **repeat** KATA KERJA |
[1] *pengulangan*
[2] *siaran ulangan*
◊ *There are too many repeats on TV.* Ada terlalu banyak siaran ulangan di televisyen.

**repeated** KATA ADJEKTIF
*berulang kali*

**repeatedly** KATA ADVERBA
*berulang kali*

**repellent** KATA NAMA
*pencegah*
◊ *insect repellent* pencegah serangga

to **repent** KATA KERJA
*insaf*

**repentance** KATA NAMA
*keinsafan*

**repentant** KATA ADJEKTIF
*sudah insaf*
◊ *a repentant criminal* penjenayah yang sudah insaf

**repetition** KATA NAMA
*pengulangan*
◊ *compositions containing too many repetitions* karangan yang mempunyai terlalu banyak pengulangan
♦ **to prevent a repetition of last year's confrontation** mengelakkan konfrontasi pada tahun lepas daripada berulang lagi

**repetitive** KATA ADJEKTIF
*berulang-ulang*
to **replace** KATA KERJA
*menggantikan*
◊ *Computers have replaced typewriters.*
Komputer telah menggantikan mesin taip.
♦ **He replaced my old book with a new one.** Dia mengganti buku lama saya dengan sebuah buku yang baru.
**replacement** KATA NAMA
*penggantian*
◊ *the replacement of damaged or lost books* penggantian buku-buku yang rosak atau hilang
♦ **They found a replacement for the injured player.** Mereka mendapat seorang pengganti untuk pemain yang cedera itu.
to **replay** KATA KERJA
> rujuk juga **replay** KATA NAMA
[1] *mengadakan semula* (perlawanan)
[2] *memainkan semula* (pita)
**replay** KATA NAMA
> rujuk juga **replay** KATA KERJA
*perlawanan ulangan*
◊ *There will be a replay on Friday.*
Perlawanan ulangan akan diadakan pada hari Jumaat.
**replica** KATA NAMA
*replika*
to **reply** KATA KERJA
**(replied, replied)**
> rujuk juga **reply** KATA NAMA
[1] *menjawab* (soalan)
[2] *membalas* (surat)
**reply** KATA NAMA
**(JAMAK replies)**
> rujuk juga **reply** KATA KERJA
[1] *jawapan* (untuk soalan)
[2] *balasan* (surat)
to **report** KATA KERJA
> rujuk juga **report** KATA NAMA
[1] *melaporkan*
◊ *I reported the theft to the police.* Saya telah melaporkan kecurian itu kepada polis.
[2] *melaporkan diri*
◊ *Report to reception when you arrive.*
Sila laporkan diri di tempat menyambut tetamu apabila anda tiba.
♦ **I reported him to the headmaster.** Saya mengadu tentangnya kepada guru besar.
**report** KATA NAMA
> rujuk juga **report** KATA KERJA
[1] *laporan*
◊ *a report in the paper* laporan dalam akhbar
[2] *laporan kemajuan* (di sekolah)
♦ **I got a good report this term.** Saya

mendapat keputusan yang baik pada penggal ini.
**reporter** KATA NAMA
*pemberita*
**reporting** KATA NAMA
*laporan*
to **represent** KATA KERJA
[1] *mewakili* (orang, organisasi, negara)
[2] *merupakan* (perubahan, pencapaian)
◊ *This represents a major advance.* Ini merupakan kemajuan yang besar.
[3] *melambangkan* (lambang, simbol, benda)
**representation** KATA NAMA
*perwakilan*
◊ *The Philippines have no representation at the meeting.* Filipina tidak mempunyai perwakilan dalam mesyuarat itu.
**representative** KATA NAMA
> rujuk juga **representative** KATA ADJEKTIF
*wakil*
**representative** KATA ADJEKTIF
> rujuk juga **representative** KATA NAMA
*perwakilan*
◊ *representative council* majlis perwakilan
♦ **representative government** kerajaan berperwakilan
to **reprimand** KATA KERJA
*menegur*
◊ *He was reprimanded by a teacher for talking in the corridor.* Dia ditegur oleh seorang guru kerana bercakap di koridor.
to **reprint** KATA KERJA
> rujuk juga **reprint** KATA NAMA
*mencetak semula*
◊ *The book was reprinted in 1989.*
Buku itu dicetak semula pada tahun 1989.
**reprint** KATA NAMA
> rujuk juga **reprint** KATA KERJA
*cetakan semula*
**reproduction** KATA NAMA
*pengeluaran semula*
**reproductive** KATA ADJEKTIF
*pembiakan*
◊ *the reproductive system* sistem pembiakan
**reptile** KATA NAMA
*reptilia*
**republic** KATA NAMA
*republik*
**repulsive** KATA ADJEKTIF
*menjijikkan*
**reputable** KATA ADJEKTIF
*mempunyai reputasi yang baik*
**reputation** KATA NAMA
*reputasi*
to **request** KATA KERJA

**R**

---

> *rujuk juga* **request** KATA NAMA

*meminta*

**request**   KATA NAMA

> *rujuk juga* **request** KATA KERJA

*permintaan*

to **require**   KATA KERJA

*memerlukan*

◊   *Her job requires a lot of patience.*
Pekerjaannya memerlukan banyak
kesabaran.

**requirement**   KATA NAMA

1  *kelayakan*

◊   *What are the requirements for the job?*
Apakah kelayakan yang diperlukan untuk
kerja ini?

2  *keperluan*

◊   *your daily requirement of vitamin C*
keperluan harian anda untuk vitamin C

♦   **entry requirements**   kelayakan masuk

**resat**   KATA KERJA   *rujuk* **resit**

to **reschedule**   KATA KERJA

*menjadualkan semula*

to **rescind**   KATA KERJA

*memansuhkan*

◊   *The government plans to rescind the
law.* Kerajaan merancang untuk
memansuhkan undang-undang itu.

to **rescue**   KATA KERJA

> *rujuk juga* **rescue** KATA NAMA

*menyelamatkan*

**rescue**   KATA NAMA

> *rujuk juga* **rescue** KATA KERJA

*usaha menyelamat*

◊   *A major air-sea rescue is under way.*
Usaha menyelamat secara besar-besaran
dari udara dan laut sedang
dijalankan.

♦   **a rescue operation**   operasi menyelamat
♦   **a mountain rescue team**   pasukan
penyelamat pendaki gunung
♦   **to come to somebody's rescue**
menyelamatkan seseorang

**rescuer**   KATA NAMA

*penyelamat*

**research**   KATA NAMA

> *rujuk juga* **research** KATA KERJA

*penyelidikan*

◊   *He's doing research.* Dia sedang
membuat penyelidikan.

to **research**   KATA KERJA

> *rujuk juga* **research** KATA NAMA

*menyelidik*

◊   *He spent 10 years researching the
orang utan.* Dia menghabiskan masa
selama 10 tahun untuk menyelidik orang
utan.

**researcher**   KATA NAMA

*penyelidik*

**resemblance**   KATA NAMA

*persamaan*

to **resemble**   KATA KERJA

*seperti*

◊   *The commercially produced venison
resembles beef in flavour.* Daging rusa
yang dihasilkan secara komersial itu rasa
seperti daging lembu.

♦   **She resembles her mother.**   Dia mirip
ibunya.

to **resent**   KATA KERJA

*geram*

◊   *I resent being dependent on her.*
Saya geram kerana terpaksa bergantung
kepadanya.

**resentful**   KATA ADJEKTIF

*geram*

◊   *At first I felt very resentful and angry
about losing my job.* Pada mulanya, saya
berasa sangat geram dan marah apabila
saya kehilangan pekerjaan.

**resentment**   KATA NAMA

*rasa geram*

◊   *She expressed resentment.* Dia
menyatakan rasa geramnya.

**reservation**   KATA NAMA

*tempahan*

◊   *I've got a reservation for two nights.*
Saya telah membuat tempahan untuk dua
malam.

♦   **I've got reservations about the idea.**
Saya berasa ragu-ragu tentang idea
tersebut.

to **reserve**   KATA KERJA

> *rujuk juga* **reserve** KATA NAMA

*menempah*

◊   *I'd like to reserve a table for tomorrow
evening.* Saya ingin menempah meja
untuk petang esok.

**reserve**   KATA NAMA

> *rujuk juga* **reserve** KATA KERJA

1  *simpanan*

◊   *the world's oil reserves* simpanan
minyak dunia

2  *pemain simpanan*

◊   *I was a reserve for the game last
Saturday.* Saya merupakan pemain
simpanan bagi perlawanan itu pada hari
Sabtu lepas.

♦   **a nature reserve**   kawasan perlindungan
hidupan (*haiwan, burung, tumbuhan*)

**reserved**   KATA ADJEKTIF

*dikhaskan*

◊   *a reserved seat* tempat duduk yang
dikhaskan

♦   **He's quite reserved.**   Dia seorang yang
agak pendiam.

**reservoir**   KATA NAMA

*takungan*

to **reshuffle**   KATA KERJA

rujuk juga **reshuffle** KATA NAMA

*merombak*

◊ *The Prime Minister plans to reshuffle his Cabinet.* Perdana Menteri bercadang untuk merombak kabinetnya.

**reshuffle** KATA NAMA

rujuk juga **reshuffle** KATA KERJA

*rombakan*

◊ *Cabinet reshuffle* rombakan kabinet

to **reside** KATA KERJA

*tinggal*

◊ *He has resided in Malaysia for the past 5 years.* Dia sudah tinggal di Malaysia sejak 5 tahun yang lalu.

**residence** KATA NAMA

*kediaman*

♦ **place of residence** tempat tinggal

**resident** KATA NAMA

*penduduk*

◊ *local residents* penduduk tempatan

**residential** KATA ADJEKTIF

*kediaman*

◊ *a residential area* kawasan kediaman

to **resign** KATA KERJA

*meletakkan jawatan*

**resignation** KATA NAMA

*peletakan jawatan*

to **resist** KATA KERJA

1 *menentang*

◊ *They resisted our attempts to change the system.* Mereka menentang percubaan kami untuk menukar sistem itu.

2 *menahan diri*

◊ *I cannot resist giving him advice.* Saya tidak dapat menahan diri saya daripada memberinya nasihat.

3 *tahan* (*rosak, panas, sejuk, dll*)

**resistance** KATA NAMA

1 *tentangan* (*terhadap perubahan, serangan, dll*)

2 *ketahanan* (*terhadap penyakit, suhu, dll*)

to **resit** KATA KERJA

(**resat, resat**)

*menduduki semula*

◊ *I'm resitting the exam in December.* Saya akan menduduki semula peperiksaan itu pada bulan Disember.

to **reskill** KATA KERJA

1 *mempelajari kemahiran baru*

◊ *a flexible workforce that is ready to reskill* tenaga pekerja yang fleksibel yang bersedia untuk mempelajari kemahiran baru

2 *melatih semula*

◊ *We needed to reskill our workforce.* Kita perlu melatih semula tenaga pekerja kita.

**resolute** KATA ADJEKTIF

*tegas*

◊ *a resolute leader* pemimpin yang tegas ◊ *resolute action* tindakan tegas

**resolution** KATA NAMA

1 *ketetapan*

◊ *a draft resolution on the occupied territories* draf ketetapan tentang wilayah-wilayah yang diduduki

2 *azam*

◊ *Have you made any New Year's resolutions?* Sudahkah anda membuat azam Tahun Baru?

to **resolve** KATA KERJA

1 *menyelesaikan*

◊ *We must find a way to resolve this problem.* Kita mesti mencari jalan untuk menyelesaikan masalah ini.

2 *berazam*

◊ *Felicia resolved to study hard.* Felicia berazam untuk belajar rajin-rajin.

♦ **She resolved to report the matter to the manager.** Dia mengambil keputusan untuk melaporkan perkara itu kepada pengurus.

**resort** KATA NAMA

*tempat peranginan*

♦ **as a last resort** sebagai jalan terakhir

to **resound** KATA KERJA

*bergema*

◊ *The hall resounded with the din of the audience's applause.* Dewan itu bergema dengan tepukan penonton.

**resource** KATA NAMA

*sumber*

**resourceful** KATA ADJEKTIF

*panjang akal*

to **respect** KATA KERJA

rujuk juga **respect** KATA NAMA

*menghormati*

**respect** KATA NAMA

rujuk juga **respect** KATA KERJA

*hormat*

♦ **in some respects** dalam beberapa hal

**respectable** KATA ADJEKTIF

1 *dihormati*

◊ *a respectable family* keluarga yang dihormati

2 *agak baik*

◊ *My marks were quite respectable.* Markah saya agak baik.

**respected** KATA ADJEKTIF

*dihormati*

◊ *He is a respected teacher.* Beliau seorang guru yang dihormati.

**respectful** KATA ADJEKTIF

*penuh hormat*

◊ *respectful greetings* salam penuh hormat

♦ **The children in our family are always**

R

respectful to their elders.  Kanak-kanak dalam keluarga kami selalu menghormati orang yang lebih tua daripada mereka.

**respectfully**  KATA ADVERBA
_dengan penuh hormat_
◊ *She spoke respectfully.*  Dia bercakap dengan penuh hormat.

**respective**  KATA ADJEKTIF
_masing-masing_
◊ *The pupils are required to go to their respective classrooms.*  Murid-murid dikehendaki masuk ke kelas masing-masing.

**respectively**  KATA ADVERBA
_masing-masing_
◊ *Spain and France came third and fourth respectively.*  Sepanyol dan Perancis masing-masing menduduki tempat ketiga dan keempat.

**respiration**  KATA NAMA
_respirasi_

**respirator**  KATA NAMA
_alat bantuan pernafasan_

**respiratory**  KATA ADJEKTIF
_pernafasan_
◊ *people with severe respiratory problems*  orang yang mempunyai masalah pernafasan yang serius

to **respond**  KATA KERJA
[1]  _menjawab_
◊ *Hashim responded that the committee would consider the suggestion.*  Hashim menjawab bahawa jawatankuasa itu akan mempertimbangkan cadangan itu.
[2]  _membalas_
◊ *The army responded with gunfire and tear gas.*  Pihak tentera membalas dengan melepaskan tembakan dan gas pemedih mata.
♦ **People responded generously to the appeal for clothing.**  Orang ramai menyambut baik rayuan untuk menderma pakaian.

**response**  KATA NAMA
_respons_

**responsibility**  KATA NAMA
(JAMAK **responsibilities**)
_tanggungjawab_

**responsible**  KATA ADJEKTIF
_bertanggungjawab_
◊ *You should be more responsible!*  Anda harus lebih bertanggungjawab!
♦ **to be responsible for something**  bertanggungjawab melakukan sesuatu
◊ *He's responsible for booking the tickets.*  Dia bertanggungjawab menempah tiket.
♦ **It's a responsible job.**  Kerja ini penuh tanggungjawab.

to **rest**  KATA KERJA

| rujuk juga **rest** KATA NAMA |

[1]  _berehat_
◊ *She's resting in her room.*  Dia sedang berehat di dalam biliknya.
♦ **He has to rest his knee.**  Dia perlu merehatkan lututnya.
[2]  _menyandarkan_
◊ *I rested my bike against the window.*  Saya menyandarkan basikal saya pada tingkap.

**rest**  KATA NAMA

| rujuk juga **rest** KATA KERJA |

[1]  _rehat_
◊ *five minutes' rest*  rehat lima minit
♦ **to have a rest**  berehat ◊ *We stopped to have a rest.*  Kami berhenti untuk berehat.
[2]  _yang selebihnya_
◊ *I'll do the rest.*  Saya akan melakukan yang selebihnya. ◊ *the rest of the money*  wang yang selebihnya
♦ **the rest of them**  mereka yang lain
◊ *The rest of them went swimming.*  Mereka yang lain telah pergi berenang.

**rest area**  KATA NAMA ⊠
_kawasan rehat_ *(di lebuh raya)*

to **restart**  KATA KERJA
_memulakan semula_
◊ *The race was restarted after a break of 20 minutes.*  Perlumbaan itu dimulakan semula selepas rehat selama 20 minit.

**restaurant**  KATA NAMA
_restoran_
♦ **restaurant car**  gerabak makan-minum *(dalam kereta api)*

**restful**  KATA ADJEKTIF
_tenang_

**restless**  KATA ADJEKTIF
_resah_

**restlessly**  KATA ADVERBA
_dengan resah_

**restlessness**  KATA NAMA
_keresahan_

**restoration**  KATA NAMA
_pengembalian_

to **restore**  KATA KERJA
[1]  _mengembalikan_ *(suasana)*
[2]  _membaik pulih_ *(bangunan)*

**restraint**  KATA NAMA
_sekatan_
◊ *The Prime Minister is calling for new restraints on trade unions.*  Perdana Menteri itu sedang melaung-laungkan sekatan baru ke atas kesatuan sekerja.

to **restrict**  KATA KERJA
[1]  _mengehadkan_
◊ *an attempt to restrict the number of cars entering the city*  percubaan untuk

mengehadkan bilangan kereta yang
masuk ke bandar raya itu
[2] *menyekat* (*pergerakan, tindakan, dll*)

**restriction** KATA NAMA
*sekatan*

**rest room** KATA NAMA 🔲
*tandas*

to **restructure** KATA KERJA
*menyusun semula* (*organisasi, sistem*)

**restructuring** KATA NAMA
*penyusunan semula*

**result** KATA NAMA
*keputusan*
◊ *my exam results* keputusan
peperiksaan saya

to **resume** KATA KERJA
*menyambung semula*
◊ *After having worked for such a long
time she wished to resume her studies.*
Setelah bekerja sekian lama, dia ingin
menyambung semula pelajarannya.

**resurgence** KATA NAMA
*kebangkitan semula*
◊ *a period of economic resurgence*
satu tempoh kebangkitan semula ekonomi

**Resurrection** KATA NAMA
*kebangkitan Nabi Isa* (*agama Kristian*)

to **resuscitate** KATA KERJA
*menyedarkan semula*
◊ *The paramedic tried to resuscitate her.*
Paramedik itu cuba menyedarkannya
semula.

**retailer** KATA NAMA
*peruncit*

to **retain** KATA KERJA
*mengekalkan*
◊ *Other countries retained their
traditional way of cooking.* Negara-negara
lain mengekalkan cara lama membuat
masakan.

to **retaliate** KATA KERJA
*membalas*
◊ *If you hit him he will retaliate.* Jika
anda memukulnya dia akan membalas.

to **retire** KATA KERJA
*bersara*

**retired** KATA ADJEKTIF
*bersara*
◊ *She's retired.* Dia sudah bersara.
◊ *a retired teacher* guru yang bersara

**retirement** KATA NAMA
*persaraan*
◊ *since his retirement* sejak
persaraannya

to **retrace** KATA KERJA
*mengikut semula*
◊ *I retraced my steps.* Saya mengikut
semula jejak saya tadi.

to **retrain** KATA KERJA

*mempelajari kemahiran baru*
◊ *I want to retrain for a better job.* Saya
ingin mempelajari kemahiran baru untuk
mendapat kerja yang lebih baik.

to **retreat** KATA KERJA
*berundur*
◊ *The soldiers had to retreat because
they couldn't resist any more.* Askar-
askar itu terpaksa berundur kerana
mereka tidak dapat melawan lagi.
♦ **'I've already got a job,' I said quickly,
and retreated from the room.** 'Saya
sudah mendapat kerja,' saya berkata
dengan cepat dan meninggalkan bilik itu.

to **retrieve** KATA KERJA
*mendapatkan semula*
◊ *They are trying to retrieve the camera
they lost.* Mereka cuba mendapatkan
semula kamera mereka yang hilang.
♦ **He retrieved his jacket from the chair.**
Dia mengambil jaketnya dari kerusi itu.

to **return** KATA KERJA
> rujuk juga **return** KATA NAMA

[1] *pulang*
◊ *I've just returned from holiday.* Saya
baru pulang dari bercuti.
[2] *memulangkan semula*
◊ *She borrows my things and doesn't
return them.* Dia meminjam barang saya
tetapi tidak memulangkannya semula.

**return** KATA NAMA
> rujuk juga **return** KATA KERJA

[1] *kepulangan*
◊ *his sudden return home*
kepulangannya ke rumah secara tiba-tiba
♦ **the return journey** perjalanan balik
♦ **a return match** perlawanan balas
[2] *tiket pergi balik*
◊ *A return to Penang, please.* Tolong
berikan tiket pergi balik ke Pulau Pinang.
♦ **in return** sebagai balasan ◊ *She helps
me and I help her in return.* Dia
membantu saya dan sebagai balasan,
saya membantunya kembali.
♦ **in return for** sebagai balasan untuk
♦ **Many happy returns!** Mudah-mudahan
panjang umur!

**reunion** KATA NAMA
*perjumpaan semula*
◊ *a reunion party* majlis perjumpaan
semula
♦ **We had a big family reunion at
Christmas.** Kami mengadakan majlis
perjumpaan keluarga secara besar-
besaran pada hari Krismas.

to **reuse** KATA KERJA
*mengguna semula*

to **revamp** KATA KERJA
*memperbaharui*

**R**

◊ *The company is looking for a way to revamp its administrative system.* Syarikat itu mencari kaedah untuk memperbaharui sistem pentadbirannya.

to **reveal**　KATA KERJA
[1] *mendedahkan* (rahsia, maklumat, kenyataan)
[2] *memperlihatkan*

**revelation**　KATA NAMA
[1] *pendedahan*
◊ *the revelations about his private life* pendedahan tentang kehidupan peribadinya
[2] *wahyu*
◊ *He claimed to have received a divine revelation through his dream.* Dia mendakwa mendapat wahyu daripada Tuhan melalui mimpinya.

**revenge**　KATA NAMA
*dendam*
♦ **in revenge**　untuk membalas dendam
♦ **to take revenge**　membalas dendam
◊ *They planned to take revenge on him.* Mereka merancang untuk membalas dendam terhadapnya.

**revenue**　KATA NAMA
*hasil* (syarikat, kerajaan)

**reverberation**　KATA NAMA
[1] *akibat yang serius*
[2] *gema*

to **reverse**　KATA KERJA
| rujuk juga **reverse** KATA ADJEKTIF |
[1] *menterbalikkan* (proses, prosedur)
[2] *berundur* (kereta)
♦ **He reversed without looking.**　Dia mengundurkan keretanya tanpa melihat ke belakang.
♦ **to reverse the charges**　membuat panggilan telefon caj balikan

**reverse**　KATA ADJEKTIF
| rujuk juga **reverse** KATA KERJA |
*terbalik*
◊ *in reverse order*　dalam susunan terbalik
♦ **in reverse gear**　dalam gear undur
♦ **reverse charge call**　panggilan telefon caj balikan

**review**　KATA NAMA
| rujuk juga **review** KATA KERJA |
[1] *kajian semula* (polisi, gaji)
[2] *ulasan* (buku, filem)

to **review**　KATA KERJA
| rujuk juga **review** KATA NAMA |
[1] *mengkaji semula*
[2] *mengulas*

to **revise**　KATA KERJA
*mengulang kaji*
◊ *I haven't started revising yet.* Saya belum mula mengulang kaji lagi.

♦ **I've revised my opinion.**　Saya telah mengubah pendapat saya.

**revision**　KATA NAMA
[1] *semakan semula*
[2] *ulang kaji*
◊ *Have you done a lot of revision?* Sudahkah anda membuat banyak ulang kaji?

to **revive**　KATA KERJA
[1] *menjayakan semula*
◊ *an attempt to revive the economy* percubaan untuk menjayakan semula ekonomi
[2] *menyedarkan*
◊ *The nurses tried to revive him.*　Para jururawat cuba menyedarkannya.

to **revolt**　KATA KERJA
[1] *memberontak*
◊ *In 1376 the people revolted.* Penduduk memberontak pada tahun 1376.
[2] *geli*
◊ *I was revolted by the old man's behaviour.*　Saya geli melihat perangai orang tua itu.

**revolting**　KATA ADJEKTIF
*menjijikkan*

**revolution**　KATA NAMA
*revolusi*

**revolutionary**　KATA ADJEKTIF
*revolusi*
◊ *revolutionary movement*　pergerakan revolusi

to **revolve**　KATA KERJA
[1] *berkisar*
◊ *Their conversation revolved around the condition of the road.*　Perbualan mereka berkisar pada keadaan di jalan raya.
♦ **Since childhood, her life has revolved around tennis.**　Sejak kanak-kanak lagi, hidupnya tertumpu pada permainan tenis.
[2] *beredar*
◊ *The satellite revolves around the earth.* Satelit itu beredar mengelilingi bumi.

**revolver**　KATA NAMA
*revolver*

**reward**　KATA NAMA
*ganjaran*

**rewarding**　KATA ADJEKTIF
*mendatangkan kepuasan*
◊ *a rewarding job*　kerja yang mendatangkan kepuasan

to **rewind**　KATA KERJA
(**rewound, rewound**)
*memutar semula*
◊ *to rewind a cassette*　memutar semula kaset

**rheumatism**　KATA NAMA
*reumatisme*
◊ *I've got rheumatism.*　Saya menghidap

reumatisme.

**rhinoceros** KATA NAMA
(JAMAK **rhinoceroses**)
*badak sumbu*

**rhubarb** KATA NAMA
*pokok rubarb*

**rhythm** KATA NAMA
*irama*

**rib** KATA NAMA
*tulang rusuk*

**ribbon** KATA NAMA
*reben*

**rice** KATA NAMA
1 *beras*
2 *nasi*
♦ **rice pudding** puding nasi

**rice barn** KATA NAMA
*jelapang*

**rich** KATA ADJEKTIF
*kaya*
♦ **the rich** golongan kaya

**riches** KATA NAMA JAMAK
*kekayaan*

**rickshaw** KATA NAMA
*lanca*

to **rid** KATA KERJA
(**rid, rid**)
*menghapuskan*
◊ *an attempt to rid the country of political corruption* cubaan untuk menghapuskan penyelewengan politik di negara itu
♦ **to get rid of something**
> Frasa ini mempunyai pelbagai terjemahan mengikut konteks.
◊ *We finally got rid of corruption.* Akhirnya kami berjaya menghapuskan penyelewengan. ◊ *He needed to get rid of the car for financial reasons.* Dia perlu menjual kereta itu kerana masalah kewangan. ◊ *She will have to get rid of the excess weight on her hips.* Dia mungkin terpaksa membuang lemak-lemak pada pinggulnya.
♦ **to get rid of someone**
> Frasa ini mempunyai pelbagai terjemahan mengikut konteks.
◊ *He believed that the manager wanted to get rid of him for personal reasons.* Dia percaya bahawa pengurus itu mahu menyingkirkannya atas sebab-sebab peribadi. ◊ *You seem in rather a hurry to get rid of me.* Anda nampaknya tergesa-gesa hendak mengelakkan diri daripada saya.

**ridden** KATA KERJA *rujuk* **ride**

**riddle** KATA NAMA
*teka-teki*

to **ride** KATA KERJA
(**rode, ridden**)

> *rujuk juga* **ride** KATA NAMA

*menunggang kuda*
◊ *I'm learning to ride.* Saya sedang belajar menunggang kuda.
♦ **to ride a bike** menunggang motosikal/basikal ◊ *Can you ride a bike?* Anda tahu menunggang motosikal?

**ride** KATA NAMA

> *rujuk juga* **ride** KATA KERJA

♦ **to go for a ride (1)** menunggang kuda
♦ **to go for a ride (2)** bersiar-siar ◊ *We went for a bike ride.* Kami pergi bersiar-siar dengan menunggang basikal.
♦ **a short bus ride to the town centre** perjalanan yang singkat dengan bas ke pusat bandar

**rider** KATA NAMA
*penunggang*
◊ *She's a good rider.* Dia seorang penunggang yang hebat.

**ridge** KATA NAMA
*permatang*

to **ridicule** KATA KERJA

> *rujuk juga* **ridicule** KATA NAMA

*mencemuh*
◊ *Ann was sad because her friends ridiculed her.* Ann sedih kerana kawan-kawannya mencemuhnya.

**ridicule** KATA NAMA

> *rujuk juga* **ridicule** KATA KERJA

*cemuhan*

**ridiculous** KATA ADJEKTIF
*tidak masuk akal*

**riding** KATA NAMA
*menunggang kuda*
◊ *a riding school* sekolah menunggang kuda
♦ **to go riding** pergi menunggang kuda

**rifle** KATA NAMA
*senapang*

**rift** KATA NAMA
*perselisihan*
◊ *a rift between the President and the government* perselisihan antara Presiden dengan kerajaan

**rig** KATA NAMA
*pelantar*
◊ *oil rig* pelantar minyak

**right** KATA ADJEKTIF, KATA ADVERBA

> *rujuk juga* **right** KATA NAMA

1 *betul*
◊ *the right answer* jawapan yang betul
◊ *It isn't the right size.* Saiz ini tidak betul.
♦ **You were right!** Anda betul!
♦ **That's right!** Betul!
♦ **Do you have the right time?** Pukul berapa sekarang?
♦ **It's not right to behave like that.** Tidak

**R**

baik berkelakuan begitu.

[2] *kanan*

◊ *my right hand*  tangan kanan saya

◊ *Turn right at the traffic lights.*  Belok ke kanan apabila anda sampai di lampu isyarat.

♦ **Right! Let's get started!**  Baiklah! Mari kita mulakan!

♦ **right away**  sekarang juga ◊ *I'll do it right away.*  Saya akan melakukannya sekarang juga.

**right**  KATA NAMA

> *rujuk juga* **right** KATA ADJEKTIF

[1] *hak*

♦ **You've got no right to do that.**  Anda tidak berhak berbuat demikian.

[2] *kanan*

♦ **on the right**  di sebelah kanan ◊ *on the right of Mr Yates*  di sebelah kanan En. Yates.

♦ **right of way**  hak lalu-lalang ◊ *We had right of way.*  Kita mempunyai hak lalu-lalang.

**right angle**  KATA NAMA

*sudut tegak*

to **right-click**  KATA KERJA

*klik kanan tetikus*

**righteous**  KATA ADJEKTIF

*muhsin*

**right-hand**  KATA ADJEKTIF

*sebelah kanan*

♦ **The bank is on the right-hand side.**  Bank itu terletak di sebelah kanan.

**right-handed**  KATA ADJEKTIF

*menggunakan tangan kanan*

**rightsizing**  KATA NAMA

*pengecilan (syarikat)*

**rigid**  KATA ADJEKTIF

*tegar*

◊ *rigid rules*  peraturan yang tegar

**rim**  KATA NAMA

*bingkai*

◊ *glasses with metal rims*  cermin mata dengan bingkai logam

to **ring**  KATA KERJA

**(rang, rung)**

> *rujuk juga* **ring** KATA NAMA

[1] *menelefon*

◊ *Your mother rang this morning.*  Emak anda menelefon anda pagi tadi.

♦ **to ring somebody**  menelefon seseorang

[2] *berdering*

◊ *The phone's ringing.*  Telefon itu berdering.

♦ **to ring the bell**  membunyikan loceng

♦ **to ring back**  menelefon semula ◊ *I'll ring back later.*  Saya akan telefon semula nanti.

♦ **to ring up**  menelefon

**ring**  KATA NAMA

> *rujuk juga* **ring** KATA KERJA

[1] *cincin*

◊ *a gold ring*  sebentuk cincin emas

[2] *bulatan*

◊ *to stand in a ring*  berdiri dalam satu bulatan

[3] *deringan loceng*

◊ *After three or four rings the door was opened.*  Selepas tiga atau empat deringan loceng, pintu itu dibuka.

♦ **to give somebody a ring**  menelefon seseorang

**ring binder**  KATA NAMA

*fail (dengan gelang di bahagian dalam)*

to **ring-fence**  KATA KERJA

*mengawal pengeluaran (wang, dana, aset)*

**ring road**  KATA NAMA

*jalan keliling*

**ringworm**  KATA NAMA

*kurap*

**rink**  KATA NAMA

*gelanggang*

to **rinse**  KATA KERJA

*membilas*

**riot**  KATA NAMA

> *rujuk juga* **riot** KATA KERJA

*rusuhan*

to **riot**  KATA NAMA

> *rujuk juga* **riot** KATA NAMA

*merusuh*

**rioter**  KATA NAMA

*perusuh*

to **rip**  KATA KERJA

*mengoyakkan*

◊ *He ripped the paper.*  Dia mengoyakkan kertas itu.

♦ **James ripped the letter in two.**  James mengoyak dua surat itu.

♦ **My shirt's ripped.**  Baju saya sudah koyak.

to **rip off**  KATA KERJA

*(tidak formal)*

*menipu*

◊ *The hotel ripped us off.*  Hotel itu telah menipu kami.

to **rip up**  KATA KERJA

*mengoyak-ngoyakkan*

◊ *He read the note and then ripped it up.*  Dia membaca nota tersebut dan kemudian mengoyak-ngoyakkannya.

**ripe**  KATA ADJEKTIF

*masak*

to **ripen**  KATA KERJA

*masak (buah, dll)*

♦ **You can ripen tomatoes in a single day.**  Anda boleh mematangkan buah tomato dalam masa satu hari sahaja.

**rip-off** KATA NAMA
(*tidak formal*)
*mencekik darah*
◊ *It's a rip-off!* Mencekik darah betul!

**ripple** KATA NAMA
*riak* (*air*)

to **rise** KATA KERJA
(**rose, risen**)

> *rujuk juga* **rise** KATA NAMA

1 *meningkat*
◊ *Prices are rising.* Harga semakin meningkat.
2 *terbit*
◊ *The sun rises early in June.* Matahari terbit lebih awal pada bulan Jun.

**rise** KATA NAMA

> *rujuk juga* **rise** KATA KERJA

1 *kenaikan*
◊ *a sudden rise in temperature* kenaikan suhu yang mendadak
2 *kenaikan gaji*

**risen** KATA KERJA *rujuk* **rise**

**riser** KATA NAMA
♦ **an early riser** orang yang suka bangun awal
♦ **to be an early riser** suka bangun awal
♦ **a late riser** orang yang suka bangun lewat
♦ **to be a late riser** suka bangun lewat

**risk** KATA NAMA

> *rujuk juga* **risk** KATA KERJA

*risiko*
◊ *to take risks* mengambil risiko
♦ **at your own risk** atas tanggungan sendiri

to **risk** KATA KERJA

> *rujuk juga* **risk** KATA NAMA

*mengambil risiko*
◊ *I wouldn't risk it if I were you.* Jika saya jadi anda, saya tidak akan mengambil risiko itu.
♦ **You risk getting a fine.** Anda boleh dikenakan denda.

**risky** KATA ADJEKTIF
*berisiko*

**rival** KATA NAMA

> *rujuk juga* **rival** KATA ADJEKTIF

*pesaing*

**rival** KATA ADJEKTIF

> *rujuk juga* **rival** KATA NAMA

1 *lawan*
◊ *a rival gang* kumpulan lawan
2 *pesaing*
◊ *a rival company* syarikat pesaing

**rivalry** KATA NAMA
(JAMAK **rivalries**)
*persaingan*

**river** KATA NAMA
*sungai*

♦ **the river Tagus** Sungai Tagus

**river mouth** KATA NAMA
*muara*

**Riviera** KATA NAMA

> **Riviera** *ialah kawasan pantai yang popular sebagai tempat percutian, misalnya* **the French Riviera** *dan* **the Italian Riviera.**

**road** KATA NAMA
1 *jalan raya*
◊ *There's a lot of traffic on the roads.* Jalan raya sangat sibuk. ◊ *a road accident* kemalangan jalan raya
2 *jalan*
◊ *They live across the road.* Mereka tinggal di seberang jalan.

**roadblock** KATA NAMA
*sekatan jalan*

**road map** KATA NAMA
*peta jalan*

**road rage** KATA NAMA
*tindakan agresif pemandu*

**roadside** KATA NAMA
*tepi jalan*

**road sign** KATA NAMA
*isyarat jalan raya*

**roadworks** KATA NAMA JAMAK
*kerja-kerja membaiki jalan*
◊ *There are roadworks on the motorway.* Kerja-kerja membaiki jalan sedang dijalankan di lebuh raya.

to **roam** KATA KERJA
*merayau-rayau*
◊ *Barefoot children roamed the streets.* Kanak-kanak yang berkaki ayam merayau-rayau di jalan.

to **roar** KATA KERJA

> *rujuk juga* **roar** KATA NAMA

1 *menderu* (*angin, ombak*)
2 *menderum* (*kenderaan*)
3 *mengaum* (*singa, harimau*)

**roar** KATA NAMA

> *rujuk juga* **roar** KATA KERJA

1 *gemuruh* (*guruh, ketawa orang ramai, dll*)
2 *deruan* (*ombak, enjin kereta, dll*)
3 *ngauman* (*singa, harimau, dll*)

to **roast** KATA KERJA

> *rujuk juga* **roast** KATA ADJEKTIF

*memanggang*
◊ *We roasted some chickens at Vincent's house.* Kami memanggang ayam di rumah Vincent.

**roast** KATA ADJEKTIF

> *rujuk juga* **roast** KATA KERJA

*panggang*
◊ *roast chicken* ayam panggang

to **rob** KATA KERJA
*merompak*

**R**

◊ *to rob a bank* merompak bank
♦ **to rob somebody** merompak seseorang
◊ *I've been robbed.* Saya telah dirompak.
♦ **to rob somebody of something** mencuri sesuatu daripada seseorang
◊ *He was robbed of his wallet.* Dompetnya dicuri.

**robber** KATA NAMA
*perompak*
◊ *a bank-robber* perompak bank

**robbery** KATA NAMA
(JAMAK **robberies**)
*rompakan*
◊ *a bank robbery* rompakan bank
◊ *an armed robbery* rompakan bersenjata

**robe** KATA NAMA
*jubah*

**robin** KATA NAMA
*burung robin*

**robot** KATA NAMA
*robot*

**rock** KATA NAMA

| rujuk juga **rock** KATA KERJA |
|---|

1 *batu*
◊ *They tunnelled through the rock.* Mereka menggali lubang menembusi batu itu. ◊ *I sat on a rock.* Saya duduk di atas batu.

2 *rock*
◊ *a rock concert* konsert rock
♦ **rock and roll** rock and roll
♦ **a stick of rock** sebatang gula-gula (*biasanya dijual di bandar-bandar di kawasan pantai di Britain*)

to **rock** KATA KERJA

| rujuk juga **rock** KATA NAMA |
|---|

1 *membuaikan*
◊ *to rock a baby* membuaikan bayi

2 *bergoyang*
◊ *The boat rocked and seemed about to capsize.* Bot itu bergoyang dan kelihatan seakan-akan hendak terbalik.

3 *menggegarkan*
◊ *The explosion rocked the building.* Letupan tersebut telah menggegarkan bangunan itu.

**rocket** KATA NAMA

| rujuk juga **rocket** KATA KERJA |
|---|

*roket*

to **rocket** KATA KERJA

| rujuk juga **rocket** KATA NAMA |
|---|

1 *melambung tinggi* (*harga*)
2 *meningkat* (*masalah sosial, dll*)

**rocket science** KATA NAMA
*sains kapal angkasa* (*mengkaji, mereka bentuk dan membangunkan kapal angkasa*)

♦ **It's not rocket science.** Anda tidak perlu pandai untuk melakukannya.

**rocket scientist** KATA NAMA
*orang yang bekerja dalam bidang sains angkasa lepas*
♦ **It doesn't take a rocket scientist to do it.** Bukan orang pandai sahaja yang boleh melakukannya.

**rocking chair** KATA NAMA
*kerusi goyang*

**rocking horse** KATA NAMA
*kuda mainan*

**rod** KATA NAMA
*batang kail*

**rode** KATA KERJA *rujuk* **ride**

**rodent** KATA NAMA
*mamalia kecil dengan gigi depan yang tajam*

**role** KATA NAMA
*peranan*
◊ *to play a role* memainkan peranan

**role play** KATA NAMA

| rujuk juga **role play** KATA KERJA |
|---|

*main peranan*
♦ **to do a role play** memainkan peranan

to **role play** KATA KERJA

| rujuk juga **role play** KATA NAMA |
|---|

*memainkan peranan*
♦ **Role play one of the following situations.** Buat main peranan untuk salah satu situasi berikut.

**roll** KATA NAMA

| rujuk juga **roll** KATA KERJA |
|---|

*gulung*
◊ *a toilet roll* segulung kertas tandas
◊ *a roll of film* segulung filem
♦ **a cheese roll** roti keju
♦ **Roll call is at 8.30.** Panggilan nama akan dibuat pada pukul 8.30.

to **roll** KATA KERJA

| rujuk juga **roll** KATA NAMA |
|---|

1 *bergolek*
◊ *The ball rolled into the goal.* Bola itu bergolek ke dalam gol.

2 *menggolekkan*
◊ *I rolled the ball.* Saya menggolekkan bola itu.

to **roll out** KATA KERJA
*mencanai*

to **roll up** KATA KERJA
*menyingsing*
◊ *to roll up one's sleeves* menyingsing lengan baju
♦ **to roll up a newspaper** menggulung surat khabar

**rolled-up** KATA ADJEKTIF
*bergulung*

**roller** KATA NAMA
*penggulung rambut*

**Rollerblade ®** KATA NAMA
  *kasut roda*
**rollercoaster** KATA NAMA
  *rollercoaster*
**roller skates** KATA NAMA JAMAK
  *kasut roda*
**roller-skating** KATA NAMA
  *permainan kasut roda*
♦ **to go roller-skating** pergi bermain kasut roda
**rolling pin** KATA NAMA
  *kayu pencanai*
**Roman** KATA ADJEKTIF, KATA NAMA
  *Rom*
  ◊ *the Roman empire* Empayar Rom
♦ **the Romans** orang Rom
**Roman Catholic** KATA NAMA
  *pengikut mazhab Roman Katolik/Katolik*
  ◊ *He's a Roman Catholic.* Dia pengikut mazhab Roman Katolik.
**romance** KATA NAMA
  *kisah cinta* (novel, filem)
♦ **I read a lot of romance.** Saya banyak membaca novel cinta.
♦ **Paris has an atmosphere of romance.** Suasana di Paris sungguh romantik.
♦ **a holiday romance** cinta musim cuti
**Romania** KATA NAMA
  *negara Romania*
**Romanian** KATA ADJEKTIF
  *Romania*
  ◊ *the Romanian flag* bendera Romania
**romantic** KATA ADJEKTIF
  *romantik*
**roof** KATA NAMA
  | *rujuk juga* **roof** KATA KERJA |
  *bumbung*
to **roof** KATA KERJA
  | *rujuk juga* **roof** KATA NAMA |
  *mengatapi*
  ◊ *The builder is going to roof the hut tomorrow.* Buruh binaan itu akan mengatapi pondok itu esok.
**roof rack** KATA NAMA
  | *rangka besi di atas bumbung kereta untuk meletak barang besar atau berat* |
**room** KATA NAMA
  [1] *bilik*
  ◊ *She's in her room.* Dia berada di dalam biliknya.
♦ **a single room** bilik bujang
♦ **a double room** bilik kelamin
  [2] *ruang*
  ◊ *There's no room for that box.* Tidak ada ruang lagi untuk kotak itu.
**roommate** KATA NAMA
  *teman sebilik*
**root** KATA NAMA

  [1] *akar*
  [2] *punca*
**rooted** KATA ADJEKTIF
  *berakar umbi*
  ◊ *The crisis is rooted in rivalries between the two groups.* Krisis itu berakar umbi daripada persaingan antara dua kumpulan itu.
♦ **Greg was rooted to the spot with the shock.** Greg terpacak di situ kerana terkejut.
**rope** KATA NAMA
  *tali*
**rose** KATA KERJA *rujuk* **rise**
**rose** KATA NAMA
  *mawar* atau *ros*
**rosy** KATA ADJEKTIF
  *kemerah-merahan*
  ◊ *She has rosy cheeks.* Pipinya kemerah-merahan.
♦ **to paint a rosy picture** memberikan gambaran yang baik
to **rot** KATA KERJA
  *reput*
  ◊ *The wood had rotted.* Kayu itu sudah reput.
♦ **As far as I'm concerned he can rot in jail.** Saya tidak kisah walau dia mati di penjara sekalipun.
♦ **Sugar rots your teeth.** Gula boleh merosakkan gigi anda.
to **rotate** KATA KERJA
  *berputar*
  ◊ *The Earth rotates.* Bumi berputar.
♦ **Rotate the key in a clockwise direction.** Putarkan kunci itu mengikut arah jam.
♦ **He rotated the camera 180°.** Dia memusingkan kamera itu 180 darjah.
**rotation** KATA NAMA
  *putaran*
  ◊ *the rotation of the earth upon its axis* putaran bumi pada paksinya
**rotten** KATA ADJEKTIF
  *busuk*
  ◊ *a rotten apple* sebiji buah epal yang busuk
♦ **rotten weather** cuaca yang teruk
♦ **That's a rotten thing to do!** Perbuatan itu sungguh keji!
♦ **to feel rotten** berasa tidak senang hati
**rough** KATA ADJEKTIF, KATA ADVERBA
  [1] *kasar*
  ◊ *My hands are rough.* Tangan saya kasar. ◊ *Rugby's a rough sport.* Ragbi merupakan sukan yang kasar.
♦ **I've got a rough idea.** Saya mempunyai gambaran kasar mengenainya.
  [2] *berbahaya*
  ◊ *It's a rough area.* Kawasan itu

R

berbahaya.

3 *bergelora*

◊ *The sea was rough.* Laut itu bergelora.

♦ **to feel rough** tidak sihat

♦ **to sleep rough** tidur di jalanan (*hidup melarat*) ◊ *A lot of people sleep rough in London.* Di London, ada ramai orang yang tidur di jalanan.

to **roughen** KATA KERJA

♦ **to be roughened** kasar ◊ *She lifted her big, roughened hands.* Dia mengangkat tangannya yang besar dan kasar.

**roughly** KATA ADVERBA

1 *dengan kasar*

◊ *He pushed Fiona aside roughly.* Dia menolak Fiona ke tepi dengan kasar.

2 *kira-kira*

◊ *The journey takes roughly three hours.* Perjalanan itu mengambil masa kira-kira tiga jam.

**roughness** KATA NAMA

*kekasaran*

◊ *He regretted his roughness.* Dia menyesali kekasarannya.

**round** KATA ADJEKTIF, KATA ADVERBA, KATA SENDI

> *rujuk juga* **round** KATA NAMA

*bulat*

◊ *a round table* meja bulat

♦ **She wore a scarf round her neck.** Dia memakai skarf di keliling lehernya.

♦ **We were sitting round the table.** Kami duduk mengelilingi meja itu.

♦ **It's just round the corner.** Tempat itu dekat sahaja.

♦ **to go round to somebody's house** berkunjung ke rumah seseorang

♦ **to go round a museum** melawat ke muzium

♦ **to have a look round** melihat-lihat

◊ *We had a look round the record section.* Kami melihat-lihat di bahagian piring hitam.

♦ **round here** di sekitar kawasan ini

◊ *He lives round here.* Dia tinggal di sekitar kawasan ini. ◊ *Is there a chemist's round here?* Adakah kedai farmasi di sekitar kawasan ini?

♦ **all round** di seluruh kawasan

◊ *There were vineyards all round.* Ladang anggur boleh ditemui di seluruh kawasan ini.

♦ **all year round** sepanjang tahun

♦ **round about** lebih kurang ◊ *It costs round about RM100.* Harganya lebih kurang RM100.

♦ **round about eight o'clock** lebih kurang

pukul lapan

**round** KATA NAMA

> *rujuk juga* **round** KATA ADJEKTIF, KATA ADVERBA, KATA SENDI

*pusingan (permainan, perlawanan)*

♦ **He bought them a round of drinks.** Dia membelanjai mereka minum.

♦ **I think it's my round.** Saya rasa ini giliran saya.

**roundabout** KATA NAMA

1 *bulatan (jalan)*

2 *kuda pusing (di pesta)*

**rounders** KATA NAMA

*permainan rounders*

**route** KATA NAMA

*perjalanan*

◊ *We are planning our route.* Kami sedang merancang perjalanan kami.

♦ **bus route** laluan bas

**routine** KATA NAMA

*rutin*

◊ *my daily routine* rutin harian saya

**row** KATA NAMA

> *rujuk juga* **row** KATA KERJA
>
> *Perkataan ini mempunyai dua sebutan dalam bahasa Inggeris. Pastikan anda memilih sebutan yang betul.*

1 *deret*

◊ *a row of houses* sederet rumah

2 *barisan*

◊ *in the front row* barisan hadapan

♦ **five times in a row** lima kali berturut-turut

3 *bunyi bising*

◊ *What's that terrible row?* Apakah bunyi bising itu?

♦ **to have a row** bertengkar ◊ *They've had a row.* Mereka bertengkar.

to **row** KATA KERJA

> *rujuk juga* **row** KATA NAMA

*mendayung*

**rowboat** KATA NAMA 🇺🇸

*perahu dayung*

**rowing** KATA NAMA

*mendayung perahu*

◊ *My hobby is rowing.* Hobi saya ialah mendayung perahu.

♦ **rowing boat** perahu dayung

**royal** KATA ADJEKTIF

*diraja*

◊ *the royal family* keluarga diraja

**royal seal** KATA NAMA

*cap mohor*

to **rub** KATA KERJA

*menggosok*

◊ *Don't rub your eyes.* Jangan gosok mata anda.

to **rub out** KATA KERJA

*memadamkan*

**rubber** KATA NAMA

1. *getah*
◊ *rubber soles* tapak getah
2. *pemadam*
◊ *Can I borrow your rubber?* Bolehkah saya pinjam pemadam anda?
♦ **a rubber band** gelang getah

**rubber tapper** KATA NAMA
*penoreh getah*

**rubbish** KATA NAMA

> rujuk juga **rubbish** KATA ADJEKTIF

*sampah*
◊ *When do they collect the rubbish?* Bilakah mereka akan mengutip sampah?
◊ *rubbish bin* tong sampah
♦ **They sell a lot of rubbish at the market.** Mereka menjual banyak barang yang tidak berguna di pasar.
♦ **Don't talk rubbish!** Jangan mengarut!
♦ **That's a load of rubbish!** Mengarut sahaja!
♦ **That magazine is rubbish!** Majalah itu mengarut sahaja!

**rubbish** KATA ADJEKTIF

> rujuk juga **rubbish** KATA NAMA

*tidak berguna*
◊ *They're a rubbish team!* Mereka merupakan pasukan yang tidak berguna!

**rucksack** KATA NAMA
*beg galas*

**rudder** KATA NAMA
*kemudi*

**rude** KATA ADJEKTIF

1. *biadab*
◊ *He was very rude to me.* Dia sangat biadab terhadap saya.
♦ **It's rude to interrupt.** Menyampuk ialah perbuatan yang tidak sopan.
2. *tidak senonoh*
◊ *a rude joke* gurauan yang tidak senonoh ◊ *a rude word* kata yang tidak senonoh

**rudeness** KATA NAMA
*kebiadaban*

**rug** KATA NAMA
*ambal*

**rugby** KATA NAMA
*ragbi*
◊ *He enjoys playing rugby.* Dia gemar bermain ragbi.

to **ruin** KATA KERJA

> rujuk juga **ruin** KATA NAMA

*merosakkan*
◊ *It ruined our holiday.* Kejadian itu telah merosakkan percutian kami.
♦ **Smoking ruins your health.** Merokok menjejaskan kesihatan anda.

**ruin** KATA NAMA

> rujuk juga **ruin** KATA KERJA

*puing*
◊ *the ruins of the castle* puing istanakota itu
♦ **in ruins** habis musnah

**rule** KATA NAMA

> rujuk juga **rule** KATA KERJA

*peraturan*
◊ *the rules of grammar* peraturan tatabahasa
♦ **as a rule** lazimnya

to **rule** KATA KERJA

> rujuk juga **rule** KATA NAMA

*memerintah*

to **rule out** KATA KERJA
*mengetepikan (cadangan, tindakan)*

**ruler** KATA NAMA

1. *pemerintah*
2. *pembaris*

**rum** KATA NAMA
*rum (minuman keras)*

**rumble** KATA NAMA
*deruman*
◊ *the rumble of a distant aeroplane* deruman kapal terbang yang kedengaran dari jauh

**rumour** KATA NAMA
(AS **rumor**)
*khabar angin*
◊ *It's just a rumour.* Perkara itu hanyalah khabar angin.

**run** KATA NAMA

> rujuk juga **run** KATA KERJA

*larian*
♦ **to go for a run** berlari ◊ *I go for a run every morning.* Saya berlari setiap pagi.
◊ *I did a 10-kilometre run.* Saya berlari sejauh 10 kilometer.
♦ **The criminals are still on the run.** Penjenayah-penjenayah itu masih diburu oleh pihak polis.
♦ **in the long run** dalam jangka masa yang panjang

to **run** KATA KERJA
(**ran, run**)

> rujuk juga **run** KATA NAMA

1. *berlari*
◊ *I ran five kilometres.* Saya berlari sejauh lima kilometer.
♦ **to run in a marathon** mengambil bahagian dalam acara maraton
2. *mengendalikan*
◊ *He runs a large company.* Dia mengendalikan sebuah syarikat besar.
3. *menganjurkan*
◊ *They run music courses in the holidays.* Mereka menganjurkan kursus muzik pada musim cuti.
4. *menghantar (dengan kereta)*
◊ *I can run you to the station.* Saya

R

boleh menghantar anda ke stesen.
- **Don't leave the tap running.** Tutup paip itu selepas digunakan.
- **to run a bath** menakung air untuk mandi
- **The buses stop running at midnight.** Bas berhenti beroperasi pada tengah malam.

to **run away** KATA KERJA
*melarikan diri*
◊ *They ran away before the police came.* Mereka melarikan diri sebelum polis sampai.

to **run down** KATA KERJA
1 *mengutuk*
◊ *She tends to run herself down.* Dia sering mengutuk dirinya sendiri.
2 *mengurangkan*
◊ *Firms were running down stocks instead of making new products.* Firma-firma mengurangkan stok dan bukannya mengeluarkan produk baru.
- **The property business could be run down.** Perniagaan hartanah itu boleh dikecilkan.
3 *melanggar*
◊ *The girl was run down by a car.* Gadis itu dilanggar kereta.

to **run into** KATA KERJA
1 *menghadapi*
◊ *Last year his company ran into financial problems.* Syarikatnya menghadapi masalah kewangan pada tahun lepas.
2 *terserempak*
◊ *He ran into Mike at the school entrance.* Dia terserempak dengan Mike di pintu masuk sekolah.
3 *melanggar*
◊ *The taxi ran into a tree.* Teksi itu melanggar sebatang pokok.

to **run off** KATA KERJA
1 *lari*
◊ *They planned to run off together.* Mereka merancang untuk lari bersama.
2 *melarikan*
◊ *The thieves ran off with RM30,000 in cash.* Pencuri itu melarikan wang tunai sebanyak RM30,000.

to **run out** KATA KERJA
*kehabisan*
- **to run out of something** kehabisan sesuatu ◊ *We ran out of money.* Kami sudah kehabisan wang.
- **Time is running out.** Masa sudah suntik.

to **run over** KATA KERJA
*melanggar*
- **to get run over** kena langgar

**rung** KATA KERJA *rujuk* **ring**

**runner** KATA NAMA
*pelari*

**runner beans** KATA NAMA JAMAK
*pokok kacang menjalar*

**runner-up** KATA NAMA
(JAMAK **runners-up**)
*naib johan*

**running** KATA NAMA
*berlari*
- **Running is my favourite sport.** Sukan kegemaran saya ialah lumba lari.

**runway** KATA NAMA
*landasan kapal terbang*

**rural** KATA ADJEKTIF
*luar bandar*

to **rush** KATA KERJA
⟶ *rujuk juga* **rush** KATA NAMA
1 *meluru*
◊ *Everyone rushed outside.* Semua orang meluru keluar.
2 *terburu-buru*
◊ *There's no need to rush.* Tidak perlu terburu-buru.
- **She had to rush home after work to look after her father.** Dia terpaksa bergegas pulang selepas kerja untuk menjaga ayahnya.

**rush** KATA NAMA
⟶ *rujuk juga* **rush** KATA KERJA
*tergesa-gesa*
◊ *There's no rush.* Tidak perlu tergesa-gesa.
- **to do something in a rush** melakukan sesuatu dengan tergesa-gesa
- **I'm in a rush.** Saya hendak cepat.

**rush hour** KATA NAMA
*waktu sibuk*

**rusk** KATA NAMA
*biskut keras* (*biasanya dimakan bayi dan kanak-kanak*)

**Russia** KATA NAMA
*Rusia*

**Russian** KATA ADJEKTIF
⟶ *rujuk juga* **Russian** KATA NAMA
*Rusia*
◊ *the Russian government* kerajaan Rusia
- **He's Russian.** Dia berbangsa Rusia.

**Russian** KATA NAMA
⟶ *rujuk juga* **Russian** KATA ADJEKTIF
1 *orang Rusia*
◊ *the Russians* orang Rusia
2 *bahasa Rusia*

**rust** KATA NAMA
*karat*

to **rustle** KATA KERJA
*berdesir*
◊ *The leaves rustled in the wind.* Dedaun berdesir ditiup angin.

**rustling**  KATA NAMA
  _desiran_
    ◊  *We heard the rustling of the papers.*
  Kami terdengar desiran kertas-kertas.
**rusty**  KATA ADJEKTIF
  _berkarat_
    ◊  *The iron pipe has become rusty.*  Paip
  besi itu telah berkarat.
**ruthless**  KATA ADJEKTIF
  _tidak ada belas kasihan_
**rye**  KATA NAMA
  _rai_ (*bijirin*)
  ♦  **rye bread**  roti rai

R

# S

**sachet** KATA NAMA
*pek*
◊ *individual sachets of instant coffee*
pek kopi segera yang berasingan
**sack** KATA NAMA

> rujuk juga **sack** KATA KERJA

*guni*
◊ *a sack of potatoes* seguni ubi
kentang
♦ **to give somebody the sack** memecat
seseorang
♦ **He got the sack.** Dia dipecat.
to **sack** KATA KERJA

> rujuk juga **sack** KATA NAMA

*memecat*
◊ *to sack somebody* memecat
seseorang ◊ *He was sacked.* Dia telah
dipecat.
**sacred** KATA ADJEKTIF
*suci*
◊ *sacred places* tempat-tempat yang
suci
♦ **sacred music** muzik keagamaan
to **sacrifice** KATA KERJA

> rujuk juga **sacrifice** KATA NAMA

*mengorbankan*
◊ *They are ready to sacrifice their lives
in order to protect their country.* Mereka
sanggup mengorbankan nyawa mereka
demi mempertahankan negara.
**sacrifice** KATA NAMA

> rujuk juga **sacrifice** KATA KERJA

1 *korban (orang, haiwan)*
2 *pengorbanan*
◊ *He was willing to make any sacrifice
for peace.* Dia sanggup melakukan
sebarang pengorbanan demi keamanan.
**sacrificial** KATA ADJEKTIF
*korban*
**sad** KATA ADJEKTIF
*sedih*
to **sadden** KATA KERJA
*menyedihkan*
◊ *The cruelty in the world saddens me
immensely.* Kekejaman di dunia ini amat
menyedihkan saya.
**saddening** KATA ADJEKTIF
*menyedihkan*
◊ *a saddening experience* pengalaman
yang menyedihkan
**saddle** KATA NAMA
1 *pelana (pada kuda)*
2 *tempat duduk (pada motosikal)*
**saddlebag** KATA NAMA
*beg pelana*
**sadly** KATA ADVERBA
1 *dengan sedih*
◊ *"She failed," he said sadly.* "Dia telah
gagal," katanya dengan sedih.

2 *sayang*
◊ *Sadly, it was too late.* Sayang,
segalanya sudah terlambat.
**sadness** KATA NAMA
*kesedihan*
**safe** KATA ADJEKTIF

> rujuk juga **safe** KATA NAMA

*selamat*
◊ *This car isn't safe.* Kereta ini tidak
selamat. ◊ *You're safe now.* Anda
selamat sekarang.
♦ **safe sex** hubungan seks yang selamat
**safe** KATA NAMA

> rujuk juga **safe** KATA ADJEKTIF

*peti besi* atau *peti simpanan*
**safety** KATA NAMA
*keselamatan*
♦ **safety belt** tali pinggang keselamatan
♦ **safety pin** pin baju
to **sag** KATA KERJA
1 *melebir*
◊ *The skirt will not sag after washing.*
Skirt itu tidak akan melebir selepas dicuci.
2 *menggeleber (kulit)*
**Sagittarius** KATA NAMA
*Sagitarius*
♦ **I'm Sagittarius.** Zodiak saya ialah
Sagitarius.
**sago** KATA NAMA
*sagu*
**Sahara** KATA NAMA
♦ **the Sahara Desert** Gurun Sahara
**said** KATA KERJA rujuk **say**
**sail** KATA NAMA

> rujuk juga **sail** KATA KERJA

*layar*
♦ **to set sail** mula belayar
to **sail** KATA KERJA

> rujuk juga **sail** KATA NAMA

*belayar*
◊ *to sail around the world* belayar
mengelilingi dunia
**sailing** KATA NAMA
*belayar*
♦ **to go sailing** pergi belayar
♦ **sailing boat** perahu layar
♦ **sailing ship** kapal layar
**sailor** KATA NAMA
*kelasi*
◊ *He's a sailor.* Dia seorang kelasi.
**saint** KATA NAMA
*saint*
◊ *Saint John* Saint John
♦ **Every parish was named after a saint.**
Setiap kariah diberi nama sempena nama
seorang yang keramat dalam agama
Kristian.
**sake** KATA NAMA
♦ **for somebody's sake** demi kebaikan

seseorang ◊ *for the children's sake*
demi kebaikan anak-anak ◊ *I trust you
to do a good job for Stan's sake.* Saya
percaya anda akan melakukan kerja
dengan baik demi kebaikan Stan.
♦ **for the sake of something**  untuk
sesuatu tujuan ◊ *for the sake of
argument*  untuk tujuan perbincangan
♦ **For safety's sake, never stand directly
behind a horse.**  Untuk tujuan
keselamatan, jangan sekali-kali berdiri di
belakang kuda.
♦ **for the sake of the company**  untuk
kebaikan syarikat
♦ **For goodness sake!**  Apalah!
  (*tidak formal*)
**salad**  KATA NAMA
  *salad*
  ◊ *salad cream*  krim salad ◊ *salad
dressing*  kuah salad
**salami**  KATA NAMA
  *salami* (*sejenis sosej*)
**salary**  KATA NAMA
  (JAMAK **salaries**)
  *gaji*
**sale**  KATA NAMA
  [1] *penjualan*
  ◊ *Efforts were made to limit the sale of
alcohol.*  Usaha dijalankan untuk
mengehadkan penjualan alkohol.
  [2] *jualan murah*
  ◊ *There's a sale on at Harrods.*  Ada
jualan murah di Harrods. ◊ *the January
sales*  jualan murah bulan Januari
  [3] *jualan*
  ◊ *Newspaper sales have fallen.*  Jualan
surat khabar telah merosot.
♦ **on sale**  dijual
♦ **The house is for sale.**  Rumah itu adalah
untuk dijual.
♦ **"for sale"**  "untuk dijual"
**sales assistant**  KATA NAMA
  *pembantu jualan*
**sales figures**  KATA NAMA JAMAK
  *statistik jualan*
**salesman**  KATA NAMA
  (JAMAK **salesmen**)
  *jurujual* (*lelaki*)
  ◊ *an insurance salesman*  jurujual
insurans
**sales rep**  KATA NAMA
  *wakil jualan*
**sales revenue**  KATA NAMA
  *hasil jualan*
**sales target**  KATA NAMA
  *sasaran jualan*
**sales volume**  KATA NAMA
  *volum jualan*
**saleswoman**  KATA NAMA

(JAMAK **saleswomen**)
  *jurujual* (*perempuan*)
  ◊ *an insurance saleswoman*  jurujual
insurans
**saliva**  KATA NAMA
  *air liur*
**salmon**  KATA NAMA
  *ikan salmon*
**salon**  KATA NAMA
  *salun*
  ◊ *hair salon*  salun rambut ◊ *beauty
salon*  salun kecantikan
**saloon car**  KATA NAMA
  *kereta sedan*
**salt**  KATA NAMA
  *garam*
**salty**  KATA ADJEKTIF
  *masin*
to **salute**  KATA KERJA
  | rujuk juga **salute** KATA NAMA |
  *menabik*
**salute**  KATA NAMA
  | rujuk juga **salute** KATA KERJA |
  *tabik*
  ◊ *the scouts' salute*  tabik pengakap
**same**  KATA ADJEKTIF
  *sama*
  ◊ *the same model*  model yang sama
♦ **The house is still the same.**  Rumah itu
masih seperti dahulu.
♦ **These dresses are exactly the same.**
  Baju-baju ini serupa benar.
**sample**  KATA NAMA
  | rujuk juga **sample** KATA KERJA |
  *sampel*
  ◊ *a free sample of perfume*  sampel
minyak wangi percuma
to **sample**  KATA KERJA
  | rujuk juga **sample** KATA NAMA |
  [1] *merasa* (*makanan, minuman*)
  [2] *mencuba*
  ◊ *the chance to sample a different way
of life*  peluang untuk mencuba cara hidup
yang berlainan
**sanctions**  KATA NAMA JAMAK
  *sekatan*
  ◊ *economic sanctions*  sekatan ekonomi
**sanctuary**  KATA NAMA
  (JAMAK **sanctuaries**)
  [1] *tempat perlindungan*
  ◊ *The church became a sanctuary for
refugees.*  Gereja itu telah menjadi tempat
perlindungan pelarian.
♦ **They have sought sanctuary in the
church.**  Mereka mencari perlindungan di
dalam gereja itu.
  [2] *kawasan perlindungan*
  ◊ *a bird sanctuary*  kawasan
perlindungan burung

**S**

**sand** KATA NAMA
*pasir*

**sandal** KATA NAMA
*sandal*
◊ *a pair of sandals* sepasang sandal

**sandbank** KATA NAMA
*beting pasir* (*di bawah permukaan laut, sungai*)

**sandbar** KATA NAMA
*beting pasir* (*terbentuk oleh arus*)

**sand castle** KATA NAMA
*istana pasir*

**sandpaper** KATA NAMA
| rujuk juga **sandpaper** KATA KERJA |
*kertas pasir*

to **sandpaper** KATA KERJA
| rujuk juga **sandpaper** KATA NAMA |
*melicinkan … dengan kertas pasir*
◊ *He sandpapered the wood.* Dia melicinkan kayu itu dengan kertas pasir.

**sandwich** KATA NAMA
(JAMAK **sandwiches**)
*sandwic*

**sandwich course** KATA NAMA
*kursus selang kerja*
| kursus yang berselang-seli antara masa belajar dengan masa bekerja |

**sandwiched** KATA ADJEKTIF
*diapit*
◊ *Mongolia, is sandwiched between Russia and China.* Mongolia diapit oleh Rusia dan China.

**sandy** KATA ADJEKTIF
1 *berpasir*
◊ *a sandy path* lorong berpasir
2 *perang muda* (*warna*)

**sane** KATA ADJEKTIF
*waras*

**sang** KATA KERJA *rujuk* **sing**

**sanitary** KATA ADJEKTIF
*kebersihan*
◊ *sanitary conditions* keadaan kebersihan

**sanitary napkin** KATA NAMA 🇦
*tuala wanita*

**sanitary towel** KATA NAMA
*tuala wanita*

**sanity** KATA NAMA
*kewarasan*
◊ *He was still able to preserve his sanity in that situation.* Dia masih dapat mengekalkan kewarasannya dalam keadaan begitu.

**sank** KATA KERJA *rujuk* **sink**

**Santa Claus** KATA NAMA
*Santa Klaus*

**sap** KATA NAMA
*getah* (*pada tumbuhan*)

**sapphire** KATA NAMA

*nilam*

**sarcastic** KATA ADJEKTIF
*suka menyindir* (*orang*)
♦ **sarcastic remarks** kata-kata yang penuh dengan sindiran

**sardine** KATA NAMA
*sardin*

**sari** KATA NAMA
*sari*

**sarong** KATA NAMA
*sarung*

**sat** KATA KERJA *rujuk* **sit**

**satay** KATA NAMA
*sate*

**satchel** KATA NAMA
*beg galas*

**satellite** KATA NAMA
*satelit*
◊ *by satellite* melalui satelit ◊ *a satellite dish* piring satelit ◊ *satellite television* televisyen satelit

**satirical** KATA ADJEKTIF
*mengandungi unsur-unsur sinis*
◊ *a satirical novel* sebuah novel yang mengandungi unsur-unsur sinis

**satisfaction** KATA NAMA
*kepuasan*

**satisfactorily** KATA ADVERBA
*dengan memuaskan*

**satisfactory** KATA ADJEKTIF
*memuaskan*

**satisfied** KATA ADJEKTIF
*berpuas hati*

to **satisfy** KATA KERJA
(**satisfied, satisfied**)
1 *memuaskan hati*
◊ *The change did not satisfy everyone.* Perubahan itu tidak dapat memuaskan hati semua orang.
2 *memenuhi*
◊ *The procedures should satisfy certain basic requirements.* Prosedur-prosedur itu harus memenuhi keperluan-keperluan asas tertentu.

**saturated** KATA ADJEKTIF
*tepu*
◊ *saturated fats* lemak tepu

**Saturday** KATA NAMA
*hari Sabtu*
◊ *I saw her on Saturday.* Saya bertemu dengannya pada hari Sabtu. ◊ *every Saturday* setiap hari Sabtu ◊ *last Saturday* hari Sabtu lepas ◊ *next Saturday* hari Sabtu depan

**Saturn** KATA NAMA
*Zuhal*

**sauce** KATA NAMA
*sos*
◊ *tomato sauce* sos tomato

**saucepan** KATA NAMA
*periuk*

**saucer** KATA NAMA
*piring*

**Saudi Arabia** KATA NAMA
*Arab Saudi*

**sauna** KATA NAMA
*sauna*

**sausage** KATA NAMA
*sosej*
◊ *a sausage roll* roti sosej

**savage** KATA ADJEKTIF
*ganas*

to **save** KATA KERJA
1 *menyelamatkan*
◊ *The doctors saved him from becoming a cripple.* Doktor-doktor itu telah menyelamatkannya daripada menjadi lumpuh.
♦ **Luckily, all the passengers were saved.** Nasib baik semua penumpang terselamat.
2 *menjimatkan*
◊ *We went in a taxi to save time.* Untuk menjimatkan masa, kami pergi dengan teksi. ◊ *I saved money by staying in youth hostels.* Saya dapat menjimatkan wang dengan menginap di asrama belia.
♦ **It saved us time.** Kita dapat menjimatkan masa.
3 *menyimpan*
◊ *I saved the file onto a diskette.* Saya menyimpan fail itu ke dalam disket. ◊ *I've saved 500 pounds already.* Saya sudah pun menyimpan sebanyak 500 paun.

to **save up** KATA KERJA
*menyimpan wang*
◊ *I'm saving up for a new car.* Saya sedang menyimpan wang untuk membeli sebuah kereta baru.

**savings** KATA NAMA JAMAK
*wang simpanan*
◊ *She spent all her savings on a computer.* Dia membelanjakan semua wang simpanannya untuk membeli komputer.

**saviour** KATA NAMA
*penyelamat*

to **savour** KATA KERJA
*menikmati*
◊ *She breathed deeply, savouring the silence.* Dia menarik nafas dalam-dalam sambil menikmati kesunyian itu.

**savoury** KATA ADJEKTIF
*masin atau pedas*
◊ *savoury food* makanan yang masin atau pedas

**saw** KATA KERJA *rujuk* **see**

**saw** KATA NAMA
*gergaji*

**sax** KATA NAMA
(JAMAK **saxes**)
*saksofon*

**saxophone** KATA NAMA
*saksofon*

**saxophonist** KATA NAMA
*peniup saksofon*

to **say** KATA KERJA
(**said, said**)
*mengatakan*
◊ *What did he say?* Apakah yang dikatakannya?
♦ **to say yes** bersetuju
♦ **Could you say that again?** Bolehkah anda ulang sekali lagi?
♦ **The clock said four minutes past eleven.** Jam menunjukkan pukul sebelas empat minit.
♦ **It goes without saying that...** Sudah jelas bahawa...

**saying** KATA NAMA
*pepatah*

to **scald** KATA KERJA
*menyebabkan ... melecur*
♦ **Her finger was scalded by hot oil.** Jarinya melecur terkena minyak panas.

**scale** KATA NAMA
*skala*
♦ **a large-scale map** peta berskala besar
♦ **He underestimated the scale of the problem.** Dia tidak sedar betapa seriusnya masalah itu.

**scales** KATA NAMA JAMAK
*penimbang*
♦ **bathroom scales** penimbang

**scalp** KATA NAMA
*kulit kepala*

**scampi** KATA NAMA JAMAK
*sejenis masakan udang besar*

**scandal** KATA NAMA
*skandal*
◊ *It caused a scandal.* Perkara itu telah menyebabkan timbulnya satu skandal.
◊ *He loved gossip and scandal.* Dia suka akan gosip dan skandal.

**scanty** KATA ADJEKTIF
1 *terlalu sedikit*
◊ *scanty evidence* bukti yang terlalu sedikit
2 *menjolok mata*
◊ *a model in scanty clothing* seorang peragawati yang memakai pakaian yang menjolok mata

**scar** KATA NAMA
| rujuk juga **scar** KATA KERJA |
*parut*

to **scar** KATA KERJA
| rujuk juga **scar** KATA NAMA |

S

*meninggalkan parut*
♦ **His forehead was scarred after the accident.** Dahinya berparut selepas kemalangan itu.

**scarce** KATA ADJEKTIF
*sukar didapati*
◊ *scarce resources* sumber-sumber yang sukar didapati
♦ **Jobs are scarce nowadays.** Agak sukar untuk mencari pekerjaan sekarang ini.

**scarcely** KATA ADVERBA
[1] *hampir tidak*
◊ *He could scarcely breathe.* Dia hampir tidak dapat bernafas.
[2] *tidak begitu*
◊ *I scarcely knew him.* Saya tidak begitu mengenalinya.
♦ **He was scarcely more than a boy.** Dia masih budak.
♦ **It can scarcely be coincidence.** Perkara itu mungkin bukan kebetulan.
♦ **She was scarcely 18 when she made her debut.** Dia baru sahaja berusia 18 tahun semasa dia muncul buat pertama kalinya.

to **scare** KATA KERJA

| *rujuk juga* **scare** KATA NAMA |
| --- |

*menakutkan*
◊ *You scared me!* Anda menakutkan saya!

**scare** KATA NAMA

| *rujuk juga* **scare** KATA KERJA |
| --- |
| **scare** diterjemahkan mengikut konteks. |

◊ *Don't you realize what a scare you've given us all?* Tidakkah anda sedar betapa anda telah menakutkan kami semua?
◊ *We got a bit of a scare.* Kami berasa agak takut.
♦ **a bomb scare** gertakan bom

**scarecrow** KATA NAMA
*orang-orang*

**scared** KATA ADJEKTIF
*takut*
♦ **to be scared** takut ◊ *Are you scared of him?* Apakah anda takut akan dia? ◊ *I was scared stiff.* Saya betul-betul takut.

**scarf** KATA NAMA
(JAMAK **scarfs** atau **scarves**)
*skarf*

**scary** KATA ADJEKTIF
*menggerunkan*
◊ *It was really scary.* Kejadian itu betul-betul menggerunkan.
♦ **a scary film** filem seram

to **scatter** KATA KERJA
[1] *menabur*
◊ *She scattered rose petals over the grave.* Dia menaburkan kelopak bunga

ros di atas kubur.
♦ **Sandy scattered her books on the floor.** Sandy menyelerakkan buku-bukunya di atas lantai.
[2] *bertempiaran*
◊ *The crowd scattered when they heard a shot being fired.* Orang ramai bertempiaran apabila mendengar satu das tembakan.

**scattered** KATA ADJEKTIF
*berselerak*
◊ *He picked up the scattered toys.* Dia mengutip alat mainan yang berselerak itu.

**scenario** KATA NAMA
*senario*

**scene** KATA NAMA
[1] *babak*
◊ *love scenes* babak asmara
[2] *adegan*
◊ *violent scenes* adegan ganas
♦ **It was an amazing scene.** Pemandangan itu sungguh menakjubkan.
[3] *tempat kejadian*
◊ *at the scene of the crime* di tempat kejadian jenayah ◊ *The police were soon on the scene.* Pihak polis tiba di tempat kejadian tidak lama kemudian.
♦ **to make a scene** membuat hal

**scenery** KATA NAMA
*pemandangan*

**scenic** KATA ADJEKTIF
*mempunyai pemandangan yang indah*
◊ *This is an extremely scenic part of Malaysia.* Kawasan ini merupakan kawasan di Malaysia yang mempunyai pemandangan yang sangat indah.
♦ **the scenic beauty of the countryside** keindahan pemandangan di kawasan luar bandar

**scent** KATA NAMA

| *rujuk juga* **scent** KATA KERJA |
| --- |

*keharuman*

to **scent** KATA KERJA

| *rujuk juga* **scent** KATA NAMA |
| --- |

*mewangikan*
◊ *Roses scent the garden.* Haruman bunga mawar mewangikan taman itu.

**schedule** KATA NAMA

| *rujuk juga* **schedule** KATA KERJA |
| --- |

*jadual*
◊ *a production schedule* jadual pengeluaran ◊ *a busy schedule* jadual yang ketat
♦ **on schedule** seperti yang dijadualkan
♦ **to be behind schedule** lewat daripada yang dijadualkan

to **schedule** KATA KERJA

| *rujuk juga* **schedule** KATA NAMA |
| --- |

*menjadualkan*

◊ *He scheduled the project to end in December.* Dia menjadualkan projek itu tamat pada bulan Disember.

**scheduled flight** KATA NAMA
*penerbangan yang dijadualkan*

**scheme** KATA NAMA
*rancangan*
◊ *a road-widening scheme* rancangan pelebaran jalan raya
♦ **housing scheme** skim perumahan

**scholar** KATA NAMA
*sarjana*

**scholarship** KATA NAMA
*biasiswa*

**school** KATA NAMA
1 *sekolah*
◊ *at school* di sekolah ◊ *to go to school* pergi ke sekolah ◊ *after school* lepas sekolah
2 *fakulti (di universiti)*
◊ *art school* fakulti seni

**schoolbook** KATA NAMA
*buku teks*

**schoolboy** KATA NAMA
*murid lelaki*

**schoolchildren** KATA NAMA JAMAK
*kanak-kanak sekolah*

**schooldays** KATA NAMA JAMAK
*zaman persekolahan*

**schoolgirl** KATA NAMA
*murid perempuan*

**schooling** KATA NAMA
*persekolahan*
◊ *Fiona continues her schooling abroad.* Fiona menyambung persekolahannya di luar negara.

**science** KATA NAMA
*sains*

**science fiction** KATA NAMA
*cereka sains*

**scientific** KATA ADJEKTIF
*saintifik*

**scientist** KATA NAMA
*ahli sains* atau *saintis*

**scissors** KATA NAMA JAMAK
*gunting*
◊ *a pair of scissors* sebilah gunting

to **scoff** KATA KERJA
1 *mencemuh*
◊ *My friends scoffed at the idea.* Kawan-kawan saya mencemuh idea itu.
2 *(tidak formal) melahap*
◊ *My brother scoffed all the sandwiches.* Adik saya melahap semua sandwic itu.

to **scold** KATA KERJA
*memarahi*

**scone** KATA NAMA
*skon*

kek kecil yang dibuat daripada tepung dan lemak dan biasanya dimakan dengan mentega

**scoop** KATA NAMA
*rujuk juga* **scoop** KATA KERJA
1 *pencedok*
2 *berita eksklusif*

to **scoop** KATA KERJA
*rujuk juga* **scoop** KATA NAMA
*mencedok*

to **scoop up** KATA KERJA
*mengaut*
◊ *He began to scoop his things up.* Dia mula mengaut barang-barangnya.

**scooter** KATA NAMA
*skuter*

**scope** KATA NAMA
1 *peluang*
◊ *Banks had increased scope to develop new financial products.* Bank-bank telah meningkatkan peluang untuk mengembangkan produk kewangan yang baru.
2 *skop*
◊ *the scope of a novel* skop novel

to **scorch** KATA KERJA
1 *menyebabkan ... terbakar sedikit*
◊ *The bomb scorched the side of the building.* Bom itu menyebabkan bahagian tepi bangunan itu terbakar sedikit.
2 *terbakar*
◊ *The leaves are inclined to scorch in hot sunshine.* Dedaun itu akan terbakar di bawah cahaya matahari yang terik.

**scorching** KATA ADJEKTIF
*panas terik*
◊ *a scorching hot day* hari panas terik

to **score** KATA KERJA
*rujuk juga* **score** KATA NAMA
1 *menjaringkan*
◊ *to score a goal* menjaringkan gol
♦ **to score a point** mendapatkan markah
♦ **to score six out of ten** memperoleh enam daripada sepuluh markah
2 *mencatatkan markah*
◊ *Who's going to score?* Siapakah yang akan mencatatkan markah?

**score** KATA NAMA
*rujuk juga* **score** KATA KERJA
1 *mata* atau *skor*
◊ *the highest score* mata tertinggi
2 *keputusan (perlawanan)*
◊ *The score was three-nil.* Keputusannya ialah tiga kosong.

**scorer** KATA NAMA
1 *penjaring (bola sepak, dll)*
2 *orang yang mendapatkan skor (kriket, ragbi, dll)*
3 *pencatat markah*

S

**scorn** KATA NAMA
*cemuhan*
◊ *They greeted the proposal with scorn.*
Mereka menyambut cadangan itu dengan
cemuhan.

**Scorpio** KATA NAMA
*Scorpio*
♦ **I'm Scorpio.** Zodiak saya ialah Scorpio.

**scorpion** KATA NAMA
*kala jengking*

**Scot** KATA NAMA
*orang Scotland*

**Scotch tape** ® KATA NAMA [image]
*pita perekat*

**Scotland** KATA NAMA
*Scotland*

**Scots** KATA ADJEKTIF
*Scotland*
◊ *a Scots accent* pelat Scotland

**Scotsman** KATA NAMA
(JAMAK **Scotsmen**)
*lelaki Scotland*

**Scotswoman** KATA NAMA
(JAMAK **Scotswomen**)
*wanita Scotland*

**Scottish** KATA ADJEKTIF
*Scotland*
◊ *a Scottish accent* pelat Scotland
♦ **She's Scottish.** Dia berbangsa Scotland.

**scoundrel** KATA NAMA
*jahanam*

to **scour** KATA KERJA
[1] *mencari-cari*
◊ *We scoured the telephone directory for clues.* Kami mencari-cari dalam buku panduan telefon itu untuk mendapatkan petunjuk.
[2] *menggeledah*
◊ *The search party scoured an area of ten square miles.* Pasukan pencari itu menggeledah kawasan seluas 10 batu persegi.
[3] *menyental* (singki, lantai, dll)

**scout** KATA NAMA
*pengakap*

to **scramble** KATA KERJA
[1] *memanjat*
◊ *He scrambled up a steep bank.* Dia memanjat ke atas tebing yang curam.
[2] *berebut-rebut*
◊ *The students were scrambling to get into the bus.* Para pelajar berebut-rebut hendak menaiki bas.

**scrambled eggs** KATA NAMA JAMAK
*telur hancur*

**scrap** KATA NAMA
| rujuk juga **scrap** KATA KERJA |
[1] *cebis*
◊ *a scrap of paper* secebis kertas

[2] (tidak formal) *perkelahian*
◊ *There was a scrap outside the pub.*
Satu perkelahian berlaku di luar pub itu.
♦ **scrap iron** besi buruk

to **scrap** KATA KERJA
| rujuk juga **scrap** KATA NAMA |
*membatalkan*
◊ *In the end the plan was scrapped.*
Akhirnya, rancangan itu dibatalkan.

**scrapbook** KATA NAMA
*buku skrap*

to **scrape** KATA KERJA
[1] *mengikis*
◊ *She scraped the leftover food into the bin.* Dia mengikis sisa-sisa makanan ke dalam tong sampah.
[2] *bergesel*
◊ *The car scraped against a bus.*
Kereta itu bergesel dengan sebuah bas.
♦ **My new car was damaged when it scraped against the wall.** Kereta baru saya rosak kerana tergesel tembok itu.

**scraper** KATA NAMA
*pengikis*

to **scratch** KATA KERJA
| rujuk juga **scratch** KATA NAMA |
[1] *menggaru*
[2] *mencalarkan*
◊ *Someone's scratched my car!* Ada orang telah mencalarkan kereta saya!
♦ **He scratched his arm on the bushes.**
Tangannya tercalar semasa berada dalam semak itu.

**scratch** KATA NAMA
(JAMAK **scratches**)
| rujuk juga **scratch** KATA KERJA |
*calar*
♦ **to start from scratch** bermula dari asas
♦ **a scratch card** kad gores

to **scream** KATA KERJA
| rujuk juga **scream** KATA NAMA |
*menjerit*

**scream** KATA NAMA
| rujuk juga **scream** KATA KERJA |
*jeritan*

**screen** KATA NAMA
| rujuk juga **screen** KATA KERJA |
*skrin*

to **screen** KATA KERJA
| rujuk juga **screen** KATA NAMA |
[1] *menyiarkan*
◊ *The television programme was screened live.* Rancangan televisyen itu disiarkan secara terus-menerus.
[2] *memeriksa* (penyakit)
[3] *menyaring*
◊ *The company will screen all the candidates.* Syarikat itu akan menyaring semua calon.

**screenful** KATA NAMA
*skrin penuh* (komputer)
◊ *No one likes reading more than one screenful.* Tidak ada orang yang suka membaca lebih daripada satu skrin penuh.

**screening** KATA NAMA
[1] *pemeriksaan* (penyakit)
[2] *penayangan*
◊ *The film is unsuitable for screening in the early evening.* Penayangan filem itu tidak sesuai diadakan pada awal petang.

**screenplay** KATA NAMA
*lakon layar*

**screen saver** KATA NAMA
*screen saver*
> *gambar bergerak yang muncul pada skrin komputer yang sudah dipasangkan apabila komputer itu tidak digunakan untuk seketika*

**screw** KATA NAMA
*skru*

**screwdriver** KATA NAMA
*pemutar skru*

to **scribble** KATA KERJA
*menconteng*

**script** KATA NAMA
*skrip*

**scripture** KATA NAMA
*kitab*
◊ *holy scriptures* kitab-kitab suci

**scriptwriter** KATA NAMA
*penulis skrip*

**scroll bar** KATA NAMA
*bar skrol* (komputer)

to **scrub** KATA KERJA
*menggosok*

to **scrutinize** KATA KERJA
*meneliti*
◊ *Her purpose was to scrutinize his features to see if he was an honest man.* Tujuannya adalah untuk meneliti wajah lelaki itu untuk melihat sama ada dia seorang yang jujur.

**scrutiny** KATA NAMA
*tatapan*
◊ *His private life came under media scrutiny.* Kehidupan peribadinya menjadi tatapan pihak media.

**SCSI** SINGKATAN (= *Small Computer Systems Interface*)
*SCSI* (= *Antara Muka Sistem Komputer Kecilan*)

**scuba diving** KATA NAMA
*selam skuba*

to **scuffle** KATA KERJA
*bergelut*
◊ *Police scuffled with some of the protesters.* Pihak polis bergelut dengan beberapa orang pembantah.

♦ **The rat was scuffling about in my room.** Tikus itu menggerodak di dalam bilik saya.

**sculptor** KATA NAMA
*tukang ukir*

**sculpture** KATA NAMA
*arca*

**sea** KATA NAMA
*laut*
◊ *a house by the sea* rumah di tepi laut
♦ **by sea** dengan kapal

**seafood** KATA NAMA
*makanan laut*
◊ *a seafood restaurant* restoran makanan laut

**seagull** KATA NAMA
*burung camar*

**seahorse** KATA NAMA
*kuda laut*

**seal** KATA NAMA
> rujuk juga **seal** KATA KERJA
[1] *anjing laut*
[2] *tera* (tanda, cap khas)

to **seal** KATA KERJA
> rujuk juga **seal** KATA NAMA
[1] *merekatkan* (sampul surat)
[2] *menutup rapat-rapat* (bekas, dll)
[3] *memeterai* (perjanjian)

to **seal off** KATA KERJA
*menutup*
◊ *The entire area has been sealed off by the police.* Seluruh kawasan itu telah ditutup oleh polis.

**sealing-wax** KATA NAMA
*lak* (untuk mengecap tera)

**seaman** KATA NAMA
(JAMAK **seamen**)
*kelasi*

**seamstress** KATA NAMA
(JAMAK **seamstresses**)
*tukang jahit* (wanita)

to **search** KATA KERJA
> rujuk juga **search** KATA NAMA
[1] *mencari*
◊ *They're searching for the missing climbers.* Mereka sedang mencari para pendaki yang hilang itu.
♦ **They searched the woods for the little girl.** Mereka mencari budak perempuan itu di dalam hutan.
♦ **They searched the house.** Mereka menggeledah rumah itu.
[2] *memeriksa*
◊ *The police searched him for drugs.* Polis memeriksa badannya untuk mencari dadah.

**search** KATA NAMA
(JAMAK **searches**)
> rujuk juga **search** KATA KERJA
[1] *usaha mencari*

S

◊ *The search for the boy was abandoned.* Usaha mencari budak lelaki itu telah dihentikan.

♦ **to go in search of** pergi mencari

2 *pemeriksaan*

◊ *The police made a search of the building.* Pihak polis membuat pemeriksaan pada bangunan itu.

**search engine** KATA NAMA

*enjin carian*

**searcher** KATA NAMA

*pencari*

**search party** KATA NAMA

(JAMAK **search parties**)

*pasukan pencari*

**seashore** KATA NAMA

*tepi pantai*

◊ *on the seashore* di tepi pantai

**seasick** KATA ADJEKTIF

*mabuk laut*

♦ **to be seasick** mabuk laut

**seaside** KATA NAMA

*tepi laut*

◊ *a seaside resort* tempat peranginan di tepi laut

**season** KATA NAMA

*musim*

◊ *What's your favourite season?* Apakah musim kegemaran anda? ◊ *during the holiday season* semasa musim cuti

♦ **out of season** di luar musim

♦ **a season ticket** tiket langganan

**seasonal** KATA ADJEKTIF

*bermusim*

◊ *seasonal crops* tanaman bermusim

**seasoning** KATA NAMA

*perasa*

**seat** KATA NAMA

*kerusi*

◊ *I was sitting in the back seat.* Saya duduk di kerusi belakang. ◊ *to win a seat at the election* memenangi kerusi dalam pilihan raya

♦ **Are there any seats left?** Masih ada tempat duduk?

**seat belt** KATA NAMA

*tali pinggang keledar*

**seaweed** KATA NAMA

*rumpai laut*

**seclusion** KATA NAMA

*keadaan terpencil*

◊ *They love the seclusion of their garden.* Mereka suka keadaan kebun mereka yang terpencil.

**second** KATA NAMA

rujuk juga **second** KATA ADJEKTIF, KATA ADVERBA

*saat*

♦ **It'll only take a second.** Sekejap sahaja!

**second** KATA ADJEKTIF, KATA ADVERBA

rujuk juga **second** KATA NAMA

*kedua*

◊ *the second time* kali kedua ◊ *to come second* menduduki tempat kedua

♦ **second class** (*tiket*) kelas dua

♦ **the second of March** dua hari bulan Mac

**secondary** KATA ADJEKTIF

1 *tidak begitu penting*

2 *sekunder*

◊ *secondary cell* sel sekunder

♦ **secondary education** pendidikan menengah

**secondary school** KATA NAMA

*sekolah menengah*

**second-class** KATA ADJEKTIF, KATA ADVERBA

*kelas dua* (*tiket*)

♦ **second-class postage**

bayaran pos yang lebih murah dan lebih lambat di Britain

**secondhand** KATA ADJEKTIF

*terpakai*

**secondly** KATA ADVERBA

*kedua*

**secret** KATA ADJEKTIF

rujuk juga **secret** KATA NAMA

*rahsia*

◊ *a secret mission* misi rahsia

**secret** KATA NAMA

rujuk juga **secret** KATA ADJEKTIF

*rahsia*

◊ *Can you keep a secret?* Bolehkah anda menyimpan rahsia?

♦ **in secret** secara rahsia

**secretariat** KATA NAMA

*urus setia*

**secretary** KATA NAMA

(JAMAK **secretaries**)

*setiausaha*

**Secretary General** KATA NAMA

*Setiausaha Agung*

**secretly** KATA ADVERBA

*secara senyap-senyap*

◊ *He went out secretly.* Dia keluar secara senyap-senyap.

**sect** KATA NAMA

*mazhab*

**section** KATA NAMA

*bahagian*

to **secure** KATA KERJA

rujuk juga **secure** KATA ADJEKTIF

*mendapat*

◊ *Gopi's achievements helped secure him the job.* Pencapaian Gopi membantunya mendapat kerja itu.

♦ **They secured the door with a padlock.** Mereka mengunci pintu itu dengan mangga.

♦ **A burglar alarm will secure the house against intruders.** Penggera kecurian akan melindungi rumah ini daripada penceroboh.

♦ **One end of the rope was secured to the pier.** Satu daripada hujung tali itu diikat pada jeti.

**secure** KATA ADJEKTIF

> rujuk juga **secure** KATA KERJA

[1] *selamat*
◊ *She felt secure when she was with him.* Dia berasa selamat apabila berada di sisi lelaki itu.

[2] *terjamin*
◊ *a secure future* masa depan yang terjamin

**security** KATA NAMA
*keselamatan*
◊ *They are trying to improve airport security.* Mereka cuba mempertingkatkan tahap keselamatan di lapangan terbang.
◊ *security guard* pengawal keselamatan

♦ **They have no job security.** Kerja mereka tidak terjamin.

**sedan** KATA NAMA 🔲
*kereta sedan*

**sediment** KATA NAMA
*mendapan*

**sedimentation** KATA NAMA
*pemendapan*

to **seduce** KATA KERJA
*menggoda*

**seducer** KATA NAMA
*penggoda*

**seduction** KATA NAMA
*godaan*

**seductive** KATA ADJEKTIF
[1] *sangat menarik*
◊ *It's a seductive argument.* Hujah itu sangat menarik.
[2] *menggiurkan*
◊ *The way the woman dressed was very seductive.* Cara wanita itu berpakaian sungguh menggiurkan.

to **see** KATA KERJA
(saw, seen)
*nampak*
◊ *I can't see.* Saya tidak nampak. ◊ *I saw him yesterday.* Saya nampak dia kelmarin.

♦ **You need to see a doctor.** Anda perlu berjumpa doktor.

♦ **See you!** Jumpa lagi!

♦ **See you soon!** Jumpa lagi!

to **see to** KATA KERJA
[1] *menguruskan*
◊ *The tap isn't working. Can you see to it please?* Paip itu tidak berfungsi. Bolehkah

anda tolong uruskannya?
[2] *memastikan*
◊ *Please see to it that all preparations are made.* Sila pastikan segala persiapan telah dibuat.

**seed** KATA NAMA
*biji benih*
◊ *poppy seeds* biji benih popi

**seedling** KATA NAMA
*cambah*

to **seek** KATA KERJA
(sought, sought)
[1] *mencari*
◊ *They have had to seek work as labourers.* Mereka terpaksa mencari kerja sebagai buruh.
[2] *cuba mendapatkan*
◊ *to seek help* cuba mendapatkan bantuan

**seeker** KATA NAMA
*pencari*

to **seem** KATA KERJA
*nampaknya*
◊ *That seems like a good idea.* Nampaknya itu satu idea yang bagus.
◊ *The shop seemed to be closed.* Nampaknya kedai itu sudah tutup.

♦ **She seems tired.** Dia nampak letih.

**seen** KATA KERJA *rujuk* **see**

**seesaw** KATA NAMA
*jongkang-jongket*

to **seethe** KATA KERJA
*berasa sangat marah*
◊ *She took it calmly at first but under the surface was seething.* Pada mulanya dia tenang sahaja tetapi dalam hatinya dia berasa sangat marah.

♦ **I was seething with anger when I heard what he said.** Saya berasa sangat marah apabila mendengar kata-katanya.

**see-through** KATA ADJEKTIF
*jarang (pakaian)*

**segment** KATA NAMA
[1] *bahagian*
[2] *ulas (limau, dll)*

to **seize** KATA KERJA
*merampas*
◊ *Police seized all copies of the magazine.* Pihak polis merampas semua majalah tersebut.

♦ **to seize an opportunity** merebut peluang

**seizure** KATA NAMA
[1] *serangan (penyakit)*
[2] *perampasan*
◊ *seizure of power* perampasan kuasa

**seldom** KATA ADVERBA
*jarang*
◊ *He seldom comes.* Dia jarang datang.

**S**

to **select** KATA KERJA
*memilih*

**selection** KATA NAMA
1 *pemilihan*
◊ *a selection test* ujian pemilihan
2 *pilihan*
◊ *the widest selection on the market* pilihan terbanyak di pasaran

**selective** KATA ADJEKTIF
1 *terpilih*
◊ *Selective breeding may result in a greyhound running faster than a wolf.* Pembiakan terpilih mungkin menghasilkan anjing greyhound yang berlari lebih pantas daripada serigala.
2 *memilih*
◊ *Sales still happen, but buyers are more selective.* Jualan masih ada, tetapi pembeli lebih memilih.

**self** KATA NAMA
(JAMAK **selves**)
*diri*
◊ *She was back to her old self again.* Dia kembali menjadi seperti dirinya yang dahulu. ◊ *our subconscious selves* diri kita yang di bawah sedar
♦ **I need time to get to know my inner self.** Saya perlukan masa untuk mengenali batin saya sendiri.

**self-assured** KATA ADJEKTIF
*yakin pada diri sendiri*

**self-centred** KATA ADJEKTIF
(AS **self-centered**)
*mementingkan diri*

**self-confidence** KATA NAMA
*keyakinan diri*
◊ *I lost all my self-confidence.* Saya hilang keyakinan diri.

**self-conscious** KATA ADJEKTIF
*segan*
◊ *I was really self-conscious at first.* Pada mulanya saya berasa betul-betul segan. ◊ *She felt self-conscious in her swimming costume.* Dia berasa segan memakai pakaian renang.

**self-contained** KATA ADJEKTIF
*serba lengkap*

**self-control** KATA NAMA
*kawalan diri*

**self-defence** KATA NAMA
(AS **self-defense**)
*pertahanan diri*
♦ **self-defence classes** kelas mempertahankan diri
♦ **She killed him in self-defence.** Dia membunuh lelaki itu demi mempertahankan diri.

**self-discipline** KATA NAMA
*disiplin diri*

**self-employed** KATA ADJEKTIF
*bekerja sendiri*
♦ **the self-employed** orang yang bekerja sendiri

**self-harming** KATA NAMA
*perbuatan mencederakan diri sendiri*

**selfish** KATA ADJEKTIF
*mementingkan diri*

**self-respect** KATA NAMA
*maruah*

**self-service** KATA ADJEKTIF
*layan diri*

**self-worth** KATA NAMA
*harga diri*

to **sell** KATA KERJA
(**sold, sold**)
*menjual*
◊ *He sold the book to me.* Dia menjual buku itu kepada saya.

to **sell off** KATA KERJA
*menjual*

to **sell out** KATA KERJA
*mengadakan jualan penghabisan*
◊ *The next day the bookshops sold out.* Keesokan harinya kedai-kedai buku mengadakan jualan penghabisan.
♦ **The tickets sold out in three hours.** Tiket-tiket habis dijual dalam masa tiga jam.

**sell-by date** KATA NAMA
*tarikh luput*

**seller** KATA NAMA
*penjual*

**selling price** KATA NAMA
*harga jualan*

**sell-off** KATA NAMA
*penjualan* (industri, tanah, aset, dll)

**Sellotape** ® KATA NAMA
*pita perekat*

**semen** KATA NAMA
*mani*

**semester** KATA NAMA
*semester*

**semi** KATA NAMA
*rumah berkembar*

**semi-annual** KATA ADJEKTIF ⊠
*dua kali setahun*

**semi-circle** KATA NAMA
*separuh bulat*

**semi-colon** KATA NAMA
*koma bernoktah*

**semi-detached house** KATA NAMA
*rumah berkembar*
◊ *We live in a semi-detached house.* Kami tinggal di rumah berkembar.

**semi-final** KATA NAMA
*separuh akhir*

**semi-skimmed milk** KATA NAMA
*susu separa lemak*

to **send** KATA KERJA
(sent, sent)
　[1] _mengirim_
　◊ _She sent me a birthday card._ Dia mengirim sekeping kad hari jadi kepada saya.
　[2] _menghantar_
　◊ _He was sent to London._ Dia dihantar ke London.

to **send back** KATA KERJA
　_menghantar balik_

to **send off** KATA KERJA
　_menghantar_
　◊ _We sent off your order yesterday._ Kami telah menghantar pesanan anda kelmarin.
　♦ **Jones was sent off.** Jones diarah keluar padang. (_dalam bola sepak_)

to **send off for** KATA KERJA
　_memesan ... melalui pos_
　◊ _She sent off for the book._ Dia memesan buku itu melalui pos.
　♦ **I've sent off for a free catalogue.** Saya telah meminta katalog percuma itu dikirimkan kepada saya.

to **send out** KATA KERJA
　_mengedarkan_

to **send out for** KATA KERJA
　_memesan_
　◊ _Let's send out for a pizza._ Mari kita pesan piza.

**sender** KATA NAMA
　_penghantar_

**senile** KATA ADJEKTIF
　_nyanyuk_

**senior** KATA ADJEKTIF, KATA NAMA
　_kanan_
　◊ _senior officials in the British government_ pegawai kanan dalam kerajaan Britain
　♦ **She's five years my senior.** Dia lima tahun lebih tua daripada saya.
　♦ **senior pupils** pelajar senior

**senior citizen** KATA NAMA
　_warga tua_

**sensation** KATA NAMA
　_sensasi_

**sensational** KATA ADJEKTIF
　_sensasi_

**sense** KATA NAMA
　_deria_
　◊ _a keen sense of smell_ deria bau yang tajam
　♦ **the five senses** pancaindera
　♦ **Use your common sense!** Gunakanlah akal anda!
　♦ **It makes sense.** Perkara itu masuk akal.
　♦ **It doesn't make sense.** Perkara itu tidak masuk akal.

　♦ **sense of humour** rasa humor
　♦ **I had a sense I was making a mistake.** Saya dapat rasa bahawa saya silap.

**senseless** KATA ADJEKTIF
　[1] _sia-sia_
　◊ _It is senseless to protest._ Sia-sia saja membantah.
　♦ **senseless violence** keganasan yang tidak tentu fasal
　[2] _tidak sedarkan diri_
　◊ _He was lying senseless on the floor._ Dia terlantar di atas lantai dan tidak sedarkan diri.

**sensible** KATA ADJEKTIF
　_wajar_
　◊ _a sensible act_ tindakan yang wajar
　♦ **a sensible choice** pilihan yang bijak

**sensitive** KATA ADJEKTIF
　_peka_ atau _sensitif_

**sensitivity** KATA NAMA
　(JAMAK **sensitivities**)
　_kepekaan_
　◊ _sensitivity towards the feelings of others_ kepekaan terhadap perasaan orang lain
　♦ **people who suffer extreme sensitivity about what others think** mereka yang terlalu cepat berasa sensitif dengan pendapat orang lain
　♦ **political sensitivities** perkara yang sensitif dalam politik

**sensuous** KATA ADJEKTIF
　_mengghairahkan_

**sent** KATA KERJA rujuk **send**

**sentence** KATA NAMA
　┌─────────────────────────────┐
　│ rujuk juga **sentence** KATA KERJA │
　└─────────────────────────────┘
　[1] _ayat_
　◊ _What does this sentence mean?_ Apakah maksud ayat ini?
　[2] _hukuman_
　◊ _to pass sentence_ menjatuhkan hukuman ◊ _a sentence of 10 years_ hukuman selama 10 tahun ◊ _the death sentence_ hukuman mati
　♦ **He got a life sentence.** Dia dihukum penjara seumur hidup.

to **sentence** KATA KERJA
　┌─────────────────────────────┐
　│ rujuk juga **sentence** KATA NAMA │
　└─────────────────────────────┘
　_menjatuhkan hukuman_
　◊ _to sentence somebody to life imprisonment_ menjatuhkan hukuman penjara seumur hidup terhadap seseorang
　◊ _to sentence somebody to death_ menjatuhkan hukuman mati terhadap seseorang

**sentimental** KATA ADJEKTIF
　_sentimental_

**separate** KATA ADJEKTIF
　┌─────────────────────────────┐
　│ rujuk juga **separate** KATA KERJA │
　└─────────────────────────────┘

**S**

_berasingan_

◊ _The children have separate rooms._ Kanak-kanak itu mempunyai bilik yang berasingan. ◊ _I wrote it on a separate sheet._ Saya menulisnya di atas kertas yang berasingan. ◊ _the same speech given on two separate occasions_ ucapan yang sama yang disampaikan dalam dua majlis yang berasingan

to **separate** KATA KERJA

> _rujuk juga_ **separate** KATA ADJEKTIF

_memisahkan_

◊ _The police separated the two groups._ Polis memisahkan dua kumpulan itu.

♦ **You need to separate the egg yolk from the egg white.** Anda perlu mengasingkan kuning telur daripada putih telur.

♦ **Her parents separated last year.** Ibu bapanya hidup berasingan pada tahun lepas.

**separately** KATA ADVERBA

_secara berasingan_

**separation** KATA NAMA

[1] _pemisahan_

◊ _a clear separation between church and state_ pemisahan yang jelas antara pihak gereja dengan pihak kerajaan

[2] _perpisahan_

◊ _They wrote every week during the long separation._ Mereka berutus surat setiap minggu semasa perpisahan mereka yang lama itu.

**September** KATA NAMA

_September_

◊ _on 23 September_ pada 23 September

♦ **in September** pada bulan September

**sequel** KATA NAMA

_susulan_

**sequence** KATA NAMA

[1] _urutan_

◊ _a sequence of events_ urutan peristiwa ◊ _in sequence_ mengikut urutan

[2] _babak_

◊ _the best sequence in the film_ babak yang paling baik dalam filem tersebut

**sequin** KATA NAMA

_labuci_

**serene** KATA ADJEKTIF

_tenang_

**sergeant** KATA NAMA

_sarjan_

**serial** KATA NAMA

_cerita bersiri_

♦ **serials** cerita bersiri

**series** KATA NAMA

_siri_

**serious** KATA ADJEKTIF

_serius_

◊ _You're looking very serious._ Anda nampak sangat serius. ◊ _a serious illness_ penyakit yang serius

♦ **Are you serious?** Anda serius?

**seriously** KATA ADVERBA

_betul_

◊ _Seriously, I only smoke in the evenings._ Betul, saya hanya merokok pada waktu malam. ◊ _Seriously?_ Betulkah?

♦ **to take somebody seriously** memberikan perhatian yang serius pada seseorang

♦ **seriously injured** cedera parah

**seriousness** KATA NAMA

_kesungguhan_

◊ _He was admired for his sincerity and seriousness._ Dia dikagumi kerana keikhlasan dan kesungguhannya.

♦ **the seriousness of the crisis** betapa seriusnya krisis tersebut

**sermon** KATA NAMA

_khutbah_

**serrated** KATA ADJEKTIF

_bergerigi_

◊ _serrated knife_ pisau yang bergerigi

**servant** KATA NAMA

_orang gaji_

♦ **civil servant** kakitangan kerajaan

to **serve** KATA KERJA

> _rujuk juga_ **serve** KATA NAMA

[1] _menghidangkan_

◊ _Dinner is served._ Makan malam telah dihidangkan.

♦ **Are you being served?** Sudahkah anda dilayan?

♦ **It's his turn to serve.** Sekarang giliran dia pula untuk membuat servis.

[2] _menjalani_

◊ _to serve a life sentence_ menjalani hukuman penjara seumur hidup

♦ **to serve time** berada dalam penjara

♦ **It serves you right.** Padan muka kamu.

**serve** KATA NAMA

> _rujuk juga_ **serve** KATA KERJA

_servis_ (badminton, tenis)

**server** KATA NAMA

_pelayan_ (komputer)

**service** KATA NAMA

> _rujuk juga_ **service** KATA KERJA

[1] _perkhidmatan_

◊ _the postal service_ perkhidmatan pos

[2] _servis_

♦ **The car needs a service.** Kereta itu perlu diservis.

[3] _upacara_

◊ _a memorial service_ upacara peringatan

♦ **the armed services** perkhidmatan tentera

to **service**   KATA KERJA

> rujuk juga **service** KATA NAMA

*menservis* (*kereta, mesin*)

**service area**   KATA NAMA
*kawasan rehat* (*di lebuh raya*)

**service charge**   KATA NAMA
*caj perkhidmatan*
◊ *There's no service charge.*   Caj perkhidmatan tidak dikenakan.

**serviceman**   KATA NAMA
(JAMAK **servicemen**)
*anggota tentera*

**service station**   KATA NAMA
*stesen minyak*

**serviette**   KATA NAMA
*tuala makan*

**serving**   KATA NAMA
*hidangan*
◊ *Each serving contains 240 calories.* Setiap hidangan mengandungi 240 kalori.
♦ **How many servings of soup do you want to prepare?** Anda mahu sediakan sup untuk berapa orang?

**sesame**   KATA NAMA
*bijan*

**session**   KATA NAMA
*sesi*

**set**   KATA NAMA

> rujuk juga **set** KATA KERJA

*set*
◊ *a chess set* satu set catur ◊ *a set of calculations* satu set pengiraan ◊ *a set of keys* satu set kunci ◊ *She was leading 5-1 in the first set.* Dia mendahului dengan 5-1 dalam set pertama.

to **set**   KATA KERJA
(set, set)

> rujuk juga **set** KATA NAMA

1 *mengunci*
◊ *I set the alarm for seven o'clock.* Saya mengunci jam loceng supaya berbunyi pada pukul tujuh.
2 *mencipta*
◊ *The world record was set last year.* Rekod dunia itu dicipta pada tahun lepas.
3 *terbenam*
◊ *The sun was setting.* Matahari sedang terbenam.
♦ **The film is set in Morocco.** Filem itu berlatarbelakangkan Morocco.
♦ **to set something on fire** membakar sesuatu
♦ **to set sail** mula belayar
♦ **to set the table** menyediakan meja

to **set aside**   KATA KERJA
1 *menyimpan*
◊ *RM1 million will be set aside for repairs to schools.* RM1 juta akan disimpan untuk membaiki sekolah-sekolah.

♦ **She set aside a certain hour each day for her children.** Setiap hari dia memperuntukkan jumlah masa yang tertentu untuk anak-anaknya.
2 *mengetepikan*
◊ *They set aside minor differences for the sake of achieving peace.* Mereka mengetepikan perbezaan-perbezaan kecil untuk mencapai keamanan.

to **set off**   KATA KERJA
*bertolak*
◊ *We set off for London at nine o'clock.* Kami bertolak ke London pada pukul sembilan.

to **set out**   KATA KERJA
*bertolak*
◊ *We set out for London at nine o'clock.* Kami bertolak ke London pada pukul sembilan.

to **set up**   KATA KERJA
1 *menubuhkan*
◊ *They agreed to set up a commission to investigate claims.* Mereka bersetuju untuk menubuhkan sebuah suruhanjaya untuk menyiasat tuntutan ganti rugi. ◊ *to set up a business* menubuhkan perniagaan
♦ **to set up roadblocks** mengadakan sekatan jalan
2 *memasang*
◊ *Setting up the camera can be tricky.* Ada kalanya memasang kamera merupakan kerja yang rumit.
3 *memerangkap*
◊ *I need to find out who tried to set me up.* Saya perlu mengetahui orang yang cuba memerangkap saya.

**set square**   KATA NAMA
*sesiku*

**settee**   KATA NAMA
*sofa*

**setting**   KATA NAMA
*persekitaran*
◊ *The house is in a lovely setting in the Malvern hills.* Rumah itu terletak di persekitaran yang menarik di bukit-bukit Malvern.
♦ **York will be the setting for this year's conference.** York akan menjadi tempat persidangan tahun ini.
♦ **settings** tatalatar

to **settle**   KATA KERJA
1 *menyelesaikan*
◊ *He settled the problem.* Dia telah menyelesaikan masalah itu.
2 *menjelaskan*
◊ *I'll settle the bill tomorrow.* Saya akan menjelaskan bil itu esok.
♦ **That matter has not been settled yet.**

**S**

Hal itu belum selesai lagi.

to **settle down** KATA KERJA
*berumah tangga*
◊ *He wished to settle down and start a family.* Dia ingin berumah tangga dan berkeluarga.

to **settle in** KATA KERJA
*menyesuaikan diri*

to **settle on** KATA KERJA
*memutuskan untuk memilih*

**settled** KATA ADJEKTIF
[1] *stabil* (kehidupan)
[2] *tetap*
◊ *a settled routine* rutin yang tetap

**settlement** KATA NAMA
[1] *penyelesaian*
◊ *a settlement of the eleven year conflict* penyelesaian konflik sebelas tahun itu
♦ **debt settlement** penjelasan hutang
[2] *penempatan*
◊ *settlement by the Portuguese* penempatan orang Portugis

**settler** KATA NAMA
*peneroka*

**set-top box** KATA NAMA
*penerima digital* (untuk TV)

**setup** KATA NAMA
*persediaan*
◊ *setup procedure* tatacara persediaan

**seven** ANGKA
*tujuh*
♦ **She's seven.** Dia berumur tujuh tahun.

**seventeen** ANGKA
*tujuh belas*
♦ **He's seventeen.** Dia berumur tujuh belas tahun.

**seventeenth** KATA ADJEKTIF
*ketujuh belas*
◊ *the seventeenth place* tempat ketujuh belas
♦ **the seventeenth of October** tujuh belas hari bulan Oktober

**seventh** KATA ADJEKTIF
*ketujuh*
◊ *the seventh place* tempat ketujuh
♦ **the seventh of August** tujuh hari bulan Ogos

**seventies** KATA NAMA JAMAK
*tujuh puluhan*

**seventieth** KATA ADJEKTIF
*ketujuh puluh*

**seventy** ANGKA
*tujuh puluh*
♦ **She's seventy.** Dia berumur tujuh puluh tahun.

to **sever** KATA KERJA
*memutuskan*
◊ *She severed her ties with England.* Dia memutuskan hubungannya dengan England.

♦ **The worker's finger was severed in the accident.** Jari pekerja itu putus dalam kemalangan itu.
♦ **a severed fuel line** saluran bahan api yang terputus

**several** KATA ADJEKTIF, KATA GANTI NAMA
*beberapa*
◊ *several schools* beberapa buah sekolah ◊ *several times* beberapa kali

**severe** KATA ADJEKTIF
[1] *keras* (hukuman, kritikan)
[2] *teruk*
◊ *severe stomach pains* sakit perut yang teruk

**severely** KATA ADVERBA
*teruk*
◊ *The accident left the boy severely brain-damaged.* Kemalangan tersebut menyebabkan budak lelaki itu mengalami kerosakan otak yang teruk.

to **sew** KATA KERJA
(**sewed, sewn**)
*menjahit*

to **sew up** KATA KERJA
*menjahit*

**sewage** KATA NAMA
*air kumbahan*

**sewerage** KATA NAMA
*pembetungan*
◊ *a proper sewerage system* sistem pembetungan yang sempurna

**sewing** KATA NAMA
*menjahit*
◊ *I like sewing.* Saya suka menjahit.
♦ **sewing machine** mesin jahit

**sewn** KATA KERJA *rujuk* **sew**

**sex** KATA NAMA
*jantina*
♦ **to have sex with somebody** mengadakan hubungan seks dengan seseorang
♦ **sex education** pendidikan seks

**sexism** KATA NAMA
*seksisme*

**sexist** KATA ADJEKTIF
*seksis*

**sexual** KATA ADJEKTIF
*seksual*
◊ *sexual harassment* gangguan seksual

**sexual health** KATA NAMA
*kesihatan seks*

**sexuality** KATA NAMA
*keseksualan*

**sexual orientation** KATA NAMA
*orientasi seks*

> sama ada seseorang itu tertarik pada orang yang sama jantina, berlainan jantina atau kedua-duanya

**sexy**  KATA ADJEKTIF
  *seksi*
**shabbiness**  KATA NAMA
  *keusangan*
  ◊  *the shabbiness of the building*
  keusangan bangunan itu
**shabby**  KATA ADJEKTIF
  1  *buruk* (*pakaian, kain*)
  2  *selekeh* (*orang*)
to **shackle**  KATA KERJA
  *membelenggu*
  ◊  *He is shackled to a high-stress job.*
  Dia dibelenggu oleh pekerjaan yang
  mempunyai banyak tekanan.
**shackles**  KATA NAMA JAMAK
  *belenggu*
  ◊  *She still hadn't escaped from the*
  *shackles of her working life.*  Dia masih
  tidak dapat keluar dari belenggu dunia
  pekerjaannya.
**shade**  KATA NAMA

  > rujuk juga **shade** KATA KERJA

  *tempat teduh*
  ◊  *The temperature in the shade is lower.*
  Suhu di tempat teduh lebih rendah.
♦ **a beautiful shade of blue**  warna biru
  yang cantik
♦ **two shades of blue**  dua warna biru yang
  berlainan
to **shade**  KATA KERJA

  > rujuk juga **shade** KATA NAMA

  1  *meneduhi*
  ◊  *a resort whose beaches are shaded*
  *by palm trees*  sebuah tempat peranginan
  yang pantainya diteduhi oleh pokok-pokok
  palma
  2  *melindungi*
  ◊  *I had to put down the sun visor to*
  *shade my eyes from the light.*  Saya
  terpaksa menurunkan visor pelindung
  matahari untuk melindungi mata saya
  daripada cahaya.
♦ **She shaded the map with coloured**
  **pencils.**  Dia menggelapkan beberapa
  bahagian peta itu dengan pensel warna.
**shaded**  KATA ADJEKTIF
  *teduh*
  ◊  *These plants will grow happily in a*
  *sunny or partially shaded spot.*  Tumbuh-
  tumbuhan ini akan membesar dengan baik
  di tempat yang cerah atau separuh
  teduh.
♦ **shaded area** (*pada peta*)  bahagian
  yang diwarnakan lebih gelap
**shadow**  KATA NAMA
  *bayang-bayang*
**shady**  KATA ADJEKTIF
  1  *teduh*
  ◊  *a shady place*  tempat yang teduh

  2  *tidak jujur*
  ◊  *a shady deal*  urus janji yang tidak
  jujur
to **shake**  KATA KERJA
  (**shook, shaken**)
  1  *mengibas-ngibaskan*
  ◊  *She shook the rug.*  Dia mengibas-
  ngibaskan ambal itu.
  2  *menggoncang*
♦ **"Shake well before use"**  "Goncang
  sebelum guna"
  3  *menggeletar*
  ◊  *He was shaking with cold.*  Dia
  menggeletar kesejukan.
♦ **Donald shook his head.**  Donald
  menggelengkan kepalanya.
♦ **to shake hands with somebody**
  berjabat tangan dengan seseorang
♦ **They shook hands.**  Mereka berjabat
  tangan.
to **shake out**  KATA KERJA
  *mengibaskan*
  ◊  *Kitty shook the dusty towel out.*  Kitty
  mengibaskan tuala yang berhabuk itu.
**shaken**  KATA KERJA  *rujuk* **shake**
**shaken**  KATA ADJEKTIF
  *terkejut*
  ◊  *I was feeling a bit shaken.*  Saya agak
  terkejut.
**shaky**  KATA ADJEKTIF
  1  *menggeletar* (*tubuh badan*)
  2  *gementar* (*suara*)
♦ **I was feeling a bit shaky.**  Kaki saya
  terasa lemah.
**shall**  KATA KERJA

  **Shall** *digunakan dengan* **I** *dan* **we**
  *dalam soalan jika hendak membuat*
  *pelawaan, cadangan atau ketika*
  *meminta nasihat.*

  ◊  *Shall I shut the window?*  Anda mahu
  saya tutup tingkap itu?  ◊  *Shall we ask*
  *him to come with us?*  Kita hendak ajak dia
  bersama kita?  ◊  *What shall I do?*
  Apakah yang patut saya lakukan?
**shallow**  KATA ADJEKTIF
  *cetek*
**shallowness**  KATA NAMA
  *kecetekan*
**shallows**  KATA NAMA JAMAK
  *kawasan yang jangkat*
  ◊  *At dusk more fish come into the*
  *shallows.*  Pada waktu senja, lebih banyak
  ikan masuk ke kawasan yang jangkat itu.
**shamble**  KATA NAMA
  *keadaan yang kucar-kacir*
  ◊  *The economy is in a shambles.*
  Ekonomi kini berada dalam keadaan yang
  kucar-kacir.
**shame**  KATA NAMA

S

_malu_
♦ **I'd die of shame!**  Saya sungguh malu!
♦ **What a shame!**  Sayangnya!
♦ **It's a shame that...**  Sayang sekali...
  ◊ _It's a shame he isn't here._  Sayang sekali dia tidak ada di sini.
**shameful**  KATA ADJEKTIF
_memalukan_
**shampoo**  KATA NAMA

> _rujuk juga_ **shampoo** KATA KERJA

_syampu_
  ◊ _a bottle of shampoo_  sebotol syampu
to **shampoo**  KATA KERJA

> _rujuk juga_ **shampoo** KATA NAMA

_mensyampu_
  ◊ _Shampoo you hair and dry it._  Syampu dan keringkan rambut anda.
♦ **Maria rinsed her hair after shampooing it.**  Maria membilas rambutnya selepas bersyampu.
**shandy**  KATA NAMA
(JAMAK **shandies**)
_shandy_ (air campuran bir dan lemoned)
**shan't** = **shall not**
**shape**  KATA NAMA

> _rujuk juga_ **shape** KATA KERJA

_bentuk_
♦ **in the shape of a star**  berbentuk bintang
♦ **to be in good shape (1)**  dalam keadaan baik (benda)
♦ **to be in good shape (2)**  sihat (orang)
to **shape**  KATA KERJA

> _rujuk juga_ **shape** KATA NAMA

_membentuk_
  ◊ _to shape one's lifestyle_  membentuk cara hidup seseorang
to **shape up**  KATA KERJA
_menjadi_
  ◊ _It was shaping up to be the hottest month ever._  Bulan ini akan menjadi bulan yang paling panas.
**share**  KATA NAMA

> _rujuk juga_ **share** KATA KERJA

[1] _saham_
  ◊ _They have shares in many companies._  Mereka mempunyai saham di banyak syarikat.
[2] _bahagian_
  ◊ _He refused to pay his share of the bill._  Dia enggan membayar bahagiannya dalam bil itu.
to **share**  KATA KERJA

> _rujuk juga_ **share** KATA NAMA

_berkongsi_
  ◊ _to share a room with somebody_  berkongsi bilik dengan seseorang
to **share out**  KATA KERJA
_membahagikan_
  ◊ _They shared the sweets out among the children._  Mereka membahagikan gula-gula kepada kanak-kanak itu.
**shareholder**  KATA NAMA
_pemegang saham_
**share shop**  KATA NAMA
_kedai saham Internet_

> kedai atau tapak web di Internet yang membolehkan orang ramai membeli saham syarikat-syarikat tertentu

**shareware**  KATA NAMA
_perisian kongsi_ (komputer)
**shark**  KATA NAMA
_ikan jerung_
**sharp**  KATA ADJEKTIF, KATA ADVERBA
[1] _tajam_
  ◊ _Be careful, that knife's sharp!_  Berhati-hati, pisau itu tajam!
[2] _pintar_
  ◊ _She's very sharp._  Dia sangat pintar.
♦ **at two o'clock sharp**  pukul dua tepat
to **sharpen**  KATA KERJA
_mengasah_
  ◊ _Have you sharpened the knife?_  Sudahkah anda mengasah pisau itu?
**sharpness**  KATA NAMA
_ketajaman_
  ◊ _Many people admire the sharpness of his mind._  Ramai orang mengagumi ketajaman fikirannya.
to **shatter**  KATA KERJA
[1] _berkecai_
  ◊ _safety glass that won't shatter if it's broken_  gelas keselamatan yang tidak akan berkecai apabila pecah
[2] _menghancurkan_
  ◊ _One bullet shattered his skull._  Sebutir peluru telah menghancurkan tengkoraknya.
to **shave**  KATA KERJA
_bercukur_
  ◊ _He took a bath and shaved._  Dia mandi dan bercukur.
♦ **to shave one's legs**  mencukur bulu kaki
**shaver**  KATA NAMA
_pencukur_
  ◊ _electric shaver_  pencukur elektrik
**shaving cream**  KATA NAMA
_krim cukur_
**shaving foam**  KATA NAMA
_buih cukur_
**shawl**  KATA NAMA
_selendang_
**she**  KATA GANTI NAMA

> **she** _digunakan untuk merujuk kepada orang perempuan._

[1] _dia_
  ◊ _She's very nice._  Dia sangat baik.
♦ **She liked it but he didn't.**  Yang perempuan menyukainya tetapi yang lelaki

tidak.

2 _beliau_ (_untuk orang yang dihormati_)

**shears** KATA NAMA JAMAK

_pemangkas_ (_rumput_)

**sheath** KATA NAMA

_sarung_ (_untuk pisau, dll_)

to **sheathe** KATA KERJA

_menyarungkan_

◊ _to sheathe a knife_ menyarungkan
pisau

**shed** KATA NAMA

_bangsal_

**she'd** = she had, = she would

**sheep** KATA NAMA

(JAMAK **sheep**)

_biri-biri_

**sheepdog** KATA NAMA

_anjing gembala biri-biri_

**sheer** KATA ADJEKTIF

_semata-mata_

◊ _It's sheer greed._ Itu merupakan
ketamakan semata-mata.

**sheet** KATA NAMA

_cadar_

◊ _to change the sheets_ menukar cadar

♦ **a sheet of paper** sehelai kertas

**shelf** KATA NAMA

(JAMAK **shelves**)

1 _rak_

2 _tingkat_ (_dalam almari, ketuhar_)

**shell** KATA NAMA

1 _cangkerang_

2 _kulit_ (_telur, kacang_)

3 _peluru meriam_

**she'll** = she will

**shellfish** KATA NAMA

_kerang-kerangan_

**shell suit** KATA NAMA

_sut kasual_

**shelter** KATA NAMA

rujuk juga **shelter** KATA KERJA

_tempat berlindung_

◊ _a bomb shelter_ tempat berlindung
daripada bom

♦ **to take shelter** mencari tempat
berlindung

♦ **bus shelter** perhentian bas berbumbung

to **shelter** KATA KERJA

rujuk juga **shelter** KATA NAMA

_berlindung_

◊ _We sheltered under a big tree._ Kami
berlindung di bawah sebatang pokok yang
besar.

♦ **That area is sheltered from the morning
sun.** Kawasan itu terlindung daripada
cahaya matahari pagi.

**sheltered** KATA ADJEKTIF

_terlindung_

◊ _a sheltered bay_ sebuah teluk yang

terlindung

**shelves** KATA NAMA JAMAK rujuk **shelf**

**shepherd** KATA NAMA

_gembala kambing biri-biri_

**sheriff** KATA NAMA

_syerif_

**sherry** KATA NAMA

_sherry_ (_sejenis wain_)

**she's** = she is, = she has

**shield** KATA NAMA

_perisai_

to **shift** KATA KERJA

rujuk juga **shift** KATA NAMA

_mengalihkan_

◊ _I couldn't shift the wardrobe on my
own._ Saya tidak dapat mengalihkan
almari pakaian itu seorang diri.

♦ **Shift yourself!** (_tidak formal_) Ke tepi!

**shift** KATA NAMA

rujuk juga **shift** KATA KERJA

_syif_

◊ _the night shift_ syif malam ◊ _His shift
starts at eight o'clock._ Syifnya bermula
pada pukul lapan.

♦ **a shift in government policy**
perubahan kecil dalam polisi kerajaan

**shifty** KATA ADJEKTIF

_licik_

◊ _He looked shifty._ Dia kelihatan licik.

♦ **He has shifty eyes.** Pandangannya
mencurigakan.

**shin** KATA NAMA

_tulang kering_

to **shine** KATA KERJA

(**shone, shone**)

1 _bersinar_

◊ _The sun was shining._ Matahari
bersinar.

2 _berkilat_ (_kasut, besi_)

3 _menyuluh_

◊ _One of the men shone a torch in his
face._ Salah seorang lelaki itu menyuluh
mukanya dengan lampu picit.

**shiny** KATA ADJEKTIF

_berkilat_

**ship** KATA NAMA

_kapal_

◊ _by ship_ dengan kapal ◊ _a merchant
ship_ kapal dagang

**shipbuilding** KATA NAMA

_industri pembinaan kapal_

**shipment** KATA NAMA

_pengiriman_

◊ _shipment of weapons_ pengiriman
senjata

**shipping** KATA NAMA

1 _perkapalan_

◊ _shipping company_ syarikat
perkapalan

S

---

② *kos penghantaran*
**shipwreck** KATA NAMA
*nahas kapal*
**shipwrecked** KATA ADJEKTIF
*terlibat dalam nahas kapal*
◊ *He was shipwrecked.* Dia terlibat dalam nahas kapal.
**shipyard** KATA NAMA
*limbungan kapal*
**shirt** KATA NAMA
*kemeja*
**shit** KATA NAMA
(*tidak formal*)
*tahi*
to **shiver** KATA KERJA
*menggigil*
◊ *to shiver with cold* menggigil kesejukan
**shoal** KATA NAMA
*kawan*
◊ *a shoal of fish* sekawan ikan
**shock** KATA NAMA

> rujuk juga **shock** KATA KERJA

① *kejutan*
◊ *The news came as a shock to us.* Berita itu merupakan satu kejutan kepada kami.
② *kejutan elektrik*
◊ *I got a shock when I touched the switch.* Saya terkena kejutan elektrik semasa saya menyentuh suis itu.
♦ **an electric shock** kejutan elektrik
to **shock** KATA KERJA

> rujuk juga **shock** KATA NAMA

*terperanjat*
◊ *They were shocked by the tragedy.* Mereka terperanjat dengan tragedi itu.
♦ **Nothing shocks me any more.** Tidak ada perkara yang menghairankan saya lagi.
**shocked** KATA ADJEKTIF
*terperanjat*
◊ *Don't look so shocked.* Usah tunjukkan wajah anda yang terperanjat.
**shocking** KATA ADJEKTIF
*mencolok mata*
◊ *It's shocking!* Sungguh mencolok mata!
**shock wave** KATA NAMA
*gelombang kejutan*

> kawasan tekanan udara yang sangat tinggi yang bergerak menerusi udara, tanah atau air dan disebabkan oleh letupan atau gempa bumi

♦ **The crime sent shock waves throughout the country.** Jenayah itu mengejutkan seluruh negara.
**shoe** KATA NAMA
*kasut*

◊ *a pair of shoes* sepasang kasut
**shoelace** KATA NAMA
*tali kasut*
**shoe polish** KATA NAMA
*pengilat kasut*
**shoe shop** KATA NAMA
*kedai kasut*
**shone** KATA KERJA *rujuk* **shine**
**shook** KATA KERJA *rujuk* **shake**
to **shoot** KATA KERJA
(**shot, shot**)

> rujuk juga **shoot** KATA NAMA

① *menembak*
◊ *to shoot at somebody* menembak seseorang ◊ *Don't shoot!* Jangan tembak! ◊ *He was shot dead by the police.* Dia ditembak mati oleh polis.
② *membuat penggambaran*
◊ *The film was shot in Kuala Lumpur.* Penggambaran filem itu dibuat di Kuala Lumpur.
③ *cuba menjaringkan gol* (*bola sepak, bola keranjang*)
**shoot** KATA NAMA

> rujuk juga **shoot** KATA KERJA

① *penggambaran*
◊ *a video shoot* penggambaran video
② *pucuk*
**shooter** KATA NAMA
*penembak*
**shooting** KATA NAMA
① *kejadian tembak-menembak*
◊ *The shooting scared the children.* Kejadian tembak-menembak itu menakutkan kanak-kanak.
② *penembakan*
◊ *The shooting of that policeman has still not been cleared out.* Peristiwa penembakan anggota polis itu masih menimbulkan tanda tanya.
③ *berburu*
◊ *to go shooting* pergi berburu
**shop** KATA NAMA
*kedai*
◊ *a sports shop* kedai sukan
**shop assistant** KATA NAMA
*pembantu kedai*
**shopkeeper** KATA NAMA
*pekedai*
**shoplifting** KATA NAMA
*mencuri barang di kedai*
**shopping** KATA NAMA
*membeli-belah*
◊ *to go shopping* pergi membeli-belah
◊ *I love shopping.* Saya suka membeli-belah.
♦ **shopping centre** pusat membeli-belah
♦ **Can you get the shopping from the car?** Bolehkah anda ambil barang-

barang yang dibeli tadi dari kereta?

**shopping channel**  KATA NAMA
*rangkaian membeli-belah*
> rangkaian televisyen yang menyiarkan program yang menunjukkan produk tertentu dan pengguna boleh menelefon rangkaian itu untuk membeli produk tersebut

**shop window**  KATA NAMA
*jendela kedai*

**shore**  KATA NAMA
*persisiran*
◊ *on the shores of the lake*  di persisiran tasik itu
♦ **on shore**  di darat

**shoreline**  KATA NAMA
*gigi air*

**short**  KATA ADJEKTIF
[1] *pendek*
◊ *a short skirt*  skirt pendek ◊ *short hair*  rambut pendek
[2] *singkat*
◊ *a short break*  waktu rehat yang singkat
♦ **It's a short walk to town from my house.**  Kita boleh berjalan kaki dari rumah saya ke bandar dan akan sampai sekejap sahaja.
♦ **a short time ago**  sebentar tadi
[3] *rendah*
◊ *She's short.*  Dia rendah.
♦ **to be short of something**  kekurangan sesuatu
♦ **at short notice**  dalam jangka masa yang singkat
♦ **In short, the answer is no.**  Pendek kata, jawapannya tidak.

**shortage**  KATA NAMA
*kekurangan*
◊ *a water shortage*  kekurangan bekalan air

**short-circuit**  KATA NAMA
*litar pintas*

**shortcoming**  KATA NAMA
*kelemahan*
◊ *She tries to overcome her shortcomings.*  Dia cuba mengatasi kelemahannya. ◊ *Kasim's book has its shortcomings.*  Buku Kasim ada kelemahannya.

**short cut**  KATA NAMA
*jalan pintas*

to **shorten**  KATA KERJA
*memendekkan*
◊ *Smoking can shorten your life.*  Merokok boleh memendekkan nyawa anda. ◊ *Susila shortened her skirt.*  Susila memendekkan skirtnya.

**shorthand**  KATA NAMA

*trengkas*

**shortly**  KATA ADVERBA
[1] *sebentar lagi*
◊ *I'll be there shortly.*  Saya akan sampai sebentar lagi.
[2] *tidak lama*
◊ *She arrived shortly after midnight.*  Dia sampai tidak lama selepas tengah malam.

**shorts**  KATA NAMA JAMAK
*seluar pendek*
◊ *a pair of shorts*  sehelai seluar pendek

**short-sighted**  KATA ADJEKTIF
*rabun jauh*

**short story**  KATA NAMA
*cerpen*

**short-term**  KATA ADJEKTIF
*jangka pendek*

**shot**  KATA KERJA  *rujuk* **shoot**

**shot**  KATA NAMA
[1] *tembakan*
◊ *to fire a shot*  melepaskan tembakan
♦ **a shot at goal**  percubaan menjaringkan gol
[2] *gambar*
◊ *a shot of Edinburgh Castle*  gambar Istana Edinburgh
[3] *suntikan*

**shotgun**  KATA NAMA
*senapang patah*

**shot put**  KATA NAMA
*lontar peluru*

**should**  KATA KERJA
[1] *patut*
◊ *You should take more exercise.*  Anda patut meluangkan lebih banyak masa untuk bersenam.
[2] *sepatutnya*
◊ *He should be there by now.*  Dia sepatutnya sudah berada di sana sekarang. ◊ *I should have told you before.*  Saya sepatutnya memberitahu anda sebelum ini.
♦ **That shouldn't be too hard.**  Perkara itu tidaklah susah sangat.
♦ **I should go if I were you.**  Jika saya jadi anda, saya akan pergi.

**shoulder**  KATA NAMA
> rujuk juga **shoulder** KATA KERJA
*bahu*
♦ **shoulder bag**  beg galas

to **shoulder**  KATA KERJA
> rujuk juga **shoulder** KATA NAMA
*memikul*
◊ *He shouldered the responsibility of caring for his brother.*  Dia memikul tanggungjawab menjaga adik lelakinya.

**shoulder blade**  KATA NAMA
*tulang belikat*

S

**shoulder-high**  KATA ADJEKTIF, KATA ADVERBA
_separas bahu_
◊ _a shoulder-high hedge_  pagar hidup
yang separas bahu
♦ **They carried him shoulder-high off the
pitch.**  Mereka menjulangnya ke luar
padang.
**shouldn't**  =  should not
**shout**  KATA NAMA

| rujuk juga **shout** KATA KERJA |
| --- |

_jeritan_
to **shout**  KATA KERJA

| rujuk juga **shout** KATA NAMA |
| --- |

_menjerit_
♦ **Rani was startled when her sister
shouted at her.**  Rani terkejut apabila
kakaknya menengkingnya.
to **shout out**  KATA KERJA
_melaungkan_
◊ _They shouted out the names of those
detained._  Mereka melaungkan nama-
nama orang yang ditahan.
to **shove**  KATA KERJA
_menolak_
◊ _She shoved as hard as she could._
Dia menolak sekuat hatinya.
**shovel**  KATA NAMA

| rujuk juga **shovel** KATA KERJA |
| --- |

_penyodok_
to **shovel**  KATA KERJA

| rujuk juga **shovel** KATA NAMA |
| --- |

_menyodok_
**show**  KATA NAMA

| rujuk juga **show** KATA KERJA |
| --- |

[1] _persembahan_
◊ _to stage a show_  mengadakan
persembahan
[2] _program_ **atau** _rancangan_
◊ _a TV show_  rancangan televisyen
♦ **fashion show**  pertunjukan fesyen
♦ **motor show**  pameran kereta
to **show**  KATA KERJA
**(shown, shown)**

| rujuk juga **show** KATA NAMA |
| --- |

_menunjukkan_
♦ **to show somebody something**
menunjukkan sesuatu kepada seseorang
◊ _Have I shown you my hat?_  Sudahkah
saya tunjukkan topi saya kepada anda?
♦ **It shows.** Memang jelas pun. ◊ _I've
never been riding before. - It shows._  Saya
tidak pernah menunggang kuda sebelum
ini. - Memang jelas pun.
to **show off**  KATA KERJA
_menunjuk-nunjuk_
to **show up**  KATA KERJA
_sampai_
◊ _He showed up late as usual._  Dia
sampai lewat seperti biasa.

♦ **He never fails to show up for class.**
Dia selalu hadir ke kelas.
to **showcase**  KATA KERJA
_mempamerkan_
◊ _Over 35 companies will be showcasing
their wares._  Lebih daripada 35 buah
syarikat akan mempamerkan barangan
syarikat masing-masing.
**shower**  KATA NAMA
_pancuran_
♦ **to have a shower**  mandi hujan
 _Biasanya perkataan_ **hujan**
 _digugurkan kecuali untuk penekanan._
◊ _I think I'll have a shower before dinner._
Saya rasa, saya hendak mandi dahulu
sebelum makan malam.
♦ **scattered showers**  hujan di sana sini
**shower gel**  KATA NAMA
_gel mandi_
**showerproof**  KATA ADJEKTIF
_kalis air_
**showing**  KATA NAMA
_tayangan_
◊ _a private showing_  tayangan peribadi
**shown**  KATA KERJA  _rujuk_ **show**
**show-off**  KATA NAMA
_suka menunjuk-nunjuk_
**showroom**  KATA NAMA
_bilik pameran_
**shrank**  KATA KERJA  _rujuk_ **shrink**
to **shred**  KATA KERJA
_menghiris_
◊ _Finely shred the carrots, cabbage and
cored apples._  Hiris halus lobak merah,
kubis dan epal yang sudah dibuang
empulurnya.
♦ **They may be shredding documents.**
Mungkin mereka sedang meracik
dokumen.
to **shriek**  KATA KERJA
_menjerit_
**shrill**  KATA ADJEKTIF
_nyaring_
**shrimp**  KATA NAMA
_udang_
**shrine**  KATA NAMA
_tempat suci_
♦ **the holy shrine of Mecca**  kota suci
Mekah
♦ **A shrine was found in Lembah Bujang.**
Sebuah candi telah dijumpai di Lembah
Bujang.
to **shrink**  KATA KERJA
**(shrank, shrunk)**
_mengecut_ (pakaian, fabrik)
**shroud**  KATA NAMA
_kain kapan_
**shrub**  KATA NAMA
_pokok renek_

to **shrug**  KATA KERJA
*mengangkat bahu*
♦ **to shrug one's shoulders**  mengangkat bahu

**shrunk**  KATA KERJA  *rujuk* **shrink**
to **shudder**  KATA KERJA
*menggeletar*
to **shuffle**  KATA KERJA
*mengocok*
◊  *to shuffle the cards*  mengocok kad
to **shun**  KATA KERJA
*menyisih*
◊  *The villagers shunned him because of his weird ways.*  Penduduk kampung menyisihnya kerana perangainya yang pelik itu.
to **shut**  KATA KERJA
(**shut, shut**)
*tutup*
◊  *What time do you shut?*  Pada pukul berapakah anda tutup?  ◊  *What time do the shops shut?*  Pada pukul berapakah kedai-kedai itu tutup?
to **shut down**  KATA KERJA
*menutup*
♦ **The cinema shut down last year.** Panggung wayang itu ditutup tahun lepas.
to **shut in**  KATA KERJA
*mengurung*
◊  *Dollah shut himself in the bathroom for hours.*  Dollah mengurung diri di dalam bilik air berjam-jam lamanya.
to **shut up**  KATA KERJA
*diam*
◊  *Shut up!*  Diamlah!
♦ **Don't shut yourself up in your room all day.**  Jangan berkurung di dalam bilik sepanjang hari.
**shutters**  KATA NAMA JAMAK
*penutup tingkap*
**shuttle**  KATA NAMA
[1]  *bolak-balik angkasa lepas*
[2]  *pengangkutan pergi balik* (*bas, kapal terbang, dll*)
♦ **space shuttle**  bolak-balik angkasa lepas
♦ **shuttle bus**  bas ulang-alik
**shuttlecock**  KATA NAMA
*bulu tangkis*
**shy**  KATA ADJEKTIF
[1]  *malu* (*perasaan*)
[2]  *pemalu* (*orang*)
**shyly**  KATA ADVERBA
*malu*
◊  *The boy smiled shyly.*  Budak lelaki itu tersenyum malu.
**shyness**  KATA NAMA
*sifat malu*
◊  *His shyness prevented him from speaking to the girl.*  Sifat malunya

menghalang dia daripada bercakap dengan gadis itu.
**Siamese twin**  KATA NAMA
*kembar Siam*
**sibling**  KATA NAMA
*adik-beradik*
**Sicily**  KATA NAMA
*Sicily*
**sick**  KATA ADJEKTIF
*sakit*
◊  *She looks after her sick mother.*  Dia menjaga ibunya yang sakit.
♦ **That's really sick!**  Sungguh menjijikkan!
♦ **to be sick**  muntah  ◊  *I was sick twice last night.*  Saya muntah dua kali semalam.
♦ **I feel sick.**  Saya berasa loya.
♦ **to be sick of something**  bosan dengan sesuatu  ◊  *I'm sick of your jokes.*  Saya sudah bosan dengan gurauan anda.
**sickening**  KATA ADJEKTIF
*meloyakan*
**sickie**  KATA NAMA
(*tidak formal*)
*cuti sakit*
**sickle**  KATA NAMA
*sabit*
**sick leave**  KATA NAMA
*cuti sakit*
**sickness**  KATA NAMA
*sakit*
**sick note**  KATA NAMA
*surat sakit*
**sick pay**  KATA NAMA

> **sick pay** *ialah wang yang diberikan oleh majikan kepada pekerja yang sakit dan tidak dapat bekerja sebagai ganti gaji yang biasa diberikan kepada mereka.*

**side**  KATA NAMA

> *rujuk juga* **side** KATA KERJA

[1]  *belah*
◊  *both sides of the road*  kedua-dua belah jalan
[2]  *tepi*
◊  *The car was abandoned at the side of the road.*  Kereta itu ditinggalkan di tepi jalan.  ◊  *by the side of the lake*  di tepi tasik
[3]  *bahagian*
◊  *Play side A.*  Mainkan bahagian A kaset itu.
♦ **a house on the side of a mountain** rumah di lereng bukit
♦ **We sat side by side.**  Kami duduk sebelah-menyebelah.
♦ **I'm on your side.**  Saya menyebelahi anda.
♦ **to take somebody's side**  menyebelahi

**S**

seeorang
- **to take sides** menyebelahi satu pihak sahaja
- **the side entrance** pintu tepi

to **side** KATA KERJA

> rujuk juga **side** KATA NAMA
> *menyebelahi*
> ◊ *My mother always sides with my younger brother.* Ibu saya selalu menyebelahi adik saya.

**sideboard** KATA NAMA
*almari pinggan mangkuk*

**sideburns** KATA NAMA JAMAK
*bauk* atau *jambang*

**side-effect** KATA NAMA
*kesan sampingan*

**sideline** KATA NAMA
*kerja sampingan*

**sidelong** KATA ADJEKTIF
- **to give somebody a sidelong look** menjeling seseorang

**side street** KATA NAMA
*jalan samping*

**sidewalk** KATA NAMA 🇦🇺
*laluan pejalan kaki*

**sideways** KATA ADVERBA
*ke sisi*
> ◊ *He was facing sideways.* Dia menghadap ke sisi.
- **to look sideways** memandang ke sisi
- **to move sideways** berjalan mengiring

**siege** KATA NAMA
*pengepungan*
> ◊ *The siege has ended.* Pengepungan itu sudah berakhir.

**sieve** KATA NAMA

> rujuk juga **sieve** KATA KERJA
> 1 *penapis* (untuk cecair)
> 2 *ayak* (untuk serbuk)

to **sieve** KATA KERJA

> rujuk juga **sieve** KATA NAMA
> 1 *menapis*
> 2 *mengayak*

to **sigh** KATA KERJA

> rujuk juga **sigh** KATA NAMA
> *mengeluh*

**sigh** KATA NAMA

> rujuk juga **sigh** KATA KERJA
> *keluhan*

**sight** KATA NAMA
> 1 *penglihatan*
> ◊ *the sense of sight* deria penglihatan
> ◊ *I'm losing my sight.* Penglihatan saya semakin kabur.
- **at first sight** pada pandangan pertama
- **to know somebody by sight** cam wajah seseorang
- **in sight** boleh dilihat
> 2 *pemandangan*

> ◊ *It was an amazing sight.*
Pemandangan itu sungguh indah.
- **Keep out of sight!** Sembunyi!
- **to see the sights of London** melihat tempat-tempat menarik di London

**sighted** KATA ADJEKTIF
*celik*
- **the difference between the blind and the sighted** perbezaan antara orang buta dengan orang yang celik

**sightseeing** KATA NAMA
*melawat tempat-tempat menarik*
- **to go sightseeing** pergi melawat tempat-tempat menarik

**sign** KATA NAMA

> rujuk juga **sign** KATA KERJA
> 1 *papan tanda*
> ◊ *There was a big sign saying "private".*
Ada sebuah papan tanda yang besar dengan perkataan "persendirian".
> 2 *isyarat*
> ◊ *She made a sign to the waiter.* Dia memberikan isyarat kepada pelayan itu.
- **There's no sign of improvement.** Tidak ada tanda-tanda kemajuan.
- **road sign** isyarat jalan raya
- **What sign are you?** Apakah zodiak anda?

to **sign** KATA KERJA

> rujuk juga **sign** KATA NAMA
> *menandatangani*

to **sign on** KATA KERJA
*mendaftar sebagai penganggur*

> Di Britain, **sign on** bermaksud penganggur memberitahu pihak berkuasa secara rasmi bahawa dia menganggur supaya dapat menerima bantuan wang daripada kerajaan.

to **sign on for** KATA KERJA
*mendaftarkan diri untuk*
> ◊ *I've signed on for a driving course.*
Saya telah mendaftarkan diri untuk kursus memandu.

**signal** KATA NAMA

> rujuk juga **signal** KATA KERJA
> *isyarat*

to **signal** KATA KERJA

> rujuk juga **signal** KATA NAMA
> *memberikan isyarat*
> ◊ *to signal to somebody* memberikan isyarat kepada seseorang

**signalman** KATA NAMA
*penjaga isyarat* (di stesen kereta api)

**signature** KATA NAMA
*tandatangan*

**significance** KATA NAMA
*kepentingan*

**significant** KATA ADJEKTIF
> 1 *cukup besar*

◊ *food that offer a significant amount of protein* makanan yang mempunyai jumlah protein yang cukup besar

2 *penting* (*kesan, dll*)

3 *penuh bermakna* (*tindakan, isyarat*)

**significantly** KATA ADVERBA
*dengan ketara sekali*
◊ *The number had increased significantly.* Jumlah itu telah meningkat dengan ketara sekali.

♦ **Children's development is significantly affected by their upbringing.** Perkembangan kanak-kanak sangat dipengaruhi oleh asuhan ibu bapa.

to **signify** KATA KERJA
(**signified, signified**)
*melambangkan*

**sign language** KATA NAMA
*bahasa isyarat*

**signpost** KATA NAMA
*tiang tanda*

**silence** KATA NAMA
| rujuk juga **silence** KATA KERJA |
*kesunyian*

to **silence** KATA KERJA
| rujuk juga **silence** KATA NAMA |
*membuat ... terdiam*
◊ *The sharp remarks silenced him completely.* Kata-kata yang tajam itu membuatnya terdiam sama sekali.

♦ **He tried to silence anyone who spoke out against him.** Dia cuba menutup mulut sesiapa sahaja yang bercakap menentangnya.

♦ **an attempt to silence the debate** percubaan untuk menghentikan perdebatan itu

**silencer** KATA NAMA
*alat penyengap*

**silent** KATA ADJEKTIF
1 *sunyi*
◊ *a silent room* bilik yang sunyi
2 *senyap*
◊ *He was silent during the visit.* Dia senyap sahaja semasa lawatan itu.

♦ **He was a silent man.** Dia pendiam orangnya.

**silhouette** KATA NAMA
*bayang*

**silicon chip** KATA NAMA
*cip silikon*

**silk** KATA NAMA
*sutera*

**silky** KATA ADJEKTIF
*selembut sutera*

**silly** KATA ADJEKTIF
*bodoh*

**silver** KATA NAMA
*perak*

◊ *a silver medal* pingat perak

**silverfish** KATA NAMA
*gegat*

**SIM card** KATA NAMA (= *Subscriber Identity Module card*)
*kad SIM* (*kad di dalam telefon bimbit*)

**similar** KATA ADJEKTIF
*serupa*

♦ **similar to** serupa dengan

**similarity** KATA NAMA
*persamaan*

to **simmer** KATA KERJA
*mereneh*
◊ *Turn the heat down so the sauce simmers gently.* Rendahkan suhu supaya sos itu mereneh dengan perlahan.

to **simmer down** KATA KERJA
*reda*
◊ *The teacher's anger simmered down after a week.* Kemarahan guru itu reda selepas seminggu. ◊ *Brad's rage had simmered down to resentment.* Kemarahan Brad sudah reda menjadi perasaan geram sahaja.

**simple** KATA ADJEKTIF
1 *mudah*
◊ *It's very simple.* Perkara itu mudah sahaja.
2 *sederhana*
◊ *He leads a simple life.* Dia hidup sederhana.

**simplicity** KATA NAMA
*kesederhanaan*

to **simplify** KATA KERJA
(**simplified, simplified**)
*memudahkan*
◊ *We need to simplify the instructions for this test.* Kita perlu memudahkan arahan untuk ujian ini.

**simply** KATA ADVERBA
*hanya*

**simultaneous** KATA ADJEKTIF
*serentak*

**simultaneously** KATA ADVERBA
*serentak*
◊ *They answered simultaneously.* Mereka menjawab serentak.

**sin** KATA NAMA
| rujuk juga **sin** KATA KERJA |
*dosa*

to **sin** KATA KERJA
| rujuk juga **sin** KATA NAMA |
*berdosa*

**since** KATA SENDI, KATA ADVERBA, KATA HUBUNG
1 *sejak*
◊ *since Christmas* sejak Krismas
◊ *since then* sejak itu

♦ **I haven't seen him since.** Saya tidak

S

pernah berjumpa dengannya sejak hari itu.

2 *memandangkan*

◊ *Since you're tired, let's stay at home.*
Memandangkan anda sudah letih, kita
tinggal sahajalah di rumah.

**sincere**  KATA ADJEKTIF
*ikhlas*

**sincerely**  KATA ADVERBA
*dengan ikhlas*

◊ *'Congratulations,' he said sincerely.*
'Tahniah,' katanya dengan ikhlas.

♦ **Yours sincerely...**  Yang benar...

**sincerity**  KATA NAMA
*keikhlasan*

◊ *I was very attracted by her sincerity.*
Saya amat tertarik dengan keikhlasannya.

**sine**  KATA NAMA
*sinus* (*matematik*)

**sinful**  KATA ADJEKTIF
*terkutuk*

◊ *sinful act*  perbuatan yang terkutuk

**sinfulness**  KATA NAMA
*kemungkaran*

◊ *He acknowledged his sinfulness.*
Dia insaf dengan segala kemungkaran
yang dilakukannya.

to **sing**  KATA KERJA
(**sang, sung**)
*menyanyi*

**singer**  KATA NAMA
*penyanyi*

**singing**  KATA NAMA
*nyanyian*

◊ *singing lessons*  kelas nyanyian

**single**  KATA ADJEKTIF

> rujuk juga **single** KATA NAMA

*bujang*

◊ *a single room*  bilik bujang ◊ *a single
bed*  katil bujang

♦ **a single mother**  ibu tunggal

♦ **She hadn't said a single word.**  Dia tidak
bercakap sepatah perkataan pun.

♦ **a single copy**  satu salinan

**single**  KATA NAMA

> rujuk juga **single** KATA ADJEKTIF

*bujang*

**single parent**  KATA NAMA

1 *ibu tunggal*

◊ *She's a single parent.*  Dia seorang ibu
tunggal.

2 *bapa tunggal*

◊ *He's a single parent.*  Dia seorang
bapa tunggal.

♦ **a single parent family**  keluarga induk
tunggal

**singles**  KATA NAMA JAMAK
*pertandingan perseorangan* (*dalam tenis,
badminton*)

◊ *the women's singles*  pertandingan

perseorangan wanita

**singular**  KATA NAMA
*tunggal/ atau mufrad*

♦ **in the singular**  dalam bentuk tunggal

**sinister**  KATA ADJEKTIF
*jahat*

**sink**  KATA NAMA

> rujuk juga **sink** KATA KERJA, KATA
> ADJEKTIF

*singki*

to **sink**  KATA KERJA
(**sank, sunk**)

> rujuk juga **sink** KATA NAMA, KATA
> ADJEKTIF

1 *menenggelamkan*

◊ *We sank the enemy ship.*  Kami telah
menenggelamkan kapal musuh.

2 *tenggelam*

◊ *The boat was sinking fast.*  Kapal itu
tenggelam dengan cepat.

**sink**  KATA ADJEKTIF

> rujuk juga **sink** KATA NAMA, KATA
> KERJA

*serba kekurangan* (*sekolah, estet*)

to **sip**  KATA KERJA
*menghirup*

**sir**  KATA NAMA
*encik*

◊ *Yes sir.*  Ya, encik.

**siren**  KATA NAMA
*siren*

**sister**  KATA NAMA

1 *kakak*

2 *adik* (*perempuan*)

♦ **my little sister**  adik perempuan saya

**sister-in-law**  KATA NAMA
(**JAMAK  sisters-in-law**)

1 *kakak ipar*

2 *adik ipar* (*perempuan*)

to **sit**  KATA KERJA
(**sat, sat**)
*duduk*

◊ *He sat in front of the TV.*  Dia duduk di
hadapan televisyen.

♦ **to be sitting**  duduk ◊ *He was sitting in
front of the TV.*  Dia duduk di hadapan
televisyen.

♦ **to sit an exam**  menduduki peperiksaan

to **sit down**  KATA KERJA
*duduk*

◊ *He sat down at his desk.*  Dia duduk di
mejanya.

**sitcom**  KATA NAMA
*sitcom* (*siri komedi TV*)

**site**  KATA NAMA

1 *tempat*

◊ *the site of the accident*  tempat
kemalangan

2 *tapak*

◊ *building site* tapak pembinaan
[3] *tapak Web* (*komputer*)
**sitting room** KATA NAMA
*ruang tamu*
**situated** KATA ADJEKTIF
♦ **to be situated...** terletak...
**situation** KATA NAMA
*keadaan* atau *situasi*
**six** ANGKA
*enam*
♦ **He's six.** Dia berumur enam tahun.
**sixteen** ANGKA
*enam belas*
♦ **He's sixteen.** Dia berumur enam belas tahun.
**sixteenth** KATA ADJEKTIF
*keenam belas*
◊ *the sixteenth place* tempat keenam belas
♦ **the sixteenth of October** enam belas hari bulan Oktober
**sixth** KATA ADJEKTIF
*keenam*
◊ *the sixth place* tempat keenam
♦ **the sixth of August** enam hari bulan Ogos
**sixties** KATA NAMA JAMAK
*enam puluhan*
**sixtieth** KATA ADJEKTIF
*keenam puluh*
**sixty** ANGKA
*enam puluh*
♦ **She's sixty.** Dia berumur enam puluh tahun.
**size** KATA NAMA
*saiz*
◊ *plates of various sizes* pinggan pelbagai saiz ◊ *What size do you take?* Apakah saiz yang anda pakai? ◊ *I take size five.* Saya memakai saiz lima.
to **skate** KATA KERJA
*meluncur*
**skateboard** KATA NAMA
*papan luncur*
**skateboarding** KATA NAMA
*bermain papan luncur*
◊ *to go skateboarding* pergi bermain papan luncur
**skates** KATA NAMA JAMAK
[1] *kasut roda*
[2] *kasut luncur ais*
**skating** KATA NAMA
*meluncur*
◊ *to go skating* pergi meluncur
♦ **skating rink** gelanggang luncur
**skeleton** KATA NAMA
*rangka*
**sketch** KATA NAMA
(JAMAK **sketches**)

| rujuk juga **sketch** KATA KERJA |
| --- |

*lakaran*
to **sketch** KATA KERJA

| rujuk juga **sketch** KATA NAMA |
| --- |

*melakarkan*
**skewer** KATA NAMA
*pencucuk*
**ski** KATA NAMA

| rujuk juga **ski** KATA KERJA |
| --- |

*ski*
◊ *a pair of skis* sepasang ski
♦ **ski boots** but ski
♦ **ski lift**
*sejenis mesin yang mempunyai deretan tempat duduk yang membawa pemain ski ke atas cerun ski dengan menggunakan kabel*
♦ **ski pants** seluar ski
♦ **ski pole** tiang ski
♦ **ski slope** cerun ski
♦ **ski suit** pakaian ski
to **ski** KATA KERJA

| rujuk juga **ski** KATA NAMA |
| --- |

*bermain ski*
to **skid** KATA KERJA
*menggelincir*
**skier** KATA NAMA
*peluncur ski*
**skiing** KATA NAMA
*bermain ski*
◊ *I love skiing.* Saya suka bermain ski.
♦ **to go skiing** pergi bermain ski
♦ **to go on a skiing holiday** pergi bercuti bermain ski
**skilful** KATA ADJEKTIF
*mahir*
**skill** KATA NAMA
*kemahiran*
◊ *It requires a lot of skill.* Banyak kemahiran diperlukan untuk melakukannya.
**skilled** KATA ADJEKTIF
*mahir*
◊ *a skilled worker* pekerja mahir
**skimmed milk** KATA NAMA
*susu tanpa lemak*
**skimpy** KATA ADJEKTIF
[1] *terlalu kecil* (*pakaian*)
[2] *tidak mencukupi* (*makanan, gaji*)
**skin** KATA NAMA

| rujuk juga **skin** KATA KERJA |
| --- |

*kulit*
◊ *skin cancer* barah kulit
to **skin** KATA KERJA

| rujuk juga **skin** KATA NAMA |
| --- |

*menyiat kulit*
◊ *They shot the deer and then skinned it.* Mereka menembak rusa itu dan kemudian menyiat kulitnya.

S

**skinhead** KATA NAMA

> **skinhead** merupakan golongan orang muda yang rambutnya dicukur atau dipotong sangat rapat dan biasanya dianggap ganas.

**skinny** KATA ADJEKTIF
_kurus kering_

**skin-tight** KATA ADJEKTIF
_sangat ketat_

to **skip** KATA KERJA

> rujuk juga **skip** KATA NAMA
> ① _melompat-lompat_
> ② _melangkau_
> ◊ _He skipped that chapter of the book._ Dia melangkau bab tersebut dalam buku itu.

♦ **You should never skip breakfast.** Anda mesti bersarapan setiap hari.
♦ **to skip school** ponteng sekolah

**skip** KATA NAMA

> rujuk juga **skip** KATA KERJA
> _lompatan_

**skirt** KATA NAMA
_skirt_

**skittles** KATA NAMA JAMAK
_permainan skittles_

to **skive** KATA KERJA
(_tidak formal_)
_ponteng_
> ◊ _to skive off school_ ponteng sekolah

**skull** KATA NAMA
_tengkorak_

**sky** KATA NAMA
(JAMAK **skies**)
_langit_

**sky-high** KATA ADJEKTIF, KATA ADVERBA
_tinggi melangit_
> ◊ _sky-high prices_ harga yang tinggi melangit

♦ **Their popularity went sky-high.** Mereka menjadi sangat popular.

**skyscraper** KATA NAMA
_pencakar langit_

**slack** KATA ADJEKTIF
> ① _kendur_ (_tali_)
> ② _cuai_ (_orang_)

to **slacken** KATA KERJA
> ① _melambatkan_
> ◊ _He did not slacken his pace._ Dia tidak melambatkan langkahnya.
> ② _berkurangan_
> ◊ _Inflationary pressures continued to slacken last month._ Tekanan-tekanan yang menyebabkan inflasi terus berkurangan pada bulan lepas.
> ③ _mengendur_
> ◊ _Muscles slacken and tighten._ Otot mengendur dan menegang.

to **slag off** KATA KERJA

(_tidak formal_)
_mengutuk_

to **slam** KATA KERJA
_menghempaskan_
> ◊ _She slammed the door._ Dia menghempaskan pintu itu.

♦ **The door slammed.** Pintu itu dilepaskan dengan kuat.

**slander** KATA NAMA

> rujuk juga **slander** KATA KERJA
> _fitnah_
> ◊ _This report clearly contains elements of slander and propaganda._ Laporan ini jelas berunsur fitnah dan propaganda.

♦ **She was sued for slander.** Dia didakwa kerana memfitnah.

to **slander** KATA KERJA

> rujuk juga **slander** KATA NAMA
> _memfitnah_

**slanderer** KATA NAMA
_pemfitnah_

**slanderous** KATA ADJEKTIF
_berunsur fitnah_
> ◊ _That is a slanderous remark._ Kata-kata itu berunsur fitnah.

**slang** KATA NAMA
_slanga_

to **slap** KATA KERJA

> rujuk juga **slap** KATA NAMA
> _menampar_ atau _menempeleng_

**slap** KATA NAMA

> rujuk juga **slap** KATA KERJA
> _tamparan_ atau _tempeleng_

to **slash** KATA KERJA
_mengelar_
> ◊ _Joseph slashed his wrists._ Joseph mengelar pergelangan tangannya.

**slate** KATA NAMA
_batu loh_

to **slaughter** KATA KERJA

> rujuk juga **slaughter** KATA NAMA
> _menyembelih_

**slaughter** KATA NAMA

> rujuk juga **slaughter** KATA KERJA
> _penyembelihan_

**slave** KATA NAMA
_hamba_

**slavery** KATA NAMA
_perhambaan_

**sledge** KATA NAMA
_kereta luncur salji_

**sledging** KATA NAMA
_bermain kereta luncur salji_
> ◊ _to go sledging_ pergi bermain kereta luncur salji

**sleep** KATA NAMA

> rujuk juga **sleep** KATA KERJA
> _tidur_
> ◊ _lack of sleep_ tidak cukup tidur ◊ _I_

*need some sleep.* Saya perlu tidur. ◊ *to go to sleep* masuk tidur

to **sleep** KATA KERJA

**(slept, slept)**

> *rujuk juga* **sleep** KATA NAMA

*tidur*

◊ *I couldn't sleep last night.* Saya tidak dapat tidur semalam.

to **sleep around** KATA KERJA

*meniduri sesiapa sahaja*

to **sleep in** KATA KERJA

*bangun lebih lewat daripada biasa*

◊ *She likes to sleep in on Sundays.* Dia suka bangun lebih lewat daripada biasa pada hari Ahad.

to **sleep together** KATA KERJA

*berseketiduran*

to **sleep with** KATA KERJA

*meniduri*

**sleeper** KATA NAMA

1 *tempat tidur (dalam kereta api)*
2 *galang (untuk landasan)*

♦ *a light sleeper* orang yang mudah terjaga dari tidur

♦ *a heavy sleeper* orang yang tidur mati

♦ *a late sleeper* orang yang selalu bangun lewat

**sleeping bag** KATA NAMA

*beg tidur*

**sleeping car** KATA NAMA

*gerabak tidur*

**sleeping pill** KATA NAMA

*pil tidur*

**sleepless** KATA ADJEKTIF

*tidak dapat tidur*

◊ *The nightmare gave her a sleepless night.* Mimpi ngeri itu menyebabkan dia tidak dapat tidur sepanjang malam.

**sleepover** KATA NAMA

*bermalam di luar (di rumah kawan, dll)*

**sleepy** KATA ADJEKTIF

*mengantuk*

◊ *to feel sleepy* berasa mengantuk

♦ *a sleepy little village* kampung kecil yang lengang

**sleet** KATA NAMA

> *rujuk juga* **sleet** KATA KERJA

*hujan batu*

to **sleet** KATA KERJA

> *rujuk juga* **sleet** KATA NAMA

*hujan batu turun*

♦ *It's sleeting.* Hujan batu turun.

**sleeve** KATA NAMA

*lengan (baju, kot)*

**sleeveless** KATA ADJEKTIF

*tanpa lengan*

**sleigh** KATA NAMA

*kereta luncur salji*

**slender** KATA ADJEKTIF

*langsing*

♦ *a slender neck* leher jenjang

**slept** KATA KERJA *rujuk* **sleep**

**slice** KATA NAMA

> *rujuk juga* **slice** KATA KERJA

1 *keping (roti)*
2 *potong (kek)*
3 *hiris (bawang, nenas, keju, daging, dll)*

to **slice** KATA KERJA

> *rujuk juga* **slice** KATA NAMA

*menghiris*

**slick** KATA ADJEKTIF

> *rujuk juga* **slick** KATA NAMA

*licin*

◊ *a slick performance* persembahan yang licin

**slick** KATA NAMA

> *rujuk juga* **slick** KATA ADJEKTIF

*tumpahan minyak*

♦ *oil slick* tumpahan minyak

to **slide** KATA KERJA

**(slid, slid)**

> *rujuk juga* **slide** KATA NAMA

*mengalir*

◊ *A tear slid down his cheek.* Air mata mengalir di pipinya.

♦ *She slid the door open.* Dia menguakkan pintu itu.

♦ *They slid down the slope.* Mereka menggelongsor dari cerun itu.

**slide** KATA NAMA

> *rujuk juga* **slide** KATA KERJA

1 *slaid (filem fotografi, pada mikroskop)*
2 *papan gelongsor*
3 *kemerosotan (harga, mata wang)*

**slight** KATA ADJEKTIF

*sedikit*

◊ *a slight improvement* sedikit kemajuan

♦ *a slight problem* masalah yang kecil

**slightly** KATA ADVERBA

*sedikit*

◊ *That car is slightly more expensive.* Kereta itu lebih mahal sedikit.

**slim** KATA ADJEKTIF

> *rujuk juga* **slim** KATA KERJA

*langsing*

to **slim** KATA KERJA

> *rujuk juga* **slim** KATA ADJEKTIF

*melangsingkan badan*

◊ *I'm trying to slim.* Saya sedang cuba melangsingkan badan.

♦ *I'm slimming.* Saya sedang cuba melangsingkan badan.

**slimy** KATA ADJEKTIF

1 *berlendir*

◊ *She touched something cold and slimy.* Dia tersentuh sesuatu yang sejuk dan berlendir.

S

② *licin dan melekit* (*lumpur*)

**sling** KATA NAMA
*anduh*
◊ She had her arm in a sling. Dia menggunakan anduh untuk menopang tangannya.

**slip** KATA NAMA

> rujuk juga **slip** KATA KERJA

① *kesilapan kecil*
② *simis* (*pakaian*)
♦ **a slip of paper** secebis kertas
♦ **a slip of the tongue** tersilap sebut

to **slip** KATA KERJA

> rujuk juga **slip** KATA NAMA

① *tergelincir*
◊ He slipped on the ice. Dia tergelincir di atas ais.
② *menyelinap*
◊ He slipped into the room. Dia menyelinap masuk ke dalam bilik itu.
♦ **Weng Ki's foot slipped into the drain.** Kaki Weng Ki terperosok ke dalam longkang.
♦ **Her ring slipped off her finger.** Cincinnya terlucut dari jarinya.

to **slip up** KATA KERJA
*membuat kesilapan kecil*

**slipper** KATA NAMA
*selipar*

**slippery** KATA ADJEKTIF
*licin*

**slip-up** KATA NAMA
*kesilapan kecil*

to **slit** KATA KERJA
(**slit, slit**)

> rujuk juga **slit** KATA NAMA

① *menoreh*
◊ Somebody slit her throat. Seseorang telah menoreh lehernya.
② *terbelah*
◊ She was wearing a white dress slit to the thigh. Dia memakai baju putih yang terbelah hingga ke paha.

**slit** KATA NAMA

> rujuk juga **slit** KATA KERJA

① *belah*
◊ a skirt with a long slit skirt yang mempunyai belah yang panjang
② *torehan*
◊ Make a slit in the stem about half an inch long. Buat torehan pada batang itu sepanjang kira-kira setengah inci.

to **slither** KATA KERJA
① *menggelongsor*
◊ He slithered down the bank. Dia menggelongsor dari tebing itu.
② *menjalar* (*ular*)

**slogan** KATA NAMA
*slogan*

**slope** KATA NAMA

> rujuk juga **slope** KATA KERJA

① *lereng*
◊ The street was on a slope. Jalan itu terletak di lereng.
② *kecerunan*
◊ a slope of 10 degrees kecerunan 10 darjah

to **slope** KATA KERJA

> rujuk juga **slope** KATA NAMA

*mempunyai lereng*
◊ The bank sloped down sharply to the river. Tebing itu mempunyai lereng yang tajam yang mengarah ke sungai. ◊ The hill slopes gently. Bukit itu mempunyai lereng yang agak landai.

**sloping** KATA ADJEKTIF
*miring*
◊ sloping roof bumbung yang miring
♦ **the gently sloping beach** pantai yang agak landai

**sloppy** KATA ADJEKTIF
*selekeh*

**slot** KATA NAMA
*lubang*

**slot machine** KATA NAMA
① *mesin judi*
② *mesin layan diri*

**slow** KATA ADJEKTIF, KATA ADVERBA
① *lembap*
◊ He's a bit slow. Dia agak lembap.
② *perlahan*
◊ a slow process proses yang perlahan
♦ **Drive slower!** Pandu dengan lebih perlahan!
♦ **My watch is slow.** Jam tangan saya lambat.

to **slow down** KATA KERJA
① *semakin perlahan*
◊ The car slowed down. Kereta itu semakin perlahan.
② *memperlahankan*
◊ Alicia slowed her car down. Alicia memperlahankan keretanya.

**slowly** KATA ADVERBA
*perlahan-lahan*

**slug** KATA NAMA
*lintah bulan*

**sluggishness** KATA NAMA
*kelembapan*
◊ sluggishness of the economy kelembapan ekonomi

**slum** KATA NAMA
*kawasan yang sesak dan kotor*
◊ They live in a slum. Mereka tinggal di kawasan yang sesak dan kotor.

**slumber** KATA NAMA
*tidur*
♦ **He had fallen into slumber.** Dia telah

tidur.

to **slump** KATA KERJA

1 *rebah*

◊ *She slumped into a chair.* Dia rebah di atas kerusi.

2 *susut secara mendadak*

◊ *Profits have slumped.* Keuntungan telah susut secara mendadak.

**slush** KATA NAMA

*lecah salji*

**sly** KATA ADJEKTIF

*licik*

◊ *She's very sly.* Dia sangat licik.

♦ **a sly smile** senyuman sinis

to **smack** KATA KERJA

*rujuk juga* **smack** KATA NAMA

1 *menampar*

♦ **He smacked the ball against a post.** Dia memukul bola itu pada sebatang tiang.

2 *berbaur*

◊ *His remarks smack of incitement.* Kata-katanya berbaur hasutan.

**smack** KATA NAMA

*rujuk juga* **smack** KATA KERJA

*tamparan atau tempeleng*

**smackhead** KATA NAMA

(*tidak formal*)

*penagih heroin*

**small** KATA ADJEKTIF

*kecil*

◊ *two small children* dua orang budak kecil

♦ **small change** tukaran wang kecil

**smart** KATA ADJEKTIF

*rujuk juga* **smart** KATA KERJA, KATA NAMA

1 *segak*

◊ *a smart navy blue suit* sut biru tua yang segak

2 *bijak*

◊ *He thinks he's smarter than Sarah.* Dia ingat dia lebih bijak daripada Sarah.

3 *mewah* (*tempat, dll*)

to **smart** KATA KERJA

*rujuk juga* **smart** KATA ADJEKTIF, KATA NAMA

*pedih*

◊ *The cut on my hand smarted when it got wet.* Luka pada tangan saya terasa pedih apabila terkena air.

**smart** KATA NAMA

*rujuk juga* **smart** KATA ADJEKTIF, KATA KERJA

*kepedihan*

**smartly** KATA ADVERBA

*segak*

◊ *Raju dresses smartly.* Raju berpakaian segak.

to **smash** KATA KERJA

*rujuk juga* **smash** KATA NAMA

1 *memecahkan*

◊ *They smashed windows.* Mereka memecahkan tingkap-tingkap.

2 *pecah berkecai*

♦ **The glass smashed into tiny pieces.** Kaca itu pecah berkecai.

**smash** KATA NAMA

(JAMAK **smashes**)

*rujuk juga* **smash** KATA KERJA

*kemalangan kereta*

♦ **I had a smash with another car.** Saya berlanggar dengan sebuah kereta.

**smashing** KATA ADJEKTIF

*hebat*

◊ *That's a smashing idea.* Itu satu idea yang hebat.

to **smear** KATA KERJA

*rujuk juga* **smear** KATA NAMA

*mencalitkan*

◊ *Smear a little olive oil over the inside of the bowl.* Calitkan sedikit minyak zaitun pada bahagian dalam mangkuk itu.

**smear** KATA NAMA

*rujuk juga* **smear** KATA KERJA

*kesan calit*

◊ *The mirror was covered in smears.* Cermin itu dipenuhi dengan kesan calit.

♦ **There was a smear of gravy on his chin.** Ada kesan kuah pada dagunya.

**smell** KATA NAMA

*rujuk juga* **smell** KATA KERJA

*bau*

◊ *a smell of lemon* bau lemon

♦ **the sense of smell** deria bau

to **smell** KATA KERJA

(**smelled** atau **smelt, smelled** atau **smelt**)

*rujuk juga* **smell** KATA NAMA

*berbau*

◊ *That dog smells!* Anjing itu berbau!

♦ **I can't smell anything.** Saya tidak dapat menghidu apa-apa.

♦ **I can smell gas.** Saya terbau gas.

♦ **to smell of something** berbau ◊ *It smells of petrol.* Benda itu berbau petrol.

**smelly** KATA ADJEKTIF

*berbau*

◊ *The pub was dirty and smelly.* Pub itu kotor dan berbau. ◊ *He's got smelly feet.* Kakinya berbau.

**smelt** KATA KERJA *rujuk* **smell**

to **smile** KATA KERJA

*rujuk juga* **smile** KATA NAMA

*tersenyum*

**smile** KATA NAMA

*rujuk juga* **smile** KATA KERJA

*senyuman*

**smitten** KATA ADJEKTIF

*tertawan*

S

◊ *Fred was smitten with my sister.* Fred tertawan dengan kakak saya.

**smog** KATA NAMA
*asbut*

**smoke** KATA NAMA

> rujuk juga **smoke** KATA KERJA

*asap*

to **smoke** KATA KERJA

> rujuk juga **smoke** KATA NAMA

1 *merokok*
◊ *I don't smoke.* Saya tidak merokok.
2 *mengasap*
◊ *The Eskimos smoke meat to preserve it.* Orang Eskimo mengasap daging untuk mengawetnya.
♦ **smoked fish** ikan salai

**smoker** KATA NAMA
*perokok*

**smoking** KATA NAMA
*merokok*
◊ *to stop smoking* berhenti merokok
♦ **Smoking is bad for you.** Merokok membahayakan kesihatan anda.
♦ **"no smoking"** "dilarang merokok"

**smoky** KATA ADJEKTIF
*berasap*
◊ *The room is smoky.* Bilik itu berasap.

to **smooch** KATA KERJA
*bercumbu-cumbuan*

**smooth** KATA ADJEKTIF

> rujuk juga **smooth** KATA KERJA

*licin*
◊ *a smooth surface* permukaan yang licin

to **smooth** KATA KERJA

> rujuk juga **smooth** KATA ADJEKTIF

*melicinkan*
◊ *He smoothed out the crumpled letter.* Dia melicinkan surat yang terperonyok itu.

**smoothly** KATA ADVERBA
*dengan lancar*
◊ *Their plan went smoothly.* Rancangan mereka berjalan dengan lancar.

**smoothness** KATA NAMA
*kelicinan*
◊ *the smoothness of her skin* kelicinan kulitnya

**SMS** SINGKATAN (= *Short Message Service*) (*telekomunikasi*)
*SMS* (= *Khidmat Pesanan Pendek*)

**smudge** KATA NAMA
*kesan kotor*

**smug** KATA ADJEKTIF
*bangga diri*

to **smuggle** KATA KERJA
*menyeludup*
♦ **to smuggle in** menyeludup masuk
♦ **to smuggle out** menyeludup keluar

**smuggler** KATA NAMA
*penyeludup*

**smuggling** KATA NAMA
*penyeludupan*

**smutty** KATA ADJEKTIF
*lucah*
◊ *smutty books* buku-buku lucah
♦ **smutty jokes** gurauan kotor

**snack** KATA NAMA
*snek*
◊ *to have a snack* makan snek

**snack bar** KATA NAMA
*snekbar*

**snail** KATA NAMA
*siput*

**snake** KATA NAMA
*ular*

to **snap** KATA KERJA
*patah*
◊ *The branch snapped.* Dahan itu patah.
♦ **to snap one's fingers** memetik jari

**snapshot** KATA NAMA
*gambar*

**snare** KATA NAMA

> rujuk juga **snare** KATA KERJA

*jerat*

to **snare** KATA KERJA

> rujuk juga **snare** KATA NAMA

*menjerat*
◊ *He snared a rabbit today.* Dia menjerat seekor arnab hari ini.

to **snarl** KATA KERJA

> rujuk juga **snarl** KATA NAMA

1 *menderam* (*binatang*)
2 *mengherdik* (*manusia*)

**snarl** KATA NAMA

> rujuk juga **snarl** KATA KERJA

1 *deram*
2 *herdikan*

to **snatch** KATA KERJA
*meragut*
◊ *to snatch something from somebody* meragut sesuatu daripada seseorang
◊ *My bag was snatched.* Beg saya diragut.
♦ **He snatched the keys from my hand.** Dia merampas kunci itu dari tangan saya.

**snatcher** KATA NAMA
*peragut*

to **sneak** KATA KERJA
*menyelinap*
♦ **to sneak in** menyelinap masuk
♦ **to sneak out** menyelinap keluar
♦ **to sneak up on somebody** menghampiri seseorang secara senyap-senyap

to **sneeze** KATA KERJA
*bersin*

to **sniff** KATA KERJA

_menghidu_
◊ _The dog sniffed my hand._ Anjing itu menghidu tangan saya. ◊ _to sniff glue_ menghidu gam

to **sniff out** KATA KERJA
_menghidu_
◊ _Lacsy is a police dog trained to sniff out explosives._ Lacsy ialah seekor anjing polis yang dilatih untuk menghidu bahan letupan.

**snob** KATA NAMA
_penyombong_

**snobbish** KATA ADJEKTIF
_sombong_
◊ _Aini's not snobbish despite her wealth._ Aini tidak sombong walaupun dia seorang yang kaya.

**snooker** KATA NAMA
_snuker_

**snooze** KATA NAMA
(_tidak formal_)
_tidur sekejap_
♦ **to have a snooze** tidur sekejap

to **snore** KATA KERJA

| _rujuk juga_ snore KATA NAMA |
|---|

_berdengkur_

**snore** KATA NAMA

| _rujuk juga_ snore KATA KERJA |
|---|

_dengkuran_

to **snort** KATA KERJA

| _rujuk juga_ snort KATA NAMA |
|---|

_mendengus_
◊ _"He keeps asking me for money!" he snorted._ "Dia asyik meminta wang daripada saya!" dia mendengus.

**snort** KATA NAMA

| _rujuk juga_ snort KATA KERJA |
|---|

_dengus_

**snow** KATA NAMA

| _rujuk juga_ snow KATA KERJA |
|---|

_salji_

to **snow** KATA KERJA

| _rujuk juga_ snow KATA NAMA |
|---|

_salji turun_
◊ _It's snowing._ Salji sedang turun.

**snowball** KATA NAMA
_bola salji_

**snowdrift** KATA NAMA
_kukup salji_

**snowflake** KATA NAMA
_emping salji_

**snowman** KATA NAMA
(JAMAK **snowmen**)
_orang-orang salji_
◊ _to build a snowman_ membuat orang-orang salji

to **snub** KATA KERJA
_menghina_
◊ _He snubbed her in public._ Dia

menghina gadis itu di khalayak ramai.

**so** KATA HUBUNG, KATA ADVERBA
[1] _jadi_
◊ _The shop was closed, so I went home._ Kedai itu sudah tutup, jadi saya pulang ke rumah. ◊ _So, have you always lived in London?_ Jadi, selama ini anda hanya tinggal di London?
♦ **So what?** Peduli apa?
[2] _supaya_
◊ _He took her upstairs so they wouldn't be overheard._ Dia membawanya ke tingkat atas supaya tidak ada orang yang mendengar perbualan mereka.
[3] _begitu_
◊ _He was talking so fast I couldn't understand._ Dia bercakap begitu laju sehinggakan saya tidak dapat memahaminya. ◊ _He's like his sister but not so clever._ Dia seperti kakaknya cuma tidak begitu bijak. ◊ _How's your father? - Not so good._ Bagaimanakah keadaan ayah anda? - Tidak begitu baik. ◊ _That's not so._ Bukan begitu.
♦ **The bag was so heavy!** Beg itu amat berat!
♦ **so much** begitu banyak ◊ _She's got so much energy._ Dia mempunyai begitu banyak tenaga.
♦ **I love you so much.** Saya amat menyayangi awak.
♦ **so many** begitu banyak ◊ _I've got so many things to do today._ Saya ada begitu banyak perkara untuk dilakukan hari ini.
♦ **so do I** saya juga begitu ◊ _I work all the time - So do I._ Saya bekerja sepanjang masa. - Saya juga begitu.
♦ **so have we** kami juga begitu ◊ _I've been waiting for ages! - So have we._ Saya telah menunggu begitu lama! - Kami juga begitu.
♦ **I think so.** Saya rasa begitu.
♦ **...or so** ...lebih kurang ◊ _at five o'clock or so_ lebih kurang pada pukul lima ◊ _ten people or so_ lebih kurang sepuluh orang

to **soak** KATA KERJA
_merendam_
◊ _Soak the beans for two hours._ Rendam kacang itu selama dua jam.
♦ **Water had soaked his jacket.** Jaketnya basah kuyup dengan air.

**soaked** KATA ADJEKTIF
_basah kuyup_
♦ **to get soaked** basah kuyup ◊ _We got soaked to the skin._ Badan kami habis basah kuyup.

**soaking** KATA ADJEKTIF
_basah kuyup_

S

◊ *My raincoat was soaking wet.* Baju hujan saya basah kuyup.

♦ **Your shoes are soaking wet.** Kasut anda habis basah.

**soap** KATA NAMA
*sabun*

**soap opera** KATA NAMA
*siri drama televisyen popular* (*penjelasan umum*)

**soap powder** KATA NAMA
*serbuk pencuci*

**soapy** KATA ADJEKTIF
*bersabun*

to **soar** KATA KERJA
*memuncak*
◊ *The price of the books has soared.* Harga buku-buku itu telah memuncak.

to **sob** KATA KERJA
| *rujuk juga* **sob** KATA NAMA |
*tersedu-sedu*

**sob** KATA NAMA
| *rujuk juga* **sob** KATA KERJA |
*esakan*
◊ *The little girl's sobs grew louder.* Esakan budak perempuan itu semakin kuat.

**sobbing** KATA NAMA
*sedu-sedan*
◊ *The room was silent except for her sobbing.* Bilik itu sunyi, cuma sedu-sedannya sahaja yang dapat didengari.

**sober** KATA ADJEKTIF
*tidak mabuk*

to **sober up** KATA KERJA
*sedar daripada mabuk*
◊ *He sobered up.* Dia sedar daripada mabuk.

**soccer** KATA NAMA
*bola sepak*
◊ *to play soccer* bermain bola sepak
◊ *soccer player* pemain bola sepak

**social** KATA ADJEKTIF
*sosial*
◊ *social problems* masalah sosial

♦ **I have a good social life.** Saya bergaul dengan ramai orang.

**socialism** KATA NAMA
*sosialisme*

**socialist** KATA ADJEKTIF, KATA NAMA
*sosialis*

to **socialize** KATA KERJA
*bercampur gaul*

**social security** KATA NAMA
*bantuan kebajikan*
◊ *to be on social security* menerima bantuan kebajikan

**social worker** KATA NAMA
*pekerja kebajikan*

**society** KATA NAMA

(JAMAK **societies**)
① *masyarakat*
◊ *a multi-cultural society* masyarakat pelbagai budaya
② *persatuan*
◊ *a drama society* persatuan drama

**sociology** KATA NAMA
*sosiologi*

**sock** KATA NAMA
*sarung kaki*

**socket** KATA NAMA
① *soket* (*alat elektrik*)
② *rongga* (*mata*)
③ *lesung* (*sendi*)

**soda** KATA NAMA
*soda*

**soda pop** KATA NAMA ⬛
*minuman bergas yang manis*

**sodomy** KATA NAMA
*liwat*

**sofa** KATA NAMA
*sofa*

**soft** KATA ADJEKTIF
*lembut*
◊ *a soft towel* tuala yang lembut ◊ *The mattress is too soft.* Tilam itu terlalu lembut.

♦ **to be too soft on somebody** terlalu berlembut dengan seseorang

♦ **a soft drink** minuman ringan

♦ **soft drugs** dadah yang kurang berbahaya

♦ **soft option** pilihan yang mudah

to **soften** KATA KERJA
*melembutkan*
◊ *This moisturizer will soften your skin.* Pelembap ini akan melembutkan kulit anda.

♦ **Take the butter out of the fridge for it to soften.** Keluarkan mentega dari peti sejuk untuk melembutkannya.

**softener** KATA NAMA
*pelembut*

**software** KATA NAMA
*perisian*

**soggy** KATA ADJEKTIF
① *kembang* (*roti, biskut*)
② *berair* (*salad*)
③ *benyek* (*nasi*)

**soil** KATA NAMA
*tanah*

**solar power** KATA NAMA
*tenaga suria*

**solar-powered** KATA ADJEKTIF
*menggunakan kuasa suria*
◊ *solar-powered car* kereta yang menggunakan kuasa suria

**sold** KATA KERJA *rujuk* **sell**

to **solder** KATA KERJA
| *rujuk juga* **solder** KATA NAMA |

_mematerikan_
◊ *He soldered the wire to the telephone terminal.* Dia mematerikan dawai itu pada terminal telefon.

**solder** KATA NAMA

rujuk juga **solder** KATA KERJA

_pateri_

**soldier** KATA NAMA
_askar_

**sold out** KATA ADJEKTIF
_habis dijual_
◊ *The tickets are all sold out.* Semua tiket sudah habis dijual.

**sole** KATA ADJEKTIF

rujuk juga **sole** KATA NAMA

_tunggal_
◊ *sole heir* waris tunggal
♦ **Prakash is the sole member of the team who hasn't been injured.** Prakash ialah satu-satunya ahli pasukan itu yang tidak tercedera.

**sole** KATA NAMA

rujuk juga **sole** KATA ADJEKTIF

_tapak kaki_

**solely** KATA ADVERBA
_semata-mata_
◊ *She studied solely for the sake of her parents.* Dia belajar semata-mata kerana ibu bapanya.

**solemn** KATA ADJEKTIF
_serius_
◊ *He looked solemn.* Dia kelihatan serius.

**solemnly** KATA ADVERBA
_dengan serius_
◊ *Her listeners nodded solemnly.* Pendengar-pendengarnya mengangguk dengan serius.

**solicitor** KATA NAMA
_peguam cara_

**solid** KATA ADJEKTIF
_kukuh_
◊ *a solid wall* dinding yang kukuh
♦ **solid gold** emas padu
♦ **for three solid hours** selama tiga jam tanpa henti

**solidarity** KATA NAMA
_perpaduan_

to **solidify** KATA KERJA
(**solidified, solidified**)
[1] _menjadi beku_
◊ *The lava took two weeks to solidify.* Lahar itu mengambil masa selama dua minggu untuk menjadi beku.
[2] _memejalkan_
◊ *They solidify the waste in a high-tech factory.* Mereka memejalkan bahan buangan itu di dalam sebuah kilang yang berteknologi tinggi.

**solitary** KATA ADJEKTIF
_suka menyendiri_
◊ *Brad was a shy and solitary man.* Brad seorang yang pemalu dan suka menyendiri.

**solo** KATA NAMA
_solo_
◊ *a solo singer* penyanyi solo

**soloist** KATA NAMA
_penyanyi solo_

**solution** KATA NAMA
[1] _penyelesaian_
[2] _larutan_

to **solve** KATA KERJA
_menyelesaikan_

**solvent** KATA NAMA
_pelarut_

**sombre** KATA ADJEKTIF
_murung_
◊ *Her face suddenly became sombre.* Wajahnya murung secara tiba-tiba.

**some** KATA ADJEKTIF, KATA GANTI NAMA
[1] _beberapa_
◊ *some books* beberapa buah buku
[2] _sesetengah_
◊ *You have to be careful with mushrooms: some are poisonous.* Anda perlu berhati-hati dengan cendawan kerana sesetengahnya beracun. ◊ *Some people say that...* Sesetengah orang mengatakan bahawa...

**some** tidak diterjemahkan apabila merujuk kepada sesuatu yang tidak boleh dikira.

◊ *Would you like some bread?* Anda mahu roti? ◊ *Have you got some mineral water?* Anda ada air mineral?
◊ *Would you like some coffee? - No thanks, I've got some.* Anda mahu kopi?- Terima kasih, saya sudah ada.
♦ **I only want some of it.** Saya hanya mahu sebahagian sahaja.
♦ **some day** suatu hari nanti
♦ **some of them** sebahagian daripadanya
◊ *I only sold some of them.* Saya hanya menjual sebahagian daripadanya.

**somebody** KATA GANTI NAMA
_seseorang_
◊ *I need somebody to help me.* Saya memerlukan seseorang untuk membantu saya.

**somehow** KATA ADVERBA
_dengan apa cara sekali pun_
◊ *I'll do it somehow.* Anda akan melakukannya dengan apa cara sekali pun.
♦ **Somehow I don't think he believed me.** Entah mengapa, saya fikir dia tidak mempercayai saya.

S

**someone** KATA GANTI NAMA
*seseorang*
◊ *I need someone to help me.* Saya memerlukan seseorang untuk membantu saya.

**something** KATA GANTI NAMA
*sesuatu*
◊ *something special* sesuatu yang istimewa
♦ **Wear something warm.** Pakai pakaian yang tebal.
♦ **It cost a hundred pounds, or something like that.** Harganya lebih kurang seratus paun.
♦ **His name is Peter or something.** Namanya Peter, kalau tidak silap saya.

**sometime** KATA ADVERBA
Biasanya **sometime** tidak diterjemahkan ke dalam bahasa Melayu.
◊ *You must come and see us sometime.* Jemputlah datang ke rumah kami.
◊ *sometime last month* pada bulan lepas

**sometimes** KATA ADVERBA
*kadang-kadang*
◊ *Sometimes I drink beer.* Kadang-kadang saya minum bir.

**somewhere** KATA ADVERBA
*suatu tempat*
◊ *I'd like to go on holiday, somewhere exotic.* Saya ingin pergi bercuti ke suatu tempat yang eksotik.
♦ **I left my keys somewhere.** Saya tertinggal kunci saya entah di mana.

**son** KATA NAMA
*anak lelaki*

**song** KATA NAMA
*lagu*

**son-in-law** KATA NAMA
(JAMAK **sons-in-law**)
*menantu (lelaki)*

**soon** KATA ADVERBA
*tidak lama lagi*
♦ **very soon** tidak lama lagi
♦ **soon afterwards** tidak lama kemudian
♦ **as soon as** sebaik sahaja
♦ **as soon as possible** secepat mungkin

**sooner** KATA ADVERBA
*lebih awal*
◊ *Can't you come a bit sooner?* Bolehkah anda datang lebih awal sedikit?
♦ **sooner or later** lambat-laun
♦ **the sooner the better** lebih cepat lebih baik

**soot** KATA NAMA
*jelaga*

to **soothe** KATA KERJA
1 *menenangkan*

◊ *The soft music soothed me.* Muzik yang perlahan itu menenangkan saya.
2 *melegakan*
◊ *body lotion to soothe dry skin* losen badan untuk melegakan kulit yang kering

**soothsayer** KATA NAMA
*ahli nujum*

**sophisticated** KATA ADJEKTIF
*canggih*
◊ *Technology is becoming ever more sophisticated.* Teknologi sudah semakin canggih.

**sophistication** KATA NAMA
*kecanggihan*
◊ *the sophistication of one of the world's richest cities* kecanggihan salah sebuah bandar raya yang terkaya di dunia

**soppy** KATA ADJEKTIF
*terlalu sentimental*

**soprano** KATA NAMA
*soprano*

**sore** KATA ADJEKTIF
rujuk juga **sore** KATA NAMA
*sakit*
◊ *It's sore.* Sakitlah. ◊ *I have a sore throat.* Saya sakit kerongkong.
♦ **That's a sore point.** Perkara itu menyakitkan hati.

**sore** KATA NAMA
rujuk juga **sore** KATA ADJEKTIF
*kudis*

**sorrow** KATA NAMA
*kesedihan*

**sorrowful** KATA ADJEKTIF
*sedih*

**sorrowing** KATA ADJEKTIF
*sedih*
◊ *Camellia was very reluctant to leave her sorrowing mother.* Camellia tidak sampai hati hendak meninggalkan ibunya yang sedih.

**sorry** KATA ADJEKTIF
*maaf*
◊ *I'm sorry, I haven't got any change.* Maaf, saya tidak mempunyai wang kecil.
♦ **I'm sorry.** Maafkan saya. ◊ *I'm sorry I'm late.* Maafkan saya kerana terlewat.
♦ **Sorry!** Maaf!
♦ **Sorry?** Maaf! (*sila ulang sekali lagi*)
♦ **I'm sorry about the noise.** Saya minta maaf tentang bunyi bising itu.
♦ **You'll be sorry!** Kamu akan menyesal!
♦ **to feel sorry for somebody** berasa simpati terhadap seseorang

**sort** KATA NAMA
rujuk juga **sort** KATA KERJA
*jenis*
◊ *What sort of bike have you got?* Apakah jenis motosikal yang anda miliki?

◊ *all sorts of...* pelbagai jenis...
to **sort** KATA KERJA

> *rujuk juga* **sort** KATA NAMA

1. *mengisih*
◊ *They sorted the names alphabetically.*
Mereka mengisih nama-nama itu mengikut abjad.
2. *mengasingkan*
◊ *I sorted the laundry.* Saya mengasingkan pakaian-pakaian kotor itu.
to **sort out** KATA KERJA

1. *mengasingkan*
◊ *How do we sort out fact from fiction?*
Bagaimanakah kita hendak mengasingkan fakta daripada fiksyen?
2. *menyusun*
◊ *Sort out all your books.* Susun semua buku anda.
3. *menyelesaikan*
◊ *They have sorted out their problems.*
Mereka telah menyelesaikan masalah mereka.
**so-so** KATA ADVERBA

*bolehlah*
◊ *How are you feeling? - So-so.*
Bagaimanakah keadaan anda? - Bolehlah.
**sought** KATA KERJA *rujuk* **seek**
**soul** KATA NAMA

1. *roh*
◊ *She prayed for the soul of her late husband.* Dia berdoa untuk kesejahteraan roh mendiang suaminya.
2. *jiwa*
♦ **a soul singer** penyanyi soul
**sound** KATA NAMA

> *rujuk juga* **sound** KATA KERJA, KATA ADJEKTIF

*bunyi*
◊ *the sound of footsteps* bunyi tapak kaki ◊ *at the speed of sound* pada kelajuan bunyi
♦ **Don't make a sound!** Senyap!
♦ **Can I turn the sound down?** Bolehkah saya perlahankan bunyinya?
to **sound** KATA KERJA

> *rujuk juga* **sound** KATA NAMA, KATA ADJEKTIF

*membunyikan*
◊ *He sounded his car horn.* Dia membunyikan hon keretanya.
♦ **That sounds interesting.** Bunyinya macam menarik.
♦ **It sounds as if she's doing well at school.** Bunyinya seperti dia mendapat keputusan yang baik di sekolah.
♦ **That sounds like a good idea.** Cadangan itu nampak seperti cadangan yang baik.
**sound** KATA ADJEKTIF, KATA ADVERBA

> *rujuk juga* **sound** KATA NAMA, KATA KERJA

*kukuh*
◊ *His reasoning is perfectly sound.*
Alasannya sungguh kukuh.
♦ **Julian gave me some sound advice.**
Julian memberi saya nasihat yang berguna.
♦ **sound asleep** tidur nyenyak
**soundtrack** KATA NAMA

*soundtrack (muzik dari filem)*
**soup** KATA NAMA

*sup*
**sour** KATA ADJEKTIF

*masam*
**source** KATA NAMA

*sumber*
**south** KATA NAMA

> *rujuk juga* **south** KATA ADJEKTIF

*selatan*
◊ *the South of France* Perancis Selatan
**south** KATA ADJEKTIF, KATA ADVERBA

> *rujuk juga* **south** KATA NAMA

*selatan*
◊ *a south wind* angin selatan
♦ **south of** di selatan ◊ *It's south of London.* Tempat itu terletak di selatan London.
**South Africa** KATA NAMA

*Afrika Selatan*
**South America** KATA NAMA

*Amerika Selatan*
**South American** KATA ADJEKTIF

> *rujuk juga* **South American** KATA NAMA

*Amerika Selatan*
◊ *a South American dance* tarian Amerika Selatan
**South American** KATA NAMA

> *rujuk juga* **South American** KATA ADJEKTIF

*orang Amerika Selatan*
◊ *South Americans* orang Amerika Selatan
**southbound** KATA ADJEKTIF

*ke selatan*
◊ *Southbound traffic is moving very slowly.* Lalu lintas ke selatan bergerak dengan sangat perlahan.
**south-east** KATA NAMA

*tenggara*
♦ **south-east England** England Tenggara
**southern** KATA ADJEKTIF

*selatan*
◊ *the southern hemisphere* hemisfera selatan ◊ *southern cuisine* masakan selatan
♦ **Southern England** England Selatan
**South Pole** KATA NAMA

S

*Kutub Selatan*
- ♦ **the South Pole** Kutub Selatan
**South Wales** KATA NAMA
*Wales Selatan*
**south-west** KATA NAMA
*barat daya*
**souvenir** KATA NAMA
*cenderamata*
◊ *souvenir shop* kedai cenderamata
**sovereign** KATA ADJEKTIF
*berdaulat*
◊ *a sovereign country* sebuah negara yang berdaulat
**sovereignty** KATA NAMA
*kedaulatan*
◊ *We must protect the sovereignty of our country.* Kita harus mempertahankan kedaulatan negara kita.
to **sow** KATA KERJA
(**sowed, sown**)
*menyemai*
**soya** KATA NAMA
*soya*
**soy sauce** KATA NAMA
*kicap*
**space** KATA NAMA
*ruang*
◊ *There isn't enough space.* Ruang tidak mencukupi.
- ♦ **in space** di angkasa
- ♦ **a parking space** tempat letak kereta
**spacecraft** KATA NAMA
*kapal angkasa*
**spacious** KATA ADJEKTIF
*luas*
◊ *The house has a spacious kitchen.* Rumah itu mempunyai dapur yang luas.
**spade** KATA NAMA
*penyodok*
- ♦ **spades** (*dalam daun terup*) sped
◊ *the ace of spades* daun sat sped
**Spain** KATA NAMA
*Sepanyol*
**spam** KATA NAMA (= *unsolicited e-mail*)
| *rujuk juga* **spam** KATA KERJA |
*e-mel yang tidak dikehendaki*
to **spam** KATA KERJA (= *send unsolicited e-mail to*)
| *rujuk juga* **spam** KATA NAMA |
*menghantar e-mel yang tidak dikehendaki*
**span** KATA NAMA
*jangka*
◊ *The batteries had a life span of six hours.* Bateri-bateri itu mempunyai jangka hayat selama enam jam.
**Spaniard** KATA NAMA
*orang Sepanyol*
**spaniel** KATA NAMA
*anjing spaniel*

**Spanish** KATA ADJEKTIF
| *rujuk juga* **Spanish** KATA NAMA |
*Sepanyol*
◊ *a Spanish dancer* seorang penari Sepanyol
- ♦ **He's Spanish.** Dia berbangsa Sepanyol.
**Spanish** KATA NAMA
| *rujuk juga* **Spanish** KATA ADJEKTIF |
*bahasa Sepanyol*
◊ *Spanish lessons* pelajaran bahasa Sepanyol
- ♦ **the Spanish** orang Sepanyol
to **spank** KATA KERJA
*menampar*
**spanner** KATA NAMA
*sepana*
**spare** KATA ADJEKTIF
| *rujuk juga* **spare** KATA KERJA, KATA NAMA |
*ganti*
◊ *spare wheel* roda ganti ◊ *spare part* alat ganti
- ♦ **Have you got a spare pencil?** Anda ada sebatang pensel lagi?
- ♦ **Take a few spare batteries.** Bawalah beberapa biji bateri tambahan.
- ♦ **spare room** bilik kosong
- ♦ **spare time** masa lapang
**spare** KATA NAMA
| *rujuk juga* **spare** KATA ADJEKTIF, KATA KERJA |
*kata nama + ganti*
◊ *I've lost my key. - Have you got a spare?* Kunci saya hilang. - Anda ada kunci ganti?
to **spare** KATA KERJA
| *rujuk juga* **spare** KATA ADJEKTIF, KATA NAMA |
*meluangkan*
◊ *Can you spare a moment?* Bolehkah anda luangkan sedikit masa? ◊ *I can't spare the time.* Saya tidak dapat meluangkan masa.
- ♦ **They've got no money to spare.** Mereka tidak mempunyai duit lebih untuk dibelanjakan.
- ♦ **We arrived with time to spare.** Kami tiba lebih awal.
**sparkling** KATA ADJEKTIF
*bergas*
◊ *a sparkling drink* minuman bergas
◊ *sparkling water* air bergas
◊ *sparkling wine* wain bergas
**sparrow** KATA NAMA
*pipit*
**spat** KATA KERJA *rujuk* **spit**
to **speak** KATA KERJA
(**spoke, spoken**)
*bercakap*

◊ *Have you spoken to him?* Sudahkah anda bercakap dengannya? ◊ *She spoke to John about it.* Dia bercakap dengan John tentang perkara itu.
♦ **Do you speak English?** Anda tahu berbahasa Inggeris?
♦ **Could I speak to Lee? - Speaking!** Bolehkah saya bercakap dengan Lee? - Ya, saya Lee.

to **speak up** KATA KERJA
*bercakap dengan lebih kuat*
◊ *You'll need to speak up - we can't hear you.* Anda perlu bercakap dengan lebih kuat. Kami tidak dapat dengar.

**speaker** KATA NAMA
1 *pembesar suara*
2 *penceramah*
♦ **French speakers** penutur bahasa Perancis

**spear** KATA NAMA
| rujuk juga **spear** KATA KERJA |
*lembing*

to **spear** KATA KERJA
| rujuk juga **spear** KATA NAMA |
*melembing*

**special** KATA ADJEKTIF
*istimewa*

**specialist** KATA NAMA
*pakar*

**speciality** KATA NAMA
(JAMAK **specialities**)
*bidang pengkhususan*
◊ *His speciality was the history of Germany.* Bidang pengkhususannya ialah sejarah negara Jerman.
♦ **The speciality of that restaurant is...** Masakan istimewa restoran itu ialah...

**specialization** KATA NAMA
*pengkhususan*

to **specialize** KATA KERJA
*mengkhusus*
◊ *She specialized in Russian.* Dia mengkhusus dalam bahasa Rusia.
◊ *We specialize in skiing equipment.* Kami mengkhusus kepada penjualan peralatan ski.

**specially** KATA ADVERBA
*terutamanya*
◊ *This place can be very cold, specially in winter.* Tempat ini boleh menjadi sangat sejuk terutamanya pada musim dingin.
♦ **This bag is specially designed for teenagers.** Beg ini direka khusus untuk remaja.
♦ **Do you like opera? - Not specially.** Anda suka menonton opera? - Tidak begitu suka.

**species** KATA NAMA

*jenis* atau *spesies*

**specific** KATA ADJEKTIF
1 *tertentu*
◊ *specific issues* isu-isu tertentu
2 *tepat*
◊ *Could you be more specific?* Bolehkah anda jelaskan dengan lebih tepat?

**specifically** KATA ADVERBA
*khusus*
◊ *This bag is specifically designed for teenagers.* Beg ini direka khusus untuk remaja.
♦ **in Britain, or more specifically, in England** di Britain, atau dengan lebih tepat lagi, di England
♦ **I specifically said that...** Saya telah tegaskan bahawa...

**specimen** KATA NAMA
*spesimen*

**specs, spectacles** KATA NAMA JAMAK
*cermin mata*

**spectacular** KATA ADJEKTIF
*hebat*

**spectator** KATA NAMA
*penonton*

**spectrum** KATA NAMA
*spektrum*

to **speculate** KATA KERJA
*membuat spekulasi*
◊ *Mr John refused to speculate about the contents of the letter.* En. John enggan membuat spekulasi tentang isi kandungan surat itu.

**speculation** KATA NAMA
*spekulasi*

**sped** KATA KERJA *rujuk* **speed**

**speech** KATA NAMA
(JAMAK **speeches**)
*ucapan*
◊ *to make a speech* membuat ucapan

**speechless** KATA ADJEKTIF
*lidah kelu seketika*
◊ *I was speechless.* Lidah saya kelu seketika.

**speed** KATA NAMA
| rujuk juga **speed** KATA KERJA |
*kelajuan*
◊ *at top speed* pada kelajuan maksimum
♦ **a ten-speed bicycle** basikal dengan sepuluh gear

to **speed** KATA KERJA
(**sped, sped**)
| rujuk juga **speed** KATA NAMA |
*meluncur*
◊ *The car was speeding along the road.* Kereta itu meluncur di jalan raya.

to **speed up** KATA KERJA

S

[1] *memecut* (kenderaan)
[2] *mempercepatkan* (kelajuan)

**speedboat** KATA NAMA
*bot laju*

**speeding** KATA NAMA
*memandu melebihi had laju*
◊ *He was fined for speeding.* Dia didenda kerana memandu melebihi had laju.

**speed limit** KATA NAMA
*had laju*
◊ *to break the speed limit* melampaui had laju

**speedometer** KATA NAMA
*meter laju*

to **spell** KATA KERJA
**(spelled** atau **spelt, spelled** atau **spelt)**

| rujuk juga **spell** KATA NAMA |
*mengeja*
◊ *Can you spell that please?* Bolehkah anda eja perkataan itu? ◊ *I can't spell.* Saya tidak tahu mengeja.

**spell** KATA NAMA

| rujuk juga **spell** KATA KERJA |
*sumpahan*
◊ *the kiss that will break the spell* ciuman yang akan menghilangkan sumpahan itu
♦ **to be under somebody's spell** tertawan dengan seseorang
♦ **to cast a spell on somebody** menawan hati seseorang

**spelling** KATA NAMA
*ejaan*
◊ *a spelling mistake* kesilapan ejaan
♦ **My spelling is terrible.** Saya tidak pandai mengeja.

**spelt** KATA KERJA *rujuk* **spell**

to **spend** KATA KERJA
**(spent, spent)**
[1] *membelanjakan*
◊ *They spend enormous amounts of money on advertising.* Mereka membelanjakan wang yang sangat banyak untuk pengiklanan.
[2] *menghabiskan*
◊ *He spends a lot of time and money on his hobbies.* Dia menghabiskan banyak masa dan wang pada hobinya. ◊ *He spent a month in France.* Dia menghabiskan masa selama sebulan di Perancis.

**spendthrift** KATA NAMA
*pemboros*

**spent** KATA KERJA *rujuk* **spend**

**sperm** KATA NAMA
*sperma*

**sphere** KATA NAMA
*sfera*

**spice** KATA NAMA
*rempah*

to **spice up** KATA KERJA
*menambah-nambahkan ... supaya menarik*
◊ *a revelation that spiced up the conversation* satu pendedahan yang menambah-nambahkan perbualan itu supaya menarik

**spicy** KATA ADJEKTIF
*berempah*

**spider** KATA NAMA
*labah-labah*

**spike** KATA NAMA
*besi tajam*
◊ *a wall topped with spikes* tembok yang bahagian atasnya dipasang besi-besi tajam

to **spill** KATA KERJA
**(spilled** atau **spilt, spilled** atau **spilt)**
*menumpahkan*
◊ *You've spilled coffee on my shirt.* Anda telah menumpahkan kopi pada baju saya.
♦ **The coffee spilled onto the carpet.** Kopi itu tertumpah di atas permaidani.

**spillage** KATA NAMA
*tumpahan*
◊ *oil spillage* tumpahan minyak

**spilt** KATA KERJA *rujuk* **spill**

to **spin** KATA KERJA
[1] *berputar*
◊ *The Earth spins on its own axis.* Bumi berputar pada paksinya.
[2] *memutar*

**spinach** KATA NAMA
*bayam*

**spindle** KATA NAMA
*pemintal*

**spin doctor** KATA NAMA
*(tidak formal)*
*penasihat parti* (politik)

| orang yang mahir dalam perhubungan awam dan menasihati parti politik tentang cara menyampaikan polisi dan bertindak |

**spin drier** KATA NAMA
*mesin pengering pakaian*

**spine** KATA NAMA
*tulang belakang*

**spinner** KATA NAMA
[1] *spiner* (pemain kriket)
[2] *pemintal* (orang)

**spinning wheel** KATA NAMA
*roda pintal*

**spinster** KATA NAMA
*anak dara tua* atau *andartu*

**spiral** KATA ADJEKTIF
*pilin*
◊ *Cindy went down the spiral staircase.*

Cindy menuruni tangga pilin itu.

**spire** KATA NAMA
*menara* (pada gereja)

**spirit** KATA NAMA
*semangat*
◊ *a youthful spirit* semangat orang muda ◊ *They played with great spirit.* Mereka bermain dengan penuh semangat.

**spirits** KATA NAMA JAMAK
*arak*
◊ *I don't drink spirits.* Saya tidak minum arak.
♦ **to be in good spirits** gembira

**spiritual** KATA ADJEKTIF
*rohaniah*

**spirituality** KATA NAMA
*kerohanian*

**spit** KATA NAMA
| rujuk juga **spit** KATA KERJA |
*ludah*

to **spit** KATA KERJA
(**spat, spat**)
| rujuk juga **spit** KATA NAMA |
*meludah*

to **spit out** KATA KERJA
*meludahkan*
◊ *I spat it out.* Saya meludahkannya.

**spite** KATA NAMA
| rujuk juga **spite** KATA KERJA |
*dengki*
◊ *She did it out of spite.* Dia melakukannya kerana dengki.
♦ **in spite of** walaupun

to **spite** KATA KERJA
| rujuk juga **spite** KATA NAMA |
*menyakitkan hati*
◊ *He did it just to spite me.* Dia melakukannya hanya untuk menyakitkan hati saya.

**spiteful** KATA ADJEKTIF
1 *busuk hati* (orang)
2 *jahat* (perbuatan)

**spittle** KATA NAMA
*ludah*

to **splash** KATA KERJA
| rujuk juga **splash** KATA NAMA |
*memercikkan*
◊ *He splashed water on his face.* Dia memercikkan air ke mukanya.
♦ **Don't splash me!** Jangan percikkan air pada saya!

**splash** KATA NAMA
(JAMAK **splashes**)
| rujuk juga **splash** KATA KERJA |
*deburan air*
◊ *I heard a splash.* Saya terdengar deburan air.
♦ **a splash of colour** tompok warna

to **splatter** KATA KERJA

*memercik*
◊ *The rain splattered against the windows.* Air hujan memercik pada tingkap.

**spleen** KATA NAMA
*limpa*

**splendid** KATA ADJEKTIF
*sungguh indah*
◊ *a splendid view of the lake* pemandangan tasik yang sungguh indah
♦ **a splendid palace** istana yang tersergam indah
♦ **a splendid idea** idea yang bagus

**splint** KATA NAMA
*penganduh*

**splinter** KATA NAMA
1 *selumbar* (kayu)
2 *serpihan* (kaca)

to **split** KATA KERJA
(**split, split**)
1 *membelah*
◊ *He split the wood with an axe.* Dia membelah kayu itu dengan kapak.
2 *terbelah*
◊ *The ship hit a rock and split in two.* Kapal itu terlanggar batu dan terbelah dua.
3 *memecahbelahkan*
◊ *a decision that will split the party* keputusan yang akan memecahbelahkan parti
♦ **They decided to split the profits.** Mereka memutuskan untuk membahagi-bahagikan keuntungan itu sesama mereka.

to **split up** KATA KERJA
1 *berpisah* (orang)
2 *membahagikan* (wang, barangan)
3 *berpecah* (kumpulan)

**split screen** KATA NAMA
*skrin pisah*

to **spoil** KATA KERJA
(**spoiled** atau **spoilt, spoiled** atau **spoilt**)
1 *merosakkan*
◊ *It spoiled our holiday.* Kejadian itu telah merosakkan percutian kami.
2 *memanjakan*
◊ *Grandparents like spoiling their grandchildren.* Datuk dan nenek suka memanjakan cucu-cucu mereka.

**spoiled** KATA ADJEKTIF
*terlalu dimanjakan*
◊ *a spoiled child* kanak-kanak yang terlalu dimanjakan

**spoilsport** KATA NAMA
*perosak keseronokan orang lain*

**spoilt** KATA KERJA *rujuk* **spoil**

**spoke** KATA KERJA *rujuk* **speak**

**spoke** KATA NAMA
*ruji*

S

◊ the spokes of a wheel  ruji roda

**spoken**  KATA KERJA  *rujuk* **speak**

**spokesman**  KATA NAMA
(JAMAK **spokesmen**)
*jurucakap* (*lelaki*)

**spokeswoman**  KATA NAMA
(JAMAK **spokeswomen**)
*jurucakap* (*perempuan*)

**sponge**  KATA NAMA

> *rujuk juga* **sponge** KATA KERJA
> *span*

♦ **sponge cake**  kek span

to **sponge**  KATA KERJA

> *rujuk juga* **sponge** KATA NAMA
> *menjelum* (biasanya dengan span)

◊ Fill a bowl with water and gently sponge your face and body.  Isikan besen dengan air dan jelum muka dan badan anda perlahan-lahan.

**spongebag**  KATA NAMA

> **spongebag** ialah beg kecil yang digunakan untuk menyimpan barang-barang seperti sabun dan berus gigi semasa anda pergi melancong.

**sponge gourd**  KATA NAMA
*petola*

to **sponsor**  KATA KERJA

> *rujuk juga* **sponsor** KATA NAMA
> *menaja*

◊ The tournament was sponsored by local firms.  Pertandingan itu ditaja oleh syarikat-syarikat tempatan.

**sponsor**  KATA NAMA

> *rujuk juga* **sponsor** KATA KERJA
> *penaja*

**sponsorship**  KATA NAMA
*penajaan*

◊ The sponsorship of an event can be more effective than advertising.  Penajaan sesuatu acara, ada kalanya lebih berkesan daripada pengiklanan.

**spontaneous**  KATA ADJEKTIF
*spontan*

**spontaneously**  KATA ADVERBA
*secara spontan*

**spooky**  KATA ADJEKTIF
*menggerunkan*

◊ The house is really spooky at night.  Rumah itu sungguh menggerunkan pada waktu malam.

**spoon**  KATA NAMA
*sudu*

**spoonful**  KATA NAMA
*sudu* (*sukatan*)

◊ a spoonful  satu sudu

**spore**  KATA NAMA
*spora*

**sport**  KATA NAMA
*sukan*

◊ sports bag  beg sukan  ◊ sports jacket  jaket sukan

♦ **sports car**  kereta sport

**sportsman**  KATA NAMA
(JAMAK **sportsmen**)
*ahli sukan* (*lelaki*)

**sportsmanship**  KATA NAMA
*semangat kesukanan*

**sportswear**  KATA NAMA
*pakaian sukan*

**sportswoman**  KATA NAMA
(JAMAK **sportswomen**)
*ahli sukan* (*perempuan*)

**sporty**  KATA ADJEKTIF
*berminat dalam sukan*

◊ I'm not very sporty.  Saya tidak begitu berminat dalam sukan.

**spot**  KATA NAMA

> *rujuk juga* **spot** KATA KERJA
> 1 *bintik*

◊ There's a spot on your shirt.  Ada satu bintik pada baju anda.

♦ **a red dress with white spots**  baju merah berbintik putih

♦ **He's covered in spots.**  Badannya dipenuhi bintik-bintik.
2 *tempat*

◊ It's a lovely spot for a picnic.  Tempat itu menarik untuk berkelah.

♦ **on the spot (1)**  serta-merta  ◊ They gave her the job on the spot.  Mereka menawarkan kerja itu kepadanya serta-merta.

♦ **on the spot (2)**  di situ juga  ◊ Luckily they were able to mend the car on the spot.  Nasib baik mereka dapat membaiki kereta tersebut di situ juga.

to **spot**  KATA KERJA

> *rujuk juga* **spot** KATA NAMA
> *nampak*

♦ **I spotted a mistake.**  Saya ternampak satu kesilapan.

♦ **to be spotted**  dilihat

**spot check**  KATA NAMA
*pemeriksaan mengejut*

**spotless**  KATA ADJEKTIF
*sangat bersih*

**spotlight**  KATA NAMA
*lampu sorot*

**spotty**  KATA ADJEKTIF
*berbintik-bintik* (*muka*)

**spouse**  KATA NAMA
*pasangan hidup*

to **spout**  KATA KERJA

> *rujuk juga* **spout** KATA NAMA
> *memancur*

◊ Oil spouted out of the pipe.  Minyak memancur keluar dari paip itu.

**spout**  KATA NAMA
> rujuk juga **spout** KATA KERJA

_pancuran_

to **sprain**  KATA KERJA
> rujuk juga **sprain** KATA NAMA

_terseliuh_
◊  She's sprained her ankle.  Kakinya terseliuh.

**sprain**  KATA NAMA
> rujuk juga **sprain** KATA KERJA

_terseliuh_

**sprang**  KATA KERJA  _rujuk_ **spring**

to **sprawl**  KATA KERJA
_tergeletak_
◊  She sprawled on the bed.  Dia tergeletak di atas katil.

**spray**  KATA NAMA
> rujuk juga **spray** KATA KERJA

_semburan_
♦  hair spray  penyembur rambut

to **spray**  KATA KERJA
> rujuk juga **spray** KATA NAMA

_menyemburkan_
◊  She sprayed perfume on my hand. Dia menyemburkan minyak wangi pada tangan saya. ◊  to spray against insects menyemburkan racun serangga
♦  Graffiti had been sprayed on the wall. Ada contengan pada dinding itu.

**sprayer**  KATA NAMA
_penyembur_

**spread**  KATA NAMA
> rujuk juga **spread** KATA KERJA

_sapuan_
◊  cheese spread  sapuan keju
◊  chocolate spread  sapuan coklat

to **spread**  KATA KERJA
(spread, spread)
> rujuk juga **spread** KATA NAMA

1  _membentangkan_
◊  She spread a towel on the sand.  Dia membentangkan tuala di atas pasir.

2  _menyapukan_
◊  Spread the top of the cake with whipped cream.  Sapukan bahagian atas kek dengan krim putar.

3  _tersebar_
◊  The news spread rapidly.  Berita itu tersebar dengan cepat.

to **spread out**  KATA KERJA
1  _berpecah_
◊  The soldiers spread out across the field.  Askar-askar itu berpecah di padang.

2  _membentangkan_
◊  He spread the map out on the table. Dia membentangkan peta itu di atas meja.

**spreadsheet**  KATA NAMA
_lembaran kerja_

**spring**  KATA NAMA
> rujuk juga **spring** KATA KERJA

1  _musim bunga_
◊  in spring  pada musim bunga
2  _pegas_ atau _spring_
3  _mata air_

to **spring**  KATA KERJA
(sprang, sprung)
> rujuk juga **spring** KATA NAMA

1  _bingkas_
◊  Samad sprang to his feet when he heard his name being called.  Samad bingkas bangun apabila terdengar namanya dipanggil.
2  _menerkam_
◊  The lion roared once and sprang. Singa itu mengaum sekali dan menerkam.

**spring-cleaning**  KATA NAMA
_kerja-kerja pembersihan sepenuhnya_
♦  The rooms were undergoing a spring-cleaning.  Bilik-bilik itu sedang dibersihkan sepenuhnya. ·

**spring onion**  KATA NAMA
_daun bawang_

**springtime**  KATA NAMA
_musim bunga_

**springy**  KATA ADJEKTIF
1  _anjal_
2  _empuk_ (_makanan, dll_)
♦  She walked into her office with a springy step.  Dia berjalan terenjut-enjut ke dalam pejabatnya.

to **sprinkle**  KATA KERJA
1  _merenjiskan_
◊  She sprinkled some water on her trousers before ironing them.  Dia merenjiskan air pada seluarnya sebelum menggosoknya.
2  _menaburkan_
◊  Sprinkle the meat with salt and place in the pan.  Taburkan garam di atas daging itu dan letakkannya di dalam kuali leper.

**sprinkler**  KATA NAMA
_alat penyembur_

**sprint**  KATA NAMA
> rujuk juga **sprint** KATA KERJA

_lari pecut_
◊  the women's 100 metres sprint  lari pecut 100 meter wanita

to **sprint**  KATA KERJA
> rujuk juga **sprint** KATA NAMA

_memecut_
◊  She sprinted for the bus.  Dia memecut untuk mengejar bas itu.

**sprinter**  KATA NAMA
_pelari pecut_

to **sprout**  KATA KERJA
_bertunas_
◊  The tree is beginning to sprout.  Pokok itu sudah mula bertunas.

**S**

**sprouts** KATA NAMA JAMAK
*tunas*
♦ **Brussels sprouts** kubis Brussels
**sprung** KATA KERJA *rujuk* **spring**
to **spur** KATA KERJA

> *rujuk juga* **spur** KATA NAMA
> 1 *mendorong*

◊ *It's the money that spurs them to take part.* Wanglah yang mendorong mereka mengambil bahagian.

> 2 *memacu*

◊ *Jackie spurred her horse.* Jackie memacu kudanya.

**spur** KATA NAMA

> *rujuk juga* **spur** KATA KERJA
> 1 *pendorong*

◊ *a belief in competition as a spur to efficiency* kepercayaan bahawa persaingan merupakan pendorong kepada kecekapan

> 2 *pacu (pada kuda)*

to **spurt** KATA KERJA

> *rujuk juga* **spurt** KATA NAMA
> *memancut*

◊ *Blood spurted out of Ronald's wound.* Darah memancut keluar dari luka Ronald.

**spurt** KATA NAMA

> *rujuk juga* **spurt** KATA KERJA
> *pancutan*

**spy** KATA NAMA
(JAMAK **spies**)
*perisik*
to **spy on** KATA KERJA
*mengintip*
**spying** KATA NAMA
*pengintipan*
to **squabble** KATA KERJA
*bergaduh*
◊ *Stop squabbling!* Jangan bergaduh lagi!
**square** KATA NAMA

> *rujuk juga* **square** KATA ADJEKTIF
> 1 *segi empat sama*

◊ *a square and a triangle* segi empat sama dan segi tiga

> 2 *medan*

◊ *the town square* medan bandar

**square** KATA ADJEKTIF

> *rujuk juga* **square** KATA NAMA
> *persegi*

◊ *two square metres* dua meter persegi
♦ **The room is two metres square.** Luas bilik itu ialah empat meter persegi.
to **squash** KATA KERJA

> *rujuk juga* **squash** KATA NAMA
> *menghimpit*

◊ *You're squashing me.* Anda menghimpit saya.
**squash** KATA NAMA

> *rujuk juga* **squash** KATA KERJA
> 1 *skuasy*

◊ *squash court* gelanggang skuasy
◊ *squash racket* raket skuasy

> 2 *jus*

◊ *orange squash* jus oren ◊ *lemon squash* jus lemon

**squat** KATA NAMA

> *rujuk juga* **squat** KATA KERJA
> 1 *mencangkung*

♦ **He bent to a squat and gathered the puppies on his lap.** Dia mencangkung dan meletakkan anak-anak anjing itu di atas ribanya.

> 2 *rumah setinggan*

to **squat** KATA KERJA

> *rujuk juga* **squat** KATA NAMA
> *mencangkung*

to **squat down** KATA KERJA
*mencangkung*
◊ *Dr Hans squatted down to examine the dog.* Dr. Hans mencangkung untuk memeriksa anjing tersebut.
**squatter** KATA NAMA
*setinggan*
to **squeak** KATA KERJA

> 1 *berdecit (tikus, dll)*
> 2 *berkeriut (pintu, roda, kasut)*

**squeeze** KATA NAMA

> *rujuk juga* **squeeze** KATA KERJA
> *picitan*

◊ *She reassured me with a squeeze of the hand.* Dia menenangkan hati saya dengan picitan pada tangan.
to **squeeze** KATA KERJA

> *rujuk juga* **squeeze** KATA NAMA
> 1 *memerah*

◊ *She squeezed two large lemons.* Dia memerah dua biji lemon yang besar.

> 2 *memicit*

◊ *She squeezed my hand.* Dia memicit tangan saya.
♦ **The thief squeezed through a tiny window.** Pencuri itu meloloskan badannya melalui tingkap yang kecil.
to **squeeze in** KATA KERJA
*sempat meluangkan masa untuk*
◊ *He squeezed in a few meetings at the hotel before boarding the plane.* Dia sempat meluangkan masa untuk menghadiri beberapa mesyuarat di hotel itu sebelum menaiki kapal terbang.
♦ **I can squeeze you in at two o'clock.** Saya boleh menyelitkan temu janji untuk anda pada pukul dua.
**squid** KATA NAMA
*sotong*
**squint** KATA NAMA
*mata juling*

♦ **He has a squint.** Matanya juling.

**squirrel** KATA NAMA
_tupai_

to **squirt** KATA KERJA
_memancutkan_
◊ *The naughty children squirted the teachers with water.* Kanak-kanak yang nakal itu memancutkan air ke arah guru-guru tersebut.

to **stab** KATA KERJA
_menikam_
♦ **to stab somebody in the back** menganiayai seseorang

**stability** KATA NAMA
_kestabilan_

**stabilization** KATA NAMA
_penstabilan_

to **stabilize** KATA KERJA
_menstabilkan_
◊ *We hope that this measure will stabilize exchange rates.* Kami berharap langkah ini akan menstabilkan kadar tukaran wang.

**stable** KATA ADJEKTIF
> rujuk juga **stable** KATA NAMA

_stabil_
◊ *a stable relationship* hubungan yang stabil

**stable** KATA NAMA
> rujuk juga **stable** KATA ADJEKTIF

_kandang kuda_

**stack** KATA NAMA
_susunan_
◊ *a stack of books* satu susunan buku
♦ **There were stacks of books on the table.** Ada beberapa timbunan buku di atas meja.
♦ **They've got stacks of money.** Mereka mempunyai wang yang banyak.

**stadium** KATA NAMA
_stadium_

**staff** KATA NAMA
_kakitangan_

**stage** KATA NAMA
> rujuk juga **stage** KATA KERJA

1 _peringkat_
◊ *At this stage in the negotiations...* Pada peringkat ini dalam rundingan itu...
♦ **in stages** secara berperingkat
2 _pentas_
◊ *The stage is decorated with flowers.* Pentas itu dihias dengan bunga.
♦ **I always wanted to go on the stage.** Selama ini, saya sememangnya ingin menjadi seorang pelakon pentas.

to **stage** KATA KERJA
> rujuk juga **stage** KATA NAMA

_mementaskan_
◊ *They'll stage the play on Saturday.*

Mereka akan mementaskan drama itu pada hari Sabtu.

to **stagger** KATA KERJA
_terhuyung-hayang_

**stagnant** KATA ADJEKTIF
_tidak berubah-ubah_
◊ *stagnant economies* ekonomi yang tidak berubah-ubah
♦ **stagnant water** air yang bertakung

**stain** KATA NAMA
> rujuk juga **stain** KATA KERJA

_kesan_
◊ *mud stain* kesan lumpur
♦ **This washing powder can remove stubborn stains.** Serbuk pencuci ini dapat menanggalkan kesan kotoran yang degil.

to **stain** KATA KERJA
> rujuk juga **stain** KATA NAMA

_mengotori_
◊ *Some coffee got spilled and stained the carpet.* Kopi tertumpah dan mengotori permaidani tersebut.

**stainless steel** KATA NAMA
_keluli tahan karat_

**stain remover** KATA NAMA
_penghilang kesan kotoran_

**stair** KATA NAMA
_anak tangga_
♦ **stairs** tangga

**staircase** KATA NAMA
_tangga_

**stair lift** KATA NAMA
_lif tangga_
> sejenis alat untuk membantu orang tua atau orang yang kurang upaya menaiki tangga

**stake** KATA NAMA
> rujuk juga **stake** KATA KERJA

_pancang_
♦ **at stake** dalam bahaya ◊ *The whole future of the company was at stake.* Masa depan syarikat itu dalam bahaya.

to **stake** KATA KERJA
> rujuk juga **stake** KATA NAMA

_mempertaruhkan_

**stalactite** KATA NAMA
_stalaktit_

**stalagmite** KATA NAMA
_stalagmit_

**stale** KATA ADJEKTIF
1 _masuk angin_ (biskut)
2 _sudah keras_ (roti)
3 _basi_ (nasi)

**stalemate** KATA NAMA
_kebuntuan_
◊ *The negotiations ended in stalemate.* Rundingan itu berakhir dengan kebuntuan.
♦ **to reach a stalemate** menemui jalan

buntu

♦ **The game ended in stalemate.**
Permainan itu berakhir dengan kedudukan buntu. (*dalam permainan catur*)

**stalk** KATA NAMA

> rujuk juga **stalk** KATA KERJA

1 *tangkai* (*bunga, daun*)

2 *batang*

◊ *five stalks of lemongrass* lima batang serai

to **stalk** KATA KERJA

> rujuk juga **stalk** KATA NAMA

1 *menghendap*

◊ *He stalks his victims like a hunter after a deer.* Dia menghendap mangsa-mangsanya seperti seorang pemburu yang hendak menangkap rusa.

2 *berjalan dengan angkuh*

**stall** KATA NAMA

*gerai*

◊ *He's got a market stall.* Dia memiliki sebuah gerai di pasar.

♦ **the stalls** tempat duduk bahagian hadapan (*di dewan konsert, teater*)

**stallion** KATA NAMA

*kuda jantan*

**stamina** KATA NAMA

*stamina*

to **stammer** KATA KERJA

> rujuk juga **stammer** KATA NAMA

*gagap*

**stammer** KATA NAMA

> rujuk juga **stammer** KATA KERJA

*penyakit gagap*

◊ *A speech-therapist cured his stammer.* Seorang pakar terapi pertuturan telah mengubati penyakit gagapnya.

♦ **He's got a stammer.** Dia gagap.

**stamp** KATA NAMA

> rujuk juga **stamp** KATA KERJA

*setem*

◊ *stamp album* album setem ◊ *My hobby is stamp collecting.* Hobi saya ialah mengumpul setem.

to **stamp** KATA KERJA

> rujuk juga **stamp** KATA NAMA

1 *mengecap*

◊ *The file was stamped "confidential".* Fail itu dicap dengan perkataan "sulit".

2 *menghentak*

◊ *He stamped on the rotten board and snapped it.* Dia menghentak papan buruk itu dan mematahkannya.

♦ **The audience stamped their feet.** Para penonton menghentakkan kaki mereka.

**stamped addressed envelope** KATA NAMA

*sampul surat dengan setem dan alamat pengirim*

♦ **Please enclose a stamped addressed**

**envelope.** Sila sertakan sampul surat dengan setem dan alamat sendiri.

to **stampede** KATA KERJA

*bertempiaran*

◊ *The stampeding horses caused chaos.* Kuda-kuda yang bertempiaran itu menyebabkan berlakunya huru-hara.

**stand** KATA NAMA

> rujuk juga **stand** KATA KERJA

1 *pendirian*

◊ *to make a stand* menyatakan pendirian

2 *tempat duduk penonton*

to **stand** KATA KERJA

(**stood, stood**)

> rujuk juga **stand** KATA NAMA

*berdiri*

◊ *He was standing by the door.* Dia berdiri di tepi pintu. ◊ *What are you standing there for?* Kenapakah anda berdiri di sana? ◊ *They all stood when I came in.* Mereka semua berdiri semasa saya masuk.

♦ **I can't stand all this noise.** Saya tidak tahan dengan bunyi bising ini.

to **stand for** KATA KERJA

*singkatan untuk*

◊ *"EU" stands for "European Union".* "EU" ialah singkatan untuk "European Union".

♦ **I won't stand for it any more!** Saya tidak akan membiarkan perkara itu berterusan lagi!

to **stand in for** KATA KERJA

*mengambil tempat*

◊ *to stand in for somebody* mengambil tempat seseorang

to **stand out** KATA KERJA

1 *lebih menonjol*

◊ *When he played the violin he stood out from all the other musicians.* Apabila dia bermain biola, dia lebih menonjol daripada pemuzik-pemuzik yang lain.

2 *jelas kelihatan* (*benda*)

to **stand up** KATA KERJA

*berdiri*

◊ *I stood up and walked out.* Saya berdiri dan berjalan keluar. ◊ *She has to stand up all day.* Dia terpaksa berdiri sepanjang hari.

to **stand up for** KATA KERJA

*mempertahankan*

◊ *Stand up for your rights!* Pertahankan hak anda!

**standard** KATA NAMA

> rujuk juga **standard** KATA ADJEKTIF

1 *standard*

◊ *She's got high standards.* Dia mempunyai standard yang tinggi.

[2] *piawaian*
◊ *the standard of the products*
piawaian barangan
[3] *taraf*
◊ *standard of living* taraf hidup
**standard** KATA ADJEKTIF
> rujuk juga **standard** KATA NAMA

*piawai*
◊ *standard measurement* ukuran piawai
♦ **standard equipment** peralatan yang biasa
♦ **the standard procedure** prosedur biasa
**standardization** KATA NAMA
*penyelarasan*
◊ *the standardization of the school syllabus* penyelarasan sukatan pelajaran
to **standardize** KATA KERJA
*menyelaraskan*
◊ *to standardize the school syllabus* menyelaraskan sukatan pelajaran
**standby** KATA NAMA
*simpanan* (orang, benda)
**stand-by ticket** KATA NAMA
*tiket tunggu sedia*
**standout** KATA NAMA
(di AS, Australia)
*sungguh cemerlang*
**standpoint** KATA NAMA
*sudut pandangan*
**stank** KATA KERJA rujuk **stink**
**stanza** KATA NAMA
*rangkap*
**staple** KATA ADJEKTIF
> rujuk juga **staple** KATA NAMA

*ruji*
◊ *their staple food* makanan ruji mereka
**staple** KATA NAMA
> rujuk juga **staple** KATA ADJEKTIF

*ubat stapler* (tidak formal)
**stapler** KATA NAMA
*stapler*
**star** KATA NAMA
> rujuk juga **star** KATA KERJA

*bintang*
◊ *the stars in the sky* bintang di langit
◊ *a TV star* seorang bintang TV
♦ **the stars** bintang horoskop
to **star** KATA KERJA
> rujuk juga **star** KATA NAMA

*membintangi*
◊ *to star in a film* membintangi sebuah filem ◊ *The film stars Sharon Stone.* Filem itu dibintangi oleh Sharon Stone.
◊ *...starring Johnny Depp* ...dibintangi oleh Johnny Depp
**starch** KATA NAMA
> rujuk juga **starch** KATA KERJA

*kanji*

to **starch** KATA KERJA
> rujuk juga **starch** KATA NAMA

*menganji*
◊ *My mother always starches the sheets.* Emak saya selalu menganji kain cadar.
to **stare** KATA KERJA
*merenung*
◊ *Andy stared at him.* Andy merenungnya.
**starfish** KATA NAMA
(JAMAK **starfish**)
*tapak sulaiman*
**starfruit** KATA NAMA
*belimbing*
**stark** KATA ADVERBA
♦ **stark naked** telanjang bulat
**star prize** KATA NAMA
*hadiah utama* (yang paling baik, mahal)
**start** KATA NAMA
> rujuk juga **start** KATA KERJA

[1] *permulaan*
◊ *at the start of the film* pada permulaan filem itu
♦ **from the start** dari awal lagi
♦ **for a start** sebagai permulaan
♦ **Shall we make a start on the washing-up?** Bolehkah kita mula mencuci pinggan mangkuk itu?
[2] *garis permulaan* (perlumbaan)
to **start** KATA KERJA
> rujuk juga **start** KATA NAMA

[1] *bermula*
◊ *What time does it start?* Pukul berapakah rancangan itu akan bermula?
♦ **to start doing something** mula melakukan sesuatu ◊ *I started learning Spanish two years ago.* Saya mula belajar bahasa Sepanyol dua tahun yang lepas.
[2] *memulakan*
◊ *He wants to start his own business.* Dia ingin memulakan perniagaannya sendiri.
[3] *menghidupkan*
◊ *He couldn't start the car.* Dia tidak dapat menghidupkan enjin keretanya.
◊ *The car wouldn't start.* Enjin kereta itu tidak dapat dihidupkan.
to **start off** KATA KERJA
*bermula*
◊ *She started off by accusing him of blackmail.* Dia bermula dengan menuduh lelaki itu memeras ugut.
♦ **He started off playing piano in the 1920s.** Dia memulakan kerjaya sebagai pemain piano pada tahun 1920-an.
♦ **We started off first thing in the morning.** Kami bertolak awal-awal pagi lagi.

S

**starter** KATA NAMA
*pembuka selera*

**starting point** KATA NAMA
*titik tolak*
◊ *the starting point of a discussion* titik tolak sesuatu perbincangan

to **startle** KATA KERJA
*mengejutkan*
◊ *The noise startled me.* Bunyi bising itu mengejutkan saya.

**startling** KATA ADJEKTIF
*mengejutkan*
◊ *startling new evidence* bukti baru yang mengejutkan ◊ *Sometimes the results may be rather startling.* Kadang-kadang keputusan itu agak mengejutkan.

**startlingly** KATA ADVERBA
*mengejutkan*
♦ **He was startlingly handsome.** Dia sungguh kacak dan menarik.

**starvation** KATA NAMA
*kebuluran*

to **starve** KATA KERJA
*kebuluran*
◊ *People are starving.* Orang ramai kebuluran.
♦ **I'm starving!** Saya sangat lapar!

**state** KATA NAMA

| rujuk juga **state** KATA KERJA |
|---|

[1] *negeri*
◊ *the state of Perak* negeri Perak
[2] *negara*
◊ *It's an independent state.* Negara itu ialah negara merdeka.
[3] *keadaan*
◊ *He wasn't in a fit state to drive.* Keadaannya tidak sesuai untuk memandu.
♦ **She was in a state of depression.** Dia dalam kesedihan.
♦ **Tim was in a real state.** Tim benar-benar gelisah.
♦ **the States** Amerika Syarikat

to **state** KATA KERJA

| rujuk juga **state** KATA NAMA |
|---|

*menyatakan*
◊ *He stated his intention to resign.* Dia menyatakan niatnya untuk meletakkan jawatan. ◊ *Please state your name and address.* Sila nyatakan nama dan alamat anda.

**State Assemblyman** KATA NAMA
*Ahli Dewan Undangan Negeri*

**stately home** KATA NAMA
*rumah mahligai*

**statement** KATA NAMA
[1] *pernyataan*
◊ *Andrew's statement was unclear.* Pernyataan Andrew tidak jelas.
[2] *kenyataan*

◊ *statements by witnesses* kenyataan oleh para saksi
♦ **a bank statement** penyata bank

**statesman** KATA NAMA
(JAMAK **statesmen**)
*negarawan*

**station** KATA NAMA
*stesen*
◊ *bus station* stesen bas ◊ *radio station* stesen radio
♦ **police station** balai polis

**stationary** KATA ADJEKTIF
*tidak bergerak*
◊ *The train was stationary for 90 minutes.* Kereta api itu tidak bergerak selama 90 minit.

**stationer's** KATA NAMA
*kedai alat tulis*

**stationery** KATA NAMA
*alat tulis*

**station wagon** KATA NAMA 🚗

| kereta panjang yang mempunyai pintu di bahagian belakang dan ruang belakang yang luas |
|---|

**statistic** KATA NAMA
*statistik*

**statistician** KATA NAMA
*ahli statistik*

**statue** KATA NAMA
*patung*

**status** KATA NAMA
*status*

**statutory** KATA ADJEKTIF
*berkanun*
◊ *statutory body* badan berkanun
♦ **We had a statutory duty to report to the Parliament.** Kami mempunyai tugas untuk membuat laporan kepada Parlimen mengikut undang-undang.

**stay** KATA NAMA

| rujuk juga **stay** KATA KERJA |
|---|

*waktu berada* (di sesuatu tempat)
◊ *my stay in Spain* waktu saya berada di Sepanyol

to **stay** KATA KERJA

| rujuk juga **stay** KATA NAMA |
|---|

*tinggal*
◊ *I'm going to be staying with friends.* Saya akan tinggal bersama kawan-kawan. ◊ *Where are you staying? In a hotel?* Di manakah anda tinggal? Di hotel?
♦ **Stay here!** Jangan ke mana-mana!
♦ **to stay the night** bermalam
♦ **They were asked to stay away from the dangerous area.** Mereka disuruh menjauhi kawasan yang berbahaya itu.

to **stay in** KATA KERJA
*tidak keluar*

to **stay up** KATA KERJA

*berjaga*
◊ *We stayed up till midnight.* Kami berjaga hingga tengah malam.

**steadily**   KATA ADVERBA
*semakin*
◊ *The company's income is steadily decreasing.* Pendapatan syarikat itu semakin berkurangan.
♦ **He moved back a little and stared steadily at Elaine.** Dia berundur sedikit ke belakang dan merenungi Elaine dengan tenang.

**steady**   KATA ADJEKTIF
①  *tetap*
◊ *a steady job*   kerja tetap
♦ **a steady boyfriend**   teman lelaki istimewa
②  *kuat* (*tidak goyang, tidak menggeletar*)
◊ *a steady hand*   tangan yang kuat
♦ **Steady on!** Bertenang!

**steak**   KATA NAMA
*stik*

to **steal**   KATA KERJA
(**stole, stolen**)
*mencuri*

**stealth**   KATA NAMA
*sembunyi-sembunyi*
◊ *Both sides advanced by stealth.* Kedua-dua pihak mara secara sembunyi-sembunyi.

**stealthily**   KATA ADVERBA
*secara sembunyi-sembunyi*
◊ *He entered the house stealthily.* Dia masuk ke dalam rumah itu secara sembunyi-sembunyi.

**steam**   KATA NAMA
| rujuk juga **steam** KATA KERJA |
*stim*

to **steam**   KATA KERJA
| rujuk juga **steam** KATA NAMA |
①  *berwap*
◊ *The coffee is still hot and steaming.* Kopi itu masih panas dan berwap.
②  *mengukus*
◊ *Susan is steaming fish in the kitchen.* Susan sedang mengukus ikan di dapur.

**steel**   KATA NAMA
*keluli*

**steelworks**   KATA NAMA
(JAMAK **steelworks**)
*kilang keluli*

**steep**   KATA ADJEKTIF
*curam*

**steeple**   KATA NAMA
*menara* (*pada gereja*)

to **steer**   KATA KERJA
①  *memandu* (*kenderaan*)
②  *mengemudikan* (*kapal*)

**steering wheel**   KATA NAMA

*stereng*

to **stem**   KATA KERJA
| rujuk juga **stem** KATA NAMA |
*berpunca*
◊ *Tim's change of attitude stems from his parents' divorce.* Perubahan sikap Tim berpunca daripada perceraian ibu bapanya.

**stem**   KATA NAMA
| rujuk juga **stem** KATA KERJA |
*tangkai*

**stench**   KATA NAMA
*bau busuk*

**stenographer**   KATA NAMA
*jurutrengkas*

**step**   KATA NAMA
| rujuk juga **step** KATA KERJA |
①  *langkah*
◊ *He took a step forward.* Dia mengambil satu langkah ke hadapan.
②  *anak tangga*
♦ **She tripped over the step.** Dia tersandung pada tangga.

to **step**   KATA KERJA
| rujuk juga **step** KATA NAMA |
*melangkah*
◊ *I tried to step forward.* Saya cuba melangkah ke hadapan.
♦ **Step this way, please.** Sila ikut saya.

to **step aside**   KATA KERJA
*ke tepi*

to **step back**   KATA KERJA
*berundur*

**stepbrother**   KATA NAMA
①  *abang tiri*
②  *adik tiri* (*lelaki*)

**stepchild**   KATA NAMA
(JAMAK **stepchildren**)
*anak tiri*

**stepdaughter**   KATA NAMA
*anak tiri* (*perempuan*)

**stepfather**   KATA NAMA
*bapa tiri*

**stepladder**   KATA NAMA
*tangga*

**stepmother**   KATA NAMA
*ibu tiri*

**stepping machine**   KATA NAMA
*mesin injak*

**stepping stone**   KATA NAMA
*batu loncatan*

**stepsister**   KATA NAMA
①  *kakak tiri*
②  *adik tiri* (*perempuan*)

**stepson**   KATA NAMA
*anak tiri* (*lelaki*)

**stereo**   KATA NAMA
(JAMAK **stereos**)
*stereo*

S

**sterile** KATA ADJEKTIF
1. *steril*
2. *mandul*

**sterilization** KATA NAMA
*pensterilan*

to **sterilize** KATA KERJA
*mensteril*

**sterling** KATA ADJEKTIF
*paun sterling (sistem mata wang British)*
♦ **pound sterling** paun sterling ◊ *one hundred pounds sterling* seratus paun sterling

**stern** KATA ADJEKTIF
1. *keras*
◊ *stern action* tindakan yang keras
2. *serius dan tegas (orang)*

**stethoscope** KATA NAMA
*stetoskop*

**stew** KATA NAMA
*stew (sejenis makanan yang direneh)*

**steward** KATA NAMA
1. *pramugara (di dalam kapal terbang)*
2. *pelayan lelaki (di dalam kapal)*

**stewardess** KATA NAMA
(JAMAK **stewardesses**)
1. *pramugari (di dalam kapal terbang)*
2. *pelayan wanita (di dalam kapal)*

**stewing steak** KATA NAMA
*daging lembu yang sesuai untuk direneh*

**stick** KATA NAMA

> rujuk juga **stick** KATA KERJA

*kayu*
♦ **a walking stick** tongkat

to **stick** KATA KERJA
(**stuck, stuck**)

> rujuk juga **stick** KATA NAMA

1. *melekatkan*
◊ *Stick the stamps on the envelope.* Lekatkan setem pada sampul surat.
2. *melekat*
◊ *The rice stuck to the pan.* Nasi itu melekat pada kuali leper.
3. *memasukkan*
◊ *He picked up the papers and stuck them in his briefcase.* Dia mengutip kertas-kertas itu lalu memasukkannya ke dalam beg.
♦ **I can't stick it any longer.** Saya tidak boleh tahan lagi.

to **stick out** KATA KERJA
*menjelirkan*
◊ *The little girl stuck out her tongue.* Budak perempuan itu menjelirkan lidahnya.

**sticker** KATA NAMA
*pelekat*

**sticky** KATA ADJEKTIF
*melekit*
◊ *to have sticky hands* tangan yang

melekit ◊ *a sticky label* label yang melekit

**stiff** KATA ADJEKTIF, KATA ADVERBA
1. *keras*
◊ *a stiff brush* berus yang keras ◊ *a stiff card* kad yang keras
2. *kejang*
◊ *stiff muscles* . otot yang kejang
♦ **to have a stiff neck** mengalami kekejangan leher
♦ **to feel stiff** berasa kejang
3. *sangat*
◊ *to be bored stiff* sangat bosan ◊ *to be frozen stiff* sangat sejuk ◊ *to be scared stiff* sangat takut

**still** KATA ADVERBA

> rujuk juga **still** KATA ADJEKTIF

*masih*
◊ *I still haven't finished.* Saya masih belum habis. ◊ *Are you still in bed?* Anda masih tidur lagi? ◊ *She knows I don't like it, but she still does it.* Dia tahu saya tidak suka, tetapi dia masih juga melakukannya.
♦ **better still** lebih baik lagi
♦ **Still, it's the thought that counts.** Walau bagaimanapun, yang pentingnya, keikhlasan anda.

**still** KATA ADJEKTIF

> rujuk juga **still** KATA ADVERBA

*terpaku (berdiri, duduk)*
◊ *He stood still.* Dia berdiri terpaku.
♦ **Keep still!** Jangan bergerak!

to **stimulate** KATA KERJA
*merangsang*
◊ *to stimulate public interest* merangsang minat orang ramai

**stimulation** KATA NAMA
*rangsangan*

**stimulus** KATA NAMA
(JAMAK **stimuli**)
*rangsangan*

to **sting** KATA KERJA
(**stung, stung**)

> rujuk juga **sting** KATA NAMA

*menyengat*

**sting** KATA NAMA

> rujuk juga **sting** KATA KERJA

1. *sengat*
◊ *Remove the bee sting with tweezers.* Keluarkan sengat lebah itu dengan penyepit.
2. *sengatan*
◊ *A bee sting can cause fever.* Sengatan lebah boleh menyebabkan demam.

**stingray** KATA NAMA
*ikan pari*

**stingy** KATA ADJEKTIF
*kedekut*

to **stink** KATA KERJA
(stank, stunk)
> rujuk juga stink KATA NAMA

_berbau busuk_
♦ **You stink of garlic!** Anda berbau
bawang putih!

**stink** KATA NAMA
> rujuk juga stink KATA KERJA

_bau busuk_
◊ _the stink of beer_ bau busuk bir

**stinking** KATA ADJEKTIF
_berbau busuk_

to **stipulate** KATA KERJA
_mensyaratkan_
◊ _The government has stipulated that..._
Kerajaan telah mensyaratkan bahawa...

to **stir** KATA KERJA
_mengacau_
◊ _Stir some sugar into your coffee._
Kacau gula dalam kopi anda.

to **stir up** KATA KERJA
_menimbulkan_
◊ _As usual, Harriet is trying to stir up
trouble._ Seperti biasa, Harrietlah yang
cuba menimbulkan masalah.
♦ **The car stirred up a cloud of dust.**
Kereta itu menyebabkan habuk
berterbangan.

to **stir-fry** KATA KERJA
(stir-fried, stir-fried)
> _menggoreng sambil mengacau
> dengan cepat dalam sedikit minyak
> yang sangat panas_

to **stitch** KATA KERJA
> rujuk juga stitch KATA NAMA

_menjahit_

**stitch** KATA NAMA
(JAMAK **stitches**)
> rujuk juga stitch KATA KERJA

_jahitan_
◊ _I had five stitches._ Saya diberi lima
jahitan.

**stock** KATA NAMA
> rujuk juga stock KATA KERJA

1 _simpanan_
◊ _stocks of ammunition_ simpanan
peluru
2 _stok_
◊ _the shop's stock_ stok kedai itu
♦ **Yes, we've got your size in stock.** Ya,
saiz anda ada dalam stok kami.
♦ **out of stock** kehabisan stok ◊ _I'm
sorry, they're both out of stock._ Saya
minta maaf, kedua-duanya sudah
kehabisan stok.
♦ **chicken stock** stok ayam (_untuk
menambahkan perisa_)

to **stock** KATA KERJA
> rujuk juga stock KATA NAMA

_menjual_
◊ _Do you stock television sets?_ Adakah
anda menjual televisyen?

to **stock up** KATA KERJA
_mengisi_
♦ **to stock up with something** mengisi
dengan sesuatu ◊ _I had to stock the boat
up with food._ Saya perlu mengisi bot itu
dengan makanan.

**stock cube** KATA NAMA
_kiub perisa makanan_

**stocking** KATA NAMA
_sarung kaki_

**stock market** KATA NAMA
_pasaran saham_

**stock-still** KATA ADJEKTIF
_kaku_
◊ _The lieutenant stopped and stood
stock-still._ Leftenan itu berhenti dan
berdiri kaku.

**stole, stolen** KATA KERJA _rujuk_ **steal**

**stomach** KATA NAMA
_perut_

**stomach ache** KATA NAMA
_sakit perut_
♦ **I have a stomach ache.** Saya sakit
perut.

**stone** KATA NAMA
> rujuk juga stone KATA KERJA

1 _batu_
◊ _a stone wall_ dinding batu
2 _biji_
◊ _an apricot stone_ biji buah aprikot
♦ **I weigh eight stone.** Berat badan saya
lapan ston.
> _Satu ston adalah lebih kurang 6.3 kg._

to **stone** KATA KERJA
> rujuk juga stone KATA NAMA

_merejam_
◊ _In that country people who commit
adultery are stoned to death._ Di negara
itu, orang yang berzina akan direjam
sampai mati.

**stony** KATA ADJEKTIF
_berbatu-batan_
◊ _stony soil_ tanah yang berbatu-batan

**stood** KATA KERJA _rujuk_ **stand**

**stool** KATA NAMA
_bangku_

to **stoop** KATA KERJA
_membongkok_
◊ _He stooped to pick up the stone._ Dia
membongkok untuk mengutip batu itu.

**stop** KATA NAMA
> rujuk juga stop KATA KERJA

_perhentian_
◊ _a bus stop_ perhentian bas
♦ **This is my stop.** Saya sudah sampai.

to **stop** KATA KERJA

S

> *rujuk juga* **stop** KATA NAMA
>
> [1] *berhenti*
> ◊ *The bus doesn't stop there.* Bas itu tidak berhenti di sana. ◊ *The music stopped.* Muzik itu sudah berhenti. ◊ *I think the rain's going to stop.* Saya rasa hujan akan berhenti.

♦ **This has got to stop!** Perkara ini perlu dihentikan!

♦ **to stop doing something** berhenti melakukan sesuatu ◊ *to stop smoking* berhenti merokok

[2] *menghentikan*
◊ *a campaign to stop whaling* kempen untuk menghentikan pemburuan ikan paus

♦ **to stop somebody doing something** menghalang seseorang daripada melakukan sesuatu ◊ *She would have liked to stop us seeing each other.* Dia tentu suka kalau dapat menghalang kami daripada bertemu.

♦ **Stop!** Berhenti!

to **stop by** KATA KERJA
*singgah*
◊ *Rose stopped by her friend's house on the way to the library.* Rose singgah di rumah kawannya dalam perjalanan ke perpustakaan.

**stopover** KATA NAMA
*persinggahan*
◊ *The flight will make a stopover in Denver.* Kapal terbang itu akan membuat persinggahan di Denver.

**stopwatch** KATA NAMA
(JAMAK **stopwatches**)
*jam randik*

**storage** KATA NAMA
*penyimpanan*

**store** KATA NAMA

> *rujuk juga* **store** KATA KERJA
>
> [1] *gedung*
> ◊ *a furniture store* gedung perabot
> [2] *stor*
> ◊ *a factory store* stor kilang

to **store** KATA KERJA

> *rujuk juga* **store** KATA NAMA
>
> *menyimpan*
> ◊ *They store potatoes in the cellar.* Mereka menyimpan ubi kentang di dalam bilik bawah tanah. ◊ *to store information* menyimpan maklumat

**storeroom** KATA NAMA
*bilik stor*

**storey** KATA NAMA
*tingkat*
◊ *a three-storey building* bangunan tiga tingkat

**stork** KATA NAMA
*bangau*

**storm** KATA NAMA
*ribut*

**stormy** KATA ADJEKTIF
[1] *buruk* (*cuaca*)
[2] *bergelora* (*laut*)

**story** KATA NAMA
(JAMAK **stories**)
*cerita*

**storybook** KATA NAMA
*buku cerita*

**storyteller** KATA NAMA
*penglipur lara*

**stout** KATA ADJEKTIF
*gempal*

**stove** KATA NAMA
[1] *dapur*
◊ *a gas stove* dapur gas
[2] *alat pemanas*

**straight** KATA ADJEKTIF, KATA ADVERBA
*lurus*
◊ *a straight line* garisan lurus
◊ *straight hair* rambut lurus

♦ **He looked straight at me.** Dia memandang tepat ke arah saya.

♦ **straight away** segera

♦ **I'll come straight back.** Saya akan datang sekarang juga.

♦ **Keep straight on.** Jalan terus.

♦ **to give a straight answer** menjawab dengan terus terang

**straight arrow** KATA NAMA 🗺
*orang yang sangat jujur dan bermoral*

to **straighten** KATA NAMA
*meluruskan*
◊ *He straightened both his legs.* Dia meluruskan kedua-dua kakinya.

♦ **She straightened a picture on the wall.** Dia membetulkan kedudukan sebuah lukisan pada dinding.

**straightforward** KATA ADJEKTIF
[1] *jelas dan mudah*
◊ *It's very straightforward.* Perkara itu sangat jelas dan mudah.
[2] *suka berterus terang*
◊ *She's very straightforward.* Dia sangat suka berterus terang.

**strain** KATA NAMA

> *rujuk juga* **strain** KATA KERJA
>
> *ketegangan*
> ◊ *Their relationship is under a lot of strain.* Hubungan mereka mengalami banyak ketegangan.

♦ **It was a strain.** Perkara itu membebankan.

to **strain** KATA KERJA

> *rujuk juga* **strain** KATA NAMA
>
> *meletihkan*
> ◊ *to strain one's eyes* meletihkan mata seseorang

♦ **I strained my back.** Belakang saya terasa tegang dan sakit.

♦ **to strain a muscle** kekejangan otot

**strained** KATA ADJEKTIF

*tegang*

◊ *a strained muscle* otot yang tegang

**strainer** KATA NAMA

*penapis*

◊ *a tea strainer* penapis teh

**strait** KATA NAMA

*selat*

**stranded** KATA ADJEKTIF

*terkandas*

◊ *We were stranded on the motorway.* Kami terkandas di lebuh raya.

**strange** KATA ADJEKTIF

*pelik*

◊ *That's strange!* Peliknya! ◊ *It's strange that she doesn't talk to us anymore.* Yang peliknya dia sudah tidak bercakap dengan kami lagi.

**strangeness** KATA NAMA

*keganjilan*

◊ *the strangeness of the situation* keganjilan situasi itu

**stranger** KATA NAMA

*orang yang tidak dikenali*

◊ *Don't talk to strangers.* Jangan bercakap dengan orang yang tidak dikenali.

♦ **I'm a stranger here.** Saya orang asing di sini.

to **strangle** KATA KERJA

*mencekik*

**strangler** KATA NAMA

*pencekik*

**strangulation** KATA NAMA

*cekikan*

♦ **He died from strangulation.** Dia mati kerana dicekik.

**strap** KATA NAMA

> rujuk juga **strap** KATA KERJA

*tali* (untuk baju, beg, kamera, dll)

to **strap** KATA KERJA

> rujuk juga **strap** KATA NAMA

*mengikat*

**strappy** KATA ADJEKTIF

(tidak formal)

*bertali*

◊ *strappy sandals* sandal bertali

◊ *strappy dress* gaun bertali

**strategic** KATA ADJEKTIF

*strategik*

**strategy** KATA NAMA

*strategi*

**straw** KATA NAMA

[1] *jerami*

◊ *a straw hat* topi jerami

[2] *straw*

◊ *He was drinking his lemonade through a straw.* Dia minum lemonednya dengan straw.

♦ **That's the last straw!** Saya sudah tidak tahan lagi!

**strawberry** KATA NAMA

(JAMAK **strawberries**)

*strawberi*

to **stray** KATA KERJA

> rujuk juga **stray** KATA ADJEKTIF

[1] *berkeliaran*

◊ *Tourists often get lost and stray into dangerous areas.* Para pelancong selalu sesat dan berkeliaran ke kawasan yang berbahaya.

[2] *merewang* (fikiran)

♦ **Tina's composition strayed from the topic.** Karangan Tina terpesong daripada tajuk.

**stray** KATA ADJEKTIF

> rujuk juga **stray** KATA KERJA

*liar*

◊ *a stray cat* kucing liar

♦ **a stray bullet** peluru sesat

**stream** KATA NAMA

> rujuk juga **stream** KATA KERJA

*anak sungai*

♦ **The chemical plant will not come on stream until 2005.** Loji kimia itu tidak akan beroperasi sebelum tahun 2005.

to **stream** KATA KERJA

> rujuk juga **stream** KATA NAMA

*mengalir*

◊ *Tears streamed down her cheeks.* Air mata mengalir di pipinya.

♦ **Sunlight was streaming into the room.** Cahaya matahari memancar ke dalam bilik itu.

**street** KATA NAMA

*jalan*

**streetlamp** KATA NAMA

*lampu jalan*

**street people** KATA NAMA JAMAK

*orang yang tidak ada tempat tinggal*

**street plan** KATA NAMA

*pelan jalan*

**streetwise** KATA ADJEKTIF

*tahu menangani kesukaran dan masalah* (khasnya di bandar raya besar)

**strength** KATA NAMA

[1] *tenaga*

◊ *with all his strength* dengan seluruh tenaganya

[2] *kekuatan*

◊ *political strength* kekuatan politik

[3] *kelebihan*

◊ *your strengths and weaknesses* kelebihan dan kelemahan anda

to **strengthen** KATA KERJA

**S**

*menguatkan*
◊ *She's trying to strengthen her position in Parliament.* Dia cuba menguatkan kedudukannya dalam Parlimen.
♦ **policies that will strengthen the country's economy** polisi-polisi yang akan mengukuhkan ekonomi negara

**strenuous** KATA ADJEKTIF
*menjerihkan*
◊ *Ivy could not do strenuous work because she was still sick.* Ivy tidak mampu membuat kerja yang menjerihkan kerana dia masih sakit.

to **stress** KATA KERJA

| rujuk juga **stress** KATA NAMA |
| --- |

*menekankan*
◊ *I would like to stress that...* Saya ingin menekankan bahawa...

**stress** KATA NAMA

| rujuk juga **stress** KATA KERJA |
| --- |

*tekanan*
◊ *She's under a lot of stress.* Dia mengalami banyak tekanan.

to **stretch** KATA KERJA
[1] *menggeliat*
◊ *He yawned and stretched.* Dia menguap sambil menggeliat.
♦ **I went out to stretch my legs.** Saya keluar untuk meregangkan otot-otot kaki saya.
♦ **My sweater stretched after I washed it.** Baju sejuk saya menjadi regang selepas dicuci.
[2] *terbentang*
◊ *The paddy fields stretched for several miles.* Sawah-sawah padi itu terbentang beberapa batu luasnya.
♦ **The Sahara Desert stretches from the East Coast to the West Coast of Northern Africa.** Gurun Sahara menganjur dari Pantai Timur ke Pantai Barat Afrika Utara.

to **stretch out** KATA KERJA
*berbaring*
◊ *They stretched out on the beach.* Mereka berbaring di pantai.
♦ **to stretch out one's arms** menghulurkan tangan

**stretcher** KATA NAMA
*usungan*

**stretcher-bearer** KATA NAMA
*pengusung*

**stretchy** KATA ADJEKTIF
*boleh regang*

**strewn** KATA ADJEKTIF
*berselerak*
◊ *The room was strewn with books and clothes.* Bilik itu berselerak dengan buku dan pakaian.

**strict** KATA ADJEKTIF
*tegas*

**strictly** KATA ADVERBA
*semata-mata*
◊ *This session was strictly for the boys.* Sesi ini semata-mata untuk budak lelaki.
♦ **The acceptance of new members is strictly controlled.** Penerimaan ahli-ahli baru dikawal dengan ketat.

**strictness** KATA NAMA
*ketegasan*
◊ *The girl lied because she resented her parents' strictness.* Gadis itu bercakap bohong kerana dia berasa marah dengan ketegasan ibu bapanya.

**strike** KATA NAMA

| rujuk juga **strike** KATA KERJA |
| --- |

*mogok*
♦ **to be on strike** mogok

to **strike** KATA KERJA
**(struck, struck)**

| rujuk juga **strike** KATA NAMA |
| --- |

*memukul*
◊ *She struck me across the mouth.* Dia memukul mulut saya.
♦ **The clock struck three.** Jam berbunyi menunjukkan tepat pukul tiga.
♦ **to strike a match** menggores mancis api

**striker** KATA NAMA
[1] *pemogok*
[2] *penyerang* (*bola sepak*)

**striking** KATA ADJEKTIF
[1] *amat ketara*
◊ *a striking resemblance* persamaan yang amat ketara
[2] *menarik perhatian*
◊ *a striking colour* warna yang menarik perhatian

**string** KATA NAMA
*tali*
◊ *a piece of string* seutas tali

**strip** KATA NAMA

| rujuk juga **strip** KATA KERJA |
| --- |

*jurai*
◊ *strips of fabric plaited together* jurai-jurai kain yang dianyam
♦ **a strip cartoon** kartun (*dalam surat khabar, dll*)

to **strip** KATA KERJA

| rujuk juga **strip** KATA NAMA |
| --- |

*menanggalkan pakaian*

to **strip off** KATA KERJA
*melucutkan*
◊ *She stripped off her clothes in the bathroom.* Dia melucutkan pakaiannya di bilik mandi.

**stripe** KATA NAMA
*jalur atau belang* (*pada pakaian*)

**striped** KATA ADJEKTIF

_berjalur-jalur_
◊ _a striped skirt_  skirt yang berjalur-jalur

**stripper** KATA NAMA
_penari bogel_

**stripy** KATA ADJEKTIF
_berjalur-jalur_
◊ _a stripy skirt_  skirt yang berjalur-jalur

to **strive** KATA KERJA
(**strove** atau **strived, striven** atau **strived**)
_berusaha_
◊ _The region must strive for economic development._ Negara itu mesti berusaha ke arah pembangunan ekonomi. ◊ _He strives hard to keep himself fit._ Dia berusaha keras untuk menjaga kesihatannya.

to **stroke** KATA KERJA
rujuk juga **stroke** KATA NAMA
_mengusap_

**stroke** KATA NAMA
rujuk juga **stroke** KATA KERJA
_strok_
◊ _to have a stroke_  mengalami strok
♦ **a stroke of luck** nasib baik

**stroll** KATA NAMA
_berjalan-jalan_
◊ _to go for a stroll_  pergi berjalan-jalan

**strong** KATA ADJEKTIF
_kuat_
♦ **strong wind** angin kencang

**strongly** KATA ADVERBA
1 _sangat_
◊ _They were so strongly motivated._ Mereka sangat bersemangat.
2 _benar-benar_
◊ _We strongly advise you to..._ Kami benar-benar menasihatkan anda supaya...
3 _dengan kukuh_
◊ _strongly built_  dibina dengan kukuh
♦ **He smelt strongly of tobacco.** Dia berbau rokok yang kuat.
♦ **I don't feel strongly about it.** Saya tidak ambil peduli akan hal itu.
♦ **to strongly oppose** membantah dengan sekeras-kerasnya

**strong-willed** KATA ADJEKTIF
_degil_

**strove** KATA KERJA rujuk **strive**

**struck** KATA KERJA rujuk **strike**

**structure** KATA NAMA
_struktur_

to **struggle** KATA KERJA
rujuk juga **struggle** KATA NAMA
1 _meronta-ronta_
◊ _He struggled, but he couldn't escape._ Dia meronta-ronta tetapi dia masih tidak dapat melepaskan diri.
2 _bergelut_ (bergaduh, dll)
♦ **to struggle to do something (1)**

terpaksa bersusah payah untuk melakukan sesuatu ◊ _They struggle to pay their bills._ Mereka terpaksa bersusah payah untuk membayar bil-bil mereka.
♦ **to struggle to do something (2)** berjuang untuk melakukan sesuatu ◊ _He struggled to get custody of his daughter._ Dia berjuang untuk mendapatkan hak jagaan anak perempuannya.

**struggle** KATA NAMA
rujuk juga **struggle** KATA KERJA
_perjuangan_
◊ _a struggle for survival_  perjuangan untuk hidup
♦ **It was a struggle.** Kami terpaksa menempuh banyak dugaan.

**stub** KATA NAMA
_keratan_
◊ _ticket stub_  keratan tiket
♦ **cigarette stub** puntung rokok

to **stub out** KATA KERJA
_menyehkan_
◊ _to stub out a cigarette_  menyehkan puntung rokok

**stubborn** KATA ADJEKTIF
_degil_

**stubbornness** KATA NAMA
_kedegilan_

**stuck** KATA KERJA rujuk **stick**

**stuck** KATA ADJEKTIF
_tersekat_
◊ _This drawer is stuck._ Laci ini tersekat.
◊ _This lid is stuck._ Penutup ini tersekat.
♦ **to get stuck** tersangkut ◊ _Our project got stuck at that stage._ Projek kami tersangkut pada tahap itu.
♦ **We got stuck in a traffic jam.** Kami terperangkap dalam kesesakan lalu lintas.

**stuck-up** KATA ADJEKTIF
_sombong_

**stud** KATA NAMA
1 _tatah_
2 _subang_

**student** KATA NAMA
_pelajar_

**studio** KATA NAMA
(JAMAK **studios**)
_studio_
◊ _a TV studio_  studio TV
♦ **a studio flat**
flat yang bilik tidurnya disatukan dengan ruang tamu dan mempunyai bilik mandi serta dapur yang berasingan

to **study** KATA KERJA
(**studied, studied**)
rujuk juga **study** KATA NAMA
1 _belajar_
2 _mengkaji_

S

◊ *to study the behaviour of the orang utan* mengkaji kelakuan orang utan

**study**   KATA NAMA
(JAMAK **studies**)

> rujuk juga **study** KATA KERJA

*kajian*
◊ *The study looked at the performance of 18 surgeons.* Kajian itu melihat prestasi 18 orang pakar bedah.

♦ **the use of maps in the study of geography** penggunaan peta untuk belajar geografi

**stuff**   KATA NAMA

> rujuk juga **stuff** KATA KERJA

*barang*
◊ *Have you got all your stuff?* Sudahkah anda mendapat kesemua barang anda? ◊ *There's some stuff on the table for you.* Ada barang di atas meja itu untuk anda.

♦ **He gave me some stuff for my fever.** Dia memberi saya ubat untuk menghilangkan demam.

to **stuff**   KATA KERJA

> rujuk juga **stuff** KATA NAMA

*mengasak*
◊ *She stuffed the fish with pounded chillies before frying it.* Dia mengasak ikan dengan sambal sebelum menggorengnya.

♦ **He stuffed the newspaper into a litter bin.** Dia menyumbatkan surat khabar itu ke dalam tong sampah.

♦ **Mrs Jackson roasted a stuffed turkey.** Pn. Jackson memanggang ayam belanda berinti.

**stuffed animal**   KATA NAMA ⊠

> mainan yang diperbuat daripada kain, disumbat dengan benda lembut dan kelihatan seperti haiwan

**stuffing**   KATA NAMA
*inti* (*dalam ayam, itik, sayuran*)
◊ *The chilli has fish stuffing in it.* Cabai itu mempunyai inti ikan.

**stuffy**   KATA ADJEKTIF
*pengap*
◊ *a stuffy room* bilik yang pengap
◊ *It's stuffy in here.* Tempat ini pengap.

to **stumble**   KATA KERJA
1 *tersadung*
◊ *He stumbled and almost felt.* Dia tersadung dan hampir jatuh.
2 *tersekat-sekat* (*ketika bercakap, membaca*)

**stump**   KATA NAMA
*tunggul*
♦ **a tree stump** tunggul

**stung**   KATA KERJA   rujuk **sting**
**stunk**   KATA KERJA   rujuk **stink**

**stunned**   KATA ADJEKTIF
*terpegun*
◊ *I was stunned.* Saya terpegun.

**stunning**   KATA ADJEKTIF
*menakjubkan*

**stunt**   KATA NAMA

> rujuk juga **stunt** KATA KERJA

*babak ngeri* (*dalam lakonan*)
♦ **It's a publicity stunt.** Itu merupakan satu cara untuk mendapatkan publisiti.

to **stunt**   KATA KERJA

> rujuk juga **stunt** KATA NAMA

*membantutkan*
◊ *An unbalanced diet can stunt the development of the baby in the womb.* Pemakanan yang tidak teratur boleh membantutkan pertumbuhan bayi dalam kandungan.

**stunted**   KATA ADJEKTIF
*terbantut*
◊ *stunted trees* pokok-pokok yang terbantut

**stuntman**   KATA NAMA
(JAMAK **stuntmen**)
*pelagak ngeri* (*lelaki*)

**stupid**   KATA ADJEKTIF
*bodoh*

**stupidity**   KATA NAMA
*kebodohan*

**sturdy**   KATA ADJEKTIF
*tegap*

**stutter**   KATA NAMA

> rujuk juga **stutter** KATA KERJA

*penyakit gagap*
♦ **He's got a stutter.** Dia gagap.

to **stutter**   KATA KERJA

> rujuk juga **stutter** KATA NAMA

*gagap*

**style**   KATA NAMA

> rujuk juga **style** KATA KERJA

*gaya*
◊ *That's not his style.* Itu bukan gayanya.

to **style**   KATA KERJA

> rujuk juga **style** KATA NAMA

*mereka*
◊ *His hair had just been styled.* Fesyen rambutnya baru direka sahaja.

**stylish**   KATA ADJEKTIF
*bergaya*
◊ *She's a stylish lady.* Dia seorang wanita yang bergaya.

**subconscious**   KATA ADJEKTIF
*bawah sedar*

**subject**   KATA NAMA
1 *tajuk*
◊ *The subject of my project is the Internet.* Tajuk projek saya ialah Internet.
2 *mata pelajaran*

◊ *What's your favourite subject?*
Apakah mata pelajaran kegemaran anda?
③ *subjek*
◊ *"I" is the subject in "I love you".* "I"
ialah subjek dalam ayat "I love you".

**submarine** KATA NAMA
*kapal selam*

to **submerge** KATA KERJA
*menenggelami*
◊ *The flood water submerged the whole
village.* Air bah telah menenggelami
seluruh kampung itu.
♦ **The submarine has submerged.** Kapal
selam itu telah menyelam.

to **submit** KATA KERJA
*menyerahkan*
◊ *They submitted their reports to the
teacher yesterday.* Mereka menyerahkan
laporan mereka kepada guru itu kelmarin.

**subordinate** KATA NAMA
*orang bawahan*

to **subscribe** KATA KERJA
① *berpegang pada*
◊ *I've never subscribed to that view.*
Saya tidak pernah berpegang pada
pendapat itu.
② *melanggan*
◊ *Mazni subscribes to the magazine
'Kuntum'.* Mazni melanggan majalah
'Kuntum'.

**subscription** KATA NAMA
*langganan (majalah)*
♦ **to take out a subscription to** melanggan

**subsequent** KATA ADJEKTIF
*berikutnya*
◊ *the increase of population in
subsequent years* pertambahan
penduduk pada tahun-tahun berikutnya

**subsequently** KATA ADVERBA
*kemudiannya*

to **subside** KATA KERJA
*reda*
◊ *The teacher's anger has not yet
subsided.* Kemarahan guru itu belum reda
lagi.
♦ **We waited for the flood water to
subside.** Kami menunggu sehingga air
bah surut.

to **subsidize** KATA KERJA
*memberikan subsidi kepada*

**subsidy** KATA NAMA
(JAMAK **subsidies**)
*subsidi*

**substance** KATA NAMA
*bahan*

**substation** KATA NAMA
*pencawang*

to **substitute** KATA KERJA
⟨ *rujuk juga* **substitute** KATA NAMA ⟩

*mengganti*
◊ *to substitute A for B* mengganti B
dengan A
♦ **He was substituting for the injured
player.** Dia menggantikan pemain yang
cedera itu.

**substitute** KATA NAMA
⟨ *rujuk juga* **substitute** KATA KERJA ⟩
*pengganti*

**subtitled** KATA ADJEKTIF
*diberi sari kata*

**subtitles** KATA NAMA JAMAK
*sari kata*
◊ *a Spanish film with English subtitles*
filem Sepanyol dengan sari kata bahasa
Inggeris

**subtle** KATA ADJEKTIF
*tidak ketara*

**subtlety** KATA NAMA
(JAMAK **subtleties**)
*perbezaan yang tidak ketara*
◊ *His interest in the subtleties of human
behaviour makes him a good storyteller.*
Minatnya dalam perbezaan kelakuan
manusia yang tidak ketara menjadikannya
seorang penglipur lara yang baik.
♦ **the subtlety of the flavour** perisa yang
kurang ketara rasanya

to **subtract** KATA KERJA
*menolak*
◊ *to subtract 3 from 5* menolak 3
daripada 5

**suburb** KATA NAMA
*kawasan pinggir bandar*
◊ *a London suburb* salah satu kawasan
pinggir bandar London ◊ *They live in the
suburbs.* Mereka tinggal di kawasan
pinggir bandar.

**suburban** KATA ADJEKTIF
*pinggir bandar*
◊ *a suburban shopping centre* pusat
membeli-belah pinggir bandar

**subway** KATA NAMA
*jalan bawah tanah*

to **succeed** KATA KERJA
*berjaya*
◊ *to succeed in business* berjaya dalam
perniagaan ◊ *The plan did not succeed.*
Rancangan itu tidak berjaya. ◊ *to
succeed in doing something* berjaya
melakukan sesuatu

**success** KATA NAMA
(JAMAK **successes**)
*kejayaan*

**successful** KATA ADJEKTIF
*berjaya*
◊ *a successful lawyer* peguam yang
berjaya ◊ *a successful attempt* cubaan
yang berjaya

**S**

- **to be successful** berjaya
- **to be successful in doing something** berjaya melakukan sesuatu

**successfully** KATA ADVERBA
　*dengan jayanya*

**successive** KATA ADJEKTIF
　*berturut-turut*
　◊ *He was the winner for a second successive year.* Dia merupakan pemenang untuk tahun kedua berturut-turut.

**successor** KATA NAMA
　*pengganti*

**such** KATA ADJEKTIF, KATA ADVERBA
　① *sebegitu*
　◊ *such clever people* orang yang sebegitu pandai ◊ *such a long journey* perjalanan yang sebegitu jauh
　② *seperti itu*
　◊ *I wouldn't dream of doing such a thing.* Saya tidak terfikir untuk melakukan perkara seperti itu.
- **The pain was such that...** Begitu sakit sehingga...
- **such a lot** begitu banyak ◊ *such a lot of work* kerja yang begitu banyak
- **such a long time ago** sudah begitu lama dahulu
- **such as** seperti ◊ *a hot country, such as India...* negara yang bercuaca panas seperti India...
- **as such** dalam erti kata yang sebenar
　◊ *She's not an expert as such, but...* Dia bukanlah seorang pakar dalam erti kata yang sebenar, tetapi...
- **There's no such thing.** Karut!
- **There's no such thing as the yeti.** Yeti tidak wujud.

**such-and-such** KATA ADJEKTIF
　*sekian-sekian*
　◊ *such-and-such a place* sekian-sekian tempat

to **suck** KATA KERJA
　*menghisap*
　◊ *to suck one's thumb* menghisap ibu jari

**sudden** KATA ADJEKTIF
　*mendadak*
　◊ *a sudden change* perubahan mendadak
- **all of a sudden** tiba-tiba

**suddenly** KATA ADVERBA
　*tiba-tiba*

**suds** KATA NAMA JAMAK
　*buih sabun*

to **sue** KATA KERJA
　*mendakwa*
　◊ *Mr Kuan sued him for slander.* En. Kuan mendakwanya atas tuduhan

memfitnah.

**suede** KATA NAMA
　*suede (daripada kulit)*
　◊ *a suede jacket* jaket suede

to **suffer** KATA KERJA
　*menderita*
　◊ *She was really suffering.* Dia betul-betul menderita.
- **to suffer from a disease** menderita sesuatu penyakit ◊ *I suffer from arthritis.* Saya menderita penyakit artritis.

**sufferer** KATA NAMA
　*penghidap*

**suffering** KATA NAMA
　*penderitaan*
　◊ *The suffering of the people there moved me greatly.* Penderitaan penduduk di situ sangat mengharukan perasaan saya.

**sufficient** KATA ADJEKTIF
　*mencukupi*
　◊ *The food is sufficient for 30 guests.* Makanan tersebut mencukupi untuk 30 orang tetamu.

**suffix** KATA NAMA
　(JAMAK **suffixes**)
　*akhiran*

to **suffocate** KATA KERJA
　*berasa lemas*
　◊ *The thick smoke was suffocating her.* Asap yang tebal itu menyebabkan dia berasa lemas.
- **Thick smoke suffocated her.** Asap yang tebal telah menyebabkan dia mati lemas.
- **They suffocated.** Mereka mati lemas akibat kekurangan udara.

**sugar** KATA NAMA
　*gula*

**sugar cane** KATA NAMA
　*tebu*

**sugary** KATA ADJEKTIF
　*bergula*

to **suggest** KATA KERJA
　*mencadangkan*
　◊ *She suggested going out for a pizza.* Dia mencadangkan kita pergi makan piza.
　◊ *I suggested they set off early.* Saya mencadangkan agar mereka bertolak awal.
- **What are you trying to suggest?** Apakah yang cuba anda katakan?

**suggestion** KATA NAMA
　*cadangan*
　◊ *to make a suggestion* membuat cadangan

**suicide** KATA NAMA
　*bunuh diri*
- **to commit suicide** membunuh diri

**suit** KATA NAMA

rujuk juga **suit** KATA KERJA

*sut*

to **suit** KATA KERJA

rujuk juga **suit** KATA NAMA

*sesuai*

◊ *What time would suit you?* Pukul berapakah sesuai untuk anda? ◊ *I think this one suits me better.* Saya rasa yang ini lebih sesuai untuk saya. ◊ *That dress really suits you.* Baju itu sesuai benar dengan anda.

♦ **Suit yourself!** Suka hati kamulah!

**suitability** KATA NAMA

*kesesuaian*

**suitable** KATA ADJEKTIF

*sesuai*

◊ *a suitable time* masa yang sesuai

◊ *suitable clothing* pakaian yang sesuai

**suitcase** KATA NAMA

*beg pakaian*

**suite** KATA NAMA

*suite*

◊ *a suite at the Petaling Jaya Hilton* suite di Hotel Hilton Petaling Jaya

♦ **a bedroom suite** set bilik tidur

**suitor** KATA NAMA

*orang yang melamar*

to **sulk** KATA KERJA

*merajuk*

**sulky** KATA ADJEKTIF

*suka merajuk*

♦ **a sulky person** perajuk

**sulphur** KATA NAMA

*sulfur*

**sultan** KATA NAMA

*sultan*

**sultana** KATA NAMA

*kismis*

**sultanate** KATA NAMA

*kesultanan*

**sum** KATA NAMA

*kira-kira*

◊ *to do sums* membuat kira-kira

♦ **a sum of money** sejumlah wang

to **summarize** KATA KERJA

*meringkaskan*

**summary** KATA NAMA

(JAMAK **summaries**)

*ringkasan*

**summer** KATA NAMA

*musim panas*

◊ *summer clothes* pakaian musim panas ◊ *the summer holidays* cuti musim panas

**summertime** KATA NAMA

*musim panas*

**summing-up** KATA NAMA

*penggulungan*

**summit** KATA NAMA

*puncak*

◊ *the summit of Mount Everest* puncak Gunung Everest

♦ **the NATO summit** sidang kemuncak NATO

to **summon** KATA KERJA

*memanggil*

◊ *Ruhaiza quickly summoned a doctor.* Ruhaiza memanggil seorang doktor dengan segera.

**summons** KATA NAMA

*saman*

to **sum up** KATA KERJA

*membuat kesimpulan*

♦ **To sum up...** Kesimpulannya...

**sun** KATA NAMA

*matahari*

♦ **in the sun** di bawah sinaran matahari

to **sunbathe** KATA KERJA

*berjemur*

**sunblock** KATA NAMA

*krim pelindung matahari*

**sunburn** KATA NAMA

*selar matahari*

**sunburnt** KATA ADJEKTIF

*terkena selar matahari*

◊ *Mind you don't get sunburnt!* Berhati-hati, jangan sampai terkena selar matahari!

**Sunday** KATA NAMA

*hari Ahad*

◊ *I saw her on Sunday.* Saya bertemu dengannya pada hari Ahad. ◊ *every Sunday* setiap hari Ahad ◊ *last Sunday* hari Ahad lepas ◊ *next Sunday* hari Ahad depan

**Sunday school** KATA NAMA

*kelas agama Kristian hari Ahad*

**sunflower** KATA NAMA

*bunga matahari*

**sung** KATA KERJA *rujuk* **sing**

**sunglasses** KATA NAMA JAMAK

*cermin mata hitam*

**sunk** KATA KERJA *rujuk* **sink**

**sunken** KATA ADJEKTIF

1 *tenggelam* (kapal, harta karun, dll)

2 *cengkung* (mata)

**sunlight** KATA NAMA

*cahaya matahari*

**sunny** KATA ADJEKTIF

*cerah*

◊ *a sunny morning* pagi yang cerah

♦ **It's sunny.** Cuaca hari ini cerah.

**sunrise** KATA NAMA

*matahari terbit*

**sunroof** KATA NAMA

*bahagian bumbung kereta yang boleh dibuka*

**sunscreen** KATA NAMA

**S**

_krim pelindung sinaran matahari_

**sunset**   KATA NAMA
_matahari terbenam_

**sunshade**   KATA NAMA
_pelindung cahaya matahari_

**sunshine**   KATA NAMA
_sinaran matahari_
◊   _in the sunshine_  di bawah sinaran matahari

**sunstroke**   KATA NAMA
_strok matahari_

**suntan**   KATA NAMA
_kulit yang menjadi gelap kerana berjemur di bawah matahari_

♦   **suntan lotion**  losen pelindung sinaran matahari

♦   **suntan oil**  minyak pelindung sinaran matahari

**super**   KATA ADJEKTIF
_hebat_

**superb**   KATA ADJEKTIF
_sungguh hebat_

**superficial**   KATA ADJEKTIF
[1] _dangkal_ (_orang, pengetahuan_)
[2] _ringan_ (_kecederaan_)

**superintendent**   KATA NAMA
_penguasa_

**superior**   KATA ADJEKTIF
| _rujuk juga_ **superior** KATA NAMA |
_atasan_
◊   _superior officer_  pegawai atasan
♦   **a woman greatly superior to her husband in education**  seorang wanita yang jauh lebih berpendidikan tinggi daripada suaminya
♦   **superior quality coffee**  kopi yang berkualiti tinggi

**superior**   KATA NAMA
| _rujuk juga_ **superior** KATA ADJEKTIF |
_orang atasan_

**superlative**   KATA ADJEKTIF
[1] _sangat baik_
◊   _Some superlative wines are made in this region._  Sesetengah wain yang sangat baik dibuat di kawasan ini.
[2] _superlatif_ (_tatabahasa_)

**supermarket**   KATA NAMA
_pasar raya_

**supernatural**   KATA ADJEKTIF
_ghaib_
◊   _supernatural power_  kuasa ghaib

**superstition**   KATA NAMA
_kepercayaan karut_

**superstitious**   KATA ADJEKTIF
_karut_
◊   _superstitious belief_  kepercayaan karut

to **supervise**   KATA KERJA
_menyelia_

**supervision**   KATA NAMA
_penyeliaan_
◊   _to work under somebody's supervision_ bekerja di bawah penyeliaan seseorang

**supervisor**   KATA NAMA
_penyelia_

**supine**   KATA ADJEKTIF
_telentang_

**supper**   KATA NAMA
[1] _makan lewat malam_
> **Supper** _juga merujuk kepada waktu makan malam yang awal._
[2] _makan malam_

to **supplement**   KATA KERJA
| _rujuk juga_ **supplement** KATA NAMA |
_menambahkan_
◊   _She works at night to supplement her income._  Dia bekerja pada waktu malam untuk menambahkan pendapatannya.

**supplement**   KATA NAMA
| _rujuk juga_ **supplement** KATA KERJA |
_tambahan_

**supplier**   KATA NAMA
_pembekal_

to **supply**   KATA KERJA
(**supplied, supplied**)
| _rujuk juga_ **supply** KATA NAMA |
_membekalkan_
◊   _to supply somebody with something_ membekalkan sesuatu kepada seseorang
◊   _The centre supplied us with all the equipment._  Pusat itu membekalkan semua kelengkapan kepada kami.

**supply**   KATA NAMA
(JAMAK **supplies**)
| _rujuk juga_ **supply** KATA KERJA |
_bekalan_
◊   _the water supply_  bekalan air  ◊   _a supply of paper_  bekalan kertas
♦   **supplies**  bekalan  ◊   _medical supplies_ bekalan perubatan

**supply teacher**   KATA NAMA
_guru gantian_

to **support**   KATA KERJA
| _rujuk juga_ **support** KATA NAMA |
[1] _memberikan sokongan_
◊   _My mum has always supported me._ Emak saya sentiasa memberikan sokongan kepada saya.
[2] _menyokong_
◊   _What team do you support?_  Pasukan apakah yang anda sokong?
[3] _menyara_
◊   _She had to support five children on her own._  Dia perlu menyara lima orang anaknya seorang diri.

**support**   KATA NAMA
| _rujuk juga_ **support** KATA KERJA |
_sokongan_

**supporter**   KATA NAMA

_penyokong_

◊ *a Liverpool supporter* penyokong pasukan Liverpool ◊ *a supporter of the Labour Party* penyokong Parti Buruh

**support group**   KATA NAMA

_kumpulan sokongan_

> organisasi yang diuruskan dan disertai oleh orang yang mempunyai masalah atau penyakit tertentu

◊ *cancer support groups* kumpulan sokongan untuk pesakit barah

to **suppose**   KATA KERJA

_sepatutnya_

◊ *You're supposed to show your passport.* Anda sepatutnya menunjukkan pasport anda. ◊ *You're not supposed to smoke in the toilet.* Anda tidak sepatutnya merokok di dalam tandas.

♦ **It's supposed to be the best hotel in the city.** Hotel tersebut dianggap sebagai hotel yang terbaik di bandar raya ini.

♦ **Suppose you win the lottery...** Andai kata anda memenangi loteri...

♦ **I suppose he'll be late.** Rasanya dia akan lambat.

♦ **I suppose so.** Saya rasa begitu.

**supposing**   KATA HUBUNG

_andai kata_

◊ *Supposing you won the lottery...* Andai kata anda memenangi loteri...

to **suppress**   KATA KERJA

1 _menyekat_ (aktiviti, dll)

2 _menahan_

◊ *Liz thought of Barry and suppressed a smile.* Liz terfikir tentang Barry dan menahan dirinya daripada tersenyum.

to **suppurate**   KATA KERJA

_bernanah_

**supremacy**   KATA NAMA

1 _kekuasaan_

◊ *political supremacy* kekuasaan politik

2 _kehandalan_

◊ *The Malaysian badminton team showed their supremacy in the Thomas Cup finals.* Pasukan badminton Malaysia telah menunjukkan kehandalan mereka dalam pusingan akhir Piala Thomas.

**supreme**   KATA ADJEKTIF

_tertinggi_

◊ *the Supreme Council* Majlis Tertinggi

♦ **the Supreme Court** Mahkamah Agung

♦ **Her mother's approval was of supreme importance.** Persetujuan ibunya amat penting.

**surcharge**   KATA NAMA

_bayaran tambahan_

**sure**   KATA ADJEKTIF

_pasti_

◊ *Are you sure?* Anda pasti?

♦ **Sure! (1)** Ya!

♦ **Sure! (2)** Baiklah!

♦ **to make sure that...** memastikan bahawa... ◊ *I'm going to make sure the door's locked.* Saya akan memastikan bahawa pintu sudah dikunci.

**surely**   KATA ADVERBA

_sudah tentu_

◊ *Surely you don't believe that?* Sudah tentu anda tidak mempercayainya, bukan?

**surf**   KATA NAMA

> rujuk juga **surf** KATA KERJA

_buih ombak_

to **surf**   KATA KERJA

> rujuk juga **surf** KATA NAMA

_bermain luncur air_

**surface**   KATA NAMA

> rujuk juga **surface** KATA KERJA

_permukaan_

to **surface**   KATA KERJA

> rujuk juga **surface** KATA NAMA

1 _timbul_

◊ *The same old problems surfaced again.* Masalah-masalah itu juga yang timbul semula.

2 _menurap_

◊ *to surface the road* menurap jalan

**surfboard**   KATA NAMA

_papan luncur air_

**surfing**   KATA NAMA

_luncur air_

◊ *to go surfing* bermain luncur air

**surge**   KATA NAMA

_pertambahan_

◊ *the recent surge in inflation* pertambahan kadar inflasi kebelakangan ini

♦ **a sudden surge of jealousy** perasaan cemburu yang meluap dengan tiba-tiba

**surgeon**   KATA NAMA

_pakar bedah_

**surgery**   KATA NAMA

(JAMAK **surgeries**)

1 _pembedahan_

◊ *surgery hours* waktu pembedahan

2 _bilik rawatan_

**surgical**   KATA ADJEKTIF

_pembedahan_

◊ *surgical instruments* peralatan pembedahan

**surname**   KATA NAMA

_nama keluarga_

**surprise**   KATA NAMA

> rujuk juga **surprise** KATA KERJA

_kejutan_

to **surprise**   KATA KERJA

> rujuk juga **surprise** KATA NAMA

_mengejutkan_

**S**

◊ *His action really surprised us.*
Tindakannya itu benar-benar mengejutkan
kami.

**surprised**    KATA ADJEKTIF
*terkejut*
◊ *I was surprised to see him.* Saya
terkejut melihatnya. ◊ *I'm not surprised
that ...* Saya tidak terkejut bahawa...

**surprising**    KATA ADJEKTIF
*mengejutkan*

to **surrender**    KATA KERJA
*menyerah kalah*

to **surround**    KATA KERJA
*mengelilingi*
◊ *surrounded by trees* dikelilingi pokok-
pokok

**surroundings**    KATA NAMA JAMAK
*persekitaran*
◊ *a hotel in beautiful surroundings*
hotel dengan persekitaran yang indah

**surveillance**    KATA NAMA
*pengawasan*
◊ *a two-week surveillance operation*
operasi pengawasan selama dua minggu

**survey**    KATA NAMA
> *rujuk juga* **survey** KATA KERJA

*tinjauan*
◊ *They did a survey of a thousand
students.* Mereka membuat tinjauan
terhadap seribu orang pelajar.

to **survey**    KATA KERJA
> *rujuk juga* **survey** KATA NAMA

*meninjau*
◊ *We will survey the workers before
implementing the plan.* Kami akan
meninjau pendapat para pekerja sebelum
melaksanakan rancangan itu.

**surveyor**    KATA NAMA
*juruukur*

**survival**    KATA NAMA
*hidup*
◊ *a struggle for survival* perjuangan
untuk hidup

to **survive**    KATA KERJA
1 *terselamat*
◊ *Three people were killed in the
accident and one survived.* Tiga orang
terkorban dalam kemalangan itu dan
seorang terselamat.
2 *hidup*
◊ *They had to survive without jobs for six
months.* Mereka terpaksa hidup tanpa
pekerjaan selama enam bulan.
♦ **The singer's popularity has survived
through many decades.** Penyanyi itu
berjaya mengekalkan popularitinya selama
beberapa dekad.

**survivor**    KATA NAMA
*orang yang terselamat*

◊ *There were no survivors.* Tidak ada
orang yang terselamat.

to **suspect**    KATA KERJA
> *rujuk juga* **suspect** KATA NAMA

*mengesyaki*

**suspect**    KATA NAMA
> *rujuk juga* **suspect** KATA KERJA

*orang yang disyaki*

to **suspend**    KATA KERJA
*menangguhkan*
◊ *The union suspended the strike action.*
Kesatuan sekerja menangguhkan mogok
itu.
♦ **to be suspended from one's job**
digantung kerja

**suspense**    KATA NAMA
*saspens*
◊ *a film with lots of suspense* filem yang
penuh dengan saspens

**suspension**    KATA NAMA
1 *penangguhan*
2 *penggantungan* (*pemain, pekerja*)
◊ *a two-year suspension*
penggantungan selama dua tahun

**suspension bridge**    KATA NAMA
*jambatan gantung*

**suspicion**    KATA NAMA
*kecurigaan*
◊ *to arouse suspicion* menimbulkan
kecurigaan

**suspicious**    KATA ADJEKTIF
*curiga*
◊ *He was suspicious at first.* Pada
mulanya dia curiga.
♦ **a suspicious person** penyangsi

**SUV**    SINGKATAN (= *sport utility vehicle*)
*kenderaan SUV*
> *sesuai dipandu di banyak kawasan
> dan biasanya dipandu oleh orang
> kaya di bandar, terutama di AS*

to **swaddle**    KATA KERJA
*membedung*

to **swallow**    KATA KERJA
> *rujuk juga* **swallow** KATA NAMA

*menelan*

**swallow**    KATA NAMA
> *rujuk juga* **swallow** KATA KERJA

*burung layang-layang*

**swam**    KATA KERJA *rujuk* **swim**

**swamp**    KATA NAMA
*paya*

**swan**    KATA NAMA
*angsa putih*

to **swap**    KATA KERJA
*menukarkan*
◊ *to swap A for B* menukarkan A untuk
B
♦ **Do you want to swap?** Anda mahu
tukar?

to **swarm** KATA KERJA
_berduyun-duyun_
◊ _People swarmed into the shop._ Orang ramai berduyun-duyun masuk ke dalam kedai itu.

to **swat** KATA KERJA
_memukul_

to **sway** KATA KERJA
1 _menggoyangkan_
2 _bergoyang_

to **swear** KATA KERJA
(**swore, sworn**)
_bersumpah_
◊ _to swear allegiance to_ bersumpah setia kepada
♦ **It's wrong to swear.** Tidak baik memaki.

**swear word** KATA NAMA
_makian_

**sweat** KATA NAMA
| rujuk juga **sweat** KATA KERJA |
_peluh_

to **sweat** KATA KERJA
| rujuk juga **sweat** KATA NAMA |
_berpeluh_

**sweater** KATA NAMA
_baju panas_ **atau** _baju sejuk_

**sweat gland** KATA NAMA
_kelenjar peluh_

**sweatshirt** KATA NAMA
_baju panas_ **atau** _baju sejuk_

**sweaty** KATA ADJEKTIF
1 _berpeluh_ (tangan, muka)
2 _dibasahi peluh_ (pakaian)

**Swede** KATA NAMA
_orang Sweden_

**Sweden** KATA NAMA
_Sweden_

**Swedish** KATA ADJEKTIF
| rujuk juga **Swedish** KATA NAMA |
_Sweden_
◊ _Swedish Ambassador_ Duta Sweden
♦ **She's Swedish.** Dia berbangsa Sweden.

**Swedish** KATA NAMA
| rujuk juga **Swedish** KATA ADJEKTIF |
_bahasa Sweden_

to **sweep** KATA KERJA
(**swept, swept**)
_menyapu_

**sweet** KATA ADJEKTIF
| rujuk juga **sweet** KATA NAMA |
_manis_
♦ **That was really sweet of you.** Anda sungguh baik hati.
♦ **sweet and sour fish** ikan masam manis

**sweet** KATA NAMA
| rujuk juga **sweet** KATA ADJEKTIF |
1 _gula-gula_
2 _pencuci mulut_
◊ _Are you going to have a sweet?_ Anda

mahu pencuci mulut?

**sweetcorn** KATA NAMA
_jagung manis_

to **sweeten** KATA KERJA
_memaniskan_
◊ _He sweetened his coffee._ Dia memaniskan kopinya.

**sweetheart** KATA NAMA
1 _sayang_
◊ _Happy Birthday, sweetheart._ Selamat Hari Jadi, sayang.
2 _kekasih_

**sweetness** KATA NAMA
_kemanisan_

**sweet potato** KATA NAMA
(JAMAK **sweet potatoes**)
_keledek_

**swelling** KATA NAMA
_bengkak_

to **swell up** KATA KERJA
_membengkak_
◊ _His leg started to swell up._ Kakinya mula membengkak.

**sweltering** KATA ADJEKTIF
_terlampau panas_
◊ _It was sweltering._ Cuaca terlampau panas.

**swept** KATA KERJA rujuk **sweep**

to **swerve** KATA KERJA
_membelok_
◊ _I swerved to avoid the cyclist._ Saya membelok untuk mengelakkan penunggang basikal itu.

**swift** KATA ADJEKTIF
1 _pantas_
◊ _to make a swift decision_ membuat keputusan yang pantas
2 _deras_
◊ _The river was swift._ Air sungai itu deras.

**swiftly** KATA ADVERBA
1 _dengan pantas_
◊ _The police have acted swiftly._ Pihak polis telah bertindak dengan pantas.
2 _dengan deras_
◊ _The river flows swiftly._ Sungai itu mengalir dengan deras.

to **swim** KATA KERJA
(**swam, swum**)
| rujuk juga **swim** KATA NAMA |
_berenang_
◊ _I can swim._ Saya tahu berenang.
◊ _She swam across the river._ Dia berenang menyeberangi sungai.

**swim** KATA NAMA
| rujuk juga **swim** KATA KERJA |
_berenang_
◊ _to go for a swim_ pergi berenang

**swimmer** KATA NAMA

**S**

*perenang*

**swimming**   KATA NAMA

*renang*

◊ *swimming lessons*   kelas renang

◊ *swimming cap*   topi renang

◊ *swimming costume*   pakaian renang

◊ *swimming pool*   kolam renang

♦ **Do you like swimming?**   Anda suka berenang?

♦ **to go swimming**   pergi berenang

♦ **swimming trunks**   seluar mandi

**swimsuit**   KATA NAMA

*pakaian renang*

to **swing**   KATA KERJA

(**swung, swung**)

| *rujuk juga* **swing** KATA NAMA |

[1] *mengayunkan*

◊ *The girl swung her bag as she walked.* Gadis itu mengayunkan begnya sambil berjalan. ◊ *He was swinging his bag back and forth.* Dia mengayunkan begnya berkali-kali. ◊ *Roy swung his legs off the couch.* Roy mengayunkan kakinya dari sofa.

[2] *berayun*

◊ *Her bag swung as she walked.* Begnya berayun sambil dia berjalan. ◊ *He watched the pendulum swing to and fro.* Dia melihat bandul itu berayun berkali-kali.

♦ **A large key swung from his belt.** Sebentuk kunci yang besar berayun-ayun pada tali pinggangnya.

♦ **The canoe suddenly swung round.** Tiba-tiba kano itu berubah haluan.

**swing**   KATA NAMA

| *rujuk juga* **swing** KATA KERJA |

*ayunan*

**Swiss**   KATA ADJEKTIF, KATA NAMA

*Switzerland*

♦ **the Swiss**   orang Switzerland

**Swiss army knife**   KATA NAMA

*pisau pelbagai guna*

**switch**   KATA NAMA

(JAMAK **switches**)

| *rujuk juga* **switch** KATA KERJA |

*suis*

to **switch**   KATA KERJA

| *rujuk juga* **switch** KATA NAMA |

*bertukar*

◊ *We switched partners.* Kami bertukar pasangan. (*ketika menari*)

♦ **I switched the cards.**   Saya menukarkan kad-kad itu.

to **switch off**   KATA KERJA

[1] *menutup* (*TV, radio*)

[2] *memadamkan* (*lampu*)

[3] *mematikan* (*enjin*)

to **switch on**   KATA KERJA

[1] *memasang* (*lampu, radio*)

[2] *menghidupkan* (*enjin*)

**Switzerland**   KATA NAMA

*Switzerland*

**swollen**   KATA ADJEKTIF

*bengkak*

◊ *My ankle is very swollen.*   Buku lali saya sangat bengkak.

to **swoop**   KATA KERJA

[1] *menyerbu*

◊ *The terror ended when armed police swooped on the car.* Peristiwa yang menakutkan itu berakhir apabila anggota polis yang bersenjata menyerbu masuk ke dalam kereta itu.

[2] *menjunam* (*burung, kapal terbang*)

♦ **The hawk swooped and carried away Mak Yati's chicken.** Burung helang itu menyambar ayam Mak Yati.

to **swop**   KATA KERJA

*menukarkan*

◊ *to swop A for B*   menukarkan A untuk B

♦ **Do you want to swop?**   Anda mahu tukar?

**sword**   KATA NAMA

*pedang*

**swore, sworn**   KATA KERJA   *rujuk* **swear**

to **swot**   KATA KERJA

| *rujuk juga* **swot** KATA NAMA |

*belajar dengan tekun*

◊ *I'll have to swot for the maths exam.* Saya perlu belajar dengan tekun untuk ujian matematik itu.

**swot**   KATA NAMA

| *rujuk juga* **swot** KATA KERJA |

*orang yang asyik belajar sahaja*

**swum**   KATA KERJA   *rujuk* **swim**

**swung**   KATA KERJA   *rujuk* **swing**

**sycophant**   KATA NAMA

*pengampu*

**syllable**   KATA NAMA

*suku kata*

**syllabus**   KATA NAMA

(JAMAK **syllabuses**)

*sukatan pelajaran*

**symbol**   KATA NAMA

*simbol*

to **symbolize**   KATA KERJA

*melambangkan*

◊ *Red symbolizes courage.*   Warna merah melambangkan keberanian.

**sympathetic**   KATA ADJEKTIF

*bersimpati*

to **sympathize**   KATA KERJA

[1] *bersimpati*

[2] *memahami* (*perasaan*)

[3] *menyokong*

◊ *He sympathized with the communists.*

Dia menyokong golongan komunis.
**sympathy**  KATA NAMA
   *simpati*
**symptom**  KATA NAMA
   *tanda* **atau** *simptom*
to **synchronize**  KATA KERJA
   *menyelaraskan*
**syndicate**  KATA NAMA
   *sindiket*
**syndrome**  KATA NAMA
   *sindrom*
**synonym**  KATA NAMA
   *sinonim*

**synopsis**  KATA NAMA
   *sinopsis*
**synthetic**  KATA ADJEKTIF
   *tiruan*
   ◊   *synthetic rubber*  getah tiruan
**syringe**  KATA NAMA
   *picagari*
**syrup**  KATA NAMA
   *sirap*
♦  **cough syrup**  ubat batuk
**system**  KATA NAMA
   *sistem*

**S**

# T

**table** KATA NAMA
1 *meja*
- **to lay the table** menyediakan meja makan
2 *jadual*
3 *sifir*

**tablecloth** KATA NAMA
*alas meja*

**tablespoon** KATA NAMA
*camca besar*

**tablespoonful** KATA NAMA
*camca besar*
◊ *a tablespoonful of sugar* satu camca besar gula

**tablet** KATA NAMA
1 *pil atau tablet*
2 *batu bersurat*

**table tennis** KATA NAMA
*pingpong*
◊ *to play table tennis* bermain pingpong

**tabloid** KATA NAMA
*tabloid*
- **the tabloids** tabloid

**taboo** KATA NAMA
*tabu*

**tack** KATA NAMA

> *rujuk juga* **tack** KATA KERJA

1 *paku tekan*
2 *jelujur*

to **tack** KATA KERJA

> *rujuk juga* **tack** KATA NAMA

1 *melekatkan (dengan paku tekan)*
◊ *He had tacked this note to Julia's door.* Dia telah melekatkan nota ini pada pintu Julia.
2 *memakukan (permaidani, gambar)*
3 *menjelujur*
◊ *She tacked her sleeve with white thread.* Dia menjelujur lengan bajunya dengan benang putih.

to **tackle** KATA KERJA

> *rujuk juga* **tackle** KATA NAMA

*menghadapi*
◊ *to tackle a problem* menghadapi sesuatu masalah
- **to tackle somebody (1)** merebut bola daripada seseorang *(dalam bola sepak, hoki)*
- **to tackle somebody (2)** menjatuhkan seseorang *(dalam ragbi)*
- **to tackle somebody about something** bersemuka dengan seseorang tentang sesuatu hal

**tackle** KATA NAMA

> *rujuk juga* **tackle** KATA KERJA

*takal*
- **fishing tackle** kelengkapan memancing

**tact** KATA NAMA
*kebijaksanaan*

**tactful** KATA ADJEKTIF
*bijaksana*

**tactics** KATA NAMA JAMAK
*taktik*

**tactless** KATA ADJEKTIF
*tidak bijaksana*
◊ *He's so tactless!* Dia tidak bijaksana langsung!
- **a tactless remark** kata-kata yang menyinggung perasaan

**tadpole** KATA NAMA
*berudu*

**tag** KATA NAMA
*tanda*
◊ *name tag* tanda nama

**tail** KATA NAMA
*ekor*
- **Heads or tails?** Kepala atau bunga?

**tailor** KATA NAMA
*tukang jahit*

to **taint** KATA KERJA
*mencemarkan*
◊ *Joe's behaviour has tainted his family's good name.* Joe telah mencemarkan nama baik keluarganya dengan perbuatannya itu.

to **take** KATA KERJA
**(took, taken)**
1 *membawa*
◊ *He goes to London every week, but he never takes me.* Dia pergi ke London setiap minggu tetapi dia tidak pernah membawa saya. ◊ *Don't forget to take your camera.* Jangan lupa bawa kamera anda.
2 *mengambil*
◊ *Have you taken your driving test yet?* Sudahkah anda mengambil ujian memandu anda?
3 *mengambil masa*
◊ *The journey takes about one hour.* Perjalanan itu mengambil masa kira-kira satu jam. ◊ *It won't take long.* Perkara itu tidak akan mengambil masa yang lama.
4 *menerima*
◊ *He can't take being criticized.* Dia tidak dapat menerima kritikan. ◊ *We take credit cards.* Kami menerima kad kredit.
- **I decided to take French instead of German.** Saya membuat keputusan untuk belajar bahasa Perancis dan bukannya bahasa Jerman.
- **Do you take sugar?** Anda mahu gula?
- **He took a bowl out of the cupboard.** Dia mengeluarkan sebiji mangkuk dari dalam almari.
- **That takes a lot of courage.** Tindakan itu memerlukan keberanian.
- **It takes a lot of money to do that.** Wang

yang banyak diperlukan untuk
melaksanakannya.

to **take after**   KATA KERJA
*serupa seperti*
◊ *She takes after her mother.* Dia
serupa seperti ibunya.

to **take apart**   KATA KERJA
*membuka bahagian-bahagian*
◊ *to take something apart* membuka
bahagian-bahagian sesuatu benda

to **take away**   KATA KERJA
1 *merampas*
◊ *They took away all his belongings.*
Mereka merampas semua barang
kepunyaannya.
2 *memisahkan*
◊ *She was afraid her children would be
taken away from her.* Dia takut anak-
anaknya akan dipisahkan daripadanya.
♦ **hot meals to take away**   makanan panas
untuk dibawa pulang

to **take back**   KATA KERJA
1 *memulangkan*
◊ *I took it back to the shop.* Saya
memulangkan barang itu ke kedai.
♦ **I take it all back!**   Saya menarik balik
kata-kata saya!
2 *menerima semula*
◊ *Why did she take him back?*
Mengapakah dia menerimanya semula?

to **take down**   KATA KERJA
1 *menurunkan*
◊ *She took down the painting.* Dia
menurunkan lukisan tersebut.
2 *mencatatkan*
◊ *I took down all his comments.* Saya
mencatatkan semua komennya.

to **take in**   KATA KERJA
1 *memahami*
◊ *I didn't really take it in.* Saya tidak
begitu memahaminya.
2 *menumpangkan* (*di rumah, dll*)
◊ *I persuaded Joto to take me in.* Saya
memujuk Joto agar menumpangkan saya
di rumahnya.
3 *memperdaya*
♦ **They were taken in by his story.**
Mereka terpedaya dengan ceritanya.

to **take off**   KATA KERJA
1 *berlepas*
◊ *The plane took off 20 minutes late.*
Kapal terbang itu berlepas 20 minit lebih
lewat.
2 *menanggalkan*
◊ *Take your coat off.* Tanggalkan kot
anda.

to **take out**   KATA KERJA
*mengeluarkan*
◊ *He opened his wallet and took out*

*some money.* Dia membuka dompetnya
dan mengeluarkan sedikit wang.
♦ **He took her out to the theatre.**   Dia
membawanya ke teater.

to **take over**   KATA KERJA
1 *mengambil alih*
◊ *He took over the running of the
company last year.* Dia mengambil alih
pengurusan syarikat tersebut tahun lepas.
2 *menggantikan*
◊ *Cars gradually took over from horses.*
Kereta beransur-ansur menggantikan
kuda.

**takeaway**   KATA NAMA
1 *restoran makanan bawa pulang*
2 *makanan bawa pulang*

**taken**   KATA KERJA   rujuk **take**

**takeoff**   KATA NAMA
*berlepas* (*kapal terbang*)
◊ *The plane was waiting for takeoff.*
Kapal terbang itu sedang menunggu untuk
berlepas.

**takeover**   KATA NAMA
*pengambilalihan*
◊ *The bank's takeover of the insurance
company was unexpected.*
Pengambilalihan syarikat insurans tersebut
oleh bank itu tidak diduga.

**talcum**   KATA ADJEKTIF
*talkum*

**talcum powder**   KATA NAMA
*bedak talkum*

**tale**   KATA NAMA
*cerita*
◊ *a fairy tale* cerita dongeng
♦ **to tell tales**   mengadu

**talent**   KATA NAMA
*bakat*
♦ **He's got a lot of talent.**   Dia sangat
berbakat.
♦ **to have a talent for something**   berbakat
dalam sesuatu ◊ *He's got a real talent
for languages.* Dia amat berbakat dalam
bidang bahasa.

**talented**   KATA ADJEKTIF
*berbakat*
◊ *She's a talented pianist.* Dia seorang
pemain piano yang berbakat.

**talisman**   KATA NAMA
*azimat*

**talk**   KATA NAMA
| rujuk juga **talk** KATA KERJA |
1 *perbualan*
♦ **We had a long talk about her problems.**
Kami berbual panjang tentang
masalahnya.
♦ **I had a talk with my mum about it.**   Saya
berbincang dengan emak saya tentang hal
itu.

T

♦ **to give a talk on something**
memberikan ceramah tentang sesuatu
◊ *She gave a talk on ancient Egypt.* Dia
memberikan ceramah tentang Mesir
purba.
② *rundingan*
◊ *Middle East peace talks* rundingan
damai Timur Tengah
③ *desas-desus*
◊ *It's just talk.* Itu hanya desas-desus.

to **talk** KATA KERJA

> *rujuk juga* **talk** KATA NAMA

① *bercakap*
◊ *to talk to somebody* bercakap dengan
seseorang ◊ *to talk to oneself* bercakap
seorang diri
② *berbual*
♦ **What did you talk about?** Apakah yang
anda bualkan?
♦ **to talk something over with somebody**
berbincang tentang sesuatu dengan
seseorang

to **talk over** KATA KERJA
*membincangkan*
◊ *We should go somewhere quiet, and
talk it over.* Kita patut pergi ke tempat
yang tidak ada sebarang gangguan untuk
membincangkan hal itu.
♦ **He always talked things over with his
friends.** Dia selalu berbincang dengan
kawan-kawannya.

**talkative** KATA ADJEKTIF
*kuat bercakap*

**tall** KATA ADJEKTIF
*tinggi*
♦ **to be two metres tall** setinggi dua meter

**tall ship** KATA NAMA

> kapal layar yang mempunyai tiang
> yang sangat tinggi dan layar yang
> berbentuk segi empat

**tamarind** KATA NAMA
*asam jawa*

**tambourine** KATA NAMA
*tamborin*

**tame** KATA ADJEKTIF

> *rujuk juga* **tame** KATA KERJA

*jinak*

to **tame** KATA KERJA

> *rujuk juga* **tame** KATA ADJEKTIF

*menjinakkan*

**tampon** KATA NAMA
*tampon*

**tan** KATA NAMA

> *rujuk juga* **tan** KATA KERJA

*warna kulit yang gelap (kerana berjemur
di bawah matahari)*

to **tan** KATA KERJA

> *rujuk juga* **tan** KATA NAMA

① *menggelapkan ... di bawah cahaya*

*matahari*
◊ *Leigh rolled over on her stomach to tan
her back.* Leigh meniarap untuk
menggelapkan bahagian belakangnya di
bawah cahaya matahari.
② *menyamak*
◊ *the process of tanning animal hides*
proses menyamak belulang haiwan

**tangent** KATA NAMA
*tangen (matematik)*

**tangerine** KATA NAMA
*limau tangerin*

**tangled** KATA ADJEKTIF
*kusut*
◊ *her tangled hair* rambutnya yang kusut

to **tangle up** KATA KERJA
♦ **to get tangled up** terperangkap *(dengan
tali, wayar)* ◊ *Sheep kept getting tangled
up in it.* Kambing biri-biri selalu
terperangkap di dalamnya.
♦ **My brother has got my thread all
tangled up.** Adik saya telah
mengusutkan semua benang saya.

**tank** KATA NAMA
① *tangki*
② *kereta kebal*

**tanker** KATA NAMA
① *kapal tangki*
② *lori tangki*
♦ **an oil tanker** kapal minyak
♦ **a petrol tanker** lori tangki minyak

**tannin** KATA NAMA
*samak*

**Taoiseach** KATA NAMA
*Perdana Menteri Republik Ireland*

**tap** KATA NAMA

> *rujuk juga* **tap** KATA KERJA

① *paip (pili air)*
② *ketukan yang perlahan*
◊ *I heard a tap on the window.* Saya
terdengar satu ketukan yang perlahan
pada tingkap.
♦ **There was a tap on the door.** Ada bunyi
ketukan pada pintu.

to **tap** KATA KERJA

> *rujuk juga* **tap** KATA NAMA

*menoreh*
◊ *Pak Abu taps rubber in the plantation.*
Pak Abu menoreh getah di kebun itu.

**tap-dancing** KATA NAMA .
*tarian tap*
◊ *I do tap-dancing.* Saya menari tarian
tap.

**tape** KATA NAMA

> *rujuk juga* **tape** KATA KERJA

① *pita rakaman*
◊ *a tape of Sinead O'Connor* pita
rakaman Sinead O'Connor
② *pita perekat*

to **tape** KATA KERJA

> *rujuk juga* **tape** KATA NAMA

[1] *merakamkan*
◊ *Did you tape that film last night?*
Adakah anda merakamkan filem itu
semalam?

[2] *melekatkan* (*dengan pita perekat*)

**tape deck** KATA NAMA
*dek pita rakaman*

**tape measure** KATA NAMA
*pita ukur*

**tape recorder** KATA NAMA
*perakam pita*

**tapioca** KATA NAMA
*ubi kayu*

**tapir** KATA NAMA
*tenuk*

**tapper** KATA NAMA
♦ **rubber tapper** penoreh getah

**taproot** KATA NAMA
*akar tunjang*

**tar** KATA NAMA
*tar*

**target** KATA NAMA

[1] *sasaran*
◊ *We threw knives at the target.* Kami
membaling pisau pada sasaran.

[2] *matlamat*

**tariff** KATA NAMA
*tarif*
◊ *The government imposes tariffs on
imported goods.* Kerajaan mengenakan
tarif ke atas barangan import.

**Tarmac** ® KATA NAMA
*batu tar*

to **tarnish** KATA KERJA
*menjejaskan*
◊ *The incident could tarnish the school's
good name.* Kejadian itu boleh
menjejaskan nama baik sekolah.

**tart** KATA NAMA
*tart*
◊ *an apple tart* tart epal

**tartan** KATA ADJEKTIF
*tartan*
◊ *a tartan scarf* sehelai skarf tartan

**task** KATA NAMA
*tugas*

**taste** KATA NAMA

> *rujuk juga* **taste** KATA KERJA

*rasa*
◊ *It's got a really strange taste.*
Makanan itu mempunyai rasa yang
sungguh pelik.
♦ **Would you like a taste?** Anda hendak
rasa?
♦ **His joke was in bad taste.** Gurauannya
itu menyinggung perasaan orang lain.

to **taste** KATA KERJA

> *rujuk juga* **taste** KATA NAMA

*merasa*
◊ *You can taste the garlic in it.* Anda
boleh merasa bawang putih dalam
masakan itu.
♦ **Would you like to taste it?** Anda
hendak rasa?
♦ **It tastes of fish.** Makanan itu ada rasa
ikan.

**tasteful** KATA ADJEKTIF
*menarik*
◊ *tasteful jewellery* barang kemas yang
menarik

**tasteless** KATA ADJEKTIF

[1] *tidak menarik*

[2] *tawar* (*makanan*)

[3] *menyinggung perasaan*
◊ *a tasteless remark* kata-kata yang
menyinggung perasaan

**taster** KATA NAMA
*penguji* (*kualiti makanan atau minuman*)

**tasty** KATA ADJEKTIF
*sedap*

**tattered** KATA ADJEKTIF
*koyak rabak*
◊ *He was dressed in tattered clothes.*
Dia memakai pakaian yang koyak rabak.

**tattoo** KATA NAMA
(JAMAK **tattoos**)

> *rujuk juga* **tattoo** KATA KERJA

*cacah* atau *tatu*

to **tattoo** KATA KERJA

> *rujuk juga* **tattoo** KATA NAMA

*mencacah*

**taught** KATA KERJA *rujuk* **teach**

**Taurus** KATA NAMA
*Taurus*
♦ **I'm Taurus.** Zodiak saya ialah Taurus.

**taut** KATA ADJEKTIF
*tegang*
◊ *The clothes line is pulled taut and
secured.* Ampaian itu ditarik sehingga
tegang dan diikat kuat.

to **tauten** KATA KERJA
*menegangkan*
◊ *exercises to tauten facial muscles*
senaman untuk menegangkan otot muka

**tax** KATA NAMA
(JAMAK **taxes**)
*cukai*
◊ *I pay a lot of tax.* Saya membayar
cukai yang banyak.
♦ **income tax** cukai pendapatan

**taxable** KATA ADJEKTIF
*bercukai*
◊ *taxable goods* barangan bercukai

**taxation** KATA NAMA
*percukaian*
◊ *higher taxation rate* kadar percukaian

yang lebih tinggi

**taxi** KATA NAMA
*teksi*
◊ *a taxi driver* pemandu teksi

**taxing** KATA ADJEKTIF
*renyah*
◊ *a taxing job* kerja yang renyah

**taxi rank** KATA NAMA
*perhentian teksi*

**TB** SINGKATAN (= *tuberculosis*)
*batuk kering* atau *tibi*
◊ *He's got TB.* Dia menghidap batuk kering.

**tbc** SINGKATAN (= *to be confirmed*)
*sedang menunggu pengesahan* (*tarikh, tempat, dll*)

**tea** KATA NAMA
*teh*
◊ *a cup of tea* secawan teh
♦ **to have tea (1)** minum petang ◊ *We had tea at the Savoy.* Kami minum petang di Savoy.
♦ **to have tea (2)** makan malam ◊ *At five o'clock he comes back for his tea.* Dia pulang pada pukul lima untuk makan malam.

> Di Britain, ada juga orang yang merujuk kepada waktu makan malam yang awal sebagai **tea**.

♦ **high tea** minum lewat petang

**tea bag** KATA NAMA
*uncang teh*

to **teach** KATA KERJA
(**taught, taught**)
*mengajar*
◊ *My friend taught me to swim.* Kawan saya mengajar saya berenang.
♦ **That'll teach you!** Itu akan memberikan pengajaran kepada anda!

**teacher** KATA NAMA
*guru*
◊ *He's a primary school teacher.* Dia guru sekolah rendah.

**teaching** KATA NAMA
① *pengajaran*
◊ *the teaching of English in schools* pengajaran bahasa Inggeris di sekolah-sekolah
② *ajaran*
◊ *religious teaching* ajaran agama

**team** KATA NAMA
*pasukan*
◊ *a football team* pasukan bola sepak

**team player** KATA NAMA
*orang yang boleh bekerja dalam kumpulan untuk mencapai sesuatu matlamat*

**tea party** KATA NAMA
*jamuan teh*

**teapot** KATA NAMA

*teko teh*

**tear** KATA NAMA
> *rujuk juga* **tear** KATA KERJA

*air mata*
♦ **She was in tears.** Dia menangis.

to **tear** KATA KERJA
(**tore, torn**)
> *rujuk juga* **tear** KATA NAMA

*mengoyakkan*
◊ *Frankie tore the paper.* Frankie mengoyakkan kertas itu.
♦ **Your shirt is torn.** Kemeja anda sudah koyak.

to **tear up** KATA KERJA
*mengoyakkan*
◊ *He tore up the letter.* Dia mengoyakkan surat tersebut.

**teardrop** KATA NAMA
*titisan air mata*

**tear gas** KATA NAMA
*gas pemedih mata*

to **tease** KATA KERJA
*mengusik*
◊ *He's teasing you.* Dia mengusik anda.
◊ *Stop teasing that poor animal.* Jangan usik binatang yang malang itu lagi.

**teaser** KATA NAMA
*pengusik*

**teasing** KATA NAMA
*usikan*
◊ *She couldn't stand the teasing of her classmates.* Dia tidak tahan dengan usikan rakan-rakan sekelasnya.

**teaspoon** KATA NAMA
*camca teh*

**teaspoonful** KATA NAMA
*camca teh*
◊ *a teaspoonful of sugar* satu camca teh gula

**teat** KATA NAMA
*puting*

**teatime** KATA NAMA
*waktu minum petang*
◊ *It was nearly teatime.* Sudah hampir waktu minum petang. ◊ *Teatime!* Waktu minum petang!

**tea towel** KATA NAMA
*kain pengelap pinggan*

**technical** KATA ADJEKTIF
*teknikal*
♦ **a technical college** sebuah kolej teknik

**technical support** KATA NAMA
(*komputer*)
*sokongan teknikal*
> maklumat dan nasihat yang disediakan kepada pelanggan oleh pengeluar komputer, penghasil perisian dan sebagainya

**technician** KATA NAMA

_juruteknik_

**technique** KATA NAMA
_teknik_

**techno** KATA NAMA
_muzik tekno_

**technological** KATA ADJEKTIF
_teknologi_
◊ _technological change_ perubahan teknologi

**technology** KATA NAMA
(JAMAK **technologies**)
_teknologi_

**teddy bear** KATA NAMA
_beruang teddy_

**teenage** KATA ADJEKTIF
_remaja_
◊ _a teenage magazine_ majalah remaja
♦ **She has two teenage daughters.** Dia mempunyai dua orang anak perempuan yang masih remaja.

**teenager** KATA NAMA
_remaja_

**teens** KATA NAMA JAMAK
_belasan tahun_
◊ _She's in her teens._ Dia masih belasan tahun.

**tee-shirt** KATA NAMA
_kemeja-T_

**teeth** KATA NAMA JAMAK rujuk **tooth**

to **teethe** KATA KERJA
_tumbuh gigi_

**teetotal** KATA ADJEKTIF
_tidak minum arak_

**telecommunications** KATA NAMA JAMAK
_telekomunikasi_

**telegram** KATA NAMA
_telegram_

**telegraph** KATA NAMA
_telegraf_

**telegraph pole** KATA NAMA
_tiang telegraf_

**telemarketing** KATA NAMA
_pemasaran menerusi telefon_

**telephone** KATA NAMA

| rujuk juga **telephone** KATA KERJA |

_telefon_
◊ _on the telephone_ bercakap di telefon
◊ _a telephone box_ pondok telefon
◊ _a telephone directory_ panduan telefon

to **telephone** KATA KERJA

| rujuk juga **telephone** KATA NAMA |

_menelefon_

**telephone pole** KATA NAMA 🇦🇺
_tiang telegraf_

**telephonist** KATA NAMA
_telefonis_

**telesales** KATA NAMA
_telejualan_ (jualan menerusi telefon)

**telescope** KATA NAMA

_teleskop_

**television** KATA NAMA
_televisyen_
◊ _The match is on television tonight._ Perlawanan itu akan disiarkan di televisyen pada malam ini.
♦ **television licence** lesen televisyen

to **tell** KATA KERJA
(**told, told**)
_memberitahu_
◊ _Did you tell your mother?_ Adakah anda memberitahu emak anda?
♦ **to tell somebody to do something** menyuruh seseorang membuat sesuatu
◊ _He told me to wait a moment._ Dia menyuruh saya tunggu sebentar.
♦ **to tell a story** bercerita
♦ **to tell lies** berbohong
♦ **I can't tell the difference between them.** Saya tidak dapat membezakan mereka berdua.
♦ **You can tell he's not serious.** Anda boleh nampak bahawa dia tidak serius.

to **tell off** KATA KERJA
_memarahi_

**telly** KATA NAMA
(JAMAK **tellies**) (_tidak formal_)
_TV_
◊ _to watch telly_ menonton TV ◊ _on telly_ di TV

**temper** KATA NAMA
_sikap panas baran_
♦ **He's got a terrible temper.** Dia mudah panas baran.
♦ **to be in a temper** naik radang
♦ **to lose one's temper** hilang sabar

**temperature** KATA NAMA
_suhu_
♦ **to have a temperature** demam

**temple** KATA NAMA
1 _kuil_
2 _pelipis_ (_bahagian kepala_)

**temporarily** KATA ADVERBA
_buat sementara waktu_
◊ _The shop was temporarily closed._ Kedai itu ditutup buat sementara waktu.

**temporary** KATA ADJEKTIF
_sementara_

to **tempt** KATA KERJA
_cuba mempengaruhi_
◊ _to tempt somebody to do something_ cuba mempengaruhi seseorang melakukan sesuatu

**temptation** KATA NAMA
_godaan_

**tempted** KATA ADJEKTIF
_tergoda_
◊ _Arman was not tempted by his friends' attempts at persuasion._ Arman tidak

**T**

tergoda dengan pujukan kawan-kawannya.

♦ **I'm tempted to sell my house.** Saya terasa hendak menjual rumah saya.

♦ **to feel tempted** terasa ◊ *She'd never even felt tempted to return.* Dia langsung tidak pernah terasa hendak pulang.

**tempting** KATA ADJEKTIF
*sungguh menarik*
◊ *a tempting offer* tawaran yang sungguh menarik

**ten** ANGKA
*sepuluh*
♦ **She's ten.** Dia berumur sepuluh tahun.

**tenant** KATA NAMA
*penyewa*

to **tend** KATA KERJA
*sering*
◊ *to tend to do something* sering melakukan sesuatu ◊ *He tends to arrive late.* Dia sering datang lewat.

♦ **Men tend to die younger.** Orang lelaki lebih cenderung meninggal pada usia muda.

♦ **People tend to be more conservative as they get older.** Manusia akan menjadi lebih konservatif apabila usia mereka semakin meningkat.

♦ **to tend something** menjaga sesuatu ◊ *He loves to tend his garden.* Dia gemar menjaga tamannya.

**tender** KATA ADJEKTIF
1 *lembut*
◊ *a tender voice* suara yang lembut
2 *empuk*
◊ *Cook until the meat is tender.* Masak sehingga daging itu empuk.

♦ **the loss of her father at such a tender age** kehilangan bapanya ketika usianya masih mentah

**tennis** KATA NAMA
*tenis*
◊ *to play tennis* bermain tenis ◊ *a tennis court* gelanggang tenis

**tennis player** KATA NAMA
*pemain tenis*
◊ *He's a tennis player.* Dia seorang pemain tenis.

**tenor** KATA NAMA
*penyanyi tenor* (penyanyi lelaki bersuara tinggi)

**tenpin bowling** KATA NAMA
*boling*
◊ *to go tenpin bowling* bermain boling

**tense** KATA ADJEKTIF
> rujuk juga **tense** KATA NAMA, KATA KERJA

1 *tegang*
◊ *a tense situation* keadaan yang tegang

2 *cemas* (orang)

**tense** KATA NAMA
> rujuk juga **tense** KATA ADJEKTIF, KATA KERJA

*kala*
◊ *the present tense* kala kini ◊ *the future tense* kala depan

to **tense** KATA KERJA
> rujuk juga **tense** KATA ADJEKTIF, KATA NAMA

*menegang*
◊ *His muscles tensed.* Ototnya menegang.

**tension** KATA NAMA
1 *ketegangan*
2 *perasaan cemas*

**tent** KATA NAMA
*khemah*
◊ *a tent peg* pancang khemah ◊ *a tent pole* tiang khemah

**tenth** KATA ADJEKTIF
*kesepuluh*
◊ *the tenth place* tempat kesepuluh
♦ **the tenth of May** sepuluh hari bulan Mei

**term** KATA NAMA
1 *istilah*
◊ *legal terms* istilah undang-undang
2 *penggal*
◊ *It's nearly the end of term.* Sudah hampir akhir penggal.
3 *jangka masa*
◊ *in the long term* dalam jangka masa panjang
♦ **He hasn't yet come to terms with his disability.** Dia masih belum dapat menerima kecacatannya.

**terminal** KATA ADJEKTIF
> rujuk juga **terminal** KATA NAMA

1 *tenat* (pesakit)
2 *boleh membawa maut* (penyakit)
◊ *His illness was terminal.* Penyakitnya boleh membawa maut.

**terminal** KATA NAMA
> rujuk juga **terminal** KATA ADJEKTIF

1 *perhentian* (bas, teksi)
2 *pelabuhan* (kapal)
3 *terminal* (kapal terbang, komputer)
4 *stesen* (kereta api)
♦ **oil terminal** pangkalan minyak

**terminally** KATA ADVERBA
*boleh membawa maut*
◊ *to be terminally ill* menghidap penyakit yang boleh membawa maut

to **terminate** KATA KERJA
1 *tamat*
◊ *His contract terminates in January.* Kontraknya tamat pada bulan Januari.
2 *menamatkan*
♦ **This train will terminate at Ipoh.**

Kereta api ini akan berhenti di stesen terakhir di Ipoh.

**termination**  KATA NAMA
*penamatan*
◊ *the termination of a contract* penamatan kontrak

**termite**  KATA NAMA
*anai-anai*

**terrace**  KATA NAMA
1 *deret*
◊ *a terrace of Victorian houses* sederet rumah dari zaman Victoria
2 *teres*
◊ *We were sitting on the terrace.* Kami duduk di teres.
♦ **the terraces** tempat duduk penonton yang bertingkat

**terraced**  KATA ADJEKTIF
*teres*
◊ *a terraced house* sebuah rumah teres

**terrapin**  KATA NAMA
*labi-labi*

**terrible**  KATA ADJEKTIF
1 *teruk*
◊ *Their injuries were terrible.* Kecederaan mereka teruk.
2 *dahsyat*
◊ *a terrible nightmare* mimpi ngeri yang dahsyat
♦ **This coffee is terrible.** Kopi ini tidak sedap langsung.
♦ **I feel terrible. (1)** Saya berasa tidak sihat.
♦ **I feel terrible. (2)** Saya berasa bersalah.

**terrier**  KATA NAMA
*anjing terrier*

**terrific**  KATA ADJEKTIF
*hebat*
♦ **That's terrific!** Hebat !
♦ **You look terrific!** Anda kelihatan cantik sekali!
♦ **The project needs a terrific amount of money.** Projek tersebut memerlukan wang yang sangat banyak.

**terrified**  KATA ADJEKTIF
*sungguh takut*
◊ *I was terrified!* Saya sungguh takut!

**terrifying**  KATA ADJEKTIF
*menggerunkan*

**territory**  KATA NAMA
(JAMAK **territories**)
*wilayah*

**terror**  KATA NAMA
1 *perasaan takut*
2 *ancaman keganasan*

**terrorism**  KATA NAMA
*keganasan*

**terrorist**  KATA NAMA
*pengganas*

◊ *a terrorist attack* serangan pengganas

to **test**  KATA KERJA
| *rujuk juga* **test** KATA NAMA |
*menguji*
◊ *He tested us on the new vocabulary.* Dia menguji kami mengenai perbendaharaan kata yang baru itu.
♦ **to test something out** menguji sesuatu
♦ **The athlete was tested for drugs.** Ujian dadah dijalankan ke atas atlit itu.

**test**  KATA NAMA
| *rujuk juga* **test** KATA KERJA |
*ujian*

**tester**  KATA NAMA
*penguji*

to **testify**  KATA KERJA
(**testified**, **testified**)
*memberikan keterangan*
◊ *Brandon testified that he saw the officers hit Miller in the face.* Brandon memberikan keterangan bahawa dia melihat pegawai-pegawai itu memukul muka Miller.

**testimonial**  KATA NAMA
*surat perakuan*

**testimony**  KATA NAMA
(JAMAK **testimonies**)
*keterangan* atau *testimoni*

**test match**  KATA NAMA
(JAMAK **test matches**)
*perlawanan antarabangsa* (*untuk kriket, ragbi*)

**test tube**  KATA NAMA
*tabung uji*

**tetanus**  KATA NAMA
*kancing gigi* atau *tetanus*
◊ *a tetanus injection* suntikan kancing gigi

to **tether**  KATA KERJA
*menambat*

**text**  KATA NAMA
| *rujuk juga* **text** KATA KERJA |
*teks*
◊ *literary text* teks berunsur sastera

to **text**  KATA KERJA
| *rujuk juga* **text** KATA NAMA |
*menghantar pesanan teks*
◊ *to text someone* menghantar pesanan teks kepada seseorang

**textbook**  KATA NAMA
*buku teks*
◊ *a science textbook* buku teks sains

**textile**  KATA NAMA
*kain* atau *tekstil*

**text message**  KATA NAMA
*pesanan teks* (*dihantar menerusi telefon bimbit*)

**text messaging**  KATA NAMA

T

*penghantaran pesanan teks* (*menerusi telefon bimbit*)

**Thames**   KATA NAMA
*Sungai Thames*
♦ **the Thames**   Sungai Thames

**than**   KATA HUBUNG
*daripada*
♦ *She's taller than me.* Dia lebih tinggi daripada saya. ♦ *more than 10 years* lebih daripada 10 tahun

to **think**   KATA KERJA
*mengucapkan terima kasih*
♦ *Don't forget to write and thank them.* Jangan lupa tulis surat dan ucapkan terima kasih kepada mereka.
♦ **thank you**   terima kasih

**thanks**   KATA SERUAN
(*tidak formal*)
*terima kasih*
♦ **Thanks to him, everything went OK.** Semuanya berjalan lancar berkat bantuannya.

**that**   KATA ADJEKTIF

> rujuk juga **that** KATA GANTI NAMA, KATA HUBUNG, KATA ADVERBA

*itu*
♦ *that man* lelaki itu ♦ *Look at that car over there!* Lihat kereta di sana!
♦ **that one**   yang itu ♦ *Do you like this photo? - No, I prefer that one.* Anda suka gambar ini? - Tidak, saya lebih suka yang itu. ♦ *That one in the shop is cheaper.* Yang di kedai itu lebih murah.

**that**   KATA GANTI NAMA

> rujuk juga **that** KATA ADJEKTIF, KATA HUBUNG, KATA ADVERBA

① *itu*
♦ *Who's that?* Siapakah itu? ♦ *What's that?* Apakah itu? ♦ *That's my French teacher over there.* Itu guru bahasa Perancis saya.
♦ **Is that you?** Andakah itu?
♦ **That's impossible.** Mustahil!
② *yang*
♦ *the man that saw us* lelaki yang nampak kami ♦ *the man that we saw* lelaki yang kami nampak ♦ *the dog that she bought* anjing yang dibelinya ♦ *the man that we spoke to* lelaki yang bercakap dengan kami ♦ *the women that she was chatting to* wanita-wanita yang bercakap dengannya

**that**   KATA HUBUNG

> rujuk juga **that** KATA ADJEKTIF, KATA GANTI NAMA, KATA ADVERBA

*bahawa*
♦ *He thought that Henry was ill.* Dia menyangka bahawa Henry sakit. ♦ *I know that she likes chocolate.* Saya tahu

bahawa dia suka makan coklat.

**that**   KATA ADVERBA

> rujuk juga **that** KATA ADJEKTIF, KATA GANTI NAMA, KATA HUBUNG

*begitu*
♦ *It's not that difficult.* Perkara itu tidaklah begitu susah.
♦ **It was that big!** Benda itu sangat besar!
♦ **It's about that high.** Benda itu lebih kurang setinggi itu.

**thatch**   KATA NAMA
(JAMAK **thatches**)
① *jerami*
♦ *The villagers still use thatch to make roofs and walls for their houses.* Penduduk kampung itu masih menggunakan jerami sebagai atap dan dinding rumah.
② *atap jerami*

**thatched**   KATA ADJEKTIF
*beratapkan jerami*
♦ *a thatched house* rumah yang beratapkan jerami

**the**   KATA SANDANG TENTU
*itu* atau *tersebut*
♦ *the boy* budak tersebut ♦ *the cars* kereta-kereta itu
Ada kalanya **the** tidak diterjemahkan.
♦ *They went to the theatre.* Mereka pergi ke teater. ♦ *the soup of the day* sup istimewa hari ini

**theatre**   KATA NAMA
(AS **theater**)
*teater*

**theft**   KATA NAMA
*pencurian*

**their**   KATA ADJEKTIF
*mereka*
♦ *their father* bapa mereka ♦ *their house* rumah mereka

**theirs**   KATA GANTI NAMA
① *kata nama + mereka*
♦ *Is this their car? - No, theirs is red.* Adakah ini kereta mereka? - Bukan, kereta mereka berwarna merah. ♦ *my parents and theirs* ibu bapa saya dan ibu bapa mereka ♦ *It's not our car, it's theirs.* Ini bukan kereta kami, ini kereta mereka.
② *milik mereka*
♦ *The books are theirs.* Buku-buku itu milik mereka. ♦ *Whose is this? - It's theirs.* Barang ini milik siapa? - Milik mereka.
♦ **Isobel is a friend of theirs.** Isobel ialah kawan mereka.

**them**   KATA GANTI NAMA
① *mereka*
♦ *I didn't know them.* Saya tidak mengenali mereka. ♦ *Look at them!*

Lihatlah mereka!

*Dalam bahasa Inggeris, them ialah kata ganti nama bagi semua benda hidup dan bukan hidup. Dalam bahasa Melayu, kata ganti nama mereka hanya digunakan untuk orang sahaja.*

◊ *I had to give them to her.* Saya terpaksa memberikan barang-barang itu kepadanya. ◊ *She brought the dogs into the kitchen and fed them.* Dia membawa anjing-anjing itu ke dapur dan memberi haiwan tersebut makan.

**2** *nya*

*Kadang-kadang nya digunakan untuk menterjemahkan them.*

◊ *Have you seen my slippers? I left them here.* Anda nampak selipar saya? Saya telah meletakkannya di sini.

*Kadang-kadang them tidak diterjemahkan.*

◊ *His socks had stripes on them.* Sarung kakinya berbelang.

**theme** KATA NAMA
*tema*

**theme park** KATA NAMA
*taman tema*

**themselves** KATA GANTI NAMA
**1** *diri mereka*
◊ *They introduced themselves as 'The Winners'.* Mereka memperkenalkan diri mereka sebagai 'The Winners'. ◊ *They talked mainly about themselves.* Mereka lebih banyak bercerita tentang diri mereka.
♦ **Did they hurt themselves?** Apakah mereka tercedera?
**2** *sendiri*
◊ *They built the house themselves.* Mereka membina rumah itu sendiri.
♦ **The girls did it all by themselves.** Gadis-gadis itu melakukan semua kerja itu sendiri tanpa sebarang bantuan.

**then** KATA ADVERBA, KATA HUBUNG
**1** *kemudian*
◊ *I get dressed. Then I have breakfast.* Saya mengenakan pakaian, kemudian saya bersarapan.
**2** *kalau begitu*
◊ *My pen's run out. - Use a pencil then!* Pen saya kehabisan dakwat. - Kalau begitu gunalah pensel!
**3** *pada waktu itu*
◊ *There was no electricity then.* Pada waktu itu tidak ada bekalan elektrik.
♦ **By then it was too late.** Pada waktu itu, semuanya sudah terlambat.
♦ **now and then** sekali-sekala ◊ *Do you play chess? - Now and then.* Adakah anda bermain catur? - Sekali-sekala.

**theory** KATA NAMA

(JAMAK **theories**)
*teori*

**therapist** KATA NAMA
*ahli terapi*

**therapy** KATA NAMA
(JAMAK **therapies**)
*terapi*

**there** KATA ADVERBA
*sana*
◊ *Put the book there, on the table.* Letakkan buku itu di sana, di atas meja.
♦ **over there** di sana
♦ **in there** di dalam sana
♦ **on there** di atas sana
♦ **up there** di atas sana
♦ **down there** di bawah sana
♦ **There he is!** Itu pun dia!
♦ **there is** ada ◊ *There's a factory near my house.* Ada sebuah kilang berhampiran rumah saya.
♦ **there are** ada ◊ *There are 20 children in my class.* Ada 20 orang kanak-kanak di dalam kelas saya.
♦ **There has been an accident.** Satu kemalangan telah berlaku.

**therefore** KATA ADVERBA
*oleh itu*

**there's** = **there is**, = **there has**

**thermometer** KATA NAMA
*jangka suhu* atau *termometer*

**Thermos ®** KATA NAMA
*termos*

**thermostat** KATA NAMA
*laras suhu*

**thesaurus** KATA NAMA
(JAMAK **thesauruses**)
*tesaurus*

**these** KATA ADJEKTIF
rujuk juga **these** KATA GANTI NAMA
*ini*
◊ *these shoes* kasut-kasut ini ◊ *these houses* rumah-rumah ini

**these** KATA GANTI NAMA
rujuk juga **these** KATA ADJEKTIF
*yang ini*
◊ *I'm looking for some sandals. - Can I try these?* Saya sedang mencari sandal. Bolehkah saya mencuba yang ini?

**they** KATA GANTI NAMA
*mereka*
◊ *They're fine, thank you.* Mereka sihat. Terima kasih. ◊ *We went to the cinema but they didn't.* Kami pergi ke pawagam tetapi mereka tidak pergi.
♦ **They say that...** Menurut kata orang... ◊ *They say that the house is haunted.* Menurut kata orang rumah itu berhantu.

**they'd** = **they had**, = **they would**
**they'll** = **they will**

T

they're = they are
they've = they have

**thick** KATA ADJEKTIF
  1 *tebal*
  ◊ *Give him a thick slice of bread.*
  Berinya sekeping roti yang tebal.
♦ **thick hair** rambut yang lebat
♦ **The walls are one metre thick.** Tebal dinding itu ialah satu meter.
  2 *pekat*
  ◊ *My soup is too thick.* Sup saya terlalu pekat.
  3 (*tidak formal*) *bodoh*

to **thicken** KATA KERJA
  *memekat*
  ◊ *Keep stirring until the sauce thickens.*
  Terus kacau sehingga sos itu memekat.

**thicket** KATA NAMA
  *rumpun*
  ◊ *two bamboo thickets* dua rumpun buluh

**thief** KATA NAMA
  (JAMAK **thieves**)
  *pencuri*

**thigh** KATA NAMA
  *paha*

**thin** KATA ADJEKTIF
  | *rujuk juga* **thin** KATA KERJA |
  1 *halus*
  ◊ *a thin cable* kabel halus
  2 *nipis*
  ◊ *a thin slice of bread* sekeping roti yang nipis
  3 *kurus*
  ◊ *She's very thin.* Dia sangat kurus.

to **thin** KATA KERJA
  | *rujuk juga* **thin** KATA ADJEKTIF |
  *menipiskan*
  ◊ *Dahlia thinned the soup with water.*
  Dahlia menipiskan sup itu dengan menambahkan air ke dalamnya.

**thing** KATA NAMA
  1 *benda*
  ◊ *beautiful things* benda-benda yang cantik
  2 *barang*
  ◊ *Where shall I put my things?* Di manakah saya patut meletakkan barang-barang saya?
  3 *perkara*
  ◊ *I don't believe he would tell Leo such a thing.* Saya tidak percaya bahawa dia akan memberitahu Leo perkara seperti itu.
♦ **How's things?** Bagaimanakah keadaan sekarang?
♦ **You poor thing!** Kasihannya!
♦ **The best thing would be to leave it.** Lebih baik biarkan sahaja.

to **think** KATA KERJA

(**thought, thought**)
  1 *fikir*
  ◊ *Think carefully before you reply.* Fikir baik-baik sebelum anda menjawab. ◊ *I think you're wrong.* Saya fikir anda silap. ◊ *I think so.* Saya fikir begitu. ◊ *I don't think so.* Saya fikir tidak.
  2 *berfikir*
  ◊ *I don't blame you for thinking that way.* Saya tidak salahkan anda kerana berfikir begitu.
♦ **What are you thinking about?** Apakah yang sedang anda fikirkan?
♦ **What do you think about it?** Apakah pendapat anda tentang hal ini?
  3 *membayangkan*
  ◊ *Think what life would be like without cars.* Bayangkanlah kehidupan ini tanpa kereta.
♦ **She laughed when she thought of her childhood.** Dia ketawa apabila terkenangkan zaman kanak-kanaknya.
♦ **Nobody could think of anything to say.** Tidak ada sesiapa pun yang terfikir untuk berkata apa-apa.
♦ **I just can't think of his name.** Saya tidak dapat mengingati namanya.

to **think over** KATA KERJA
  *mempertimbangkan*
  ◊ *She said she needs time to think it over.* Dia mengatakan bahawa dia memerlukan masa untuk mempertimbangkannya.

to **think through** KATA KERJA
  *berfikir panjang tentang*
  ◊ *She thought through the proposals but could not come to a conclusion.* Dia berfikir panjang tentang cadangan itu tetapi tidak dapat membuat kesimpulan.

**thinker** KATA NAMA
  *pemikir*

**thinking** KATA NAMA
  *pemikiran*
♦ **I can't follow his thinking.** Saya tidak faham cara pemikirannya.

**think-tank** KATA NAMA
  *sumbang saran*

**third** KATA ADJEKTIF, KATA ADVERBA
  | *rujuk juga* **third** KATA NAMA |
  *ketiga*
  ◊ *the third prize* hadiah ketiga ◊ *third place* tempat ketiga
♦ **the third of March** tiga hari bulan Mac

**third** KATA NAMA
  | *rujuk juga* **third** KATA ADJEKTIF, KATA ADVERBA |
  *satu pertiga*
  ◊ *a third of the population* satu pertiga daripada populasi

**thirdly**   KATA ADVERBA
*yang ketiga*
**Third World**   KATA NAMA
*Dunia Ketiga*
**thirst**   KATA NAMA
*dahaga*
**thirsty**   KATA ADJEKTIF
*dahaga*
♦ **to be thirsty**   dahaga
**thirteen**   ANGKA
*tiga belas*
♦ **I'm thirteen.**   Saya berumur tiga belas
tahun.
**thirteenth**   KATA ADJEKTIF
*ketiga belas*
◊ *the thirteenth place*   tempat ketiga
belas
♦ **the thirteenth of October**   tiga belas hari
bulan Oktober
**thirties**   KATA NAMA JAMAK
*tiga puluhan*
**thirtieth**   KATA ADJEKTIF
*ketiga puluh*
◊ *the thirtieth place*   tempat ketiga puluh
♦ **the thirtieth of April**   tiga puluh hari
bulan April
**thirty**   ANGKA
*tiga puluh*
♦ **He's thirty.**   Dia berumur tiga puluh tahun.
**this**   KATA ADJEKTIF

> rujuk juga **this** KATA GANTI NAMA

*ini*
◊ *this book*   buku ini ◊ *this road*
jalan ini
♦ **this one**   yang ini ◊ *Pass me that pen. -
This one?*   Hulurkan pen itu kepada saya.
- Yang ini?
♦ **This is my room and this one's Jane's.**
Ini bilik saya dan ini pula bilik Jane.
**this**   KATA GANTI NAMA

> rujuk juga **this** KATA ADJEKTIF

*ini*
◊ *This is my office and this is the
meeting room.*   Ini pejabat saya dan ini
bilik mesyuarat. ◊ *What's this?*   Apakah
ini? ◊ *This is my mother.*   Ini emak
saya.
♦ **This is Gavin speaking.**   Gavin bercakap
di sini.
**thistle**   KATA NAMA
*pokok thistle*

> *tumbuhan liar dengan daun yang
berduri dan bunga yang berwarna
ungu*

**thong**   KATA NAMA
1 *tali kulit, plastik atau getah*
2 🔊 *selipar Jepun*
**thorn**   KATA NAMA
*duri*

**thorny**   KATA ADJEKTIF
*berduri*
·◊ *The flower is beautiful, but it is thorny.*
Bunga itu cantik, tetapi berduri.
**thorough**   KATA ADJEKTIF
*teliti*
◊ *a thorough check*   pemeriksaan yang
teliti ◊ *She's very thorough.*   Dia sangat
teliti.
**thoroughly**   KATA ADVERBA
*dengan teliti*
◊ *I checked the car thoroughly.*   Saya
memeriksa kereta tersebut dengan teliti.
♦ **Mix the ingredients thoroughly.**
Gaulkan ramuan itu sehingga sebati.
♦ **I thoroughly enjoyed myself.**   Saya
betul-betul seronok.
**those**   KATA ADJEKTIF

> rujuk juga **those** KATA GANTI NAMA

*itu*
◊ *those shoes*   kasut-kasut itu ◊ *those
girls*   gadis-gadis itu
♦ **those houses over there**   rumah-rumah
di sana
**those**   KATA GANTI NAMA

> rujuk juga **those** KATA ADJEKTIF

*yang itu*
◊ *I want those!*   Saya hendak yang itu!
◊ *Ask those children. - Those over
there?*   Tanyalah kanak-kanak itu. - Yang
di sana itu?
**though**   KATA HUBUNG, KATA ADVERBA
*walaupun*
◊ *Though she was tired she stayed up
late.*   Walaupun dia letih, dia tidur lewat.
♦ **It's difficult, though, to put into
practice.**   Walau bagaimanapun, perkara
itu bukanlah mudah untuk dipraktikkan.
**thought**   KATA KERJA   *rujuk* **think**
**thought**   KATA NAMA
*idea*
◊ *I've just had a thought.*   Saya baru
mendapat satu idea.
♦ **He kept his thoughts to himself.**   Dia
tidak meluahkan pendapatnya.
♦ **It was a nice thought, thank you.**   Anda
sungguh baik hati. Terima kasih.
**thoughtful**   KATA ADJEKTIF
*bertimbang rasa*
◊ *She's very thoughtful.*   Dia sangat
bertimbang rasa.
♦ **You look thoughtful.**   Anda seperti
sedang memikirkan sesuatu.
**thoughtless**   KATA ADJEKTIF
*tidak bertimbang rasa*
◊ *She's very thoughtless.*   Dia tidak
bertimbang rasa langsung.
**thousand**   ANGKA
*ribu*

**T**

◊   *a thousand*   seribu
♦   **thousands of people**   beribu-ribu orang

**thousandth**   KATA ADJEKTIF
    *keseribu*

**thread**   KATA NAMA
    *benang*

**threat**   KATA NAMA
    [1]   *ancaman*
    [2]   *ugutan*

to **threaten**   KATA KERJA
    [1]   *mengancam*
    ◊   *He threatened me with a knife.*   Dia mengancam saya dengan sebilah pisau.
    [2]   *mengugut*
    ◊   *He threatened to expose my secret.*   Dia mengugut akan membocorkan rahsia saya.

**threatened**   KATA ADJEKTIF
    *tergugat*
    ◊   *I felt threatened by his words just now.*   Saya berasa tergugat dengan kata-katanya tadi.

**three**   ANGKA
    *tiga*
♦   **She's three.**   Dia berumur tiga tahun.

**three-dimensional**   KATA ADJEKTIF
    *tiga dimensi*

**three-piece suite**   KATA NAMA
    *set sofa*   (satu sofa dua kerusi)

to **thresh**   KATA KERJA
    *membanting*
    ◊   *to thresh paddy*   membanting padi

**threshold**   KATA NAMA
    *ambang pintu*

**threw**   KATA KERJA   rujuk **throw**

**thriftily**   KATA ADVERBA
    *dengan berjimat cermat*
    ◊   *to spend thriftily*   berbelanja dengan berjimat cermat

**thrifty**   KATA ADJEKTIF
    *berjimat cermat*

**thrill**   KATA NAMA
    *keseronokan*
    ◊   *I remember the thrill of Christmas as a child.*   Saya teringat keseronokan Krismas semasa zaman kanak-kanak.
♦   **It was a great thrill to see my team win.**   Seronok benar saya melihat pasukan saya menang.

**thrilled**   KATA ADJEKTIF
    *amat seronok*
    ◊   *I was thrilled.*   Saya berasa amat seronok.

**thriller**   KATA NAMA
    *cerita seram*

**thrilling**   KATA ADJEKTIF
    *menyeronokkan*

**throat**   KATA NAMA
    *kerongkong*

◊   *I have a sore throat.*   Saya sakit kerongkong.

to **throb**   KATA KERJA
    *berdenyut-denyut*
    ◊   *My arm's throbbing.*   Tangan saya berdenyut-denyut.   ◊   *a throbbing pain*   sakit yang berdenyut-denyut

**throne**   KATA NAMA
    *takhta*

**through**   KATA ADJEKTIF, KATA ADVERBA, KATA SENDI
    *melalui*
    ◊   *to look through a telescope*   melihat melalui teleskop   ◊   *I know her through my friend.*   Saya mengenalinya melalui kawan saya.   ◊   *to go through Birmingham*   melalui Birmingham   ◊   *to walk through the woods*   berjalan melalui hutan
♦   **I saw him through the crowd.**   Saya nampak dia di celah-celah orang ramai.
♦   **The window was dirty and I couldn't see through.**   Tingkap itu kotor dan saya tidak dapat melihat menerusinya.
♦   **He went straight through to the dining room.**   Dia terus masuk ke ruang makan.
♦   **a through train**   kereta api terus
♦   **"no through road"**   "jalan mati"
♦   **all through the night**   sepanjang malam
♦   **from May through to September**   dari bulan Mei hingga bulan September

**throughout**   KATA SENDI
    [1]   *di seluruh*
    ◊   *throughout Britain*   di seluruh Britain
    [2]   *sepanjang*
    ◊   *throughout the year*   sepanjang tahun

**throw**   KATA NAMA
    | rujuk juga **throw** KATA KERJA |
    [1]   *lemparan*
    ◊   *Her throw was right on target.*   Lemparannya tepat pada sasaran.
    [2]   *kain penutup*   (untuk sofa, katil, dll)

to **throw**   KATA KERJA
    **(threw, threw)**
    | rujuk juga **throw** KATA NAMA |
    *membaling*
    ◊   *He threw the ball to me.*   Dia membaling bola itu kepada saya.
♦   **to throw a party**   mengadakan majlis
♦   **That really threw him.**   Hal itu betul-betul memeranjatkannya.

to **throw away**   KATA KERJA
    [1]   *membuang*
    [2]   *mensia-siakan*
    ◊   *to throw away an opportunity*   mensia-siakan satu peluang

to **throw out**   KATA KERJA
    [1]   *membuang*
    [2]   *menghalau*
    ◊   *I threw him out.*   Saya menghalaunya.

to **throw up** KATA KERJA
*muntah*
◊ *The discus thrower is exhausted.*
Pelempar cakera itu sudah keletihan.

**thrower** KATA NAMA
*pelempar*
◊ *The discus thrower is exhausted.*
Pelempar cakera itu sudah keletihan.

**thrust** KATA NAMA
*tikaman*
◊ *He tried to avoid the thrust.* Dia cuba
mengelakkan tikaman itu.

**thug** KATA NAMA
*samseng*

**thumb** KATA NAMA
*ibu jari*

to **thumb** KATA KERJA
1 *menumbuk*
◊ *to thump somebody* menumbuk
seseorang
2 *berdegup*
◊ *My heart was thumping wildly.*
Jantung saya berdegup dengan kencang
sekali.

**thunder** KATA NAMA
*guruh*
♦ **thunder and lightning** petir

**thunderbolt** KATA NAMA
*halilintar*

**thunderous** KATA ADJEKTIF
*gemuruh*
◊ *thunderous applause* tepukan
gemuruh

**thunderstorm** KATA NAMA
*ribut petir*

**thundery** KATA ADJEKTIF
*mendung disertai guruh*
◊ *thundery weather* cuaca yang
mendung disertai guruh

**Thursday** KATA NAMA
*hari Khamis*
◊ *I saw her on Thursday.* Saya bertemu
dengannya pada hari Khamis.
◊ *every Thursday* setiap hari Khamis
◊ *last Thursday* hari Khamis lepas
◊ *next Thursday* hari Khamis depan

**thus** KATA ADVERBA
*oleh itu*
◊ *Some people are more capable and
thus better paid than others.* Sesetengah
orang lebih berkebolehan. Oleh itu,
mereka dibayar lebih daripada orang lain.

**thyme** KATA NAMA
*daun thyme (sejenis herba yang
digunakan dalam masakan)*

**tick** KATA NAMA
rujuk juga **tick** KATA KERJA
1 *tanda rait*
◊ *Place a tick in the appropriate box.*
Letakkan tanda rait dalam kotak yang
berkenaan.

2 *detikan*
◊ *The clock has a loud tick.* Jam
tersebut mempunyai detikan yang kuat.
♦ **in a tick** sekejap lagi

to **tick** KATA KERJA
rujuk juga **tick** KATA NAMA
1 *menandakan rait*
◊ *Tick the appropriate box.* Tandakan
rait dalam kotak yang berkenaan.
2 *berdetik (jam)*

to **tick off** KATA KERJA
1 *menandakan rait pada*
◊ *The teacher ticked the names off in the
register.* Guru tersebut menandakan rait
pada nama-nama yang terdapat dalam
buku daftar.
2 *memarahi*
◊ *He was ticked off for being late.* Dia
dimarahi kerana lewat.

**ticket** KATA NAMA
1 *tiket*
2 *surat saman*
◊ *a parking ticket* surat saman letak
kereta

**ticket inspector** KATA NAMA
*pemeriksa tiket*

**ticket office** KATA NAMA
*tempat menjual tiket*

to **tickle** KATA KERJA
rujuk juga **tickle** KATA NAMA
1 *menggeletek*
◊ *She enjoyed tickling the baby.* Dia
seronok menggeletek bayi tersebut.
2 *menggelikan hati*
◊ *The funny story tickled me.* Cerita
yang lucu itu menggelikan hati saya.

**tickle** KATA NAMA
rujuk juga **tickle** KATA KERJA
*geletek*

**ticklish** KATA ADJEKTIF
*geli*
♦ **to be ticklish** berasa geli

**tickly** KATA ADVERBA
*geli*
♦ **Sita laughed at the tickly feeling.** Sita
ketawa kerana kegelian.

**tide** KATA NAMA
*pasang surut*
♦ **high tide** air pasang
♦ **low tide** air surut

**tidiness** KATA NAMA
*kekemasan*

**tidy** KATA ADJEKTIF
rujuk juga **tidy** KATA KERJA
*kemas*
◊ *Your room is very tidy.* Bilik anda
sangat kemas. ◊ *She's very tidy.* Dia
seorang yang sangat kemas.

to **tidy** KATA KERJA

**T**

**(tidied, tidied)**

> rujuk juga **tidy** KATA ADJEKTIF

*mengemaskan*

to **tidy up**   KATA KERJA

*mengemas*

◊ *Don't forget to tidy up afterwards.*
Jangan lupa mengemas nanti.

**tie**   KATA NAMA

> rujuk juga **tie** KATA KERJA

1 *tali leher*

2 *ikatan*

◊ *the tie between mother and child*
ikatan antara ibu dengan anak

3 *keputusan seri* (*dalam permainan*)

to **tie**   KATA KERJA

> rujuk juga **tie** KATA NAMA

1 *mengikat*

♦ **to tie a knot in something**
menyimpulkan sesuatu

2 *seri*

◊ *They tied three-all.*   Mereka seri
dengan keputusan tiga sama.

to **tie up**   KATA KERJA

1 *mengikat* (*orang, tali*)

2 *menambat* (*bot, perahu*)

**tiger**   KATA NAMA

*harimau*

**tight**   KATA ADJEKTIF

*ketat*

◊ *tight jeans*   seluar jean yang ketat

♦ **Hold on tight!**   Pegang kuat-kuat!

to **tighten**   KATA KERJA

1 *menguatkan* (*genggaman*)

2 *menegangkan*

◊ *to tighten the string*   menegangkan tali

3 *mengetatkan*

◊ *I used my thumbnail to tighten the
screw.*   Saya menggunakan kuku ibu jari
untuk mengetatkan skru tersebut.

**tight-fisted**   KATA ADJEKTIF

*berkira* (*tentang wang*)

◊ *You shouldn't be so tight-fisted towards
someone like Jarah, she's not well-off.*
Jangan berkira sangat dengan orang
seperti Jarah. Dia bukanlah orang kaya.

**tightly**   KATA ADVERBA

1 *ketat*

◊ *Entrance to the auditorium was tightly
controlled.*   Pintu masuk ke auditorium itu
dikawal ketat.

♦ **He fastened his belt tightly.**   Dia
mengancing tali pinggangnya ketat-ketat.

2 *rapat*

◊ *tightly closed*   tertutup rapat

♦ **She held my hand tightly.**   Dia
menggenggam erat tangan saya.

**tights**   KATA NAMA JAMAK

*seluar sendat*

◊ *a pair of tights*   sehelai seluar sendat

**tigress**   KATA NAMA

(JAMAK **tigresses**)

*harimau betina*

**tile**   KATA NAMA

1 *jubin*

2 *genting* (*untuk bumbung*)

**tiled**   KATA ADJEKTIF

1 *berjubin* (*lantai, dll*)

2 *beratapkan genting*

**till**   KATA SENDI, KATA HUBUNG

> rujuk juga **till** KATA NAMA

*sehingga*

◊ *We stayed there till the doctor came.*
Kami tunggu di situ sehingga doktor
sampai. ◊ *Don't go till I arrive.*   Jangan
pergi sehingga saya sampai. ◊ *Wait till I
come back.*   Tunggu sehingga saya balik.
◊ *I waited till 10 o'clock.*   Saya
menunggu sehingga pukul sepuluh.

♦ **till now**   hingga kini

♦ **till then**   hingga masa itu

♦ **The report won't be ready till next
week.**   Laporan itu hanya akan siap pada
minggu hadapan.

**till**   KATA NAMA

> rujuk juga **till** KATA SENDI,
> KATA HUBUNG

*mesin daftar tunai*

to **tilt**   KATA KERJA

> rujuk juga **tilt** KATA NAMA

1 *mencondong*

◊ *The pole tilted towards Pak Salam's
house.*   Tiang itu mencondong ke arah
rumah Pak Salam.

2 *mencondongkan*

◊ *Leonard tilted his chair.*   Leonard
mencondongkan kerusinya.

♦ **She tilted her head.**   Dia menelengkan
kepalanya.

♦ **The boat tilted and sank.**   Bot itu
terjongket lalu tenggelam.

**tilt**   KATA NAMA

> rujuk juga **tilt** KATA KERJA

*kecondongan*

◊ *The tilt of the building worries the
public.*   Kecondongan bangunan itu
membimbangkan orang ramai.

**tilting train**   KATA NAMA

*sejenis kereta api laju*

**timber**   KATA NAMA

*balak*

**time**   KATA NAMA

1 *waktu*

◊ *It was two o'clock, Malaysian time.*
Pukul dua, waktu Malaysia.

♦ **What time is it?**   Pukul berapa
sekarang?

♦ **What time do you get up?**   Pada pukul
berapakah anda bangun?

2 *masa*
◊ *I'm sorry, I haven't got time.* Saya minta maaf. Saya tidak ada masa. ◊ *This isn't a good time to ask him.* Sekarang bukan masa yang sesuai untuk bertanya kepadanya.
♦ **two people at a time** dua orang pada satu masa
♦ **in a week's time** dalam masa seminggu
♦ **Come and see us any time.** Datanglah melawat kami pada bila-bila masa.
♦ **for the time being** buat masa ini
♦ **from time to time** dari semasa ke semasa
♦ **at times** kadang-kadang
♦ **in no time** sekejap sahaja ◊ *The dress was ready in no time.* Baju itu siap sekejap sahaja.
♦ **a long time** lama ◊ *We have waited for a long time.* Sudah lama kami menunggu. ◊ *Have you lived here for a long time?* Sudah lamakah anda tinggal di sini?
♦ **on time** tepat pada masa ◊ *He never arrives on time.* Dia tidak pernah sampai tepat pada masa.
♦ **in time** sempat ◊ *We arrived in time for lunch.* Kami sempat sampai untuk makan tengah hari.
♦ **just in time** elok-elok pada waktunya
3 *kali*
◊ *this time* kali ini ◊ *How many times?* Berapa kali?
♦ **to have a good time** berseronok ◊ *Did you have a good time?* Apakah anda berseronok?
♦ **two times two is four** dua darab dua ialah empat

**time bomb** KATA NAMA
*bom jangka*

**timeline** KATA NAMA
*carta dan lain-lain yang menunjukkan urutan peristiwa*

**time off** KATA NAMA
*cuti*

**timer** KATA NAMA
*penentu masa*
◊ *an egg timer* penentu masa untuk merebus telur

**time-share** KATA NAMA
*hak menggunakan sesuatu harta benda untuk satu jangka waktu yang tertentu setiap tahun*
♦ **a time-share apartment** pangsapuri kongsi masa

> *Sekiranya anda mempunyai pangsapuri kongsi masa, anda boleh menggunakan pangsapuri itu untuk satu jangka waktu yang tertentu setiap tahun.*

**timetable** KATA NAMA
*jadual waktu*

**time zone** KATA NAMA
*zon waktu*

**timid** KATA ADJEKTIF
*kurang berkeyakinan*
◊ *a timid girl* budak perempuan yang kurang berkeyakinan

**tin** KATA NAMA
> rujuk juga **tin** KATA KERJA

1 *tin*
◊ *a tin of beans* setin kacang ◊ *a biscuit tin* tin biskut
2 *timah*

to **tin** KATA KERJA
> rujuk juga **tin** KATA NAMA

*mengetinkan*
◊ *The factory tins sardines.* Kilang itu mengetinkan sardin.

**tinned** KATA ADJEKTIF
*di dalam tin*
◊ *tinned products* produk di dalam tin
◊ *tinned peaches* pic di dalam tin

**tin opener** KATA NAMA
*pembuka tin*

**tinsel** KATA NAMA
*tinsel* (hiasan pokok Krismas)

**tinted** KATA ADJEKTIF
*berwarna sedikit* (pada cermin mata, tingkap)

**tiny** KATA ADJEKTIF
*sangat kecil*

**tip** KATA NAMA
> rujuk juga **tip** KATA KERJA

1 *hujung*
◊ *the tip of her walking stick* hujung tongkatnya
2 *tip*
◊ *to leave a tip* meninggalkan tip
3 *petua*
◊ *a useful tip* petua yang berguna
♦ **a rubbish tip** tempat pembuangan sampah
♦ **The place is a complete tip.** Tempat itu tidak kemas langsung.
♦ **It's on the tip of my tongue.** Perkara itu sudah hampir-hampir terkeluar daripada mulut saya.

to **tip** KATA KERJA
> rujuk juga **tip** KATA NAMA

1 *mencurahkan*
◊ *Tip away the salt and wipe the pan.* Curahkan garam dan lap kuali leper itu.
2 *memberikan tip kepada*
◊ *Don't forget to tip the waiter.* Jangan lupa memberikan tip kepada pelayan itu.
♦ **The stool is about to tip.** Bangku itu hampir terjongket.

to **tiptoe** KATA KERJA

T

---

> *rujuk juga* **tiptoe** KATA NAMA
> *berjengket*
> ◊ *Zurina tiptoed out of her room.* Zurina berjengket keluar dari biliknya.

**tiptoe** KATA NAMA

> *rujuk juga* **tiptoe** KATA KERJA

♦ **to stand on tiptoe** berjengket
♦ **to walk on tiptoe** berjengket

to **tire** KATA KERJA
> *memenatkan*
> ◊ *The heavy workload tires me.* Beban kerja yang berat itu memenatkan saya.

**tired** KATA ADJEKTIF
> *penat*
> ◊ *I'm tired.* Saya penat.

♦ **to be tired of something** bosan dengan sesuatu

**tiredness** KATA NAMA
> *kepenatan*
> ◊ *Minna had to cancel all her plans because of tiredness.* Minna terpaksa membatalkan semua rancangannya kerana kepenatan.

**tiresome** KATA ADJEKTIF
> *membosankan*
> ◊ *the tiresome old lady next door* perempuan tua yang membosankan di sebelah

**tiring** KATA ADJEKTIF
> *memenatkan*

**tissue** KATA NAMA
> *tisu*
> ◊ *muscle tissue* tisu otot ◊ *a box of tissues* sekotak tisu

**tithe** KATA NAMA
> *zakat* (padanan terdekat)

**title** KATA NAMA
> 1 *tajuk* (buku, filem)
> 2 *gelaran* (orang)

**title role** KATA NAMA
> *watak utama*
> nama watak yang berkenaan dengan tajuk cerita atau filem

**to** KATA SENDI
> 1 *ke*
> ◊ *to go to school* pergi ke sekolah
> ◊ *Let's go to Anne's house.* Mari kita pergi ke rumah Anne. ◊ *to go to Portugal* pergi ke negara Portugal ◊ *the train to London* kereta api ke London ◊ *I've never been to Singapore.* Saya tidak pernah pergi ke Singapura.

♦ **ten to nine** kurang sepuluh minit ke pukul sembilan
♦ **to go to the doctor's** pergi berjumpa doktor
> 2 *kepada*
> ◊ *I sold it to a friend.* Saya menjualnya kepada seorang kawan. ◊ *Give the ball to her!* Berikan bola itu kepadanya!
> ◊ *That's what he said to me.* Itulah yang dikatakannya kepada saya.

> 3 *hingga*
> ◊ *to count to ten* mengira hingga sepuluh

> 4 *untuk*
> ◊ *I did it to help you.* Saya melakukannya untuk membantu anda.
> ◊ *She's too young to go to school.* Dia terlalu muda untuk pergi ke sekolah.
> ◊ *ready to go* sedia untuk bertolak
> ◊ *ready to eat* sedia untuk dimakan
> ◊ *the answer to the question* jawapan untuk soalan itu

> Kadang-kadang **to** tidak diterjemahkan.

> ◊ *It's easy to do.* Kerja itu senang dilakukan. ◊ *something to drink* minuman ◊ *the key to the front door* kunci pintu depan

♦ **from...to...(1)** dari...hingga... (*masa*)
> ◊ *from nine o'clock to half past three* dari pukul sembilan hingga pukul tiga setengah
♦ **from...to...(2)** dari...ke... (*tempat*)
> ◊ *from Penang to Kuala Lumpur* dari Pulau Pinang ke Kuala Lumpur
♦ **to be kind to somebody** melayan seseorang dengan baik ◊ *They were very kind to me.* Mereka melayan saya dengan baik sekali.
♦ **It's difficult to say.** Sukar hendak diperkatakan.
♦ **It's easy to criticize.** Memang mudah untuk membuat kritikan.
♦ **I've got things to do.** Saya ada kerja yang perlu dibuat.

**toad** KATA NAMA
> *kodok*

**toadstool** KATA NAMA
> *cendawan beracun*

**toast** KATA NAMA
> 1 *roti bakar*
> ◊ *a piece of toast* sekeping roti bakar
> 2 *sanjungan*
> ◊ *She was the toast of Paris.* Dia menjadi sanjungan penduduk Paris.

♦ **to drink a toast to somebody** minum ucap selamat kepada seseorang

**toaster** KATA NAMA
> *pembakar roti*

**tobacco** KATA NAMA
> *tembakau*

**tobacconist's** KATA NAMA
> *kedai menjual bahan-bahan daripada tembakau*

**toboggan** KATA NAMA
> *kereta luncur salji*

**tobogganing** KATA NAMA
_bermain kereta luncur salji_
◊ *to go tobogganing* pergi bermain kereta luncur salji

**today** KATA ADVERBA
1 _hari ini_
2 _kini_
◊ *The United States is in a serious recession today.* Amerika Syarikat kini mengalami kemelesetan ekonomi yang teruk.

to **toddle** KATA KERJA
_bertatih-tatih_
◊ *The child fell while toddling across the room.* Budak itu terjatuh semasa bertatih-tatih di sekitar bilik itu.

**toddler** KATA NAMA
_kanak-kanak yang masih bertatih-tatih_

**toe** KATA NAMA
_jari kaki_
◊ *The dog bit my big toe.* Anjing itu menggigit ibu jari kaki saya.

**toenail** KATA NAMA
_kuku kaki_

**toffee** KATA NAMA
_gula-gula tofi_

**together** KATA ADVERBA
1 _bersama_
◊ *Are they still together?* Apakah mereka masih bersama?
2 _serentak_
◊ *Don't all speak together!* Jangan bercakap serentak!
♦ **together with** dengan

to **toil** KATA KERJA
_berlelah-lelah_
◊ *After toiling day and night, their efforts finally paid off.* Setelah berlelah-lelah bekerja siang dan malam, akhirnya usaha mereka berhasil juga.

**toilet** KATA NAMA
_tandas_

**toilet paper** KATA NAMA
_kertas tandas_

**toiletries** KATA NAMA JAMAK
_kelengkapan penjagaan diri_

**toilet roll** KATA NAMA
_kertas tandas gulung_

**token** KATA NAMA
1 _token_
2 _tanda_
◊ *a token of appreciation* tanda penghargaan
♦ **a gift token** baucar hadiah

**told** KATA KERJA _rujuk_ **tell**

**tolerance** KATA NAMA
_toleransi_

**tolerant** KATA ADJEKTIF
_bertoleransi_

♦ **Plants which are more tolerant of dry conditions...** Tumbuhan yang lebih tahan dengan keadaan kering...

to **tolerate** KATA KERJA
_bersabar_
◊ *She can no longer tolerate the position she's in.* Dia tidak dapat bersabar lagi dengan keadaannya sekarang.

**toll** KATA NAMA
1 _tol_
2 _jumlah_
◊ *the death toll so far* jumlah kematian setakat ini

**tomato** KATA NAMA
(JAMAK **tomatoes**)
_tomato_
◊ *tomato soup* sup tomato

**tomboy** KATA NAMA
_tomboi_

**tombstone** KATA NAMA
_batu nisan_

**tomorrow** KATA ADVERBA
1 _esok_
◊ *tomorrow morning* esok pagi
◊ *tomorrow night* esok malam
2 _masa depan_
◊ *You must plan for tomorrow.* Anda mesti merancang untuk masa depan.
♦ **the day after tomorrow** lusa

**ton** KATA NAMA
_tan_
◊ *a ton of coal* satu tan arang batu
♦ **That old bike weighs a ton.** Basikal lama itu sangat berat.

**tone** KATA NAMA
_nada_
◊ *I didn't like his tone of voice.* Saya tidak suka akan nada suaranya.
♦ **The room is painted in two tones of orange.** Bilik itu dicat dengan dua warna oren yang berlainan.

**tongue** KATA NAMA
1 _lidah_
♦ **a sharp tongue** mulut celopar
2 _bahasa_
◊ *The French take great pride in their native tongue.* Orang Perancis sangat bangga dengan bahasa ibunda mereka.
♦ **to say something tongue in cheek** sekadar bergurau

**tongue-tied** KATA ADJEKTIF
_lidah kelu_
♦ **I was tongue-tied.** Lidah saya kelu.

**tonic** KATA NAMA
_tonik_
◊ *a gin and tonic* gin dan tonik

**tonight** KATA ADVERBA
_malam ini_
◊ *Are you going out tonight?* Anda akan

**T**

keluar malam ini? ◊ *I'll sleep well tonight.* Saya akan tidur nyenyak malam ini.

**tonsillitis** KATA NAMA
*radang tonsil* atau *tonsilitis*
◊ *She's got tonsillitis.* Dia menghidap radang tonsil.

**tonsils** KATA NAMA JAMAK
*tonsil*

**tony** KATA ADJEKTIF 🔲
*bergaya dan canggih*

**too** KATA ADVERBA
1. *juga*
◊ *My friend came too.* Kawan saya juga datang.
2. *terlalu*
◊ *The water's too hot.* Air itu terlalu panas. ◊ *We arrived too late.* Kami sampai terlalu lewat.
♦ **too much** terlalu banyak ◊ *too much butter* terlalu banyak mentega ◊ *At Christmas we always eat too much.* Kami selalu makan terlalu banyak semasa Krismas.
♦ **too much noise** terlalu bising
♦ **RM50? - That's too much.** RM50? - Mahalnya!
♦ **too many** terlalu banyak ◊ *too many problems* terlalu banyak masalah ◊ *too many chairs* terlalu banyak kerusi
♦ **Too bad!** Malang sekali!

**took** KATA KERJA *rujuk* **take**

**tool** KATA NAMA
*alat*
♦ **a tool box** kotak peralatan

**toolbar** KATA NAMA
*bar alat* (*komputer*)

**tooth** KATA NAMA
(JAMAK **teeth**)
*gigi*

**toothache** KATA NAMA
*sakit gigi*
◊ *These pills are good for toothache.* Pil ini baik untuk sakit gigi.
♦ **I've got toothache.** Saya sakit gigi.

**toothbrush** KATA NAMA
(JAMAK **toothbrushes**)
*berus gigi*

**toothpaste** KATA NAMA
*ubat gigi*

**toothpick** KATA NAMA
*cungkil gigi*

**top** KATA NAMA
> *rujuk juga* **top** KATA ADJEKTIF, KATA KERJA

1. *bahagian atas*
◊ *at the top of the page* pada bahagian atas muka surat
2. *puncak* (*gunung, bukit*)
3. *penutup* (*kotak*)
4. *tudung* (*botol, jag*)
♦ **a bikini top** bahagian atas bikini
♦ **the top of the table** permukaan meja
♦ **on top of the cupboard** di atas almari
♦ **on top of that** di samping itu
♦ **from top to bottom** seluruh ◊ *I searched the house from top to bottom.* Saya menggeledah seluruh rumah ini.

**top** KATA ADJEKTIF
> *rujuk juga* **top** KATA NAMA, KATA KERJA

1. *paling atas*
◊ *The book is on the top shelf.* Buku itu terletak di rak yang paling atas.
♦ **the top floor** tingkat teratas
♦ **the top layer** lapisan atas
2. *terbaik*
◊ *a top surgeon* pakar bedah terbaik
♦ **a top model** model terkenal
♦ **a top hotel** hotel terkemuka
♦ **He always gets top marks in French.** Dia selalu mendapat markah tertinggi dalam ujian bahasa Perancis.
♦ **at top speed** pada kelajuan maksimum

to **top** KATA KERJA
> *rujuk juga* **top** KATA NAMA, KATA ADJEKTIF

1. *berada di tempat teratas*
◊ *The manufacturer had topped the list for imported vehicles.* Pengeluar itu berada di tempat teratas senarai untuk kenderaan import.
2. *melebihi*
◊ *Imports topped £10 billion last month.* Import melebihi 10 bilion paun pada bulan lepas.
♦ **a wall topped with spikes** tembok yang bahagian atasnya dipasang besi-besi tajam

**topic** KATA NAMA
*tajuk*
◊ *You may choose your own essay topic.* Anda boleh memilih tajuk esei anda sendiri.

**topical** KATA ADJEKTIF
*semasa*
◊ *a topical issue* isu semasa

**topknot** KATA NAMA
*gelung rambut*

**topless** KATA ADJEKTIF
*tidak menutup bahagian dada*
♦ **to go topless** tidak menutup bahagian dada

**top-secret** KATA ADJEKTIF
*sangat sulit*
◊ *top-secret documents* dokumen-dokumen yang sangat sulit

**topsy-turvy** KATA ADJEKTIF
*tunggang-langgang*

◊ *The world has turned topsy-turvy.*
Dunia ini sudah menjadi tunggang-
langgang.

**torch** KATA NAMA
(JAMAK **torches**)
[1] *lampu suluh*
[2] *obor*

**torchlight** KATA NAMA
*lampu suluh*

**tore, torn** KATA KERJA *rujuk* **tear**

**tornado** KATA NAMA
(JAMAK **tornadoes** atau **tornados**)
*puting beliung*

**torrent** KATA NAMA
*curahan*
♦ **The rain came down in torrents.** Hujan
turun mencurah-curah.

**torrential** KATA ADJEKTIF
*turun mencurah-curah* (*hujan*)

**tortoise** KATA NAMA
*kura-kura*

to **torture** KATA KERJA
> *rujuk juga* **torture** KATA NAMA

*menyeksa*
◊ *Stop torturing that animal!* Jangan
seksa binatang itu lagi!

**torture** KATA NAMA
> *rujuk juga* **torture** KATA KERJA

*penyeksaan*
♦ **It was pure torture.** Betapa seksanya.

**Tory** KATA ADJEKTIF
> *rujuk juga* **Tory** KATA NAMA

*parti Konservatif*
◊ *the Tory government* kerajaan parti
Konservatif

**Tory** KATA NAMA
(JAMAK **Tories**)
> *rujuk juga* **Tory** KATA ADJEKTIF

*parti Konservatif*
♦ **the Tories** parti Konservatif

to **toss** KATA KERJA
[1] *mencampakkan* (*dengan perlahan*)
◊ *He tossed the paper into the fire.*
Dia mencampakkan kertas itu ke dalam
api.
[2] *melambung*
◊ *to toss a coin* melambung duit syiling
♦ **Shall we toss for it?** Apa kata jika kita
melambung duit syiling untuk
menentukannya?

**total** KATA NAMA
> *rujuk juga* **total** KATA ADJEKTIF

*jumlah*
◊ *the grand total* jumlah besar

**total** KATA ADJEKTIF
> *rujuk juga* **total** KATA NAMA

*jumlah*
◊ *The total cost was very high.* Jumlah
kos tersebut sangat tinggi.

♦ **the total amount** jumlah keseluruhan
♦ **I have total confidence that she will
pass her exam.** Saya mempunyai
keyakinan yang penuh bahawa dia akan
lulus peperiksaannya.

to **total up** KATA KERJA
*menjumlahkan*
◊ *Nancy totalled up her expenses.*
Nancy menjumlahkan perbelanjaannya.

**totally** KATA ADVERBA
*sama sekali*
◊ *The fire totally destroyed the top floor.*
Kebakaran itu telah menyebabkan tingkat
teratas musnah sama sekali.

to **touch** KATA KERJA
> *rujuk juga* **touch** KATA NAMA

*menyentuh*
◊ *Don't touch that book!* Jangan sentuh
buku itu!

**touch** KATA NAMA
> *rujuk juga* **touch** KATA KERJA

*sentuhan*
♦ **to get in touch with somebody**
menghubungi seseorang
♦ **to keep in touch with somebody**
sering berhubung dengan seseorang
♦ **Keep in touch! (1)** Jangan lupa tulis
surat!
♦ **Keep in touch! (2)** Jangan lupa telefon!
♦ **to lose one's touch** tidak sehebat dahulu
♦ **to lose touch with somebody** terputus
hubungan dengan seseorang
♦ **to lose touch with something** tidak
mengetahui perkembangan terbaru
sesuatu perkara

**touchdown** KATA NAMA
*pendaratan* (*kapal terbang*)

**touched** KATA ADJEKTIF
*terharu*
◊ *I was really touched.* Saya betul-betul
terharu.

**touching** KATA ADJEKTIF
*mengharukan*

**touchline** KATA NAMA
*garisan tepi* (*ragbi, bola sepak*)

**touchy** KATA ADJEKTIF
[1] *mudah tersinggung*
◊ *She's a bit touchy today.* Dia agak
mudah tersinggung hari ini.
[2] *sensitif*
◊ *a touchy issue* isu yang sensitif

**tough** KATA ADJEKTIF
[1] *sukar*
◊ *It was tough, but I managed okay.*
Perkara itu sukar tetapi saya berjaya
mengatasinya. ◊ *It's a tough job.* Kerja
ini sukar.
[2] *liat*
◊ *The meat is tough.* Daging itu liat.

3 _kuat_
◊ _tough leather gloves_ sarung tangan kulit yang kuat
♦ **He thinks he's a tough guy.** Dia menyangka dirinya kuat.
♦ **Tough luck!** Malang sungguh!

**tour** KATA NAMA

> rujuk juga **tour** KATA KERJA

1 _lawatan_
◊ _We went on a tour of the city._ Kami membuat lawatan ke beberapa tempat di bandar tersebut. ◊ _It was week five of my tour of Europe._ Minggu ini merupakan minggu kelima lawatan saya ke Eropah.
2 _pelancongan_
◊ _a package tour_ pelancongan pakej
♦ **bus tour** lawatan dengan bas
♦ **to go on tour (1)** mengadakan lawatan (_ahli politik, delegasi_)
♦ **to go on tour (2)** mengadakan jelajah (_ahli muzik_)

to **tour** KATA KERJA

> rujuk juga **tour** KATA NAMA

1 _melancong_
◊ _Paul Weller is touring Europe._ Paul Weller sedang melancong di Eropah.
2 _mengadakan lawatan_ (_ahli politik, delegasi_)
3 _mengadakan jelajah_ (_ahli muzik_)

**tour guide** KATA NAMA
_pemandu pelancong_

**tourism** KATA NAMA
_pelancongan_

**tourist** KATA NAMA
_pelancong_
◊ _tourist information office_ pejabat penerangan pelancong

**tournament** KATA NAMA
_kejohanan_

**tour operator** KATA NAMA
_agensi pelancongan_

to **tow** KATA KERJA
_menunda_
◊ _The police towed the car to the police station._ Pihak polis menunda kereta itu ke balai polis.
♦ **They towed away his car.** Mereka menarik keretanya.

**towards** KATA SENDI
_ke arah_
◊ _He came towards me._ Dia menuju ke arah saya.
♦ **my feelings towards him** perasaan saya terhadapnya

**towel** KATA NAMA
_tuala_

**tower** KATA NAMA
_menara_

**tower block** KATA NAMA

_blok menara_

**town** KATA NAMA
_bandar_
◊ _a town plan_ pelan bandar ◊ _the town centre_ pusat bandar

**town council** KATA NAMA
_majlis perbandaran_

**town hall** KATA NAMA
_dewan perbandaran_

**tow truck** KATA NAMA
_trak penunda_

**toxic** KATA ADJEKTIF
_toksik_

**toy** KATA NAMA
_mainan_
◊ _a toy shop_ kedai mainan ◊ _a toy car_ kereta mainan

to **trace** KATA KERJA

> rujuk juga **trace** KATA NAMA

1 _mengesan_
2 _menekap_
◊ _She learned to draw by tracing pictures out of old books._ Dia belajar melukis dengan menekap gambar daripada buku-buku lama.

**trace** KATA NAMA

> rujuk juga **trace** KATA KERJA

_kesan_
◊ _There was no trace of the robbers._ Tidak ada kesan perompak-perompak itu.

**tracing paper** KATA NAMA
_kertas surih_

**track** KATA NAMA

> rujuk juga **track** KATA KERJA

1 _laluan_
◊ _a mountain track_ laluan di gunung
2 _landasan_ (_kereta api_)
◊ _A woman fell onto the tracks._ Seorang wanita terjatuh di atas landasan.
3 _balapan_ atau _trek_
◊ _two laps of the track_ dua pusingan di balapan tersebut
4 _lagu_
◊ _This is my favourite track._ Ini merupakan lagu kegemaran saya.
5 _jejak_
◊ _They followed the tracks for miles._ Mereka mengikut jejak tersebut berbatu-batu jauhnya.
♦ **lose track of time** terleka

to **track** KATA KERJA

> rujuk juga **track** KATA NAMA

_menjejaki_
◊ _The police were tracking the bank robbers._ Polis sedang menjejaki perompak-perompak bank itu.

to **track down** KATA KERJA
_mengesan_
◊ _The police never tracked down the_

*killer*. Pihak polis tidak dapat mengesan pembunuh tersebut.

**trackball** KATA NAMA
*bebola penggerak kursor*
> *bebola pada sesetengah komputer yang menggerakkan kursor*

**tracker** KATA NAMA
*pengesan*
◊ *tracker dog* anjing pengesan

**trackpad** KATA NAMA
*pad penggerak kursor*
> *pad pada sesetengah komputer yang menggerakkan kursor*

**tracksuit** KATA NAMA
*tracksuit*

**tractor** KATA NAMA
*traktor*

**trade** KATA NAMA
> rujuk juga **trade** KATA KERJA
*perdagangan*
♦ **to learn a trade** mempelajari sesuatu kemahiran

to **trade** KATA KERJA
> rujuk juga **trade** KATA NAMA
*berjual beli*
◊ *John has been trading in antique furniture for 25 years.* John berjual beli perabot antik selama 25 tahun.

**trade balance** KATA NAMA
*imbangan perdagangan*

**trademark** KATA NAMA
*cap dagang*

**trader** KATA NAMA
*peniaga*

**trade surplus** KATA NAMA
*lebihan perdagangan*

**trade union** KATA NAMA
*kesatuan sekerja*

**trade unionist** KATA NAMA
*ahli aktif kesatuan sekerja*

**tradition** KATA NAMA
*tradisi*
♦ **a ceremony full of custom and tradition** upacara yang penuh adat istiadat

**traditional** KATA ADJEKTIF
*tradisional*

**traffic** KATA NAMA
> rujuk juga **traffic** KATA KERJA
*lalu lintas*
◊ *There was a lot of traffic.* Lalu lintas sangat sibuk.

to **traffic** KATA KERJA
(**trafficked, trafficked**)
> rujuk juga **traffic** KATA NAMA
*memperdagangkan*
◊ *The evil man trafficked in women for money.* Lelaki jahat itu memperdagangkan perempuan untuk wang.

**traffic jam** KATA NAMA

*kesesakan lalu lintas*

**trafficker** KATA NAMA
*pengedar* (dadah)

**trafficking** KATA NAMA
*perniagaan*
◊ *the trafficking of illegal weapons* perniagaan senjata haram
♦ **drug trafficking** pengedaran dadah

**traffic lights** KATA NAMA JAMAK
*lampu isyarat*

**traffic warden** KATA NAMA
*penguat kuasa lalu lintas*
◊ *I am a traffic warden.* Saya seorang penguat kuasa lalu lintas.

**tragedy** KATA NAMA
(JAMAK **tragedies**)
*tragedi*

**tragic** KATA ADJEKTIF
*dahsyat* atau *tragik*
◊ *It was a tragic accident.* Kemalangan itu memang tragik.

**trailer** KATA NAMA
[1] *treler*
[2] *sedutan filem*

**train** KATA NAMA
> rujuk juga **train** KATA KERJA
[1] *kereta api*
[2] *deret*
◊ *a long train of oil tankers* sederet panjang kapal minyak

to **train** KATA KERJA
> rujuk juga **train** KATA NAMA
[1] *berlatih*
◊ *to train for a race* berlatih untuk sesuatu perlumbaan
♦ **to train someone** melatih seseorang
♦ **to train as a teacher** menjalani latihan sebagai seorang guru
[2] *menghalakan*
◊ *Police cameras had been specifically trained on that area.* Kamera pihak polis dihalakan khusus ke kawasan tersebut.

**trained** KATA ADJEKTIF
*terlatih*
◊ *highly trained workers* pekerja-pekerja yang terlatih ◊ *She's a trained nurse.* Dia seorang jururawat terlatih.

**trainee** KATA NAMA
*pelatih*
◊ *He's a trainee plumber.* Dia tukang paip pelatih.

**trainer** KATA NAMA
*jurulatih*
♦ **dog trainer** pelatih anjing

**trainers** KATA NAMA JAMAK
*kasut sukan*

**training** KATA NAMA
*latihan*
◊ *a training course* kursus latihan

T

◊ *He sprained his ankle in training.*
Kakinya terseliuh semasa latihan.

**traitor** KATA NAMA
*pengkhianat*

**tram** KATA NAMA
*trem*

**tramp** KATA NAMA
1 *orang yang hidup melarat*

> **tramp** *ialah orang yang tidak ada*
> *tempat tinggal atau pekerjaan dan*
> *miskin. Biasanya mereka mendapat*
> *wang atau makanan dengan*
> *mengemis atau membuat kerja*
> *sambilan.*

2 *detap* (bunyi hentakan kasut)

to **trample** KATA KERJA
*menginjak-injak*
◊ *They are destroying rainforests and*
*trampling on the rights of natives.* Mereka
memusnahkan hutan hujan dan
menginjak-injak hak orang tempatan.
◊ *They don't want people trampling on*
*the grass in the park.* Mereka tidak mahu
orang ramai menginjak-injak rumput di
taman itu.

**trampoline** KATA NAMA
*trampolin* (peralatan gimnastik)

to **tranquillize** KATA KERJA
*melalikan*
◊ *The vet tranquillized the tiger before*
*treating it.* Doktor haiwan itu melalikan
harimau tersebut sebelum merawatnya.

**tranquillizer** KATA NAMA
*ubat penenang*
◊ *She's on tranquillizers.* Dia
mengambil ubat penenang.

**transaction** KATA NAMA
*urus niaga*

to **transfer** KATA KERJA

> rujuk juga **transfer** KATA NAMA

1 *memindahkan*
◊ *Nick wanted to transfer some money to*
*his daughter's account.* Nick mahu
memindahkan sedikit wang ke dalam
akaun anak perempuannya.
2 *menukarkan*
◊ *The manager transferred his employee*
*to Penang.* Pengurus itu menukarkan
pekerjanya ke Pulau Pinang.
3 *bertukar*
◊ *The teacher will be transferred to*
*Sarawak next week.* Guru itu akan
bertukar ke Sarawak pada minggu
hadapan.

**transfer** KATA NAMA

> rujuk juga **transfer** KATA KERJA

*pemindahan*
◊ *a bank transfer* pemindahan wang
◊ *data transfer* pemindahan data

to **transfer-list** KATA KERJA
*meletakkan nama pemain dalam*
*senarai pemain yang akan dijual ke*
*kelab lain*

to **transform** KATA KERJA
*menukarkan*
◊ *to transform food into energy*
menukarkan makanan menjadi tenaga
♦ **The witch transformed herself into a**
**snake.** Ahli sihir itu menjelma sebagai
seekor ular.

**transformation** KATA NAMA
*transformasi*
◊ *Chemical transformations occur.*
Transformasi bahan kimia berlaku.

**transfusion** KATA NAMA
*pemindahan darah*

**transistor** KATA NAMA
*transistor*

**transition** KATA NAMA
*peralihan*
◊ *the transition from the colonial period*
*to independence* peralihan dari zaman
penjajahan ke zaman kemerdekaan

**transitional** KATA ADJEKTIF
*peralihan*
◊ *transitional period* zaman peralihan

to **translate** KATA KERJA
*menterjemahkan*
◊ *to translate something into English*
menterjemahkan sesuatu ke dalam
bahasa Inggeris

**translation** KATA NAMA
*terjemahan*
◊ *a good quality translation* terjemahan
yang bermutu
♦ **We specialized in translation.** Kami
mengkhusus dalam bidang
penterjemahan.

**translator** KATA NAMA
*penterjemah*
◊ *Anita's a translator.* Anita seorang
penterjemah.

**translucent** KATA ADJEKTIF
*lut cahaya*

to **transmit** KATA KERJA
*menghantar*
◊ *This is currently the most efficient way*
*to transmit data.* Cara ini merupakan cara
menghantar data yang paling berkesan
sekarang.
♦ **The game was transmitted live in Spain**
**and Italy.** Perlawanan itu disiarkan
secara langsung di Sepanyol dan Itali.
♦ **sexually transmitted diseases** penyakit
yang berjangkit melalui hubungan seks

**transmitter** KATA NAMA
*alat pemancar*

**transparent** KATA ADJEKTIF

_lut sinar_

**transplant** KATA NAMA
_pemindahan_
◊ _a heart transplant_ pemindahan jantung

**transport** KATA NAMA
> rujuk juga **transport** KATA KERJA
1 _kenderaan_
2 _pengangkutan_
◊ _public transport_ pengangkutan awam

to **transport** KATA KERJA
> rujuk juga **transport** KATA NAMA
_mengangkut_

**transvestite** KATA NAMA
_pondan_

**trap** KATA NAMA
> rujuk juga **trap** KATA KERJA
_perangkap_

to **trap** KATA KERJA
> rujuk juga **trap** KATA NAMA
_memerangkap_
◊ _Charlie trapped a mouse deer._ Charlie memerangkap seekor pelanduk.
◊ _The police trapped the killer._ Pihak polis memerangkap pembunuh itu.

**trapper** KATA NAMA
_penjerat_ (orang)

**trash** KATA NAMA △
_sampah_
◊ _the trash can_ tong sampah

**trashy** KATA ADJEKTIF
_tidak berkualiti_
◊ _a trashy film_ sebuah filem yang tidak berkualiti

**traumatic** KATA ADJEKTIF
_sungguh dahsyat_
◊ _It was a traumatic experience._ Pengalaman itu sungguh dahsyat.

to **travel** KATA KERJA
> rujuk juga **travel** KATA NAMA
_mengembara_
◊ _We travelled over 800 kilometres._ Kami telah mengembara lebih daripada 800 kilometer.
♦ **I prefer to travel by train.** Saya lebih suka menaiki kereta api.
♦ **I'd like to travel round the world.** Saya ingin mengelilingi dunia.
♦ **News travels fast!** Berita tersebar dengan cepat!

**travel** KATA NAMA
> rujuk juga **travel** KATA KERJA
_perjalanan_
◊ _Getting to school involves one hour of travelling._ Perjalanan ke sekolah mengambil masa satu jam.
♦ **Air travel is relatively cheap.** Pengangkutan udara agak murah.

**travel agency** KATA NAMA

(JAMAK **travel agencies**)
_agensi pelancongan_

**travel agent** KATA NAMA
_ejen pelancongan_

**traveller** KATA NAMA
(AS **traveler**)
_pelancong_

**traveller's cheque** KATA NAMA
(AS **traveler's check**)
_cek kembara_

**travelling** KATA NAMA
(AS **traveling**)
_melancong_
◊ _I love travelling._ Saya suka melancong.

**travel sickness** KATA NAMA
_mabuk perjalanan_

to **traverse** KATA KERJA
_mengharungi_
◊ _Beng Kong traversed the Indian Ocean in his yacht._ Beng Kong mengharungi Lautan Hindi dengan kapal layarnya.

**tray** KATA NAMA
_dulang_

**treacherous** KATA ADJEKTIF
_khianat_
◊ _a treacherous leader_ pemimpin yang khianat
♦ **Don't be treacherous.** Jangan bersikap khianat.

to **tread** KATA KERJA
(trod, trodden)
_memijak_
♦ **He trod on my foot.** Dia terpijak kaki saya.

**treadmill** KATA NAMA
_mesin berlari setempat_

**treason** KATA NAMA
_penderhakaan_ (terhadap negara)

**treasure** KATA NAMA
_harta karun_

**treasurer** KATA NAMA
_bendahari_

**treasury** KATA NAMA
(JAMAK **treasuries**)
_perbendaharaan_

to **treat** KATA KERJA
> rujuk juga **treat** KATA NAMA
1 _melayani_
◊ _The hostages were well treated._ Para tebusan itu dilayani dengan baik.
♦ **She was treated for a minor head wound.** Dia diberi rawatan kerana mengalami luka kecil di kepala.
2 _belanja_
◊ _I'll treat you!_ Saya akan belanja anda!
♦ **Police say they're treating it as a murder case.** Pihak polis mengatakan bahawa mereka menganggap kes tersebut

sebagai kes bunuh.

**treat** KATA NAMA

> rujuk juga **treat** KATA KERJA

*hadiah*
◊ *As a birthday treat, I'll take you out to dinner.* Saya akan belanja anda makan malam sebagai hadiah hari jadi anda.
◊ *She bought a special treat for the children.* Dia membeli hadiah istimewa untuk kanak-kanak itu.
♦ **I'm going to give myself a treat.** Saya akan melakukan sesuatu untuk menghiburkan hati saya.

**treatment** KATA NAMA

1 *rawatan*
◊ *an effective treatment for cancer* rawatan yang berkesan untuk barah
2 *layanan*
◊ *We don't want any special treatment.* Kami tidak mahu sebarang layanan istimewa.

to **treble** KATA KERJA

*bertambah tiga kali ganda*
◊ *The cost of living has trebled.* Kos sara hidup telah bertambah tiga kali ganda.

**tree** KATA NAMA

*pokok*

**tree-hut** KATA NAMA

*ran*

to **tremble** KATA KERJA

1 *menggeletar*
◊ *Gil was white and trembling with anger.* Wajah Gil menjadi pucat dan dia menggeletar kemarahan.
♦ **He felt the earth tremble under him.** Dia merasakan bahawa bumi ini bergegar.
2 *bergetar*
◊ *His voice trembled.* Suaranya bergetar.

**trench** KATA NAMA

(JAMAK **trenches**)
*alur*

**trend** KATA NAMA

*trend*
◊ *the latest trend* trend terkini
♦ **There's a trend towards part-time employment.** Majikan kini lebih cenderung mengambil pekerja sambilan.

**trendy** KATA ADJEKTIF

1 *mengikuti perkembangan fesyen*
2 *terlalu berfahaman moden*
◊ *trendy teachers* guru-guru yang terlalu berfahaman moden

to **trespass** KATA KERJA

> rujuk juga **trespass** KATA NAMA

*mencerobohi*
◊ *They were trespassing on private property.* Mereka mencerobohi kawasan persendirian.

**trespass** KATA NAMA

(JAMAK **trespasses**)

> rujuk juga **trespass** KATA KERJA

*pencerobohan*
◊ *trespass onto private property* pencerobohan ke dalam kawasan persendirian

**trespasser** KATA NAMA

*penceroboh*
◊ *Trespassers will be prosecuted.* Penceroboh akan didakwa.

**trestle** KATA NAMA

*kekuda*

**triad society** KATA NAMA

*kongsi gelap*

**trial** KATA NAMA

1 *perbicaraan*
2 *percubaan*
◊ *trial period* tempoh percubaan
♦ **I took the car out for a trial on the road.** Saya memandu uji kereta itu di jalan raya.
3 *dugaan*
◊ *the trials of adolescence* dugaan masa remaja

**triangle** KATA NAMA

1 *segi tiga*
2 *kerincing* (alat muzik)

**triangular** KATA ADJEKTIF

*berbentuk tiga segi*
◊ *a triangular container* bekas yang berbentuk tiga segi

**tribe** KATA NAMA

*puak*

**tribulation** KATA NAMA

*kesengsaraan*
◊ *life's trials and tribulations* dugaan dan kesengsaraan hidup

**tribute** KATA NAMA

1 *penghormatan*
◊ *The song is a tribute to the late Sudirman.* Lagu itu merupakan penghormatan kepada Allahyarham Sudirman.
2 *ufti*
◊ *All countries under the protection of Siam were required to pay tribute.* Semua negara di bawah naungan Siam dikehendaki membayar ufti.

**trick** KATA NAMA

> rujuk juga **trick** KATA KERJA

1 *muslihat*
◊ *to play a trick on somebody* menggunakan muslihat untuk memperdaya seseorang
2 *teknik*
◊ *It's not easy, there's a trick to it.* Perkara itu bukannya mudah, ada teknik untuk melakukannya.

to **trick** KATA KERJA
> rujuk juga **trick** KATA NAMA

*memperdaya*
◊ *to trick somebody* memperdaya
seseorang

**trickery** KATA NAMA
*tipu helah*
◊ *He won the competition using trickery.*
Dia menggunakan tipu helah untuk
memenangi perlawanan itu.

to **trickle** KATA KERJA
> rujuk juga **trickle** KATA NAMA

*berlinang*
◊ *Tears trickled down the old man's
cheeks.* Air mata berlinang pada pipi
orang tua itu.

**trickle** KATA NAMA
> rujuk juga **trickle** KATA KERJA

*lelehan*
◊ *the continual trickle of her tears*
lelehan air matanya yang tidak henti-henti

**tricky** KATA ADJEKTIF
*rumit*
◊ *a tricky problem* masalah yang rumit

**tricycle** KATA NAMA
*basikal roda tiga*

**trifle** KATA NAMA
*hal yang remeh-temeh*

**trigger** KATA NAMA
*picu*
◊ *The man pulled the trigger of his pistol.*
Lelaki itu memetik picu pistolnya.

to **trim** KATA KERJA
> rujuk juga **trim** KATA NAMA

1 *memepat*
◊ *My friend trims my hair.* Kawan saya
memepat rambut saya.
♦ **She is having her hair trimmed.** Dia
sedang berandam.
2 *memangkas (rumput, pagar hidup)*
3 *mengecilkan*
◊ *We trimmed the marketing department
in our company.* Kami mengecilkan
jabatan pemasaran di syarikat kami.

**trim** KATA NAMA
> rujuk juga **trim** KATA KERJA

♦ **to have a trim** memepat (*rambut*)
♦ **His hair needed a trim.** Rambutnya
perlu dipepat.

**trip** KATA NAMA
> rujuk juga **trip** KATA KERJA

*makan angin*
◊ *to go on a trip* pergi makan angin
♦ **a day trip** lawatan sehari
♦ **Have a good trip!** Selamat jalan!

to **trip** KATA KERJA
> rujuk juga **trip** KATA NAMA

*tersandung*
◊ *He tripped on the stairs.* Dia

tersandung pada tangga.
♦ **to trip up** tersandung
♦ **to trip somebody up** memerangkap
seseorang

**triple** KATA ADJEKTIF
1 *tiga*
2 *tiga kali ganda*

**triple jump** KATA NAMA
*lompat kijang*

**triplets** KATA NAMA JAMAK
*kembar tiga*

**trishaw** KATA NAMA
*beca*

**trivial** KATA ADJEKTIF
*remeh*

**trod, trodden** KATA KERJA *rujuk* **tread**

**trolley** KATA NAMA
*troli*

**trombone** KATA NAMA
*trombon*

**troop** KATA NAMA
*pasukan*
◊ *a troop of soldiers* sepasukan tentera
◊ *a troop of scouts* sepasukan
pengakap
♦ **troops** bala tentera

**trophy** KATA NAMA
(JAMAK **trophies**)
*piala*

**tropical** KATA ADJEKTIF
*tropika*

to **trot** KATA KERJA
1 *meligas (kuda)*
2 *berlari-lari anak*

**trouble** KATA NAMA
> rujuk juga **trouble** KATA KERJA

*masalah*
◊ *The trouble is, it's too expensive.*
Masalahnya, barang itu terlalu mahal.
◊ *What's the trouble?* Apakah
masalahnya? ◊ *to be in trouble*
menghadapi masalah
♦ **stomach trouble** sakit perut
♦ **to take a lot of trouble over something**
bersusah payah melakukan sesuatu
♦ **Don't worry, it's no trouble.** Tidak apa-
apa, itu perkara kecil sahaja.

to **trouble** KATA KERJA
> rujuk juga **trouble** KATA NAMA

*menyusahkan*
◊ *Don't trouble your mother with such
things.* Jangan menyusahkan ibu anda
dengan perkara-perkara sebegitu.
♦ **Is anything troubling you?** Adakah
apa-apa yang mengganggu fikiran anda?

**troubled** KATA ADJEKTIF
*susah hati*
◊ *She is troubled because she still hasn't
had any news of her son.* Dia susah hati

kerana masih belum mendapat
sebarang berita tentang anak lelakinya.

**troublemaker** KATA NAMA
 *pengacau*

**troublesome** KATA ADJEKTIF
 *leceh*

**trough** KATA NAMA
 *palung* (bekas makanan/minuman
 haiwan)

**trousers** KATA NAMA JAMAK
 *seluar panjang*
 ◊ *a pair of trousers* sehelai seluar
 panjang

**trout** KATA NAMA
 (JAMAK **trout**)
 *ikan trout*

**truant** KATA NAMA
 *kaki ponteng*
 ♦ **to play truant** ponteng

**truck** KATA NAMA
 *lori*

**truck driver** KATA NAMA
 *pemandu lori*
 ◊ *He's a truck driver.* Dia pemandu lori.

**true** KATA ADJEKTIF
 1 *benar* atau *betul*
 ◊ *It's true.* Benar.
 ♦ **to come true** menjadi kenyataan ◊ *I
 hope my dream will come true.* Saya
 berharap impian saya akan menjadi
 kenyataan.
 2 *sejati*
 ◊ *true love* cinta sejati
 3 *setia*
 ◊ *David was true to his wife.* David setia
 terhadap isterinya.

**truly** KATA ADVERBA
 1 *betul-betul*
 ◊ *I am truly sorry.* Saya betul-betul
 minta maaf.
 2 *sungguh*
 ◊ *Maria has a truly unique way of playing
 the violin.* Gesekan biola Maria sungguh
 unik.

**trumpet** KATA NAMA
 *trompet*

**trumpeter** KATA NAMA
 *peniup trompet*

**truncheon** KATA NAMA
 *belantan*

**trunk** KATA NAMA
 1 *batang pokok*
 2 *belalai* (gajah)
 3 *peti*
 4 🔷 *but kereta*

**trunks** KATA NAMA JAMAK
 *seluar renang*
 ♦ **swimming trunks** seluar renang

to **trust** KATA KERJA

 ┌─────────────────────────────┐
 │ *rujuk juga* **trust** KATA NAMA │
 └─────────────────────────────┘
 *mempercayai*
 ◊ *Don't you trust me?* Anda tidak
 mempercayai saya? ◊ *I don't trust him.*
 Saya tidak mempercayainya.
 ♦ **Trust me!** Percayalah pada saya!

**trust** KATA NAMA
 ┌─────────────────────────────┐
 │ *rujuk juga* **trust** KATA KERJA │
 └─────────────────────────────┘
 1 *kepercayaan*
 ♦ **to have trust in somebody**
 mempercayai seseorang
 2 *tabung amanah*
 ◊ *The money will be put in a trust until
 she is 18.* Wang tersebut akan disimpan
 dalam tabung amanah sehingga dia
 berumur 18 tahun.

**trustee** KATA NAMA
 *pemegang amanah*

**trust fund** KATA NAMA
 *tabung amanah*

**trusting** KATA ADJEKTIF
 *mudah mempercayai orang*

**trustworthy** KATA ADJEKTIF
 *amanah*
 ◊ *Felicia is a trustworthy girl.* Felicia
 seorang budak yang amanah.

**truth** KATA NAMA
 1 *kebenaran*
 2 *kenyataan*

**truthful** KATA ADJEKTIF
 *jujur*
 ◊ *She's a very truthful person.* Dia
 sangat jujur.

**try** KATA NAMA
 (JAMAK **tries**)
 ┌─────────────────────────────┐
 │ *rujuk juga* **try** KATA KERJA │
 └─────────────────────────────┘
 *percubaan*
 ◊ *his third try* percubaannya yang
 ketiga
 ♦ **to give something a try** mencuba
 sesuatu
 ♦ **It's worth a try.** Memang patut dicuba.
 ♦ **Have a try!** Cubalah!

to **try** KATA KERJA
 (**tried, tried**)
 ┌─────────────────────────────┐
 │ *rujuk juga* **try** KATA NAMA │
 └─────────────────────────────┘
 *mencuba*
 ◊ *to try to do something* mencuba
 melakukan sesuatu ◊ *to try again*
 mencuba sekali lagi
 ♦ **Would you like to try some?** Anda
 hendak cuba?

to **try on** KATA KERJA
 *mencuba* (pakaian)

to **try out** KATA KERJA
 *menguji*

**tsar** KATA NAMA
 1 *maharaja Rusia*
 2 *orang yang dilantik oleh kerajaan*

_untuk menangani masalah negara tertentu_
- **drugs tsar**  orang yang dilantik untuk menangani masalah dadah

**T-shirt**  KATA NAMA
_kemeja-T_

**tube**  KATA NAMA
1 _tiub_
2 _saluran_
◊ _The lungs are constructed of thousands of tiny tubes._  Paru-paru terdiri daripada beribu-ribu saluran halus.
- **the Tube**  sistem kereta api bawah tanah di London

**tuber**  KATA NAMA
_ubi_

**tuberculosis**  KATA NAMA
_batuk kering_
◊ _He's got tuberculosis._  Dia menghidap batuk kering.

to **tuck**  KATA KERJA
_memasukkan_
◊ _Henry tucked his shirt inside his trousers._  Henry memasukkan bajunya ke dalam seluarnya. ◊ _Sandy tucked the letter into her handbag._  Sandy memasukkan surat itu ke dalam beg tangannya.

to **tuck in**  KATA KERJA
_menyisipkan_
- **He is tucking in his shirt.**  Dia sedang menyisipkan bajunya ke dalam seluar.

**Tuesday**  KATA NAMA
_hari Selasa_
◊ _I saw her on Tuesday._  Saya bertemu dengannya pada hari Selasa. ◊ _every Tuesday_ setiap hari Selasa ◊ _last Tuesday_ hari Selasa lepas ◊ _next Tuesday_ hari Selasa depan

to **tug**  KATA KERJA
_menyentap_
◊ _Nancy tugged her friend's hair._  Nancy menyentap rambut kawannya.

**tug boat**  KATA NAMA
_kapal penunda_

**tug-of-war**  KATA NAMA
_tarik tali_

**tuition**  KATA NAMA
_tuisyen_
◊ _private tuisyen_ tuisyen persendirian

**tulip**  KATA NAMA
_tulip_

to **tumble**  KATA KERJA
_jatuh tergolek_
◊ _Fakhrul slipped and tumbled down the stairs._  Fakhrul tergelincir lalu jatuh tergolek dari atas tangga.

**tumble dryer**  KATA NAMA
_mesin pengering pakaian_

**tummy**  KATA NAMA
(JAMAK **tummies**)
_perut_
◊ _He has a tummy ache._  Dia sakit perut.

**tuna**  KATA NAMA
(JAMAK **tuna** atau **tunas**)
_ikan tongkol_

**tune**  KATA NAMA

| rujuk juga **tune** KATA KERJA |

1 _melodi_
2 _lagu_
- **to play in tune**  setala
- **to sing out of tune**  menyanyi dengan sumbang

to **tune**  KATA KERJA

| rujuk juga **tune** KATA NAMA |

_menala_
◊ _The piano is tuned every month._  Piano itu ditala setiap bulan.

**tuning fork**  KATA NAMA
_penala_ atau _tala bunyi_

**Tunisia**  KATA NAMA
_Tunisia_

**tunnel**  KATA NAMA

| rujuk juga **tunnel** KATA KERJA |

_terowong_

to **tunnel**  KATA KERJA

| rujuk juga **tunnel** KATA KERJA |

_menggali terowong_

**Tupperware ®**  KATA NAMA
_bekas plastik_ (_dengan penutup untuk menyimpan makanan_)

**turban**  KATA NAMA
_serban_

**turbid**  KATA ADJEKTIF
_keruh_
◊ _the turbid water in the aquarium_  air keruh di dalam akuarium

**turbidity**  KATA NAMA
_kekeruhan_

**Turk**  KATA NAMA
_orang Turki_
◊ _the Turks_  orang Turki

**turkey**  KATA NAMA
_ayam belanda_

**Turkey**  KATA NAMA
_negara Turki_

**Turkish**  KATA ADJEKTIF

| rujuk juga **Turkish** KATA NAMA |

_Turki_
◊ _a Turkish carpet_  permaidani Turki

**Turkish**  KATA NAMA

| rujuk juga **Turkish** KATA ADJEKTIF |

_bahasa Turki_

**turmeric**  KATA NAMA
_kunyit_

**turmoil**  KATA NAMA
_kekacauan_
◊ _the political turmoil_  kekacauan politik

◆ **Her feelings were in turmoil when she met her real father.** Perasaannya bergelora apabila dia bertemu dengan ayah kandungnya.

**turn** KATA NAMA

> rujuk juga **turn** KATA KERJA

⟦1⟧ *selekoh*

◆ **"no left turn"** "dilarang membelok ke kiri"

⟦2⟧ *giliran*

◊ *It's my turn!* Giliran saya!

◆ **to take turns** bergilir-gilir

to **turn** KATA KERJA

> rujuk juga **turn** KATA NAMA

⟦1⟧ *membelok*

◊ *Turn right at the lights.* Belok ke kanan di lampu isyarat itu.

⟦2⟧ *berpaling* (*orang*)

⟦3⟧ *menjadi*

◊ *When he's drunk he turns nasty.* Dia menjadi jahat apabila mabuk.

◆ **Turn to page 10.** Lihat muka surat 10.

◆ **The weather turned cold.** Cuaca bertukar menjadi sejuk.

◆ **The holiday turned into a nightmare.** Percutian itu berubah menjadi satu mimpi ngeri.

to **turn around** KATA KERJA

⟦1⟧ *berpusing*

◆ **There wasn't room to turn around.** Tidak ada ruang untuk memusingkan badan.

⟦2⟧ *memajukan ... yang mundur*

◊ *Turning the company around won't be easy.* Tidak mudah hendak memajukan syarikat yang mundur itu.

to **turn back** KATA KERJA

*berpatah balik*

◊ *We turned back.* Kami berpatah balik.

to **turn down** KATA KERJA

⟦1⟧ *menolak*

◊ *He turned down the offer.* Dia menolak tawaran tersebut.

⟦2⟧ *merendahkan*

◊ *Shall I turn the heating down?* Bolehkah saya rendahkan suhu sistem pemanas itu?

to **turn off** KATA KERJA

⟦1⟧ *membelok* (*di jalan*)

⟦2⟧ *memadamkan* (*lampu*)

⟦3⟧ *menutup* (*radio, paip air*)

⟦4⟧ *mematikan* (*enjin*)

◆ **What turns teenagers off science and technology?** Apakah yang menyebabkan para remaja hilang minat terhadap sains dan teknologi?

to **turn on** KATA KERJA

⟦1⟧ *memasang* (*lampu, radio*)

⟦2⟧ *menghidupkan* (*enjin*)

⟦3⟧ *membuka* (*paip air*)

⟦4⟧ *menyerang*

◊ *Demonstrators turned on police.* Penunjuk-penunjuk perasaan menyerang pihak polis.

to **turn out** KATA KERJA

⟦1⟧ *menjadi*

◊ *The weather turned out nice again.* Cuaca menjadi cerah semula.

⟦2⟧ *rupa-rupanya*

◊ *It turned out to be a mistake.* Rupa-rupanya itu satu kesilapan.

◆ **It turned out that she was right.** Ternyata dia betul.

◆ **to turn out the light** memadamkan lampu

to **turn round** KATA KERJA

*berpusing*

to **turn up** KATA KERJA

⟦1⟧ *hadir*

◊ *She never turned up.* Dia langsung tidak hadir.

⟦2⟧ *menguatkan*

◊ *Could you turn up the radio?* Bolehkah anda kuatkan suara radio itu?

◆ **Investigations have never turned any evidence.** Penyiasatan belum pernah menghasilkan sebarang bukti.

**turning** KATA NAMA

*selekoh*

◊ *We took the wrong turning.* Kami masuk ke selekoh yang salah.

**turning point** KATA NAMA

*titik peralihan*

**turnip** KATA NAMA

*ubi sengkuang*

**turquoise** KATA ADJEKTIF

*hijau kebiru-biruan*

**turtle** KATA NAMA

*penyu*

**tusk** KATA NAMA

*gading*

**tutor** KATA NAMA

⟦1⟧ *tutor* (*di universiti*)

⟦2⟧ *guru peribadi*

**tuxedo** KATA NAMA 🔲

(JAMAK **tuxedos**)

*baju tuksedo*

**TV** KATA NAMA

*TV*

**tweezers** KATA NAMA JAMAK

*penyepit kecil*

◊ *a pair of tweezers* satu penyepit kecil

**twelfth** KATA ADJEKTIF

*kedua belas*

◊ *the twelfth place* tempat kedua belas

◆ **the twelfth of August** dua belas hari bulan Ogos

**twelve** ANGKA

*dua belas*

◊ *twelve o'clock* pukul dua belas
- **She's twelve.** Dia berumur dua belas tahun.

**twenties** KATA NAMA JAMAK
*dua puluhan*

**twentieth** KATA ADJEKTIF
*kedua puluh*
◊ *the twentieth place* tempat kedua puluh
- **the twentieth of March** dua puluh hari bulan Mac

**twenty** ANGKA
*dua puluh*
- **He's twenty.** Dia berumur dua puluh tahun.

**twice** KATA ADVERBA
*dua kali*
◊ *He had to repeat it twice.* Dia terpaksa mengulangnya dua kali.
- **twice as much** dua kali lebih banyak
◊ *He gets twice as much pocket money as me.* Dia mendapat dua kali lebih banyak wang saku daripada saya.

**twig** KATA NAMA
*ranting*

**twilight** KATA NAMA
*senja kala*

**twin** KATA NAMA
*kembar*
◊ *identical twins* kembar seiras
- **They're twins.** Mereka saudara kembar.
- **a twin room** bilik berkembar

to **twine** KATA KERJA
*membelit*
◊ *The plant twined around the fence.* Tumbuhan itu membelit pada pagar.
- **He twined his fingers into hers.** Dia membelitkan jarinya ke jari gadis itu.
- **Kamal twined the cloth into a length of rope and used it to lower himself to the ground.** Kamal memilin kain itu menjadi tali dan menggunakannya untuk turun ke bawah.

to **twinkle** KATA KERJA
> rujuk juga **twinkle** KATA NAMA

*berkelipan*
◊ *The stars are twinkling in the sky.* Bintang-bintang berkelipan di langit.

**twinkle** KATA NAMA
> rujuk juga **twinkle** KATA KERJA

*kelipan*
◊ *twinkle of stars* kelipan bintang

**twinned** KATA ADJEKTIF
*kata nama + kembar*
◊ *Nottingham is twinned with Minsk.* Nottingham merupakan bandar kembar Minsk.

**twinning** KATA ADJEKTIF
*berkembar*
◊ *twinning programme* program berkembar

to **twist** KATA KERJA
1 *memintal*
2 *memutarbelitkan*
◊ *You're twisting my words.* Anda memutarbelitkan kata-kata saya.
- **He's twisted his ankle.** Kakinya terseliuh.

**twisty** KATA ADJEKTIF
*banyak selekoh tajam*
◊ *a twisty road* jalan yang banyak selekoh tajam

**twit** KATA NAMA
(*tidak formal*)
*bodoh*

to **twitter** KATA KERJA
*mericau*
◊ *The bird is twittering.* Burung itu sedang mericau.

**two** ANGKA
*dua*
- **She's two.** Dia berumur dua tahun.
- **The two of them can sing.** Mereka berdua boleh menyanyi.

**two-faced** KATA ADJEKTIF
*bermuka dua*

**two-percent milk** KATA NAMA 🇦
*susu separa lemak*

**type** KATA NAMA
> rujuk juga **type** KATA KERJA

*jenis*
◊ *What type of camera have you got?* Apakah jenis kamera yang anda miliki?

to **type** KATA KERJA
> rujuk juga **type** KATA NAMA

*menaip*
◊ *Can you type?* Bolehkah anda menaip?

**typewriter** KATA NAMA
*mesin taip*

**typhoid** KATA NAMA
*demam kepialu*

**typhoon** KATA NAMA
*taufan*

**typical** KATA ADJEKTIF
*biasa* atau *tipikal*
◊ *That's just typical!* Biasalah begitu!

**typist** KATA NAMA
*jurutaip*

**tyre** KATA NAMA
*tayar*
◊ *tyre pressure* tekanan tayar

T

# U

**UFO** SINGKATAN (= *Unidentified Flying Object*) (JAMAK **UFOs**)
*UFO* (= *Unidentified Flying Object*)

**ugh** KATA SERUAN
*ee!*
◊ *Ugh! There's a worm in this apple.* Ee! Ada ulat dalam epal ini.

**ugliness** KATA NAMA
*kehodohan*
◊ *His ugliness became the talk of the town.* Kehodohannya menjadi bahan bualan di bandar itu.

**ugly** KATA ADJEKTIF
[1] *hodoh*
◊ *an ugly hat* topi yang hodoh
[2] *buruk (benda)*
♦ **She's in an ugly mood.** Anginnya tidak baik sekarang ini.

**UK** SINGKATAN (= *United Kingdom*)
*UK* (= *United Kingdom*)

**ulcer** KATA NAMA
*ulser*
◊ *a mouth ulcer* ulser mulut

**ultimate** KATA ADJEKTIF
[1] *terakhir*
◊ *He said he could not predict the ultimate result.* Dia mengatakan bahawa dia tidak dapat meramalkan keputusan yang terakhir.
♦ **the ultimate in luxury** paling mewah
[2] *utama (sumber, sebab)*
[3] *paling hebat*
◊ *the ultimate challenge* cabaran yang paling hebat

**ultimately** KATA ADVERBA
*akhirnya*
◊ *Ultimately, it's your decision.* Akhirnya, keputusan terletak dalam tangan anda.

**ultraviolet** KATA ADJEKTIF
*ultralembayung*
◊ *ultraviolet light* cahaya ultralembayung

**umbrella** KATA NAMA
*payung*

**umpire** KATA NAMA
*pengadil*

**UN** SINGKATAN (= *United Nations*)
*PBB* (= *Pertubuhan Bangsa-bangsa Bersatu*)

**unable** KATA ADJEKTIF
*tidak dapat*
♦ **to be unable to do something** tidak dapat melakukan sesuatu
◊ *Unfortunately, he was unable to come.* Malangnya, dia tidak dapat datang.

**unacceptable** KATA ADJEKTIF
*tidak dapat diterima*
◊ *unacceptable behaviour* kelakuan yang tidak dapat diterima

**unaccompanied** KATA ADJEKTIF
*tidak ditemani*

**unanimity** KATA NAMA
*kesepakatan*

**unanimous** KATA ADJEKTIF
*sebulat suara*
◊ *a unanimous vote* undi sebulat suara

**unattended** KATA ADJEKTIF
*tanpa dijaga*
◊ *Please do not leave your luggage unattended.* Jangan tinggalkan bagasi anda tanpa dijaga.

**unavoidable** KATA ADJEKTIF
*tidak dapat dielakkan*
◊ *The price increase was unavoidable.* Kenaikan harga itu tidak dapat dielakkan.

**unaware** KATA ADJEKTIF
[1] *tidak tahu*
◊ *I was unaware of the regulations.* Saya tidak tahu tentang peraturan-peraturan tersebut.
[2] *tidak sedar*
◊ *She was unaware that she was being filmed.* Dia tidak sedar bahawa gerak-gerinya sedang dirakamkan.

**unbalanced** KATA ADJEKTIF
[1] *tidak waras (orang)*
[2] *berat sebelah (laporan, hujah, dll)*

**unbearable** KATA ADJEKTIF
*amat sangat*
◊ *I was in unbearable pain.* Saya mengalami kesakitan yang amat sangat.

**unbeatable** KATA ADJEKTIF
[1] *tidak ada tandingannya (kualiti, harga)*
[2] *tidak dapat dikalahkan*
◊ *The opposition was unbeatable.* Pihak lawan tidak dapat dikalahkan.

**unbelievable** KATA ADJEKTIF
[1] *menakjubkan*
◊ *His songs are just unbelievable.* Lagu-lagunya amat menakjubkan.
[2] *luar biasa*
◊ *It is unbelievable that people can accept this sort of behaviour.* Sungguh luar biasa apabila manusia dapat menerima kelakuan seperti ini.
[3] *amat sukar untuk dipercayai*
◊ *I still think this story is unbelievable.* Saya masih berpendapat bahawa cerita ini amat sukar untuk dipercayai.

**unborn** KATA ADJEKTIF
*belum lahir*
◊ *the unborn child* bayi yang belum lahir

**unbreakable** KATA ADJEKTIF
*tidak boleh pecah*
◊ *unbreakable crockery* pinggan mangkuk yang tidak boleh pecah

**uncanny** KATA ADJEKTIF
_luar biasa_
◊ _That's uncanny!_ Sungguh luar biasa!
◊ _an uncanny resemblance_ persamaan yang luar biasa

**uncertain** KATA ADJEKTIF
_tidak pasti_
♦ **to be uncertain about something** tidak pasti tentang sesuatu ◊ _He was uncertain about his friend's intentions._ Dia tidak pasti tentang niat kawannya.

**uncertainty** KATA NAMA
(JAMAK **uncertainties**)
_ketidaktentuan_
◊ _the uncertainties of life on the West Coast_ ketidaktentuan hidup di Pantai Barat

**uncivilized** KATA ADJEKTIF
_tidak bertamadun_

**uncle** KATA NAMA
1 _bapa saudara_
2 _pak cik (nama panggilan)_

**unclear** KATA ADJEKTIF
_tidak jelas_

**uncomfortable** KATA ADJEKTIF
_tidak selesa_
◊ _I sometimes feel uncomfortable after eating in the evening._ Kadang-kadang saya berasa tidak selesa selepas makan pada waktu malam.
♦ **The request made them feel uncomfortable.** Permintaan itu menyebabkan mereka berasa tidak senang hati.

**uncommon** KATA ADJEKTIF
1 _tidak biasa_
◊ _This illness is uncommon._ Penyakit ini tidak biasa berlaku.
2 _luar biasa_
◊ _He has an uncommon ability to fix things._ Dia mempunyai kebolehan yang luar biasa untuk membaiki benda.

**unconscious** KATA ADJEKTIF
1 _tidak sedarkan diri_
◊ _He was unconscious when the ambulance arrived._ Dia sudah tidak sedarkan diri semasa ambulans itu tiba.
2 _tidak sedar_
◊ _He seemed unconscious of his own failure._ Nampaknya dia tidak sedar akan kegagalannya sendiri.

**unconsciously** KATA ADVERBA
_secara tidak sedar_

**unconventional** KATA ADJEKTIF
_tidak mengikut kebiasaan_
◊ _He was known for his unconventional behaviour._ Dia terkenal dengan kelakuannya yang tidak mengikut kebiasaan.

**uncountable** KATA ADJEKTIF
_tidak dapat dikira_

**under** KATA SENDI
1 _di bawah_
◊ _The cat's under the table._ Kucing itu ada di bawah meja.
2 _di dalam_
◊ _The tunnel goes under the Channel._ Terowong itu terletak di dalam Selat Inggeris.
♦ **under there** di bawah sana ◊ _What's under there?_ Apakah yang ada di bawah sana?
3 _kurang daripada_
◊ _under 20 people_ kurang daripada 20 orang
♦ **children under 10** budak-budak di bawah umur 10 tahun

**under age** KATA ADJEKTIF
_di bawah umur_
◊ _He's under age._ Dia masih di bawah umur.

**underclothes** KATA NAMA JAMAK
_pakaian dalam_

**undercover** KATA ADJEKTIF, KATA ADVERBA
_pengintipan_
◊ _an undercover agent_ ejen pengintipan
♦ **She was working undercover for the FBI.** Dia bekerja sebagai pengintip untuk pihak FBI.

to **underestimate** KATA KERJA
1 _memandang rendah_
◊ _I think a lot of people underestimate him._ Saya fikir ramai orang memandang rendah terhadapnya.
2 _menganggar kurang_ (kos, harga)

to **undergo** KATA KERJA
(**underwent, undergone**)
_menjalani_

**undergraduate** KATA NAMA
_siswa_

**underground** KATA ADVERBA
> rujuk juga **underground** KATA ADJEKTIF, KATA NAMA

_di bawah tanah_
◊ _The pipes were placed underground._ Paip-paip itu dipasang di bawah tanah.

**underground** KATA ADJEKTIF
> rujuk juga **underground** KATA ADVERBA, KATA NAMA

_bawah tanah_
◊ _an underground car park_ tempat letak kereta bawah tanah

**underground** KATA NAMA
> rujuk juga **underground** KATA ADJEKTIF, KATA ADVERBA

_kereta api bawah tanah_
◊ _Is there an underground in Barcelona?_

Adakah kereta api bawah tanah di Barcelona?

**undergrowth** KATA NAMA
*semak*

to **underline** KATA KERJA
*menggarisbawahi* **atau** *menggariskan*
◊ *Take a coloured pen and underline the word "palace".* Ambil sebatang pen yang berwarna dan gariskan perkataan "palace".

**underneath** KATA SENDI, KATA ADVERBA
*di bawah*
◊ *underneath the carpet* di bawah permaidani

**underpaid** KATA ADJEKTIF
*mendapat gaji yang rendah*
◊ *Teachers are underpaid.* Guru mendapat gaji yang rendah.

**underpants** KATA NAMA JAMAK
*seluar dalam*
◊ *a pair of underpants* sehelai seluar dalam

**underpass** KATA NAMA
(JAMAK **underpasses**)
*jalan bawah*

**undershirt** KATA NAMA 🅰
*anak baju*

**underskirt** KATA NAMA
*simis*

to **underspend** KATA KERJA
(**underspent, underspent**)
*berbelanja kurang* (organisasi, negara)

to **understand** KATA KERJA
(**understood, understood**)
*faham*
◊ *Do you understand?* Adakah anda faham? ◊ *I don't understand the question.* Saya tidak faham soalan itu.
♦ **Is that understood?** Faham?

**understanding** KATA NAMA

> *rujuk juga* **understanding** KATA ADJEKTIF

① *pemahaman*
◊ *He has a deep understanding of Shakespeare's works.* Dia mempunyai pemahaman yang mendalam tentang karya Shakespeare.
② *persefahaman*
◊ *An understanding has existed for a long time between the two countries.* Persefahaman antara kedua-dua buah negara itu sudah lama wujud.

**understanding** KATA ADJEKTIF

> *rujuk juga* **understanding** KATA NAMA

*bertimbang rasa*
◊ *She's very understanding.* Dia sangat bertimbang rasa.

**understood** KATA KERJA *rujuk* **understand**

to **undertake** KATA KERJA

(**undertook, undertaken**)
*berjanji*
◊ *He undertook to edit the text himself.* Dia berjanji akan menyunting teks itu sendiri.
♦ **We undertook the task of hacking our way through the jungle.** Kami mengambil tugas menebas jalan untuk melalui hutan tersebut.

**undertaker** KATA NAMA
*pengurus mayat*

**undertook** KATA KERJA *rujuk* **undertake**

**underwater** KATA ADJEKTIF, KATA ADVERBA
*di dalam air*
◊ *underwater photography* fotografi di dalam air

**underwear** KATA NAMA
*pakaian dalam*

**underwent** KATA KERJA *rujuk* **undergo**

**undid** KATA KERJA *rujuk* **undo**

**undivided** KATA ADJEKTIF
*tidak berbelah bagi*
◊ *Their support was undivided.* Sokongan mereka tidak berbelah bagi.
♦ **undivided attention** sepenuh perhatian

to **undo** KATA KERJA
(**undid, undone**)
*membuka* (butang, simpul, tali)
♦ **She couldn't undo the mistake.** Dia tidak dapat membetulkan kesilapannya.

to **undress** KATA KERJA
*menanggalkan pakaian*
◊ *The doctor told me to undress.* Doktor itu menyuruh saya menanggalkan pakaian.

**undying** KATA ADJEKTIF
*kekal selama-lamanya*

**uneconomic** KATA ADJEKTIF
*tidak menguntungkan*
◊ *an uneconomic factory* sebuah kilang yang tidak menguntungkan

**unemployed** KATA ADJEKTIF
*menganggur*
◊ *He's been unemployed for a year.* Dia sudah menganggur selama setahun.
♦ **the unemployed** penganggur

**unemployment** KATA NAMA
*pengangguran*
◊ *the highest unemployment rate in South East Asia* kadar pengangguran yang tertinggi di Asia Tenggara

**unequally** KATA ADVERBA
*tidak sama rata*
◊ *unequally distributed assets* aset yang diagihkan secara tidak sama rata
♦ **The victims were treated unequally.** Mangsa-mangsa itu dilayan dengan tidak adil.

**unethical** KATA ADJEKTIF
*tidak beretika*

**uneven** KATA ADJEKTIF
_tidak rata_
◊ _uneven walls_ dinding yang tidak rata
♦ **The distribution of stock was uneven.**
Agihan stok itu tidak seimbang.

**unexpected** KATA ADJEKTIF
_tidak diduga_
◊ _an unexpected visitor_ tetamu yang
tidak diduga

**unexpectedly** KATA ADVERBA
_tanpa diduga_

**unfair** KATA ADJEKTIF
_tidak adil_
◊ _This law is unfair to women._ Undang-
undang ini tidak adil terhadap kaum
wanita.

**unfaithful** KATA ADJEKTIF
_tidak setia_

**unfamiliar** KATA ADJEKTIF
[1] _tidak dikenali_
◊ _I heard an unfamiliar voice._ Saya
mendengar satu suara yang tidak dikenali.
[2] _tidak biasa_
◊ _She is unfamiliar with Japanese
culture._ Dia tidak biasa dengan
kebudayaan Jepun.

**unfashionable** KATA ADJEKTIF
_tidak popular_

**unfit** KATA ADJEKTIF
[1] _tidak sihat_
◊ _I'm unfit at the moment._ Saya tidak
sihat pada masa ini.
[2] _tidak layak_
◊ _They were unfit to govern the country._
Mereka tidak layak untuk memerintah
negara itu.

to **unfold** KATA KERJA
_membuka lipatan_
◊ _She unfolded the map._ Dia membuka
lipatan peta tersebut.

**unforgettable** KATA ADJEKTIF
_tidak dapat dilupakan_

**unforgivable** KATA ADJEKTIF
_tidak dapat dimaafkan_
◊ _Lim's actions were unforgivable._
Perbuatan Lim tidak dapat dimaafkan.

**unfortunate** KATA ADJEKTIF
_malang_
◊ _unfortunate people_ orang yang
malang

**unfortunately** KATA ADVERBA
_malangnya_

**unfounded** KATA ADJEKTIF
_tidak berasas_
◊ _unfounded allegations_ dakwaan yang
tidak berasas

**unfriendly** KATA ADJEKTIF
_tidak mesra_
◊ _Her colleagues were a bit unfriendly._

Rakan-rakan sekerjanya tidak begitu
mesra.

**ungrateful** KATA ADJEKTIF
_tidak mengenang budi_

**unhappy** KATA ADJEKTIF
_tidak gembira_
◊ _He was unhappy._ Dia tidak gembira.
♦ **He was very unhappy as a child.**
Sewaktu kecil, dia tidak gembira.
♦ **to look unhappy** kelihatan sedih

**unhealthy** KATA ADJEKTIF
[1] _tidak berkhasiat_
◊ _unhealthy food_ makanan yang tidak
berkhasiat
[2] _tidak sihat_
◊ _He's rather unhealthy._ Dia tidak begitu
sihat. ◊ _an unhealthy atmosphere_
suasana yang tidak sihat

**unification** KATA NAMA
_penyatuan_
◊ _the unification of West Germany and
East Germany_ penyatuan Jerman Barat
dengan Jerman Timur

**unified** KATA ADJEKTIF
_seragam_
◊ _a unified system of taxation_ sistem
cukai yang seragam

**uniform** KATA NAMA
_pakaian seragam_
◊ _school uniform_ pakaian seragam
sekolah

**uniformed** KATA ADJEKTIF
_berpakaian seragam_

**uniformity** KATA NAMA
_keseragaman_
◊ _the uniformity of the school syllabus_
keseragaman sukatan pelajaran di sekolah

to **unify** KATA KERJA
(**unified, unified**)
_menyatukan_

**unimportant** KATA ADJEKTIF
_tidak penting_

**uninhabited** KATA ADJEKTIF
_tidak didiami_
◊ _an uninhabited bungalow_ banglo yang
tidak didiami

to **uninstall** KATA KERJA
(_komputer_)
_mengeluarkan_
◊ _to uninstall programs_ mengeluarkan
program

**unintelligible** KATA ADJEKTIF
_tidak dapat difahami_
◊ _The explanation given by the lecturer
was unintelligible._ Huraian pensyarah itu
tidak dapat difahami.

**uninterested** KATA ADJEKTIF
_tidak berminat_
◊ _She was uninterested in boys._ Dia

tidak berminat tentang budak lelaki.

**union** KATA NAMA

① _kesatuan sekerja_
◊ _I feel that workers can benefit from joining a union._ Saya rasa para pekerja boleh mendapat faedah dengan menjadi ahli kesatuan sekerja.

② _penyatuan_
◊ _Tanzania is a union of the states of Tanganyika and Zanzibar._ Tanzania merupakan penyatuan negeri Tanganyika dengan Zanzibar.

③ (formal) _perkahwinan_
◊ _the union between Louis and Mary_ perkahwinan Louis dengan Mary

**Union Jack** KATA NAMA
_bendera Union Jack_ (bendera kebangsaan United Kingdom)

**unique** KATA ADJEKTIF
_unik_

**uniqueness** KATA NAMA
_keunikan_

**unit** KATA NAMA
_unit_
◊ _a unit of measurement_ unit ukuran
♦ **a kitchen unit** kabinet dapur

to **unite** KATA KERJA
_bersatu_
◊ _We should unite to face the challenges._ Kita harus bersatu dalam menghadapi cabaran.
♦ **Malaysians should unite their efforts to...** Rakyat Malaysia harus menyatukan tenaga untuk...
♦ **The government is trying to unite the population.** Kerajaan sedang berusaha untuk menyatupadukan rakyat.

**united** KATA ADJEKTIF
_bersatu padu_
◊ _a united society_ masyarakat yang bersatu padu

**United Kingdom** KATA NAMA
_United Kingdom_

**United Nations** KATA NAMA
_Pertubuhan Bangsa-bangsa Bersatu_

**United States** KATA NAMA
_Amerika Syarikat_

**unity** KATA NAMA
_perpaduan_
◊ _They have launched an appeal for unity._ Mereka telah membuat rayuan untuk memupuk perpaduan.

**universe** KATA NAMA
_alam semesta_

**university** KATA NAMA
(JAMAK **universities**)
_universiti_
◊ _She's at university._ Dia sedang belajar di universiti.

**unkind** KATA ADJEKTIF
_agak kejam_

**unlawful** KATA ADJEKTIF
_menyalahi undang-undang_

**unleaded petrol** KATA NAMA
_petrol tanpa plumbum_

**unless** KATA HUBUNG
_melainkan_
◊ _I won't come unless you phone me._ Saya tidak akan datang melainkan anda menelefon saya.
♦ **Unless I am mistaken, we're lost.** Kalau tidak silap saya, kita sudah sesat.

**unlike** KATA SENDI
_tidak seperti_
◊ _Unlike him, I really like cycling._ Tidak sepertinya, saya sangat suka berbasikal.
♦ **It is unlike him to wake up late.** Dia jarang sekali bangun lewat.

**unlikely** KATA ADJEKTIF
_besar kemungkinan tidak_
◊ _He's unlikely to come._ Besar kemungkinan dia tidak akan datang.

**unlimited** KATA ADJEKTIF
_tidak terhad_

**unlisted** KATA ADJEKTIF 🖳
_tidak tersenarai_
◊ _an unlisted number_ nombor telefon yang tidak tersenarai
♦ **She's unlisted.** Nombor telefonnya tidak tersenarai dalam buku panduan telefon.

to **unload** KATA KERJA
_memunggah_
◊ _We unloaded the furniture._ Kami memunggah perabot-perabot tersebut.

to **unlock** KATA KERJA
_membuka kunci_
◊ _He unlocked the door of the car._ Dia membuka kunci pintu kereta itu.

**unlucky** KATA ADJEKTIF
① _tidak bernasib baik_
◊ _Did you win? - No, I was unlucky._ Adakah anda menang? - Tidak, saya tidak bernasib baik.
② _membawa malang_
◊ _They say thirteen is an unlucky number._ Menurut kata orang, nombor tiga belas ialah nombor yang membawa malang.

**unmarried** KATA ADJEKTIF
_belum berkahwin_
◊ _an unmarried mother_ ibu yang belum berkahwin ◊ _an unmarried couple_ pasangan yang belum berkahwin

**unmatched** KATA ADJEKTIF
_tidak ada tolok bandingnya_
◊ _Her beauty is unmatched._ Kecantikannya tidak ada tolok bandingnya.

**unmetered** KATA ADJEKTIF

1 *tanpa meter*
◊ *bill for unmetered water* bil untuk air tanpa meter
2 *tanpa had*
◊ *unmetered Internet access* penggunaan Internet tanpa had

**unnatural** KATA ADJEKTIF
1 *luar biasa*
◊ *unnatural speed* kelajuan yang luar biasa
2 *dibuat-buat*
◊ *an unnatural smile* senyuman yang dibuat-buat

**unnecessary** KATA ADJEKTIF
*tidak perlu*

**unoccupied** KATA ADJEKTIF
*tidak berpenghuni*
◊ *The house is unoccupied.* Rumah itu tidak berpenghuni.

**unofficial** KATA ADJEKTIF
*tidak rasmi*

to **unpack** KATA KERJA
*mengeluarkan barang-barang*
◊ *I unpacked my suitcase.* Saya mengeluarkan barang-barang dari beg pakaian saya.
♦ **I haven't unpacked my clothes yet.** Saya belum lagi mengeluarkan pakaian saya dari beg.

**unpardonable** KATA ADJEKTIF
*tidak dapat dimaafkan*
◊ *This time you have gone too far and your behaviour is unpardonable.* Ketelanjuran anda kali ini tidak dapat dimaafkan.

to **unpick** KATA KERJA
*membertaskan*
◊ *to unpick stitches* membertaskan jahitan

**unpleasant** KATA ADJEKTIF
*tidak menyenangkan*

to **unplug** KATA KERJA
*mencabut palam*

**unpopular** KATA ADJEKTIF
*tidak disukai ramai* atau *tidak popular*
◊ *It was an unpopular decision.* Keputusan itu tidak disukai ramai. ◊ *She's an unpopular child.* Dia seorang kanak-kanak yang tidak popular.

**unpredictable** KATA ADJEKTIF
*tidak dapat diduga*

**unprincipled** KATA ADJEKTIF
*tidak bermoral*

**unquestioning** KATA ADJEKTIF
*sepenuhnya*
◊ *He wanted unquestioning obedience.* Dia mahu kepatuhan sepenuhnya.

**unreal** KATA ADJEKTIF
*sukar dipercayai*

◊ *It was unreal!* Perkara itu sukar dipercayai!

**unrealistic** KATA ADJEKTIF
*tidak realistik*

**unreasonable** KATA ADJEKTIF
1 *tidak wajar*
◊ *I think her attitude is unreasonable.* Saya rasa sikapnya itu tidak wajar.
2 *tidak munasabah*
◊ *...unreasonable increases in the price of petrol* ...peningkatan harga petrol yang tidak munasabah

**unreliability** KATA NAMA
1 *dolak-dalik* (*orang*)
2 *keadaan tidak boleh diharap* (*benda*)

**unreliable** KATA ADJEKTIF
*tidak boleh diharap*
◊ *The car was slow and unreliable.* Kereta itu lambat dan tidak boleh diharap.
◊ *He's completely unreliable.* Dia langsung tidak boleh diharap.

**unrest** KATA NAMA
*pergolakan*

**unripe** KATA ADJEKTIF
*muda* (*buah,dll*)

**unrivalled** KATA ADJEKTIF
*tidak ada tolok bandingnya*
◊ *His carving skill is unrivalled.* Kemahiran mengukirnya tidak ada tolok bandingnya.

to **unroll** KATA KERJA
*membuka gulungan*
◊ *She unrolled her sleeping bag.* Dia membuka gulungan beg tidurnya.

**unsatisfactory** KATA ADJEKTIF
*tidak memuaskan*

to **unscrew** KATA KERJA
1 *membuka skru*
2 *membuka*
◊ *She unscrewed the cap of her water bottle.* Dia membuka tudung botol airnya.

**unscrupulous** KATA ADJEKTIF
*tidak bermoral*
◊ *unscrupulous people* orang yang tidak bermoral

**unshaven** KATA ADJEKTIF
*tidak bercukur*

**unskilled** KATA ADJEKTIF
*tidak mahir*
◊ *an unskilled worker* pekerja yang tidak mahir

**unspoilt** KATA ADJEKTIF
*tidak terjejas*
◊ *The port is quiet and unspoilt.* Pelabuhan itu sunyi dan tidak terjejas.

**unstable** KATA ADJEKTIF
*tidak stabil*

**unsteady** KATA ADJEKTIF
1 *terhuyung-hayang*

◊ *He was unsteady on his feet.* Dia berjalan terhuyung-hayang.

2 *terketar-ketar*
◊ *unsteady hands* tangan yang terketar-ketar ◊ *an unsteady voice* suara yang terketar-ketar

3 *goyah*
◊ *unsteady furniture* perabot yang goyah

to **unsubscribe** KATA KERJA
*menghentikan langganan*

**unsuccessful** KATA ADJEKTIF
*tidak berjaya*

♦ **to be unsuccessful in doing something** tidak berjaya melakukan sesuatu ◊ *He was unsuccessful in getting a job.* Dia tidak berjaya mendapat kerja.

**unsuitable** KATA ADJEKTIF
*tidak sesuai (pakaian, kelengkapan)*

**untethered** KATA ADJEKTIF
*tidak bertambat*

**untidy** KATA ADJEKTIF
*tidak kemas*
◊ *Your bedroom is really untidy.* Bilik tidur anda tidak kemas langsung. ◊ *She always looks untidy.* Dia selalu kelihatan tidak kemas.

to **untie** KATA KERJA
*membuka ikatan*
◊ *She untied her hair.* Dia membuka ikatan pada rambutnya.

**until** KATA SENDI, KATA HUBUNG
*sehingga*
◊ *I waited until 10 o'clock.* Saya menunggu sehingga pukul sepuluh.

♦ **The report won't be ready until next week.** Laporan itu hanya akan siap pada minggu hadapan.

♦ **until now** sehingga sekarang ◊ *It's never been a problem until now.* Hal ini tidak pernah menimbulkan masalah sehinggalah sekarang.

♦ **until then** sebelum itu ◊ *Until then, I'd never been to Italy.* Sebelum itu saya tidak pernah pergi ke Itali.

**untrue** KATA ADJEKTIF
*tidak benar*
◊ *The allegations were untrue.* Dakwaan-dakwaan itu tidak benar.

**unusual** KATA ADJEKTIF
1 *jarang ditemui*
◊ *He cultivates unusual plants.* Dia menanam pokok yang jarang ditemui.

♦ **It is unusual to get snow here.** Salji jarang turun di sini.

2 *luar biasa*
◊ *an unusual shape* bentuk yang luar biasa

**unwilling** KATA ADJEKTIF

*enggan*
◊ *She was unwilling to move.* Dia enggan berpindah.

♦ **He was unwilling to help me.** Dia tidak sudi membantu saya.

to **unwind** KATA KERJA
(**unwound, unwound**)
1 *berehat*
◊ *Singing is a good way of unwinding.* Menyanyi merupakan cara yang baik untuk berehat.

2 *merungkaikan*
◊ *I want to unwind the ball of wool.* Saya hendak merungkaikan gulungan benang sayat itu.

**unwise** KATA ADJEKTIF
*tidak bijak*
◊ *That was unwise of you.* Tindakan anda itu tidak bijak.

**unwound** KATA KERJA *rujuk* **unwind**

to **unwrap** KATA KERJA
*membuka (bungkusan)*
◊ *After the games, we unwrapped the presents.* Kami membuka hadiah selepas permainan itu.

**up** KATA SENDI, KATA ADVERBA
*di atas*
◊ *up on the hill* di atas bukit ◊ *up here* di atas sini ◊ *up there* di atas sana

♦ **up north** di utara

♦ **to be up** bangun ◊ *We were up at six.* Kami bangun pada pukul enam. ◊ *He's not up yet.* Dia belum bangun lagi.

♦ **What's up?** Ada apa hal?

♦ **What's up with her?** Apa halnya dengan dia?

♦ **to go up** menaiki ◊ *The bus went up the hill.* Bas itu menaiki bukit.

♦ **to go up to somebody** pergi mendapatkan seseorang ◊ *She went up to her father.* Dia pergi mendapatkan bapanya.

♦ **up to** sehingga ◊ *to count up to 50* mengira sehingga 50 ◊ *up to now* sehingga kini

♦ **It's up to you.** Terpulanglah kepada anda.

**upbringing** KATA NAMA
*didikan*

to **update** KATA KERJA
*mengemaskinikan*
◊ *Editors are updating the book for publication next month.* Para editor sedang mengemaskinikan buku itu untuk diterbitkan pada bulan hadapan.

to **upgrade** KATA KERJA
*meningkatkan*

**upheld** KATA KERJA *rujuk* **uphold**

**uphill** KATA ADJEKTIF

_sukar_
◊ *It was an uphill battle.* Perjuangan itu memang sukar.

to **uphold** KATA KERJA
(**upheld, upheld**)
_menegakkan_
◊ *We must uphold justice.* Kita mesti menegakkan keadilan.

to **upload** KATA KERJA
_memuat naik_ (komputer)

**upmarket** KATA ADJEKTIF
_kelas tinggi_

**upper** KATA ADJEKTIF
_atas_

**upper-class** KATA ADJEKTIF
_golongan atasan_

**upright** KATA ADJEKTIF
_tegak_
◊ *to stand upright* berdiri tegak

**uproar** KATA NAMA
_kekecohan_
◊ *The announcement caused an uproar in that area.* Pengumuman tersebut menyebabkan kekecohan di kawasan itu.

to **uproot** KATA KERJA
_mencabut_
◊ *They had been forced to uproot their vines and plant wheat.* Mereka dipaksa mencabut pokok-pokok anggur mereka dan menanam gandum.
♦ **Several coconut trees were uprooted by the strong wind.** Angin yang kuat telah menyebabkan beberapa batang pokok kelapa tercabut.
♦ **He had no wish to uproot Dena from her present home.** Dia tidak berniat untuk memaksa Dena meninggalkan rumah yang didiaminya sekarang.

**upset** KATA ADJEKTIF

> rujuk juga **upset** KATA NAMA, KATA KERJA

_susah hati_
◊ *She's still a bit upset.* Dia masih susah hati. ◊ *Don't get upset.* Jangan susah hati.
♦ **I had an upset stomach.** Perut saya sakit.

**upset** KATA NAMA

> rujuk juga **upset** KATA ADJEKTIF, KATA KERJA

_sakit_
♦ **I had a stomach upset.** Saya sakit perut.
♦ **stress and other emotional upsets** tekanan dan gangguan emosi yang lain

to **upset** KATA KERJA

> rujuk juga **upset** KATA NAMA, KATA ADJEKTIF

_membuat ... susah hati_

◊ *Anita warned me not to say anything to upset him.* Anita mengingatkan saya supaya tidak menyebut apa-apa yang boleh membuat dia berasa susah hati.
♦ **Don't upset yourself.** Jangan susah hati.

**upside down** KATA ADVERBA

> rujuk juga **upside down** KATA ADJEKTIF

_terbalik_
◊ *The painting was hung upside down.* Lukisan tersebut digantung terbalik.

**upside down** KATA ADJEKTIF

> rujuk juga **upside down** KATA ADVERBA

_terbalik_
◊ *The map is upside down.* Peta itu terbalik.
♦ **The plate is upside down.** Pinggan itu terlungkup.

**upstairs** KATA ADVERBA
_tingkat atas_
◊ *the people upstairs* orang yang tinggal di tingkat atas
♦ **I went upstairs to get the book.** Saya naik ke atas untuk mengambil buku itu.

**upstream** KATA ADVERBA
_ke hulu_
◊ *He lives about 60 miles upstream from Oahe.* Dia tinggal kira-kira 60 batu ke hulu dari Oahe.

**uptight** KATA ADJEKTIF
_gemuruh_
◊ *She's very uptight today.* Dia sangat gemuruh hari ini.

**up to date** KATA ADJEKTIF
_kemas kini_
◊ *Germany's most up to date power station* stesen kuasa Jerman yang paling kemas kini
♦ **up to date news** berita terkini

**uptown** KATA ADVERBA
(biasanya AS)
_pinggir bandar_

**upwards** KATA ADVERBA
_ke atas_
◊ *to look upwards* memandang ke atas

**urban** KATA ADJEKTIF
_bandar_
◊ *urban areas* kawasan bandar

**urbanization** KATA NAMA
_urbanisasi_

to **urbanize** KATA KERJA
_mengurbanisasikan_

to **urge** KATA KERJA
_mendesak_
◊ *My parents urged me to study overseas.* Ibu bapa saya mendesak saya supaya belajar di luar negara.

U

**urgent** KATA ADJEKTIF
_mustahak_

**urinary tract** KATA NAMA
_salur kencing_

to **urinate** KATA KERJA
_membuang air kecil_

**urine** KATA NAMA
_air kencing_

**US** SINGKATAN (= United States)
_AS_ (= Amerika Syarikat)

**us** KATA GANTI NAMA
> Gunakan **kita** jika termasuk orang
> yang bercakap dengan anda.
> Gunakan **kami** jika tidak termasuk
> orang yang bercakap dengan anda.

[1] _kita_
◊ I will divide the money between us.
Saya akan membahagikan wang itu
sesama kita. ◊ Let's look at these
pictures. Mari kita lihat gambar-gambar
ini.

[2] _kami_
◊ Help us! Bantulah kami!

**USA** SINGKATAN (= United States of
America)
_AS_ (= Amerika Syarikat)

**use** KATA NAMA
> rujuk juga **use** KATA KERJA

[1] _penggunaan_
◊ "directions for use" "arahan
penggunaan"

[2] _kegunaan_
◊ Infra-red detectors have many uses.
Pengesan inframerah mempunyai banyak
kegunaannya.

♦ **It's no use shouting, she's deaf.** Tidak
ada gunanya menjerit kerana dia pekak.

♦ **to make use of something**
menggunakan sesuatu

to **use** KATA KERJA
> rujuk juga **use** KATA NAMA

_menggunakan_
◊ Can I use your phone? Bolehkah
saya gunakan telefon anda?

♦ **I used to go camping as a child.** Saya
selalu pergi berkhemah semasa zaman
kanak-kanak dahulu.

♦ **I didn't use to like mathematics, but
now I love it.** Dahulu saya tidak suka
matematik, tetapi sekarang saya sangat
menyukainya.

♦ **to be used to something** biasa dengan
sesuatu ◊ He wasn't used to driving on
the right. Dia tidak biasa memandu di
sebelah kanan.

♦ **to use somebody** memperalatkan
seseorang

♦ **a used car** kereta terpakai

to **use up** KATA KERJA
_menghabiskan_
◊ We've used up all the paint. Kami
telah menghabiskan semua cat.

**useful** KATA ADJEKTIF
_berguna_

**useless** KATA ADJEKTIF
_tidak berguna_
◊ a piece of useless information
maklumat yang tidak berguna

♦ **You're useless!** Kamu memang tidak
berguna!

♦ **He was useless at any game.** Dia tidak
pandai bermain satu permainan pun.

♦ **It's useless asking her that question.**
Tidak ada gunanya bertanya kepadanya
soalan itu.

**user** KATA NAMA
_pengguna_

**user-friendly** KATA ADJEKTIF
_mesra pengguna_

**usual** KATA ADJEKTIF
_biasa_

♦ **as usual** seperti biasa

**usually** KATA ADVERBA
_biasanya_
◊ I usually go to school at seven o'clock.
Biasanya saya pergi ke sekolah pada
pukul tujuh.

**utensil** KATA NAMA
_perkakas_

**utility** KATA NAMA
(JAMAK **utilities**)

[1] _kegunaan_
◊ He questioned the utility of his work.
Dia mempersoalkan kegunaan kerjanya.

[2] _kemudahan_
◊ public utilities such as gas, electricity
and phones kemudahan awam seperti
gas, kuasa elektrik dan telefon

to **utter** KATA KERJA
_mengujarkan_
◊ They departed without uttering a word.
Mereka beredar tanpa mengujarkan
sepatah perkataan pun.

**utterance** KATA NAMA
_ujaran_
◊ Her fans believed her every utterance.
Peminat-peminatnya mempercayai setiap
ujarannya.

**U-turn** KATA NAMA
_pusingan U_
◊ to do a U-turn membuat pusingan U

♦ **"No U-turns"** " Dilarang membuat
pusingan U"

# V

**vacancy** KATA NAMA
(JAMAK **vacancies**)
1 _kekosongan_ (kerja)
2 _bilik kosong_ (hotel)
* **"no vacancies"** "penuh"
**vacant** KATA ADJEKTIF
_kosong_
◊ _a vacant seat_ tempat duduk kosong
to **vacate** KATA KERJA
_mengosongkan_
◊ _He vacated the flat and went to stay
with friends._ Dia mengosongkan flat itu
dan tinggal bersama kawan-kawannya.
**vacation** KATA NAMA 🇦
_percutian_
* **to be on vacation** bercuti
* **to take a vacation** pergi bercuti
to **vaccinate** KATA KERJA
_memvaksin_
**vaccination** KATA NAMA
_pemvaksinan_
**vaccine** KATA NAMA
_vaksin_
to **vacuum** KATA KERJA
_memvakum_
◊ _to vacuum the room_ memvakum bilik
**vacuum cleaner** KATA NAMA
_pembersih hampa gas_
**vagina** KATA NAMA
_faraj_
**vague** KATA ADJEKTIF
_kabur_
◊ _The explanation was pretty vague._
Penjelasan itu agak kabur.
* **He's getting a bit vague in his old age.**
Daya ingatannya menjadi kurang baik
dalam usia tuanya.
* **I've only got a vague idea what he
means.** Saya cuma dapat memahami
sedikit sahaja maksudnya.
**vaguely** KATA ADVERBA
_sedikit_
◊ _He felt vaguely embarrassed._ Dia
berasa sedikit malu.
* **The voice on the line was vaguely
familiar, but...** Suara dalam talian itu
seperti pernah didengar, tetapi...
* **to vaguely remember** ingat-ingat lupa
**vagueness** KATA NAMA
_kekaburan_
◊ _There is a lot of vagueness in the
witness's statement._ Terdapat banyak
kekaburan dalam keterangan saksi itu.
**vain** KATA ADJEKTIF
_bermegah diri_
◊ _He's so vain!_ Dia sangat bermegah
diri!
* **in vain** sia-sia
**vainly** KATA ADVERBA

_dengan sia-sia_
◊ _He hunted vainly through his pockets
for the key._ Dia mencari-cari kunci itu dari
sakunya dengan sia-sia.
**Valentine card** KATA NAMA
_kad Valentine_
**Valentine's Day** KATA NAMA
_Hari Valentine_
**valid** KATA ADJEKTIF
_sah_
◊ _a valid passport_ pasport yang sah
◊ _This ticket is valid for three months._
Tiket ini sah selama tiga bulan.
**validity** KATA NAMA
_kesahihan_
◊ _the validity of the report_ kesahihan
laporan itu
**valley** KATA NAMA
_lembah_
**valuable** KATA ADJEKTIF
_berharga_
◊ _a valuable painting_ lukisan yang
berharga ◊ _valuable help_ pertolongan
yang berharga
**valuables** KATA NAMA JAMAK
_barang-barang yang berharga_
**value** KATA NAMA
_nilai_
**valueless** KATA ADJEKTIF
_tidak berguna_
**valve** KATA NAMA
_injap_
**van** KATA NAMA
_van_
**vandal** KATA NAMA
_pelaku musnah_
**vandalism** KATA NAMA
_laku musnah_ (terhadap harta benda
awam)
to **vandalize** KATA KERJA
_merosakkan harta benda awam_
**vanilla** KATA NAMA
_vanila_
◊ _a vanilla ice cream_ aiskrim vanila
to **vanish** KATA KERJA
_lenyap_
◊ _to vanish into thin air_ lenyap tanpa
sebarang kesan
**vanity** KATA NAMA
_keangkuhan_
to **vaporize** KATA KERJA
_mengewap_
◊ _The liquid vaporized and formed a kind
of gas._ Cecair itu mengewap dan
membentuk sejenis gas.
**variable** KATA ADJEKTIF
| rujuk juga **variable** KATA NAMA |
_berubah-ubah_
◊ _The potassium content of foodstuffs is_

*variable*. Kandungan kalium dalam makanan berubah-ubah.

**variable** KATA NAMA

> rujuk juga **variable** KATA ADJEKTIF

*pemboleh ubah (matematik)*

**variation** KATA NAMA
*variasi*

**varied** KATA ADJEKTIF
*pelbagai jenis*

**variety** KATA NAMA
(JAMAK **varieties**)
*kepelbagaian*

**various** KATA ADJEKTIF
*pelbagai*
◊ *The school received various books from the publisher.* Sekolah itu menerima pelbagai jenis buku daripada penerbit tersebut.
♦ **We visited various villages in the area.** Kami melawati berbagai-bagai kampung di daerah itu.

**varnish** KATA NAMA
*varnis*

to **vary** KATA KERJA
(**varied, varied**)
*berbeza*
◊ *The text varies from the earlier versions.* Teks itu berbeza daripada versi-versi yang sebelum ini.

**vase** KATA NAMA
*pasu bunga*

**vast** KATA ADJEKTIF
[1] *besar*
◊ *A vast difference in style...* Satu perbezaan yang besar dari segi gaya...,
[2] *luas*
◊ *vast stretches of land* tanah yang terbentang luas

**VAT** KATA NAMA (= *value added tax*)
*VAT (= cukai nilai tambahan)*

> Di Britain, **VAT** ialah cukai yang ditambah pada harga barangan atau perkhidmatan.

**VCR** KATA NAMA (= *video cassette recorder*)
*perakam video kaset*

**VDU** KATA NAMA (= *visual display unit*)
*monitor*

**veal** KATA NAMA
*daging anak lembu*

**vegan** KATA NAMA
*vegetarian*

**vegetable** KATA NAMA
*sayur*
◊ *vegetable soup* sup sayur

**vegetarian** KATA ADJEKTIF

> rujuk juga **vegetarian** KATA NAMA

*vegetarian*
◊ *vegetarian lasagne* lasagne

**vegetarian** KATA NAMA

> rujuk juga **vegetarian** KATA ADJEKTIF

*vegetarian*
◊ *I'm a vegetarian.* Saya vegetarian.

**vehicle** KATA NAMA
*kenderaan*

**veil** KATA NAMA
[1] *vel*
[2] *selendang*

**vein** KATA NAMA
*pembuluh darah*

**velocity** KATA NAMA
(JAMAK **velocities**)
*halaju*

**velvet** KATA NAMA
*baldu*

**vending machine** KATA NAMA
*mesin layan diri*

**vendor** KATA NAMA
*penjual*

**Venetian blind** KATA NAMA
*bidai Venetian*

**venison** KATA NAMA
*daging rusa*

**venom** KATA NAMA
[1] *kebencian*
◊ *the venom in his voice* kebencian pada nada suaranya
[2] *bisa*

**venomous** KATA ADJEKTIF
[1] *penuh dengan sifat benci*
◊ *his terrifying and venomous Aunt Bridget* mak cik Bridgetnya yang menakutkan dan penuh dengan sifat benci
[2] *berbisa*

**Venus** KATA NAMA
*Zuhrah*

**veranda** KATA NAMA
*beranda*

**verb** KATA NAMA
*kata kerja*

**verdict** KATA NAMA
*keputusan (di mahkamah)*

**verge** KATA NAMA
*tepi (jalan)*
♦ **on the verge of** hampir-hampir
◊ *Carole was on the verge of tears.* Carole hampir-hampir menangis.

to **verify** KATA KERJA
(**verified, verified**)
*mengesahkan*
◊ *Make sure you verify the amount before paying the bill.* Pastikan anda mengesahkan jumlahnya sebelum membayar bil.

**verse** KATA NAMA
[1] *puisi*
[2] *ayat*

◊ *verse of the Koran* ayat al-Quran

**version** KATA NAMA
*versi*

**vertebra** KATA NAMA
*vertebra*

**vertical** KATA ADJEKTIF
*menegak*

**vertigo** KATA NAMA
*gayat (padanan terdekat)*
◊ *I get vertigo.* Saya gayat.

**very** KATA ADVERBA
> rujuk juga **very** KATA ADJEKTIF

*sangat*
◊ *very tall* sangat tinggi
♦ **not very interesting** tidak begitu menarik
♦ **very much (1)** banyak ◊ *He didn't eat very much.* Dia tidak makan banyak.
♦ **very much (2)** sangat ◊ *I love her very much.* Saya sangat mencintainya.
♦ **Thank you very much.** Terima kasih banyak-banyak.
♦ **We were thinking the very same thing.** Kami mempunyai pendapat yang sama.

**very** KATA ADJEKTIF
> rujuk juga **very** KATA ADVERBA

*-lah*
◊ *in this very house* di dalam rumah inilah ◊ *That's the very book I was talking about.* Buku itulah yang saya katakan tadi.

**vessel** KATA NAMA
1 *kapal*
2 *bekas menyimpan air*

**vest** KATA NAMA
1 *anak baju (pakaian dalam)*
2  *weskot*
♦ **sports vest** baju sukan tidak berlengan

**vet** KATA NAMA
*doktor haiwan*

**veteran** KATA NAMA
*veteran*

**veterinarian** KATA NAMA
*doktor haiwan*

**veto** KATA NAMA
*veto*

**via** KATA SENDI
*melalui*
◊ *a flight via Singapore* penerbangan melalui Singapura

**Viagra ®** KATA NAMA
*Viagra ® (ubat)*

to **vibrate** KATA KERJA
*bergetar*
◊ *The hall seemed to vibrate when the bomb exploded.* Dewan itu seakan-akan bergetar apabila bom itu meletup.

**vibration** KATA NAMA
*getaran*

◊ *The vibration is caused by passing vehicles.* Getaran itu disebabkan oleh kenderaan yang lalu-lalang.

**vicar** KATA NAMA
*paderi (di gereja England)*

**vice** KATA NAMA
1 *ragum (alat)*
2 *naib*
◊ *vice president* naib presiden

**viceroy** KATA NAMA
*wizurai*

**vice versa** KATA ADVERBA
*dan sebaliknya*

**vicious** KATA ADJEKTIF
1 *ganas*
◊ *a vicious attack* serangan yang ganas ◊ *He was a vicious man.* Dia seorang yang ganas.
2 *garang*
◊ *a vicious dog* seekor anjing yang garang
♦ **a vicious circle** lingkaran ganas
> masalah atau keadaan yang menimbulkan masalah baru dan masalah baru ini menyebabkan masalah asal itu berulang semula

**victim** KATA NAMA
*mangsa*
◊ *He was the victim of a mugging.* Dia mangsa perbuatan samun.

**victorious** KATA ADJEKTIF
*menang*
◊ *Our team was victorious.* Pasukan kami menang.

**victory** KATA NAMA
(JAMAK **victories**)
*kejayaan*

**video** KATA NAMA
(JAMAK **videos**)
> rujuk juga **video** KATA KERJA

*video*
◊ *to watch a video* menonton video

to **video** KATA KERJA
> rujuk juga **video** KATA NAMA

*merakam ... ke dalam pita video*
◊ *They videoed the whole wedding.* Mereka merakam keseluruhan upacara perkahwinan itu ke dalam pita video.

**videotape** KATA NAMA
*pita video*

**view** KATA NAMA
1 *pemandangan*
◊ *There's an amazing view there.* Pemandangan di situ menakjubkan.
2 *pandangan*
◊ *We have different views.* Kami mempunyai pandangan yang berbeza.
♦ **in my view** pada pendapat saya

**viewer** KATA NAMA

*penonton*

**viewpoint** KATA NAMA
*pendapat*

**vile** KATA ADJEKTIF
  1 *dahsyat* (keadaan)
  2 *keji* (orang, perbuatan)

**villa** KATA NAMA
*vila*

**village** KATA NAMA
*kampung*

**villager** KATA NAMA
*penduduk kampung*

**villain** KATA NAMA
  1 *penyangak*
  2 *watak jahat* (dalam filem)

**vindictive** KATA ADJEKTIF
*pendendam*
  ◊ *He's vindictive.* Dia seorang yang
pendendam.

**vine** KATA NAMA
  1 *pokok anggur*
  2 *pokok menjalar*

**vinegar** KATA NAMA
*cuka*

**vineyard** KATA NAMA
*ladang anggur*

**viola** KATA NAMA
*viola*

to **violate** KATA KERJA
*mencabuli* (undang-undang, hak)

**violation** KATA NAMA
*pencabulan*
  ◊ *violation of state law* pencabulan
undang-undang negeri

**violence** KATA NAMA
*keganasan*

**violent** KATA ADJEKTIF
*ganas*

**violet** KATA ADJEKTIF
*violet*

**violin** KATA NAMA
*biola*

**violinist** KATA NAMA
*pemain biola*

**virgin** KATA NAMA
*dara*
  ◊ *She's still a virgin.* Dia masih dara.

**virginity** KATA NAMA
*dara*

**Virgo** KATA NAMA
*Virgo*
  ♦ **I'm Virgo.** Zodiak saya ialah Virgo.

**virtual** KATA ADJEKTIF
*sebenarnya*
  ◊ *condition of virtual slavery* keadaan
perhambaan yang sebenarnya
  ♦ **a virtual university** universiti maya

**virtual reality** KATA NAMA
*alam maya* (komputer)

**virtue** KATA NAMA
*kebaikan*
  ◊ *He's just using a mask of virtue to hide
his evil deeds.* Dia hanya bertopengkan
kebaikan untuk menutup kejahatannya.

**virus** KATA NAMA
(JAMAK **viruses**)
*virus*

**visa** KATA NAMA
*visa*

**visible** KATA ADJEKTIF
*dapat dilihat*

**vision** KATA NAMA
  1 *visi*
  ♦ **to have a vision of somebody**
terbayangkan seseorang
  2 *penglihatan*
  ◊ *blurred vision* penglihatan yang kabur

to **visit** KATA KERJA
  | rujuk juga **visit** KATA NAMA |
*melawat*

**visit** KATA NAMA
  | rujuk juga **visit** KATA KERJA |
*lawatan*
  ◊ *a visit to the Butterfly Farm* lawatan
ke Taman Rama-rama

**visitor** KATA NAMA
  1 *pelawat*
  2 *tetamu* (di rumah, pejabat)

**visual** KATA ADJEKTIF
*penglihatan*

to **visualize** KATA KERJA
*membayangkan*

**vital** KATA ADJEKTIF
*amat penting*

**vitamin** KATA NAMA
*vitamin*

**vivacious** KATA ADJEKTIF
*lincah*

**vivid** KATA ADJEKTIF
*terang*
  ◊ *vivid colours* warna terang
  ♦ **to have a vivid imagination** mempunyai
daya imaginasi yang jelas

**vocabulary** KATA NAMA
(JAMAK **vocabularies**)
*perbendaharaan kata*

**vocal cords** KATA NAMA JAMAK
*pita suara*

**vocalist** KATA NAMA
*vokalis*

**vocational** KATA ADJEKTIF
*vokasional*

**vodka** KATA NAMA
*vodka* (sejenis minuman keras)

**voice** KATA NAMA
  | rujuk juga **voice** KATA KERJA |
*suara*

to **voice** KATA KERJA

*rujuk juga* **voice** KATA NAMA
*menyuarakan*
◊ *We should have the courage to voice our opinion.* Kita harus berani menyuarakan pendapat.

**voice mail** KATA NAMA
*mel suara*

**volcanic** KATA ADJEKTIF
*gunung berapi*
◊ *a volcanic eruption* letusan gunung berapi

**volcano** KATA NAMA
(JAMAK **volcanoes**)
*gunung berapi*

**volleyball** KATA NAMA
*bola tampar*

**volt** KATA NAMA
*volt*

**voltage** KATA NAMA
*voltan*

**volume** KATA NAMA
1 *jumlah*
◊ *the volume of sales* jumlah jualan
2 *isi padu*
◊ *the volume of air* isi padu udara
3 *jilid*
◊ *Faridah has bought the third volume of the encyclopedia.* Faridah telah membeli jilid ketiga ensiklopedia itu.

**voluntary** KATA ADJEKTIF
*sukarela*
◊ *to do voluntary work* membuat kerja sukarela

**volunteer** KATA NAMA
*rujuk juga* **volunteer** KATA KERJA
*sukarelawan*

to **volunteer** KATA KERJA
*rujuk juga* **volunteer** KATA NAMA
*menawarkan diri*
◊ *to volunteer to do something* menawarkan diri untuk melakukan sesuatu

to **vomit** KATA KERJA
*rujuk juga* **vomit** KATA NAMA
*muntah*

**vomit** KATA NAMA
*rujuk juga* **vomit** KATA KERJA
*muntah*

**vote** KATA NAMA
*rujuk juga* **vote** KATA KERJA
*undi*

to **vote** KATA KERJA
*rujuk juga* **vote** KATA NAMA
*mengundi*
◊ *I voted for John.* Saya mengundi John.

**voter** KATA NAMA
*pengundi*

**voting** KATA NAMA
*pengundian*
◊ *Candidates are not allowed in the hall during voting.* Calon tidak dibenarkan berada di dalam dewan semasa pengundian dijalankan.

**voucher** KATA NAMA
*baucar*
◊ *a gift voucher* baucar hadiah

to **vow** KATA KERJA
*rujuk juga* **vow** KATA NAMA
*berikrar*
◊ *The athletes vowed that they would compete in a spirit of sportsmanship.* Atlit-atlit itu berikrar akan bertanding dengan semangat kesukanan.

**vow** KATA NAMA
*rujuk juga* **vow** KATA KERJA
*ikrar*

**vowel** KATA NAMA
*vokal*

**voyage** KATA NAMA
*pelayaran*
◊ *The voyage to Langkawi takes two days.* Pelayaran ke Pulau Langkawi mengambil masa dua hari.

**vulgar** KATA ADJEKTIF
*kasar*
◊ *vulgar jokes* jenaka yang kasar
♦ **I think it's a very vulgar house.** Saya rasa rumah itu terlampau megah.

**vulgarity** KATA NAMA
*sikap kasar*
◊ *I can't stand his vulgarity.* Saya tidak tahan dengan sikapnya yang kasar.
♦ **I hate the vulgarity of this house.** Saya tidak suka keadaan rumah ini yang tidak ada nilai kesenian.

# W

**wacky** KATA ADJEKTIF
*gila-gila*
◊ *His wacky behaviour irritates me.*
Perangainya yang gila-gila itu
menjengkelkan saya.

to **wade** KATA KERJA
*meranduk*
◊ *The soldiers had to wade across the
deep river.* Askar-askar itu terpaksa
meranduk sungai yang dalam itu.

**wafer** KATA NAMA
*biskut wafer*

**wage** KATA NAMA
*upah*
◊ *He collected his wages.* Dia
mengambil upahnya.

to **wail** KATA KERJA
*meratap*
◊ *Ani's mother coaxed her to stop
wailing.* Ibu Ani memujuknya supaya
berhenti meratap.

**waist** KATA NAMA
*pinggang*

**waistband** KATA NAMA
*ikat pinggang*

**waistcoat** KATA NAMA
*weskot*

to **wait** KATA KERJA
*menunggu*
◊ *I'll wait for you.* Saya akan menunggu
anda.
♦ **Wait a minute!** Tunggu sebentar!
♦ **to keep somebody waiting** membiarkan
seseorang menunggu
♦ **Any changes will have to wait until
sponsors can be found.** Sebarang
perubahan perlu ditangguhkan sehingga
kita mendapat penaja.
♦ **I can't wait for the holidays.** Saya tidak
sabar untuk pergi bercuti.
♦ **When we came home we had a meal
waiting for us.** Apabila kami pulang,
hidangan sudah pun tersedia.
♦ **There are plenty of servants to wait on
her.** Ada banyak orang gaji yang
melayaninya.

to **wait up** KATA KERJA
*berjaga*
◊ *My mum always waits up till I get in.*
Emak saya selalu berjaga sehingga saya
pulang.

**waiter** KATA NAMA
*pelayan* (*lelaki*)

**waiting** KATA NAMA
*penantian*
◊ *He feels that his waiting all this while
has just been futile.* Dia merasakan
penantiannya selama ini sia-sia sahaja.

**waiting list** KATA NAMA
*senarai menunggu*
◊ *There are thousands of people on the
hospital waiting lists.* Terdapat beribu-ribu
orang dalam senarai menunggu hospital
itu.

**waiting room** KATA NAMA
*bilik menunggu*

**waitress** KATA NAMA
(JAMAK **waitresses**)
*pelayan* (*wanita*)

to **wake up** KATA KERJA
(**woke up, woken up**)
*bangun*
◊ *I woke up at six o'clock.* Saya bangun
pada pukul enam.
♦ **Please would you wake me up at seven
o'clock?** Bolehkah anda tolong kejutkan
saya pada pukul tujuh?

**Wales** KATA NAMA
*Wales*
◊ *I'm from Wales.* Saya berasal dari
Wales.
♦ **the Prince of Wales** Putera Wales

**walk** KATA NAMA
| rujuk juga **walk** KATA KERJA |
|---|
*berjalan-jalan*
◊ *I went for a walk.* Saya pergi berjalan-
jalan.
♦ **It's 10 minutes' walk from here.**
Jauhnya tempat itu kira-kira 10 minit jika
berjalan kaki dari sini.

to **walk** KATA KERJA
| rujuk juga **walk** KATA NAMA |
|---|
⊡ *berjalan*
◊ *We walked 10 kilometres.* Kami
berjalan sejauh 10 kilometer.
♦ **Are you walking or going by bus?** Anda
akan berjalan kaki atau pergi dengan bas?
② *menemani*
◊ *He walked me to my car.* Dia
menemani saya ke kereta saya.
♦ **to walk the dog** membawa anjing
berjalan-jalan
♦ **I like walking through the park.** Saya
suka berjalan melalui taman itu.

to **walk away with** KATA KERJA
*memenangi*
◊ *Enter our competition and you could
walk away with RM1000.* Sertailah
pertandingan kami dan anda mungkin
memenangi RM1000.

**walkie-talkie** KATA NAMA
*walkie-talkie*

**walking** KATA NAMA
*berjalan*
◊ *Walking is good for your health.*
Berjalan baik untuk kesihatan anda.
♦ **I did some walking in the Alps last
summer.** Saya mendaki gunung Alp pada

musim panas yang lalu.

**walking stick**   KATA NAMA
_tongkat_

**Walkman** ®   KATA NAMA
(JAMAK **Walkmans**)
_Walkman_®

**wall**   KATA NAMA
1. _dinding_ (rumah, bangunan)
2. _tembok_ (istana, kota, dll)

**wallet**   KATA NAMA
_dompet_

to **wallow**   KATA KERJA
_berkubang_
◊ . The buffalo wallowed in the mud.
Kerbau itu berkubang di dalam lumpur.

**wallpaper**   KATA NAMA
_kertas hias dinding_

**walnut**   KATA NAMA
1. _kacang walnut_
2. _pokok walnut_

**WAN**   SINGKATAN  (= Wide Area Network)
_RKL_ (= Rangkaian Kawasan Luas)

to **wander around**   KATA KERJA
_merayau-rayau_
◊ He wandered around aimlessly. Dia
merayau-rayau tanpa arah tujuan.
♦ I just wandered around for a while.
Saya cuma bersiar-siar seketika.

to **want**   KATA KERJA
_hendak_
◊ What do you want to do tomorrow?
Apakah yang anda hendak lakukan esok?
♦ Her hair wants cutting. Rambutnya
perlu digunting.
♦ They are wanted by the police. Mereka
dikehendaki oleh polis.
♦ to want somebody to do something
mahu seseorang melakukan sesuatu
◊ They want us to wait here. Mereka
mahu kita tunggu di sini.

**wanted**   KATA ADJEKTIF
_dikehendaki_
◊ a wanted criminal penjenayah yang
dikehendaki

**WAP**   KATA NAMA (= Wireless Application
Protocol)
_WAP_ (= Protokol Aplikasi Tanpa Wayar)
> sistem yang membenarkan alat
> seperti telefon bimbit bersambung
> ke Internet

**war**   KATA NAMA
_peperangan_
♦ the war on drugs perang terhadap
dadah
♦ to be at war berperang

**ward**   KATA NAMA
_wad_

**warden**   KATA NAMA
1. _pengawas_ (asrama)

2. _warden_ (penjara)

**wardrobe**   KATA NAMA
1. _almari pakaian_
2. _koleksi pakaian_
◊ Her wardrobe consists primarily of
cashmere sweaters. Kebanyakan koleksi
pakaiannya terdiri daripada baju panas
kashmir.

**warehouse**   KATA NAMA
_gudang_

**wares**   KATA NAMA JAMAK
_barang jualan_

**warm**   KATA ADJEKTIF
> rujuk juga **warm** KATA KERJA
1. _panas_
◊ warm clothing pakaian panas
2. _cerah_
◊ The door is painted a warm yellow.
Pintu tersebut dicat dengan warna kuning
cerah.
♦ warm welcome sambutan hangat
♦ warm water air suam
♦ He's a very warm person. Dia seorang
yang mesra.
♦ It's warm in here. Di sini panas sedikit.
♦ I'm too warm. Saya panas.

to **warm**   KATA KERJA
> rujuk juga **warm** KATA ADJEKTIF
_memanaskan_
◊ They lit a fire to warm themselves.
Mereka menyalakan unggun api untuk
memanaskan badan mereka.

to **warm up**   KATA KERJA
1. _memanaskan badan_
◊ The athletes are warming up for their
event. Atlit-atlit itu sedang memanaskan
badan sebelum acara mereka bermula.
2. _memanaskan_
◊ My mother had warmed up the food.
Emak saya telah memanaskan makanan
itu.

**warmth**   KATA NAMA
_kehangatan_

to **warn**   KATA KERJA
1. _mengingatkan_
◊ They warned him of the dangers of
sailing alone. Mereka mengingatkannya
tentang bahaya belayar berseorangan.
2. _memberikan amaran_
◊ Mrs Smith warned me not to interfere.
Pn. Smith memberikan amaran kepada
saya agar tidak campur tangan.

**warning**   KATA NAMA
1. _peringatan_
2. _amaran_

**warrant**   KATA NAMA
_waran_

**warrior**   KATA NAMA
_pahlawan_

**Warsaw** KATA NAMA
*Warsaw*
**wart** KATA NAMA
*ketuat*
**wartime** KATA NAMA
*masa peperangan*
**was** KATA KERJA *rujuk* **be**
to **wash** KATA KERJA

> *rujuk juga* **wash** KATA NAMA

*mencuci*
◊ *to wash the car* mencuci kereta
♦ **They looked as if they hadn't washed in days.** Mereka kelihatan seolah-olah tidak membersihkan diri mereka selama beberapa hari.
♦ **to wash one's hands** membasuh tangan
♦ **to wash up** mencuci pinggan mangkuk
**wash** KATA NAMA

> *rujuk juga* **wash** KATA KERJA

*cucian*
◊ *The treatment leaves hair glossy and lasts 10 to 16 washes.* Rawatan itu akan menjadikan rambut berkilat dan tahan selama 10 hingga 16 cucian.
♦ **to give something a wash** mencuci sesuatu
♦ **The car needs a wash.** Kereta itu perlu dicuci.
♦ **She had a wash and changed her clothes.** Dia membersihkan dirinya dan menukar pakaian.
**washbasin** KATA NAMA
*singki* (untuk mencuci tangan, muka)
**washing** KATA NAMA
*basuhan*
◊ *They were anxious to bring the washing in before it rained.* Mereka tergesa-gesa membawa basuhan itu ke dalam sebelum hujan.
♦ **to do the washing** membasuh pakaian
♦ **dirty washing** pakaian kotor
♦ **Have you got any washing?** Anda ada pakaian yang hendak dibasuh?
**washing machine** KATA NAMA
*mesin basuh*
**washing powder** KATA NAMA
*serbuk pencuci*
**washing-up** KATA NAMA
*pinggan mangkuk kotor*
♦ **to do the washing-up** mencuci pinggan mangkuk
**washing-up liquid** KATA NAMA
*cecair pencuci pinggan mangkuk*
**wasn't** = **was not**
**wasp** KATA NAMA
*tebuan*
to **waste** KATA KERJA

> *rujuk juga* **waste** KATA NAMA

1 *membazirkan*
◊ *I don't like wasting money.* Saya tidak suka membazirkan wang.
2 *melepaskan*
◊ *Let's not waste an opportunity to see the children.* Jangan lepaskan peluang untuk berjumpa kanak-kanak tersebut.
♦ **There's no time to waste.** Tidak ada masa untuk berlengah-lengah.
**waste** KATA NAMA

> *rujuk juga* **waste** KATA KERJA

1 *pembaziran*
◊ *a waste of money* pembaziran wang
2 *bahan buangan*
◊ *nuclear waste* bahan buangan nuklear
♦ **It's such a waste!** Sungguh membazir!
**wasted** KATA ADJEKTIF
*sia-sia*
◊ *His efforts were certainly not wasted.* Sesungguhnya, segala usahanya itu tidak sia-sia.
**wasteful** KATA ADJEKTIF
*membazir*
◊ *I hate being wasteful.* Saya tidak suka membazir.
**wastepaper basket** KATA NAMA
*bakul sampah*
**watch** KATA NAMA
(JAMAK **watches**)

> *rujuk juga* **watch** KATA KERJA

*jam*
to **watch** KATA KERJA

> *rujuk juga* **watch** KATA NAMA

1 *melihat*
◊ *Watch me!* Lihatlah saya!
♦ **to watch television** menonton televisyen
2 *menjaga*
◊ *Parents can't watch their children 24 hours a day.* Ibu bapa tidak dapat menjaga anak mereka 24 jam sehari.
3 *mengawasi*
◊ *The police were watching the house.* Polis sedang mengawasi rumah tersebut.
♦ **That man is watching Alex.** Lelaki itu sedang memerhatikan Alex.
to **watch out** KATA KERJA
*berjaga-jaga*
♦ **Watch out!** Jaga-jaga!
to **watch over** KATA KERJA
*menjaga*
◊ *The guards were hired to watch over the cars.* Para pengawal itu diupah untuk menjaga kereta-kereta tersebut.
**water** KATA NAMA

> *rujuk juga* **water** KATA KERJA

*air*
to **water** KATA KERJA

> *rujuk juga* **water** KATA NAMA

[1] _menyiram_
◊ _He was watering his tulips._ Dia sedang menyiram pokok bunga tulipnya.
[2] _berair_
◊ _His eyes watered from cigarette smoke._ Matanya berair kerana terkena asap rokok.

**watercolour** KATA NAMA
_cat air_

**watercourse** KATA NAMA
_alur air_

**waterfall** KATA NAMA
_air terjun_

**water gate** KATA NAMA
_kunci air_

**watering can** KATA NAMA
_bekas untuk menyiram pokok_

**water lily** KATA NAMA
(JAMAK **water lilies**)
_kiambang_

**watermelon** KATA NAMA
_tembikai_

**waterproof** KATA ADJEKTIF
_kalis air_
◊ _waterproof watch_ jam tangan kalis air

**watershed** KATA NAMA
[1] _titik perubahan_
◊ _Many observers expected this election to be a watershed in Malaysia's political history._ Ramai pemerhati menjangka pilihan raya ini merupakan titik perubahan dalam sejarah politik Malaysia.
[2] _legeh_

**water-skiing** KATA NAMA
_luncur air_
◊ _to go water-skiing_ pergi bermain luncur air

**watertight** KATA ADJEKTIF
[1] _kedap air_
[2] _tidak dapat dipertikaikan_ (kes, hujah, dll)

**water wheel** KATA NAMA
_kincir air_

**watt** KATA NAMA
_watt_

to **wave** KATA KERJA
| rujuk juga **wave** KATA NAMA |
[1] _melambai_
◊ _to wave to somebody_ melambai kepada seseorang
[2] _mengibarkan_
◊ _Hospital staff were outside waving flags to welcome him._ Kakitangan hospital berada di luar sambil mengibarkan bendera untuk menyambutnya.

**wave** KATA NAMA
| rujuk juga **wave** KATA KERJA |
[1] _lambaian_
◊ _Steve stopped him with a wave of the hand._ Steve menahannya dengan satu lambaian.
[2] _ombak_
◊ _the sound of the waves_ bunyi ombak
[3] _gelombang_
◊ _sound waves_ gelombang bunyi

**wavelength** KATA NAMA
_jarak gelombang_
♦ **on the same wavelength** sehaluan
◊ _Lina only makes friends with people who are on the same wavelength as her._ Lina hanya berkawan dengan orang yang sehaluan dengannya.

**wavy** KATA ADJEKTIF
_berketak-ketak_
◊ _He's got wavy hair._ Rambutnya berketak-ketak.

**wax** KATA NAMA
[1] _lilin_
[2] _tahi telinga_

**way** KATA NAMA
[1] _cara_
◊ _She looked at me in a strange way._ Dia memandang saya dengan cara yang pelik. ◊ _a way of life_ suatu cara hidup
[2] _jalan_
◊ _I don't know the way._ Saya tidak tahu jalannya.
[3] _perjalanan_
◊ _We stopped for lunch on the way._ Kami berhenti untuk makan tengah hari semasa dalam perjalanan.
[4] _arah_
◊ _Which way is it?_ Manakah arahnya?
♦ **It's a long way yet.** Perjalanannya masih jauh.
♦ **in a way....** dari satu sudut...
♦ **He's on his way.** Dia sedang dalam perjalanan.
♦ **"way in"** "masuk"
♦ **"way out"** "keluar"
♦ **by the way...** oh ya...

**we** KATA GANTI NAMA
Gunakan **kita** jika termasuk orang yang bercakap dengan anda.
Gunakan **kami** jika tidak termasuk orang yang bercakap dengan anda.
[1] _kita_
◊ _We need to take care of our bodies._ Kita perlu menjaga kesihatan badan kita.
[2] _kami_
◊ _You ran, but we didn't._ Anda lari, tetapi kami tidak.

**weak** KATA ADJEKTIF
[1] _lemah_
◊ _His arms and legs were weak._ Kaki dan tangannya lemah.
♦ **Swimming is helpful for bones that are porous and weak.** Berenang baik untuk

W

tulang-tulang yang poros dan tidak kuat.

2 *cair*

◊ *Grace poured a cup of weak coffee for me.* Grace menuang secawan kopi yang cair untuk saya.

to **weaken**   KATA KERJA

1 *menjadi lemah*

◊ *They believe that his authority has been weakened.* Mereka percaya bahawa kuasanya telah menjadi lemah.

2 *melemahkan*

◊ *The drug weakens a person's resistance.* Dadah itu melemahkan daya tahan seseorang.

**weakness**   KATA NAMA

(JAMAK **weaknesses**)

*kelemahan*

◊ *Weakness is one of the symptoms.* Kelemahan ialah salah satu daripada tanda-tandanya. ◊ *He tried to take advantage of the girl's weakness.* Dia cuba mengambil kesempatan atas kelemahan gadis itu. ◊ *your strengths and weaknesses* kelebihan dan kelemahan anda

**wealth**   KATA NAMA

*kekayaan*

◊ *Ken's wealth was obtained through his own efforts.* Kekayaan Ken diperoleh dengan usahanya sendiri.

**wealthy**   KATA ADJEKTIF

*kaya*

**weapon**   KATA NAMA

*senjata*

to **wear**   KATA KERJA

(**wore, worn**)

1 *memakai*

◊ *She was wearing a hat.* Dia memakai topi.

♦ **He wore a full beard.** Dia berjanggut.

♦ **Millson's face wore a satisfied expression.** Air muka Millson menunjukkan kepuasan.

2 *terhakis*

◊ *The stone steps are beginning to wear.* Tangga-tangga batu itu mula terhakis.

to **wear out**   KATA KERJA

1 *menghauskan*

◊ *Roads like this can wear out car tyres.* Jalan-jalan seperti ini boleh menghauskan tayar kereta.

♦ **Every time she consulted her watch, she wondered if the batteries were wearing out.** Setiap kali dia melihat jam tangannya, dia tertanya-tanya sama ada baterinya sudah hampir habis.

2 *meletihkan*

◊ *The journey wears him out.* Perjalanan itu meletihkannya.

**weary**   KATA ADJEKTIF

*letih*

◊ *Rachel looked pale and weary.* Rachel kelihatan pucat dan letih.

♦ **She was weary of being alone.** Dia sudah bosan hidup seorang diri.

**weather**   KATA NAMA

*cuaca*

**weather forecast**   KATA NAMA

*ramalan cuaca*

to **weave**   KATA KERJA

rujuk juga **weave** KATA NAMA

1 *menenun* (*kain*)

2 *menganyam* (*bakul, tikar*)

**weave**   KATA NAMA

rujuk juga **weave** KATA KERJA

*tenunan*

◊ *fabrics with a close weave* kain dengan tenunan yang halus

**weaver**   KATA NAMA

*penenun*

**weaving**   KATA NAMA

*penenunan*

◊ *Weaving is usually done by the womenfolk.* Kerja-kerja penenunan biasanya dilakukan oleh kaum wanita.

**web**   KATA NAMA

*sarang labah-labah*

♦ **the Web** (= *the World Wide Web*) Web (= *Jaringan Sejagat*)

**webcast**   KATA NAMA

*acara yang boleh didengar atau ditonton di Internet*

**webmaster**   KATA NAMA

(*komputer*)

*pentadbir web*

**web page**   KATA NAMA

(*komputer*)

*laman Web*

**website**   KATA NAMA

(*komputer*)

*tapak Web*

**webspace**   KATA NAMA

(*komputer*)

*ruang web* (*memori laman web*)

**webzine**   KATA NAMA

(*komputer*)

*majalah elektronik*

**we'd** = **we had,** = **we would**

**wedding**   KATA NAMA

*perkahwinan*

◊ *wedding anniversary* ulang tahun perkahwinan

♦ **wedding dress** gaun pengantin

to **wedge**   KATA KERJA

rujuk juga **wedge** KATA NAMA

*memasakkan*

◊ *I shut the shed door and wedged it with a piece of wood.* Saya menutup pintu bangsal itu dan memasakkannya dengan kayu.

**wedge**  KATA NAMA

> rujuk juga **wedge** KATA-KERJA

*pasak*

**Wednesday**  KATA NAMA

*hari Rabu*

◊ *I saw her on Wednesday.* Saya bertemu dengannya pada hari Rabu.

◊ *every Wednesday* setiap hari Rabu

◊ *last Wednesday* hari Rabu lepas

◊ *next Wednesday* hari Rabu depan

**weed**  KATA NAMA

*rumpai*

**week**  KATA NAMA

1 *minggu*

♦ **Her mother stayed for another week.** Emaknya tinggal di sini untuk seminggu lagi.

2 *hari Isnin hingga Jumaat*

◊ *She works hard during the week, but likes to relax at the weekend.* Dia bekerja keras dari hari Isnin hingga Jumaat, tetapi dia suka berehat pada hari minggu.

♦ **for weeks** berminggu-minggu ◊ *I haven't swum for weeks.* Sudah berminggu-minggu lamanya saya tidak berenang.

**weekday**  KATA NAMA

*hari Isnin hingga Jumaat*

**weekend**  KATA NAMA

*hujung minggu*

**weekly**  KATA ADJEKTIF

*mingguan*

◊ *a weekly magazine* majalah mingguan

♦ **the weekly collection of household refuse** pengumpulan sampah dari rumah setiap minggu

to **weep**  KATA KERJA

**(wept, wept)**

*menangis*

to **weigh**  KATA KERJA

1 *menimbang*

◊ *The scales can be used to weigh other items.* Penimbang tersebut boleh digunakan untuk menimbang barang-barang lain.

2 *mempertimbangkan*

◊ *She weighed her options carefully.* Dia mempertimbangkan pilihan-pilihannya dengan berhati-hati.

♦ **How much do you weigh?** Berapakah berat badan anda?

**weight**  KATA NAMA

1 *berat*

2 *batu timbang*

3 *beban*

◊ *A great weight was lifted from me.*

Satu beban yang berat sudah terlepas daripada bahu saya.

♦ **to lose weight** berat badan berkurangan

♦ **to put on weight** berat badan bertambah

**weightlifter**  KATA NAMA

*ahli angkat berat*

**weightlifting**  KATA NAMA

*angkat berat*

**weird**  KATA ADJEKTIF

*pelik*

to **welcome**  KATA KERJA

> rujuk juga **welcome** KATA NAMA

1 *menyambut*

◊ *I was there to welcome him home.* Saya berada di sana untuk menyambut kepulangannya.

♦ **The European decision was welcomed by the President.** Keputusan negara-negara Eropah itu telah disambut baik oleh Presiden.

2 *mengalu-alukan*

◊ *We welcome you to our society.* Kami mengalu-alukan penyertaan anda dalam persatuan kami.

♦ **Thank you! - You're welcome!** Terima kasih! - Sama-sama!

**welcome**  KATA NAMA

> rujuk juga **welcome** KATA KERJA

*sambutan*

◊ *They gave her a warm welcome.* Mereka memberikan sambutan yang hangat kepadanya.

♦ **Welcome!** Selamat datang!

to **weld**  KATA KERJA

*mengimpal*

◊ *Where did you learn to weld?* Di manakah anda belajar mengimpal?

**welder**  KATA NAMA

*pengimpal*

**welding**  KATA NAMA

*pengimpalan*

**welfare**  KATA NAMA

*kebajikan*

◊ *I do not think he is considering Gina's welfare.* Saya rasa dia tidak memikirkan kebajikan Gina.

**well**  KATA ADJEKTIF, KATA ADVERBA

> rujuk juga **well** KATA NAMA

*baik*

◊ *You did that very well.* Anda melakukannya dengan baik sekali.

♦ **to be well** sihat ◊ *I'm not very well at the moment.* Saya tidak begitu sihat pada waktu ini.

♦ **Get well soon.** Semoga cepat sembuh.

♦ **Well done.** Syabas.

♦ **It's enormous! Well, quite big anyway.** Benda itu sangat besar! Sebenarnya, tidaklah begitu besar, tetapi agak besar juga.

♦ **as well** juga ◊ *We worked hard, but we had some fun as well.* Kami bekerja keras, tetapi kami juga ada masa untuk bergembira.

♦ **as well as** selain ... juga ◊ *We went to Gerona as well as Sitges.* Selain Sitges kami juga pergi ke Gerona.

**well** KATA NAMA

> *rujuk juga* **well** KATA ADJEKTIF, KATA ADVERBA
> 1 *perigi*
> 2 *telaga minyak*

**we'll** = **we will**

**well-behaved** KATA ADJEKTIF
*berkelakuan baik*
♦ **to be well-behaved** berkelakuan baik

**well-built** KATA ADJEKTIF
*berbadan tegap*
◊ *The athlete is well-built.* Atlit itu berbadan tegap.

**well-dressed** KATA ADJEKTIF
*berpakaian kemas*

**well-grounded** KATA ADJEKTIF
*berasas*
◊ *Our claim is well-grounded.* Tuntutan kami berasas.

**wellingtons** KATA NAMA JAMAK
*kasut but getah*

**well-known** KATA ADJEKTIF
1 *terkenal*
◊ *He's a well-known film star.* Dia seorang pelakon yang terkenal.
2 *diketahui umum*
◊ *It may be a well-known fact, but I didn't know it.* Perkara itu mungkin sesuatu yang diketahui umum tetapi saya tidak tahu mengenainya.

**well-liked** KATA ADJEKTIF
*disukai ramai*

**well-maintained** KATA ADJEKTIF
*terpelihara*
◊ *We hope that the garden will always be well-maintained.* Kami berharap taman itu akan terus terpelihara.

**well-mannered** KATA ADJEKTIF
*beradab*
◊ *The child is very well-mannered.* Budak itu sungguh beradab.

**well-off** KATA ADJEKTIF
*berada*
◊ *She's from a well-off family.* Dia berasal daripada keluarga yang berada.

**well versed** KATA ADJEKTIF
*arif*
◊ *She is well versed in the field of politics.* Dia arif dalam bidang politik.

**Welsh** KATA ADJEKTIF

> *rujuk juga* **Welsh** KATA NAMA
> *Wales*
> ◊ *a Welsh choir* koir Wales
♦ **She's Welsh.** Dia berbangsa Wales.

**Welsh** KATA NAMA

> *rujuk juga* **Welsh** KATA ADJEKTIF
> 1 *orang Wales*
> ◊ *the Welsh* orang Wales
> 2 *bahasa Wales*

**Welshman** KATA NAMA
(JAMAK **Welshmen**)
*lelaki Wales*

**Welshwoman** KATA NAMA
(JAMAK **Welshwomen**)
*wanita Wales*

**went** KATA KERJA *rujuk* **go**

**wept** KATA KERJA *rujuk* **weep**

**were** KATA KERJA *rujuk* **be**

**we're** = **we are**

**weren't** = **were not**

**west** KATA NAMA

> *rujuk juga* **west** KATA ADJEKTIF, KATA ADVERBA
> *barat*
♦ **the West Country** bahagian barat England

**west** KATA ADJEKTIF, KATA ADVERBA

> *rujuk juga* **west** KATA NAMA
> *barat*
> ◊ *the west coast* pantai barat
♦ **He's working at Bristol University in the west of England.** Dia bekerja di Universiti Bristol di bahagian barat England.
♦ **We were travelling west.** Kami menuju ke barat.
♦ **west of** di barat ◊ *Stroud is west of Oxford.* Stroud terletak di barat Oxford.

**western** KATA ADJEKTIF

> *rujuk juga* **western** KATA NAMA
> *barat*
> ◊ *the western part of the island* bahagian barat pulau tersebut
♦ **Western Europe** Eropah Barat

**western** KATA NAMA

> *rujuk juga* **western** KATA ADJEKTIF
> 1 *buku cerita koboi*
> 2 *filem koboi*

**West Indian** KATA ADJEKTIF

> *rujuk juga* **West Indian** KATA NAMA
> *Hindia Barat*
> ◊ *West Indian cricket* kriket Hindia Barat
♦ **He's West Indian.** Dia orang Hindia Barat.

**West Indian** KATA NAMA

> *rujuk juga* **West Indian** KATA ADJEKTIF
> *orang Hindia Barat*

**West Indies** KATA NAMA JAMAK

*Hindia Barat*
+ **the West Indies**  Hindia Barat
**wet**  KATA ADJEKTIF

> rujuk juga **wet** KATA KERJA

  [1] *basah*
  ◊ *wet clothes*  pakaian basah
+ **to get wet**  basah
+ **dripping wet**  basah kuyup
  [2] *lembap*
  ◊ *wet weather*  cuaca lembap
to **wet**  KATA KERJA

> rujuk juga **wet** KATA ADJEKTIF

  [1] *membasahkan*
  [2] *terkencing*
**wetsuit**  KATA NAMA
  *pakaian penyelam*
**we've** = **we have**
**whale**  KATA NAMA
  *ikan paus*
**whaling**  KATA NAMA
  *pemburuan ikan paus*
**wharf**  KATA NAMA
  (JAMAK **wharves** atau **wharfs**)
  *dermaga*
**what**  KATA ADJEKTIF, KATA GANTI NAMA
  [1] *apa*
  ◊ *What's the matter?*  Apa halnya?
  ◊ *What's it for?*  Apakah kegunaannya?
  ◊ *What subjects are you studying?*
  Apakah mata pelajaran yang anda ambil?
+ **What's your name?**  Siapakah nama
  anda?
+ **What?**  Apa?
+ **What a mess!**  Kotornya!
+ **What a tall building!**  Tingginya
  bangunan itu!
  [2] *perkara*
  ◊ *I heard what he said.*  Saya dengar
  perkara yang dikatakannya itu.  ◊ *I don't
  know what to do.*  Saya tidak tahu perkara
  yang harus dilakukan.
+ **I saw what happened.**  Saya nampak
  kejadian itu.
+ **I asked him what DNA was.**  Saya
  bertanya kepadanya makna DNA.
**whatever**  KATA HUBUNG
  *segala*
  ◊ *She's lucky she gets whatever she
  wants.*  Dia bertuah kerana mendapat
  segala yang dihajatinya.
+ **We shall love you whatever happens,
  Diana.**  Diana, kami menyayangimu
  walau apa pun yang berlaku.
**wheat**  KATA NAMA
  [1] *pokok gandum*
  [2] *gandum*
**wheel**  KATA NAMA
  *roda*
+ **steering wheel**  stereng

**wheelbarrow**  KATA NAMA
  *kereta sorong*
**wheelchair**  KATA NAMA
  *kerusi roda*
**wheelchair-bound**  KATA ADJEKTIF
  *terpaksa duduk di atas kerusi roda sahaja*
**wheel clamp**  KATA NAMA
  *pengapit roda* (dipasang pada kereta
  yang disalah letak)
**when**  KATA ADVERBA

> rujuk juga **when** KATA HUBUNG

  *bila*
  ◊ *When did he go?*  Bilakah dia pergi?
+ **I asked her when the next bus was.**
  Saya bertanya kepadanya waktu bas yang
  seterusnya akan tiba.
**when**  KATA HUBUNG

> rujuk juga **when** KATA ADVERBA

  [1] *semasa*
  ◊ *She was reading when I came in.*
  Dia sedang membaca buku semasa saya
  masuk.
  [2] *apabila*
  ◊ *Call me when you get there.*  Telefon
  saya apabila anda sampai di sana.
**whenever**  KATA HUBUNG
  *bila-bila*
  ◊ *You can come whenever you're free.*
  Anda boleh datang pada bila-bila sahaja
  apabila anda senang.
+ **Make sure you close the windows
  whenever you go out.**  Pastikan anda
  menutup tingkap setiap kali anda keluar.
**where**  KATA ADVERBA

> rujuk juga **where** KATA HUBUNG

  [1] *di mana*
  ◊ *Where do you live?*  Di manakah anda
  tinggal?
+ **Where are you from?**  Anda berasal dari
  mana?
  [2] *tempat*
  ◊ *She asked me where I had bought it.*
  Dia bertanya kepada saya tempat saya
  membeli barang itu.
**where**  KATA HUBUNG

> rujuk juga **where** KATA ADVERBA

  *yang*
  ◊ *a shop where you can buy coffee*
  kedai yang menjual kopi
**wherever**  KATA HUBUNG
  *mana sahaja*
  ◊ *I'm sure to meet him wherever I go.*
  Ke mana sahaja saya pergi, saya pasti
  bertemu dengannya.  ◊ *Ken will look for
  Lynn wherever she is.*  Ken akan mencari
  Lynn di mana sahaja dia berada.
**whether**  KATA HUBUNG
  *sama ada*
**whetstone**  KATA NAMA

**W**

_batu canai_

**which**　KATA ADJEKTIF, KATA GANTI NAMA

[1]　_yang mana_

◊　_I know his cousin. - Which one?_　Saya kenal sepupunya. - Yang mana satu?

♦　**Which would you like?**　Yang mana satukah yang anda suka?

[2]　_yang_

◊　_It's an illness which causes nerve damage._　Penyakit itu merupakan sejenis penyakit yang menyebabkan kerosakan saraf.　◊　_This is the skirt which Daphne gave me._　Inilah skirt yang diberikan oleh Daphne kepada saya.

♦　**The heater isn't working, which is a nuisance.**　Alat pemanas itu tidak berfungsi dan ini sungguh menyusahkan.

**while**　KATA HUBUNG

　rujuk juga **while** KATA NAMA

[1]　_sementara_

◊　_You hold the torch while I look inside._　Anda pegang lampu suluh ini, sementara saya melihat ke dalam.

[2]　_manakala_

◊　_Isabel is tall, while Kay is short._　Isabel tinggi, manakala Kay rendah sahaja.

[3]　_semasa_

◊　_while in New York_　semasa berada di New York

**while**　KATA NAMA

　rujuk juga **while** KATA HUBUNG

_ketika_

♦　**a while**　seketika　◊　_after a while_　selepas seketika

♦　**a while ago**　sebentar tadi　◊　_He was here a while ago._　Dia ada di sini sebentar tadi.

♦　**for a while**　untuk seketika　◊　_I lived in London for a while._　Saya tinggal di London untuk seketika.

♦　**quite a while**　agak lama　◊　_I haven't seen him for quite a while._　Sudah agak lama saya tidak bertemu dengannya.

**whim**　KATA NAMA

_kerenah_

◊　_It's very hard to satisfy the boy's every whim!_　Susah benar hendak melayan kerenah budak itu!

to **whine**　KATA KERJA

[1]　_meraung_

◊　_The dog whined all night._　Anjing itu meraung sepanjang malam.

[2]　_merungut_

◊　_They come to me to whine about their troubles._　Mereka mencari saya untuk merungut tentang masalah mereka.

**whip**　KATA NAMA

　rujuk juga **whip** KATA KERJA

_cemeti_

to **whip**　KATA KERJA

　rujuk juga **whip** KATA NAMA

[1]　_menyebat_

[2]　_memukul_

◊　_Whip the cream until it is thick._　Pukul krim itu sehingga pekat.

♦　**A terrible wind whipped our faces.**　Angin yang kuat seakan-akan memukul-mukul muka kami.

[3]　_menumpaskan_

◊　_Mike was whipped by his opponent._　Mike telah ditumpaskan oleh lawannya.

**whipped cream**　KATA NAMA

_krim putar_

**whirlpool**　KATA NAMA

_pusaran air_

**whirlwind**　KATA NAMA

_pusaran angin_

**whisk**　KATA NAMA

_pemukul_　(untuk membuat masakan)

**whiskers**　KATA NAMA JAMAK

_misai_ (haiwan)

**whisky**　KATA NAMA

(JAMAK **whiskies**)

_wiski_

to **whisper**　KATA KERJA

　rujuk juga **whisper** KATA NAMA

_membisikkan_

◊　_He whispered the message to David._　Dia membisikkan mesej itu kepada David.

**whisper**　KATA NAMA

　rujuk juga **whisper** KATA KERJA

_bisikan_

◊　_They overheard Robert's whispers._　Mereka terdengar bisikan Robert.

to **whistle**　KATA KERJA

　rujuk juga **whistle** KATA NAMA

[1]　_bersiul_

◊　_Boys like to whistle._　Budak lelaki suka bersiul.

[2]　_berbunyi_

◊　_The train whistled as it was about to reach the town._　Kereta api itu berbunyi apabila hampir tiba di bandar tersebut.

**whistle**　KATA NAMA

　rujuk juga **whistle** KATA KERJA

[1]　_siulan_

[2]　_wisel_

◊　_The referee blew his whistle._　Pengadil tersebut meniup wiselnya.

**whistling**　KATA NAMA

[1]　_bunyi_ (terjemahan umum)

[2]　_desingan_ (angin)

**white**　KATA ADJEKTIF

[1]　_putih_

◊　_He's got white hair._　Rambutnya berwarna putih.

[2]　_kulit putih_

◊　_a white man_　lelaki kulit putih　◊　_white_

*people* orang kulit putih

3 *pucat*

◊ *His face was white with shock.* Mukanya pucat kerana terkejut.

♦ **white coffee** kopi susu

**white-collar** KATA ADJEKTIF

*kolar putih*

to **whiten** KATA KERJA

*memutihkan*

◊ *Ann uses the toothpaste to whiten her teeth.* Ann menggunakan ubat gigi itu untuk memutihkan giginya.

**White Pages** KATA NAMA JAMAK

> bahagian panduan telefon yang menyenaraikan nama dan nombor telefon mengikut abjad

**whitish** KATA ADJEKTIF

*keputihan*

◊ *a whitish dust* debu yang keputihan

**who** KATA GANTI NAMA

1 *siapa*

◊ *Who said that?* Siapa yang cakap begitu? ◊ *Who is it?* Siapakah itu?

2 *yang*

◊ *The teacher who teaches English...* Guru yang mengajar bahasa Inggeris...

♦ **We don't know who broke the window.** Kami tidak tahu orang yang memecahkan tingkap itu.

**whoever** KATA HUBUNG

*sesiapa sahaja*

◊ *Whoever wins is going to be very famous.* Sesiapa sahaja yang menang akan menjadi sangat terkenal.

♦ **I pity him, whoever he is.** Saya kasihan kepadanya, tidak kira siapa pun dia.

**whole** KATA ADJEKTIF

> *rujuk juga* **whole** KATA NAMA

1 *sepanjang*

◊ *We'd been observing him during the whole trip.* Kami telah memerhatikannya sepanjang perjalanan tersebut. ◊ *the whole day* sepanjang hari

2 *tidak terjejas*

◊ *Much of the temple was ruined, but the front was whole.* Kebanyakan bahagian kuil tersebut telah musnah tetapi bahagian hadapannya tidak terjejas.

3 *seluruh*

◊ *the whole world* seluruh dunia

♦ **the whole afternoon** sepetang suntuk

**whole** KATA NAMA

> *rujuk juga* **whole** KATA ADJEKTIF

*seluruh*

◊ *The whole of Wales was affected by the disease.* Seluruh kawasan di Wales telah terjejas oleh penyakit itu.

♦ **on the whole** pada keseluruhannya

**wholeheartedly** KATA ADVERBA

*sepenuh hati*

◊ *Jenny supported the decision wholeheartedly.* Jenny menyokong keputusan itu dengan sepenuh hati.

**wholemeal** KATA ADJEKTIF

*gandum tulen*

**wholesale** KATA NAMA

*borong*

◊ *for sale at wholesale prices* dijual pada harga borong

**wholesaler** KATA NAMA

*pemborong*

**whom** KATA GANTI NAMA

1 *siapa*

◊ *With whom did you go?* Anda pergi dengan siapa? ◊ *Whom did you call?* Siapakah yang anda hubungi?

2 *yang*

◊ *the man whom I saw* lelaki yang saya temui

**whose** KATA GANTI NAMA

> *rujuk juga* **whose** KATA ADJEKTIF

*milik siapa*

◊ *Whose is this?* Barang ini milik siapa?

◊ *I know whose they are.* Saya tahu barang-barang ini milik siapa.

**whose** KATA ADJEKTIF

> *rujuk juga* **whose** KATA GANTI NAMA

1 *milik siapa*

◊ *Whose books are these?* Buku-buku ini milik siapa? ◊ *Do you know whose jacket this is?* Anda tahu jaket ini milik siapa?

2 *yang*

◊ *the girl whose picture was in the paper* budak perempuan yang gambarnya ada dalam surat khabar

**why** KATA ADVERBA

1 *kenapa*

◊ *Why did you do that?* Kenapakah anda buat begitu? ◊ *Why not?* Kenapa tidak?

2 *sebab*

◊ *That's why he did it.* Itulah sebabnya dia berbuat demikian.

**wicked** KATA ADJEKTIF

1 *jahat*

◊ *a wicked witch* ahli sihir yang jahat

2 *nakal*

◊ *a wicked smile* senyuman nakal

**wicket** KATA NAMA

*wiket (dalam permainan kriket)*

**wide** KATA ADJEKTIF, KATA ADVERBA

1 *lebar*

◊ *a wide road* sebatang jalan yang lebar ◊ *How wide is the room?* Berapa lebarkah bilik ini?

♦ **wide open** terbuka luas ◊ *The door was wide open.* Pintu tersebut terbuka luas.

W

② *berbagai-bagai*
◊ *The brochure offers a wide choice of hotels and apartments.* Risalah tersebut menawarkan berbagai-bagai pilihan hotel dan rumah pangsa.
③ *banyak*
◊ *There are wide variations caused by different academic programme structures.* Ada banyak variasi yang disebabkan oleh struktur program akademik yang berbeza.
♦ **wide awake** berjaga

**widely** KATA ADVERBA
① *lebar*
◊ *He was grinning widely.* Dia tersenyum lebar.
♦ **His competence as an economist is widely known.** Kecekapannya sebagai seorang ahli ekonomi telah diketahui ramai.
② *banyak*
◊ *He published widely in scientific journals.* Dia banyak menerbitkan artikel dalam jurnal-jurnal saintifik.

to **widen** KATA KERJA
① *melebarkan*
◊ *to widen a river* melebarkan sungai
♦ **to widen a road** membesarkan jalan
② *meluaskan*
◊ *Reading can widen your knowledge.* Membaca buku dapat meluaskan pengetahuan.

**widespread** KATA ADJEKTIF
*meluas*
◊ *Crime among teenagers is becoming widespread.* Kejadian jenayah di kalangan remaja semakin meluas.

**widow** KATA NAMA
*balu*
◊ *She's a widow.* Dia seorang balu.

**widower** KATA NAMA
*duda*
◊ *He's a widower.* Dia seorang duda.

**width** KATA NAMA
*lebar*
◊ *Measure the width of the window.* Ukur lebar tingkap itu.

**wife** KATA NAMA
(JAMAK **wives**)
*isteri*

**wig** KATA NAMA
*rambut palsu*

**wild** KATA ADJEKTIF
① *liar*
◊ *a wild animal* seekor binatang liar
② *tidak didiami manusia*
◊ *Elmley is one of the few wild areas remaining in the South East.* Elmley ialah salah sebuah kawasan yang tidak didiami

manusia yang masih ada di Tenggara.
③ *ganas*
◊ *He could be wild when he was angry.* Dia boleh menjadi ganas apabila dia marah.
♦ **His eyes were wild.** Matanya terbeliak.
♦ **I was just a kid and full of all sorts of wild ideas.** Saya masih muda dan penuh dengan idea yang bukan-bukan.

**wild card** KATA NAMA
① *yang belum tentu tindakannya* (*orang, dsb*)
② *wild card*
> Dalam sukan-sukan tertentu, jika seorang pemain diberikan **wild card** untuk sesuatu pertandingan, pemain itu dibenarkan bertanding walaupun ia sepatutnya tidak layak berbuat demikian jika mengikut cara yang biasa.

**wildlife** KATA NAMA
*hidupan liar*

**wildly** KATA ADVERBA
① *dengan liar* (*sikap, tindakan*)
② *sangat*
◊ *The island's hotels vary wildly.* Hotel-hotel di pulau itu sangat berbeza.

**wilful** KATA ADJEKTIF
① *secara sengaja*
◊ *Wilful neglect of the manufacturing sector has caused this problem.* Pengabaian sektor perkilangan secara sengaja telah menyebabkan masalah ini.
② *degil*
◊ *He is a wilful man.* Dia seorang lelaki yang degil.

**wilfully** KATA ADVERBA
*secara sengaja*

**will** KATA KERJA
> rujuk juga **will** KATA NAMA

*akan*
◊ *Come on, I'll help you.* Marilah, saya akan bantu anda. ◊ *We'll talk about it later.* Kita akan bincangkan hal ini kemudian. ◊ *What will you do?* Apakah yang akan anda lakukan? ◊ *It won't take long.* Perkara ini tidak akan mengambil masa yang lama.
♦ **That will be the postman.** Mungkin itu posmen.
♦ **Will you have some coffee?** Anda hendak minum kopi?
♦ **Will you be quiet!** Bolehkah anda diam?

**will** KATA NAMA
> rujuk juga **will** KATA KERJA

① *keazaman*
◊ *He lost his will to live.* Dia sudah hilang keazaman untuk hidup.
② *kehendak*

◊ *... the will of the people* ...kehendak rakyat

③ *wasiat*

**willing** KATA ADJEKTIF
*sanggup*
◊ *They are willing to pay a higher price.* Mereka sanggup membayar harga yang lebih tinggi.

**willingly** KATA ADVERBA
*sanggup*
◊ *I am glad you have come here so willingly.* Saya gembira kerana anda sanggup datang ke sini.

**willingness** KATA NAMA
*kesanggupan*
◊ *Although he's very busy, he showed a willingness to help.* Walaupun dia sangat sibuk, dia menunjukkan kesanggupannya untuk membantu.

to **wilt** KATA KERJA
*layu*
◊ *The flower has wilted.* Bunga itu sudah layu.

to **win** KATA KERJA
**(won, won)**

> rujuk juga **win** KATA NAMA

① *memenangi*
◊ *to win a prize* memenangi hadiah
◊ *He does not have any chance of winning the election.* Dia tidak mempunyai peluang untuk memenangi pilihan raya tersebut.

② *mendapat*
◊ *British Aerospace has won an order worth 3 million.* British Aerospace mendapat tempahan bernilai tiga juta.

♦ **Did you win?** Adakah anda menang?

**win** KATA NAMA

> rujuk juga **win** KATA KERJA

*kemenangan*

**wind** KATA NAMA

> rujuk juga **wind** KATA KERJA

① *angin*
② *pengaruh*
◊ *The winds of change are blowing across the country.* Pengaruh perubahan sedang melanda negara itu.

♦ **She has wind in her stomach.** Perutnya masuk angin.

♦ **a wind instrument** alat tiupan

♦ **wind power** kuasa angin

to **wind** KATA KERJA
**(wound, wound)**

> rujuk juga **wind** KATA NAMA

① *melilitkan*
◊ *They wound the rope around her waist.* Mereka melilitkan tali tersebut pada pinggangnya.

② *berliku-liku* (*jalan, sungai*)

③ *mengunci*
◊ *I still haven't wound my watch, so I don't know the time now.* Saya masih belum mengunci jam tangan saya, jadi saya tidak tahu waktu sekarang.

♦ **Wind the tape forward.** Pusingkan pita rakaman tersebut ke hadapan.

to **wind up** KATA KERJA
*menamatkan*
◊ *Garry wound up his speech.* Garry menamatkan ucapannya.

**windmill** KATA NAMA
*kincir angin*

**window** KATA NAMA
*tingkap*

♦ **a shop window** jendela kedai

**windowsill** KATA NAMA
*ambang tingkap*

**windscreen** KATA NAMA
*cermin depan* (*kereta*)

**windscreen wiper** KATA NAMA
*pengelap cermin depan*

**windshield** KATA NAMA
*cermin depan* (*kereta*)

**windshield wiper** KATA NAMA
*pengelap cermin depan*

**windy** KATA ADJEKTIF
*berangin*
◊ *a windy day* hari yang berangin
◊ *It's windy.* Hari ini berangin.

**wine** KATA NAMA
*wain*
◊ *a wine bar* bar wain ◊ *a wine glass* gelas wain ◊ *the wine list* senarai wain

**wing** KATA NAMA
*sayap*

♦ **chicken wing** kepak ayam

to **wink** KATA KERJA
① *mengenyitkan mata*
◊ *to wink at somebody* mengenyitkan mata pada seseorang

② *berkelipan*
◊ *They could see lights winking on the bay.* Mereka dapat melihat cahaya berkelipan di teluk itu.

**winner** KATA NAMA
*pemenang*

♦ **They think the appeal is a winner.** Mereka berpendapat rayuan tersebut akan berhasil.

**winning** KATA ADJEKTIF
*menang*
◊ *the winning team* pasukan yang menang

♦ **the winning goal** gol yang membawa kemenangan

♦ **a winning smile** senyuman yang menawan

to **winnow** KATA KERJA

**W**

_menampi_ (padi, gandum)

**winter**   KATA NAMA
_musim sejuk_

**winter sports**   KATA NAMA JAMAK
_sukan musim sejuk_

**win-win situation**   KATA NAMA
_situasi yang menguntungkan_
◊   _a win-win situation for both parties_
situasi yang menguntungkan bagi kedua-
dua belah pihak

to **wipe**   KATA KERJA
1   _mengelap_
◊   _to wipe the table_   mengelap meja
2   _mengesat_
◊   _He wiped the tears from his eyes._   Dia
mengesat air matanya.   ◊ _to wipe one's
feet_   mengesat kotoran pada kasut

**wire**   KATA NAMA
1   _dawai_
◊   _fine copper wire_   dawai tembaga yang
halus
2   _wayar_
◊   _the telephone wire_   wayar telefon

**wireless**   KATA ADJEKTIF
_tanpa wayar atau kabel_

**wire mesh**   KATA NAMA
_kasa dawai_

**wiring**   KATA NAMA
_pendawaian_

**wisdom**   KATA NAMA
_kebijaksanaan_

**wisdom tooth**   KATA NAMA
(JAMAK **wisdom teeth**)
_gigi bongsu_

**wise**   KATA ADJEKTIF
_bijak_
◊   _a wise decision_   keputusan yang
bijak
♦   **a wise old man**   orang tua yang
bijaksana

**wisely**   KATA ADVERBA
_dengan bijaksana_
◊   _to spend wisely_   berbelanja dengan
bijaksana
♦   **Your free time should be used wisely.**
Masa anda yang terluang harus digunakan
dengan sebaik-baiknya.

**wish**   KATA NAMA
(JAMAK **wishes**)
rujuk juga **wish** KATA KERJA
1   _kehendak_
◊   _The decision was made against the
wishes of the party leader._   Keputusan itu
dibuat bertentangan dengan kehendak
ketua parti.
2   _permintaan_
◊   _Whoever succeeds in the competition
can make a wish._   Sesiapa sahaja yang
berjaya dalam pertandingan itu boleh

membuat satu permintaan.
♦   **"best wishes"**   "ingatan tulus ikhlas"
♦   **"with best wishes, Kathy"**   "yang ikhlas,
Kathy"

to **wish**   KATA KERJA
rujuk juga **wish** KATA NAMA
1   _mahu_
◊   _What more could you wish for?_   Apa
lagi yang anda mahu?
2   _ingin_
◊   _I wish to make a complaint._   Saya
ingin membuat aduan.
♦   **I wish you were here!**   Alangkah baiknya
kalau anda berada di sini!
3   _mengucapkan_
◊   _to wish somebody a happy birthday_
mengucapkan selamat hari jadi kepada
seseorang
♦   **to wish to do something**   ingin
melakukan sesuatu
♦   **to wish for something**   menghajatkan
sesuatu

**wit**   KATA NAMA
1   _kepintaran berjenaka_
◊   _Mark was known for his wit._   Mark
terkenal dengan kepintarannya berjenaka.
2   _kepintaran_
◊   _She has used her wits to progress to
the powerful position she holds_ today.   Dia
telah menggunakan kepintarannya untuk
mencapai jawatan yang berpengaruh
yang dipegangnya sekarang.

**witch**   KATA NAMA
(JAMAK **witches**)
_ahli sihir_

**with**   KATA SENDI
_dengan_
◊   _He walks with a stick._   Dia berjalan
dengan tongkat.   ◊ _Fill the jug with water._
Penuhkan jag itu dengan air.
♦   **a woman with blue eyes**   seorang wanita
yang bermata biru
♦   **Come with me.**   Mari ikut saya.
♦   **green with envy**   berasa sangat iri hati
♦   **to shake with fear**   menggeletar
ketakutan

to **withdraw**   KATA KERJA
(**withdrew, withdrawn**)
1   _menarik_
◊   _Cassandra withdrew her hand from
Roger's._   Cassandra menarik tangannya
dari tangan Roger.
2   _berundur_
◊   _Troops withdrew from the country last
March._   Askar-askar berundur dari negara
itu pada bulan Mac yang lepas.
3   _mengeluarkan_
◊   _They withdrew RM100 from the bank
account._   Mereka mengeluarkan RM100

dari akaun bank.

4 *beredar*

◊ *He withdrew to his room.* Dia beredar ke biliknya.

5 *menarik diri*

◊ *The organization might withdraw from the talks.* Organisasi itu mungkin akan menarik diri daripada rundingan itu.

**withdrawal** KATA NAMA

*pengunduran*

◊ *troop withdrawals from the north of the country* pengunduran tentera dari bahagian utara negara itu

♦ **his withdrawal from the match** penarikan dirinya daripada perlawanan itu

**withdrawn, withdrew** KATA KERJA *rujuk* **withdraw**

to **wither** KATA KERJA

1 *pudar*

◊ *His hopes withered after he heard the news.* Harapannya pudar selepas dia mendengar berita itu.

2 *layu*

◊ *The hot weather caused all the flowers to wither.* Cuaca yang panas menyebabkan semua bunga layu.

to **withhold** KATA KERJA

(**withheld, withheld**)

1 *menahan*

◊ *Financial aid for Britain has been withheld.* Bantuan kewangan untuk negara Britain telah ditahan.

2 *menyembunyikan*

◊ *The captain decided to withhold the terrible news from his officers.* Kapten itu membuat keputusan untuk menyembunyikan berita buruk itu daripada pegawai-pegawainya.

♦ **Police withheld the dead boy's name.** Pihak polis tidak memberitahu nama budak lelaki yang mati itu.

**within** KATA SENDI

1 *di dalam*

◊ *Clients are entertained within a private dining room.* Para tetamu dilayan di dalam sebuah ruang tamu yang tertutup.

2 *dalam diri*

◊ *You've got to identify these inadequacies within yourself.* Anda perlu mengenal pasti kekurangan-kekurangan ini dalam diri anda sendiri.

3 *dalam jarak*

◊ *He was within a few feet of me.* Dia berada dalam jarak beberapa kaki sahaja dari saya.

4 *dalam masa*

◊ *I want it back within three days.* Saya mahukannya semula dalam masa tiga hari.

**without** KATA SENDI

*tanpa*

◊ *without a coat* tanpa kot

to **withstand** KATA KERJA

(**withstood, withstood**)

*menahan*

◊ *Dora couldn't withstand the heat of the sun and fainted.* Dora tidak dapat menahan kepanasan matahari lalu pengsan.

**witness** KATA NAMA

(JAMAK **witnesses**)

| *rujuk juga* **witness** KATA KERJA |

*saksi*

◊ *There were no witnesses.* Tidak ada saksi.

to **witness** KATA KERJA

| *rujuk juga* **witness** KATA NAMA |

*menyaksikan*

◊ *Anyone who witnessed the incident is requested to contact the police.* Sesiapa yang menyaksikan kejadian itu diminta menghubungi polis.

**witness box** KATA NAMA

*kandang saksi*

**witty** KATA ADJEKTIF

*lucu*

◊ *He's a witty speaker.* Dia seorang penceramah yang lucu.

**wives** KATA NAMA JAMAK *rujuk* **wife**

**wizard** KATA NAMA

1 *ahli sihir lelaki*

2 *pakar* (*orang yang pintar, cekap*)

◊ *a financial wizard* pakar kewangan

**wobbly** KATA ADJEKTIF

*bergoyang*

◊ *The pole is wobbly.* Tiang itu bergoyang.

**wok** KATA NAMA

*kuali*

**woke up, woken up** KATA KERJA *rujuk* **wake up**

**wolf** KATA NAMA

(JAMAK **wolves**)

*serigala*

**woman** KATA NAMA

(JAMAK **women**)

*wanita*

◊ *a woman doctor* seorang doktor wanita

**womb** KATA NAMA

*rahim*

**womenfolk** KATA NAMA

*kaum wanita*

**won** KATA KERJA *rujuk* **win**

to **wonder** KATA KERJA

*tertanya-tanya*

◊ *I wondered where Caroline was.* Saya tertanya-tanya di manakah Caroline.

♦ **I wonder why she said that.**

Mengapakah agaknya dia berkata demikian?

**wonderful**　KATA ADJEKTIF

*seronok*

◊　*It's wonderful to see you.*　Saya seronok dapat berjumpa dengan anda.

♦　**He is a wonderful actor.**　Dia seorang pelakon lelaki yang hebat.

**won't** = **will not**

**wood**　KATA NAMA

1　*kayu*

◊　*This chair is made of wood.*　Kerusi ini dibuat daripada kayu.

2　*hutan*

◊　*We went for a walk in the woods.*　Kami pergi berjalan-jalan di dalam hutan.

**wooden**　KATA ADJEKTIF

1　*kayu*

◊　*a wooden chair*　kerusi kayu

2　*kaku*

◊　*wooden performance*　persembahan yang kaku

**woodpecker**　KATA NAMA

*burung belatuk*

**woodwork**　KATA NAMA

1　*hasil kerja kayu*

◊　*I love the living room with its dark woodwork.*　Saya suka ruang tamu itu dengan hasil kerja kayunya yang berwarna gelap.

2　*pertukangan kayu*

◊　*Joseph instructs a class in woodwork.*　Joseph mengajar sebuah kelas dalam bidang pertukangan kayu.

**wool**　KATA NAMA

*bulu biri-biri*

◊　*This carpet is made of wool and nylon.*　Permaidani ini dibuat daripada bulu biri-biri dan nilon.

♦　**a ball of wool**　segulung benang sayat

**word**　KATA NAMA

1　*perkataan*

◊　*I don't think he remembers a single word.*　Saya fikir dia tidak ingat sepatah perkataan pun.

2　*kata-kata*

◊　*I was devastated when her words came true.*　Saya sungguh terkejut apabila kata-katanya menjadi kenyataan.

♦　**Can I have a word with you?**　Boleh saya bercakap dengan anda sekejap?

3　*janji*

◊　*He cannot be trusted to keep his word.*　Dia seorang yang sukar berpegang pada janji.

4　*perintah*

◊　*I want nothing done about this until I give the word.*　Saya tidak mahu anda membuat apa-apa sehingga saya

memberikan perintah.

♦　**What's the word for "shop" in Malay?**　Apakah perkataan yang bermaksud "shop" dalam bahasa Melayu?

♦　**in other words**　dalam perkataan lain

♦　**the words**　lirik

**-word**　AKHIRAN

*perkataan*

◊　*Politicians began to use the R-word: recession.*　Ahli-ahli politik mula menggunakan perkataan R tersebut, iaitu 'recession' yang bermaksud kemelesetan ekonomi.

**word-for-word**　KATA ADJEKTIF

*hurufiah*

◊　*word-for-word translation*　terjemahan hurufiah

**word processing**　KATA NAMA

*pemprosesan kata*

**word processor**　KATA NAMA

*pemproses kata*

**wore**　KATA KERJA　rujuk **wear**

**work**　KATA NAMA

> rujuk juga **work** KATA KERJA

1　*pekerjaan*

◊　*She's looking for work.*　Dia sedang mencari pekerjaan.

2　*tempat kerja*

◊　*at work*　di tempat kerja　◊　*Many people travel to work by car.*　Ramai orang pergi ke tempat kerja dengan kereta.

3　*hasil kerja*

◊　*Rembrandt's greatest work*　hasil kerja Rembrandt yang paling hebat

♦　**It's hard work.**　Kerja itu sungguh meletihkan.

♦　**He's off work today.**　Dia cuti hari ini. (*kerana sakit, kecemasan*)

♦　**to be out of work**　menganggur

to **work**　KATA KERJA

> rujuk juga **work** KATA NAMA

1　*bekerja*

◊　*She works in a shop.*　Dia bekerja di sebuah kedai.

♦　**to work hard**　berusaha bersungguh-sungguh

2　*berfungsi*

◊　*Is the telephone working today?*　Adakah telefon itu berfungsi hari ini?

3　*bertindak*

◊　*The drug works by increasing levels of serotonin in the brain.*　Dadah itu bertindak dengan meningkatkan paras serotonin di dalam otak.

♦　**My brain wasn't working.**　Fikiran saya buntu.

4　*mengusahakan*

◊　*Farmers worked the fertile valleys.*　Para petani mengusahakan lembah yang subur itu.

⑤ *berjalan*

◊ *My plan worked perfectly.* Rancangan saya berjalan dengan sempurna.

to **work out**   KATA KERJA

① *menyelesaikan*

◊ *They were unable to work the question out.* Mereka tidak dapat menyelesaikan soalan tersebut.

♦ **Things just didn't work out as planned.** Hal itu tidak terjadi seperti yang dirancang.

② *bersenam*

◊ *I work out twice a week.* Saya bersenam dua kali seminggu.

③ *mengira*

♦ **I worked it out in my head.** Saya mencongaknya.

④ *memahami*

◊ *I just couldn't work it out.* Saya tidak dapat memahaminya.

**worker**   KATA NAMA

*pekerja*

◊ *She's a good worker.* Dia seorang pekerja yang rajin.

**work experience**   KATA NAMA

*pengalaman kerja*

**workforce**   KATA NAMA

*tenaga kerja*

**working-class**   KATA ADJEKTIF

*kaum buruh*

◊ *a working-class family* keluarga kaum buruh

**workload**   KATA NAMA

*beban kerja*

**workman**   KATA NAMA

(JAMAK **workmen**)

*pekerja buruh*

**workmanship**   KATA NAMA

*kemahiran kerja*

**workplace**   KATA NAMA

*tempat kerja*

**works**   KATA NAMA

*kilang*

**worksheet**   KATA NAMA

*lembaran kerja*

**workshop**   KATA NAMA

*bengkel*

◊ *a drama workshop* bengkel drama

**workstation**   KATA NAMA

*stesen kerja*

> sebahagian daripada sistem pejabat berkomputer yang terdiri daripada skrin papar dan papan kekunci

**worktop**   KATA NAMA

*tempat penyediaan makanan* (di dapur)

**world**   KATA NAMA

*dunia*

◊ *the world champion* juara dunia

♦ **the World Cup** Piala Dunia

**world-class**   KATA ADJEKTIF

*antara yang terbaik di dunia*

**worldly**   KATA ADJEKTIF

*duniawi*

◊ *Since he began to study mysticism, he has lost interest in worldly matters.* Sejak dia belajar ilmu kebatinan, dia telah hilang minat tentang hal-hal duniawi.

**worm**   KATA NAMA

*cacing*

**worn**   KATA KERJA   *rujuk* **wear**

**worn**   KATA ADJEKTIF

① *lusuh* (pakaian, permaidani)

② *haus* (kasut, tayar)

③ *lesu* (orang)

**worn out**   KATA ADJEKTIF

① *lusuh* (pakaian, permaidani)

② *haus* (kasut, tayar)

③ *lesu* (orang)

**worried**   KATA ADJEKTIF

*bimbang*

◊ *to look worried* kelihatan bimbang

◊ *to be worried about something* bimbang akan sesuatu

to **worry**   KATA KERJA

(**worried, worried**)

> *rujuk juga* **worry** KATA NAMA

*merisaukan*

◊ *'I didn't want to worry you.'* 'Saya tidak mahu merisaukan anda.'

♦ **The cold doesn't worry me.** Kesejukan itu tidak mendatangkan masalah kepada saya.

♦ **Don't worry!** Jangan risau!

**worry**   KATA NAMA

(JAMAK **worries**)

> *rujuk juga* **worry** KATA KERJA

*kebimbangan*

**worse**   KATA ADJEKTIF, KATA ADVERBA

*lebih teruk*

◊ *Her work was even worse than mine.* Kerjanya lebih teruk daripada kerja saya.

◊ *I'm feeling worse.* Saya berasa lebih teruk.

to **worsen**   KATA KERJA

*menjadi lebih buruk*

◊ *to prevent the situation worsening* menghalang keadaan daripada menjadi lebih buruk

♦ **His cancer has worsened.** Penyakit barahnya sudah semakin teruk.

♦ **These options would actually worsen the economy.** Sebenarnya pilihan-pilihan ini hanya akan memburukkan lagi ekonomi.

to **worship**   KATA KERJA

> *rujuk juga* **worship** KATA NAMA

① *menyembah*

◊ *I enjoy going to church and*

**W**

*worshipping God.* Saya suka pergi ke gereja dan menyembah Tuhan.

② *memuja*

◊ *I worship him.* Saya memujanya.

**worship** KATA NAMA

> rujuk juga **worship** KATA KERJA

*pemujaan*

◊ *place of worship* tempat pemujaan

**worshipper** KATA NAMA

*pemuja*

**worst** KATA ADJEKTIF

> rujuk juga **worst** KATA NAMA

*paling teruk*

◊ *the worst student in the class* pelajar yang paling teruk dalam kelas itu

♦ **my worst enemy** musuh ketat saya

♦ **Maths is my worst subject.** Saya paling lemah dalam mata pelajaran matematik.

**worst** KATA NAMA

> rujuk juga **worst** KATA ADJEKTIF

*yang teruk sekali*

◊ *The worst of it is that....* Yang teruk sekali ialah...

♦ **If the worst comes to the worst...** Kalau keadaan betul-betul teruk...

♦ **at worst** seburuk-buruknya

**worth** KATA ADJEKTIF

① *bernilai*

♦ **How much is this worth?** Berapakah nilainya?

② *berbaloi*

◊ *It's worth it.* Memang berbaloi.

♦ **It's worth a lot of money.** Harganya sangat mahal.

**worthless** KATA ADJEKTIF

① *tidak berguna*

◊ *The guarantee could be worthless if the firm goes out of business.* Jaminan itu tidak berguna jika firma itu muflis.

② *tidak bernilai*

◊ *a worthless piece of old junk* benda lama yang tidak bernilai

**worthy** KATA ADJEKTIF

① *wajar*

◊ *He says the idea is worthy of consideration.* Dia mengatakan bahawa idea itu wajar dipertimbangkan.

♦ **The bank might think you're worthy of a loan.** Bank itu mungkin berpendapat anda layak mendapat pinjaman.

② *mulia*

◊ *worthy members of the community* ahli-ahli mulia dalam masyarakat

**would** KATA KERJA

*akan*

◊ *I said I would do it.* Saya kata saya akan melakukannya.

♦ **If you asked him he'd do it.** Kalau anda minta, dia akan melakukannya.

♦ **I'd like... (1)** Saya ingin... ◊ *I'd like to go to China.* Saya ingin pergi ke China.

♦ **I'd like... (2)** Beri saya... ◊ *I'd like three tickets please.* Tolong beri saya tiga keping tiket.

♦ **Would you like a biscuit?** Anda mahu biskut?

♦ **Would you like to go to the cinema?** Anda hendak pergi tengok wayang?

♦ **Would you close the door please?** Bolehkah anda tolong tutup pintu itu?

**wouldn't** = would not

**wound** KATA KERJA *rujuk* **wind**

**wound** KATA NAMA

> rujuk juga **wound** KATA KERJA

*luka*

◊ *Six soldiers are reported to have died from their wounds.* Enam askar dilaporkan meninggal dunia akibat daripada luka mereka.

to **wound** KATA KERJA

> rujuk juga **wound** KATA NAMA

*mencederakan*

♦ **He was wounded in the leg.** Kakinya cedera.

♦ **the wounded** orang yang tercedera

♦ **Hospitals said they could not cope with the wounded.** Pihak hospital mengatakan bahawa mereka tidak dapat menguruskan jumlah pesakit yang cedera yang begitu ramai.

**wow** KATA SERUAN

*wau*

◊ *'Wow! What a beautiful house.'* 'Wau, cantiknya rumah itu!'

to **wrap** KATA KERJA

*membalut*

◊ *She's wrapping her Christmas presents.* Dia sedang membalut hadiah untuk hari Krismas. ◊ *She wrapped a handkerchief around her bleeding finger.* Dia membalut jarinya yang berdarah dengan sehelai sapu tangan.

♦ **He wrapped his arms around her.** Dia memeluk gadis itu.

to **wrap up** KATA KERJA

① *memakai baju panas*

◊ *Wrap yourself up if you go out.* Pakai baju panas jika anda keluar.

② *menyelesaikan*

◊ *NATO defence ministers wrap up their meeting in Brussels today.* Menteri-menteri pertahanan NATO menyelesaikan mesyuarat mereka di Brussels hari ini.

**wrapper** KATA NAMA

*pembalut*

◊ *sweet wrapper* pembalut gula-gula

**wrapping paper** KATA NAMA

*kertas pembalut hadiah*

to **wreck**  KATA KERJA

> *rujuk juga* **wreck** KATA NAMA

1  *memusnahkan*
◊  *The explosion wrecked the whole house.*  Letupan tersebut telah memusnahkan rumah itu.
2  *merosakkan*
◊  *The bad weather wrecked our plans.*  Cuaca yang buruk itu telah merosakkan rancangan kami.
♦  **a wrecked cargo ship**  kapal kargo yang rosak

**wreck**  KATA NAMA

> *rujuk juga* **wreck** KATA KERJA

*ranap*
◊  *That car is a wreck!*  Kereta itu memang ranap!
♦  **After the exam I was a complete wreck.**  Saya sangat letih selepas peperiksaan tersebut.
♦  **nervous wreck**  gelabah

**wreckage**  KATA NAMA
1  *bangkai*
◊  *Mark was dragged from the burning wreckage of his car.*  Mark ditarik keluar dari bangkai keretanya yang terbakar.
2  *rangka* (*bangunan yang sudah rosak*)
♦  **New states were born out of the wreckage of old colonial empires.**  Beberapa negeri baru didirikan daripada sisa-sisa kehancuran empayar penjajah yang lama.

to **wrestle**  KATA KERJA
1  *bergelut*
◊  *They quarrelled and wrestled on the field.*  Mereka bergaduh dan bergelut di padang.
2  *bergusti* (*perlawanan*)

**wrestler**  KATA NAMA
*ahli gusti*

**wrestling**  KATA NAMA
*gusti*

to **wring out**  KATA KERJA
(**wrung out, wrung out**)
*memulas*
◊  *Rita wrung out the wet shirt.*  Rita memulas baju yang basah itu.

**wrinkle**  KATA NAMA

> *rujuk juga* **wrinkle** KATA KERJA

*kedut*

to **wrinkle**  KATA KERJA

> *rujuk juga* **wrinkle** KATA NAMA

*berkedut*
◊  *Your skin will wrinkle as you grow older.*  Kulit anda akan berkedut apabila anda semakin tua.
♦  **He wrinkled his forehead.**  Dia mengerutkan dahinya.

**wrinkled**  KATA ADJEKTIF

*berkedut*

**wrist**  KATA NAMA
*pergelangan tangan*

**wrist rest**  KATA NAMA
*tempat letak pergelangan tangan* (*untuk pengguna komputer*)

**wristwatch**  KATA NAMA
(JAMAK **wristwatches**)
*jam tangan*

**writ**  KATA NAMA
*writ* (*dokumen undang-undang*)

to **write**  KATA KERJA
(**wrote, written**)
1  *menulis*
◊  *to write a letter*  menulis sepucuk surat
2  *menggubah*
◊  *I had written a lot of orchestral music in my student days.*  Saya banyak menggubah muzik orkestra pada zaman persekolahan.

to **write down**  KATA KERJA
*mencatatkan*
◊  *I wrote down her address.*  Saya mencatatkan alamatnya.

**writer**  KATA NAMA
1  *penulis* (*buku, artikel*)
2  *penggubah* (*lagu*)

**writing**  KATA NAMA
1  *tulisan*
◊  *I can't read your writing.*  Saya tidak dapat membaca tulisan anda.  ◊  *It was a good piece of writing.*  Ini merupakan satu tulisan yang baik.
2  *menulis*
◊  *I love writing.*  Saya suka menulis.
♦  **in writing**  secara bertulis
3  *karya*
◊  *The articles are adapted from Michael Frayn's writings.*  Artikel-artikel tersebut telah disesuaikan daripada karya Michael Frayn.

**written**  KATA KERJA  *rujuk* **write**

**wrong**  KATA ADJEKTIF, KATA ADVERBA
1  *salah*
◊  *The information they gave us was wrong.*  Maklumat yang mereka berikan kepada kami adalah salah.
♦  **We think there's something wrong with this computer.**  Kami fikir ada sesuatu yang tidak kena dengan komputer ini.
2  *silap*
◊  *"You thought wrong," Nancy said.*  "Sangkaan anda silap," kata Nancy.
♦  **He was wearing the wrong clothes for the meeting.**  Dia memakai pakaian yang tidak sesuai untuk mesyuarat itu.
♦  **What's wrong?**  Apakah masalahnya?

**wrongdoing**  KATA NAMA
*kesalahan*

W

**wrongfully** KATA ADVERBA
*secara tidak adil*
◊　*The system is in need of urgent reform to prevent more people being wrongfully imprisoned.* Sistem itu perlu diperbaharui dengan cepat untuk mengelakkan lebih banyak orang daripada dipenjarakan secara tidak adil.

**wrote** KATA KERJA *rujuk* **write**
**wrought iron** KATA NAMA
*besi tempa*
**wrung out** KATA KERJA *rujuk* **wring out**
**WWW** KATA NAMA (= *World Wide Web*)
*WWW* (= *Jaringan Sejagat*)

# X

**Xmas** KATA NAMA (= *Christmas*)
*Krismas*

**X-ray** KATA NAMA

> rujuk juga **X-ray** KATA KERJA

*pemeriksaan x-ray*
◊ *I had an X-ray taken.* Saya menjalani pemeriksaan x-ray.

to **X-ray** KATA KERJA

> rujuk juga **X-ray** KATA NAMA

*mengx-ray*
◊ *They X-rayed my arm.* Mereka mengx-ray lengan saya.

**xylophone** KATA NAMA
*xilofon*

X

# Y

**yacht** KATA NAMA
  ① _perahu layar_
  ② _kapal persiar_

**yam** KATA NAMA
  _keladi_

**yam bean** KATA NAMA
  _ubi keladi_

**yard** KATA NAMA
  ① _ela_
    _Satu ela bersamaan dengan 90 sentimeter._
  ② _limbungan_
  ◊ _a ship repair yard_ limbungan membaiki kapal
  ♦ **I saw Lim standing in the back yard.** Saya nampak Lim berdiri di halaman belakang.

**yardstick** KATA NAMA
  _kayu pengukur_

to **yawn** KATA KERJA
  _menguap_
  ◊ _They looked bored and yawned in the history class._ Mereka kelihatan bosan dan menguap semasa kelas sejarah.
  ♦ **The gulf between them yawned wider than ever.** Jurang antara mereka semakin meluas.

**year** KATA NAMA
  _tahun_
  ◊ _The election was held last year._ Pilihan raya telah diadakan pada tahun lepas.
  ♦ **years** bertahun-tahun ◊ _It took him years to get up the courage._ Dia mengambil masa bertahun-tahun untuk membina keyakinannya.
  ♦ **to be 15 years old** berumur 15 tahun
  ♦ **an eight-year-old child** kanak-kanak yang berumur lapan tahun
  ♦ **She's in the third year.** Dia pelajar tahun ketiga.

**yearly** KATA ADJEKTIF
  _tahunan_
  ◊ _a yearly service_ servis tahunan

to **yearn** KATA KERJA
  _mengidamkan_
  ◊ _He yearned for freedom._ Dia mengidamkan kebebasan.
  ♦ **I yearned to be a movie star.** Saya mengidam hendak menjadi seorang bintang filem.
  ♦ **We yearned for a mother's love.** Kami dahaga akan kasih seorang ibu.

**yeast** KATA NAMA
  _yis_

to **yell** KATA KERJA
  _memekik_
  ◊ _'Eva!' he yelled._ 'Eva!' dia memekik.
  ♦ **I'm sorry I yelled at you last night.** Saya meminta maaf kerana menengking anda semalam.

**yellow** KATA ADJEKTIF
  _kuning_

**yellow fever** KATA NAMA
  _demam kuning_

**yellowish** KATA ADJEKTIF
  _kekuningan_
  ◊ _a yellowish shirt_ sehelai baju yang berwarna kekuningan

**yes** KATA ADVERBA
  _ya_
  ◊ _Do you like him? - Yes._ Adakah anda menyukainya? - Ya.
  ♦ **Can you do it? - Yes.** Bolehkah anda melakukannya? - Boleh.

**yesterday** KATA ADVERBA
  ① _kelmarin_
  ◊ _yesterday morning_ pagi kelmarin
  ② _masa dahulu_
  ◊ _The worker of today is different from the worker of yesterday in all respects._ Pekerja hari ini berbeza dengan pekerja masa dahulu dalam segala aspek.
  ♦ **all day yesterday** sehari suntuk kelmarin

**yet** KATA ADVERBA
  _Biasanya **yet** hanya diterjemahkan apabila hadir bersama perkataan lain terutama sekali dalam ayat negatif dan ayat tanya._
  ◊ _Have you eaten? - Not yet._ Anda sudah makan? - Belum. ◊ _The work is not finished yet._ Kerja itu belum siap lagi.
  ◊ _Have you met my husband yet?_ Sudahkah anda berjumpa dengan suami saya?
  ♦ **as yet** hingga kini ◊ _There's no news as yet._ Tidak ada sebarang berita hingga kini.

to **yield** KATA KERJA
  _tunduk_
  ◊ _to yield to an impulse_ tunduk kepada gerak hati

**yoga** KATA NAMA
  _yoga_

**yogurt** KATA NAMA
  _yogurt_
  ◊ _chocolate flavoured yogurt_ yogurt berperisa coklat

**yolk** KATA NAMA
  _kuning telur_
  ◊ _Only the yolk contains cholesterol._ Hanya kuning telur yang mengandungi kolesterol.

**you** KATA GANTI NAMA
  _anda_
  ◊ _What do you think about it?_ Apakah pendapat anda tentang perkara ini?
  ◊ _She's younger than you._ Dia lebih

muda daripada anda.

**you** *boleh diterjemahkan sebagai* **anda, awak, kamu** *dan* **engkau**. *Kadangkala terjemahan itu tidak digunakan tetapi digantikan dengan gelaran atau nama panggilan. Nama gelaran atau panggilan yang ditunjukkan di bawah ini hanyalah sebagai panduan. Anda haruslah pandai menyesuaikannya. Kata ganti nama yang digunakan bergantung pada tahap keakraban antara penutur dengan pendengar.*

◊  *I love you.* Aku mencintaimu. ◊ *Have you eaten?* Pak cik sudah makan? ◊ *Where are you staying?* Cik tinggal di mana? ◊ *Do you have any objections?* Tuan ada apa-apa bantahan?

**young** KATA ADJEKTIF
[1]  *muda*
◊  *He's younger than me.* Dia lebih muda daripada saya. ◊ *This fashion is for young people.* Fesyen ini adalah untuk orang muda.
♦  **my youngest brother** adik bongsu saya (*lelaki*)
[2]  *anak*
◊  *The hen may not be able to protect its young.* Ibu ayam itu mungkin tidak dapat melindungi anaknya.

**youngster** KATA NAMA
*anak muda*
◊  *Youngsters nowadays are very hard to control.* Anak muda sekarang sangat sukar dikawal.

**your** KATA ADJEKTIF

**your** *boleh diterjemahkan sebagai* **anda, awak, kamu** *dan* **engkau**. *Kadangkala terjemahan itu tidak digunakan tetapi digantikan dengan gelaran atau nama panggilan. Nama gelaran atau panggilan yang ditunjukkan di bawah ini hanyalah sebagai panduan. Anda haruslah pandai menyesuaikannya. Kata ganti nama yang digunakan bergantung pada keakraban antara penutur dengan pendengar.*

◊  *your house* rumah anda ◊ *Can I see your passport, sir?* Boleh saya periksa pasport encik? ◊ *Smoking is bad for your health.* Merokok membahayakan kesihatan anda. ◊ *When is your wedding anniversary?* Bilakah ulang tahun perkahwinan emak? ◊ *What's your name?* Siapakah nama saudari? ◊ *Your sweet little face...* Wajahmu yang manis...

**yours** KATA GANTI NAMA
*milik anda*
◊  *That book is yours.* Buku itu milik anda. ◊ *Is that box yours?* Kotak itu milik anda?
♦  **I've lost my pen. Can I use yours?** Pen saya sudah hilang. Bolehkah saya gunakan pen anda?
♦  **Yours sincerely,** Yang benar,
♦  **Is that bag yours?** Beg itu milik encik?

**yourself** KATA GANTI NAMA
(JAMAK **yourselves**)
*diri anda*
◊  *You can think of yourself as my friend.* Anda boleh menganggap diri anda sebagai kawan saya.
♦  **Do it yourself.** Lakukannya sendiri.
♦  **You did it for yourself.** Anda melakukannya untuk diri anda sendiri.

**yourselves** KATA GANTI NAMA
(TUNGGAL **yourself**)
*diri anda*
♦  **Be honest with yourselves.** Bersikap jujurlah pada diri sendiri.

**youth** KATA NAMA
*belia*

**youth club** KATA NAMA
*kelab belia*
◊  *They went to the youth club yesterday.* Mereka pergi ke kelab belia kelmarin.

**youthful** KATA ADJEKTIF
*muda*
◊  *the secret of his youthful looks* rahsia rupanya yang muda
♦  **youthful enthusiasm and high spirits** ghairah dan penuh semangat seperti orang muda

**youth hostel** KATA NAMA
*asrama belia*
◊  *We're staying in the youth hostel tonight.* Kami akan tinggal di asrama belia malam ini.

**yo-yo** KATA NAMA
(JAMAK **yo-yos**)
*yoyo*

**Yugoslavia** KATA NAMA
*negara Yugoslavia*
◊  *the former Yugoslavia* bekas negara Yugoslavia

# Z

**zany** KATA ADJEKTIF
*gila-gila*

**zebra** KATA NAMA
*kuda belang*

**zebra crossing** KATA NAMA
*lintasan pejalan kaki*

**zero** KATA NAMA
(JAMAK **zeros** atau **zeroes**)
*sifar*

**zero-emission** KATA ADJEKTIF
*tidak mengeluarkan sebarang gas yang*
*berbahaya*
◊ *zero-emission car* kereta yang tidak
mengeluarkan sebarang gas yang
berbahaya

**zigzag** KATA NAMA
*garis bengkang-bengkok*

**Zimbabwe** KATA NAMA
*negara Zimbabwe*

**Zimmer frame** ® KATA NAMA
*rangka Zimmer®*
> peralatan untuk membantu orang tua
> atau orang sakit berjalan

**zinc** KATA NAMA
*zink*

**zip** KATA NAMA
> rujuk juga **zip** KATA KERJA

*zip*

to **zip** KATA KERJA
> rujuk juga **zip** KATA NAMA
> 1 *mengezip*
> 2 *mengezipkan* (*fail komputer*)

**zip code** KATA NAMA 🇺🇸
*poskod*

**zit** KATA NAMA
(*tidak formal*)
*jerawat*

**zodiac** KATA NAMA
*zodiak*
◊ *the signs of the zodiac* lambang-
lambang zodiak

**zone** KATA NAMA
*zon*

**zoo** KATA NAMA
(JAMAK **zoos**)
*zoo*

**zoology** KATA NAMA
*zoologi*

**zoom lens** KATA NAMA
(JAMAK **zoom lenses**)
*kanta zum*

**zucchini** KATA NAMA 🇺🇸
(JAMAK **zucchini** atau **zucchinis**)
*zukini* (*sejenis labu*)

**zygote** KATA NAMA
*zigot*

# ENGLISH GRAMMAR

## TATABAHASA
## BAHASA INGGERIS

# CONTENTS ~ *KANDUNGAN*

Page No. ~ *Muka surat*

Page No. ~ *Muka surat*

# Singular and plural ~ *Tunggal dan jamak*

## Main points ~ *Perkara-perkara utama*

Singular nouns are used only in the singular, always with a determiner.
Plural nouns are used only in the plural, some with a determiner.
Collective nouns can be used with singular or plural verbs.

*Kata nama tunggal hanya digunakan dalam bentuk tunggal, selalunya dengan kata penunjuk.*
*Kata nama jamak hanya digunakan dalam bentuk jamak, sesetengahnya dengan kata penunjuk.*
*Kata nama kelompok boleh digunakan dengan kata kerja tunggal atau jamak.*

1. Some nouns are used in particular meanings in the singular with a determiner, like count nouns, but are not used in the plural with that meaning. They are often called 'singular nouns'. Some of these nouns are normally used with 'the' because they refer to things that are unique.

| air | country | countryside | dark | daytime | end | future | ground |
|-----|---------|-------------|------|---------|-----|--------|--------|
| moon | past | sea | seaside | sky | sun | wind | world |

*The sun was shining.*
*I am scared of the dark.*

Other singular nouns are normally used with 'a'because they refer to things that we usually talk about one at a time.

| bath | chance | drink | fight | go | jog | move | rest |
|------|--------|-------|-------|-----|-----|------|------|
| ride | run | shower | smoke | snooze | start | walk | wash |

*I went upstairs and had a wash.*
*Why don't we go outside for a smoke?*

2. Some nouns are used in particular meanings in the plural with or without determiners, like count nouns, but are not used in the singular with that meaning.
They are often called 'plural nouns'.
*His clothes looked terribly dirty.*
*Troops are being sent in today.*
Some of these nouns are always used with determiners.

| activities | authorities | feelings | likes | pictures | sights | travels |
|------------|-------------|----------|-------|----------|--------|---------|

*I went to the pictures with Tina.*
*You hurt his feelings.*

Some are usually used without determiners.

| airs | expenses | goods | refreshments | riches |
|------|----------|-------|--------------|--------|

*Refreshments are available inside.*
*They have agreed to pay for travel and expenses.*

● WARNING: 'Police' is a plural noun, but does not end in '-s'.
*The police were informed immediately.*

## Singular and plural ~ *Tunggal dan jamak*

3   A small group of plural nouns refer to single items that have two linked parts. They refer to tools that people use or things that people wear.

| binoculars | pincers | pliers | scales | scissors | shears | tweezers |
|---|---|---|---|---|---|---|
| glasses | jeans | knickers | pants | pyjamas | shorts | tights |
| trousers | | | | | | |

> *She was wearing brown <u>trousers.</u>*
> *These <u>scissors</u> are sharp.*

You can use 'a pair of' to make it clear you are talking about one item, or a number with 'pairs of' when you are talking about several items.

> *I was sent out to buy <u>a pair of scissors.</u>*
> *Liza had given me <u>three pairs of jeans.</u>*

Note that you also use 'a pair of' with words such as 'gloves', 'shoes', and 'socks' that you often talk about in twos.

4   With some nouns that refer to a group of people or things, the same form can be used with singular or plural verbs, because you can think of the group as a unit or as individuals. Similarly, you can use singular or plural pronouns to refer back to them. These nouns are often called 'collective nouns'.

| army | audience | committee | company | crew | data | enemy |
|---|---|---|---|---|---|---|
| family | flock | gang | government | group | herd | media |
| navy | press | public | staff | team | | |

> *Our little <u>group is</u> complete again.*
> *The largest <u>group are</u> the boys.*
> *Our <u>family isn't</u> poor any more.*
> *My <u>family are</u> perfectly normal.*

The names of many organizations and sports teams are also collective nouns, but are normally used with plural verbs in spoken English.

> *<u>The BBC is</u> showing the programme on Saturday.*
> *<u>The BBC are</u> planning to use the new satellite.*
> *<u>Liverpool is</u> leading 1-0.*
> *<u>Liverpool are</u> attacking again.*

# Determiners ~ *Kata penunjuk*

## Main points ~ *Perkara-perkara utama*

Determiners are used at the beginning of noun groups.
You use specific determiners when people know exactly which things or people you are talking about.
You use general determiners to talk about people or things without saying exactly who or what they are.

*Kata penunjuk digunakan di hadapan kelompok kata nama.*
*Kata penunjuk khusus digunakan apabila pendengar tahu dengan jelas tentang perkara atau orang yang anda maksudkan.*
*Kata penunjuk am digunakan apabila menceritakan tentang orang atau benda tanpa merujuk kepada orang atau benda itu secara khusus.*

1. When you use a determiner, you put it at the beginning of a noun group, in front of numbers or adjectives. The definite article 'the' is the commonest determiner.
    *I met the two Swedish girls in London.*
    *Our main bedroom is through there.*
    *Have you got another red card?*
    *Several young boys were waiting.*

2. When the people or things that you are talking about have already been mentioned, or the people you are talking to know exactly which ones you mean, you use a specific determiner.
    *The man began to run towards the boy.*
    *Young people don't like these operas.*
    *Her face was very red.*
    *I called for a waiter... ...the waiter with a moustache came.*
   The specific determiners are:

| | | | | | | |
|---|---|---|---|---|---|---|
| the definite article: | the | | | | | |
| demonstratives: | this | that | these | those | | |
| possessives: | my | your | his | her | its | our | their |

   Note that 'your' is used both for the singular and plural possessive.

3. When you are mentioning people or things for the first time, or talking about them generally without saying exactly which ones you mean, you use a general determiner.
    *There was a man in the lift.*
    *We went to an art exhibition.*
    *You can stop at any time you like.*
    *There were several reasons for this.*

# Determiners ~ *Kata penunjuk*

The general determiners are:

| | | | | | | |
|---|---|---|---|---|---|---|
| a | all | an | another | any | both | each |
| either | enough | every | few | fewer | less | little |
| many | more | most | much | neither | no | other |
| several | some | | | | | |

4. Each general determiner is used with particular types of noun, such as:
   - singular count nouns

   | | | | | | | | | |
   |---|---|---|---|---|---|---|---|---|
   | a | an | another | any | each | either | every | neither | no |

   *I got <u>a postcard</u> from Susan.*
   <u>*Any big tin container* </u> *will do.*
   *He opened <u>another shop.</u>*

   - plural count nouns

   | | | | | | | |
   |---|---|---|---|---|---|---|
   | all | any | both | enough | few | fewer | many |
   | more | most | no | other | several | some | |

   *There were <u>few doctors</u> available.*
   <u>*Several projects*</u> *were postponed.*
   *He spoke <u>many different languages.</u>*

   - uncount nouns

   | | | | | | | |
   |---|---|---|---|---|---|---|
   | all | any | enough | less | little | more | most |
   | much | no | some | | | | |

   *There was <u>little applause.</u>*
   *We need <u>more information.</u>*
   *He did not speak <u>much English.</u>*

   ⛔ WARNING: The following general determiners can never be used with uncount nouns.

   | | | | | | | |
   |---|---|---|---|---|---|---|
   | a | an | another | both | each | either | every |
   | few | many | neither | several | | | |

5. Most of the determiners are also pronouns, except 'the', 'a', 'an', 'every', 'no' and the possessives.
   *I saw <u>several</u> in the woods last night.*
   *Have you got <u>any</u> that I could borrow?*
   *There is <u>enough</u> for all of us.*
   You use 'one' as a pronoun instead of 'a' or 'an', 'none' instead of 'no', and 'each' instead of 'every'.
   *Have you got <u>one</u>?*
   <u>*Each*</u> *has a separate box and number.*
   *There are <u>none</u> left.*

## Position of adjectives ~ *Kedudukan kata adjektif*

### Main points ~ *Perkara-perkara utama*

There are two main positions for adjectives; in front of a noun, or as the complement of a link verb.
Most adjectives can be used in either of these positions, but some adjectives can only be used in one.

*Terdapat dua kedudukan utama untuk kata adjektif: di hadapan kata nama, atau sebagai pelengkap kepada kata kerja penghubung.*
*Kebanyakan kata adjektif boleh digunakan pada mana-mana kedudukan yang dinyatakan di atas, tetapi sesetengahnya hanya boleh digunakan pada satu kedudukan sahaja.*

1. Most adjectives can be used in a noun group, after determiners and numbers if there are any, in front of the noun.
   > He had a <u>beautiful smile.</u>
   > There was no <u>clear evidence.</u>
   > She bought a loaf of <u>white bread.</u>

2. Most adjectives can also be used after a link verb such as 'be', 'become', or 'feel'.
   > I'm <u>cold.</u>
   > I felt <u>angry.</u>

3. Some adjectives are normally used only after a link verb.

   | | | | | | | |
   |---|---|---|---|---|---|---|
   | afraid | alive | alone | asleep | aware | content | due |
   | glad | ill | ready | sorry | sure | unable | well |

   For example, you can say 'She was glad', but you do not talk about 'a glad woman'.
   > I wanted to <u>be alone.</u>
   > He didn't know whether to <u>feel glad</u> or <u>sorry.</u>
   > I'm not quite <u>sure.</u>

4. Some adjectives are normally used only in front of a noun.

   | | | | | |
   |---|---|---|---|---|
   | eastern | northern | southern | western | atomic |
   | countless | digital | existing | indoor | introductory |
   | maximum | neighbouring | occasional | outdoor | |

   For example, you can say 'an atomic bomb', but not 'The bomb was atomic'.
   > He sent <u>countless letters</u> to the newspapers.
   > This book includes a good <u>introductory chapter</u> on forests.

5. When you use an adjective to emphasize a strong feeling or opinion, it always comes in front of a noun.

   | | | | | | | |
   |---|---|---|---|---|---|---|
   | absolute | complete | entire | perfect | positive | pure | real |
   | total | true | | | | | |

## Position of adjectives ~ *Kedudukan kata adjektif*

> *Some of it was <u>absolute rubbish.</u>*
> *He made me feel like a <u>complete idiot.</u>*

6. Some adjectives that describe size or age can come after a noun group consisting of a number or determiner and a noun that indicates the unit of measurement.

deep     high     long     old     tall     thick     wide

> *The water was <u>several metres deep.</u>*
> *The baby is <u>nine months old.</u>*

Note that you do not say 'two pounds heavy', you say 'two pounds in weight'.

7. A few adjectives have a different meaning depending on whether they come in front of or after a noun.

concerned     involved     present     proper     responsible

For example, 'the concerned mother' means a mother who is worried, but 'the mother concerned' means the mother who has been mentioned.

> *It's one of those incredibly <u>involved stories.</u>*
> *The <u>people involved</u> are all doctors.*
> *Her parents were trying to act in a <u>responsible manner.</u>*
> *We do not know the <u>person responsible</u> for his death.*

8. You can use adjectives to describe various qualities of people or things, for example, their size, shape, or the country they come from. Descriptive adjectives belong to six main types, but you are unlikely ever to use all six types in the same noun group. If you did you would normally put them in the following order.

size     age     shape     colour     nationality     material

This means that if you want to use an 'age' adjective and a 'nationality' adjective, you put the 'age' adjective first.

> *We met some <u>young Chinese</u> girls.*

Similarly a 'shape' adjective normally comes before a 'colour' adjective.

> *He had <u>round black</u> eyes.*

Other combinations of adjectives follow the same order. Note that 'material' means any substance, not only cloth.

> *There was a <u>large round wooden</u> table in the room.*

## Main points ~ *Perkara-perkara utama*

You add '-er' for the comparative and '-est' for the superlative of one-syllable adjectives and adverbs.
You use '-er' and '-est' with some two-syllable adjectives.
You use 'more' for the comparative and 'most' for the superlative of most two-syllable adjectives, all longer adjectives, and adverbs ending in '-ly'.
Some common adjectives and adverbs have irregular forms.

*'-er' digunakan untuk membuat perbandingan dan '-est' digunakan sebagai superlatif bagi kata adjektif yang mempunyai satu suku kata dan kata adverba.*
*'-er' dan '-est' digunakan untuk sesetengah kata adjektif dua suku kata.*
*'More' digunakan untuk membuat perbandingan dan 'most' digunakan sebagai superlatif bagi kebanyakan kata adjektif dua suku kata, kata-kata adjektif yang lebih panjang dan kata adverba yang berakhir dengan '-ly'.*
*Sesetengah kata adjektif dan kata adverba biasa mempunyai bentuk tak sekata.*

1 You add '-er' for the comparative form and '-est' for the superlative form of one-syllable adjectives and adverbs. If they end in '-e', you add '-r' and '-st'.

| cheap | • | cheaper | • | cheapest |
| safe | • | safer | • | safest |

| close | cold | fast | hard | large | light | nice |
| poor | quick | rough | small | weak | wide | young |

*They worked <u>harder.</u>*
*I've found a <u>nicer</u> hotel.*

If they end in a single vowel and consonant (except '-w'), double the consonant.

| big | • | bigger | • | biggest |

| fat | hot | sad | thin | wet |

*The day grew <u>hotter.</u>*
*Henry was the <u>biggest</u> of them.*

2 With two-syllable adjectives and adverbs ending in a consonant and '-y', you change the '-y' to '-i' and add '-er' and '-est'.

| happy | • | happier | • | happiest |

| angry | busy | dirty | easy | friendly |
| funny | heavy | lucky | silly | tiny |

*It couldn't be <u>easier.</u>*
*That is the <u>funniest</u> bit of the film.*

# Comparison ~ *Perbandingan*

3 | You use 'more' for the comparative and 'most' for the superlative of most two-syllable adjectives, all longer adjectives, and adverbs ending in '-ly'.

| | | | | |
|---|---|---|---|---|
| careful | * | more careful | * | most careful |
| beautiful | * | more beautiful | * | most beautiful |
| seriously | * | more seriously | * | most seriously |

> Be *more careful* next time.
> They are the *most beautiful* gardens in the world.
> It affected Clive *most seriously.*

Note that for 'early' as an adjective or adverb, you use 'earlier' and 'earliest', not 'more' and 'most'.

4 | With some common two-syllable adjectives and adverbs you can either add '-er' and '-est', or use 'more' and 'most'.

| | | | | |
|---|---|---|---|---|
| common | cruel | gentle | handsome | likely |
| narrow | pleasant | polite | simple | stupid |

Note that 'clever' and 'quiet' only add '-er' and '-est'.

> It was *quieter* outside.
> He was the *cleverest* man I ever knew.

5 | You normally use 'the' with superlative adjectives in front of a noun, but you can omit 'the' after a link verb.

> It was *the happiest* day of my life.
> I was *happiest* when I was on my own.

● WARNING: When 'most' is used without 'the' in front of adjectives and adverbs, it often means almost the same as 'very'.

> This book was *most interesting.*
> I object *most strongly.*

6 | You usually put comparative and superlative adjectives in front of other adjectives.

> Some of the *better English* actors have gone to live in Hollywood.
> These are the *highest monthly* figures on record.

7 | A few common adjectives and adverbs have irregular comparative and superlative forms.

| | | | | |
|---|---|---|---|---|
| good/well | * | better | * | best |
| bad/badly | * | worse | * | worst |
| far | * | farther/further | * | farthest/furthest |
| old | * | older/elder | * | oldest/eldest |

> She would ask him when she knew him *better.*
> She sat near the *furthest* window.

Note that you use 'elder' or 'eldest' to say which brother, sister, or child in a family you mean.

> Our *eldest* daughter couldn't come.

### Main points ~ *Perkara-perkara utama*

Possessives and possessive pronouns are used to say that one person or thing belongs to another or is connected with another.
You use apostrophe s ('s) to say who something belongs to.
You use phrases with 'of' to say that one person or thing belongs to another or is connected with another.

*Kata milik dan kata ganti nama milik digunakan untuk menyatakan bahawa satu orang atau benda merupakan milik orang atau benda yang lain atau mempunyai kaitan dengannya.*
*Tanda ('s) digunakan untuk menyatakan pemilik sesuatu benda.*
*Frasa digunakan bersama 'of' untuk menyatakan bahawa satu orang atau benda merupakan milik orang atau benda yang lain atau mempunyai kaitan dengannya.*

[1] You use possessives to say that a person or thing belongs to another person or thing or is connected with them. The possessives are sometimes called 'possessive adjectives'.

| my | your | his | her | its | our | their |
|---|---|---|---|---|---|---|

Note that 'your' is both singular and plural.
*I'd been waiting a long time to park <u>my car.</u>*
*They took off <u>their shoes.</u>*

⬤ WARNING: The possessive 'its' is not spelled with an apostrophe. The form 'it's' with an apostrophe is the short form for 'it is' or 'it has'.

[2] You put numbers and adjectives after the possessive and in front of the noun.
*<u>Their two small children</u> were playing outside.*
*She got a bicycle on <u>her sixth birthday.</u>*

[3] You use a possessive pronoun when you want to refer to a person or thing and to say who that person or thing belongs to or is connected with. The possessive pronouns are:

| mine | yours | his | hers | ours | theirs |
|---|---|---|---|---|---|

Note that 'yours' is both singular and plural.
*Is that coffee <u>yours</u> or <u>mine?</u>*
*It was his fault, not <u>theirs.</u>*

⬤ WARNING: There is no possessive pronoun 'its'.

[4] You can also say who or what something belongs to or is connected with by using a noun with apostrophe s ('s). For example, if John owns a motorbike, you can refer to it as 'John's motorbike'.

## Possession ~ *Pemilikan*

*Sylvia put her hand on <u>John's</u> arm.*
*I like the <u>car's</u> design.*

You add apostrophe s ('s) to singular nouns and irregular plural nouns, usually referring to people rather than things.

*I wore a pair of my <u>sister's</u> boots.*
*<u>Children's</u> birthday parties can be boring.*

With plural nouns ending in '-s' you only add the apostrophe (').

*It is not his <u>parents'</u> problem.*

You add apostrophe s ('s) to people's names, even when they end in '-s'.

*Could you give me <u>Charles's</u> address?*

Note that when you use two or more names linked by 'and', you put the apostrophe s ('s) after the last name.

*They have bought <u>Sue and Tim's</u> car.*

5  When you want to refer to someone's home, or to some common shops and places of work, you can use apostrophe s ('s) after a name or noun on its own.

*He's round at <u>David's.</u>*
*He bought it at the <u>chemist's.</u>*
*She must go to the <u>doctor's.</u>*

6  You can also use apostrophe s ('s) with some expressions of time to identify something, or to say how much time is involved.

*Did you see the cartoon in <u>yesterday's</u> newspaper?*
*They have four <u>weeks'</u> holiday per year.*

7  You can use a prepositional phrase beginning with 'of' to say that one person or thing belongs to or is connected with another.

*She is the mother <u>of the boy</u> who lives next door.*
*Ellen aimlessly turned the pages <u>of her magazine.</u>*

After 'of' you can use a possessive pronoun, or a noun or name with apostrophe s ('s).

*He was an old friend <u>of mine.</u>*
*That word was a favourite <u>of your father's.</u>*
*She's a friend <u>of Stephen's.</u>*

8  You can add 'own' after a possessive, or a noun or name with apostrophe s ('s), for emphasis.

*<u>My own</u> view is that there are no serious problems.*
*The <u>professor's own</u> answer may be unacceptable.*

## Main points ~ *Perkara-perkara utama*

You use personal pronouns to refer back to something or someone that has already been mentioned.
You also use personal pronouns to refer to people and things directly.
There are two sets of personal pronouns: subject pronouns and object pronouns.
You can use 'you' and 'they' to refer to people in general.

*Kata ganti nama diri digunakan untuk merujuk semula kepada sesuatu atau seseorang yang telah disebut sebelum ini.*
*Kata ganti nama diri juga digunakan untuk merujuk kepada orang dan benda secara langsung.*
*Terdapat dua set kata ganti nama diri: kata ganti nama diri subjek dan kata ganti nama diri objek.*
*'You' dan 'they' digunakan untuk merujuk kepada orang secara umum.*

1. When something or someone has already been mentioned, you refer to them again by using a pronoun.
   *John took <u>the book</u> and opened <u>it</u>.*
   *He rang <u>Mary</u> and invited <u>her</u> to dinner.*
   *'Have you been to <u>London</u> ?' - 'Yes, <u>it</u> was very crowded.'*
   *<u>My father</u> is fat - <u>he</u> weighs over fifteen stone.*
   In English, 'he' and 'she' normally refer to people, occasionally to animals, but very rarely to things.

2. You use a pronoun to refer directly to people or things that are present or are involved in the situation you are in.
   *Where shall <u>we</u> meet, Sally?*
   *<u>I</u> do the washing; <u>he</u> does the cooking; <u>we</u> share the washing-up.*
   *Send <u>us</u> a card so <u>we</u>'ll know where <u>you</u> are.*

3. There are two sets of personal pronouns, subject pronouns and object pronouns. You use subject pronouns as the subject of a verb.

   | I | you | he | she | it | we | they |
   |---|-----|----|----|----|----|------|

   Note that 'you' is used for the singular and plural form.
   *<u>We</u> are going there later.*
   *<u>I</u> don't know what to do.*

4. You use object pronouns as the direct or indirect object of a verb.

   | me | you | him | her | it | us | them |
   |----|-----|-----|-----|----|----|------|

### Personal pronouns ~ *Kata ganti nama diri*

Note that 'you' is used for the singular and plural form.

> *The nurse washed <u>me</u> with cold water.*
> *The ball hit <u>her</u> in the face.*
> *John showed <u>him</u> the book.*
> *Can you give <u>me</u> some more cake?*

Note that, in modern English, you use object pronouns rather than subject pronouns after the verb 'be'.

> *'Who is it?' - 'It<u>'s me.</u>'*
> *There <u>was</u> only John, Baz, and <u>me</u> in the room.*

You also use object pronouns as the object of a preposition.

> *We were all sitting in a cafe <u>with him.</u>*
> *Did you give it <u>to them?</u>*

5   You can use 'you' and 'they' to talk about people in general.

> *<u>You</u> have to drive on the other side of the road on the continent.*
> *<u>They</u> say she's very clever.*

6   You can use 'it' as an impersonal subject in general statements which refer to the time, the date, or the weather.

> *'What time is <u>it</u>?' '<u>It</u>'s half past three.'*
> *<u>It</u> is January 19th.*
> *<u>It</u> is rainy and cold.*

You can also use 'it' as the subject or object in general statements about a situation.

> *<u>It</u> is too far to walk.*
> *I like <u>it</u> here. Can we stay a bit longer?*

7   A singular pronoun usually refers back to a singular noun group, and a plural pronoun to a plural noun group. However, you can use plural pronouns to refer back to:

  ^   indefinite pronouns, even though they are always followed by a singular verb

> *If <u>anybody comes,</u> tell <u>them</u> I'm not in.*

  ^   collective nouns, even when you have used a singular verb

> *His <u>family was</u> waiting in the next room, but <u>they</u> had not yet been informed.*

## Demonstrative pronouns ~ *Kata ganti nama tunjuk*

### Main points ~ *Perkara-perkara utama*

You use the demonstrative pronouns 'this', 'that', 'these', and 'those' when you are pointing to physical objects or identifying people.
You use 'one' or 'ones' instead of a noun that has been mentioned or is known.

*Kata ganti nama tunjuk 'this', 'that', 'these' dan 'those' digunakan apabila anda menunjuk ke arah objek fizikal atau mengenal pasti orang.*
*'One' atau 'ones' digunakan sebagai ganti kata nama yang telah disebut sebelum ini atau yang telah diketahui.*

---

1. You use the demonstrative pronouns 'this', 'that', 'these', and 'those' when you are pointing to physical objects. 'This' and 'these' refer to things near you, 'that' and 'those' refer to things farther away.

   *This* is a list of rules.
   'I brought you *these*.' Adam held out a bag of grapes.
   *That* looks interesting.
   *Those* are mine.

   You can also use 'this', 'that', 'these', and 'those' as determiners in front of nouns.

   *This book* was a present from my mother.
   When did you buy *that hat*?

2. You use 'this', 'that', 'these', and 'those' when you are identifying or introducing people, or asking who they are.

   Who's *this*?
   *These* are my children, Susan and Paul.
   Was *that* Patrick on the phone?

3. You use 'this', 'that', 'these', and 'those' to refer back to things that have already been mentioned.

   *That* was an interesting word you used just now.
   More money is being pumped into the education system, and we assume *this* will continue.
   'Let's go to the cinema.' - '*That*'s a good idea.'
   *These* are not easy questions to answer.

   You also use 'this' and 'these' to refer forward to things you are going to mention.

   *This* is what I want to say: it wasn't my idea.
   *These* are the topics we will be looking at next week: how the accident happened, whether it could have been avoided, and who was to blame.
   *This* is the important point: you must never see her again.

## Demonstrative pronouns ~ *Kata ganti nama tunjuk*

4 You use 'one' or 'ones' instead of a noun that has already been mentioned or is known in the situation, usually when you are adding information or contrasting two things of the same kind.

*My car is the blue one.*
*Don't you have one with buttons instead of a zip?*
*Are the new curtains longer than the old ones?*

You can use 'which one' or 'which ones' in questions.

*Which one do you prefer?*
*Which ones were damaged?*

You can say 'this one', 'that one', 'these ones', and 'those ones'.

*I like this one better.*
*We'll have those ones, thank you.*

You can use 'each one' or 'one each', but note that there is a difference in meaning. In the following examples, 'each one' means 'each brother' but 'one each' means 'one for each child'.

*I've got three brothers and each one lives in a different country.*
*I bought the children one each.*

5 In formal English, people sometimes use 'one' to refer to people in general.

*One has to think of the practical side of things.*
*One never knows what to say in such situations.*

### Main points ~ *Perkara-perkara utama*

Indefinite pronouns refer to people or things without saying exactly who or what they are.

When an indefinite pronoun is the subject, it always takes a singular verb.

You often use a plural pronoun to refer back to an indefinite pronoun.

*Kata ganti nama tak tentu merujuk kepada orang atau benda tanpa menyatakan dengan tepat orang atau benda itu.*

*Apabila kata ganti nama tak tentu merupakan subjek, kata kerja tunggal selalu digunakan bersamanya.*

*Kata ganti nama jamak sering digunakan untuk merujuk semula kepada kata ganti nama tak tentu.*

1  The indefinite pronouns are:

| | | | |
|---|---|---|---|
| anybody | everybody | nobody | somebody |
| anyone | everyone | no one | someone |
| anything | everything | nothing | something |

Note that 'no one' is written as two words, or sometimes with a hyphen: 'no-one'.

2  You use indefinite pronouns when you want to refer to people or things without saying exactly who or what they are. The pronouns ending in '-body' and '-one' refer to people, and those ending in '-thing' refer to things.

*I was there for over an hour before <u>anybody</u> came.*
*It had to be <u>someone</u> with a car.*
*Jane said <u>nothing</u> for a moment.*

3  When an indefinite pronoun is the subject, it always takes a singular verb, even when it refers to more than one person or thing.

<u>*Everyone knows*</u> *that.*
<u>*Everything was*</u> *fine.*
<u>*Is anybody*</u> *there?*

When you refer back to indefinite pronouns, you use plural pronouns or possessives, and a plural verb.

*Ask <u>anyone. They</u>'ll tell you.*
*Has <u>everyone</u> eaten as much as <u>they</u> want?*
*You can't tell <u>somebody</u> why <u>they</u>'ve failed.*

● WARNING: Some speakers prefer to use singular pronouns. They prefer to say 'You can't tell somebody why he or she has failed'.

## Indefinite pronouns ~ *Kata ganti nama tak tentu*

4 You can add apostrophe s ('s) to indefinite pronouns that refer to people.
*She was given a room in <u>someone's</u> studio.*
*That was <u>nobody's</u> business but mine.*

● WARNING: You do not usually add apostrophe s ('s) to indefinite pronouns that refer to things. You do not say 'something's value', you say 'the value of something'.

5 You use indefinite pronouns beginning with 'some-' in:
˄ affirmative clauses
*<u>Somebody</u> shouted.*
*I want to introduce you to <u>someone.</u>*
˄ questions expecting the answer 'yes'
*Would you like <u>something</u> to drink?*
*Can you get <u>someone</u> to do it?*

6 You use indefinite pronouns beginning with 'any-':
˄ as the subject or object in statements
*<u>Anyone</u> knows that you need a licence.*
*You still haven't told me <u>anything</u>.*
You do not use them as the subject of a negative statement. You do not say 'Anybody can't come in'.
˄ in both affirmative and negative questions
*Does <u>anybody</u> agree with me?*
*Won't <u>anyone</u> help me?*

7 If you use an indefinite pronoun beginning with 'no-', you must not use another negative word in the same clause. You do not say 'There wasn't nothing'.
*There was <u>nothing</u> you could do.*
*<u>Nobody</u> left, <u>nobody</u> went away.*

8 You use the indefinite adverbs 'anywhere', 'everywhere', 'nowhere', and 'somewhere' to talk about places in a general way. 'Nowhere' makes a clause negative.
*I thought I'd seen you <u>somewhere.</u>*
*No-one can find Howard or Barbara <u>anywhere</u>.*
*There was <u>nowhere</u> to hide.*

9 You can use 'else' after indefinite pronouns and adverbs to refer to people, things, or places other than those that have been mentioned.
*<u>Everyone else</u> is downstairs.*
*I don't like it here. Let's go <u>somewhere else.</u>*

## Adverbials ~ *Adverbial*

### Main points ~ *Perkara-perkara utama*

Adverbials are usually adverbs, adverb phrases, or prepositional phrases.
Adverbials of manner, place, and time are used to say how, where, or when something happens.
Adverbials usually come after the verb, or after the object if there is one.
The usual order of adverbials is manner, then place, then time.

*Adverbial biasanya ialah kata adverba, frasa adverba atau frasa sendi.*
*Adverbial kelakuan, tempat dan masa digunakan untuk menyatakan bagaimana, di mana atau bila sesuatu berlaku.*
*Adverbial biasanya hadir selepas kata kerja atau selepas objek, jika ada.*
*Susunan biasa adverbial ialah kelakuan, diikuti oleh tempat dan seterusnya masa.*

1. An adverbial is often one word, an adverb.
   *Sit there <u>quietly</u>, and listen to this music.*
   However, an adverbial can also be a group of words:
   - an adverb phrase
     *He did not play <u>well enough</u> to win.*
   - a prepositional phrase
     *The children were playing <u>in the park.</u>*
   - a noun group, usually a time expression
     *Come and see me <u>next week.</u>*

2. You use an adverbial of manner to describe the way in which something happens or is done.
   *They looked <u>anxiously</u> at each other.*
   *She listened <u>with great patience</u> as he told his story.*
   You use an adverbial of place to say where something happens.
   *A plane flew <u>overhead.</u>*
   *No birds or animals came <u>near the body.</u>*
   You use an adverbial of time to say when something happens.
   *She will be here <u>soon.</u>*
   *He was born <u>on 3 April 1925.</u>*

3. You normally put adverbials of manner, place, and time after the main verb.
   *She sang <u>beautifully.</u>*
   *The book was lying <u>on the table.</u>*
   *The car broke down <u>yesterday.</u>*
   If the verb has an object, you put the adverbial after the object.
   *I did learn to play a few tunes <u>very badly.</u>*
   *Thomas made his decision <u>immediately.</u>*
   *He took the glasses <u>to the kitchen.</u>*

## Adverbials ~ *Adverbial*

If you are using more than one of these adverbials in a clause, the usual order is manner, then place, then time.

> They were sitting <u>quite happily</u> <u>in the car</u>. (manner, place)
> She spoke <u>very well</u> <u>at the village hall</u> <u>last night.</u> (manner, place, time)

4. You usually put adverbials of frequency, probability, and duration in front of the main verb.

> She <u>occasionally comes</u> to my house.
> You have <u>very probably heard</u> the news by now.
> They had <u>already given</u> me the money.

A few adverbs of degree also usually come in front of the main verb.

> She <u>really enjoyed</u> the party.

5. When you want to focus on an adverbial, you can do this by putting it in a different place in the clause:

- you can put an adverbial at the beginning of a clause, usually for emphasis
> <u>Slowly,</u> he opened his eyes.
> <u>In September</u> I travelled to California.
> <u>Next to the coffee machine</u> stood a pile of cups.

Note that after adverbials of place, as in the last example, the verb can come in front of the subject.

- you can sometimes put adverbs and adverb phrases in front of the main verb for emphasis, but not prepositional phrases or noun groups
> He <u>deliberately</u> chose it because it was cheap.
> I <u>very much</u> wanted to go with them.

- you can change the order of adverbials of manner, place, and time when you want to change the emphasis
> They were sitting <u>in the car</u> <u>quite happily.</u> (place, manner)
> <u>At the meeting</u> <u>last night,</u> she spoke <u>very well.</u> (place, time, manner)

## Auxiliary verbs ~ *Kata kerja bantu*

### Main points ~ *Perkara-perkara utama*

The auxiliaries 'be', 'have', and 'do' are used in forming tenses, negatives, and questions.
The auxiliary 'be' is used in forming the continuous tenses and the passive.
The auxiliary 'have' is used in forming the perfect tenses.
The auxiliary 'do' is used in making negative and question forms from sentences that have a verb in a simple tense.

*Kata kerja bantu 'be', 'have' dan 'do' digunakan untuk membentuk kala, negatif dan soalan.*
*Kata kerja bantu 'be' digunakan untuk membentuk kala berlanjutan dan pasif.*
*Kata kerja bantu 'have' digunakan untuk membentuk kala sempurna.*
*Kata kerja bantu 'do' digunakan untuk menghasilkan negatif dan bentuk soalan daripada ayat yang mempunyai kata kerja dalam kala ringkas.*

1. The auxiliary verbs are 'be', 'have', and 'do'. They are used with a main verb to form tenses, negatives, and questions.
   *He is planning to get married soon.*
   *I haven't seen Peter since last night.*
   *Which doctor do you want to see?*

2. 'Be' as an auxiliary is used:
   * with the '-ing' form of the main verb to form continuous tenses
     *He is living in Germany.*
     *They were going to phone you.*
   * with the past participle of the main verb to form the passive
     *These cars are made in Japan.*
     *The walls of her flat were covered with posters.*

3. You use 'have' as an auxiliary with the past participle to form the perfect tenses.
   *I have changed my mind.*
   *I wish you had met Guy.*
   The present perfect continuous, the past perfect continuous, and the perfect tenses in the passive, are formed using both 'have' and 'be'.
   *He has been working very hard recently.*
   *She did not know how long she had been lying there.*
   *The guest-room window has been mended.*
   *They had been taught by a young teacher.*

## Auxiliary verbs ~ *Kata kerja bantu*

4 | 'Be' and 'have' are also used as auxiliaries in negative sentences and questions in continuous and perfect tenses, and in the passive.

> He *isn't* going.
> *Hasn't* she seen it yet?
> *Was* it written in English?

You use 'do' as an auxiliary to make negative and question forms from sentences that have a verb in the present simple or past simple.

> He *doesn't* think he can come to the party.
> *Do* you like her new haircut?
> She *didn't* buy the house.
> *Didn't* he get the job?

Note that you can use 'do' as a main verb with the auxiliary 'do'.

> He *didn't do* his homework.
> *Do* they *do* the work themselves?

You can also use the auxiliary 'do' with 'have' as a main verb.

> He *doesn't have* any money.
> *Does* anyone *have* a question?

You only use 'do' in affirmative sentences for emphasis or contrast.

> I *do* feel sorry for Roger.

● WARNING: You never use the auxiliary 'do' with 'be' except in the imperative.

> *Don't be* stupid!
> *Do be* a good boy and sit still.

5 | Some grammars include modals among the auxiliary verbs. When there is a modal in the verb group, it is always the first word in the verb group, and comes before the auxiliaries 'be' and 'have'.

> She *might be* going to Switzerland for Christmas.
> I *would have* liked to have seen her.

Note that you never use the auxiliary 'do' with a modal.

### Main points ~ *Perkara-perkara utama*

The modal verbs are: 'can', 'could', 'may', 'might', 'must', 'ought', 'shall', 'should', 'will' and 'would'.
Modals are always the first word in a verb group.
All modals except for 'ought' are followed by the base form of a verb.
'Ought' is followed by a 'to'- infinitive.
Modals have only one form.

*Kata kerja modal ialah: 'can', 'could', 'may', 'might', 'must', 'ought', 'shall', 'should', 'will' dan 'would'.*
*Kata kerja modal selalunya ialah perkataan pertama dalam kelompok kata kerja.*
*Semua kata kerja modal kecuali 'ought' diikuti oleh bentuk kata kerja dasar.*
*'Ought' diikuti oleh infinitif 'to'.*
*Kata kerja modal hanya wujud dalam satu bentuk.*

1. Modals are always the first word in a verb group. All modals except for 'ought' are followed by the base form of a verb.
   *I must leave fairly soon.*
   *I think it will look rather nice.*
   *Things might have been so different.*
   *People may be watching.*

2. 'Ought' is always followed by a 'to'-infinitive.
   *She ought to go straight back to England.*
   *Sam ought to have realized how dangerous it was.*
   *You ought to be doing this.*

3. Modals have only one form. There is no '-s' form for the third person singular of the present tense, and there are no '-ing' or '-ed' forms.
   *There's nothing I can do about it.*
   *I'm sure he can do it.*

4. Modals do not normally indicate the time when something happens. There are, however, a few exceptions.
   'Shall' and 'will' often indicate a future event or situation.
   *I shall do what you suggested.*
   *He will not return for many hours.*
   'Could' is used as the past form of 'can' to express ability. 'Would' is used as the past form of 'will' to express the future.
   *When I was young, I could run for miles.*
   *He remembered that he would see his mother the next day.*

## Modal verbs ~ *Kata kerja modal*

5. In spoken English and informal written English, 'shall' and 'will' are shortened to '-'ll', and 'would' to '-'d', and added to a pronoun.

> *I'll see you tomorrow.*
> *I hope you'll agree.*
> *Posy said she'd love to stay.*

'Shall', 'will', and 'would' are never shortened if they come at the end of a sentence.

> *Paul said he would come, and I hope he will.*

In spoken English, you can also add '-'ll' and '-'d' to nouns.

> *My car'll be outside.*
> *The headmaster'd be furious.*

◐ WARNING: Remember that '-d' is also the short form of the auxiliary 'had'.

> *I'd heard it many times.*

# Reflexive verbs ~ *Kata kerja refleksif*

## Main points ~ *Perkara-perkara utama*

Transitive verbs are used with a reflexive pronoun to indicate that the object is the same as the subject, for example: 'I hurt myself'.
Some verbs which do not normally have a person as the object can have reflexive pronouns as the object.

*Kata kerja transitif digunakan dengan kata ganti nama refleksif untuk menunjukkan bahawa objek adalah sama dengan subjek, contohnya: 'I hurt myself'.*
*Sesetengah kata kerja yang biasanya tidak mempunyai orang sebagai objek boleh mempunyai kata ganti nama refleksif sebagai objek.*

1. You use a reflexive pronoun after a transitive verb to indicate that the object is the same as the subject.
   *He blamed <u>himself</u> for his friend's death.*
   *I taught <u>myself</u> French.*

2. In theory, most transitive verbs can be used with a reflexive pronoun. However, you often use reflexive pronouns with the following verbs.

   | amuse | blame | cut | dry | help | hurt | introduce |
   | kill | prepare | repeat | restrict | satisfy | teach | |

   *Sam <u>amused himself</u> by throwing branches into the fire.*
   *'Can I borrow a pencil?' - 'Yes, <u>help yourself.</u>'*
   *<u>Prepare yourself</u> for a shock.*
   *He <u>introduced himself</u> to me.*

3. Verbs like 'dress', 'shave', and 'wash', which describe actions that people do to themselves, do not usually take reflexive pronouns in English, although they do in some other languages. With these verbs, reflexive pronouns are only used for emphasis.
   *I usually <u>shave</u> before breakfast.*
   *He prefers to <u>shave himself,</u> even with that broken arm.*
   *She <u>washed</u> very quickly and rushed downstairs.*
   *Children were encouraged to <u>wash themselves.</u>*

4. 'Behave' does not normally take an object at all, but can take a reflexive pronoun as object.
   *If they don't <u>behave,</u> send them to bed.*
   *He is old enough to <u>behave himself.</u>*

### Reflexive verbs ~ *Kata kerja refleksif*

5 | Some verbs do not normally have a person as object, because they describe actions that you do not do to other people. However, these verbs can have reflexive pronouns as object, because you can do these actions to yourself.

apply       compose       distance       enjoy       express       strain

> *I really <u>enjoyed</u> the party.*
> *Just go out there and <u>enjoy yourself.</u>*
> *She <u>expressed</u> surprise at the news.*
> *Professor Dale <u>expressed himself</u> very forcibly.*

6 | When 'busy' and 'content' are used as verbs, they always take a reflexive pronoun as their direct object. They are therefore true 'reflexive verbs'.
> *He had <u>busied himself</u> in the laboratory.*
> *I had to <u>content myself</u> with watching the little moving lights.*

# The passive voice ~ *Ragam pasif*

## Main points ~ *Perkara-perkara utama*

You use the passive voice to focus on the person or thing affected by an action.
You form the passive by using a form of 'be' and a past participle.
Only verbs that have an object can have a passive form. With verbs that can have two objects, either object can be the subject of the passive.

*Ragam pasif digunakan untuk memberikan tumpuan kepada orang atau benda yang dipengaruhi oleh sesuatu tindakan.*
*Pasif dibentuk dengan menggunakan bentuk 'be' dan kala lepas partisipel.*
*Hanya kata kerja yang mempunyai objek boleh mempunyai bentuk pasif. Untuk kata kerja yang boleh mempunyai dua objek, salah satu objek boleh menjadi subjek pasif.*

1. When you want to talk about the person or thing that performs an action, you use the active voice.
   *Mr Smith <u>locks</u> the gate at 6 o'clock every night.*
   *The storm <u>destroyed</u> dozens of trees.*
   When you want to focus on the person or thing that is affected by an action, rather than the person or thing that performs the action, you use the passive voice.
   *The gate <u>is locked</u> at 6 o'clock every night.*
   *Dozens of trees <u>were destroyed.</u>*

2. The passive is formed with a form of the auxiliary 'be', followed by the past participle of a main verb.
   *Two new stores <u>were opened</u> this year.*
   *The room <u>had been cleaned.</u>*
   Continuous passive tenses are formed with a form of the auxiliary 'be' followed by 'being' and the past participle of a main verb.
   *Jobs <u>are</u> still <u>being lost.</u>*
   *It <u>was being done</u> without his knowledge.*

3. After modals you use the base form 'be' followed by the past participle of a main verb.
   *What <u>can be done?</u>*
   *We <u>won't be beaten.</u>*
   When you are talking about the past, you use a modal with 'have been' followed by the past participle of a main verb.
   *He <u>may have been given</u> the car.*
   *He <u>couldn't have been told</u> by Jimmy.*

## The passive voice ~ *Ragam pasif*

☐ 4  You form passive infinitives by using 'to be' or 'to have been' followed by the past participle of a main verb.
>   *He wanted <u>to be forgiven.</u>*
>   *The car was reported <u>to have been stolen.</u>*

☐ 5  In informal English, 'get' is sometimes used instead of 'be' to form the passive.
>   *Our car <u>gets cleaned</u> every weekend.*
>   *He <u>got killed</u> in a plane crash.*

☐ 6  When you use the passive, you often do not mention the person or thing that performs the action at all. This may be because you do not know or do not want to say who it is, or because it does not matter.
>   *Her boyfriend <u>was shot</u> in the chest.*
>   *Your application <u>was rejected.</u>*
>   *Such items should <u>be</u> carefully <u>packed</u> in tea chests.*

☐ 7  If you are using the passive and you do want to mention the person or thing that performs the action, you use 'by'.
>   *He had been poisoned <u>by</u> his girlfriend.*
>   *He was brought up <u>by</u> an aunt.*

You use 'with' to talk about something that is used to perform the action.
>   *A circle was drawn in the dirt <u>with</u> a stick.*
>   *He was killed <u>with</u> a knife.*

☐ 8  Only verbs that usually have an object can have a passive form. You can say 'people spend money' or 'money is spent'.
>   *An enormous amount of money <u>is spent</u> on beer.*
>   *The food <u>is sold</u> at local markets.*

With verbs which can have two objects, you can form two different passive sentences. For example, you can say 'The secretary was given the key' or 'The key was given to the secretary'.
>   *They <u>were offered</u> a new flat.*
>   *The books <u>will be sent</u> to you.*

## Main points ~ *Perkara-perkara utama*

Some verbs are followed by a 'to' -infinitive clause. Others are followed by an object and a 'to' -infinitive clause.

Some verbs are followed by a 'wh' -word and a 'to' -infinitive clause. Others are followed by an object, a 'wh' -word, and a 'to' -infinitive clause.

Nouns are followed by 'to' -infinitive clauses that indicate the aim, purpose or necessity of something, or that give extra information.

*Sesetengah kata kerja diikuti oleh klausa infinitif 'to'. Kata kerja yang lain diikuti oleh objek dan klausa infinitif 'to'.*

*Sesetengah kata kerja diikuti oleh kata 'wh' dan klausa infinitif 'to'. Kata kerja yang lain diikuti oleh objek, kata 'wh' dan klausa infinitif 'to'.*

*Kata nama diikuti oleh klausa infinitif 'to' yang menunjukkan sasaran, tujuan atau keperluan sesuatu atau yang memberikan maklumat tambahan.*

---

1. Some verbs are followed by a 'to'-infinitive clause. The subject of the verb is also the subject of the 'to'-infinitive clause.

| agree | choose | decide | expect | fail | hope | intend | learn |
|-------|--------|--------|--------|------|------|--------|-------|
| manage | mean | offer | plan | pretend | promise | refuse | tend |
| want | | | | | | | |

> She *had agreed to let* us use her flat.
> I *decided not to go out* for the evening.

2. Some verbs are followed by an object and a 'to'-infinitive clause. The object of the verb is the subject of the 'to'-infinitive clause.

| advise | allow | ask | encourage | expect | force | get | help |
|--------|-------|-----|-----------|--------|-------|-----|------|
| invite | order | persuade | remind | teach | tell | want | |

> I *asked her to explain.*
> I could *get someone else to do* it.
> They *advised us not to wait around* too long.
> I *didn't want him to go.*

Note that 'help' can also be followed by an object and a base form.

> I *helped him fix* it.

🔊 WARNING: You do not use 'want' with a 'that'-clause. You do not say 'I want that you do something'.

3. Some verbs are followed by 'for' and an object, then a 'to'-infinitive clause. The object of 'for' is the subject of the 'to'-infinitive clause.

| appeal | arrange | ask | long | pay | wait | wish |
|--------|---------|-----|------|-----|------|------|

> Could you *arrange for a taxi to collect* us?
> I *waited for him to speak.*

4. Some link verbs, and 'pretend' are followed by 'to be' and an '-ing' form for continuing actions, and by 'to have' and a past participle for finished actions.

## 'to'-infinitive clauses ~ *Klausa infinitif 'to'*

*We pretended to be looking inside.*
*I don't appear to have written down his name.*

5. Some verbs are normally used in the passive when they are followed by a 'to'-infinitive clause.

| believe | consider | feel | find | know | report | say | think | understand |

*He is said to have died a natural death.*
*Is it thought to be a good thing?*

6. Some verbs are followed by a 'wh'-word and a 'to'-infinitive clause. These include:

| ask | decide | explain | forget | imagine |
| know | learn | remember | understand | wonder |

*I didn't know what to call him.*
*She had forgotten how to ride a bicycle.*

Some verbs are followed by an object, then a 'wh'-word and a 'to'-infinitive clause.

| ask | remind | show | teach | tell |

*I asked him what to do.*                    *Who will show him how to use it?*

Some verbs only take 'to'-infinitive clauses to express purpose.
*The captain stopped to reload the gun.*
*He went to get some fresh milk.*

7. You use a 'to'-infinitive clause after a noun to indicate the aim of an action or the purpose of a physical object, or to say that something needs to be done.
*He had nothing to write with.*
*We arranged a meeting to discuss the new rules.*
*I gave him several things to mend.*

8. You use a 'to'-infinitive clause after a noun group that includes an ordinal number, a superlative, or a word like 'next', 'last', or 'only'.
*She was the first woman to be elected to the council.*
*Mr Holmes was the oldest person to be chosen.*
*The only person to speak was James.*

9. You use a 'to'-infinitive clause after abstract nouns to give more specific information about them. The following abstract nouns are often followed by a 'to'-infinitive clause:

| ability | attempt | chance | desire | failure |
| inability | need | opportunity | unwillingness | willingness |

*All it takes is a willingness to learn.*
*He'd lost the ability to communicate with people.*
Note that the verbs or adjectives which are related to these nouns can also be followed by a 'to'-infinitive clause. For example, you can say 'I attempted to find them', and 'He was willing to learn'.

# Verbs with '-ing' clauses ~ *Kata kerja dengan klausa '-ing'*

## Main points ~ *Perkara-perkara utama*

Many verbs are followed by an '-ing' clause.
Some verbs are followed by an object and an '-ing' clause that describes what the object is doing.

*Kebanyakan kata kerja diikuti oleh klausa '-ing'.*
*Sesetengah kata kerja diikuti oleh objek dan klausa '-ing' yang memerihalkan perkara yang dilakukan oleh objek.*

1. Many verbs are followed by an '-ing' clause. The subject of the verb is also the subject of the '-ing' clause. The '-ing' clause begins with an '-ing' form. The most common of these verbs are:
   - verbs of saying and thinking

   | admit | consider | deny | describe | imagine | mention |
   |-------|----------|------|----------|---------|---------|
   | recall | suggest | | | | |

   > He *denied taking* drugs.
   > I *suggested meeting* her for a coffee.

   Note that all of these verbs except for 'describe' can also be followed by a 'that'- clause.
   > He *denied that* he was involved.
   - verbs of liking and disliking

   | adore | detest | dislike | enjoy | fancy |
   |-------|--------|---------|-------|-------|
   | like | love | mind | resent | |

   > Will they *enjoy using* it?
   > I *don't mind telling* you.

   'Like' and 'love' can also be followed by a 'to'-infinitive clause.
   - other common verbs

   | avoid | commence | delay | finish | involve | keep |
   |-------|----------|-------|--------|---------|------|
   | miss | postpone | practise | resist | risk | stop |

   > I've just *finished reading* that book.
   > *Avoid giving* any unnecessary information.
   - common phrasal verbs

   | burst out | carry on | end up | give up | go round | keep on |
   |-----------|----------|--------|---------|----------|---------|
   | put off | set about | | | | |

## Verbs with '-ing' clauses ~ *Kata kerja dengan klausa '-ing'*

> *She carried on reading.*
> *They kept on walking for a while.*

Note that some common phrases can be followed by an '-ing' clause.

| can't help | can't stand | feel like |
|---|---|---|

> *I can't help worrying.*

2. After the verbs and phrases mentioned above, you can also use 'being' followed by a past participle.

> *They enjoy being praised.*
> *I dislike being interrupted.*

After some verbs of saying and thinking, you can use 'having' followed by a past participle.

| admit | deny | mention | recall |
|---|---|---|---|

> *Michael denied having seen him.*

3. 'Come' and 'go' are used with '-ing' clauses to describe the way that a person or thing moves.

> *They both came running out.*
> *It went sliding across the road out of control.*

'Go' and 'come' are also used with '-ing' nouns to talk about sports and outdoor activities.

> *Did you say they might go camping?*

4. Some verbs can be followed by an object and an '-ing' clause. The object of the verb is the subject of the '-ing' clause.

| catch | find | imagine | leave | prevent | stop | watch |
|---|---|---|---|---|---|---|

> *It is hard to imagine him existing without it.*
> *He left them making their calculations.*

Note that 'prevent' and 'stop' are often used with 'from' in front of the '-ing' clause.

> *I wanted to prevent him from seeing that.*

Most verbs of perception can be followed by an object and an '-ing' clause or a base form.

> *I saw him riding a bicycle.*
> *I saw a policeman walk over to one of them.*

## Verb + 'to' or '-ing' ~ *Kata kerja + 'to' atau '-ing'*

### Main points ~ *Perkara-perkara utama*

Some verbs take a 'to'-infinitive clause or an '-ing' clause with little difference in meaning. Others take a 'to'-infinitive or '-ing' clause, but the meaning is different.

*Sesetengah kata kerja mempunyai klausa infinitif 'to' atau klausa '-ing' tanpa sebarang perbezaan makna yang besar. Kata kerja yang lain mempunyai klausa infinitif 'to' atau '-ing', tetapi maknanya berbeza.*

1. The following verbs can be followed by a 'to'-infinitive clause or an '-ing' clause, with little difference in meaning.

| attempt | begin | bother | continue | fear | hate | love | prefer |
|---------|-------|--------|----------|------|------|------|--------|
| start | try | | | | | | |

> It <u>started raining.</u>
> A very cold wind <u>had started to blow.</u>
> The captain <u>didn't bother answering.</u>
> I <u>didn't bother to answer.</u>

Note that if these verbs are used in a continuous tense, they are followed by a 'to'-infinitive clause.

> The company <u>is beginning to export</u> to the West.
> We <u>are continuing to make</u> good progress.

After 'begin', 'continue', and 'start', you use a 'to'-infinitive clause with the verbs 'understand', 'know', and 'realize'.

> I <u>began to understand</u> her a bit better.

2. You can often use 'like' with a 'to'-infinitive or an '-ing' clause with little difference in meaning.

> I <u>like to fish.</u>
> I <u>like fishing.</u>

However, there is sometimes a difference. You can use 'like' followed by a 'to'-infinitive clause to say that you think something is a good idea, or the right thing to do. You cannot use an '-ing' clause with this meaning.

> They <u>like to interview</u> you first.
> I <u>didn't like to ask</u> him.

## Verb + 'to' or '-ing' ~ *Kata kerja + 'to' atau '-ing'*

3　After 'remember', 'forget', and 'regret', you use an '-ing' clause if you are referring to an event after it has happened.

> I *remember discussing* it once before.
> · I'll never *forget going out* with my old aunt.
> She did not *regret accepting* his offer.

You use a 'to'-infinitive clause after 'remember' and 'forget' if you are referring to an event before it happens.

> I must *remember to send* a gift for her child.
> Don't *forget to send in* your entries.

After 'regret', in formal English, you use a 'to'-infinitive clause with these verbs to say that you are sorry about what you are saying or doing now:

| announce | inform | learn | say | see | tell |
|----------|--------|-------|-----|-----|------|

> I *regret to say* that it was all burned up.

4　If you 'try to do' something, you make an effort to do it. If you 'try doing' something, you do it as an experiment, for example to see if you like it or if it is effective.

> I *tried to explain.*
> Have you *tried painting* it?

5　If you 'go on doing' something, you continue to do it. If you 'go on to do' something, you do it after you have finished doing something else.

> I *went on writing.*
> He later *went on to form* a computer company.

6　If you 'are used to doing' something, you are accustomed to doing it. If you 'used to do' something, you did it regularly in the past, but you no longer do it now.

> We *are used to working* together.
> I *used to live* in this street.

7　After 'need', you use a 'to'-infinitive clause if the subject of 'need' is also the subject of the 'to'-infinitive clause. You use an '-ing' form if the subject of 'need' is the object of the '-ing' clause.

> We *need to ask* certain questions.
> It *needs cutting.*

# DATE

▶ DAYS OF THE WEEK

Monday
Tuesday
Wednesday
Thursday
Friday
Saturday
Sunday

**When?**
on Monday
on Mondays
every Monday
last Tuesday
next Friday
a week on Saturday
two weeks on Saturday

▶ MONTHS OF THE YEAR

January
February
March
April
May
June
July
August
September
October
November
December

**When?**
in February
on December 1st 2001
in two thousand and one

**What day is it?**
**It's...**
Monday, 26th May or
    Monday, the twenty-sixth of May

# TARIKH

▶ HARI

*Isnin*
*Selasa*
*Rabu*
*Khamis*
*Jumaat*
*Sabtu*
*Ahad*

**Bila?**
*pada hari Isnin*
*pada setiap hari Isnin*
*setiap hari Isnin*
*hari Selasa lepas*
*hari Jumaat depan*
*pada hari Sabtu depan*
*pada hari Sabtu dua minggu lagi*

▶ BULAN

*Januari*
*Februari*
*Mac*
*April*
*Mei*
*Jun*
*Julai*
*Ogos*
*September*
*Oktober*
*November*
*Disember*

**Bila?**
*pada bulan Februari*
*pada 1hb Disember 2001*
*pada tahun dua ribu satu*

**Hari ini hari apa?**
**Hari ini ...**
*hari Isnin, 26hb Mei atau*
    *hari Isnin, dua puluh enam hari bulan Mei*

# TIME ~ MASA

| | | |
|---|---|---|
| What time is it? | | At what time? |
| What's the time? | | *Bila?* |
| *Pukul berapa sekarang?* | | |

It's one o'clock
*Pukul satu*

at midnight
*pada waktu tengah malam*

It's ten past one
*Pukul satu sepuluh minit*

at midday
*pada waktu tengah hari*

It's quarter past one
*Pukul satu suku*

at one o'clock
(in the afternoon)
*pada pukul satu
(tengah hari)*

It's half past one
*Pukul satu setengah*

at eight o'clock
(in the evening)
*pada pukul lapan (malam)*

It's twenty to two
*Kurang dua puluh minit ke pukul dua*

at 11.15 or eleven fifteen
(in the morning)
*pada pukul 11.15 atau sebelas lima belas minit (pagi)*

It's quarter to two
*Kurang lima belas minit ke pukul dua*

at 8.45 or eight forty-five
(in the evening)
*pada pukul 8.45 atau lapan empat puluh lima minit (malam)*

in twenty minutes
*dalam dua puluh minit*

ten minutes ago
*sepuluh minit lalu*

# LIST OF PARTS OF SPEECH ~ *SENARAI KELAS KATA*

1. ANGKA ~ NUMERAL
2. KATA ADJEKTIF ~ ADJECTIVE
3. KATA ADVERBA ~ ADVERB
4. KATA ARAH ~ DIRECTIONAL NOUN
5. KATA BANTU ~ AUXILIARY
6. KATA BILANGAN ~ NUMERAL
7. KATA GANTI NAMA ~ PRONOUN
8. KATA HUBUNG ~ CONJUNCTION
9. KATA KERJA ~ VERB
10. KATA NAFI ~ NEGATIVE
11. KATA NAMA ~ NOUN
12. KATA PENEGAS ~ EMPHATIC WORD
13. KATA PENGUAT ~ INTENSIFIER
14. KATA PERINTAH ~ IMPERATIVE WORD
15. KATA SANDANG TENTU ~ DEFINITE ARTICLE
16. KATA SANDANG TAK TENTU ~ INDEFINITE ARTICLE
17. KATA SENDI ~ PREPOSITION
18. KATA SERUAN ~ INTERJECTION
19. KATA TANYA ~ INTERROGATIVE WORD
20. PENJODOH BILANGAN ~ NUMERAL CLASSIFIER
21. SINGKATAN ~ ABBREVIATION
22. JAMAK ~ PLURAL
23. TUNGGAL ~ SINGULAR

# A

**abad**  KATA NAMA
_century_  (JAMAK **centuries**)
◊  *abad ke-21*  the 21st century
♦ **Abad Pertengahan**  the Middle Ages
♦ **pada permulaan abad**  at the beginning
of the century
**berabad-abad**  KATA BILANGAN
_for centuries_
◊  *Harta karun itu tertanam berabad-
abad lamanya di situ.*  The treasure had
been buried there for centuries.

**abadi**  KATA ADJEKTIF
_forever_
◊  *kekal abadi*  to last forever
**mengabadikan**  KATA KERJA
_to immortalize_
◊  *Muzium P. Ramlee dibina untuk
mengabadikan sumbangan Allahyarham
Tan Sri P. Ramlee dalam bidang seni.*  The
P. Ramlee museum was built to
immortalize Allahyarham Tan Sri P.
Ramlee's contribution in the field of the
arts.
**pengabadian**  KATA NAMA
_conservation_
♦ **pengabadian tenaga**  energy
conservation

**abai**
**mengabaikan**  KATA KERJA
_to neglect_
◊  *Dia mengabaikan tanggungjawabnya.*
He neglected his responsibilities.
**pengabaian**  KATA NAMA
_neglecting_
◊  *Pengabaian kanak-kanak adalah
salah di sisi undang-undang.*  Neglecting
children is against the law.
**terabai**  KATA KERJA
_neglected_
◊  *Taman permainan itu terabai dan
ditumbuhi lalang.*  The playground is
neglected and overgrown with weeds.

**abang**  KATA NAMA
_elder brother_
♦ **abang ipar**  brother-in-law
(JAMAK **brothers-in-law**)

**abdi**  KATA NAMA
_slave_
**mengabdikan**  KATA KERJA
_to enslave_
◊  *Kita tidak berhak mengabdikan
sesiapa pun.*  We have no right to enslave
anyone.
♦ **mengabdikan diri**  to devote oneself
◊  *Sudah 10 tahun dia mengabdikan diri
kepada tuannya.*  He has devoted himself
to his master for 10 years. ◊ *mengabdikan
diri kepada negara*  to devote oneself to
one's country
**pengabdian**  KATA NAMA
_slavery_

**abdomen**  KATA NAMA
_abdomen_

**abjad**  KATA NAMA
_alphabet_

**abstrak**  KATA ADJEKTIF
_abstract_
◊  *Saya tidak begitu memahami seni
abstrak.*  I don't really understand abstract
art. ◊ *konsep abstrak*  an abstract
concept

**abu**  KATA NAMA
_ash_  (JAMAK **ashes**)
◊  *Dia membiarkan abu rokoknya jatuh
ke atas lantai.*  He let the ash from his
cigarette drop onto the floor.
♦ **abu mayat**  ashes
♦ **tempat abu rokok**  ashtray
**mengabui**  KATA KERJA
♦ **mengabui mata seseorang**  to deceive
somebody

**acah**  KATA KERJA
_to tease_
◊  *Jangan marah, saya acah sahaja.*
Don't be angry, I was just teasing.
**beracah-acah**  KATA KERJA
_to fool around_
◊  *Jangan beracah-acah dengan lelaki
yang tidak siuman itu.*  Don't fool around
with that madman.
**mengacah**  KATA KERJA
_to confuse_
◊  *Samad mengacah lawannya dengan
berlari ke kiri dan kemudian ke kanan.*
Samad confused his opponent by running
to the left and then to the right.
**mengacah-acah**  KATA KERJA
_to feint_
◊  *Dia mengacah-acah, lalu
menjaringkan bola itu ke dalam jaringan.*
He feinted and then netted the ball.

**acap kali**  KATA BANTU
_frequently_
◊  *Walaupun sudah acap kali dia
mencuba, dia masih gagal melakukannya.*
Although she had tried frequently, she still
could not do it.

**acar**  KATA NAMA
_pickles_

**acara**  KATA NAMA
_event_
◊  *Dia memenangi tempat pertama
dalam acara 100m.*  He came first in the
100m event.
♦ **acara istimewa**  special item
♦ **acara kemuncak**  highlight

**mengacarakan** KATA KERJA
*to compere*
◊ *Latifah telah dipilih untuk mengacarakan majlis itu.* Latifah was chosen to compere the ceremony.
**pengacara** KATA NAMA
*compere*
♦ **pengacara lagu** disc jockey

**acu (1)**
**mengacukan** KATA KERJA
*to aim at*
◊ *Polis mengacukan pistol ke arah kepala perompak itu.* The police aimed the gun at the robber's head.

**acu (2)**
**mengacu** KATA KERJA
*to pour into a mould*
◊ *Sara mengacu agar-agar ke dalam sebuah bekas yang berbentuk bintang.* Sara poured the jelly into a star-shaped mould.
**acuan** KATA NAMA
*mould*

**acuh** KATA KERJA
*to care*
◊ *Dia bersikap tidak acuh akan khabar angin tentang dirinya.* She doesn't care about the rumours going around about her.
♦ **bersikap acuh tak acuh** to be indifferent
◊ *Meng Kong bersikap acuh tak acuh sahaja terhadap projek itu.* Meng Kong is indifferent to the project.
**mengacuhkan** KATA KERJA
*to pay attention*
◊ *Mitch tidak mengacuhkan nasihat gurunya.* Mitch pays no attention to his teacher's advice.

**ada** KATA KERJA
[1] *to have*
◊ *Puan Goh ada dua ekor kucing.* Mrs Goh has two cats.
[2] *available*
◊ *Menurut maklumat yang ada, perkara itu tidak boleh dilakukan.* According to the available information, it can't be done.
[3] *alive*
◊ *Nenek Minah masih ada.* Minah's grandmother is still alive.
[4] *there is*
◊ *Ada sebuah kilang berhampiran rumah saya.* There's a factory near my house.
[5] *there are*
◊ *Ada 7 hari dalam seminggu.* There are 7 days in a week.
Akhiran **-kah** *digunakan untuk membuat pertanyaan.*
♦ **Adakah buku saya di dalam bilik kamu?**

Is my book in your room?
♦ **Adakah gula-gula yang tinggal lagi?** Are there any sweets left?
♦ **Adakah anda memberitahu emak anda?** Did you tell your mother?
♦ **Adakah anda nampak selipar saya?** Have you seen my slippers?
**berada** KATA KERJA
*to be*
◊ *Dia berada di sini kelmarin.* She was here yesterday. ◊ *Kami akan berada di Kuala Lumpur pada minggu hadapan.* We'll be in Kuala Lumpur next week.
♦ **Datuk dan nenek saya agak berada.** My grandparents were quite well-off.
**keadaan** KATA NAMA
[1] *situation*
◊ *Keadaan ekonomi negara ini semakin pulih.* The economic situation in the country is improving.
[2] *condition*
◊ *Keadaan pesakit itu bertambah baik.* The patient's condition is improving.
**mengadakan** KATA KERJA
*to hold*
◊ *Murid-murid mengadakan jamuan kelas sempena Hari Kanak-kanak.* The pupils held a class party for Children's Day.
**adanya** KATA NAMA
*availability*
◊ *Dengan adanya biasiswa, keluarga yang miskin dapat menghantar anak-anak mereka ke sekolah.* The availability of scholarships encouraged poor families to send their children to school.
♦ **Dengan adanya kamu di sini, saya tidak perlu bimbang lagi.** With you here, I don't have to worry anymore.
♦ **Dengan adanya alat ini, kita boleh membaiki apa sahaja.** Now that we have this tool, we can fix anything.
**seadanya** KATA ADJEKTIF
*whatever is available*
◊ *Anak-anak yatim itu mendapat bantuan makanan seadanya.* The orphans received whatever food was available.

**ada-ada** KATA ADJEKTIF
♦ **ada-ada sahaja** always ◊ *Setiap kali dia datang melawat kami, ada-ada sahaja hadiah yang dibawanya.* Every time he came to see us, he always brought presents with him.
♦ **Ada-ada sahaja perkara yang dirungutkannya!** He's always grumbling!
♦ **Ada-ada sahajalah kamu ini!** You're such a nuisance!
**mengada-ada** KATA KERJA

*to brag*
◊ *Kamsiah selalu mengada-ada dengan jawatannya sebagai pengawas.* Kamsiah is always bragging about the fact that she is a school prefect.
♦ **sikap yang mengada-ada** affected behaviour
**mengada-adakan** KATA KERJA
*to concoct*
◊ *Gary mengada-adakan cerita itu supaya dia tidak perlu menghadiri latihan sukan.* Gary concocted the story so that he wouldn't have to attend sports practice.

**adab** KATA NAMA
*good manners*
♦ **kurang adab** ill-mannered
**beradab** KATA KERJA
*well-mannered*
◊ *Budak itu sungguh beradab.* That child is very well-mannered.
**peradaban** KATA NAMA
*culture*
◊ *Kita perlu mempelajari peradaban orang lain.* We should learn about other people's cultures.

**ada kala** KATA ADJEKTIF
*sometimes*

**adalah** KATA PEMERI
*to be*
**adalah** *hanya digunakan di hadapan kata adjektif atau kata sendi.*
◊ *Khabar angin itu adalah benar.* That rumour is true. ◊ *Cenderamata ini adalah untuk tetamu khas kita.* This souvenir is for our special guest.

**adang** KATA NAMA
① *barrier*
◊ *Jalan raya itu ditutup dengan satu adang.* The road was closed to traffic by a barrier.
② *partition*
◊ *Bahagian belakang pejabat itu dipisahkan dengan satu adang.* The back part of the office is separated by a partition.
**mengadang** KATA KERJA
① *to stop*
◊ *Pengawal itu mengadang Farid di pintu masuk kerana dia tidak memiliki pas masuk.* The guard stopped Farid at the entrance because he didn't have an entry pass.
② *to obstruct*
◊ *Kotak besar yang jatuh daripada lori itu mengadang lalu lintas di Jalan Kuching.* A large container that had fallen from a lorry obstructed traffic along Jalan Kuching.

**pengadang** KATA NAMA
*obstruction*

**adaptasi** KATA NAMA
*adaptation*
**mengadaptasi, mengadaptasikan** KATA KERJA
*to adapt*
◊ *Penulis skrip tersebut mengadaptasikan buku itu menjadi sebuah filem.* The scriptwriter adapted the book into a film.
**pengadaptasian** KATA NAMA
*adaptation*
◊ *Pengadaptasian drama Shakespeare oleh Branagh mendapat pujian ramai.* Branagh's adaptation of Shakespeare's play was highly praised.

**adat** KATA NAMA
*custom*
♦ **adat dunia** the ways of the world
♦ **adat muafakat** traditional custom
♦ **Adat Perpatih** Matrilineal Law
♦ **Adat Temenggung** Patrilineal Law
♦ **adat resam** custom
♦ **kurang adat** ill-mannered
♦ **melanggar adat** to go against tradition
♦ **tahu adat** well-mannered
♦ **upacara yang penuh adat istiadat** a ceremony full of custom and tradition
**beradat** KATA KERJA
*well-mannered*
◊ *Junita seorang yang beradat.* Junita is well-mannered.

**adegan** KATA NAMA
*scene*
◊ *Filem itu mengandungi banyak adegan ganas.* The film contains many violent scenes.

**adik** KATA NAMA
① *brother (lelaki)*
② *sister (perempuan)*
♦ **adik-beradik** siblings
♦ **adik ipar (1)** brother-in-law (JAMAK **brothers-in-law**)
♦ **adik ipar (2)** sister-in-law (JAMAK **sisters-in-law**)

**adil** KATA ADJEKTIF
*fair*
◊ *Anda tidak bersikap adil.* You are not being fair.
♦ **tidak adil** unfair
**keadilan** KATA NAMA
*justice*
◊ *Kita mesti menegakkan keadilan.* We must uphold justice.
♦ **ketidakadilan** injustice
**mengadili** KATA KERJA
*to judge*

◊ *Asmidar akan mengadili pertandingan nyanyian itu.* Asmidar is going to judge the singing competition.

**pengadil**  KATA NAMA

[1] *referee* (sukan)

[2] *judge* (pertandingan)

**pengadilan**  KATA NAMA

*judgement*

◊ *Pengadilan kes mahkamah itu akan dijalankan esok.* Judgement in the court case will be passed tomorrow.

♦ **dihadapkan ke muka pengadilan**  to be brought to court

**adinda**  KATA NAMA

(*bahasa istana, persuratan*)

[1] *brother* (lelaki)

[2] *sister* (perempuan)

**adinda** *juga digunakan untuk merujuk kepada diri sendiri terutama dalam surat. Dalam keadaan ini,* **adinda** *diterjemahkan dengan menggunakan kata ganti nama diri.*

◊ *Adinda akan pulang pada bulan hadapan.* I'm coming home next month.
◊ *Tolong jemput adinda di lapangan terbang.* Please could you pick me up at the airport. ◊ *Sampaikan salam adinda kepada nenda.* Please say hello to grandma for me.

**adjektif**  KATA NAMA

*adjective*

♦ **kata adjektif**  adjective

**adu**

**beradu**  KATA KERJA

*to compete*

◊ *Mereka beradu dalam perlumbaan basikal.* They competed in a bicycle race.

♦ **beradu lidah**  to argue

♦ **beradu nasib**  to try one's luck

♦ **beradu tenaga**  to fight

**mengadu**  KATA KERJA

*to complain*

◊ *Erina mengadu kepada guru bahawa Halim telah memukulnya.* Erina complained to the teacher that Halim had hit her.

**mengadukan**  KATA KERJA

*to complain about*

◊ *Pelajar jarang mengadukan masalah mereka kepada guru.* Students don't usually complain about their problems to their teachers.

**peraduan**  KATA NAMA

*competition*

◊ *peraduan melukis*  drawing competition

**aduan**  KATA NAMA

*complaint*

**adu domba**

**mengadu domba, mengadudombakan**
KATA KERJA

*to stir up trouble*

◊ *Mereka cuba mengadudombakan kaum Cina dan India yang tinggal di kawasan itu.* They tried to stir up trouble between the Chinese and Indians living in the area.

**pengadu domba**  KATA NAMA

*instigator*

**aduh**  KATA SERUAN

*ouch*

**mengaduh**  KATA KERJA

*to groan*

◊ *Pelajar yang jatuh itu mengaduh kesakitan.* The student who had fallen down groaned with pain.

**aduk**

**mengaduk**  KATA KERJA

*to mix together*

◊ *Pekerja binaan itu mengaduk simen dengan pasir.* The construction worker mixed the cement and sand together.

**adukan**  KATA NAMA

*mixture*

◊ *Pengukir itu menyediakan adukan tanah liat dengan air di dalam sebuah mangkuk.* The sculptor prepared the mixture of clay and water in a bowl.

**adun**

**mengadun**  KATA KERJA

*to knead*

◊ *mengadun tepung gandum bersama minyak jagung*  to knead wheat flour and corn oil

**pengadun**  KATA NAMA

*mixer*

◊ *pengadun elektrik*  electric mixer

**adunan**  KATA NAMA

*dough*

**ADUN**  SINGKATAN (= *Ahli Dewan Undangan Negeri*)

*State Assemblyman*

**Aedes**  KATA NAMA

*Aedes*

◊ *Nyamuk Aedes ialah penyebab kepada penyakit denggi.* The Aedes mosquito causes dengue fever.

**aerobik**  KATA NAMA

*aerobics*

♦ **senaman aerobik**  aerobics

**aerogram**  KATA NAMA

*aerogramme*

**aerosol**  KATA NAMA

*aerosol*

**afdal**  KATA ADJEKTIF

*important*

◊ *Berpuasa ialah perkara yang afdal.*
Fasting is important.

**keafdalan** KATA NAMA
*importance*
◊ *keafdalan membaca al-Quran* the importance of reading the Koran

**Afrika** KATA NAMA
*Africa*
♦ **orang Afrika** African

**agah**
**mengagah** KATA KERJA
*to make a baby laugh*
◊ *Punita mengagah bayinya.* Punita makes her baby laugh.
♦ **Bayi itu baru sahaja belajar mengagah.** The baby is just starting to babble.

**agak** KATA PENGUAT
*pretty*
◊ *Saya agak pasti.* I'm pretty sure.
**mengagak** KATA KERJA
*to guess*
◊ *Dia hanya mengagak sahaja.* He's just guessing. ◊ *Dia tidak dapat mengagak langkah lawannya yang seterusnya.* He couldn't guess his opponent's next move.
**agaknya** KATA PENEGAS
*presumably*
◊ *Agaknya Samy akan menyiapkan lukisan itu esok.* Presumably Samy will complete the painting tomorrow.

**agak-agak** KATA BANTU
*perhaps*
◊ *Agak-agak, dia akan membeli jam tangan itu.* Perhaps he will buy the watch.
**mengagak-agak** KATA KERJA *rujuk*
**mengagak**
**teragak-agak** KATA KERJA
*to hesitate*
◊ *Dia teragak-agak semasa membuat keputusan itu.* He hesitated while making the decision.

**agama** KATA NAMA
*religion*
♦ **Pendidikan Agama** Religious Education
**beragama** KATA KERJA
**beragama** *tidak ada terjemahan dalam bahasa Inggeris.*
◊ *Dia beragama Buddha.* He is a Buddhist. ◊ *Dia beragama Islam.* She is a Muslim.
**keagamaan** KATA NAMA
*religious*
◊ *soal-soal keagamaan* religious matters

**agar** KATA HUBUNG
*so that*

◊ *Pasukan itu berlatih dengan giat agar dapat menjuarai pertandingan itu.* The team trained hard so that they could win the tournament.

**agar-agar** KATA NAMA
*jelly* (JAMAK **jellies**)

**agas** KATA NAMA
*midge*

**agen** KATA NAMA
*agent*

**agenda** KATA NAMA
*agenda*

**agensi** KATA NAMA
*agency* (JAMAK **agencies**)
◊ *agensi pelancongan* travel agency
♦ **agensi pekerjaan** job centre

**agih**
**mengagihkan, mengagih-agihkan**
KATA KERJA
*to distribute*
◊ *Guru itu mengagihkan minuman kotak kepada murid-muridnya.* The teacher distributed the cartons of drinks to her pupils.
**pengagihan** KATA NAMA
*distribution*
◊ *Pengagihan barang-barang itu perlu dijalankan tepat pada masanya.* The distribution of goods must be carried out on time.
**agihan** KATA NAMA
*distribution*
◊ *Agihan stok itu tidak seimbang.* The distribution of stock was uneven.

**agregat** KATA NAMA
*aggregate*

**agresif** KATA ADJEKTIF
*aggressive*

**aguk** KATA NAMA
*pendant*
**aguk** *juga merujuk kepada perhiasan pada kalung yang dipakai oleh pengantin.*

**agung** KATA ADJEKTIF
[1] *majestic*
◊ *Istana Versailles di Perancis kelihatan agung.* The Palace of Versailles in France is a majestic sight.
[2] *great*
◊ *pahlawan yang agung* a great warrior
[3] *supreme*
◊ *Mahkamah Agung* the Supreme Court
♦ **mesyuarat agung** general meeting
♦ **Setiausaha Agung** Secretary General
**mengagungkan** KATA KERJA
*to exalt*
◊ *Buku itu mengagungkan sumbangan*

*Tan Sri P. Ramlee sebagai seorang seniman.* The book exalts Tan Sri P. Ramlee's contribution as an artiste.

**mengagung-agungkan** KATA KERJA
*to glorify*
◊ *Lagu itu terlalu mengagung-agungkan budaya Barat.* The song glorifies Western culture too much.

**keagungan** KATA NAMA
*majesty*
◊ *Keagungan lukisan Mona Lisa tiada tandingannya.* The majesty of the Mona Lisa is incomparable.

**Ahad** KATA NAMA
*Sunday*
◊ *pada hari Ahad* on Sunday

**ahli** KATA NAMA
*member*
♦ **ahli jawatankuasa** committee member
♦ **Ahli Parlimen** Member of Parliament
♦ **kad ahli** membership card

**keahlian** KATA NAMA
*membership*

**aib** KATA NAMA
*disgrace*
◊ *Dia membawa aib kepada keluarganya kerana dibuang daripada universiti.* He brought disgrace on his family by getting expelled from the university.

**keaiban** KATA NAMA
*disgrace*
◊ *Mereka meninggalkan kampung itu untuk mengelakkan keaiban.* They left the village to avoid disgrace.

**mengaibkan** KATA KERJA
1 *to bring disgrace on*
◊ *Tindakannya hanya akan mengaibkan keluarganya.* Her behaviour will just bring disgrace on her family.
2 *to embarrass*
◊ *Dia telah mengaibkan saya di hadapan semua orang.* She embarrassed me in front of everybody.

**AIDS** SINGKATAN (= *sindrom kurang daya tahan penyakit*) ➥
*AIDS* (= *acquired immune deficiency syndrome*)

**air** KATA NAMA
*water*
♦ **air pasang** high tide
♦ **air surut** low tide
♦ **air tawar** fresh water
♦ **air liur** saliva
♦ **air mata** tear
♦ **air mineral** mineral water
♦ **air minuman** drinking water

♦ **air pancut** fountain
♦ **air suling** distilled water
♦ **air terjun** waterfall

**berair** KATA KERJA
*soggy*
◊ *Salad itu sudah berair.* The salad has become soggy.

**mengairi** KATA KERJA
*to irrigate*
◊ *Terusan itu dibina untuk mengairi sawah padi.* The canal was built to irrigate the paddy fields.

**pengairan** KATA NAMA
*irrigation*
◊ *sistem pengairan yang canggih* a sophisticated irrigation system

**perairan** KATA NAMA
*waters*
◊ *Ikan jenis ini selalu dijumpai di perairan Johor.* These type of fish were found in the waters around Johor.

**air muka** KATA NAMA
*facial expression*
♦ **Air muka Latifah menunjukkan kekeliruan.** Latifah looked confused.
♦ **Anak lelakinya telah menjatuhkan air mukanya.** Her son has disgraced her.

**ais** KATA NAMA
*ice*

**aising** KATA NAMA
*icing*

**beraising** KATA KERJA
*iced*
◊ *kek beraising* iced cake

**aiskrim** KATA NAMA
*ice cream*
◊ *aiskrim berperisa coklat* chocolate ice cream
♦ **aiskrim batang** ice lolly
(JAMAK **ice lollies**)

**ajaib** KATA ADJEKTIF
1 *baffling*
◊ *satu pengalaman yang ajaib* a baffling experience
2 *magic*
◊ *cermin ajaib* a magic mirror

**keajaiban** KATA NAMA
*miracle*
♦ **Kejayaan perniagaannya bagaikan satu keajaiban.** The success of his business seemed miraculous.

**ajak** KATA KERJA
*to invite*
◊ *Ajaklah kakak anda sekali.* Invite your sister along.

**mengajak** KATA KERJA
*to invite*
◊ *Intan mengajak kawannya ke*

*rumahnya.* Intan invited her friend to her house.

**ajakan** KATA NAMA
*invitation*
◊ *Karim menolak ajakan Yusof.* Karim turned down Yusof's invitation.

**ajal** KATA NAMA
*death*
♦ **menemui ajal** to die

**ajar** KATA KERJA
*to teach*
♦ **kurang ajar** insolent

**belajar** KATA KERJA
1 *to learn*
◊ *Belajarlah daripada kesilapan anda.* Learn from your mistakes.
2 *to study*
◊ *Dia belajar untuk menghadapi peperiksaannya.* She studied for her exams.

**pembelajaran** KATA NAMA
*learning*
◊ *kaedah pembelajaran* method of learning

**mengajar** KATA KERJA
*to teach*
◊ *Guru itu mengajar matematik.* That teacher teaches mathematics.

**pelajar** KATA NAMA
*student*
♦ **pelajar memandu** learner driver

**mempelajari** KATA KERJA
*to learn*
◊ *Dia mempelajari seni mempertahankan diri daripada datuknya.* He learnt the art of self-defence from his grandfather.

**pelajaran** KATA NAMA
*lesson*

**berpelajaran** KATA KERJA
*educated*
◊ *Abangnya berpelajaran tinggi.* His brother is highly educated.

**terpelajar** KATA ADJEKTIF
*educated*

**pengajar** KATA NAMA
*instructor*
◊ *pengajar memandu* driving instructor

**pengajaran** KATA NAMA
1 *lesson*
◊ *Pengalaman itu akan memberikan pengajaran kepadanya.* The experience will teach him a lesson.
♦ **pengajaran daripada cerita ini ialah...** the moral of the story is...
2 *teaching*
◊ *pengajaran bahasa Inggeris di sekolah-sekolah* the teaching of English

in schools

**ajaran** KATA NAMA
*teaching*
◊ *ajaran agama* religious teaching

**aju**

**mengajukan** KATA KERJA
*to address*
◊ *Dia mengajukan soalannya kepada pengerusi persatuan.* She addressed her question to the Chairman of the society.

**ajuk**

**mengajuk** KATA KERJA
*to mimic*
◊ *Badut itu mengajuk gaya James Bond.* The clown mimicked James Bond's manner.

**ajukan** KATA NAMA
*mimicry*
◊ *Salah satu daripada kelebihannya ialah kemahirannya melakukan ajukan.* One of his strengths is his skill at mimicry.

**akad** KATA NAMA
*agreement*
◊ *akad sewa beli* hire-purchase agreement

**akademi** KATA NAMA
*academy* (JAMAK **academies**)

**akademik** KATA ADJEKTIF
*academic*

**akad nikah** KATA NAMA
*marriage vow*

**mengakadnikahkan** KATA KERJA
*to marry*
◊ *Ustaz Hamidi mengakadnikahkan pasangan pengantin itu.* Ustaz Hamidi married the couple.

**akal** KATA NAMA
*common sense*
♦ **masuk akal** logical

**berakal** KATA KERJA
*intelligent*
◊ *pelajar-pelajar yang berakal* intelligent students

**akan** KATA BANTU
┌─────────────────────────────┐
│ *rujuk juga* **akan** KATA SENDI │
└─────────────────────────────┘
*will*
♦ **Dia akan melawat neneknya pada minggu hadapan.** He is going to visit his grandmother next week.

**seakan-akan** KATA SENDI
1 *as if*
◊ *Dia kelihatan seakan-akan hendak menangis.* She looks as if she's going to cry.
2 *like*
◊ *Bentuk arca itu seakan-akan seekor gajah.* The sculpture is shaped like an

elephant.

**akan** KATA SENDI

> rujuk juga **akan** KATA BANTU

**akan** *digunakan selepas kata adjektif yang menunjukkan perasaan dan digunakan di hadapan kata nama atau frasa nama untuk manusia.*

◊ *Dia takut akan kegelapan.* She is afraid of the dark. ◊ *Kumari suka akan lukisan itu.* Kumari likes that painting.

**akar** KATA NAMA
*root*

**akar umbi** KATA NAMA
*root*
◊ *Masalah itu perlu diatasi daripada akar umbinya.* The problem has to be overcome at its roots.

**berakar umbi** KATA KERJA
*rooted*
◊ *Krisis itu berakar umbi daripada persaingan antara dua kumpulan itu.* The crisis is rooted in rivalries between the two groups.

**akaun** KATA NAMA
*account*
◊ *akaun bank* bank account
◊ *akaun semasa* current account

**perakaunan** KATA NAMA
1 *accountancy*
2 *accounting*
◊ *prinsip perakaunan* principles of accounting

**akauntan** KATA NAMA
*accountant*

**akhbar** KATA NAMA
1 *newspaper*
◊ *akhbar "Berita Harian"* the newspaper "Berita Harian"
2 *press*
◊ *pihak akhbar* the press
◊ *sidang akhbar* a press conference

**akhir** KATA ADJEKTIF
*final*
◊ *percubaan yang akhir* final attempt
♦ **peringkat akhir Piala Thomas** the final of the Thomas Cup
♦ **separuh akhir** semi-final
♦ **akhir sekali** finally
♦ **akhir-akhir ini** lately

**berakhir** KATA KERJA
*to finish*
◊ *Mesyuarat itu akan berakhir tidak lama lagi.* The meeting will finish soon.
♦ **Cerita itu berakhir dengan suasana gembira.** The story had a happy ending.

**mengakhiri** KATA KERJA
*to end*

◊ *Upacara itu diakhiri dengan persembahan tarian tradisional.* The ceremony ended with a traditional dance.

**terakhir** KATA ADJEKTIF
*last*
◊ *buat kali terakhir* for the last time

**akhiran** KATA NAMA
*suffix* (JAMAK **suffixes**)

**akhirnya** KATA HUBUNG
*finally*
◊ *Akhirnya mereka membuat keputusan untuk bertolak pada hari Sabtu.* They finally decided to leave on Saturday.
♦ **Akhirnya dia sendiri yang akan rugi kelak.** He'll be the one who suffers as a result.

**akhirat** KATA NAMA
*the next world*
♦ **di dunia dan di akhirat** in this world and the next

**akhlak** KATA NAMA
*morals*

**berakhlak** KATA KERJA
*moral*
♦ **Citradevi seorang yang berakhlak mulia.** Citradevi is a very moral person.
♦ **tidak berakhlak** immoral

**akibat** KATA HUBUNG

> rujuk juga **akibat** KATA NAMA

*because*
◊ *Pokok itu tumbang akibat ribut yang kencang.* The tree fell over because of the storm.
♦ **Banjir itu berlaku akibat hujan lebat.** The flood was a consequence of the heavy rain.

**mengakibatkan** KATA KERJA
*to cause*
◊ *Cuaca yang buruk telah mengakibatkan banyak kemalangan berlaku di jalan-jalan di bandar itu.* The bad weather has caused many accidents on the city's roads.

**akibat** KATA NAMA

> rujuk juga **akibat** KATA HUBUNG

*consequence*
◊ *Saya terpaksa menanggung akibat daripada perbuatan saya sendiri.* I had to bear the consequences of my own action.

**akibatnya** KATA HUBUNG
*as a result*
◊ *Akibatnya dia sendiri yang akan rugi kelak.* He'll be the one who suffers as a result.

**akne** KATA NAMA
*acne*

**akrab** KATA ADJEKTIF
*close*

◊ *kawan akrab* a close friend
**keakraban** KATA NAMA
*intimacy*
♦ **Keakraban antara dua adik-beradik itu amat ketara.** It is obvious that the two siblings are very close.

**akrobat** KATA NAMA
*acrobat*

**akrobatik** KATA NAMA
*acrobatics*

**akru**
**terakru** KATA KERJA
*valid*
◊ *Tuntutan insurans wanita itu masih terakru.* The woman's insurance claim is still valid.

**aksara** KATA NAMA
1 *alphabet* (*huruf*)
2 *character* (*komputer*)

**aksesori** KATA NAMA
*accessory* (JAMAK **accessories**)

**aksi** KATA NAMA
*action*
◊ *Filem itu penuh aksi.* The film is action-packed.
**beraksi** KATA KERJA
*to act*
◊ *Sean akan beraksi dalam filem baru itu.* Sean is going to act in that new film.

**akta** KATA NAMA
*act*
◊ *Akta Pendidikan* the Education Act

**aktif** KATA ADJEKTIF
*active*
**mengaktifkan** KATA KERJA
*to activate*
◊ *Pihak bank akan mengaktifkan kad anda dalam masa sehari.* The bank will activate your card within a day.

**aktivis** KATA NAMA
*activist*

**aktiviti** KATA NAMA
*activity* (JAMAK **activities**)

**aku** KATA GANTI NAMA
1 *I*

I selalu ditulis dalam huruf besar.

◊ *Aku akan masakkan nasi.* I'll cook the rice. ◊ *Walaupun aku sakit, aku tetap pergi ke sekolah.* Although I'm sick, I still go to school.

Apabila lebih daripada satu orang disebut, I selalu hadir akhir sekali.

◊ *Aku dan Yati bermain badminton.* Yati and I play badminton. ◊ *aku, Lili dan Hilda* Lili, Hilda and I
2 *me*
◊ *Beritahu aku.* Tell me. ◊ *Vasanta membelikan aku sebuah buku.* Vasanta

bought me a book.
3 *my*
◊ *Jari aku sakit.* My finger hurts.

**mengaku** KATA KERJA
*to admit*
◊ *Dia mengaku bahawa dia telah melakukan perkara itu.* He admitted that he'd done it.
♦ **mengaku kalah** to give up

**mengakui** KATA KERJA
1 *to acknowledge*
◊ *Mereka mengakui kehebatan pihak lawan.* They acknowledged the strength of their opponents.
2 *to admit*
◊ *Dia telah mengakui kesilapannya.* He has admitted his mistake.

**memperakui** KATA KERJA
*to recognize*
◊ *Syarikat itu tidak memperakui ijazahnya.* The company did not recognize his degree.

**pengakuan** KATA NAMA
1 *confession*
◊ *Dia membuat pengakuan kepada pihak polis.* He made a confession to the police.
2 *acknowledgement*
◊ *pengakuan penerimaan surat* acknowledgement of the receipt of a letter

**perakuan** KATA NAMA
*certification*
◊ *... perakuan bertulis menyatakan bahawa saudara itu benar-benar sakit.* ... written certification that the relative is really ill.
♦ **surat perakuan** testimonial

**akuan** KATA NAMA
*confession*
◊ *Akuannya telah dicetak dalam sebuah majalah.* His confession was published in a magazine.

**akuarium** KATA NAMA
*aquarium*

**akupunktur** KATA NAMA
*acupuncture*

**akur** KATA KERJA
*to agree*
◊ *Jutawan itu terpaksa akur dengan tuntutan penculik anaknya.* The millionaire was forced to agree to the demands of his child's kidnappers.

**ala** KATA ADJEKTIF
*-style*
◊ *Para tetamu diminta supaya berpakaian ala tahun 1920-an.* Guests have been asked to dress 1920s-style.
♦ **sarapan ala Eropah** continental

breakfast

**alaf** KATA NAMA
*millennium*

**alah** KATA ADJEKTIF
*allergic*
◊ *Eric alah pada betik.* Eric is allergic to papayas.
♦ **Dia mudah alah.** He suffers from various allergies.
**alahan** KATA NAMA
*allergy* (JAMAK **allergies**)

**alam (1)** KATA NAMA
*world*
◊ *di alam ini* in this world
♦ **alam maya** virtual reality
♦ **alam semula jadi** nature
♦ **alam sekitar** environment
♦ **mesra alam sekitar** environment-friendly
♦ **alam semesta** universe

**alam (2)**
**mengalami** KATA KERJA
*to experience*
◊ *Dia mengalami kesakitan pada bahunya.* She experienced pain in her shoulders.
**pengalaman** KATA NAMA
*experience*
**berpengalaman** KATA KERJA
*experienced*
◊ *Tahir seorang yang berpengalaman.* Tahir is very experienced.
♦ **tidak berpengalaman** inexperienced

**alamat** KATA NAMA
*address* (JAMAK **addresses**)
◊ *alamat rumah* home address
**beralamat** KATA KERJA
*to have an address*
◊ *Pastikan surat itu beralamat lengkap.* Make sure the letter has a complete address.
♦ **Rumah En. Goh beralamat 4, Jalan Helang, Taman Mergastua.** Mr Goh's home address is 4, Jalan Helang, Taman Mergastua.
**mengalamatkan** KATA KERJA
*to address*
◊ *Beliau mengalamatkan surat tersebut kepada pengetua.* He addressed the letter to the principal.

**alang** KATA ADJEKTIF

> rujuk juga **alang** KATA NAMA
> Biasanya **alang** hadir bersama kata nafi **bukan**. Kadang-kadang **alang** turut hadir bersama perkataan **kepalang**.

♦ **bukan alang** a lot of ◊ *Projek itu mengambil masa yang bukan alang.* The project took up a lot of time.

♦ **Bukan alang perbelanjaan yang diperlukan untuk pembedahan itu.** The operation is very expensive.
♦ **bukan alang kepalang** very many (*terjemahan umum*)
♦ **Bukan alang kepalang masalah yang berjaya diselesaikannya sejak dia dilantik sebagai Presiden.** Since being elected President he has solved a great number of problems.
**alang-alang** KATA ADJEKTIF
*half-hearted*
◊ *usaha yang alang-alang* half-hearted efforts
♦ **Wangnya tinggal alang-alang sahaja.** He only has a little money left.

**alang** KATA NAMA

> rujuk juga **alang** KATA ADJEKTIF

*beam*

**alangkah** KATA SERUAN
*what*
◊ *Alangkah tingginya bangunan itu!* What a tall building!
♦ **Alangkah baiknya jika kita dapat memenangi perlawanan akhir.** It would be so good if we could win the final.

**alas** KATA NAMA
1 *mat*
◊ *Farah meletakkan periuk yang panas itu di atas alas.* Farah put the hot saucepan on a mat.
2 *cover*
◊ *Tina meletakkan alas yang berenda pada kerusi.* Tina placed a lace cover on the chair.
♦ **alas cawan (1)** coaster (*lapik cawan*)
♦ **alas cawan (2)** saucer (*piring*)
♦ **alas kaki** leg rest
♦ **alas meja** tablecloth
♦ **alas perut** something light eaten to dull one's hunger
**beralas** KATA KERJA
*to be covered*
◊ *Pastikan meja itu beralas sebelum anda meletakkan makanan di atasnya.* Make sure the table is covered before you put food on it.
**beralaskan** KATA KERJA
*to be covered with*
◊ *Dia duduk di atas rumput dengan beralaskan tikar.* He sat on the grass, which was covered with a mat.
**mengalas** KATA KERJA
*to line*
◊ *Amy mengalas tin kek itu dengan kertas minyak sebelum memasukkan adunan kek.* Amy lined the cake tin with greaseproof paper before pouring the cake

batter in.

**mengalaskan**  KATA KERJA

_to cover_

◊  *Saya mengalaskan kain pada meja supaya tidak kotor.*  I covered the table with a cloth so that it wouldn't get dirty.

**alasan**  KATA NAMA

_excuse_

◊  *Alasannya selalu sama sahaja.*  His excuse is always the same.

**alat**  KATA NAMA

_tool_

♦  **alat kawalan jauh**  remote control

♦  **alat kelui**  pager

♦  **alat muzik**  instrument

♦  **alat pertolongan cemas**  first aid kit

♦  **alat tulis**  stationery

**memperalatkan**  KATA KERJA

_to use_

◊  *Olivia memperalatkan Gina untuk mendapatkan soalan ujian itu.*  Olivia used Gina to get hold of the test questions.

**alatan, peralatan**  KATA NAMA

1  _instrument_

◊  *peralatan muzik*  musical instruments

2  _equipment_

◊  *peralatan untuk menyelam*  diving equipment

**album**  KATA NAMA

_album_

**alga**  KATA NAMA

_algae_

**alih**  KATA KERJA

_to move_

♦  **mengambil alih**  to take over

**beralih**  KATA KERJA

_to move_

◊  *Saya akan beralih ke tempat duduk belakang.*  I'll move to the back seat.

**mengalih, mengalihkan**  KATA KERJA

_to move_

◊  *Saya akan mengalihkan kerusi itu ke atas pentas.*  I'll move the chair on to the stage.

♦  **mengalihkan perhatian**  to distract

**pengalihan**  KATA NAMA

_conversion_

◊  *pengalihan tenaga*  energy conversion

**peralihan**  KATA NAMA

_transition_

◊  *peralihan dari zaman penjajahan ke zaman kemerdekaan*  the transition from the colonial period to independence

♦  **zaman peralihan**  transitional period

**alih bahasa**  KATA NAMA

_translation_

**mengalihbahasakan**  KATA KERJA

_to translate_

**alih suara**  KATA NAMA

_dubbing_

**mengalih suara**  KATA KERJA

_to dub_

◊  *Filem itu telah dialih suara ke dalam bahasa Melayu.*  The film has been dubbed into Malay.

**alim**  KATA ADJEKTIF

_pious_

◊  *orang yang alim*  a pious person

**alir**

**beraliran**  KATA KERJA

_with ... ideology_

◊  *negara yang beraliran sosialis*  a country with a socialist ideology

♦  **parti yang beraliran kiri**  left-wing party

**mengalir**  KATA KERJA

_to flow_

◊  *Sungai itu mengalir dengan deras.*  The river flows swiftly.

**mengalirkan**  KATA KERJA

1  _to channel_

◊  *Arteri berfungsi mengalirkan darah dari jantung ke seluruh badan.*  Arteries channel blood from the heart to the whole body.

2  _to conduct_

◊  *Besi boleh mengalirkan haba.*  Metal can conduct heat.

**pengaliran**  KATA NAMA

_flow_

◊  *Pengaliran darah di dalam pembuluh darah adalah lebih perlahan.*  The flow of blood in the veins is slower.

**aliran**  KATA NAMA

_flow_

◊  *aliran arus elektrik*  the flow of electric current

♦  **'aliran sains'**  'science stream'

> Konsep ini tidak digunakan di negara Britain.

♦  **mengambil mata pelajaran aliran sains**  to take science subjects

**alis**  KATA NAMA

_eyebrow_

**alit**  KATA NAMA

_liner (kosmetik)_

♦  **alit bibir**  lip liner

♦  **alit mata**  eyeliner

**alkohol**  KATA NAMA

_alcohol_

**beralkohol**  KATA KERJA

_alcoholic_

◊  *minuman beralkohol*  alcoholic drink

**Allah**  KATA NAMA

_Allah_

**Allahyarham** KATA NAMA
(*untuk orang Islam*)
*the late*
◊ *Allahyarham Tunku Abdul Rahman*
the late Tunku Abdul Rahman

**Allahyarhamah** KATA NAMA
(*untuk orang Islam*)
*the late*
◊ *Allahyarhamah Fatimah* the late
Fatimah

**almari** KATA NAMA
*cupboard*
♦ **almari buku** bookcase
♦ **almari makanan** larder
♦ **almari pakaian** wardrobe

**aloi** KATA NAMA
*alloy*

**alpa** KATA ADJEKTIF
*to neglect*
◊ *Dia alpa akan anak-anaknya.* He
neglects his children.
♦ **Dia alpa semasa membuat ujian itu.**
She made careless mistakes in the test.
**kealpaan** KATA NAMA
*oversight*

**al-Quran** KATA NAMA
*Koran*

**altar** KATA NAMA
*altar*

**alternatif** KATA ADJEKTIF
rujuk juga **alternatif** KATA NAMA
*alternative*
◊ *Kami sedang mencari jalan alternatif.*
We are looking for an alternative way.

**alternatif** KATA NAMA
rujuk juga **alternatif** KATA ADJEKTIF
*alternative*
◊ *Kereta api merupakan satu alternatif
kepada bas ekspres.* Trains are an
alternative to express buses.

**alu**
**mengalu-alukan** KATA KERJA
*to welcome*
◊ *Kami mengalu-alukan kedatangan
anda.* We welcome you.

**aluminium** KATA NAMA
*aluminium*
◊ *kerajang aluminium* aluminium foil

**alun** KATA NAMA
1 *ripple* (*di tasik, sungai*)
2 *wave* (*di laut*)
**beralun, beralun-alun** KATA KERJA
1 *wavy*
◊ *rambut yang beralun* wavy hair
2 *to billow*
◊ *Kain itu beralun apabila ditiup angin.*
The cloth billowed in the wind.
**alunan** KATA NAMA

*cadence*
◊ *alunan lagu* the cadences of a song

**alur** KATA NAMA
*trench* (JAMAK **trenches**)
♦ **alur air** watercourse
♦ **alur bibir** furrow in the upper lip
♦ **alur hidung** furrow in the upper lip

**am** KATA ADJEKTIF
*general*
◊ *pengetahuan am* general knowledge
♦ **pada amnya** generally

**amah** KATA NAMA
*maid*

**amal** KATA NAMA
*charity*
◊ *konsert amal* charity concert
**beramal** KATA KERJA
*to do charitable work*
**mengamalkan** KATA KERJA
*to practise*
◊ *mengamalkan ajaran agama* to
practise religious teachings
**pengamal** KATA NAMA
*practitioner*
◊ *pengamal perubatan* medical
practitioner
**pengamalan** KATA NAMA
*practice*
♦ **Pengamalan cara hidup yang sihat
adalah penting.** It is important to have
a healthy lifestyle.
**amalan** KATA NAMA
*habit*
◊ *Menabung merupakan amalan yang
baik.* Saving money is a good habit.

**amali** KATA NAMA
*practical* (*ujian, latihan*)

**aman** KATA ADJEKTIF
*peaceful*
◊ *suasana yang aman* a peaceful
environment
**keamanan** KATA NAMA
*peace*

**amanah** KATA ADJEKTIF
rujuk juga **amanah** KATA NAMA
*trustworthy*
◊ *Felicia seorang budak yang amanah.*
Felicia is a trustworthy girl.
**mengamanahkan** KATA KERJA
*to entrust*
◊ *Cikgu mengamanahkan tugas itu
kepada ketua darjah.* The teacher
entrusted the duty to the class monitor.

**amanah** KATA NAMA
rujuk juga **amanah** KATA ADJEKTIF
*trust*
◊ *tabung amanah* trust fund
♦ **Surat ini merupakan amanah ayah**

**saya.** This letter was entrusted to me by my father.
- **pecah amanah** breach of trust

**amanat** KATA NAMA
*order*
◊ *Mahmud akan menunaikan amanat datuknya yang mahu dia berkahwin dengan Khatijah.* Mahmud will obey his grandfather's order to marry Khatijah.
- **Halim selalu mengingati amanat ibunya yang melarangnya bercakap bohong.** Halim always remembered his mother's exhortation not to tell lies.
- **Surat ini merupakan amanat ayah saya.** This letter was entrusted to me by my father.

**beramanat** KATA KERJA
*to urge*
◊ *Ibu pernah beramanat kepada abang supaya sentiasa membantu orang susah.* Mother had once urged my brother to help people in need.

**mengamanatkan** KATA KERJA
*to urge*
◊ *Beliau mengamanatkan para pelajar agar berhati-hati semasa cuti sekolah.* He urged the students to be careful during the school holidays.

**amar**
**amaran** KATA NAMA
*warning*
- **memberikan amaran** to warn

**amat (1)** KATA PENGUAT
*very*
◊ *amat besar* very big
- **amat suka** to like very much

**teramat** KATA PENGUAT
*extremely*
◊ *Cuaca di Artik teramat sejuk.* The weather in the Arctic is extremely cold.
- **Yang Teramat Mulia** The Most Honourable

**amat (2)**
**mengamati** KATA KERJA
*to observe*
◊ *Doktor itu mengamati tingkah laku bayi yang baru lahir itu.* The doctor observes the behaviour of the newborn baby.

**pengamatan** KATA NAMA
*observation*
◊ *Dia mempunyai daya pengamatan yang baik.* She has good powers of observation.

**amatur** KATA NAMA
*amateur*

**amaun** KATA NAMA
*amount*

**ambal** KATA NAMA

*rug*

**ambang (1)** KATA NAMA
*lintel (pada pintu)*
- **ambang pintu** threshold
- **ambang tingkap** windowsill

**ambang (2)** rujuk **kambang**

**ambil** KATA KERJA
*to take*
◊ *"Sila ambil satu."* "Please take one."
- **Jangan ambil hati.** Don't take it personally.

**mengambil** KATA KERJA
1 *to take*
◊ *Faizah mengambil dua buah buku dari rak itu.* Faizah took two books from the shelf.
2 *to collect*
◊ *Punita mengambil bajunya daripada tukang jahit pagi tadi.* Punita collected her dress from the dressmaker this morning.

- **mengambil berat** to care about ◊ *Saya mengambil berat tentang kesihatan anda.* I care about your health.
- **mengambil gambar** to take a photo
- **mengambil kesempatan** to take the opportunity
- **mengambil masa** to take ◊ *Perjalanan itu mengambil masa kira-kira satu jam.* The journey takes about one hour.
- **mengambil tahu** to pry
- **mengambil tempat** to stand in for

**mengambilkan** KATA KERJA
*to fetch*
◊ *Gunalan mengambilkan kakaknya sepinggan nasi.* Gunalan fetched his sister a plate of rice.

**pengambilan** KATA NAMA
*intake*
◊ *Pengambilan gula yang berlebihan boleh menyebabkan penyakit kencing manis.* The excessive intake of sugar can cause diabetes.
- **pengambilan pekerja** recruitment

**ambilan** KATA NAMA
*drawings (perakaunan)*

**ambil alih**
**mengambil alih** KATA KERJA
*to take over*
◊ *Puan Masni akan mengambil alih tugas guru kelas mulai bulan depan.* Puan Masni will take over as class teacher from next month.

**pengambilalihan** KATA NAMA
*takeover*
◊ *Pengambilalihan syarikat insurans tersebut oleh bank itu tidak diduga.* The bank's takeover of the insurance company was unexpected.

**amboi** KATA SERUAN
_wow_
◊ *Amboi, panasnya hari ini!* Wow! It's hot today!

**ambulans** KATA NAMA
_ambulance_

**Amerika** KATA NAMA
_America_
♦ **orang Amerika** American

**Amerika Syarikat** KATA NAMA
_United States of America_

**amfibia** KATA NAMA
_amphibian_

**ampai**
**ampaian** KATA NAMA
_clothes line_

**ampere** KATA NAMA
_amp_

**ampu**
**mengampu** KATA KERJA
1 _to carry_
◊ *Atlit itu mengampu piala kejohanan dalam sebuah talam semasa perarakan itu.* The athlete carried the championship trophy on a tray during the procession.
2 _to ingratiate oneself with_
◊ *Anda tidak perlu mengampu saya.* You don't have to ingratiate yourself with me.
**pengampu** KATA NAMA
_sycophant_

**ampun** KATA NAMA
_forgiveness_
◊ *meminta ampun* to ask for forgiveness
**mengampuni** KATA KERJA
_to forgive_
◊ *Ibu bapa akan sentiasa mengampuni anak-anak mereka.* Parents will always forgive their children.
**mengampunkan** KATA KERJA
_to forgive_
◊ *Harriet tidak dapat mengampunkan kesalahan jirannya.* Harriet couldn't forgive the wrong done to her by her neighbour.
**pengampun** KATA ADJEKTIF
_forgiving_
◊ *Tina seorang yang pengampun.* Tina is a forgiving person.
**pengampunan** KATA NAMA
_pardon_
◊ *Banduan itu menerima pengampunan daripada raja.* The prisoner received a pardon from the king.

**amuk**
**mengamuk** KATA KERJA
_to go berserk_

**pengamuk** KATA NAMA
_person who has gone berserk_

**anai-anai** KATA NAMA
_termite_

**anak** KATA NAMA
_child_ (JAMAK **children**)
♦ **anak lelaki** son
♦ **anak perempuan** daughter
♦ **anak saudara (1)** nephew (*lelaki*)
♦ **anak saudara (2)** niece (*perempuan*)
♦ **anak tunggal** the only child
♦ **anak baju** vest
♦ **anak bulan** crescent
♦ **anak dara** virgin
♦ **anak kapal** crew
♦ **anak mata** pupil
♦ **anak panah** arrow
♦ **anak patung** doll
♦ **Anak Serigala** the Cub Scouts
♦ **anak tangga** step ◊ *Mereka duduk bersembang di atas anak tangga.* They sat and chatted on the step.
♦ **anak yatim** orphan
**beranak** KATA KERJA
_to give birth_
**keanak-anakan** KATA ADJEKTIF
_childish_
◊ *Perangai keanak-anakannya sungguh menjengkelkan.* His childish behaviour is very annoying.
**peranakan** KATA NAMA
_mixed parentage_
◊ *gadis peranakan* a girl of mixed parentage

**anak-anak** KATA NAMA
_puppet_

**anakanda** KATA NAMA
(*bahasa istana, persuratan*)
1 _son_ (*lelaki*)
2 _daughter_ (*perempuan*)
**anakanda** *juga digunakan untuk merujuk kepada diri sendiri terutama dalam surat. Dalam keadaan ini,* **anakanda** *diterjemahkan dengan menggunakan kata ganti nama diri.*
◊ *Anakanda akan pulang pada bulan hadapan.* I'm coming home next month.
◊ *Tolong jemput anakanda di lapangan terbang.* Please pick me up at the airport.
◊ *Sampaikan salam anakanda kepada nenda.* Please give my love to grandma.

**anak tiri** KATA NAMA
_stepchild_ (JAMAK **stepchildren**)
**menganaktirikan** KATA KERJA
_to neglect_

**analisis** KATA NAMA
_analysis_ (JAMAK **analyses**)
**menganalisis** KATA KERJA
_to analyse_

◊ *Pada kebiasaannya, cikgu akan menganalisis soalan-soalan peperiksaan tahun lepas.* Teachers usually analyse last year's examination questions.

**penganalisis** KATA NAMA
*analyst*

**penganalisisan** KATA NAMA
*analysis* (JAMAK **analyses**)
◊ *Penganalisisan data akan dilakukan oleh para penyelidik.* The analysis of the data will be done by the researchers.

**analog** KATA ADJEKTIF
*analogue*
◊ *teknologi analog* analogue technology

**anasir** KATA NAMA
*element*
◊ *anasir jahat* bad element

**ancam**

**mengancam** KATA KERJA
*to threaten*
◊ *Tanah runtuh yang berlaku berhampiran pangsapuri itu mengancam keselamatan penghuni di situ.* The landslide which occurred near the block of flats threatened the safety of the residents.

**mengancamkan** KATA KERJA
*to threaten*
◊ *Penculik itu mengancamkan pisaunya ke arah mangsa tersebut.* The kidnapper threatened the victim with his knife.

**terancam** KATA KERJA
*threatened*
◊ *Nyawanya terancam.* His life is threatened.

**ancaman** KATA NAMA
*threat*
◊ *Dia takut akan ancaman perompak itu.* She was afraid of the robber's threat.

**anda** KATA GANTI NAMA
1 *you*
◊ *Anda mesti rajin belajar.* You must study hard.
2 *your*
◊ *kawan anda* your friend

**andai**

**mengandaikan** KATA KERJA
*to assume*
◊ *Jangan mengandaikan semuanya akan berjalan lancar tanpa perancangan yang teliti.* Don't assume that everything will run smoothly without proper planning.

**seandainya, andaikan, andainya** KATA HUBUNG
*if*
◊ *Seandainya anda menghadapi masalah mencari restoran itu, anda boleh menelefon saya.* If you have problems finding the restaurant, you can give me a

call. ◊ *Andainya seseorang pemain bermain kasar, dia akan didenda.* If a player commits a foul, he will be fined.

**andaian** KATA NAMA
*assumption*
◊ *Andaian anda itu salah.* Your assumption is incorrect.

**andai kata** KATA HUBUNG
*if*
◊ *Andai kata saya terlewat, tolong belikan tiket untuk saya.* If I'm late, please buy a ticket for me.

**andam** KATA ADJEKTIF
♦ **mak andam** make-up expert for brides

**berandam** KATA KERJA
*to have one's hair trimmed*
◊ *Rozita sedang berandam.* Rozita is having her hair trimmed.

**mengandam** KATA KERJA
*to trim*
◊ *Wanita itu sedang mengandam rambut Kavita.* The lady is trimming Kavita's hair.

**andaman** KATA NAMA
♦ **andaman rambut** hairstyle
◊ *Andaman rambutnya sungguh kemas.* Her hairstyle is very neat.

**andartu** KATA NAMA (= *anak dara tua*)
*spinster*

**anduh** KATA NAMA
*sling*
◊ *Doktor itu menyokong tangan Yusri yang patah dengan anduh.* The doctor put Yusri's broken arm in a sling.

**menganduh** KATA KERJA
*to put in a sling*
◊ *Anda perlu menganduh lengan mangsa yang patah itu.* You need to put the victim's broken arm in a sling.

**penganduh** KATA NAMA
*splint*
◊ *Ahli pertolongan cemas itu menggunakan penganduh untuk menyokong kaki Farid yang patah.* The first-aider used a splint to support Farid's broken leg.

**aneh** KATA ADJEKTIF
1 *strange*
◊ *satu kejadian yang aneh* a strange incident
2 *eccentric*
◊ *Profesor itu seorang yang agak aneh.* That professor is rather eccentric.

**keanehan** KATA NAMA
*strangeness*
◊ *Penonton konsert itu terpukau dengan keanehan muzik yang dimainkan.* The concert audience was mesmerized by the strangeness of the music.

**aneka** KATA ADJEKTIF

_various_

◊ _Restoran itu menghidangkan aneka jenis makanan._ The restaurant serves various types of food.

**beraneka** KATA KERJA

_various_

◊ _Risalah itu mengandungi beraneka gambar pakaian untuk dijual._ The brochure contained various pictures of the clothes on sale.

♦ **beraneka jenis** assortment

**aneka ragam** KATA ADJEKTIF

_variety_

◊ _pertunjukan aneka ragam_ variety show

**beraneka ragam** KATA KERJA

_all kinds_

◊ _orang yang beraneka ragam_ all kinds of people

**aneka warna** KATA ADJEKTIF

_multicoloured_

◊ _perhiasan aneka warna_ multicoloured decorations

**beraneka warna** KATA KERJA

_multicoloured_

◊ _sehelai kain yang beraneka warna_ a multicoloured piece of cloth

**angan-angan** KATA NAMA

[1] _ideals_

◊ _Angan-angannya itu memberikan motivasi kepadanya untuk bekerja keras._ Her ideals gave her the motivation to work hard.

[2] _ambition_

◊ _Angan-angannya untuk menjadi seorang juruterbang akhirnya menjadi kenyataan._ He finally realised his ambition of becoming a pilot.

**berangan-angan** KATA KERJA

[1] _to daydream_

◊ _Jangan terlalu berangan-angan._ Don't daydream too much.

[2] _to dream_

◊ _Dia berangan-angan hendak menjadi seorang pelakon._ She dreams of becoming an actress.

**mengangan-angankan** KATA KERJA

_to dream_

◊ _Ramesh mengangan-angankan sebuah kereta._ Ramesh dreams of having a car.

**anggap** KATA KERJA

_to regard_

◊ _Jangan anggap tugas itu mudah._ Don't regard it as a simple task.

**menganggap** KATA KERJA

[1] _to regard_

◊ _Erina menganggap Dora sebagai kawannya._ Erina regarded Dora as her

friend.

[2] _to consider_

◊ _John menganggap tugas itu mudah._ John considered it a simple task.

[3] _to assume_

◊ _Dia menganggap semuanya akan berjalan lancar._ He assumed that everything will run smoothly.

**anggapan** KATA NAMA

_opinion_

◊ _Pada anggapan saya..._ In my opinion...

**beranggapan** KATA KERJA

_to think_

◊ _Uma beranggapan bahawa Michael merupakan penyanyi yang paling berbakat._ Uma thought that Michael was the most talented singer.

**anggar** KATA KERJA

_to guess_

◊ _Jangan anggar sahaja._ Don't just guess.

**menganggar, menganggarkan** KATA KERJA

_to estimate_

◊ _Guru-guru menganggar bahawa seramai 30 orang murid akan menyertai rombongan itu._ Teachers estimated that 30 pupils would go on the excursion.

**penganggaran** KATA NAMA

_estimate_

◊ _Penganggaran jumlah peserta perkhemahan itu hendaklah diberikan kepada pihak polis._ An estimate of the number of campers must be given to the police.

**anggaran** KATA NAMA

_estimate_

◊ _Beri saya anggaran berat badan anda._ Give me an estimate of your weight.

**anggerik** KATA NAMA

_orchid_

**anggota** KATA NAMA

[1] _limb_

◊ _Seluruh anggota badannya sakit selepas dia melakukan senaman itu._ Every limb in his body was aching after the exercise.

[2] _member_

◊ _anggota ASEAN yang baru_ a new member of ASEAN

**keanggotaan** KATA NAMA

_membership_

◊ _Keanggotaan persatuan itu terbuka kepada semua orang._ Membership of the association is open to everyone.

**menganggotai** KATA KERJA

_to be a member_

◊ _Ramai pelajar bersaing untuk_

*menganggotai pasukan debat sekolah.*
Many students competed to be a member of the school debating team.

**angguk** KATA KERJA
*to nod*
◊ *Angguk kepala anda jika anda setuju.*
Nod your head if you agree.

**mengangguk** KATA KERJA
*to nod*
◊ *Pengerusi itu mengangguk bersetuju.*
The chairman nodded to show his agreement.

**mengangguk-angguk** KATA KERJA
*to nod repeatedly*
◊ *Mereka mengangguk-angguk sebagai tanda mengiakan kata-katanya.* They nodded repeatedly to show that they agreed with him.

**menganggukkan** KATA KERJA
*to nod*
◊ *Bobby menganggukkan kepalanya.*
Bobby nodded his head.

**mengangguk-anggukkan** KATA KERJA
*to nod repeatedly*
◊ *Khatijah mengangguk-anggukkan kepalanya untuk menunjukkan persetujuannya.* Khatijah nodded her head repeatedly to show her agreement.

**terangguk-angguk** KATA KERJA
*to nod one's head*
◊ *Dia terangguk-angguk juga walaupun tidak memahami perkara yang dibincangkan.* He just kept nodding his head even though he didn't understand what was being discussed.

**anggukan** KATA NAMA
*nod*
◊ *Anggukan kepala sahaja bukan tanda persetujuan.* A mere nod of the head is not a sign of agreement.

**anggun** KATA ADJEKTIF
*elegant*
◊ *Wanita itu memang anggun.* The woman was really elegant.

**keanggunan** KATA NAMA
*elegance*
◊ *Saya terpesona dengan keanggunan ratu cantik itu.* I was captivated by the beauty queen's elegance.

**anggur (1)** KATA NAMA
*grape*
♦ **anggur hitam** blackcurrant
♦ **ladang anggur** vineyard

**anggur (2)**
**menganggur** KATA KERJA
*unemployed*
◊ *Ramai orang yang menganggur semasa kemelesetan ekonomi.* Many people were unemployed during the

economic recession.

**penganggur** KATA NAMA
*the unemployed*
◊ *Kami ingin mewujudkan peluang pekerjaan untuk para penganggur.* We want to create jobs for the unemployed.

**pengangguran** KATA NAMA
*unemployment*
◊ *kadar pengangguran* the rate of unemployment

**angin** KATA NAMA
1. *wind*
◊ *angin timur* the east wind ◊ *angin kencang* strong wind
♦ **angin sepoi-sepoi bahasa** breeze
2. *mood*
◊ *Anginnya tidak baik hari ini.* He's in a bad mood today.

**berangin** KATA KERJA
*windy*
◊ *Kawasan itu berangin.* It's windy there.

**mengangin** KATA KERJA
*to winnow*
◊ *Pak Dollah sedang mengangin padi di belakang rumahnya.* Pak Dollah is winnowing rice behind his house.

**peranginan** KATA NAMA
♦ **tempat peranginan** resort

**angin-angin** KATA NAMA
*rumour*
◊ *Jangan pedulikan angin-angin itu.* Ignore the rumours.

**angka** KATA NAMA
*numeral*
◊ *angka Roman* Roman numerals

**perangkaan** KATA NAMA
*statistics*
◊ *Menurut perangkaan, jumlah kemalangan jalan raya telah meningkat.* According to statistics, the number of road accidents have increased.
♦ **Jabatan Perangkaan** Statistics Department

**angkara** KATA NAMA
*atrocity* (JAMAK **atrocities**)
◊ *Pembunuhan itu sungguh kejam dan orang yang melakukan angkara tersebut patut dihukum.* It was a cold-blooded killing, and those who committed this atrocity should be punished.

**angkasa** KATA NAMA
1. *sky* (JAMAK **skies**)
◊ *Mereka melihat ke angkasa dengan sebuah teleskop.* They looked at the sky through a telescope.
2. *space*
◊ *Rusia melancarkan roket ke angkasa.* Russia launched a rocket into space.

♦ **kapal angkasa** spacecraft

**angkasawan** KATA NAMA

  ① _astronaut_ (*dari Amerika Syarikat*)

  ② _cosmonaut_ (*dari Rusia*)

**angkat** KATA ADJEKTIF

  ┌─────────────────────────────┐
  │ _rujuk juga_ **angkat** KATA KERJA │
  └─────────────────────────────┘

  ① _adoptive_ (*bagi ibu bapa*)

  ◊ _ayah angkat_ adoptive father

  ◊ _Keluarga En. Gunaselan menjadi keluarga angkat Sumathi selepas kematian ibu bapanya._ Mr Gunaselan's family became Sumathi's adoptive family after the death of her parents.

  ② _adopted_ (*bagi anak*)

  ◊ _kakak angkat_ adopted sister ◊ _Gina membantu abang angkatnya mencari ibu bapa kandungnya._ Gina helped her adopted brother to find his natural parents.

  ③ _foster_ (*untuk tempoh tertentu*)

  ◊ _ayah angkat_ foster father

♦ _Peserta program pertukaran pelajar itu akan tinggal bersama keluarga angkat selama satu minggu._ Participants in the student exchange programme will stay with a host family for a week.

**berangkat** KATA KERJA

_to leave_

  ◊ _Emak Paul akan berangkat ke India esok._ Paul's mother will leave for India tomorrow.

**keberangkatan** KATA NAMA

_departure_

  ◊ _Pengacara itu mengumumkan keberangkatan Perdana Menteri._ The master of ceremonies announced the departure of the Prime Minister.

**mengangkat** KATA KERJA

_to lift_

  ◊ _Gopal tidak mampu mengangkat kotak yang berat itu._ Gopal couldn't lift the heavy box.

♦ _Wahid mengangkat tangannya untuk menjawab soalan itu._ Wahid raised his hand to answer the question.

♦ **mengangkat bahu** to shrug

**mengangkat-angkat** KATA KERJA

_to flatter_

  ◊ _Usahlah anda mengangkat-angkat saya._ You don't have to flatter me.

**mengangkatkan** KATA KERJA

_to carry ... for_

  ◊ _Munira mengangkatkan gurunya beberapa buah buku._ Munira carried some books for her teacher.

**angkatan** KATA NAMA

_troops_

♦ **angkatan tentera** military

**angkat** KATA KERJA

  ┌─────────────────────────────┐
  │ _rujuk juga_ **angkat** KATA ADJEKTIF │
  └─────────────────────────────┘

_to lift_

  ◊ _Tolong angkat kotak itu._ Please lift that box.

♦ **angkat berat** weightlifting

♦ **ahli angkat berat** weightlifter

**angkuh** KATA ADJEKTIF

_arrogant_

  ◊ _lelaki yang angkuh_ an arrogant man

**keangkuhan** KATA NAMA

_arrogance_

  ◊ _Helmi tidak disukai kerana keangkuhannya._ Helmi was disliked for his arrogance.

**angkut**

**mengangkut** KATA KERJA

  ① _to carry_

  ◊ _Kami memerlukan lima orang untuk mengangkut kotak yang berat itu._ We need five people to carry that heavy box.

  ② _to transport_

  ◊ _Mereka menggunakan kapal untuk mengangkut getah ke Jepun._ They use ships to transport rubber to Japan.

♦ **mengangkut sampah** to collect rubbish

**pengangkut** KATA NAMA

  ① _porter_ (*orang*)

♦ **pengangkut sampah** a rubbish collector

  ② _carrier_ (*kenderaan*)

**pengangkutan** KATA NAMA

_transport_

  ◊ _pengangkutan awam_ public transport

  ◊ _Harga yang dinyatakan termasuk kos pengangkutan._ The price stated includes the cost of transport.

**angkutan** KATA NAMA

_load_

  ◊ _Lori itu mampu membawa angkutan yang berat._ The lorry can carry a heavy load.

**angsa** KATA NAMA

_goose_ (JAMAK **geese**)

♦ **angsa putih** swan

**aniaya**

**menganiaya, menganiayai** KATA KERJA

  ① _to mistreat_

  ◊ _Sesiapa yang menganiaya binatang akan didenda._ Anybody who mistreats animals will be fined.

  ② _to stab in the back_

  ◊ _Dia menganiayai kawannya untuk mendapatkan jawatan bendahari persatuan itu._ He stabbed his friend in the back in order to become treasurer of the society.

**penganiaya** KATA NAMA

_abuser_

  ◊ _penganiaya kanak-kanak_ child abuser

**penganiayaan** KATA NAMA
_abuse_
◊ _penganiayaan kanak-kanak_ child
abuse
**teraniaya** KATA KERJA
1 _to be abused_
◊ _Jabatan Kebajikan cuba membantu
kanak-kanak yang teraniaya._ The Welfare
Department tries to help abused children.
2 _to be betrayed_
◊ _Laura berasa teraniaya dengan
perbuatan kakaknya._ Laura felt betrayed
by her sister's action.
**animasi** KATA NAMA
_animation_
♦ **filem animasi Disney "Mulan"** Disney's
animated film "Mulan"
**anjak** KATA KERJA
_to move_
◊ _Anjak ke belakang._ Move to the back.
**beranjak** KATA KERJA
_to move_
◊ _Dia beranjak ke belakang._ He moved
to the back.  ◊ _Sila beranjak ke kerusi
sebelah._ Please move over to the next
chair.
**menganjak, menganjakkan** KATA KERJA
_to move_
◊ _Siti menganjakkan pasu bunga itu ke
tepi pintu._ Siti moved the flowerpot next
to the door.
**anjakan** KATA NAMA
_shift_
◊ _anjakan dalam polisi kerajaan_ a shift
in government policy
**anjal** KATA ADJEKTIF
_flexible_
**menganjal** KATA KERJA
_to stretch_
◊ _Gelang getah itu menganjal apabila
anda menariknya._ The rubber band
stretches when you pull it.
**anjing** KATA NAMA
_dog_
♦ **anjing betina** bitch (JAMAK **bitches**)
♦ **anjing laut** seal
♦ **anak anjing** puppy (JAMAK **puppies**)
♦ **penyakit anjing gila** rabies
**anjung** KATA NAMA
1 _veranda_
◊ _Mereka minum teh di anjung rumah
Suzy._ They had tea on the veranda of
Suzy's house.
2 _porch_ (JAMAK **porches**)
◊ _Dia duduk di anjung rumah._ He is
sitting on the porch.
♦ **anjung tangga** landing ◊ _Kanak-kanak
itu bermain di anjung tangga._ The children
are playing on the landing.

**anjur**
**menganjur** KATA KERJA
_to stretch_
◊ _Gurun Sahara menganjur dari Pantai
Timur ke Pantai Barat Afrika Utara._ The
Sahara Desert stretches from the East
Coast to the West Coast of Northern
Africa.
**menganjurkan** KATA KERJA
_to organize_
◊ _Majlis Belia akan menganjurkan satu
perkhemahan di Taman Negara._ The
Youth Council is going to organize a camp
at Taman Negara.
**penganjur** KATA NAMA
_organizer_
◊ _Pihak penganjur menawarkan hadiah
yang banyak untuk pertandingan itu._ The
organizers are offering a lot of prizes for
the contest.
**anjuran** KATA NAMA
_organized by_
◊ _Konsert amal anjuran Kelab Muzik
akan diadakan pada minggu depan._ The
charity concert organized by the Music
Club will be held next week.
**ansur**
**beransur, beransur-ansur** KATA KERJA
_gradually_
◊ _Warna langsir itu beransur-ansur
pudar._ The colour of the curtain gradually
faded.
**ansuran** KATA NAMA
_instalment_
◊ _Ansuran keretanya berjumlah lima
ratus ringgit sebulan._ The instalments on
his car are five hundred ringgits a month.
**antar**
**pengantar** KATA NAMA
_medium_
◊ _bahasa pengantar_ medium of
instruction
**antara** KATA ARAH
    _rujuk juga_ **antara** KATA SENDI
_between_
◊ _Semenanjung Malaysia terletak di
antara Selat Melaka dengan Laut China
Selatan._ Peninsular Malaysia is situated
between the Straits of Malacca and the
South China Sea.
**pengantara, perantara** KATA NAMA
_middleman_ (JAMAK **middlemen**)
**perantaraan** KATA NAMA
_mediation_
◊ _Dia dibebaskan dari penjara dengan
perantaraan Presiden Kenneth._ She was
released from prison through the
mediation of President Kenneth.
**antara** KATA SENDI

rujuk juga **antara** KATA ARAH

[1] *between*

**between** *digunakan untuk memberikan julat atau apabila dua pihak sahaja yang terlibat.*

◊ *Pertandingan itu dibuka kepada kanak-kanak yang berumur antara 3 dan 5 tahun.* The competition is open to children aged between 3 and 5 years.
◊ *Rahsia itu disimpan antara mereka berdua sahaja.* The secret was kept between the two of them.

[2] *among*

**among** *digunakan apabila lebih daripada dua pihak terlibat.*

◊ *Gula-gula itu dikongsi antara Mimi, Wei Wei dan Chandra.* The sweets were shared among Mimi, Wei Wei and Chandra.

**antarabangsa** KATA ADJEKTIF
*international*
◊ *persidangan antarabangsa* international conference

**Antartik** KATA NAMA
*the Antarctic*

**antena** KATA NAMA
*aerial*

**antibiotik** KATA NAMA
*antibiotic*

**antidepresan** KATA NAMA
*antidepressant*

**antik** KATA NAMA
*antique*

**anting-anting** KATA NAMA
*earring*

**antiseptik** KATA NAMA
*antiseptic*

**anugerah** KATA NAMA
*award*
◊ *anugerah filem terbaik* best movie award

**menganugerahi** KATA KERJA
*to confer*
◊ *Sultan Selangor menganugerahi pengerusi syarikat itu gelaran Datuk.* The Sultan of Selangor conferred the title of Datuk on the company chairman.

**menganugerahkan** KATA KERJA
*to award*
◊ *Yang di-Pertuan Agong telah menganugerahkan pingat khas kepada pemain-pemain itu.* The Yang di-Pertuan Agong awarded a special medal to the players.

**penganugerahan** KATA NAMA
*conferment*

♦ **Penganugerahan gelaran Datuk itu merupakan penghargaan atas sumbangan beliau dalam bidang**

**pendidikan.** The title of Datuk was conferred on him in recognition of his contributions in the field of education.

**anut**

**menganut, menganuti** KATA KERJA
*to be a follower of*
♦ **Dia menganut agama Kristian.** He is a Christian.
♦ **Dia menganut agama Buddha sejak kecil lagi.** She has been a Buddhist since she was young.

**penganut** KATA NAMA
*follower*
♦ **penganut agama Buddha** Buddhist
♦ **penganut agama Hindu** Hindu
♦ **penganut agama Islam** Muslim
♦ **penganut agama Kristian** Christian

**anyam**

**anyam-menganyam** KATA NAMA
*weaving*
◊ *Kerja anyam-menganyam biasanya dilakukan oleh kaum wanita.* Weaving is usually done by the women.

**menganyam** KATA KERJA
*to weave*
◊ *Fatimah dan Minah belajar menganyam tikar.* Fatimah and Minah learnt how to weave a mat.

**penganyam** KATA NAMA
*weaver*

**anyaman** KATA NAMA
*weave*
◊ *Kain itu mempunyai anyaman yang halus.* The cloth has a fine weave.

**apa** KATA TANYA
*what*
◊ *Apakah alasan anda?* What is your excuse?

**apatah** KATA HUBUNG
♦ **apatah lagi** let alone ◊ *Dia tidak pernah memarahi anaknya apatah lagi memukulnya.* She has never scolded her child, let alone hit him.

♦ **Apatah daya saya memujuk seorang kanak-kanak yang baru kehilangan ibunya.** How am I to comfort a child who has just lost his mother?

**berapa** KATA TANYA
[1] *how many* (*benda yang boleh dikira*)
◊ *Berapakah gelas yang pecah?* How many glasses were broken?
[2] *how much* (*wang, masa, benda yang tidak boleh dikira*)
◊ *Berapakah harga buku itu?* How much does that book cost?

**mengapa** KATA TANYA
*why*
◊ *Mengapakah anda tidak hadir ke sekolah kelmarin?* Why were you absent

from school yesterday?

**mengapakan** KATA KERJA
_to harm_
◊ _Saya tidak akan mengapakan anda._
I won't harm you.

**apa-apa** KATA GANTI NAMA
_anything_
◊ _Vicky tidak makan apa-apa sejak pagi tadi._ Vicky hasn't eaten anything since this morning.
♦ **Awak tidak apa-apa?** Are you all right?

**mengapa-apakan** KATA KERJA
_to harm_
◊ _Pihak polis bimbang bahawa penculik itu akan mengapa-apakan gadis itu._ The police are worried that the kidnappers will harm the girl.

**apabila** KATA HUBUNG
_when_
◊ _Kami akan bertolak apabila kami sudah bersiap sedia._ We will leave when we are ready.

**apalagi** KATA HUBUNG
_let alone_
◊ _Buku yang nipis itu pun dia tidak habis membaca, apalagi novel yang tebal itu._ He couldn't even finish reading that thin book, let alone the thick novel.

**apartmen** KATA NAMA
_block of luxury flats_

**apendiks** KATA NAMA
_appendix_ (JAMAK **appendices** atau **appendixes**)

**apendisitis** KATA NAMA
_appendicitis_

**api** KATA NAMA
_fire_
♦ **alat pemadam api** fire extinguisher

**berapi** KATA KERJA
_alight_
◊ _Pastikan unggun api itu tidak berapi lagi sebelum anda masuk tidur._ Make sure the campfire is no longer alight before you go to bed.

**mengapikan, mengapi-apikan**
KATA KERJA
_to incite_
◊ _Mereka mengapi-apikan Donald supaya bergaduh dengan pengurus itu._ They incited Donald to quarrel with the manager.

**memperapikan** KATA KERJA
_to grill_
◊ _Dia memperapikan ikan itu._ She grilled the fish.

**perapian** KATA NAMA
_stove_ (terjemahan umum)

**api-api** KATA NAMA
_firefly_ (JAMAK **fireflies**)

**apit**

**berapit** KATA KERJA
_in between_
◊ _Budak itu tidur berapit dengan ibu bapanya._ The child slept in between his parents.

**mengapit** KATA KERJA
1 _to sandwich_
◊ _Mereka mengapit pasu itu dengan span supaya tidak tercalar._ They sandwiched the vase between two pieces of sponge so that it wouldn't get scratched.
2 _to escort_
◊ _Pengetua dan guru penolong kanan mengapit tetamu kehormat itu ke atas pentas._ The principal and senior assistant escorted the guest of honour to the stage.

**pengapit** KATA NAMA
1 _best man_ (lelaki)
2 _bridesmaid_ (perempuan)

**apitan** KATA NAMA
_circumfix_ (JAMAK **circumfixes**)
◊ _Perkataan "kebahagiaan" mempunyai apitan 'ke-...-an'._ The word "kebahagiaan" has the circumfix 'ke-...- an'.

**aplikasi** KATA NAMA
_application_
◊ _beberapa aplikasi yang boleh digunakan_ a number of possible applications

**mengaplikasikan** KATA KERJA
_to apply_
◊ _Pelajar harus mengaplikasikan nilai-nilai moral yang dipelajari dalam kehidupan harian mereka._ Students should apply the moral values that they've learnt to their daily lives.

**pengaplikasian** KATA NAMA
_application_
◊ _pengaplikasian sesuatu konsep_ the application of a concept

**aprikot** KATA NAMA
_apricot_

**April** KATA NAMA
_April_
◊ _pada 5 April_ on 5 April
♦ **pada bulan April** in April

**apron** KATA NAMA
_apron_

**apung**

**berapungan** KATA KERJA
_to float_
◊ _Sampah sarap kelihatan berapungan di kolam itu._ Rubbish could be seen floating in the pond.

**mengapung** KATA KERJA
_to float_
◊ _Belon udara panas itu mengapung ke udara._ The hot air balloon floated into the

sky.

**mengapungkan**  KATA KERJA

_to float_

◊ _Kanak-kanak kampung itu mengapungkan sampan kertas dalam sungai._ The village children float paper boats in the stream.

**terapung**  KATA KERJA

_afloat_

◊ _Kayu balak itu terapung di atas air._ The log was afloat on the water.

**terapung-apung**  KATA KERJA

_to float_

◊ _Mereka nampak beberapa keping wang kertas lima puluh dolar terapung-apung di atas air._ They noticed fifty-dollar notes floating in the water.

♦ **Banyak sampan nelayan yang terapung-apung di laut.**  A lot of fishing boats were bobbing in the sea.

**Aquarius**  KATA NAMA

_Aquarius_  (bintang zodiak)

**Arab**  KATA ADJEKTIF

| rujuk juga **Arab** KATA NAMA |
|---|

_Arabic_

◊ _tulisan Arab_  Arabic writing

♦ **bahasa Arab**  Arabic

**Arab**  KATA NAMA

| rujuk juga **Arab** KATA ADJEKTIF |
|---|

♦ **negara-negara Arab**  Arab countries

♦ **orang Arab**  Arab

**Arab Saudi**  KATA NAMA

_Saudi Arabia_

**arah**  KATA NAMA

_direction_

◊ _Mereka menuju ke arah Kuala Lumpur._ They are heading in the direction of Kuala Lumpur.

**mengarah**  KATA KERJA

[1] _to face_

◊ _Hotel itu mengarah ke laut._ The hotel faces the sea.

[2] _towards_

◊ _En. Lim memandu mengarah ke Port Dickson._ Mr Lim drove towards Port Dickson.

[3] _to direct_

◊ _Steven mengarah filem tersebut._ Steven directed the film.

♦ **suka mengarah**  bossy

**mengarah-arahkan**  KATA KERJA

_to push around_

◊ _Kami tidak menyukai orang yang suka mengarah-arahkan orang lain._ We don't like people who are always pushing others around.

**mengarahkan**  KATA KERJA

[1] _to direct_

◊ _Anisah akan mengarahkan projek_

_sains itu._ Anisah will direct the science project.

[2] _to order_

◊ _Ketua polis itu mengarahkan orang-orangnya bergegas ke tempat kejadian._ The Chief of Police ordered his men to rush to the scene.

**pengarah**  KATA NAMA

_director_

◊ _pengarah syarikat_  company director

**arahan**  KATA NAMA

_instruction_

◊ _Tunggu arahan sebelum anda memulakan peperiksaan ini._ Wait for instructions before you begin the examination.

**arak (1)**  KATA NAMA

_spirits_

◊ _Saya tidak minum arak._ I don't drink spirits.

♦ **kedai arak**  liquor store ▣

♦ **kaki arak**  alcoholic

**arak (2)**

**berarak**  KATA KERJA

_to move in procession_

◊ _Beratus-ratus orang penganut berarak menuju ke kuil itu._ Hundreds of devotees moved in procession towards the temple.

**mengarak**  KATA KERJA

_to accompany in procession_

◊ _Para pelajar mengarak tetamu kehormat ke dalam dewan._ The students accompanied the guest of honour in procession into the hall.

**perarakan**  KATA NAMA

_procession_

**arang**  KATA NAMA

_charcoal_

♦ **arang kayu**  charcoal

♦ **arang batu**  coal

**aras**  KATA NAMA

_level_

◊ _aras laut_  sea level

**arca**  KATA NAMA

_sculpture_

**arena**  KATA NAMA

_arena_

**ari**

**ari-ari**  KATA NAMA

_abdomen_

**Aries**  KATA NAMA

_Aries_  (bintang zodiak)

**arif**  KATA ADJEKTIF

_well versed_

◊ _Dia tidak arif dalam bidang politik._ He isn't well versed in the field of politics.

♦ **orang tua yang arif**  a wise old man

♦ **Yang Arif**  Your Honour

**arkeologi**  KATA NAMA
  *archaeology*
♦ **ahli arkeologi**  archaeologist
**arkib**  KATA NAMA
  *archive*
  ◊ *Arkib Negara*  the National Archive
  **mengarkibkan**  KATA KERJA
  *to keep in an archive*
**arkitek**  KATA NAMA
  *architect*
**arnab**  KATA NAMA
  *rabbit*
**aroma**  KATA NAMA
  *aroma*
**arteri**  KATA NAMA
  *artery*  (JAMAK **arteries**)
**artifak**  KATA NAMA
  *artefact*
  ◊ *artifak bersejarah dari Mesir*  historical
  artefacts from Egypt
**Artik**  KATA NAMA
  *the Arctic*
**artikel**  KATA NAMA
  *article*
**artis**  KATA NAMA
  [1] *artiste*  (penghibur)
  [2] *artist*  (pelukis)
**artistik**  KATA ADJEKTIF
  *artistic*
**artritis**  KATA NAMA
  *arthritis*
**aruh**
  **mengaruh**  KATA KERJA
  *to induce*
  ◊ *mengaruh proses bersalin*  to induce
  labour ◊ *mengaruh arus elektrik*  to
  induce an electric current
  **aruhan**  KATA NAMA
  *induction*  (sains)
**arus**  KATA NAMA
  *current*
  ◊ *arus elektrik*  electric current ◊ *Dia*
  *sedang berenang di sungai apabila dia*
  *dihanyutkan oleh arus yang deras.*  He
  was swimming in the river when he was
  carried away by the swift current.
**arwah**  KATA NAMA
(*untuk orang Islam*)
  *the late*
  ◊ *arwah Rahman Ishak*  the late
  Rahman Ishak
**AS**  SINGKATAN  (= *Amerika Syarikat*)
  *USA*  (= *United States of America*)
**asa**  KATA NAMA
  *hope*
♦ **berputus asa**  to give up hope
**asah**  KATA KERJA
  *to sharpen*
  ◊ *Asah pensel yang sudah tumpul itu.*

Sharpen that blunt pencil..
**mengasah**  KATA KERJA
  *to sharpen*
  ◊ *Ibu mengasah pisau di dapur.*  Mother
  is sharpening the knife in the kitchen.
**pengasah**  KATA NAMA
  *sharpener*
**asak**
  **berasak-asak**  KATA KERJA
  *to jostle*
  ◊ *Mereka terpaksa berasak-asak*
  *dengan orang ramai untuk membeli-belah*
  *semasa jualan murah.*  They had to jostle
  with the crowds when they went shopping
  in the sales.
  **mengasak**  KATA KERJA
  [1] *to stuff*
  ◊ *Ibu mengasak ikan dengan sambal*
  *sebelum menggorengnya.*  Mother stuffed
  the fish with pounded chillies before frying
  it.
  [2] *to jostle one's way*
  ◊ *Zulaika mengasak di celah-celah*
  *orang ramai untuk ke depan.*  Zulaika
  jostled her way through the crowd to get to
  the front.
  **mengasakkan**  KATA KERJA
  [1] *to stuff*
  ◊ *Hana mengasakkan timun ke dalam*
  *tauhu.*  Hana stuffed cucumber into the
  bean curd.
  [2] *to jostle*
  ◊ *Julian mengasakkan dirinya di celah-*
  *celah orang ramai.*  Julian jostled his way
  through the crowd.
  **asakan**  KATA NAMA
  *press*
  ◊ *Dia terjatuh akibat asakan orang*
  *ramai.*  The press of the crowd was so
  great that he fell over.
**asal**  KATA NAMA
  [1] *origin*
  ◊ *Walaupun dia sekarang tinggal di*
  *Australia, negara asalnya ialah*
  *Singapura.*  Although he now lives in
  Australia, his country of origin is
  Singapore.
  [2] *original*
  ◊ *Pemain-pemain diminta balik ke*
  *kedudukan asal mereka.*  Players are
  requested to return to their original
  positions.
♦ **pada asalnya**  originally
  **berasal**  KATA KERJA
  *to come from*
  ◊ *Jiran saya berasal dari Korea.*  My
  neighbour comes from Korea.
  **asalkan**  KATA HUBUNG
  *so long as*

◊ *Anda boleh keluar bermain asalkan anda habiskan kerja rumah anda.* You can go out to play so long as you finish your homework.

**asal usul** KATA NAMA

1 *history*

◊ *Dia jarang bercakap tentang asal usul keluarganya.* He seldom talks about his family's history.

2 *origin*

◊ *teori tentang asal usul kehidupan* theories about the origin of life

**asam** KATA NAMA

*pickles*

**asap** KATA NAMA

*smoke*

◆ **asap kemenyan** incense

**berasap** KATA KERJA

*smoky*

◊ *Bilik itu berasap.* The room is smoky.

**mengasap** KATA KERJA

1 *to fumigate*

◊ *Pegawai kesihatan mengasap rumah-rumah itu untuk mencegah pembiakan nyamuk.* Health officers fumigated the houses to stop mosquitoes breeding.

2 *to smoke*

◊ *Orang Eskimo mengasap daging supaya dapat tahan lama.* The Eskimos smoke meat to preserve it.

◆ **ikan yang diasap** smoked fish

**asar** KATA NAMA

*late afternoon*

◊ *sembahyang asar* late afternoon prayer

**asas** KATA NAMA

1 *foundation*

◊ *asas yang kukuh* a strong foundation

2 *basic*

◊ *keperluan-keperluan asas* basic needs

**berasas** KATA KERJA

*well-grounded*

◊ *Tuntutan kami berasas.* Our claim is well-grounded.

◆ **tidak berasas** groundless

**berasaskan** KATA KERJA

*based on*

◊ *Filem ini berasaskan kisah yang benar.* This film is based on a true story.

**mengasaskan** KATA KERJA

*to found*

◊ *Nenek Ranjit telah mengasaskan butik yang terkenal itu sejak 30 tahun yang lalu.* Ranjit's grandmother founded that famous boutique 30 years ago.

**pengasas** KATA NAMA

*founder*

◊ *Pengasas pergerakan pengakap ialah*

*Lord Baden Powell.* The founder of the scouts movement was Lord Baden Powell.

**asasi** KATA ADJEKTIF

*basic*

◊ *hak asasi manusia* basic human rights

**asbut** KATA NAMA

*smog*

**ASEAN** SINGKATAN (= *Persatuan Negara-negara Asia Tenggara*)

*ASEAN* (= *Association of Southeast Asian Nations*)

**aset** KATA NAMA

*asset*

◊ *aset bersih* net asset

**Asia** KATA NAMA

*Asia*

◆ **orang Asia** Asian

**asid** KATA NAMA

*acid*

**berasid** KATA KERJA

*acidic*

**keasidan** KATA NAMA

*acidity*

**asing** KATA ADJEKTIF

1 *foreign*

◊ *mata wang asing* foreign currency

◆ **orang asing** foreigner

2 *strange*

◊ *bunyi yang asing* a strange sound

**asing-asing** KATA ADJEKTIF

*separately*

◊ *Penjual itu membungkus nasi dan lauk asing-asing.* The vendor packed the rice and the other food separately.

**berasingan** KATA KERJA

*separate*

◊ *Masukkan pakaian yang basah itu ke dalam beg yang berasingan.* Put the wet clothes into a separate bag.

◆ **secara berasingan** separately

**keasingan** KATA NAMA

*difference*

◆ **Keasingan sifat dua orang kembar itu sangat ketara.** The twins have very different characters.

**mengasingkan** KATA KERJA

*to separate*

◊ *Anda perlu mengasingkan kuning telur daripada putih telur untuk membuat kek itu.* You need to separate the egg yolk from the egg white to make that cake.

◆ **mengasingkan seseorang** to isolate somebody

**pengasingan** KATA NAMA

*separation*

◊ *pengasingan kuasa* separation of powers

**terasing** KATA KERJA

_isolated_
◊ *Dia berasa terasing daripada kawan-kawannya.* She felt isolated from her friends.

**askar** KATA NAMA
_soldier_

**asli** KATA ADJEKTIF
[1] _natural_
◊ *sumber-sumber asli* natural resources
[2] _genuine_
◊ *kulit asli* genuine leather
♦ **orang asli** native
♦ **lagu asli** traditional song
**keaslian** KATA NAMA
_originality_
◊ *Keaslian masakan restoran itu dipuji ramai.* The originality of the restaurant's food was widely praised.

**asma** KATA NAMA
_asthma_

**asmara** KATA NAMA
_love_
◊ *kisah asmara yang sedih* a sad love story
**berasmara** KATA KERJA
_to smooch_
◊ *Mereka ditangkap kerana berasmara di taman itu.* They were arrested for smooching in the park.

**asparagus** KATA NAMA
_asparagus_

**aspek** KATA NAMA
_aspect_

**aspirin** KATA NAMA
_aspirin_

**asrama** KATA NAMA
_hostel_
**berasrama** KATA KERJA
♦ **sekolah berasrama** boarding school
♦ **penuntut sekolah berasrama** boarder

**astaka** KATA NAMA
_pavilion_
♦ **balai astaka** pavilion

**astrologi** KATA NAMA
_astrology_

**astronomi** KATA NAMA
_astronomy_

**asuh**
**mengasuh** KATA KERJA
_to care for_
◊ *Bapanyalah yang mengasuhnya semasa dia kecil.* Her father was the one who cared for her when she was young.
♦ *Ibu bapa bertanggungjawab mendidik dan mengasuh anak-anak.* Parents are responsible for teaching and guiding their children.
**pengasuh** KATA NAMA

_nanny_ (JAMAK **nannies**)
**asuhan** KATA NAMA
[1] _upbringing_
◊ *Perkembangan kanak-kanak sangat dipengaruhi oleh asuhan ibu bapa.* Children's development is significantly affected by their upbringing.
[2] _guidance_
◊ *asuhan guru* teacher's guidance

**asyik** KATA ADJEKTIF
_preoccupied_
◊ *Dia kelihatan begitu asyik.* She looked very preoccupied.

**asyik-asyik** KATA ADJEKTIF
_always_
◊ *Asyik-asyik dia yang menerima hadiah.* He's always the one who gets a prize.

**keasyikan** KATA NAMA
_preoccupation_
◊ *Saya semakin bosan dengan keasyikan Mawar terhadap origami.* I'm getting tired of Mawar's preoccupation with origami.

**mengasyikkan** KATA KERJA
_engrossing_
◊ *Filem itu sangat mengasyikkan.* The film was very engrossing.

**atap** KATA NAMA
_roof_
**beratapkan** KATA KERJA
_roofed with_
◊ *Pondok itu beratapkan daun kelapa.* The hut is roofed with coconut palm leaves.

**mengatapi** KATA KERJA
_to roof_
◊ *Buruh binaan itu akan mengatapi pondok itu esok.* The builder is going to roof the hut tomorrow. ◊ *Ayah mengatapi tempat letak keretanya.* Father roofed over his parking space.

**atas** KATA ADJEKTIF

| rujuk juga **atas** KATA ARAH |

♦ **bahagian atas** top ◊ *Bahagian atas meja itu sudah tercalar.* The top of the table has been scratched.
♦ **tingkat atas** upstairs
**mengatasi** KATA KERJA
_to overcome_
◊ *mengatasi sesuatu masalah* to overcome a problem
**teratas** KATA ADJEKTIF
_top_
◊ *tingkat teratas* the top floor
♦ **Mereka berada di tangga teratas liga itu.** They are at the top of the league.
**atasan** KATA ADJEKTIF
_superior_

◊ *pegawai atasan* superior officer
♦ **orang atasan** superior

**atas** KATA ARAH

> *rujuk juga* **atas** KATA ADJEKTIF

1 *on*
◊ *Jangan berdiri di atas meja.* Don't stand on the table.

2 *above*
◊ *Helikopter itu berlegar-legar di atas bangunan sekolah itu.* The helicopter hovered above the school. ◊ *kanak-kanak berumur 8 tahun ke atas* children aged 8 and above

3 *over*
◊ *Seekor burung terbang di atas kepalanya.* A bird flew over his head.

4 *onto*
◊ *Mereka melompat ke atas katil itu.* They jumped onto the bed.

5 *up*
◊ *Paul memandang ke atas.* Paul looked up.

♦ **Dia naik ke atas untuk mandi.** He went upstairs to have a bath.

**atau** KATA HUBUNG
*or*

**ataupun** KATA HUBUNG
*or*

**Atlantik** KATA NAMA
*Atlantic*

♦ **lautan Atlantik** the Atlantic Ocean

**atlas** KATA NAMA
*atlas* (JAMAK **atlases**)

**atlit** KATA NAMA
*athlete*

**atmosfera** KATA NAMA
*atmosphere*

**atom** KATA NAMA
*atom*

**atur**

**beratur** KATA KERJA
*to queue*
◊ *Murid-murid mesti beratur untuk membeli makanan di kantin.* Pupils must queue to buy food in the canteen.

♦ **"Sila beratur"** "Please queue up"

**mengatur** KATA KERJA
*to arrange*
◊ *Mereka mengatur kerusi mereka membentuk satu bulatan.* They arranged their chairs in a circle. ◊ *Saiful mengatur sebuah majlis hari jadi untuk ibunya.* Saiful arranged a birthday party for her mother.

**mengaturkan** KATA KERJA
*to arrange ... for*
◊ *Suziana mengaturkan ibunya sebuah majlis hari jadi.* Suziana arranged a birthday party for her mother.

**peraturan** KATA NAMA

*rule*

**teratur** KATA ADJEKTIF
*orderly*
◊ *sistem yang teratur* an orderly system

♦ **Bilik itu tidak teratur.** The room was in disorder.

**aturan** KATA NAMA
*arrangement*
◊ *Jangan ubah aturan tempat duduk.* Don't change the seating arrangements.

**atur cara** KATA NAMA
*programme*

**pengatur cara** KATA NAMA
1 *master of ceremonies* (*majlis*)
2 *programmer* (*komputer*)

**pengaturcaraan** KATA NAMA
*programming* (*komputer*)

**audiens** KATA NAMA
*audience*

**audio** KATA ADJEKTIF
*audio*

**audiovisual** KATA ADJEKTIF
*audio-visual*

**audit** KATA NAMA
*audit*
◊ *Audit dijalankan ke atas semua akaun pada akhir tahun.* An audit is carried out on all accounts at the end of the year.

**mengaudit** KATA KERJA
*to audit*

**auditorium** KATA NAMA
*auditorium*

**aum** KATA NAMA *rujuk* **ngaum**

**auns** KATA NAMA
*ounce*

> Satu auns bersamaan dengan kira-kira 28 gram.

**aur** KATA NAMA
*bamboo*

**aurat** KATA NAMA
(*menurut agama Islam*)
*parts of the body which must be covered*

**Australia** KATA NAMA
*Australia*

♦ **orang Australia** Australian

**autobiografi** KATA NAMA
*autobiography*
(JAMAK **autobiographies**)

**autograf** KATA NAMA
*autograph*

**automatik** KATA ADJEKTIF
*automatic*

**avokado** KATA NAMA
*avocado*

**awak** KATA GANTI NAMA
1 *you*
◊ *Awak dikehendaki hadir esok.* You must be present tomorrow. ◊ *Cikgu ingin berjumpa dengan awak.* The

teacher wants to see you.
2 _your_
◊ *sekolah awak* your school
**perawakan** KATA NAMA
_physique_

**awal** KATA ADJEKTIF
1 _early_
◊ *Dia bangun awal setiap pagi.* She wakes up early every morning.
2 _beginning_
◊ *Dari awal lagi saya sudah tahu bahawa dia seorang pelajar yang bertanggungjawab.* I knew from the beginning that he was a responsible student. ◊ *pada awal bulan* at the beginning of the month
♦ **lebih awal** earlier
**berawalkan** KATA KERJA
_to begin with_
◊ *perkataan-perkataan yang berawalkan huruf 'a'* words which begin with the letter 'a'
**mengawalkan** KATA KERJA
_to bring forward_
◊ *Pengetua telah mengawalkan tarikh peperiksaan.* The principal brought forward the date of the exam.
**terawal** KATA ADJEKTIF
_earliest_
◊ *Pengawas itulah yang terawal sampai di sekolah.* That prefect was the earliest to arrive at school.
**awalan** KATA NAMA
_prefix_ (JAMAK **prefixes**)

**awam** KATA ADJEKTIF
_public_
◊ *pengangkutan awam* public transport
♦ **orang awam** the public

**awan** KATA NAMA
_cloud_
**berawan** KATA KERJA
_cloudy_
◊ *Langit berawan hari ini.* The sky is cloudy today.
♦ **tidak berawan** cloudless

**awas** KATA SERUAN
♦ **'Awas!'** 'Caution!'
**mengawasi** KATA KERJA
_to guard_
◊ *Dia membela seekor anjing untuk mengawasi rumahnya.* He kept a dog to guard his house.
**pengawas** KATA NAMA
_prefect_ (sekolah)
**pengawasan** KATA NAMA
_supervision_
◊ *pengawasan yang ketat* close supervision

**awet**

**mengawet, mengawetkan** KATA KERJA
_to preserve_
◊ *Shafinaz tahu cara untuk mengawet cili dengan cuka.* Shafinaz knows how to preserve chillies in vinegar.
**pengawet** KATA NAMA
_preservative_
◊ *makanan yang mengandungi bahan pengawet* food that contains preservatives
**pengawetan** KATA NAMA
_preservation_
◊ *pengawetan buah-buahan* the preservation of fruit

**awet muda** KATA ADJEKTIF
_to look younger_

**ayah** KATA NAMA
_father_

**ayahanda** KATA NAMA
(bahasa istana, persuratan)
_father_

> **ayahanda** *juga digunakan untuk merujuk kepada diri sendiri terutama dalam surat. Dalam keadaan ini,* **ayahanda** *diterjemahkan dengan menggunakan kata ganti nama diri.*

◊ *Ayahanda akan pulang pada bulan hadapan.* I'm coming home next month.
◊ *Tolong jemput ayahanda di lapangan terbang.* Please can you pick me up at the airport. ◊ *Sampaikan salam ayahanda kepada Salim.* Please give my regards to Salim.

**ayak** KATA NAMA
_sieve_
**mengayak** KATA KERJA
_to sieve_

**ayam** KATA NAMA
_chicken_
♦ **anak ayam** chick
♦ **ayam belanda** turkey
♦ **ayam betina** hen
♦ **ayam itik** poultry
♦ **ayam jantan** cock

**ayat** KATA NAMA
_sentence_
♦ **ayat al-Quran** verse of the Koran

**ayuh** KATA SERUAN
_come on_
◊ *Ayuh, cepat!* Come on, hurry up!

**ayun**
**berayun, berayun-ayun** KATA KERJA
_to swing_
◊ *Dia melihat bandul itu berayun berkali-kali.* He watched the pendulum swing to and fro.
♦ **Pokok kelapa di tepi pantai itu berayun ditiup angin.** The coconut trees on the seashore swayed in the wind.

**mengayunkan** KATA KERJA
*to swing*
◊ *Gadis itu mengayunkan begnya sambil berjalan.* The girl swung her bag as she walked.
**ayunan** KATA NAMA
*swing*
◊ *ayunan bandul* the swing of the pendulum
**azab** KATA NAMA
*suffering*
**azam** KATA NAMA
*resolution*

**berazam** KATA KERJA
*to resolve*
◊ *Felicia berazam untuk belajar rajin-rajin.* Felicia resolved to study hard.
**keazaman** KATA NAMA
*determination*
◊ *keazaman Polly untuk mengurangkan berat badan* Polly's determination to lose weight
**azan** KATA NAMA
*call to prayer*
**azimat** KATA NAMA
*talisman*

# B

**bab**  KATA NAMA
*chapter*

**babak**  KATA NAMA
*scene*
  ◊  *satu babak yang menyentuh perasaan*  a touching scene

**babas**
  **terbabas**  KATA KERJA
  *to swerve*
  ◊  *Lori itu terbabas ke dalam sungai.* The lorry swerved into the river.

**babi**  KATA NAMA
*pig*

**babi buta**
  **membabi buta**  KATA KERJA
  ♦  **secara membabi buta**  recklessly
  ◊  *Pasukan itu menyerang secara membabi buta.*  The troops attacked recklessly.

**babit**
  **membabitkan**  KATA KERJA
  *to involve*
  ◊  *rusuhan yang membabitkan seratus orang banduan*  a riot involving a hundred inmates
  ♦  **Rusuhan yang membabitkan golongan penganggur itu sudah dapat dikawal.** The riot by the unemployed is now under control.
  **pembabitan**  KATA NAMA
  *involvement*
  ◊  *Pembabitan mereka dalam projek itu...* Their involvement in the project...
  **terbabit**  KATA KERJA
  *involved*
  ◊  *Dia turut terbabit dalam rompakan itu.* He was also involved in the robbery.

**babun**  KATA NAMA
*baboon*

**baca**  KATA KERJA
*to read*
  **membaca**  KATA KERJA
  *to read*
  ♦  **membaca gerak bibir**  to lip-read
  ♦  **tidak dapat dibaca**  illegible
  **pembaca**  KATA NAMA
  *reader*
  ♦  **pembaca berita**  newsreader
  **pembacaan**  KATA NAMA
  *reading*
  **bacaan**  KATA NAMA
  *reading*
  ◊  *bahan bacaan*  reading material

**bacang**  KATA NAMA
*horse mango*  (JAMAK  **horse mangoes** atau **horse mangos**)

**bacul**  KATA ADJEKTIF
*cowardly*
  ◊  *Saya terlalu bacul untuk mengadu*

*tentang perkara itu.*  I was too cowardly to complain about the matter.

**badai**  KATA NAMA
*hurricane*

**badak**  KATA NAMA
*rhinoceros*  (JAMAK  **rhinoceroses**)
  ♦  **badak air**  hippopotamus (JAMAK  **hippopotamuses**)
  ♦  **badak sumbu**  rhinoceros

**badam**  KATA NAMA
*almond*

**badan**  KATA NAMA
*body*  (JAMAK  **bodies**)
  ◊  *badan manusia*  human body
  ◊  *badan kerajaan*  government body
  ♦  **Badannya basah terkena hujan.**  He was drenched by the rain.
  **berbadan**  KATA KERJA
  ♦  **berbadan dua**  to be pregnant
  **perbadanan**  KATA NAMA
  *corporation*
  ◊  *sebuah perbadanan yang bebas daripada kawalan kerajaan*  a corporation that is free from government controls

**badminton**  KATA NAMA
*badminton*

**badut**  KATA NAMA
*clown*

**bagai**
  **berbagai-bagai**  KATA ADJEKTIF
  *various*
  ◊  *Batik dibuat dalam berbagai-bagai corak dan warna.*  Batik is made in various patterns and colours.
  **pelbagai**  KATA ADJEKTIF
  *various*
  ◊  *Universiti tempatan menawarkan pelbagai kursus untuk pelajar.*  The local universities offer various courses to students.
  **kepelbagaian**  KATA NAMA
  *diversity*  (JAMAK  **diversities**)
  ◊  *kepelbagaian budaya di Asia*  the diversity of cultures in Asia
  **mempelbagaikan**  KATA KERJA
  *to diversify*
  ◊  *mempelbagaikan eksport negara*  to diversify the country's exports
  **sebagai**  KATA SENDI
  *as*
  ◊  *Dia menghadiri mesyuarat itu sebagai wakil pihak majikan.*  He attended the meeting as the representative of the employers.
  **bagaikan**  KATA SENDI
  *like*
  ◊  *Kejadian itu bagaikan satu mimpi ngeri.*  The incident was like a nightmare.
  ♦  **Gadis itu cantik bagaikan bidadari.**

That girl is as beautiful as an angel.

**bagaimana**   KATA TANYA
*how*
◊ *Bagaimanakah pencuri itu dapat memasuki bilik anda?* How did the thief get into your room?

♦ **bagaimanapun** no matter what happens
**sebagaimana**   KATA HUBUNG
*as*
◊ *Pelajar itu membuat latihan sebagaimana yang dikehendaki oleh gurunya.* The student did the exercise as the teacher asked.

**bagan**   KATA NAMA
*quay*

**bagasi**   KATA NAMA
*baggage*

♦ **tuntutan bagasi** baggage reclaim

**bagi**   KATA SENDI
*for*
◊ *Bagi saya, perkara itu tidak menjadi masalah.* For me, that's not a problem.
◊ *Penyata pendapatan bagi tahun berakhir 31 Disember 1999.* Statement of income for the year ended 31st December 1999.

♦ **bagi pihak** on behalf of

**baginda**   KATA NAMA
① *His Majesty* (*lelaki*)
② *Her Majesty* (*perempuan*)

**bagus**   KATA ADJEKTIF
*excellent*

**bah**   KATA NAMA
*flood*

**bahagi**   KATA KERJA
*to divide*
**membahagi**   KATA KERJA
*to divide*
◊ *Mereka membahagi dua epal itu.* They divide the apple in two.
**membahagikan**   KATA KERJA
① *to share*
◊ *Mereka bersetuju untuk membahagikan keuntungan itu secara sama rata.* They have agreed to share the profits equally.
② *to split up*
◊ *Ketua darjah membahagikan kelas kepada dua kumpulan.* The monitor split the class up into two groups.
③ *to divide*
◊ *Penulis itu membahagikan bukunya kepada lima bab.* The writer divides his book into five chapters.
**membahagi-bahagikan**   KATA KERJA
① *to distribute*
◊ *Guru itu membahagi-bahagikan buku teks kepada para pelajar.* The teacher distributed the textbooks to the students.
② *to share out*
◊ *Penculik itu membahagi-bahagikan wang tebusan sesama mereka.* The kidnappers shared out the ransom money among themselves.

**pembahagi**   KATA NAMA
*divider*
◊ *pembahagi jalan* road divider
**pembahagian**   KATA NAMA
*distribution*
◊ *pembahagian bekalan makanan* the distribution of foodstuffs
**sebahagian**   KATA ADJEKTIF
*partly*
◊ *Kemalangan itu sebahagiannya berpunca daripada kecuaian saya.* The accident was partly my fault.
**terbahagi**   KATA KERJA
*to be divided*
◊ *Negeri itu terbahagi kepada lima daerah.* The state is divided into five districts.

**bahagian**   KATA NAMA
① *part*
◊ *satu bahagian kecil istanakota itu* a small part of the castle
② *division*
◊ *bahagian kejuruteraan* engineering division

**bahagia**   KATA ADJEKTIF
*happy*
◊ *Saya bahagia dengan kehidupan saya di sini.* I'm happy with my life here.
**kebahagiaan**   KATA NAMA
*happiness*

**bahak**
**terbahak-bahak**   KATA KERJA
*to laugh heartily*
♦ **ketawa terbahak-bahak** to laugh heartily

**baham**
**membaham**   KATA KERJA
*to gobble up*
◊ *seekor harimau yang mungkin membaham anda* a tiger that might gobble you up

**bahan**   KATA NAMA
① *material*
◊ *bahan mentah* raw material
② *substance*
◊ *bahan beracun* poisonous substance
♦ **bahan api** fuel
♦ **bahan kajian** guinea pig

**bahang**   KATA NAMA
*heat*
**membahang**   KATA KERJA
*to get very hot*

◊ *Matahari mula membahang pada waktu tengah hari.* The sun starts to get very hot at midday.

**bahantara** KATA NAMA
*medium*

**baharu** KATA ADJEKTIF
*new*
  **pembaharuan** KATA NAMA
*renewal*
◊ *pembaharuan lesen memandu* the renewal of a driving licence
  **memperbaharui** KATA KERJA
*to renew*
◊ *memperbaharui kontrak* to renew a contract
♦ **boleh diperbaharui** renewable

**bahas**
  **berbahas** KATA KERJA
*to argue*
◊ *Pelajar itu suka berbahas dengan gurunya.* The student likes to argue with his teacher.
♦ **Penduduk kawasan itu berbahas tentang hal kebersihan di kawasan mereka.** The residents discussed the subject of cleanliness in their area.
  **membahaskan** KATA KERJA
*to debate*
◊ *membahaskan isu pencemaran* to debate the issue of pollution
  **pembahas** KATA NAMA
*debater*
  **perbahasan** KATA NAMA
*debate*
◊ *perbahasan antara dua buah sekolah* a debate between two schools

**bahasa** KATA NAMA
*language*
◊ *bahasa isyarat* sign language
♦ **bahasa ibunda** mother tongue
  **berbahasa** KATA KERJA
*to speak*
◊ *Zarina fasih berbahasa Perancis dan Jerman.* Zarina speaks French and German fluently.

**bahawa** KATA HUBUNG
*that*
◊ *Jimmy berkata bahawa dia ingin meluaskan perniagaannya.* Jimmy said that he wanted to expand his business.
  **bahawasanya** KATA PENEGAS
*solemnly*
◊ *Bahawasanya, saya berikrar untuk menjadi seorang guru yang bertanggungjawab.* I solemnly swear to be a responsible teacher.

**bahaya** KATA NAMA
*danger*
◊ *Nyawa anda dalam bahaya.* Your life is in danger.
  **berbahaya** KATA KERJA
*dangerous*
♦ **tidak berbahaya** harmless
  **membahayakan** KATA KERJA
*to risk*
◊ *Amin sanggup membahayakan nyawa untuk menyelamatkan bapanya.* Amin was prepared to risk his life to save his father.
♦ **"Merokok membahayakan kesihatan"** "Smoking is bad for your health"

**bahkan** KATA HUBUNG
*but also*
◊ *Dia bukan sahaja cantik, bahkan sangat pandai.* She is not only beautiful but also intelligent.

**bahu** KATA NAMA
*shoulder*

**baik** KATA ADJEKTIF
  ① *good*
◊ *Rajoo mendapat keputusan yang baik dalam peperiksaan akhir.* Rajoo got good results in the final exams.
  ② *fine*
◊ *Cuaca hari ini baik.* The weather is fine today.
  ③ *nice*
◊ *Sylvia sangat baik dengan orang miskin itu tadi.* Sylvia was very nice to that poor man just now.
♦ **baik hati** kind-hearted
♦ **berkelakuan baik** well-behaved
♦ **lebih baik** better
♦ **sangat baik** very good
♦ **Baiklah.** Okay.
  **baik-baik** KATA ADJEKTIF
*carefully*
◊ *Jalan baik-baik kerana lantai itu basah.* Walk carefully - the floor's wet.
  **berbaik-baik** KATA KERJA
*to be friendly*
◊ *Salmi cuba berbaik-baik dengan Norazlin.* Salmi tried to be friendly with Norazlin.
  **kebaikan** KATA NAMA
  ① *advantage*
◊ *kebaikan komputer* the advantage of the computer
  ② *kindness* (JAMAK **kindnesses**)
◊ *Kami berterima kasih atas kebaikan beliau.* We are grateful for his kindness.
  **membaiki** KATA KERJA
  ① *to repair*
◊ *Ayah akan membaiki radio itu malam ini.* Dad will repair the radio tonight.
  ② *to fix*
◊ *Bolehkah anda baiki paip ini sekarang?* Can you please fix the tap

now?

[3] _to mend_

◊ _membaiki mesin_ to mend a machine

**memperbaiki** KATA KERJA

_to improve_

◊ _memperbaiki taraf hidup_ to improve the standard of living

**pembaikan** KATA NAMA

_repair_

♦ **kerja-kerja pembaikan** repairs

◊ _Kerja-kerja pembaikan sedang dijalankan._ Repairs are being carried out.

**sebaik** KATA ADJEKTIF

_as good as_

◊ _Mesin ini adalah sebaik mesin yang baru._ This machine is as good as the new one.

♦ **sebaik sahaja** as soon as

**sebaik-baiknya** KATA ADJEKTIF

_it is best if_

◊ _Sebaik-baiknya, gosoklah gigi sebelum tidur._ It's best if you brush your teeth before you go to bed.

**terbaik** KATA ADJEKTIF

_best_

♦ **yang terbaik** the best

**baik pulih**

**membaik pulih** KATA KERJA

_to restore_

◊ _membaik pulih keadaan ekonomi negara yang gawat_ to restore the country's ailing economy

**baja** KATA NAMA

_fertilizer_

♦ **baja asli** manure

**bajak** KATA NAMA

_plough_

**membajak** KATA KERJA

_to plough_

**baji** KATA NAMA

_wedge_

**bajik**

**kebajikan** KATA NAMA

_welfare_

◊ _Saya rasa dia tidak memikirkan kebajikan Emma._ I do not think he is considering Emma's welfare.

♦ **kerja-kerja kebajikan** charity work

**baju** KATA NAMA

_garment_

♦ **anak baju** vest

♦ **baju besi** armour

♦ **baju dalam** underclothes

♦ **baju hujan** raincoat

♦ **baju mandi** swimming costume

♦ **baju panas/sejuk** sweater

**berbaju** KATA KERJA

_dressed in_

◊ _seorang gadis yang berbaju serba biru_

a girl dressed in blue

♦ **budak lelaki yang berbaju merah** the boy in the red shirt

**baka** KATA NAMA

[1] _breed_ (_haiwan, tumbuhan_)

[2] _line_ (_manusia_)

**bakal** KATA ADJEKTIF

| _rujuk juga_ **bakal** KATA BANTU |

_future_

◊ _bakal suami_ future husband

♦ **bakal pekerja-pekerja syarikat itu** potential employees of the company

**bakal** KATA BANTU

| _rujuk juga_ **bakal** KATA ADJEKTIF |

_will_

◊ _Jenny bakal menjadi seorang pensyarah yang berjaya._ Jenny will be a very successful lecturer.

**bakar** KATA KERJA

_to burn_

◊ _Jangan bakar kertas-kertas itu._ Don't burn the papers.

♦ **ikan bakar** grilled fish

(JAMAK **grilled fish**)

**kebakaran** KATA NAMA

_fire_

◊ _Lima sekeluarga terbunuh dalam kebakaran itu._ A family of five died in the fire.

♦ **loceng kebakaran** fire alarm

**membakar** KATA KERJA

[1] _to burn_

◊ _membakar sampah_ to burn rubbish

[2] _to bake_ (_roti_)

**membakarkan** KATA KERJA

[1] _to burn ... for_ (_kertas, sampah_)

[2] _to toast ... for_ (_roti_)

◊ _Shima membakarkan emaknya dua keping roti._ Shima toasted two slices of bread for her mother.

**pembakar** KATA NAMA

♦ **pembakar roti** toaster

**pembakaran** KATA NAMA

_burning_

◊ _pembakaran terbuka_ open burning

♦ **pembakaran hutan** forest fire

♦ **pembakaran mayat** cremation

♦ **pembakaran mercun** letting off fireworks

**terbakar** KATA KERJA

_to catch fire_

◊ _Kapal terbang itu terbakar sebaik sahaja berlepas dari lapangan terbang._ The aircraft caught fire soon after it took off from the airport.

**bakat** KATA NAMA

_talent_

◊ _bakat terpendam_ hidden talent

**berbakat** KATA KERJA

_talented_
◊ _Majid seorang pelukis yang berbakat._
Majid is a talented artist.
**bakau** KATA NAMA
_mangrove_
**bakhil** KATA ADJEKTIF
_stingy_
**baki** KATA NAMA
_balance_
◊ _baki dalam akaun bank saya_ the
balance in my bank account
◆ **Ini baki wang untuk pelanggan itu.**
Here's the change for that customer.
◆ **saki-baki makanan** leftovers
◊ _Simpan saki-baki makanan di dalam
peti sejuk._ Refrigerate any leftovers.
**bakteria** KATA NAMA
_bacteria_
**bakti** KATA NAMA
_service_
◊ _Baktinya akan sentiasa dikenang._
His services will always be remembered.
◆ **menabur bakti** to serve ◊ _Dia telah
banyak menabur bakti kepada negara._
He has served the country well.
**berbakti** KATA KERJA
_to serve_
◊ _berbakti kepada negara_ to serve the
country
**baku** KATA ADJEKTIF
_standard_
◊ _bahasa baku_ standard language
**membakukan** KATA KERJA
_to standardize_
◊ _membakukan sebutan dalam satu-
satu bahasa_ to standardize the
pronunciation of a language
**bakul** KATA NAMA
_basket_
◊ _bakul sampah_ wastepaper basket
**bala (1)** KATA NAMA
_troop (pasukan)_
◆ **bala tentera** troops
**bala (2)** KATA NAMA
_disaster_
**balah**
**berbalah** KATA KERJA
_to argue_
◊ _Lily dan May selalu berbalah tentang
kehebatan masing-masing._ Lily and May
are always arguing about who is better.
**perbalahan** KATA NAMA
_dispute_
◊ _perbalahan antara pekerja-pekerja
kilang_ the dispute among the factory
workers
**balai** KATA NAMA
◆ **balai berlepas** departure lounge
◆ **balai bomba** fire station

◆ **balai polis** police station
◆ **balai raya** village hall
◆ **balai seni** art gallery
(JAMAK **art galleries**)
**balak** KATA NAMA
_log_
**membalak** KATA KERJA
_to log_
◊ _Mereka membalak di Sabah._ They
are logging in Sabah.
**pembalak** KATA NAMA
_lumberjack_
**pembalakan** KATA NAMA
_logging_
◊ _Syarikat Cheah menjalankan
pembalakan di Sabah._ Cheah's company
carries out logging in Sabah.
**balam**
**berbalam** KATA KERJA
_blurred_
**balang** KATA NAMA
_jar_
**balap**
**balapan** KATA NAMA
_track_
◆ **balapan lumba kuda** racecourse
**balar** KATA ADJEKTIF
_albino_
◊ _tiga ekor rusa balar_ three albino deer
**balas**
**berbalas** KATA KERJA
_to exchange_
◊ _Kami berjabat tangan dan berbalas
senyuman._ We shook hands and
exchanged smiles.
◆ **Surat saya tidak berbalas.** I didn't
receive a reply to my letter.
**membalas** KATA KERJA
_to reply_
◊ _Raymond tidak membalas surat saya._
Raymond didn't reply to my letter.
◆ **membalas dendam** to take revenge
**balasan** KATA NAMA
_reply (JAMAK **replies**)_
◊ _Saya belum menerima balasan
daripadanya._ I haven't received a reply
from her.
◆ **Dia menerima RM1000 sebagai
balasan.** He received RM1000 as a
reward.
◆ **Pembunuh itu akan menerima
balasannya.** The murderer will get his
punishment.
**baldi** KATA NAMA
_pail_
**baldu** KATA NAMA
_velvet_
**balet** KATA NAMA
_ballet_

**balik** KATA KERJA
*to return*
◊ *Kawan saya akan balik ke Malaysia tidak lama lagi.* My friend will return to Malaysia soon.
♦ **Anda boleh batalkan tempahan dan dapatkan balik wang itu.** You can cancel the booking and get the money back.
**berbalik** KATA KERJA
*to relapse*
◊ *Dia berbalik kepada perangai keanak-anakannya.* He relapsed into his childish behaviour.
**pembalikan** KATA NAMA
*reflection*
◊ *pembalikan cahaya* the reflection of light
**sebalik** KATA ARAH
*behind*
◊ *Jasmin berselindung di sebalik meja.* Jasmin took cover behind the table.
**sebaliknya** KATA HUBUNG
*instead*
◊ *Dia tidak pergi ke sekolah, sebaliknya merayau-rayau di pusat membeli-belah.* He didn't go to school, but loitered in shopping centres instead.
**terbalik** KATA KERJA
1 *upside down*
◊ *Peta itu terbalik.* The map is upside down.
2 *to capsize*
◊ *Bot itu sudah terbalik.* The boat has capsized.
**menterbalikkan** KATA KERJA
*to invert*
◊ *Selepas itu, anda perlu menterbalikkan kek itu di atas rak dawai.* After that, you need to invert the cake onto a wire rack.
**baling** KATA KERJA
*to throw*
◊ *Jangan baling bola itu kepada saya.* Don't throw the ball to me.
**membaling** KATA KERJA
*to throw*
◊ *Pengantin itu membaling jambangan bunga itu ke arah kawan-kawannya.* The bride threw the bouquet towards her friends.
**pembaling** KATA NAMA
*pitcher (besbol)*
**balkoni** KATA NAMA
*balcony (JAMAK balconies)*
**baloi**
**berbaloi** KATA KERJA
*worth it*
◊ *tidak berbaloi* not worth it
**balsam** KATA NAMA
*balm*

**balu** KATA NAMA
*widow*
**balung** KATA NAMA
*cock's comb*
**balut** KATA NAMA
*to wrap*
◊ *Tolong balut buku itu baik-baik.* Please wrap the book carefully.
**membalut** KATA KERJA
1 *to wrap*
◊ *membalut hadiah* to wrap a present
2 *to bandage*
◊ *membalut luka* to bandage a wound
**pembalut** KATA NAMA
*wrapper*
◊ *pembalut gula-gula* sweet wrapper
♦ **kain pembalut** bandage
**balutan** KATA NAMA
*bandage*
◊ *balutan pada tangannya* the bandage on her hand
**bampar** KATA NAMA
*bumper*
**banci** KATA NAMA
*census (JAMAK censuses)*
◊ *Banci penduduk akan dijalankan tidak lama lagi.* A population census will be carried out soon.
**membanci** KATA KERJA
*to carry out a census*
**bancian** KATA NAMA
*results of a census*
**bancuh**
**membancuh** KATA KERJA
1 *to mix*
◊ *Dia membancuh serbuk kopi dengan air panas.* She mixed coffee powder with hot water.
2 *to make*
◊ *Saya membancuh secawan kopi.* I made a cup of coffee.
**pembancuh** KATA NAMA
♦ **pembancuh kopi** percolator
**bandar** KATA NAMA
*town*
♦ **kawasan luar bandar** countryside
♦ **kawasan pinggir bandar** suburb
♦ **pusat bandar** town centre
**perbandaran** KATA NAMA
*town*
◊ *majlis perbandaran* town council
**bandar raya** KATA NAMA
*city (JAMAK cities)*
**banding**
**berbanding** KATA HUBUNG
1 *compared*
◊ *Andrew agak cerdik berbanding dengan kawannya.* Andrew is quite intelligent compared with his friend.

2 _than_
◊ _Anita lebih bijak berbanding dengan kawannya._ Anita is more intelligent than her friend.
**membandingkan** KATA KERJA
_to compare_
◊ _Zuraidah membandingkan isi kandungan buku-buku tersebut._ Zuraidah compared the contents of the books.
**pembandingan** KATA NAMA
_comparison_
◊ _Pembandingan terhadap kedua-dua pelajar itu mestilah dilakukan dengan adil._ The comparison of the two pupils must be fair.
**perbandingan** KATA NAMA
_comparison_
◊ _membuat perbandingan_ to make a comparison ◊ _Tidak ada statistik terdahulu untuk dibuat perbandingan._ There are no previous statistics for comparison.
**bandingan** KATA NAMA
♦ **tiada bandingan** incomparable
◊ _Buku ini tiada bandingannya._ This book is incomparable.
**banduan** KATA NAMA
_prisoner_
**bandul** KATA NAMA
_pendulum_
**bangau** KATA NAMA
_stork_
**bangga** KATA ADJEKTIF
_proud_
◊ _Francis begitu bangga dengan kejayaannya._ Francis was very proud of his success.
♦ **bangga diri** smug
**kebanggaan** KATA NAMA
_pride_
◊ _Atlit-atlit muda ini merupakan kebanggaan negara._ These young athletes are the pride of the nation.
**membanggakan** KATA KERJA
1 _to be very satisfactory_
◊ _Prestasinya di sekolah sungguh membanggakan._ Her performance in school is very satisfactory.
2 _to make ... proud_
◊ _Kejayaannya memecahkan rekod dunia membanggakan semua orang._ Her success in breaking the world record has made everybody proud.
**bangka** KATA ADJEKTIF
_hard_
♦ **tua bangka** very old ◊ _Walaupun dia sudah tua bangka, perangainya masih belum berubah._ Although he's very old, he hasn't changed.

♦ _Saya sedar, saya ini sudah tua bangka. Tiada orang yang hiraukan saya._ I realise I'm old and doddery. Nobody pays any attention to me.
**bangkai** KATA NAMA
_carcass_ (JAMAK **carcasses**)
**bangkang**
**membangkang** KATA KERJA
_to object to_
◊ _Pihak pengurusan membangkang cadangan yang diberikan oleh para pekerjanya._ The management objected to the ideas suggested by their employees.
**pembangkang** KATA NAMA
_opposition_
◊ _parti pembangkang_ the opposition party
**bangkangan** KATA NAMA
_objection_
◊ _Bangkangan anda tidak akan dilayan._ Your objection will not be entertained.
**bangkit** KATA KERJA
1 _to rise_
◊ _Azlina bangkit dari tempat duduknya._ Azlina rose from her seat. ◊ _Kek yang dibuat oleh Cheryl tidak bangkit._ The cake that Cheryl made didn't rise.
2 _to get up_
◊ _Stanny bangkit semula untuk menentang lawannya._ Stanny got up again to fight with his opponent.
**kebangkitan** KATA NAMA
_emergence_
♦ **kebangkitan semula** resurgence
**membangkitkan** KATA KERJA
_to bring up_
◊ _membangkitkan perkara itu_ to bring up the matter
♦ _Tindakannya telah membangkitkan kemarahan En. Tan._ His action angered Mr Tan.
**bangku** KATA NAMA
_stool_
♦ **bangku panjang** bench
(JAMAK **benches**)
**banglo** KATA NAMA
_bungalow_
**bangsa** KATA NAMA
_race_
♦ _Mereka sanggup berkorban demi bangsa dan negara._ They are prepared to sacrifice themselves for their nation and country.
♦ **masyarakat berbilang bangsa** multiracial society
♦ **bangsa Cina** Chinese
♦ **bangsa India** Indian
♦ **bangsa Melayu** Malay
**berbangsa** KATA KERJA

**berbangsa** *tidak ada terjemahan dalam bahasa Inggeris.*
◊ *kawan-kawan berbangsa Melayu* Malay friends ◊ *kawan-kawan berbangsa Cina* Chinese friends ◊ *kawan-kawan berbangsa India* Indian friends ◊ *Dia berbangsa Jepun.* He's Japanese.
**kebangsaan** KATA ADJEKTIF
*national*
◊ *bahasa kebangsaan* national language
**Bangsa-bangsa Bersatu** KATA NAMA
*the United Nations*
**bangsal** KATA NAMA
*shed*
**bangsawan** KATA NAMA
*aristocrat*
**bangun** KATA KERJA
*to wake up*
◊ *Stephen bangun awal setiap hari.* Stephen wakes up early every day.
♦ **sudah bangun** awake
**membangun** KATA KERJA
*developed*
♦ **negara-negara sedang membangun** developing countries
**membangunkan** KATA KERJA
1 *to develop*
◊ *Kerajaan akan membangunkan kawasan itu.* The government is going to develop that area.
2 *to establish*
◊ *Tim mengambil masa selama lima tahun untuk membangunkan syarikatnya.* Tim took five years to establish his company.
3 *to build*
◊ *membangunkan sebuah masyarakat yang saksama* to build a fair society
**pembangunan** KATA NAMA
*development*
◊ *tahap pembangunan yang pesat* stage of rapid development
**bangunan** KATA NAMA
*building*
◊ *bangunan bersejarah* historic building
♦ **bangunan pencakar langit** skyscraper
**banjar** PENJODOH BILANGAN
*row*
◊ *sebanjar pokok kelapa* a row of coconut trees
**banjaran** KATA NAMA
*range*
◊ *banjaran gunung* mountain range
**banjir** KATA NAMA
*flood*
◊ *banjir kilat* flash flood
**membanjiri** KATA KERJA

*to flood*
◊ *Air dari sungai itu telah membanjiri seluruh kawasan itu.* The water from the river had flooded the whole area.
♦ **Orang ramai membanjiri pejabat pos untuk mendapatkan sampul surat hari pertama.** The public flooded into the post offices to buy the first day cover.
**bank** KATA NAMA
*bank*
♦ **penyata bank** bank statement
♦ **Bank Dunia** World Bank
**perbankan** KATA NAMA
*banking*
◊ *Malaysia juga mengamalkan sistem perbankan Islam.* Malaysia also practises the Islamic banking system.
**bankrap** KATA ADJEKTIF
*bankrupt*
**bankuet** KATA NAMA
*banquet*
**bantah**
**membantah** KATA KERJA
*to protest*
◊ *Mereka membantah kenaikan harga ayam.* They were protesting about the rising price of chickens.
**pembantah** KATA NAMA
*protester*
**bantahan** KATA NAMA
*protest*
◊ *satu bantahan yang serius terhadap pihak pengurusan* a serious protest against the management
♦ **Jika tidak ada bantahan...** If there are no objections...
**bantal** KATA NAMA
*pillow*
♦ **sarung bantal** pillowcase
**banteras**
**membanteras** KATA KERJA
*to eradicate*
◊ *membanteras kegiatan penyeludupan dadah* to eradicate drug smuggling
**banting**
**membanting** KATA KERJA
*to thresh*
◊ *membanting padi* to thresh paddy
**bantu**
**membantu** KATA KERJA
*to help*
**pembantu** KATA NAMA
*assistant*
◊ *pembantu kedai* sales assistant
♦ **pembantu hotel** maid
♦ **pembantu jualan** sales assistant
♦ **pembantu peribadi** personal assistant
♦ **pembantu rumah** maid
**bantuan** KATA NAMA

_assistance_
◊ _bantuan kewangan_ financial assistance
♦ **bantuan kemanusiaan** humanitarian aid
**bantut**
**membantutkan** KATA KERJA
_to stunt_
◊ _Kadar bunga yang tinggi telah membantutkan pertumbuhan ekonomi._ High interest rates have stunted economic growth.
**terbantut** KATA KERJA
_stunted_
◊ _pokok yang terbantut_ a stunted tree
**banyak** KATA BILANGAN
1 _a lot of_
◊ _Kamariah mempunyai banyak pendapat._ Kamariah has a lot of ideas.
2 _many (benda yang boleh dikira)_
◊ _terlalu banyak buku_ too many books
3 _much (benda yang tidak boleh dikira)_
◊ _terlalu banyak gula_ too much sugar
**banyak-banyak** KATA ADJEKTIF
_very_
◊ _Saya minta maaf banyak-banyak!_ I'm very sorry!
♦ **Terima kasih banyak-banyak.** Thank you very much.
**kebanyakan** KATA NAMA
_most of_
◊ _Kebanyakan pelajar lulus dalam peperiksaan itu._ Most of the students passed the examination.
♦ **Kebanyakan orang keluar pada hujung minggu.** Most people go out on weekends.
**memperbanyak** KATA KERJA
_to increase_
◊ _memperbanyak penawaran barangan pengguna_ to increase the supply of consumer goods
**sebanyak** KATA ADJEKTIF
_as much ... as_
◊ _Tenaga saya tidak sebanyak tenaga anda._ I haven't got as much energy as you.
♦ **Pihak penganjur berharap dapat mengutip sebanyak RM6 juta untuk badan kebajikan.** The organizers hope to raise as much as RM6 million for charity.
♦ **pertumbuhan ekonomi sebanyak 8%** economic growth of 8%
**terbanyak** KATA ADJEKTIF
_the most_
**bapa** KATA NAMA
_father_
♦ **bapa mentua** father-in-law (JAMAK **fathers-in-law**)

**kebapaan** KATA ADJEKTIF
_fatherly_
**baptis** KATA NAMA
_baptism_
**membaptis** KATA KERJA
_to baptize_
**pembaptisan** KATA NAMA
_baptism_
**bar** KATA NAMA
_bar_
♦ **bar alat** (_komputer_) toolbar
♦ **bar skrol** (_komputer_) scroll bar
**bara** KATA NAMA
_embers_
◊ _Ikan pari itu dibakar di atas bara._ The stingray was cooked over the embers.
**membara** KATA KERJA
_to be very hot_
♦ **Api kemarahannya semakin membara.** He is fuming.
♦ **semangat membara** an ardent spirit
**barah** KATA NAMA
_cancer_
**baran** KATA ADJEKTIF
_hot-tempered_
♦ **panas baran** hot-tempered ◊ _orang yang panas baran_ a hot-tempered person
**barang** KATA NAMA
1 _item_
◊ _Lukisan Picasso merupakan barang yang paling berharga dalam pameran ini._ The Picasso drawing is the most valuable item in this exhibition.
2 _thing_
◊ _Jangan sentuh barang-barang di atas meja itu._ Don't touch the things on that table.
♦ **barang kemas** jewellery
♦ **barang kepunyaan** belongings
♦ **barang perhiasan** ornament
♦ **barang runcit** groceries
**sebarang** KATA ADJEKTIF
_any_
◊ _Kami menerima sebarang derma yang anda sumbangkan._ We accept any donations.
**barangan** KATA NAMA
_goods_
◊ _barangan ekonomi_ economic goods
◊ _barangan tidak tahan lama_ non-durable goods
**barangkali** KATA BANTU
_probably_
◊ _Barangkali cadangan anda akan diterima._ Your suggestion will probably be accepted.
**kebarangkalian** KATA NAMA
_probability_ (JAMAK **probabilities**)
◊ _Kebarangkalian anda mendapat_

*nombor itu ialah lima peratus.* The probability of your getting that number is five percent.

**barat** KATA ADJEKTIF

> rujuk juga **barat** KATA ARAH

*western*

◊ *negara barat* western country

♦ **pantai barat Semenanjung Malaysia** the west coast of Peninsular Malaysia

**barat** KATA ARAH

> rujuk juga **barat** KATA ADJEKTIF

*west*

◊ *beberapa ratus batu ke barat* several hundred miles to the west

♦ **barat daya** south-west

♦ **barat laut** north-west

**barbeku** KATA NAMA

*barbecue*

**baring**

**berbaring** KATA KERJA

*to lie*

◊ *Sammy berbaring di atas sofa.* Sammy lay on the sofa.

**membaringkan** KATA KERJA

*to lay*

◊ *Puan Ng membaringkan bayinya di atas katil.* Mrs Ng laid her baby on the bed.

♦ **membaringkan diri** to lie down

**terbaring** KATA KERJA

*to lie*

◊ *Sophia terbaring di tepi pantai.* Sophia is lying on the beach.

**baris** KATA NAMA, PENJODOH BILANGAN

*line*

◊ *Chi Mei membaca dua baris puisi itu.* Chi Mei read two lines of the poem.

♦ **baris dan lajur** rows and columns

**berbaris** KATA KERJA

*to line up*

◊ *Pelajar berbaris di padang semasa perhimpunan.* The students line up in the field during assembly.

**pembaris** KATA NAMA

*ruler*

**perbarisan** KATA NAMA

*parade*

**sebaris** KATA ADJEKTIF

*on the same block as*

◊ *Restoran itu terletak sebaris dengan balai polis.* The restaurant is on the same block as the police station.

**barisan** KATA NAMA

*row*

◊ *dua barisan pelajar* two rows of students

♦ **barisan pelakon** cast

**barli** KATA NAMA

*barley*

**barter** KATA NAMA

*barter*

**baru** KATA ADJEKTIF

*new*

**baru-baru** KATA ADJEKTIF

♦ **baru-baru ini** recently

**terbaru** KATA ADJEKTIF

*latest*

◊ *fesyen terbaru* the latest fashion

**bas** KATA NAMA

*bus* (JAMAK **buses**)

◊ *bas dua tingkat* a double-decker bus

**basah** KATA ADJEKTIF

*wet*

♦ **basah kuyup** soaking wet

**membasahi** KATA KERJA

*to make ... wet*

◊ *Air memercik dan membasahi enjin keretanya.* The water splashed his engine and made it wet.

♦ **Hujan yang turun mula membasahi padang.** The rain began to soak the fields.

♦ **Hujan membasahi mereka.** The rain drenched them.

♦ **Peluh membasahi tubuhnya.** His body was running with sweat.

♦ **Air mata membasahi pipinya.** Her cheeks were wet with tears.

**membasahkan** KATA KERJA

*to moisten*

◊ *Danielle membasahkan kain itu untuk mengelap meja.* Danielle moistened the cloth to wipe the table.

**basi** KATA ADJEKTIF

*stale*

◊ *makanan yang sudah basi* stale food

**basikal** KATA NAMA

*bicycle*

♦ **basikal berenjin** moped

♦ **basikal gunung** mountain bike

♦ **basikal roda tiga** tricycle

**berbasikal** KATA KERJA

*to cycle*

◊ *Ratnam berbasikal ke rumah kawannya.* Ratnam cycled to his friend's house.

**basmi**

**membasmi** KATA KERJA

*to eradicate*

◊ *membasmi penyakit malaria* to eradicate malaria

♦ **membasmi kuman** to sterilize

**pembasmian** KATA NAMA

*eradication*

♦ **program pembasmian kemiskinan** a programme to eradicate poverty

**basuh** KATA KERJA

*to wash*

♦ **mesin basuh** washing machine
**membasuh** KATA KERJA
*to wash*
**pembasuh** KATA NAMA
♦ **pembasuh mulut** dessert
**basuhan** KATA NAMA
*washing*
◊ *Basuhan itu sudah kering.* The washing has dried.
**bata** KATA NAMA
*brick*
♦ **batu bata** bricks
**batal**
**membatalkan** KATA KERJA
1 *to cancel*
◊ *Pengurus itu telah membatalkan semua mesyuaratnya.* The manager has cancelled all his meetings.
2 *to call off*
◊ *Maggie telah membatalkan lawatan itu.* Maggie has called off the trip.
♦ **membatalkan kelayakan seseorang** to disqualify somebody
**pembatalan** KATA NAMA
*cancellation*
**batang** KATA NAMA

> *rujuk juga* **batang** PENJODOH BILANGAN

*trunk*
◊ *Batang pokok oak itu sangat kuat.* The trunk of the oak tree is very strong.
**batang** PENJODOH BILANGAN

> *rujuk juga* **batang** KATA NAMA

> *Biasanya* **batang** *tidak ada terjemahan dalam bahasa Inggeris.*

◊ *sebatang pokok kelapa* a coconut tree ◊ *dua batang pensel* two pencils
♦ **lima batang serai** five stalks of lemongrass
**batas** KATA NAMA
1 *ridge*
◊ *batas sawah padi* the ridge of a paddy field
2 *limit*
◊ *Proses pembelajaran tidak ada batasnya.* The learning process has no limits.
**membatasi** KATA KERJA
*to limit*
◊ *Remaja harus membatasi perbelanjaan mereka.* Youngsters should limit their spending.
**terbatas** KATA KERJA
*limited*
◊ *sumber maklumat yang terbatas* limited sources of information
**batasan** KATA NAMA
*bounds*
◊ *Huraian tentang tajuk yang sebegitu*

*sensitif harus mempunyai batasan.* Discussion of such a sensitive topic must keep within bounds.
**bateri** KATA NAMA
*battery* (JAMAK **batteries**)
**bati**
**sebati** KATA ADJEKTIF
*well mixed*
◊ *Tepung itu telah sebati dengan mentega dan telur.* The flour is well mixed with the butter and sugar.
♦ **Bidang sukan telah sebati dengan dirinya.** Sport has become part of his lifestyle.
**sebatian** KATA NAMA
*compound*
◊ *sebatian kimia* chemical compound
**batik** KATA NAMA
*batik*
**batin** KATA NAMA
*inner self*
◊ *Saya perlukan masa untuk mengenali batin saya sendiri.* I need time to get to know my inner self.
**kebatinan** KATA NAMA
*mysticism*
◊ *Sejak dia belajar ilmu kebatinan, dia telah hilang minat tentang hal-hal keduniaan.* Since he began to study mysticism, he has lost interest in worldly matters.
**batu** KATA NAMA
1 *stone*
◊ *Adam membuang batu itu ke dalam sungai.* Adam threw the stone into the river.
2 *mile*
◊ *Bahrin sanggup berjalan beberapa batu untuk berjumpa dengan kawannya.* Bahrin is willing to walk a few miles to meet his friend.
♦ **batu loncatan** stepping stone
♦ **batu nisan** tombstone
♦ **batu timbang** weight
**berbatu-batan** KATA KERJA
*stony*
◊ *tanah yang berbatu-batan* stony soil
**membatu** KATA KERJA
*to stay stock-still*
◊ *Pelajar itu membatu saja apabila ditegur oleh gurunya.* The student stayed stock-still while he was being scolded by his teacher.
**perbatuan** KATA NAMA
*mileage*
**batuk** KATA KERJA

> *rujuk juga* **batuk** KATA NAMA

*to cough*

◊ *Jimmy masih batuk.* Jimmy is still coughing.

**batuk** KATA NAMA

> *rujuk juga* **batuk** KATA KERJA

*cough*

◊ *batuk yang tidak henti-henti* a persistent cough

♦ **batuk kering** tuberculosis

**bau** KATA NAMA

*smell*

◊ *bau kek yang baru dibakar* the smell of freshly baked cake

♦ **Bunga-bunga itu dipilih kerana baunya.** The flowers are chosen for their scent.

**berbau** KATA KERJA

1 *to smell of*

◊ *Bilik itu berbau lemon.* The room smelled of lemons.

2 *smelly*

◊ *Tempat pembuangan sampah itu berbau.* The rubbish dump is smelly.

♦ **Badannya berbau.** He has body odour.

**baucar** KATA NAMA

*voucher*

◊ *baucar makan tengah hari* luncheon voucher

**bauk** KATA NAMA

*sideburns*

**baur**

**berbaur** KATA KERJA

*to smack of*

◊ *Kata-katanya berbaur hasutan.* His remarks smack of incitement.

**bawa** KATA KERJA

*to bring*

◊ *Sila bawa bersama kad pengenalan anda.* Please bring along your identity card.

**membawa** KATA KERJA

1 *to carry*

◊ *Dia membawa bakul ke pasar.* She carries a basket to the market.

2 *to bring*

◊ *Saya terlupa hendak membawa buku itu.* I forgot to bring the book.

3 *to take*

◊ *Bolehkah anda membawa saya ke pesta itu?* Can you please take me to the funfair?

♦ **kemalangan yang membawa maut** a fatal accident

**membawakan** KATA KERJA

*to bring*

◊ *Dia membawakan saya beberapa naskhah majalah untuk dibaca.* He brought me a few magazines to read.

**pembawa** KATA NAMA

*carrier*

◊ *pembawa kuman malaria* a carrier

of the malaria virus

**terbawa-bawa** KATA KERJA

*to affect*

◊ *Perasaan sedihnya terbawa-bawa hingga ke pejabat.* His grief affected his work at the office.

♦ **Eddie terbawa-bawa dengan pengaruh Barat.** Eddie was over-influenced by western culture.

**bawah** KATA ADJEKTIF

> *rujuk juga* **bawah** KATA ARAH

♦ **bahagian bawah** bottom ◊ *di bahagian bawah muka surat 8* at the bottom of page 8

♦ **tingkat bawah** downstairs

♦ **gadis bawah umur** an under age girl

**pembawah** KATA NAMA

*denominator* (*matematik*)

**bawahan** KATA ADJEKTIF

♦ **orang bawahan** subordinate

♦ **golongan bawahan (1)** subordinate group (*dalam syarikat*)

♦ **golongan bawahan (2)** the lower class (*dalam masyarakat*)

**bawah** KATA ARAH

> *rujuk juga* **bawah** KATA ADJEKTIF

1 *under*

◊ *Kucing itu bersembunyi di bawah meja.* The cat hid under the table.

2 *below*

◊ *Taburan hujan berada di bawah paras 300mm.* Rainfall has been below 300mm.

♦ **Ann menarik permaidani itu untuk melihat benda yang tersembunyi di bawahnya.** Ann pulled the carpet back to see what was underneath.

♦ **Sally turun ke bawah untuk mengambil bukunya.** Sally went downstairs to get her book.

♦ **bawah tanah** underground

**bawang** KATA NAMA

*onion*

♦ **bawang perai** leek

♦ **bawang putih** garlic

**bebawang** KATA NAMA

*spring onion*

**bawasir** KATA NAMA

*piles*

**baya**

**sebaya** KATA ADJEKTIF

*of the same age*

◊ *kawan-kawan yang sebaya* friends of the same age

♦ **Dia sebaya dengan saya.** She's the same age as me.

**bayam** KATA NAMA

*spinach*

**bayang** KATA NAMA

1 *reflection*

◊  Anjing itu ternampak bayangnya pada permukaan sungai. The dog saw its reflection in the river.

[2]  *silhouette*

◊  Jamaliah ternampak satu bayang semasa berjalan di lorong sunyi itu. As Jamaliah walked down the deserted street she noticed a silhouette.

**bayang-bayang**  KATA NAMA
*shadow*

**membayangkan**  KATA KERJA

[1]  *to visualize*

◊  Sandy sudah dapat membayangkan hari pengijazahannya. Sandy could already visualize her graduation day.

[2]  *to imagine*

◊  Bolehkah anda bayangkan reaksinya? Can you imagine her reaction?

**pembayang**  KATA NAMA
*clue*

◊  Murid itu dapat menjawab teka-teki itu kerana pembayang telah diberikan. The pupil was able to guess the puzzle because a clue had been provided.

♦  **pembayang mata**  eye shadow
**terbayang, terbayang-bayang**
KATA KERJA
*to picture*

◊  Peristiwa ngeri itu masih terbayang-bayang di hadapan matanya. She could still picture the terrible incident.

♦  **Wajah ibunya selalu terbayang-bayang di fikirannya.** His mother's face was always in his mind's eye.

♦  **Kegembiraan terbayang pada wajahnya.** Happiness was reflected in her face.

**terbayangkan**  KATA KERJA
*suddenly had a vision of*

◊  Annie terbayangkan kisah silamnya. Annie suddenly had a vision of her past.

**bayangan**  KATA NAMA
*hint*

◊  Pernyataan itu tidak memberikan apa-apa bayangan tentang perkara yang telah berlaku. The statement gave no hint of what had happened.

**bayar**  KATA KERJA
*to pay*

◊  Sila bayar bil anda sebelum... Please pay your bill before...

**berbayar**  KATA KERJA
*settled*

◊  Hutang syarikat itu belum berbayar. The company's debts have not yet been settled.

**membayar**  KATA KERJA
*to pay*

◊  Anda boleh membayar dengan kad kredit. You can pay by credit card.

**pembayaran**  KATA NAMA
*payment*

◊  Pembayaran bil ini hanya boleh dilakukan di kaunter-kaunter tertentu. Payment of this bill may only be effected at certain counters.

♦  **pembayaran balik**  repayment
**bayaran**  KATA NAMA
*payment*

◊  bayaran bulanan  monthly payments

♦  **Anda harus menjelaskan bayaran untuk buku latihan yang dibeli.** You have to pay for the exercise book that you bought.

♦  **mengenakan bayaran**  to charge

◊  Pelawat akan dikenakan bayaran sebanyak RM10. Visitors will be charged RM10.

♦  **bayaran balik**  refund

♦  **bayaran masuk**  entrance fee

**bayi**  KATA NAMA
*baby* (JAMAK **babies**)

**bayu**  KATA NAMA
*breeze*

**bazar**  KATA NAMA
*bazaar*

**bazir**

**membazir**  KATA KERJA
*wasteful*

◊  Saya tidak suka membazir. I hate being wasteful.

♦  **Sungguh membazir!**  It's such a waste!
**membazirkan**  KATA KERJA
*to waste*

◊  Saya tidak akan membazirkan masa pergi membeli-belah. I'm not going to waste time shopping.

**pembaziran**  KATA NAMA
*waste*

◊  pembaziran masa  a waste of time

**bebal**  KATA ADJEKTIF
*stupid*

◊  Dia seorang yang bebal. He's stupid.

**beban**  KATA NAMA
*burden*

◊  Beban yang dipikulnya semakin berat. His burden became heavier. ◊ beban hutang  burden of debt

**membebani**  KATA KERJA
*to be a burden to*

◊  Shima tidak mahu membebani ayahnya lagi. Shima doesn't want to be a burden to her father anymore.

♦  **membebani seseorang dengan sesuatu** to burden somebody with something
**membebankan**  KATA KERJA
*to burden*

◊  Ketuanya membebankan tugas itu

*kepadanya.* His leader burdened him with the task.

♦ **Tanggungjawab itu terlalu membebankan.** That responsibility is too heavy.

**bebanan** KATA NAMA *rujuk* **beban**

**bebas** KATA ADJEKTIF

*free*

◊ *Anda bebas untuk memberikan pandangan anda tentang perkara ini.* Feel free to give your opinion on this matter.

♦ **bebas cukai** duty-free

**kebebasan** KATA NAMA

*freedom*

◊ *kebebasan bersuara* freedom of speech

**membebaskan** KATA KERJA

① *to set ... free*

◊ *Bridget membebaskan burung itu.* Bridget set the birds free.

② *to release*

◊ *Penculik itu telah membebaskan orang tebusannya.* The kidnapper had released the hostages.

**pembebasan** KATA NAMA

*release*

◊ *pembebasan gas karbon dioksida* releases of carbon dioxide gas

**bebel**

**membebel** KATA KERJA

① *to babble*

◊ *Orang gila itu membebel sahaja.* The madman just babbled.

② *to rattle on*

◊ *Nenek saya selalu membebel tentang perangai Amin.* My grandmother is always rattling on about Amin's behaviour.

**bebelan** KATA NAMA

*nagging*

◊ *Steven mendengar bebelan neneknya dengan sabar.* Steven tolerated his grandmother's nagging patiently.

**bebenang** KATA NAMA

*filament*

**beberapa** KATA BILANGAN

① *a few*

◊ *beberapa cadangan untuk dipertimbangkan* a few ideas to consider

② *several*

◊ *beberapa lapisan cat* several coats of paint

③ *some*

◊ *beberapa biji buah rambutan* some rambutans

**bebiri** KATA NAMA *rujuk* **biri-biri**

**bebola** KATA NAMA

*ball*

◊ *bebola ikan* fish ball

**beca** KATA NAMA

*trishaw*

**becak** KATA ADJEKTIF

*muddy*

◊ *Padang itu becak selepas hujan.* The field is muddy after the rain.

**becok** KATA ADJEKTIF

*talkative*

**bedah** KATA KERJA

♦ **bedah siasat** autopsy (JAMAK **autopsies**)

♦ **pakar bedah** surgeon

**membedah** KATA KERJA

*to operate*

◊ *Pakar bedah yang membedah pesakit itu...* The surgeon who operated on the patient...

**pembedahan** KATA NAMA

*operation*

◊ *Pesakit itu telah menjalani pembedahan pada minggu lepas.* That patient had an operation last week.

**bedak** KATA NAMA

*powder*

♦ **bedak talkum** talcum powder

**membedakkan** KATA KERJA

*to powder*

◊ *Dia membedakkan anaknya.* She powdered her child.

**bedal** KATA KERJA

♦ **kena bedal** to get beaten up ◊ *Pencuri itu kena bedal.* The thief was beaten up.

♦ **Anjing itu kena bedal.** The dog was beaten.

**membedal** KATA KERJA

① *to beat up*

◊ *Kami membedal penyamun-penyamun itu.* We beat the thieves up.

♦ **Mereka membedal anjing-anjing liar itu.** They beat the stray dogs.

② *to polish off* (tidak formal)

◊ *Hong membedal semua makanan yang ada.* Hong polished off all his food.

**bedil** KATA NAMA

*firearm*

**membedil** KATA KERJA

*to fire*

◊ *membedil sesuatu tempat semasa peperangan* to fire on a place during a battle

**bedilan** KATA NAMA

*fire*

◊ *bedilan oleh pihak musuh* enemy fire

**bedung** KATA NAMA

*swaddling cloth*

**membedung** KATA KERJA

*to swaddle*

◊ *Jururawat itu membedung bayi itu dengan cermat.* The nurse swaddles the baby carefully.

**beg** KATA NAMA
*bag*
♦ **beg bimbit** briefcase
♦ **beg galas (1)** shoulder-bag
♦ **beg galas (2)** backpack
♦ **beg pakaian** suitcase
♦ **beg pelana** saddlebag
♦ **beg pinggang** bum bag
♦ **beg tangan** handbag
♦ **beg tidur** sleeping bag

**begini** KATA GANTI NAMA
*like this*
◊ *Anda tidak dibenarkan buat begini.* You are not allowed to act like this.
**sebegini** KATA PENGUAT
*such*
◊ *kualiti yang sebegini tinggi standardnya* such a high standard of quality

**begitu** KATA GANTI NAMA
| rujuk juga **begitu** KATA PENGUAT |
*like that*
◊ *Jangan buat begitu!* Don't behave like that!
**sebegitu** KATA PENGUAT
*such*
◊ *tempat yang sebegitu jauh* such a far-away place

**begitu** KATA PENGUAT
| rujuk juga **begitu** KATA GANTI NAMA |
*very*
◊ *Dia tidak begitu cerdik.* He's not very bright.

**begpaip** KATA NAMA
*bagpipe*

**beguk** KATA NAMA
*mumps*

**bekal** KATA NAMA
*food*
◊ *Aini membawa bekal ke sekolah.* Aini takes food to school.
**berbekalkan** KATA KERJA
*to be equipped*
◊ *Berbekalkan ilmu pengetahuannya, Khoon Cheong mendapat satu pekerjaan yang baik.* Being equipped with a good education, Khoon Cheong found a good job.
**membekalkan** KATA KERJA
*to supply*
◊ *Syarikat itu membekalkan buku teks kepada sekolah-sekolah di kawasan itu.* The company supplies textbooks to the schools in that area.
**pembekal** KATA NAMA
1 *supplier*
◊ *Pembekal itu menawarkan harga yang munasabah kepada pelanggannya.* The supplier offered his customer a reasonable

price.
2 *provider* (*komputer*)
**bekalan** KATA NAMA
*supply* (JAMAK **supplies**)
◊ *bekalan kelapa yang mencukupi* an adequate supply of coconuts
♦ **putus bekalan elektrik** blackout

**bekas** KATA ADJEKTIF
| rujuk juga **bekas** KATA NAMA |
1 *ex-*
◊ *bekas suami* ex-husband
2 *former*
◊ *bekas guru besar* former headmaster
♦ **bekas pelajar lelaki sekolah tertentu** old boys of a particular school

**bekas** KATA NAMA
| rujuk juga **bekas** KATA ADJEKTIF |
*container*
◊ *bekas plastik untuk menyimpan sayur-sayuran* a plastic container for storing vegetables
♦ **bekas abu rokok** ashtray

**beku** KATA ADJEKTIF
*frozen*
◊ *makanan beku* frozen food
♦ **takat beku** freezing point
**membeku** KATA KERJA
*to freeze*
◊ *Air membeku pada suhu 0°C.* Water freezes at 0°C.
**membekukan** KATA KERJA
*to freeze*
◊ *Lynda membekukan ikan itu.* Lynda froze the fish. ◊ *membekukan aliran wang keluar* to freeze the outflow of money
**pembekuan** KATA NAMA
*freeze*
◊ *pembekuan bilangan pekerja* a freeze on the number of workers

**bela**
**membela** KATA KERJA
*to keep*
◊ *Rajoo membela beberapa ekor arnab di dalam biliknya.* Rajoo keeps a few rabbits in his room.
**pembela** KATA NAMA
*breeder*
◊ *Ayahnya seorang pembela kuda lumba.* His father is a racehorse breeder.
**belaan** KATA NAMA
*pet*
◊ *Arnab itu belaan saya.* That rabbit is my pet.

**béla** KATA KERJA
*to defend*
◊ *Jangan bela penjenayah itu.* Don't defend that criminal.

**membela**   KATA KERJA
*to defend*
◊ *Peguam itu cuba membela tertuduh...*
The lawyer tried to defend the accused...
♦ **membela nasib orang miskin**   to fight for the poor
**pembela**   KATA NAMA
*defender*
◊ *pembela hak kemanusiaan*   a defender of human rights
**pembelaan**   KATA NAMA
*defence*
◊ *Pembelaan terhadap tertuduh itu akan disambung esok.*   The defence of the accused will be continued tomorrow.
**belacan**   KATA NAMA
*shrimp paste*
**belah**   KATA NAMA
1 *slit*
◊ *skirt yang mempunyai belah yang panjang*   a skirt with a long slit
2 *side*
◊ *kedua-dua belah jalan*   both sides of the road
♦ **Kedua-dua belah kakinya tercedera.**
Both his legs were injured.
**berbelah**   KATA KERJA
♦ **berbelah hati**   to be in two minds
◊ *Dia berbelah hati hendak membuat keputusan itu.*   He's in two minds about the decision.
**membelah**   KATA KERJA
*to split*
◊ *Pak Mahat membelah dua kayu itu.*
Pak Mahat split the wood in two.
**sebelah**   KATA ARAH
*side*
◊ *sebelah kiri jalan itu*   the left side of the road
**sebelah-menyebelah**   KATA ADJEKTIF
*side by side*
◊ *Ben dan Jim duduk sebelah-menyebelah.*   Ben and Jim sat side by side.
**bersebelahan**   KATA KERJA
*next*
◊ *Rumahnya bersebelahan dengan rumah saya.*   Her house is next to mine.
**menyebelah, menyebelahi**
KATA KERJA
*to take ... side*
◊ *Henry sentiasa menyebelahi kawannya.*   Henry always takes his friend's side.
♦ **Saya menyebelahi anda.**   I'm on your side.
**terbelah**   KATA KERJA
1 *to be split*
◊ *Kayu itu terbelah dua.*   The wood

was split in two.
2 *to slit*
◊ *Dia memakai baju putih yang terbelah hingga ke paha.*   She was wearing a white dress slit to the thigh.
**belahak**
**terbelahak**   KATA KERJA
*to burp*
◊ *Sani terbelahak selepas makan.*   Sani burped after his meal.
**belah bagi**
**berbelah bagi**   KATA KERJA
1 *to split*
◊ *Ahli-ahli persatuan itu dinasihatkan supaya jangan berbelah bagi.*   The society's members were advised not to split.
2 *to be in two minds*
◊ *Dia berbelah bagi hendak membuat keputusan itu.*   He's in two minds about the decision.
♦ **Sokongan mereka tidak berbelah bagi.**
Their support was undivided.
**belah bahagi**   *rujuk* **belah bagi**
**belai**
**membelai, membelai-belai**   KATA KERJA
*to caress*
◊ *Anne membelai rambut anaknya.*
Anne caressed her child's hair.
**belaian**   KATA NAMA
*caress* (JAMAK **caresses**)
◊ *di bawah belaian ibu*   under a mother's caresses
**belaka**   KATA PENEGAS
*without exception*
◊ *Pelajar sekolah itu pandai-pandai belaka.*   The students in that school are without exception very clever.
**belakang**   KATA ADJEKTIF

> *rujuk juga* **belakang**   KATA ARAH,
> KATA NAMA

*back*
◊ *pintu belakang*   the back door
♦ **bahagian belakang poskad**   the back of a postcard
♦ **bahagian belakang bangunan itu**   the rear of the building
**kebelakangan**   KATA ADJEKTIF
♦ **kebelakangan ini**   recently ◊ *Dia begitu sibuk kebelakangan ini.*   She has been so busy recently.
**membelakang**   KATA KERJA
*to back*
◊ *bangunan yang membelakang ke jalan raya yang sibuk*   a building which backs onto a busy street
**membelakangi**   KATA KERJA
*to disregard*
◊ *Gary membelakangi nasihat kawan-*

**B**

*kawannya.* Gary disregarded the advice of his friends.

♦ **Azlin duduk membelakangi saya.** Azlin sat with his back to me.

**membelakangkan** KATA KERJA

*to ignore*

◊ *Jangan membelakangkan nasihat ibu bapa.* Don't ignore the advice of your parents.

**belakang** KATA ARAH

> rujuk juga **belakang** KATA ADJEKTIF, KATA NAMA

1 *back*

◊ *sebuah bilik di belakang kedai* a room at the back of the shop

2 *behind*

◊ *Tammy berdiri di belakang kawan saya.* Tammy is standing behind my friend.

♦ **Lina berundur ke belakang.** Lina stepped back.

♦ **Anda dikehendaki mengambil tiga langkah ke belakang.** You are required to take three steps backward.

**belakang** KATA NAMA

> rujuk juga **belakang** KATA ADJEKTIF, KATA ARAH

*back*

◊ *Mangsa itu kena tembak di belakangnya.* The victim was shot in the back.

♦ **sakit belakang** backache

**belalai** KATA NAMA

*trunk*

**belalang** KATA NAMA

*grasshopper*

**Belanda** KATA NAMA

*Holland*

♦ **bahasa Belanda** Dutch

♦ **orang Belanda (1)** Dutchman (JAMAK **Dutchmen** ) (*lelaki*)

♦ **orang Belanda (2)** Dutchwoman (JAMAK **Dutchwomen**) (*perempuan*)

**belang** KATA NAMA

*stripes*

◊ *Skirt itu mempunyai belang berwarna merah dan putih.* The skirt has red and white stripes.

**berbelang-belang** KATA KERJA

*stripy*

◊ *kain yang berbelang-belang* stripy cloth

**belanga** KATA NAMA

*earthenware pot*

**belangkas** KATA NAMA

*king-crab*

**belanja** KATA KERJA

> rujuk juga **belanja** KATA NAMA

*to treat*

♦ **belanja makan** to treat

**berbelanja** KATA KERJA

*to spend*

◊ *Tan banyak berbelanja untuk membeli pakaian.* Tan spent a lot on clothes.

**membelanjai** KATA KERJA

*to treat*

◊ *Dia membelanjai saya makan malam.* She treated me to dinner.

**membelanjakan** KATA KERJA

*to spend*

◊ *Syarikat itu membelanjakan wang yang banyak untuk membina kompleks tersebut.* The company spent a lot of money on building that complex.

**perbelanjaan** KATA NAMA

1 *expenses*

◊ *perbelanjaan rumah tangga* household expenses

2 *expenditure* (formal)

◊ *penyata pendapatan dan perbelanjaan* statement of income and expenditure

◊ *mengurangkan perbelanjaan awam* to reduce public expenditure

**belanja** KATA NAMA

> rujuk juga **belanja** KATA KERJA

*expenses*

◊ *projek raksasa yang akan memakan belanja yang sangat tinggi* a huge project that will incur very high expenses

♦ **duit belanja** pocket money

**belanjawan** KATA NAMA

*budget*

**belantan** KATA NAMA

*truncheon*

**belantara** KATA NAMA

*jungle*

♦ **hutan belantara** forest

**belas** KATA BILANGAN

♦ **sebelas** eleven

♦ **kesebelas** eleventh

♦ **dua belas** twelve

♦ **tiga belas** thirteen

♦ **empat belas** fourteen

♦ **lima belas** fifteen

**belasan** KATA ADJEKTIF

♦ **belasan tahun** teens ◊ *Kebanyakan orang yang merokok mula merokok sewaktu belasan tahun.* Most people who smoke began smoking in their teens.

♦ **Julia seorang gadis belasan tahun.** Julia is a teenager.

**belasah**

**membelasah** KATA KERJA

*to beat up*

◊ *Mereka membelasah pencuri itu.* They beat the thief up.

**belas kasihan** KATA NAMA

*sympathy*

◊ *Wanita tua itu tidak mendapat belas kasihan daripada orang ramai.* The old lady didn't receive any sympathy from the public.

**belatuk** KATA NAMA
♦ **burung belatuk** woodpecker

**belebas** KATA NAMA
*ledge*

**belenggu** KATA NAMA
*shackles* (*formal*)
◊ *Dia masih tidak dapat keluar dari belenggu dunia pekerjaannya.* She still hadn't escaped from the shackles of her working life.
**membelenggu** KATA KERJA
*to shackle* (*formal*)
◊ *Pekerja-pekerja itu dibelenggu oleh pekerjaan yang mempunyai banyak tekanan.* The workers were shackled to high-stress jobs.

**belerang** KATA NAMA
*sulphur*

**beli** KATA KERJA
*to buy*
◊ *Jangan beli minuman keras untuk saya.* Don't buy alcoholic drinks for me.
♦ **sewa beli** hire purchase
**membeli** KATA KERJA
*to buy*
◊ *Kumar suka membeli dan mengumpul buku.* Kumar likes to buy and collect books.
♦ **membeli-belah** to go shopping
**membelikan** KATA KERJA
*to buy*
◊ *Wendy membelikan ibunya sehelai baju.* Wendy bought her mother a dress.
**pembeli** KATA NAMA
*buyer*
◊ *Pembeli meletakkan kualiti sebagai keutamaan mereka.* Buyers put quality as their first priority.
**pembelian** KATA NAMA
*purchase*
◊ *pembelian alat-alat tulis* the purchase of stationery
**belian** KATA NAMA
*purchase*
◊ *harga belian* purchase price

**belia** KATA NAMA
*youth*

**beliak**
**membeliakkan** KATA KERJA
♦ **membeliakkan mata** to glare wide-eyed
◊ *Farah menakutkan anaknya dengan membeliakkan matanya.* Farah frightened her child by glaring at it wide-eyed.
**terbeliak** KATA KERJA
*wild*

◊ *Matanya terbeliak.* His eyes were wild.

**beliau** KATA GANTI NAMA
(*untuk orang yang dihormati*)
  [1] *he* (*lelaki*)
◊ *Beliau seorang guru yang dihormati.* He is a respected teacher.
  [2] *him* (*lelaki*)
◊ *Kami menghormati beliau.* We respect him.
  [3] *his* (*lelaki*)
◊ *Cadangan beliau untuk membina sebuah sekolah...* His suggestion of building a school...
  [4] *she* (*perempuan*)
◊ *Beliau bukan sahaja seorang menteri tetapi juga seorang ibu yang baik.* She is not only a minister but also a good mother.
  [5] *her* (*perempuan*)
◊ *Anda harus mencontohi beliau.* You should follow her example. ◊ *Hasil karya beliau disanjung tinggi.* Her work is highly acclaimed.

**belikat** KATA NAMA
♦ **tulang belikat** shoulder blade

**belimbing** KATA NAMA
*starfruit*

**belit**
**berbelit** KATA KERJA
*to lay coiled*
◊ *Ular itu berbelit di bawah meja.* The snake lay coiled under the table.
**berbelit-belit** KATA KERJA
*meandering*
◊ *ucapan yang berbelit-belit* a meandering speech
♦ **jalan yang berbelit-belit** twisty road
**membelit** KATA KERJA
*to twine around*
◊ *Tumbuhan itu membelit pada pagar.* The plant twines around the fence.
♦ **Ular sawa itu membelit mangsanya sehingga mati.** The python crushed the victim to death in its coils.
**membelitkan** KATA KERJA
*to wind*
◊ *Sarimah membelitkan tali pada pinggang kawannya.* Sarimah wound a rope round her friend's waist.
**belitan** KATA NAMA
*coil*
◊ *Lim mengetatkan belitan wayar itu.* Lim tightened the wire coil.

**belok** KATA KERJA
*to turn*
◊ *Belok ke kanan selepas simpang ini.* Turn right after this junction.
♦ **Belok ke simpang itu.** Take that turning.
**membelok** KATA KERJA

1 _to turn_
◊ _membelok ke kiri_ to turn left
2 _to turn off_
◊ _Kereta itu membelok dengan tiba-tiba._
The car turned off suddenly.
**membelokkan** KATA KERJA
_to turn_
◊ _Halim membelokkan keretanya ke lebuh raya._ Halim turned his car onto the highway.

**belon** KATA NAMA
_balloon_

**belot** KATA KERJA
_to betray_
◊ _Dia telah belot terhadap ketuanya._ He has betrayed his leader.
♦ **Mereka akan menghukum ahli-ahli yang didapati belot.** They will punish members who are found to have been disloyal.
**membelot** KATA KERJA
_to betray_
◊ _Dia telah membelot kawannya._ He betrayed his friend.
**pembelot** KATA NAMA
_traitor_
◊ _Danny menganggap kawannya sebagai pembelot._ Danny regarded his friend as a traitor. ◊ _Dia pembelot negara._ He is a traitor to his country.
**pembelotan** KATA NAMA
1 _betrayal_
◊ _Kim menganggap perkara yang dilakukannya itu sebagai satu pembelotan terhadap kawan-kawannya._ Kim felt that what she had done was a betrayal of her friends.
2 _treason_ (terhadap negara)

**belukar** KATA NAMA
_secondary forest_

**belulang** KATA NAMA
1 _hide_
◊ _proses menyamak belulang haiwan_ the process of tanning animal hides
2 _callus_ (JAMAK _calluses_)
(_kulit keras pada tapak tangan, kaki_)

**belum** KATA BANTU
_not yet_
◊ _Sudahkah anda siapkan kerja anda?_ - _Belum._ Have you finished your work? - Not yet.
♦ **Dia belum menghabiskan kerja rumahnya.** He hasn't finished his homework.
**sebelum** KATA HUBUNG
_before_
◊ _Anda sepatutnya menggosok gigi sebelum tidur._ You should brush your teeth before going to bed.

♦ **Sebelum ini Farah sangat sibuk dengan kerjanya.** Previously Farah had been very busy with her work.
**sebelumnya** KATA ADJEKTIF
_previous_
◊ _edisi sebelumnya_ the previous edition

**beluncas** KATA NAMA
_caterpillar_

**belut** KATA NAMA
_eel_

**benak** KATA ADJEKTIF
| _rujuk juga_ **benak** KATA NAMA |
_stupid_
♦ **benak hati** stupid

**benak** KATA NAMA
| _rujuk juga_ **benak** KATA ADJEKTIF |
_brain_
♦ **Kata-katanya masih terngiang-ngiang di benakku.** I can still hear his voice inside my head.

**benam**
**membenamkan** KATA KERJA
_to submerge_
◊ _Air sungai itu melimpah dan memecahkan tebingnya, lalu membenamkan seluruh kampung._ The river burst its banks, submerging the entire village.
**terbenam** KATA KERJA
_to sink_
◊ _Gadis itu terbenam di dalam pasir jerlus._ The girl sank into the quicksand.
♦ **terbenamnya kapal Titanic** the sinking of the Titanic
♦ **Matahari terbit di sebelah timur dan terbenam di sebelah barat.** The sun rises in the east and sets in the west.

**benang** KATA NAMA
_thread_
♦ **benang sayat** wool

**benar** KATA PEMBENAR
| _rujuk juga_ **benar** KATA PENGUAT |
_true_
◊ _Memang benar bahawa..._ It's true that...
♦ **tidak benar** untrue
♦ **Yang benar,...** Yours sincerely,...
**benar-benar** KATA PENEGAS
1 _really_
◊ _Apakah Ernest benar-benar mencintainya?_ Does Ernest really love her?
2 _truly_
◊ _Saya benar-benar minta maaf._ I am truly sorry.
**kebenaran** KATA NAMA
1 _truth_
◊ _kebenaran kisah itu_ the truth of the

story

2 *permission*

◊ *Anda tidak boleh meninggalkan dewan peperiksaan tanpa kebenaran.* You may not leave the examination hall without permission.

**membenarkan** KATA KERJA

*to allow*

◊ *Pengunjung tidak dibenarkan membawa masuk kamera.* Visitors are not allowed to bring in cameras.

**sebenar** KATA ADJEKTIF

*real*

◊ *alasan yang sebenar* the real reason

♦ **dalam erti kata yang sebenar** as such

◊ *Dia bukanlah seorang pakar dalam erti kata yang sebenar, tetapi...* She's not an expert as such, but...

**sebenarnya** KATA PENEGAS

*actually*

◊ *Sebenarnya, Fairuz sayang akan anaknya.* Actually, Fairuz loves her child.

**benar** KATA PENGUAT

| rujuk juga **benar** KATA PEMBENAR |

*extremely*

◊ *Mahal benar rumah di Pulau Pinang.* Houses in Penang are extremely expensive.

**bencana** KATA NAMA

*disaster*

◊ *bencana alam* natural disaster

◊ *Gempa bumi yang membawa bencana kepada penduduk kampung...* An earthquake that brought disaster to the villagers...

**benci** KATA ADJEKTIF

*to hate*

◊ *Saya benci akan dia.* I hate him.

♦ **perasaan benci** hatred

♦ **benci-membenci** to hate each other

**kebencian** KATA NAMA

*loathing*

◊ *Danny memandangnya dengan penuh kebencian.* Danny looked at him with loathing.

**membenci** KATA KERJA

*to hate*

◊ *Saya membenci Rachel kerana dia tidak jujur.* I hate Rachel because she is dishonest.

**benda** KATA NAMA

*thing*

◊ *Apakah benda yang berada di tengah-tengah jalan itu?* What's that thing in the middle of the road?

♦ **benda hidup** living things

**kebendaan** KATA ADJEKTIF, KATA NAMA

*materialistic*

◊ *Masyarakat sekarang terlalu kebendaan.* Society today is very materialistic.

♦ **mementingkan kebendaan** materialistic

**bendahara** KATA NAMA

(*pada zaman dahulu*)

*prime minister*

**perbendaharaan** KATA NAMA

*treasury* (JAMAK **treasuries**)

♦ **perbendaharaan kata** vocabulary (JAMAK **vocabularies**)

**bendahari** KATA NAMA

*treasurer*

**bendalir** KATA NAMA

*fluid*

**bendang** KATA NAMA

*paddy field*

**bendera** KATA NAMA

*flag*

**bendi** KATA NAMA

♦ **kacang bendi** lady's finger

**bendul** KATA NAMA

*doorsill*

**bendung** KATA NAMA

*dyke* (*empangan*)

**membendung** KATA KERJA

*to stop*

◊ *membendung kegiatan cetak rompak* to stop piracy

**bengang** KATA ADJEKTIF

1 *ringing in the ears*

2 (*tidak formal*) *furious*

◊ *Saya bengang betul dengan budak itu.* I was really furious with that kid.

**bengis** KATA ADJEKTIF

1 *furious*

◊ *Pengawal itu nampak bengis.* The guard looks furious.

2 *cruel*

◊ *tindakan yang bengis* a cruel action

**pembengis** KATA ADJEKTIF

*bad-tempered*

**bengkak** KATA ADJEKTIF

*swollen*

**membengkak** KATA KERJA

*to swell up*

◊ *Kakinya mula membengkak.* His leg started to swell up.

**bengkalai**

**terbengkalai** KATA KERJA

*to be abandoned*

◊ *Projek perumahan itu sudah lama terbengkalai.* The housing project has been abandoned for a long time.

**bengkang-bengkok** KATA ADJEKTIF

1 *winding*

◊ *jalan yang bengkang-bengkok* a winding road

B

② *zigzag*
◊ *garisan yang bengkang-bengkok*
a zigzag line
**bengkel**   KATA NAMA
*workshop*
**bengkeng**   KATA ADJEKTIF
*fierce*
◊ *Zainal seorang yang bengkeng.*
Zainal is a fierce person.
**membengkengi**   KATA KERJA
*to snarl at*
◊ *"Lepaskan aku," Cindy
membengkenginya.* "Let go of me," Cindy
snarled at him.
**bengkok**   KATA ADJEKTIF
① *crooked*
◊ *Garisan jidar pada muka surat itu
sudah bengkok.* The margin of that page
is crooked.
② *bent*
◊ *Besi itu sudah bengkok.* The metal
was bent.
**membengkokkan**   KATA KERJA
*to bend*
◊ *Saya dan Harun cuba
membengkokkan batang besi itu.* Harun
and I tried to bend the iron rod.
**pembengkokan**   KATA NAMA
*bending*
**benih**   KATA NAMA
*seed*
**membenih**   KATA KERJA
*to form*
◊ *Perasaan sayang terhadap anak yatim
itu mula membenih dalam hati saya.* Love
for the orphan began to form in my heart.
**benjol**   KATA NAMA
*bump*
◊ *benjol pada dahi* a bump on the
forehead
**bentak**   KATA KERJA
*to bark*
◊ *"Jangan buat begitu lagi," bentak
Zamri.* "Don't do that again," Zamri
barked.
**membentak**   KATA KERJA
*to bark at*
◊ *membentak seseorang* to bark at
somebody
**bentan**   KATA ADJEKTIF
*to relapse*
◊ *Pesakit itu bentan kerana tersilap
makan ubat.* The patient relapsed
because he took the wrong medicine.
**bentang**
**membentangkan**   KATA KERJA
① *to spread*
◊ *Alicia membentangkan lukisan-lukisan
itu di atas lantai.* Alicia spread the

drawings on the floor.
② *to present*
◊ *Pengurus itu sedang membentangkan
kertas cadangannya.* The manager is
presenting his proposal.
**pembentang**   KATA NAMA
*presenter*
◊ *Pembentang kertas cadangan itu
sungguh meyakinkan.* The presenter of
the proposal was very convincing.
**pembentangan**   KATA NAMA
*presentation*
◊ *Pembentangan kertas cadangan itu
dilakukan oleh Michelle.* The presentation
of the proposal was done by Michelle.
**terbentang**   KATA KERJA
*to stretch*
◊ *Sawah-sawah padi itu terbentang
beberapa batu luasnya.* The paddy fields
stretched for several miles.
**bentar**
**sebentar**   KATA ADJEKTIF
*a moment*
◊ *Sila tunggu sebentar.* Wait a moment
please.
♦ **Tetamu kehormat kita akan tiba
sebentar lagi.**  Our honoured guest will
arrive in a short while.
**benteng**   KATA NAMA
① *embankment*
◊ *benteng untuk menahan air sungai
daripada membanjiri sesuatu kawasan*
an embankment to prevent a river from
flooding an area
② *fortification*
◊ *Mereka membina benteng untuk
mempertahankan diri mereka daripada
serangan musuh.* They built fortifications
to defend themselves from the attacks of
their enemies.
♦ **benteng pertahanan** fortress
(JAMAK **fortresses**)
**bentuk**   KATA NAMA

> rujuk juga **bentuk** PENJODOH
> BILANGAN

① *shape*
◊ *bentuk hati* heart shape
② *form*
◊ *novel yang ditulis dalam bentuk surat*
a novel in the form of letters
**berbentuk**   KATA KERJA
*-shaped*
◊ *topi berbentuk kon* a cone-shaped
hat  ◊ *dedaun yang besar dan berbentuk
hati* large, heart-shaped leaves  ◊ *sofa
berbentuk L* an L-shaped settee
♦ **berbentuk bujur** oval
♦ **berbentuk segi empat** square

**membentuk** KATA KERJA

[1] *to form*

◊ *membentuk satu ayat baru* to form a new sentence

[2] *to shape*

◊ *membentuk cara hidup seseorang* to shape one's lifestyle

**pembentukan** KATA NAMA

*formation*

◊ *pembentukan kerajaan baru* the formation of a new government

**terbentuk** KATA KERJA

*to be formed*

◊ *Idea itu sudah terbentuk dalam fikirannya.* The idea had formed in his mind.

**bentuk** PENJODOH BILANGAN

> rujuk juga **bentuk** KATA NAMA
> **bentuk** *tidak diterjemahkan dalam bahasa Inggeris.*

◊ *sebentuk cincin* a ring

◊ *sebentuk mata kail* a fish hook

**benua** KATA NAMA

*continent*

♦ **benua Asia** Asia

**benyek** KATA ADJEKTIF

*soggy*

◊ *nasi yang benyek* soggy rice

**berahi** KATA NAMA

*desire*

◊ *cinta berahi* sexual desire

**memberahikan** KATA KERJA

*alluring*

◊ *Cara gadis itu berpakaian sungguh memberahikan.* The way the girl dressed was very alluring.

**berak** KATA NAMA

*stool*

**terberak** KATA KERJA

*to mess*

◊ *Bayi itu terberak di atas katil.* The baby messed the bed.

**beranda** KATA NAMA

*veranda*

**berang** KATA ADJEKTIF

*furious*

◊ *Badrul berang apabila melihat emaknya dibuli oleh penjahat.* Badrul was furious when he saw his mother being bullied by the gangster.

**memberangi** KATA KERJA

*to scold*

◊ *Guru itu memberangi Chan kerana dia tidak membuat kerja rumah.* The teacher scolded Chan because he didn't do his homework.

**pemberang** KATA ADJEKTIF

*hot-tempered*

**berangan** KATA NAMA

*chestnut* atau *chestnut tree*

♦ **buah berangan** chestnut

**berangsang**

**memberangsangkan** KATA KERJA

*to inspire*

◊ *Nasihatnya memberangsangkan saya untuk berjaya.* His advice inspired me to succeed.

♦ **Kata-katanya sungguh memberangsangkan.** His words were so encouraging.

**berangus** KATA NAMA

*muzzle*

**berani** KATA ADJEKTIF

*brave*

◊ *seorang yang berani* a brave person

♦ **Lelaki yang berani melawan balik...** The man who dared to fight back...

**keberanian** KATA NAMA

*bravery*

**memberanikan** KATA KERJA

♦ **memberanikan diri** to pluck up the courage ◊ *Hashim memberanikan diri untuk berdepan dengan musuhnya.* Hashim plucked up the courage to face his enemy.

**berapa** KATA TANYA

[1] *how many* (*benda yang boleh dikira*)

◊ *Berapa buah bukukah yang ada di atas meja?* How many books are there on the table?

[2] *how much*

◊ *Berapakah gaji anda?* How much do you earn? ◊ *Berapakah harganya?* How much is it?

♦ **Berapa banyak gula yang anda mahu dalam kopi anda?** How much sugar do you want in your coffee?

**seberapa** KATA ADJEKTIF

♦ **seberapa banyak yang mungkin (1)** as many as possible (*benda yang boleh dikira*)

♦ **seberapa banyak yang mungkin (2)** as much as possible (*untuk wang dan benda yang tidak boleh dikira*)

♦ **hadiah yang tidak seberapa** a small token ◊ *Terimalah hadiah yang tidak seberapa ini sebagai tanda penghargaan saya.* Please accept this small token of my appreciation.

♦ **Bantuan yang saya berikan itu tidak seberapa.** It was the least I could do to help.

**beras** KATA NAMA

*rice*

**berat** KATA ADJEKTIF

> rujuk juga **berat** KATA NAMA

*heavy*

♦ **berat hati** reluctant

- **dengan berat hati**  reluctantly
- **berat sebelah**  biased
- **tidak berat sebelah**  impartial
  **keberatan**  KATA ADJEKTIF
  _reluctant_
  ◊  *Carmen rasa keberatan untuk meninggalkan tempat ini.*  Carmen felt reluctant to leave this place.

**berat**  KATA NAMA
  rujuk juga **berat** KATA ADJEKTIF
  _weight_
- **berat badan**  weight  ◊ *Berat badan anda semakin bertambah.*  You have put on weight.
- **berat badan berlebihan**  overweight

**berdikari**  KATA ADJEKTIF
  _independent_

**berek**  KATA NAMA
  _barracks_
  ◊  *sebuah berek anggota tentera*  an army barracks

**berenga**  KATA NAMA
  _maggots_

**beres**  KATA ADJEKTIF
  _settled_
  ◊  *Hal itu belum beres lagi.*  That matter has not been settled yet.
  **membereskan**  KATA KERJA
  _to settle_
  ◊  *Farid cuba membereskan semua hal sebelum pergi ke London.*  Farid tried to settle everything before going to London.

**beret**  KATA NAMA
- **topi beret**  beret

**berhala**  KATA NAMA
  _idol_
- **rumah berhala**  temple

**beri**
  **memberi**  KATA KERJA
  _to give_
  ◊  *Virginia memberi pelajar itu dua buah buku.*  Virginia gave the student two books.
- **memberi malu**  to bring disgrace
- **memberi makan**  to feed
  **memberikan**  KATA KERJA
  _to give_
  ◊  *Brenda memberikan buku itu kepada saya.*  Brenda gave the book to me.
- **memberikan tepukan**  to applaud
  **pemberi**  KATA NAMA
  _giver_
  **pemberian**  KATA NAMA
  _present_
  ◊  *pemberian hari jadi*  a birthday present

**béri**  KATA NAMA
  _berry_  (JAMAK  **berries**)
- **beri hitam**  blackberry

**berita**  KATA NAMA

_news_
- **tajuk berita**  headline
  **pemberita**  KATA NAMA
  _reporter_

**beritahu**  KATA KERJA
  _to tell_
  ◊  *Jangan beritahu dia.*  Don't tell him.
  **memberitahu**  KATA KERJA
  _to tell_
  ◊  *Dia memberitahu kami berita itu.*  He told us the news.  ◊ *Dia memberitahu saya bahawa dia sudah mengandung.*  She told me that she was pregnant.
  **memberitahukan**  KATA KERJA
  _to relate_
  ◊  *Dia memberitahukan kejadian itu kepada saya.*  He related the incident to me.
  **pemberitahuan**  KATA NAMA
  _notice_
  ◊  *pemberitahuan tentang penukaran alamat Kumpulan Wang Simpanan Pekerja*  a notice about the change of address of the Employees' Provident Fund

**berkas**  PENJODOH BILANGAN
  _bundle_
  ◊  *seberkas rotan*  a bundle of rattan
  **memberkas**  KATA KERJA
  _to arrest_
  ◊  *Pihak polis telah memberkas lima orang penyeludup dadah.*  The police arrested five drug smugglers.

**berkat**  KATA ADJEKTIF, KATA NAMA
  _thanks to_
  ◊  *Saya mencapai kejayaan ini berkat doa ibu saya.*  I achieved this success thanks to my mother's prayers.
- **berkat kemakmuran**  the blessing of prosperity
  **memberkati**  KATA KERJA
  _to bless_
  ◊  *Semoga Tuhan memberkati anda.*  May God bless you.

**berlian**  KATA NAMA
  _diamond_

**bernas**  KATA ADJEKTIF
  _pithy_
  ◊  *Dia memberikan ucapan yang bernas.*  He gave a pithy speech.  ◊ *Kata-katanya sungguh bernas.*  He made some very pithy remarks.

**berontak**
  **memberontak**  KATA KERJA
  _to rebel_
  ◊  *memberontak melawan kerajaan*  to rebel against the government
  **pemberontak**  KATA NAMA
  _rebels_
  **pemberontakan**  KATA NAMA

_rebellion_

**bersih**  KATA ADJEKTIF
_clean_
◊  _persekitaran yang bersih_  a clean environment
- **sangat bersih**  spotless
**kebersihan**  KATA NAMA
_cleanliness_
◊  _tahap kebersihan_  standards of cleanliness
- **kebersihan mulut**  oral hygiene
**membersihkan**  KATA KERJA
_to clean_
◊  _membersihkan bilik_  to clean a room
- **Dia pergi ke bilik air untuk membersihkan diri.**  He went to the bathroom to have a wash.
**pembersih**  KATA ADJEKTIF, KATA NAMA
[1]  _fastidious_
◊  _seorang yang pembersih_  a fastidious person
[2]  _cleanser_
◊  _pembersih muka_  facial cleanser
- **pembersih hampa gas**  vacuum cleaner
**pembersihan**  KATA NAMA
_clean-up_
◊  _Kerja pembersihan kawasan ini akan dilakukan esok._  A clean-up of this area will be carried out tomorrow.

**bersin**  KATA KERJA
_to sneeze_
**terbersin**  KATA KERJA
_to sneeze_

**bertas**  KATA KERJA  _rujuk_ **terbertas**
**membertaskan**  KATA KERJA
_to unpick_
◊  _membertaskan jahitan_  to unpick stitches
**terbertas**  KATA KERJA
_to come undone_
◊  _Jahitan pada kelepet kain itu sudah terbertas._  The stitches on the hem have come undone.

**bertih**  KATA NAMA
- **bertih jagung**  popcorn

**beruang**  KATA NAMA
_bear_
- **beruang kutub**  polar bear

**berudu**  KATA NAMA
_tadpole_

**beruk**  KATA NAMA
_ape_

**berus**  KATA NAMA
_brush_ (JAMAK **brushes**)
- **berus gigi**  toothbrush
- **berus cat**  paintbrush
- **berus lukisan**  paintbrush
**memberus**  KATA KERJA
_to brush_

◊  _memberus rambut_  to brush one's hair

**bes**  KATA NAMA
_bass_ (JAMAK **basses**)
- **gitar bes**  a bass guitar

**besar**  KATA ADJEKTIF
_big_
◊  _rumah yang besar_  a big house
- **kentang goreng besar**  a large French fries
- **besar akal**  intelligent
- **besar hati**  proud
- **besar kepala**  stubborn
- **besar panjang**  adult
**besar-besaran**  KATA ADJEKTIF
_large-scale_
◊  _perayaan secara besar-besaran_  celebration on a large-scale
**berbesar**  KATA KERJA
- **berbesar hati**  pleased
**kebesaran**  KATA NAMA
_honour_
◊  _pingat kebesaran_  medal of honour
- **hari kebesaran**  festival
**membesar**  KATA KERJA
_to grow_
◊  _tumbuhan yang sedang membesar_  a plant that is growing
**membesar-besarkan**  KATA KERJA
_to exaggerate_
◊  _Jangan membesar-besarkan hal itu._  Don't exaggerate the matter.
**membesarkan**  KATA KERJA
_to bring up_
◊  _Dia membesarkan empat orang anak._  She brought up four children.
- **membesarkan foto**  to enlarge a photo
- **membesarkan jalan**  to widen a road
**memperbesar**  KATA KERJA
_to widen_
◊  _memperbesar jalan_  to widen a road
- **Mereka akan memperbesar bangunan ini menjadi sebuah kompleks membeli-belah.**  They're going to extend this building to make it into a shopping complex.
**pembesar**  KATA NAMA
_dignitary_ (JAMAK **dignitaries**)
- **pembesar suara**  loudspeaker
**pembesaran**  KATA NAMA
_enlargement_

**besbol**  KATA NAMA
_baseball_

**besen**  KATA NAMA
_basin_

**besi**  KATA NAMA
_iron_
- **tukang besi**  blacksmith

**besok**  KATA ADJEKTIF
(_bahasa percakapan_)

*tomorrow*

**bestari** KATA ADJEKTIF
*clever*
◊ *pelajar bestari* a clever student
♦ **"sekolah bestari"** (*khusus di Malaysia*)
"smart school"

**betapa** KATA PENGUAT
*how*
◊ *Betapa gembiranya saya kerana dapat memasuki universiti.* How happy I am to be able to enter university.

**betik** KATA NAMA
*papaya*

**betina** KATA ADJEKTIF
*female*
◊ *Bunga betina pokok betik itu akan menjadi buah.* The female flowers of the papaya tree will become fruit. ◊ *kucing betina* a female cat
♦ **ayam betina** hen
♦ **itik betina** duck
♦ **harimau betina** tigress
(JAMAK **tigresses**)
♦ **singa betina** lioness
(JAMAK **lionesses**)

**beting** KATA NAMA
♦ **beting pasir** sandbar

**betis** KATA NAMA
*calf* (JAMAK **calves**)

**betul** KATA ADJEKTIF

> *rujuk juga* **betul** KATA PEMBENAR,
> KATA PENGUAT

*correct*
◊ *jawapan yang betul* a correct answer
♦ **dengan betul (1)** correctly
♦ **dengan betul (2)** properly
**betul-betul** KATA PENEGAS
[1] *properly*
◊ *Buat betul-betul.* Do it properly.
[2] *really*
◊ *Saya betul-betul pasti tentang hal itu.* I'm really sure about it.
**kebetulan** KATA NAMA
*coincidence*
◊ *Ini hanya satu kebetulan.* This is only a coincidence.
♦ **secara kebetulan** coincidentally
**membetulkan** KATA KERJA
[1] *to correct*
◊ *Dia cuba membetulkan kenyataan yang dibuatnya.* He tried to correct his statement.
[2] *to adjust*
◊ *Dia membetulkan kedudukan lukisan itu.* He adjusted the position of the painting.
**pembetulan** KATA NAMA
*correction*

**sebetulnya** KATA PENEGAS
*actually*
◊ *Sebetulnya, dia kawan saya.* She's a friend of mine actually.

**betul** KATA PEMBENAR

> *rujuk juga* **betul** KATA ADJEKTIF,
> KATA PENGUAT

*true*
◊ *"Betul atau salah"* "True or False"
♦ **"Betulkah dia akan balik pada Tahun Baru ini?"** "Is he really coming back at New Year?"
♦ **Betul jangkaan anda!** You've got it right!

**betul** KATA PENGUAT

> *rujuk juga* **betul** KATA ADJEKTIF,
> KATA PEMBENAR

*extremely*
◊ *Mahal betul rumah itu.* The house is extremely expensive.

**betung**
**pembetungan** KATA NAMA
*sewerage*
◊ *sistem pembetungan yang sempurna* a proper sewerage system

**beza** KATA NAMA
*difference*
◊ *Tidak ada bezanya!* It makes no difference!
**berbeza** KATA KERJA
*different*
◊ *Kami mempunyai pandangan yang berbeza.* We have different views.
**membezakan** KATA KERJA
*to differentiate*
◊ *membezakan anak kembar itu* to differentiate between the twins
**membeza-bezakan** KATA KERJA
*to treat ... unequally*
◊ *Dia selalu membeza-bezakan anak-anaknya.* He always treats his children unequally.
**perbezaan** KATA NAMA
*difference*
◊ *Satu perbezaan yang besar pada saiz...* A vast difference in size...

**biadab** KATA ADJEKTIF
*rude*
**kebiadaban** KATA NAMA
*rudeness*

**biak**
**membiak** KATA KERJA
*to breed*
◊ *Nyamuk membiak di dalam air yang bertakung.* Mosquitoes breed in stagnant water.
**membiakkan** KATA KERJA
*to breed*
◊ *Air yang bertakung dalam tong-tong*

*dram yang kosong akan membiakkan nyamuk.* The stagnant water in empty drums breeds mosquitoes.

**pembiakan** KATA NAMA
*breeding*
◊ *musim pembiakan* breeding season

♦ **sistem pembiakan** the reproductive system

**biar** KATA HUBUNG

> *rujuk juga* **biar** KATA KERJA

♦ **biar apa pun** no matter what ◊ *Biar apa pun yang terjadi, saya tetap dengan pendirian saya.* No matter what happens, I shall stand firm.

**biar** KATA KERJA

> *rujuk juga* **biar** KATA HUBUNG

*to let*
◊ *Biar saya habiskan kerja saya dahulu.* Let me finish my work first.

**membiarkan** KATA KERJA
*to let*
◊ *Nurul tidak akan membiarkan ibunya merana.* Nurul will not let her mother suffer.

**terbiar** KATA KERJA
1 *to be abandoned*
◊ *Rumah itu sudah terbiar bertahun-tahun lamanya.* The house has been abandoned for years.
2 *neglected*
◊ *Neneknya berasa sunyi dan terbiar.* Her grandmother feels lonely and neglected. ◊ *kanak-kanak yang terbiar* neglected children

**biara** KATA NAMA
*monastery* (JAMAK **monasteries**)

**biarawan** KATA NAMA
*monk*

**biarawati** KATA NAMA
*nun*

**biarpun** KATA HUBUNG
*even though*
◊ *Biarpun dia miskin, dia kuat berusaha.* Even though he is poor, he is very hardworking.

**bias**
**membias** KATA KERJA
*to refract*
◊ *Cahaya akan membias apabila masuk ke dalam air.* Light is refracted when it enters water.

**membiaskan** KATA KERJA
*to refract*
◊ *Pelajar itu menggunakan kanta untuk membiaskan cahaya.* The student used a lens to refract light.

**terbias** KATA KERJA
*to be deflected*
◊ *Cahaya itu terbias.* The light was

deflected.

**biasan** KATA NAMA
*deflection*
◊ *biasan cahaya* a deflection of light

**biasa** KATA ADJEKTIF
*common*
◊ *satu amalan yang biasa* a common practice

♦ **Saya cuma manusia biasa.** I'm only human.

♦ **seperti biasa** as usual

♦ **kentang goreng saiz biasa** a regular French fries

♦ **luar biasa** extraordinary

**kebiasaan** KATA NAMA
*habit*
◊ *Sudah menjadi kebiasaan baginya untuk minum secawan kopi setiap pagi.* It is her habit to drink a cup of coffee every morning.

**membiasakan** KATA KERJA
*to familiarize*
◊ *Dia sedang membiasakan dirinya dengan perniagaan bapanya.* He's familiarizing himself with his father's business.

**biasanya** KATA PENEGAS
*usually*
◊ *Dia biasanya datang pada waktu petang.* He usually comes in at noon.

**biasiswa** KATA NAMA
*scholarship*

**biawak** KATA NAMA
*monitor lizard*

**biaya** KATA NAMA
*expense*
◊ *Hakim pergi belajar di UK atas biaya sendiri.* Hakim went to study in the UK at his own expense.

♦ **biaya kerajaan** financial aid from the government

**membiayai** KATA KERJA
*to finance*
◊ *Kakaknya yang membiayai segala perbelanjaan untuk pembelajarannya.* Her sister financed the entire cost of her studies.

**pembiayaan** KATA NAMA
*financing*

**bibir** KATA NAMA
*lip*

♦ **membaca gerak bibir** to lip-read

**bibliografi** KATA NAMA
*bibliography* (JAMAK **bibliographies**)

**bicara**
**berbicara** KATA KERJA
*to discuss*
◊ *Ahli-ahli jawatankuasa sedang berbicara tentang perkara itu.* The

committee is discussing the matter.

**membicarakan**  KATA KERJA
*to try*
◊  *Kenapakah 253 hari diperlukan untuk membicarakan satu kes penipuan?*  Why does it take 253 days to try a case of fraud?

♦  **Mahkamah akan membicarakan tertuduh itu esok.**  The accused will be tried in court tomorrow.
**perbicaraan**  KATA NAMA
*trial*

**bidadari**  KATA NAMA
*angel*

**bidai**  KATA NAMA
*blind*

**bidal**
  **bidalan**  KATA NAMA
  *proverb*

**bidan**  KATA NAMA
  *midwife* (JAMAK  **midwives**)
  **perbidanan**  KATA NAMA
  *midwifery*

**bidang**  KATA NAMA

> *rujuk juga* **bidang**  PENJODOH BILANGAN

*field*
◊  *Apakah bidang yang anda ceburi?*  Which field are you in?

♦  **bidang pengkhususan**  speciality (JAMAK  **specialities**)

**bidang**  PENJODOH BILANGAN

> *rujuk juga* **bidang**  KATA NAMA
> Biasanya **bidang** *tidak ada terjemahan dalam bahasa Inggeris.*

◊  *sebidang ladang*  a plantation
◊  *dua bidang kebun*  two orchards
◊  *tiga bidang tikar*  three mats ◊ *tiga bidang permaidani*  three carpets
◊  *tiga bidang kain cadar*  three sheets
♦  **sebidang sawah**  a field of paddy
♦  **sebidang tanah**  a plot of land

**bidas**
  **membidas**  KATA KERJA
  *to rebut*
  ◊  *Osman membidas kenyataan yang dibuat terhadapnya.*  Osman rebutted the statement made against him.
  **pembidas**  KATA NAMA
  *person who rebuts*

**bidik**
  **membidik**  KATA KERJA
  *to aim at*
  ◊  *membidik sasaran*  to aim at the target

**biduan**  KATA NAMA
  *singer*

**biduanita**  KATA NAMA
  *singer*

**bihun**  KATA NAMA
*rice noodles*

**bijak**  KATA ADJEKTIF
*clever*
◊  *seorang pelajar yang bijak*  a clever student
♦  **satu keputusan yang bijak**  a wise decision
♦  **berbelanja dengan cara yang bijak**  to spend wisely
♦  **tidak bijak**  unwise

**bijaksana**  KATA ADJEKTIF
*tactful*
◊  *Dia sungguh bijaksana dalam menyelesaikan perselisihan faham antara kawan-kawannya.*  He was extremely tactful in handling the misunderstanding between his friends.
♦  **orang tua yang bijaksana**  a wise old man
♦  **tidak bijaksana**  tactless
**kebijaksanaan**  KATA NAMA
*tact*
◊  *dengan kebijaksanaan dan kecekapan*  with tact and efficiency
♦  **kesabaran dan kebijaksanaan yang hadir dari usia tua**  the patience and wisdom that comes from old age

**bijan**  KATA NAMA
*sesame*
♦  **minyak bijan**  sesame oil

**biji**  KATA NAMA

> *rujuk juga* **biji** PENJODOH BILANGAN

*seed*
◊  *Biji rambutan tidak boleh dimakan.*  The rambutan seed is not edible.
♦  **biji benih**  seeds
**biji-bijian**  KATA NAMA
*grain crops*

**biji**  PENJODOH BILANGAN

> *rujuk juga* **biji** KATA NAMA
> **biji** *tidak ada terjemahan dalam bahasa Inggeris.*

◊  *dua biji epal*  two apples ◊ *empat biji piring*  four saucers

**bijih**  KATA NAMA
*ore*
♦  **bijih besi**  iron ore ◊ *lombong bijih besi*  iron ore mine
♦  **bijih timah**  tin ◊ *lombong bijih timah*  tin mine

**bijirin**  KATA NAMA
*cereal*

**bikar**  KATA NAMA
*beaker*
◊  *Tuangkan asid itu ke dalam bikar.*  Pour the acid into the beaker.

**bikin**  KATA KERJA
(*bahasa percakapan*)

_to do_
◊ _Engkau bikin sendiri, jangan minta tolong sesiapa._ You do it yourself, don't ask for help.
**membikin** KATA KERJA
_to make_
◊ _Berita itu membikin fikirannya resah._ The news made him restless.
**pembikinan** KATA NAMA
_making_
◊ _Syarikat itu terlibat dalam pembikinan filem Titanic._ That company was involved in the making of the film Titanic.

**bikini** KATA NAMA
_bikini_

**bil** KATA NAMA
_bill_
◊ _bil telefon_ telephone bill

**bila** KATA TANYA
_when_
◊ _Bilakah kawan anda akan datang ke rumah kami?_ When is your friend coming to our house?
**bila-bila** KATA GANTI NAMA
_any_
◊ _Kapal terbang itu akan mendarat pada bila-bila masa sahaja._ The plane will land at any moment.
♦ **Anda boleh datang pada bila-bila sahaja apabila anda senang.** You can come whenever you're free.

**bilah** PENJODOH BILANGAN
_Biasanya_ **bilah** _tidak ada terjemahan dalam bahasa Inggeris._
◊ _dua bilah kapak_ two axes ◊ _tiga bilah pisau_ three knives
♦ **sebilah gunting** a pair of scissors

**bilang**
**berbilang** KATA KERJA
_multi_
◊ _Rakyat Malaysia yang berbilang kaum..._ The multiracial people of Malaysia...
**membilang** KATA KERJA
_to count_
◊ _Bibi sedang belajar membilang._ Bibi is learning to count. ◊ _Harun sedang membilang bintang di langit._ Harun was counting the stars in the sky.
**pembilang** KATA NAMA
_numerator_ (matematik)
**pembilangan** KATA NAMA
_counting_
◊ _Pembilangan undi itu dilakukan dengan cermat._ The counting of the votes has been done carefully.
**bilangan** KATA NAMA
_number_
◊ _Bilangan pelajar yang lulus SPM_

_adalah sebanyak..._ The number of students that passed SPM is...
♦ **sebilangan kecil** minority

**bilas**
**membilas** KATA KERJA
_to rinse_
◊ _Maria membilas rambutnya selepas bersyampu._ Maria rinsed her hair after shampooing it.

**biliard** KATA NAMA
_billiards_

**bilik** KATA NAMA
_room_
◊ _Lily sedang membaca di dalam biliknya._ Lily is reading in her room.
♦ **bilik air** bathroom
♦ **bilik asrama** dormitory (JAMAK **dormitories**)
♦ **bilik bawah tanah** cellar
♦ **bilik berkembar** twin room
♦ **bilik bujang** single rooom
♦ **bilik darjah** classroom
♦ **bilik kelamin** double room
♦ **bilik mandi** bathroom
♦ **bilik menunggu** waiting room
♦ **bilik menyalin pakaian** changing room
♦ **bilik rawatan** surgery (JAMAK **surgeries**)
♦ **bilik tamu** sitting room
♦ **bilik tidur** bedroom

**bilion** KATA BILANGAN
_billion_

**bilis** KATA NAMA ·
♦ **ikan bilis** anchovy (JAMAK **anchovies**)

**bimbang** KATA ADJEKTIF
_worried_
◊ _Kesatuan itu bimbang bahawa..._ The union is worried that... ◊ _nampak bimbang_ to look worried
♦ **Jangan bimbang.** Don't worry.
**kebimbangan** KATA NAMA
_worry_ (JAMAK **worries**)
**membimbangkan** KATA KERJA
_to worry_
◊ _Saya tidak mahu membimbangkan anda._ I don't want to worry you.

**bimbing**
**berbimbingan** KATA KERJA
♦ **berbimbingan tangan (1)** to hold hands ◊ _Kanak-kanak itu berjalan sambil berbimbingan tangan._ The children were walking along holding hands.
♦ **berbimbingan tangan (2)** to co-operate ◊ _Kita perlu berbimbingan tangan untuk mengatasi masalah ekonomi negara._ We should co-operate to overcome our country's economic crisis.

**membimbing** KATA KERJA
1 *to lead by the hand*
◊ *Sumathi membimbing neneknya menuruni tangga.* Sumathi led her grandmother by the hand down the stairs.
2 *to guide*
◊ *Ibu bapa bertanggungjawab mendidik dan membimbing anak-anak di rumah.* Parents are responsible for teaching and guiding their children at home.
**pembimbing** KATA NAMA
*guide*
**bimbingan** KATA NAMA
*guidance*
◊ *Beliau memberikan bimbingan dan kaunseling kepada saya.* She gave me guidance and counselling. ◊ *di bawah bimbingannya* under his guidance
**bimbit** KATA ADJEKTIF
♦ **beg bimbit** briefcase
♦ **telefon bimbit** mobile phone
**membimbit** KATA KERJA
*to carry with the hand*
♦ **Lelaki itu membimbit sebuah beg.** The man carried a bag.
**bina** KATA NAMA
♦ **seni bina** architecture
♦ **bina badan** bodybuilding
**membina** KATA KERJA
*to build*
◊ *Pemaju itu membina banyak pusat membeli-belah.* That developer built many shopping centres.
♦ **Pelanggan kami memberikan banyak cadangan yang membina.** Our customers make a lot of constructive suggestions.
**pembinaan** KATA NAMA
1 *construction*
◊ *kemerosotan dalam industri pembinaan* the downturn in the construction industry
2 *building*
◊ *Kerajaan menggalakkan pembinaan rumah kos rendah.* The government encourages the building of low-cost houses.
♦ **tapak pembinaan** site
**terbina** KATA KERJA
*built*
◊ *terbina dengan kukuh* strongly built
**binasa** KATA ADJEKTIF
*destroyed*
◊ *Kawasan itu binasa akibat banjir.* That area was destroyed by flood.
**membinasakan** KATA KERJA
*to destroy*
◊ *Dadah boleh membinasakan anda.* Drugs can destroy you.

**pembinasa** KATA NAMA
*destroyer*
◊ *CFC pembinasa utama lapisan ozon.* CFC is the main destroyer of the ozone layer.
♦ **Dadah pembinasa negara.** Drugs destroy the nation.
♦ **kapal pembinasa** destroyer
**binatang** KATA NAMA
*animal*
♦ **binatang kesayangan** pet
**bincang**
**berbincang** KATA KERJA
*to discuss*
◊ *Guru-guru sedang berbincang tentang prestasi pelajar.* The teachers are discussing the students' performance.
**membincangkan** KATA KERJA
*to discuss*
◊ *Kami sedang membincangkan isu kebersihan sekolah ini.* We are discussing the cleanliness of the school.
**perbincangan** KATA NAMA
*discussion*
◊ *Pelajar digalakkan membuat perbincangan untuk menyelesaikan soalan yang sukar.* The students were encouraged to hold a discussion to solve those difficult questions.
**bingit** KATA ADJEKTIF
*to be deafened*
◊ *Telinga saya bingit kerana bunyi radio yang terlalu kuat.* My ears were deafened because the radio was too loud.
**membingitkan** KATA KERJA
♦ **membingitkan telinga** to deafen
◊ *Suaranya yang nyaring itu membingitkan telinga saya.* Her shrill voice deafened me.
♦ **bunyi yang membingitkan telinga** a deafening noise
**bingkai** KATA NAMA
*frame*
◊ *bingkai gambar* picture frame
**membingkaikan** KATA KERJA
*to frame*
◊ *Ibu membingkaikan sijil itu.* Mother framed the certificate.
**bingkas** KATA KERJA
*to spring*
◊ *Samad bingkas bangun apabila terdengar namanya dipanggil.* Samad sprang to his feet when he heard his name being called.
**membingkas** KATA KERJA *rujuk* **bingkas**
**bingkis**
**bingkisan** KATA NAMA
*gift*

**bingung** KATA ADJEKTIF
_confused_
◊ _Dia bingung apabila mendengar khabar angin itu._ He was confused when he heard about the rumours.
**kebingungan** KATA KERJA
_confused_
◊ _Dia kebingungan._ He's confused.
♦ **dalam kebingungan** in a state of confusion
**membingungkan** KATA KERJA
_to confuse_
◊ _Berita itu membingungkan saya._ The news confused me.
**bini** KATA NAMA
(_tidak formal_)
_wife_ (JAMAK **wives**)
**binokular** KATA NAMA
_binoculars_
**bintang** KATA NAMA
_star_
♦ **bintang bertuah** lucky star
♦ **bintang filem** film star
**membintangi** KATA KERJA
_to star in_
◊ _Julia Roberts membintangi filem "Pretty Woman"._ Julia Roberts starred in "Pretty Woman".
**bintat** KATA NAMA
_spot_
♦ **bintat nyamuk** mosquito bite
**bintik** KATA NAMA
_spot_
**berbintik-bintik** KATA KERJA
_spotty_
◊ _muka yang berbintik-bintik_ a spotty face
**bintil** KATA NAMA
_spot_
♦ **bintil nyamuk** mosquito bite
**biodata** KATA NAMA
_biographical information_
**biografi** KATA NAMA
_biography_ (JAMAK **biographies**)
**biokimia** KATA NAMA
_biochemistry_
**biola** KATA NAMA
_violin_
♦ **pemain biola** violinist
**biologi** KATA NAMA
_biology_
**bir** KATA NAMA
_beer_
**biri-biri** KATA NAMA
_sheep_ (JAMAK **sheep**)
♦ **anak biri-biri** lamb
**biro** KATA NAMA
_bureau_ (JAMAK **bureaux**)
**birokrasi** KATA NAMA
_bureaucracy_
**biru** KATA ADJEKTIF
_blue_
♦ **biru tua** dark blue
**kebiruan, kebiru-biruan** KATA ADJEKTIF
_bluish_
◊ _putih kebiruan_ bluish white
**membiru** KATA KERJA
_to turn blue_
◊ _Langit yang gelap mula membiru._ The dark sky began to turn blue.
**bisa** KATA NAMA
_venom_
**berbisa** KATA KERJA
_venomous_
◊ _ular berbisa_ a venomous snake
**bisik** KATA KERJA
_to whisper_
◊ _"Jangan ganggu dia," bisik Lim kepada rakannya._ "Don't disturb him," Lim whispered to his friend.
**berbisik, berbisik-bisik** KATA KERJA
_to whisper_
◊ _Rosy berbisik ke telinga kawannya._ Rosy whispered in her friend's ear.
**membisikkan** KATA KERJA
_to whisper_
◊ _Umi membisikkan sesuatu kepada kawannya._ Umi whispered something to her friend.
**bisikan** KATA NAMA
_whisper_
◊ _Mereka terdengar bisikan Hashim._ They overheard Hashim's whispers.
**bising** KATA ADJEKTIF
_noisy_
♦ **bunyi bising** noise
**kebisingan** KATA NAMA
_din_
**biskop** KATA NAMA
_bishop_
**biskut** KATA NAMA
_biscuit_
**bisu** KATA ADJEKTIF
_dumb_
**membisu** KATA KERJA
_silent_
◊ _Teresa membisu sahaja sepanjang mesyuarat itu berlangsung._ Teresa was silent throughout the whole meeting.
**bisul** KATA NAMA
_boil_
**bius** KATA NAMA
♦ **ubat bius** anaesthetic
**membius** KATA KERJA
_to anaesthetize_
◊ _Doktor membius pesakit itu sebelum menjalankan pembedahan._ The doctor anaesthetized the patient before the

operation.

**blaus** KATA NAMA
_blouse_

**blazer** KATA NAMA
_blazer_

**blok** KATA NAMA
_block_
◊ *satu blok rumah pangsa dua belas tingkat* a twelve-storey block of flats
♦ **blok menara** tower block

**bocor** KATA ADJEKTIF
_leaky_
◊ *Bumbung yang bocor itu...* The leaky roof...
**kebocoran** KATA NAMA
_leakage_
**membocorkan** KATA KERJA
_to leak_
◊ *Sesiapa yang membocorkan soalan peperiksaan akan dihukum.* Anybody who leaks the examination questions will be punished.
**bocoran** KATA NAMA
_leak_
◊ *bocoran pada paip* a leak in the pipe

**bodoh** KATA ADJEKTIF
_stupid_
◊ *satu soalan yang bodoh* a stupid question
**kebodohan** KATA NAMA
_stupidity_

**bogel** KATA ADJEKTIF
_naked_
**membogelkan** KATA KERJA
_to strip_

**bohong** KATA NAMA
_lie_
◊ *bercakap bohong* to tell a lie
**berbohong** KATA KERJA
_to lie_
◊ *Mereka berbohong untuk menyembunyikan latar belakang mereka.* They lied to hide their backgrounds.
**pembohong** KATA NAMA
_liar_

**bohsia** KATA NAMA
_immoral girl_

**boikot**
**memboikot** KATA KERJA
_to boycott_
◊ *Negara itu memboikot barangan import dari Britain.* The country boycotted imports from Britain.
**pemboikotan** KATA NAMA
_boycott_

**bola** KATA NAMA
_ball_
♦ **bola baling** handball

♦ **bola jaring** netball
♦ **bola sepak** football
♦ **bola tampar** volleyball

**bolak-balik** KATA NAMA
♦ **bolak-balik angkasa lepas** space shuttle

**boleh** KATA BANTU
_can_
◊ *Saya pasti saya boleh melakukannya!* I'm sure I can do it!
♦ **Jika anda boleh siapkan lebih awal...** If you're able to finish it earlier...
♦ **boleh tahan** not bad
**kebolehan** KATA NAMA
_ability_ (JAMAK **abilities**)
◊ *kebolehannya untuk membawa watak itu* her ability to play that role
**berkebolehan** KATA KERJA
_capable_
◊ *wanita muda yang berkebolehan* a capable young woman
**membolehkan** KATA KERJA
_to enable_
◊ *Ujian baru itu sepatutnya membolehkan doktor mengesan penyakit itu.* The new test should enable the doctor to detect the disease.
**seboleh-bolehnya** KATA ADJEKTIF
_if at all possible_
◊ *Seboleh-bolehnya, datanglah ke jamuan malam ini.* If at all possible, do come for the dinner tonight.

**boleh jadi** KATA PENEGAS
_possible_

**boleh ubah**
**pemboleh ubah** KATA NAMA
_variable_

**boling** KATA NAMA
_bowling_

**bolot**
**membolot** KATA KERJA
_to make a clean sweep_
◊ *membolot semua hadiah* to make a clean sweep of all the prizes

**bom** KATA NAMA
_bomb_
◊ *bom jangka* time bomb
**mengebom** KATA KERJA
_to bomb_
**pengebom** KATA NAMA
_bomber_
♦ **pesawat pengebom** bomber
**pengeboman** KATA NAMA
_bombing_
◊ *satu siri pengeboman* a series of bombings

**bomba** KATA NAMA
_fire brigade_
♦ **pasukan bomba** fire brigade

- **ahli bomba** fireman (JAMAK **firemen**)
- **balai bomba** fire station
- **kereta bomba** fire engine

**bomoh** KATA NAMA
*traditional healer*

**bon** KATA NAMA
*bond*
◊ *menawarkan bon kerajaan* to issue government bonds

**bonceng**
**membonceng** KATA KERJA
*to ride pillion*
◊ *Dia membonceng motosikal Ratnam.* He rode pillion on Ratnam's motorcycle.
**pembonceng** KATA NAMA
*pillion passenger*

**bonda** KATA NAMA
(*bahasa istana, persuratan*)
*mother*

> **bonda** *juga digunakan untuk merujuk kepada diri sendiri terutama dalam surat. Dalam keadaan ini,* **bonda** *diterjemahkan dengan menggunakan kata ganti nama diri.*

◊ *Bonda akan pulang pada bulan hadapan.* I'm coming home next month.
◊ *Tolong jemput bonda di lapangan terbang.* Please pick me up at the airport
◊ *Sampaikan salam bonda kepada Salim.* Please give my regards to Salim.

**boneka** KATA NAMA
*puppet*

**bonet** KATA NAMA
*bonnet*

**bonggol** KATA NAMA
*bump*
◊ *bonggol pada jalan raya* a bump in the road
- **bonggol unta** camel's hump
**berbonggol-bonggol** KATA KERJA
*bumpy*
◊ *jalan yang berbonggol-bonggol* bumpy road

**bongkah** KATA NAMA, PENJODOH BILANGAN
*block*
◊ *satu bongkah ais* a block of ice

**bongkak** KATA ADJEKTIF
*proud*

**bongkar**
**membongkar** KATA KERJA
*to divulge*
◊ *membongkar maklumat sulit* to divulge secret information
- **membongkar sauh** to pull up the anchor
- **Pencuri itu membongkar pintu itu untuk masuk ke dalam rumah.** The thief broke the door open to get into the house.

**pembongkaran** KATA NAMA
*disclosure*
◊ *Pembongkaran rahsia itu dilakukan oleh salah seorang pekerja syarikat tersebut.* The disclosure of the secret was made by an employee of that company.
**terbongkar** KATA KERJA
*to be divulged*
◊ *Akhirnya, rahsia itu terbongkar juga.* Finally, the secret was divulged.

**bongkok**
**membongkok** KATA KERJA
*to bend*
◊ *Karen membongkok dan mengutip kertas ujian tersebut.* Karen bent and picked up the test papers.
- **Ibu membongkok dan mencium pipi saya.** Mummy bent over and kissed my cheek.
**membongkokkan** KATA KERJA
*to bend*
◊ *Dalam budaya Melayu, kanak-kanak harus membongkokkan badan semasa berjalan di hadapan orang tua.* In Malay culture, a child should bend its body when walking in front of an elderly person.

**bongok** KATA ADJEKTIF
*stupid*

**bongsu** KATA ADJEKTIF
*youngest*
◊ *anak bongsu* youngest child
- **gigi bongsu** wisdom tooth
(JAMAK **wisdom teeth**)

**bonjol** KATA NAMA
*lump*
◊ *bonjol pada dahi* a lump on the forehead

**bonus** KATA NAMA
*bonus* (JAMAK **bonuses**)
◊ *Para pekerja menerima bonus mereka pada akhir tahun.* The workers receive their bonuses at the end of the year. ◊ *markah bonus* bonus marks

**borak** KATA NAMA
*chit-chat*
◊ *Saya rasa borak itu sungguh membosankan.* I found the chit-chat exceedingly dull.
**berborak** KATA KERJA
*to chat*
◊ *Mereka sedang berborak.* They are chatting.

**borang** KATA NAMA
*form*
◊ *borang permohonan* application form

**borong** KATA ADJEKTIF
*wholesale*
◊ *dijual pada harga borong* for sale at wholesale prices

**memborong**  KATA KERJA
*to buy up*
◊ *Selvi memborong semua pakaian yang ada di kedai itu.* Selvi bought up all the clothes that were available in the shop.
**memborongkan**  KATA KERJA
*to sell wholesale*
◊ *Semua buku-bukunya diborongkan kepada seorang pelanggan sahaja.* All his books were sold wholesale to just one customer.
**pemborong**  KATA NAMA
*wholesaler*
**boros**  KATA ADJEKTIF
*extravagant*
♦ **berbelanja dengan boros** to spend extravagantly
**pemboros**  KATA NAMA
*spendthrift*
**bos**  KATA NAMA
*boss* (JAMAK **bosses**)
**bosan**  KATA ADJEKTIF
1 *fed up*
◊ *Saya bosan dengan tingkah lakunya.* I'm fed up with his behaviour.
2 *bored*
◊ *Saya sungguh bosan hari ini.* I'm so bored today.
**kebosanan**  KATA NAMA
*boredom*
**membosankan**  KATA KERJA
*boring*
◊ *program televisyen yang membosankan* a boring television programme
**bot**  KATA NAMA
*boat*
♦ **bot laju** speedboat
♦ **bot penyelamat** lifeboat
**botak**  KATA ADJEKTIF
*bald*
**kebotakan**  KATA NAMA
*baldness*
**membotakkan**  KATA KERJA
*to shave all one's hair off*
◊ *Dia membotakkan kepala anaknya.* She shaved all her son's hair off.
**botol**  KATA NAMA
*bottle*
♦ **kaki botol** alcoholic
**membotolkan**  KATA KERJA
*to bottle*
◊ *Mesin itu membotolkan wain secara automatik.* The machine bottles the wine automatically.
**pembotolan**  KATA NAMA
*bottling*
◊ *proses pembotolan wain* the wine bottling process

**boyot**  KATA ADJEKTIF
*pot-bellied*
**brandi**  KATA NAMA
*brandy*
**brek**  KATA NAMA
*brake*
**membrek**  KATA KERJA
*to brake*
◊ *Saras membrek untuk mengelak motosikal itu.* Saras braked to avoid the motorcycle.
**membrekkan**  KATA KERJA
*to brake*
◊ *Saras membrekkan keretanya.* Saras braked her car.
**Britain**  KATA NAMA
♦ **negara Britain** Britain
**British**  KATA ADJEKTIF
*British*
◊ *kerajaan British* British government
**broker**  KATA NAMA
*broker*
◊ *broker saham* share broker
**brokoli**  KATA NAMA
*broccoli*
**bronkitis**  KATA NAMA
*bronchitis*
**Brunei**  KATA NAMA
*Brunei*
**buah**  KATA NAMA
    rujuk juga **buah** PENJODOH BILANGAN
*fruit*
♦ **buah-buahan** fruits
♦ **buah dada** breast
♦ **buah hati** sweetheart
♦ **buah pinggang** kidney
**berbuah**  KATA KERJA
*to fruit*
◊ *Pokok itu sedang berbuah.* The tree is fruiting.
**membuahkan**  KATA KERJA
*to produce*
◊ *Tanaman itu membuahkan hasil yang lumayan.* The crops produced a generous profit.
♦ **Usahanya membuahkan hasil.** Her efforts have paid off.
♦ **Ladang gandumnya sudah membuahkan hasil.** His wheat fields have already cropped.
**buah**  PENJODOH BILANGAN
    rujuk juga **buah** KATA NAMA
    **buah** tidak ada terjemahan dalam bahasa Inggeris.
◊ *dua buah rumah* two houses
◊ *tiga buah kereta* three cars
**buai**
**berbuai**  KATA KERJA
*to sway*

◊ *Pokok kelapa itu berbuai ditiup angin.* The coconut tree swayed in the wind.

**berbuai-buai** KATA KERJA

*to sway*

◊ *Lalang berbuai-buai ditiup angin.* Tall grasses sway in the wind.

**membuaikan** KATA KERJA

*to rock*

◊ *membuaikan bayi* to rock a baby

**buaian** KATA NAMA

*swing*

**buak**

**membuak** KATA KERJA

*to spurt*

◊ *Darahnya membuak keluar.* Her blood spurted out.

**bual** KATA KERJA

*to chat*

♦ **bilik bual** (*Internet*) chat room

**berbual, berbual-bual** KATA KERJA

*to talk*

◊ *Dia sedang berbual dengan Jamilah.* She is talking with Jamilah.

♦ **berbual kosong** to talk idly

♦ **Kami cuma berbual-bual sahaja.** We are just chatting.

**membualkan** KATA KERJA

*to talk about*

◊ *Apakah yang anda bualkan?* What did you talk about?

**perbualan** KATA NAMA

*conversation*

◊ *perbualan telefon* telephone conversation

**buang** KATA KERJA

*to throw away*

◊ *Jangan buang kertas itu.* Don't throw that paper away.

♦ **buang air besar** to defecate

♦ **buang air kecil** to urinate

**membuang** KATA KERJA

1 *to throw away*

◊ *Dia membuang kertas itu.* She threw the paper away.

2 *to throw*

◊ *Rajoo membuang tali itu kepada Yasin.* Rajoo threw the rope to Yasin.

♦ **dibuang negeri** to be banished

♦ **dibuang sekolah** to be expelled

**membuangkan** KATA KERJA

*to throw*

◊ *Rosli membuangkan Yasin tali itu.* Rosli threw Yasin the rope.

**pembuangan** KATA NAMA

*disposal*

♦ **tempat pembuangan sampah** rubbish dump

**buangan** KATA NAMA

*waste*

♦ **bahan buangan bertoksik** toxic wastes

**buas** KATA ADJEKTIF

*wild*

◊ *binatang buas* wild animals

**buasir** KATA NAMA

*piles*

**buat** KATA KERJA

*to do*

◊ *Biar saya buat kerja itu sendirian.* Let me do the work alone.

♦ **buat semula** redo

**berbuat** KATA KERJA

*to do*

◊ *Dia berbuat demikian hanya untuk memujuk anda.* He only did that to persuade you.

**membuat** KATA KERJA

*to do*

◊ *Shima sedang membuat kerja rumah.* Shima is doing her homework.

♦ **Margaret membuat sebiji kek untuk saya.** Margaret made a cake for me.

♦ **membuat saya marah** to make me angry

**membuatkan** KATA KERJA

*to make*

◊ *Punitha membuatkan ibunya sebiji kek.* Punitha made her mum a cake.

**memperbuat** KATA KERJA

*to make*

◊ *Kerusi ini diperbuat daripada kayu.* This chair is made of wood.

**pembuat** KATA NAMA

*maker*

◊ *pembuat kereta terbesar* the largest car maker

♦ **pembuat roti** baker

**pembuatan** KATA NAMA

*manufacturing*

◊ *industri pembuatan kereta* the car manufacturing industry

**perbuatan** KATA NAMA

*action*

◊ *Perbuatan Lam tidak dapat dimaafkan.* Lam's actions were unforgivable.

**buatan** KATA NAMA

*-made*

◊ *tasik buatan manusia* a man-made lake ◊ *kereta buatan British* a British-made car

♦ **"Buatan Malaysia"** "Made in Malaysia"

**buaya** KATA NAMA

*crocodile*

♦ **buaya darat** Casanova

**bubar**

**membubarkan** KATA KERJA

*to dissolve*

◊ *Parlimen dibubarkan.* Parliament

was dissolved.
**pembubaran** KATA NAMA
*dissolution*
◊ *pembubaran parlimen* the dissolution
of parliament
**bubuh**
   **membubuh** KATA KERJA
   *to put*
   ◊ *Yaacob membubuh sedikit gula ke
dalam kopi itu.* Yaacob put some sugar
in the coffee.
**bubur** KATA NAMA
   *porridge*
**bucu** KATA NAMA
   *corner*
**budak** KATA NAMA
   *child* (JAMAK **children**)
♦ **budak lelaki** boy
♦ **budak perempuan** girl
   **kebudak-budakan** KATA ADJEKTIF
   *childish*
   ◊ *Perangai kebudak-budakannya
sungguh menjengkelkan.* His childish
behaviour is very annoying.
**budaya** KATA NAMA
   *culture*
   ◊ *budaya kuning* harmful western
culture
   **kebudayaan** KATA NAMA
   *culture*
   ◊ *kebudayaan rakyat Malaysia*
Malaysian popular culture
♦ **aspek-aspek kebudayaan** cultural
aspects
**Buddha** KATA NAMA
   *Buddha*
♦ **agama Buddha** Buddhism
♦ **penganut agama Buddha** Buddhist
**budi** KATA NAMA
   *kindness* (JAMAK **kindnesses**)
   ◊ *Kami berterima kasih atas budinya.*
We are grateful for his kindness. ◊ *Awak
telah banyak menabur budi kepada kami.*
You have done us many kindnesses.
♦ **budi bahasa** good manners
   **berbudi** KATA KERJA
   *kind*
   ◊ *seorang yang berbudi* a kind person
♦ **Awak telah banyak berbudi kepada
kami.** You have done us many
kindnesses.
**budiman** KATA ADJEKTIF
   *well-mannered*
**bufet** KATA NAMA
   *buffet*
**buih** KATA NAMA
   *foam*
♦ **buih cukur** shaving foam
♦ **buih sabun** suds

♦ **sabun buih** bubble bath
   **berbuih** KATA KERJA
   *bubbly*
**bujang** KATA ADJEKTIF, KATA NAMA
   *bachelor*
♦ **lelaki bujang** bachelor
♦ **perempuan bujang** single woman
♦ **Bill belum berkahwin lagi, dia masih
bujang.** Bill is not married yet, he's still
single.
   **membujang** KATA KERJA
   *to live a single life*
**bujur** KATA ADJEKTIF
   *oval*
♦ **muka yang berbentuk bujur** an oval
face
**buka** KATA KERJA
   *to open*
   ◊ *Biar dia buka tin itu sendiri.* Let him
open the tin himself.
   **berbuka** KATA KERJA
♦ **berbuka puasa** to break one's fast
   **membuka** KATA KERJA
   *to open*
   ◊ *membuka pintu* to open a door
♦ **membuka baju** to take off one's clothes
♦ **membuka kipas** to turn on a fan
♦ **membuka skru** to undo a screw
   **membukakan** KATA KERJA
   *to open ... for*
   ◊ *Selva membukakan datuknya pintu
itu.* Selva opened the door for his
grandfather.
   **pembuka** KATA NAMA
   *opener*
   ◊ *pembuka tin* tin opener
♦ **pembuka selera** starter
   **pembukaan** KATA NAMA
   *opening*
   ◊ *majlis pembukaan* opening
ceremony
   **terbuka** KATA KERJA
   *open*
   ◊ *Buku itu terbuka.* The book was open.
**bukan** KATA NAFI
   *not*
   ◊ *Dia bukan kawan saya.* He is not my
friend.
   **bukan-bukan** KATA ADJEKTIF
   *unfounded*
   ◊ *dakwaan yang bukan-bukan*
unfounded allegations
♦ **cerita yang bukan-bukan** nonsense
♦ **Jangan cakap yang bukan-bukan.**
Don't talk nonsense.
♦ **Jangan membazir masa melakukan
perkara yang bukan-bukan.** Don't waste
time doing useless things.
**bukit** KATA NAMA

*hill*
**berbukit-bukit** KATA KERJA
*hilly*
◊ *kawasan berbukit-bukit* hilly area
**bukit bukau** KATA NAMA
*hills*
**berbukit bukau** KATA KERJA
*hilly*
**bukti** KATA NAMA
1 *proof*
◊ *Anda perlu mempunyai bukti, bahawa anda ialah penduduk negara ini.* You have to have proof that you are a resident of this country.
2 *evidence*
◊ *Tidak ada bukti untuk menyokong teori ini.* There is no evidence to support this theory.
**membuktikan** KATA KERJA
*to prove*
◊ *Tertuduh cuba membuktikan bahawa dia tidak bersalah.* The accused tried to prove that he was innocent.
**terbukti** KATA KERJA
*proven*
◊ *Sudah terbukti, Ghani seorang bapa yang baik.* It is proven that Ghani is a good father.
**buku** KATA NAMA
> rujuk juga **buku** PENJODOH BILANGAN
*book*
♦ **buku cerita** storybook
♦ **buku cerita koboi** western
♦ **buku harian** diary
♦ **buku kecil** booklet
♦ **buku lali** ankle
♦ **buku latihan** exercise book
♦ **buku masakan** cookbook
♦ **buku nota** notebook
♦ **buku panduan** guide
♦ **buku panduan telefon** phone book
♦ **buku peta** atlas (JAMAK **atlases**)
♦ **buku rampaian** exercise book
♦ **buku rujukan** reference book
♦ **buku skrap** scrapbook
♦ **buku teks** textbook
**membukukan** KATA KERJA
*to publish*
**buku** PENJODOH BILANGAN
> rujuk juga **buku** KATA NAMA
> Ada pelbagai terjemahan untuk **buku**.
◊ *dua buku sabun* two bars of soap
◊ *tiga buku roti* three loaves of bread
◊ *sebuku mentega* a block of butter
**bulan** KATA NAMA
1 *moon*
◊ *bulan mengambang* a full moon
2 *month*

◊ *bulan depan* next month ◊ *bulan puasa* fasting month
♦ **bulan sabit** crescent
♦ **sebulan sekali** monthly ◊ *Pastikan bahawa mesin itu diservis sebulan sekali.* Make sure the machine is serviced monthly.
**berbulan-bulan** KATA BILANGAN
*for months*
◊ *Sudah berbulan-bulan dia tidak pulang ke kampung.* He hasn't gone back to his village for months.
**bulanan** KATA ADJEKTIF
*monthly*
◊ *bayaran bulanan* monthly payments
**bulan madu** KATA NAMA
*honeymoon*
**berbulan madu** KATA KERJA
*to honeymoon*
◊ *Amanda dan Frankie berbulan madu di Venice.* Amanda and Frankie honeymooned in Venice.
**bulat** KATA ADJEKTIF
*round*
◊ *muka yang bulat* a round face
**bulat-bulat** KATA ADJEKTIF
*exactly*
◊ *Jangan salin bulat-bulat dari buku.* Don't copy exactly from the book.
**membulatkan** KATA KERJA
*to circle*
♦ **Sharon sudah membulatkan fikirannya untuk pergi mengelilingi dunia.** Sharon has made up her mind to go round the world.
**sebulat** KATA ADJEKTIF
♦ **sebulat suara** unanimous
**bulatan** KATA NAMA
*circle*
**bulbul** KATA NAMA
♦ **burung bulbul** nightingale
**buletin** KATA NAMA
*bulletin*
◊ *papan buletin* bulletin board
**buli**
**membuli** KATA KERJA
*to bully*
**pembuli** KATA NAMA
*bully* (JAMAK **bullies**)
♦ **pembuli jalan** roadhog
**bulu** KATA NAMA
1 *feather* (pada burung)
2 *fur* (pada binatang mamalia)
3 *hair* (pada badan manusia)
♦ **bulu biri-biri** wool
♦ **bulu kening** eyebrow
♦ **bulu mata** eyelash
(JAMAK **eyelashes**)
♦ **bulu roma** fine hair on human body

**B**

♦ **bulu tangkis** shuttlecock
　**berbulu** KATA KERJA
　_hairy_
**buluh** KATA NAMA
　_bamboo_
　**pembuluh** KATA NAMA
♦ **pembuluh darah** vein
**bulur**
　**kebuluran** KATA KERJA
　　rujuk juga **kebuluran** KATA NAMA
　_to starve_
　◊ _Penduduk negara itu miskin dan
　kebuluran._ The people of that country
　are poor and starving.
　**kebuluran** KATA NAMA
　　rujuk juga **kebuluran** KATA KERJA
　_starvation_
**bumbung** KATA NAMA
　_roof_
♦ **harga bumbung** ceiling price
**bumi** KATA NAMA
　_earth_
♦ **teras bumi** the earth's core
　**membumikan** KATA KERJA
　_to earth_
　◊ _membumikan wayar_ to earth a wire
　**mengebumikan** KATA KERJA
　_to bury_
　◊ _mengebumikan mereka yang telah
　meninggal_ to bury the dead
　**pengebumian** KATA NAMA
　_burial_
♦ **upacara pengebumian** burial
**bumiputera** KATA NAMA
　_native_
**buncis** KATA NAMA
♦ **kacang buncis** French bean
**buncit** KATA ADJEKTIF
　_pot-bellied_
　**membuncit** KATA KERJA
　_to become pot-bellied_
　◊ _Perutnya semakin membuncit._ He is
　becoming pot-bellied.
**bunga** KATA NAMA
　_flower_
　◊ _Biasanya, orang perempuan suka
　bunga._ Normally, girls like flowers.
♦ **penjual bunga** florist
♦ **bunga-bungaan** flowers
　**berbunga** KATA KERJA
　_to flower_
　◊ _Pokok itu berbunga setahun sekali._
　The tree will flower once a year.
**bunga api** KATA NAMA
　_fireworks_
**bunga kertas** KATA NAMA
　_bougainvillea_
**bunga matahari** KATA NAMA
　_sunflower_

**bunga raya** KATA NAMA
　_hibiscus_ (JAMAK **hibiscus**)
**bungkam** KATA ADJEKTIF
　_silent_
　◊ _Dia bungkam apabila kami
　menanyakan soalan tersebut._ He was
　silent when we asked him that question.
**bungkus** PENJODOH BILANGAN
　_packet_
　◊ _dua bungkus rokok_ two packets of
　cigarettes
　**membungkus** KATA KERJA
　_to wrap_
　◊ _membungkus hadiah_ to wrap a
　present
♦ **membungkus nasi** to wrap up some
　rice
　**pembungkus** KATA NAMA
　_wrapper_
　**pembungkusan** KATA NAMA
　_wrapping_
　◊ _Pembungkusan pasu itu harus
　dilakukan dengan berhati-hati._ The
　wrapping of the vase should be done
　carefully.
　**bungkusan** KATA NAMA
　_parcel_
　◊ _Siew Mee menghantar bungkusan itu
　kepada anaknya._ Siew Mee sent the
　parcel to her child.
**buntal** KATA ADJEKTIF
　_pot-bellied_
**bunting** KATA ADJEKTIF
　_pregnant_
**buntu** KATA ADJEKTIF
　_to go blank_
　◊ _Fikiran saya buntu._ My mind went
　blank.
♦ **jalan buntu (1)** dead end
♦ **jalan buntu (2)** stalemate ◊ _menemui
　jalan buntu_ to reach a stalemate
　**kebuntuan** KATA NAMA
　_stalemate_
　◊ _Rundingan antara dua pihak itu
　menemui kebuntuan._ The negotiations
　between the two sides ended in stalemate.
**buntut** KATA NAMA
　_buttocks_
**bunuh**
　**membunuh** KATA KERJA
　[1] _to kill_
　◊ _Perompak itu telah membunuh lima
　orang dalam kejadian rompakan itu._ The
　robber killed five people during that
　robbery._ ◊ _membunuh nyamuk_ to kill
　mosquitoes
　[2] _to murder_
♦ _Dia dijatuhkan hukuman kerana
　membunuh._ He was sentenced for

murder.

♦ **membunuh diri** to commit suicide
**pembunuh** KATA NAMA
1 *killer*
◊ *Dadah itu pembunuh.* Drugs are a killer.
2 *murderer*
◊ *Kami mengesyaki salah seorang daripada mereka ialah pembunuh itu.* We suspect that one of them is the murderer.
♦ **pembunuh upahan** hit man
(JAMAK **hit men**)
**pembunuhan** KATA NAMA
*murder*
**terbunuh** KATA KERJA
*to be killed*
◊ *Dia terbunuh dalam kemalangan itu.* He was killed in the accident.
**bunyi** KATA NAMA
*sound*
◊ *bunyi tembakan* sound of gunfire
♦ **bunyi bising** noise
**bunyi-bunyian** KATA NAMA
*musical instruments*
**berbunyi** KATA KERJA
*to sound*
◊ *Loceng itu berbunyi.* The bell sounded.
**membunyikan** KATA KERJA
*to sound*
◊ *membunyikan loceng* to sound the bell
**bursa** KATA NAMA
♦ **bursa saham** stock market
**burger** KATA NAMA
*burger*
**buru**
**berburu** KATA KERJA
*hunting*
◊ *Mereka pergi berburu.* They went hunting.
**memburu** KATA KERJA
*to hunt*
**pemburu** KATA NAMA
*hunter*
**pemburuan** KATA NAMA
*hunting*
◊ *Kerajaan mengharamkan pemburuan harimau.* The government has banned the hunting of tigers.
**terburu-buru** KATA KERJA
*to rush*
◊ *Anda tidak perlu terburu-buru membuat keputusan.* You don't have to rush to make the decision.
**buruan** KATA NAMA
♦ **binatang buruan** game
♦ **orang buruan** wanted person
**buruh** KATA NAMA

*labourer*
**buruj** KATA NAMA
(*nama gugusan bintang*)
*constellation*
**buruk** KATA ADJEKTIF
*bad*
◊ *tabiat buruk* bad habit
♦ **Bajunya yang buruk itu...** His shabby clothes...
♦ **buruk sangka** prejudiced
**keburukan** KATA NAMA
*disadvantage*
**memburuk-burukkan** KATA KERJA
*to insult*
◊ *Saya tidak berniat untuk memburuk-burukkan Rozlina.* I didn't mean to insult Rozlina.
**memburukkan** KATA KERJA
*to make ... worse*
◊ *memburukkan keadaan* to make the situation worse
**burung** KATA NAMA
*bird*
**burung hantu** KATA NAMA
*owl*
**burung hitam** KATA NAMA
*blackbird*
**burung layang-layang** KATA NAMA
*swallow*
**burung unta** KATA NAMA
*ostrich* (JAMAK **ostriches**)
**busa** KATA NAMA
*bubble*
**berbusa** KATA KERJA
*bubbly*
**busuk** KATA NAMA
*smelly*
◊ *longkang yang busuk* a smelly drain
♦ **makanan yang sudah busuk** rotten food
♦ **bau busuk** stink
♦ **busuk hati** spiteful
**kebusukan** KATA NAMA
*stench* (JAMAK **stenches**)
**busung**
**membusung** KATA KERJA
*distended*
◊ *perut yang membusung* a distended belly
**busur** KATA NAMA
*bow*
**busut** KATA NAMA
*anthill*
**but** KATA NAMA
*boot*
**buta** KATA ADJEKTIF
*blind*
♦ **buta huruf** illiterate
♦ **buta warna** colour blind

**membuta** KATA KERJA
- **membuta tuli** recklessly
  ◊ *Pasukan itu menyerang secara membuta tuli.* The troops attacked recklessly.

**butang** KATA NAMA
*button*

**butik** KATA NAMA
*boutique*

**butir** KATA NAMA

| *rujuk juga* **butir** PENJODOH BILANGAN |
| --- |
*detail*
- ◊ *butir-butir peribadi* personal details

**butir** PENJODOH BILANGAN

| *rujuk juga* **butir** KATA NAMA |
| --- |
| **butir** *tidak ada terjemahan dalam bahasa Inggeris.* |
- ◊ *dua butir peluru* two bullets

**buyung** KATA NAMA
*jar*

# C

**cabai** KATA NAMA
*chilli* (JAMAK **chillies** atau **chillis**)
♦ **cabai burung** chilli

**cabang** KATA NAMA
*branch* (JAMAK **branches**)
◊ *pokok yang mempunyai banyak cabang* a tree with many branches
◊ *Perakaunan merupakan salah satu cabang dalam Pengurusan Perniagaan.* Accountancy is one of the branches of Business Management.
♦ **Jalan itu mempunyai dua cabang.** The road forks into two.
**bercabang** KATA KERJA
*to branch off*
◊ *Jalan ini bercabang di hujung.* The road branches off at the end.
**bercabang-cabang** KATA KERJA
*to have many branches*
♦ **pokok yang bercabang-cabang** a tree with many branches
♦ **Saya sesat kerana jalan itu bercabang-cabang.** I got lost because of all the forks in the road.

**cabar** KATA KERJA
*to defy*
◊ *Jangan cabar saya.* Don't defy me.
**mencabar** KATA KERJA
*to challenge*
◊ *Kami mencabar satu pasukan yang menggelar diri mereka 'College Athletes'.* We challenged a team who called themselves 'College Athletes'.
♦ **Saya sedang mencari kerja yang lebih mencabar.** I'm looking for a more challenging job.
**pencabar** KATA NAMA
*challenger*
**tercabar** KATA KERJA
*to be challenged*
◊ *Kedudukannya sebagai ketua pasukan tercabar apabila satu rombakan dilakukan.* His position as a team leader was challenged when a reshuffle was carried out.
**cabaran** KATA NAMA
*challenge*
◊ *Saya tidak akan mempedulikan cabarannya.* His challenge doesn't bother me.

**cabik** KATA ADJEKTIF
*torn*
◊ *Buang baju yang cabik itu.* Throw that torn shirt away.
**mencabik** KATA KERJA
*to tear*
◊ *Charmaine mencabik kain itu untuk melepaskan kemarahannya.* Charmaine gave vent to her anger by tearing the

material.
**cabik-cabik** KATA ADJEKTIF
*torn*
◊ *Buang baju yang sudah cabik-cabik itu!* Throw that torn shirt away!
**mencabik-cabik** KATA KERJA
*to tear up*
◊ *Ikhwan mencabik-cabik baju bapanya.* Ikhwan tore up his father's shirt.

**cabul** KATA ADJEKTIF
*vulgar*
◊ *Dia selalu menggunakan kata-kata yang cabul.* He is always using vulgar words.
**mencabul, mencabuli** KATA KERJA
[1] *to molest*
◊ *Lelaki itu cuba mencabulinya.* That man tried to molest her.
[2] *to violate*
◊ *Negara-negara maju selalu mencabul kedaulatan negara-negara Dunia Ketiga.* Developed countries often violate the sovereignty of Third World countries.
**pencabul** KATA NAMA
*molester*
◊ *Pencabul akan didakwa dan dipenjarakan.* Molesters will be prosecuted and jailed.
**pencabulan** KATA NAMA
[1] *molestation*
◊ *Semua kes pencabulan mesti dilaporkan kepada pihak polis.* All cases of molestation must be reported to the police.
[2] *violation*
◊ *pencabulan undang-undang negeri* violation of state law

**cabut** KATA KERJA
[1] *to pull out*
◊ *Cabut paku pada dinding itu.* Pull that nail out of the wall.
[2] *to pull up (rumput, dll)*
♦ **cabut lari** to run away
**mencabut** KATA KERJA
[1] *to pull out (paku, dll)*
[2] *to pull up*
◊ *Dia mencabut rumput di halaman rumahnya.* He pulled up the weeds in his garden.
♦ **mencabut palam** to unplug
♦ **mencabut undi** to draw lots
**tercabut** KATA KERJA
*to be uprooted*
◊ *Beberapa batang pokok kelapa tercabut akibat angin yang kencang.* Several coconut trees were uprooted by the strong wind.
**cabutan** KATA NAMA
*draw*

◊  *cabutan bertuah*  a lucky draw

**cacah**  KATA NAMA
*tattoo*
**mencacah**  KATA KERJA
*to tattoo*

**cacak**
**mencacak**  KATA KERJA
♦ **berdiri mencacak**  to stand upright
◊  *Askar-askar itu dipaksa berdiri mencacak di tengah panas terik selama tiga jam.*  The soldiers were forced to stand upright in the blazing sun for 3 hours.
**mencacakkan**  KATA KERJA
*to stick upright*
◊  *Johari mencacakkan buluh-buluh itu untuk mendirikan khemah.*  Johari stuck the bamboos upright in the ground to erect the tents.
**tercacak**  KATA KERJA
*rooted*
◊  *Dia tercacak di situ kerana terkejut.*  She was rooted to the spot with the shock.

**cacar**  KATA NAMA
*smallpox*
♦ **cacar air**  chickenpox
**mencacar**  KATA KERJA
*to vaccinate*
◊  *Anda perlu mencacar anjing anda dua kali setahun.*  You should vaccinate your dog twice a year.
**pencacaran**  KATA NAMA
*vaccination*
◊  *Pencacaran terhadap virus itu perlu dijalankan di seluruh negara.*  Vaccination against the virus should be carried out throughout the country.

**cacat**  KATA ADJEKTIF
*disabled*
◊  *Kathleen menolong orang cacat itu menyeberangi jalan.*  Kathleen helped the disabled person to cross the road.
♦ **cacat akal**  mentally handicapped
♦ **cacat cela**  defect
**kecacatan**  KATA NAMA
[1] *disablement* (*untuk manusia*)
♦ **Kecacatan bukanlah satu penghalang untuk mencapai kejayaan.**  Being disabled is not an obstacle to success.
[2] *defect* (*untuk barangan dan manusia*)
◊  *Laporan tersebut menunjukkan kecacatan sistem yang digunakan sekarang.*  The report has pointed out the defects of the present system.
♦ **kecacatan pendengaran**  hearing defects

**caci**  KATA KERJA
[1] *to mock*
[2] *to swear at*

◊  *Jangan caci dia lagi!*  Stop swearing at him!
♦ **caci maki**  swear words
**mencaci**  KATA KERJA
[1] *to mock*
◊  *Rosy suka mencaci adik tirinya.*  Rosy likes to mock her stepbrother.
[2] *to swear at*
◊  *Jangan mencaci orang lain.*  Don't swear at people.
**cacian**  KATA NAMA
*abusive language*
◊  *John telah menyinggung perasaan Jenny dengan caciannya.*  John offended Jenny with his abusive language.

**cacing**  KATA NAMA
*worm*

**cadang**
**bercadang**  KATA KERJA
*to intend*
◊  *Saya bercadang untuk melanjutkan pelajaran saya.*  I intend to further my studies.
**mencadangkan**  KATA KERJA
[1] *to suggest*
◊  *Saya mencadangkan Kuala Lumpur sebagai destinasi percutian kita.*  I suggested Kuala Lumpur as our holiday destination.
[2] *to nominate*
◊  *Johan mencadangkan David sebagai ketua pasukan.*  Johan nominates David as the team leader.
**pencadang**  KATA NAMA
*proposer*
◊  *Sekarang, saya ingin mempersilakan Zubrin, selaku pencadang pertama untuk membentangkan hujahnya.*  Now I would like to call upon our first proposer Zubrin to present his case.
♦ **pihak pencadang**  the side putting the motion
**cadangan**  KATA NAMA
[1] *suggestion*
◊  *Apakah cadangan anda?*  What is your suggestion?
[2] *proposal*
◊  *Cadangan kerajaan adalah untuk menghentikan perkhidmatan kesihatan percuma.*  The government's proposal is to abolish free health care.
♦ **kertas cadangan**  proposal

**cadar**  KATA NAMA
*bed sheet*
◊  *Dia membeli cadar itu dari Thailand.*  She bought the bed sheet in Thailand.
♦ **tiga helai cadar**  three sheets
**bercadarkan**  KATA KERJA
*to be covered with ... bed sheet*

C

◊ *Tilam itu bercadarkan kain batik yang berbunga-bunga.* The mattress is covered with a flowery batik bed sheet.

**cagar** KATA NAMA *rujuk* **cagaran**
  **bercagarkan** KATA KERJA
  <u>*to use ... as security*</u>
  ◊ *Pinjaman banknya bercagarkan rumah itu.* He used the house as security when he took a loan from the bank.
  **mencagarkan** KATA KERJA
  <u>*to mortgage*</u>
  ◊ *Dia terpaksa mencagarkan rumahnya untuk membayar bil-bil tersebut.* He had to mortgage his house to pay the bills.
  **cagaran** KATA NAMA
  1  <u>*security*</u>
  ◊ *Samad menggunakan banglonya sebagai cagaran untuk membuat pinjaman bank.* Samad used his bungalow as security when he took a loan from the bank.
  2  <u>*deposit*</u>
  ◊ *Saya memberinya RM50 sebagai cagaran.* I gave her RM50 as a deposit.

**cahaya** KATA NAMA
  <u>*light*</u>
  ◊ *Cahaya lampu itu sangat terang.* The light of the lamp is very bright.
♦ **cahaya bulan** moonlight
♦ **cahaya lilin** candlelight
♦ **cahaya matahari** sunlight
  **bercahaya** KATA KERJA
  <u>*illuminated*</u>
  ◊ *Jalan itu bercahaya.* The street is illuminated.
  **mencahayai** KATA KERJA
  <u>*to brighten up*</u>
  ◊ *Kerlipan bintang mencahayai kegelapan malam itu.* The stars brighten up the night.

**cahaya mata** KATA NAMA
  <u>*child*</u> (JAMAK **children**)

**cair** KATA ADJEKTIF
  1  <u>*liquid*</u>
  ◊ *nitrogen cair* liquid nitrogen
♦ **aset cair** liquid assets
  2  <u>*melted*</u>
  ◊ *Ais itu sudah cair.* The ice has melted.
  3  <u>*weak*</u>
  ◊ *Grace menuang secawan teh yang cair untuk saya.* Grace poured me a cup of weak tea.
  **cecair** KATA NAMA
  <u>*liquid*</u>
  ◊ *cecair pencuci pinggan mangkuk* washing-up liquid
♦ **cecair pencuci mulut** mouthwash
  **kecairan** KATA NAMA

<u>*liquidity*</u>
  ◊ *Syarikat tersebut mengekalkan tahap kecairan yang tinggi.* The company maintains a high degree of liquidity.
  **mencair** KATA KERJA
  <u>*to melt*</u>
  ◊ *Ais di dalam gelas itu sedang mencair.* The ice in the glass is melting.
  **mencairkan** KATA KERJA
  1  <u>*to melt*</u>
  ◊ *Perubahan suhu dunia mencairkan ais di kawasan Antartik.* The change in the world temperature is melting the ice in the Antarctic.
  2  <u>*to liquidize*</u>
  ◊ *Mereka mencairkan nitrogen untuk melakukan eksperimen itu.* They liquidized nitrogen for the experiment.
  **pencair** KATA NAMA
  <u>*solvent*</u>
  **pencairan** KATA NAMA
  <u>*dilution*</u>
  ◊ *pencairan air kumbahan* sewage dilution
  **cairan** KATA NAMA
  <u>*dilution*</u>

**caj** KATA NAMA
  <u>*charge*</u>
  ◊ *caj bank* bank charge ◊ *caj perkhidmatan* service charge
♦ **Mereka dikenakan caj sebanyak RM5.** They were charged RM5.

**cakah** KATA ADJEKTIF
  <u>*obtuse*</u>
  ◊ *sudut cakah* obtuse angle

**cakap** KATA KERJA
  <u>*to talk*</u>
  ◊ *Jangan cakap lagi.* Stop talking.
  **bercakap** KATA KERJA
  1  <u>*to speak*</u>
  ◊ *John menangis apabila bercakap tentang Oliver.* John cried when he spoke of Oliver.
  2  <u>*to talk*</u>
  ◊ *Mereka bercakap tentang burung.* They were talking about birds.
♦ **bercakap besar** to boast
♦ **bercakap kosong** to talk nonsense
♦ **bercakap kuat** to speak up
♦ **kuat bercakap** talkative
  **bercakap-cakap** KATA KERJA
  <u>*to talk*</u>
  ◊ *Mereka bercakap-cakap tentang virus yang masih berleluasa itu.* They were talking about the virus which was still spreading.
  **percakapan** KATA NAMA
  <u>*conversation*</u>
  ◊ *Percakapan menteri itu telah*

*dirakamkan oleh seorang wartawan.* The minister's conversation was recorded by a reporter.

**cakar**  KATA NAMA
*claw*
**bercakaran, bercakar-cakaran**
KATA KERJA
*to argue*
◊ *Mereka selalu bercakaran sesama sendiri.* They were always arguing with each other.
**mencakar**  KATA KERJA
*to scratch*
◊ *Kucing itu mencakar anak lelaki saya.* That cat scratched my son.
**pencakar**  KATA NAMA
*rake*
♦ **pencakar langit**  skyscraper

**cakera**  KATA NAMA
*disk*
♦ **cakera keras**  hard disk
♦ **cakera liut**  floppy disk
♦ **cakera optik**  optical disk
♦ **cakera padat**  compact disc **atau** CD
♦ **pemain cakera padat**  CD player
♦ **lempar cakera**  discus ◊ *Akiko mewakili negara Jepun dalam acara lempar cakera.* Akiko represented Japan in the discus event.

**cakerawala**  KATA NAMA
*universe*

**cakup**
**mencakupi**  KATA KERJA
*to cover*
◊ *Pengajaran guru itu mencakupi semua tajuk yang terdapat dalam buku teks.* In his teaching the teacher covers all the topics in the textbook.

**calang**  KATA ADJEKTIF
♦ **bukan calang**  no ordinary ◊ *Dia bukan calang orang.* He's no ordinary man.

**calar**  KATA NAMA
*scratch* (JAMAK **scratches**)
◊ *Calar-calar pada kakinya tidak dapat disembuhkan.* The scratches on her leg cannot be healed.
♦ **calar-balar**  full of scratches
**mencalarkan**  KATA KERJA
*to scratch*
◊ *Pengasuh itu mencalarkan tangan bayi itu dengan kukunya.* The babysitter scratched the baby's hand with her fingernails.
**tercalar**  KATA KERJA
*to be scratched*

**calet**  KATA NAMA
*chalet*

**calit**  KATA NAMA
*smear*

♦ **kesan calit**  smear ◊ *Cermin itu dipenuhi dengan kesan calit.* The mirror was covered in smears.
**mencalit**  KATA KERJA
*to smear*
◊ *Lelaki itu mencalit muka anaknya dengan minyak.* The man smeared his son's face with oil.
**mencalitkan**  KATA KERJA
*to smear*
◊ *Budak nakal itu mencalitkan lumpur pada kereta bapanya.* That naughty boy smeared his father's car with mud.

**calon**  KATA NAMA
*candidate*
◊ *calon bebas*  independent candidate
**mencalonkan**  KATA KERJA
*to nominate*
◊ *Kami mencalonkan Tommy sebagai ketua pasukan.* We nominated Tommy as the team leader.
**pencalon**  KATA NAMA
*proposer*
**pencalonan**  KATA NAMA
*nomination*
◊ *Beberapa orang pelajar tidak menyokong pencalonan Asman sebagai ketua darjah.* A number of students did not support the nomination of Asman as monitor.

**cam**  KATA KERJA
*to recognize*
◊ *Saya cam muka penjenayah itu.* I recognized the criminal's face.
**mengecam**  KATA KERJA
*to recognize*
◊ *Howard tidak dapat mengecam muka penjenayah itu.* Howard could not recognize the criminal's face.
**pengecaman**  KATA NAMA
*identification*
◊ *Pengecaman perompak-perompak bank itu dilakukan di balai polis berhampiran.* The identification of the bank robbers was carried out at the neighbouring police station.

**camar**  KATA NAMA
♦ **burung camar**  seagull

**cambah**  KATA NAMA
*seedling*
**bercambah**  KATA KERJA
1 *to germinate*
◊ *Biji benih itu sudah bercambah.* The seed has germinated.
2 *to grow*
◊ *Pokok betik itu sudah bercambah.* That papaya tree has grown.
**mencambahkan**  KATA KERJA
1 *to germinate*

◊ *Para penyelidik telah mencambahkan biji benih itu.* The researchers germinated the seeds.

2 *to grow*

◊ *Saya selalu mencambahkan beberapa biji bawang merah.* I always grow a few red onions.

**percambahan** KATA NAMA

*germination*

**camca** KATA NAMA

*spoon*

♦ **camca besar** tablespoon

♦ **camca teh** teaspoon

**campak** KATA KERJA

> rujuk juga **campak** KATA NAMA

*to throw away*

◊ *Jangan campak buku itu.* Don't throw that book away.

**mencampak, mencampakkan** KATA KERJA

*to chuck*

◊ *Susan mencampak buku-buku lamanya ke dalam almari.* Susan chucked all her old books into the cupboard.

**tercampak** KATA KERJA

*to be thrown*

◊ *Tumbukan Freddie menyebabkan Muthu tercampak ke tanah.* Muthu was thrown to the ground by Freddie's punch.

**campak** KATA NAMA

> rujuk juga **campak** KATA KERJA

♦ **demam campak** measles

**campur** KATA KERJA

1 *plus*

◊ *Dua campur tiga bersamaan dengan lima.* Two plus three is five. ◊ *C campur C plus*

2 *mixed*

◊ *salad campur* a mixed salad

◊ *sekolah campur* a mixed school

♦ **campur tangan (1)** to interfere

◊ *Tolong jangan campur tangan.* Please don't interfere.

♦ **campur tangan (2)** interference

◊ *Campur tangan beliau hanya akan menyulitkan lagi hal itu.* His interference will only complicate the matter further.

**bercampur** KATA KERJA

*to mix*

◊ *Amanda suka bercampur dengan pelajar-pelajar Cina di sekolahnya.* Amanda likes to mix with the Chinese students from her school.

♦ **bercampur gaul** to socialize

**bercampuran** KATA KERJA

*to mix up*

◊ *Buku-buku di perpustakaan semuanya telah bercampuran.* The books in the library are all mixed up.

**mencampuri** KATA KERJA

*to interfere*

◊ *Jiran saya suka mencampuri hal orang lain.* My neighbour likes to interfere in other people's business.

**mencampurkan** KATA KERJA

*to mix*

◊ *Sandy mencampurkan santan ke dalam kari ikannya.* Sandy mixed coconut milk into the curried fish.

**tercampur** KATA KERJA

*to be mixed up*

◊ *Buku-buku saya tercampur dengan buku-bukunya.* My books were mixed up with hers.

♦ **Saya tercampur susu ke dalam kopi itu.** I accidentally put milk into the coffee.

**campuran** KATA NAMA

*mixture*

**campur aduk**

**bercampur aduk** KATA KERJA

*to mix up*

◊ *Semua kaset Annie telah bercampur aduk dengan kaset saya.* Annie's cassettes are all mixed up with mine.

**mencampuradukkan** KATA KERJA

*to mix*

◊ *Dave mencampuradukkan rempah-rempah itu untuk menambahkan perisa.* Dave mixed the spices together to bring out the flavour.

**campur baur** KATA KERJA *rujuk* **campur aduk**

**camuk**

**bercamuk** KATA KERJA

*scattered*

◊ *Makanan habis bercamuk di atas lantai.* Food was scattered on the floor.

**canai** KATA ADJEKTIF

♦ **batu canai** whetstone

**mencanai** KATA KERJA

1 *to grind* (*mengasah*)

◊ *Tukang besi itu sedang mencanai kapak.* The blacksmith is grinding an axe.

2 *to roll out*

◊ *Pembuat roti itu sedang mencanai adunan tersebut.* The baker is rolling out the dough.

**pencanai** KATA NAMA

*grinder* (*alat mengasah*)

**candi** KATA NAMA

*shrine*

◊ *Sebuah candi telah dijumpai di Lembah Bujang.* A shrine was found in Lembah Bujang.

**candu** KATA NAMA

*opium*

**canggah**

**bercanggah** KATA KERJA

C

*to contradict*
◊ *Keputusan eksperimen kami bercanggah dengan keputusan mereka.* The results of our experiment contradict theirs.
**bercanggahan**  KATA KERJA
*to have conflicting ...*
◊ *Mereka bercanggahan pendapat.* They have conflicting opinions.
**percanggahan**  KATA NAMA
*conflicting*
◊ *Mereka mempunyai percanggahan pendapat.* They have conflicting opinions.
◊ *percanggahan kepentingan* conflicting interests

**canggih**  KATA ADJEKTIF
*sophisticated*
◊ *Teknologi perubatan sekarang semakin canggih.* Medical technologies nowadays are getting more sophisticated.
**kecanggihan**  KATA NAMA
*sophistication*
◊ *Orang ramai kagum dengan kecanggihan peralatan yang digunakan semasa Sukan Komanwel 1998.* People were impressed by the sophistication of the equipment used during the 1998 Commonwealth Games.

**canggung**  KATA ADJEKTIF
*ill at ease*
◊ *Pelakon yang kurang berpengalaman akan kelihatan canggung ketika penggambaran.* Inexperienced actors can look ill at ease during filming.

**cangkerang**  KATA NAMA
*shell*

**cangkuk**  KATA NAMA
*hook*
**mencangkuk**  KATA KERJA
*to hook*
◊ *Buruh itu mencangkuk guni beras dari lori.* The labourer hooked the sacks of rice from the lorry.

**cangkul**  KATA NAMA
*hoe*
**mencangkul**  KATA KERJA
*to hoe*
◊ *Petani itu mencangkul tanah untuk menanam sayur.* The farmer hoed the ground to plant vegetables.

**cangkung**
**bercangkung, mencangkung**
KATA KERJA
*to squat down*
◊ *Dr. Hans mencangkung untuk memeriksa anjing tersebut.* Dr Hans squatted down to examine the dog.

**canselor**  KATA NAMA
*chancellor*

**cantas**
**mencantas**  KATA KERJA
*to trim*
◊ *Bapa June sedang mencantas pokok renek di hadapan rumahnya.* June's father is trimming the hedge in front of their house.
♦ **Zahid mencantas pokok mangga jirannya.** Zahid pruned his neighbour's mango tree.

**cantik**  KATA ADJEKTIF
*beautiful*
◊ *Pamela sangat cantik.* Pamela is very beautiful.
**kecantikan**  KATA NAMA
*beauty*
◊ *seorang wanita yang tidak dapat ditandingi dari segi kecantikannya* a woman of incomparable beauty
**mencantikkan**  KATA KERJA
*to beautify*
◊ *Arianna membeli beberapa keping gambar untuk mencantikkan biliknya.* Arianna bought a few pictures to beautify her room.

**cantum**  KATA KERJA
*to join ... together*
◊ *Jangan cantum kedua-dua gambar tersebut.* Don't join the two pictures together.
**bercantum**  KATA KERJA
*to be joined*
◊ *Meja kerani itu bercantum dengan meja penyelia.* The clerk's table was joined to the supervisor's table.
**mencantum, mencantumkan**
KATA KERJA
*to join ... together*
◊ *Mereka mencantumkan cebisan surat itu untuk mengetahui isi kandungannya.* They joined the fragments of the letter together to find out what it said.
**tercantum**  KATA KERJA
*to be pieced together*
◊ *Apabila saya balik, gambar-gambar itu telah tercantum.* When I got back, the pictures had been pieced together.
**cantuman**  KATA NAMA
*grafting*
◊ *Cantuman dua pokok bunga kertas itu menghasilkan warna yang lebih menarik.* The grafting of the two bougainvillaea trees yielded a more attractive colour.
♦ **cantuman tunas** bud grafting

**cap**  KATA NAMA
*stamp*
◊ *Sesetengah syarikat yang kecil tidak mempunyai cap syarikat.* Some small companies don't have a company stamp.

♦ **cap jari** fingerprint
♦ **cap mohor** royal seal
♦ **cap pos** postmark
  **mengecap** KATA KERJA
  _to stamp_
  ◊ _Anda dikehendaki mengecap dokumen itu selepas membacanya._ You have to stamp the document after reading it.

**capai**
  **mencapai** KATA KERJA
  ⓵ _to achieve_
  ◊ _Dia belum mencapai cita-citanya untuk menjadi seorang doktor._ He hasn't achieved his ambition to become a doctor.
  ⓶ _to grab_
  ◊ _Didi cuba mencapai tangan Ariati untuk menyelamatkannya._ Didi tried to grab Ariati's hand in order to save her.
  **pencapaian** KATA NAMA
  _achievement_
  ◊ _Pencapaiannya dalam peperiksaan itu sungguh membanggakan ibu bapanya._ Her achievement in the examination made her parents very proud of her.
  **tercapai** KATA KERJA
  _to be achieved_
♦ **Cita-citanya sudah tercapai.** He has achieved his ambition. (_penggunaan biasa bahasa Inggeris_)
  **capaian** KATA NAMA
  _access_ (komputer)

**capik** KATA ADJEKTIF
  _to have a limp_
  ◊ _Kakinya capik setelah terlibat dalam kemalangan tersebut._ He has had a limp since he had that accident.
  **tercapik-capik** KATA KERJA
  _to limp_
  ◊ _Dia tercapik-capik kerana kakinya tercedera._ She limped because her leg had been injured.

**cara** KATA NAMA
  ⓵ _method_
  ◊ _Jangan gunakan cara itu untuk menyelesaikan masalah-masalah ini._ Don't use that method to solve these problems.
  ⓶ _way_
  ◊ _Dia menunjukkan kepada kami pelbagai cara untuk membuat kek._ She showed us the different ways of baking a cake.
♦ **cara hidup** lifestyle
  **secara** KATA SENDI

  secara _biasanya digunakan di hadapan_ **kata adjektif** _dan gabungan dua kata ini diterjemahkan menjadi_ **kata adverba dalam bahasa Inggeris.**

  ◊ _secara automatik_ automatically

◊ _secara diam-diam_ quietly
◊ _secara berasingan_ separately
◊ _secara membabi buta_ recklessly
♦ **Majlis perkahwinan kakaknya diadakan secara ringkas sahaja.** Her sister's wedding ceremony was very simple.

**cari**
  **mencari** KATA KERJA
  ⓵ _to look up_
  ◊ _Dia mencari makna perkataan itu dalam kamus._ She looked up the meaning of the word in the dictionary.
  ⓶ _to look for_
  ◊ _Ira sedang mencari anak kucing itu._ Ira is looking for the kitten.
  ⓷ _to find_
  ◊ _mencari gaduh_ to find fault
  ◊ _mencari ikhtiar_ to find a way
  **mencari-cari** KATA KERJA
  _to look high and low for_
  ◊ _Dia mencari-cari kuncinya yang hilang._ She was looking high and low for her missing keys.
  **mencarikan** KATA KERJA
  _to find_
  ◊ _Agen hartanah itu mencarikan Tiara sebuah rumah._ The real estate agent found Tiara a house.
  **pencari** KATA NAMA
  _searcher_
♦ **pasukan pencari** search party
  **pencarian** KATA NAMA
  _search_
  ◊ _Pencarian mereka berakhir dengan kejayaan._ Their search ended with success.
♦ **mata pencarian** livelihood
  **tercari-cari** KATA KERJA
  _to look high and low for_
  ◊ _Dia tercari-cari buku itu._ He's looking high and low for the book.
  **carian** KATA NAMA
  _object of search_

**cari gali** KATA NAMA
  _oil exploration_
  **mencari gali** KATA KERJA
  _to explore_
  ◊ _Mereka mencari gali minyak di kawasan itu._ They explored that area for oil.

**carik** KATA NAMA
(_koyak memanjang_)

  rujuk juga **carik** PENJODOH BILANGAN

  _tear_
  **bercarik-carik** KATA KERJA
  _torn_
  ◊ _seluar jean yang bercarik-carik_ torn jeans
  **mencarik** KATA KERJA

*to tear up*
◊ *Ann mencarik kertas itu.* Ann tore up the paper.
**mencarik-carik** KATA KERJA
*to tear ... into pieces*
◊ *Dia mencarik-carik kertas itu kerana marah.* He tore the paper into pieces out of anger.

**carik** PENJODOH BILANGAN
> rujuk juga **carik** KATA NAMA

*piece*
◊ *secarik kertas* a piece of paper

**carta** KATA NAMA
*chart*
◊ *Pn. Cheah menggunakan carta itu untuk mengajar murid-muridnya.* Mrs Cheah uses that chart to teach her students.
♦ **carta aliran** flow chart
♦ **carta bar** bar chart
♦ **carta pai** pie chart

**carum**
**mencarum** KATA KERJA
*to contribute*
◊ *Para pekerja diwajibkan mencarum wang mereka dalam KWSP.* All workers are obliged to contribute to the EPF.
**pencarum** KATA NAMA
*contributor*
**pencaruman** KATA NAMA
*contribution*
**caruman** KATA NAMA
*contribution*
◊ *Semua caruman perlu dibayar kepada KWSP.* All contributions should be paid to the EPF.

**carut** KATA ADJEKTIF
*vulgar*
◊ *Saya tidak menyukai orang yang menggunakan kata-kata carut.* I don't like people using vulgar words.
**mencarut** KATA KERJA
*to use vulgar language*
◊ *Lelaki yang tinggal di rumah itu suka mencarut.* The man that lives in that house likes to use vulgar language.

**cas** KATA NAMA
*charge*
♦ **cas atom** atomic charge
♦ **cas elektron** electronic charge
♦ **cas ion** ionic charge
♦ **cas negatif** negative charge
♦ **cas positif** positive charge
**mengecas** KATA KERJA
*to charge*
◊ *mengecas bateri* to charge the battery

**cat** KATA NAMA
*paint*

◊ *Cat itu sangat tahan lama.* The paint is very durable.
♦ **cat air** water colour
♦ **cat minyak** oil paint
♦ **tukang cat** painter
**bercat** KATA KERJA
*to be painted*
◊ *Rumah itu bercat biru.* That house is painted blue.
**mengecat** KATA KERJA
*to paint*
◊ *Katie mengecat rumahnya sendiri untuk menjimatkan wang.* Katie painted her house herself to save money.
**pengecat** KATA NAMA
*painter*
◊ *Pengecat itu belum menerima gajinya.* The painter hasn't received his wages.

**catan** KATA NAMA
*painting*
◊ *Catan itu sungguh cantik.* The painting is very beautiful.

**catat**
**mencatat, mencatatkan** KATA KERJA
[1] *to note down*
◊ *Dia mencatat semua aktiviti hariannya dalam diari.* She noted down her daily activities in her diary.
[2] *to jot down*
◊ *Setiausaha persatuan itu mencatatkan nama-nama ahli yang hadir.* The secretary of the society jotted down the names of the members who were present.
♦ **mencatat markah** to score
**pencatat** KATA NAMA
*person who takes down something*
♦ *Setiausaha merupakan pencatat dalam sesuatu mesyuarat.* The secretary is the one who takes down the minutes during a meeting.
**tercatat** KATA KERJA
*to be recorded*
◊ *Nama pelajar baru itu tidak tercatat dalam buku kedatangan.* The name of the new student was not recorded in the attendance book.
**catatan** KATA NAMA
*note*
◊ *Simpan catatan itu baik-baik.* Keep those notes carefully.
♦ **buku catatan** notebook
♦ **kertas catatan** notepaper

**catit** KATA KERJA rujuk **catat**

**catu** KATA NAMA
*ration*
**mencatu, mencatukan** KATA KERJA
*to ration*
◊ *Keputusan untuk mencatu beras dibuat kelmarin.* The decision to ration

rice was made yesterday.
**pencatuan** KATA NAMA
*rationing*
◊ *Pencatuan air akan diteruskan untuk tiga minggu lagi.* Water rationing will be carried on for three more weeks.
**catuan** KATA NAMA
*ration*
◊ *Catuan daging dikurangkan menjadi sekilo seorang.* The meat ration was down to one kilogram per person.
**catur** KATA NAMA
*chess*
♦ **papan catur** chessboard
**cawak** KATA NAMA
♦ **tali cawak** (*untuk anjing*) lead
**cawan** KATA NAMA
*cup*
**cawang**
**pencawang** KATA NAMA
*substation*
◊ *Sebuah pencawang akan didirikan di kawasan perumahan itu tidak lama lagi.* A substation will be built on that housing estate soon.
**cawangan** KATA NAMA
*branch* (JAMAK **branches**)
◊ *Terdapat tiga buah cawangan bank BCBB di bandar ini.* There are three BCBB bank branches in this town.
**cawat** KATA NAMA
*loincloth*
**CD ROM** KATA NAMA
*CD ROM*
**cebik**
**mencebik** KATA KERJA
*to pout*
◊ *"Jangan mencebik," marah ibunya.* "Don't pout," scolded her mother.
**mencebikkan** KATA KERJA
♦ **mencebikkan bibir** to pout ◊ *Dia mencebikkan bibirnya apabila dia tidak diberi benda yang diingininya.* He pouted when he was not given what he wanted.
**cebis** PENJODOH BILANGAN
*piece*
◊ *secebis kertas* a piece of paper
**cebisan** KATA NAMA
*pieces*
◊ *Jangan buang cebisan kertas itu.* Don't throw the pieces of paper away.
**cebur**
**menceburi** KATA KERJA
*to involve in*
◊ *Elizabeth menceburi bidang perfileman sejak tahun 1998.* Elizabeth has been involved in the film industry since 1998.
**menceburkan** KATA KERJA
*to involve in*

◊ *Dia menceburkan dirinya dalam bidang politik.* He involved himself in politics.
**penceburan** KATA NAMA
*involvement*
◊ *Penceburannya dalam bidang muzik membanggakan ibu bapanya.* His involvement in music makes his parents proud.
**cecah**
**mencecah** KATA KERJA
*to touch*
◊ *Skirtnya labuh sehingga mencecah ke lantai.* Her skirt is so long it touches the floor.
**mencecahkan** KATA KERJA
*to dip ... lightly*
◊ *Wendy mencecahkan rotinya ke dalam sup.* Wendy dipped her bread lightly in her soup.
**tercecah** KATA KERJA
*to touch*
◊ *Kakinya tercecah air semasa dia menaiki sampan itu.* While she was getting on the boat the water touched her legs.
**cedera** KATA ADJEKTIF
*injured*
◊ *cedera parah* badly injured
♦ **Kakinya cedera semasa bermain bola sepak.** When he was playing football he injured his leg.
**kecederaan** KATA NAMA
*injury* (JAMAK **injuries**)
◊ *kecederaan otak* brain injury
◊ *masa kecederaan* injury time
**mencederakan** KATA KERJA
*to injure*
◊ *Azmin didakwa kerana mencederakan pengurusnya.* Azmin was prosecuted for injuring his manager.
**tercedera** KATA KERJA
*injured*
◊ *Tangannya tercedera.* Her hand was injured.
**cedok**
**mencedok** KATA KERJA
*to ladle out*
◊ *Saya mencedok sup itu.* I ladled out the soup.
**pencedok** KATA NAMA
*ladle*
**cegah**
**mencegah** KATA KERJA
*to prevent*
◊ *Pakar perubatan sedang mencari ubat untuk mencegah virus itu daripada merebak.* Medical experts are looking for a vaccine to prevent the virus from

C

spreading.

**pencegah** KATA NAMA
*anti-*
◊   *Badan Pencegah Rasuah*
Anti-Corruption Agency
♦ **Bahagian Pencegah Jenayah** Crime
Prevention Division
♦ **pencegah hamil** contraceptive
**pencegahan** KATA NAMA
*prevention*
◊   *pencegahan penyakit jantung* the
prevention of heart disease

**cegat**
**tercegat** KATA KERJA
*to stand upright*
◊   *Dia tercegat di depan pintu.* He stood
upright in front of the door.

**cek** KATA NAMA
*cheque*
♦ **buku cek** cheque book
♦ **cek berpalang** crossed cheque
♦ **cek kembara** traveller's cheque
♦ **cek kosong** blank cheque
♦ **cek lambung** dishonoured cheque
♦ **cek tendang** dishonoured cheque
♦ **cek tunai** cash cheque

**cekah** KATA ADJEKTIF
*cracked*
◊   *Durian yang dibeli oleh bapa saya
sudah cekah.* The durians that my father
bought have cracked.
**mencekah** KATA KERJA
[1] *to press ... open*
◊   *Dia mencekah buah manggis itu
dengan tangannya.* He pressed the
mangosteen open with his hands.
[2] *to split open*
◊   *Dia mencekah durian itu dengan
tangannya.* He split open the durian with
his hands.

**cekak** PENJODOH BILANGAN
*bunch* (JAMAK **bunches**) (*terjemahan
umum*)
◊   *dua cekak rumput* two bunches of
grass ◊ *beberapa cekak serai* several
bunches of lemongrass ◊ *secekak padi*
a bunch of paddy
**bercekak** KATA KERJA
♦ **bercekak pinggang** to stand with one's
arms akimbo ◊ *Dia bercekak pinggang.*
She stands with her arms akimbo.
**mencekak** KATA KERJA
*to take ... in one's hand*
♦ **Dia mencekak beberapa batang lilin
dan memberikannya kepada saya.**
She took a few candles and gave them to
me.
♦ **Guru itu mencekak pinggangnya.** The
teacher stands with her arms akimbo.

**cekal** KATA ADJEKTIF
*determined*
◊   *Dia seorang yang cekal.* She's a
determined person.
♦ **cekal hati** determined
**kecekalan** KATA NAMA
*determination*
◊   *Kecekalan Ah Leng membolehkannya
menamatkan pengajiannya.* Ah Leng's
determination enabled her to complete her
studies.
**mencekalkan** KATA KERJA
♦ **mencekalkan hati** determined
◊   *Hamid mencekalkan hatinya untuk
mengatasi masalah itu.* Hamid is
determined to overcome the problem.

**cekap** KATA ADJEKTIF
*competent*
◊   *Hamdan ialah seorang kakitangan
kerajaan yang setia dan cekap.* Hamdan
is a loyal and competent civil servant.
♦ **tidak cekap** incompetent
**kecekapan** KATA NAMA
*competence*
◊   *Kecekapannya sebagai seorang ahli
ekonomi telah diketahui ramai.* His
competence as an economist is widely
known.
♦ **ketidakcekapan** incompetence

**cekau**
**mencekau** KATA KERJA
*to seize*
◊   *Dia mencekau lengan saya dengan
kuat.* He seized me firmly by the arm.

**cekik** KATA KERJA
*to strangle*
◊   *"Jangan cekik saya," rayu wanita tua
itu.* "Don't strangle me," pleaded the old
lady.
**mencekik** KATA KERJA
*to strangle*
◊   *Paul mencekik Sarah dengan
tangannya.* Paul strangled Sarah with his
bare hands.
♦ **Dia mati akibat dicekik.** He died from
strangulation.
**pencekik** KATA NAMA
*strangler*
♦ **pencekik darah** bloodsucker
**tercekik** KATA KERJA
*to choke*
♦ **Budak perempuan itu mati tercekik.**
The girl was choked to death.
**cekikan** KATA NAMA
*strangulation*

**cekung** KATA ADJEKTIF
*sunken*
◊   *Matanya cekung kerana kekurangan
tidur.* His eyes are sunken from lack of

sleep.

♦ **kanta cekung**  concave lens

**cekup**

   **mencekup**  KATA KERJA

   *to catch in the hollow of the hand*

♦ **Samad mencekup belalang itu.**  Samad caught the grasshopper in his hand.

**cela**  KATA NAMA

   *defect*

   ◊ *Lukisan itu tidak ada celanya.* The painting has no defects.

   **kecelaan**  KATA NAMA

   *flaw*

   ◊ *Hampir kesemua kajian ini mempunyai kecelaan yang serius.* Almost all of these studies have serious flaws.

   **mencela**  KATA KERJA

   *to condemn*

   ◊ *Mereka mencela tindakan pengurus itu.* They condemned the manager's action.

   **celaan**  KATA NAMA

   *condemnation*

   ◊ *Saya tidak mempedulikan celaannya.* I didn't bother about his condemnation.

**celah**  KATA NAMA

   *crevice*

   ◊ *Ivan mengintai gadis itu melalui celah dinding itu.* Ivan peeped at the girl through the crevice in the wall.

   **mencelah**  KATA KERJA

   *to interrupt*

   ◊ *Dia suka mencelah apabila emaknya bercakap.* He likes to interrupt when his mother is talking.

**celak**  KATA NAMA

   *eyeliner*

**celaka**  KATA ADJEKTIF

(*bahasa kasar*)

   *damn*

   **kecelakaan**  KATA NAMA

   *disaster*

♦ **kecelakaan jalan raya**  road accident

**celaru**  KATA ADJEKTIF

   *confused*

   **bercelaru**  KATA KERJA

   *to be in disarray*

   ◊ *Hidupnya bercelaru sejak dia hilang pekerjaan.* His life has been in disarray since he lost his job.

♦ **Fikiran saya bercelaru.**  I'm confused.

   **kecelaruan**  KATA NAMA

   *conflict*

   ◊ *Setiap kaum di negara ini perlulah saling memahami bagi mengelakkan kecelaruan.* People of all races in this country should have mutual understanding to avoid conflict.

♦ **kecelaruan fikiran**  confusion

**mencelarukan**  KATA KERJA

   *to confuse*

   ◊ *Kenyataan menteri itu telah mencelarukan keadaan.* The minister's statement has confused the situation.

   ◊ *Penjelasan mereka mencelarukan lagi fikiran saya.* Their explanations confused me even more.

**celik**  KATA ADJEKTIF

   1 *sighted*

   ◊ *perbezaan antara orang buta dengan orang yang celik* the difference between the blind and the sighted

   2 *open* (*mata*)

♦ **Matanya celik semalaman memikirkan masalah itu.**  She couldn't sleep the whole night thinking of the problems.

♦ **celik komputer**  computer literate

♦ **celik mata**  aware

   **mencelikkan**  KATA KERJA

♦ **mencelikkan mata**  to create awareness  ◊ *Dia cuba mencelikkan mata penduduk kampung tentang pentingnya pelajaran.* He was trying to create awareness among the villagers of the importance of education.

**celopar**  KATA ADJEKTIF

   *to have a sharp tongue*

   ◊ *Dia memang celopar.* She has such a sharp tongue.

♦ **celopar mulut**  to have a sharp tongue

**celoteh**  KATA NAMA

   *chatter*

   **berceloteh**  KATA KERJA

   *to chatter*

**Celsius**  KATA NAMA

   *Celsius*

**celup**  KATA ADJEKTIF

   | *rujuk juga* **celup** KATA KERJA |

   *counterfeit*

   ◊ *emas celup*  counterfeit gold

**celup**  KATA KERJA

   | *rujuk juga* **celup** KATA ADJEKTIF |

   *to dip*

   ◊ *Celup kain itu ke dalam pewarna.* Dip that cloth into the dye.

   **bercelup**  KATA KERJA

   *-plated*

   ◊ *Rantai itu bercelup emas.* That is a gold-plated necklace.

   **mencelup**  KATA KERJA

   *to dip*

   ◊ *Lena mencelup kain itu ke dalam air.* Lena dipped the cloth in the water.

   **pencelup**  KATA NAMA

   *dye*

   **pencelupan**  KATA NAMA

   *dyeing*

   **celupan**  KATA NAMA

*dip* (*hasil mencelup*)

**cemar**

  **mencemari, mencemarkan** KATA KERJA

  1 *to pollute*

  ◊ *Asap kenderaan mencemarkan persekitaran.* Fumes from vehicles are polluting the environment.

  2 *to taint*

  ◊ *Joey telah mencemarkan nama baik keluarganya dengan perbuatannya itu.* Joey's behaviour has tainted his family's good name.

  **pencemaran** KATA NAMA

  *pollution*

  ◊ *pencemaran bunyi* noise pollution

  **tercemar** KATA KERJA

  *polluted*

  ◊ *Udara di tempat ini sudah tercemar.* The air in this place has been polluted.

**cemas** KATA ADJEKTIF

  1 *anxious*

  ◊ *Dia cemas memikirkan keputusan peperiksaannya.* She was anxious about her exam results.

  2 *nervous*

  ◊ *Dia berasa cemas setiap kali melalui kawasan itu.* She gets nervous every time she passes through that area.

  **kecemasan** KATA NAMA

  *emergency*

  ♦ **pintu kecemasan** emergency exit

  ♦ **wad kecemasan** casualty (JAMAK **casualties**)

  **mencemaskan** KATA KERJA

  *to make ... nervous*

  ◊ *Kelakuan anda mencemaskan saya.* Your behaviour makes me nervous.

**cembung** KATA ADJEKTIF

  *convex*

  ◊ *kanta cembung* convex lens

**cemburu** KATA ADJEKTIF

  *jealous*

  ◊ *Dia cemburu akan kecantikan kakaknya.* She's jealous of her sister's beauty.

  **mencemburui** KATA KERJA

  *jealous of*

  ◊ *Joe mencemburui kejayaan Charles.* Joe is jealous of Charles' success.

**cemerkap** KATA ADJEKTIF

  *clumsy*

  **kecemerkapan** KATA NAMA

  *clumsiness*

  ◊ *Saya malu atas kecemerkapan saya sendiri.* I was ashamed of my own clumsiness.

**cemerlang** KATA ADJEKTIF

  *excellent*

  ◊ *keputusan cemerlang* an excellent

result

  **kecemerlangan** KATA NAMA

  *excellence*

  ◊ *kecemerlangan akademik* academic excellence

**cemeti** KATA NAMA

  *whip*

  **mencemeti** KATA KERJA

  *to whip*

  ◊ *Lelaki itu mencemeti kuda Larry.* That man whipped Larry's horse.

**cemik**

  **mencemik** KATA KERJA

  *to pout*

  ◊ *Dia mencemik apabila melihat kami memasuki dewan tarian itu.* She pouted when she saw us entering the dance hall.

  **mencemikkan** KATA KERJA

  ♦ **mencemikkan bibir** to pout

**cemuh** KATA KERJA

  ♦ **kena cemuh** to be mocked ◊ *Dia kena cemuh oleh adik perempuannya sendiri.* She was mocked by her own sister.

  **mencemuh** KATA KERJA

  *to mock*

  ◊ *Guru itu mengajar murid-muridnya supaya tidak mencemuh orang tua.* The teacher taught her students not to mock the elderly.

  **cemuhan** KATA NAMA

  *mockery*

  ◊ *Anita tidak mempedulikan cemuhan kawannya.* Anita ignored her friend's mockery.

**cendawan** KATA NAMA

  *mushroom*

  ♦ **cendawan beracun** toadstool

  **bercendawan** KATA KERJA

  *mouldy*

  ◊ *Roti itu sudah bercendawan.* That bread is mouldy.

**cendekiawan** KATA NAMA

  *intellectual*

**cenderahati** KATA NAMA

  *souvenir*

**cenderamata** KATA NAMA

  *souvenir*

  ◊ *kedai cenderamata* souvenir shop

**cenderung** KATA KERJA

  *inclined*

  ◊ *Saya lebih cenderung untuk makan di luar.* I'm more inclined to eat out.

  **kecenderungan** KATA NAMA

  *inclination*

  ◊ *Bapa Ahmad memberikan persetujuannya terhadap kecenderungan Ahmad dalam bidang politik.* Ahmad's father approved of his inclination towards politics.

**cengang**

**tercengang, tercengang-cengang**
KATA KERJA

1 _astonished_

◊ _Sandra tercengang apabila melihat reka bentuk rumah jirannya._ Sandra was astonished when she saw the design of her neighbour's house.

2 _dumbfounded_

◊ _Dia tercengang-cengang selepas mendengar cadangan Joe._ He was dumbfounded by Joe's suggestion.

**cengil** KATA ADJEKTIF

_fierce_

◊ _Wajahnya kelihatan sangat cengil._ He has a very fierce look.

**cengkam**

**mencengkam** KATA KERJA

_to grip ... with the claws_

◊ _Harimau tersebut mencengkam budak lelaki itu._ The tiger gripped the boy with its claws.

**cengkaman** KATA NAMA

_grip_

◊ _Wanita tersebut cuba melepaskan diri daripada cengkaman singa itu._ The lady tried to free herself from the grip of the lion. ◊ _Presiden tersebut mengekalkan cengkaman kuku besi ke atas negaranya._ The President maintains an iron grip on his country.

**cengkeram** KATA NAMA

_deposit_

◊ _Anda perlu membayar cengkeram sebanyak RM10._ You have to pay RM10 deposit.

**cengkerik** KATA NAMA

_cricket_

**cengkih** KATA NAMA

♦ **bunga cengkih** clove

**cengkung** KATA ADJEKTIF

_sunken_

◊ _Mata Julia cengkung._ Julia's eyes are sunken.

**cenuram** KATA NAMA

_cliff_

**cepat** KATA ADJEKTIF

_quick_

◊ _Cepat, kita sudah lambat!_ Quick, we're late!

♦ **cepat tangan** light-fingered

♦ **cepat marah** quick-tempered

♦ **dengan cepat** quickly

**mencepatkan** KATA KERJA

_to quicken_

◊ _Saya mencepatkan langkah apabila hari semakin gelap._ I quickened my steps as the sky grew darker.

**secepat** KATA ADJEKTIF

_as quick as_

◊ _secepat kilat_ as quick as a flash

♦ **secepat mungkin** as soon as possible

**secepat-cepatnya** KATA ADJEKTIF

_at the earliest_

◊ _Saya hanya boleh menyiapkan kerja ini secepat-cepatnya pada hari Isnin._ I can only finish this work on Monday at the earliest.

**ceper** KATA ADJEKTIF

_flat_

◊ _sebiji piring yang ceper_ a flat plate

**cepumas** KATA NAMA

_jackpot_

**cerah** KATA ADJEKTIF

1 _sunny_

◊ _Cuaca hari ini sangat cerah._ It's sunny today.

2 _fair_

◊ _kulit yang cerah_ fair skin

♦ **Kulitnya cerah.** She's fair.

3 _bright_

◊ _Bilik itu sangat cerah._ The room is very bright.

♦ **cerah ceria** sunny

♦ **cerah kulit** fair

**kecerahan** KATA NAMA

_brightness_

◊ _kecerahan warna itu_ the brightness of the colour

**mencerahkan** KATA KERJA

_to brighten_

◊ _Dia memasang lampu untuk mencerahkan biliknya._ He switched on the lights to brighten his room.

**cerai** KATA NAMA

_divorce_

◊ _Dia meminta cerai daripada suaminya._ She asked her husband for a divorce.

**bercerai** KATA KERJA

_to divorce_

◊ _En. Gold bercerai buat kali kedua._ Mr Gold is divorcing for the second time.

**menceraikan** KATA KERJA

_to divorce_

◊ _Lelaki yang tidak berhati perut itu telah menceraikan isterinya._ That heartless man has divorced his wife.

♦ **mencerai-ceraikan sesuatu** to take something to bits

**perceraian** KATA NAMA

_divorce_

◊ _Perceraian mereka memang tidak diduga._ Their divorce was unexpected.

**ceramah** KATA NAMA

_talk_

◊ _Tajuk ceramahnya ialah kepentingan_

*pendidikan dalam kehidupan.* The topic of his talk is the importance of education in our lives.

**berceramah** KATA KERJA
*to give a talk*
◊ *Dia akan berceramah esok.* He will give a talk tomorrow.
**penceramah** KATA NAMA
*speaker*

**cerca** KATA NAMA *rujuk* **cercaan**
**mencerca** KATA KERJA
*to mock*
◊ *Dia suka mencerca adik tirinya.* He likes to mock his stepsister.
♦ *"Saya takut!" katanya dalam nada yang mencerca.* "I'm scared!" she said in a mocking tone.
**cercaan** KATA NAMA
*mockery*

**cerdas** KATA ADJEKTIF
*intelligent*
**kecerdasan** KATA NAMA
*intelligence*
♦ **darjah kecerdasan** intelligence quotient **atau** IQ

**cerdik** KATA ADJEKTIF
*intelligent*
♦ **cerdik pandai** intelligentsia
**kecerdikan** KATA NAMA
*intelligence*
◊ *Kecerdikannya luar biasa.* Her intelligence is extraordinary.

**cerek** KATA NAMA
*kettle*

**cereka** KATA NAMA
*fiction*
◊ *cereka sains* science fiction

**cerekarama** KATA NAMA
*film*

**cerewet** KATA ADJEKTIF
*fussy*
◊ *Dia tidak cerewet tentang makanan.* She's not fussy about food.

**cergas** KATA ADJEKTIF
*active*
◊ *Budak lelaki itu sangat cergas.* That boy is very active.
♦ *Saya berasa cergas tinggal di sini.* I feel invigorated living here.
**kecergasan** KATA NAMA
*agility*
◊ *kekuatan dan kecergasan belia* the strength and agility of youth
**mencergaskan** KATA KERJA
*to invigorate*
◊ *Tarik nafas panjang untuk mencergaskan diri anda.* Take a deep breath in to invigorate yourself.

**ceri** KATA NAMA

*cherry* (JAMAK **cherries**)

**ceria** KATA ADJEKTIF
*cheerful*
◊ *Dia kelihatan ceria hari ini.* She looks cheerful today.
**keceriaan** KATA NAMA
*cheerfulness*
◊ *Keceriaannya mengurangkan rasa takut saya.* His cheerfulness allayed my fears.
**menceriakan** KATA KERJA
*to cheer ... up*
◊ *Saya cuba menceriakannya.* I was trying to cheer him up.
♦ *Gurauan dan gelak ketawa kanak-kanak menceriakan suasana di rumah itu.* Children's jokes and laughter give the house a cheerful atmosphere.

**cerita** KATA NAMA
*story* (JAMAK **stories**)
♦ **cerita dongeng** fairy tale
♦ **jalan cerita** plot
**bercerita** KATA KERJA
*to tell a story*
◊ *Dia sedang bercerita.* She's telling a story.
**menceritakan** KATA KERJA
*to tell about*
◊ *Dia menceritakan kejadian itu kepada pihak polis.* She told the police about the incident.
**pencerita** KATA NAMA
*storyteller*
**penceritaan** KATA NAMA
*narration*
♦ *Penceritaan novel itu agak mengelirukan.* The way the novel is narrated is quite confusing.

**cermat** KATA ADJEKTIF
*careful*
◊ *Anita ialah seorang pemandu yang cermat.* Anita's a careful driver.
♦ **berjimat cermat** thrifty

**cermin** KATA NAMA
*mirror*
♦ **cermin depan** windscreen
♦ **cermin mata** glasses
♦ **cermin mata hitam** sunglasses
**mencerminkan** KATA KERJA
*to reflect*
◊ *Wajahnya mencerminkan perasaan gementarnya.* Her face reflects her nervousness.

**cerna** KATA KERJA
*to be digested*
**mencernakan** KATA KERJA
*to digest*
◊ *Dia tidak dapat mencernakan makanan dengan sempurna.* She couldn't

digest food properly.

**pencernaan**  KATA NAMA

*digestion*

◊ *pencernaan lemak*  the digestion of fats

**tercerna**  KATA KERJA

*to be digested*

◊ *Makanan itu tidak akan tercerna selama beberapa jam.*  The food will not be digested for several hours.

**ketakcernaan**  KATA NAMA

*indigestion*

**ceroboh**

**menceroboh**  KATA KERJA

1 *to trespass*

◊ *Lelaki itu menceroboh masuk ke dalam kawasan masjid.*  That man trespassed onto the mosque grounds.

♦ **Pencuri itu menceroboh masuk ke dalam rumah Aminah.**  The thief broke into Aminah's house.

2 *to hack*  (ke dalam sistem komputer)

**mencerobohi**  KATA KERJA

*to trespass*

◊ *Mereka mencerobohi kawasan persendirian.*  They were trespassing on private property.

**penceroboh**  KATA NAMA

1 *intruder*

2 *trespasser*

◊ *Penceroboh akan didakwa.* Trespassers will be prosecuted.

3 *hacker*  (komputer)

**pencerobohan**  KATA NAMA

*trespass*

◊ *pencerobohan ke dalam kawasan persendirian*  trespass onto private property

**cerobong**  KATA NAMA

*chimney*

**cerpen**  KATA NAMA

*short story*  (JAMAK **short stories**)

**bercerpen**  KATA KERJA

*to write a short story*

**cerpenis**  KATA NAMA

*short story writer*

**cerucuk**  KATA NAMA

*piling*

**mencerucuk**  KATA KERJA

*to carry out piling*

**ceruk**  KATA NAMA

*corner*

◊ *Dia bersembunyi di ceruk biliknya.* He's hiding in the corner of his room.

♦ **ceruk rantau**  everywhere

**cerun**  KATA ADJEKTIF

| rujuk juga **cerun** KATA NAMA |

*steep*

**kecerunan**  KATA NAMA

*gradient*

◊ *kecerunan bukit*  the gradient of a hill

**cerun**  KATA NAMA

| rujuk juga **cerun** KATA ADJEKTIF |

*steep slope*

**cerut**  KATA KERJA

| rujuk juga **cerut** KATA NAMA |

*to tie ... up*

◊ *Cerut bungkusan itu dengan tali.*  Tie the parcel up with string.

**mencerut**  KATA KERJA

*to tie ... up*

◊ *Ronald mencerut bungkusan itu dengan tali.*  Ronald tied the parcel up with string.

♦ **mencerut leher**  to strangle

◊ *Penceroboh itu mencerut leher perempuan tua itu.*  The intruder strangled the old lady.

**cerut**  KATA NAMA

| rujuk juga **cerut** KATA KERJA |

*cigar*

**cetak**  KATA KERJA

*to print*

♦ **mesin cetak**  printer

**bercetak**  KATA KERJA

*printed*

◊ *bahan bercetak*  printed matter

**mencetak**  KATA KERJA

*to print*

◊ *Pekerja-pekerja sosial itu sedang mencetak risalah.*  The social workers are printing pamphlets.

**pencetak**  KATA NAMA

*printer*

**pencetakan**  KATA NAMA

*printing*

◊ *Kerja-kerja pencetakan itu mengambil masa tiga hari.*  The printing took three days to complete.

**percetakan**  KATA NAMA

*printers*

♦ **syarikat percetakan**  printers

**cetakan**  KATA NAMA

*print*

◊ *cetakan pertama*  first print

**cetak rompak**  KATA ADJEKTIF

| rujuk juga **cetak rompak** KATA NAMA |

*pirated*

◊ *video cetak rompak*  pirated videos

♦ **kegiatan cetak rompak**  piracy

**cetak rompak**  KATA NAMA

| rujuk juga **cetak rompak** KATA ADJEKTIF |

*piracy*

**cetak semula**

**mencetak semula**  KATA KERJA

*to reprint*

**cetakan semula**  KATA NAMA

*reprint*

**cetek** KATA ADJEKTIF
*shallow*
◊ *Sungai ini cetek.* This river is shallow.
♦ **pengetahuan yang cetek** superficial knowledge
**kecetekan** KATA NAMA
*shallowness*
◊ *kecetekan pengetahuannya* the shallowness of his knowledge
**mencetekkan** KATA KERJA
*to make ... shallower*
◊ *mencetekkan tasik* to make the lake shallower

**cetus**
**mencetuskan** KATA KERJA
*to cause ... to break out*
◊ *mencetuskan peperangan* to cause a war to break out
♦ **mencetuskan kemarahan seseorang** to anger someone
**tercetus** KATA KERJA
*to break out*
◊ *Peperangan telah tercetus di Kosovo.* A war broke out in Kosovo.
**cetusan** KATA NAMA
*outbreak*
◊ *cetusan peperangan di Timur Tengah* the outbreak of war in the Middle East

**China** KATA NAMA
*China*
♦ **negara China** China

**cicak** KATA NAMA
*lizard*

**cicir**
**berciciran** KATA KERJA
*to scatter*
◊ *Duit syilingnya berciciran di atas lantai.* Her coins were scattered all over the floor.
**tercicir** KATA KERJA
*to drop*
◊ *Wang saya tercicir di dalam bas.* I dropped my money in the bus.

**`cicit** KATA NAMA
*great-grandchild*
(JAMAK **great-grandchildren**)

**Cik** KATA GANTI NAMA

> *rujuk juga* **Cik** KATA NAMA.
> *untuk wanita yang belum berkahwin yang tidak dikenali, baru dikenali atau apabila anda tidak tahu sama ada wanita itu sudah berkahwin atau belum*

① *Miss*
◊ *Cik, bolehkah saya tolong anda?* Miss, can I help you?
② *you*
◊ *Cik hendak pergi ke mana?* Where would you like to go? ◊ *Cik tinggal di mana?* Where are you staying?
③ *your*
◊ *Adakah ini beg cik?* Is this your bag?

**Cik** KATA NAMA

> *rujuk juga* **Cik** KATA GANTI NAMA

*Miss*
◊ *Cik Tan dan Cik Lina.* Miss Tan and Miss Lina.

**cikgu** KATA NAMA
*teacher*

**cili** KATA NAMA
*chilli* (JAMAK **chillies** atau **chillis**)

**Cina** KATA NAMA
*Chinese*
◊ *orkestra Cina* Chinese orchestra
♦ **bahasa Cina** Chinese
♦ **orang Cina** Chinese
**kecinaan** KATA ADJEKTIF
*Chinese*
◊ *bersifat kecinaan* having Chinese characteristics

**cincang** KATA KERJA
*to chop up*
**mencincang** KATA KERJA
*to chop up*
◊ *Emak saya sedang mencincang daging di dapur.* My mother is chopping up meat in the kitchen.

**cincin** KATA NAMA
*ring*

**cinta** KATA ADJEKTIF

> *rujuk juga* **cinta** KATA NAMA

*to love*
◊ *Aku cinta padamu.* I love you.
**bercinta** KATA KERJA
*to be in love with*
◊ *Susana sedang bercinta dengan Ivan.* Susana is in love with Ivan.
**mencintai** KATA KERJA
*to love*
◊ *Ahmad sangat mencintai Khadijah.* Ahmad loves Khadijah very much.
**pencinta** KATA NAMA
*lover*
◊ *pencinta alam* nature lover
**percintaan** KATA NAMA
*love*
**tercinta** KATA ADJEKTIF
*beloved*
◊ *negara tercinta* beloved country

**cinta** KATA NAMA

> *rujuk juga* **cinta** KATA ADJEKTIF

*love*
♦ **cinta monyet** puppy love

**cip** KATA NAMA
*chip*
♦ **cip silikon** silicon chip

**cipta** KATA KERJA
*to invent*

**mencipta** KATA KERJA
*to invent*
◊ *Alexander Graham Bell mencipta telefon.* Alexander Graham Bell invented the telephone.
♦ **Tuhan mencipta dunia ini.** God created the world.
♦ **Florence telah mencipta rekod dunia dalam acara lompat tinggi.** Florence has set the world record in the high jump event.
**pencipta** KATA NAMA
*inventor*
**penciptaan** KATA NAMA
*invention*
**tercipta** KATA KERJA
*to be invented*
◊ *Akhirnya, tercipta juga kereta yang menggunakan kuasa suria.* Finally, cars using solar power were invented.
**ciptaan** KATA NAMA
*invention*
◊ *Roda pintal merupakan ciptaan orang Cina.* The spinning wheel was a Chinese invention.

**ciri** KATA NAMA
*characteristic*
◊ *Gen menentukan ciri setiap benda hidup.* Genes determine the characteristics of every living thing.
**berciri** KATA KERJA
*to have the characteristics of*
◊ *Rumahnya berciri reka bentuk rumah Itali.* Her house has the characteristics of an Italian house.
**mencirikan** KATA KERJA
*characteristic of*
◊ *Adat istiadat yang diamalkan semasa perkahwinan mereka, mencirikan budaya Minangkabau.* The customs and traditions observed during their wedding are characteristic of Minangkabau society.

**cirit** KATA NAMA
*stools*
◊ *Ciritnya bercampur darah.* There was blood in his stools.
♦ **cirit-birit** diarrhoea

**cita-cita** KATA NAMA
*ambition*
**bercita-cita** KATA KERJA
*to have an ambition*
◊ *Cathy bercita-cita untuk menjadi seorang doktor.* Cathy has an ambition to be a doctor. ◊ *Dia bercita-cita untuk membina empayar perniagaannya sendiri.* He has an ambition to build his own business empire.
♦ **bercita-cita tinggi** ambitious
**cita rasa** KATA NAMA
*taste*
◊ *cita rasa yang buruk* bad taste

**cium** KATA KERJA
*to kiss*
◊ *"Jangan cium anak perempuan saya,"* jerit perempuan itu. "Don't kiss my daughter," shouted the woman.
**bercium** KATA KERJA
*to kiss*
◊ *Mereka ditangkap ketika bercium di khalayak ramai.* They were caught kissing in public.
**bercium-ciuman** KATA KERJA
*to kiss*
**mencium** KATA KERJA
*to kiss*
◊ *Saya menciumnya.* I kissed her.
**tercium** KATA KERJA
*to smell*
◊ *Kami tercium bau gas sebaik sahaja kami membuka pintu depan.* As soon as we opened the front door we could smell gas.
**ciuman** KATA NAMA
*kiss* (JAMAK **kisses**)
◊ *Saya memberinya satu ciuman.* I gave her a kiss.

**cocok**
**secocok** KATA ADJEKTIF
1 *compatible*
◊ *Pemuda itu memang secocok dengan Aminah.* The young man is really compatible with Aminah.
2 *to suit*
◊ *Gelaran itu secocok dengan dirinya.* That nickname suits him.
♦ **Mereka secocok.** They were made for each other.

**cogan** KATA NAMA
*banner*
♦ **cogan kata** slogan ◊ *pertandingan menulis cogan kata* a slogan writing contest

**coklat** KATA ADJEKTIF
rujuk juga **coklat** KATA NAMA
*brown*
◊ *Baju itu berwarna coklat.* That shirt is brown.
**kecoklatan** KATA ADJEKTIF
*brownish*
**coklat** KATA NAMA
rujuk juga **coklat** KATA ADJEKTIF
*chocolate*
◊ *coklat pahit* plain chocolate
◊ *coklat susu* milk chocolate

**cokmar** KATA NAMA
*mace*
**coli** KATA NAMA
*bra*

**colok (1)** KATA NAMA
*joss stick*

**colok (2)**
**mencolok** KATA KERJA
♦ **mencolok mata** shocking ◊ *Sungguh mencolok mata!* It's shocking!

**comel** KATA ADJEKTIF
*cute*
◊ *Bayi itu sungguh comel.* The baby is very cute.

**comot** KATA ADJEKTIF
*grubby*
◊ *Kanak-kanak itu pulang dengan muka yang comot.* The kids came back with grubby faces.

**compang-camping** KATA ADJEKTIF
*tattered*
◊ *Pengemis itu memakai pakaian yang compang-camping.* The beggar was dressed in tattered clothes.

**condong** KATA ADJEKTIF
1 *diagonal*
◊ *garis condong* a diagonal line
2 *to lean*
◊ *Pokok itu condong ke kanan.* The tree leaned to the right.
**mencondong** KATA KERJA
*to tilt*
◊ *Tiang itu mencondong ke arah rumah Pak Salam.* The pole tilted towards Pak Salam's house.
**mencondongkan** KATA KERJA
*to tilt*
◊ *Leonard mencondongkan kerusinya.* Leonard tilted his chair.
**kecondongan** KATA NAMA
*tilt*
◊ *Kecondongan bangunan itu membimbangkan orang ramai.* The tilt of the building worries the public.

**congak**
**mencongak** KATA KERJA
1 *to count mentally*
♦ *Dia dapat membuat kiraan itu dengan mencongak sahaja.* He can do the sum mentally.
2 *to look up*
◊ *Daud mencongak untuk melihat bintang.* Daud looked up at the stars.
**mencongakkan** KATA KERJA
♦ **mencongakkan kepala** to look up
◊ *Fikri mencongakkan kepalanya untuk melihat bintang.* Fikri looked up at the stars.

**conteng**
**menconteng** KATA KERJA
*to scribble*
◊ *Dia selalu menconteng dinding walaupun dimarahi ibunya.* She is always scribbling on the wall despite her mother's scolding.
**mencontengkan** KATA KERJA
*to scribble on*
◊ *Hamid mencontengkan dinding itu dengan arang.* Hamid scribbled on the wall with charcoal.
**contengan** KATA NAMA
*grafitti*

**contoh** KATA NAMA
1 *sample*
◊ *contoh darah* blood sample
2 *example*
◊ *... sebagai contoh...* ... for example...
♦ **pelajar contoh** exemplary student
♦ **contohnya** for example
**mencontohi** KATA KERJA
*to follow the example of*
◊ *Kita patut mencontohi pelajar itu.* We should follow the example of that student.

**copak-capik** KATA ADJEKTIF
*lame*

**corak** KATA NAMA
*design*
♦ **corak pemerintahan** system of rule
**bercorak** KATA KERJA
*with designs*
◊ *sehelai kain yang bercorak* a piece of cloth with designs on it
♦ **tidak bercorak** plain
**mencorakkan** KATA KERJA
*to design*
◊ *Pereka itu mencorakkan kain itu dengan bunga ros.* The designer used rose motifs to design the cloth.

**coret**
**mencoret** KATA KERJA
*to sketch*
◊ *Saya selalu mencoret gambar dengan pen dan kertas.* I always sketch pictures with pen and paper.
**coretan** KATA NAMA
1 *sketch* (JAMAK **sketches**)
◊ *Coretan itu sangat mengagumkan.* The sketch is very impressive.
2 *draft*
◊ *Saya menghantar coretan pertama artikel ini kepadanya.* I sent the first draft of this article to him.

**corong** KATA NAMA
*funnel*
◊ *Sarimah menggunakan corong untuk mengisikan botol itu dengan minyak.* Sarimah uses a funnel to fill the bottle with oil.
♦ **corong asap** chimney

**cuaca** KATA NAMA
*weather*
◊ *ramalan cuaca* weather forecast

**bercuaca** KATA KERJA
**bercuaca** *biasanya tidak diterjemahkan.*
◊ *negara yang bercuaca panas* a hot country

**cuai** KATA ADJEKTIF
*careless*
**kecuaian** KATA NAMA
1 *carelessness*
◊ *Kecuaian Ann menyebabkan dia gagal dalam peperiksaannya.* Ann's carelessness caused her to fail her examinations.
2 *negligence*
◊ *Kecuaian Darwin merupakan punca mereka terlibat dalam kemalangan.* Darwin's negligence caused them to meet with an accident.

**cuba** KATA KERJA
*to try*
◊ *Dia cuba menipu saya.* He tried to cheat me.
**mencuba** KATA KERJA
1 *to try*
2 *to attempt*
◊ *Mereka pernah mencuba mendaki Gunung Everest.* They've attempted to climb Mount Everest.
**percubaan** KATA NAMA
*attempt*
◊ *Percubaan membunuh Presiden tersebut telah gagal.* The attempt to assassinate the President had failed.
♦ **"peperiksaan percubaan"** "trial examinations"
♦ **dalam tempoh percubaan** on probation
**cubaan** KATA NAMA
*challenge*
◊ *cubaan hidup* life's challenges
♦ **Dia didakwa atas cubaan membunuh.** He was charged with attempted murder.

**cubit** KATA KERJA
   rujuk juga **cubit** PENJODOH BILANGAN
*to pinch*
**mencubit** KATA NAMA
*to pinch*
◊ *Dia mencubit lengan saya.* He pinched my arm.
**cubitan** KATA NAMA
*pinch* (JAMAK **pinches**)
◊ *Cubitannya menyakitkan saya.* His pinch hurt me.

**cubit** PENJODOH BILANGAN
   rujuk juga **cubit** KATA KERJA
*pinch* (JAMAK **pinches**)
◊ *secubit garam* a pinch of salt

**cuci**
**mencuci** KATA KERJA
*to wash*

◊ *Saya akan mencuci pakaian kotor anda.* I'll wash your dirty clothes.
♦ **mencuci filem** to develop a film
♦ **mencuci pinggan mangkuk** to do the dishes
♦ **mencuci mata** to look at girls
**pencuci** KATA NAMA
*cleaner*
♦ **pencuci mulut** dessert
♦ **bahan pencuci** cleaner
**pencucian** KATA NAMA
*Launderette*®
**cucian** KATA NAMA
*laundry*
♦ **cucian kering** dry-cleaning

**cucu** KATA NAMA
*grandchild* (JAMAK **grandchildren**)
♦ **cucu-cicit** descendants
♦ **anak cucu** descendants
**bercucu** KATA KERJA
*to have grandchildren*

**cucuh**
**mencucuh** KATA KERJA
*to light*
◊ *mencucuh pelita* to light a lamp
♦ **mencucuh meriam** to fire a cannon

**cucuk** KATA NAMA
   rujuk juga **cucuk** PENJODOH BILANGAN
*skewer*
♦ **cucuk sate** satay skewer
**bercucuk** KATA KERJA
♦ **bercucuk tanam** to cultivate land
**mencucuk** KATA KERJA
1 *to poke*
◊ *Dia mencucuk saya dengan sebatang pensel.* He poked me with a pencil.
2 *to prick*
◊ *Daniel mencucuk jari Khadijah dengan jarum.* Daniel pricked Khadijah's finger with a needle.
3 *to incite*
◊ *Dialah orang yang mencucuk Aidil sehingga menimbulkan pergaduhan.* He was the one who incited Aidil, causing a fight.
**pencucuk** KATA NAMA
*skewer*
**tercucuk** KATA KERJA
*to prick*
◊ *Jari saya tercucuk jarum.* I pricked my finger with a needle.

**cucuk** PENJODOH BILANGAN
   rujuk juga **cucuk** KATA NAMA
*stick*
◊ *secucuk sate* a stick of satay
◊ *dua cucuk bebola ikan* two sticks of fish balls

**cucur** KATA NAMA

C

♦ **cucur atap**  eaves
**bercucuran**  KATA KERJA
_to stream down_
◊   *Air mata bercucuran di pipinya.*  Tears
streamed down her cheeks.
**mencucuri**  KATA KERJA
♦ **mencucuri rahmat**  to pour blessing
◊   *Semoga Tuhan mencucuri rahmat ke
atas kamu.*  May God pour His blessing
on you.
**cucuran**  KATA NAMA
_flow_
◊   *cucuran air dari bukit*  the flow of
water from the hill

**cuit**
**mencuit**  KATA KERJA
_to give a dig_
◊   *Charmaine mencuit tangan saya.*
Charmaine gave me a dig in my arm.
♦ **mencuit hati**  amusing

**cuka**  KATA NAMA
_vinegar_
♦ **cuka getah**  formic acid
**mencuka**  KATA KERJA
_to turn sour_
◊   *Wajahnya mencuka apabila dia
dimarahi abangnya.*  Her face turned sour
when her brother scolded her.

**cukai**  KATA NAMA
_tax_  (JAMAK **taxes**)
♦ **bebas cukai**  tax free •
♦ **cukai eksais**  excise tax
♦ **cukai eksport**  export duty
♦ **cukai harta**  estate tax
♦ **cukai harta benda**  property tax
♦ **cukai import**  import duty
♦ **cukai jualan**  sales tax
♦ **cukai kastam**  custom duty
♦ **cukai korporat**  corporate tax
♦ **cukai laba**  capital gains tax
♦ **cukai langsung**  direct tax
♦ **cukai pendapatan**  income tax
♦ **cukai syarikat**  company tax
♦ **cukai tak langsung**  indirect tax
♦ **cukai tanah**  land assessment tax
**bercukai**  KATA KERJA
_taxable_
◊   *barangan bercukai*  taxable goods
**percukaian**  KATA NAMA
_taxation_
◊   *kadar percukaian yang lebih tinggi*
higher taxation rate

**cukup**  KATA ADJEKTIF
_enough_
◊   *Mereka mempunyai wang yang cukup
untuk membeli sekeping tiket pergi balik.*
They had enough money for a return
ticket.
♦ **cukup-cukup**  just enough  ◊  *Wang*

*mereka cukup-cukup sahaja.*  They had
just enough money.
**mencukupi**  KATA KERJA
_adequate_
◊   *sejumlah wang yang mencukupi untuk
membeli sebuah rumah*  an amount
adequate to purchase a house
♦ **Apakah makanan tersebut mencukupi
untuk 20 orang tetamu?**  Is the food
sufficient for 20 guests?
**mencukupkan**  KATA KERJA
_to complete_
◊   *untuk mencukupkan jumlah mata*  to
complete the points
♦ **Dia terpaksa mendapatkan kerja
sampingan untuk mencukupkan
wangnya bagi membeli hadiah itu.**  She
had to get part-time work to earn enough
money to buy that present.
**secukup**  KATA ADJEKTIF
_just enough_
◊   *Pendapatannya secukup hidup sahaja.*
His salary is just enough for his living
expenses.
♦ **Masukkan garam dan gula secukup
rasa.**  Add salt and sugar to taste.

**cukur**  KATA ADJEKTIF
♦ **pisau cukur**  razor blade
**bercukur**  KATA KERJA
_to shave_
◊   *Leon sedang bercukur di dalam
biliknya.*  Leon's shaving in his room.
**mencukur**  KATA KERJA
_to shave_
◊   *Dia telah mencukur misainya.*  He has
shaved his moustache off.
**pencukur**  KATA NAMA
_shaver_
**pencukuran**  KATA NAMA
_shaving_
◊   *barangan pencukuran*  shaving
products

**culik**
**menculik**  KATA KERJA
_to kidnap_
◊   *Pihak polis telah mendedahkan satu
komplot untuk menculik ahli politik itu.*
The police uncovered a plot to kidnap the
politician.
**penculik**  KATA NAMA
_kidnapper_
**penculikan**  KATA NAMA
_kidnapping_
◊   *satu kes penculikan*  a case of
kidnapping

**cuma**  KATA PENEGAS
_only_
◊   *"Saya cuma seorang sarjan," kata
Clements.*  "I'm only a sergeant," said

Clements.

◆ **Cuaca di situ sangat baik, cuma sejuk sedikit.** The weather there was great, except that it was a bit cold.
**percuma** KATA ADJEKTIF
_free_
◊ _risalah percuma_ a free brochure

**cumbu** KATA NAMA
_sweet talk_
◊ _Linda tertipu dengan cumbu lelaki itu._ Linda was taken in by the man's sweet talk.
**bercumbu** KATA KERJA
_to kiss_
◊ _Jangan bercumbu di khalayak ramai._ Don't kiss in public.
**bercumbu-cumbuan** KATA KERJA
_to smooch_
◊ _Mereka sedang bercumbu-cumbuan di dalam kereta._ They're smooching in the car.

**cungap**
**tercungap-cungap** KATA KERJA
_to pant_
◊ _Azmi tercungap-cungap ketika tiba di garisan penamat._ When he reached the finishing line Azmi was panting.

**cungkil** KATA NAMA
◆ **cungkil gigi** toothpick
**mencungkil** KATA KERJA
_to pick_
◊ _Baharudin mencungkil giginya dengan pencungkil gigi._ Baharudin uses a toothpick to pick his teeth.
**pencungkil** KATA NAMA
◆ **pencungkil gigi** toothpick

**cuping** KATA NAMA
◆ **cuping telinga** earlobe

**curah**
**mencurah** KATA KERJA
_to pour_
◊ _Air hujan yang mencurah menyebabkan bajunya basah lencun._ The pouring rain made his shirt soaking wet.
**mencurah-curah** KATA KERJA
_to pour down_
◊ _Hujan turun mencurah-curah semalam._ Last night the rain was pouring down.
◆ **Mangsa banjir itu menerima bantuan yang mencurah-curah.** The flood victims received a lot of help.
**mencurahkan** KATA KERJA
1 _to pour_
◊ _Emak saya mencurahkan air itu ke dalam longkang._ My mother poured the water into the drain.
2 _to put in_

◊ _Mereka mencurahkan sepenuh tenaga mereka untuk menjayakan projek ini._ They put in all their efforts to make this project a success.
3 _to pour out_
◊ _Aminah mencurahkan segala isi hatinya kepada emaknya._ Aminah poured out her feelings to her mother.
**curahan** KATA NAMA
_torrent_

**curam** KATA ADJEKTIF
_steep_
◊ _sebatang jalan yang curam_ a steep road
**mencuram** KATA KERJA
_to slope down sharply_
◊ _Tebing itu mencuram ke arah sungai._ The bank sloped down sharply to the river.
**kecuraman** KATA NAMA
_gradient_
◊ _kecuraman bukit_ the gradient of the hill

**curang** KATA ADJEKTIF
_unfaithful_
◊ _Farid berlaku curang terhadap isterinya._ Farid's unfaithful to his wife.
**kecurangan** KATA NAMA
_infidelity_
◊ _Kecurangan Smith telah diketahui oleh isterinya._ Smith's wife found out about his infidelity.

**curi** KATA ADJEKTIF
_stolen_
◊ _kereta curi_ a stolen car
**kecurian** KATA NAMA
_theft_
◊ _Kes kecurian semakin berleluasa._ Theft cases are becoming more widespread.
**mencuri** KATA KERJA
_to steal_
◊ _Dia dituduh mencuri basikal Victor._ He was accused of stealing Victor's bicycle.
◆ **mencuri tulang** lazy
◆ **Dia suka mencuri tulang.** He likes to find excuses to avoid work.
**mencuri-curi** KATA KERJA
_secretly_
◊ _Dia mencuri-curi masuk ke dalam bilik itu._ He entered the room secretly.
**pencuri** KATA NAMA
_thief_ (JAMAK **thieves**)
**pencurian** KATA NAMA
_theft_
◊ _pencurian dokumen-dokumen sulit_ the theft of classified documents
◆ **pencurian barang kedai** shoplifting
**curian** KATA NAMA
_stolen items_

**curiga** KATA ADJEKTIF
_suspicious_
**mencurigai** KATA KERJA
_suspicious_
◊   Mereka mula mencurigai dua orang
lelaki yang berada di dalam kereta itu.
They became suspicious of the two men
in the car.
**mencurigakan** KATA KERJA
_suspicious_
◊   Tingkah lakunya memang
mencurigakan. He behaved in a
suspicious manner.
**kecurigaan** KATA NAMA
_suspicion_
◊   menimbulkan kecurigaan  to arouse
suspicion
**cuti** KATA NAMA
1  _holiday_
◊   Cuti sekolah akan tiba tidak lama lagi.
The school holidays are just round the
corner.
2  _leave_
◊   Tijah akan mengambil cuti beberapa
hari.  Tijah's taking a few days' leave.
♦  **cuti am**  public holiday
♦  **cuti sakit**  sick leave
♦  **cuti sekolah**  school holidays
♦  **cuti tahunan**  annual leave
♦  **cuti umum**  public holiday
**bercuti** KATA KERJA
_to go for holidays_
◊   Kami akan pergi bercuti ke Scotland.
We're going to Scotland for our holidays.
**percutian** KATA NAMA
_holiday_
◊   percutian saya di Sepanyol  my
holiday in Spain  ◊  tempat percutian
holiday destination

# D

**dabik**
    **mendabik** KATA KERJA
    ♦ **mendabik dada** to thump one's chest
      ◊ *Dia mendabik dada dan mengatakan bahawa tidak ada orang yang boleh mengalahkannya.* He thumped his chest and said nobody could beat him.

**dacing** KATA NAMA
    *scales*

**dada** KATA NAMA
    *chest*

**dadah** KATA NAMA
    *drug*

**dadak**
    **mendadak** KATA ADJEKTIF
    [1] *sudden*
    ◊ *kematian mendadak* sudden death
    [2] *abrupt*
    ◊ *perubahan mendadak* an abrupt change
    ♦ **dengan mendadak** unexpectedly
      ◊ *Prestasi Norziha di sekolah menurun dengan mendadak.* Norziha's performance at school got unexpectedly worse.

**dadar** KATA ADJEKTIF
    ♦ **telur dadar** omelette

**dadih** KATA NAMA
    *yogurt*

**dadu** KATA NAMA
    *dice* (JAMAK **dice**)

**daerah** KATA NAMA
    *district*

**daftar** KATA NAMA
    *register*
    ◊ *daftar pelajar* student register
    **berdaftar** KATA KERJA
    *registered*
    ◊ *surat berdaftar* a registered letter
    **mendaftar, mendaftarkan** KATA KERJA
    *to register*
    ◊ *Sudahkah anda mendaftar sebagai pengundi?* Have you registered as a voter?
    ♦ **mendaftar masuk** to check in
    ♦ **mendaftar keluar** to check out
    **pendaftar** KATA NAMA
    *registrar*
    **pendaftaran** KATA NAMA
    *registration*

**dagang** KATA ADJEKTIF
    ♦ **anak dagang** foreigner
    ♦ **kapal dagang** merchant ship
    **berdagang** KATA KERJA
    *to trade*
    ◊ *Orang Portugis datang ke Melaka untuk berdagang.* The Portuguese came to Malacca to trade.

**memperdagangkan** KATA KERJA
    [1] *to trade*
    ◊ *Mereka memperdagangkan kain sutera dan barang-barang antik.* They trade in silk and antiques.
    [2] *to traffic*
    ◊ *Lelaki jahat itu memperdagangkan perempuan untuk wang.* The evil man trafficked in women for money.
**pedagang** KATA NAMA
    *merchant*
**perdagangan** KATA NAMA
    *trade*
    ◊ *Texas mempunyai sejarah perdagangan yang panjang dengan Mexico.* Texas has a long history of trade with Mexico.
**dagangan** KATA NAMA
    *merchandise*
    ♦ **dagangan keluar** exported goods
    ♦ **dagangan masuk** imported goods

**daging** KATA NAMA
    *meat*
    ♦ **penjual daging** butcher

**dagu** KATA NAMA
    *chin*

**dahaga** KATA KERJA
> rujuk juga **dahaga** KATA NAMA

    *thirsty*
    ◊ *Saya dahaga.* I'm thirsty.
    ♦ **Kami dahaga akan kasih seorang ibu.** We yearned for a mother's love.
    **mendahagai** KATA KERJA
    *to yearn*
    ◊ *Kami mendahagai kasih seorang ibu.* We yearned for a mother's love.
    **kedahagaan** KATA NAMA
    *thirst*
    ◊ *Mereka mati kerana kedahagaan.* They died of thirst.

**dahaga** KATA NAMA
> rujuk juga **dahaga** KATA KERJA

    *thirst*
    ◊ *minuman yang menghilangkan dahaga* thirst-quenching drinks

**dahan** KATA NAMA
    *branch* (JAMAK **branches**)

**dahi** KATA NAMA
    *forehead*

**dahsyat** KATA ADJEKTIF
    *dreadful*
    ◊ *kemalangan yang dahsyat* a dreadful accident

**dahulu** KATA SENDI
    [1] *previously*
    ◊ *Dahulu dia ditangkap kerana merosakkan harta benda awam.* She had been previously arrested for vandalism.
    ♦ **pada masa dahulu** in the past

**pada suatu masa dahulu** once upon a time
2 *first*
◊ *Kura-kura yang sampai dahulu ke garisan penamat.* The tortoise arrived at the finishing line first.
**mendahului** KATA KERJA
1 *to lead*
◊ *Dia mendahului pesaing-pesaingnya dalam perlumbaan itu dari awal hingga akhir.* He led the race from start to finish.
2 *to begin*
◊ *Acara itu akan didahului dengan ucapan guru besar.* The event will begin with a speech by the headmaster.
**mendahulukan** KATA KERJA
*to give priority to*
◊ *Dina mendahulukan keluarganya daripada orang lain.* Dina gives priority to her family over anyone else.
**pendahulu** KATA NAMA
*predecessor*
◊ *Dia belajar segala-galanya daripada pendahulunya.* He learned everything from his predecessor.
**Pasukan itu menjadi pendahulu liga.** The team is top of the league.
**pendahuluan** KATA NAMA
1 *preface* (buku, ucapan)
2 *advance* (wang)
**terdahulu** KATA ADJEKTIF
*previous*
◊ *Karyanya yang terdahulu tidak begitu dipandang tinggi.* Her previous work was not as highly regarded.

**daif** KATA ADJEKTIF
*deprived*
◊ *Helen suka membantu kanak-kanak yang miskin dan daif.* Helen likes helping poor and deprived children.
**kedaifan** KATA NAMA
*deprivation*
◊ *Mereka tidak mahu hidup dalam kedaifan.* They don't want to live in deprivation.

**dail** KATA KERJA
> rujuk juga **dail** KATA NAMA
*to dial*
**mendail** KATA KERJA
*to dial*

**dail** KATA NAMA
> rujuk juga **dail** KATA KERJA
*dial*
**nada dail** dialling tone

**dakap**
**berdakap-dakapan** KATA KERJA
*to hug each other*
◊ *Mereka berdakap-dakapan sebaik sahaja tiba di majlis itu.* As soon as they

arrived at the party they hugged each other.
**mendakap** KATA KERJA
*to hug*
◊ *Ponmudi mendakap anak perempuannya.* Ponmudi hugged her daughter.
**dakapan** KATA NAMA
**dalam dakapan seseorang** in somebody's arms ◊ *Kucing itu terlena dalam dakapan Bavani.* The cat slept in Bavani's arms.

**daki (1)**
**mendaki** KATA KERJA
*to climb*
**pendaki** KATA NAMA
*climber*
**pendakian** KATA NAMA
*climbing*

**daki (2)** KATA NAMA
*dirt*

**dakwa** KATA NAMA
*accusation*
**dakwa-dakwi** accusations
**mendakwa** KATA KERJA
1 *to accuse*
◊ *Iqmal mendakwa pembantunya mencuri.* Iqmal accused his assistant of theft.
2 *to claim*
◊ *Suhaimi mendakwa dia ternampak hantu di bilik air.* Suhaimi claimed he saw a ghost in the toilet.
3 *to charge*
◊ *Pegawai polis itu mendakwa Akhib kerana memandu melebihi had laju.* The police officer charged Akhib for speeding.
**En. Kuan mendakwanya atas tuduhan memfitnah.** Mr Kuan sued him for slander.
**pendakwa** KATA NAMA
*accuser*
**pendakwa raya** prosecutor
**pendakwaan** KATA NAMA
*prosecution*
◊ *Pendakwaan itu akan diteruskan secara tertutup.* The prosecution will go ahead in private.
**terdakwa** KATA NAMA
*accused*
**yang terdakwa** the accused
**dakwaan** KATA NAMA
1 *claim*
◊ *Dakwaan pengeluar tersebut tidak benar.* The manufacturer's claims are untrue.
2 *accusation*
◊ *Joe menafikan dakwaan yang dibuat terhadapnya.* Joe denied the accusation

made against him.

**dakwah** KATA NAMA

_missionary activity_

(JAMAK **missionary activities**)

**berdakwah** KATA KERJA

_to preach_

◊ *Mereka pergi berdakwah dari satu tempat ke satu tempat.* They went from place to place preaching.

**pendakwah** KATA NAMA

_missionary_ (JAMAK **missionaries**)

**dakwat** KATA NAMA

_ink_

**berdakwat** KATA KERJA

_with ink_

◊ *Dia masih menyimpan pen yang tidak berdakwat itu.* He still keeps that pen with no ink in it.

♦ **Pen Muthu sudah tidak berdakwat.** Muthu's pen has run out of ink.

♦ **pen berdakwat hitam** a black pen

**dakyah** KATA NAMA

_propaganda_

**dalam** KATA ADJEKTIF

> rujuk juga **dalam** KATA ARAH,
> KATA NAMA, KATA SENDI

_deep_

◊ *Pengetahuan Dr. Firdaus sangat dalam.* Dr Firdaus' knowledge is very deep. ◊ *Kata-katanya mempunyai makna yang sangat dalam.* His words have a very deep meaning.

♦ **bahagian dalam** inner ◊ *Dia masuk ke pejabat yang terletak di bahagian dalam.* He went into the inner office.

**kedalaman** KATA NAMA

_depth_

◊ *Kami kagum dengan kedalaman pengetahuannya.* We were impressed by the depth of her knowledge.

**mendalam** KATA KERJA

1 _to get stronger_

◊ *Kasih sayangnya semakin mendalam.* Her love is getting stronger.

2 _thorough_

◊ *kajian yang mendalam* thorough research

♦ **Luka pada tangannya semakin mendalam.** The cut on his hand is getting deeper.

**mendalamkan, memperdalam** KATA KERJA

_to deepen_

◊ *memperdalam ilmu pengetahuan dan pemahaman* to deepen one's knowledge and understanding

**pedalaman** KATA NAMA

_hinterland_

♦ **kawasan pedalaman** hinterland

**pendalaman** KATA NAMA

_deepening_

◊ *pendalaman terusan* the deepening of a canal

**sedalam** KATA ADJEKTIF

_as deep as_

♦ **lubang sedalam empat meter** a hole four metres deep

**dalaman** KATA ADJEKTIF

_inner_

◊ *perasaan dalaman* inner feeling

**dalam** KATA ARAH

> rujuk juga **dalam** KATA ADJEKTIF,
> KATA NAMA, KATA SENDI

_in_

◊ *di dalam rumah* in the house

◊ *Masukkan gula ke dalam kopi anda.* Put some sugar in your coffee.

♦ **Dia masuk ke dalam.** He went inside.

**dalam** KATA NAMA

> rujuk juga **dalam** KATA ADJEKTIF,
> KATA ARAH, KATA SENDI

_depth_

♦ **Dalam kolam itu ialah 5 meter.** The pool is 5 metres deep.

♦ **Berapakah dalam tasik ini?** How deep is the lake?

**dalam** KATA SENDI

> rujuk juga **dalam** KATA ADJEKTIF,
> KATA ARAH, KATA NAMA

_in_

◊ *bercakap dalam bahasa Inggeris* to speak in English ◊ *Anda harus bersabar dalam hal ini.* You have to be patient in this matter.

**dalang** KATA NAMA

1 _puppeteer_

2 _mastermind_

◊ *Smith merupakan dalang di sebalik rancangan itu.* Smith was the mastermind behind the plan.

**mendalangi** KATA KERJA

_to mastermind_

◊ *Dialah yang mendalangi penipuan ini.* He was the one who masterminded the fraud.

**dalih** KATA NAMA

_excuse_

◊ *Saya tidak mahu mendengar dalih kamu lagi.* I don't want to hear your excuses any more.

**berdalih** KATA KERJA

_to make excuses_

◊ *Janganlah berdalih lagi!* Stop making excuses!

**dam** KATA NAMA

_draughts_

**damai** KATA ADJEKTIF

_peaceful_

◊ *suasana yang damai* a peaceful atmosphere

♦ **hidup dalam aman dan damai** to live in peace and harmony

♦ **secara damai** peacefully ◊ *berbincang secara damai* to discuss something peacefully

**berdamai** KATA KERJA
*to make peace*

**kedamaian** KATA NAMA
*peace*

**mendamaikan** KATA KERJA
*to get...to make up*
◊ *Pegawai polis itu cuba mendamaikan dua lelaki yang bergaduh itu.* The policeman tried to get the two men who were fighting to make up.

♦ **Suasana di sini sungguh mendamaikan hati.** There's a very peaceful atmosphere here.

**pendamai** KATA NAMA
*peacemaker*

**damak** KATA NAMA
*dart*

**dampar**
**terdampar** KATA KERJA
[1] *to be washed ashore*
◊ *Dia menyelamatkan putera raja yang terdampar di tepi laut itu.* She rescued the prince who had been washed ashore.
[2] *to be cast ashore*
◊ *Bot itu terdampar di dalam lumpur di tepi pantai itu.* The boat was cast ashore on the muddy beach.

**damping**
**berdamping, berdampingan** KATA KERJA
[1] *to be close to*
◊ *Di sekolah Siti selalu berdamping dengan Nurul.* At school Siti is really close to Nurul.
[2] *side by side*
◊ *berjalan berdamping* to walk side by side

**mendampingi** KATA KERJA
*to get close to*
◊ *Stanley cuba mendampingi Cristin.* Stanley tried to get close to Cristin.

**dan** KATA HUBUNG
*and*

**dana** KATA NAMA
*fund*

**danau** KATA NAMA
*lake*

**dandan** KATA NAMA *rujuk* **dandanan**
**berdandan** KATA KERJA
*to make oneself look nicer*
◊ *Mereka suka berdandan.* They enjoy

making themselves look nicer.

**mendandan** KATA KERJA
*to make ... up*
◊ *Kami mendandan wajahnya supaya dia kelihatan cantik.* We made her face up so that she looked beautiful.

♦ **mendandan rambut seseorang** to plait someone's hair

**pendandan** KATA NAMA
*make-up artist*

**dandanan** KATA NAMA
*hairstyle and clothes*
◊ *Dandanannya berlainan hari ini.* Her hairstyle and clothes look different today.

♦ **Dia kelihatan sangat cantik dengan dandanan saya.** She looks so beautiful the way I made her up.

♦ **dandanan rambut** hairstyle

**dangkal** KATA ADJEKTIF
*shallow*
◊ *Sungai itu sangat dangkal.* The river is very shallow.

♦ **ilmu pengetahuan yang dangkal** superficial knowledge

**dansa** KATA NAMA
*Western dance*

**dapat** KATA BANTU
[1] *can*
◊ *Pencuci muka ini dapat menghilangkan jerawat.* This facial cleanser can get rid of pimples.
[2] *to get*
◊ *Mereka dapat menginap di sebuah hotel yang mewah.* The got to stay at a luxurious hotel.

**mendapat** KATA KERJA
[1] *to get*
◊ *Dia mendapat buku itu daripada ayahnya.* She got the book from her father.
[2] *to receive*
◊ *Salwani mendapat berita itu kelmarin.* Salwani received the news yesterday.

♦ **Saya mendapat tahu bahawa dia akan bersara tidak lama lagi.** I found out that he would retire soon.

**mendapati** KATA KERJA
[1] *to find*
◊ *Guru itu mendapati mereka merokok di dalam kelas.* The teacher found them smoking in the class.
[2] *to find out*
◊ *Lina mendapati anaknya ponteng sekolah apabila guru itu menelefonnya.* Lina found out that her child was playing truant when the teacher telephoned her.

**mendapatkan** KATA KERJA
[1] *to go to*
◊ *Dia pulang ke rumah dan*

D

*mendapatkan ayahnya untuk mengadukan hal itu.* He came home and went to his father to complain about it.

♦ **Kanak-kanak itu berlari mendapatkan guru mereka.** The children ran to their teacher.

2 *to get*
◊ *Masalahnya sekarang adalah untuk mendapatkan makanan yang mencukupi.* The problem now is how to get enough food.

**pendapat** KATA NAMA
*opinion*
◊ *Apakah pendapat anda?* What's your opinion?

**berpendapat** KATA KERJA
*to think*
◊ *Saya berpendapat kita patut teruskan dengan cadangan itu.* I think that we should go ahead with the idea.

**bersependapat** KATA KERJA
1 *to agree*
◊ *Saya bersependapat dengan anda.* I agree with you.
2 *to share the opinion of*
♦ **Punitha bersependapat dengan Paramjit.** Punitha shares Paramjit's opinion.

**pendapatan** KATA NAMA
*income*
◊ *Berapakah pendapatan anda?* What is your income?

**dapatan** KATA NAMA
*findings*

**dapur** KATA NAMA
1 *kitchen*
2 *stove*
◊ *dapur gas* gas stove

**dara** KATA ADJEKTIF
| rujuk juga **dara** KATA NAMA |
*virgin*
◊ *Gadis itu masih dara.* The girl is still a virgin.

**dara** KATA NAMA
| rujuk juga **dara** KATA ADJEKTIF |
*virginity*

**darab** KATA KERJA
*times*
◊ *empat darab dua* four times two

**mendarab** KATA KERJA
*to multiply*
◊ *mendarab nombor ganjil dengan nombor genap* to multiply odd numbers with even numbers

**pendaraban** KATA NAMA
*multiplication*
◊ *Proses pendaraban menjadi sangat mudah dengan adanya mesin kira.* With

the arrival of the calculator, the process of multiplication became very easy.

**darah** KATA NAMA
*blood*
♦ **darah daging** flesh and blood

**berdarah** KATA KERJA
*to bleed*
◊ *Tangannya masih berdarah.* Her hand is still bleeding.

**pendarahan** KATA NAMA
*bleeding*
◊ *pendarahan dalaman* internal bleeding

**darat** KATA NAMA
*land*
◊ *Kami tidak tahu sama ada kapal terbang itu jatuh ke darat atau ke dalam laut.* We don't know whether the plane crashed on the land or in the sea.

**mendarat** KATA KERJA
*to land*
◊ *Kapal terbang itu mendarat di KLIA.* The plane landed at KLIA.

**mendaratkan** KATA KERJA
*to land*
◊ *Kapten itu mendaratkan kapal terbangnya dengan selamat.* The captain landed the aircraft safely.

**pendaratan** KATA NAMA
*landing*
◊ *Kapal terbang itu terpaksa membuat pendaratan kecemasan akibat cuaca buruk.* The plane had to make an emergency landing because of bad weather.

**daratan** KATA NAMA
*land*
◊ *Kami hampir keputusan bekalan kerana berada jauh dari daratan begitu lama.* Because we were so far from land for so long we almost ran out of supplies.

**dari** KATA SENDI
*from*
◊ *dari Brunei ke Singapura* from Brunei to Singapore

**daripada** KATA SENDI
1 *from*
◊ *surat daripada sahabat lama* a letter from an old friend
2 *than*
◊ *Dia lebih bijak daripada saya.* She's cleverer than me.
♦ **lebih daripada** more than
♦ **kurang daripada** less than

**darjah** KATA NAMA
1 *standard*
2 *level*
◊ *Darjah kecerdikannya sangat tinggi.* His level of intelligence is very high.

③ _degree_
◊ _Suhu bilik ialah 36.9 darjah Celsius._
Room temperature is 36.9 degrees
Celsius.

**darjat** KATA NAMA
_status_
◊ _Pada zaman moden ini, masih ada orang yang mementingkan darjat._ In this modern era there are still people who care about status.

**darurat** KATA NAMA
_emergency_
♦ **zaman darurat di Tanah Melayu** the Emergency period in Malaya

**das** KATA NAMA

> rujuk juga **das** PENJODOH BILANGAN

♦ **das tembakan** gunshot ◊ _Saya mendengar das tembakan itu ketika sedang tidur._ I heard the gunshot when I was sleeping.

**das** PENJODOH BILANGAN

> rujuk juga **das** KATA NAMA

♦ **das tembakan** shot ◊ _Askar itu melepaskan tiga das tembakan daripada meriam tersebut._ The soldier fired three shots from the cannon.

**dasar** KATA NAMA
① _bottom_
◊ _dasar lautan_ the bottom of the sea
② _policy_ (JAMAK **policies**)
◊ _"Dasar Pandang ke Timur"_ "Look East Policy"
③ _basis_
◊ _Rancangan ini merupakan dasar penyelesaian konflik itu._ This plan is the basis for settling the conflict.
♦ **pada dasarnya** basically
**berdasarkan** KATA KERJA
_based on_
◊ _Filem ini berdasarkan kisah benar._ The film is based on a true story.

**data** KATA NAMA
_data_

**datang** KATA KERJA
_to come_
◊ _Dia datang lambat hari ini._ He came late today.
**kedatangan** KATA NAMA
_arrival_
◊ _Kami terkejut dengan kedatangannya secara tiba-tiba._ We were surprised by his sudden arrival.
**mendatang** KATA KERJA
_coming_
◊ _Hal ini bergantung pada situasi pada bulan-bulan mendatang._ This depends on the situation in the coming months.
♦ **pada masa mendatang** in the future
**mendatangi** KATA KERJA

_to come at_
◊ _Masalah tidak habis-habis mendatangi kami._ Problems never stop coming at us.
**mendatangkan** KATA KERJA
_to bring_
◊ _Tukang masak yang didatangkan dari Italy..._ A cook who was brought from Italy...
♦ **mendatangkan faedah** to benefit
**pendatang** KATA NAMA
_immigrant_

**datar** KATA ADJEKTIF
_flat_
◊ _tanah datar_ flat land
**mendatar** KATA KERJA
① _flat_
◊ _padang pasir yang kelihatan mendatar_ a flat looking desert
② _horizontal_
◊ _menegak dan mendatar_ vertical and horizontal
**dataran** KATA NAMA
_plain_

**datuk** KATA NAMA
_grandfather_
♦ **datuk bandar** mayor

**daulat** KATA NAMA
_power_
◊ _Raja itu menjadi boneka penjajah dan tidak mempunyai sebarang daulat._ The king became the colonizers' puppet and had no power whatsoever.
♦ **Daulat tuanku!** Long live the king!
**berdaulat** KATA KERJA
_sovereign_
◊ _sebuah negara yang berdaulat_ a sovereign country
**kedaulatan** KATA NAMA
_sovereignty_
◊ _Kita harus mempertahankan kedaulatan negara kita._ We must protect the sovereignty of our country.
♦ **kedaulatan rakyat** democracy

**daun** KATA NAMA
_leaf_ (JAMAK **leaves**)
♦ **daun bawang** spring onion

**dawai** KATA NAMA
_wire_
**pendawaian** KATA NAMA
_wiring_

**daya** KATA NAMA
① _strength_
◊ _Dia masih ada daya untuk berjalan._ He still has the strength to walk.
② _power_
◊ _daya untuk berfikir_ the power to think
③ _way_
◊ _Saya sudah habis daya untuk_

*menyelesaikan masalah itu.* I can't think of any more ways to solve the problem.

**berdaya** KATA KERJA
*to have the strength*
◊ *Walaupun dia sakit, dia masih berdaya menonton televisyen.* Although he is ill, he still has the strength to watch television.

**memperdaya** KATA KERJA
*to trick*
◊ *Dia cuba memperdaya saya membeli telefon bimbit itu.* He tried to trick me into buying the mobile phone.

**terdaya** KATA KERJA
*to be able to*
◊ *Saya sudah tidak terdaya lagi mengangkat kotak itu.* I am not able to carry the box any more.

**terpedaya** KATA KERJA
*to be deceived*
◊ *Saya terpedaya olehnya.* I was deceived by him.

**daya cipta** KATA NAMA
*creativity*
**berdaya cipta** KATA KERJA
*creative*
◊ *masyarakat yang berdaya cipta* a creative society

**daya maju** KATA NAMA
*ability to advance*
**berdaya maju** KATA KERJA
*progressive*
◊ *negara-negara yang berdaya maju* progressive countries

**dayang** KATA NAMA
*palace maid*

**daya saing** KATA NAMA
*competitiveness*
**berdaya saing** KATA KERJA
*competitive*
◊ *seorang pemimpin yang berdaya saing* a competitive leader

**daya tahan** KATA NAMA
*endurance*

**daya upaya** KATA NAMA
1 *strength*
◊ *Saya kagum dengan daya upayanya.* I really admire his strength.
2 *energy*
◊ *mempunyai daya upaya untuk menyelesaikan masalah* to have the energy to solve a problem
**sedaya upaya** KATA ADJEKTIF
*one's very best*
◊ *Para pelajar telah mencuba sedaya upaya mereka.* The students have tried their very best.

**daya usaha** KATA NAMA
*initiative*

**dayu**

**mendayu, mendayu-dayu** KATA KERJA
*faint*
◊ *Suaranya mendayu-dayu.* Her voice is faint.

**dayung** KATA NAMA
*paddle*
**berdayung** KATA KERJA
*to paddle*
◊ *berdayung mengelilingi Lautan Pasifik dengan kayak* paddling around the Pacific Ocean in a kayak
**mendayung** KATA KERJA
*to paddle*
◊ *mendayung sampan* to paddle a boat

**dayus** KATA ADJEKTIF
*despicable*
◊ *Hanya lelaki dayus sahaja sanggup mencabul anak sendiri.* Only a despicable man would molest his own daughter.

**debar** KATA NAMA *rujuk* **debaran**
**berdebar, berdebar-debar** KATA KERJA
*to pound*
◊ *Hatinya berdebar-debar.* Her heart was pounding.
♦ **Filem ini akan membuat hati anda berdebar-debar.** The film will make your heart race.
♦ **Saya berdebar-debar menanti keputusan peperiksaan.** I'm nervously awaiting the exam results.
**mendebarkan** KATA KERJA
*to make...race*
◊ *Berita itu benar-benar mendebarkan hati saya.* The news really made my heart race.
♦ **pengalaman yang mendebarkan** an exciting experience
**debaran** KATA NAMA
♦ **debaran jantung** heartbeat
◊ *Debaran jantungnya semakin kuat semasa dia menaiki tangga.* Her heartbeat became stronger as she climbed the stairs.

**debat** KATA NAMA
*debate*
**berdebat** KATA NAMA
*to argue*
◊ *Pelajar itu suka berdebat dengan gurunya.* The student likes to argue with his teacher.
♦ **Penduduk berdebat tentang hal kebersihan di kawasan mereka.** The residents discussed the matter of cleanliness in their area.
**mendebat** KATA KERJA
*to challenge*
◊ *Dia mendebat kenyataan saya.* He

challenged my statement.

**mendebatkan, memperdebatkan**
KATA KERJA
_to debate_
◊ *Mereka sedang memperdebatkan isu-isu politik.* They were debating political issues.
**pendebat** KATA NAMA
_debater_
**perdebatan** KATA NAMA
_debate_
◊ *perdebatan di kalangan ahli bahasa* a debate among linguists

**debit** KATA NAMA
_debit_
◊ *Jumlah debit mestilah seimbang dengan jumlah kredit.* The total debits must balance the total credits.
**mendebitkan** KATA KERJA
_to debit_
◊ *Bank itu akan mendebitkan akaun saya setiap bulan.* The bank will debit my account every month.

**debu** KATA NAMA
_dust_
**berdebu** KATA KERJA
_dusty_

**debunga** KATA NAMA
_pollen_

**debur**
**berdebur** KATA KERJA
_to crash_
◊ *Saya suka mendengar bunyi ombak berdebur di pantai.* I like to hear the waves crashing on the beach.
**deburan** KATA NAMA
_thunder_
◊ *Saya terdengar bunyi deburan ombak.* I heard the thunder of the surf.
♦ **deburan air** splash (JAMAK **splashes**)

**decit**
**berdecit** KATA KERJA
_to squeak_
◊ *Pintu itu berdecit ketika saya cuba membukanya.* The door squeaked when I tried to open it.

**dedah**
**mendedahkan** KATA KERJA
_to reveal_
◊ *Suriati tidak mahu mendedahkan rahsia Rahayu.* Suriati didn't want to reveal Rahayu's secret.
**pendedahan** KATA NAMA
_exposure_
◊ *Mereka diberi banyak pendedahan melalui televisyen.* They have been given an enormous amount of exposure on television.
**terdedah** KATA KERJA

_to be revealed_
◊ *Rahsianya sudah terdedah.* Her secret has been revealed.
♦ **Jangan biarkan pintu itu terdedah.** Don't left the door open.

**dedaun** KATA NAMA
_leaves_

**dedikasi** KATA NAMA
_dedication_
**berdedikasi** KATA KERJA
_dedicated_
◊ *seorang yang berdedikasi* a dedicated person

**defendan** KATA NAMA
_defendant_

**definisi** KATA NAMA
_definition_
**mendefinisikan** KATA KERJA
_to define_

**deflasi** KATA NAMA
_deflation_

**degar**
**berdegar-degar** KATA KERJA
_pompous_
♦ **Cakapnya selalu berdegar-degar.** He always talks pompously.

**degil** KATA ADJEKTIF
_stubborn_
**berdegil** KATA KERJA
_to insist_
◊ *Walaupun ayah melarang saya keluar, saya tetap berdegil.* Although my father told me not to go out, I insisted.
**kedegilan** KATA NAMA
_stubbornness_

**degup** KATA NAMA
_beat_
♦ **degup jantung** heartbeat
**berdegup** KATA KERJA
_to thump_
◊ *Apakah kau dapat mendengar jantungku berdegup?* Can you hear my heart thumping?

**deham** KATA NAMA
_cough_
**berdeham** KATA KERJA
_to clear one's throat_
◊ *Claus berdeham dan bercakap dengan suara yang perlahan.* Claus cleared his throat and spoke in a soft voice.

**dehem** KATA NAMA *rujuk* **deham**

**dek** KATA NAMA
> *rujuk juga* **dek** KATA HUBUNG
_deck_

**dek** KATA HUBUNG
> *rujuk juga* **dek** KATA NAMA
_by_
◊ *Kambing biri-birinya habis dibaham*

*dek harimau.* All his sheep were eaten by the tiger.

**dekad** KATA NAMA
*decade*

**dekah**
  **berdekah-dekah** KATA KERJA
♦ **ketawa berdekah-dekah** to laugh heartily

**dekan** KATA NAMA
*dean*

**dekar**
  **pendekar** KATA NAMA
  *warrior*

**dekat** KATA ADJEKTIF
*near*
◊ *Jangan datang dekat saya!* Don't come near me!
  **dekat-dekat** KATA ADJEKTIF
  *very close to each other*
  ◊ *Rumah di situ dekat-dekat belaka.* The houses are very close to each other.
  **berdekatan** KATA ADJEKTIF
  1 *nearby*
  ◊ *Anda boleh dapatkan barang ini di kedai yang berdekatan.* You can get it at the nearby shops. ◊ *Dia tinggal berdekatan.* He lives nearby.
  2 *near*
  ◊ *Saya akan membeli sebuah rumah berdekatan dengan laut.* I'm going to buy a house near the sea.
  **kedekatan** KATA NAMA
  *proximity*
  **mendekati** KATA KERJA
  *to come up to*
  ◊ *Dia mendekati saya lalu mengucapkan terima kasih.* He came up to me and thanked me.
  **mendekatkan** KATA KERJA
  *to put ... close*
  ◊ *Dia mendekatkan cawannya ke teko itu.* She put her cup close to the teapot.
♦ **mendekatkan diri dengan ibu bapa** to be close to one's parents
  **pendekatan** KATA NAMA
  *approach* (JAMAK **approaches**)
  ◊ *Kami akan meneliti pendekatan-pendekatan yang berlainan untuk mengumpul maklumat.* We will be exploring different approaches to gathering information.
♦ **Mereka sedang mencari pendekatan untuk menyelesaikan masalah itu.** They are looking at how to solve the problem.
  **terdekat** KATA ADJEKTIF
  *nearest*
  ◊ *Kedai ini yang terdekat dengan kita.*

This is the nearest shop to us.

**deklamasi** KATA NAMA
*poetry reading*
  **berdeklamasi** KATA KERJA
  *to recite verses*
  ◊ *Dia berdeklamasi seperti seorang penyajak.* He was reciting verses like a poet.
  **mendeklamasi, mendeklamasikan** KATA KERJA
  *to recite*
  ◊ *Saya masih ingat cara dia mendeklamasikan puisi Perancis kepada saya.* I still remember how he recited French poetry to me.

**deklarasi** KATA NAMA
*declaration*

**delegasi** KATA NAMA
*delegation*

**demah** KATA NAMA
*poultice*
  **mendemah** KATA KERJA
  *to put a poultice on*

**demam** KATA KERJA
┌─────────────────────────────────┐
│ *rujuk juga* **demam** KATA NAMA │
└─────────────────────────────────┘
*to have a fever*

**demam** KATA NAMA
┌──────────────────────────────────┐
│ *rujuk juga* **demam** KATA KERJA │
└──────────────────────────────────┘
*fever*
◊ *Demamnya semakin teruk.* His fever is getting worse.
♦ **demam Piala Dunia** World Cup fever
♦ **demam alergi** hay fever
♦ **demam campak** measles
♦ **demam denggi** dengue fever
♦ **demam kuning** yellow fever
♦ **demam selesema** flu

**demi** KATA SENDI
1 *as soon as*
◊ *Demi terdengar berita itu, dia pun menangis.* As soon as she heard the news, she wept.
2 *for the sake of*
◊ *demi wang* for the sake of money
♦ **Saya sanggup mengorbankan nyawa demi ibu saya.** I'm willing to sacrifice my life for my mother's sake.
♦ **Demi Tuhan, saya tidak menyangka semua ini boleh terjadi.** I swear to God, I didn't expect this to happen.
♦ **satu demi satu** one by one

**demikian** KATA GANTI NAMA
*like that*
♦ **Saya tidak akan berbuat demikian.** I will not do that.
♦ **oleh yang demikian** therefore
  **sedemikian** KATA GANTI NAMA
┌─────────────────────────────────────────┐
│ *rujuk juga* **sedemikian** KATA PENGUAT │
└─────────────────────────────────────────┘
*like that*

D

♦ **Sikapnya memang sedemikian.** That's
what he's like.
**sedemikian** KATA PENGUAT

> rujuk juga **sedemikian** KATA GANTI
> NAMA

*such*
◊ *tempat yang sedemikian jauh* such
a far-away place
**demokrasi** KATA NAMA
*democracy*
**demokratik** KATA ADJEKTIF
*democratic*
**demonstrasi** KATA NAMA
*demonstration*
**denai** KATA NAMA
*track*
**denda** KATA NAMA
1 *fine*
2 *punishment*
**mendenda** KATA KERJA
1 *to fine*
◊ *Majistret itu mendenda Kamaruddin
kerana menghina mahkamah.* The
magistrate fined Kamaruddin for contempt
of court.
2 *to punish*
◊ *Dia mendenda anak-anaknya kerana
pulang lewat.* He punished his children for
coming home late.
**dendam** KATA NAMA
*grudge*
♦ **rindu dendam** deep longing
♦ **membalas dendam** to take revenge
**berdendam** KATA KERJA
*to have a grudge*
◊ *Nampaknya dia berdendam dengan
saya.* It appears that he has a grudge
against me.
**mendendami** KATA KERJA
*to have a grudge against*
◊ *Rezza mendendami Azmir kerana
menipunya.* Rezza has a grudge against
Azmir for lying to him.
**pendendam** KATA ADJEKTIF
*vindictive*
◊ *Dia seorang yang pendendam.* He's
vindictive.
**dendang** KATA NAMA
*happy song*
**berdendang** KATA KERJA
*to sing happily*
◊ *Mereka menari sambil berdendang.*
They danced and sang happily.
**mendendangkan** KATA KERJA
*to sing*
◊ *Nuraniza mendendangkan lagu itu.*
Nuraniza sang the song.
**dengan** KATA SENDI
*with*

**dengan** *tidak ada terjemahan yang
khusus apabila digunakan dalam
bentuk seperti di bawah ini.*
◊ *Dengan adanya alat ini, kita boleh
membaiki apa sahaja.* Now that we have
this tool, we can fix anything. ◊ *Dengan
ini diisytiharkan bahawa...* It is hereby
announced that... ◊ *Dengan ini
dimaklumkan bahawa...* You are hereby
informed that...

**dengan** *juga biasa digunakan di
hadapan **kata adjektif** dan gabungan
dua kata ini diterjemahkan menjadi
kata adverba dalam bahasa Inggeris.*
◊ *dengan mendadak* unexpectedly
◊ *dengan membabi buta* recklessly
◊ *dengan sabar* patiently ◊ *dengan
cepat* quickly
**dengar** KATA KERJA
1 *to hear*
◊ *Saya dengar kamu akan pergi ke
Australia minggu depan.* I hear you're
going to Australia next week.
2 *to listen*
◊ *"Dengar betul-betul!"* "Listen
carefully!"
♦ **tersilap dengar** to hear wrongly
**dengar-dengar** KATA ADJEKTIF
*to hear*
◊ *Dengar-dengarnya, dia sakit.* I hear
that he is sick.
**kedengaran** KATA KERJA
*to be heard*
◊ *Suaranya kedengaran dari jauh.* Her
voice could be heard from afar.
**mendengar** KATA KERJA
1 *to hear*
◊ *Saya tidak dapat mendengar
suaranya.* I can't hear her voice.
2 *to listen*
◊ *Susila tidak mendengar nasihat Krisya.*
Susila did not listen to Krisya's advice.
**mendengari** KATA KERJA
*to hear*
◊ *Dia menjerit supaya suaranya dapat
didengari.* He shouted so that he could be
heard.
**pendengar** KATA NAMA
*listener*
**pendengaran** KATA NAMA
*hearing*
**terdengar** KATA KERJA
1 *to happen to hear*
◊ *Saya terdengar bunyi bising di
belakang rumah saya.* I happened to
hear a noise at the back of my house.
2 *to overhear*
◊ *Saya terdengar datuk bercakap
dengan ayah mengenai hal itu.* I

overheard grandfather talking to father about it.

**denggi** KATA NAMA
*dengue*

**dengki** KATA ADJEKTIF
> rujuk juga **dengki** KATA NAMA

*jealous*
◊ *Saya tahu kamu dengki akan saya.* I know you are jealous of me.

**berdengki** KATA KERJA
*to be jealous of*
◊ *Jangan berdengki sesama sendiri.* Don't be jealous of each other.

**mendengki** KATA KERJA
*to be jealous of*
◊ *Apalah gunanya mendengki kawan sendiri.* It's no use being jealous of your own friend.

**pendengki** KATA ADJEKTIF
*envious*
◊ *Dia seorang yang pendengki.* He's an envious person.

**dengki** KATA NAMA
> rujuk juga **dengki** KATA ADJEKTIF

*spite*
◊ *Dia melakukannya kerana dengki.* She did it out of spite.

**dengkur** KATA NAMA *rujuk* **dengkuran**
**berdengkur, mendengkur** KATA KERJA
① *to snore*
② *to purr* (bunyi kucing)
**dengkuran** KATA NAMA
*snore*

**dengung** KATA NAMA
① *drone*
◊ *bunyi dengung yang berterusan di lebuh raya* the constant drone of the motorways
② *buzz* (bunyi lebah)
**berdengung** KATA KERJA
① *to boom* (bunyi gong)
② *to buzz* (bunyi lebah)

**dengus** KATA NAMA
*snort*
◊ *Saya terdengar dengus seekor badak.* I heard the snort of a hippopotamus.
**mendengus** KATA KERJA
*to snort*
◊ *"Dia selalu meminta wang daripada saya!" dia mendengus.* "He keeps asking me for money!" he snorted.

**dentam** KATA NAMA
*bang*
♦ **dentam-dentam** repeated banging
**berdentam** KATA KERJA
*to bang*
◊ *bunyi pintu berdentam* the sound of the door banging

**dentum** KATA NAMA

*roar*
**berdentum** KATA KERJA
*to roar*
◊ *Guruh berdentum di langit.* Thunder roared across the sky.
**dentuman** KATA NAMA *rujuk* **dentum**

**denyut** KATA NAMA *rujuk* **denyutan**
**berdenyut** KATA KERJA
① *to beat*
◊ *Jantungnya masih berdenyut.* His heart is still beating.
② *to throb*
◊ *Nadinya masih berdenyut.* His pulse is still throbbing.
**berdenyut-denyut** KATA KERJA
*to throb*
◊ *Kepala saya berdenyut-denyut.* My head is throbbing.
**denyutan** KATA NAMA
*beating*
◊ *Saya dapat mendengar denyutan jantung saya.* I could hear my heart beating.

**deodoran** KATA NAMA
*deodorant*

**depan** KATA ADJEKTIF
> rujuk juga **depan** KATA ARAH

*front*
◊ *Dia masuk melalui pintu depan.* He came through the front door.
**berdepan** KATA KERJA
*to face*
◊ *Kamu harus berdepan dengan kenyataan.* You have to face the fact.
**mengedepankan** KATA KERJA
*to put forward*
◊ *Jawatankuasa itu akan mengedepankan cadangan pertamanya.* The committee will put forward its first proposal.

**depan** KATA ARAH
> rujuk juga **depan** KATA ADJEKTIF

♦ **di depan** in front ◊ *Tiba-tiba sahaja dia muncul di depan saya.* Suddenly he appeared in front of me.
♦ **ke depan** forward ◊ *bergerak ke depan* to move forward

**deposit** KATA NAMA
*deposit*
**mendepositkan** KATA KERJA
*to deposit*
◊ *Para pelanggan dikehendaki mendepositkan wang sebanyak RM100.* Customers are required to deposit RM100.

**dera** KATA KERJA
*to abuse*
◊ *Jangan dera anak-anak anda.* Don't abuse your children.
♦ **kena dera** to be abused

**mendera** KATA KERJA
*to abuse*
◊ *Ibu bapa yang tertekan mungkin akan mendera anak-anak mereka.* Parents who are under pressure may abuse their children.
**pendera** KATA NAMA
*abuser*
**penderaan** KATA NAMA
*abuse*
◊ *penyiasatan ke atas penderaan kanak-kanak* investigation into child abuse

**derai**
**berderai, berderai-derai** KATA KERJA
1 *loud and long*
◊ *Para tetamu ketawa berderai-derai mendengar jenakanya.* The guests laughed loud and long at his jokes.
2 *to drip*
◊ *Air jatuh berderai-derai dari paip yang bocor itu.* Water dripped from the leaking pipe.
♦ **pecah berderai** to shatter ◊ *Mangkuk kaca itu pecah berderai di atas lantai.* The glass bowl shattered on the floor.

**deram** KATA NAMA
*roar*
**menderam** KATA KERJA
*to roar*
◊ *Harimau itu menderam apabila kami masuk ke kandangnya.* The tiger roared when we entered its cage.

**deras** KATA ADJEKTIF
*quickly*
◊ *Air dari empangan itu mengalir deras.* The water from the dam flows quickly.
♦ **arus deras** fast current
**kederasan** KATA NAMA
*speed*
◊ *Kederasan air itu menyebabkan kami tidak dapat mencari mayatnya.* The speed of the water made it impossible for us to find her body.

**deret** PENJODOH BILANGAN
*row*
◊ *satu deret rumah* a row of houses
**berderet-deret** KATA KERJA
*in rows*
◊ *Rumah-rumah di situ disusun berderet-deret.* The houses were arranged in rows.
**sederet** KATA ADJEKTIF
*on the same block as*
◊ *Restoran itu terletak sederet dengan balai polis.* The restaurant is on the same block as the police station.
**deretan** KATA NAMA
*rows*
◊ *deretan rumah-rumah setinggan* rows

of squatters' houses
**derhaka** KATA ADJEKTIF
*disloyal*
◊ *Si tenggang merupakan kisah seorang anak yang derhaka.* Si tenggang is a story about a disloyal son.
♦ **Orang yang derhaka kepada negara akan dihukum bunuh.** Those who betray their country will be sentenced to death.
**menderhaka** KATA KERJA
1 *to be disloyal*
◊ *Jangan menderhaka kepada ibu bapa dan Tuhan.* Do not be disloyal to your parents or to God.
2 *to betray*
◊ *menderhaka kepada negara* to betray one's country
**penderhaka** KATA NAMA
*traitor*
**penderhakaan** KATA NAMA
*disloyalty*
◊ *perderhakaan terhadap Tuhan* disloyalty to God
♦ **penderhakaan terhadap negara** treason

**deria** KATA NAMA
*sense*
◊ *deria bau* sense of smell

**dering** KATA NAMA *rujuk* **deringan**
**berdering** KATA KERJA
*to ring*
◊ *Saya terdengar loceng pintu berdering, tetapi tidak ada orang di luar.* I heard the doorbell ring but there was nobody outside.
**deringan** KATA NAMA
*ring*
◊ *deringan telefon* ring of the phone

**derita** KATA NAMA
*suffering*
**menderita** KATA KERJA
*to suffer*
◊ *Ramai rakyat negara itu menderita akibat peperangan.* Many people in that country suffered because of the war.
♦ **hidup menderita** to lead a life of suffering
**penderita** KATA NAMA
*sufferer*
◊ *penderita penyakit barah* cancer sufferer
**penderitaan** KATA NAMA
*suffering*
◊ *Kebanyakan novelnya memaparkan kisah penderitaan wanita dan kanak-kanak.* Most of his novels portrayed the suffering of women and children.

**derma** KATA NAMA

*donation*
◊ *memberikan derma* to make a donation
**menderma, mendermakan** KATA KERJA
*to donate*
◊ *Hafiz mendermakan sebelah buah pinggangnya kepada Azizi.* Hafiz donated one of his kidneys to Azizi.
**penderma** KATA NAMA
*donor*
**pendermaan** KATA NAMA
*donation*
◊ *pendermaan koleksinya kepada galeri seni* the donation of his collection to the art gallery

**dermaga** KATA NAMA
*wharf* (JAMAK **wharves** atau **wharfs**)

**dermawan** KATA NAMA
*philanthropist*

**deru** KATA NAMA *rujuk* **deruan**
**berderu, menderu** KATA KERJA
*to roar*
◊ *Langit menjadi gelap dan angin pun menderu.* The sky went dark and the wind roared.
**deruan** KATA NAMA
*roar*
◊ *Saya dapat mendengar deruan ombak.* I could hear the roar of the waves.

**derum**
**berderum, menderum** KATA KERJA
*to roar*
◊ *Sebuah kereta polis menderum di lebuh raya itu.* A police car roared along the highway.
**deruman** KATA NAMA
*rumble*
◊ *deruman kapal terbang yang kedengaran dari jauh* the rumble of a distant aeroplane

**desa** KATA NAMA
*countryside*
♦ **rentas desa** cross-country

**desak**
**mendesak** KATA KERJA
1 *to urge*
◊ *Mereka mendesak parlimen meluluskan rancangan mereka.* They urged parliament to approve their plans.
2 *to press*
◊ *Walaupun saya menolak, dia masih terus mendesak saya.* Though I refused, she still keeps pressing me.
**pendesak** KATA NAMA
♦ **kumpulan pendesak** pressure group
**terdesak** KATA KERJA
*desperate*
◊ *Saya melakukan semua ini kerana*

*terdesak.* I did all this because I was desperate.
**desakan** KATA NAMA
*insistence*
◊ *Vanitha menghadiri temu duga itu kerana desakan ibunya.* Vanitha attended the interview at her mother's insistence.
♦ **desakan hidup** the pressures of life

**desas-desus** KATA NAMA
*rumours*

**desing** KATA NAMA *rujuk* **desingan**
**berdesing** KATA KERJA
*to whistle*
◊ *Sebutir peluru berdesing di tepi telinga saya.* A bullet whistled past my ears.
♦ **Telinga saya berdesing mendengar kata-katanya.** I was enraged by his words.
**berdesing-desing** KATA KERJA
*to whistle*
◊ *Angin berdesing-desing di celah-celah bangunan itu.* The wind was whistling through the building.
**desingan** KATA NAMA
*whistling*
◊ *desingan angin* the whistling of the wind

**desir** KATA NAMA *rujuk* **desiran**
**berdesir** KATA KERJA
*to rustle*
◊ *Dedaun berdesir ditiup angin.* The leaves rustled in the wind.
**desiran** KATA NAMA
*rustling*
◊ *Kami terdengar desiran kertas-kertas.* We heard the rustling of the papers.

**deskriptif** KATA ADJEKTIF
*descriptive*

**destinasi** KATA NAMA
*destination*

**detap** KATA NAMA
*tramp*
◊ *Dia terdengar detap kasut seseorang menaiki tangga.* He heard the tramp of shoes as someone came up the stairs.
**berdetap** KATA KERJA
*to crack*
◊ *Ketika kami bersembunyi di sebalik pokok itu kami terdengar ranting berdetap.* When we were hiding behind the tree we heard a twig crack.
♦ **bunyi kasut berdetap** the sound of a footstep

**detar** KATA NAMA
*rattling sound*
♦ **Dia menghempas pintu itu dengan begitu kuat sehingga saya terdengar bunyi detar pinggan mangkuk.** She slams the door so hard I hear dishes rattle.

**berdetar, berdetar-detar** KATA KERJA
_to rattle_
◊ *Saya terdengar bunyi gelas berdetar di dapur.* I heard glasses rattling in the kitchen.

**detektif** KATA NAMA
_detective_

**detik** KATA NAMA
1 _second_
◊ *Beberapa detik kemudian...* A few seconds later...
2 _moment_
◊ *Ini merupakan detik yang bersejarah bagi semua rakyat Malaysia.* This is an historic moment for all Malaysians.
**berdetik** KATA KERJA
_to tick_
◊ *Tiba-tiba jam di ruang tamu berhenti berdetik.* Suddenly the clock in the living room stopped ticking.
♦ **Selepas menonton berita itu, hatinya berdetik, "kasihan kanak-kanak itu".** After watching the news, he said to himself, "poor children".
♦ **Hatinya berdetik apabila mereka menyebut nama gadis itu.** His heart leapt when they mentioned the girl's name.
**detikan** KATA NAMA
_tick_
◊ *Jam itu mempunyai detikan yang kuat.* The clock has a loud tick.

**dewa** KATA NAMA
_god_
◊ *Hercules ialah anak lelaki dewa Zeus.* Hercules was the son of the god Zeus.

**dewan** KATA NAMA
_hall_

**dewasa** KATA ADJEKTIF
| rujuk juga **dewasa** KATA NAMA |
_adult_
◊ *Dia sudah dewasa.* She is an adult.
♦ **orang dewasa** adult
**dewasa** KATA NAMA
| rujuk juga **dewasa** KATA ADJEKTIF |
_time_
◊ *Dewasa itu mesin basuh belum lagi dicipta.* At that time washing machines had not yet been invented.

**dewi** KATA NAMA
_goddess_ (JAMAK **goddesses**)
◊ *Venus ialah dewi cinta.* Venus is the goddess of love.

**di** KATA SENDI
1 _at_
◊ *Dia ada di rumah.* He is at home.
◊ *Rumahnya terletak di nombor 10 Jalan Baiduri.* His house is at number 10 Jalan Baiduri.
2 _in_

◊ *Dia berada di Pulau Pinang.* He's in Penang.
♦ **di atas (1)** on ◊ *seekor kucing di atas bumbung* a cat on the roof
♦ **di atas (2)** above ◊ *Lampu yang berwarna-warni itu bergantungan di atas kepalanya.* The colourful lamps were hanging above his head.
♦ **di atas (3)** over ◊ *Seekor lebah terbang di atas kepalanya.* A bee flew over his head.
♦ **di bawah** under
♦ **di belakang** behind
♦ **di dalam** inside
♦ **di depan** in front
♦ **di sana (1)** there ◊ *Saya akan bertemu dengannya di sana.* I'll meet him there.
♦ **di sana (2)** over there ◊ *Buku itu ada di sana.* The book is over there.
♦ **di sini** here

**dia** KATA GANTI NAMA
1 _he_ (lelaki)
◊ *Dia seorang pelajar yang baik.* He is a good student.
2 _she_ (perempuan)
◊ *Dia seorang pelajar yang rajin.* She is a hardworking student.
3 _his_ (lelaki)
◊ *Itu ibu dia.* That's his mother.
4 _her_ (perempuan)
◊ *Itu abang dia.* That's her brother.
◊ *Jangan hiraukan dia.* Just ignore her.
5 _him_ (lelaki)
◊ *Jangan hiraukan dia.* Just ignore him.

**diabetes** KATA NAMA
_diabetes_

**diagnosis** KATA NAMA
_diagnosis_

**diagnostik** KATA ADJEKTIF
_diagnostic_

**diagram** KATA NAMA
_diagram_

**dialek** KATA NAMA
_dialect_

**dialog** KATA NAMA
_dialogue_

**diam** KATA ADJEKTIF
| rujuk juga **diam** KATA KERJA |
1 _quiet_
◊ *Kanak-kanak itu diam sahaja sejak pagi tadi.* The children have been quiet since this morning.
2 _still_
◊ *Dia berdiri diam di tepi tingkap.* He stood still near the window.
**diam-diam** KATA ADJEKTIF
1 _quietly_
◊ *Saya masuk ke dalam rumah itu*

*secara diam-diam.* I entered the house quietly.

2 *secretly*
◊ *Mereka berkahwin secara diam-diam.* They got married secretly.

♦ **"Duduk diam-diam," kata ibu itu kepada anak-anaknya.** "Sit still," said the mother to her children.

**berdiam** KATA KERJA

♦ **berdiam diri** to keep quiet ◊ *Saya tidak akan berdiam diri sahaja dengan kejadian itu.* I shall not just keep quiet about the incident.

**mendiamkan** KATA KERJA

1 *to ignore*
◊ *Kamu tidak harus mendiamkan perkara ini. Kita harus melaporkannya kepada polis.* You shouldn't ignore the matter, we should report it to the police.

2 *to hush up*
◊ *Mereka cuba mendiamkan hal yang sebenar.* They tried to hush up the actual facts.

♦ **Samira mendiamkan sahaja perbuatan kawannya.** Samira kept her friend's action to herself.

**pendiam** KATA ADJEKTIF
*silent*
◊ *Dia pendiam orangnya.* He was a silent man.

**terdiam** KATA KERJA
*to fall silent*
◊ *Mereka semua terdiam sebaik sahaja telefon berdering.* They all fell silent when the phone rang.

**diam** KATA KERJA

> *rujuk juga* **diam** KATA ADJEKTIF

*to stay*
◊ *Saya tidak mahu lagi diam di situ.* I don't want to stay there any more.

**mendiami** KATA KERJA

1 *to live in*
◊ *Dia merupakan seorang daripada guru-guru yang mendiami kampung itu.* He is one of the teachers who lives in the village.

2 *to occupy*
◊ *Siapakah yang mendiami rumah ini sebelum kematiannya?* Who occupied the house before his death?

♦ **tidak didiami** uninhabited

**kediaman** KATA NAMA
*residential*
◊ *kawasan kediaman* residential area

**dian** KATA NAMA
*candle*

**diang**

**berdiang** KATA KERJA
*to warm oneself by a fire*

♦ **Kami duduk bersama-sama sambil berdiang mengelilingi unggun api itu.** We sat around the campfire together to warm ourselves.

**perdiangan** KATA NAMA
*fireplace*

**diarea** KATA NAMA
*diarrhoea*

**diari** KATA NAMA
*diary* (JAMAK **diaries**)

**didih**

**mendidih** KATA KERJA
*to boil*
◊ *Dia menunggu air itu mendidih dahulu sebelum keluar.* He waited for the water to boil before going out.

**mendidihkan** KATA KERJA
*to boil*
◊ *mendidihkan air* to boil water

**didik** KATA KERJA

♦ **anak didik** protégé

**mendidik** KATA KERJA
*to bring up*
◊ *Ibu bapa perlu mengetahui cara terbaik untuk mendidik anak-anak mereka.* Parents should know the best way to bring up their children.

**pendidik** KATA NAMA
*educator*

**pendidikan** KATA NAMA
*education*
◊ *Kementerian Pendidikan* Ministry of Education

**berpendidikan** KATA KERJA
*educated*
◊ *Dia cantik dan berpendidikan.* She's beautiful and educated.

**didikan** KATA NAMA

1 *upbringing*
◊ *Anak lelakinya mendapat didikan dan pelajaran yang baik.* Her son had a good upbringing and education.

2 *teaching*
◊ *Dia berjaya kerana didikan saya.* He succeeded because of my teaching.

**diesel** KATA NAMA
*diesel*

♦ **minyak diesel** diesel

**diet** KATA NAMA
*diet*
◊ *Diet dan senaman yang betul baik untuk kesihatan anda.* Proper diet and exercise is good for your health.

**berdiet** KATA KERJA
*to diet*
◊ *Anda perlu berdiet jika hendak mengurangkan berat badan.* You need to diet if you want to lose weight.

**dif** KATA NAMA

_guest_
◊ _dif-dif kehormat_ guests of honour
**diftong** KATA NAMA
_diphthong_
◊ _Dalam bahasa Melayu, terdapat tiga diftong, iaitu ai, au dan oi._ In Malay, there are three diphthongs, namely ai, au and oi.
**digit** KATA NAMA
_digit_
**berdigit** KATA ADJEKTIF
_digital_
◊ _jam berdigit_ digital watch
**digital** KATA ADJEKTIF
_digital_
◊ _jam digital_ digital watch
**dikit**
**berdikit-dikit** KATA KERJA
_little by little_
◊ _Dia menyimpan wang berdikit-dikit._ He saved money little by little.
♦ **berbelanja berdikit-dikit** to spend thriftily
**sedikit** KATA BILANGAN
1 _a bit_
◊ _Tambahkan sedikit warna merah pada lukisan itu._ Add a bit of red to the painting.
2 _a little_
◊ _Masukkan sedikit garam._ Add a little salt.
3 _a few_
◊ _Hanya sedikit ahli yang mengundinya._ Only a few members voted for him.
**sedikit-sedikit** KATA ADJEKTIF
_bit by bit_
◊ _Dia makan kek itu sedikit-sedikit._ He ate the cake bit by bit.
**diktator** KATA NAMA
_dictator_
♦ **pemerintahan diktator** dictatorship
**dilema** KATA NAMA
_dilemma_
**dimensi** KATA NAMA
_dimension_
**dinamik** KATA ADJEKTIF
_dynamic_
**dinamit** KATA NAMA
_dynamite_
**dinamo** KATA NAMA
_dynamo_ (JAMAK **dynamos**)
**dinasti** KATA NAMA
_dynasty_ (JAMAK **dynasties**)
**dinding** KATA NAMA
_wall_
**dingin** KATA ADJEKTIF
_cold_
◊ _Cuaca pada pagi itu sangat dingin._ The weather that morning was very cold.
◊ _Dia seorang yang dingin._ She's a cold

person.
**kedinginan** KATA KERJA
| _rujuk juga_ **kedinginan** KATA NAMA |
_cold_
◊ _Saya kedinginan._ I'm cold.
**kedinginan** KATA NAMA
| _rujuk juga_ **kedinginan** KATA KERJA |
_cold_
◊ _Kedinginan itu semakin terasa._ I began to feel the cold.
**mendinginkan** KATA KERJA
_to cool down_
◊ _Minuman ini akan mendinginkan badan anda._ This drink will cool you down.
**dingin beku** KATA ADJEKTIF
_frozen_
◊ _Ikan dingin beku banyak dijual di pasar raya._ Frozen fish can be found in many supermarkets.
**mendinginbekukan** KATA KERJA
_to freeze_
◊ _Ali mendinginbekukan daging itu dalam peti ais._ Ali froze the meat in the fridge.
**dinosaur** KATA NAMA
_dinosaur_
**diploma** KATA NAMA
_diploma_
**diplomasi** KATA NAMA
_diplomacy_
◊ _Pengurus itu menggunakan diplomasinya untuk menghilangkan kemarahan pekerjanya._ The manager used all his diplomacy to cool the angry workers down.
**berdiplomasi** KATA KERJA
_to be tactful_
◊ _Kita perlu pandai berdiplomasi dengan orang-orang kampung yang sensitif._ We must be tactful when talking to the villagers, they are sensitive.
**diplomat** KATA NAMA
_diplomat_
**diplomatik** KATA ADJEKTIF
_diplomatic_
♦ **secara diplomatik** diplomatically
**diraja** KATA ADJEKTIF
_royal_
**direktori** KATA NAMA
_directory_ (JAMAK **directories**)
**diri (1)**
**berdiri** KATA KERJA
_to stand up_
◊ _Mereka menyuruh saya berdiri tegak._ They told me to stand up straight.
**mendirikan** KATA KERJA
1 _to put up_
◊ _mendirikan khemah_ to put up a tent
2 _to build_

**D**

◊ *mendirikan rumah* to build a house
♦ **mendirikan rumah tangga** to get married
  **pendirian** KATA NAMA
  *stand*
  ◊ *Dia enggan mengubah pendiriannya.* He refused to change his stand.
  **berpendirian** KATA KERJA
  *principled*
♦ **Dia seorang yang berpendirian teguh.** He's a person with firm principles.
♦ **seorang yang tidak berpendirian** an unprincipled person
  **terdiri** KATA KERJA
♦ **terdiri daripada** to consist of
  ◊ *Kebanyakan ahli kumpulan itu terdiri daripada pelajar.* The group consists mainly of students.
**diri (2)** KATA NAMA
♦ **diri saya** myself ◊ *Saya tidak akan mengorbankan diri saya untuk orang lain.* I will not sacrifice myself for other people.
♦ **diri mereka** themselves ◊ *Mereka memperkenalkan diri mereka sebagai "The Champions".* They introduced themselves as "The Champions".
♦ **diri sendiri (1)** himself ◊ *Dia berkata kepada diri sendiri...* He said to himself...
♦ **diri sendiri (2)** herself ◊ *Gadis itu berkata kepada diri sendiri...* The girl said to herself...
♦ **diri sendiri (3)** myself ◊ *Saya bertanya kepada diri sendiri...* I asked myself...
♦ **diri sendiri (4)** oneself ◊ *Seseorang itu perlu memikirkan tentang diri sendiri...* One has to think about oneself...
♦ **diri sendiri (5)** ourselves ◊ *Kita harus memikirkan tentang diri sendiri sebelum memikirkan tentang orang lain.* We have to think about ourselves before thinking about others.
♦ **diri sendiri (6)** themselves ◊ *Mereka bertanya kepada diri sendiri...* They asked themselves...
♦ **Kita mesti selalu mendekatkan diri dengan ibu bapa kita.** We must always be close to our parents.
♦ **membunuh diri** to commit suicide
♦ **berdiam diri** to keep silent
**Disember** KATA NAMA
  *December*
  ◊ *pada 4 Disember* on 4 December
♦ **pada bulan Disember** in December
**disinfektan** KATA NAMA
  *disinfectant*
**disiplin** KATA NAMA
  *discipline*
  ◊ *disiplin diri* self-discipline

♦ **tindakan disiplin** disciplinary action
  **berdisiplin** KATA KERJA
  *disciplined*
  ◊ *seorang guru yang berdisiplin* a disciplined teacher
  **mendisiplinkan** KATA KERJA
  *to discipline*
  ◊ *Saya cuba mendisiplinkan diri sendiri.* I tried to discipline myself.
**diskaun** KATA NAMA
  *discount*
**disket** KATA NAMA
  *diskette*
**disko** KATA NAMA
  *disco* (JAMAK **discos**)
**diskriminasi** KATA NAMA
  *discrimination*
  **mendiskriminasikan** KATA KERJA
  *to discriminate against*
  ◊ *Di beberapa buah negara, kaum lelaki masih mendiskriminasikan kaum wanita.* In several countries, men still discriminate against women.
**dividen** KATA NAMA
  *dividend*
**doa** KATA NAMA
  *prayer*
  **berdoa** KATA KERJA
  *to pray*
  ◊ *Kelly berdoa semoga Tuhan mengampunkan dosanya.* Kelly prayed that God would forgive her sins.
  **mendoakan** KATA KERJA
  *to pray*
  ◊ *Ibu mendoakan kejayaan saya.* Mother prayed for my success.
**dobi** KATA NAMA
♦ **kedai dobi** laundry (JAMAK **laundries**)
  **mendobi** KATA KERJA
  *to launder*
  ◊ *Dia menghantar pakaiannya untuk didobi.* He sent his clothes to be laundered.
**dodoi** KATA NAMA
  *lullaby* (JAMAK **lullabies**)
  **mendodoikan** KATA KERJA
  *to lull*
  ◊ *Kamariah mendodoikan bayinya sehingga tidur.* Kamariah lulled her baby to sleep.
**doktor** KATA NAMA
  *doctor*
♦ **doktor bedah** surgeon
♦ **doktor gigi** dentist
♦ **doktor haiwan** vet
  **kedoktoran** KATA NAMA
  *medical*

◊ *pelajar kedoktoran* medical student
♦ **ijazah kedoktoran** doctorate
**doktrin** KATA NAMA
*doctrine*
**dokumen** KATA NAMA
*document*
  **mendokumenkan** KATA KERJA
  *to document*
  ◊ *Mereka akan mendokumenkan perbicaraan itu.* They will document the trial.
**dokumentari** KATA NAMA
*documentary* (JAMAK **documentaries**)
**dokumentasi** KATA NAMA
*documentation*
**dolak-dalik** KATA NAMA
*unreliability*
  ◊ *dolak-dalik para usahawan dan ahli politik* the unreliability of businessmen and politicians
  **berdolak-dalik** KATA KERJA
  *to chop and change*
  ◊ *Dia selalu berdolak-dalik tentang hal itu.* He keeps chopping and changing when he talks about that.
**domain** KATA NAMA
*domain* (komputer)
**domestik** KATA ADJEKTIF
*domestic*
**dominan** KATA ADJEKTIF
*dominant*
  ◊ *gen dominan* a dominant gene
**dompet** KATA NAMA
*wallet*
**donat** KATA NAMA
*doughnut*
**dongak**
  **mendongak** KATA KERJA
  *to tilt one's head*
  ◊ *Dia mendongak untuk melihat pertunjukan udara itu.* She tilted her head to watch the air show.
  **mendongakkan** KATA KERJA
  *to tilt*
  ◊ *Dia mendongakkan kepalanya.* She tilted her head.
  **terdongak** KATA KERJA
  *to tilt*
  ◊ *Boat itu terdongak lalu tenggelam.* The boat tilted and sank.
**dongeng** KATA NAMA
  [1] *tale*
  ◊ *dongeng rakyat* folk tales
♦ *cerita dongeng* fairy tale
  [2] *fable*
  ◊ *Apakah kelahiran semula satu kenyataan, atau hanya satu dongeng?* Is reincarnation a fact or just a fable?
  **dongengan** KATA NAMA

*fantasy* (JAMAK **fantasies**)
  ◊ *Ramai yang menganggap keamanan sejagat sebagai dongengan semata-mata.* Many people think that world peace is a fantasy.
**dorong**
  **mendorong** KATA KERJA
  [1] *to push*
  ◊ *Nelayan-nelayan itu mendorong sampan mereka ke laut.* The fishermen pushed their boat into the sea.
  [2] *to encourage*
  ◊ *Cathy mendorong saya supaya terus mencuba.* Cathy encourages me to keep trying.
  **pendorong** KATA NAMA
  [1] *motivator* (orang)
  [2] *motivation* (benda)
  ◊ *Wang ialah pendorong kami.* Money is our motivation.
  **terdorong** KATA KERJA
  [1] *to stumble*
  ◊ *Saya terdorong dari tangga dan hampir-hampir terjatuh.* I stumbled down the stairs and almost fell.
  [2] *inclined*
  ◊ *Tidak ada orang yang terdorong untuk bertengkar dengan Smith.* Nobody felt inclined to argue with Smith.
  **dorongan** KATA NAMA
  *encouragement*
  ◊ *Dia berjaya kerana dorongan keluarganya.* She succeeded because of her family's encouragement.
**dos** KATA NAMA
*dose*
♦ **dos berlebihan** overdose
**dosa** KATA NAMA
*sin*
  **berdosa** KATA KERJA
  *to sin*
  ◊ *Kamu berdosa terhadap ibu bapa kamu.* You have sinned against your parents.
♦ **tidak berdosa** innocent ◊ *Peperangan itu meragut nyawa orang yang tidak berdosa.* The war was killing innocent people.
**dozen** KATA BILANGAN
*dozen*
**draf** KATA NAMA
*draft*
  **mendraf** KATA KERJA
  *to draft*
  ◊ *Dia mendraf sepucuk surat bantahan.* He drafted a letter of protest.
  **mendrafkan** KATA KERJA
  *to draft*
  ◊ *Penulis itu mendrafkan saya laporan*

*itu.* The writer drafted the report for me.

**dram** KATA NAMA
*drum*

**drama** KATA NAMA
*drama*

♦ **penulis drama** playwright

**dramatik** KATA ADJEKTIF
*dramatic*

**drastik** KATA ADJEKTIF
*drastic*

♦ **secara drastik** drastically

**dsb** SINGKATAN (= *dan sebagainya*)
*etc* (= *et cetera*)

**dua** KATA BILANGAN
*two*

♦ **dua kali** twice

♦ **dua hari bulan Oktober** the second of October

**berdua** KATA BILANGAN
*two of*
◊ *Mereka berdua kawan baik.* The two of them are good friends.

**berdua-duaan** KATA KERJA
*to be an unaccompanied couple*

♦ **Mereka hanya berdua-duaan di taman itu.** The two of them were alone in the park.

**kedua** KATA BILANGAN
*second*

**kedua-dua** KATA BILANGAN
*both*
◊ *Kedua-dua anaknya berpelajaran tinggi.* Both of his children are highly educated.

**menduakan** KATA KERJA

♦ **menduakan isteri** to marry a second wife ◊ *Saya tidak mahu menduakan isteri saya.* I don't want to marry a second wife.

♦ **Suami saya sudah menduakan saya.** My husband has taken a second wife.

**pendua** KATA NAMA
*duplicate*
◊ *Di manakah saya boleh membuat pendua barang ini?* Where can I make a duplicate of this?

♦ **kunci pendua** duplicate key

**dua belas** KATA BILANGAN
*twelve*

♦ **dua belas hari bulan Jun** the twelfth of June

**kedua belas** KATA BILANGAN
*twelfth*

**dua puluh** KATA BILANGAN
*twenty*

♦ **dua puluh hari bulan September** the twentieth of September

**kedua puluh** KATA BILANGAN
*twentieth*

**dubur** KATA NAMA
*anus* (JAMAK **anuses**)

**duda** KATA NAMA
*widower*

**duduk** KATA KERJA
1 *to sit*
2 *to stay*
◊ *Dia duduk di hotel itu sejak semalam.* She has stayed in the hotel since last night.

**kedudukan** KATA NAMA
1 *position*
◊ *Dia belajar demi meningkatkan kedudukannya dalam syarikat itu.* He is studying in order to improve his position in the company.
2 *location*
◊ *Kami tidak dapat mengesan kedudukan kapal itu.* We couldn't trace the ship's location.

**berkedudukan** KATA KERJA
*of ... status*
◊ *Dia seorang yang berkedudukan tinggi.* He is a man of high status.

**bersekedudukan** KATA KERJA
*to live together* (*lelaki dan perempuan*)

**menduduki** KATA KERJA
1 *to live in*
◊ *Orang asli yang menduduki hutan itu...* The aborigines who live in the forest...
2 *to sit*
◊ *Dia akan menduduki peperiksaan pada tahun hadapan.* She will sit an exam next year.
3 *to occupy*
◊ *Inggeris menduduki Pulau Pinang pada tahun 1786.* The British occupied Penang in the year 1786.

♦ **Kasmawati berjaya menduduki tempat ketiga dalam pertandingan itu.** Kasmawati came third in the competition.

**penduduk** KATA NAMA
1 *inhabitant*
◊ *Penduduk di kawasan itu...* The inhabitants of that area...

♦ **penduduk kampung** villagers
2 *population*
◊ *Negara itu kini mempunyai penduduk seramai lebih kurang 110 juta.* The country now has a population of about 110 million.

**duet** KATA NAMA
*duet*

**berduet** KATA KERJA
*to sing a duet*

**duga** KATA KERJA
*to think*
◊ *Rumah itu lebih besar daripada yang*

*saya duga*. The house is bigger than I thought.

**menduga**  KATA KERJA

1 *to guess*

◊ *Dia sudah tentu dapat menduga perkara yang akan terjadi*. He could have guessed what would happen.

2 *to expect*

◊ *Saya tidak menduga dia akan bertindak seperti itu*. I never expected him to act like that.

3 *to test*

◊ *Saya cuma mahu menduga sama ada dia cukup berani atau tidak*. I just want to test whether he is brave enough or not.

♦ **tidak diduga** unexpected ◊ *tetamu yang tidak diduga* an unexpected visitor

**terduga**  KATA KERJA

*to be expected*

◊ *Pelantikannya sebagai Presiden memang tidak terduga*. His appointment as a President could never have been expected.

**dugaan**  KATA NAMA

1 *assumption*

◊ *Saya tidak menyangka dugaan saya tentang dia begitu tepat*. I didn't expect my assumption about him to be so true.

2 *challenge*

◊ *Saya sanggup menerima dugaan ini*. I'm willing to accept this challenge.

♦ **dugaan dan kesengsaraan hidup** life's trials and tribulations

**duit**  KATA NAMA

*money*

**duitan**  KATA ADJEKTIF

♦ **mata duitan** money-minded

**duka**  KATA ADJEKTIF

*sorrow*

◊ *Saya dapat melihat duka pada wajahnya*. I could see the sorrow on her face.

♦ **duka nestapa** sorrow

**berduka**  KATA KERJA

*to grieve*

◊ *Saya sangat sedih apabila melihat kamu berduka*. I am so sad when I see you grieving.

**kedukaan**  KATA NAMA

*sorrow*

◊ *Hanya masa sahaja yang dapat mengubat kedukaan saya*. Only time will heal my sorrow. ◊ *...kegembiraan dan kedukaan dalam kehidupan harian*. ...the joys and sorrows of everyday life.

**mendukakan**  KATA KERJA

♦ **mendukakan hati** to sadden

◊ *Janganlah kamu mendukakan hati ibu kamu*. Don't sadden your mother's heart.

**dukacita**  KATA ADJEKTIF

*sad*

◊ *Saya berasa dukacita mendengar berita itu*. I felt sad when I heard the news.

♦ **Dengan dukacitanya dimaklumkan bahawa...** I regret to inform you that...

**berdukacita**  KATA KERJA

*to grieve*

◊ *Saya tidak ada masa untuk berdukacita*. I don't have time to grieve.

**mendukacitakan**  KATA KERJA

*to make ... sad*

◊ *Saya tidak mahu mendukacitakan kamu*. I don't want to make you sad.

♦ **berita yang mendukacitakan** sad news

**dukun**  KATA NAMA

*traditional healer*

**dukung**

**mendukung**  KATA KERJA

*to carry* (terjemahan umum)

◊ *Dia mendukung anaknya ke kereta*. She carried her son to the car.

♦ **mendukung seseorang di belakang** to give someone a piggyback

**dulang**  KATA NAMA

*tray*

**mendulang**  KATA KERJA

*to pan*

◊ *Setiap tahun mereka mendulang hampir satu tan emas*. Every year they panned about one ton of gold.

**dunia**  KATA NAMA

*world*

**berdunia**  KATA KERJA

*to mix*

◊ *Sejak kematian isterinya, dia tidak berdunia langsung dengan orang lain*. Since his wife's death he hasn't mixed at all.

**sedunia**  KATA ADJEKTIF

*world*

◊ *Hari AIDS Sedunia* World AIDS Day

**keduniaan**  KATA ADJEKTIF

*worldly*

◊ *Sejak dia belajar ilmu kebatinan, dia telah hilang minat tentang hal-hal keduniaan*. Since he began to study mysticism, he has lost interest in worldly matters.

**duniawi**  KATA ADJEKTIF

*worldly*

◊ *Sejak dia belajar ilmu kebatinan, dia telah hilang minat tentang hal-hal duniawi*. Since he began to study mysticism, he has lost interest in worldly matters.

**duri**  KATA NAMA

*thorn*

◊ *Bunga mawar mempunyai banyak*

*duri*.  Roses have a lot of thorns.
**berduri**  KATA KERJA
*thorny*
◊  *Bunga itu cantik, tetapi berduri.*  The flower is beautiful, but it is thorny.
**durjana**  KATA ADJEKTIF
*evil*
◊  *Tempat itu dipenuhi dengan perempuan dan lelaki durjana.*  The place is filled with evil men and women.
**kedurjanaan**  KATA NAMA
*evil*
◊  *Saya dapat melihat kedurjanaan dalam matanya.*  I could see the evil in his eyes.
**dusta**  KATA NAMA
*lie*
◊  *Semua itu dusta belaka.*  That is all lies.
**berdusta**  KATA KERJA
*to lie*
◊  *Saya benci orang yang berdusta kepada saya.*  I hate people who lie to me.
**mendustai**  KATA KERJA
*to lie to*
◊  *Meera berjanji tidak akan mendustai ibunya lagi.*  Meera promised that she would not lie to her mother again.

**pendusta**  KATA NAMA
*liar*
◊  *Kau memang pendusta!*  You are a liar!
**dusun**  KATA NAMA
*orchard*
**duta**  KATA NAMA
*ambassador*
**kedutaan**  KATA NAMA
*embassy*  (JAMAK  **embassies**)
**duti**  KATA NAMA
*duty*  (JAMAK  **duties**)
◊  *duti import*  import duty
**duyun**
**berduyun-duyun**  KATA KERJA
*to swarm*
◊  *Orang ramai berduyun-duyun masuk ke dalam kedai itu.*  People swarmed into the shop.
**duyung**  KATA NAMA
*mermaid*
**dwibahasa**  KATA ADJEKTIF
*bilingual*
◊  *kamus dwibahasa*  bilingual dictionary
**dwifokus**  KATA ADJEKTIF
*bifocal*
◊  *kanta dwifokus*  bifocal lenses

# E

**edar**

**beredar** KATA KERJA

1. *to revolve*
   ◊ *Satelit itu beredar mengelilingi bumi.* The satellite revolves around the Earth.

2. *to leave*
   ◊ *Dia sudah beredar.* He has left.

**mengedar** KATA KERJA
*to deal*
◊ *mengedar dadah* to deal in drugs

**mengedarkan** KATA KERJA
*to circulate*
◊ *Mereka hanya mengedarkan majalah itu kepada ahli persatuan.* They only circulate the magazine to members of the society.

**pengedar** KATA NAMA
*distributor*
◊ *pengedar filem Disney* distributor of Disney films

♦ **pengedar dadah** drug dealer

**pengedaran** KATA NAMA
*circulation*
◊ *Pengedaran buku itu agak terhad di Malaysia.* The circulation of that book in Malaysia is quite limited.

♦ **pengedaran dadah** drug trafficking

**peredaran** KATA NAMA
*circulation*
◊ *peredaran darah* the circulation of the blood

♦ **peredaran masa** the passing of time

**edaran** KATA NAMA
*circulation*
◊ *Majalah itu mempunyai edaran sebanyak 5 juta naskhah.* The magazine has a circulation of 5 million.

**edisi** KATA NAMA
*edition*

**edit** KATA KERJA
*to edit*
◊ *Tolong edit karangan ini.* Please edit this essay.

**mengedit** KATA KERJA
*to edit*

**editor** KATA NAMA
*editor*

**editorial** KATA ADJEKTIF
*editorial*

**efektif** KATA ADJEKTIF
*effective*

**efisien** KATA ADJEKTIF
*efficient*

♦ **tidak efisien** inefficient

**ehwal** KATA NAMA

♦ **hal-ehwal** affairs ◊ *hal-ehwal murid* student affairs

**eja** KATA KERJA
*to spell*

◊ *Eja perkataan ini.* Spell this word.

**mengeja** KATA KERJA
*to spell*
◊ *Dia tidak tahu mengeja.* He can't spell.

**ejaan** KATA NAMA
*spelling*

**ejek** KATA KERJA
*to tease*
◊ *Janganlah ejek dia.* Don't tease her.

**mengejek** KATA KERJA
*to tease*
◊ *Abang Siew Lan suka mengejeknya.* Siew Lan's brother likes to tease her.

**ejekan** KATA NAMA
*teasing*
◊ *Saya tidak senang dengan ejekannya.* I didn't like his teasing.

**ejen** KATA NAMA
*agent*

**eka** KATA ADJEKTIF
*one*

**ekabahasa** KATA ADJEKTIF
*monolingual*
◊ *kamus ekabahasa* monolingual dictionary

**ekar** KATA NAMA
*acre*

> kira-kira 4.047 meter

**ekasuku** KATA ADJEKTIF
*one syllable*
◊ *perkataan-perkataan ekasuku* words of one syllable

**ekonomi** KATA ADJEKTIF

> rujuk juga **ekonomi** KATA NAMA

*economy*
◊ *tiket kelas ekonomi* economy class ticket ◊ *serbuk pencuci pek ekonomi* economy pack of washing detergent

**ekonomi** KATA NAMA

> rujuk juga **ekonomi** KATA ADJEKTIF

1. *economy*
   ◊ *ekonomi yang stabil* a stable economy ◊ *ekonomi negara itu...* that country's economy...

♦ **keadaan ekonomi yang stabil** a stable economic situation

2. *economics*
   ◊ *Kakak Danny sedang belajar ekonomi di universiti.* Danny's sister is studying economics at the university.

**ekonomik** KATA ADJEKTIF
*economical*
◊ *kereta yang ekonomik* economical car

**ekor** KATA NAMA

> rujuk juga **ekor** PENJODOH BILANGAN

*tail*

**mengekori** KATA KERJA

*to follow*
◊ *Kami mengekori kereta Ken kerana kami tidak tahu jalan ke restoran itu.* We followed Ken's car because we didn't know the way to the restaurant.

**ekoran** KATA HUBUNG
*consequence*
◊ *Ekoran daripada itu,...* As a consequence of that,...

**ekor** PENJODOH BILANGAN

rujuk juga **ekor** KATA NAMA
**ekor** tidak ada terjemahan dalam bahasa Inggeris.

◊ *dua ekor kuda* two horses ◊ *tiga ekor monyet* three monkeys ◊ *empat ekor rusa* four deer

**eksais** KATA NAMA
*excise*
◊ *cukai eksais* excise duties

**eksekutif** KATA NAMA
*executive*

**eksklusif** KATA ADJEKTIF
*exclusive*

**eksotik** KATA ADJEKTIF
*exotic*
◊ *masakan eksotik* exotic food

**ekspedisi** KATA NAMA
*expedition*

**eksperimen** KATA NAMA
*experiment*

**eksploitasi** KATA NAMA
*exploitation*
◊ *eksploitasi kanak-kanak* child exploitation
**mengeksploitasi** KATA KERJA
*to exploit*

**ekspo** KATA NAMA
*expo* (JAMAK **expos**)

**eksport** KATA NAMA
*export*
**mengeksport, mengeksportkan** KATA KERJA
*to export*
◊ *Malaysia mengeksport getah.* Malaysia exports rubber.
**pengeksport** KATA NAMA
*exporter*
**pengeksportan** KATA NAMA
*export*
◊ *Pakaian dari kilang itu adalah untuk tujuan pengeksportan.* The clothes from that factory are for export.
◊ *Pengeksportan kereta mendatangkan keuntungan yang banyak.* The export of cars is very profitable.

**ekstrak** KATA NAMA
*extract*

**ekuinoks** KATA NAMA
*equinox*

**ekuiti** KATA NAMA
*equity*

**ekzema** KATA NAMA
*eczema*

**ekzos** KATA NAMA
*exhaust*

**ela** KATA NAMA
*yard*

Satu ela bersamaan dengan kira-kira 90 sentimeter.

**elak**
**mengelak** KATA KERJA
*to avoid*
◊ *Keretanya terbabas apabila dia cuba mengelak daripada melanggar seekor lembu.* His car went off the road when he tried to avoid hitting a cow. ◊ *mengelak daripada seseorang* to avoid somebody
**mengelakkan** KATA KERJA
[1] *to avoid*
◊ *Elakkan berjalan seorang diri pada waktu malam.* Avoid going out on your own at night.
[2] *to prevent*
◊ *Dia cuba mengelakkan kemalangan itu daripada berlaku.* He tried to prevent the accident from happening.
♦ **tidak dapat dielakkan** unavoidable

**elastik** KATA ADJEKTIF
*elastic*

**elat**
**mengelat** KATA KERJA
*to cheat*
◊ *Tiada orang yang ingin bermain dengannya kerana dia selalu mengelat.* Nobody wants to play with her because she cheats.

**elaun** KATA NAMA
*allowance*

**elektrik** KATA ADJEKTIF

rujuk juga **elektrik** KATA NAMA
[1] *electric*
◊ *gitar elektrik* electric guitar
[2] *electrical*
◊ *peralatan elektrik* electrical appliances

**elektrik** KATA NAMA

rujuk juga **elektrik** KATA ADJEKTIF
*electricity*
♦ **Bekalan elektrik terputus.** The electricity has been cut off.
♦ **Kuasa elektrik dijana di empangan hidroelektrik.** Electricity is generated at the hydroelectric dam.

**elektrod** KATA NAMA
*electrode*

**elektrolisis** KATA NAMA
*electrolysis*

**elektronik** KATA ADJEKTIF

> *rujuk juga* **elektronik** KATA NAMA
> *electronic*
◊ *mesin kira elektronik* electronic calculator

**elektronik** KATA NAMA

> *rujuk juga* **elektronik** KATA ADJEKTIF
> *electronics*
◊ *Dia bekerja di sebuah syarikat elektronik di Johor.* He works in an electronics company in Johore.

**elektrostatik** KATA ADJEKTIF
*electrostatic*

**elemen** KATA NAMA
*element*

**elit** KATA NAMA
*elite*
♦ **golongan elit** the elite

**elok** KATA ADJEKTIF
[1] *nice*
◊ *rupa yang elok* nice looks ◊ *Cuaca hari ini elok.* The weather is nice today.
[2] *good*
◊ *Makanan itu masih elok.* The food is still good.

**keelokan** KATA NAMA
*beauty*
◊ *Kedai kraf tangan itu dikunjungi ramai kerana keunikan dan keelokan barangan yang dihasilkan.* The craft shop attracts many visitors because of the uniqueness and the beauty of its products.
♦ **Kami tertawan dengan keelokan paras rupa dan budi bahasanya.** We were captivated by her beauty and good manners.

**mengelokkan** KATA KERJA
*to decorate*
◊ *Mereka mengelokkan bilik itu dengan mengecat dindingnya dengan warna-warna yang terang.* They decorated the room by painting the walls in bright colours.

**memperelok** KATA KERJA
*to beautify*
◊ *Imran memperelok taman rumahnya dengan menanam pokok-pokok bunga yang berwarna terang.* Imran beautified his garden by planting it with brightly coloured flowers.

**seelok-elok** KATA HUBUNG
*as soon as*
◊ *Seelok-elok saya tiba di rumah, hari pun hujan.* As soon as I got home, it rained.

**seelok-eloknya** KATA ADJEKTIF
*ideally*
◊ *Seelok-eloknya, gunakan pensel 2B.* Ideally you should use a 2B pencil.

**elus**

**mengelus, mengelus-elus** KATA KERJA
[1] *to caress*
◊ *Wanita itu mengelus rambut bayinya.* The woman caressed her baby's hair.
[2] *to coax*
◊ *Mariam cuba mengelus emaknya supaya pergi bercuti.* Mariam tried to coax her mother into going on holiday.

**emak** KATA NAMA
*mother*

**emas** KATA NAMA
*gold*

**keemasan** KATA ADJEKTIF
*golden*

**embek** KATA NAMA
*bleat*

**mengembek** KATA KERJA
*to bleat*
◊ *Kambing mengembek.* Goats bleat.

**embrio** KATA NAMA
*embryo* (JAMAK **embryos**)

**embun** KATA NAMA
*dew*

**e-mel** KATA NAMA (= *mel elektronik*)
*e-mail* (= *electronic mail*)

**emigran** KATA NAMA
*emigrant*

**emigrasi** KATA NAMA
*emigration*

**emosi** KATA NAMA
*emotion*

**emosional** KATA ADJEKTIF
*emotional*

**empang**
**empangan** KATA NAMA
*dam*

**empat** KATA BILANGAN
*four*
♦ **empat hari bulan Ogos** the fourth of August

**berempat** KATA BILANGAN
*four of*
◊ *Mereka berempat merupakan kawan rapat.* The four of them are close friends.

**berempat-empat** KATA BILANGAN
*in fours*
◊ *Beratur berempat-empat.* Line up in fours.

**keempat** KATA BILANGAN
*fourth*

**keempat-empat** KATA BILANGAN
*all four*
◊ *Keempat-empat buah rumah itu habis terbakar.* All four houses were burnt.

**perempat** KATA NAMA
♦ **satu perempat** a quarter

**empat belas** KATA BILANGAN
*fourteen*
♦ **empat belas hari bulan Jun** the

fourteenth of June
　**keempat belas** KATA BILANGAN
　*fourteenth*
**empati** KATA NAMA
　*empathy*
**empat puluh** KATA BILANGAN
　*forty*
　**keempat puluh** KATA BILANGAN
　*fortieth*
**empat segi** KATA ADJEKTIF
　*square*
♦ **meja yang berbentuk empat segi**
　a square table
**empayar** KATA NAMA
　*empire*
**emping** KATA NAMA
　*rice crisps*
♦ **emping jagung** cornflakes
♦ **emping salji** snowflake
**emporium** KATA NAMA
　*emporium*
**empuk** KATA ADJEKTIF
　① *tender* (daging)
　② *soft* (tilam)
**empulur** KATA NAMA
　*pith*
**empunya** KATA NAMA
　*owner*
**emulsi** KATA NAMA
　*emulsion*
**En.** SINGKATAN (= Encik)
　*Mr*
　◊ *En. Wong Meng Keong* Mr Wong
　Meng Keong
**enak** KATA ADJEKTIF
　*delicious*
　◊ *Masakan emak saya enak.* My
　mother's cooking is delicious.
　**keenakan** KATA NAMA
　*delicious taste*
　◊ *Keenakan makanan Italy memang
　sudah diketahui umum.* The delicious
　taste of Italian cuisine is well-known.
♦ **Keenakan masakan ibu tidak ada
　tandingannya.** There's nothing so
　delicious as one's mother's cooking.
　**mengenakkan** KATA KERJA
　*to make ... delicious*
　◊ *Tambahkan lebih rempah untuk
　mengenakkan lagi kari itu.* Add more
　spices to make the curry more delicious.
　**seenak** KATA ADJEKTIF
　*as delicious as*
　◊ *Masakan Diana tidak seenak
　masakan Yati.* Diana's cooking is not as
　delicious as Yati's.
**enakmen** KATA NAMA
　*enactment*
**enam** KATA BILANGAN

*six*
♦ **enam hari bulan Mei** the sixth of May
　**berenam** KATA BILANGAN
　*six of*
　◊ *Mereka berenam pergi berkelah.* The
　six of them went for a picnic.
　**keenam** KATA BILANGAN
　*sixth*
　**keenam-enam** KATA BILANGAN
　*all six*
　◊ *Keenam-enam lukisan itu dihasilkan
　oleh Khairul.* All six paintings were done
　by Khairul.
**enam belas** KATA BILANGAN
　*sixteen*
♦ **enam belas hari bulan Julai** the
　sixteenth of July
　**keenam belas** KATA BILANGAN
　*sixteenth*
**enam puluh** KATA BILANGAN
　*sixty*
　**keenam puluh** KATA BILANGAN
　*sixtieth*
**enam segi** KATA ADJEKTIF
　*hexagonal*
♦ **bekas yang berbentuk enam segi** a
　hexagonal container
**enap**
　**mengenap** KATA KERJA
　*to settle*
　◊ *Biarkan kotoran itu mengenap ke
　dasar tangki tersebut.* Let the dirt settle
　on the bottom of the tank.
　**enapan** KATA NAMA
　*sediment*
**encik** KATA GANTI NAMA

　| rujuk juga **encik** KATA NAMA |
　| untuk orang lelaki yang tidak dikenali, |
　| baru dikenali atau yang dihormati |

　① *sir*
　◊ *"Selamat pagi, encik!" kata pekedai itu.*
　"Good morning, sir!" said the shopkeeper.
　② *you*
　◊ *Encik hendak pergi ke mana?* Where
　do you want to go? ◊ *Encik tinggal di
　mana?* Where are you staying?
　③ *your*
　◊ *Adakah ini beg encik?* Is this your
　bag?
**encik** KATA NAMA

　| rujuk juga **encik** KATA GANTI NAMA |

　*Mr*
　◊ *Encik Sundram tinggal di Kulim.* Mr
　Sundram lives in Kulim.
**endah** KATA KERJA
　*to pay attention*
　◊ *Dia tidak endah akan nasihat orang
　tuanya.* She paid no attention to her
　parents' advice.

♦ **Dia buat tidak endah sahaja apabila saya menegurnya.** He just ignored me when I admonished him.

♦ **bersikap endah tak endah** to be indifferent ◊ *Orang ramai bersikap endah tak endah sahaja terhadap masalah ini.* The public were simply indifferent to the problem.

**mengendahkan** KATA KERJA
*to pay attention*
◊ *Mitch tidak mengendahkan nasihat gurunya.* Mitch pays no attention to his teacher's advice.

♦ **Mereka tidak mengendahkan perasaan orang lain.** They were indifferent to the feelings of others.

**endap**
**mengendap** KATA KERJA
*to settle*
◊ *Biarkan kotoran itu mengendap ke bawah tangki.* Let the dirt settle on the bottom of the tank.
**endapan** KATA NAMA
*sediment*

**enggan** KATA KERJA
*to refuse*
◊ *Saya enggan makan di restoran itu.* I refuse to eat in that restaurant.
**keengganan** KATA NAMA
*refusal*
◊ *Keengganan penduduk kampung untuk berpindah menimbulkan kemarahan pihak pemaju.* The residents' refusal to move angered the developer.

**engkau** KATA GANTI NAMA
1 *you*
◊ *Aku tidak akan beri duit itu kepada engkau.* I won't give you the money.
2 *your*
◊ *Beg engkau sudah koyak.* Your bag is torn.

**England** KATA NAMA
*England*
♦ **penduduk England** the English people

**engsel** KATA NAMA
*hinge*

**engsot**
**berengsot** KATA KERJA
*to shift along*
◊ *Dia berengsot sedikit kerana terduduk di atas skirt emaknya.* She shifted along slightly as she had sat down on her mother's skirt.
**mengengsot** KATA KERJA
1 *to shift along*
◊ *Dia mengengsot sedikit kerana terduduk di atas skirt emaknya.* She shifted along slightly as she had sat down on her mother's skirt.

2 *to indent*
◊ *Jika anda tidak mengengsot baris yang kedua...* If you don't indent the second line...

**enjin** KATA NAMA
*engine*

**enjut**
**terenjut-enjut** KATA KERJA
*to bob up and down*
◊ *Kepalanya terenjut-enjut mengikut irama muzik itu.* His head bobbed up and down to the rhythm of the music.

♦ **Dia berjalan terenjut-enjut ke dalam pejabatnya.** She walked into her office with a springy step.

**ensiklopedia** KATA NAMA
*encyclopaedia*

**entah** KATA BANTU
*perhaps*
◊ *Entah dia datang, entah tidak.* Perhaps he'll come, perhaps he won't.

♦ **Mengapakah dia menangis? - Entah.** Why is she crying? - I don't know.
**entah-entah** KATA BANTU
*may be*
◊ *Entah-entah buku itu sudah habis dijual.* The book may be sold out.

**entri** KATA NAMA
*entry* (JAMAK **entries**)

**enzim** KATA NAMA
*enzyme*

**epal** KATA NAMA
*apple*

**epik** KATA NAMA
*epic*

**epilepsi** KATA NAMA
*epilepsy*

**epilog** KATA NAMA
*epilogue*

**episod** KATA NAMA
*episode*

**era** KATA NAMA
*era*

**eram**
**mengeram** KATA KERJA
*to incubate*
◊ *mengeram telur* to incubate eggs
**pengeraman** KATA NAMA
*incubation*

**erang** KATA NAMA
*groan*
**mengerang** KATA KERJA
*to groan*
◊ *Francis mengerang kesakitan.* Francis groaned with pain.

**erat** KATA ADJEKTIF
1 *tight*
◊ *Dia memegang begnya dengan genggaman yang erat.* She kept a tight

---

grip on her bag.

② *tightly*

◊ *Dia menggenggam erat tangan saya.* He held my hand tightly.

③ *close*

◊ *Kanak-kanak itu mempunyai hubungan yang erat.* The children have a close relationship.

**mengeratkan** KATA KERJA

① *to tighten*

◊ *Hasnah mengeratkan genggaman pada payungnya apabila lelaki itu mendekatinya.* Hasnah tightened her grip on her umbrella when the man approached her.

② *to strengthen*

◊ *Kita patut mengeratkan hubungan antara negara-negara jiran.* We should strengthen ties among neighbouring countries.

**erau**

**mengerau** KATA KERJA

*to pay one's last respects*

**Eropah** KATA ADJEKTIF

> *rujuk juga* **Eropah** KATA NAMA

*European*

◊ *negara-negara Eropah* European countries

♦ **orang Eropah** European

**Eropah** KATA NAMA

> *rujuk juga* **Eropah** KATA ADJEKTIF

*Europe*

**erti** KATA NAMA

*meaning*

◊ *Apakah erti semuanya ini?* What's the meaning of all this?

**bererti** KATA KERJA

*to signify*

◊ *Warna merah pada Jalur Gemilang bererti keberanian.* The colour red on the Malaysian flag signifies bravery.

♦ **saat yang amat bererti bagi saya** a very meaningful moment for me

**mengerti** KATA KERJA

*to understand*

◊ *Dia masih tidak mengerti masalah kawannya.* He still doesn't understand his friend's problem.

**pengertian** KATA NAMA

*understanding*

◊ *pengertian yang mendalam* a deep understanding

**seerti** KATA ADJEKTIF

*with the same meaning*

♦ **perkataan seerti** synonym

**esak**

**teresak-esak** KATA KERJA

*to sob*

◊ *Dia teresak-esak.* She sobbed.

**esakan** KATA NAMA

*sob*

◊ *Esakan budak perempuan itu semakin kuat.* The little girl's sobs grew louder.

**esei** KATA NAMA

*essay*

**esen** KATA NAMA

*essence*

**eskalator** KATA NAMA

*escalator*

**esofagus** KATA NAMA

*oesophagus* (JAMAK **oesophaguses**)

**esok** KATA ADJEKTIF

*tomorrow*

**keesokan** KATA ADJEKTIF

♦ **keesokan harinya** the next day

**estet** KATA NAMA

*estate*

**etika** KATA NAMA

*ethics*

**etnik** KATA NAMA

*ethnic*

◊ *penghapusan etnik* ethnic cleansing

**eulogi** KATA NAMA

*eulogy* (JAMAK **eulogies**)

**evolusi** KATA NAMA

*evolution*

# F

**fabrik** KATA NAMA
*fabric*

**faedah** KATA NAMA
1 *benefit*
◊ *Apakah faedah-faedah membaca?*
What are the benefits of reading?
♦ **mendapat faedah daripada** to benefit
from ◊ *Semua orang akan mendapat
faedah daripada projek ini.* Everyone will
benefit from this project.
♦ **mendatangkan faedah** to benefit
◊ *Projek ini akan mendatangkan faedah
kepada semua orang.* This project will
benefit everyone.
2 *interest*
◊ *Pihak bank akan membayar faedah ke
atas simpanan pelanggan-pelanggannya.*
The bank will pay interest on its customers'
savings. ◊ *Dia akan mendapat faedah
sebanyak 8% setahun.* He will receive
interest of 8% per annum.

**berfaedah** KATA KERJA
*beneficial*
◊ *vitamin-vitamin yang berfaedah untuk
kesihatan* vitamins which are beneficial to
our health

**faham** KATA KERJA
*to understand*
◊ *Saya tidak faham hujahnya.* I don't
understand his argument.

**kefahaman** KATA NAMA
*comprehension*
◊ *soalan-soalan ujian kefahaman*
comprehension test questions

**memahami** KATA KERJA
*to understand*
◊ *Saya memahami masalahnya.* I
understand her problem.

**pemahaman** KATA NAMA
*understanding*
◊ *Dia mempunyai pemahaman yang
mendalam tentang karya Shakespeare.*
He has a deep understanding of
Shakespeare's works.

**fahaman** KATA NAMA
*ideology* (JAMAK **ideologies**)
◊ *fahaman kapitalis* capitalist ideology

**berfahaman** KATA KERJA
*to hold ... views*
◊ *Dia berfahaman komunis.* He holds
communist views.

**sefahaman** KATA ADJEKTIF
*of the same opinion*
◊ *Mereka benar-benar sefahaman.*
They are of exactly the same opinion.

**bersefahaman** KATA KERJA
*to share the same opinion*
◊ *Perselisihan faham itu timbul kerana
pihak-pihak yang terlibat tidak
bersefahaman.* The misunderstanding
occurred because the parties involved
didn't share the same opinion.

**kesefahaman** KATA NAMA
*understanding*
◊ *membentuk kesefahaman* to create
an understanding ◊ *Kesefahaman yang
erat penting untuk membentuk sebuah
keluarga yang bahagia.* Mutual
understanding is important in building a
happy family.

**persefahaman** KATA NAMA
*understanding*
◊ *mencapai persefahaman* to achieve
an understanding ◊ *Persefahaman
antara kedua-dua buah negara itu sudah
lama wujud.* An understanding has
existed for a long time between the two
countries.

**fail** KATA NAMA
*file*

**memfailkan** KATA KERJA
*to file*
◊ *Emily memfailkan semua sijil-sijilnya.*
Emily filed all her certificates.

**fajar** KATA NAMA
*dawn*

**fakir** KATA NAMA
*pauper*
◊ *Dia terjumpa seorang fakir di tepi jalan.*
He met a pauper by the roadside.

**faks** KATA NAMA
*fax* (JAMAK **faxes**)

**memfakskan** KATA KERJA
*to fax*
◊ *Saya akan memfakskan maklumat
terperinci kepada anda.* I'll fax you the
details.

**faksimile** KATA NAMA
*facsimile*

**fakta** KATA NAMA
*fact*

**faktor** KATA NAMA
*factor*

**fakulti** KATA NAMA
*faculty* (JAMAK **faculties**)

**falak** KATA NAMA
*universe*
♦ **ilmu falak** astronomy

**falsafah** KATA NAMA
*philosophy* (JAMAK **philosophies**)
◊ *falsafah hidup* the philosophy of life
♦ **ahli falsafah** philosopher

**berfalsafah** KATA KERJA
*to philosophize*
◊ *Dia suka berfalsafah tentang masa
depan.* He likes to philosophize about the
future.

**kefalsafahan** KATA NAMA

_philosophical_
◊ _Saya tidak suka melibatkan diri dalam perbincangan kefalsafahan._ I don't like to get involved in philosophical discussions.

**fanatik** KATA ADJEKTIF
> rujuk juga **fanatik** KATA NAMA

_fanatical_
◊ _Dia seorang pengikut agama yang fanatik._ He's fanatical about his religion.

**fanatik** KATA NAMA
> rujuk juga **fanatik** KATA ADJEKTIF

_fanatic_
◊ _Saya bukan seorang fanatik agama._ I'm not a religious fanatic. ◊ _fanatik bola sepak_ a football fanatic

**fantasi** KATA NAMA
_fantasy_ (JAMAK **fantasies**)

**faraj** KATA NAMA
_vagina_

**fardu** KATA NAMA
_religious obligation_

**farmasi** KATA NAMA
_pharmacy_ (JAMAK **pharmacies**)
♦ **ahli farmasi** pharmacist

**fasa** KATA NAMA
_phase_
◊ _Tony sedang melalui fasa hidup yang sukar pada masa ini._ Tony is going through a difficult phase in his life right now.

**fasal** KATA NAMA
_clause_ (_undang-undang_)

**fasih** KATA ADJEKTIF
_fluent_
◊ _Dia fasih berbahasa Sepanyol._ She is fluent in Spanish.
**kefasihan** KATA NAMA
_fluency_
◊ _Clare ditawarkan kerja di kedutaan Itali kerana kefasihannya berbahasa Itali._ Clare was offered the job at the Italian embassy because of her fluency in Italian.

**fasilitator** KATA NAMA
_facilitator_

**fasis** KATA NAMA
_fascist_
◊ _Dia seorang fasis._ He's a fascist.

**fasisme** KATA NAMA
_fascism_

**fatwa** KATA NAMA
_fatwa_

**fauna** KATA NAMA
_fauna_

**Februari** KATA NAMA
_February_
◊ _pada 5 Februari_ on 5 February
♦ **pada bulan Februari** in February

**feminis** KATA NAMA
_feminist_

**fenomena** KATA NAMA
_phenomenon_ (JAMAK **phenomena**)

**feri** KATA NAMA
_ferry_ (JAMAK **ferries**)

**ferum** KATA NAMA
_iron_

**fesyen** KATA NAMA
_fashion_
**berfesyen** KATA KERJA
_to be in fashion_
◊ _Dia berpakaian begitu semata-mata untuk berfesyen._ She dresses like that just to be in fashion.

**fetus** KATA NAMA
_foetus_ (JAMAK **foetuses**)

**feudal** KATA ADJEKTIF
_feudal_

**feudalisme** KATA NAMA
_feudalism_

**figuratif** KATA ADJEKTIF
_figurative_

**fikir** KATA KERJA
_to think_
◊ _Fikir baik-baik sebelum membuat keputusan._ Think carefully before making a decision.
**berfikir** KATA KERJA
_to think_
◊ _Kita perlu berfikir sebelum bertindak._ We should think before taking action.
♦ **berfikir panjang** to think through ◊ _Dia berfikir panjang tentang cadangan itu tetapi tidak dapat membuat kesimpulan._ She thought through the proposals but could not come to a conclusion.
**memikirkan** KATA KERJA
_to think about_
◊ _Anda perlu memikirkan masa depan anda._ You have to think about your future.
**pemikir** KATA NAMA
_thinker_
**pemikiran** KATA NAMA
_thinking_
◊ _pemikiran kritis_ critical thinking
♦ **Saya tidak faham cara pemikirannya.** I can't follow his thinking.
**terfikir** KATA KERJA
_to think_
◊ _Saya tidak terfikir untuk membawa payung._ I didn't think of bringing an umbrella.
**fikiran** KATA NAMA
_mind_
◊ _mengubah fikiran_ to change one's mind
♦ **Fikirannya bercelaru.** He was all mixed up.
**berfikiran** KATA KERJA

*-minded*
◊ *berfikiran sempit* narrow-minded
◊ *berfikiran luas* broad-minded
◊ *berfikiran terbuka* open-minded

**fiksyen** KATA NAMA
*fiction*

**filem** KATA NAMA
*film*
◊ *segulung filem* a roll of film ◊ *filem yang memenangi anugerah Oscar* the film which won the Oscar
♦ **filem koboi** western
**memfilemkan** KATA KERJA
*to film*
◊ *Pengarah itu bercadang memfilemkan babak pergaduhan itu di kelab malam.* The director plans to film the fight scene in a nightclub.
**perfileman** KATA NAMA
*film*
◊ *industri perfileman* the film industry
◊ *syarikat perfileman* a film company

**Filipina** KATA NAMA
*the Philippines*
♦ **orang Filipina** Filipino (JAMAK **Filipinos**)

**firasat** KATA NAMA
[1] *instinct*
◊ *Menurut firasat saya, ayah masih hidup.* My instinct tells me that my father is still alive.
[2] *premonition*
◊ *Dia mendapat firasat bahawa dia akan meninggal dunia tidak lama lagi.* He had a premonition that he would die soon.

**firaun** KATA NAMA
*pharaoh*

**firma** KATA NAMA
*firm*
◊ *Firma itu menawarkan biasiswa kepada pelajar miskin.* The firm offers scholarships to poor students.

**firman** KATA NAMA
*word of God*
**berfirman** KATA KERJA
*to speak*
◊ *Tuhan telah berfirman.* God has spoken.

**firus** KATA NAMA
*turquoise*

**fisiologi** KATA NAMA
*physiology*

**fisioterapi** KATA NAMA
*physiotherapy*
♦ **ahli fisioterapi** physiotherapist

**fiskal** KATA ADJEKTIF
*fiscal*
◊ *Tahun fiskal syarikat itu bermula pada bulan Julai.* The company's fiscal year

begins in July. ◊ *Keuntungan bagi tahun fiskal 1997 berjumlah RM5 juta.* Profits for the fiscal year 1997 were RM5 million.

**fitnah** KATA NAMA
*slander*
**fitnah-memfitnah** KATA KERJA
*to slander one another*
**memfitnah, memfitnahkan** KATA KERJA
*to slander*
◊ *Rina memfitnah jirannya kerana dia marah akan jirannya itu.* Rina slandered her neighbour because she was angry with her.
♦ **Dia didakwa kerana memfitnah.** She was sued for slander.
**pemfitnah** KATA NAMA
*slanderer*
**pemfitnahan** KATA NAMA
*slandering*
♦ **Pemfitnahan itu dibuat oleh rakan sepasukan yang cemburu akannya.** The slander came from a team-mate who was jealous of her.

**fitrah** KATA NAMA
[1] *obligatory alms*
[2] *natural instinct*
◊ *fitrah serangga untuk mencari makanan* the insect's natural instinct to feed

**fius** KATA NAMA
*fuse*

**fizik** KATA NAMA
*physics*
♦ **ahli fizik** physicist

**fizikal** KATA ADJEKTIF
*physical*
◊ *kecederaan fizikal* physical injury

**fleksibel** KATA ADJEKTIF
*flexible*

**flora** KATA NAMA
*flora*

**fluorida** KATA NAMA
*fluoride*

**flut** KATA NAMA
*flute*

**fobia** KATA NAMA
*phobia*
◊ *Lelaki itu mempunyai fobia melintas jambatan.* The man has a phobia about crossing bridges.

**fokus** KATA NAMA
*focus* (JAMAK **focuses**)
◊ *Sistem yang baru itu menjadi fokus kontroversi.* The new system is the focus of controversy.
♦ **titik focus** focal point
**berfokus** KATA KERJA
*to focus*
◊ *Mereka selalu berfokus pada*

**F**

*kelemahan lawan mereka.* They always focus on their opponents' weaknesses.

**memfokuskan** KATA KERJA
*to focus*
◊ *Jurugambar itu memfokuskan kameranya untuk mendapat gambar yang jelas.* The photographer focused his camera to get a clear picture.
◊ *Pemidato itu memfokuskan pidatonya pada kebaikan teknologi.* The speaker focused his speech on the benefits of technology.

**pemfokusan** KATA NAMA
*focus* (JAMAK **focuses**)
◊ *pemfokusan terhadap soalan-soalan peperiksaan tahun lepas...* the focus on examination questions from past years...

**folikel** KATA NAMA
*follicle*
◊ *folikel rambut* hair follicle

**folio** KATA NAMA
*folio* (JAMAK **folios**)

**fon** KATA NAMA
*font* (komputer)

**fonetik** KATA NAMA
*phonetics*

**formal** KATA ADJEKTIF
*formal*
♦ **tidak formal** informal

**format** KATA NAMA
*format*
**memformatkan** KATA KERJA
*to format*
◊ *Saya akan memformatkan disket ini.* I'll format this diskette.

**formula** KATA NAMA
*formula*

**forsep** KATA NAMA
*forceps*

**forum** KATA NAMA
*forum*

**fosfat** KATA NAMA
*phosphate*

**fosforus** KATA NAMA
*phosphorus*

**fosil** KATA NAMA
*fossil*

**foto** KATA NAMA
*photo* (JAMAK **photos**)

**fotogenik** KATA ADJEKTIF
*photogenic*

**fotograf** KATA NAMA
*photograph*

**fotografi** KATA NAMA
*photography*

**fotokopi** KATA NAMA
*photocopy* (JAMAK **photocopies**)
**memfotokopi** KATA KERJA
*to photocopy*
◊ *Guru itu memfotokopi latihan tersebut untuk murid-muridnya.* The teacher photocopied the exercises for her pupils.

**fotosintesis** KATA NAMA
*photosynthesis*

**fotostat** KATA NAMA
*photocopy* (JAMAK **photocopies**)
♦ **mesin fotostat** photocopier
**memfotostat** KATA KERJA
*to photocopy*
◊ *Guru itu memfotostat latihan tersebut untuk murid-muridnya.* The teacher photocopied the exercises for her pupils.

**foya**
**berfoya-foya** KATA KERJA
[1] *to fool around*
◊ *Jangan berfoya-foya dengan isteri orang.* Don't fool around with other people's wives.
[2] *to party*
◊ *Abang Cindy hanya suka berfoya-foya.* Cindy's brother only likes to party.

**francais** KATA NAMA
*franchise*

**frasa** KATA NAMA
*phrase*
◊ *frasa nama* noun phrase

**fraud** KATA NAMA
*fraud*
◊ *Dia dipenjarakan kerana melakukan fraud.* He was jailed for fraud.

**frekuensi** KATA NAMA
*frequency* (JAMAK **frequencies**)
◊ *frekuensi radio* radio frequency

**fros** KATA NAMA
*frost*

**fungsi** KATA NAMA
*function*
◊ *Fungsi akar ialah menyerap air dari tanah.* The function of roots is to absorb water from the ground.
**berfungsi** KATA KERJA
*to work*
◊ *Mesin itu tidak berfungsi lagi.* The machine is not working any more.
**fungsian** KATA ADJEKTIF
*functional*

# G

**gabas** KATA ADJEKTIF
*clumsy*

**gabenor** KATA NAMA
*governor*

**gabung**
**bergabung** KATA KERJA
*to combine*
◊ *Kami bergabung usaha untuk menjayakan pameran itu.* We combined our efforts to make the exhibition a success.
**menggabungkan** KATA KERJA
*to join ... together*
◊ *Kami menggabungkan meja-meja itu bagi mendapatkan ruang yang lebih besar.* We joined the tables together to make more space.
**penggabungan** KATA NAMA
*merger*
◊ *Penggabungan bank dicadangkan bagi mengukuhkan institusi kewangan.* Bank mergers were proposed in order to strengthen financial institutions.
**gabungan** KATA NAMA
*combination*
◊ *Gabungan tiga warna itu sungguh menarik.* The combination of the three colours is very attractive.

**gabung jalin**
**menggabungjalinkan** KATA KERJA
*to intermingle*
◊ *menggabungjalinkan dua budaya yang berbeza* to intermingle two different cultures

**gabus** KATA NAMA
*cork*

**gadai** KATA ADJEKTIF
♦ **surat gadai** pawn ticket
♦ **gadai janji** mortgage
**bergadai** KATA KERJA
*to pawn something*
> **to pawn** mesti diikuti dengan objek tetapi *bergadai* tidak perlu.
◊ *Dia terpaksa bergadai untuk menyara hidup keluarganya.* He had to pawn something in order to feed his family.
♦ **bergadai nyawa** to sacrifice one's life
◊ *Dia sanggup bergadai nyawa demi ibunya.* He's willing to sacrifice his life for his mother.
**menggadaikan** KATA KERJA
*to pawn*
◊ *Dia menggadaikan rantai emasnya untuk mendapatkan wang.* She pawned her gold chain to get some money.
**penggadaian** KATA NAMA
*mortgaging*
♦ **Penggadaian syarikatnya telah diketahui umum.** It's well known that

he's had to mortgage his company.
**tergadai** KATA KERJA
*to be mortgaged*
◊ *Sewaktu En. Helmi pulang ke tanah air, dia mendapati rumahnya sudah tergadai.* When Mr Helmi returned to his homeland, he found that his house had been mortgaged.
**gadaian** KATA NAMA
*mortgage*
◊ *Samy masih kekurangan wang untuk menebus semula gadaiannya.* Samy still doesn't have enough money to pay off his mortgage.

**gading** KATA NAMA
*tusk*
♦ **menara gading (1)** institution of higher learning (*universiti, dll*)
♦ **menara gading (2)** ivory tower
> kedudukan yang tersisih daripada kehidupan harian

**gadis** KATA NAMA
*girl*
◊ *Perangai gadis itu sangat teruk.* That girl's behaviour is terrible.

**gaduh** KATA NAMA
*fight*
◊ *Ali suka mencari gaduh dengan Man.* Ali enjoys picking fights with Man.
**bergaduh** KATA KERJA
1 *to quarrel*
◊ *Sumathi selalu bergaduh dengan jirannya.* Sumathi is always quarrelling with her neighbour.
2 *to fight*
**pergaduhan** KATA NAMA
*fight*
◊ *Mereka cuba meleraikan pergaduhan itu.* They tried to break up the fight.

**gagah** KATA ADJEKTIF
1 *brave*
♦ **gagah perkasa** fearless
2 *strong*
◊ *Bapa saudara saya masih gagah walaupun usianya sudah tua.* My uncle is still strong despite his age.
3 *sturdy*
◊ *Tubuh lelaki itu sangat gagah.* The man is very sturdy.
**kegagahan** KATA NAMA
*bravery*
◊ *Dia terkenal dengan kegagahannya.* His bravery is well-known.
**menggagahkan** KATA KERJA
♦ **menggagahkan diri** to pluck up the courage ◊ *Kapten Smith menggagahkan dirinya untuk berlawan dengan musuh.* Captain Smith plucked up the courage to fight the enemy.

**gagak**　KATA NAMA
*crow*

**gagal**　KATA KERJA
*to fail*
　**kegagalan**　KATA NAMA
　*failure*
　◊　*Kegagalannya dalam peperiksaan itu mengecewakan ibunya.*　His failure in the exam upset his mother.
　**menggagalkan**　KATA KERJA
　*to fail*
　◊　*Guru itu menggagalkan pelajar tersebut kerana meniru dalam peperiksaan.*　The teacher failed the student for cheating in the exam.
♦　**Kami cuba menggagalkan projek itu demi keselamatan penduduk kampung.** We tried to wreck the project for the sake of the villagers' safety.

**gagang**　KATA NAMA
♦　**gagang telefon**　handset

**gagap**　KATA KERJA
*to stammer*
　◊　*Dia bijak walaupun gagap.*　He's clever even though he stammers.
　**tergagap-gagap**　KATA KERJA
　*to stammer*
　◊　*Dia tergagap-gagap ketika bercakap.* He stammers when he speaks.

**gagas**
　**gagasan**　KATA NAMA
　*idea*
　◊　*Gagasan kerjasama antara kedua-dua buah negara itu berjaya dilaksanakan.* The idea of co-operation between the two countries has been successful.

**gagau**
　**menggagau**　KATA KERJA
　*to grope*
　◊　*Kamil menggagau mencari lilin dalam gelap.*　Kamil groped for a candle in the dark.
　**tergagau-gagau**　KATA KERJA
　*to grope*
　◊　*Jimmy tergagau-gagau mencari cermin matanya.*　Jimmy was groping for his spectacles.

**gah**　KATA ADJEKTIF
*famous*
　◊　*Nama Pak Hitam sudah gah di seluruh pelosok kampung.*　Pak Hitam's name is famous throughout the village.

**gahara**　KATA NAMA
*royal descent*
♦　**anak gahara (1)**　prince　(*lelaki*)
♦　**anak gahara (2)**　princess (*perempuan*)

**gajah**　KATA NAMA

*elephant*

**gaji**　KATA NAMA
*salary*　(JAMAK **salaries**)
　◊　*gaji pokok*　basic salary
　**bergaji**　KATA KERJA
　①　*to have* **atau** *to earn a salary*
　◊　*Dia bergaji besar.*　She has a high salary.
　②　*paid*
　◊　*cuti bergaji selama tiga minggu*　three weeks' paid holiday
　**menggaji**　KATA KERJA
　*to employ*
　◊　*Dia tidak mampu menggaji pekerja yang berpengalaman.*　He can't afford to employ experienced workers.

**gajus**　KATA NAMA
*cashew nut*
♦　**biji gajus**　cashew nut

**galah**　KATA NAMA
*pole*
　◊　*Hamid menggunakan galah untuk menjolok buah mangga.*　Hamid used a pole to get the mangoes down.
　**menggalah**　KATA KERJA
　*very tall*
♦　**tinggi menggalah**　very tall

**galak**　KATA ADJEKTIF
*loud*
　◊　*Tangisan bayi itu semakin galak pada waktu tengah malam.*　In the middle of the night the baby cried even louder.
　**menggalakkan**　KATA KERJA
　*to encourage*
　◊　*Ibu bapa harus menggalakkan anak-anak mereka meluangkan lebih banyak masa untuk belajar.*　Parents should encourage their children to spend more time studying.
　**penggalak**　KATA NAMA
　*inspiration*
　◊　*Ibunya merupakan penggalak utama kejayaannya.*　Her mother has been the main inspiration of her success.
　**galakan**　KATA NAMA
　*encouragement*
　◊　*Dia tidak dapat melupakan galakan yang telah diberikan oleh jurulatihnya.*　He can never forget the encouragement given him by his coach.

**galaksi**　KATA NAMA
*galaxy*　(JAMAK **galaxies**)

**galang**　KATA NAMA
*sleeper* (*untuk landasan*)
♦　**galang ganti**　substitute
♦　**galang kepala**　pillow
　**menggalang**　KATA KERJA
　①　*to prop*
　◊　*Samantha tidur di atas sofa sambil*

*menggalang kepalanya dengan kusyen.*
Samantha slept on the sofa with her head
propped up on a cushion.
2 *to obstruct*
◊ *Lelaki itu cuba menggalang usaha
kami.* The man tried to obstruct our
efforts.

**galas**
    **menggalas** KATA KERJA
    *to carry ... on one's shoulder*
♦ **Mazis menggalas begnya ke sekolah.**
    Mazis carried his bag to school.

**galeri** KATA NAMA
    *gallery* (JAMAK **galleries**)

**gali**
    **menggali** KATA KERJA
    *to dig*
    ◊ *Dia menggali sebuah lubang untuk
menanam pokok mangganya.* He dug a
hole to plant his mango tree in.
    **penggali** KATA NAMA
    *digger*
    **penggalian** KATA NAMA
    *digging*
    ◊ *Penggalian mereka tidak
menampakkan sebarang hasil.* Their
digging didn't show any results.
    **galian** KATA NAMA
    *mineral*
♦ **bahan galian** mineral

**galur** KATA NAMA
♦ **susur-galur** genealogy
    (JAMAK **genealogies**)

**gam** KATA NAMA
    *glue*
    **mengegam** KATA KERJA
    *to ban*
    ◊ *Pelakon itu digam dari muncul di kaca
televisyen kerana kelakuannya yang tidak
senonoh.* The actor was banned from
appearing on television for indecent
behaviour.
    **mengegamkan** KATA KERJA
    *to glue*
    ◊ *Dia mengegamkan renda di sekeliling
kotak itu supaya kotak itu kelihatan
menarik.* She glued lace around the box
to make it look pretty.

**gamak**
    **tergamak** KATA KERJA
    *to bring oneself to*
    ◊ *Saya tidak sangka dia tergamak
mencederakan ibunya sendiri.* I never
thought he could bring himself to hurt his
own mother. ◊ *Kami tidak tergamak
untuk menyampaikan berita itu kepadanya.*
We couldn't bring ourselves to tell her the
news.
    **gamaknya** KATA PENEGAS

*presumably*
◊ *Gamaknya dia sudah tahu tentang
perkara itu.* Presumably he already
knows what's happened.

**gamam** KATA ADJEKTIF
    *stunned*
    ◊ *Sarida menjadi gamam apabila dia
menerima berita kematian suaminya.*
Sarida was stunned when she received
the news of her husband's death.
    **tergamam** KATA KERJA
    *stunned*
    ◊ *Kamil tergamam apabila melihat gadis
yang cantik itu.* Kamil was stunned when
he saw the beautiful girl.

**gamang** KATA ADJEKTIF
    *to get dizzy*
    ◊ *Saya berasa gamang apabila melihat
dari tempat yang tinggi.* I get dizzy when
I look down from high places.

**gamat** KATA ADJEKTIF
    *noisy*
♦ **Dewan itu gamat dengan tepukan
penonton.** The hall resounded with the
din of the audience's applause.
    **kegamatan** KATA NAMA
    *hubbub*
    ◊ *Saya tidak mahu terlibat dalam
kegamatan pilihan raya pada tahun ini.*
I don't want to be involved in the hubbub
of this year's elections.
    **menggamatkan** KATA KERJA
    *to create pandemonium*
    ◊ *Tepukan dan sorakan para penyokong
menggamatkan suasana di stadium itu.*
The clapping and cheering of the
supporters created pandemonium in the
stadium.
♦ **kebisingan yang menggamatkan** a
deafening noise

**gambar** KATA NAMA
    *picture*
♦ **gambar foto** photograph
♦ **gambar rajah** diagram
    **bergambar** KATA KERJA
    *to have one's picture taken*
    ◊ *Yasmin mengajak saya bergambar
dengannya.* Yasmin asked me to have my
picture taken with her.
    **menggambarkan** KATA KERJA
    *to describe*
    ◊ *Kisah ini menggambarkan kehidupan
seorang nelayan.* This story describes
the life of a fisherman.
    **penggambaran** KATA NAMA
    *shooting*
    **tergambar** KATA KERJA
    *to reflect*
    ◊ *Kegembiraan tergambar pada*

**G**

*wajahnya.* Her face reflected her happiness.

**gambaran** KATA NAMA
*picture*
◊ *Filem itu memberikan gambaran yang salah tentang rakyat Malaysia.* The film gave the wrong picture of Malaysians.

**gambir** KATA NAMA
*gambier*

**gambut** KATA ADJEKTIF
♦ **tanah gambut** peat soil ◊ *Nenas sesuai ditanam di tanah gambut.* Pineapples are suitable for planting in peat soil.

**gamelan** KATA NAMA
*Balinese orchestra* (*penjelasan umum*)

**gamit**
**menggamit** KATA KERJA
*to beckon*
◊ *Jaya menggamit sahabatnya yang berada di seberang jalan itu.* Jaya beckoned to his friend across the road.

**ganas** KATA ADJEKTIF
*ferocious*
◊ *Harimau yang ganas itu sudah ditangkap.* The ferocious tiger has been captured.
♦ **Para pemberontak itu sangat ganas.** The rebels are very violent.

**keganasan** KATA NAMA
*violence*
◊ *Di beberapa buah negara, keganasan terhadap wanita semakin berleluasa.* In several countries violence against women is becoming widespread.
♦ **keganasan rumah tangga** domestic violence

**mengganas** KATA KERJA
*to become violent*
◊ *Gajah itu mengganas apabila kakinya tercedera.* The elephant became violent when its leg was injured.

**pengganas** KATA NAMA
*terrorist*

**ganda** KATA ADJEKTIF
*double*
♦ **sekali ganda** double
♦ **tiga kali ganda** triple

**berganda** KATA KERJA
*to double*
◊ *Jumlah wangnya berganda selepas dia menjual saham-saham itu.* His money has doubled since he sold those shares.

**menggandakan** KATA KERJA
*to double*
◊ *Pekedai itu menggandakan harga barangannya semasa cuti umum.* The shopkeeper doubled the price of his goods during public holidays.

**penggandaan, gandaan** KATA NAMA
*doubling*
◊ *Penggandaan hasil pengeluaran syarikat itu disebabkan oleh peningkatan ekonomi negara.* The doubling of the company's production is due to the country's economic growth.

**ganding**
**berganding, bergandingan** KATA KERJA
*together*
◊ *Mereka berjalan bergandingan ke sekolah.* They walk to school together.
♦ **berganding tenaga** to work together
◊ *Para pelajar berganding tenaga membersihkan kawasan sekolah mereka.* The students worked together to clean the school site.
♦ **berganding bahu** to co-operate

**menggandingkan** KATA KERJA
*to associate*
◊ *Kita dapat menggandingkan masalah itu dengan kejadian sebentar tadi.* The problem can be associated with the recent incident.
♦ **Jurulatih itu menggandingkan Krishna dengan Seng Chee untuk perlawanan tersebut.** The coach paired up Krishna and Seng Chee for the match.

**gandingan** KATA NAMA
*pairing*
◊ *Gandingan dua pemain tenis itu sukar untuk ditandingi.* The pairing of those two tennis players is difficult to beat.

**gandum** KATA NAMA
*wheat*

**ganggu** KATA KERJA
*to bother*
◊ *Jangan ganggu saya!* Stop bothering me!

**mengganggu** KATA KERJA
*to disturb*
◊ *Hani tidak mahu mengganggu emaknya.* Hani doesn't want to disturb her mother.

**pengganggu** KATA NAMA
*mischief-maker*
◊ *Dia menerima panggilan telefon daripada pengganggu yang tidak dikenali.* She received a phone call from an unknown mischief-maker.

**gangguan** KATA NAMA
*interruption*
◊ *Saya dapat meneruskan kerja saya tanpa sebarang gangguan.* I was able to get on with my work without interruption.
♦ **gangguan bekalan elektrik** power cut
♦ **gangguan seksual** sexual harrassment
♦ **gangguan emosi** emotional upsets

**ganggu-gugat**
　　**mengganggu-gugat** KATA KERJA
　　_to challenge_
　　◊ _Tidak ada orang yang dapat mengganggu-gugat pemimpin sepertinya._ No-one can challenge a leader like him.

**gangsa** KATA NAMA
　　_bronze_

**ganja** KATA NAMA
　　1 _cannabis (dadah)_
　　2 _hemp (tumbuhan)_

**ganjak**
　　**berganjak** KATA KERJA
　　_to move_
　　◊ _Dia tidak berganjak sedikit pun apabila disergah oleh gurunya._ He didn't move an inch when his teacher scolded him.
　　♦ **Pendiriannya tidak berganjak walaupun dia diugut beberapa kali.** He didn't change his stand even though he was threatened several times.

**ganjar**
　　**ganjaran** KATA NAMA
　　_reward_

**ganjil** KATA ADJEKTIF
　　1 _strange_
　　◊ _Bunyi yang ganjil itu menakutkannya._ The strange sound frightened her.
　　2 _odd_
　　◊ _nombor ganjil_ odd number
　　**keganjilan** KATA NAMA
　　_strangeness_
　　◊ _Keganjilan muzik itu menyebabkan orang ramai sukar untuk menerimanya._ The strangeness of the music makes it difficult for people to accept it.

**ganti** KATA NAMA
　　♦ **sebagai ganti** in place of ◊ _Rosalin memberikan hadiah kepada pekerjanya sebagai ganti wang._ Rosalin gives presents to her employees in place of money.
　　♦ **tayar ganti** spare tyre
　　♦ **alat ganti** spare parts
　　♦ **ganti rugi** compensation
　　**berganti** KATA KERJA
　　_to change_
　　◊ _Sekolah itu sudah berganti namanya kepada Sekolah Menengah Parameswara._ The school has changed its name to Sekolah Menengah Parameswara.
　　♦ **hari berganti hari** day after day
　　**berganti-ganti** KATA KERJA
　　_to take turns_
　　◊ _Kami berganti-ganti memandu kereta itu sepanjang malam._ We took turns to drive the car throughout the night.
　　**mengganti** KATA KERJA

**to replace**
　　◊ _Dia mengganti buku lama saya dengan sebuah buku yang baru._ He replaced my old book with a new one.
　　**menggantikan** KATA KERJA
　　_to replace_
　　◊ _peguam yang menggantikan Johan sebagai pengerusi syarikat itu_ the lawyer who replaced Johan as chairman of the company
　　**pengganti** KATA NAMA
　　_substitute_
　　◊ _Jeremy akan menjadi pengganti saya dalam mesyuarat tersebut._ Jeremy will be my substitute at the meeting.
　　**penggantian** KATA NAMA
　　_replacement_
　　◊ _Guru-guru sedang berbincang tentang penggantian Ketua Pengawas itu._ The teachers are discussing the replacement of the Head Prefect.

**gantian** KATA NAMA
　　_substitute_
　　♦ **pemain gantian** a substitute

**gantung** KATA KERJA
　　_to hang_
　　♦ **hukuman gantung** sentence of death by hanging
　　♦ **jambatan gantung** suspension bridge
　　♦ **lampu gantung** _(hiasan)_ chandelier
　　**bergantung** KATA KERJA
　　_to depend_
　　◊ _Saya tahu saya boleh bergantung pada anda untuk menyelesaikan masalah itu._ I know I can depend on you to solve the problem.
　　**bergantungan** KATA KERJA
　　_to be hung_
　　◊ _Notis-notis yang dicetak pada helaian kertas bergantungan di sana sini._ Notices printed on sheets of paper were hung everywhere.
　　**menggantung** KATA KERJA
　　_to hang_
　　◊ _Lima orang itu dijangka akan digantung pada hari Selasa._ The five are expected to be hanged on Tuesday.
　　♦ **Jurulatih itu menggantung pemain itu kerana tidak mengikut arahannya.** The coach suspended the player for disobeying his orders.
　　♦ **menggantung kerja** to suspend from work
　　♦ **menggantung lesen seseorang** to suspend someone's licence
　　♦ **menggantung raket** to hang up one's racket
　　**menggantungi** KATA KERJA
　　_to hang_

G

*Biasanya **menggantungi** digunakan dalam bentuk pasif. Terjemahannya dalam bahasa Inggeris juga berbentuk pasif.*

◊ *Dinding itu digantungi dengan pelbagai jenis lukisan.* The wall was hung with many paintings.

**menggantungkan**  KATA KERJA
*to hang*
◊ *Kami menggantungkan kad-kad ucapan itu pada dinding.* We hung the greeting cards on the wall.

**penggantungan**  KATA NAMA
*suspension* (*pemain, pekerja*)
◊ *penggantungan selama dua tahun* a two-year suspension

**tergantung**  KATA KERJA
*to hang*
◊ *Ada sebiji lampu mentol tergantung pada siling.* There was a bulb hanging from the ceiling.

**gapai**

**menggapai**  KATA KERJA
*to reach out for*
◊ *Dia menggapai pelampung itu untuk menyelamatkan dirinya.* He reached out for the life belt to save himself.

**menggapai-gapaikan**  KATA KERJA
*to reach out with*
◊ *Budin menjerit meminta tolong sambil menggapai-gapaikan tangannya.* Budin screamed for help while reaching out with his hand.

**tergapai-gapai**  KATA KERJA
*to keep reaching out*
◊ *John tergapai-gapai hendak mendapatkan kayu-kayu yang terapung itu.* John kept reaching out for floating pieces of wood.

**gara**

**gara-gara**  KATA HUBUNG
*because of*
◊ *Gara-gara sikapnya yang sombong, dia kehilangan kawan.* Because of his arrogance, he lost his friends.

**garaj**  KATA NAMA
*garage*

**garam**  KATA NAMA
*salt*
♦ **garam galian**  mineral salts
**menggarami**  KATA KERJA
*to add salt*
◊ *Mak Minah menggarami udang-udang itu sebelum menggorengnya.* Mak Minah added salt to the prawns before frying them.

**garang**  KATA ADJEKTIF
*fierce*
◊ *Guru itu sentiasa kelihatan garang.*

The teacher always looks fierce.

**garau**  KATA ADJEKTIF
*hoarse*

**gari**  KATA NAMA
*handcuffs*
**bergari**  KATA KERJA
*in handcuffs*
◊ *Perompak-perompak itu dibawa ke balai polis dengan tangan bergari.* The robbers were taken to the police station in handcuffs.

**menggari**  KATA KERJA
*to handcuff*
◊ *Mereka cuba menggarinya tetapi dia berjaya melarikan diri.* They tried to handcuff him but he managed to get away.

**garing**  KATA ADJEKTIF
*crisp*

**garis**  KATA NAMA
*line*
**menggariskan**  KATA KERJA
*to underline*
◊ *Mereka dikehendaki menggariskan perkataan-perkataan yang penting.* They were asked to underline the important words.
♦ **Buku ini menggariskan beberapa kaedah untuk menyelesaikan masalah para remaja.** This book outlines a few methods of solving problems among teenagers.

**garisan**  KATA NAMA
*line*
◊ *Garisan itu tidak begitu jelas.* The line is not very clear.
♦ **garisan penamat**  finishing line

**garis bawah**  KATA NAMA
*underlining*
**menggarisbawahi**  KATA KERJA
*to underline*

**garis bentuk**  KATA NAMA
*outline*
◊ *Saya boleh nampak garis bentuk gunung itu dari tempat ini.* I can see the outline of the mountain from here.

**garis kasar**  KATA NAMA
*outline*
◊ *Garis kasar hasil tinjauan itu akan dibentangkan dalam mesyuarat esok.* The outlines of the survey's findings will be discussed at tomorrow's meeting.

**garpu**  KATA NAMA
*fork*

**garu**

**menggaru, menggaru-garu**  KATA KERJA
*to scratch*
◊ *Anjing itu menggaru-garu badannya.* The dog scratched itself.

**garuk**  KATA ADJEKTIF

*hoarse*

**gas** KATA NAMA
*gas* (JAMAK **gases**)
♦ **gas pemedih mata** tear gas
  **bergas** KATA KERJA
  *fizzy*
  ◊ *minuman bergas* fizzy drinks

**gasang** KATA ADJEKTIF
*lecherous*

**gasar** KATA ADJEKTIF
*brutal*
♦ **orang gasar** barbarian

**gasing** KATA NAMA
*top*

**gastrik** KATA NAMA
*gastric*

**gatal** KATA ADJEKTIF
*itchy*
♦ **lelaki tua yang gatal** a prurient old man

**gaul**
  **bergaul** KATA KERJA
  *to mix*
  ◊ *Dia gemar bergaul dengan orang yang lebih tua.* He likes to mix with older people.
  **menggaul** KATA KERJA
  *to mix*
  ◊ *Mala menggaul sayur itu dengan pelbagai perencah.* Mala mixed the vegetables with various spices.
  **menggauli** KATA KERJA
  *to mix*
  ◊ *Kamalia hanya menggauli teman-teman sekerjanya.* Kamalia mixes only with her colleagues.
  **menggaulkan** KATA KERJA
  *to mix*
  ◊ *Azie menggaulkan nasi dengan ikan untuk diberikan kepada kucingnya.* Azie mixed the rice with some fish to feed her cat.
  **pergaulan** KATA NAMA
  *association*
  ◊ *pergaulan antara golongan tua dengan golongan muda* association between the old and the young

**gaun** KATA NAMA
*dress* (JAMAK **dresses**)

**gaung (1)**
  **bergaung** KATA KERJA
  *to echo*

**gaung (2)** KATA NAMA
*ravine*
◊ *Motosikal itu terjatuh ke dalam gaung.* The motorcycle fell into the ravine.

**gawang (1)**
  **menggawangkan** KATA KERJA
  *to wave*
  ◊ *Lijah menggawangkan tangannya untuk menghalau burung-burung merpati*

*itu.* Lijah waved her hands to chase the pigeons away.

**gawang (2)** KATA NAMA
*goalpost*
◊ *Pemain itu berjaya menendang bola melepasi gawang pasukan lawan.* The player kicked the ball past the opponents' goalpost.

**gawat** KATA ADJEKTIF
*critical*
◊ *Mereka berada dalam keadaan yang gawat kini.* They are in a critical situation now.
  **menggawatkan** KATA KERJA
  *to make ... critical*
  ◊ *Kenaikan harga minyak akan menggawatkan keadaan ekonomi.* The increase in oil prices will make the economic situation critical.
  **kegawatan** KATA NAMA
  *crisis* (JAMAK **crises**)
  ◊ *kegawatan ekonomi* the economic crisis

**gaya** KATA NAMA
*style*
  **bergaya** KATA KERJA
  1 *stylish*
  ◊ *Samina pandai bergaya.* Samina knows how to look stylish.
  2 *to show off*
  ◊ *Puspita suka bergaya di hadapan kawan-kawannya.* Puspita likes to show off in front of her friends.
  **menggayakan** KATA KERJA
  *to style*
  ◊ *menggayakan rambut* to style one's hair

**gayat** KATA ADJEKTIF
*to get dizzy*
◊ *Saya tidak berani memanjat bukit itu kerana saya gayat.* I don't dare climb the hill because I get dizzy.

**gayung** KATA NAMA
*water dipper* (terjemahan umum)

**gayut**
  **bergayut** KATA KERJA
  *to hang*
  ◊ *Orang utan itu suka bergayut pada pokok yang tinggi itu.* The orang-utan likes hanging from that tall tree.
  **bergayutan** KATA KERJA
  *to be hanging*
  ◊ *Pelbagai jenis tanglung bergayutan pada pokok-pokok di tepi jalan itu.* All kinds of lanterns were hanging on the trees by the side of the road.

**gear** KATA NAMA
*gear*

**gebar** KATA NAMA

G

*blanket*

**gebu** KATA ADJEKTIF
1. *soft* (*ubi*)
2. *soft and delicate* (*kulit*)
3. *fluffy* (*bulu binatang, kain*)

**gecar** KATA KERJA
*to water*
◊ ...*biskut yang akan membuat mulut anda gecar.* ...biscuits to make your mouth water.

**gedempol** KATA ADJEKTIF
*fat*

**gedung** KATA NAMA
*large building*
♦ **gedung membeli-belah** a department store
♦ **gedung ilmu** institution of higher learning

**gegak gempita** KATA ADJEKTIF
*crowded*
◊ *Dewan itu gegak gempita dengan orang ramai.* The hall was crowded with people.
♦ **Kawasan itu menjadi gegak gempita apabila pergaduhan itu meletus.** There was an uproar when the fight broke out.

**gegar**
**bergegar** KATA KERJA
*to shake*
◊ *Bangunan itu bergegar sebelum tumbang.* The building shook before it collapsed.
**menggegarkan** KATA KERJA
*to shake*
◊ *Polis sedang menyiasat letupan yang menggegarkan bangunan baru itu.* The police are investigating the explosion that shook the new building.
**gegaran** KATA NAMA
*vibration*
◊ *Gegaran itu berlaku disebabkan oleh letupan gunung berapi di Indonesia.* The vibration was due to the eruption of the volcano in Indonesia.

**gegas**
**bergegas** KATA KERJA
*to rush*
◊ *Ani terpaksa bergegas pulang selepas kerja untuk menjaga ibunya.* Ani had to rush home after work to look after her mother.

**gegat** KATA NAMA
*silver-fish*
♦ **ubat gegat** mothball

**gegendang** KATA NAMA
♦ **gegendang telinga** eardrum

**gejala** KATA NAMA
1. *omen*
◊ *Mereka menganggap kehadirannya pada ketika ini sebagai gejala akan berlakunya malapetaka.* They regard her appearance at this moment as an omen of disaster.
2. *symptom*
◊ *Muntah dan cirit-birit merupakan antara gejala keracunan makanan.* Vomiting and diarrhoea are among the symptoms of food poisoning.
♦ **Guru-guru itu cuba mengenal pasti gejala kemerosotan disiplin di kalangan para pelajar.** The teachers are trying to identify what causes student discipline to decline.

**gejolak** KATA NAMA
*a big flame*
**bergejolak** KATA KERJA
*to flare up*
◊ *Api itu bergejolak apabila Aidil menuangkan petrol ke atasnya.* The fire flared up when Aidil poured some petrol onto it.

**gel** KATA NAMA
*gel*

**gelabah**
**menggelabah** KATA KERJA
1. *restless*
◊ *Para pelajar menggelabah menanti keputusan peperiksaan.* The students became restless while waiting for their exam results.
2. *to panic*
◊ *Norin menggelabah apabila buku latihannya hilang.* Norin panicked when her exercise book went missing.

**geladak** KATA NAMA
*deck*

**gelagat** KATA NAMA
*behaviour*
◊ *Dia kecewa dengan gelagat Shima yang kebudak-budakan.* He was disappointed with Shima's childish behaviour.

**gelak** KATA KERJA
*to laugh*
**tergelak** KATA KERJA
*to burst out laughing*
◊ *Imran tergelak apabila guru itu menyebut 'belacan' dengan pelat orang Inggeris.* Imran burst out laughing when the teacher said the word 'belacan' in his English accent.

**gelambir** KATA NAMA
*dewlap*

**gelang** KATA NAMA
1. *bangle*
2. *ring* (*berbentuk bulatan*)
♦ **gelang getah** rubber band
♦ **gelang kunci** keyring
**pergelangan** KATA NAMA

◆ **pergelangan tangan** wrist
◆ **pergelangan kaki** ankle
**gelanggang** KATA NAMA
　① _court_
　◊ _gelanggang tenis_ tennis court
◆ **gelanggang ais** ice rink
　② _arena_
　◊ _Dia tidak berniat untuk bersara daripada gelanggang politik._ He had no intention of retiring from the political arena.
**gelap** KATA ADJEKTIF
　_dark_
◆ **gelap-gelita** very dark
　**bergelap** KATA KERJA
　_to stay in the dark_
　◊ _Mereka terpaksa bergelap selama beberapa hari apabila bekalan elektrik terputus._ They had to stay in the dark for several days when the electricity was cut off.
　**kegelapan** KATA NAMA
　_darkness_
　**menggelapkan** KATA KERJA
　① _to embezzle_
　◊ _menggelapkan wang_ to embezzle money
　② _to darken_
　◊ _Dia menggelapkan bulu matanya._ She darkened her eyelashes.
**gelar**
　**bergelar** KATA KERJA
　_to be known as_
　◊ _Pak Hitam bergelar 'Panglima Berantai' di kampungnya._ Pak Hitam is known as 'Panglima Berantai' in his village.
◆ **Putera Andrew bergelar Duke of York.** Prince Andrew has the title Duke of York.
　**menggelar, menggelari** KATA KERJA
　_to call_
　◊ _Dia menggelari kawannya 'si jahil'._ He called his friend 'si jahil'.
　**gelaran** KATA NAMA
　① _nickname_ (_nama panggilan_)
　② _title_ (_dikurniakan oleh sultan, kerajaan_)
**gelas** KATA NAMA
　_glass_ (JAMAK **glasses**)
**geleber**
　**menggeleber** KATA KERJA
　_to sag_
**gelecek**
　**tergelecek** KATA KERJA
　_to slip_
　◊ _Kakinya luka akibat tergelecek di jalan itu._ His leg was injured when he slipped on the road.
**geledah**
　**menggeledah** KATA KERJA
　_to ransack_

◊ _Pencuri itu menggeledah dan mencuri beberapa barang berharga di dalam rumah tersebut._ The thief ransacked the house and stole several objects of value.
◆ **Pihak polis menggeledah rumah orang kaya itu.** The police searched the rich man's house.
**gelegak**
　**menggelegak** KATA KERJA
　_boiling_
　◊ _Masukkan ikan itu ke dalam minyak yang menggelegak._ Put the fish into the boiling oil.
◆ **Hati saya menggelegak apabila mendengar kata-katanya itu.** I was seething with anger when I heard what he said.
**gelek** KATA ADJEKTIF
◆ **penari gelek** belly dancer
　**menggelek** KATA KERJA
　① _to ride over_
　◊ _Ah Leng menggelek kaki Ah Mun dengan basikalnya._ Ah Leng rode over Ah Mun's foot on her bicycle.
◆ **Van itu menggelek seekor ular di atas jalan.** The van ran over a snake on the road.
　② _to roll_
　◊ _Bola itu menggelek ke dalam lubang._ The ball rolled into the hole.
　**tergelek** KATA KERJA
　_to be run over_
　◊ _Anjing itu hampir-hampir tergelek oleh sebuah lori._ The dog was almost run over by a lorry.
◆ **Ekor kucing saya tergelek oleh mesin itu.** That machine ran over my cat's tail.
**gelembung** KATA NAMA
　_bubble_
　**bergelembung, menggelembung** KATA KERJA
　_to inflate_
　◊ _Pelampung itu menggelembung._ The float inflates.
**gelen** KATA NAMA
　_gallon_
**gelendong** KATA NAMA
　_reel_
**geleng**
　**menggeleng** KATA KERJA
　_to shake one's head_
　**menggelengkan** KATA KERJA
　_to shake_
　◊ _Bibiana menggelengkan kepalanya._ Bibiana shook her head.
**gelepar**
　**menggelepar** KATA KERJA
　_to flap one's wings_
　◊ _Ayam itu menggelepar kesakitan._

G

The chicken flapped its wings in pain.

**geletak**

**tergeletak** KATA KERJA
*to sprawl*
◊ *Victor tergeletak di atas lantai akibat tumbukan yang kuat itu.* The powerful blow left Victor sprawling on the floor.

**geletar**

**menggeletar** KATA KERJA
*to tremble*
◊ *Saya menggeletar ketakutan ketika menunggunya di situ.* I was trembling with fear as I waited for him there.

**geletek** KATA NAMA
*tickle*
**menggeletek** KATA KERJA
*to tickle*

**geli** KATA ADJEKTIF
1 *ticklish*
2 *revolted*
◊ *Saya geli melihat perangai orang tua itu.* I was revolted by the old man's behaviour. ◊ *Saya geli melihat darah.* I'm revolted by the sight of blood.

♦ **geli-geleman** revolted
**menggelikan** KATA KERJA
*revolting*
◊ *Mereka menyaksikan banyak perkara yang menggelikan di negara itu.* They saw a lot of revolting things in that country.
**kegelian** KATA NAMA
*tickly feeling*
◊ *Sita ketawa kerana kegelian.* Sita laughed at the tickly feeling.

**geliat**

**menggeliat** KATA KERJA
*to stretch*
◊ *Kesuma menggeliat malas ketika bangun dari tidurnya.* Kesuma stretched lazily when she got up from her bed.
**tergeliat** KATA KERJA
*to sprain*
◊ *Jarinya tergeliat.* He sprained his finger.

**geliga** KATA NAMA
*bezoar stone*
♦ **batu geliga** bezoar stone
**bergeliga** KATA KERJA
*intelligent*
♦ **Saya tahu otaknya memang bergeliga.** I knew he was intelligent.

**geli hati** KATA ADJEKTIF
*amused*
◊ *Yani tidak geli hati mendengar gurauan Puspa.* Yani was not amused by Puspa's joke.
**menggelikan hati** KATA KERJA
*to amuse*
◊ *Tingkah laku William menggelikan*

*hati saya.* William's behaviour amused me.

♦ **cerita yang menggelikan hati** an amusing story

**gelimpang**

**bergelimpangan** KATA KERJA
1 *higgledy-piggledy*
◊ *Kanak-kanak itu tidur bergelimpangan di atas katil.* The children were sleeping higgledy-piggledy on the bed.
2 *strewn*
◊ *Mayat-mayat bergelimpangan di sana sini.* Corpses were strewn everywhere.

**gelincir**

**menggelincir** KATA KERJA
1 *to slip*
◊ *Dia hampir-hampir menggelincir.* He nearly slipped.
2 *to skid*
◊ *Kereta itu menggelincir di atas jalan yang licin itu.* The car skidded on the slippery road.
**tergelincir** KATA KERJA
1 *to slip*
◊ *Kaki Sheila terseliuh selepas dia tergelincir di atas lantai yang licin itu.* Sheila sprained her ankle when she slipped on the smooth floor.
2 *to skid*
◊ *Kereta itu tergelincir ke dalam gaung.* The car skidded into the ravine.
**gelinciran** KATA NAMA
*fault* (geografi)

**gelintir** KATA NAMA
*pellet*
**segelintir** KATA ADJEKTIF
*few*
◊ *Hanya segelintir manusia sahaja dapat hidup di sini.* Very few people can survive here.

**gelisah** KATA ADJEKTIF
*restless*
◊ *Tantiana gelisah menantikan keputusan ujian itu.* Tantiana was restless while waiting for the test results.
♦ **dengan gelisah** restlessly
**menggelisah** KATA KERJA
*to fidget*
◊ *Pelajar baru itu menggelisah di tempat duduknya.* The new student was fidgeting in her seat.
**menggelisahkan** KATA KERJA
*to alarm*
◊ *Kami tahu kejadian itu menggelisahkannya.* We knew that the incident had alarmed her.
**kegelisahan** KATA NAMA
*anxiety* (JAMAK **anxieties**)
◊ *Dia menyatakan kegelisahannya*

*terhadap kegawatan ekonomi negara ini.*
He expressed his anxiety over the
economic crisis in the country.

**gelodak**
  **menggelodak** KATA KERJA
  <u>to boil</u>
  ◊ *Hatinya menggelodak dengan
kebencian.* His heart was boiling with
hatred.

**gelojak** KATA NAMA *rujuk* **gejolak**

**gelojoh** KATA ADJEKTIF
  <u>careless</u>
  ◊ *Dia sangat gelojoh ketika bekerja.*
He's very careless in his work.
  ♦ **dengan gelojoh** greedily ◊ *Kamil
makan buah-buahan itu dengan gelojoh.*
Kamil ate the fruit greedily.

**gelombang** KATA NAMA
  <u>wave</u>
  **bergelombang** KATA KERJA
  <u>rough</u>
  ◊ *Bot itu terapung-apung di laut yang
bergelombang.* The boat was adrift in the
rough sea.

**gelongsor** KATA NAMA
  ♦ **papan gelongsor** slide
  **menggelongsor** KATA KERJA
  <u>to slide down</u>
  ◊ *Ajib dan Alan menggelongsor dari
cerun itu.* Ajib and Alan slid down the
slope.

**gelora** KATA NAMA
  <u>huge wave</u>
  ◊ *Bot itu karam dipukul gelora.* The boat
sunk when it was struck by a huge wave.
  **bergelora** KATA KERJA
  <u>stormy</u>
  ◊ *Mereka menyeberangi laut yang
bergelora itu.* They crossed the stormy
sea.
  ♦ **Perasaannya bergelora apabila bertemu
dengan ayah kandungnya.** Her feelings
were in turmoil when she met her real
father.

**gelumang**
  **bergelumang** KATA KERJA
  <u>to be smeared</u>
  ◊ *Budak-budak lelaki itu bergelumang
dengan lumpur.* The boys were smeared
with mud.
  ♦ **bergelumang dengan dosa** full of sins

**geluncur**
  **menggeluncur** KATA KERJA
  <u>to slide down</u>
  ◊ *Alan dan Ajib menggeluncur dari
papan gelongsor itu.* Alan and Ajib slid
down the slide.

**gelung (1)** KATA NAMA
  <u>coil</u>

◊ *Gelung itu sangat besar.* The coil is
very big.

♦ **gelung rambut** topknot
  **gelung** *juga digunakan sebagai
penjodoh bilangan bagi barang
berbentuk lingkaran.*
  ◊ *Bapa saya membeli beberapa gelung
tali.* My father bought a few lengths of
rope.
  **gelungan** KATA NAMA
  <u>coil</u>
  ◊ *Dia meletakkan gelungan tali itu di
atas meja.* He placed the coil of rope on
the table.

**gelung (2)** KATA NAMA
  <u>plot in a paddy field</u>

**gelut**
  **bergelut** KATA KERJA
  <u>to struggle</u>
  ◊ *Terdapat tanda-tanda bahawa dia
bergelut dengan penyerangnya.* There
were signs that she struggled with her
attacker. ◊ *bergelut dengan kematian*
to struggle against death
  **pergelutan** KATA NAMA
  <u>fight</u>
  ◊ *Pergelutan itu berakhir apabila pihak
polis tiba.* The fight ended when the
police arrived.
  ♦ **pergelutan hidup** life's struggles

**gema** KATA NAMA
  <u>echo</u> (JAMAK **echoes**)
  **bergema** KATA KERJA
  <u>to echo</u>
  ◊ *Dewan itu bergema.* The hall echoed.
  **menggemakan** KATA KERJA
  <u>to make ... echo</u>
  ◊ *Dinding bilik itu menggemakan suara
saya.* The walls of the room made my
voice echo.

**gemala** KATA NAMA
  <u>bezoar</u>
  ♦ **gemala hikmat** a magic stone

**gemalai** KATA ADJEKTIF
  ♦ **lemah gemalai** graceful ◊ *penari balet
yang lemah gemalai* a graceful ballerina
  **bergemalai** KATA KERJA
  <u>to sway</u>
  ◊ *pohon-pohon kelapa yang bergemalai*
swaying coconut trees

**gemar** KATA ADJEKTIF
  <u>to like</u>
  ◊ *Saya gemar menari.* I like to dance.
  **kegemaran** KATA NAMA
  <u>favourite</u>
  ◊ *Sukan kegemaran saya ialah tenis.*
My favourite sport is tennis.
  **menggemari** KATA KERJA
  <u>to like</u>

**G**

◊ *Diana menggemari muzik rancak.* Diana likes lively music.

**penggemar** KATA NAMA
*enthusiast*
◊ *penggemar kereta* a car enthusiast

**gembala** KATA NAMA
*herdsman* (JAMAK **herdsmen**)
**menggembala** KATA KERJA
*to watch over*
◊ *menggembala kambing* to watch over the goats
**penggembala** KATA NAMA *rujuk* **gembala**

**gembar-gembur**
**bergembar-gembur** KATA KERJA
*to brag*
◊ *Dia selalu bergembar-gembur tentang kekuatannya.* He is always bragging about his strength.
**menggembar-gemburkan** KATA KERJA
*to exaggerate*
◊ *Media asing suka menggembar-gemburkan cerita yang berlaku di negara itu.* The foreign media tend to exaggerate what happens in that country.

**gembira** KATA ADJEKTIF
*happy*
♦ **tidak gembira** unhappy
♦ **perasaan gembira** excitement
◊ *Perasaan gembira terpancar di matanya.* Her eyes gleamed with excitement.
**bergembira** KATA KERJA
*to enjoy oneself*
◊ *Para pelajar sedang bergembira di padang sekolah.* The students were enjoying themselves on the school field.
**kegembiraan** KATA NAMA
*joy*
◊ *air mata kegembiraan* tears of joy
◊ *melompat-lompat kegembiraan* to jump for joy
♦ **Kegembiraan terbayang pada wajahnya.** Happiness was reflected in her face.
**menggembirakan** KATA KERJA
*to make ... happy*
◊ *Anak lelakinya selalu menggembirakan hatinya.* His son always makes him happy.
♦ **pengalaman yang tidak menggembirakan** unhappy experience

**gembleng**
**bergembleng** KATA KERJA
*to unite*
◊ *Para pelajar bergembleng tenaga untuk menyiapkan lukisan itu.* The students united their efforts to finish the painting.
**penggemblengan** KATA NAMA

*combination*
◊ *penggemblengan usaha* combination of efforts

**gembur** KATA ADJEKTIF
*loose*
◊ *tanah yang gembur* loose soil
**menggemburkan** KATA KERJA
*to loosen*
◊ *menggemburkan tanah* to loosen the soil
**penggembur** KATA NAMA
*tool for loosening the soil*

**gementar** KATA ADJEKTIF
1 *to shiver*
2 *nervous*
◊ *Saya selalu gementar pada waktu peperiksaan.* I'm always nervous during exams.

**gemercik** KATA NAMA
*splattering sound*

**gemerencang** KATA NAMA
*clash* (JAMAK **clashes**) (*bunyi*)

**gemerencing** KATA NAMA
*clinking sound*
**bergemerencing** KATA KERJA
*to clink*
◊ *bunyi rantai besi yang bergemerencing* the clinking of chains

**gemerlap**
**gemerlapan, bergemerlapan** KATA KERJA
*to glitter*
◊ *Kalung berliannya bergemerlapan dalam gelap.* Her diamond necklace glitters in the dark.

**gemilang** KATA ADJEKTIF
*glorious*
◊ *saat gemilang* a glorious moment
♦ **Dewan itu gemilang dengan cahaya pelbagai warna.** The hall was shining with multicoloured lights.
**kegemilangan** KATA NAMA
*glory* (JAMAK **glories**)
◊ *kegemilangan Piala Dunia* World Cup glory

**Gemini** KATA NAMA
*Gemini* (*bintang zodiak*)

**gempa** KATA NAMA
♦ **gempa bumi** earthquake

**gempal** KATA ADJEKTIF
*stout*
♦ **berbadan gempal** stout

**gempar** KATA ADJEKTIF
*in a commotion*
◊ *Kampung itu gempar dengan berita kematian Pak Selamat.* The village was in a commotion at the news of Pak Selamat's death.
♦ **Berita gempar!** Sensational news!

**kegemparan** KATA NAMA
*commotion*
◊ *Kegemparan itu bermula apabila dua orang pelajar bergaduh sesama sendiri.* The commotion started when two students had a fight.
**menggemparkan** KATA KERJA
[1] *to cause a commotion*
◊ *Pengumuman guru besar itu menggemparkan pelajar-pelajar sekolah tersebut.* The headmistress's announcement caused a commotion among the students.
[2] *to shock*
◊ *Kematian pemimpin itu telah menggemparkan seluruh dunia.* The death of the leader has shocked the world.
♦ **kejadian yang menggemparkan** a shocking event
**tergempar** KATA ADJEKTIF
*sudden*
◊ *lawatan tergempar* a sudden visit
♦ **mesyuarat tergempar** an emergency meeting

**gempur**
**menggempur** KATA KERJA
*to attack and destroy*
◊ *Tentera-tentera itu diarahkan untuk menggempur kubu pertahanan pihak musuh.* The soldiers were ordered to attack and destroy the enemy fortress.
♦ **Tentera udara negara itu diarahkan untuk menggempur kawasan pihak musuh.** The country's air force was ordered to lay waste the enemy's territories.
**penggempur** KATA NAMA
*front line troops*
**penggempuran** KATA NAMA
*destruction*
◊ *Media tempatan melaporkan berita penggempuran di Serbia.* The local media reported the news of the destruction in Serbia.

**gemuk** KATA ADJEKTIF
*fat*
**menggemukkan** KATA ADJEKTIF, KATA KERJA
[1] *fattening*
◊ *makanan yang menggemukkan* fattening food
[2] *to fatten*
◊ *En. Visu memberikan makanan yang banyak kepada kucingnya untuk menggemukkan haiwan itu.* Mr Visu gave his cat plenty of food so as to fatten it.
♦ **Kolesterol boleh menggemukkan anda.** Cholesterol can make you fat.

**kegemukan** KATA NAMA
[1] *fatness*
[2] *obesity*
◊ *masalah kegemukan* the problems of obesity

**gemuruh** KATA ADJEKTIF
[1] *thunderous*
◊ *tepukan gemuruh* thunderous applause
[2] *nervous*
◊ *Dia berasa gemuruh setiap kali melalui kawasan itu.* She gets nervous every time she passes through that area.

**gen** KATA NAMA
*gene*

**genang**
**bergenang, tergenang** KATA KERJA
*stagnant*
◊ *Air dalam parit itu bergenang.* The water in the drain was stagnant.
♦ **Air matanya bergenang ketika dia menceritakan kejadian itu kepada saya.** Her eyes filled with tears as she told me the story.
**menggenangi** KATA KERJA
*to flood*
◊ *Air dari empangan yang pecah itu menggenangi ladang mereka.* The water from the broken dam flooded their fields.
♦ **Matanya digenangi air.** There were tears in her eyes.

**genap** KATA ADJEKTIF
*even*
◊ *nombor genap* even number
♦ **Umur saya genap dua puluh empat tahun pada Oktober ini.** I will be twenty-four this October.
**menggenapkan** KATA KERJA
*to make ... up*
◊ *Dia menggenapkan wangnya supaya cukup RM100,000.* He made the money up to exactly RM100,000.
♦ **Dia terpaksa mendapatkan kerja sampingan untuk menggenapkan wangnya bagi membeli hadiah itu.** She had to get part-time work to earn enough money to buy that present.
**segenap** KATA ADJEKTIF
*all*
◊ *Kamus itu boleh digunakan oleh segenap lapisan masyarakat.* The dictionary can be used by people from all walks of life.

**gencat**
**tergencat** KATA KERJA
*stunted*
◊ *Pertumbuhan ekonomi negara itu tergencat akibat kegawatan ekonomi.* Economic growth in that country was

G

stunted owing to the economic crisis.
**gencatan**    KATA NAMA
♦ **gencatan senjata**    ceasefire
**gendala**    KATA NAMA
_hindrance_
◊ *Mereka menaiki kapal terbang itu ke
Paris tanpa sebarang gendala.*    They
boarded the flight to Paris without any
hindrance.
**tergendala**    KATA KERJA
_to be interrupted_
◊ *Rancangan mereka tergendala.*    Their
plan was interrupted.
**gendang**    KATA NAMA
_Malay drum_ (penjelasan umum)
**gendang-gendang**    KATA NAMA
_membranes_
**bergendang**    KATA KERJA
_to play the drums_
**genderang**    KATA NAMA
_large drum_ (terjemahan umum)
**gendong**
**menggendong**    KATA KERJA
_to carry ... in a sling_
◊ *Jamaliah menggendong bayinya ke
pasar.*    Jamaliah carried her baby to the
market in a sling.
**gendut**    KATA ADJEKTIF
_pot-bellied_
◊ *seorang yang gendut*    a pot-bellied
person
**generasi**    KATA NAMA
_generation_
**genetik**    KATA NAMA
_genetics_
**geng**    KATA NAMA
_gang_
**genggam**    PENJODOH BILANGAN
_handful_
◊ *segenggam nasi*    a handful of rice
◊ *segenggam pasir*    a handful of sand
**menggenggam**    KATA KERJA
_to grasp_
◊ *Dia menggenggam tangan saya.*    He
grasped my hand.
**menggenggamkan**    KATA KERJA
♦ **menggenggamkan tangan**    to clench
one's fist    ◊ *Ketika Alex
menggenggamkan tangannya, saya
menyangka dia mahu menumbuk saya.*
When Alex clenched his fist, I thought he
wanted to punch me.
**tergenggam**    KATA KERJA
_to be grasped_
◊ *Cincin itu tergenggam dalam
tangannya.*    The ring was grasped in his
hand.
♦ **Dia membuang duit syiling yang
tergenggam erat dalam tangannya ke**

**dalam laut.**    He threw into the sea the
coin that he had grasped tightly.
**genggaman**    KATA NAMA
_grasp_
◊ *Danielle cuba melepaskan beg itu
daripada genggaman saya.*    Danielle tried
to free the bag from my grasp.
**genit**    KATA ADJEKTIF
[1] _coquettish_
◊ *Dia seorang gadis genit yang suka
menarik perhatian orang.*    She's a
coquettish young lady who likes to attract
attention.
[2] _petite and vivacious_
◊ *Josephine seorang gadis genit yang
mempunyai tingkah laku yang sangat baik.*
Josephine was a petite and vivacious girl
with very good manners.
**kegenitan**    KATA NAMA
_coquettish behaviour_
◊ *Kegenitan Natasha menarik perhatian
ramai.*    Natasha's coquettish behaviour
attracts attention.
**genius**    KATA ADJEKTIF
_genius_
**gentar**    KATA ADJEKTIF
_afraid_
◊ *Saya tidak gentar akan ugutannya.*
I'm not afraid of his threats.
**bergentar**    KATA KERJA
_to shake_
◊ *Pondok yang terletak di atas bukit itu
bergentar setiap kali hujan lebat.*    The hut
on that hill shakes every time it rains
heavily.
**menggentari**    KATA KERJA
_to scare_
◊ *Randy cuba menggentari Halida
dengan topeng itu.*    Randy tried to scare
Halida with the mask.
**menggentarkan**    KATA KERJA
_to shake_
◊ *Gempa bumi itu menggentarkan
beberapa buah bangunan di kawasan
tersebut.*    The earthquake shook several
buildings in that area.
**gentaran**    KATA NAMA
_vibration_
◊ *Kami dapat merasakan gentaran
akibat letupan bom itu.*    We could feel the
vibration of the explosion.
**gentel**    KATA NAMA
_pellet_
**menggentel**    KATA KERJA
_to roll ... into pellets with the fingertips_
◊ *Dia menggentel tanah liat itu.*    She
rolled the clay into pellets with her
fingertips.
**gentian**    KATA NAMA

_fibre_

**genting**  KATA ADJEKTIF

> _rujuk juga_ **genting** KATA NAMA

_critical_

◊  _Keadaan menjadi genting apabila Presiden itu mengumumkan peletakan jawatan beliau._  The situation became critical when the President announced his resignation.

**kegentingan**  KATA NAMA

_crisis_ (JAMAK **crises**)

◊  _kegentingan di Kosovo_  the crisis in Kosovo

**menggenting**  KATA KERJA

_to become tense_

◊  _Hubungan kedua-dua buah negara itu semakin menggenting._  The relationship between the two countries is becoming tense.

**genting**  KATA NAMA

> _rujuk juga_ **genting** KATA ADJEKTIF

1  (_atap_) _tile_  .
2  _pass_ (JAMAK **passes**)
◊  _genting bukit_  mountain pass

♦ **genting tanah**  isthmus
(JAMAK **isthmuses**)

**geografi**  KATA NAMA

_geography_

**geometri**  KATA NAMA

_geometry_

**gera**

**menggera**  KATA KERJA

_to frighten_

◊  _Mereka melepaskan tembakan hanya untuk menggera kumpulan itu._  They fired a shot just to frighten the group.

♦ **Winston meniup wiselnya untuk menggera kami bahawa tempat itu berbahaya.**  Winston blew his whistle to warn us that the area was dangerous.

**penggera**  KATA NAMA

_alarm_

◊  _penggera kebakaran_  fire alarm

**gerabak**  KATA NAMA

_carriage_

**geraham**  KATA NAMA

_molar_

♦ **geraham bongsu**  wisdom tooth
(JAMAK **wisdom teeth**)

**gerai**  KATA NAMA

_stall_

**gerak**  KATA NAMA

_movement_

♦ **Penari itu menari dengan gerak yang mempesonakan.**  The dancer moved very gracefully.

♦ **gerak hati**  intuition
♦ **gerak langkah**  step
♦ **gerak tari**  step

♦ **gerak-geri**  movements  ◊  _Anggota polis itu sedang memerhatikan gerak-geri mereka._  The policeman is watching their movements.

**bergerak**  KATA KERJA

_to move_

◊  _Para pelajar bergerak perlahan-lahan menuju ke dalam dewan._  The students moved slowly into the hall.

**menggerakkan**  KATA KERJA

_to move_

◊  _Dia tidak dapat menggerakkan tangannya._  He can't move his arm.

**penggerak**  KATA NAMA

_initiator_

◊  _penggerak pemodenan negara kita_  the initiator of the modernization of our country

**pergerakan**  KATA NAMA

_movement_

◊  _Mereka memerhatikan pergerakan ikan itu._  They observed the movement of the fish.

♦ **pergerakan wanita**  the women's movement

♦ **Anda perlu berhati-hati dengan pergerakan anda semasa menghadiri sesuatu temu duga.**  You have to be careful how you behave when you attend an interview.

**tergerak**  KATA KERJA

_to feel like_

◊  _Hatinya tergerak untuk menelefon ibunya._  He felt like phoning his mother.
◊  _Dia tidak tergerak untuk menyertai perbualan mereka._  She didn't feel like joining in their conversation.

**gerakan**  KATA NAMA

_movement_

◊  _gerakan yang pantas_  quick movement

**geram**  KATA ADJEKTIF

_irritated_

◊  _Saya betul-betul geram dengan perangainya._  I felt really irritated by his attitude.

♦ **Saya geram melihat budak perempuan yang comel itu.**  The cute little girl is so adorable.

**menggeram**  KATA KERJA

_to growl_ (_harimau_)

**menggeramkan**  KATA KERJA

_to irritate_

◊  _Perbuatannya itu benar-benar menggeramkan saya._  His behaviour really irritates me.

**geran**  KATA NAMA

_deed_

◊  _geran rumah_  deed to a house

G

**gerangan** KATA PENEGAS
*possibly*
◊ *Apakah gerangan yang
dimaksudkannya?* What could he
possibly mean?
♦ **"Siapakah gerangan gadis itu?" tanya
putera raja itu.** "Who might that girl be?"
asked the prince.
**gerbang** KATA NAMA
*arch* (JAMAK **arches**)
**menggerbang** KATA KERJA
*dishevelled*
◊ *rambut yang menggerbang*
dishevelled hair
**menggerbangkan** KATA KERJA
*to leave ... hanging loose*
◊ *Tiara menggerbangkan rambutnya
yang panjang itu.* Tiara left her long hair
hanging loose.
**gereja** KATA NAMA
*church* (JAMAK **churches**)
**gergaji** KATA NAMA
*saw*
**menggergaji** KATA KERJA
*to saw*
**gergasi** KATA NAMA
*giant*
**gerhana** KATA NAMA
*eclipse*
♦ **gerhana matahari** solar eclipse
**gerigi** KATA NAMA
*teeth*
◊ *gerigi pisau* teeth of a knife
**bergerigi** KATA KERJA
*serrated*
◊ *pisau yang bergerigi* serrated knife
**gerila** KATA NAMA
*guerrilla*
**gerimis** KATA NAMA
*drizzle*
**gerobok** KATA NAMA
*cupboard*
**gerodak** KATA NAMA
*rattling*
◊ *Bunyi gerodak di dalam almari itu
menakutkan saya.* The rattling sound
from the cupboard frightened me.
**menggerodak** KATA KERJA
*to scuffle*
◊ *Tikus itu menggerodak di dalam bilik
saya.* The rat was scuffling about in my
room.
**gerombol**
**gerombolan** KATA NAMA
> rujuk juga **gerombolan** PENJODOH
> BILANGAN
*gang*
◊ *Dialah yang menjadi ketua gerombolan
perusuh itu.* He is the leader of the gang

of demonstrators.
**gerombolan** PENJODOH BILANGAN
> rujuk juga **gerombolan** KATA NAMA
*gang*
◊ *segerombolan pencuri* a gang of
thieves
**gersang** KATA ADJEKTIF
1 *arid*
◊ *kawasan yang gersang* an arid piece
of land
2 *empty*
◊ *Sejak ibunya meninggal dunia, hatinya
terasa begitu gersang.* Since the death
of her mother she felt so empty.
**kegersangan** KATA NAMA
1 *barrenness*
◊ *Kegersangan beberapa kawasan di
daerah itu membimbangkan kami.* The
barrenness of a few areas in the district
worried us.
2 *emptiness*
◊ *Selama ini dia hidup dalam
kegersangan dan kekecewaan.* All this
time, he lived in a state of emptiness and
disappointment.
**gertak** KATA NAMA *rujuk* **gertakan**
**menggertak** KATA KERJA
*to threaten*
◊ *Penjahat itu menggertak Devi dengan
sebilah pisau.* The bandit threatened Devi
with a knife.
**gertakan** KATA NAMA
*threat*
◊ *Gertakan penjahat itu menakutkannya.*
The bandit's threats frightened her.
**gerudi** KATA NAMA
*drill*
**menggerudi** KATA KERJA
*to drill*
**geruh (1)** KATA ADJEKTIF
*unlucky*
♦ **Dia berasa sedih dengan nasibnya yang
geruh.** She felt sad at her bad luck.
**kegeruhan** KATA NAMA
*misfortune*
**geruh (2)**
**menggeruh** KATA KERJA
*to snore*
**gerun** KATA ADJEKTIF
*frightened*
◊ *Mereka gerun melihat ahli sihir yang
jahat itu.* They were frightened when they
saw the wicked witch.
**menggeruni** KATA KERJA
*to fear*
◊ *Jika orang menggeruni anda,
maknanya mereka menghormati anda.*
If people fear you they respect you.
**menggerunkan** KATA KERJA

*eerie*
◊ *Hutan ini menggerunkan.* This forest is eerie.

**gerutu** KATA NAMA *rujuk* **kerutu**

**gesa**

**menggesa** KATA KERJA
*to urge*
◊ *Ibu bapa saya menggesa saya supaya belajar di luar negara.* My parents urged me to study overseas.

**menggesa-gesakan** KATA KERJA
*to hustle*
◊ *Pengawal-pengawal itu menggesa-gesakan Harry keluar dari kereta.* The guards hustled Harry out of the car.

**tergesa-gesa** KATA KERJA
*in a hurry*
◊ *Alexandra meninggalkan kelasnya dengan tergesa-gesa.* Alexandra left her class in a hurry.

**gesaan** KATA NAMA
⓵ *insistence*
◊ *Vanitha menghadiri temu duga itu kerana gesaan ibunya.* Vanitha attended the interview at her mother's insistence.
⓶ *nagging*
◊ *Gesaannya yang tidak henti-henti itu membosankan saya.* His continual nagging bored me.

**gesek**

**menggesek** KATA KERJA
*to rub*
◊ *menggesek mata* to rub one's eyes
♦ **menggesek biola** to play the violin
**penggesek** KATA NAMA
♦ **penggesek biola (1)** violinist (*orang*)
♦ **penggesek biola (2)** violin bow
**gesekan** KATA NAMA
Biasanya **gesekan** yang bermaksud gesekan biola dan seumpamanya tidak ada padanan dalam bahasa Inggeris.
◊ *Gesekan biola Maria sungguh unik.* Maria has a truly unique way of playing the violin. ◊ *Gesekan biola Eric sungguh merdu.* Eric plays the violin beautifully.

**gesel**

**bergesel** KATA KERJA
⓵ *to scrape*
◊ *Kereta itu bergesel dengan sebuah bas lalu terbabas ke dalam gaung.* The car scraped against a bus and skidded into the ravine.
⓶ *to brush*
◊ *Bola itu bergesel dengan tiang gol.* The ball brushed the goalpost.
♦ **bergesel bahu** to rub shoulders ◊ *Dia biasa bergesel bahu dengan ahli-ahli politik di kelab itu.* He regularly rubs

shoulders with politicians in the club.

**bergeselan** KATA KERJA
*to brush against each other*
◊ *Koridor itu begitu sempit sehingga bahu mereka hampir bergeselan.* The corridor was so narrow that their shoulders nearly brushed against each other.

**menggesel** KATA KERJA
*to rub against*
◊ *Kucing itu menggesel kaki saya.* The cat was rubbing against my leg.

**menggeselkan** KATA KERJA
*to rub ... against*
◊ *Kucing itu menggeselkan badannya ke kaki saya.* The cat rubbed its body against my leg.

**pergeselan** KATA NAMA
*scraping against*
◊ *Kemalangan itu melibatkan pergeselan antara sebuah kereta dengan sebuah lori.* The accident involved a car and a lorry scraping against each other.
♦ **Rancangan itu mungkin akan menggalakkan pergeselan etnik.** The plan is likely to aggravate ethnic tensions.

**tergesel** KATA KERJA
⓵ *to scrape against*
◊ *Kereta baru saya rosak kerana tergesel tembok itu.* My new car was damaged when it scraped against the wall.
⓶ *to graze*
◊ *Kaki dan tangan mereka tergesel akibat daripada pergelutan itu.* They grazed their arms and legs in the fight.

**geselan** KATA NAMA
*rubbing*
◊ *Geselan pepohon itu mengeluarkan bunyi yang menakutkan.* The rubbing of the trees against each other made an eerie sound.

**geser**

**bergeser, bergeseran** KATA KERJA
*to brush against*
◊ *Kami dapat mendengar bunyi daun-daun bergeseran di atas bumbung.* We could hear the sounds of the leaves brushing against each other on the roof.

**menggeser** KATA KERJA *rujuk* **menggesel**

**menggeserkan** KATA KERJA
*to move*
◊ *Mereka menggeserkan meja itu ke tepi dinding.* They moved the table up against the wall.

**pergeseran** KATA NAMA
*clash*
◊ *Pergeseran pendapat antara dua orang guru itu membimbangkan kami.* The clash of opinions between the two

G

teachers worried us.

**tergeser** KATA KERJA *rujuk* **tergesel**

**geseran** KATA NAMA *rujuk* **geselan**

**getah** KATA NAMA

1  *sap*
◊  *getah pokok nangka* the sap of a jackfruit tree

2  *rubber*
◊  *diperbuat daripada getah* made of rubber

♦  **pokok getah** a rubber tree

♦  **susu getah** latex

♦  **getah pemadam** eraser

**bergetah** KATA KERJA

1  *sticky*
◊  *Tangannya bergetah selepas makan gula-gula itu.* His hand was sticky after he ate the sweets.

2  *gummy*
◊  *Buah itu bergetah.* The fruit is gummy.

**getap**

**menggetap** KATA KERJA

1  *to clench*
◊  *menggetap gigi* to clench one's teeth

2  *to bite*
◊  *menggetap bibir* to bite one's lip

**getar**

**bergetar** KATA KERJA
*to vibrate*
◊  *Dewan itu seakan-akan bergetar apabila bom itu meletup.* The hall seemed to vibrate when the bomb exploded.

♦  **Suaranya bergetar ketika dia menceritakan kejadian itu kepada saya.** His voice trembled as he told me the story.

**menggetarkan** KATA KERJA
*to make ... vibrate*
◊  *Bunyi yang kuat itu menggetarkan meja saya.* The loud noise made my table vibrate.

**getaran** KATA NAMA
*vibration*
◊  *Getaran itu disebabkan oleh kenderaan yang lalu-lalang.* The vibration is caused by passing vehicles.

**getir** KATA ADJEKTIF
*bitter*

♦  **pahit getir** hardship ◊ *Shantina menasihati sahabatnya supaya tabah menghadapi pahit getir kehidupan.* Shantina advised her friend to face the hardships of life patiently.

**kegetiran** KATA NAMA
*hardship*
◊  *kegetiran hidup seorang nelayan* the hardships of a fisherman's life

**getu**

**menggetu** KATA KERJA

1  *to press ... with one's nail*

2  *to pinch*
◊  *Emak menggetu Sani kerana dia tidak mahu mandi.* Mother pinched Sani because he refused to have a bath.

**gewang**

**tergewang-gewang** KATA KERJA
*to wave*
◊  *Faruk menari sambil tangannya tergewang-gewang di udara.* Faruk danced with his hands waving in the air.

**ghaib** KATA ADJEKTIF

1  *invisible*
◊  *Urat-urat pada mukanya menegang seolah-olah dia sedang dicekik oleh sepasang tangan yang ghaib.* Her face tightened as though she was being strangled by invisible hands.

2  *to vanish*
◊  *Wanita misteri itu masuk ke dalam hutan lalu ghaib.* The mysterious lady went into the forest and vanished.

3  *supernatural*
◊  *kuasa ghaib* supernatural powers

**mengghaibkan** KATA KERJA
*to make ... vanish*
◊  *Ahli silap mata itu mengghaibkan bangunan tersebut.* The magician made the building vanish.

♦  **mengghaibkan diri** to vanish

**ghairah** KATA ADJEKTIF
*lustful*
◊  *Dia tidak dapat mengawal perasaannya yang ghairah.* He can't control his lustful feelings.

♦  **Kanak-kanak itu begitu ghairah bermain.** The children were playing with great enthusiasm.

**mengghairahkan** KATA KERJA
*to arouse the desire of*
◊  *Kecantikan gadis itu mengghairahkan lelaki-lelaki yang datang ke situ.* The girl's beauty aroused the desire of men who visited the place.

**keghairahan** KATA NAMA
*passion*
◊  *Keghairahan Fred mengejar glamor menyebabkan isterinya meninggalkannya.* Fred's passion for a life of glamour had caused his wife to leave him.

♦  **Mereka menasihatkannya supaya menghentikan keghairahannya terhadap gadis itu.** They advised him to give up his desire for the girl.

**gian** KATA ADJEKTIF
*addicted*
◊  *Myra menjadi gian akan dadah sejak dia berkawan dengan pemuda-pemuda itu.* Myra became addicted to drugs when she mixed with those young men.

**giat** KATA ADJEKTIF
_active_
◊ _Jane sangat giat menulis skrip drama._
Jane was very active in writing drama
scripts.
♦ **Guru itu menasihati kami supaya
belajar dengan giat.** The teacher
encourages us to study hard.
♦ **Dia seorang yang giat bekerja.** He's a
hardworking person.
**bergiat** KATA KERJA
_to be actively involved_
◊ _Sudah lebih sepuluh tahun dia bergiat
dalam industri muzik._ He has been
actively involved in the music industry for
more than ten years.
**kegiatan** KATA NAMA
_activity_ (JAMAK **activities**)
◊ _kegiatan luar_ outdoor activities
**menggiatkan, mempergiat** KATA KERJA
_to intensify_
◊ _Mereka menggiatkan usaha untuk
menjayakan rancangan itu._ They are
intensifying their efforts to make the plan
a success.
**penggiat** KATA NAMA
_activist_

**gigi** KATA NAMA
_tooth_ (JAMAK **teeth**)
♦ **gigi air** shoreline
♦ **gigi bongsu** wisdom tooth
♦ **gigi kacip** incisors
♦ **gigi kekal** permanent teeth
♦ **gigi susu** milk teeth
♦ **gigi sikat** the teeth of a comb
♦ **sakit gigi** toothache
♦ **doktor gigi** dentist
**pergigian** KATA NAMA
_dental_
◊ _klinik pergigian_ dental clinic

**gigih** KATA ADJEKTIF
_determined_
◊ _Beliau merupakan seorang
pemimpin yang gigih._ He is a determined
leader.
**kegigihan** KATA NAMA
_determination_
◊ _Kegigihannya memperjuangkan
kemerdekaan negaranya menjadikannya
seorang pemimpin yang disegani._ His
determination to fight for the independence
of his country has made him a respected
leader.

**gigil**
**menggigil** KATA KERJA
_to shiver_
◊ _Sari menggigil kerana kesejukan._
Sari shivered in the cold.

**gigit**

**menggigit** KATA KERJA
_to bite_
**gigitan** KATA NAMA
_bite_
◊ _gigitan nyamuk_ mosquito bite

**gigolo** KATA NAMA
_gigolo_

**gila** KATA ADJEKTIF
_mad_
◊ _Kami bimbang kami akan menjadi gila
jika terus melakukan kerja ini._ We're
afraid of going mad if we continue in this
job. ◊ _idea yang gila_ a mad idea
♦ **gila bayang** to be secretly in love with
somebody
♦ **gila bola** football-mad
♦ **gila judi** addicted to gambling
♦ **gila kuasa** power-mad
♦ **gila seks** sex maniac
♦ **gila talak** obsessed with one's
ex-partner
♦ **gila wang** money-mad
♦ **harga gila** unbelievable price
♦ **orang gila** maniac
**menggila** KATA KERJA
_to worsen_
◊ _Sakit kepalanya semakin menggila._
Her headache is worsening.
♦ **Bot-bot itu menggila di laut.** The boats
were speeding madly over the sea.
**menggilai** KATA KERJA
_mad about_
◊ _Ridge menggilai Caroline sejak kali
pertama mereka bertemu._ Ridge has
been mad about Caroline since they first
met. ◊ _Siva dan kawan-kawannya
sangat menggilai sukan bola sepak._
Siva and his friends are completely mad
about football.
**menggilakan** KATA KERJA
_to drive ... mad_
◊ _Pengendalian projek raksasa seperti
ini boleh menggilakan kami._ The
administration of such a huge project could
drive us mad.
**kegilaan** KATA NAMA
1 _obsession_
◊ _Permainan komputer merupakan
kegilaan remaja zaman sekarang._
Computer games are a modern teenage
obsession.
2 _madness_
◊ _kegilaan dalam politik_ political
madness
♦ **Pelakon itu menjadi kegilaan
gadis-gadis remaja.** The actor is the idol
of young girls.

**gila-gila** KATA ADJEKTIF
_wacky_

◊ *Perangainya yang gila-gila itu menjengkelkan saya.* His wacky behaviour irritates me.

♦ **Dia seorang yang gila-gila.** He's a joker.

**kegila-gilaan** KATA ADJEKTIF
*a bit mad*

**tergila-gila** KATA KERJA
*desperate*
◊ *Dia tergila-gila hendak memasuki pertandingan itu.* He's desperate to enter the competition.

**tergila-gilakan** KATA KERJA
1 *mad about*
◊ *Kamal tergila-gilakan anak perempuan Datuk Hisham.* Kamal is mad about Datuk Hisham's daughter.
2 *obsessed*
◊ *tergila-gilakan wang* obsessed with money

**gilang** KATA ADJEKTIF
♦ **gilang-gemilang** brilliant ◊ *cahaya yang gilang-gemilang* brilliant light

**gilap** KATA ADJEKTIF
*gleaming*
◊ *Selvi membersihkan barang-barang kemasnya sehingga gilap.* Selvi cleaned her jewellery until it was gleaming.

**gilap-gemilap** KATA ADJEKTIF
*to glitter*
◊ *Dia menggosok pialanya sehingga gilap-gemilap.* He polished his trophy until it glittered.

**bergilap** KATA KERJA
*polished*
◊ *kasut kulit yang bergilap* polished leather shoes

**menggilap** KATA KERJA
*to polish*

**penggilap** KATA NAMA
*polish*
◊ *penggilap kasut* shoe polish

**giling** KATA ADJEKTIF
♦ **batu giling** grinder

**menggiling** KATA KERJA
*to grind*
◊ *menggiling lada* to grind pepper

**gilir**
**bergilir-gilir** KATA KERJA
*to take turns*
◊ *Kami terpaksa bergilir-gilir berjaga pada malam itu.* We had to take turns to keep watch that night.

**giliran** KATA NAMA
*turn*
◊ *Malam ini merupakan giliran saya untuk memasak.* Tonight is my turn to cook.

**gimnasium** KATA NAMA

*gymnasium*

**gimnastik** KATA NAMA
*gymnastic*
♦ **ahli gimnastik** gymnast

**gincu** KATA NAMA
*lipstick*

**bergincu** KATA KERJA
*to put on lipstick*

**ginjal** KATA NAMA
*kidney*

**ginjat**
**berginjat-ginjat** KATA KERJA
*to tiptoe*

**ginseng** KATA NAMA
*ginseng*
◊ *kopi ginseng* ginseng coffee

**gipsi** KATA NAMA
*gypsy* (JAMAK **gypsies**)

**girang** KATA ADJEKTIF
*joyful*
◊ *hati yang girang* a joyful heart

**kegirangan** KATA NAMA
*joy*
◊ *melompat-lompat kegirangan* to jump for joy
♦ **hidup dalam kegirangan** to live joyfully

**menggirangkan** KATA KERJA
1 *joyful*
◊ *muzik yang menggirangkan* joyful music
2 *to make ... happy*
◊ *Dia membeli hadiah itu untuk menggirangkan anak perempuannya.* He bought the present to make his daughter happy.

**gisi**
**menggisi** KATA KERJA
*to eat meat on a bone*
♦ **Budak lelaki itu menggisi kepak ayam itu.** The boy ate the chicken wing.

**gitar** KATA NAMA
*guitar*
♦ **pemain gitar** guitarist

**giur**
**menggiurkan** KATA KERJA
*seductive*
◊ *Cara wanita itu berpakaian sungguh menggiurkan.* The way the woman dressed was very seductive.

**tergiur** KATA KERJA
*attracted*
◊ *Ramai lelaki tergiur dengan kecantikan wajahnya.* Men were attracted by her beautiful looks.

**gizi** KATA NAMA
*nutrient*

**glamor** KATA NAMA
*glamour*

**glob** KATA NAMA

*globe*

**global** KATA ADJEKTIF

*global*

**glosari** KATA NAMA

*glossary* (JAMAK **glossaries**)

**glukosa** KATA NAMA

*glucose*

**gocoh**

  **tergocoh-gocoh** KATA KERJA

  *in haste*

  ◊ *Helda tergocoh-gocoh masuk ke dalam dewan.* Helda entered the hall in haste.

**goda**

  **menggoda** KATA KERJA

  1 *to seduce*

  ◊ *Gadis itu cuba menggoda Siva.* The girl tried to seduce Siva.

  2 *to tempt*

  ◊ *Manaf cuba menggoda kawan-kawannya supaya menghisap rokok.* Manaf tried to tempt his friends to smoke.

  3 *alluring*

  ◊ *Gadis itu sungguh menggoda.* The girl was very alluring.

  **penggoda** KATA NAMA

  *seducer*

  ◊ *Dia bangga dengan reputasinya sebagai penggoda wanita kaya.* He's proud of his reputation as a seducer of rich women.

  **tergoda** KATA KERJA

  *tempted*

  ◊ *Arman tidak tergoda dengan pujukan kawan-kawannya.* Arman was not tempted by his friends' attempts at persuasion.

  **godaan** KATA NAMA

  1 *seduction*

  ◊ *Othman tidak berdaya melawan godaannya.* Othman was powerless to resist her seduction.

  2 *temptation*

  ◊ *Remaja merupakan golongan yang paling mudah terdedah kepada godaan.* Teenagers are the group most easily exposed to temptation.

**godam** KATA NAMA

  *large club*

  **menggodam** KATA KERJA

  *to club*

  ◊ *menggodam seseorang* to club somebody

♦ **Dia menggodam gong itu dengan kuat.** He struck the gong hard with a mallet.

**gol** KATA NAMA

  *goal*

**golak**

  **bergolak** KATA KERJA

  1 *boiling*

  ◊ *air yang bergolak* boiling water

  2 *unstable*

  ◊ *Keadaan politik di kebanyakan negara membangun sedang bergolak.* The political situation in most developing countries is unstable.

♦ **Rumah tangga pasangan itu bergolak.** The couple's marriage is on the rocks.

♦ **Fikirannya bergolak setelah membaca surat itu.** She became upset after reading the letter.

  **pergolakan** KATA NAMA

  *unrest*

  ◊ *pergolakan di kalangan pelajar* student unrest ◊ *pergolakan politik* political unrest

♦ **pergolakan rumah tangga** family feud

**golek** KATA ADJEKTIF

♦ **ayam golek** roast chicken

♦ **bantal golek** bolster

  **bergolek, menggolek** KATA KERJA

  *to roll*

  ◊ *Bola itu bergolek ke dalam gol.* The ball rolled into the goal. ◊ *Mereka bergolek dari atas bukit itu.* They rolled down the hill.

  **bergolek-golek, bergolekan** KATA KERJA

  *to roll about*

  ◊ *Mereka bergolek-golek di atas lantai.* They rolled about on the floor.

  **menggolekkan** KATA KERJA

  *to roll*

  ◊ *Saya menggolekkan bola itu.* I rolled the ball.

  **tergolek** KATA KERJA

  *to roll*

  ◊ *Batu itu tergolek dari puncak bukit.* The rock rolled down from the top of the hill.

♦ **Fakhrul tergelincir lalu jatuh tergolek dari atas tangga.** Fakhrul slipped and tumbled down the stairs.

**golf** KATA NAMA

  *golf*

♦ **kayu golf** golf club

♦ **kelab golf** golf club

♦ **padang golf** golf course

**golok (1)** KATA NAMA

  *machete*

**golok (2)**

  **bergolok, bergolok-bergadai** KATA KERJA

  *to pawn things*

  ◊ *Mereka terpaksa bergolok-bergadai untuk membeli rumah itu.* They had to pawn things in order to buy the house.

**golong**

  **menggolongkan** KATA KERJA

G

1 *to classify*
◊ *Pihak polis menggolongkan kes itu sebagai kes pembunuhan.* The police classified the case as homicide.

2 *to categorize*
◊ *Kami perlu menggolongkan aktiviti kami sebagai sosial atau anti sosial.* We had to categorize our activities as either social or anti-social.

**tergolong** KATA KERJA
*to belong to*
◊ *Bunga matahari tergolong dalam spesies Helianthus.* The sunflower belongs to the Helianthus species.

**golongan** KATA NAMA
*group*
◊ *golongan yang menyokong demokrasi* the group that supports democracy
◊ *golongan pelajar elit* the group of elite students

♦ **golongan atasan** the upper-class
♦ **golongan kaya** the rich
♦ **golongan miskin** the poor

**gomol**
**bergomol** KATA KERJA
*to wrestle*
◊ *Mereka bergaduh dan bergomol di padang.* They quarrelled and wrestled on the field.

**menggomol** KATA KERJA
*to hug ... tightly*
◊ *Aishah menggomol adiknya yang baru lahir itu.* Aishah hugged her newborn brother tightly.

**goncang**
**bergoncang** KATA KERJA
1 *to shake*
◊ *Botol di atas meja itu bergoncang apabila saya menghempas pintu itu.* The bottle on the table shook when I slammed the door.

2 *on the rocks*
◊ *Rumah tangga mereka bergoncang dengan kehadiran orang ketiga.* Their marriage is on the rocks because of a third party.

♦ **rumah tangga yang bergoncang** a shaky marriage

**menggoncang, menggoncangkan** KATA KERJA
1 *to shake*
◊ *Harris menggoncang botol ubat batuk itu.* Harris shook the bottle of cough mixture.

♦ **Peristiwa itu telah menggoncangkan keadaan ekonomi negara itu.** The incident has rocked the country's economy.

2 *to shock*

◊ *Kejadian yang tidak diduga itu telah menggoncangkan seisi kampung.* The unexpected event shocked the whole village.

**kegoncangan** KATA NAMA
*unrest*
◊ *kegoncangan politik* political unrest
♦ **kegoncangan rumah tangga** marital instability

**goncangan** KATA NAMA
*shaking*
◊ *Goncangan itu menyebabkan air dalam botol itu berbusa.* The shaking caused the water in the bottle to fizz.

**gondol (1)** KATA ADJEKTIF
1 *bald*
◊ *Kepalanya gondol.* He is bald.

2 *bare*
◊ *Pemandangan pada musim sejuk itu sungguh indah dengan salji yang meliputi pepohon yang gondol.* The scenery in the winter was very beautiful, with snow covering the bare trees.

3 *barren*
◊ *Padang pasir yang gondol terbentang di hadapannya.* The barren desert stretched before him.

**bergondol** KATA KERJA *rujuk* **gondol**
**menggondolkan** KATA KERJA
*to shave all one's hair off* (*kepala*)

**gondol (2)**
**menggondol** KATA KERJA
*to win*
◊ *Wahida menggondol pingat emas untuk sekolahnya dalam pertandingan itu.* Wahida won a gold medal for her school in the competition.

**gonggok** KATA NAMA
*millipede*

**gonggong**
**menggonggong** KATA KERJA
*to carry ... in one's mouth*
◊ *Anjing itu menggonggong bola itu lalu meletakkannya di atas meja.* The dog carried the ball in its mouth and put it onto the table.

**gopoh** KATA ADJEKTIF
*hasty*
◊ *Jangan buat keputusan yang gopoh.* Don't make a hasty decision.

♦ **dengan gopoh** hurriedly ◊ *Sarah berjalan ke arah saya dengan gopoh.* Sarah walked hurriedly towards me.

**tergopoh-gopoh** KATA KERJA
*hurriedly*
◊ *Renuka tergopoh-gopoh berlari ke dalam biliknya.* Renuka ran hurriedly into her room.

**gopoh-gapah**

**tergopoh-gapah** KATA KERJA
*hurriedly*
◊ *Renuka tergopoh-gapah berlari ke dalam biliknya.* Renuka ran hurriedly into her room.

**goreng** KATA ADJEKTIF
*fried*
◊ *pisang goreng* fried bananas
**menggoreng** KATA KERJA
*to fry*
◊ *Ibu menggoreng ikan.* Mother fried the fish.
**menggorengkan** KATA KERJA
*to fry*
◊ *Ibu menggorengkan saya seketul paha ayam.* Mother fried me a chicken drumstick.

**gores** KATA NAMA
*scratch* (JAMAK **scratches**)
◊ *Qursia terkejut apabila dia melihat kesan-kesan gores pada tangan anaknya.* Qursia was shocked when she saw some scratches on her son's hand.
♦ **gores api** matches
**menggores** KATA KERJA
*to scratch*
◊ *Pelajar-pelajar nakal itu menggores kereta guru mereka.* The naughty students scratched their teacher's car.
**menggoreskan** KATA KERJA
*to scratch*
◊ *Pelajar-pelajar nakal itu menggoreskan pisau pada kereta guru mereka.* The naughty students scratched their teacher's car with a knife.
**goresan** KATA NAMA
*scratches*
◊ *Goresan pada kereta Tarmizi sangat panjang.* The scratches on Tarmizi's car are very long.

**gorila** KATA NAMA
*gorilla*

**gosip** KATA NAMA
*gossip*
**bergosip** KATA KERJA
*to gossip*
◊ *Eva dan Sarah gemar bergosip.* Eva and Sarah like to gossip.
**menggosip** KATA KERJA
*to gossip*
◊ *Saya tidak mahu menggosip mereka di hadapan kamu.* I don't want to gossip about them in front of you.

**gosok** KATA KERJA *rujuk* **menggosok**
**bergosok** KATA KERJA
*to brush against*
◊ *Kami hanya dapat mendengar bunyi dedaun yang bergosok antara satu sama lain.* All we can hear is the sound of the leaves brushing against each other.
♦ *Dia pergi ke sekolah dengan gigi yang tidak bergosok.* He went to school without brushing his teeth.
♦ **baju yang sudah bergosok** ironed clothes
**menggosok** KATA KERJA
*to rub*
◊ *Dia menanggalkan cermin matanya dan menggosoknya dengan kuat.* She took off her glasses and rubbed them hard.
♦ *Mereka menggosok dinding itu dengan kertas pasir.* They sandpapered the wall.
♦ **menggosok pakaian** to iron clothes
**menggosokkan** KATA KERJA
*to rub*
◊ *Sharifah menggosokkan minyak ke tangan adiknya.* Sharifah rubbed some oil onto her sister's hand.

**gostan** KATA KERJA
*to reverse*

**gotong-royong** KATA NAMA
*co-operative effort*
◊ *Mereka mengadakan gotong-royong untuk membersihkan kawasan itu.* They organized a co-operative effort to clean the area.
**bergotong-royong** KATA KERJA
*to work together*
◊ *Para pelajar bergotong-royong untuk membersihkan kelas mereka.* The students worked together to clean their classroom.

**goyah** KATA ADJEKTIF
1 *wobbly*
◊ *Tiang itu goyah.* The pole is wobbly.
2 *shaky*
◊ *Kepercayaannya terhadap fahaman marxisme sudah goyah.* His belief in Marxism has become shaky.
**kegoyahan** KATA NAMA
*instability*
◊ *kegoyahan politik* political instability
**menggoyahkan** KATA KERJA
*to shake*
◊ *Mereka cuba menggoyahkan pendiriannya tetapi mereka gagal.* They tried to shake his principles but they failed.
**tergoyah** KATA KERJA
*shaken*
◊ *Keazaman guru besar itu tidak mudah tergoyah.* The headmaster's resolve was not easily shaken.

**goyang** KATA ADJEKTIF
*shaky*
◊ *Kepercayaannya terhadap fahaman marxisme sudah goyang.* His belief in Marxism has become shaky.

G

◊ *Kedudukan Benjamin sebagai bendahari persatuan itu sudah goyang.* Benjamin's position as treasurer of the association is shaky.

♦ **kerusi goyang** rocking chair
**bergoyang** KATA KERJA
1 *to rock*
◊ *Bot itu bergoyang dan kelihatan seakan-akan hendak terbalik.* The boat rocked and seemed about to capsize.
2 *to shake*
◊ *Meja itu bergoyang.* The table is shaking.
**menggoyang, menggoyangkan** KATA KERJA
*to shake*
◊ *Guru itu memarahi Amin kerana menggoyang tiang bendera sekolah.* The teacher scolded Amin for shaking the school flagpole.

**graduan** KATA NAMA
*graduate*
◊ *graduan USM* USM graduates

**graf** KATA NAMA
*graph*

**grafik** KATA NAMA
*graphic*

**gram** KATA NAMA
*gram*

**gramatis** KATA ADJEKTIF
*grammatical*

**gramofon** KATA NAMA
*gramophone*

**graviti** KATA NAMA
*gravity*

**Great Britain** KATA NAMA
*Great Britain*

**gred** KATA NAMA
*grade*
**menggredkan** KATA KERJA
*to grade*
**penggredan** KATA NAMA
*grading*
◊ *sistem penggredan tiga tahun* a three-year grading system

**grid** KATA NAMA
*grid*

**gril** KATA NAMA
*grill*
◊ *Mereka meletakkan ikan itu di atas gril untuk memanggangnya.* They put the fish on the grill to cook it.

**gris** KATA NAMA
*grease* (*minyak pelincir*)

**gua** KATA NAMA
*cave*

**guam** KATA NAMA
*dispute in court*
♦ **anak guam** client (*bagi peguam*)

**peguam** KATA NAMA
*lawyer*
**perguaman, guaman** KATA NAMA
*litigation*
◊ *proses perguaman* litigation process
♦ **firma guaman** law firm

**gubah**
**menggubah** KATA KERJA
1 *to arrange* (*bunga*)
2 *to compose* (*lagu*)
3 *to write* (*puisi, buku*)
**penggubah** KATA NAMA
1 *composer* (*lagu*)
2 *writer* (*puisi*)
**gubahan** KATA NAMA
*arrangement*

**gubal**
**menggubal** KATA KERJA
*to enact*
◊ *Kerajaan sedang merancang untuk menggubal undang-undang yang baru.* The government is planning to enact a new law.
**penggubal** KATA NAMA
♦ **penggubal undang-undang** legislator
**penggubalan** KATA NAMA
*enactment*
◊ *Mereka tidak terlibat dalam penggubalan undang-undang itu.* They were not involved in the enactment of the law.
♦ **proses penggubalan undang-undang** law-making process
**tergubal** KATA KERJA
*to be passed*
◊ *Undang-undang yang tergubal amat sukar untuk dimansuhkan.* Legislation that has been passed is very difficult to abolish.

**gubuk** KATA NAMA
*hut*
◊ *gubuk durian* durian hut

**gudang** KATA NAMA
*warehouse*

**gugat**
**menggugat** KATA KERJA
1 *to threaten*
◊ *Mereka cuba menggugat kedudukannya sebagai Presiden.* They tried to threaten his position as President.
2 *to condemn*
◊ *Penduduk kampung menggugat ahli politik itu kerana beliau tidak menepati janjinya.* The villagers condemned the politician for breaking his promises.
**tergugat** KATA KERJA
*threatened*
◊ *Jangan bimbang, kedudukan anda dalam syarikat ini tidak akan tergugat.*

Don't worry, your position in this company will not be threatened. ◊ *Saya berasa tergugat dengan kata-katanya tadi.* I felt threatened by his words just now.

**gugup** KATA ADJEKTIF

1 *nervous*

◊ *Saya gugup ketika masuk ke dalam bilik temu duga itu.* I was nervous when I went into the interview room.

2 *confused*

◊ *Saya menjadi gugup dengan semua arahan ini.* I got confused by all these instructions.

**menggugupkan** KATA KERJA

*to panic*

◊ *Berita itu benar-benar menggugupkannya.* The news really panicked her.

**gugur** KATA KERJA

*to drop*

◊ *menunggu durian gugur* to wait for durians to drop

♦ **Hak saya sebagai penjaga amanah akan gugur selepas anda berusia 21 tahun.** My rights as your trustee will lapse when you reach the age of 21.

♦ **...memperingati askar yang gugur di medan perang.** ...to commemorate the soldiers who perished on the battlefield.

**berguguran** KATA KERJA

*to fall*

◊ *Daun-daun kering berguguran pada musim luruh.* Dry leaves fall in the autumn.

**keguguran** KATA NAMA

*miscarriage*

**menggugurkan** KATA KERJA

*to drop*

◊ *Tentera udara Amerika Syarikat telah menggugurkan sebiji bom atom di Hiroshima.* The US Air Force dropped a nuclear bomb on Hiroshima.

♦ **menggugurkan kandungan** to have an abortion

**pengguguran** KATA NAMA

*dropping*

◊ *Pengguguran bom...* The dropping of bombs...

♦ **pengguguran bayi** abortion

**gugus** PENJODOH BILANGAN

*bunch* (JAMAK **bunches**)

◊ *segugus anggur* a bunch of grapes

◊ *segugus kunci* a bunch of keys

♦ **segugus bintang** a constellation of stars

**bergugus-gugus** KATA BILANGAN

*bunches*

◊ *Dia membeli bergugus-gugus buah langsat.* He bought bunches of langsat.

**gugusan** KATA NAMA

♦ **gugusan pulau** archipelago

(JAMAK **archipelagoes** atau **archipelagos**)

**gula** KATA NAMA

*sugar*

**gula-gula** KATA NAMA

*sweets*

♦ **gula-gula getah** bubble gum

**bergula** KATA KERJA

*sugary*

**menggula, menggula-gula** KATA KERJA

*to flatter*

◊ *Saya tahu dia hanya hendak menggula-gula saya.* I knew he was just trying to flatter me.

**menggulai** KATA KERJA

*to put sugar into*

◊ *Erina terlupa menggulai kopi itu.* Erina forgot to put sugar into the coffee.

**gulai** KATA NAMA

*curry*

**guli** KATA NAMA

*marble*

**guling**

**berguling** KATA KERJA

*to roll*

◊ *Budak itu berguling dari atas katilnya.* The child rolled off his bed.

**bergulingan, berguling-guling** KATA KERJA

*to roll about*

◊ *Budak lelaki itu berguling-guling di atas tilam itu.* The boy was rolling about on the mattress.

**menggulingkan** KATA KERJA

1 *to roll*

◊ *Mereka menggulingkan roda traktor itu ke tepi jalan.* They rolled the tractor wheel to the side of the road.

2 *to overthrow*

◊ *percubaan untuk menggulingkan kerajaan* an attempt to overthrow the government

**gulung** PENJODOH BILANGAN

*roll*

◊ *dua gulung kertas* two rolls of paper

♦ **segulung ijazah** a degree ◊ *Akhirnya dia berjaya mendapat segulung ijazah.* Finally she obtained a degree.

**bergulung** KATA KERJA

1 *to roll*

◊ *Ombak itu bergulung ke tepi pantai.* The waves rolled towards the shore.

2 *rolled-up*

◊ *Dia memakai kemeja dengan lengan bergulung.* He was wearing a shirt with rolled-up sleeves.

**bergulung-gulung** KATA BILANGAN

*rolls and rolls*

◊ *Dia membeli bergulung-gulung*

G

*kertas tandas di kompleks membeli- belah itu.* She bought rolls and rolls of toilet paper in the shopping complex.
**menggulung**  KATA KERJA
1  *to roll up*
◊  *menggulung surat khabar*  to roll up a newspaper
2  *to wind up*
◊  *Garret menggulung ucapannya.* Garret wound up his speech.
**penggulung**  KATA NAMA
♦  **penggulung rambut**  roller
♦  **penggulung dalam perbahasan**  a person who winds up a debate
**penggulungan**  KATA NAMA
*summing-up*
◊  *Dia sedang menulis ucapan penggulungannya.* He is writing his summing-up speech.
**gulungan**  KATA NAMA
*roll*
◊  *Gulungan filem itu belum dibuka lagi.* The roll of film has not been opened yet.
**gumam**  KATA ADJEKTIF
*suppressed*
◊  *senyum gumam*  suppressed laughter
**menggumam**  KATA KERJA
*to mutter*
◊  *Nenek Helda menggumam dalam tidur.* Helda's grandmother mutters in her sleep.
**gumpal**  PENJODOH BILANGAN
1  *lump*
◊  *segumpal tanah liat*  a lump of clay
2  *clot*
◊  *segumpal darah*  a clot of blood
**bergumpal**  KATA KERJA
*lumpy*
◊  *Nasi akan bergumpal jika tidak dimasak dengan baik.* If rice isn't cooked properly, it goes lumpy.
**gumpalan**  KATA NAMA
**gumpalan** *mempunyai terjemahan yang berbeza.*
◊  *gumpalan asap*  clouds of smoke
◊  *gumpalan darah*  clots of blood
◊  *gumpalan tanah liat*  lumps of clay
**guna**  KATA NAMA
*use*
◊  *Ibu mengatakan bahawa tidak ada gunanya saya mengingati peristiwa itu.* Mother said there was no use in my thinking about the incident.
**berguna**  KATA KERJA
*useful*
♦  **tidak berguna**  useless
**kegunaan**  KATA NAMA
*use*

◊  *Pengesan inframerah mempunyai banyak kegunaannya.* Infra-red detectors have many uses.
**menggunakan**  KATA KERJA
*to use*
◊  *Lim menggunakan pen saya untuk menandatangani cek itu.* Lim used my pen to sign the cheque. ◊ *Dia menggunakan kawannya untuk mendapatkan maklumat itu.* He used his friend to get hold of the information.
**mempergunakan**  KATA KERJA
*to use*
◊  *Dia mempergunakan saya untuk mencapai cita-citanya.* He used me to achieve his ambition.
**pengguna**  KATA NAMA
1  *user*
2  *consumer*
**penggunaan**  KATA NAMA
1  *use*
◊  *penggunaan kereta di dalam kampus* the use of cars on campus
2  *consumption*
◊  *pengurangan dalam penggunaan minyak*  a reduction in fuel consumption
**gunaan**  KATA NAMA
*practical*
♦  **sains gunaan**  applied science
**guna-guna**  KATA NAMA
*love potion*
**guna semula**  KATA NAMA
*reuse*
**mengguna semula**  KATA KERJA
*to reuse*
**guna tenaga**  KATA NAMA
*manpower*
**gundah**  KATA ADJEKTIF
*sorrowing*
◊  *Kamalia tidak sampai hati hendak meninggalkan ibunya yang gundah.* Kamalia was very reluctant to leave her sorrowing mother.
**kegundahan**  KATA NAMA
*sadness*
◊  *Dia melupakan kegundahannya dengan mendengar lagu itu.* She tried to forget her sadness by listening to the song.
**gundah-gulana**  KATA ADJEKTIF
*melancholy*
◊  *Dia cuba menyembunyikan perasaan gundah-gulananya.* She tried to hide her melancholy feelings.
♦  **Dia berasa gundah-gulana dengan berita itu.** She was grieved by the news.
**bergundah-gulana**  KATA KERJA
*to grieve*
◊  *Dia masih bergundah-gulana*

*dengan kematian isterinya.* He is still grieving over the death of his wife.

**menggundah-gulanakan** KATA KERJA

*to grieve*

◊ *Berita kematian Jamil menggundah-gulanakan saya.* I was grieved to hear about Jamil's death.

**gundik** KATA NAMA

*concubine*

**guni** KATA NAMA

*sack*

**berguni-guni** KATA BILANGAN

*sacks*

◊ *Perompak itu membawa keluar berguni-guni wang dari bank itu.* The robber took sacks of money out of the bank.

**gunting** KATA NAMA

*scissors*

**menggunting** KATA KERJA

*to cut*

◊ *menggunting rambut* to cut one's hair

**mengguntingkan** KATA KERJA

*to cut*

◊ *Saya mengguntingkan kain itu untuk kawan saya.* I cut the cloth for my friend.

**pengguntingan** KATA NAMA

♦ **pengguntingan rambut** barber

**gunung** KATA NAMA

*mountain*

♦ **gunung berapi** volcano
(JAMAK **volcanoes**)

**menggunung** KATA KERJA

*very high*

♦ **tinggi menggunung** very high

♦ **Dia mempunyai cita-cita yang tinggi menggunung.** He has lofty ideals.

**pergunungan** KATA NAMA

*mountainous area*

♦ **di kawasan pergunungan** in the mountains

**gunung-ganang** KATA NAMA

*mountain range*

**bergunung-ganang** KATA KERJA

*mountainous*

◊ *kawasan yang bergunung-ganang di Sarawak* mountainous areas in Sarawak

**gurau** KATA NAMA

*joke*

♦ **gurau senda** joke

**bergurau** KATA KERJA

*to joke*

◊ *Saya tidak suka bergurau dengan Khalid.* I don't like to joke with Khalid.

**gurauan** KATA NAMA

*joke*

**gurindam** KATA NAMA

*proverbial couplet*

**bergurindam** KATA KERJA

*to recite a couplet*

**guru** KATA NAMA

*teacher*

♦ **guru besar (1)** headmaster (*lelaki*)

♦ **guru besar (2)** headmistress
(JAMAK **headmistresses**) (*perempuan*)

♦ **guru gantian** supply teacher

♦ **guru pelatih** trainee teacher

♦ **guru peribadi** tutor

♦ **guru sementara** temporary teacher

**berguru** KATA KERJA

*to study under*

◊ *Karma mahu berguru dengan En. David.* Karma wants to study under Mr David.

♦ **Ramai orang berguru dengan ustaz itu.** A lot of people are followers of that religious teacher.

**bergurukan** KATA KERJA

*to study under*

◊ *Kami bangga kerana dapat bergurukan En. Mohan.* We were proud to study under Mr Mohan.

**guruh** KATA NAMA

*thunder*

**gurun** KATA NAMA

*desert*

**gusar** KATA ADJEKTIF

*exasperated*

◊ *Balkis agak gusar dengan kelewatan itu.* Balkis was quite exasperated by the delay.

**menggusari** KATA KERJA

*to exasperate*

◊ *Kala tidak mahu menggusari kawan yang telah banyak membantunya.* Kala doesn't want to exasperate her friend who has helped her a lot.

**menggusarkan** KATA KERJA

*to exasperate*

◊ *Perangai anak lelakinya benar-benar menggusarkannya.* Her son's behaviour really exasperates her.

**kegusaran** KATA NAMA

*exasperation*

◊ *Stanley cuba menyembunyikan kegusarannya.* Stanley tried to hide his exasperation.

**gusi** KATA NAMA

*gums*

**gusti** KATA NAMA

*wrestling*

♦ **ahli gusti** wrestler

♦ **perlawanan gusti** a wrestling match

**bergusti** KATA KERJA

*to wrestle*

**G**

**haba** KATA NAMA
*heat*

**habis** KATA ADJEKTIF
1 *to finish*
◊ *Saya sudah habis memasak.* I've finished cooking.
♦ *Pekerja syarikat itu habis dipecat.* All the company employees were fired.
2 *out of*
◊ *Makanan kita sudah habis.* We're out of food.
♦ *Wang saya sudah habis.* I have no money left.

**berhabis** KATA KERJA
*to spend extravagantly*
◊ *Mereka sanggup berhabis untuk membeli pakaian berjenama.* They are prepared to spend extravagantly to buy designer clothes.

**menghabiskan** KATA KERJA
1 *to spend*
◊ *Asmalia telah menghabiskan semua wang gajinya.* Asmalia has spent all her salary. ◊ *Ian hendak menghabiskan masa tuanya di Malaysia.* Ian wants to spend his old age in Malaysia.
2 *to finish*
◊ *Vita hendak menghabiskan kerjanya sekarang juga.* Vita wants to finish her work now.
♦ *Kami telah menghabiskan semua cat.* We've used up all the paint.

**kehabisan** KATA KERJA
*to run out of*
◊ *Keretanya kehabisan minyak.* Her car ran out of petrol.

**penghabisan** KATA NAMA
*last*
◊ *Jimmylah orang yang penghabisan tiba di garisan penamat.* Jimmy was the last person to reach the finishing line.
♦ *jualan penghabisan stok* stock clearance sale

**habis-habis** KATA ADJEKTIF
*carefully*
◊ *Fikirlah habis-habis.* Think carefully.
◊ *Dengarlah habis-habis.* Listen carefully.
♦ *Narissa tidak habis-habis merungut sejak pagi tadi.* Narissa hasn't stopped grumbling since this morning.

**habis-habisan, berhabis-habisan** KATA KERJA
*with all one's might*
◊ *Dia berjuang berhabis-habisan untuk mendapatkan kemerdekaan bagi negaranya.* He struggled with all his might to win independence for his country.

**hablur** KATA NAMA
*crystal*

**penghabluran** KATA NAMA
*crystallization*
◊ *penghabluran kaca* the crystallization of glass

**habuan** KATA NAMA
1 *share*
◊ *Mereka mendapat habuan daripada keuntungan syarikat mereka.* They get a share of their company's profits.
2 *opportunity* (JAMAK **opportunities**)
◊ *Kalau ada habuan, saya akan pergi ke Scotland tahun depan.* If there's an opportunity, I'll go to Scotland next year.

**habuk** KATA NAMA
*dust*

**berhabuk** KATA KERJA
*dusty*

**had** KATA NAMA
*limit*
◊ *had laju* speed limit
♦ *had maksimum* ceiling

**mengehadkan** KATA KERJA
1 *to limit*
◊ *Gordon mengehadkan perbelanjaan hariannya.* Gordon limits his daily expenses.
2 *to restrict*
◊ *mengehadkan kebebasan pihak akhbar* to restrict the freedom of the press

**terhad** KATA KERJA
*limited*
◊ *tempat duduk yang terhad* limited seating

**pengehadan** KATA NAMA
*limitation*

**hadam** KATA KERJA
*to be digested*
◊ *Makanan dalam perutnya belum hadam.* The food in her stomach is not yet digested.

**menghadamkan** KATA KERJA
*to digest*
◊ *Suzanna tidak dapat menghadamkan makanan dengan sempurna.* Suzanna couldn't digest her food properly.

**penghadaman** KATA NAMA
*digestion*
◊ *penghadaman lemak* digestion of fats

**terhadam** KATA KERJA
*to be digested*
◊ *makanan yang terhadam* digested food

**hadap**
**berhadapan** KATA KERJA
1 *to face*
◊ *Christine kelihatan tenang walaupun terpaksa berhadapan dengan para wartawan.* Christine looked calm even

though she had to face the reporters.

[2] *opposite*

◊ *Jennie duduk berhadapan dengan Joe ketika sarapan.* Jennie sat opposite Joe during breakfast.

**menghadap**  KATA KERJA

[1] *to face*

◊ *Rumah Noni menghadap ke laut.* Noni's house faces the sea.

[2] *to have an audience*

◊ *Saya akan menghadap Sultan Kedah esok.* I'm going to have an audience with the Sultan of Kedah tomorrow.

**menghadapi**  KATA KERJA

*to face*

◊ *Syarikat itu menghadapi masalah kewangan.* The company is facing financial problems.

**menghadapkan**  KATA KERJA

*to aim* (*menghalakan*)

♦ **Ronald akan dihadapkan ke mahkamah atas tuduhan pecah amanah.** Ronald will be taken to court for breach of trust.

**terhadap**  KATA SENDI

[1] *towards*

◊ *perasaan saya terhadapnya* my feelings towards him

[2] *for*

◊ *kasih sayangnya terhadap binatang* his love for animals

**hadapan**  KATA ADJEKTIF, KATA ARAH

*rujuk* **depan**

**hadiah**  KATA NAMA

[1] *present*

[2] *prize*

◊ *pemenang hadiah* prize winner

**menghadiahi**  KATA KERJA

*to give*

◊ *Alvin menghadiahi isterinya seutas rantai.* Alvin gave his wife a necklace.

**menghadiahkan**  KATA KERJA

*to give*

◊ *Ivan menghadiahkan sebuah kereta kepada Crystal.* Ivan gave a car to Crystal.

**hadir**  KATA KERJA

*present*

◊ *Presiden tidak hadir dalam mesyuarat itu.* The president was not present at the meeting.

♦ **Zack tidak hadir hari ini.** Zack was absent today.

**kehadiran**  KATA NAMA

*presence*

◊ *Dia mengatakan bahawa kehadirannya hanya akan menimbulkan masalah.* He said that his presence would only cause trouble.

**menghadiri**  KATA KERJA

*to attend*

◊ *Menteri Kewangan dari kebanyakan negara akan menghadiri persidangan ini.* The Finance Ministers of most countries will attend this conference.

**hadirin**  KATA NAMA

*guest*

◊ *para hadirin yang dihormati sekalian* honoured guests

**hafal**  KATA KERJA

*to memorize*

◊ *Saya sudah hafal ucapan tersebut.* I've memorized the speech.

**menghafal**  KATA KERJA

*to memorize*

◊ *Jane menghafal cerita itu dua minggu sebelum pertandingan.* Jane memorized the story two weeks before the competition.

**hafaz**  KATA KERJA

*to memorize*

◊ *Shukri sudah hafaz ayat-ayat al-Quran pada umur sepuluh tahun.* Shukri had memorized verses from the Koran by the age of ten.

**menghafaz**  KATA KERJA

*to memorize*

◊ *Kanak-kanak Islam di situ menghafaz ayat-ayat al-Quran sejak kecil lagi.* The Muslim children there memorized verses from the Koran from a very young age.

**hai**  KATA SERUAN

*hi*

◊ *Hai Haryati! Apa khabar?* Hi, Haryati! How are you?

**haid**  KATA NAMA

*menstruation*

♦ **putus haid** menopause

**hairan**  KATA ADJEKTIF

[1] *surprised*

◊ *Saya hairan apabila melihat perubahan pada dirinya.* I was surprised to see the change in her behaviour.

[2] *amazed*

◊ *Saya berasa hairan dengan bakat kanak-kanak itu menggubah lagu.* I'm amazed by the children's talent for composing songs.

**kehairanan**  KATA NAMA

*surprise*

◊ *Menteri itu melahirkan kehairanannya terhadap tuduhan-tuduhan ini.* The minister expressed his surprise at these allegations.

**menghairankan**  KATA KERJA

*to surprise*

◊ *Pengetahuan Kate tentang sejarah Malaysia sungguh menghairankan saya.* Kate's knowledge of Malaysian history

H

really surprised me.

**haiwan** KATA NAMA
*animal*

**hajat** KATA NAMA

1 *intention*

◊ *Memang hajat saya untuk menjadi pengerusi persatuan itu.* It's my intention to become chairman of the society.

2 *wish* (JAMAK **wishes**)

◊ *Saya harap anda dapat menunaikan hajat saya.* I hope you can fulfil my wish.

**berhajat** KATA KERJA
*to intend*

◊ *Saya tidak berhajat untuk bekerja di Jerman.* I don't intend to work in Germany.

**menghajati** KATA KERJA
*to want*

◊ *Dia bertuah kerana mendapat segala yang dihajatinya.* She's lucky she gets whatever she wants.

**menghajatkan** KATA KERJA

1 *to want*

◊ *Saya menghajatkan jawatan itu sejak hari pertama saya bekerja di sini.* I've wanted that position ever since I began working here.

2 *to wish for*

◊ *Berhati-hati dengan perkara yang anda hajatkan.* Be careful what you wish for.

**haji** KATA NAMA
*the fifth Islamic principle, which requires Muslims to make the pilgrimage to Mecca*

♦ **pergi haji** to make the pilgrimage to Mecca

**hak** KATA NAMA
*right*

◊ *hak wanita untuk memilih* women's right to choose

♦ **Barang itu hak saya.** That's mine.

♦ **hak cipta** copyright ◊ *hak cipta terpelihara* copyright reserved

♦ **hak istimewa** privilege

♦ **hak jagaan** custody

**berhak** KATA KERJA
*entitled*

◊ *Saya berhak menyuarakan pendapat saya.* I'm entitled to express my opinion.

**hakikat** KATA NAMA
*fact*

◊ *Akhirnya keluarga Lisa menerima hakikat bahawa dia gagal dalam peperiksaannya.* Lisa's family finally accepted the fact that she had failed her examination.

♦ **pada hakikatnya** in reality

**hakiki** KATA ADJEKTIF

*real*

◊ *dalam dunia yang hakiki* in real life

**hakim** KATA NAMA
*judge*

**kehakiman** KATA NAMA
*judiciary*

♦ **badan kehakiman** judiciary

**menghakimi** KATA KERJA
*to judge*

◊ *Seramai enam orang hakim akan menghakimi pertandingan tersebut.* Six judges will be judging the competition.

**penghakiman** KATA NAMA
*judgement*

◊ *Mahkamah dijangka akan memberi penghakiman dalam masa sepuluh hari lagi.* The Court is expected to pass judgement within the next ten days.

**hakis**

**menghakis** KATA KERJA
*to erode*

◊ *Angin dan air hujan menghakis tanah di tempat itu.* Wind and rain eroded the soil there.

**terhakis** KATA KERJA
*to be eroded*

◊ *Tanah itu terhakis semasa hujan lebat.* The soil is eroded when it rains heavily.

♦ **batu yang terhakis** eroded rock

**hakisan** KATA NAMA
*erosion*

◊ *hakisan tanah* soil erosion

**hak milik** KATA NAMA
*ownership*

◊ *hak milik rumah* house ownership

**mengehakmilikkan** KATA KERJA
*to take ownership*

◊ *Kerajaan telah mengehakmilikkan rumah-rumah lama di bandar itu.* The government has taken ownership of the old houses in the city.

**hak negara** KATA NAMA *rujuk* **milik negara**

**hal** KATA NAMA

1 *affair*

◊ *Menteri itu menggambarkan hal itu sebagai 'pecah amanah'.* The minister portrayed the affair as 'a breach of trust'.

♦ **hal-ehwal semasa** current affairs

2 *matter*

◊ *Hal itu tidak berkaitan dengan anda.* That matter doesn't concern you.

**hala** KATA NAMA
*direction*

◊ *Saya tidak tahu hala yang mana satu yang hendak dipilih.* I don't know which direction to choose.

♦ **tidak tentu hala** chaotic

**menghala** KATA KERJA

1 *to face*

◊   *Rumahnya dibina menghala ke barat.*
His house was built facing west.
2   *towards*
◊   *Helicopter itu terbang menghala ke bangunan yang tinggi itu.* The helicopter flew towards the tall building.
**menghalakan**   KATA KERJA
*to aim*
◊   *Dia menghalakan senapangnya ke arah rusa itu.* He aimed his gun at the deer.
♦   **Dia menghalakan kapalnya ke arah pulau itu.** He steered his ship towards the island.

**halaju**   KATA NAMA
*velocity* (JAMAK **velocities**)
◊   *halaju cahaya* the velocity of light

**halal**   KATA ADJEKTIF
*halal* atau *hallal*
**menghalalkan**   KATA KERJA
*to legalize*
◊   *Malaysia tidak akan menghalalkan kegiatan pelacuran.* Malaysia will not legalize prostitution.

**halaman**   KATA NAMA
1   *compound*
◊   *Emak saya sedang menyiram pokok di halaman.* My mother is watering the plants in our compound.
♦   **halaman belakang**   backyard
2   *page*
◊   *halaman depan* front page
♦   **kampung halaman**   home

**halang**
**berhalangan**   KATA KERJA
*to have hindrance*
**menghalang**   KATA KERJA
1   *to prevent*
◊   *Rawatan yang selanjutnya akan menghalang barah itu daripada merebak.* Further treatment will prevent the cancer from spreading.
2   *to obstruct*
◊   *menghalang kelancaran lalu lintas*   to obstruct the flow of traffic
3   *to block*
◊   *Satu deretan pokok menghalang penglihatannya.* A row of trees blocked his view.
**penghalang**   KATA NAMA
*hindrance*
◊   *Anda merupakan penghalang kerjaya saya.* You're a hindrance to my career.
**terhalang**   KATA KERJA
*to be interrupted*
◊   *Kerja-kerja pengubahsuaian terhalang kerana kekurangan pekerja.* The renovation work was interrupted owing to the lack of workers.

**halangan**   KATA NAMA
*hindrance*
◊   *Mereka menaiki kapal terbang ke Paris tanpa halangan.* They boarded their flight to Paris without hindrance.
♦   **Jika tidak ada halangan, saya akan pergi ke Jepun bulan depan.** All being well, I'll go to Japan next month.

**halau**
**menghalau**   KATA KERJA
1   *to drive*
◊   *Pak Habib menghalau ayam-ayamnya ke dalam reban.* Pak Habib drove his chickens into the coop.
2   *to throw out*
◊   *Bapa Steven menghalaunya dari rumah.* Steven's father threw him out of the house.
♦   **Petani yang marah itu menghalau Farid dari tempat itu.** The angry farmer chased Farid away.

**halia**   KATA NAMA
*ginger*

**halilintar**   KATA NAMA
*thunderbolt*

**halimunan**   KATA NAMA
*invisible*
◊   *lelaki halimunan*   invisible man

**halkum**   KATA NAMA
*Adam's apple*

**haloba**   KATA ADJEKTIF
*greedy*
♦   **tamak haloba**   very greedy

**haluan**   KATA NAMA
1   *bow*
◊   *Cat dari haluan kapal itu dahulu.* Start painting the ship from the bow.
2   *course*
◊   *Kapal itu mengubah haluannya.* The ship changed course.
**sehaluan**   KATA ADJEKTIF
*on the same wavelength*
◊   *Val hanya berkawan dengan orang yang sehaluan dengannya sahaja.* Val only makes friends with people who are on the same wavelength as her.

**halus**   KATA ADJEKTIF
1   *fine*
◊   *pasir halus* fine sand ◊ *hasil kerja tangan yang halus* fine workmanship
2   *thin*
◊   *dawai halus*   thin wire
3   *delicate*
◊   *tangan yang halus*   delicate hands
**kehalusan**   KATA NAMA
*finesse*
◊   *kehalusan kerja tangan itu*   the finesse of the workmanship
♦   **kehalusan bahasa seseorang**   the

H

subtlety of someone's speech
**menghaluskan** KATA KERJA
*to make ... soft*
◊ *Krim ini dapat menghaluskan kulit anda.* This cream can make your skin soft.

**halusinasi** KATA NAMA
*hallucination*
◊ *Halusinasi merupakan perkara biasa kepada pesakit yang mengalami kecederaan otak.* Hallucinations are common among patients who have suffered brain damage.

**halwa** KATA NAMA
*sweetened fruits*
♦ **halwa mata** things that are pleasant to see
♦ **halwa telinga** things that are pleasant to hear
♦ **halwa rambut** candyfloss

**ham** KATA NAMA
*ham*

**hama** KATA NAMA
1 *tick* (*pada haiwan*)
2 *flea* (*pada bantal, katil*)

**hamba** KATA NAMA
*slave*
**menghambakan** KATA KERJA
*to enslave*
◊ *Dia seolah-olah menghambakan dirinya kepada lelaki yang zalim itu.* She seems to have enslaved herself to that cruel man.
**memperhamba** KATA KERJA
*to enslave*
◊ *Sering kali semua penduduk diperhamba.* Often entire populations were enslaved.
**penghambaan** KATA NAMA
*enslavement*
◊ *Penghambaan orang Afrika tentunya merupakan kesalahan jenayah yang paling besar dalam sejarah.* The enslavement of so many Africans must be the biggest crime in history.
**perhambaan** KATA NAMA
*slavery*

**hambar** KATA ADJEKTIF
*tasteless*
◊ *Makanan itu hambar.* The food was tasteless.
♦ **senyuman yang hambar** an icy smile

**hambat**
**menghambat** KATA KERJA
*to chase*
◊ *Pemburu itu sedang menghambat seekor rusa.* The hunter was chasing a deer.

**hambur**

**berhamburan** KATA KERJA
*scattered*
◊ *Makanan berhamburan di atas lantai.* The food was scattered across the floor.
**menghamburi** KATA KERJA
*to scatter*
◊ *Mereka menghamburi kubur itu dengan bunga.* They scattered flowers over the grave.
**menghamburkan** KATA KERJA
*to scatter*
◊ *Mereka menghamburkan bunga di atas kubur.* They scattered flowers over the grave.

**hambus**
**berhambus** KATA KERJA
*to go away*
◊ *Berhambus dari sini!* Go away!

**hamil** KATA ADJEKTIF
*pregnant*
♦ **pencegah hamil** contraceptive
**kehamilan** KATA NAMA
*pregnancy* (JAMAK **pregnancies**)
◊ *pada peringkat awal kehamilan* during the early stages of pregnancy
**menghamilkan** KATA KERJA
*to be pregnant with*
◊ *Sabrina masih boleh menari ketika menghamilkan anaknya yang pertama.* Sabrina was still able to dance when she was pregnant with her first child.
**penghamilan** KATA NAMA
*pregnancy* (JAMAK **pregnancies**)
◊ *Wanita sepatutnya tidak mengambil minuman beralkohol dalam masa penghamilan.* Women should avoid alcohol during pregnancy.

**hamis** KATA ADJEKTIF
*smelling strongly, like a goat*
♦ **Dia tidak makan daging kambing kerana baunya hamis.** She doesn't eat goat's meat because it has a strong smell.
**kehamisan** KATA NAMA
*a strong smell, as of goat's meat*
♦ **Kehamisan daging kambing meloyakan saya.** The smell of goat's meat makes me feel sick.

**hampa** KATA ADJEKTIF
| rujuk juga **hampa** KATA NAMA |
*disappointed*
◊ *Saya hampa kerana dia tidak menghadiri jamuan itu.* I was disappointed because he didn't come to the party.
♦ **hampa hati** disappointed
**kehampaan** KATA NAMA
*disappointment*
◊ *Kehampaan jelas terbayang pada wajahnya.* Her disappointment showed

clearly on her face.

**menghampakan**  KATA KERJA

_to disappoint_

◊ *Saya tidak bermaksud untuk menghampakan anda.* I didn't mean to disappoint you.

**hampa**  KATA NAMA

rujuk juga **hampa** KATA ADJEKTIF

♦ **hampa beras**  husk

**hampa gas**  KATA NAMA

_vacuum_

♦ **pembersih hampa gas**  vacuum cleaner

**hampar**

**menghampar, menghamparkan**  KATA KERJA

_to spread_

◊ *Kate menghampar sehelai tuala di atas pasir dan berbaring di atasnya.* Kate spread a towel on the sand and lay on it.

**terhampar**  KATA KERJA

_to be spread_

◊ *Permaidani itu terhampar di atas lantai.* The carpet was spread on the floor.

**hamparan**  KATA NAMA

_covering_

**hampas**  KATA NAMA

_dregs_

◊ *hampas kopi* coffee dregs

**hamper**  KATA NAMA

_hamper_

**hampir**  KATA ADJEKTIF

_close_

◊ *Jangan letak kereta anda terlalu hampir dengan kereta saya.* Don't park your car too close to mine.

**hampir-hampir**  KATA ADJEKTIF

_almost_

◊ *Athena hampir-hampir terjatuh dari tangga.* Athena almost fell down the stairs.

**berhampiran**  KATA ADJEKTIF

_close to_

◊ *Dia berdiri berhampiran saya.* He stood close to me.

**menghampiri**  KATA KERJA

_to approach_

◊ *Muka budak lelaki itu menjadi pucat apabila Rita menghampirinya.* The boy turned pale when Rita approached him.

♦ **Jangan menghampiri gajah itu.** Don't go near the elephant.

♦ **Jangan menghampiri saya.** Don't come near me.

**terhampir**  KATA ADJEKTIF

_nearest_

◊ *Azhar pergi ke hospital yang terhampir dengan rumahnya.* Azhar went to the nearest hospital to his house.

**hamun**  KATA NAMA

_curse_

**menghamun**  KATA KERJA

_to swear_

◊ *Dia tidak patut menghamun orang lain.* He shouldn't swear at people.

**hancing**  KATA ADJEKTIF

_stinking_

**hancur**  KATA ADJEKTIF

⬚1 _crushed_

◊ *ais yang hancur* crushed ice

⬚2 _to shatter_

◊ *gelas keselamatan yang tidak akan hancur apabila pecah* safety glass that won't shatter if it's broken

♦ **Cermin itu hancur berkecai.** The glass shattered into small pieces.

♦ **telur hancur** scrambled egg

**kehancuran**  KATA NAMA

⬚1 _breakdown_

◊ *Kehancuran rumah tangganya menyebabkan dia menjadi kaki botol.* The breakdown of his marriage turned him into an alcoholic.

⬚2 _destruction_

◊ *senjata yang banyak melakukan kehancuran* a weapon that has caused a lot of destruction

**menghancurkan**  KATA KERJA

⬚1 _to destroy_

◊ *Kritikan tersebut telah menghancurkan kehidupan saya.* The criticism has destroyed my life.

⬚2 _to mash_

◊ *Peter menghancurkan makanan tersebut untuk adik lelakinya.* Peter mashed the food for his little brother.

♦ **menghancurkan perasaan seseorang** to break somebody's heart

**penghancur**  KATA NAMA

⬚1 _crusher_

◊ *penghancur bawang putih* a garlic crusher

⬚2 _destroyer_

◊ *Saya dituduh sebagai penghancur kebahagiaan orang lain.* I was accused of being a destroyer of other people's happiness.

**hancuran**  KATA NAMA

_pieces_

◊ *hancuran batu bata* pieces of brick

♦ **hancuran batu-batan** fragments of rock

♦ **hancuran kacang** crushed nuts

**hancur lebur**  KATA ADJEKTIF

_crushed_

◊ *Ibu keluar dari rumah dengan perasaan yang hancur lebur.* Mother left the house feeling crushed.

**menghancurleburkan**  KATA KERJA

_to destroy_

H

◊ *menghancurleburkan kebahagiaan seseorang* to destroy somebody's happiness

**hancur luluh** KATA ADJEKTIF *rujuk* **hancur lebur**

**hancur musnah** KATA ADJEKTIF *rujuk* **hancur lebur**

**handai taulan** KATA NAMA
*friends*

**handal** KATA ADJEKTIF
*highly skilled*
◊ *Matthew ialah pemain bola sepak yang handal.* Matthew is a highly skilled footballer.
♦ **Dia handal dalam bahasa Jepun.** She's very good at Japanese.
**kehandalan** KATA NAMA
*skill*
◊ *Edwin tidak dapat menandingi kehandalan Joshua bermain badminton.* Edwin could not match Joshua's skill at badminton.
**handalan** KATA ADJEKTIF
*excellent*
◊ *penyanyi handalan* an excellent singer
♦ **pemain handalan dunia** a world-class player

**hangat** KATA ADJEKTIF
① *hot*
◊ *air hangat* hot water
♦ **perbincangan yang hangat** a heated discussion
♦ **berita hangat** hot news
② *warm*
◊ *Kempen yang dianjurkan oleh persatuan kami menerima sambutan hangat.* The campaign organized by our society received a warm response.
**kehangatan** KATA NAMA
① *heat*
◊ *kehangatan cahaya matahari* the heat of the sun
② *warmth*
◊ *Kami dapat merasakan kehangatan dan kemeriahan majlis itu.* We sensed the warmth and festivity of the occasion.
**menghangatkan** KATA KERJA
① *to warm*
◊ *Mereka menyalakan unggun api untuk menghangatkan badan mereka.* They lit a fire to warm themselves.
② *to liven up*
◊ *Kemunculan penyanyi-penyanyi popular menghangatkan suasana majlis itu.* The appearance of the popular singers livened up the party.

**hangit** KATA ADJEKTIF
*burnt*

◊ *Kenapa kek itu hangit?* Why was the cake burnt? ◊ *bau roti bakar yang hangit* the smell of burnt toast

**hangus** KATA ADJEKTIF
*burnt down*
◊ *Rumah itu hangus dijilat api semalam.* The house was burnt down last night.
♦ **Ikan ini mudah hangus.** This fish burns easily.

**hantar** KATA KERJA
*to send*
♦ **hantar-menghantar** to exchange
◊ *hantar-menghantar kad ucapan* to exchange greetings cards
**menghantar, menghantarkan** KATA KERJA
① *to send*
◊ *Saya menghantar satu salinan dokumen ini kepada Jabatan Pendidikan.* I sent a copy of this document to the Education Department.
♦ **Julie menghantar anak-anaknya ke sekolah dengan kereta.** Julie drove her children to school.
② *to deliver*
◊ *Negara itu bercadang untuk menghantar makanan yang lebih banyak ke Somalia.* The country plans to deliver more food to Somalia.
**penghantar** KATA NAMA
*sender*
♦ **penghantar utusan** messenger
♦ **penghantar gelombang radio** radio transmitter
**penghantaran** KATA NAMA
*delivery* (JAMAK **deliveries**)
◊ *Penghantaran tersebut mengambil masa 28 hari.* The delivery took 28 days.
**hantaran** KATA NAMA
*delivery* (JAMAK **deliveries**)
◊ *Saya menerima hantaran berupa sebuah buku kelmarin.* I took delivery of a book yesterday.
♦ **wang hantaran/hantaran kahwin** dowry (JAMAK **dowries**)

**hantu** KATA NAMA
*ghost*
♦ **burung hantu** owl
♦ **jari hantu** middle finger
**berhantu** KATA KERJA
*haunted*
**menghantui** KATA KERJA
*to haunt*
◊ *Keputusannya meninggalkan anak-anaknya kini menghantui fikirannya.* Her decision to leave her children now haunts her.

**hantuk**
**berhantukan** KATA KERJA

1. *to clatter*
◊ *Periuk belanga berhantukan di dapur.* Pots and pans could be heard clattering in the kitchen.
2. *to clink* (*gelas, dll*)
**menghantukkan** KATA KERJA
*to bang*
◊ *Jaya mencederakan Singgam dengan menghantukkan kepalanya ke dinding.* Jaya injured Singgam when he banged his head against the wall.
♦ **menghantukkan gelas** to clink glasses
**terhantuk** KATA KERJA
*to bump against*
◊ *Kepala Jason terhantuk pada pintu.* Jason bumped his head against a door.

**hanya** KATA PENEGAS
*only*
◊ *Hanya Lim sahaja yang mampu melaksanakan tugas itu.* Only Lim was able to perform that task.

**hanyir** KATA ADJEKTIF
*fishy-smelling*

**hanyut** KATA KERJA
*to be washed away*
◊ *Bajunya hanyut dibawa arus deras.* Her clothes were washed away by the swift current.
**menghanyutkan** KATA KERJA
*to sweep*
◊ *Arus yang kuat itu menghanyutkan Jack ke gua itu semula.* The strong current swept Jack back into the cave.
**hanyutan** KATA NAMA
*something carried away by water or wind*

**hapak** KATA ADJEKTIF
*musty*

**hapus** KATA KERJA
*to be forgiven*
◊ *Dosa-dosa anda akan hapus sekiranya anda rajin sembahyang.* If you pray often, your sins will be forgiven.
**menghapuskan** KATA KERJA
1. *to abolish*
◊ *Parlimen membuat undian untuk menghapuskan hukuman mati.* Parliament voted to abolish the death penalty.
2. *to eradicate*
◊ *menghapuskan penyakit-penyakit berbahaya* to eradicate dangerous diseases
3. *to destroy*
◊ *Kita mesti berganding bahu untuk menghapuskan musuh kita.* We must fight shoulder to shoulder to destroy our enemy.
**penghapus** KATA NAMA
♦ **penghapus serangga dan haiwan**

**perosak** (*orang*) pest controller
♦ **penghapus serangga** (*alat*) insecticide
**penghapusan** KATA NAMA
*abolition*
◊ *penghapusan sistem aparteid* the abolition of apartheid ◊ *penghapusan sistem komunisme negara itu* the abolition of the country's communist system
**terhapus** KATA KERJA
*to be abolished*
◊ *Hak-hak keistimewaan mereka terhapus apabila negara mereka ditakluki.* Their privileges were abolished when their country was conquered.

**haram** KATA ADJEKTIF
1. *forbidden*
◊ *Judi adalah haram di sisi agama Islam.* Gambling is forbidden according to Islam.
2. *illegal*
◊ *pendatang haram* illegal immigrants
**mengharamkan** KATA KERJA
*to ban*
◊ *Kerajaan Singapura telah mengharamkan gula-gula getah.* The Singapore government has banned chewing gum. ◊ *Negara itu telah mengharamkan penggunaan kuasa nuklear.* The country has banned the use of nuclear energy.
**pengharaman** KATA NAMA
*banning*
◊ *Mereka menyokong pengharaman senjata nuklear.* They support the banning of nuclear weapons.

**harap** KATA KERJA, KATA PERINTAH
1. *to hope*
◊ *Saya harap begitu!* I hope so!
2. *please*
◊ *Harap jangan bising!* Please be quiet!
♦ **Harap anda semua bertenang!** Please remain calm!
♦ **Harap maaf!** I'm sorry!
**harap-harap** KATA BANTU
*hopefully*
◊ *Harap-harap dia sempat datang.* Hopefully he'll make it in time.
**berharap** KATA KERJA
*to hope*
◊ *Para penyelidik berharap vaksin ini boleh digunakan pada tahun depan.* Researchers hope that this vaccine will be available next year.
♦ **Saya berharap pada anda.** I'm relying on you.
**berharapkan** KATA KERJA
*to hope for*
◊ *Saya sangat berharapkan kenaikan gaji ini.* I hope very much to get this

increment.

**mengharap, mengharapkan** KATA KERJA

1 *to hope*

◊ *Fifi mengharapkan bantuan kewangan daripada Jabatan Kebajikan.* Fifi is hoping for financial assistance from the Welfare Department.

2 *to count on*

◊ *Amelia mengharapkan Ben dalam menguruskan perniagaannya.* Amelia counts on Ben to manage her business.

♦ **boleh diharap** reliable
♦ **tidak boleh diharap** unreliable
♦ **Diharap perkara ini mendapat perhatian tuan.** (*surat rasmi*) I hope this matter will receive your attention.

**pengharapan** KATA NAMA
*expectation*

◊ *pengharapan mereka terhadap saya* their expectations of me

**harapan** KATA NAMA

1 *hope*

◊ *Mereka mempunyai harapan untuk meningkatkan perdagangan antara kedua-dua negara itu.* They have hopes of increasing trade between the two countries.

2 *expectation*

◊ *Ivan cuba memenuhi harapan bapanya.* Ivan tried to meet his father's expectations.

**harfiah** KATA ADJEKTIF *rujuk* **hurufiah**
**harga** KATA NAMA
*price*

◊ *Harga kerusi ini ialah RM1000.* The price of this chair is RM1000.

♦ **harga diri** pride
♦ **harga jualan** selling price
♦ **harga semasa** current price
♦ **harga tetap** fixed price
♦ **senarai harga** price list

**berharga** KATA KERJA

1 *to cost*

◊ *Samantha membeli jam tangan yang berharga lebih daripada RM3000.* Samantha bought a watch that cost over RM3000.

2 *valuable*

◊ *seutas rantai berlian yang sangat berharga* a very valuable diamond necklace

**menghargai** KATA KERJA
*to appreciate*

◊ *Majikan itu tidak menghargai sumbangan pekerjanya.* The employer did not appreciate the contribution made by his employees.

**penghargaan** KATA NAMA

1 *acknowledgement* (*dalam buku*)

2 *recognition*

◊ *Dia baru sahaja menerima ijazah kedoktoran sebagai penghargaan atas sumbangannya membuat penyelidikan dalam bidang fizik.* He had just received a doctorate in recognition of his contribution to research in the field of physics.

♦ **memberikan penghargaan** to honour
♦ **terhagra** KATA KERJA
♦ **tidak terharga** invaluable

**hari** KATA NAMA
*day*

◊ *setiap hari* every day

♦ **malam hari** night
♦ **pada hari tua mereka** in their old age
♦ **siang hari** day
♦ **tengah hari** afternoon

**berhari-hari** KATA BILANGAN
*for days*

◊ *Sudah berhari-hari dia tidak makan.* She hasn't eaten for days.

**harian** KATA ADJEKTIF
*daily*

◊ *perbelanjaan harian* daily expenses

**harimau** KATA NAMA
*tiger*

♦ **harimau betina** tigress
　(JAMAK **tigresses**)
♦ **harimau bintang** leopard
♦ **harimau kumbang** panther

**haring** KATA ADJEKTIF
*stinking*

**harmoni** KATA ADJEKTIF
*harmonious*

◊ *negara yang aman dan harmoni* a peaceful and harmonious country

◊ *hubungan mereka yang harmoni* their harmonious relationship

♦ **hidup dalam suasana yang harmoni** to live in harmony

**keharmonian** KATA NAMA
*harmony*

◊ *keharmonian hubungan mereka* the harmony of their relationship

**harmonika** KATA NAMA
*harmonica*

**harta** KATA NAMA
*property*

♦ **harta benda** property
♦ **harta karun** treasure
♦ **harta pusaka** legacy (JAMAK **legacies**)
♦ **harta tanah** property

**hartanah** KATA NAMA
*property*

♦ **ejen hartanah** an estate agent

**hartawan** KATA NAMA
*wealthy person*

**haru**

**mengharukan** KATA KERJA
*to move*
◊ *Penderitaan penduduk di situ sangat mengharukan perasaan saya.* The suffering of the people there moved me greatly.
**terharu** KATA KERJA
*touched*
◊ *Saya sungguh terharu dengan keikhlasan anda.* I was really touched by your sincerity.

**haru-biru** KATA ADJEKTIF
*chaotic*
◊ *Keadaan kampung itu menjadi haru-biru apabila diserang oleh sekumpulan gajah liar.* The situation became chaotic when the village was attacked by a herd of wild elephants.
**mengharu-birukan** KATA KERJA
*to cause chaos*
◊ *Serangan lanun telah mengharu-birukan keadaan pulau itu.* The attack by the pirates caused chaos on the island.

**harum** KATA ADJEKTIF
*fragrant*
◊ *Bilik itu harum dengan bunga ros.* The room was fragrant with the smell of roses.
**keharuman** KATA NAMA
*fragrance*
◊ *keharuman bau minyak wanginya* the fragrance of her perfume
**mengharumkan** KATA NAMA
*to make ... fragrant*
◊ *Dia menggunakan penyegar udara untuk mengharumkan keretanya.* She uses air freshener to make her car fragrant.
**haruman** KATA NAMA
*fragrance*
◊ *haruman bunga-bungaan* floral fragrance

**harung**
**mengharung, mengharungi** KATA KERJA
[1] *to wade*
◊ *Pengakap-pengakap itu terpaksa mengharungi sungai yang deras.* The scouts had to wade across a swift-running river.
[2] *to traverse*
◊ *Beng Kong mengharungi Lautan Hindi dengan kapal layarnya.* Beng Kong traversed the Indian Ocean in his yacht.

**harus** KATA BANTU
*should*
◊ *Saya harus lebih banyak bersenam.* I should do more exercise.
**mengharuskan** KATA KERJA
*to require*

◊ *Semua pelajar diharuskan memakai lencana sekolah.* All students are required to wear the school badge.
**seharusnya** KATA BANTU
*should*
◊ *Kita seharusnya berani menyuarakan pendapat kita.* We should have the courage to express our opinions.

**hasad** KATA NAMA
*jealousy*
♦ **hasad dengki** jealousy

**hasil** KATA NAMA
[1] *profit*
◊ *Hasil jualan kaset akan diberikan kepada bapanya.* The profits from the sale of cassettes will be given to his father.
♦ **hasil tanaman** crop
♦ **hasil tenusu** dairy product
[2] *result*
◊ *Jawatan yang dipegang oleh Rosli sekarang merupakan hasil usahanya selama ini.* The position that Rosli holds now is the result of his hard work over the years.
**berhasil** KATA KERJA
*to pay off*
◊ *Segala usaha yang saya curahkan selama ini telah berhasil.* All the effort I have put in has paid off.
**menghasilkan** KATA KERJA
*to produce*
◊ *Syarikat penerbitan itu akan menghasilkan sebuah kamus yang serba lengkap pada tahun depan.* The publisher will produce a comprehensive dictionary next year.
♦ **Perbincangan itu berjaya menghasilkan jalan penyelesaian.** The discussion led to a solution.
**penghasilan** KATA NAMA
*production*
◊ *Protein ini merangsangkan penghasilan sel-sel darah.* These proteins stimulate the production of blood cells.

**hasrat** KATA NAMA
*desire*
◊ *Saya mempunyai hasrat yang kuat untuk membantu kanak-kanak itu.* I had a strong desire to help the children.
**berhasrat** KATA KERJA
*to long*
◊ *Fred berhasrat hendak pergi bercuti.* Fred longed to go on holiday.
**menghasratkan** KATA KERJA
*to long for*
◊ *Dia menghasratkan sebuah kereta baru.* She longed for a new car.
♦ **James telah membeli rumah yang dihasratkannya.** James has bought

the house of his dreams.

**hasut**

    **menghasut**　KATA KERJA

    *to incite*

    ◊ *Dia menghasut kawan-kawannya supaya membalas dendam.* He incited his friends to take revenge.

    **penghasut**　KATA NAMA

    *instigator*

    ◊ *William didakwa sebagai penghasut utama rusuhan itu.* William was accused of being the main instigator of the riot.

    **terhasut**　KATA KERJA

    *to be incited*

    ◊ *Para pensyarah dan guru tidak sepatutnya terhasut oleh ahli politik.* Lecturers and teachers should not allow themselves to be incited by politicians.

    **hasutan**　KATA NAMA

    *incitement*

    ◊ *Hasutan Erin yang menyebabkan Amanda dan Kate bergaduh.* It was Erin's incitement that caused Amanda and Kate to quarrel.

**hati**　KATA NAMA

    1 *liver*

    2 *heart*

    ◊ *Saya mencintainya dengan sepenuh hati.* I love him with all my heart.

◆ **hati sanubari**　heart of hearts ◊ *Saya tahu dari hati sanubari saya, dia seorang lelaki yang baik.* I know in my heart of hearts he is a good man.

◆ **perbualan dari hati ke hati**　a heart-to-heart chat

◆ **lubuk hati**　one's deepest feelings

    **berhati**　KATA KERJA

    **berhati** *biasanya diikuti dengan perkataan lain untuk membentuk kata adjektif.*

◆ **berhati batu (1)**　stubborn

◆ **berhati batu (2)**　determined

◆ **berhati batu (3)**　heartless

◆ **berhati keras/waja**　determined

◆ **berhati perut**　kind

◆ **tidak berhati perut**　heartless

    **sehati**　KATA ADJEKTIF

    *unanimous*

    ◊ *Mereka sehati dalam membuat keputusan mereka.* They were unanimous in their decision.

**hati-hati**　KATA SERUAN

    *careful*

    ◊ *"Hati-hati, nanti jatuh!"* "Careful! You'll fall down!"

    **berhati-hati**　KATA KERJA

    *careful*

    ◊ *Kita mesti berhati-hati semasa melintasi jalan.* One should be careful

when crossing the road.

◆ **Berhati-hati!**　Watch out!

**haus**　KATA ADJEKTIF

    1 *thirsty*

    2 *worn out*

    ◊ *Tayar itu sudah haus.* That tyre is worn out.

    3 *to hunger*

    ◊ *Kanak-kanak itu haus akan kasih sayang ibu bapa mereka.* The children hungered for their parents' love.

    **kehausan**　KATA NAMA

    *thirst*

    ◊ *Minum air ini untuk menghilangkan kehausan anda.* Drink this water to quench your thirst.

    **menghauskan**　KATA KERJA

    *to wear out*

    ◊ *Jalan-jalan seperti ini boleh menghauskan tayar kereta.* Roads like this can wear out car tyres.

**hawa (1)**　KATA NAMA

    *weather*

◆ **hawa panas**　hot weather

◆ **hawa sejuk**　cold weather

◆ **hawa dingin**　air conditioning

    **berhawa**　KATA KERJA

◆ **negara-negara yang berhawa panas**　hot countries

◆ **berhawa dingin**　air conditioned

**hawa (2)**　KATA NAMA

◆ **hawa nafsu**　passions ◊ *Kita tidak sepatutnya bertindak mengikut hawa nafsu sahaja.* We should not merely follow our passions.

**hayat**　KATA NAMA

    *life*

    ◊ *George banyak melakukan kerja-kerja kebajikan semasa hayatnya.* George did a lot of charity work during his life.

    **menghayati**　KATA KERJA

    *to appreciate*

    ◊ *Semua orang boleh menghayati muzik kami.* Anyone can appreciate our music.

    **penghayatan**　KATA NAMA

    *appreciation*

    ◊ *pemahaman dan penghayatan kanak-kanak terhadap lukisan* children's understanding and appreciation of art

**hebah**

    **menghebahkan**　KATA KERJA

    *to announce*

    ◊ *Menteri itu menghebahkan bahawa beliau akan meletakkan jawatan.* The minister announced that he would resign.

**hebat**　KATA ADJEKTIF

    *fantastic*

    ◊ *Perlawanan itu sungguh hebat!* The

match was fantastic!

♦ **pertunjukan bunga api yang hebat** a spectacular display of fireworks

♦ **novelis muda yang hebat** an outstanding young novelist

**kehebatan** KATA NAMA
*supremacy*
◊ *Pasukan badminton Malaysia telah menunjukkan kehebatan mereka dalam pusingan akhir Piala Thomas.* The Malaysian badminton team showed their supremacy in the Thomas Cup finals.

**memperhebat** KATA KERJA
*to intensify*
◊ *Anggota penyelamat memperhebat usaha mencari mangsa tanah runtuh.* The rescuers intensified their search for victims of the landslide.

**heboh** KATA ADJEKTIF
*chaotic*
◊ *Keadaan di dalam bank menjadi heboh apabila empat orang lelaki bertopeng masuk.* The situation in the bank became chaotic when four masked men entered.

♦ **Berita itu heboh diperkatakan di kampung itu.** The news was discussed heatedly in the village.

**kehebohan** KATA NAMA
*chaos*
◊ *Kehebohan itu hanya dapat dikawal dengan kehadiran pihak polis.* The chaos could only be brought under control by the arrival of the police.

**menghebohkan** KATA KERJA
*to cause chaos*
◊ *Kes keracunan makanan telah menghebohkan suasana di hospital.* Food poisoning cases caused chaos in the hospital.

**mengheboh-hebohkan** KATA KERJA
*to exaggerate*
◊ *Kita tidak patut mengheboh-hebohkan keburukan orang lain.* We should not exaggerate other people's weaknesses.

**heksagon** KATA NAMA
*hexagon*

**hektar** KATA NAMA
*hectare*

**hela**
**menghela** KATA KERJA
*to drag*
◊ *Bapa Ela menghelanya ke dalam rumah lalu merotannya.* Ela's father dragged her into the house and caned her.

♦ **menghela nafas** to inhale

**helah** KATA NAMA
*trick*
◊ *Tom menggunakan helah yang sama untuk memikat gadis itu.* Tom used the

same trick to attract the girl.

♦ **Dia memberikan berbagai-bagai helah supaya dapat balik awal setiap hari.** Every day she makes various excuses for going home early.

♦ **tipu helah (1)** trickery ◊ *Dia menggunakan tipu helah untuk memenangi perlawanan itu.* He used trickery to win the competition.

♦ **tipu helah (2)** tricks ◊ *Jangan terpedaya dengan tipu helahnya.* Don't fall for his tricks.

**helai** KATA NAMA

> *rujuk juga* **helai** PENJODOH BILANGAN

♦ **helai demi helai** one by one ◊ *Daun gugur daripada pokok itu helai demi helai.* The leaves fell from the tree one by one.
◊ *Anita mengambil tisu dari kotak itu helai demi helai.* Anita took the tissues from the box one by one.

♦ **Dia membaca muka surat buku itu helai demi helai.** He read the book page by page.

**helai** PENJODOH BILANGAN

> *rujuk juga* **helai** KATA NAMA
> *Biasanya* **helai** *tidak diterjemahkan ke dalam bahasa Inggeris.*

◊ *sehelai baju* a shirt ◊ *sehelai daun* a leaf

♦ **sehelai kertas** a sheet of paper

♦ **sehelai sepinggang** with nothing but the clothes on one's back

**helang** KATA NAMA
*eagle*

**helikopter** KATA NAMA
*helicopter*

**helo** KATA SERUAN
*hello*

**hemah** KATA NAMA
*manners*
**berhemah** KATA KERJA
*to have an excellent character*
◊ *Dia seorang yang berhemah tinggi.* She has an excellent character.

**hemat** KATA NAMA
*opinion*
◊ *pada hemat saya* in my opinion
**berhemat** KATA KERJA
*careful*
◊ *pemandu berhemat* a careful driver

**hembus**
**menghembus** KATA KERJA
*to blow out*
◊ *Derek menghembus lilin itu.* Derek blew out the candle.

♦ **Jacky menghembus keluar asap rokoknya.** Jacky puffed out a cloud of cigarette smoke.

**menghembuskan** KATA KERJA

H

*to exhale*
- **menghembuskan nafas**  to exhale
  **hembusan**  KATA NAMA
  *exhalation*
  ◊ *hembusan nafas*  exhalation of breath
- **hembusan angin**  the blowing of the wind
  ◊ *Saya dapat merasakan hembusan angin.*  I could feel the blowing of the wind.
**hemisfera**  KATA NAMA
  *hemisphere*
  ◊ *hemisfera selatan*  southern hemisphere ◊ *hemisfera utara*  northern hemisphere
**hempap**
  **menghempap**  KATA KERJA
  *to crush*
  ◊ *Pokok kelapa yang tumbang itu telah menghempap pondok Pak Jani.*  The coconut tree which fell down crushed Pak Jani's hut.
  **menghempapkan**  KATA KERJA
  *to flop*
  ◊ *Lucy menghempapkan dirinya di atas sebuah kerusi yang berdekatan.*  Lucy flopped on to a nearby chair.
**hempas**
  **berhempas**  KATA KERJA
- **berhempas pulas**  to work very hard
  ◊ *Mereka berhempas pulas mengerjakan tanah itu.*  They worked very hard on the land.
  **menghempas**  KATA KERJA
  [1] *to strike*
  ◊ *Ombak kuat yang menghempas batu itu telah menyebabkan hakisan.*  The powerful waves that struck the rock caused erosion.
  [2] *to slam*
  ◊ *Dia menghempas pintu depan rumahnya.*  He slammed the front door of his house.
  **menghempaskan**  KATA KERJA
  *to fling*
  ◊ *Usha menghempaskan beg tangannya ke atas kerusi.*  Usha flung her handbag on to the chair.
  **terhempas**  KATA KERJA
  *to crash*
  ◊ *Kapal terbang itu terhempas di Lautan Atlantik.*  The aeroplane crashed in the Atlantic Ocean.
- **Gelas itu jatuh terhempas di atas lantai.**  The glass crashed to the floor.
**hempedu**  KATA NAMA
  *bile*
**hempuk**
  **menghempuk**  KATA KERJA
  *to smash*
  ◊ *Budak lelaki yang nakal itu*

*menghempuk cawan itu.*  The naughty boy smashed the cup.
**hendak**  KATA BANTU
  *to want*
  ◊ *Saya hendak membuat lawatan ke New Zealand.*  I want to make a trip to New Zealand.
- **Kita hendaklah menghormati orang tua.**  We should respect the old.
  **kehendak**  KATA NAMA
  *wish* (JAMAK **wishes**)
  ◊ *keperluan dan kehendak*  needs and wishes
- **Peter selalu mengikut kehendak anaknya.**  Peter always does what his son wants.
  **berkehendakkan**  KATA KERJA
  *to need*
  ◊ *Semua kanak-kanak berkehendakkan kasih sayang ibu bapa mereka.*  All children need their parents' love.
  **mengehendaki**  KATA KERJA
  *to require*
  ◊ *Semua pelajar dikehendaki berkumpul di dewan sekarang.*  All students are required to assemble in the hall now.
**hendal**  KATA NAMA
  *handlebars*
**hendap**  KATA ADJEKTIF
- **serangan hendap**  ambush
  (JAMAK **ambushes**)
  **menghendap**  KATA KERJA
  *to lurk*
  ◊ *Harper menghendap di belakang semak samun bersama kawan-kawannya.*  Harper lurked behind the bushes with his friends.
  **terhendap-hendap**  KATA KERJA
  *to lurk*
  ◊ *Polis mengesyaki lelaki yang terhendap-hendap itu sebagai penjenayah yang diburu oleh FBI.*  The police suspected the lurking man of being a criminal wanted by the FBI.
**hening**  KATA ADJEKTIF
  [1] *clear*
  ◊ *air laut yang hening*  clear sea water
  [2] *silent*
  ◊ *malam yang hening*  a silent night
  **keheningan**  KATA NAMA
  *silence*
  ◊ *Salakan anjing memecahkan keheningan malam itu.*  The dog's barking broke the silence of the night.
  **mengheningkan**  KATA KERJA
  [1] *to purify*
  ◊ *Dia cuba mengheningkan air yang kotor itu.*  He tried to purify the dirty water.

2 *to silence*
◊ *Telefon yang berdering mengheningkan suasana yang meriah itu.* A ringing phone silenced the jollity.

**hentak**
  **menghentak**  KATA KERJA
  1 *to stamp*
  ◊ *Chris menghentak papan buruk itu sehingga patah.* Chris stamped on the rotten board and snapped it.
  2 *to stab*
  ◊ *Samseng-samseng itu menghentak Muthu sehingga mati.* The gangsters stabbed Muthu to death.
  **menghentakkan,**
  **menghentak-hentakkan**  KATA KERJA
  *to stamp*
  ◊ *Kadet polis itu menghentakkan kaki mereka semasa berkawat.* The police cadets stamped their feet when they were on parade.
  **hentakan**  KATA NAMA
  *stamping*
  ◊ *Mereka terdengar hentakan kaki di tingkat atas.* They heard the stamping of feet upstairs.

**hentam**  KATA KERJA
  *to punch*
  ◊ *Hentam dia!* Punch him!
  **menghentam**  KATA KERJA
  *to punch*
  ◊ *Saya akan menghentam sesiapa sahaja yang menghalang saya.* I'll punch anyone who tries to stop me.
♦ **Sebuah motosikal menghentam kereta saya.** A motorcycle hit my car.
  **hentaman**  KATA NAMA
  *punch* (JAMAK **punches**)
  ◊ *Hentaman Ali sangat kuat.* Ali's punch is very powerful.

**henti**
  **henti-henti**  KATA KERJA  *rujuk*
  **berhenti-henti**
  **berhenti**  KATA KERJA
  *to stop*
  ◊ *Bas sekolah itu berhenti di hadapan masjid.* The school bus stopped in front of the mosque.
  **berhenti-henti**  KATA KERJA
♦ **tidak berhenti-henti**  incessantly
  ◊ *Hujan turun tidak berhenti-henti.* It has been raining incessantly. ◊ *Dee bercakap tidak berhenti-henti tentang dirinya.* Dee talked incessantly about herself.
♦ **Telefon berdering tidak berhenti-henti.** The phone rings continually.
♦ **Budak perempuan itu menangis tidak berhenti-henti sejak pagi tadi.** The girl

has been crying ever since this morning.
**memberhentikan, menghentikan**
KATA KERJA
  1 *to stop*
  ◊ *Pemandu lori itu memberhentikan lorinya di tepi jalan.* The lorry driver stopped his lorry by the roadside.
  2 *to dismiss*
  ◊ *kuasa untuk memberhentikan kakitangan kerajaan* the power to dismiss civil servants
**pemberhentian**  KATA NAMA
  *dismissal*
  ◊ *Pemberhentian En. Yew dari jawatannya telah dilaporkan dalam surat khabar.* Mr Yew's dismissal from his post was reported in the newspaper.
**perhentian**  KATA NAMA
  *stop*
  ◊ *perhentian bas* bus stop
♦ **perhentian teksi** taxi rank
  **terhenti**  KATA KERJA
  *to stop*
  ◊ *Perbualan mereka terhenti apabila mereka melihat majikan mereka sampai.* Their conversation stopped when they saw their employer arrive.

**henyak**
  **menghenyak**  KATA KERJA
  *to stamp on*
  ◊ *Fatini menghenyak kasut adiknya kerana marah.* Fatini was so angry that she stamped on her brother's shoes.
  **menghenyakkan**  KATA KERJA
  *to fling*
  ◊ *Yusri menghenyakkan dirinya ke atas katil setelah bekerja sepanjang hari.* After working all day Yusri flung himself on to the bed.

**herba**  KATA NAMA
  1 *herb*
  2 *herbal*
  ◊ *teh herba* herbal tea
**herbivor**  KATA NAMA
  *herbivore*
**herdik**  KATA NAMA
  *scolding*
  **mengherdik**  KATA KERJA
  *to scold*
  ◊ *Lelaki tua itu selalu mengherdik anak-anak jirannya.* The old man is always scolding his neighbour's children.
  **herdikan**  KATA NAMA
  *scolding*
  ◊ *Herdikan Jamal menakutkan anak-anaknya.* Jamal's children were frightened by his scolding.

**heret**
  **mengheret**  KATA KERJA

H

1. *to haul*
◊ *Sebuah kren terpaksa digunakan untuk mengheret kereta itu keluar dari sungai.* A crane had to be used to haul the car out of the stream.

2. *to drag*
◊ *Bapa Fatin mengheretnya ke dalam rumah lalu merotannya.* Fatin's father dragged her into the house and caned her.

3. *to take*
◊ *Anggota polis itu mengheret Aidil ke balai polis.* The policeman took Aidil to the police station.

**terheret** KATA KERJA
*to get involved*
◊ *Ele tidak mahu terheret dalam pergaduhan itu.* Ele didn't want to get involved in the fight.

**hero** KATA NAMA
*hero* (JAMAK **heroes**)
◊ *seorang hero yang telah memberi inspirasi kepada berjuta-juta orang* a hero who had inspired millions of people

**heroin (1)** KATA NAMA
*heroine*
◊ *Heroin dalam filem 'Notting Hill' ialah Julia Roberts.* The heroine of the film 'Notting Hill' is Julia Roberts.

**heroin (2)** KATA NAMA
*heroin* (dadah)

**herot** KATA ADJEKTIF
*crooked*
◊ *garisan yang herot* crooked line

**hias** KATA ADJEKTIF
♦ **tukang hias** decorator
**berhias** KATA KERJA
*to dress up*
◊ *Sin Chia berhias untuk pergi ke majlis makan malam itu.* Sin Chia dressed up to go to the dinner.
**berhiaskan** KATA KERJA
*to be decorated*
◊ *Biliknya berhiaskan poster-poster pemain bola sepak.* His room was decorated with posters of footballers.
**menghias** KATA KERJA
*to decorate*
◊ *Janet suka menghias rumahnya pada masa lapang.* Janet likes decorating her house in her spare time.
♦ **menghias diri** to dress up
**menghiasi** KATA KERJA
1. *to ornament*
◊ *Orang India menghiasi rumah mereka dengan pelita untuk menyambut Hari Deepavali.* Indians ornament their houses with lamps to celebrate Deepavali.
◊ *Biliknya dihiasi dengan perabot-*

*perabot antik.* Her room is ornamented with antique furniture.
2. *to decorate*
◊ *Para pelajar menghiasi bilik darjah mereka untuk menyambut Hari Guru.* The students decorated their classroom to celebrate Teacher's Day.
**penghias** KATA NAMA
*decorator*
**perhiasan** KATA NAMA
*decorations*
◊ *perhiasan dinding* wall decorations
♦ **barang perhiasan** ornament
**hiasan** KATA NAMA
*decoration*
◊ *Hiasan dinding itu sungguh menarik.* The wall decoration is very attractive.

**hiba** KATA ADJEKTIF
*pity*
◊ *Kami berasa hiba melihat kebuluran di Somalia.* We feel pity when we see the famine in Somalia.
**kehibaan** KATA NAMA
*grief*
◊ *Tidak ada orang yang dapat memahami kehibaan hati Halimah.* No one could understand Halimah's grief.
**menghibakan** KATA KERJA
*to grieve*
◊ *Peristiwa itu betul-betul menghibakan hatinya.* That incident grieved her deeply.

**hibur**
**berhibur** KATA KERJA
*to have fun*
◊ *Mereka pergi ke disko untuk menari dan berhibur.* They went to the disco to dance and have fun.
**menghiburkan** KATA KERJA
1. *to entertain*
◊ *Iswari mendengar muzik untuk menghiburkan hatinya.* To entertain herself, Iswari listens to music.
◊ *Rancangan itu bukan sahaja menghiburkan malah memberikan pengajaran kepada kanak-kanak.* The programme not only entertains but also gives advice to children.
2. *to cheer ... up*
◊ *Usaha Susi menyanyi untuk menghiburkan emaknya sia-sia sahaja.* Susi was singing in a vain effort to cheer her mother up.
**penghibur** KATA NAMA
*entertainer*
**terhibur** KATA KERJA
1. *to be entertained*
◊ *Kami semua terhibur dengan persembahan Emil.* All of us were entertained by Emil's performance.

2 *to cheer up*
◊ *Hatinya terhibur melihat kedatangan anaknya.* She cheered up at the arrival of her daughter.
**hiburan** KATA NAMA
*entertainment*
◊ *untuk tujuan hiburan semata-mata* for entertainment purposes only

**hidang** KATA KERJA
*to serve*
◊ *Hidang makanan itu sekarang.* Serve the food now.
**menghidangkan** KATA KERJA
*to serve*
◊ *Pekerja kebajikan itu menghidangkan makanan kepada mangsa-mangsa banjir.* The aid worker served food to the flood victims.
♦ **Mereka menghidangkan makanan di atas meja.** They put the food on the table.
**hidangan** KATA NAMA
*dish* (JAMAK **dishes**)

**hidap**
**menghidap, menghidapi** KATA KERJA
*to suffer from*
◊ *Doktor telah mengesahkan bahawa dia menghidap leukemia.* The doctor has confirmed that she is suffering from leukaemia.
**penghidap** KATA NAMA
*sufferer*
◊ *penghidap asma* sufferer from asthma

**hidayah** KATA NAMA
*guidance*
◊ *mendapat hidayah daripada Tuhan* to receive guidance from God
**hidayat** KATA NAMA *rujuk* **hidayah**

**hidroelektrik** KATA NAMA
*hydro-electric*
◊ *stesen kuasa hidroelektrik* a hydro-electric power station

**hidroponik** KATA NAMA
*hydroponics*

**hidu**
**menghidu** KATA KERJA
1 *to smell*
◊ *Sebaik sahaja kami membuka pintu depan, kami dapat menghidu bau gas.* As soon as we opened the front door we could smell gas.
2 *to sniff out*
◊ *Lacsy, seekor anjing polis yang dilatih untuk menghidu bahan letupan* Lacsy, a police dog trained to sniff out explosives
**terhidu** KATA KERJA
*to smell*
◊ *Mereka terhidu bau asap.* They smelt smoke.

**hidung** KATA NAMA
*nose*
♦ **hidung tinggi** proud
♦ **lubang hidung** nostrils

**hidup** KATA ADJEKTIF
> *rujuk juga* **hidup** KATA NAMA

1 *alive*
◊ *Jasbir masih hidup walaupun sesat di gurun selama beberapa hari.* Jasbir is still alive, despite having been lost in the desert for several days.
2 *burning*
◊ *Api itu masih hidup lagi.* The fire is still burning.
♦ **Dia hidup di situ sejak 30 tahun yang lalu.** He has been living there for 30 years.
♦ **pokok hidup** a living plant
♦ **gunung berapi hidup** active volcano
**hidup-hidup** KATA ADJEKTIF
*alive*
◊ *Mereka diarahkan menangkap banduan itu hidup-hidup.* They were ordered to catch the prisoner alive.
**kehidupan** KATA NAMA
*livelihood*
◊ *Kehidupan nelayan bergantung pada laut.* A fisherman's livelihood depends on the sea.
♦ **kehidupan haiwan** the life of an animal
**menghidupkan** KATA KERJA
> **menghidupkan** *diterjemahkan mengikut konteks.*

◊ *menghidupkan enjin* to start an engine ◊ *menghidupkan orang* to revive someone ◊ *menghidupkan pelita* to light an oil lamp ◊ *menghidupkan suasana* to enliven a situation
**sehidup** KATA ADJEKTIF
♦ **sehidup semati** absolutely loyal to one another
**hidupan** KATA NAMA
*life*
◊ *Adakah hidupan di planet Marikh?* Is there life on Mars?
♦ **hidupan laut** marine life
♦ **hidupan liar** wildlife
**hidup** KATA NAMA
> *rujuk juga* **hidup** KATA ADJEKTIF

*live*
◊ *buat pertama kali dalam hidup saya* for the first time in my life
♦ **Pak Lah menyara hidupnya dengan menangkap ikan.** Pak Lah earns his living as a fisherman.

**hierarki** KATA NAMA
*hierarchy* (JAMAK **hierarchies**)

**hijau** KATA ADJEKTIF
*green*

H

- **hijau kebiru-biruan** turquoise
  **kehijauan, kehijau-hijauan**
  KATA ADJEKTIF
  _greenish_
  ◊ _mata yang kehijauan_ greenish eyes
  **menghijau** KATA KERJA
  _green_
  ◊ _Pemandangan sawah padi yang sedang menghijau itu sangat indah._ The view over the green paddy fields is very beautiful.

**hijrah**
  **berhijrah** KATA KERJA
  _to migrate_
  ◊ _Ramai orang berhijrah ke bandar seperti Kuala Lumpur dan Johor Bahru untuk mencari kerja._ Many people migrate to cities like Kuala Lumpur and Johor Bahru to look for work.
  **penghijrah** KATA NAMA
  _migrant_
  **penghijrahan** KATA NAMA
  _migration_
  ◊ _penghijrahan orang Yahudi ke Israel_ the migration of Jews to Israel

**hikayat** KATA NAMA
  _story_ (JAMAK **stories**)
  ◊ _hikayat Hang Tuah_ the story of Hang Tuah

**hikmat** KATA NAMA
  1 _divine purpose_
  ◊ _Tentu ada hikmat di sebalik semua perkara ini._ There must be a divine purpose behind all this.
  2 _magic_
  ◊ _pedang hikmat_ magic sword

**hilang** KATA KERJA
  1 _to lose_
  ◊ _Kertas peperiksaan saya telah hilang._ My examination papers got lost.
  2 _to disappear_
  ◊ _seorang wanita Jepun yang hilang sepuluh tahun yang lalu_ a Japanese woman who disappeared ten years ago
  3 _to subside_
  ◊ _Kemarahan guru itu belum hilang lagi._ The teacher's anger has not yet subsided.

- **hilang sabar** to lose one's temper
  **kehilangan** KATA KERJA
  > _rujuk juga_ **kehilangan** KATA NAMA

  _to lose_
  ◊ _Yougan kehilangan kerjanya sebagai pengurus._ Yougan lost his job as manager.

- **kehilangan upaya** disabled
  **kehilangan** KATA NAMA
  > _rujuk juga_ **kehilangan** KATA KERJA

  _death_
  ◊ _Pak Jai masih berasa sedih atas kehilangan isterinya._ Pak Jai is still

grieving over the death of his wife.

- **kehilangan beberapa fail sulit syarikat itu** the disappearance of several of the company's confidential files
  **menghilangkan** KATA KERJA
  _to lose_
  ◊ _Lena telah menghilangkan buku kakaknya._ Lena lost her sister's book.

- **Pencuri itu menghilangkan diri dalam gelap.** The thief disappeared in the dark.

- **Russel minum dua gelas air untuk menghilangkan dahaganya.** Russel drank two glasses of water to quench his thirst.
  **penghilang** KATA NAMA
  _remover_ (kotoran, dll)

**hilir** KATA NAMA
  _downstream_

**himpit**
  **berhimpit, berhimpit-himpit**
  KATA KERJA
  _to scramble_
  ◊ _Peminat-peminat William berhimpit-himpit untuk membeli tiket pertunjukannya._ William's fans were scrambling to buy his concert tickets.
  **menghimpit** KATA KERJA
  _to squash_
  ◊ _Perompak itu menghimpit Thomas ke dinding dan menumbuknya._ The robber squashed Thomas against the wall and punched him.
  **terhimpit** KATA KERJA
  _to be pinned_
  ◊ _Kaki Jamil terhimpit di bawah pokok yang tumbang itu._ Jamil's leg was pinned under the tree which had fallen down.

- **Ramai mangsa gempa bumi mati terhimpit akibat runtuhan bangunan.** Many of the earthquake victims died when they were crushed by falling buildings.

**himpun**
  **berhimpun** KATA KERJA
  _to assemble_
  ◊ _Pelajar-pelajar dikehendaki berhimpun di dewan._ Students are required to assemble in the hall.
  **menghimpunkan** KATA KERJA
  _to gather_
  ◊ _Pak Man menghimpunkan kayu api yang cukup untuk memasak._ Pak Man gathered enough firewood for cooking.
  **perhimpunan** KATA NAMA
  _assembly_ (JAMAK **assemblies**)
  ◊ _perhimpunan sekolah_ school assembly
  **terhimpun** KATA KERJA
  **terhimpun** _diterjemahkan mengikut konteks._

◊ *Wang Angela yang terhimpun belum mencukupi untuk membeli sebuah rumah.* The money that Angela has saved is not enough to buy a house. ◊ *Buku-buku yang terhimpun di rumahnya melebihi dua puluh ribu buah.* There are more than twenty thousand books in his house.
◊ *Peminat-peminat penyanyi itu yang terhimpun di dewan itu melebihi 10,000 orang.* There are more than 10,000 of the singer's fans gathered in the hall.

**himpunan** KATA NAMA, PENJODOH BILANGAN
*collection*
◊ *satu himpunan gambar* a collection of photographs

**hina** KATA ADJEKTIF
1 *dishonourable*
◊ *pekerjaan yang hina* a dishonourable occupation
2 *inferior*
◊ *June merasakan dirinya hina di sisi abangnya yang berjaya.* June felt inferior to her successful brother.

**menghina** KATA KERJA
*to insult*
◊ *Saya tidak bermaksud hendak menghina awak.* I didn't mean to insult you.

**penghinaan** KATA NAMA
*insult*
♦ Ely sedih dengan **penghinaan rakan-rakan sekelas terhadapnya.** Ely was distressed because her classmates insulted her.
♦ **penghinaan mahkamah** contempt of court

**terhina** KATA KERJA
*insulted*
◊ *Saya tidak pernah berasa begitu terhina dalam hidup saya.* I have never felt so insulted in my life.

**hinaan** KATA NAMA
*scorn*
◊ *Hinaan mereka menyedihkan guru itu.* Their scorn hurt the teacher.

**hincut**
**terhincut-hincut** KATA KERJA
*to limp*
◊ *Dia terhincut-hincut kerana kakinya tercedera.* He limped because his leg had been injured.
♦ **jalan terhincut-hincut** to limp

**hindar**
**menghindari** KATA KERJA
*to avoid*
◊ *Kita patut menghindari najis dadah.* We should avoid dangerous drugs.

**menghindarkan** KATA KERJA

*to prevent*
◊ *Kawalan polis diperketat untuk menghindarkan perlumbaan haram.* Police control was tightened to prevent illegal racing.
♦ **Kita patut menghindarkan diri daripada najis dadah.** We should avoid dangerous drugs.

**terhindar** KATA KERJA
*to prevent*
◊ *Saya memberinya ubat itu supaya dia terhindar daripada penyakit itu.* I gave her the medicine to prevent her from catching the disease.
♦ **Sayur-sayuran disembur dengan bahan kimia supaya terhindar daripada serangan serangga.** Vegetables were sprayed with chemicals to repel insects.

**Hindu** KATA NAMA
*Hindu*
♦ **agama Hindu** Hinduism
♦ **penganut agama Hindu** Hindu

**hingar** KATA ADJEKTIF
*noisy*
♦ **hingar-bingar** very noisy

**hingga** KATA HUBUNG
*to*
◊ *Kami bekerja dari pukul sembilan hingga pukul enam setiap hari.* We work from nine to six every day.

**sehingga** KATA HUBUNG
*until*
◊ *Kami menunggu sehingga langit menjadi gelap.* We waited until the sky turned dark.

**hinggakan, sehinggakan** KATA HUBUNG
*so*
◊ *Emak Henny tidak mempedulikannya sehinggakan dia berhenti menangis.* Henny's mother ignored her, so she stopped crying.

**terhingga** KATA ADJEKTIF
♦ **tidak terhingga** unlimited ◊ *Dia memperuntukkan wang yang tidak terhingga banyaknya untuk projek itu.* He allocated an unlimited amount of money to the project. ◊ *jumlah salinan yang tidak terhingga* an unlimited number of copies
♦ **Kesakitannya tidak terhingga.** The pain was unbearable.

**hinggap** KATA KERJA
*to perch*
◊ *Burung nuri itu hinggap di atas bumbung rumah saya.* The parrot perched on my roof.

**menghinggapi** KATA KERJA
*to perch*
◊ *Burung itu menghinggapi dahan itu.*

The bird perched on the branch.
♦ **Makanan itu sudah dihinggapi lalat.**
That food has had flies on it.

**hinggut**
　　**menghinggut**　KATA KERJA
　　　_to shake_
　　　◊ _Kanak-kanak itu menghinggut pokok
　　jambu itu._ The children shook the guava
　　tree.

**hingus**　KATA NAMA
　　_mucus_

**hiperpautan**　KATA NAMA
　　_hyperlink_ (_komputer_)

**hiperteks**　KATA NAMA
　　_hypertext_ (_komputer_)

**hipi**　KATA NAMA
　　_hippie_

**hipokrit**　KATA NAMA
　　_hypocrite_

**hirau**
　　**menghiraukan**　KATA KERJA
　　　_to pay attention to_
♦ **tidak menghiraukan**　to ignore　◊ _Say
　Lim langsung tidak menghiraukan ibu
　bapanya sejak kejadian hari itu._ Since
　that day's incident, Say Lim has totally
　ignored his parents.

**hiris**　PENJODOH BILANGAN
　　_slice_
　　　◊ _sehiris daging kambing_ a slice of
　　goat's meat
　　**menghiris**　KATA KERJA
　　　_to slice_
　　　◊ _Mereka sedang menghiris bawang di
　　dapur._ They're slicing onions in the
　　kitchen.
♦ **Peristiwa itu betul-betul menghiris hati
　saya.** The incident really saddened me.
　　**menghiriskan**　KATA KERJA
　　　_to slice_
　　　◊ _Norhidayah menghiriskan saya
　　bawang._ Norhidayah sliced me some
　　onions.
　　**terhiris**　KATA KERJA
　　　_to cut_
　　　◊ _Amran terhiris jarinya semasa
　　mengupas epal._ Amran cut his finger
　　when he was peeling an apple.
♦ **Hatinya terhiris dengan cemuhan
　kawan-kawannya.** He was hurt by his
　friend's ridicule.
　　**hirisan**　KATA NAMA
　　　_slice_
　　　◊ _Hirisan daging lembu itu perlu
　　digoreng dahulu._ The slices of beef need
　　to be fried first.

**hiruk-pikuk**　KATA ADJEKTIF
　　_chaotic_

**hirup**

**menghirup**　KATA KERJA
　　_to sip_
　　◊ _Orang tua itu suka menghirup sup
　panas._ The old man likes sipping hot
　soup.

**hisab**　KATA NAMA
♦ **ilmu hisab**　mathematics

**hisap**
　　**menghisap**　KATA KERJA
　　　1 _to suck_
　　　◊ _Jane suka menghisap jari._ Jane likes
　　sucking her fingers.
　　　2 _to smoke_
　　　◊ _Kelvin menghisap empat batang rokok
　　setiap hari._ Kelvin smokes four cigarettes
　　a day.
　　**penghisap**　KATA NAMA
　　　_smoker_
♦ **Emak Renee ialah penghisap candu.**
　Renee's mother smokes opium.

**histeria**　KATA NAMA
　　_hysteria_

**hitam**　KATA ADJEKTIF
　　_black_
　　**kehitam-hitaman**　KATA ADJEKTIF
　　　_blackish_
　　　◊ _rambut yang kehitam-hitaman_
　　blackish hair
♦ **Bajunya biru kehitam-hitaman.** His
　shirt is dark blue.
　　**menghitamkan**　KATA KERJA
　　　_to blacken_
　　　◊ _Usha menghitamkan giginya dengan
　　arang._ Usha blackened her teeth with
　　charcoal.

**hitung**
　　**menghitung**　KATA KERJA
　　　_to count_
　　　◊ _Pelajar-pelajar itu sedang menghitung
　　hari menjelangnya cuti sekolah._ The
　　students are counting the days to their
　　school holidays.
　　**perhitungan**　KATA NAMA
　　　_calculation_
　　　◊ _Menurut perhitungannya, syarikat itu
　　kerugian sebanyak RM1 juta dalam masa
　　satu tahun._ According to his calculations,
　　the company lost RM1 million in one year.
　　**terhitung**　KATA KERJA
♦ **tidak terhitung banyaknya**　countless

**HIV**　KATA NAMA (= _human
　immunodeficiency virus_)
　　_HIV_ (= _human immunodeficiency virus_)
♦ **HIV positif**　HIV positive

**hobi**　KATA NAMA
　　_hobby_ (JAMAK **hobbies**)

**hodoh**　KATA ADJEKTIF
　　_ugly_
♦ **sebuah lukisan yang sangat hodoh**

H

a hideous painting

**kehodohan** KATA NAMA
*ugliness*
◊ *Kehodohannya menjadi bahan bualan di bandar itu.* His ugliness became the talk of the town.

**hoki** KATA NAMA
*hockey*
♦ **hoki ais** ice hockey

**homeopati** KATA NAMA
*homeopathy*

**homoseksual** KATA NAMA
*homosexual*

**hon** KATA NAMA
*horn* (*kenderaan*)

**hore** KATA SERUAN
*hooray*

**horizon** KATA NAMA
*horizons*
◊ *Anda akan berfikiran lebih terbuka apabila horizon anda semakin meluas.* Your mind will be more receptive when your horizons expand.

**hormat** KATA NAMA
*respect*
◊ *Pelayan itu melayan para tetamu dengan penuh hormat.* The waiter treated the guests with great respect.
♦ **memberi hormat** to salute
♦ **Dengan segala hormatnya, saya ingin mempersilakan Tuan Pengerusi Majlis untuk memberikan ucapannya.** I would like very respectfully to invite the Chairman to deliver his speech.
**hormat-menghormati** KATA KERJA
*to respect each other*
◊ *Kita mesti selalu hormat-menghormati.* We must always respect each other.
**berhormat** KATA KERJA
*honourable*
◊ *Yang Berhormat Datuk Ramli* the Honourable Datuk Ramli
**kehormat** KATA ADJEKTIF
*of honour*
◊ *tetamu kehormat di majlis itu* the guest of honour at the ceremony
◊ *barisan kehormat* guard of honour
**kehormatan** KATA NAMA
*honour*
◊ *Mereka berjuang berhabis-habisan untuk mempertahankan kehormatan negara.* They fought hard to protect the honour of the country.
♦ **Lelaki tua itu cuba mencabul kehormatan Alice.** That old man tried to molest Alice.
**menghormati** KATA KERJA
*to respect*

◊ *Kita mesti menghormati orang yang lebih tua daripada kita.* We should respect those who are older than us.
♦ **tetamu-tetamu yang dihormati** honoured guests
**penghormatan** KATA NAMA
[1] *honour*
◊ *Beliau diberi penghormatan untuk merasmikan majlis pembukaan itu.* He was given the honour of conducting the official opening ceremony.
[2] *tribute*
◊ *Lagu itu merupakan penghormatan kepada Allahyarham Sudirman.* The song is a tribute to the late Sudirman.

**hormon** KATA NAMA
*hormone*

**horoskop** KATA NAMA
*horoscope*

**hos (1)** KATA NAMA
*hose*

**hos (2)** KATA NAMA
*host*
◊ *Hos rancangan itu ialah Hisham.* The host of the show is Hisham.

**hospital** KATA NAMA
*hospital*

**hotel** KATA NAMA
*hotel*
**perhotelan** KATA NAMA
*hotel*
◊ *industri perhotelan* the hotel industry

**hoverkraf** KATA NAMA
*hovercraft*

**HTML** SINGKATAN (= *bahasa penanda hiperteks*) (*komputer*)
*HTML* (= *hypertext mark-up language*)

**HTTP** SINGKATAN (= *protokol pemindahan hiperteks*) (*komputer*)
*HTTP* (= *hypertext transfer protocol*)

**hubung**
**berhubung** KATA KERJA
[1] *to relate*
◊ *Kenneth meminati semua kerja yang berhubung dengan hartanah.* Kenneth is interested in any job relating to real estate.
[2] *in connection with*
◊ *Mesyuarat tergempar itu diadakan berhubung dengan peletakan jawatan beberapa pengarah.* The emergency meeting was called in connection with the resignation of several directors.
[3] *to communicate*
◊ *Kami tidak dapat berhubung dengan penduduk di kawasan itu.* We couldn't communicate with the people in that area.
[4] *to contact*
◊ *Ying Sia sudah lama tidak berhubung*

*dengan kakaknya.* Ying Sia hasn't contacted her sister for some time.

♦ **Penduduk kampung itu tidak berhubung dengan dunia luar.** The villagers have no contact with the outside world.

**berhubungan** KATA KERJA
*connected*
◊ *Ahmad mengutuk semua perkara yang berhubungan dengan Farid.* Ahmad condemned everything connected with Farid.

**menghubungi** KATA KERJA
*to contact*
◊ *Kami tidak dapat menghubungi Henny kerana cuaca buruk.* We couldn't contact Henny because of bad weather.

**menghubungkan** KATA KERJA
*to connect*
◊ *Titi itu menghubungkan kedua-dua buah kampung itu.* The bridge connects the two villages.

**penghubung** KATA NAMA
*link*
◊ *Titi itu ialah satu-satunya penghubung bagi kedua-dua buah kampung itu.* The bridge is the only link between the two villages.

**perhubungan** KATA NAMA
*communication*
◊ *alat perhubungan* communications device

♦ **perhubungan udara** air communications

♦ **pegawai perhubungan awam** public relations officer

**sehubungan** KATA HUBUNG
*in connection with*
◊ *Menteri Pendidikan telah membuat kenyataan penting sehubungan dengan seruan kerajaan untuk meningkatkan bilangan sekolah.* The Minister of Education has made an important statement in connection with the government's call to increase the number of schools.

**hubungan** KATA NAMA
*relationship*
◊ *hubungan kekeluargaan yang rapat* close family relationships

♦ **hubungan diplomatik** diplomatic relations

♦ **hubungan sulit** affair

**hubung kait** KATA NAMA
*connection*
◊ *Hubung kait antara dua perkara itu tidak dapat dijelaskan.* The connection between the two things could not be explained.

**menghubungkaitkan** KATA KERJA

*to relate*
◊ *Mereka menghubungkaitkan kejadian itu dengan masalah disiplin pelajar.* They related the incident to the problem of student discipline.

**hud** KATA NAMA
*hood*

**hujah** KATA NAMA
*argument*
**berhujah** KATA KERJA
*to argue*
◊ *Mereka sedang berhujah tentang beberapa polisi yang baru.* They were arguing about certain new policies.

**menghujah** KATA KERJA
*to argue*
◊ *"Saya setuju tetapi masalahnya bagaimana hendak melakukannya?" Yus menghujah.* "I agree, but the problem is how to do it?" argued Yus.

**menghujahkan** KATA KERJA
*to argue*
◊ *Jerry menghujahkan bahawa kegagalan pelajar merupakan tanggungjawab para guru dan ibu bapa.* Jerry argued that the failure of students was the responsibility of both teachers and parents.

**penghujah** KATA NAMA
*debater*
**hujahan** KATA NAMA
*argument*

**hujan** KATA NAMA
*rain*

♦ **musim hujan** rainy season
♦ **Hujanlah!** It's raining!
♦ **hujan asid** acid rain
♦ **hujan batu** hail
♦ **hujan lebat** downpour
♦ **hujan panas** rain during sunshine
♦ **hujan renyai-renyai** drizzle

**berhujan** KATA KERJA
*to be in the rain*

♦ **Buruh-buruh binaan itu terpaksa berhujan untuk menyiapkan kerja mereka.** The construction workers had to work in the rain to complete their work.

**kehujanan** KATA KERJA
*to get caught in the rain*
◊ *Kami kehujanan dalam perjalanan pulang ke rumah.* We got caught in the rain on our way home.

**menghujani** KATA KERJA
*to bombard*
◊ *Ahli panel dihujani dengan pelbagai soalan yang tidak munasabah.* The panellists were bombarded with illogical questions.

**hujung** KATA ARAH

1 _end_
◊ *Sekolah Salwa terletak di hujung jalan ini.* Salwa's school is situated at the end of this road.
♦ **hujung bandar** outskirts ◊ *sebuah hotel di hujung bandar New York* a hotel on the outskirts of New York
♦ **hujung minggu** weekend
♦ **hujung jari** fingertip
2 _far end_
◊ *Dia tinggal di hujung kampung itu.* He lives at the far end of the village.
**penghujung** KATA NAMA
_end_
◊ *Kejadian itu berlaku pada penghujung abad ke-18.* The incident happened at the end of the 18th century.
♦ **tidak ada penghujungnya** endless
**hukum** KATA KERJA

rujuk juga **hukum** KATA NAMA

_to punish_
◊ *"Jangan hukum saya," rayu Anand.* "Don't punish me," pleaded Anand.
**menghukum** KATA KERJA
1 _to punish_
◊ *George menghukum anak-anaknya kerana mencuri.* George punished his children for stealing.
2 _to sentence_
◊ *Dia telah mengaku bersalah atas tuduhan tersebut dan akan dihukum penjara.* He has admitted the charge and will be sentenced to prison.
**hukuman** KATA NAMA
1 _punishment_
◊ *Lelaki itu bersalah dan memang patut menerima hukuman.* The man is guilty and deserves punishment.
♦ **hukuman mati** capital punishment
♦ **hukuman rotan** caning
♦ **hukuman sebat** caning
2 _sentence_
◊ *Mereka telah pun menjalani hukuman penjara kerana penglibatan mereka dalam pembunuhan tersebut.* They have served prison sentences for their part in the murder.
♦ **menjatuhkan hukuman** to sentence
**hukum** KATA NAMA

rujuk juga **hukum** KATA KERJA

_law_
◊ *hukum alam* natural law
◊ *hukum graviti* the law of gravity
**hulu** KATA NAMA
1 _upstream_ (*sungai*)
2 _handle_ (*pisau, parang*)
**hulubalang** KATA NAMA
_commander_
**hulur**

**menghulur, menghulurkan** KATA KERJA
_to put out_
◊ *Dia menghulurkan tangannya dan cuba menarik saya ke atas.* She put her hand out and tried to pull me up.
♦ **Laila menghulurkan roti kepada pengemis itu.** Laila gave the bread to the beggar.
♦ **menghulurkan pertolongan** to give help
**huma** KATA NAMA
♦ **padi huma** hill paddy
**humban**
**menghumban** KATA KERJA
_to hurl_
◊ *Sekumpulan perusuh yang marah menghumban batu ke arah polis.* A group of angry rioters hurled stones at the police.
**terhumban** KATA KERJA
_to crash_
◊ *Pesawat itu terhumban ke dalam laut.* The plane crashed into the sea.
**humor** KATA NAMA
_humour_
**huni**
**menghuni** KATA KERJA
_to live_
◊ *Timah menghuni sebuah rumah di Cameron Highlands selama sepuluh tahun.* Timah has lived in a house in Cameron Highlands for ten years.
**penghuni** KATA NAMA
_resident_
**berpenghuni** KATA KERJA
_occupied_
◊ *Rumah itu tidak berpenghuni.* The house is unoccupied.
**hunus**
**menghunus** KATA KERJA
_to draw_
◊ *Dia menghunus pedangnya lalu berlawan dengan musuhnya.* He drew his sword and fought with his rival.
**hurai**
**menghurai** KATA KERJA
_to hang loose_
◊ *rambutnya yang panjang menghurai* her long hair which hung loose
**menghuraikan** KATA KERJA
1 _to divide_
◊ *Editor itu menghuraikan ayat itu kepada beberapa frasa.* The editor divided the sentence into several phrases.
2 _to elaborate_
◊ *Dia enggan menghuraikan komen pelanggannya.* He refused to elaborate on his client's comments.
3 _to untie_
◊ *Dia menghuraikan rambutnya yang panjang.* She untied her long hair.

H

**penghuraian**  KATA NAMA
*explanation*
♦ **Penghuraian tentang perkara itu dilakukan oleh Profesor Zainal sendiri.** The matter was explained by Professor Zainal himself.
**huraian**  KATA NAMA
1 *explanation*
◊ *Huraian pensyarah itu tidak dapat difahami.* The explanation given by the lecturer was unintelligible.
2 *analysis* (JAMAK **analyses**)
◊ *huraian tentang beberapa polisi tertentu* the analysis of specific policies

**huruf**  KATA NAMA
*alphabet*
♦ **huruf besar** capital letter
♦ **huruf condong** italics
♦ **buta huruf** illiterate

**hurufiah**  KATA ADJEKTIF
*word-for-word*
◊ *terjemahan hurufiah* word-for-word translation

**huru-hara**  KATA ADJEKTIF
| rujuk juga **huru-hara** KATA NAMA |
*chaotic*
◊ *Keadaan di situ huru-hara.* The situation there was chaotic.

**huru-hara**  KATA NAMA
| rujuk juga **huru-hara** KATA ADJEKTIF |
*chaos*
◊ *Kuda-kuda yang bertempiaran itu menyebabkan berlakunya huru-hara di situ.* The stampeding horses caused chaos there.
**menghuru-harakan**  KATA KERJA
*to cause confusion*

◊ *Pembelot-pembelot itu ditangkap kerana cuba menghuru-harakan negara itu.* The traitors were arrested for trying to cause confusion in the country.

**hutan**  KATA NAMA
1 *forest*
◊ *kebakaran hutan* forest fire
2 *jungle* (*di kawasan Tropika*)
♦ **hutan hujan** rainforest
♦ **hutan paya bakau** mangrove swamp
**kehutanan**  KATA NAMA
*forestry*
◊ *Sharizal bercadang untuk mengikuti kursus kehutanan.* Sharizal decided to take a course in forestry.
♦ **pegawai kehutanan** forestry official
**perhutanan**  KATA NAMA
*forest conservation*

**hutang**  KATA NAMA
*debt*
**berhutang**  KATA KERJA
*to owe*
◊ *Borhan sudah berhutang dengannya hampir RM500.* Borhan already owed him nearly RM500.
♦ **Dia masih berhutang dengan saya lagi.** She still owes me some money.
**pemiutang**  KATA NAMA
*creditor*
**penghutang**  KATA NAMA
*debtor*

**huyung-hayang**
**terhuyung-hayang**  KATA KERJA
*to stagger*
◊ *Lelaki tua itu berjalan terhuyung-hayang di jalan yang gelap itu.* The old man staggered along the dark street.

**ia** KATA GANTI NAMA
1 *he* (*lelaki*)
2 *she* (*perempuan*)

**beria-ia** KATA KERJA
*eager*
◊ *Dia beria-ia hendak pergi ke Terengganu.* He was eager to go to Terengganu.

**mengiakan** KATA KERJA
*to agree with*
◊ *Nazrul mengiakan cadangan abangnya.* Nazrul agreed with his brother's suggestion.

**seia sekata** KATA ADJEKTIF
*in complete accord with each other*
◊ *Kedua-dua kembar itu seia sekata.* The twins are in complete accord with each other.

**iaitu** KATA HUBUNG
*namely*

**ialah** KATA PEMERI
*to be*
**ialah** *hanya digunakan di hadapan kata nama atau frasa nama.*
◊ *En. Lim ialah pengetua sekolah itu.* Mr Lim is the school principal.

**iau**
**mengiau** KATA KERJA
*to miaow*
◊ *Kucing mengiau.* Cats miaow.

**ibadat** KATA NAMA
*performance of one's religious duty*
♦ **ibadat sembahyang Jumaat** attendance at Friday prayers
**beribadat** KATA KERJA
*to perform one's religious duty*
◊ *Pak Leman pergi ke Mekah untuk beribadat.* Pak Leman went to Mecca to perform his religious duty.

**ibarat** KATA HUBUNG
*like*
◊ *Mereka selalu berkelahi ibarat anjing dengan kucing.* They are always fighting like cat and dog.

**mengibaratkan** KATA KERJA
*to liken*
◊ *Monica mengibaratkan hidupnya bagaikan satu perjalanan.* Monica likens her life to a journey.

**iblis** KATA NAMA
*devil*

**ibu** KATA NAMA
*mother*
♦ **ibu bapa** parents
♦ **ibu jari** thumb
♦ **ibu jari kaki** big toe
♦ **ibu kota** capital city (JAMAK **capital cities**)
♦ **ibu kuih** yeast

♦ **ibu mertua** mother-in-law (JAMAK **mothers-in-law**)
♦ **ibu negara** national capital
♦ **ibu negeri** state capital
♦ **ibu pejabat** head office
♦ **ibu pertiwi** motherland
♦ **ibu sawat** exchange ◊ *ibu sawat telefon* telephone exchange
**keibuan** KATA ADJEKTIF
*motherly*
◊ *Josie tidak bersifat keibuan langsung.* Josie's not at all motherly.

**ibunda** KATA NAMA
(*bahasa istana, persuratan*)
*mother*
♦ **bahasa ibunda** mother tongue
**ibunda** *juga digunakan untuk merujuk kepada diri sendiri terutama dalam surat. Dalam keadaan ini,* **ibunda** *diterjemahkan dengan menggunakan kata ganti nama diri.*
◊ *Ibunda akan pulang pada bulan hadapan.* I'm coming home next month.
◊ *Tolong jemput ibunda di lapangan terbang.* Please pick me up at the airport.
◊ *Sampaikan salam ibunda kepada Salim.* Please give my regards to Salim.

**idam**
**mengidam** KATA KERJA
1 *to have cravings*
◊ *Kebanyakan wanita mengidam semasa mereka mengandung.* Most women have cravings when they are pregnant.
2 *to long*
◊ *Sudah lama Faruk mengidam untuk menjadi bintang filem yang terkenal.* For a long time Faruk had longed to be a film star.

**mengidamkan, mengidam-idamkan** KATA KERJA
1 *to crave*
◊ *Ibu yang mengandung itu mengidamkan jeruk betik.* The expectant mother craved pickled papayas.
2 *to long for*
◊ *Mereka mengidamkan sebuah rumah di tepi pantai.* They long for a house by the sea.

**idaman** KATA NAMA
*dream*
◊ *Sudah menjadi idaman saya untuk melancong ke seluruh dunia.* It has been my dream to travel around the world.
◊ *rumah idaman saya* my dream house

**idea** KATA NAMA
*idea*

**ideal** KATA ADJEKTIF
*ideal*

◊ *dunia yang ideal* an ideal world

**identiti** KATA NAMA
*identity* (JAMAK **identities**)

**ideologi** KATA NAMA
*ideology* (JAMAK **ideologies**)
◊ *Kedua-dua parti itu mempunyai ideologi yang sangat berbeza.* The two parties have very different ideologies.
**berideologikan** KATA KERJA
*with ... ideology*
◊ *negara yang berideologikan demokrasi* a country with a democratic ideology

**idola** KATA NAMA
*idol*

**igau**
**mengigau** KATA KERJA
*to talk in one's sleep*
**mengigaukan** KATA KERJA
*to talk in one's sleep*
♦ **Harvinder mengigaukan nama kakaknya semalam.** Harvinder called out his sister's name in his sleep last night.
**igauan** KATA NAMA
*ravings*
◊ *Igauannya sama sekali tidak dapat difahami.* Her ravings were quite impossible to understand.

**iglu** KATA NAMA
*igloo*

**ihsan** KATA NAMA
*kindness* (JAMAK **kindnesses**)
◊ *Saya hanya ingin membuat ihsan kepada anda.* I only want to do you a kindness.
**keihsanan** KATA NAMA
*kindness*
◊ *Keihsanannya sudah terkenal di kampung.* His kindness is well-known in the village.

**ijab kabul** KATA NAMA
*marriage*
**berijab kabul** KATA KERJA
*to get married*
◊ *Pasangan itu akan berijab kabul pada bulan Mac.* The couple will get married in March.
**mengijabkabulkan** KATA KERJA
*to marry*
◊ *Ustaz Hussein akan mengijabkabulkan mereka esok.* Ustaz Hussein will marry them tomorrow.

**ijazah** KATA NAMA
*degree*
◊ *Dia bekerja keras untuk mendapatkan segulung ijazah.* She worked hard for a degree.
**berijazah** KATA KERJA
*to graduate*

**ikal** KATA ADJEKTIF

*wavy*
◊ *rambut yang ikal* wavy hair
♦ **rambut ikal mayang** long wavy hair

**ikan** KATA NAMA
*fish* (JAMAK **fish**)
**perikanan** KATA NAMA
*fishing*
◊ *perikanan laut dalam* deep-sea fishing
♦ **kawasan perikanan** fishery (JAMAK **fisheries**)
♦ **Jabatan Perikanan** Fishery Department

**ikan emas** KATA NAMA
*goldfish* (JAMAK **goldfish**)

**ikan lumba-lumba** KATA NAMA
*dolphin*

**ikan tongkol** KATA NAMA
*tuna*

**ikat** KATA NAMA
rujuk juga **ikat** PENDOROH BILANGAN
*band*
♦ **ikat jamin** bail
♦ **ikat kepala** headband
♦ **ikat pinggang** waistband
♦ **ikat perut** to save money on food
**mengikat** KATA KERJA
*to tie*
◊ *Dia mengikat simpul itu dengan ketat.* He tied the knot tightly.
♦ **Suhana mengikat hadiah itu dengan reben merah.** Suhana tied the present up with a red ribbon.
♦ **mengikat tali pertunangan** to get engaged
♦ **mengikat tali persahabatan** to become friends
**mengikatkan** KATA KERJA
*to tie*
◊ *John mengikatkan kudanya pada sebatang pokok.* John tied his horse to a tree.
**pengikat** KATA NAMA
*a means of tying things*
♦ **pengikat kata** quotation marks
**perikatan** KATA NAMA
*alliance*
◊ *Kedua-dua negara itu bercadang untuk membentuk satu perikatan.* The two countries intend to form an alliance.
**terikat** KATA KERJA
*bound*
◊ *Dia terikat dengan janjinya kepada ibunya.* He was bound by his promise to his mother.
**ikatan** KATA NAMA
1 *knot*
◊ *Ikatan itu ketat.* The knot is tight.
2 *bundle*

◊ *dijual dalam bentuk ikatan* sold in bundles

**ikat** PENJODOH BILANGAN

*rujuk juga* **ikat** KATA NAMA
**ikat** *mempunyai terjemahan yang berbeza.*

◊ *dua ikat jerami* two bundles of straw
◊ *satu ikat manggis* a bunch of mangosteens

**ikhlas** KATA ADJEKTIF
*sincere*
♦ **dengan ikhlas** sincerely
♦ **tidak ikhlas** insincere
♦ **Yang ikhlas** Yours sincerely
**keikhlasan** KATA NAMA
*sincerity*
◊ *Saya tidak pernah meragui keikhlasannya.* I've never doubted his sincerity.

**ikhtiar** KATA NAMA
*way*
◊ *Saya tidak ada ikhtiar lagi untuk...* I no longer have any way to... ◊ *Saya perlu mencari ikhtiar untuk menyelesaikan masalah ini.* I need to look for a way to solve this problem.
**berikhtiar** KATA KERJA
*to endeavour*
◊ *Mereka akan berikhtiar untuk mengatur rancangan tersebut.* They will endeavour to arrange the programme.
**mengikhtiarkan** KATA KERJA
*to devise*
◊ *Penjual itu mengikhtiarkan satu rancangan untuk melariskan jualannya.* The salesman devised a plan to increase his sales.

**ikhtisas** KATA ADJEKTIF
*professional*
◊ *latihan ikhtisas* professional training
**mengikhtisaskan** KATA KERJA
*to professionalize*
◊ *Mereka ingin mengikhtisaskan organisasi tersebut.* They want to professionalize the organization.

**iklan** KATA NAMA
*advertisement*
**mengiklankan** KATA KERJA
*to advertise*
◊ *Syarikat pelancongan itu mengiklankan percutian ke Australia.* The travel agency advertised a holiday to Australia.
**pengiklan** KATA NAMA
*advertiser*
**pengiklanan** KATA NAMA
*advertising*
◊ *Pengiklanan syarikat mereka sungguh berkesan.* The advertising for

their company was very effective.
**periklanan** KATA NAMA
*advertising*
◊ *Anak lelakinya baru sahaja menceburi bidang periklanan.* Her son has just gone into advertising.

**iklaneka** KATA NAMA
*advertisements*

**iklim** KATA NAMA
*climate*

**ikon** KATA NAMA
*icon*

**ikrar** KATA NAMA
*pledge*
**berikrar** KATA KERJA
*to vow*
◊ *Atlit-atlit itu berikrar akan bertanding dengan semangat kesukanan.* The athletes vowed that they would compete in a spirit of sportsmanship.
**mengikrarkan** KATA KERJA
*to pledge*
◊ *Ahli-ahli persatuan itu mengikrarkan kesetiaan mereka kepada persatuan tersebut.* The members pledged their loyalty to the society.

**iktibar** KATA NAMA
*lesson*
◊ *menjadi iktibar* to be a lesson
◊ *Bencana itu patut menjadi iktibar kepada kita.* The disaster should be a lesson to us.
♦ **mengambil iktibar** to learn ◊ *Kita patut mengambil iktibar daripada kesilapan orang lain.* We should learn from the mistakes of others.

**iktiraf**
**mengiktiraf** KATA KERJA
*to recognize*
◊ *Kerajaan tidak mengiktiraf sesetengah ijazah dari luar negara.* The government doesn't recognize certain foreign degrees.
**pengiktirafan** KATA NAMA
*recognition*
◊ *Hasil penyelidikannya hanya mendapat pengiktirafan selepas 10 tahun.* His research findings only received recognition after 10 years.

**ikut** KATA KERJA
*to follow*
◊ *Jangan ikut saya.* Don't follow me.
**berikut** KATA ADJEKTIF
1 *following*
◊ *contoh yang berikut* the following example
2 *next*
◊ *dua jam yang berikutnya* the next two hours
♦ **pertambahan penduduk pada tahun-**

**tahun berikutnya**  the increase of population in subsequent years

**berikutan**  KATA HUBUNG

_following_

◊  *Tanah runtuh berlaku berikutan hujan lebat.*  Landslides occurred following heavy rains.

**mengikut**  KATA KERJA

1  _to go with_

◊  *Gina suka mengikut emaknya ke pasar.*  Gina likes to go to the market with her mother.

2  _to follow_

◊  *Kami mengikutnya ke dapur.*  We followed her into the kitchen.  ◊  *orang yang tidak mengikut arahan*  people who don't follow instructions

**mengikuti**  KATA KERJA

_to follow_

◊  *Lagu Melayu itu diikuti oleh sebuah lagu Inggeris.*  The Malay song was followed by an English one.

♦  **Kanak-kanak itu mengikuti rancangan itu dari awal hingga akhir.**  The child watched the programme from beginning to end.

♦  **Kakak saya sedang mengikuti kursus komputer.**  My sister is taking a computer course.

**pengikut**  KATA NAMA

_follower_

**ikutan**  KATA NAMA

_example_

◊  *Dia menjadi ikutan anak muda.*  He is an example to the younger people.

♦  **Sikap yang baik patut dijadikan ikutan.**  Good behaviour should be imitated.

♦  **fesyen yang menjadi ikutan ramai**  a fashion that has become popular

**ikut-ikut**  KATA KERJA

_to copy_

◊  *Dia suka ikut-ikut cara berpakaian penyanyi-penyanyi terkenal.*  She likes to copy the way well-known singers dress.

**terikut-ikut**  KATA KERJA

_to copy unconsciously_

◊  *Dia terikut-ikut tabiat buruk kawannya.*  He copied his friend's bad habits unconsciously.

**ikut serta**  KATA KERJA

_to join_

◊  *Dia tidak membenarkan anaknya ikut serta dalam rombongan sekolah itu.*  She didn't allow her child to join the school excursion.

**Ilahi**  KATA NAMA

_God_

**ilham**  KATA NAMA

_inspiration_

◊  *Penulis itu mencari ilham di kawasan pergunungan.*  The writer looked for inspiration in the mountains.

**mengilhamkan**  KATA KERJA

_to inspire_

◊  *Cerita itu telah mengilhamkan gadis itu menjadi seorang pekerja sosial.*  The story inspired the girl to be a social worker.

**pengilham**  KATA NAMA

_inspiration_

◊  *Bapanyalah yang menjadi pengilhamnya.*  Her father is her inspiration.

**ilmiah**  KATA ADJEKTIF

_academic_

◊  *majalah ilmiah*  academic journal  ◊  *Penulis itu menggunakan pendekatan ilmiah.*  The author takes an academic approach.

**ilmu**  KATA NAMA

_knowledge_

◊  *menimba ilmu*  to gain knowledge

♦  **ilmu kemanusiaan**  humanities

♦  **ilmu mempertahankan diri**  the art of self-defence

**berilmu**  KATA KERJA

_knowledgeable_

◊  *pemuda yang berilmu*  a knowledgeable young man

**keilmuan**  KATA NAMA

_academic_

◊  *Penulis itu menggunakan pendekatan keilmuan.*  The author takes an academic approach.

♦  **lapangan keilmuan**  field of study

**ilusi**  KATA NAMA

_illusion_

**ilustrasi**  KATA NAMA

_illustration_

**mengilustrasikan**  KATA KERJA

_to illustrate_

◊  *Dia mengilustrasikan cerita itu dengan gambar-gambar kartun.*  He illustrated the story with cartoons.

**imaginasi**  KATA NAMA

_imagination_

**imaginatif**  KATA ADJEKTIF

_imaginative_

**imam**  KATA NAMA

_imam_

**iman**  KATA NAMA

_faith_

◊  *iman yang teguh*  strong faith

**beriman**  KATA KERJA

_faithful_

◊  *Tuhan akan memberkati orang yang beriman kepadaNya.*  God will bless those who are faithful to Him.

**berimankan**  KATA KERJA

_to believe in_
◊ *Mereka hanya berimankan wang.* Money is all they believe in.
**keimanan** KATA NAMA
_faith_
◊ *Keimanan Non dalam agamanya sangat teguh.* Non's religious faith is very strong.

**imbang** KATA ADJEKTIF
_balanced_
**mengimbangi** KATA KERJA
_to balance_
♦ **mengimbangi badan** to balance
◊ *Akrobat sarkas itu dapat mengimbangi badannya pada seutas dawai yang halus.* The circus acrobat could balance on a thin wire.
**mengimbangkan** KATA KERJA
_to divide ... equally_
◊ *Dia perlu mengimbangkan masanya antara keluarga dengan kerjaya.* He has to divide his time equally between his family and his career.
**pengimbang** KATA NAMA
_weight_
**pengimbangan** KATA NAMA
_balancing_
◊ *pengimbangan perbelanjaan dengan pendapatan* balancing expenditure and income
**seimbang** KATA ADJEKTIF
_balanced_
◊ *makanan seimbang* a balanced diet
**keseimbangan** KATA NAMA
_balance_
◊ *keseimbangan ekologi* ecological balance ◊ *Serebelum otak mengawal keseimbangan badan.* The cerebellum controls the body's balance.
♦ **ketidakseimbangan** imbalance
**menyeimbangkan** KATA KERJA
_to even up_
◊ *menyeimbangkan imbangan perdagangan syarikat itu* to even up the company's balance of trade
**imbangan** KATA NAMA
_balance_
◊ *imbangan perdagangan* balance of trade

**imbas** KATA NAMA
♦ **sekali imbas** at a glance
**mengimbas, mengimbasi** KATA KERJA
_to scan_
◊ *Seng Hin mengimbas gambar Nina ke dalam komputer.* Seng Hin scanned Nina's picture into the computer.
◊ *Juruwang itu mengimbas kod bar tersebut.* The cashier scanned the bar code.

**pengimbasan** KATA NAMA
_scan_
◊ *Hospital itu menjalankan pengimbasan otak.* The hospital carried out a brain scan.
**seimbas** KATA ADJEKTIF
♦ **melihat seimbas lalu** to catch a glimpse of ◊ *Saya berjaya melihat penyanyi itu seimbas lalu.* I managed to catch a glimpse of the singer.

**imbas kembali** KATA NAMA
_flashback_
◊ *cerita yang mempunyai banyak imbas kembali* a story containing many flashbacks
**mengimbas kembali** KATA KERJA
_to remember_
◊ *Dia mengimbas kembali perubahan pada air muka ibunya.* She remembered the change in her mother's expression.

**imbuh**
**imbuhan** KATA NAMA
_affix_ (JAMAK **affixes**)

**imej** KATA NAMA
_image_

**imigran** KATA NAMA
_immigrant_

**imigrasi** KATA NAMA
_immigration_
◊ *imigrasi ke Eropah* immigration to Europe

**imigresen** KATA NAMA
_immigration_
◊ *Jabatan Imigresen* Immigration Department

**impak** KATA NAMA
_impact_

**impi**
**mengimpikan** KATA KERJA
_to dream of_
◊ *Tak usah anda mengimpikan kejayaan jika anda tidak bekerja keras.* Don't dream of being successful unless you work hard. ◊ *Zainal mengimpikan sebuah kereta BMW.* Zainal dreams of owning a BMW.
**impian** KATA NAMA
_dream_
◊ *satu percutian impian* a dream holiday

**implikasi** KATA NAMA
_implication_
**mengimplikasikan** KATA KERJA
_to imply_
◊ *Kehadiran doktor itu tidak mengimplikasikan bahawa terdapatnya masalah.* The doctor's arrival doesn't imply that there is a problem.

**import** KATA NAMA

*import*
- **barangan import** imported goods
  **mengimport** KATA KERJA
  *to import*
  ◊ *Malaysia mengimport susu dari New Zealand.* Malaysia imports milk from New Zealand.
  **pengimport** KATA NAMA
  *importer*
  **pengimportan** KATA NAMA
  *import*
  ◊ *Pengimportan barangan perlu dikawal.* The import of goods must be controlled.

**impuls** KATA NAMA
*impulse*

**imsak** KATA NAMA
*time when fasting begins*

**imunisasi** KATA NAMA
*immunization*
◊ *imunisasi menentang penyakit* immunization against disease

**inai** KATA NAMA
*henna*
  **berinai** KATA KERJA
  *to apply henna*
  ◊ *Istiadat berinai dilangsungkan sehari sebelum majlis perkahwinan Imah.* The ceremony of applying henna was held the day before Imah's wedding.
  **menginai** KATA KERJA
  *to apply henna*
  ◊ *Nenek Ismalia menginai jarinya.* Ismalia's grandmother applied henna to her fingers.

**inap**
  **menginap** KATA KERJA
  *to spend the night*
  ◊ *Mereka menginap di hotel yang mahal.* They spent the night at an expensive hotel.
  **penginap** KATA NAMA
  *guest* (*hotel*)
  **penginapan** KATA NAMA
  *accommodation*
  ◊ *Peserta-peserta akan diberi penginapan percuma di hotel itu.* Participants will be given free accommodation in the hotel.
- **menyediakan tempat penginapan** to accommodate ◊ *Pangsapuri itu dibina untuk menyediakan tempat penginapan bagi atlit-atlit Sukan Komanwel.* The apartments were built to accommodate athletes in the Commonwealth Games.

**inci** KATA NAMA
*inch* (JAMAK **inches**)

**incut**
  **terincut-incut** KATA KERJA
  *to limp*
  ◊ *Dia terincut-incut kerana kakinya*

*tercedera.* He limped because his leg was injured.
- **berjalan terincut-incut** to limp

**indah** KATA ADJEKTIF
*beautiful*
◊ *pemandangan laut yang indah* a beautiful view of the sea
- **indah permai** splendid
  **keindahan** KATA NAMA
  *beauty*
  ◊ *keindahan alam* the beauty of nature
  **mengindahkan** KATA KERJA
  *to beautify*
  ◊ *Mereka mengindahkan sekolah itu dengan menanam pokok bunga.* They beautified the school by planting flowers.
  **memperindah** KATA KERJA
  *to decorate*
  ◊ *Claire memperindah rumahnya sempena perayaan Krismas.* Claire decorated her house for Christmas.
  **pengindahan** KATA NAMA
  *embellishment*
  ◊ *Pengindahan bangunan-bangunan lama di kawasan itu telah bermula.* The embellishment of the old buildings in the area has started.
- **Pengindahan kawasan sekolah dilakukan oleh pelajar-pelajar sendiri.** It was the students themselves who decorated the school compound.

**indeks** KATA NAMA
*index* (JAMAK **indexes**)

**India** KATA NAMA
*India*
- **orang India** Indian

**individu** KATA NAMA
*individual*

**Indonesia** KATA NAMA
*Indonesia*
- **orang Indonesia** Indonesian

**induk** KATA NAMA
*mother*
◊ *Anak singa itu bergantung pada induknya untuk mendapatkan makanan.* The lion cub relies on its mother for food.
- **kapal induk** mother ship
- **kampus induk** main campus

**induksi** KATA NAMA
*induction*
◊ *Sains berdasarkan prinsip induksi.* Science is based on the principle of induction.

**industri** KATA NAMA
*industry* (JAMAK **industries**)
**pengindustrian** KATA NAMA
*industrialization*
◊ *Pengindustrian kawasan luar bandar boleh mengurangkan kesesakan di*

*kawasan bandar.* The industrialization of rural areas can reduce population density in urban areas.
**perindustrian** KATA NAMA
*industrial*
◊ *kawasan perindustrian* industrial estate

**inflasi** KATA NAMA
*inflation*

**influenza** KATA NAMA
*influenza*

**informatif** KATA ADJEKTIF
*informative*
◊ *rancangan televisyen yang informatif* an informative television programme

**inframerah** KATA NAMA
*infra-red*

**infrastruktur** KATA NAMA
*infrastructure*

**ingat** KATA KERJA
1 *to remember*
◊ *Dia tidak ingat.* She doesn't remember.
♦ **ingat-ingat lupa** to vaguely remember
2 *to think*
◊ *Saya ingat anda sudah balik.* I thought you had gone home.
**beringat-ingat** KATA KERJA
*cautious*
◊ *Kita mesti sentiasa beringat-ingat ketika berenang di dalam sungai.* One should always be cautious when swimming in a river.
**mengingati** KATA KERJA
1 *to remember*
◊ *Saya akan sentiasa mengingati Tracy.* I will always remember Tracy.
2 *to recall*
◊ *Dia cuba mengingati nama bekas gurunya.* He tried to recall the name of his former teacher.
**mengingatkan** KATA KERJA
*to remind*
◊ *Saya tidak mahu mengingatkan kamu tentang hal ini lagi.* I don't want to remind you about this again.
**memperingati** KATA KERJA
*to commemorate*
◊ *Pameran itu diadakan untuk memperingati peristiwa yang penuh bersejarah itu.* The exhibition was held to commemorate that historic event.
**memperingatkan** KATA KERJA
*to remind*
◊ *Saya ingin memperingatkan anda bahawa masa yang diberi ialah 5 minit.* I'd like to remind you that the time allowed is 5 minutes.
**peringatan** KATA NAMA

*reminder*
◊ *Pekedai itu menghantar peringatan kepada pelanggan yang masih berhutang dengannya.* The shopkeeper sent a reminder to those customers who still owed him money.
**teringat** KATA KERJA
*to remember*
◊ *Saya baru teringat bahawa saya ada ujian esok.* I've just remembered that I have a test tomorrow.
**teringat-ingat** KATA KERJA
*to think about*
◊ *Suhaila masih teringat-ingat tentang percutiannya di Eropah tiga tahun yang lalu.* Suhaila still thinks about her holiday in Europe three years ago.
**teringatkan** KATA KERJA
*to remember*
◊ *Elaine tersenyum apabila dia teringatkan pesan ayahnya.* Elaine smiled when she remembered her father's advice.
**ingatan** KATA NAMA
*memory* (JAMAK **memories**)
♦ **daya ingatan** memory
♦ **dengan ingatan tulus ikhlas** with sincere regards

**Inggeris** KATA ADJEKTIF
*English*
♦ **bahasa Inggeris** English
♦ **orang Inggeris** the English
**keinggerisan** KATA ADJEKTIF
*anglicized*
◊ *gaya pertuturan yang keinggerisan* an anglicized way of speaking
♦ **Dia tidak suka akan sistem pentadbiran yang bersifat keinggerisan.** She doesn't like the anglified administrative system.

**ingin** KATA BANTU
*to want*
◊ *Saya ingin melawat Tasik Kenyir.* I want to visit Kenyir Lake.
♦ **perasaan ingin tahu** curiosity
**keinginan** KATA NAMA
*desire*
◊ *Raymond mempunyai keinginan untuk membantu pesakit barah.* Raymond has a desire to help cancer patients.
**mengingini, menginginkan** KATA KERJA
1 *to want*
◊ *Budak itu menginginkan sebatang aiskrim.* The child wants an ice cream.
2 *to wish for*
◊ *Semua orang menginginkan kebahagiaan dalam rumah tangga.* Everybody wishes for happiness in marriage.
**teringin** KATA KERJA
*to feel like*

I

◊ *Saya teringin hendak melukis.* I feel like drawing.

**ingkar** KATA KERJA
*to refuse*
◊ *Pemuda itu ingkar akan nasihat ibu bapanya.* The young man refused to follow his parents' advice.

**keingkaran** KATA NAMA
*refusal*
◊ *Guru itu marah kerana keingkaran pelajar tersebut menjalankan tugas kelasnya.* The teacher is angry at the student's refusal to carry out his class duties.

**mengingkari** KATA KERJA
*to disobey*
◊ *Tiada sesiapa pun yang berani mengingkari perintah En. Rajan.* Nobody dares disobey Mr Rajan.

♦ **mengingkari janji** to break a promise

**ini** KATA GANTI NAMA
*this* (JAMAK **these**)
◊ *Rumah ini cantik.* This house is beautiful. ◊ *Manik-manik ini berharga RM5.* These beads cost RM5.

**inisiatif** KATA NAMA
*initiative*

**injak** KATA NAMA
*pedal*
**menginjak** KATA KERJA
*to tread on*
◊ *Nenek itu tidak suka menginjak lantai yang sejuk.* The old lady doesn't like treading on the cold floor.
**menginjak-injak** KATA KERJA
*to trample on*
◊ *Mereka tidak mahu orang ramai menginjak-injak rumput di taman itu.* They don't want people trampling on the grass in the park.
**menginjakkan** KATA KERJA

♦ **menginjakkan kaki** to set foot ◊ *Neil Armstronglah orang pertama yang menginjakkan kakinya ke bulan.* Neil Armstrong was the first person to set foot on the moon.

**injap** KATA NAMA
*valve*

**Injil** KATA NAMA
*New Testament*

**inovasi** KATA NAMA
*innovation*

**inovatif** KATA ADJEKTIF
*innovative*
◊ *idea yang inovatif* an innovative idea

**input** KATA NAMA
*input*

**insaf** KATA KERJA
[1] *to repent*

◊ *Dia sudah insaf akan dosa-dosanya.* He has repented of his sins.

♦ **orang yang telah insaf** a repentant person
[2] *to see the light*
◊ *Dia insaf setelah melihat penderitaan mangsa perang.* He saw the light after witnessing the suffering of war victims.

**keinsafan** KATA NAMA
[1] *remorse*
◊ *Pembunuh itu tidak menunjukkan keinsafan semasa perbicaraannya.* The murderer showed no remorse during his trial.
[2] *awareness*
◊ *Ceramah itu menimbulkan keinsafan tentang masalah persekitaran.* The talk raised awareness of environmental problems.

**menginsafi** KATA KERJA
*to repent*
◊ *Pernahkah Larry menginsafi dosa-dosanya?* Has Larry ever repented of his sins?

**menginsafkan** KATA KERJA
*to make ... aware*
◊ *Pameran ini bertujuan untuk menginsafkan orang ramai supaya berhati-hati semasa memandu di jalan raya.* This exhibition aims to make people aware of the need to drive carefully.

**insan** KATA NAMA
*human being*
**keinsanan** KATA NAMA
*humanity*
◊ *Pembunuh itu sudah hilang keinsanannya.* The murderer is completely without humanity.

**insang** KATA NAMA
*gills*

**insentif** KATA NAMA
*incentive*

**insiden** KATA NAMA
*incident*

**inskripsi** KATA NAMA
*inscription*

**inspektor** KATA NAMA
*inspector*

**inspirasi** KATA NAMA
*inspiration*

**institusi** KATA NAMA
*institution*
◊ *bank dan institusi kewangan yang lain* banks and other financial institutions

**institut** KATA NAMA
*institute*
◊ *Institut Jantung Negara* the National Heart Institute

**instrumental** KATA ADJEKTIF

*instrumental*
◊ *muzik instrumental* instrumental music

**insulin** KATA NAMA
*insulin*

**insurans** KATA NAMA
*insurance*
**menginsuranskan** KATA KERJA
*to insure*
◊ *Timothy menginsuranskan nyawanya dengan jumlah RM50 ribu.* Timothy insured his life for RM50 thousand.
◊ *Lena menginsuranskan rumahnya daripada kebakaran.* Lena insured her house against fire.

**intai**
**mengintai** KATA KERJA
*to peep at*
◊ *Dia mengintai gadis itu mandi.* He peeped at the girl bathing.
**mengintai-intaikan** KATA KERJA
*to keep ... under observation*
◊ *Pihak polis mengintai-intaikan orang yang disyaki itu.* The police kept the suspect under observation.
**pengintai** KATA NAMA
*Peeping Tom*

**intan** KATA NAMA
*diamond*

**integrasi** KATA NAMA
*integration*
**berintegrasi** KATA KERJA
*to integrate*
**mengintegrasikan** KATA KERJA
*to integrate*
◊ *mengintegrasikan aktiviti kedua-dua syarikat* to integrate the activities of both companies

**intelek** KATA NAMA
*intellect*

**intelektual** KATA ADJEKTIF
*intellectual*
◊ *perbincangan intelektual* intellectual discussion

**intensif** KATA ADJEKTIF
*intensive*
◊ *kursus intensif* intensive course

**interaksi** KATA NAMA
*interaction*
◊ *interaksi antara jiran* interaction between neighbours
**berinteraksi** KATA KERJA
*to interact*
◊ *Dia jarang berinteraksi dengan jirannya.* He seldom interacts with his neighbours.

**interkom** KATA NAMA
*intercom*

**Internet** KATA NAMA
*Internet*

**interpretasi** KATA NAMA
*interpretation*
**menginterpretasikan** KATA KERJA
*to interpret*
◊ *Dia menginterpretasikan pemberian itu sebagai satu penghinaan.* She interpreted the gift as an insult.
♦ **salah menginterpretasikan** to misinterpret

**inti** KATA NAMA
[1] *filling* (*dalam kek, roti, kuih*)
[2] *stuffing* (*dalam ayam itik, sayuran*)
◊ *Cabai itu mempunyai inti ikan.* The chilli has fish stuffing in it.
**berinti** KATA KERJA
[1] *to have a filling*
◊ *Budak itu hanya makan roti yang berinti.* That child only eats bread that has a filling in it.
[2] *stuffed*
◊ *Pn. Jackson memanggang ayam belanda berinti.* Mrs Jackson roasted a stuffed turkey.
**berintikan** KATA KERJA
[1] *to have a ... filling*
◊ *Biskut itu berintikan krim coklat.* The biscuit has a chocolate cream filling.
[2] *with a stuffing of*
◊ *Tukang masak itu memasak itik yang berintikan kekacang.* The chef cooked duck with a stuffing of beans.

**intim** KATA ADJEKTIF
*close*
◊ *kawan yang intim* a close friend
**keintiman** KATA NAMA
*closeness*
◊ *Keintiman dua adik-beradik itu amat ketara.* The closeness between the two siblings is very obvious.

**intip**
**mengintip** KATA KERJA
*to spy on*
**pengintip** KATA NAMA
*spy* (JAMAK **spies**)
**pengintipan** KATA NAMA
*espionage*
◊ *Pengintipan mereka sudah terbongkar.* Their espionage has been exposed.
♦ **agen pengintipan** undercover agent
♦ **operasi pengintipan selama dua minggu oleh polis** a two-week surveillance operation by the police

**inti pati** KATA NAMA
*essence*
◊ *Perubahan merupakan inti pati kehidupan.* Change is the essence of life.
♦ **Inti pati ucapannya ialah kemiskinan penduduk luar bandar.** The main topic

I

of his speech was the poverty of the rural population.

**inti sari** KATA NAMA
*essence*
◊ *Perubahan merupakan inti sari kehidupan.* Change is the essence of life.
♦ **Inti sari ucapannya ialah kemiskinan penduduk luar bandar.** The main topic of his speech was the poverty of the rural population.
♦ **inti sari rancangan** programme summary (JAMAK **programme summaries**)

**intonasi** KATA NAMA
*intonation*

**Intranet** KATA NAMA
*Intranet*

**inventori** KATA NAMA
*inventory* (JAMAK **inventories**)

**invertebrat** KATA NAMA
*invertebrate*

**invois** KATA NAMA
*invoice*

**iodin** KATA NAMA
*iodine*

**ipar** KATA NAMA
*in-law*
◊ *abang ipar* brother-in-law ◊ *Saya ada dua orang abang ipar.* I have two brothers-in-law.
♦ **ipar-duai** cousins by marriage

**irama** KATA NAMA
*rhythm*

**iras**
  **seiras** KATA ADJEKTIF
  *alike*
  ◊ *Mereka membuat anggapan bahawa semua lelaki dan wanita berfikiran seiras.* They assume that all men and women think alike.
♦ **kembar seiras** identical twins

**iri hati** KATA ADJEKTIF
*envious*
◊ *Nancy berasa iri hati akan kejayaan jirannya.* Nancy feels envious of her neighbour's success.
♦ **perasaan iri hati dan kagum** feelings of envy and admiration
  **beriri hati** KATA KERJA
  *to envy*
  ◊ *Dia beriri hati akan sepupunya yang kaya.* He envies his rich cousin.

**iring**
  **beriringan** KATA KERJA
  *together*
  ◊ *Mereka menunggang basikal beriringan mengelilingi Pulau Pangkor.* They cycled together around Pangkor Island.

**beriring-iringan** KATA KERJA
*to file*
◊ *Atlit-atlit itu beriring-iringan masuk ke dalam stadium itu.* The athletes filed into the stadium.

**mengiringi** KATA KERJA
  ① *to accompany*
  ◊ *Isteri Perdana Menteri mengiringi beliau ke luar negara.* The Prime Minister's wife accompanied him overseas.
  ② *to escort*

**pengiring** KATA NAMA
*escort*
◊ *Pegawai itu tiba di sekolah kami dengan beberapa orang pengiring.* The officer arrived at our school with several escorts.

**seiring** KATA ADJEKTIF
*side by side*
◊ *Lorong itu terlalu sempit untuk mereka berjalan seiring.* The lane is too narrow for them to walk side by side.

**seiringan** KATA HUBUNG
*in step with*
◊ *Kemajuan syarikat itu seiringan dengan perkembangan ekonomi negara.* The company's progress was in step with the economic development of the country.

**iring** KATA NAMA
*accompaniment*
◊ *dengan iringan muzik* with musical accompaniment

**ironis** KATA ADJEKTIF
*ironic*
◊ *Yang ironisnya ialah orang yang terbukti terlibat dalam kecurian itu merupakan Ketua Pengawas sendiri.* It's ironic that the person found guilty of theft was none other than the school Head Prefect.

**isi** KATA NAMA
  ① *contents*
  ◊ *isi karangan* the contents of an essay
♦ **"isi kandungan"** "contents" (*buku*)
  ② *flesh*
  ◊ *Potong isi buah zaitun itu.* Cut the flesh from the olives.
♦ **isi hati** feelings
♦ **isi perut** feelings
♦ **isi rumah** household
  **berisi** KATA KERJA
  *filled*
  ◊ *Bekas itu belum berisi.* The container hasn't been filled. ◊ *belon yang berisi helium* a balloon filled with helium
♦ **sekam gandum yang tidak berisi** empty wheat husks
♦ **Badannya berisi.** She's plump.
  **mengisi** KATA KERJA

_to fill_
◊  *Emak mengisi periuk itu dengan nasi.*
Mother filled the pot with rice.
+ **mengisi borang**  to fill in a form
+ **mengisi sehingga penuh**  to fill up
+ **mengisi semula**  to refill
**mengisikan**  KATA KERJA
_to fill_
◊  *Emak mengisikan nasi ke dalam
periuk itu.*  Mother filled the pot with rice.
**pengisian**  KATA NAMA
_filling_
**perisian**  KATA NAMA
_software_
+ **perisian kongsi**  shareware
+ **perisian percuma**  freeware
**seisi**  KATA ADJEKTIF
_whole_
◊  *seisi keluarga*  the whole family

**isih**
**mengisih**  KATA KERJA
_to sort_
◊  *Mereka mengisih nama-nama itu
mengikut abjad.*  They sorted the names
alphabetically.
**pengisihan**  KATA NAMA
_sorting_
◊  *pengisihan oleh komputer*  sorting by
computer

**isi padu**  KATA NAMA
_volume_

**isirung**  KATA NAMA
_flesh_  (kelapa)

**Islam**  KATA ADJEKTIF
> rujuk juga **Islam** KATA NAMA

_Islamic_
◊  *pengajian Islam*  Islamic studies
**Islam**  KATA NAMA
> rujuk juga **Islam** KATA ADJEKTIF

_Islam_
+ **penganut agama Islam**  Muslim
**islamiah**  KATA ADJEKTIF
_Islamic_

**Isnin**  KATA NAMA
_Monday_
◊  *pada hari Isnin*  on Monday

**ISP**  SINGKATAN  (= *Pembekal Khidmat
Internet*)
_ISP_  (= *Internet service provider*)

**istana**  KATA NAMA
_palace_

**istanakota**  KATA NAMA
_castle_

**isteri**  KATA NAMA
_wife_  (JAMAK **wives**)
+ **pasangan suami isteri**  married couple
+ **isteri muda**  second wife
+ **Erina dan Yasmin ialah isteri muda
Datuk Mansor.**  Erina and Yasmin are

Datuk Mansor's other wives.
**beristeri**  KATA KERJA
_to marry_
◊  *Dia akan beristeri tidak lama lagi.*  He
will marry soon.
**beristerikan**  KATA KERJA
_to marry_
◊  *Dia mahu beristerikan gadis kampung.*
He wants to marry a village girl.
**memperisteri**  KATA KERJA
_to marry_
◊  *Dia ingin memperisteri teman
wanitanya.*  He wants to marry his
girlfriend.
**memperisterikan**  KATA KERJA
_to find a wife for_
◊  *Pak Mat ingin memperisterikan
anaknya.*  Pak Mat wants to find a wife for
his son.

**istiadat**  KATA NAMA
1  _custom_
◊  *Raja itu ditabalkan mengikut istiadat
Minangkabau.*  The king was installed
according to Minangkabau custom.
2  _ceremony_  (JAMAK **ceremonies**)
◊  *Istiadat penganugerahan pingat itu
berlangsung di Kedutaan British.*  The
award ceremony took place at the British
Embassy.

**istilah**  KATA NAMA
_term_

**istimewa**  KATA ADJEKTIF
_special_
+ **kanak-kanak istimewa**  children with
special needs
**keistimewaan**  KATA NAMA
_speciality_  (JAMAK **specialities**)
**teristimewa**  KATA ADJEKTIF
_the most special_

**istirahat**
**beristirahat**  KATA KERJA
_to rest_
◊  *Mereka beristirahat di Taiping sebelum
meneruskan perjalanan mereka.*  They
rested in Taiping before continuing their
journey.

**isu**  KATA NAMA
_issue_

**isyak**  KATA NAMA
_after sunset_
+ **sembahyang isyak**  Muslim night-time
prayer

**isyarat**  KATA NAMA
_signal_
+ **bahasa isyarat**  sign language
**mengisyaratkan**  KATA KERJA
_to signal to_
◊  *Guru itu mengisyaratkan pengawas-
pengawas di belakang dewan.*  The

teacher signalled to the prefects at the back of the hall.

**isytihar**

  **mengisytiharkan** KATA KERJA
  _to announce_
  ◊ _Para hakim itu mengisytiharkan nama-nama pemenang pagi tadi._ The judges announced the names of the winners this morning.
  ♦ **Tanah Melayu diisytiharkan sebagai sebuah negara merdeka pada 31 Ogos 1957.** Malaya was declared an independent nation on 31 August 1957.
  **pengisytiharan, perisytiharan** KATA NAMA
  _announcement_
  ◊ _pengisytiharan cuti khas oleh guru besar_ the announcement of a special holiday by the headmaster

**italik** KATA ADJEKTIF
  _italic_

**itik** KATA NAMA
  _duck_
  ♦ **itik betina** duck
  ♦ **itik jantan** drake
  ♦ **anak itik** duckling

**itu** KATA GANTI NAMA
  1 _that_ (JAMAK **those**)
  ◊ _Siapakah itu?_ Who's that?

  ◊ _Kapal itu datang dari New Zealand._ That ship comes from New Zealand.
  ◊ _Pelajar-pelajar itu tinggal di Kampung Gelam._ Those students live in Kampung Gelam.
  2 _the_
  ◊ _Dia menunjuk kepada buku yang berwarna biru itu._ He pointed to the blue book. ◊ _Rumah-rumah itu dibina dua tahun yang lalu._ The houses were built two years ago.

**izin** KATA NAMA
  _permission_
  ◊ _Dia keluar dengan izin bapanya._ He went out with his father's permission.
  ♦ **pendatang tanpa izin** illegal immigrants
  **keizinan** KATA NAMA
  _permission_
  ◊ _Dia meminta keizinan bapanya untuk keluar dengan kawannya._ He asked for his father's permission to go out with his friend.
  **mengizinkan** KATA KERJA
  _to allow_
  ◊ _Bapanya mengizinkannya belajar di luar negara._ Her father allowed her to study overseas.

# J

## jabat

**berjabat** KATA KERJA

♦ **berjabat tangan** to shake hands
◊ *Cheong dan Ken berjabat tangan sebelum berpisah.* Cheong and Ken shook hands before they parted.

**menjabat** KATA KERJA

♦ **menjabat tangan seseorang** to shake somebody's hand ◊ *Mann Yue menjabat tangan Ken dan mengucapkan tahniah kepadanya.* Mann Yue shook Ken's hand and congratulated him.

**pejabat** KATA NAMA
*office*
◊ *pejabat pos* post office

♦ **ibu pejabat** headquarters

**jabatan** KATA NAMA
*department*
◊ *Mahmud telah dipindahkan ke jabatan lain.* Mahmud has been transferred to another department.

## jadam KATA NAMA
*bitter aloes*

## jadi KATA BANTU, KATA KERJA

> rujuk juga **jadi** KATA HUBUNG

*to manage to*
◊ *Kami jadi pergi berenang.* We managed to go swimming.

♦ **Jadikah majlis itu diadakan?** Is the party still on?

♦ **Tidak satu pun gambar foto saya yang jadi.** None of my photos came out.

♦ **Ceramah itu sepatutnya tamat dalam masa sejam, tetapi sudah jadi dua jam.** The talk was supposed to end in an hour, but it's already been going on for two hours.

**kejadian** KATA NAMA
*incident*
◊ *Seramai 26 orang terbunuh dalam kejadian tembak-menembak itu.* 26 people were killed in the shooting incident.

**menjadi** KATA KERJA
*to become*
◊ *Seong menjadi pengurus syarikat itu dua tahun yang lalu.* Seong became the manager of the company two years ago.

**menjadi-jadi** KATA KERJA
*to worsen*
◊ *Penyakit datuk menjadi-jadi sejak kebelakangan ini.* Grandfather's illness has worsened recently.

**menjadikan** KATA KERJA
[1] *to make*
◊ *Bunyi yang bising itu menjadikannya marah.* The noise made him angry.
[2] *to appoint*
◊ *Guru besar menjadikan Jimmy sebagai bendahari.* The headmaster

appointed Jimmy as treasurer.

**terjadi** KATA KERJA
*to happen*
◊ *Hal itu terjadi kerana kecuaiannya.* The incident happened because of his carelessness.

## jadi KATA HUBUNG

> rujuk juga **jadi** KATA BANTU, KATA KERJA

*so*
◊ *Esok ada ujian, jadi dia tidur awal.* There is a test tomorrow, so he has gone to bed early.

## jadual KATA NAMA
*table*
◊ *Rujuk jadual pada muka surat 100.* Refer to the table on page 100.

♦ **jadual perjalanan** itinerary (JAMAK **itineraries**)

♦ **jadual waktu** timetable

**menjadualkan** KATA KERJA
*to schedule*
◊ *Dia menjadualkan projek itu tamat pada bulan Disember.* He scheduled the project to end in December.

**penjadualan** KATA NAMA
*scheduling*
◊ *Penjadualan tugas pekerja dalam syarikat itu telah siap.* The scheduling of the workers' tasks in the company has been completed.

## jag KATA NAMA
*jug*

## jaga KATA KERJA

> rujuk juga **jaga** KATA NAMA

*to take care*
◊ *Jaga kesihatan anda baik-baik.* Take good care of your health.

**berjaga** KATA KERJA
*to stay awake*
◊ *Minah berjaga sepanjang malam.* Minah stayed awake for the whole night.

**berjaga-jaga** KATA KERJA
[1] *careful*
◊ *Kita mesti berjaga-jaga semasa melintasi jalan.* One should be careful when crossing the road.
[2] *precautionary*
◊ *Sekolah itu telah mengambil langkah berjaga-jaga untuk mencegah masalah keracunan makanan.* The school has taken precautionary measures to prevent food poisoning.

♦ **Jaga-jaga, nanti terjatuh!** Mind you don't fall.

**menjaga** KATA KERJA
[1] *to guard*
◊ *Henry memelihara seekor anjing untuk menjaga rumahnya.* Henry keeps a dog

to guard his house.

② *to look after*

◊ *Vanessa menolong emaknya menjaga adik perempuannya.* Vanessa helps her mother to look after her sister.

**penjaga** KATA NAMA

*guardian*

♦ **penjaga bangunan** caretaker

♦ **penjaga pintu** doorman
(JAMAK **doormen**)

**penjagaan** KATA NAMA

*care*

◊ *Irene memerlukan penjagaan ibunya.* Irene needs her mother's care.

**terjaga** KATA KERJA

*to be awakened*

◊ *Ani terjaga apabila mendengar bunyi yang kuat itu.* Ani was awakened by the loud noise.

**jagaan** KATA NAMA

① *care*

◊ *Sekarang bayi itu berada di bawah jagaan Jabatan Kebajikan.* The baby is now in the care of the Welfare Department.

② *protection*

◊ *Jutawan yang berada di majlis itu adalah di bawah jagaan polis.* The millionaire who attended the function is under police protection.

**jaga** KATA NAMA

> rujuk juga **jaga** KATA KERJA

*security guard*

**jagat (1)** KATA NAMA

*world*

**sejagat** KATA ADJEKTIF

*global*

◊ *bantahan sejagat ke atas ujian nuklear* a global protest against nuclear testing

**jagat (2)** KATA NAMA

*freckles*

**jaguh** KATA NAMA

*champion*

◊ *Danny merupakan jaguh badminton sekolah itu.* Danny is the school badminton champion.

**kejaguhan** KATA NAMA

*excellence*

◊ *Kamarul terkenal dengan kejaguhannya dalam sukan.* Kamarul is well-known for his excellence in sports.

**jagung** KATA NAMA

*corn*

◊ *minyak jagung* corn oil

♦ **jagung manis** sweetcorn

**jahanam** KATA NAMA

*scoundrel* (*orang*)

♦ **neraka jahanam** hell

**menjahanamkan** KATA KERJA

*to wreck*

◊ *Mereka telah menjahanamkan rancangan itu.* They have wrecked the plan.

**jahat** KATA ADJEKTIF

*bad*

◊ *lelaki yang jahat* a bad man

**kejahatan** KATA NAMA

*nasty nature*

◊ *Dia tidak mempunyai kawan kerana kejahatannya.* He has no friends because of his nasty nature.

♦ **konflik antara kebaikan dengan kejahatan** a conflict between good and evil

**penjahat** KATA NAMA

*bandit*

**jahil** KATA ADJEKTIF

*ignorant*

**kejahilan** KATA NAMA

*ignorance*

◊ *Andy berasa malu dengan kejahilannya tentang hal-ehwal semasa.* Andy felt embarrassed by his ignorance of current affairs.

**jahit** KATA KERJA

*to sew*

♦ **tukang jahit (1)** tailor (*lelaki*)

♦ **tukang jahit (2)** seamstress
(JAMAK **seamstresses**) (*wanita*)

♦ **jahit-menjahit** needlework ◊ *Kami mempunyai kelas jahit-menjahit di sekolah.* We have needlework lessons at school.

**menjahit** KATA KERJA

*to sew*

◊ *Emak sedang menjahit baju kemeja saya di dalam biliknya.* Mother is sewing my shirt in her room.

**penjahit** KATA NAMA

① *tailor* (*lelaki*)

② *seamstress* (JAMAK **seamstresses**) (*wanita*)

**jahitan** KATA NAMA

*sewing*

◊ *Jahitan Rosnah sangat kemas.* Rosnah's sewing is very neat.

**jaja**

**berjaja** KATA KERJA

*to work as a hawker*

◊ *Dia berjaja pada waktu malam untuk menambahkan pendapatannya.* At night he works as a hawker to supplement his income.

**penjaja** KATA NAMA

*hawker*

**jajah**

**menjajah** KATA KERJA

*to colonize*

◊ *Percubaan pertama British untuk*

*menjajah Ireland adalah pada abad kedua belas.* The first British attempt to colonize Ireland was in the twelfth century.

**penjajah** KATA NAMA

*colonizer*

**penjajahan** KATA NAMA

*colonization*

◊ *penjajahan Eropah ke atas Amerika* the European colonization of America

**jajahan** KATA NAMA

*territory* (JAMAK **territories**)

◊ *jajahan Rusia* Russian territories

♦ **tanah jajahan** colony (JAMAK **colonies**)

**jajar** PENJODOH BILANGAN

*row*

◊ *sejajar pokok kelapa* a row of coconut trees

**berjajar** KATA KERJA

*in rows*

◊ *Kanak-kanak itu menyusun batu bata itu berjajar di atas lantai.* The children arranged the bricks in rows on the floor.

**sejajar** KATA ADJEKTIF

1 *parallel*

◊ *dua jalur yang sejajar* two parallel stripes

2 *in a row*

◊ *Pokok-pokok itu ditanam sejajar.* The trees are planted in a row.

3 *on the same block as*

◊ *Restoran itu terletak sejajar dengan balai polis.* The restaurant is on the same block as the police station.

**jaket** KATA NAMA

*jacket*

♦ **jaket keselamatan** life jacket

**berjaket** KATA KERJA

*to wear a jacket*

◊ *lelaki yang berjaket biru itu* the man who wore a blue jacket

**jala** KATA NAMA

*casting net*

**menjala** KATA KERJA

*to fish with a casting net*

**penjala** KATA NAMA

*fisherman* (JAMAK **fishermen**)

**jalan** KATA NAMA

*road*

♦ **jalan bawah** underpass (JAMAK **underpasses**)

♦ **jalan bawah tanah** subway

♦ **jalan besar** main road

♦ **jalan cerita** plot

♦ **jalan mati** dead end

♦ **jalan pintas** short cut

♦ **jalan raya** road

♦ **jalan samping** side street

♦ **jalan sehala** one-way street

♦ **jalan tar** tarmac road

**berjalan** KATA KERJA

*to walk*

◊ *Setiap pagi dia berjalan ke sekolah.* Every morning she walks to school.

◊ *Kami berjalan masuk ke dalam dewan.* We walked into the hall.

♦ **berjalan dengan lancar** to progress smoothly

**berjalan-jalan** KATA KERJA

*to stroll*

◊ *Mereka berjalan-jalan di taman.* They are strolling in the garden.

**menjalani** KATA KERJA

*to undergo*

◊ *Dia akan menjalani pembedahan pada bulan ini.* He will undergo surgery this month. ◊ *Mereka akan menjalani latihan di Kuala Lumpur.* They will undergo training in Kuala Lumpur.

**menjalankan** KATA KERJA

*to perform*

◊ *Pengawas itu menjalankan tugasnya dengan baik.* The prefect performed her duties well.

**pejalan** KATA NAMA

♦ **pejalan kaki** pedestrian

**perjalanan** KATA NAMA

*journey*

◊ *Perjalanan itu meletihkannya.* The journey made him tired.

**jalanan** KATA NAMA

*streets*

**jalar**

**menjalar** KATA KERJA

1 *to slither* (*ular*)

2 *to crawl* (*ulat*)

3 *to spread*

◊ *Penyakit itu telah menjalar ke kawasan ini.* The disease has spread to this area.

♦ **tumbuhan yang menjalar** creepers

♦ **Tumbuh-tumbuhan itu menjalar di pagar.** The plants crept up the fence.

**jalin**

**menjalin** KATA KERJA

*to weave*

◊ *Rosnah menjalin bakul daripada rotan.* Rosnah weaves baskets from rattan.

**menjalinkan** KATA KERJA

*to establish*

◊ *Lily dan June dapat menjalinkan hubungan yang baik dalam masa yang singkat.* Lily and June managed to establish a good relationship in a short time.

♦ **menjalinkan persahabatan** to become friends

**terjalin** KATA KERJA

*to be established*

◊ *Perhubungan mereka terjalin semasa*

J

*mereka berada di universiti.* Their relationship was established while they were at university.

**jalur** KATA NAMA

*stripe*

◊ *Dia memakai baju merah dengan jalur putih.* He wore a red shirt with white stripes.

♦ **jalur lebar** (*komputer*) broadband
**berjalur** KATA KERJA

① *to have stripes*

◊ *Kain itu berjalur biru dan hitam.* The cloth has blue and black stripes.

♦ **baju merah berjalur hitam** a red shirt with black stripes

② *striped*

◊ *tali leher yang berjalur biru dan putih* a blue and white striped tie
**berjalur-jalur** KATA KERJA

*stripy*

◊ *kain yang berjalur-jalur* stripy cloth

**jam** KATA NAMA

① *clock*

◊ *jam loceng* alarm clock

♦ **jam randik** stopwatch
(JAMAK **stopwatches**)

♦ **jam tangan** wristwatch
(JAMAK **wristwatches**)

② *hour*

◊ *lima jam* five hours

♦ **dalam masa sejam** in an hour

♦ **ikut arah jam** clockwise

♦ **lawan arah jam** anticlockwise
**berjam-jam** KATA BILANGAN

*for hours*

◊ *Rita menunggu kawannya di perhentian bas itu berjam-jam lamanya.* Rita waited for her friend at the bus stop for hours.

**jamah**

**menjamah** KATA KERJA

① *to touch*

◊ *Emak menjamah dahi saya.* Mother touched my forehead.

② *to taste*

◊ *Amin menjamah ayam yang dimasak oleh emaknya.* Amin tasted the chicken cooked by his mother.

**jamak** KATA NAMA

*plural*

**jambak** PENJODOH BILANGAN

*bunch* (JAMAK **bunches**)

◊ *sejambak kunci* a bunch of keys

◊ *sejambak bunga* a bunch of flowers
**berjambak-jambak** KATA BILANGAN

*clusters*

◊ *Bunga tumbuh berjambak-jambak di atas pokok itu.* Flowers bloom in clusters on the tree.

♦ **Dia menerima berjambak-jambak bunga daripada lelaki itu.** She received many bouquets of flowers from the man.

**jamban** KATA NAMA

*toilet*

**jambang (1)** KATA NAMA

*sideburns*

**jambang (2)**

**jambangan** KATA NAMA

| rujuk juga **jambangan** PENJODOH BILANGAN |

*vase*

♦ **Penyanyi itu menerima jambangan bunga daripada peminat-peminatnya.** The singer received bouquets of flowers from her fans.

**jambangan** PENJODOH BILANGAN

| rujuk juga **jambangan** KATA NAMA |

*vase*

◊ *empat jambangan bunga* four vases of flowers

**jambat**

**jambatan** KATA NAMA

*bridge*

**jambori** KATA NAMA

*jamboree*

**jambu** KATA NAMA

♦ **jambu batu** guava

**jambul** KATA NAMA

① *fringe*

② *crest*

◊ *Kedua-dua ekor burung itu mempunyai jambul berwarna biru tua.* Both birds have a dark blue crest.

**berjambul** KATA KERJA

*to have a fringe*

◊ *Rambutnya berjambul.* She's got a fringe.

**jamin**

**menjamin** KATA KERJA

*to guarantee*

◊ *Syarikat itu menjamin kualiti produknya.* The company guarantees the quality of its products.

**penjamin** KATA NAMA

*guarantor*

**terjamin** KATA KERJA

*secure*

◊ *masa depan yang terjamin* a secure future

♦ **tidak terjamin** insecure

**jaminan** KATA NAMA

*guarantee*

◊ *Produk itu mempunyai jaminan selama setahun.* The product has a one year guarantee.

♦ **memberikan jaminan kepada seseorang** to give somebody an assurance

**jampi** KATA NAMA

*incantation*
◊ *Hassan yakin bahawa penggunaan jampi boleh menyembuhkan penyakit anaknya.* Hassan is confident that incantations can heal his son's illness.
• **jampi serapah** all sorts of incantations
**menjampi** KATA KERJA
*to chant incantations*
◊ *Dia menjampi air di dalam mangkuk itu dan menyuruh Johari minumnya.* He chanted incantations over the water in the bowl and asked Johari to drink it.
**jampian** KATA NAMA
*incantation*
◊ *Jampian bomoh itu menyembuhkan penyakit Yasin.* The medicine man's incantations healed Yasin's illness.

**jamu** KATA NAMA
*herbal medicine*
◊ *jamu untuk melangsingkan badan* herbal medicine for slimming
**menjamu** KATA KERJA
*to serve*
◊ *Dia menjamu kawan-kawannya dengan pelbagai jenis makanan.* He served his friends various types of food.
**jamuan** KATA NAMA
*party* (JAMAK *parties*)
◊ *Judy akan mengadakan jamuan untuk meraikan hari jadi anak lelakinya.* Judy is throwing a party to celebrate her son's birthday. ◊ *jamuan teh* tea party

**jana**
**menjanakan** KATA KERJA
*to generate*
◊ *Produk baru itu menjanakan pendapatan yang banyak kepada kilang itu.* The new product generated a lot of income for the factory.
**penjana** KATA NAMA
*generator*
**penjanaan** KATA NAMA
*generation*
◊ *penjanaan kuasa elektrik* the generation of electricity
**terjana** KATA KERJA
*generated*
◊ *kuasa elektrik yang terjana* the electricity generated ◊ *pendapatan yang terjana* the income generated

**jana kuasa** KATA NAMA
*generator*
**menjana kuasa** KATA KERJA
*to generate* (*elektrik*)
**penjana kuasa** KATA NAMA
*generator*

**janda** KATA NAMA
① *widow* (*kematian suami*)
② *divorcee* (*bercerai*)

**jangan** KATA PERINTAH
*don't*
◊ *Jangan makan di dalam kelas.* Don't eat in the classroom.
**jangan-jangan** KATA BANTU
*maybe*
◊ *Jangan-jangan dia terlewat lagi.* Maybe he is late again.

**janggal** KATA ADJEKTIF
*awkward*
◊ *Ann berasa janggal apabila makan bersama majikannya.* Ann feels awkward when she eats with her boss.
**kejanggalan** KATA NAMA
*how awkwardly*
◊ *Vincent tersenyum melihat kejanggalan kawannya bermain bola sepak.* Vincent smiled when he saw how awkwardly his friend played football.

**janggus** KATA NAMA
*cashew*

**janggut** KATA NAMA
*beard*
**berjanggut** KATA KERJA
*bearded*

**jangka (1)** KATA NAMA
• **jangka masa** duration
• **jangka panjang** long-term
• **jangka pendek** short-term
**menjangka, menjangkakan** KATA KERJA
*to expect*
◊ *Saya tidak menjangka harganya sebegitu mahal.* I didn't expect the price to be so high.
**jangkaan** KATA NAMA
*expectation*
◊ *Berita yang baik itu di luar jangkaan Aileen.* The good news exceeded Aileen's expectations.

**jangka (2)** KATA NAMA
• **jangka lukis** compasses
• **jangka sudut** protractor
• **jangka suhu** thermometer

**jangkat** KATA ADJEKTIF
rujuk juga **jangkat** KATA NAMA
*shallow*
◊ *sungai yang jangkat* a shallow river
**jangkat** KATA NAMA
rujuk juga **jangkat** KATA ADJEKTIF
*the shallows*
• **Budak lelaki itu suka bermain di jangkat sungai.** The boy likes to play in the shallow part of the river.

**jangkau**
**menjangkau** KATA KERJA
*to reach*
◊ *Dia menjangkau dompetnya yang terjatuh ke dalam longkang.* He reached for his wallet which had fallen into the

J

drain.

**jangkauan** KATA NAMA
*reach*
◊ *Pen itu berada di luar jangkauan Umar.* The pen was out of Umar's reach.

**jangkit**
**berjangkit** KATA KERJA
*to be infected*
◊ *Penyakitnya telah berjangkit kepada saya.* I was infected with his disease.
♦ **penyakit berjangkit** infectious disease
**menjangkiti** KATA KERJA
*to infect*
◊ *Dia dijangkiti penyakit cacar air.* He was infected with chickenpox.
**jangkitan** KATA NAMA
*infection*
◊ *Bakteria yang menyebabkan jangkitan itu masih belum diketahui.* The bacterium that caused the infection is still unknown.

**janin** KATA NAMA
*foetus* (JAMAK **foetuses**)

**janji** KATA NAMA
*promise*
◊ *Chia menepati janjinya.* Chia kept her promise.
♦ **janji temu** appointment
**berjanji** KATA KERJA
*to promise*
◊ *Saya berjanji akan datang pada hari Sabtu.* I promise to come on Saturday.
**menjanjikan** KATA KERJA
*to promise*
◊ *Bapa Rose menjanjikan seutas jam tangan untuk hari jadinya.* Rose's father promised to give her a watch for her birthday.
**perjanjian** KATA NAMA
*agreement*
◊ *Carrie telah menandatangani perjanjian itu.* Carrie has signed the agreement.
♦ **perjanjian damai** peace treaty

**jantan** KATA NAMA
*male*
◊ *Singa jantan mempunyai surai.* Male lions have manes.
♦ **ayam jantan** cock
♦ **itik jantan** drake
♦ **kambing jantan** billy goat
♦ **kuda jantan** stallion

**jantina** KATA NAMA
*gender*

**jantung** KATA NAMA
*heart*
◊ *serangan penyakit jantung* heart attack

**Januari** KATA NAMA
*January*

◊ *pada 5 Januari* on 5 January
♦ **pada bulan Januari** in January

**jarak** KATA NAMA
*distance*
◊ *jarak jauh* long distance
♦ **jarak waktu** interval
**berjarak** KATA KERJA

**berjarak** *tidak diterjemahkan ke dalam bahasa Inggeris.*

◊ *Rumah saya cuma berjarak beberapa kilometer dari bandar.* My house is only a few kilometres from town. ◊ *Rumah Yasin berjarak dua kilometer dari rumah gurunya.* Yasin's house is two kilometres from his teacher's house.
**menjarakkan** KATA KERJA
*to move ... apart*
◊ *Para pelajar menjarakkan meja mereka untuk ujian minggu depan.* The students moved their tables apart for next week's test.
♦ **menjarakkan diri daripada seseorang** to distance oneself from somebody

**jarang** KATA ADJEKTIF

*rujuk juga* **jarang** KATA BANTU

[1] *thin*
◊ *rambut yang jarang* thin hair
[2] *filmy*
◊ *gaun tidur yang jarang* a filmy nightdress

**jarang** KATA BANTU

*rujuk juga* **jarang** KATA ADJEKTIF

*seldom*
◊ *Mereka jarang pergi berenang.* They seldom go swimming.
**jarang-jarang** KATA BANTU
*rarely*
◊ *Kes seperti ini jarang-jarang berlaku.* Cases like this rarely happen.

**jari** KATA NAMA
*finger*
♦ **jari-jemari** fingers
♦ **ibu jari** thumb
♦ **ibu jari kaki** big toe
♦ **jari hantu** middle finger
♦ **jari kelengkeng** little finger
♦ **jari manis** ring finger
♦ **jari telunjuk** index finger
♦ **jari kaki** toe
♦ **cap jari** fingerprint

**jaring** KATA NAMA
*net*
**menjaring** KATA KERJA
*to net*
◊ *menjaring ikan* to net fish
**menjaringkan** KATA KERJA
*to score*
◊ *Pasukan kami menjaringkan dua gol.* Our team scored two goals.

**penjaring** KATA NAMA
*scorer*
**jaringan** KATA NAMA
*goal*
◊ *Ahmad melakukan dua jaringan.* Ahmad scored two goals.
♦ **Jaringan Sejagat** the World Wide Web
**jarum** KATA NAMA
*needle*
♦ **jarum jam** clock hand
♦ **jarum kait** crochet hook
♦ **jarum peniti** pin
**jasa** KATA NAMA
1 *service*
◊ *Orang ramai menghargai jasa perajurit itu.* The public appreciated the soldier's services. ◊ *Jasanya akan sentiasa dikenang.* His services will always be remembered.
2 *kindness* (JAMAK **kindnesses**)
◊ *Awak telah banyak menabur jasa kepada kami.* You have done us many kindnesses.
♦ **jasa baik** kindness ◊ *Kami berterima kasih atas jasa baiknya.* We are grateful for his kindness.
**berjasa** KATA KERJA
*to serve*
◊ *Beliau banyak berjasa kepada negaranya.* He served his country well.
♦ **Awak telah banyak berjasa kepada kami.** You have done us many kindnesses.
**jasad** KATA NAMA
*body* (JAMAK **bodies**)
**jasmani** KATA ADJEKTIF
*physical*
◊ *pendidikan jasmani* physical education
**jata** KATA NAMA
*emblem*
◊ *jata negeri Perak* the emblem of Perak
**jati** KATA ADJEKTIF
♦ **anak jati** a native of a place
♦ **anak jati Pulau Pinang** genuine Penangite
**sejati** KATA ADJEKTIF
*true*
◊ *wira sejati* a true hero
**jatuh** KATA KERJA
*to fall*
◊ *Dompet Kelly jatuh ke dalam longkang.* Kelly's purse fell into the drain. ◊ *Hari jadi bapa saya jatuh pada 26 Jun.* My father's birthday falls on 26 June.
♦ **jatuh cinta** to fall in love
♦ **jatuh hati** to fall in love
♦ **jatuh sakit** to fall sick

**kejatuhan** KATA NAMA
*downfall*
◊ *kejatuhan kerajaan itu* the downfall of the government
**menjatuhkan** KATA KERJA
1 *to drop*
◊ *Annie menjatuhkan cermin mata neneknya.* Annie dropped her grandmother's glasses.
2 *to bring down*
◊ *Mereka sedang membuat rancangan untuk menjatuhkan presiden itu.* They are plotting to bring down the president.
♦ **Dia tidak pernah menjatuhkan maruah keluarganya.** She has never dishonoured her family.
♦ **Hakim menjatuhkan hukuman mati ke atas pengedar dadah itu.** The judge sentenced the drug trafficker to death.
**terjatuh** KATA KERJA
*to fall*
◊ *Kelly terjatuh ketika menunggang basikal.* Kelly fell while riding a bicycle.
**jauh** KATA ADJEKTIF
*far away*
◊ *Mereka datang dari jauh.* They came from far away.
♦ **Pejabat pos terletak jauh dari rumah saya.** The post office is a long way from my house.
♦ **Makanan di restoran ini jauh lebih mahal.** The food in this restaurant is far more expensive.
**berjauhan** KATA KERJA
*a long way*
◊ *Syarifah tinggal berjauhan daripada ibu bapanya.* Syarifah lives a long way from her parents.
♦ **Itulah kali pertama kami berjauhan.** It was the first time we had been apart.
**kejauhan** KATA NAMA
*distance*
◊ *Saya nampak dia di kejauhan.* I saw him in the distance.
**menjauhi** KATA KERJA
1 *to abstain*
◊ *Joe menjaga kesihatannya dengan menjauhi rokok dan arak.* Joe takes care of his health by abstaining from cigarettes and alcohol.
2 *to stay away from*
◊ *Mereka disuruh menjauhi kawasan yang berbahaya itu.* They were asked to stay away from the dangerous area.
**menjauhkan** KATA KERJA
*to keep ... away*
◊ *menjauhkan sesuatu dari seseorang* to keep something away from somebody
**sejauh** KATA ADJEKTIF

**J**

*Biasanya* **sejauh** *tidak diterjemahkan ke dalam bahasa Inggeris apabila menerangkan jarak.*

◊ *Gabriel telah memandu sejauh lima kilometer tetapi dia masih belum sampai ke rumah kawannya.* Gabriel has already driven five kilometres but she still hasn't reached her friend's house.

**Jawa** KATA NAMA
*Java*

♦ **asam jawa** tamarind

**jawab** KATA KERJA
*to answer*
◊ *Jawab soalan ini.* Answer this question.

♦ **sesi soal jawab** question and answer session
**menjawab** KATA KERJA
*to answer*
◊ *Dia tidak menjawab soalan kawannya.* He didn't answer his friend's question.
◊ *Jika saya memarahinya dia akan menjawab balik.* If I scold him, he'll answer back.
**jawapan** KATA NAMA
*answer*
◊ *Jawapan Tina betul.* Tina's answer is correct.

**jawat**
**menjawat** KATA KERJA
*to hold*
◊ *Fatimah telah menjawat jawatan itu selama tiga tahun.* Fatimah has held the post for three years.
**sejawat** KATA ADJEKTIF

♦ **rakan sejawat (1)** colleague

♦ **rakan sejawat (2)** counterpart
**jawatan** KATA NAMA
*post*
◊ *Dia memegang jawatan pengurus dalam syarikat itu.* She holds the post of manager in the company.
**jawatankuasa** KATA NAMA
*committee*

**Jawi** KATA NAMA
*Arabic script*

**jaya** KATA ADJEKTIF

♦ **dengan jayanya** successfully
**berjaya** KATA KERJA
*to succeed*
◊ *Dia berjaya mendapat keputusan yang baik dalam peperiksaan PMRnya.* She succeeded in getting good results in her PMR examination.

♦ **tidak berjaya** unsuccessful
**kejayaan** KATA NAMA
*success*
◊ *Ken bangga dengan kejayaan anaknya.* Ken is proud of his son's

success.
**menjayakan** KATA KERJA
*to make ... a success*
◊ *Dia menolong menjayakan upacara perasmian itu.* She helped to make the opening ceremony a success.

**jaz** KATA NAMA
*jazz*

**jebak** KATA NAMA
*trap*
**menjebak** KATA KERJA
*to trap*
◊ *Mahat berjaya menjebak musuhnya.* Mahat succeeded in trapping his enemy.
**terjebak** KATA KERJA
*to get caught*
◊ *Jangan terjebak dalam perangkapnya.* Don't get caught in his trap.

**jed** KATA NAMA
*jade*

**jeda** KATA NAMA
*interval*
**berjeda** KATA KERJA
*with a pause*
◊ *Ucapan Mandy tidak berjeda.* Mandy's speech went on without a pause.

**jegil**
**menjegil** KATA KERJA
*to have bulging eyes*

♦ **Karim menjegil apabila mendengar berita itu.** Karim's eyes bulged when he heard the news.
**menjegilkan** KATA KERJA

♦ **menjegilkan mata** to glare wide-eyed
◊ *Farah menakutkan anaknya dengan menjegilkan matanya.* Farah frightened her child by glaring at it wide-eyed.
**terjegil** KATA KERJA
*to bulge*
◊ *Dia berdiri di situ dengan matanya yang terjegil.* He stood there with his eyes bulging.

**jejak** KATA NAMA
1 *footprint*

♦ **jejak kucing** a cat's paw-mark
2 *footsteps*
◊ *Simon mengikut jejak bapanya dan menjadi seorang doktor.* Simon followed in his father's footsteps and became a doctor.
**menjejaki** KATA KERJA
*to track*
◊ *Polis sedang menjejaki perompak-perompak bank itu.* The police were tracking the bank robbers.
**menjejakkan** KATA KERJA

♦ **menjejakkan kaki** to set foot

**jejaka** KATA NAMA
*young man* (JAMAK **young men**)

**jejambat** KATA NAMA
  _flyover_
**jejantas** KATA NAMA
  _overhead bridge_
**jejari** KATA NAMA
  _radius_ (JAMAK **radii**)
♦ **jejari ikan** fish fingers
**jejas**
  **menjejaskan** KATA KERJA
  ① _to tarnish_
  ◊ _Guru itu menasihatkan murid-muridnya supaya tidak menjejaskan nama baik sekolah._ The teacher urged the pupils not to tarnish the school's good name.
  ② _to affect_
  **terjejas** KATA KERJA
  _to be affected_
  ◊ _Pelajaran Ani tidak terjejas walaupun dia membantu emaknya di gerai setiap hari._ Ani's studies were not affected even though she helped her mother at the stall every day. ◊ _Kesihatan William terjejas kerana dia terdedah kepada pencemaran udara._ William's health was affected because he was exposed to air pollution.
**jek** KATA NAMA
  _jack_
**jela**
  **berjela-jela** KATA KERJA
  _trailing_
  ◊ _tali yang berjela-jela panjangnya_ long, trailing rope
**jelaga** KATA NAMA
  _soot_
**jelajah** KATA NAMA
  _exploration_
♦ **mengadakan jelajah** to go on tour
  **menjelajah** KATA KERJA
  _to explore_
  ◊ _Dia mahu menjelajah ke seluruh dunia._ She wants to explore the whole world.
  **penjelajah** KATA NAMA
  _explorer_
**jelak** KATA ADJEKTIF
  _fed up_
  ◊ _Dia sudah jelak duduk di rumah sepanjang hari._ She is fed up with sitting at home all day.
**jelang**
  **menjelang** KATA HUBUNG
  _by_
  ◊ _Syarikat itu akan membuka dua cawangan lagi menjelang tahun 2001._ The company will set up two more branches by the year 2001.
♦ **Musim perayaan menjelang tiba.** The festive season is approaching.
**jelapang** KATA NAMA
  _rice barn_

♦ **jelapang padi** rice bowl
**jelas** KATA ADJEKTIF
  _clear_
  ◊ _suara yang jelas_ clear voice
  ◊ _Tulisan pelajar itu jelas._ The student's writing is clear.
  **menjelaskan** KATA KERJA
  ① _to explain_
  ◊ _Guru itu menjelaskan jawapan itu kepada pelajar-pelajarnya._ The teacher explained the answer to her students.
  ② _to settle_
  ◊ _Dia perlu menjelaskan bilnya sebelum akhir bulan ini._ He has to settle his bill by the end of this month.
  **penjelasan** KATA NAMA
  ① _explanation_
  ◊ _Penjelasan Wendy meyakinkan pelajarnya._ Wendy's explanation convinced her students.
  ② _settlement_
  ◊ _penjelasan hutang_ debt settlement
**jelata** KATA NAMA
♦ **rakyat jelata** the people
**jelepok**
  **terjelepok** KATA KERJA
  _to fall heavily_
  ◊ _Dia jatuh terjelepok di atas lantai._ She fell heavily on the floor.
**jeli** KATA NAMA
  _jelly_ (JAMAK **jellies**)
**jelik** KATA ADJEKTIF
  _bad_
  ◊ _sikap yang jelik_ bad attitude
♦ **wajah yang jelik** ugly face
  **kejelikan** KATA NAMA
  _bad_
  ◊ _Kejelikan sikap Kamal membuat Jamilah berasa marah._ Kamal's bad attitude angered Jamilah.
  **menjelikkan** KATA KERJA
  _to slander_
  ◊ _Jangan menjelikkan orang lain._ Don't slander others.
**jeling** KATA NAMA rujuk **jelingan**
  **menjeling** KATA KERJA
  _to give a sidelong look_
  ◊ _Kasim menjeling guru yang sedang memarahinya._ Kasim gave a sidelong look at the teacher who was scolding him.
  **jelingan** KATA NAMA
  _sidelong look_
**jelir**
  **menjelirkan** KATA KERJA
  _to stick out_
  ◊ _Budak lelaki itu menjelirkan lidahnya ke arah kawannya._ The boy stuck his tongue out at his friend.

**J**

**terjelir** KATA KERJA
_to stick out_
◊ *Lidahnya terjelir.* His tongue stuck out.

**jelita** KATA ADJEKTIF
_beautiful_
**kejelitaan** KATA NAMA
_beauty_
◊ *Semua orang mengagumi kejelitaannya.* Everyone admired her beauty.

**jelitawan** KATA NAMA
_beautiful woman_

**jelma**
**menjelma** KATA KERJA
_to transform_
◊ *Ahli sihir itu menjelma sebagai seekor ular.* The witch transformed herself into a snake.
**penjelmaan** KATA NAMA
_incarnation_
◊ *Dia merupakan penjelmaan sebenar kejahatan.* She was the very incarnation of evil.

**jelma semula**
**menjelma semula** KATA KERJA
_to reincarnate_
◊ *Mereka percaya bahawa mereka akan menjelma semula selepas mereka mati.* They believe that they will be reincarnated after they die.
**penjelmaan semula** KATA NAMA
_reincarnation_
◊ *Banyak puak Afrika percaya pada penjelmaan semula.* Many African tribes believe in reincarnation.

**jelujur** KATA NAMA
_tack_
**menjelujur** KATA KERJA
_to tack_
◊ *Dia menjelujur lengan bajunya dengan benang putih.* She tacked her sleeve with white thread.

**jelum**
**menjelum** KATA KERJA
_to sponge_
◊ *Minah hanya menjelum badannya dengan air kerana dia demam.* Minah just sponged her body with water because she had a fever.

**jem** KATA NAMA
_jam_
**berjem** KATA KERJA
♦ **donat berjem** a jam doughnut

**jemaah** KATA NAMA
_congregation_
♦ **jemaah haji** pilgrims
♦ **jemaah menteri** the Cabinet

**jemput** PENJODOH BILANGAN

> rujuk juga **jemput** KATA PERINTAH

_big pinch_
◊ *sejemput garam* a big pinch of salt
◊ *sejemput rempah* a big pinch of spice
♦ **sejemput nasi** a small handful of rice

**jemput** KATA PERINTAH

> rujuk juga **jemput** PENJODOH BILANGAN

_please_
◊ *Jemputlah masuk.* Please come in.
**menjemput** KATA KERJA
_to invite_
◊ *Brenda menjemput gurunya ke majlis hari jadinya.* Brenda invited her teacher to her birthday party.
♦ **Samy pergi ke lapangan terbang untuk menjemput ibu bapanya.** Samy went to the airport to pick up his parents.
**jemputan** KATA NAMA
1 _guest_
♦ **para jemputan** guests
2 _invitation_
◊ *Kenny menolak jemputan kawannya kerana dia terlalu sibuk.* Kenny declined his friend's invitation because he was too busy.

**jemu** KATA ADJEKTIF
_tired of_
◊ *Norhayati sudah jemu makan di restoran itu.* Norhayati was tired of eating at the restaurant.
**menjemukan** KATA KERJA
_to bore_
◊ *Filem itu menjemukan saya.* The film bored me.

**jemur**
**berjemur** KATA KERJA
_to sunbathe_
◊ *Nita suka berjemur di pantai.* Nita likes to sunbathe on the beach.
**menjemur** KATA KERJA
_to dry_
◊ *Mariam menolong ibunya menjemur pakaian di luar rumah.* Mariam helped her mother to dry the clothes outside the house.
**terjemur** KATA KERJA
_to be drying_
◊ *Sudah dua hari kain itu terjemur di luar rumahnya.* The cloth has been drying outside the house for two days.

**jenak**
**sejenak** KATA ADJEKTIF
_a moment_
◊ *Melly merenungi wajahnya sejenak.* Melly stared at him for a moment.

**jenaka** KATA NAMA
_joke_
◊ *Kami ketawa mendengar jenaka Roy.*

We laughed at Roy's joke.
**berjenaka** KATA KERJA
_to joke_
◊ _Laura suka berjenaka._ Laura likes to joke.

**jenama** KATA NAMA
_brand name_
**berjenama** KATA KERJA
_branded_
◊ _barangan berjenama_ branded goods
♦ **pakaian berjenama** designer clothes

**jenayah** KATA NAMA
_crime_
◊ _Polis berjaya mencegah jenayah di kawasan itu._ The police were successful in preventing crime in the area.
**penjenayah** KATA NAMA
_criminal_

**jenazah** KATA NAMA
(_untuk orang Islam_)
_corpse_
**menjenazahkan** KATA KERJA
_to bury_
◊ _Mereka akan menjenazahkan ketua mereka._ They will bury their leader.

**jendela** KATA NAMA
_window_

**jeneral** KATA NAMA
_general_

**jengah**
**menjengah** KATA KERJA
1 _to look out_
◊ _Amin menjengah ke luar tingkap._ Amin looked out of the window.
2 _to visit_
◊ _Norizan mahu menjengah ibu bapanya pada hujung minggu ini._ Norizan wants to visit her parents this weekend.

**jengkel** KATA ADJEKTIF
_annoyed_
◊ _Saya berasa jengkel dengan tangisan bayi itu._ I was annoyed by the baby's crying.
**menjengkelkan** KATA KERJA
_to annoy_
◊ _Sikap Sally menjengkelkan saya._ Sally's attitude annoys me.
♦ **Sungguh menjengkelkan!** How annoying!

**jengket**
**berjengket, menjengket** KATA KERJA
_to tiptoe_
◊ _Zurina berjengket keluar dari biliknya._ Zurina tiptoed out of her room.
♦ **Gina berjengket supaya dia kelihatan lebih tinggi.** Gina stood on tiptoe in order to look taller.

**jengkit**
**menjengkit** KATA KERJA

1 _to curl upwards_
◊ _Ekor kala jengking menjengkit._ The scorpion's tail curls upwards.
2 _to curl outwards_
◊ _Rambut Rosnah menjengkit._ Rosnah's hair curls outwards.
**menjengkitkan** KATA KERJA
_to bend ... back_
◊ _Joe boleh menjengkitkan jarinya._ Joe can bend his fingers back.

**jenguk**
**menjenguk** KATA KERJA
1 _to look_
◊ _Dia menjenguk ke luar tingkap apabila mendengar suara orang bercakap._ She looked out of the window when she heard people's voices.
2 _to visit_
◊ _Dia bercuti sehari untuk menjenguk ayahnya di kampung._ He took a day's leave to visit his father in the village.

**jenis** KATA NAMA
_type_
**berjenis-jenis** KATA KERJA
_various types_
◊ _Kedai itu menjual berjenis-jenis pakaian._ The shop sells various types of clothes.

**jenjang** KATA ADJEKTIF
| rujuk juga **jenjang** KATA NAMA |
_slender_
◊ _leher jenjang_ slender neck

**jenjang** KATA NAMA
| rujuk juga **jenjang** KATA ADJEKTIF |
♦ **burung jenjang** crane

**jentera** KATA NAMA
_machine_
♦ **jentera pentadbiran** administrative machinery

**jentik**
**menjentik** KATA KERJA
_to flick_
◊ _Dia menjentik rokoknya ke luar tingkap._ He flicked his cigarette out of the window.

**jentik-jentik** KATA NAMA
_mosquito larva_

**jentolak** KATA NAMA
_bulldozer_

**Jepun** KATA NAMA
_Japan_
♦ **bahasa Jepun** Japanese
♦ **orang Jepun** Japanese

**jera** KATA ADJEKTIF
_to dare not_
◊ _Osman sudah jera bercakap dengan budak jahat itu._ Osman dare not speak to the bad boy again.
**menjerakan** KATA KERJA

J

*to deter*
◊ *Kejadian itu menjerakan Nizam daripada mencuri.* The incident deterred Nizam from stealing.

**jeram** KATA NAMA
*rapids*

**jerami** KATA NAMA
*straw*

**jerang**
   **menjerang** KATA KERJA
   1 *to boil*
   ◊ *Aini menjerang air untuk membancuh teh.* Aini boiled some water in order to make tea.
   2 *to cook*
   ◊ *Setiap petang Wahidah membantu emaknya menjerang nasi.* Every evening Wahidah helps her mother to cook rice.

**jerat** KATA NAMA
*trap*
◊ *memasang jerat* to set a trap
   **menjerat** KATA KERJA
   1 *to snare*
   ◊ *Atan menjerat seekor arnab hari ini.* Atan snared a rabbit today.
   2 *to entrap*
   ◊ *Perempuan yang cantik itu menjerat jutawan itu.* The pretty woman entrapped the millionaire.
   **penjerat** KATA NAMA
   1 *trapper* (*orang*)
   2 *snare* (*alat*)
   **terjerat** KATA KERJA
   *to be tricked*
   ◊ *Yusri terjerat dengan kata-kata kawannya.* Yusri was tricked by his friend's words.

**jerawat** KATA NAMA
*pimple*

**jerebu** KATA NAMA
*haze*

**jerih** KATA ADJEKTIF
*exhausted*
◊ *Hassan berasa jerih setelah bertani sehari suntuk.* Hassan felt exhausted after farming the whole day.
   **berjerih** KATA KERJA
   *to work hard*
   ◊ *Mahmud berehat setelah berjerih sepanjang hari.* Mahmud rested after working hard all day.
   **menjerihkan** KATA KERJA
   *to exhaust*
   ◊ *Kerja itu menjerihkan Pak Man.* The work exhausted Pak Man.
 ◆ **Niza tidak mampu membuat kerja yang menjerihkan kerana dia masih sakit.** Niza could not do strenuous work because she was still sick.

**jeriji** KATA NAMA
*grill* (*pada pintu dan tingkap*)

**jerit** KATA KERJA
*to shout*
◊ *"Tolong!" jerit Ali.* "Help!" shouted Ali.
   **menjerit** KATA KERJA
   1 *to scream* (*kerana sakit, takut*)
   2 *to shout* (*supaya kedengaran, kerana marah*)
   3 *to cry*
   ◊ *Dia menjerit 'tidak' apabila mendengar berita itu.* He cried 'no' when he heard the news.
   **terjerit-jerit** KATA KERJA
   *to scream*
   ◊ *Anak lelaki Samad terjerit-jerit apabila terjatuh dari basikalnya.* Samad's son screamed when he fell off his bicycle.
   **jeritan** KATA NAMA
   1 *scream* (*kerana sakit, takut*)
   2 *shout* (*supaya kedengaran, kerana marah*)

**jerjak** KATA NAMA
*lattice*

**jerkah** KATA NAMA
*snarl*
◊ *Jerkah Aaron menakutkan anak-anaknya.* Aaron's snarl frightened his children.
   **menjerkah** KATA KERJA
   *to snarl*
   ◊ *Bobby menjerkah orang yang memijak kakinya.* Bobby snarled at the person who stepped on his foot.

**jernih** KATA ADJEKTIF
*clear*
◊ *air yang jernih* clear water
   **menjernihkan** KATA KERJA
   *to purify*
   ◊ *Kami akan menjernihkan air itu sebelum menggunakannya.* We will purify the water before using it.
 ◆ **menjernihkan suasana** to calm the situation
   **kejernihan** KATA NAMA
   *clearness*
   ◊ *Kejernihan air tasik itu memukau pandangan kami.* We were enchanted by the clearness of the lake.

**jersi** KATA NAMA
*jersey*

**jeruk** KATA NAMA
*pickles*
   **menjeruk** KATA KERJA
   *to pickle*
   ◊ *Narimah menjeruk buah-buahan itu.* Narimah pickled the fruits.

**jerumus**
   **menjerumuskan** KATA KERJA

_to lure_
◊ *Pemuda itu menggunakan kata-kata manisnya untuk menjerumuskan Ida ke lembah maksiat.* The man used sweet words to lure Ida into vice.

**terjerumus** KATA KERJA
_to fall_
◊ *Joyce terjerumus ke dalam lubang.* Joyce fell into the hole. ◊ *Mujurlah Amy tidak terjerumus ke dalam kancah maksiat.* Luckily Amy didn't fall into vice.

**jerung** KATA NAMA
_shark_

**jerut**
**menjerut** KATA KERJA
1 _to tie up_
◊ *Wahab menjerut buluh yang dipungut oleh bapanya.* Wahab tied up the bamboo which had been collected by his father.
2 _to strangle_
◊ *Pencuri itu cuba menjerut leher polis itu.* The thief tried to strangle the policeman.

**jet** KATA NAMA
_jet_

**jeti** KATA NAMA
_jetty_ (JAMAK **jetties**)

**jidar** KATA NAMA
_margin_
♦ **garisan jidar** margin

**jihad** KATA NAMA
_holy war_
**berjihad** KATA KERJA
_to fight a crusade_
◊ *Mereka berjihad menghapuskan pemerintah yang kejam itu.* They fought a crusade to destroy the wicked ruler.

**jijik** KATA ADJEKTIF
_disgusted_
◊ *Nancy berasa jijik melihat pengemis yang kotor itu.* Nancy felt disgusted when she saw the dirty beggar.
**menjijikkan** KATA KERJA
_to disgust_
◊ *Tabiat-tabiat buruk Raj menjijikkan kami.* Raj's bad habits disgusted us.
♦ **Sungguh menjijikkan!** That's disgusting!

**jika** KATA HUBUNG
_if_
◊ *Jika anda hendak pergi, saya akan membeli sekeping tiket lagi.* If you are going, I'll buy another ticket.
♦ **jika tidak** otherwise

**jikalau** KATA HUBUNG
_if_
◊ *Jikalau anda hendak pergi, saya akan membeli sekeping tiket lagi.* If you are going, I'll buy another ticket.

**jilat**

**menjilat** KATA KERJA
1 _to lick up_
◊ *Anjing itu sedang menjilat air.* The dog is licking up the water.
2 _to lick_
◊ *Anjing itu cuba menjilat tangan saya.* The dog tried to lick my hand.
♦ **Rumah-rumah itu habis dijilat api.** The houses have been engulfed by flames.

**jilid** KATA NAMA
_volume_
◊ *Faridah telah membeli jilid ketiga ensiklopedia itu.* Faridah has bought the third volume of the encyclopaedia.
**menjilid** KATA KERJA
_to bind_ (buku, fail)
♦ **perniagaan menjilid buku** a book-binding business
**penjilidan** KATA NAMA
_binding_
◊ *Kerja penjilidan kamus-kamus itu telah siap.* The binding of the dictionaries has been done.

**jimat** KATA ADJEKTIF
_thrifty_
**berjimat** KATA KERJA
_to be thrifty_
◊ *Andy terpaksa berjimat apabila keluarganya menghadapi masalah kewangan.* Andy had to be thrifty when his family faced financial difficulties.
♦ **berjimat cermat** to be thrifty
**menjimatkan** KATA KERJA
_to save_
◊ *Amand menjimatkan wang untuk membayar yuran pengajiannya.* Amand saved money to pay his fees.
◊ *Perabot-perabot Irene disusun sebegitu rupa untuk menjimatkan ruang.* Irene's furniture is arranged so as to save space.
**penjimatan** KATA NAMA
_conservation_
◊ *projek-projek yang bertujuan untuk menggalakkan penjimatan tenaga* projects aimed at promoting energy conservation
♦ **kempen penjimatan elektrik** electricity-saving campaign
♦ **Penjimatan air dan elektrik ialah amalan yang baik.** Conserving water and electricity is a good practice.

**jin** KATA NAMA
_spirit_

**jinak** KATA ADJEKTIF
_tame_
◊ *seekor burung yang jinak* a tame bird
**berjinak-jinak** KATA KERJA
1 _to get close to_

J

◊ *Wendy ingin berjinak-jinak dengan kawan-kawannya yang kaya.* Wendy wanted to get close to her rich friends.

[2] *to familiarize*
◊ *Henry berjinak-jinak dalam perniagaan bapanya.* Henry is familiarizing himself with his father's business.

**menjinakkan** KATA KERJA
*to tame*
◊ *Joshua berjaya menjinakkan singa yang garang itu.* Joshua succeeded in taming the fierce lion.

**penjinakan** KATA NAMA
*taming*
◊ *penjinakan binatang* the taming of animals

**jingga** KATA ADJEKTIF
*orange*

**jinjing**
**menjinjing** KATA KERJA
*to carry ... in one's hand*
♦ **Guna menjinjing satu beg plastik yang penuh dengan buah-buahan.** Guna carried a plastic bag full of fruit.

**jintan** KATA NAMA
*cumin*

**jip** KATA NAMA
*jeep*

**jiran** KATA NAMA
*neighbour*
**berjiran** KATA KERJA
*to live near*
◊ *Badrul berjiran dengan Kamal.* Badrul lives near Kamal.
**kejiranan** KATA NAMA
♦ **kawasan kejiranan** neighbourhood
♦ **semangat kejiranan** neighbourly spirit

**jirat** KATA NAMA
(*untuk orang bukan Islam*)
*grave*

**jirim** KATA NAMA
*matter*

**jirus**
**menjirus** KATA KERJA
*to water*
◊ *Jiran Azizah menolongnya menjirus pokok-pokok bunga.* Azizah's neighbour helped her to water the flowers.

**jisim** KATA NAMA
*mass*

**jitu** KATA ADJEKTIF
*accurate*
◊ *ukuran yang jitu* accurate measurements
**kejituan** KATA NAMA
*accuracy*
◊ *Rashid akan memeriksa kejituan pengiraan itu.* Rashid will check the accuracy of the calculation.

**jiwa** KATA NAMA
[1] *life*
◊ *Isteri saya ialah jiwa saya.* My wife is my life.
[2] *spirit*
◊ *jiwa yang membara* fiery spirit
♦ **jiwa raga** body and soul
♦ **penyakit jiwa** mental illness
**berjiwa** KATA KERJA
*to be ... in spirit*
◊ *Dia berjiwa seni.* She is artistic in spirit.
♦ **Karya-karya Jamilah jelas menunjukkan dia berjiwa kesusasteraan.** Jamilah's works clearly show that she has a literary spirit.
♦ **berjiwa penjajah** to have a colonial mentality
**sejiwa** KATA ADJEKTIF
♦ **sehati sejiwa** in complete accord
◊ *Mereka berdua memang sehati sejiwa.* They are in complete accord with each other.

**jodoh** KATA NAMA
*life partner*
♦ **Jika Ken dan Lynn ada jodoh, mereka pasti dapat berkahwin.** If Ken and Lynn are destined to be together, they are sure to get married.
**menjodohkan** KATA KERJA
*to marry*
◊ *Wahab menjodohkan anak perempuannya dengan anak lelaki jirannya.* Wahab married his daughter to his neighbour's son.

**joging** KATA NAMA
*jogging*
**berjoging** KATA KERJA
*to jog*
◊ *Saya bangun awal untuk pergi berjoging.* I got up early to go jogging.

**johan** KATA NAMA
*winner*
◊ *Zahizan ialah johan pertandingan melukis itu.* Zahizan is the winner of the drawing competition.
**kejohanan** KATA NAMA
*championship*
◊ *Wen Loong menyertai kejohanan catur itu.* Wen Loong participated in the chess championship.

**Johor** KATA NAMA
*Johore*

**joki** KATA NAMA
*jockey*

**joli**
**berjoli** KATA KERJA
*to enjoy oneself*
◊ *Anak lelaki jutawan itu tidak ada*

*kerja lain selain daripada berjoli.* The millionaire's son does nothing but enjoy himself.

**jolok**
  **menjolok**　KATA KERJA
  *to dislodge*
  ◊　*Faizal mengambil galah untuk menjolok buah mangga di atas pokok itu.* Faizal used a pole to dislodge the mango from the tree.
♦　**pakaian yang menjolok mata**　revealing clothes

**jongang**　KATA ADJEKTIF
  *projecting*
  ◊　*Giginya jongang.* He has projecting teeth.
♦　**gigi jongang**　projecting teeth

**jongkang-jongket**　KATA NAMA
  *seesaw*

**jongket**
  **menjongket, terjongket**　KATA KERJA
  *to tilt*
  ◊　*Bot itu terjongket lalu tenggelam.* The boat tilted and sank.

**jongkong**　KATA NAMA
  *ingot*
  ◊　*jongkong emas*　gold ingots

**joran**　KATA NAMA
  *fishing rod*

**jua**　KATA PENEGAS
  **jua** *biasanya tidak diterjemahkan ke dalam bahasa Inggeris.*
  ◊　*Ken akan mencari Lynn di mana jua dia berada.* Ken will look for Lynn wherever she is.

**juadah**　KATA NAMA
  *cakes (terjemahan umum)*

**jual**　KATA KERJA
  *to sell*
  ◊　*Jangan jual kereta ini.* Don't sell this car.
  **menjual**　KATA KERJA
  *to sell*
  ◊　*Samadi menjual ikan di pasar.* Samadi sells fish in the market.
  **penjual**　KATA NAMA
  *seller*
  **penjualan**　KATA NAMA
  *sale*
  ◊　*Usaha dijalankan untuk mengehadkan penjualan alkohol.* Efforts were made to limit the sale of alcohol.
  **terjual**　KATA KERJA
  *sold*
♦　**habis terjual**　sold out ◊　*Makanan di gerai itu habis terjual pada waktu petang.* The food at the stall was sold out in the evening.
  **jualan**　KATA NAMA
  *goods for sale*
♦　**jualan lambak**　jumble sale
♦　**jualan murah**　sale

**jual beli**　KATA NAMA
  *trade*
  **berjual beli**　KATA KERJA
  *to trade*
  ◊　*John telah berjual beli perabot antik selama 25 tahun.* John has been trading in antique furniture for 25 years.

**juang**
  **berjuang**　KATA KERJA
  *to fight*
  ◊　*Mereka berjuang untuk menghapuskan pemerintahan diktator itu.* They are fighting to end the dictatorship.
  **memperjuangkan**　KATA KERJA
  *to fight*
  ◊　*Penyelia itu memperjuangkan hak-hak pekerjanya.* The supervisor fought for the rights of his workers.
  **pejuang**　KATA NAMA
  *fighter*
  ◊　*pejuang kemerdekaan*　fighter for independence
  **perjuangan**　KATA NAMA
  *struggle*
  ◊　*Perjuangan pekerja untuk mendapatkan hak-hak mereka telah berjaya.* The workers' struggle to achieve their rights has succeeded.
  **seperjuangan**　KATA ADJEKTIF
♦　**rakan seperjuangan**　comrade

**juara**　KATA NAMA
  *champion*
  ◊　*Draven Tan ialah juara pertandingan catur tahun ini.* Draven Tan was the champion in this year's chess championship.
♦　**juara bertahan**　defending champion
  **kejuaraan**　KATA NAMA
  *championship*
  ◊　*Kenneth memenangi kejuaraan badminton sekolahnya.* Kenneth won his school badminton championship.
  **menjuarai**　KATA KERJA
  *to win*
  ◊　*Pasukan Keat menjuarai pertandingan bola keranjang itu.* Keat's team won the basketball competition.

**jubah**　KATA NAMA
  *robe*

**jubin**　KATA NAMA
  *tiles*
  **berjubin**　KATA KERJA
  *-tiled*
  ◊　*bilik yang kecil dan berjubin putih* a narrow white-tiled room

**jubli**　KATA NAMA

*jubilee*
◊ *jubli emas* golden jubilee

**judi** KATA NAMA
*gambling*
**berjudi** KATA KERJA
*to gamble*
◊ *Anak dan isteri Bobby meninggalkannya kerana dia suka berjudi.* Bobby's wife and kids left him because he was always gambling.
**menjudikan** KATA KERJA
*to gamble*
◊ *Vincent sedih kerana adik lelakinya telah menjudikan semua wangnya.* Vincent was sad because his brother had gambled all his money away.
**penjudi** KATA NAMA
*gambler*
**perjudian** KATA NAMA
*gambling*
◊ *Perjudian adalah haram di sisi agama Islam.* Gambling is forbidden in Islam.

**judo** KATA NAMA
*judo*

**judul** KATA NAMA
*title*
◊ *Saya telah lupa judul buku itu.* I have forgotten the title of the book.
**berjudul** KATA KERJA
*entitled*
◊ *Saya membeli sebuah buku yang berjudul 'Little Women'.* I bought a book entitled 'Little Women'.

**juga** KATA PENEGAS
☐1 *also*
◊ *Yusri juga pergi ke perpustakaan kelmarin.* Yusri also went to the library yesterday.
☐2 *quite*
◊ *Rumahnya jauh juga dari pejabat.* Her house is quite far from the office.
♦ **Walaupun Emma telah dimarahi, dia masih juga mengulangi kesilapannya.** Even though Emma has been told off, she still repeats her mistakes.

**jujuk**
**berjujukan** KATA KERJA
*in rows*
◊ *Rumah-rumah itu dibina berjujukan.* The houses are built in rows.

**jujur** KATA ADJEKTIF
*honest*
♦ **tidak jujur** dishonest
**kejujuran** KATA NAMA
*honesty*
◊ *Guru itu memuji kejujuran Norizan.* The teacher praised Norizan's honesty.

**Julai** KATA NAMA
*July*

◊ *pada 5 Julai* on 5 July
♦ **pada bulan Julai** in July

**julang**
**menjulang** KATA KERJA
*to carry ... on one's shoulders*
◊ *Budak lelaki itu menyuruh bapanya menjulangnya.* The boy asked his father to carry him on his shoulders.
♦ **Kawan-kawan Weng Kei menjulangnya selepas dia menjaringkan gol itu.** Weng Kei's friends lifted him shoulder-high after he scored the goal.
♦ **Malaysia berjaya menjulang Piala Thomas pada tahun 1992.** Malaysia won the Thomas Cup in 1992.

**julat** KATA NAMA
*range*
◊ *julat harga* the price range

**juling** KATA ADJEKTIF
*to have a squint*

**julukan** KATA NAMA
*nickname*
♦ **nama julukan** nickname

**julung** KATA ADJEKTIF
*first*
◊ *Wen Loong ialah orang yang julung kali mewakili sekolah dalam pertandingan catur peringkat negeri.* Wen Loong was the first person to represent his school in the state chess championship.
♦ **julung-julung kali** the first time
◊ *Perlawanan ini julung-julung kali diadakan.* This is the first time that the match has been held.

**julur**
**menjulur** KATA KERJA
*to stick ... out*
◊ *Sammy menjulur keluar lidahnya untuk mengejek kawannya.* Sammy stuck his tongue out to tease his friend.
**menjulurkan** KATA KERJA
*to stick ... out*
◊ *Kanak-kanak itu menjulurkan kepala mereka ke luar tingkap.* The children stuck their heads out of the window.

**Jumaat** KATA NAMA
*Friday*
◊ *pada hari Jumaat* on Friday

**jumlah** KATA NAMA
*total*
◊ *Jumlah pelajar di sekolah itu telah meningkat.* The total number of students in the school has increased.
**berjumlah** KATA KERJA
*to amount to*
◊ *Yuran Wendy berjumlah RM700.* Wendy's fees amounted to RM700.
**menjumlahkan** KATA KERJA
*to total up*

◊ *Nancy menjumlahkan perbelanjaannya.* Nancy totalled up her expenses.

**sejumlah** KATA ADJEKTIF
*a sum*

◊ *Carrie telah memenangi sejumlah wang yang banyak.* Carrie has won a large sum of money.

**jumpa** KATA KERJA
*to meet*

♦ **Jumpa lagi nanti.** See you later.

**berjumpa** KATA KERJA
*to meet*

◊ *Lily berjumpa kawan lamanya kelmarin.* Lily met her old friend yesterday.

**menjumpai** KATA KERJA

☐1 *to meet*

◊ *Billy akan menjumpai kawannya di restoran itu.* Billy will meet his friend in the restaurant.

☐2 *to find*

◊ *Polis menjumpai mayat itu di dalam hutan.* The police found the dead body in the jungle.

**perjumpaan** KATA NAMA
*meeting*

◊ *Perjumpaan pertama persatuan itu akan diadakan pada hari Selasa.* The society's first meeting will be held on Tuesday.

**terjumpa** KATA KERJA
*to come across*

◊ *Mereka terjumpa seorang budak yang sedang menangis.* They came across a child who was crying.

**Jun** KATA NAMA
*June*

◊ *pada 5 Jun* on 5 June

♦ **pada bulan Jun** in June

**junam** KATA ADJEKTIF

♦ **papan junam** diving board

**menjunam** KATA KERJA

☐1 *to dive*

◊ *Salim menjunam ke dalam sungai.* Salim dived into the river.

☐2 *to plunge*

◊ *Saya terlihat sebuah kereta menjunam ke dalam gaung.* I saw a car plunge into a ravine.

**menjunamkan** KATA KERJA
*to plunge*

♦ **Dia cuba membunuh diri dengan menjunamkan keretanya ke dalam gaung.** He tried to kill himself by driving his car into the ravine.

**terjunam** KATA KERJA
*to dive*

◊ *Kereta itu terjunam ke dalam gaung.*

The car dived into the ravine.

**junjung**

**menjunjung** KATA KERJA
*to carry ... on one's head*

♦ **Hang Tuah menjunjung segala perintah raja.** Hang Tuah obeyed all the king's orders.

**juntai**

**berjuntai** KATA KERJA
*to dangle*

◊ *Lampu-lampu berjuntai dari siling.* Lights were dangling from the ceiling.

**menjuntaikan** KATA KERJA
*to dangle*

◊ *Budak lelaki itu duduk di atas meja sambil menjuntaikan kakinya.* The boy was sitting on the table and letting his legs dangle.

**jurai** KATA NAMA
*strip*

◊ *Benda ini diperbuat daripada jurai-jurai kain yang dianyam.* It is made of strips of fabric plaited together.

**berjurai-jurai** KATA KERJA
*to dangle*

◊ *Buah mangga berjurai-jurai di atas pokok.* Mangoes are dangling from the tree.

**berjuraian** KATA KERJA
*to drip*

◊ *Peluh Lou berjuraian selepas perlawanan itu.* Lou was dripping with sweat after the match.

**jurang** KATA NAMA

☐1 *ravine*

☐2 *gap*

◊ *jurang umur* age gap

**juri** KATA NAMA
*jury* (JAMAK **juries**)

**jurnal** KATA NAMA
*journal*

**juru** KATA NAMA
*expert*

**juruacara** KATA NAMA
*compere*

**juruanalisis** KATA NAMA
*analyst*

**juruaudit** KATA NAMA
*auditor*

**jurubahasa** KATA NAMA
*interpreter*

**jurubank** KATA NAMA
*banker*

**jurubina** KATA NAMA
*architect*

**jurucakap** KATA NAMA
*spokesman* (JAMAK **spokesmen**)

**juruelektrik** KATA NAMA
*electrician*

J

**jurugambar** KATA NAMA
*photographer*
**juruhebah** KATA NAMA
*broadcaster*
**jurujual** KATA NAMA
*salesman* (JAMAK **salesmen**)
**jurukamera** KATA NAMA
*cameraman* (JAMAK **cameramen**)
**jurulatih** KATA NAMA
*coach* (JAMAK **coaches**)
**jurumudi** KATA NAMA
*helmsman* (JAMAK **helmsmen**)
**jururawat** KATA NAMA
*nurse*
♦ **ketua jururawat** matron
**jurus (1)**
**sejurus** KATA ADJEKTIF
*a moment*
◊ *Penny beredar dari tempatnya sejurus kemudian.* Penny left her place a moment later.
**jurus (2)**
**berjurus-jurus** KATA KERJA
*continuously*
◊ *Benny bercakap berjurus-jurus selama dua jam.* Benny talked continuously for two hours.
**menjurus** KATA KERJA
*to centre on*
◊ *Perbincangan mereka menjurus kepada isu kewangan.* Their discussion centred on financial issues.
**jurusan** KATA NAMA
♦ **'jurusan sains'** 'science stream'
> Konsep ini tidak digunakan di negara Britain.

♦ **mengambil mata pelajaran jurusan sains** to take science subjects
**jurusawat** KATA NAMA
*mechanic*
**juruselam** KATA NAMA
*diver*
**jurusolek** KATA NAMA
*make-up artist*
**jurutaip** KATA NAMA
*typist*

**juruteknik** KATA NAMA
*technician*
**jurutera** KATA NAMA
*engineer*
**kejuruteraan** KATA NAMA
*engineering*
◊ *kejuruteraan genetik* genetic engineering
**juruterbang** KATA NAMA
*pilot*
**jurutrengkas** KATA NAMA
*stenographer*
**juruukur** KATA NAMA
*surveyor*
**juruwang** KATA NAMA
*cashier*
**jus** KATA NAMA
*juice*
◊ *jus epal* apple juice
**justeru** KATA HUBUNG
*in fact*
◊ *Saya tidak pernah membencinya, justeru saya amat menyanjunginya.* I've never hated him, in fact I really respect him.
♦ **justeru itu** so ◊ *Permintaan terhadap getah telah meningkat, justeru itu harga getah turut naik.* The demand for rubber increased, so the price of rubber went up.
**juta** KATA BILANGAN
*million*
**berjuta-juta** KATA BILANGAN
*millions*
◊ *Projek itu menelan belanja berjuta-juta ringgit.* The project cost millions of ringgits.
**jutaan** KATA BILANGAN
*millions*
◊ *Orang kaya itu menderma jutaan ringgit kepada tabung itu.* The rich man donated millions of ringgits to the fund.
**jutawan** KATA NAMA
*millionaire*
**juvenil** KATA NAMA
*juvenile*
◊ *jenayah juvenil* juvenile crime
**juzuk** KATA NAMA
*section*

# K

**kabel**  KATA NAMA
*cable*
◊  *kabel televisyen*  television cable

**kabilah**  KATA NAMA
*tribe*
◊  *kabilah Bani an-Najjar*  the Bani an-Najjar tribe

**kabin**  KATA NAMA
*cabin*

**kabinet (1)**  KATA NAMA
*Cabinet*
◊  *mesyuarat kabinet selama tiga jam*  a three-hour Cabinet meeting

**kabinet (2)**  KATA NAMA
*cabinet*
◊  *kabinet ubat*  medicine cabinet

**kabul**  KATA KERJA  rujuk **terkabul**
**mengabulkan**  KATA KERJA
*to fulfil*
◊  *Bapa Iqbal akan mencuba sedaya upaya untuk mengabulkan permintaan terakhir anaknya itu.*  Iqbal's father will try his best to fulfil his son's final wish.
**terkabul**  KATA KERJA
*to be fulfilled*
◊  *Semua permintaan Cathy telah terkabul.*  All Cathy's wishes were fulfilled.

**kabung**  KATA NAMA
*headband for mourning*
**berkabung**  KATA KERJA
*to be in mourning*
◊  *Kelmarin, seluruh rakyat Greece berkabung.*  Yesterday the whole of Greece was in mourning.
**perkabungan**  KATA NAMA
*mourning*
◊  *tempoh perkabungan*  mourning period

**kabur**  KATA ADJEKTIF
1  *blurred*
◊  *penglihatan yang kabur*  blurred vision
2  *faint*
◊  *Saya dapat melihat garis-garis kabur pada wajahnya.*  I could see faint lines on her face.
3  *vague*
◊  *Penjelasannya agak kabur.*  His explanation was pretty vague.
**mengaburi**  KATA KERJA
*to cloud*
◊  *Mungkin kemarahan telah mengaburi pandangannya.*  Perhaps anger had clouded his vision.
♦  **Wang ringgit tidak dapat mengaburi mata kami.**  We can't be bought.
**mengaburkan**  KATA KERJA
♦  **mengaburkan mata**  to deceive
◊  *Dia berpura-pura baik dengan ayah saya hanya untuk mengaburkan mata saya.*  He pretended to be nice to my father just to deceive me.
**kekaburan**  KATA NAMA
*vagueness*
◊  *Terdapat banyak kekaburan dalam keterangan saksi itu.*  There is a lot of vagueness in the witness's statement.
♦  **kekaburan mata**  blurred vision

**kabus**  KATA NAMA
*mist*
◊  *Penerbangan tersebut dibatalkan kerana kabus yang tebal.*  The flight was cancelled due to thick mist.
**berkabus**  KATA KERJA
*misty*
◊  *Udara di situ sejuk dan berkabus.*  The air there was cold and misty.

**kabut**  KATA NAMA
*fog*
◊  *Perlanggaran tersebut berlaku disebabkan kabut yang tebal.*  The crash was caused by thick fog.
**berkabut**  KATA KERJA
*foggy*
◊  *Keadaan agak berkabut sekarang.*  It's quite foggy now.

**kaca**  KATA NAMA
*glass*
♦  **kaca dua lapis**  double glazing
♦  **kaca mata**  glasses

**kacak**  KATA ADJEKTIF
*handsome*

**kacang**  KATA NAMA
1  *nut*
2  *bean*
◊  *kacang panjang*  long bean
♦  **kacang hazel**  hazelnut
♦  **kacang hijau**  green bean
♦  **kacang kuda**  chickpeas
♦  **kacang merah**  red bean
♦  **kacang panggang**  baked beans
♦  **kacang tanah**  peanut
♦  **kacang walnut**  walnut

**kacau**  KATA ADJEKTIF
*in disorder*
◊  *Keadaan di dalam bilik kecemasan itu sungguh kacau.*  The emergency room was in complete disorder.
**kekacauan**  KATA NAMA
*disturbance*
◊  *Tiga orang lelaki cedera semasa kekacauan itu berlaku.*  Three men were injured during the disturbance.
**mengacau**  KATA KERJA
1  *to stir*
◊  *Ibu sedang mengacau sup.*  Mother is stirring the soup.
2  *to pester*

◊ *Kevin suka mengacau kakaknya.*
Kevin likes to pester his elder sister.
**pengacau** KATA NAMA
*troublemaker*
**kacau-bilau** KATA ADJEKTIF
*chaotic*
◊ *Keadaan di situ kacau-bilau.* The
situation there was chaotic.
♦ **Pemberontakan itu menyebabkan
negara itu kacau-bilau.** The rebellion
threw the country into chaos.
**kacip** KATA NAMA
♦ **gigi kacip** incisors
**kacuk**
**mengacukkan** KATA KERJA
*to graft*
◊ *Mereka mengacukkan dua tumbuhan
itu untuk mendapatkan buah yang lebih
berkualiti.* They grafted the two plants
together to obtain fruit of better quality.
**kacukan** KATA NAMA
1 *cross*
◊ *kacukan antara buah pear dengan
buah epal* a cross between a pear and
an apple
2 *mixed parentage*
◊ *gadis kacukan* a girl of mixed
parentage
**kad** KATA NAMA
*card*
♦ **kad kredit** credit card
♦ **kad pengenalan** identity card
♦ **kad telefon** phone card
♦ **kad tunai** cash card
♦ **kad ucapan** greetings card
**kadang-kadang** KATA ADJEKTIF
*sometimes*
◊ *Kadang-kadang saya fikir dia tidak
menyukai saya.* Sometimes I think he
dislikes me.
**kadangkala** KATA ADJEKTIF
*sometimes*
◊ *Kadangkala dia kelihatan sangat
letih.* Sometimes he looks very tired.
**kadar** KATA NAMA
*rate*
◊ *kadar pertukaran* exchange rate
**berkadar** KATA KERJA
*proportionate*
◊ *pertambahan gaji yang berkadar
dengan pertumbuhan ekonomi* an
increase in wages proportionate to the
level of economic growth
**sekadar** KATA PENEGAS
*just*
◊ *Itu hanya sekadar satu cadangan.*
It's just a suggestion.
♦ **Hulurkan bantuan sekadar yang anda
mampu.** Help in any way you can.

**kadbod** KATA NAMA
*cardboard*
**kadet** KATA NAMA
*cadet*
◊ *kadet polis* police cadet
**kadi** KATA NAMA
*judge who handles Islamic matters*
**kaedah** KATA NAMA
*method*
◊ *kaedah-kaedah pengajaran yang baru*
new teaching methods
**kafe** KATA NAMA
*café*
♦ **kafe siber** cybercafé
**kafeina** KATA NAMA
*caffeine*
**kafeteria** KATA NAMA
*cafeteria*
◊ *Kami akan makan tengah hari di
kafeteria.* We're going to have lunch in the
cafeteria.
**kafilah** KATA NAMA
*caravan*
**kafir** KATA NAMA
*infidel* (padanan terdekat)
**kaget** KATA ADJEKTIF
*shocked*
◊ *Heni kaget apabila jirannya pengsan
secara tiba-tiba.* Heni was shocked when
her neighbour suddenly fainted.
**kagum** KATA ADJEKTIF
*impressed*
◊ *Saya kagum dengan ucapannya.* I
was impressed with his speech.
**kekaguman** KATA NAMA
*admiration*
◊ *Dia mengamati lukisan itu dengan
penuh kekaguman.* He examined the
painting with great admiration.
**mengagumi** KATA KERJA
*to admire*
◊ *Kami mengagumi kecantikan
pemandangan di situ.* We admired the
beautiful view there. ◊ *Saya mengagumi
guru itu.* I admire that teacher.
**mengagumkan** KATA KERJA
*to impress*
◊ *Kecekapan Janet berjudo
mengagumkan kawan-kawannya.* Janet's
competence in judo impressed her friends.
♦ **kejayaan yang mengagumkan** an
impressive achievement
**kahak** KATA NAMA
*phlegm*
**kahwin**
**berkahwin** KATA KERJA
*to get married*
◊ *Saya akan berkahwin pada tahun
hadapan.* I am getting married next year.

♦ **sudah berkahwin** married
♦ **berkahwin semula** to remarry
**mengahwini** KATA KERJA
*to marry*
◊ *Gordon mengahwini Joyce hanya kerana kecantikannya.* Gordon only married Joyce for her looks.
**mengahwinkan** KATA KERJA
[1] *to marry*
◊ *Paderi itulah yang mengahwinkan kami di London tiga puluh tahun yang lalu.* That is the priest who married us thirty years ago in London.
[2] *to marry ... off*
◊ *Dia akan mengahwinkan anaknya dengan lelaki kaya itu.* He will marry his daughter off to the rich man.
**perkahwinan** KATA NAMA
[1] *marriage*
◊ *Perkahwinan Daud hanya bertahan selama tiga tahun.* Daud's marriage lasted only three years.
[2] *wedding*
◊ *hari perkahwinan* wedding day

**kail** KATA NAMA
*fish hook*
♦ **mata kail** fish hook
♦ **batang kail** fishing rod
**mengail** KATA KERJA
*to fish*
◊ *Mereka pergi mengail di tasik itu sejak awal pagi lagi.* They went to fish in the lake early in the morning.
**pengail** KATA NAMA
*angler*

**kain** KATA NAMA
*cloth*
♦ **kain lampin** nappy (JAMAK **nappies**)
♦ **kain pembalut** bandage
♦ **kain penutup mata** blindfold

**kais**
**mengais** KATA KERJA
*to scratch*
◊ *Ayam-ayam itu mengais tanah untuk mencari cacing.* The chickens scratched the ground for worms.

**kait** KATA KERJA
> rujuk juga **kait** KATA NAMA

*to hook*
**berkait** KATA KERJA
*connected*
◊ *Tekanan darah tinggi berkait rapat dengan penyakit jantung.* High blood pressure is closely connected to heart disease.
**berkaitan** KATA KERJA
*connected*
◊ *tajuk yang berkaitan dengan sejarah Malaysia* topics connected with

Malaysian history
**mengait** KATA KERJA
[1] *to hook*
◊ *Aman mengait buah mangga yang sudah masak itu dengan galah.* Aman hooked the ripe mangoes with a pole.
[2] *to crochet*
◊ *Emak saya telah mengait beberapa helai baju.* My mother crocheted some blouses.
**mengaitkan** KATA KERJA
*to link*
◊ *Dia cuba mengaitkan dua perkara itu.* He tried to link the two matters.
**pengait** KATA NAMA
*crochet hook*
**kaitan, perkaitan** KATA NAMA
[1] *relationship*
◊ *Mereka berdua tidak mempunyai sebarang perkaitan langsung.* The two do not have any direct relationship.
[2] *connection*
◊ *kaitan antara kemiskinan dengan taraf hidup* the connection between poverty and standard of living
♦ **Hal itu tidak ada kaitan dengan saya.** That has nothing to do with me.

**kait** KATA NAMA
> rujuk juga **kait** KATA KERJA

*hook*
♦ **jarum kait** crochet hook

**kajang** KATA NAMA
> rujuk juga **kajang** PENJODOH BILANGAN

*thatch*
◊ *Penduduk kampung itu masih menggunakan kajang sebagai atap dan dinding rumah.* The villagers still use thatch to make roofs and walls for their houses.

**kajang** PENJODOH BILANGAN
> rujuk juga **kajang** KATA NAMA

*large sheet*
◊ *sekajang kertas* a large sheet of paper

**kaji**
**mengaji** KATA KERJA
[1] *to learn to recite the Koran*
◊ *Budak-budak itu baru pulang dari mengaji.* The children have just come back from learning to recite the Koran.
[2] *to study*
◊ *Zahir mengaji di sekolah itu.* Zahir studies at the school.
**mengkaji** KATA KERJA
[1] *to analyse*
◊ *McCarthy disuruh mengkaji data tersebut.* McCarthy was asked to analyse the data.

K

2 *to study*
◊ *mengkaji kelakuan orang utan* to study the behaviour of the orang utan
**pengajian** KATA NAMA
1 *learning to recite the Koran*
2 *studies*
◊ *Jan Wei telah menamatkan pengajiannya di universiti dua tahun yang lalu.* Jan Wei completed her studies at the university two years ago.
♦ **pengajian tinggi** higher education
**pengkaji** KATA NAMA
*researcher*
**pengkajian** KATA NAMA
*research*
◊ *pengkajian dan penilaian* research and evaluation
**kajian** KATA NAMA
*research*
◊ *kajian tentang kanser* cancer research
♦ **kajian semula** review
**kaji cuaca** KATA NAMA
*meteorology*
**kaji purba** KATA NAMA
*archaeology*
♦ **ahli kaji purba** archaeologist
**kakak** KATA NAMA
*elder sister*
♦ **kakak ipar** sister-in-law (JAMAK **sisters-in-law**)
**kakaktua** KATA NAMA
1 *cockatoo*
2 *pincers*
◊ *Mereka mencabut paku dengan kakaktua.* They pulled out the nail with a pair of pincers.
**kakanda** KATA NAMA
(*bahasa istana, persuratan*)
1 *elder brother* (*lelaki*)
2 *elder sister* (*perempuan*)
**kakanda** *juga digunakan untuk merujuk kepada diri sendiri. Dalam keadaan ini,* **kakanda** *diterjemahkan dengan menggunakan kata ganti nama diri.*
◊ *Kakanda akan pulang pada bulan depan.* I'm coming home next month.
◊ *Tolong jemput kakanda di lapangan terbang.* Please pick me up at the airport.
◊ *Sampaikan salam kakanda kepada nenda.* Please give my greetings to grandmother.
**kakap**
**pengakap** KATA NAMA
*scout*
◊ *sepasukan pengakap* a troop of scouts
**kaki** KATA NAMA

*rujuk juga* **kaki** PENJODOH BILANGAN
1 *leg*
2 *foot* (JAMAK **feet**)
3 *paw* (*pada kucing, anjing, dll*)
♦ **kaki bukit** the foot of a hill
♦ **kaki langit** horizon
♦ **kaki bola** football addict
♦ **kaki judi** gambler
♦ **kaki minum** alcoholic
♦ **kaki ponteng** truant
**kaki** PENJODOH BILANGAN

*rujuk juga* **kaki** KATA NAMA
**kaki** *tidak ada terjemahan dalam bahasa Inggeris.*
◊ *sekaki payung* an umbrella
◊ *sekaki bunga mawar* a rose
**kaki ayam** KATA ADJEKTIF
*barefoot*
◊ *berjalan kaki ayam* to walk barefoot
**berkaki ayam** KATA KERJA
*barefoot*
◊ *Kanak-kanak itu berkaki ayam.* The children were barefoot.
**kakis**
**mengakis** KATA KERJA
*to corrode*
◊ *Hujan asid memusnahkan tumbuhan dan mengakis bangunan.* Acid rain destroys trees and corrodes buildings.
**terkakis** KATA KERJA
*to be corroded*
◊ *Paip-paip itu terkakis.* The pipes were corroded.
**kakisan** KATA NAMA
*corrosion*
◊ *Zink digunakan untuk melindungi logam lain daripada kakisan.* Zinc is used to protect other metals from corrosion.
**kakitangan** KATA NAMA
*staff*
♦ **kakitangan awam** civil servant
**kaku** KATA ADJEKTIF
*stiff*
◊ *Lakonan pelajar itu sungguh kaku.* The student's acting was very stiff.
♦ **Lidahnya menjadi kaku apabila berhadapan dengan orang yang tidak dikenali.** She gets tongue-tied when she meets strangers.
**kala** KATA NAMA
*time*
◊ *dahulu kala* ancient times
♦ **ada kalanya** sometimes
♦ **kala depan** future tense
♦ **kala kini** present tense
**berkala** KATA KERJA
*periodical*
◊ *rawatan yang berkala daripada doktor* periodical visits by the doctor

**kalah** KATA ADJEKTIF

> rujuk juga **kalah** KATA KERJA

_losing_
◊ *Pasukan yang kalah akan digugurkan daripada senarai.* The losing team will be dropped from the list.

**mengalah** KATA KERJA

_to give in_
◊ *Akhirnya Haris terpaksa mengalah apabila teman wanitanya merajuk.* In the end when his girlfriend sulked, Haris had to give in.

**mengalahkan** KATA KERJA

_to defeat_
◊ *Pasukan bola keranjang sekolah saya telah mengalahkan pasukan mereka.* My school's basketball team defeated their team.

**kekalahan** KATA NAMA

_defeat_
◊ *Samy tidak dapat menerima kekalahannya kepada pemain baru itu.* Samy couldn't accept his defeat by the new player.

**kalah** KATA KERJA

> rujuk juga **kalah** KATA ADJEKTIF

_to lose_
◊ *Pasukan itu kalah teruk dalam Piala Malaysia.* The team lost badly in the Malaysia Cup.

♦ **mengaku kalah** to give up

**kala jengking** KATA NAMA

_scorpion_

**kalang**

**kalangan** KATA NAMA

♦ **di kalangan** among

**kalau** KATA HUBUNG

_if_
◊ *Dia sangat sedih kalau saya memarahinya.* She gets very upset if I scold her.

♦ **Kalau begitu, saya akan benarkan anda pergi.** If that is the case, I'll allow you to go.

♦ **Kalaulah anda beritahu saya awal-awal lagi, ...** If only you had told me from the very beginning, ...

**kalau-kalau** KATA PENEGAS

_just in case_
◊ *Kemaskan barang kamu kalau-kalau teksi datang awal.* Pack your things just in case the taxi arrives early.

**kalaupun** KATA HUBUNG

_even though_
◊ *Dia menerima keputusan pilihan raya tersebut kalaupun itu bermakna kekalahan partinya.* He accepted the election results, even though it meant defeat for his party.

**kalbu** KATA NAMA

_heart_
◊ *Perasaan itu lahir dari kalbu saya.* The feeling comes from my heart.

**kalendar** KATA NAMA

_calendar_

**kali** KATA NAMA

_times_
◊ *Tugas Nancy ialah menghidangkan teh empat kali sehari.* Nancy's job is to serve tea four times a day.

♦ **Pastikan anda menutup tingkap setiap kali anda keluar.** Make sure you close the windows whenever you go out.

♦ **dua kali** twice

♦ **tiga kali** three times

**berkali-kali** KATA KERJA

_repeatedly_
◊ *Sarah sudah berkali-kali melakukan kesilapan yang sama.* Sarah has repeatedly made the same mistakes.

**pekali** KATA NAMA

_coefficient_ (matematik)

**sekali** KATA PENGUAT

1 _so_
◊ *Dia kelihatan menarik sekali pada malam itu.* She looked so attractive that night.

2 _together_
◊ *John datang sekali dengan Melinda.* John came together with Melinda.

♦ **Serahkan semua buku itu sekali.** Hand all the books in at the same time.

♦ **Dia membawa anak-anaknya sekali ke majlis itu.** He brought his children along with him to the party.

♦ **Beli buku itu sekali jika anda pergi ke kedai.** If you go to the shop, buy me the book at the same time.

3 _once_
◊ *sekali seminggu* once a week

♦ **sekali gus** at once ◊ *Anda tidak boleh melakukan dua perkara sekali gus.* You can't do two things at once.

**sekali-kali** KATA PENEGAS

_ever_
◊ *Jangan sekali-kali bermain di kuari itu.* Don't ever play at the quarry.

**sekalipun** KATA HUBUNG

> rujuk juga **sekalipun** KATA PENEGAS

1 _even though_
◊ *Larry terpaksa membeli cincin berlian untuk isterinya sekalipun harganya mahal.* Larry has to buy a diamond ring for his wife even though it is expensive.

2 _even_
◊ *Dia tidak suka makan ubat, sekalipun dia sakit tenat.* She doesn't like to take medicine, even when she's very sick.

K

**sekalipun**  KATA PENEGAS

> *rujuk juga* **sekalipun** KATA HUBUNG

♦ **dengan apa cara sekalipun**  no matter how

♦ **jika ... sekalipun**  even if ◊ *jika dia menangis sekalipun*  even if she cries

♦ **walau apa yang terjadi sekalipun**  no matter what happens

**sekali-sekala**  KATA ADJEKTIF

*occasionally*

◊ *Dia akan pulang ke kampung halamannya sekali-sekala.*  He goes back to his own village occasionally.

**kalian**  KATA GANTI NAMA

*you*

**sekalian**  KATA BILANGAN

*all*

◊ *anda sekalian*  all of you

♦ **Hadirin sekalian tidak dibenarkan meninggalkan dewan sehingga upacara tamat.**  You are not allowed to leave the hall until the ceremony ends.

**kaliber**  KATA NAMA

*calibre*

◊ *Saya kagum dengan kaliber yang ditunjukkan oleh para penyelidik itu.*  I was impressed with the calibre of the researchers.

**berkaliber**  KATA KERJA

*of calibre*

◊ *pengurus yang sangat berkaliber*  a manager of high calibre

**kaligrafi**  KATA NAMA

*calligraphy*

**kaliks**  KATA NAMA

*calyx* (JAMAK **calyxes**)

**kalimantang**  KATA NAMA

♦ **lampu kalimantang**  fluorescent lamp

**kalimat**  KATA NAMA

*sentence*

**kalis**  KATA ADJEKTIF

*impervious*

♦ **kalis air**  waterproof

♦ **kalis peluru**  bulletproof

**kalkulator**  KATA NAMA

*calculator*

**kalori**  KATA NAMA

*calorie*

**kalung**  KATA NAMA

*necklace*

**mengalungkan**  KATA KERJA

*to present* (*terjemahan umum*)

◊ *Menteri Belia dan Sukan mengalungkan pingat pada para atlit.*  The Youth and Sports Minister presented the medals to the athletes.

♦ **Para atlit itu dikalungkan dengan bunga.**  The athletes were garlanded with flowers.

**kalungan**  KATA NAMA

♦ **kalungan bunga**  garland

**kamar**  KATA NAMA

*room*

◊ *kamar bacaan*  study room

♦ **kamar hakim**  judge's chambers

**kambang**

**mengambang**  KATA KERJA

♦ **bulan mengambang**  full moon

**kambing**  KATA NAMA

*goat*

♦ **kambing biri-biri**  sheep

**kambuh**  KATA KERJA

*to relapse*

◊ *Pesakit itu kambuh dalam masa enam bulan.*  The patient relapsed within six months.

**kambus**

**mengambus**  KATA KERJA

*to bury*

◊ *Tupai-tupai itu mengambus kacang dalam tanah.*  The squirrels bury nuts in the ground.

**terkambus**  KATA KERJA

*buried*

◊ *Kereta itu terkambus akibat tanah runtuh.*  The car was buried by the landslide.

**kamera**  KATA NAMA

*camera*

**kami**  KATA GANTI NAMA

[1] *our*

◊ *Inilah rumah baru kami.*  This is our new house.

[2] *us*

◊ *Stephanie sedang mengambil minuman untuk kami.*  Stephanie is getting us some drinks.

[3] *we*

◊ *Kami akan pergi ke Australia esok.*  We are leaving for Australia tomorrow.

**kampit**  PENJODOH BILANGAN

*sack*

◊ *satu kampit beras*  a sack of rice

**kampung**  KATA NAMA

*village*

♦ **kampung halaman**  own village

♦ **orang kampung**  villagers

**perkampungan**  KATA NAMA

*village*

◊ *perkampungan orang Portugis*  Portuguese village

**kampus**  KATA NAMA

*campus* (JAMAK **campuses**)

♦ **luar kampus**  off campus

**kamu**  KATA GANTI NAMA

[1] *you*

◊ *Kamu harus menghadiri ceramah itu.*  You have to attend the talk.

[2] *your*

◊ *Bilik kamu sungguh kemas.* Your room is very tidy.

**kamus** KATA NAMA
*dictionary* (JAMAK **dictionaries**)
**perkamusan** KATA NAMA
*lexicography*
♦ **bidang perkamusan** lexicography

**kanak-kanak** KATA NAMA
*child* (JAMAK **children**)
◊ *Jangan bermain dengan kanak-kanak yang nakal itu.* Don't play with the naughty children.
♦ **pusat jagaan kanak-kanak** crèche
♦ **taman asuhan kanak-kanak** nursery
♦ **taman didikan kanak-kanak** kindergarten
**kekanak-kanakan** KATA ADJEKTIF
*childish*
◊ *kelakuan yang kekanak-kanakan* childish behaviour

**kanan** KATA ADJEKTIF
[1] *right*
◊ *di sebelah kanan* on the right
◊ *ke kanan* to the right
[2] *senior*
◊ *guru penolong kanan* senior assistant teacher ◊ *pegawai kanan* senior officer
♦ **langkah kanan** lucky
**terkanan** KATA ADJEKTIF
*most senior*
◊ *Tiga pegawai terkanan syarikat itu telah ditahan.* Three of the most senior officers of the company were detained.

**kancil** KATA NAMA
*mouse deer*

**kancing** KATA NAMA
*fastener*
◊ *kancing baju* the fastener of a dress
♦ **kancing gigi** tetanus
**mengancingkan** KATA KERJA
*to fasten*
◊ *Dia terlupa mengancingkan bajunya.* She forgot to fasten her dress.

**kandang** KATA NAMA
*pen*
◊ *kandang kambing biri-biri* sheep pen ◊ *kandang lembu* cattle pen
♦ **kandang khinzir** pigsty (JAMAK **pigsties**)
♦ **kandang kuda** stable
♦ **kandang saksi** witness box

**kandar**
**mengandar** KATA KERJA
*to carry* (terjemahan umum)
◊ *Halim terpaksa mengandar sayur dalam bakul ke pasar setiap hari.* Halim had to carry baskets of vegetables to the market every day.

**kandas** KATA KERJA
[1] *to fail*
◊ *Mimi kandas dalam peperiksaannya.* Mimi failed her examination.
[2] *to break down*
◊ *Keretanya kandas di jalan raya.* His car broke down on the road.
[3] *to run aground*
◊ *Kapal itu terlanggar beting pasir lalu kandas.* The ship hit a sandbank and ran aground.
**terkandas** KATA KERJA rujuk **kandas**

**kandung** KATA NAMA
*birth*
◊ *emak kandung* birth mother
**mengandung** KATA KERJA
*pregnant*
◊ *Dia sudah mengandung tiga bulan.* She's three months pregnant.
**mengandungi** KATA KERJA
*to contain*
♦ **Bakul itu cuma mengandungi buah-buahan.** That basket has only got fruit in it.
**mengandungkan** KATA KERJA
*to be pregnant with*
◊ *Timah mengandungkan anaknya yang kedua sekarang.* Timah is pregnant with her second child now.
**terkandung** KATA KERJA
*to be contained*
◊ *Semua tugasan Samantha terkandung dalam buku itu.* All of Samantha's assignments are contained in that book.
**kandungan** KATA NAMA
[1] *contents*
◊ *isi kandungan surat itu* the contents of the letter
[2] *foetus* (JAMAK **foetuses**)
◊ *Pengambilan alkohol boleh membahayakan kandungan.* Alcohol consumption may endanger the foetus.

**kanggaru** KATA NAMA
*kangaroo* (JAMAK **kangaroos**)

**kangkang** KATA NAMA
*space between the legs when standing with legs apart*
♦ **celah kangkang** space between the legs when standing with legs apart
**mengangkang** KATA KERJA
*with one's legs apart*
◊ *Dia berdiri mengangkang.* He is standing with his legs apart.
**terkangkang** KATA KERJA
*with one's legs apart*
◊ *Jangan duduk terkangkang!* Don't sit with your legs apart!
♦ **Jangan biarkan pintu itu terkangkang.** Don't leave the door wide open.

K

**kangkung**  KATA NAMA
_edible water-convolvulus_

**kanji**  KATA NAMA
  [1] _starch_
  [2] _porridge_
  **menganji**  KATA KERJA
  _to starch_
  ◊ _Emak saya selalu menganji kain cadar selepas mencucinya._ My mother always starches the sheets after washing them.

**kanopi**  KATA NAMA
  _canopy_ (JAMAK **canopies**)

**kanser (1)**  KATA NAMA
  _cancer_
  ◊ _Sembilan puluh peratus daripada kanser paru-paru disebabkan oleh merokok._ Ninety percent of lung cancers are caused by smoking.

**Kanser (2)**  KATA NAMA
  _Cancer_ (_bintang zodiak_)

**kanta**  KATA NAMA
  _lens_ (JAMAK **lenses**)
  ◊ _kanta cekung_ concave lens
  ◊ _kanta cembung_ convex lens
  ◊ _kanta lekap_ contact lens
  ◊ _kanta sentuh_ contact lens
  ♦ **kanta pembesar** magnifying glass (JAMAK **magnifying glasses**)

**kantin**  KATA NAMA
  _canteen_

**kantuk**
  **mengantuk**  KATA KERJA
  _to feel sleepy_
  ◊ _Barry mengantuk semasa kelas sejarahnya._ Barry felt sleepy during his history class.

**kantung**  KATA NAMA
  [1] _pocket_
  [2] _pouch_ (JAMAK **pouches**)

**kanun**  KATA NAMA
  _code of law_
  ♦ **kanun jenayah** penal code
  **berkanun**  KATA KERJA
  ♦ **badan berkanun** statutory body
  **terkanun**  KATA KERJA
  _to be written_
  ◊ _Akta itu terkanun dalam Perlembagaan negara._ The Act was written into the country's constitution.

**kanvas**  KATA NAMA
  _canvas_ (JAMAK **canvases**)
  ♦ **kain kanvas** canvas

**kanyon**  KATA NAMA
  _canyon_

**kapai**
  **terkapai-kapai**  KATA KERJA
  _to struggle_
  ◊ _Siva terkapai-kapai di dalam sungai sambil cuba menyelamatkan dirinya daripada lemas._ Siva is struggling in the river to save himself from drowning.

**kapak**  KATA NAMA
  _axe_
  **mengapak**  KATA KERJA
  _to chop_
  ◊ _Jani sedang mengapak kayu._ Jani is chopping wood.

**kapal**  KATA NAMA
  _ship_
  ♦ **anak kapal** crew
  ♦ **kapal angkasa** spacecraft
  ♦ **kapal korek** tin dredger (_perlombongan_)
  ♦ **kapal minyak** oil tanker
  ♦ **kapal pelayaran** liner
  ♦ **kapal perang** battleship
  ♦ **kapal persiar** yacht
  ♦ **kapal selam** submarine
  ♦ **kapal tangki** tanker
  ♦ **kapal terbang** aeroplane
  **perkapalan**  KATA NAMA
  _shipping_
  ◊ _syarikat perkapalan_ shipping company

**kapan**  KATA NAMA
  _shroud_
  **mengapankan**  KATA KERJA
  _to wrap ... in a shroud_
  ◊ _Kamal menolong Roslan mengapankan anaknya._ Kamal helped Roslan to wrap his son in a shroud.

**kapar**
  **berkaparan**  KATA KERJA
  _to be strewn about_
  ◊ _Bangkai-bangkai berkaparan selepas banjir._ The flood left carcasses strewn about.
  **terkapar**  KATA KERJA
  _to sprawl_
  ◊ _Penumpang kapal itu terkapar di tepi pantai._ The ship's passengers were sprawling on the beach.

**kapas**  KATA NAMA
  _cotton_

**kapit**
  **mengapit**  KATA KERJA
  [1] _to sandwich_
  ◊ _Mereka mengapit pasu itu dengan span supaya tidak tercalar._ They sandwiched the vase between two pieces of sponge so that it wouldn't get scratched.
  [2] _to escort_
  ◊ _Pengetua dan guru penolong kanan mengapit tetamu kehormat itu ke atas pentas._ The principal and the senior assistant teacher escorted the guest of honour on to the stage.

**pengapit**   KATA NAMA
1 _best man_   (lelaki)
2 _bridesmaid_   (perempuan)
**kapitalis**   KATA ADJEKTIF, KATA NAMA
_capitalist_
**kapitalisme**   KATA NAMA
_capitalism_
**Kaprikorn**   KATA NAMA
_Capricorn_   (bintang zodiak)
**kapsul**   KATA NAMA
_capsule_
◊ _kapsul minyak ikan kod_   cod liver oil
capsule
**kapten**   KATA NAMA
_captain_
**kapur**   KATA NAMA
_chalk_
♦ **kapur tulis**   chalk
♦ **batu kapur**   limestone
**kara**   KATA ADJEKTIF
♦ **sebatang kara**   all alone
♦ **udang kara**   lobster
**karam**   KATA KERJA
_to sink_
◊ _Kapal itu karam apabila dipukul ombak yang besar._   The ship sank after being hit by large waves.
**mengaramkan**   KATA KERJA
_to sink_
◊ _Matlamat kami adalah untuk mengaramkan kapal musuh._   Our aim is to sink the enemy ships.
**karang (1)**   KATA NAMA
♦ **batu karang**   coral
♦ **penyakit karang**   kidney stones ◊ _Dia menghidap penyakit karang sejak berusia 15 tahun._   He has suffered from kidney stones since he was 15.
**karang (2)**
**mengarang**   KATA KERJA
1 _to arrange_   (bunga)
2 _to compose_   (lagu)
3 _to write_   (puisi, buku)
**pengarang**   KATA NAMA
1 _author_   (buku)
2 _writer_   (puisi)
**karangan**   KATA NAMA
_composition_
**karang (3)**   KATA ADJEKTIF
_later_
◊ _Karang saya akan berjumpa dengan anda._   I'll see you later. ◊ _malam karang_   later tonight
**karang (4)**
**pekarangan**   KATA NAMA
_compound_
◊ _pekarangan rumah_   compound of a house
**karat (1)**   KATA NAMA

_rust_
**berkarat**   KATA KERJA
_rusty_
◊ _Paip besi itu telah berkarat._   The iron pipe has become rusty.
**karat (2)**   KATA NAMA
_carat_
◊ _sebentuk cincin berlian lapan karat yang besar_   a huge eight-carat diamond ring
**karate**   KATA NAMA
_karate_
**karbohidrat**   KATA NAMA
_carbohydrate_
**karbonat**   KATA NAMA
_carbonate_
◊ _kalsium karbonat_   calcium carbonate
**karbon dioksida**   KATA NAMA
_carbon dioxide_
**karbon monoksida**   KATA NAMA
_carbon monoxide_
**kardigan**   KATA NAMA
_cardigan_
**kargo**   KATA NAMA
_cargo_   (JAMAK **cargoes**)
◊ _kapal terbang kargo_   cargo planes
**kari**   KATA NAMA
_curry_
**karib**   KATA ADJEKTIF
_close_
◊ _hubungan karib_   close relationship
♦ **sahabat karib**   best friend
**karies**   KATA NAMA
_caries_
◊ _karies gigi_   dental caries
**karisma**   KATA NAMA
_charisma_
◊ _Ahli politik itu tidak mempunyai karisma untuk mempengaruhi orang._   That politician lacks the charisma to influence anyone.
**berkarisma**   KATA KERJA
_charismatic_
◊ _seorang yang berkarisma_   a charismatic person
**karismatik**   KATA ADJEKTIF
_charismatic_
**karnival**   KATA NAMA
_carnival_
**karnivor**   KATA NAMA
_carnivore_
**karotena**   KATA NAMA
_carotene_
**karton**   PENJODOH BILANGAN
_carton_
◊ _Dia membeli satu karton rokok._   He bought a carton of cigarettes.
**kartrij**   KATA NAMA

K

*cartridge*
◊ *Tukar kartrij seperti yang diarahkan oleh pengeluar.*  Change the cartridge as instructed by the manufacturer.

**kartun**  KATA NAMA
*cartoon*

**kartunis**  KATA NAMA
*cartoonist*

**karun**  KATA NAMA
♦ **harta karun**  treasure

**karung**  KATA NAMA
*sack*
◊ *Karung itu sangat berat.*  The sack is very heavy.

**karut**  KATA ADJEKTIF
*nonsense*
♦ **kepercayaan karut**  superstitions
**mengarut**  KATA KERJA
*to talk nonsense*
◊ *Jangan mengarut lagi!*  Stop talking nonsense!
♦ **Mengarut!**  Nonsense!

**karya**  KATA NAMA
*work*
◊ *Itu satu hasil karya yang menarik.*  That's a beautiful piece of work.
♦ **karya agung**  masterpiece
♦ **petikan daripada karya Shakespeare**  a Shakespeare quote
**pengkarya**  KATA NAMA
1 *writer*
2 *artist*

**karyawan**  KATA NAMA
*writer*

**kasa**  KATA NAMA
♦ **kain kasa**  gauze
♦ **kasa dawai**  wire mesh

**kasar**  KATA ADJEKTIF
1 *coarse*
◊ *pasir kasar*  coarse sand
2 *rough*
◊ *permukaan yang kasar*  a rough surface  ◊ *permainan yang kasar*  a rough game
3 *gross*
◊ *pendapatan kasar*  gross income
♦ **bahasa kasar**  vulgarities
**berkasar**  KATA KERJA
*to be rude*
◊ *Jangan berkasar dengan orang tua.*  Don't be rude to elderly people.
**mengasari**  KATA KERJA
*to treat ... roughly*
◊ *Dia melarang Kamal mengasari adik perempuannya.*  She told Kamal not to treat his sister roughly.
**kekasaran**  KATA NAMA
1 *roughness*
◊ *Dia menyesali kekasarannya.*  He

regretted his roughness.
2 *rudeness*
◊ *Kekasaran Kalai menyakitkan hati ibunya.*  Kalai's rudeness hurt her mother.

**kaset**  KATA NAMA
*cassette*

**kasih (1)**  KATA ADJEKTIF
rujuk juga **kasih** KATA NAMA
*to love*
◊ *Dia sangat kasih akan ibunya.*  She loves her mother very much.
♦ **terima kasih**  thank you
**berkasih-kasihan**  KATA KERJA
*to be in love*
◊ *Mereka telah berkasih-kasihan sejak belajar di universiti.*  They have been in love from the time they were at university.
**kekasih**  KATA NAMA
*lover*
**mengasihi**  KATA KERJA
*to love*
◊ *Dia mengasihi anak-anaknya dengan sepenuh hati.*  She loved her children with all her heart.
♦ **Jessica yang dikasihi,**  Dear Jessica,
**pengasih**  KATA ADJEKTIF
*loving*
◊ *seorang yang pengasih*  a loving person

**kasih**  KATA NAMA
rujuk juga **kasih** KATA ADJEKTIF
*love*
◊ *kasih ibu*  mother's love

**kasih (2)**
**kasihan**  KATA ADJEKTIF
*to sympathize with*
◊ *Saya kasihan melihat ayah anda yang terpaksa bekerja walaupun sudah tua.*  I sympathize with your father who has to work even though he's old.
♦ **Kasihan!**  You poor thing!
**mengasihani**  KATA KERJA
*to sympathize with*
◊ *Dia tidak mahu mengasihani kawan yang telah mengkhianatinya.*  He refused to symphathize with his friend who had betrayed him.

**kasih sayang**  KATA NAMA
*love*
◊ *kasih sayang seorang ibu yang tidak akan terlerai*  the undying love of a mother

**kasino**  KATA NAMA
*casino*  (JAMAK **casinos**)

**kasta**  KATA NAMA
*caste*

**kastam**  KATA NAMA
*customs*

**kastard**  KATA NAMA
  *custard*
**kasual**  KATA ADJEKTIF
  *casual*
  ◊  *pakaian kasual*  casual wear
**kasut**  KATA NAMA
  *shoe*
  ◊  *sepasang kasut*  a pair of shoes
♦ **tidak memakai kasut**  barefoot
♦ **pengilat kasut**  shoe polish
♦ **kasut balet**  ballet shoes
♦ **kasut bertumit tinggi**  high-heeled shoes
♦ **kasut but**  boots
♦ **kasut but getah**  wellingtons
♦ **kasut luncur ais**  skates
♦ **kasut roda**  roller skates
♦ **kasut sukan**  trainers
**kata**  KATA KERJA
  > *rujuk juga* **kata** KATA NAMA
  *to say*
  ◊  *"Jangan pergi ke situ," kata Samad.*
  "Don't go there," said Samad.
**berkata**  KATA KERJA
  *to say*
  ◊  *Farid berkata bahawa dia sangat letih.*
  Farid said that he was very tired.
**memperkatakan**  KATA KERJA
  *to say*
  ◊  *Perkara yang diperkatakannya benar
  belaka.*  What he said was entirely true.
**mengata**  KATA KERJA
  *to speak ill of*
  ◊  *Jangan mengata sesiapa pun.*  Don't
  speak ill of people.
**mengatakan**  KATA KERJA
  ① *to say*
  ◊  *Jamal mengatakan bahawa dia
  hendak membeli sebuah komputer baru.*
  Jamal said that he wanted to buy a new
  computer.
  ② *to claim*
  ◊  *Dia mengatakan bahawa dia yang
  menjumpai wang itu.*  She claimed that it
  was she who found the money.
**perkataan**  KATA NAMA
  *word*
**sekata**  KATA ADJEKTIF
  > *rujuk juga* **sekata** KATA KERJA
  *constant*
  ◊  *pada kelajuan yang sekata*  at a
  constant speed
**sekata**  KATA KERJA
  > *rujuk juga* **sekata** KATA ADJEKTIF
  *to agree with each other*
  ◊  *Mereka sekata dalam mesyuarat itu.*
  They agreed with each other at the
  meeting.
**terkata**  KATA KERJA
♦ **tidak terkata (1)**  to be unable to say

anything  ◊  *Emmy berasa marah
sehingga tidak terkata apa-apa.*  Emmy
felt so angry that she couldn't say
anything.
♦ **tidak terkata (2)**  indescribable
  ◊  *Kemarahannya terhadap Jenny tidak
  terkata.*  Her anger towards Jenny was
  indescribable.  ◊  *kegembiraan yang tidak
  terkata*  indescribable joy
**katakan**  KATA HUBUNG
  *let's say*
  ◊  *Katakanlah anda mendapat nombor
  satu dalam kelas, ...*  Let's say you come
  first in the class, ...
**kata**  KATA NAMA
  > *rujuk juga* **kata** KATA KERJA
♦ **kata-kata**  words  ◊  *Saya sungguh
  terkejut apabila kata-katanya menjadi
  kenyataan.*  I was devastated when her
  words came true.
♦ **kata adjektif**  adjective
♦ **kata dasar**  root word
♦ **kata ganti nama**  pronoun
♦ **kata kerja**  verb
♦ **kata laluan**  password
♦ **kata nama**  noun
♦ **kata sepakat**  consensus  ◊  *mencapai
  kata sepakat*  to reach a consensus
♦ **kata sendi**  preposition
♦ **kata singkatan**  abbreviation
♦ **kata sumpah**  swear word
♦ **perbendaharaan kata**  vocabulary
  (JAMAK **vocabularies**)
**katak**  KATA NAMA
  *frog*
**katalog**  KATA NAMA
  *catalogue*
**katarak**  KATA NAMA
  *cataract*
**kategori**  KATA NAMA
  *category* (JAMAK **categories**)
**mengkategorikan**  KATA KERJA
  *to categorize*
  ◊  *Mereka dikehendaki mengkategorikan
  perkataan-perkataan itu mengikut kelas
  kata.*  They are required to categorize the
  words according to their part of speech.
♦ **Mereka mengkategorikan buku itu
  sebagai cerita seram.**  They classified
  the book as a thriller.
**pengkategorian**  KATA NAMA
  *categorization*
  ◊  *pengkategorian jenis peluru berpandu
  baru*  the categorization of new types of
  guided missiles
**katil**  KATA NAMA
  *bed*
♦ **katil bayi**  cot
♦ **katil lipat**  camp bed

**K**

**Katolik**  KATA NAMA
~ *Catholic*
**kau**  KATA GANTI NAMA
(*tidak formal*)
 [1] *you*
 ◊ *Kau hendak pergi ke mana?*  Where are you going?
 [2] *your*
 ◊ *beg kau*  your bag
**kaum**  KATA NAMA
 [1] *race*
 ◊ *Kolej itu mengalu-alukan pelajar daripada semua kaum.*  The college welcomes students of all races.
 [2] *tribe*
 ◊ *kaum orang India*  Indian tribes
♦ **kaum buruh**  working-class
♦ **kaum ibu**  mothers
♦ **kaum lelaki**  men
♦ **kaum wanita**  women
**perkauman**  KATA NAMA
 *racial*
 ◊ *Sifat perkauman penduduk di kawasan itu semakin menebal.*  Racial prejudice among the residents there is increasing.
**kaunseling**  KATA NAMA
 *counselling*
**kaunselor**  KATA NAMA
 *counsellor*
**kaunter**  KATA NAMA
 *counter*
♦ **kaunter pembayaran**  cash desk
**kaut**
 **mengaut**  KATA KERJA
 *to scoop up*
 ◊ *Hanitha cuba mengaut beras yang tumpah di atas lantai.*  Hanitha was trying to scoop up the rice which had spilt on to the floor.
♦ **Syarikat itu mengaut keuntungan yang banyak pada tahun ini.**  The company reaped rich profits this year.
**kawah**  KATA NAMA
 *mouth of a volcano*
♦ **kawah gunung berapi**  mouth of a volcano
**kawal**  KATA KERJA
 *to guard*
 ◊ *"Kawal pintu masuk itu," perintah Sarjan Amir.*  "Guard the entrance," ordered Sergeant Amir.
 **berkawal**  KATA KERJA
 *to patrol*
 ◊ *Askar-askar PBB sedang berkawal di sempadan negara itu.*  UN forces are patrolling the border of the country.
 **mengawal**  KATA KERJA
 [1] *to guard*
 ◊ *lelaki-lelaki yang mengawal Presiden*

*itu*  the men who guard the President
 [2] *to control*
 ◊ *Zaini tidak dapat mengawal kemarahannya.*  Zaini couldn't control her anger.
 **pengawal**  KATA NAMA
 *guard*
♦ **pengawal keselamatan**  security guard
♦ **pengawal kewangan**  financial controller
♦ **pengawal pantai**  coastguard
♦ **pengawal peribadi**  bodyguard
 **pengawalan**  KATA NAMA
 *control*
 ◊ *Pengawalan harga makanan itu bertujuan untuk membantu pengguna.*  The control of food prices is intended to help consumers.
 **terkawal**  KATA KERJA
 *to be under control*
 ◊ *Keadaan sudah terkawal.*  The situation is under control.
 **kawalan**  KATA NAMA
 *control*
♦ **alat kawalan**  the controls
♦ **kawalan kelahiran**  birth control
♦ **kawalan kewangan**  monetary control
♦ **kawalan diri**  self-control
**kawan**  KATA NAMA

> *rujuk juga* **kawan** PENJODOH BILANGAN

 *friend*
 **berkawan**  KATA KERJA
 *to befriend*
 ◊ *Saya berkawan dengan Johari.*  I befriended Johari.
 **mengawan**  KATA KERJA
 *to copulate*
 ◊ *Ikan paus mengambil masa dua puluh empat jam untuk mengawan.*  Whales take twenty-four hours to copulate.
 **pengawanan**  KATA NAMA
 *copulation*
**kawan**  PENJODOH BILANGAN

> *rujuk juga* **kawan** KATA NAMA

 [1] *group* (*secara umum*)
 [2] *shoal* (*ikan*)
 ◊ *sekawan ikan*  a shoal of fish
 [3] *flock* (*burung, kambing*)
 ◊ *sekawan kambing biri-biri*  a flock of sheep
 [4] *herd* (*lembu, gajah*)
 ◊ *sekawan lembu*  a herd of cattle
 [5] *pride* (*singa*)
 ◊ *sekawan singa*  a pride of lions
**kawasan**  KATA NAMA
 [1] *area*
 ◊ *kawasan pedalaman*  rural area
 [2] *region*
 ◊ *kawasan pergunungan*  mountainous

region
♦ **kawasan rehat** (*di lebuh raya*) service area

**kawat (1)** KATA NAMA
⬜1 *wire*
◊ *kawat kuprum* copper wire
⬜2 *telegram*

**kawat (2)**
**berkawat** KATA KERJA
*to march*
◊ *Kami berkawat sepuluh kilometer ke Dataran Merdeka.* We marched ten kilometres to Merdeka Square.

**kaya** KATA ADJEKTIF
*rich*
♦ **kaya-raya** prosperous
**kekayaan** KATA NAMA
⬜1 *wealth*
◊ *Kekayaan Aini tidak menjadikan dia seorang yang sombong.* Aini's not snobbish despite her wealth.
⬜2 *fortune*
◊ *Dia memperoleh kekayaannya melalui penjualan kereta.* He made his fortune in car sales.
♦ **kekayaan alam semula jadi** the earth's riches
**memperkaya** KATA KERJA
*to enrich*
◊ *Membaca boleh memperkaya perbendaharaan kata seseorang.* Reading can enrich one's vocabulary.
**terkaya** KATA ADJEKTIF
*richest*

**kayak** KATA NAMA
*kayak*
**berkayak** KATA KERJA
*to go canoeing*
◊ *Mereka berkayak di Sungai Perak.* They went canoeing on the River Perak.

**kayangan** KATA NAMA
*heaven*

**kayu** KATA NAMA
*wood*
♦ **kayu-kayan** different kinds of wood
♦ **kayu api** firewood
♦ **kayu balak** timber
♦ **kayu golf** golf club
♦ **kayu manis** cinnamon
**perkayuan** KATA NAMA
*timber*
◊ *industri perkayuan* the timber industry

**kayuh** KATA NAMA *rujuk* **pengayuh**
**berkayuh, mengayuh** KATA KERJA
⬜1 *to paddle*
◊ *kemahiran yang anda perlukan untuk mengayuh sampan* the skills you need to paddle a boat
⬜2 *to pedal*

◊ *Dia bersusah payah mengayuh basikal buruknya.* It is a struggle for him to pedal his old bicycle.
♦ **Lela mengayuh basikal ke sekolah.** Lela cycles to school.
**pengayuh** KATA NAMA
*oar*
♦ **pengayuh sampan** oar
♦ **pengayuh basikal** cyclist

**KBSM** SINGKATAN (= *Kurikulum Bersepadu Sekolah Menengah*)
*KBSM* (= *Integrated Curriculum for Secondary Schools*)

**KBSR** SINGKATAN (= *Kurikulum Bersepadu Sekolah Rendah*)
*KBSR* (= *Integrated Curriculum for Primary Schools*)

**KDN** SINGKATAN (= *Kementerian Dalam Negeri*)
*KDN* (= *Ministry of Home Affairs*)

**KDNK** SINGKATAN (= *Keluaran Dalam Negara Kasar*)
*GNP* (= *Gross National Product*)

**ke** KATA SENDI
*to*
◊ *Michael akan pergi ke sekolah pada pukul tiga.* Michael's going to school at three o'clock.
♦ **ke arah** towards ◊ *Saya tersenyum apabila dia berpaling ke arah saya.* I smiled when he turned towards me.

> **ke** *juga digunakan sebagai awalan untuk membentuk kata bilangan yang menunjukkan kedudukan dalam sesuatu siri atau turutan.*

◊ *kelima puluh* fiftieth ◊ *kedua* second

**kebal** KATA ADJEKTIF
*invulnerable*
◊ *Pahlawan itu kebal.* The warrior is invulnerable.
♦ **kereta kebal** tank
♦ **Sesetengah orang percaya bahawa mereka kebal daripada tindakan undang-undang.** Some people believe they are above the law.
**kekebalan** KATA NAMA
*immunity*
◊ *kekebalan diplomatik* diplomatic immunity

**kebas (1)** KATA ADJEKTIF
*numb*
◊ *Kaki saya kebas.* My legs are numb.
**mengebaskan** KATA KERJA
*to numb*
◊ *Cuaca yang begitu sejuk mengebaskan jari saya.* The cold weather numbed my fingers.

**kebas (2)**

**mengebas** KATA KERJA
_to steal_
◊ _Pencuri itu mengebas semua rokok yang ada di atas meja._ The thief stole all the cigarettes on the table.

**kebil**
**terkebil-kebil** KATA KERJA
_to blink_
◊ _Mereka terkebil-kebil kerana kehairanan._ They blinked in astonishment.

**kebun** KATA NAMA
_orchard_
♦ **tukang kebun** gardener
♦ **kebun buah-buahan** orchard
♦ **kebun getah** rubber plantation
**berkebun** KATA KERJA
_to garden_
♦ **Cecilia suka berkebun.** Cecilia likes gardening.
**pekebun** KATA NAMA
_farmer_
♦ **pekebun kecil** smallholder
**perkebunan** KATA NAMA
_gardening_
◊ _kursus perkebunan_ gardening courses

**kecai**
**berkecai** KATA KERJA
_to shatter_
◊ _Pinggan itu berkecai._ The plate shattered.

**kecam**
**mengecam** KATA KERJA
_to condemn_
◊ _Mereka mengecam tindakan tidak beretika pegawai itu terhadap orang ramai._ They condemned the officer's unethical action towards the public.
**kecaman** KATA NAMA
_condemnation_
◊ _Terdapat banyak kecaman tentang pembunuhan-pembunuhan pada hari Sabtu itu._ There was much condemnation of Saturday's killings.

**kecamuk**
**berkecamuk** KATA KERJA
_to be in turmoil_ (perasaan, dll)
♦ **Fikirannya berkecamuk.** He was confused.

**kecap**
**mengecap** KATA KERJA
_to taste_
◊ _Dia mengecap sup itu._ He tasted the soup. ◊ _Akhirnya dia dapat mengecap kebahagiaan._ Finally, she was able to taste happiness.
**kecewa** KATA ADJEKTIF
_disappointed_

◊ _Farid sangat kecewa dengan keputusan peperiksaannya._ Farid was very disappointed with his examination results.
**mengecewakan** KATA KERJA
_to disappoint_
◊ _Stephanie akan belajar bersungguh-sungguh supaya tidak mengecewakan ibu bapanya._ Stephanie will study hard in order not to disappoint her parents.
♦ **Jangan bimbang, saya tidak akan mengecewakan anda.** Don't worry, I won't let you down.
**kekecewaan** KATA NAMA
_disappointment_
◊ _Tempah lebih awal untuk mengelakkan kekecewaan._ Book early to avoid disappointment.

**kecil** KATA ADJEKTIF
_small_
◊ _rumah kecil_ small house
♦ **peranan kecil** minor role
♦ **bunga ros yang kecil** miniature roses
**kecil-kecilan** KATA ADJEKTIF
_small scale_
◊ _perniagaan secara kecil-kecilan_ small scale business
**memperkecil** KATA KERJA
_to make ... narrower_
◊ _Pekerja-pekerja itu sedang memperkecil sungai itu._ The workers are making the river narrower.
**memperkecil-kecil,**
**mengecil-ngecilkan** KATA KERJA
_to belittle_
◊ _Kita tidak patut memperkecil-kecil pencapaiannya._ We mustn't belittle her achievement.
**mengecil** KATA KERJA
_to get smaller_
◊ _Belon itu semakin mengecil._ The balloon is getting smaller and smaller.
**mengecilkan** KATA KERJA
_to trim_
◊ _Pengurus itu mengecilkan jabatan pemasaran di syarikatnya._ The manager trimmed the marketing department of his company.
♦ **mengecilkan api** to reduce the heat

**kecil hati** KATA ADJEKTIF
_offended_
◊ _Saya berasa kecil hati mendengar kata-katanya._ I felt offended by his remarks.
♦ **Jangan kecil hati.** No hard feelings.
**berkecil hati** KATA KERJA
_offended_
◊ _Dia benar-benar berkecil hati dan marah kerana hal ini._ She is terribly

offended and angry because of this.

**kecimpung**

**berkecimpung** KATA KERJA

*to be involved in*

◊ *Kenny telah berkecimpung dalam industri perfileman selama sepuluh tahun.* Kenny has been involved in the film industry for ten years.

**kecoh** KATA ADJEKTIF

*in an uproar*

◊ *Bilik perbicaraan menjadi kecoh apabila keputusan itu diumumkan.* The courtroom was in an uproar when the verdict was announced.

**kekecohan** KATA NAMA

*uproar*

◊ *Pengumuman tersebut menyebabkan kekecohan di kawasan itu.* The announcement caused an uproar in that area.

**mengecohkan** KATA KERJA

*to cause an uproar*

◊ *Pengumuman itu telah mengecohkan keadaan di kawasan tersebut.* The announcement caused an uproar in that area.

**kecuali** KATA HUBUNG

*except*

◊ *semua orang kecuali saya* everyone except me

**berkecuali** KATA KERJA

*neutral*

◊ *Saya mahu terus berkecuali dalam hal ini.* I want to remain neutral in this matter.

♦ **negara-negara berkecuali** neutral countries

**kekecualian** KATA NAMA

*exception*

◊ *Semua orang harus menjalani pemeriksaan itu, tiada kekecualian.* Everybody has to undergo the check-up, there are no exceptions.

**mengecualikan** KATA KERJA

*to exclude*

◊ *Kami tidak patut dikecualikan dalam hal ini.* We should not be excluded from this matter.

**pengecualian** KATA NAMA

*exemption*

◊ *pengecualian cukai* tax exemption

**terkecuali** KATA KERJA

*to be exempted*

◊ *Anda tidak terkecuali daripada menyertai perkhemahan itu.* You're not exempted from joining the camp.

**kecundang** KATA KERJA

*to lose*

◊ *Negara itu kecundang pada peringkat*

*separuh akhir kelmarin.* The country lost in the semi-finals yesterday.

**kecut** KATA KERJA

*to wither*

◊ *Cuaca yang panas menyebabkan bunga-bunga itu habis kecut.* Dry weather caused all the flowers to wither.

♦ **Jari-jari saya kecut selepas membasuh pinggan mangkuk yang banyak itu.** My fingers became wrinkled after I did all the washing up.

**mengecut** KATA KERJA

*to shrink*

◊ *Semua baju saya mengecut setelah dibasuh.* All my shirts shrank after being washed.

**mengecutkan** KATA KERJA

*to cause ... to shrink*

◊ *Bahan kimia itu mengecutkan baju saya.* The chemicals caused my shirt to shrink.

♦ **Kejadian itu benar-benar mengecutkan hati kami.** The incident really scares us.

**pengecut** KATA NAMA

*coward*

**pengecutan** KATA NAMA

*contraction*

◊ *pengecutan dan pengembangan saluran darah* the contraction and expansion of blood vessels

**kedai** KATA NAMA

*shop*

♦ **rumah kedai** shop with attached residence

♦ **kedai alat tulis** stationer's

♦ **kedai bunga** florist

♦ **kedai buku** bookshop

♦ **kedai cucian kering** dry cleaner's

♦ **kedai emas** jeweller's shop

♦ **kedai gunting rambut** barber's

♦ **kedai judi** betting shop

♦ **kedai kasut** shoe shop

♦ **kedai kopi** coffee shop

♦ **kedai mendandan rambut** hairdresser's

♦ **kedai roti** bakery (JAMAK **bakeries**)

♦ **kedai runcit** grocer's

♦ **kedai sukan** sports shop

♦ **kedai ubat** pharmacy (JAMAK **pharmacies**)

**pekedai** KATA NAMA

*shopkeeper*

**kedap** KATA ADJEKTIF

♦ **kedap air** waterproof

♦ **kedap udara** airtight

**kedekut** KATA ADJEKTIF

*stingy*

**kedi** KATA NAMA

*caddie*

◊ *Johnson bekerja sebagai kedi di kelab*

*golf itu.* Johnson works as a caddie at the golf club.

**kedip**
· **berkedip-kedip, terkedip-kedip**
KATA KERJA
1 *to blink*
◊ *Mata Alvin berkedip-kedip kerana dimasuki habuk.* Alvin blinked when dust got into his eyes.
2 *to twinkle*
◊ *Bintang di langit berkedip-kedip.* The stars in the sky are twinkling.
♦ **Nyala api itu berkedip-kedip.** The flame is flickering.
**mengedipkan** KATA KERJA
*to blink*
♦ **mengedipkan mata** to blink ◊ *Kathryn mengedipkan matanya beberapa kali.* Kathryn blinked several times.
**kedipan** KATA NAMA
*blink*
♦ **Kedipan matanya yang berterusan benar-benar menjengkelkan saya.** His constant blinking really annoys me.
♦ **kedipan bintang** twinkle of stars
♦ **kedipan nyala api** flicker of flames

**kedut** KATA NAMA *rujuk* **kedutan**
**berkedut** KATA KERJA
1 *wrinkled*
◊ *Dahinya berkedut apabila usianya semakin lanjut.* His forehead became wrinkled as he got older.
2 *creased*
◊ *Bajunya berkedut kerana tidak diseterika.* His clothes were creased because they had not been ironed.
**mengedutkan** KATA KERJA
1 *to wrinkle*
◊ *Dia mengedutkan dahinya.* He wrinkled his forehead.
2 *to crease*
◊ *Dia duduk dengan baik supaya tidak mengedutkan skirtnya.* She sat down carefully so as not to crease her skirt.
**kedutan** KATA NAMA
1 *wrinkle*
◊ *Kedutan pada kulitnya jelas kelihatan.* The wrinkles in her skin can be seen clearly.
2 *crease*
◊ *Kedutan pada bajunya jelas kelihatan.* The creases on his shirt can be seen clearly.

**kehel**
**terkehel** KATA KERJA
*to sprain*
◊ *Kam Soh terjatuh dan kakinya terkehel.* Kam Soh fell and sprained her ankle.

**kejam** KATA ADJEKTIF
*brutal*
◊ *pembunuh yang kejam* a brutal murderer
♦ **Kawannya dibunuh dengan kejam.** His friend had been brutally murdered.
**kekejaman** KATA NAMA
*brutality* (JAMAK **brutalities**)
◊ *kekejaman pihak komunis* the brutality of the communists

**kejang** KATA ADJEKTIF
*to get cramp*
◊ *Kaki saya kejang semasa berenang.* While I was swimming I got cramp in my leg.
**kekejangan** KATA NAMA
*cramp*
◊ *kekejangan otot* muscle cramp
**mengejangkan** KATA KERJA
*to stretch*
◊ *Halim mengejangkan kakinya.* Halim stretches his legs.

**kejap**
**sekejap** KATA ADJEKTIF
*a moment*
◊ *Kami akan sampai di Seremban sekejap lagi.* We'll reach Seremban in a moment.

**kejar** KATA KERJA
*to chase*
◊ *"Kejar budak lelaki itu," kata Rita.* "Chase that boy," said Rita.
♦ **main kejar-kejar** to play tag
**berkejar** KATA KERJA
*to rush*
◊ *Eliza berkejar ke stesen bas.* Eliza rushed to the bus station.
**berkejaran, berkejar-kejaran**
KATA KERJA
*to chase one another*
◊ *Kanak-kanak berkejaran di taman permainan itu.* The children were chasing one another in the playground.
**mengejar** KATA KERJA
*to chase*
◊ *Stella mengejar pencuri itu sejauh 100 meter.* Stella chased the thief for 100 metres.
♦ **Ibu bapanya sibuk mengejar kejayaan sehingga lupa akan tanggungjawab mereka.** Her parents were so busy chasing success that they neglected their responsibilities.
♦ **Jangan bimbang, kami bukan mengejar anda.** Don't worry, we're not going after you.
**mengejarkan** KATA KERJA
*to rush*
◊ *Pemandu teksi itu mengejarkan wanita*

*mengandung itu ke hospital.* The taxi
driver rushed the pregnant woman to the
hospital.

**keji** KATA ADJEKTIF
*despicable*
◊ *Kelakuan anda memang keji.* Your
behaviour was despicable.
**mengeji** KATA KERJA
*to ridicule*
◊ *Kita tidak patut mengeji kanak-kanak
istimewa.* We should not ridicule children
with special needs.

**kejora** KATA NAMA
♦ **bintang kejora** Venus

**keju** KATA NAMA
*cheese*

**kejur** KATA ADJEKTIF
*stiff*
◊ *Badan Lelani kejur kerana terlalu
sejuk.* Lelani felt stiff because it was very
cold.

**kejut**
**mengejut** KATA ADJEKTIF
*sudden*
◊ *Dia berkabung selepas kematian
mengejut ibunya.* He was in mourning
after the sudden death of his mother.
♦ **pemeriksaan mengejut** spot check
**mengejutkan** KATA KERJA
1 *to surprise*
◊ *Tindakannya itu benar-benar
mengejutkan kami.* His action really
surprised us.
2 *to wake ... up*
◊ *Anda tidak sepatutnya mengejutkan
saya pada pukul enam.* You shouldn't
have woken me up at six o'clock.
**terkejut** KATA KERJA
*startled*
◊ *Saya terkejut apabila mercun itu
meletup.* I was startled when the
firecracker exploded.
♦ **membuat seseorang terkejut** to
surprise somebody
♦ **Saya betul-betul terkejut dengan
kunjungan anda.** I was really surprised
by your visit.
**kejutan** KATA NAMA
*shock*
◊ *kejutan budaya* culture shock
◊ *kejutan elektrik* electric shock

**kek** KATA NAMA
*cake*

**kekacang** KATA NAMA
*pulses*

**kekal** KATA ADJEKTIF
*to last*
◊ *Saya berharap persahabatan kita akan
kekal selama-lamanya.* I hope our

friendship will last forever.
♦ **kekal abadi** everlasting
♦ **gigi kekal** permanent teeth
**berkekalan** KATA KERJA
*to be everlasting*
◊ *Semoga hubungan kita berkekalan.*
May our friendship be everlasting.
♦ **keadaan tegang yang berkekalan** a
permanent state of tension
**mengekalkan** KATA KERJA
*to maintain*
◊ *Kerajaan cuba mengekalkan
keamanan di negara ini.* The government
is trying to maintain peace in the country.
**pengekalan** KATA NAMA
*maintenance*
◊ *pengekalan keamanan dan kestabilan
di Asia* the maintenance of peace and
stability in Asia

**kekang** KATA NAMA
*bit (besi pada mulut kuda)*
♦ **tali kekang** *(pada kuda)* reins
**mengekang** KATA KERJA
1 *to rein in*
◊ *Walter tidak berupaya mengekang
kuda itu.* Walter was not able to rein the
horse in.
2 *to restrict*
◊ *Kita tidak patut mengekang
kebebasannya.* We should not restrict his
freedom.
**kekangan** KATA NAMA
*restraint*
◊ *kekangan ekonomi* economic
restraint

**kekeh**
**terkekeh-kekeh** KATA KERJA
*to laugh heartily*
♦ **ketawa terkekeh-kekeh** to laugh
heartily

**kekek** *rujuk* **kekeh**

**kekisi** *rujuk* **kisi**

**kekok** KATA ADJEKTIF
*awkward*
◊ *Mimi berasa kekok apabila berjumpa
dengan ibu bapa Christopher.* Mimi felt
awkward when she met Christopher's
parents.
**kekekokan** KATA NAMA
*awkwardness*
◊ *Kekekokan juruhebah baru itu jelas
kelihatan apabila dia sering membuat
kesilapan.* The awkwardness of the new
presenter became apparent when she
made a lot of mistakes.

**kekuda** KATA NAMA
*trestle*

**kekunci** KATA NAMA
*keys*

K

♦ **papan kekunci** keyboard

**kekwa** KATA NAMA
*chrysanthemum*

**kelab** KATA NAMA
*club*

**kelabu** KATA ADJEKTIF
*grey*
  **kekelabu-kelabuan** KATA ADJEKTIF
  *greyish*
  ◊ *hijau kekelabu-kelabuan* greyish
  green

**keladak** KATA NAMA
*dregs*

**keladi** KATA NAMA
*yam*

**kelah**
  **berkelah** KATA KERJA
  *to picnic*
  ◊ *Kami berkelah di tepi pantai.* We
  picnicked at the seaside.
♦ **pergi berkelah** to go on a picnic
  **perkelahan** KATA NAMA
  *picnic*
  ◊ *Perkelahan yang dikelolakan oleh
  persatuan itu disertai oleh ramai pelajar.*
  Many students took part in the picnic
  organized by the society.

**kelahi**
  **berkelahi** KATA KERJA
  *to quarrel*
  ◊ *Farid berkelahi dengan kawannya.*
  Farid quarrelled with his friend.
  **perkelahian** KATA NAMA
  *fight*
  ◊ *Beberapa orang remaja turut terlibat
  dalam perkelahian di stadium kelmarin.*
  A few teenagers were also involved in
  the fight at the stadium yesterday.

**kelak** KATA ADJEKTIF
*later*
  ◊ *Saya akan memberitahu anda perkara
  itu kelak.* I'll let you know about it later.

**kelakar** KATA ADJEKTIF
*funny*
  ◊ *Gadis itu sangat kelakar.* The girl's
  very funny.
  **berkelakar** KATA KERJA
  *to joke*
  ◊ *Saya hanya berkelakar sahaja.* I
  was only joking.

**kelalang** KATA NAMA
*flask*

**kelam** KATA ADJEKTIF
  ① *gloomy*
  ◊ *bilik yang kelam* a gloomy room
  ② *dim*
  ◊ *cahaya yang kelam* dim light
  ③ *blurred*
  ◊ *penglihatan yang kelam* blurred vision

♦ **Lampu itu menjadi semakin kelam.** The
lamp gradually became dimmer.

**kelambu** KATA NAMA
*mosquito net*

**kelamin** KATA NAMA
*couple*
♦ **alat kelamin** sex organ
♦ **bilik kelamin** double room
♦ **katil kelamin** double bed

**kelam-kabut** KATA ADJEKTIF
*chaotic*
  ◊ *keadaan yang kelam-kabut* a chaotic
  situation

**kelamun**
  **mengelamun** KATA KERJA
  *to daydream*
  ◊ *Veena sering mengelamun untuk
  menjadi seorang wartawan yang terkenal.*
  Veena is always daydreaming about
  becoming a famous reporter.

**kelana** KATA NAMA
*traveller*
  **berkelana** KATA KERJA
  *to travel*
  ◊ *Dia berkelana dari satu tempat ke
  satu tempat.* He travelled from place to
  place.

**kelapa** KATA NAMA
*coconut*
♦ **kelapa kering** desiccated coconut
♦ **kelapa sawit** oil palm

**kelar** KATA NAMA
*nick*
  ◊ *Ada tanda kelar yang masih baru pada
  kakinya.* He has a fresh nick on his leg.
  **mengelar** KATA KERJA
  ① *to score*
  ◊ *Emak saya mengelar ikan itu
  sebelum menggorengnya.* My mother
  scored the surface of the fish before
  frying it.
  ② *to slash*
  ◊ *Joseph mengelar pergelangan
  tangannya.* Joseph slashed his wrists.

**kelas** KATA NAMA
  ① *classroom*
  ② *class* (JAMAK **classes**)
  ◊ *kelas mempertahankan diri*
  self-defence classes
♦ **kelas atasan** upper-class
♦ **kelas bawahan** lower-class
♦ **kelas pertengahan** middle-class
♦ **kelas pertama** first class
  ③ *lesson*
  ◊ *kelas memandu* driving lesson
  ◊ *kelas renang* swimming lesson
  **mengelaskan** KATA KERJA
  *to categorize*
  ◊ *Pelajar-pelajar dikehendaki*

*mengelaskan perkataan-perkataan itu mengikut kelas kata.* The students are required to categorize the words according to their parts of speech.
**pengelasan**   KATA NAMA
*categorization*
◊ *pengelasan spesies haiwan* the categorization of animal species

**kelasi**   KATA NAMA
*sailor*

**kelat**   KATA ADJEKTIF
*bitter*

**kelawar**   KATA NAMA
*bat*

**keldai**   KATA NAMA
*donkey*

**keledar**   KATA NAMA
♦ **tali pinggang keledar**  safety belt
♦ **topi keledar**  crash helmet

**keledek**   KATA NAMA
*sweet potato* (JAMAK **sweet potatoes**)

**kelemumur**   KATA NAMA
*dandruff*

**kelengkeng**   KATA NAMA
♦ **jari kelengkeng**  little finger
♦ **kelengkeng kaki**  little toe

**kelenjar**   KATA NAMA
*gland*
◊ *kelenjar air liur*  salivary gland
◊ *kelenjar limfa*  lymphatic gland
◊ *kelenjar peluh*  sweat gland

**kelepet**   KATA NAMA
*hem*

**keliar**
**berkeliaran**   KATA KERJA
*to roam*
◊ *Kanak-kanak yang miskin itu berkeliaran di bandar itu.* The poor children are roaming around the town.

**kelibat (1)**   KATA NAMA
*paddle*

**kelibat (2)**   KATA NAMA
*figure*
◊ *Saya ternampak kelibat seseorang di dalam rumah saya.* I saw a figure in my house.

**kelicap**   KATA NAMA
*hummingbird*

**kelikir**   KATA NAMA
*hardcore*
♦ **batu kelikir**  hardcore

**keliling**   KATA NAMA
*around*
◊ *berlari keliling padang* to run around the field
**mengelilingi**   KATA KERJA
① *to revolve*
◊ *Bumi mengambil masa 365 hari untuk mengelilingi matahari.* The earth takes

365 days to revolve around the sun.
② *to surround*
◊ *Lelaki-lelaki itu mengelilingi Hadi lalu memukulnya.* The men surrounded Hadi and then struck him.
♦ **mengelilingi dunia**  to go round the world
**pekeliling**   KATA NAMA
♦ **surat pekeliling**  circular
**sekeliling**   KATA ARAH
① *around*
◊ *Stella menanam pokok ros di sekeliling rumahnya.* Stella planted roses around her house.
② *surrounding*
◊ *kawasan di sekeliling taman itu* the area surrounding the park

**kelindan**   KATA NAMA
*lorry driver's assistant*

**kelip (1)**   KATA KERJA   *rujuk* **kelipan**
**berkelip-kelip**   KATA KERJA
*to blink*
◊ *Mata Alvin berkelip-kelip kerana dimasuki habuk.* Alvin blinked when dust got into his eyes.
**berkelipan**   KATA KERJA
*to twinkle*
◊ *Bintang-bintang berkelipan di langit.* The stars are twinkling in the sky.
**mengelipkan**   KATA KERJA
*to blink*
♦ **mengelipkan mata**  to blink ◊ *Suet Si mengelipkan matanya beberapa kali.* Suet Si blinked several times.
♦ **Melissa mengelipkan mata untuk memberi isyarat kepada kawannya.** Melissa winked as a signal to her friend.
**sekelip**   KATA ADJEKTIF
♦ **sekelip mata**  in the blink of an eye
◊ *Satu bulan sudah berlalu sekelip mata sahaja.* A month passed by in the blink of an eye.
**kelipan**   KATA NAMA
*blink*
♦ **Kelipan matanya yang berterusan benar-benar menjengkelkan saya.** His constant blinking really annoys me.
♦ **kelipan bintang**  twinkle of stars
♦ **kelipan nyala api**  flicker of flames

**kelip (2)**
**kelip-kelip**   KATA NAMA
*firefly* (JAMAK **fireflies**)

**keliru**   KATA ADJEKTIF
*confused*
◊ *lelaki yang keliru itu* the confused man
**kekeliruan**   KATA NAMA
*confusion*
◊ *Pernyataan menteri itu telah*

K

menimbulkan banyak kekeliruan.  The minister's statement has caused a lot of confusion.

**mengelirukan**  KATA KERJA

*to confuse*

◊  *Jawapan anda mengelirukan saya.*  Your answer confused me.

**kelmarin**  KATA ADJEKTIF

*yesterday*

♦  **kelmarin dulu**  the day before yesterday

**keloi**  KATA NAMA

♦  **alat keloi**  pager

**mengeloi**  KATA KERJA

*to page*

◊  *mengeloi seseorang*  to page somebody

**kelola**

**mengelola**  KATA KERJA

*to organize*

◊  *Seorang ketua harus tahu merancang dan mengelola.*  A leader should know how to plan and organize.

**mengelolakan**  KATA KERJA

*to organize*

◊  *Persatuan itu akan mengelolakan satu pertandingan semasa cuti sekolah.*  The society will organize a competition during the school holidays.

**pengelola**  KATA NAMA

*organizer*

**kelolaan**  KATA NAMA

*supervision*

◊  *Projek ini dilaksanakan di bawah kelolaan Kementerian Pendidikan.*  This project is carried out under the supervision of the Ministry of Education.

**kelompang**  KATA NAMA

*empty shell*

**kelompok**  KATA NAMA, PENJODOH BILANGAN

1  *small group*

◊  *Satu kelompok orang berdiri di hadapan kedai itu.*  A group of people was standing in front of the shop.

2  *small flock*

◊  *Harimau itu sedang memerhatikan satu kelompok kambing biri-biri di padang.*  The tiger was watching a small flock of sheep in the field.

♦  **sekelompok awan**  a cluster of clouds

**berkelompok**  KATA KERJA

1  *in groups*

◊  *Mereka bekerja secara berkelompok.*  They work in groups.

2  *in flocks*

◊  *Kambing biri-biri hidup berkelompok.*  Sheep live in flocks.

**kelopak**  KATA NAMA

♦  **kelopak bunga**  petal

♦  **kelopak mata**  eyelids

**kelu**  KATA ADJEKTIF

*tongue-tied*

♦  **Lidah saya kelu.**  I was tongue-tied.

♦  **kelu lidah**  tongue-tied

**keluar**  KATA KERJA

*to go out*

◊  *Saya akan keluar dengan Joe malam ini.*  I'm going out with Joe tonight.

♦  **Kami keluar dari pawagam pada pukul 10.**  We came out of the cinema at 10.

♦  **"Keluar dari situ," jerit lelaki tua itu.**  "Get out of there," shouted the old man.

♦  **"Keluar"**  "Exit"

♦  **pintu keluar**  exit

**mengeluarkan**  KATA KERJA

1  *to take out*

◊  *Farouq mengeluarkan semua wangnya.*  Farouq took out all his money.

2  *to produce*

◊  *Kilang itu hanya mampu mengeluarkan 2000 botol sehari.*  The factory can only produce 2000 bottles a day.

**pengeluar**  KATA NAMA

1  *producer*

◊  *Arab Saudi, pengeluar minyak yang utama di dunia*  Saudi Arabia, the world's leading oil producer

2  *manufacturer*

◊  *pengeluar anak patung yang terbesar di dunia*  the world's largest doll manufacturer

**pengeluaran**  KATA NAMA

*production*

◊  *Kita perlu meningkatkan hasil pengeluaran.*  We needed to increase the volume of production.

**terkeluar**  KATA KERJA

*to come out*

♦  **Kata-kata itu tidak terkeluar dari mulut saya.**  I can't get the words out.

♦  **Namanya terkeluar daripada senarai itu.**  Her name was removed from the list.

**keluaran**  KATA NAMA

*product*

♦  **Barang-barang keluaran syarikat itu tidak laris.**  The company's products are not selling.

**keluarga**  KATA NAMA

*family* (JAMAK **families**)

**kekeluargaan**  KATA NAMA

*family*

◊  *Perkahwinan ialah upacara kekeluargaan.*  A wedding is a family event.

♦  **hubungan kekeluargaan**  kinship

♦  **David Smith tidak mempunyai hubungan kekeluargaan dengan Zita Smith.**  David Smith and Zita Smith are not related.

**keluh** KATA NAMA
  *sigh*
♦ **keluh-kesah** sighs
  **mengeluh** KATA KERJA
  *to sigh*
  ◊ *Biasanya orang hanya akan mengeluh apabila mereka berasa tidak gembira.* Normally people only sigh when they're unhappy.
♦ **Dia mengeluh kerana yuran tuisyen yang tinggi.** He groaned about the high tuition fees.
  **keluhan** KATA NAMA
  *sigh*
  ◊ *Saya hanya dapat mendengar keluhannya.* All I could hear was the sound of his sighs.

**kelui** KATA NAMA *rujuk* **keloi**

**keluk** KATA NAMA
  *curve*

**keluli** KATA NAMA
  *steel*
♦ **keluli tahan karat** stainless steel

**kelupas**
  **mengelupas, terkelupas** KATA KERJA
  *to peel*
  ◊ *Kulitnya mengelupas akibat cuaca yang terlalu kering.* Her skin was peeling because of the dry weather.

**kem** KATA NAMA
  *camp*
  ◊ *kem pelarian* refugee camp

**kemam**
  **mengemam** KATA KERJA
  *to hold ... in one's mouth*
  ◊ *Bobby mengemam pil-pil itu.* Bobby held the pills in his mouth.

**kemarau** KATA NAMA
  *drought*

**kemas** KATA ADJEKTIF
  *neat*
  ◊ *Rumah Johnny sangat kemas walaupun dia masih bujang.* Johnny's house is very neat even though he's a bachelor.
♦ **kemas dan rapi** neat and tidy
♦ **berpakaian kemas** well-dressed
♦ **tidak kemas** untidy
  **berkemas** KATA KERJA
  *to pack*
  ◊ *Mereka sedang berkemas untuk pergi melancong.* They are packing in preparation for a holiday.
  **kekemasan** KATA NAMA
  *tidiness*
  ◊ *Para pekerja perlu mengekalkan tahap kekemasan yang memuaskan dari segi cara berpakaian dan penampilan.* Employees are expected to maintain

a high standard of tidiness both as regards clothes and appearance.
  **memperkemas** KATA KERJA
  *to revamp*
  ◊ *Syarikat itu mencari kaedah untuk memperkemas sistem pentadbirannya.* The company is looking for a way to revamp its administrative system.
  **mengemas** KATA KERJA
  *to clean*
  ◊ *Paula sedang sibuk mengemas rumah.* Paula is busy cleaning the house.
♦ **Saya telah mengemas beg saya.** I've already packed my case.
  **mengemaskan** KATA KERJA
  *to tidy*
  ◊ *Sheila sudah mengemaskan barang-barang di biliknya.* Sheila had tidied all the things in her room.

**kemas kini** KATA ADJEKTIF
  *up to date*
  ◊ *sistem yang kemas kini* an up to date system
  **mengemaskinikan** KATA KERJA
  *to update*
  ◊ *Para editor sedang mengemaskinikan buku itu untuk diterbitkan pada bulan hadapan.* Editors are updating the book for publication next month.
  **pengemaskinian** KATA NAMA
  *updating*
  ◊ *pengemaskinian data* updating of data

**kematu** KATA NAMA
  *callus* (JAMAK **calluses**)

**kembali** KATA KERJA
  *to return*
  ◊ *Dia sudah kembali ke kampung halamannya.* He has returned to his own village.
♦ **kembali ke rahmatullah** to pass away
  **mengembalikan** KATA KERJA
  ① *to return*
  ◊ *Julianna akan mengembalikan buku itu tidak lama lagi.* Julianna will return the book soon.
  ② *to restore*
  ◊ *Polis Indonesia cuba mengembalikan keamanan di negara itu.* The Indonesian police are trying to restore peace in the country.
  **pengembalian** KATA NAMA
  *return*
  ◊ *pengembalian hutan seluas satu setengah juta ekar kepada komuniti tersebut* the return of one-and-a-half-million acres of forest to the community
♦ **Pengembalian buku itu mesti dilakukan dalam masa dua minggu.** The book should be returned in two weeks' time.

**sekembali** KATA HUBUNG
*upon returning*
◊ *Roslan terus pergi ke pejabatnya sekembali dari cuti.* Roslan went straight to his office upon returning from his holidays.

**kemban** KATA NAMA
*length of cloth wrapped round a woman's body under the armpits*
**berkemban** KATA KERJA
*to wrap oneself in a sarong*

**kembang** KATA KERJA
1. *to bloom*
◊ *Bunga-bunga itu kembang antara bulan Mei dengan Jun.* The flowers bloom between May and June.
2. *soggy*
◊ *Kami terpaksa makan roti yang kembang itu.* We had to eat that soggy bread.
3. *to expand*
◊ *Rod besi itu kembang apabila dipanaskan.* The iron rod expanded when it was heated.
♦ **Pukul adunan itu sehingga kembang.** Whip the mixture until it becomes frothy.
**berkembang** KATA KERJA
*to develop*
◊ *Negara itu berkembang pesat pada awal tahun ini.* That country developed rapidly early this year.
♦ **perniagaan yang berkembang maju** a fast-growing business
**memperkembangkan** KATA KERJA
*to expand*
◊ *Persatuan itu ingin memperkembangkan pengaruhnya.* The society would like to expand its influence.
**mengembang** KATA KERJA
*to expand*
◊ *Logam mengembang apabila dipanaskan.* Metal expands when it is heated.
♦ **seekor burung helang dengan sayapnya yang mengembang** an eagle with outstretched wings
**mengembangkan** KATA KERJA
*to expand*
◊ *Halim ingin mengembangkan perniagaannya ke negara lain.* Halim would like to expand his business to other countries.
♦ **Burung itu mengembangkan sayapnya.** The bird spreads its wings.
**pengembangan** KATA NAMA
*expansion*
◊ *pengembangan dan pengenduran* expansion and contraction
**perkembangan** KATA NAMA

1. *development*
◊ *Dia selalu mengikuti perkembangan politik dalam dan luar negara.* He always follows political developments in and outside the country.
2. *progress*
◊ *Perbincangan itu berakhir tanpa sebarang perkembangan.* The discussion ended without any progress.
♦ **Apakah perkembangan terbaru di sana?** What's the latest news there?

**kembang kempis** KATA KERJA
*to heave*
◊ *Dadanya kembang kempis.* His chest heaved.

**kembar** KATA NAMA
*twins*
♦ **kembar tiga** triplets
♦ **kembar empat** quadruplets
♦ **kembar seiras** identical twins
♦ **kembar Siam** Siamese twins
♦ **bilik kembar** twin room
**berkembar** KATA KERJA
*twin*
◊ *bandar raya berkembar* twin cities
◊ *menara berkembar* twin towers
♦ **program berkembar** twinning programme

**kembara**
**mengembara** KATA KERJA
*to travel*
◊ *Dr. Ryan mengembara ke seluruh dunia untuk mengumpul maklumat untuk bukunya.* Dr Ryan travelled around the world to gather materials for his book.
♦ **mengembara dengan menumpang kereta** to hitchhike
**pengembara** KATA NAMA
*traveller*
♦ **cek pengembara** traveller's cheque
**pengembaraan** KATA NAMA
1. *travel*
◊ *buku-buku tentang pengembaraan* travel books
2. *adventure*
◊ *pengembaraan Hang Tuah dan rakan-rakannya* the adventures of Hang Tuah and his friends

**kemboja** KATA NAMA
*frangipani*

**kembung** KATA ADJEKTIF
1. *bloated*
◊ *bangkai anjing yang kembung* the bloated body of a dead dog
2. *inflated*
◊ *belon yang kembung* an inflated balloon
**mengembung** KATA KERJA
*to inflate*

◊ *Belon itu mengembung.* The balloon is inflating.

**mengembungkan** KATA KERJA
*to inflate*
◊ *Dia terjun ke dalam laut dan mengembungkan bot keselamatan itu.* He jumped into the sea and inflated the life raft.

**kemeja** KATA NAMA
*shirt*
♦ **kemeja-T** T-shirt

**kemelut** KATA NAMA
*crisis* (JAMAK **crises**)
◊ *kemelut ekonomi* economic crisis

**kemenyan** KATA NAMA
*incense*

**kemik** KATA ADJEKTIF
*dented*
◊ *tin-tin kemik* dented cans

**kemis**
**mengemis** KATA KERJA
*to beg*
◊ *Dia mengemis di tepi jalan.* He was begging by the roadside.
**pengemis** KATA NAMA
*beggar*

**kemoterapi** KATA NAMA
*chemotherapy*

**kempen** KATA NAMA
*campaign*
**berkempen** KATA KERJA
*to campaign*
◊ *Ahli politik itu berkempen untuk memancing undi.* The politician was campaigning to get all the votes he could.

**kempis** KATA KERJA
*to deflate*
◊ *Pelampung itu sudah kempis.* The lifebelt has become deflated.
♦ **Tayar kereta Val kempis.** Val's tyre has gone down.
**mengempiskan** KATA KERJA
*to deflate*
◊ *mengempiskan jaket keselamatan* to deflate a life jacket

**kemudi** KATA NAMA
*rudder*
**mengemudikan** KATA KERJA
*to steer*
◊ *mengemudikan kapal* to steer a ship
**pengemudi** KATA NAMA
*helmsman* (JAMAK **helmsmen**)

**kemudian** KATA ADJEKTIF
*later*
◊ *Saya akan pergi ke sana kemudian.* I'll go there later.
♦ **Kamu akan menyesal di kemudian hari.** You will regret it later.

**kemuncak** KATA NAMA

*peak*
◊ *kemuncak gunung yang dilitupi salji* the snow-covered peaks ◊ *kemuncak kerjaya seseorang* the peak of somebody's career
♦ **sidang kemuncak APEC** APEC summit meeting

**kena** KATA KERJA
*to hit*
◊ *kena pada sasaran* to hit the target
◊ *Bola itu kena kepala saya.* The ball hit me on the head.
♦ **Dia demam kerana kena sengatan lebah.** His fever was caused by bee stings.
♦ **Pakaian anda harus kena pada tempatnya.** Your attire should be appropriate for the occasion.
♦ **Jumlah pendapatan kena cukai: RM5000** Taxable income: RM5000
♦ **Adik saya kena hujan kelmarin.** My brother was caught in the rain yesterday.
♦ **kena sawan** to have a fit

*Perkataan* **kena** *juga diletakkan di hadapan kata kerja yang berbentuk kata dasar. Bentuk ini adalah sama dengan bentuk pasif.*
◊ *Pencuri itu kena tembak pada bahunya.* The thief was shot in the shoulder. ◊ *Saya kena tendang.* I was kicked. ◊ *Dia kena pukul.* He was beaten. ◊ *kena langgar* to get run over
♦ **tidak kena (1)** to miss ◊ *Tembakannya tidak kena pada sasaran.* He missed the target.
♦ **tidak kena (2)** wrong ◊ *Ada sesuatu yang tidak kena dengan dia.* Something was wrong with her.

**kena-mengena** KATA NAMA
*connection*
◊ *Pekerja itu ada kena-mengena dengan pengarah syarikat ini.* The employee has some connection with the director of the company.
♦ **Tindakannya itu tidak ada kena-mengena dengan saya.** His action has nothing to do with me.

**berkenaan** KATA SENDI
*regarding*
◊ *Saya tidak mahu mengulas dengan lebih lanjut berkenaan kes ini.* I don't want to elaborate further regarding this matter.

**mengenai** KATA KERJA
rujuk juga **mengenai** KATA SENDI
*to hit*
◊ *tembakan yang mengenai sasaran* shot that hit the target

**mengenai** KATA SENDI

> rujuk juga **mengenai** KATA KERJA

*about*
◊ *Kami sedang bercakap mengenai kes pembunuhan itu.* We are talking about the murder.

**mengenakan** KATA KERJA
1. *to fasten* (zip, kancing, dll)
2. *to trick*
◊ *Sandy sengaja mengenakan kawannya.* Sandy deliberately tricked her friend.
♦ **Kami mengenakan bayaran sebanyak RM100 pada bulan pertama.** We charge RM100 for the first month.

**terkena** KATA KERJA
1. *to hit*
◊ *Bola itu terkena penjaga gol.* The ball hit the goalkeeper.
2. *to get*
◊ *Dia terkena kejutan elektrik.* She got an electric shock.

**kenal** KATA KERJA
1. *to recognize*
◊ *Saya tidak kenal suaranya semasa bercakap melalui telefon.* I didn't recognize his voice on the telephone.
2. *to know*
◊ *Saya tidak kenal Shami.* I don't know Shami.
♦ **kenal-mengenal** to know each other

**berkenalan** KATA KERJA
*to get to know*
◊ *Saya berkenalan dengan Jeffrey semasa bercuti di Port Dickson.* I got to know Jeffrey when I went for a holiday at Port Dickson.
♦ **Dia berkenalan dengan Tim di jamuan itu.** He met Tim at that party.
♦ **Hobi saya ialah berkenalan.** My hobby is making friends.

**memperkenalkan** KATA KERJA
*to introduce*
◊ *Izinkan saya memperkenalkan diri saya.* Let me introduce myself.
♦ **memperkenalkan semula** to bring back
◊ *memperkenalkan semula hukuman mati* to bring back the death penalty

**mengenali** KATA KERJA
*to know*
◊ *Yani tidak mengenali lelaki yang berbaju hijau itu.* Yani doesn't know the man in the green shirt.
♦ **tidak dikenali** unfamiliar ◊ *suara yang tidak dikenali* an unfamiliar voice
♦ **orang yang tidak dikenali** stranger

**pengenalan** KATA NAMA
*introduction*
◊ *Guru itu menyuruh Elaine membaca*

*pengenalan buku itu.* The teacher asked Elaine to read the introduction of the book.
♦ **kad pengenalan** identity card

**terkenal** KATA ADJEKTIF
*famous*
◊ *penulis yang terkenal* a famous author ◊ *Hubbard terkenal dengan kerja-kerja seninya.* Hubbard is famous for his art works.

**kenalan** KATA NAMA
*acquaintance*
◊ *Dia mempunyai ramai kenalan.* He has many acquaintances.

**kenal pasti**

**mengenal pasti** KATA KERJA
*to identify*
◊ *Polis telah pun mengenal pasti 10 orang yang disyaki membunuh.* Police have already identified 10 murder suspects.

**pengenalpastian** KATA NAMA
*identification*
◊ *Pengenalpastian sesuatu penyakit pada peringkat awal boleh mengelakkan kematian.* Early identification of a disease can prevent death.

**kenan**

**berkenan** KATA KERJA
*to like*
◊ *George berkenan pada gadis itu.* George likes the girl.

**kenang**

**kenang-kenangan** KATA NAMA
*remembrance*

**mengenang** KATA KERJA
*to remember*
◊ *mengenang peristiwa lalu* to remember past events
♦ **mengenang budi** grateful
♦ **tidak mengenang budi** ungrateful

**mengenangkan** KATA KERJA
*to think of*
◊ *Lina menangis apabila mengenangkan anaknya yang berada di kampung.* Lina cried when she thought of her child in the village.

**terkenangkan** KATA KERJA
*to think of*
◊ *Nina ketawa apabila terkenangkan zaman kanak-kanaknya.* Nina laughed when she thought of her childhood.

**kenangan** KATA NAMA
*memory* (JAMAK **memories**)

**kenapa** KATA TANYA
*why*
◊ *Kenapakah anda datang lewat?* Why are you late?

**kenari** KATA NAMA
*canary* (JAMAK **canaries**)

**kencang** KATA ADJEKTIF

[1] *strong*
◊ *angin yang kencang* a strong wind
[2] *fast*
◊ *Lariannya sangat kencang.* He runs very fast.

**kencing** KATA NAMA

*urine*
♦ **air kencing** urine
♦ **kencing manis** diabetes
**terkencing** KATA KERJA
*to wet oneself*
♦ **Budak lelaki itu terkencing semasa tidur.** The boy wet his bed during his sleep.

**kendali**

**mengendalikan** KATA KERJA
[1] *to handle*
◊ *Anita akan mengendalikan projek itu.* Anita will handle the project.
[2] *to operate*
◊ *mengendalikan mesin* to operate a machine
**pengendalian** KATA NAMA
[1] *handling*
◊ *pengendalian projek itu* the handling of the project
[2] *operation*
◊ *pengendalian mesin itu* the operation of the machine

**kenderaan** KATA NAMA

*vehicle*

**kendur** KATA KERJA

*to sag*
◊ *Dawai itu kendur apabila cuaca panas.* The wire sags when it is hot.
**mengendur** KATA KERJA
*to sag*
◊ *Dawai itu mula mengendur apabila cuaca menjadi panas.* The wire sagged when the weather turned warm.
♦ **Otot mengendur dan menegang.** Muscles slacken and tighten.
**mengendurkan** KATA KERJA
*to loosen up*
◊ *Jururawat itu mengurut kaki pesakit itu untuk mengendurkan otot-ototnya.* The nurse massaged the patient's leg to loosen up his muscles.
**pengenduran** KATA NAMA
*loosening*
◊ *pengenduran otot* loosening of muscles
♦ **Cuaca yang panas menyebabkan pengenduran dawai-dawai itu.** The hot weather caused the wires to sag.

**kenduri** KATA NAMA

*feast*
◊ *kenduri arwah* funeral feast
◊ *kenduri kahwin* wedding feast

**kening** KATA NAMA

*eyebrow*
♦ **bulu kening** eyebrow

**kental** KATA ADJEKTIF

*curdled*
◊ *susu yang kental* curdled milk
♦ **Dia mempunyai semangat yang kental.** He's strong-willed.
**kekentalan** KATA NAMA
♦ **kekentalan jiwa** strength of will
◊ *Kekentalan jiwanya menghadapi dugaan membuat saya kagum.* His strength of will in confronting difficulties amazed me.

**kentang** KATA NAMA

*potato* (JAMAK **potatoes**)
◊ *kentang lecek* mashed potato
♦ **kentang goreng** French fries

**kentut** KATA KERJA

> rujuk juga **kentut** KATA NAMA

*to fart* (tidak formal)
**terkentut** KATA KERJA
*to fart* (tidak formal)

**kentut** KATA NAMA

> rujuk juga **kentut** KATA KERJA

*flatulence*

**kenyal** KATA ADJEKTIF

*elastic*
◊ *Bola yang diperbuat daripada getah lebih kenyal.* A ball made from rubber is more elastic.

**kenyang** KATA ADJEKTIF

*full*
◊ *Saya sudah kenyang.* I'm full.
**kekenyangan** KATA ADJEKTIF
*full*
◊ *Saya kekenyangan.* I'm full.
**mengenyangkan** KATA KERJA
*to be enough for*
◊ *Dua mangkuk nasi sudah mengenyangkan saya.* Two bowls of rice are enough for me.

**kenyit**

**mengenyit** KATA KERJA
*to wink*
◊ *Brian mengenyit kepada isterinya.* Brian winked at his wife.
**mengenyitkan** KATA KERJA
♦ **mengenyitkan mata** to wink ◊ *Hendra mengenyitkan matanya kepada Zalia.* Hendra winked at Zalia.

**kepada** KATA SENDI

*to*
◊ *Ramsay memberikan surat itu kepada Julia.* Ramsay gave the letter to Julia.

**kepak** KATA NAMA

*wing*
**mengepak-ngepakkan** KATA KERJA

**K**

*to flap one's wings*
◊ *Ayam jantan itu mengepak-ngepakkan sayapnya.* The cock flapped its wings.

**kepal** PENJODOH BILANGAN
*handful*
◊ *sekepal nasi* a handful of rice
**mengepalkan** KATA KERJA
*to clench*
◊ *Alex mengepalkan tangannya.* Alex clenched his fist.

**kepala** KATA NAMA
*head*
♦ **kepala batu** headstrong
♦ **sakit kepala** headache
**mengepalai** KATA KERJA
*to head*
◊ *Frank telah dipilih untuk mengepalai ekspedisi itu.* Frank has been chosen to head the expedition.

**kepalang** KATA ADJEKTIF
*little*
♦ **bukan kepalang** extremely ◊ *Tempat itu cantik bukan kepalang.* The place is extremely beautiful. ◊ *Sakitnya bukan kepalang.* It is extremely painful.

**kepialu** KATA NAMA
♦ **demam kepialu** typhoid

**kepil**
**mengepilkan** KATA KERJA
*to attach*
◊ *Saya akan mengepilkan sekeping cek bersama dengan surat ini.* I'll attach a cheque to this letter.

**keping** PENJODOH BILANGAN
1. *piece*
◊ *dua keping roti* two pieces of bread
2. *sheet*
◊ *empat keping kertas* four sheets of paper
**kepingan** KATA NAMA
*pieces*
◊ *kepingan kaca yang pecah* pieces of broken glass

**kepit**
**berkepit** KATA KERJA
*to hold*
◊ *Mereka berjalan berkepit tangan.* They held hands as they walked.
**mengepit** KATA KERJA
*to hold*
◊ *Pensyarah itu mengepit sebuah buku di bawah ketiaknya.* The lecturer held a book under his arm. ◊ *Randy mengepit sebatang rokok di celah jarinya.* Randy held a cigarette between his fingers.
**terkepit** KATA KERJA
*to hold*
◊ *Rokok itu masih terkepit di jarinya.*

He's still holding the cigarette between his fingers.

**kepompong** KATA NAMA
*pupa* (JAMAK **pupae**)

**kepul** KATA NAMA
*cloud*
◊ *kepul-kepul asap* clouds of smoke
**berkepul, berkepul-kepul** KATA KERJA
♦ **asap yang berkepul-kepul** clouds of smoke ◊ *Pembakaran sampah menyebabkan asap yang berkepul-kepul naik ke atmosfera.* Burning rubbish causes clouds of smoke to rise into the atmosphere.
**kepulan** KATA NAMA
*clouds*
◊ *Lihat kepulan asap itu!* Look at the clouds of smoke!

**kepung**
**mengepung** KATA KERJA
*to surround*
◊ *Penduduk kampung berjaya mengepung pencuri itu.* The villagers managed to surround the thief.
**pengepungan** KATA NAMA
*siege*
◊ *Pengepungan itu sudah berakhir.* The siege has ended.
♦ **Berita tentang pengepungan pihak tentera di kem pelarian itu mendapat liputan luas.** The army's surrounding of the refugee camp received wide coverage.
**terkepung** KATA KERJA
*to be surrounded*
◊ *Akhirnya, terkepung juga penculik-penculik itu.* Finally, the kidnappers were surrounded.
**kepungan** KATA NAMA
*encirclement*
♦ **Beruang itu berjaya melepaskan diri daripada kepungan orang ramai.** The bear managed to escape from the crowd that encircled it.

**kera** KATA NAMA
*monkey*

**kerabat** KATA NAMA
*relatives*
♦ **kerabat diraja** royal family (JAMAK **royal families**)
♦ **kaum kerabat** relatives

**kerah** KATA NAMA
*national service*
**mengerahkan** KATA KERJA
*to force*
◊ *Maharaja China telah mengerahkan rakyatnya membina Tembok Besar China.* The Emperor of China forced his people to build the Great Wall of China.
♦ **Pasukan penyelamat dikerahkan ke**

**tempat kejadian.** The rescue team was dispatched to the scene.
**pengerahan** KATA NAMA
*conscription* (*untuk memasuki angkatan tentera*)
♦ **Dasar pengerahan yang diamalkan telah menyebabkan rakyat negara itu menderita.** The people suffered under the system of forced labour.
**kerahan** KATA NAMA
♦ **tentera kerahan** conscript
♦ **kerahan tenaga pekerja** forced labour
**kerajang** KATA NAMA
*foil*
◊ *kerajang aluminium* aluminium foil
**kerak** KATA NAMA
*crust*
◊ *kerak nasi* the crust on cooked rice
♦ **kerak bumi** the earth's crust
**keramat** KATA ADJEKTIF
*sacred*
**kerana** KATA HUBUNG
1 *because*
◊ *Orang memanggilnya Mitch kerana namanya ialah Mitchell.* People call him Mitch because his name is Mitchell.
2 *for*
◊ *kerana takut dikritik* for fear of being criticized
**keranda** KATA NAMA
*coffin*
**kerang** KATA NAMA
*cockles*
**kerang-kerangan** KATA NAMA
*shellfish* (JAMAK **shellfish**)
**kerangka** KATA NAMA *rujuk* **rangka**
**kerani** KATA NAMA
*clerk*
**perkeranian** KATA NAMA
*clerical*
◊ *kerja-kerja perkeranian* clerical work
**keranjang** KATA NAMA
*basket*
♦ **bola keranjang** basketball
**kerap** KATA BANTU
*often*
◊ *Mereka kerap datang ke sini selepas kerja.* They often come here after work.
♦ **kerap kali** often
**kekerapan** KATA NAMA
*frequency*
◊ *Kekerapan Mimi pergi ke Kuala Lumpur menyebabkan suaminya berasa sangsi.* The frequency of Mimi's visits to Kuala Lumpur has made her husband suspicious.
**keras** KATA ADJEKTIF
*hard*
◊ *lantai kayu yang keras* hard wooden

floor
♦ **keras hati** stubborn
♦ **membantah dengan keras** to strongly disagree
♦ **minuman keras** alcoholic drinks
♦ **tindakan yang keras** stern action
**berkeras** KATA KERJA
*to insist*
◊ *Dia berkeras untuk membayar.* She insisted on paying.
**mengeraskan** KATA KERJA
*to harden*
◊ *Kita boleh mengeraskan mangkuk tanah liat ini dengan membakarnya.* We can harden this clay bowl by firing it.
**kekerasan** KATA NAMA
*force*
◊ *Kerajaan tidak mahu menggunakan kekerasan untuk meleraikan demonstrasi-demonstrasi itu.* The government refused to use force to break up the demonstrations.
**kerat** KATA NAMA

| *rujuk juga* **kerat** PENJODOH BILANGAN |
|---|

*piece*
◊ *Kami memotong batang kayu itu kepada tiga kerat.* We cut the trunk of the tree into three pieces.
♦ **Jangan buat kerja sekerat jalan.** Don't leave your work half-finished.
**mengerat** KATA KERJA
*to cut*
◊ *Penebang itu mengerat dahan itu kepada beberapa bahagian.* The lumberjack cut the branch into a number of pieces.
**keratan** KATA NAMA
*piece*
◊ *Pak Wan menjual keratan-keratan kayu di pasar.* Pak Wan sells pieces of wood in the market.
♦ **keratan akhbar** newspaper cuttings
**kerat** PENJODOH BILANGAN

| *rujuk juga* **kerat** KATA NAMA |
|---|

*length*
◊ *empat kerat dawai* four lengths of wire ◊ *beberapa kerat rotan* several lengths of rattan
♦ **pantun dua kerat** two-line pantun
**kerbau** KATA NAMA
*buffalo* (JAMAK **buffaloes** atau **buffalo**)
**kerdil** KATA ADJEKTIF
*dwarf*
♦ **orang kerdil** dwarf
**kerdip** KATA KERJA *rujuk* **kedip**
**kerekot** KATA ADJEKTIF
*crooked*
◊ *jari yang kerekot* crooked finger
**mengerekot** KATA KERJA

K

*to curl up*
◊ *Aziani mengerekot di atas katil kerana kesejukan.* Aziani curled up in her bed because she was cold.

**kerenah** KATA NAMA
*whim*
◊ *Susah benar hendak melayan kerenah budak itu!* It's very hard to satisfy the boy's every whim!

**kerengga** KATA NAMA
*ant* (terjemahan umum)

**kerepek** KATA NAMA
*crisp*
◊ *kerepek kentang berperisa keju dan bawang putih* cheese and onion potato crisps

**kereta** KATA NAMA
*car*
♦ **lumba kereta** motor racing
♦ **pemandu kereta** motorist
♦ **tempat letak kereta** car park
♦ **kereta kabel** cable car
♦ **kereta kebal** tank
♦ **kereta kuda** carriage
♦ **kereta lembu** bullock cart
♦ **kereta lumba** racing car
♦ **kereta peronda** patrol car
♦ **kereta sorong** hand cart
♦ **kereta sorong bayi** pram
♦ **kereta sport** sports car
**berkereta** KATA KERJA
*to drive*
◊ *Kate berkereta ke tempat kerja.* Kate drives to work.

**kereta api** KATA NAMA
*train*
♦ **kereta api barang** goods train
♦ **kereta api bawah tanah** underground train

**kerikil** KATA NAMA
*hardcore*
♦ **batu kerikil** hardcore

**kerincing** KATA NAMA
*triangle* (alat muzik)

**kering** KATA ADJEKTIF
*dry*
◊ *kain kering* dry cloth
♦ **kering-kontang** bone dry
♦ **ikan kering** dried fish
(JAMAK **dried fish**)
♦ **kelapa kering** copra
**kekeringan** KATA NAMA
*dryness*
◊ *kekeringan rambut* dryness of the hair
**mengeringkan** KATA KERJA
*to dry*
◊ *Dia menyidai tuala basah itu di luar rumah untuk mengeringkannya.* She

hung the wet towel outside the house to dry it.
♦ **Mereka sedang mengeringkan tasik itu.** They're draining the lake.
**pengering** KATA NAMA
*dryer*
◊ *pengering rambut* hair dryer
**pengeringan** KATA NAMA
*draining*
◊ *Pengeringan tasik itu akan dilakukan pada bulan Jun.* The draining of the lake will be carried out in June.

**keringat** KATA NAMA
[1] *sweat*
◊ *Baju Zaid dibasahi keringat.* Zaid's shirt was soaking with sweat.
[2] *effort*
◊ *Kekayaan Bobby diperoleh dengan keringatnya sendiri.* Bobby's wealth was obtained through his own efforts.

**kerinting** KATA ADJEKTIF
*curly*
◊ *rambut kerinting* curly hair
**mengerintingkan** KATA KERJA
*to perm*
◊ *Sue telah mengerintingkan rambutnya untuk majlis itu.* Sue had permed her hair for the ceremony.

**kerip**
**mengerip** KATA KERJA
*to nibble*
◊ *Arnab itu sedang mengerip sebiji lobak merah.* The rabbit is nibbling a carrot.

**keris** KATA NAMA
*kris* (JAMAK **krises**)

**kerit** *rujuk* **kerip**

**keriting** KATA ADJEKTIF *rujuk* **kerinting**

**keriut**
**berkeriut** KATA KERJA
*to squeak*
◊ *Pintu itu berkeriut apabila dibuka.* The door squeaked when it was opened.

**kerja** KATA NAMA
[1] *work*
◊ *Saya belum menyiapkan kerja saya lagi.* I haven't finished my work yet.
[2] *job*
◊ *Kami dapat melakukan kerja pengurusan itu jauh lebih baik daripada mereka.* We could do a far better job of managing than they have.
♦ **kerja kayu** woodwork
♦ **kerja-kerja menulis** paperwork
♦ **kerja rumah** homework
♦ **kerja sambilan** part-time job
♦ **kerja sepenuh masa** full-time job
♦ **tempat kerja** workplace
**bekerja** KATA KERJA

*to work*
◊ *Pengawal keselamatan terpaksa bekerja dua belas jam sehari.* Security guards have to work twelve hours a day.

- **bekerja sendiri** self-employed
**mengerjakan** KATA KERJA
*to work*
◊ *Malim telah mengerjakan sawah padi itu sejak dua puluh tahun yang lalu.* Malim has been working in the paddy fields for the past twenty years.
- **mengerjakan sembahyang** to perform prayers
**pekerja** KATA NAMA
*employee*
- **kelas pekerja** working-class
**pekerjaan** KATA NAMA
*occupation*
◊ *Apakah pekerjaan anda?* What's your occupation?
- **Beribu-ribu orang telah kehilangan pekerjaan mereka.** Thousands of people have lost their jobs.
- **Angela tidak dapat mencari pekerjaan.** Angela was unable to find employment.
**sekerja** KATA ADJEKTIF
- **kesatuan sekerja** trade union
- **rakan sekerja** colleague
**kerjasama** KATA NAMA
*co-operation*
◊ *kerjasama ekonomi* economic co-operation
**bekerjasama** KATA KERJA
*to co-operate*
◊ *Kami akan bekerjasama untuk menjayakan pameran itu.* We're going to co-operate to make the exhibition a success.
**kerjaya** KATA NAMA
*career*
**kerling** KATA NAMA
*sidelong glance*
**mengerling** KATA KERJA
*to glance sideways*
◊ *Dia mengerling ke arah wanita yang mengandung itu.* He glanced sideways at the pregnant woman.
**kerlingan** KATA NAMA
*sidelong glance*
**kerlip** KATA KERJA *rujuk* **kelip (1)**
**kerongkong** KATA NAMA
*throat*
**kerongsang** KATA NAMA
*brooch* (JAMAK **brooches**)
**keropok** KATA NAMA
*crackers*
**kertas** KATA NAMA
*paper*
- **kertas catatan** notepaper

- **kertas hias dinding** wallpaper
- **kertas kerja** proposal
- **kertas minyak** greaseproof paper
- **kertas pasir** sandpaper
- **kertas peperiksaan** exam paper
- **kertas surih** tracing paper
- **wang kertas** banknote
**keruh** KATA ADJEKTIF
*turbid*
◊ *air keruh di dalam akuarium* the turbid water in the aquarium
**kekeruhan** KATA NAMA
*turbidity*
◊ *Kekeruhan air di dalam akuarium itu menyebabkan banyak ikan mati.* The turbidity of the water in the aquarium caused many fish to die.
**mengeruhkan** KATA KERJA
1 *to make ... murky*
◊ *Lim memasukkan lumpur untuk mengeruhkan air di dalam bekas itu.* Lim put mud in to make the water in the container murky.
2 *to cloud*
◊ *Saya tidak memarahinya kerana tidak mahu mengeruhkan suasana.* I didn't scold him because I didn't want to cloud the atmosphere.
**kerumun**
**berkerumun** KATA KERJA
*to gather*
◊ *Kami semua berkerumun di ruang tamu.* We all gathered in the living room.
**mengerumuni** KATA KERJA
*to gather around*
◊ *Kanak-kanak mengerumuni lelaki itu untuk mendengar ceritanya.* The children gathered around the man to listen to his story.
**kerusi** KATA NAMA
1 *chair*
2 *seat*
◊ *memenangi satu kerusi dalam pilihan raya* to win a seat at the election
- **kerusi anduh** deckchair
- **kerusi goyang** rocking chair
- **kerusi malas** easy chair
- **kerusi panjang** couch
(JAMAK **couches**)
- **kerusi roda** wheelchair
- **kerusi tangan** armchair
**pengerusi** KATA NAMA
*chairperson*
**mempengerusikan** KATA KERJA
*to chair*
◊ *Hafiz akan mempengerusikan mesyuarat itu kali ini.* Hafiz will chair the meeting this time.
**kerut** KATA NAMA

**K**

_wrinkle_
**berkerut** KATA KERJA
_to wrinkle_
◊ _Mukanya berkerut kerana kesakitan._
Her face wrinkled in pain.
**mengerut** KATA KERJA
_to wrinkle_
◊ _Kulit anda akan mengerut apabila anda semakin tua._ Your skin will wrinkle as you grow older.
**mengerutkan** KATA KERJA
♦ **mengerutkan dahi** to frown ◊ _Pelajar itu mengerutkan dahinya kerana tidak memahami soalan tersebut._ The student frowned because he didn't understand the question.

**kerutu**
**mengerutu** KATA KERJA
_roughened_
◊ _kulitnya yang mengerutu_ his roughened skin

**kes** KATA NAMA
_case_
◊ _Kes-kes pecah amanah semakin banyak._ Cases of breach of trust are increasing.

**kesal** KATA ADJEKTIF
1 _disappointed_
◊ _Kami kesal dengan tindakan majikan kami._ We're disappointed with our employer's action.
2 _to regret_
◊ _Saya kesal kerana tidak sempat meminta maaf daripadanya._ I regret that I don't have the chance to ask for his forgiveness.
**kekesalan** KATA NAMA
1 _disappointment_
◊ _Para pemain melahirkan kekesalan mereka kerana gagal merampas kembali piala itu._ The players expressed their disappointment in failing to win back the cup. ◊ _Menteri itu menyatakan kekesalannya atas tindakan penyokong-penyokongnya kelmarin._ The minister expressed his disappointment at his supporters' actions yesterday.
2 _regret_
◊ _Gadis itu memohon maaf sebagai tanda kekesalannya atas kelakuannya tempoh hari._ The girl apologized as a sign of her regret at her behaviour the other day.
**mengesali** KATA KERJA
_to feel disappointed_
◊ _Pengurus itu mengesali sikap pekerja-pekerjanya yang tidak bertanggungjawab itu._ The manager felt disappointed by the irresponsible attitude of his employees.

**kesan** KATA NAMA
_stain_
◊ _kesan minyak_ oil stain
♦ **kesan khas** special effects
♦ **kesan rumah hijau** the greenhouse effect
♦ **kesan sampingan** side-effect
**berkesan** KATA KERJA
_effective_
◊ _sistem pengangkutan awam yang berkesan_ an effective public transport system
**keberkesanan** KATA NAMA
_effectiveness_
◊ _keberkesanan komputer sebagai alat pembelajaran_ the effectiveness of computers as an educational tool
**mengesan** KATA KERJA
1 _to trace_
◊ _Mereka mengesan van itu sehingga ke New Jersey._ They traced the van to New Jersey.
2 _to track down_
◊ _Pihak polis tidak dapat mengesan pembunuh tersebut._ The police couldn't track down the killer.
**pengesan** KATA NAMA
_detector_
♦ **alat pengesan logam** metal detector
♦ **anjing pengesan** tracker dog

**kesat** KATA ADJEKTIF
1 _rough_
2 _coarse_
◊ _kain kesat_ coarse fabric
♦ **kata-kata kesat** harsh words
**mengesat** KATA KERJA
_to wipe_
◊ _Lainey mengesat tangannya dengan tuala._ Lainey wiped her hands with a towel.
**pengesat** KATA NAMA
♦ **pengesat kaki** doormat
♦ **kain pengesat** duster

**ketak** KATA NAMA
_tap_ (_bunyi_)
**berketak** KATA KERJA
_to cluck_ (_ayam_)
**berketak-ketak** KATA KERJA
_wavy_
◊ _Rambutnya yang berketak-ketak menjadikan wajahnya lebih tampan._ With his wavy hair he looks more handsome.
**berketak-ketik** KATA KERJA
_to patter_
◊ _Hujan yang turun berketak-ketik dengan perlahan di luar._ Rain pattered gently outside.

**ketam (1)** KATA NAMA
_crab_

**ketam (2)** KATA NAMA
*plane*
**mengetam** KATA KERJA
*to plane*
◊ *Saya mengetam permukaan kayu itu.*
I planed the surface of the wood.
**pengetaman** KATA NAMA
*planing*
◊ *Kerja-kerja pengetaman mengambil masa tiga hari.* The planing takes three days.

**ketap**
**mengetap, mengetapkan** KATA KERJA
*to clench*
◊ *Kent mengetap giginya.* Kent clenched his teeth.

**ketar** KATA ADJEKTIF
*trembling*
**terketar-ketar** KATA KERJA
*to tremble*
◊ *Suara Salmah terketar-ketar ketika menjawab soalan emaknya.* When she answered her mother's question, Salmah's voice trembled.

**ketara** KATA ADJEKTIF
*obvious*
◊ *perubahan yang ketara* an obvious change
♦ **satu persamaan yang amat ketara** a striking resemblance
♦ **tidak ketara** subtle

**ketat** KATA ADJEKTIF
1 *tight*
◊ *baju yang ketat* a tight shirt
2 *strict*
◊ *peraturan yang ketat* a strict rule
♦ **dengan ketat** tightly
♦ **musuh ketat** rival
**memperketat** KATA KERJA
*to tighten*
◊ *Mereka memperketat kawalan sejak tempat itu dimasuki penceroboh.* They have tightened the security since the break-in.
**mengetatkan** KATA KERJA
*to tighten*
◊ *Julian mengetatkan skru itu dengan pemutar skru.* Julian tightened the screw with a screwdriver.

**ketawa** KATA KERJA *rujuk* **tawa**
**ketayap** KATA NAMA
*headgear* (*terjemahan umum*)
**ketiak** KATA NAMA
*armpit*
**ketika** KATA HUBUNG
*rujuk juga* **ketika** KATA NAMA
1 *when*
◊ *Husnita sedang memasak ketika Amutha datang.* Husnita was cooking when Amutha came.
2 *while*
◊ *Tom nampak lelaki tua itu ketika dia berjalan di taman.* Tom saw the old man while walking in the park.

**ketika** KATA NAMA
*rujuk juga* **ketika** KATA HUBUNG
*moment*
◊ *Saya sedang bermain catur pada ketika itu.* I was playing chess at that moment.
**seketika** KATA ADJEKTIF
*a moment*
◊ *untuk seketika* for a moment

**keting** KATA NAMA
*area above the heel*
♦ **urat keting** Achilles tendon

**ketip** KATA NAMA *rujuk* **pengetip**
**mengetip** KATA KERJA
1 *to bite* (*serangga*)
2 *to pinch*
♦ **mengetip kuku** to cut one's nails
**pengetip** KATA NAMA
♦ **pengetip kuku** nail clippers

**ketot** KATA ADJEKTIF
*short*
◊ *pokok palma yang ketot* a short palm tree ◊ *Dia ketot.* He's short.

**ketua** KATA NAMA
1 *leader*
◊ *Sebagai ketua, saya bertanggungjawab sepenuhnya.* As leader, I am fully responsible.
2 *head*
◊ *ketua-ketua kerajaan* heads of government
♦ **Ketua Menteri** Chief Minister
♦ **Ketua Pengawas** Head Prefect
♦ **ketua pasukan** captain
**mengetuai** KATA KERJA
1 *to head*
◊ *Dr. Franz mengetuai Parti Sosialis selama empat tahun.* Dr Franz headed the Socialist Party for four years.
2 *to lead*
◊ *Owen akan mengetuai pasukan itu.* Owen will lead the team.
**pengetua** KATA NAMA
*principal*

**ketuat** KATA NAMA
*wart*
**ketuhar** KATA NAMA
*oven*
♦ **ketuhar gelombang mikro** microwave
**ketuk** KATA KERJA
*to knock*
◊ *Jangan ketuk pintu saya.* Don't knock at my door.
**mengetuk** KATA KERJA

**K**

*to knock*

◊ *Dia mengetuk pintu sebelum memasuki bilik pengetua.* He knocked before entering the headmaster's room.

**pengetuk** KATA NAMA

*hammer*

**ketukan** KATA NAMA

*knock*

◊ *Mereka terdengar satu ketukan pada pintu depan.* They heard a knock at the front door.

♦ **ketukan perlahan** tap

**ketul** PENJODOH BILANGAN

[1] *lump*

◊ *dua ketul gula* two lumps of sugar

[2] *piece*

◊ *seketul daging* a piece of meat

**ketulan** KATA NAMA

*chunk*

◊ *ketulan ikan tongkol* tuna chunks

**ketus**

**mengetus, mengetuskan** KATA KERJA

*to drain*

♦ **Wati mengetus pinggan-pinggan itu sebelum menyimpannya.** Wati left the plates to dry before putting them away.

**khabar** KATA NAMA

*news*

◊ *Ele tidak mendapat sebarang khabar daripada Farizah.* Ele didn't receive any news from Farizah.

♦ **khabar angin** rumour

♦ **bertanya khabar** to ask after

**mengkhabarkan** KATA KERJA

*to inform*

◊ *Kami mengkhabarkan berita baik itu kepada Joseph.* We informed Joseph of the good news.

**perkhabaran** KATA NAMA *rujuk* **khabar**

**khabarnya** KATA PENEGAS

*they say that*

◊ *Khabarnya Jalil akan dinaikkan pangkat lagi.* They say that Jalil will be promoted again. ◊ *Khabarnya bapa Hadi kaya.* They say that Hadi has a rich father.

**khairat** KATA NAMA

*donation*

**khalayak** KATA NAMA

*the public*

♦ **khalayak ramai** the public

**khalifah** KATA NAMA

*caliph*

**khalwat** KATA NAMA

*close proximity*

> *keadaan lelaki dan perempuan yang belum berkahwin berdua-duaan di tempat terpencil dan sunyi*

**berkhalwat** KATA KERJA

*to be alone together*

◊ *Mereka ditangkap kerana berkhalwat di taman itu.* They were arrested because they were alone together in the park.

**Khamis** KATA NAMA

*Thursday*

◊ *pada hari Khamis* on Thursday

**khas** KATA ADJEKTIF

*special*

◊ *kesan-kesan khas* special effects

♦ **Larry menujukan lagu ini khas kepada Vivian.** Larry dedicated this song specially to Vivian.

**mengekhaskan** KATA KERJA

[1] *to reserve*

◊ *Kami mengekhaskan tiga tempat duduk itu untuk tetamu kami.* We reserved the three seats for our guests.

[2] *to earmark*

◊ *Kerajaan mengekhaskan kawasan itu untuk membina sekolah.* The government earmarked the area to build a school.

**khasnya** KATA PENEGAS

*specifically*

◊ *Keutamaan akan diberi khasnya kepada golongan tua.* Priority will be given specifically to the elderly.

**khasiat** KATA NAMA

*nutrition*

**berkhasiat** KATA KERJA

*nutritious*

◊ *makanan yang berkhasiat* nutritious food

♦ **tidak berkhasiat** unhealthy

**khatan** KATA NAMA

*circumcision*

◊ *Orang Islam mengamalkan khatan untuk tujuan keagamaan.* Muslims practise circumcision for religious reasons.

**berkhatan** KATA KERJA

*to be circumcised*

◊ *Dia berkhatan mengikut agama Yahudi.* He had been circumcised as required by Jewish law.

♦ **upacara berkhatan** circumcision ceremony

**mengkhatankan** KATA KERJA

*to circumcise*

◊ *Doktor itu mengkhatankan beberapa orang budak lelaki di kliniknya.* The doctor circumcised several boys in his clinic.

**khatib** KATA NAMA

*preacher in a mosque*

**khatulistiwa** KATA NAMA

*equator*

**khayal** KATA ADJEKTIF

*engrossed*

◊ *Tony tidak menyedari kehadiran saya kerana terlalu khayal dengan kerjanya.* Tony didn't notice me because he was too engrossed in his work.

♦ **pil khayal** ecstasy
**berkhayal** KATA KERJA
*to daydream*
◊ *Guru Michael memarahinya kerana dia sering berkhayal di dalam kelas.* Michael's teacher scolds him because he's always daydreaming in class.
**mengkhayalkan** KATA KERJA
1 *to make ... high*
◊ *Pil itu boleh mengkhayalkan.* The pill can make us high.
2 *enchanting*
◊ *Nyanyiannya sungguh mengkhayalkan.* Her singing is really enchanting.
**pengkhayal** KATA NAMA
*dreamer*
**khayalan** KATA NAMA
*daydream*
◊ *Jessica tersentak dari khayalannya.* Jessica was startled from her daydream.
**khazanah** KATA NAMA
*heritage*
◊ *khazanah budaya* cultural heritage
♦ **khazanah ilmu** archive
**khemah** KATA NAMA
*tent*
♦ **khemah pelarian** refugee camp
**berkhemah** KATA KERJA
*to camp*
◊ *Kami berkhemah berdekatan pantai.* We camped near the beach.
**perkhemahan** KATA NAMA
*camping*
◊ *Perkhemahan meninggalkan kenangan manis kepada kami.* Camping left us with very pleasant memories.
♦ **tapak perkhemahan** campsite
♦ **ahli perkhemahan** camper
**khianat** KATA ADJEKTIF
*treacherous*
◊ *Jangan bersikap khianat.* Don't be treacherous.
♦ **Hanya orang seperti dia sahaja yang sanggup berbuat khianat pada negara sendiri.** Only someone like him would be prepared to betray his own country.
**mengkhianati** KATA KERJA
*to betray*
◊ *Sally mengkhianati rakan sekerjanya untuk mendapatkan kenaikan pangkat.* Sally betrayed her colleague in order to get promoted.
**pengkhianat** KATA NAMA
*traitor*

◊ *pengkhianat negara* a traitor to one's country
**pengkhianatan** KATA NAMA
*betrayal*
◊ *pengkhianatan terhadap negara* betrayal of one's country
**khidmat** KATA NAMA
*service*
◊ *Syarikat itu masih memerlukan khidmat Peter.* The company still needs Peter's services.
♦ **khidmat nasihat** consultancy service
**perkhidmatan** KATA NAMA
*service*
◊ *perkhidmatan kesihatan* health service ◊ *perkhidmatan pos* postal service ◊ *perkhidmatan tentera* the armed services
**khinzir** KATA NAMA
*pig*
♦ **daging khinzir** pork
**khuatir** KATA ADJEKTIF
*to worry*
◊ *Saya tidak akan khuatir sekiranya dia datang ke rumah saya.* It won't worry me if he comes to my house.
**kekhuatiran** KATA NAMA
*worry* (JAMAK **worries**)
◊ *Cheryl tidak mempunyai sebarang kekhuatiran tentang kesihatan suaminya.* Cheryl had no worries about her husband's health.
**mengkhuatiri** KATA KERJA
*to worry*
◊ *Janganlah awak mengkhuatiri saya. Saya tidak akan apa-apa.* Don't you worry about me, I'll be all right.
♦ **Tempat itu dikhuatiri masih belum selamat.** There are worries that the place is still unsafe.
**mengkhuatirkan** KATA KERJA
*to worry*
◊ *Sikapnya itu mengkhuatirkan saya.* His behaviour worries me.
**khusus** KATA ADJEKTIF
1 *specifically*
◊ *hospital pertama yang dibina khusus untuk pesakit-pesakit AIDS* the first hospital designed specifically for people with AIDS
2 *particular*
◊ *Dia menunjukkan minat yang khusus terhadap subjek itu.* He showed a particular interest in the subject.
♦ **Situasi di Indonesia khususnya sungguh membimbangkan.** The situation in Indonesia in particular is worrying.
**mengkhusus** KATA KERJA

**K**

1 *to major* 🔲
◊ *Saya mengkhusus dalam bidang Terjemahan dan Interpretasi.* I majored in Translation and Interpretation.

2 *to specialize*
◊ *Dr. Russ mengkhusus dalam pembedahan otak.* Dr Russ specializes in brain surgery.

**mengkhususkan** KATA KERJA
*to reserve*
◊ *Bilik ini dikhususkan untuk delegasi dari Malaysia.* This room is reserved for Malaysian delegates.

♦ **Sean mengkhususkan diri dalam bidang pemasaran.** Sean specializes in marketing.

♦ **Mereka mengkhususkan lagu itu kepada golongan remaja.** They produced the song specially for teenagers.

**pengkhususan** KATA NAMA
*specialization*

♦ **pengkhususan kerja** specialization

**khusyuk** KATA ADJEKTIF
*engrossed*
◊ *Dia tidak menyedari kehadiran saya kerana terlalu khusyuk dengan kerjanya.* He didn't notice me because he was too engrossed in his work.

**kekhusyukan** KATA NAMA
*devotion*
◊ *Kekhusyukan Tom terhadap kerjanya membimbangkan saya.* Tom's devotion to his job worries me.

**khutbah** KATA NAMA
*sermon*
**berkhutbah** KATA KERJA
1 *to preach a sermon*
◊ *Imam itu akan berkhutbah sebelum memulakan sembahyang.* The imam will preach a sermon before he begins the prayers.

2 *to lecture*
◊ *Dia mula berkhutbah kepada kami.* He started to lecture us.

**pengkhutbah** KATA NAMA
*preacher*

**kial**
**terkial-kial** KATA KERJA
*to struggle*
♦ **Dia terkial-kial mengayuh basikal buruknya.** It is a struggle for him to pedal his old bicycle.

**kiamat** KATA KERJA
> *rujuk juga* **kiamat** KATA NAMA

*to end*
◊ *Dia percaya dunia ini akan kiamat tidak lama lagi.* He believes that the world is going to end soon.

**kiamat** KATA NAMA

> *rujuk juga* **kiamat** KATA KERJA

*the end of time*
◊ *Saya akan mencintainya sampai kiamat.* I'll love her till the end of time.

♦ **Hari Kiamat** Resurrection Day

**kiambang** KATA NAMA
*water lily* (JAMAK **water lilies**)

**kian** KATA BANTU
*to become more ...*
◊ *kian susah* to become more difficult

♦ **Jun Lam kian hari kian cantik.** Jun Lam gets more beautiful every day.

♦ **Han Wen kian hari kian pandai.** Han Wen's getting cleverer every day.

♦ **Hari kian gelap.** It's getting darker and darker.

♦ **Kenderaan itu bergerak kian perlahan.** The vehicle is slowing down.

**sekian** KATA PENEGAS
*such*
◊ *Emily ingin melanjutkan pelajarannya setelah bekerja sekian lama.* After having worked for such a long time Emily wished to resume her studies.

♦ **Sekian sahaja berita untuk malam ini. Selamat malam.** That's the news for tonight. Good night.

♦ **Sekian, terima kasih.** (*surat*) Thank you.

**sekian-sekian** KATA ADJEKTIF
*such-and-such*
◊ *Dia memberitahu saya bahawa dia akan tiba pada sekian-sekian masa tetapi saya terlupa.* He told me he'd arrive at such-and-such a time but I've forgotten when.

♦ **Bos kami akan pergi ke Taiping pada sekian-sekian hari.** Our boss will be going to Taiping on these dates.

**kias** KATA NAMA *rujuk* **kiasan**
**berkias** KATA KERJA
*to use figurative speech*
◊ *Cikgu itu memang pandai berkias.* The teacher is good at using figurative speech.

**kiasan** KATA NAMA
*figurative*

**kibar**
**berkibar, berkibar-kibar** KATA KERJA
*to fly*
◊ *Bendera Malaysia berkibar di sepanjang jalan itu.* Malaysian flags were flying all along the road.

**mengibarkan** KATA KERJA
*to wave*
◊ *Pelajar-pelajar perlu mengibarkan bendera semasa ketibaan Perdana Menteri.* Students have to wave flags when the Prime Minister arrives.

**pengibaran** KATA NAMA
*waving*

◊ *Upacara itu dimulakan dengan pengibaran bendera Malaysia.* The ceremony began with the waving of the Malaysian flag.

**kibas**
**mengibas, mengibas-ngibas**
KATA KERJA
*to flick*
◊ *Sebelum bermain piano, dia mengibas mata piano dengan kain pengesat.* Before playing, she flicked the piano keys with a duster.
**mengibaskan, mengibas-ngibaskan**
KATA KERJA
1 *to shake ... out*
◊ *Kitie mengibaskan tuala yang berhabuk itu.* Kitie shook the dusty towel out.
2 *to flap*
◊ *Burung itu mengibas-ngibaskan sayapnya.* The bird flapped its wings.
♦ **Lembu itu mengibas-ngibaskan ekornya untuk menghalau lalat.** The cow flicked the flies away with its tail.

**kiblat** KATA NAMA
*direction of the Kaabah (penjelasan umum)*

**kicap** KATA NAMA
*soy sauce*
◊ *kicap pekat* thick soy sauce

**kicau** KATA NAMA *rujuk* **kicauan**
**berkicau** KATA KERJA
*to chirp*
◊ *Anak burung itu berkicau meminta makanan daripada ibunya.* The nestling chirped to get food from its mother.
**berkicauan** KATA KERJA
*to chirp*
◊ *Burung-burung berkicauan.* Birds were chirping.
**kicauan** KATA NAMA
*chirping*
◊ *kicauan burung* the chirping of birds

**kidal** KATA ADJEKTIF
1 *left*
◊ *tangan kidal* left hand
2 *left-handed*
◊ *pemain kidal* left-handed player

**kijang** KATA NAMA
*barking deer*

**kikir** KATA NAMA
*file*
♦ **kikir kuku** nailfile
**mengikir** KATA KERJA
*to file*
◊ *Ayah sedang mengikir kepingan besi itu.* Father is filing the piece of iron.
♦ **Anna mahir membentuk dan mengikir kuku.** Anna's adept at manicuring nails.

**kikis**
**mengikis** KATA KERJA
1 *to scrape*
◊ *Kami membantu emak mengikis kerak lilin pada lantai.* We helped mother to scrape the wax off the floor.
2 *to erase*
◊ *Barry cuba mengikis kejadian itu dari ingatannya.* Barry tried to erase the incident from his memory.
♦ **mengikis tabiat buruk** to overcome bad habits
**pengikis** KATA NAMA
*scraper*

**kilan**
**terkilan** KATA KERJA
*aggrieved*
◊ *Amy terkilan apabila Sharon memarahinya di khalayak ramai.* Amy was aggrieved when Sharon scolded her in public.

**kilang** KATA NAMA
*factory (JAMAK **factories**)*
♦ **kilang bir** brewery
(JAMAK **breweries**)
♦ **kilang penapisan** refinery
(JAMAK **refineries**)
**mengilang** KATA KERJA
*to manufacture*
◊ *Kilang itu mengilang minuman ringan.* The factory manufactures soft drinks.
**pengilang** KATA NAMA
*manufacturer*
**pengilangan** KATA NAMA
*manufacturing*
◊ *pengilangan senjata-senjata nuklear* the manufacturing of nuclear weapons
**perkilangan** KATA NAMA
*manufacturing*
◊ *sektor perkilangan* manufacturing sector

**kilas (1)**
**sekilas** KATA ADJEKTIF
*a moment*
◊ *Saya sempat melihat wajahnya sekilas.* I managed to see his face for a moment.
♦ **sekilas pandang** at first sight ◊ *Sekilas pandang, novel ini sama seperti novel-novel cinta yang lain.* At first sight this novel is just the same as other romantic novels.

**kilas (2)** KATA KERJA
♦ **pukulan kilas** backhand
**mengilas** KATA KERJA
*to twist*
◊ *Anggota polis itu mengilas tangan Julie dan menggarinya.* The police twisted Julie's hands and handcuffed her.

**kilat**  KATA NAMA
  ① *lightning*
  ② *lustre*
  ◊ *Barang-barang kemas itu direndam di dalam larutan tersebut untuk mengembalikan kilatnya.* The jewellery was immersed in the solution to restore its lustre.
♦ **secepat kilat**  as fast as lightning
♦ **kursus kilat**  crash course
  **berkilat, berkilat-kilat**  KATA KERJA
  *shining*
  ◊ *Kasut John berkilat.* John's shoes are shining.
  **mengilatkan**  KATA KERJA
  *to polish*
  ◊ *Saya membantu bapa saya mengilatkan kasutnya.* I helped my father to polish his shoes.
  **pengilat**  KATA NAMA
  *polish*
  ◊ *pengilat kasut* shoe polish
♦ **pengilat kuku**  nail varnish
**kilau**
  **berkilau, berkilau-kilauan**  KATA KERJA
  *to glitter*
  ◊ *Cincin berliannya berkilau di bawah cahaya lampu.* Her diamond ring glitters in the light from the lamps.
  **kilauan**  KATA NAMA
  *glitter*
  ◊ *Kilauan lampu-lampu di sepanjang jalan itu sungguh indah.* The glitter of the lights along the street is very beautiful.
**kilir**  KATA NAMA
♦ **batu kilir**  whetstone
  **mengilir**  KATA KERJA
  *to sharpen*
  ◊ *Esah cuba mengilir kapak itu.* Esah tried to sharpen the axe.
**kilo**  KATA NAMA
  *kilo* (JAMAK **kilos**)
**kilogram**  KATA NAMA
  *kilogram*
**kilometer**  KATA NAMA
  *kilometre*
**kimia**  KATA NAMA
  *chemistry*
♦ **ahli kimia**  chemist
♦ **bahan kimia**  chemicals
♦ **tindak balas kimia**  chemical reaction
**kimpal**  KATA ADJEKTIF
  *solid*
  ◊ *emas kimpal* solid gold
  **mengimpal**  KATA KERJA
  *to weld*
  ◊ *Di manakah anda belajar mengimpal?* Where did you learn to weld?
  **pengimpal**  KATA NAMA

  *welder*
  **pengimpalan**  KATA NAMA
  *welding*
  ◊ *proses pengimpalan* welding process
  **kimpalan**  KATA NAMA
  *welding*
  ◊ *Kimpalan itu tidak sempurna.* The welding was not very good.
**kincah**
  **mengincah**  KATA KERJA
  *to rinse*
  ◊ *Ruby mengincah cucian itu beberapa kali sebelum menjemurnya.* Ruby rinsed the washing several times before putting it out to dry.
♦ **Emak saya mengincah daging sebelum memasaknya.** My mother washed the meat before cooking it.
**kincir air**  KATA NAMA
  *water wheel*
**kincir angin**  KATA NAMA
  *windmill*
**kinetik**  KATA ADJEKTIF
  *kinetic*
  ◊ *tenaga kinetik* kinetic energy
**kini**  KATA ADJEKTIF
  *now*
  ◊ *Kini anda patut memaafkan Jamilah.* You should forgive Jamilah now.
  **terkini**  KATA ADJEKTIF
  ① *latest*
  ◊ *maklumat terkini* latest information
  ② *up to date*
  ◊ *sistem yang terkini* an up to date system
**kinja**
  **terkinja-kinja**  KATA KERJA
  *to jump for joy*
  ◊ *Budak itu terkinja-kinja apabila melihat alat mainan itu.* The child jumped for joy when he saw the toys.
**kios**  KATA NAMA
  *kiosk*
**kipas**  KATA NAMA
  *fan*
  ◊ *kipas siling* ceiling fan
  **berkipas**  KATA KERJA
  *to fan oneself*
  ◊ *Kanak-kanak itu berkipas kerana terlalu panas.* The children fanned themselves because it was very hot.
  **mengipas**  KATA KERJA
  *to fan*
  ◊ *Dia mengipas neneknya yang sedang tidur.* He fanned his grandmother who was sleeping.
**kira**  KATA KERJA
  ① *to count*
  ◊ *Tolong kira bilangan pelajar yang*

*hadir hari ini.* Please count the students who are present today.

2 *to calculate*

◊ *Tolong kira perbelanjaan saya hari ini.* Please calculate my expenses for today.

♦ **Saya kira dia tidak akan datang.** I assume he won't be coming.

♦ **tidak kira** no matter ◊ *Saya tidak akan memaafkannya, tidak kira berapa kecil sekalipun kesalahan itu.* I will never forgive his wrongdoings, no matter how small. ◊ *Tidak kira berapa umur anda, anda boleh mengurangkan berat badan anda dengan mengikuti program ini.* No matter what your age, you can lose weight by following this program. ◊ *Dia akan memberi ganjaran kepada semua pelabur, tidak kira bila mereka melabur.* He would reward all investors, no matter when they made their investment.

**berkira** KATA KERJA

*to be tight-fisted*

◊ *Jangan berkira sangat dengan orang seperti Jarah. Dia bukanlah orang kaya.* You shouldn't be so tight-fisted towards someone like Jarah, she's not well-off.

♦ **Dia seorang yang berkira. Dia tidak pernah menolong orang tanpa balasan.** He's a very calculating person, he never helps anyone for nothing.

**mengira** KATA KERJA

1 *to count*

◊ *Dia sedang mengira jumlah buku di perpustakaan.* He's counting the books in the library.

2 *to calculate*

◊ *Bolehkah anda mengira jumlah cukai yang perlu saya bayar?* Can you calculate the amount of tax that I have to pay?

**pengiraan** KATA NAMA

*calculation*

◊ *pengiraan aset-aset mereka* the calculation of their assets

♦ **pengiraan pengkomputeran** computing

**sekiranya** KATA HUBUNG

*if*

◊ *Dia akan menangis sekiranya saya memarahinya.* She will cry if I scold her.

**terkira** KATA KERJA

♦ **tidak terkira banyaknya** countless

◊ *Lembu-lembu di ladang itu tidak terkira banyaknya.* There are countless cows in the field.

**kiraan** KATA NAMA

*calculation*

◊ *ketepatan kiraan saya* the accuracy of my calculation

**kira-kira** KATA ADJEKTIF

┌─────────────────────────────┐
│ *rujuk juga* **kira-kira** KATA NAMA │
└─────────────────────────────┘

*about*

◊ *Kira-kira 500 orang menghadiri perjumpaan itu.* About 500 people attended the meeting.

**berkira-kira** KATA KERJA

*to consider*

◊ *Jennifer berkira-kira untuk melanjutkan pelajarannya ke luar negara.* Jennifer's considering continuing her studies overseas.

**kira-kira** KATA NAMA

┌─────────────────────────────────┐
│ *rujuk juga* **kira-kira** KATA ADJEKTIF │
└─────────────────────────────────┘

*mathematics*

**kiri** KATA ADJEKTIF

*left*

◊ *di sebelah kiri* on the left ◊ *ke kiri* to the left

♦ **langkah kiri** unlucky

**kirim** KATA KERJA

*to send*

◊ *Kirim surat itu hari ini.* Send that letter today.

**mengirim** KATA KERJA

*to send*

◊ *Dia mengirim sepucuk surat kepada bapanya yang tinggal di kampung.* She sent a letter to her father who lives in the village.

**mengirimkan** KATA KERJA

*to send*

◊ *Gordon mengirimkan Sammy dua pucuk surat dari Australia.* Gordon sent Sammy two letters from Australia.

**pengirim** KATA NAMA

*sender*

**pengiriman** KATA NAMA

1 *dispatch*

◊ *pengiriman surat melalui perkhidmatan kirim cepat* dispatch of letters through a courier service

2 *shipment*

◊ *pengiriman senjata* shipment of weapons

**kiriman** KATA NAMA

*something sent*

♦ **kiriman cepat** courier service

♦ **kiriman pos** postal order

♦ **kiriman wang** money order

**kisah** KATA NAMA

*story* (JAMAK **stories**)

◊ *kisah benar* true story

**mengisahkan** KATA KERJA

*about*

◊ *Filem ini mengisahkan tiga ekor ikan jerung yang membunuh empat orang saintis.* This film is about three sharks that killed four scientists.

**pengisahan** KATA NAMA

K

_narrative style_
◊ *Pengisahan cerita itu agak mengelirukan.* The narrative style of the story is quite confusing.

**kisar**

**berkisar** KATA KERJA
_to revolve_
◊ *Perbualan mereka berkisar pada keadaan jalan raya yang teruk.* Their conversation revolved around the terrible condition of the road.

**berkisarkan** KATA KERJA
_to focus on_
◊ *Filem Hindi selalunya berkisarkan percintaan dan kasih sayang.* Hindi films usually focus on love and affection.

**mengisar** KATA KERJA
_to grind_
◊ *Winnie mengisar lada hitam untuk emaknya.* Winnie ground the black pepper for her mother.

**pengisar** KATA NAMA
_grinder_
♦ **mesin pengisar** blender
♦ **pengisar lada** peppermill

**pengisaran** KATA NAMA
_grinding_
◊ *pengisaran lada hitam* the grinding of black pepper

**kisaran** KATA NAMA
♦ **kisaran air** whirlpool
♦ **kisaran angin** whirlwind

**kisi**

**kisi-kisi, kekisi** KATA NAMA
_grille_
◊ *Mereka memasang kekisi pada semua tingkap di rumah itu.* They fix grilles to all the windows in the house.

**kismis** KATA NAMA
_currant_

**kita** KATA GANTI NAMA
_we_
◊ *Kita mesti bersatu padu untuk menentang musuh.* We must unite against the enemy.
**kekitaan** KATA NAMA
♦ **semangat kekitaan** sense of belonging to a group

**kitab** KATA NAMA
_holy scripture_
♦ **Kitab Injil** the New Testament
♦ **kitab suci (1)** holy scriptures
♦ **kitab suci (2)** Holy Bible

**kitar**

**sekitar** KATA ADJEKTIF
_around_
◊ *kawasan di sekitar masjid baru itu* the area around the new mosque
◊ *berjalan di sekitar bandar* to walk

around the town
**persekitaran** KATA NAMA
[1] _environment_
◊ *Kembar tersebut dipisahkan dan dibesarkan dalam persekitaran yang berbeza.* The twins were separated and brought up in entirely different environments.
[2] _surroundings_
◊ *Jacky terpaksa menyesuaikan dirinya dengan persekitaran barunya.* Jacky had to adapt himself to his new surroundings.

**kitaran** KATA NAMA
_cycle_
◊ *kitaran hidup* life cycle

**kitar semula** KATA ADJEKTIF
_recycled_
◊ *Laporan itu dicetak di atas kertas kitar semula.* The report is printed on recycled paper.
♦ **tong kitar semula** recycling bin

**mengitar semula** KATA KERJA
_to recycle_
◊ *Objektif mereka adalah untuk mengitar semula 98 peratus bahan buangan domestik.* Their objective is to recycle 98 per cent of domestic waste.

**kitaran semula** KATA NAMA
_recycling_

**kiub** KATA NAMA
_cube_
◊ *kiub ais* ice cube

**klac** KATA NAMA
_clutch_ (JAMAK **clutches**)

**klarinet** KATA NAMA
_clarinet_

**klasifikasi** KATA NAMA
_classification_
**mengklasifikasi** KATA KERJA
_to classify_
◊ *Koroner itu mengklasifikasi kematiannya sebagai membunuh diri.* The coroner classified his death as suicide.

**klasik** KATA ADJEKTIF
[1] _classic_
◊ *Fesyen-fesyen ciptaannya sungguh klasik.* The fashions which she created are very classic.
[2] _classical_
◊ *bahasa klasik* classical language
◊ *muzik klasik* classical music
◊ *sastera klasik* classical literature

**klausa** KATA NAMA
_clause_

**klien** KATA NAMA
_client_
◊ *seorang peguam cara dan kliennya* a solicitor and his client

**klik** KATA KERJA
> *rujuk juga* **klik** KATA NAMA

*to click* (komputer)
- **klik dua kali** to double-click
**mengklik** KATA KERJA
*to click*
- **mengklik dua kali** to double-click
**klik** KATA NAMA
> *rujuk juga* **klik** KATA KERJA

*click*
**klimaks** KATA NAMA
*climax*
◊ *klimaks kerjayanya* the climax of her career
**klinik** KATA NAMA
*clinic*
**klip** KATA NAMA
*clip*
◊ *klip kertas* paper clip
**klon** KATA NAMA
*clone*
◊ *klon komputer* computer clones
◊ *klon manusia* human clones
- **menghasilkan klon** to clone
**klorin** KATA NAMA
*chlorine*
**pengklorinan** KATA NAMA
*chlorination*
**klorofil** KATA NAMA
*chlorophyll*
**kobar**
**berkobar-kobar** KATA KERJA
- **semangat yang berkobar-kobar** great fervour ◊ *Jerry berucap dengan semangat yang berkobar-kobar.* Jerry spoke with great fervour.
- **Semangatnya berkobar-kobar untuk menentang musuh negara.** He's full of enthusiasm to fight against the national foe.
**koboi** KATA NAMA
*cowboy*
- **buku cerita koboi** western
- **filem koboi** western
**kocak** KATA NAMA
*splash* (JAMAK **splashes**)
- **susu kocak** milk shake
**berkocak** KATA KERJA
*to splash*
◊ *Air di dalam cawan itu berkocak.* The water in the cup splashed around.
- **Hati Josie berkocak kerana dia masih belum mendapat sebarang berita tentang suaminya.** Josie is troubled because she still hasn't had any news of her husband.
**mengocak, mengocakkan** KATA KERJA
*to shake*
◊ *Saintis itu mengocakkan larutan di*

*dalam tabung uji itu.* The scientist shook the solution in the test tube.
- **Berita tentang kejadian pecah rumah itu benar-benar mengocakkan perasaannya.** She was very disturbed by the news of the break-in.
**kocakan** KATA NAMA
*splash* (JAMAK **splashes**)
◊ *Kocakan air memecahkan kesunyian malam itu.* The splash of water broke the silence of the night.
**kocek** KATA NAMA
*pocket*
**kocok**
**mengocok** KATA KERJA
*to shuffle*
◊ *mengocok kad* to shuffle the cards
**kod** KATA NAMA
*code*
◊ *kod bar* bar code ◊ *kod Morse* Morse Code
**mengekodkan** KATA KERJA
*to write ... in code*
◊ *Penyelia itu akan mengekodkan semua harga barangan.* The supervisor will write the prices of all goods in code.
**pengekodan** KATA NAMA
*coding*
◊ *Sistem pengekodan dapat meringankan beban pekerja.* The coding system will lighten the workload of the employees.
**kodok** KATA NAMA
*toad*
**koir** KATA NAMA
*choir*
**kokain** KATA NAMA
*cocaine*
**koklea** KATA NAMA
*cochlea* (JAMAK **cochleae**)
**koko** KATA NAMA
*cocoa*
**kokok**
**berkokok** KATA KERJA
*to crow*
◊ *Ayam berkokok.* Cocks crow.
**kokokan** KATA NAMA
*crowing*
◊ *Kami dikejutkan oleh kokokan ayam itu.* We were awakened by the crowing of the cock.
**kokot** KATA NAMA
*staple*
**pengokot** KATA NAMA
*stapler*
**kokpit** KATA NAMA
*cockpit*
**koktel** KATA NAMA
*cocktail*

◊   *koktel udang*   prawn cocktail

**kokurikulum**   KATA NAMA
*extracurricular*
◊   *aktiviti kokurikulum*   extracurricular activities

**kolam**   KATA NAMA
*pond*
◊   *kolam ikan*   fish pond
♦   **kolam renang**   swimming pool

**kolar**   KATA NAMA
*collar*
♦   **kolar biru**   blue-collar
♦   **kolar putih**   white-collar
**berkolar**   KATA KERJA
*with collar*
◊   *baju biru berkolar hitam*   a blue shirt with a black collar
♦   **baju panas berkolar V**   a V-neck sweater

**kole**   KATA NAMA
*mug*

**kolej**   KATA NAMA
*college*

**kolek**   KATA NAMA
*dinghy* (JAMAK **dinghies**) (*padanan terdekat*)

**koleksi**   KATA NAMA
*collection*
♦   **koleksi pakaian**   wardrobe

**kolera**   KATA NAMA
*cholera*

**kolesterol**   KATA NAMA
*cholesterol*

**kolonel**   KATA NAMA
*colonel*

**koloni**   KATA NAMA
*colony* (JAMAK **colonies**)
◊   *koloni serangga*   insect colony

**kolonial**   KATA ADJEKTIF
*colonial*

**kolot**   KATA ADJEKTIF
*old-fashioned*
◊   *nilai-nilai yang kolot*   old-fashioned values ◊   *Ibu bapa saya berfikiran kolot.* My parents are old-fashioned in their thinking.
**kekolotan**   KATA NAMA
*old-fashioned way*
◊   *Kekolotan fikiran Anis menyebabkan dia tidak dapat menerima idea itu.*   Anis couldn't accept the idea because of her old-fashioned way of thinking.

**koma (1)**   KATA NAMA
*comma*
♦   **koma bernoktah**   semi-colon

**koma (2)**   KATA NAMA
*coma*
◊   *Dia berada dalam koma selama tujuh minggu.*   She was in a coma for seven weeks.

**komander**   KATA NAMA
*commander*

**Komanwel**   KATA NAMA
*Commonwealth*
◊   *negara-negara Komanwel* Commonwealth countries
♦   **Sukan Komanwel**   Commonwealth Games

**kombinasi**   KATA NAMA
*combination*
◊   *satu kombinasi warna yang sangat menarik*   a fantastic combination of colours

**komedi**   KATA NAMA
*comedy* (JAMAK **comedies**)

**komen**   KATA NAMA
*comment*
♦   **memberikan komen**   to comment

**komersial**   KATA ADJEKTIF
*commercial*
◊   *kawasan perindustrian dan komersial* industrial and commercial area

**komet**   KATA NAMA
*comet*

**komik**   KATA NAMA
*comic*

**komisen**   KATA NAMA
*commission*

**komitmen**   KATA NAMA
*commitment*
◊   *Saya mempunyai banyak komitmen.* I've got a lot of commitments.

**komoditi**   KATA NAMA
*commodity* (JAMAK **commodities**)
◊   *Kerajaan meningkatkan harga beberapa komoditi asas seperti roti dan daging.*   The government increased the prices of several basic commodities such as bread and meat.

**kompas**   KATA NAMA
*compass* (JAMAK **compasses**)

**kompaun**   KATA NAMA
*on-the-spot fine*

**kompleks**   KATA ADJEKTIF
| rujuk juga **kompleks** KATA NAMA |
*complex*
◊   *isu-isu yang kompleks*   complex issues

**kompleks**   KATA NAMA
| rujuk juga **kompleks** KATA ADJEKTIF |
*complex* (JAMAK **complexes**)
◊   *kompleks membeli-belah*   shopping complex

**komplot**   KATA NAMA
*plot*
◊   *Dia mempercayai bahawa terdapat satu komplot untuk membunuh Presiden Kennedy pada tahun 1963.*   He believes there was a plot to kill President Kennedy

in 1963.

**berkomplot** KATA KERJA
_to plot_
◊ _Mereka berkomplot untuk menggulingkan Presiden._ They plotted to bring down the President.

**komponen** KATA NAMA
_component_
◊ _Perancangan pengurusan tersebut mempunyai empat komponen utama._ The management plan has four main components.

**komposer** KATA NAMA
_composer_

**komposisi** KATA NAMA
_composition_
◊ _komposisi sosial_ social composition

**komprehensif** KATA ADJEKTIF
_comprehensive_
◊ _Kamus ini merupakan sebuah kamus yang komprehensif._ This is a comprehensive dictionary.

**kompromi** KATA NAMA
_compromise_
**berkompromi** KATA KERJA
_to compromise_

**komputer** KATA NAMA
_computer_
◊ _permainan komputer_ computer game
♦ **komputer buku** notebook
♦ **komputer peribadi** personal computer
**atau** PC
♦ **komputer riba** laptop
**berkomputer** KATA KERJA
_computerized_
◊ _sistem perbankan berkomputer_ computerized banking system
**mengkomputerkan** KATA KERJA
_to computerize_
◊ _Mereka mahu mengkomputerkan segalanya._ They want to computerize everything.
**pengkomputeran** KATA NAMA
_computerization_
◊ _kebaikan pengkomputeran_ the benefits of computerization

**komunikasi** KATA NAMA
_communication_
◊ _satelit komunikasi_ communications satellite
♦ **komunikasi massa** mass communication
**berkomunikasi** KATA KERJA
_to communicate_
◊ _Mereka berkomunikasi dalam bahasa isyarat._ They communicated in sign language.

**komunikatif** KATA ADJEKTIF
_communicative_

◊ _Kami mempunyai pendekatan yang komunikatif untuk mengajar bahasa._ We have a communicative approach to language-teaching.

**komunis** KATA NAMA
_communist_
◊ _Parti Komunis_ Communist Party
♦ **pihak komunis** the Communists

**komunisme** KATA NAMA
_communism_
◊ _kejatuhan komunisme di Eropah Timur_ the collapse of communism in Eastern Europe

**komuniti** KATA NAMA
_community_ (JAMAK **communities**)
◊ _Dia seorang tokoh yang terkenal dalam komuniti itu._ He's a well-known figure in the community.

**kon** KATA NAMA
_cone_

**kondensasi** KATA NAMA
_condensation_

**kondom** KATA NAMA
_condom_

**kondominium** KATA NAMA
_condominium_

**konduksi** KATA NAMA
_conduction_
◊ _konduksi haba_ conduction of heat
**pengkonduksi** KATA NAMA
_conductor_

**konduktor** KATA NAMA
_conductor_
◊ _konduktor bas_ bus conductor

**konflik** KATA NAMA
_conflict_

**konfrontasi** KATA NAMA
_confrontation_
◊ _untuk mengelakkan konfrontasi dengan kerajaan_ to avoid confrontation with the government

**kongkong**
**mengongkong** KATA KERJA
_to restrict_
◊ _Emak Yougan selalu mengongkong tindakannya._ Yougan's mother always restricts him in what he does.
**terkongkong** KATA KERJA
_restricted_
◊ _Dia berasa terkongkong selepas berkahwin._ She felt restricted after getting married. ◊ _Hidup Hamidah amat terkongkong._ Hamidah has a very restricted life.
**kongkongan** KATA NAMA
_restriction_
◊ _Kongkongan emaknya menyebabkan Joha menjadi seorang yang suka memberontak._ Joha's rebelliousness is

a reaction to his mother's restrictions.

**kongres** KATA NAMA
_congress_ (JAMAK **congresses**)

**kongsi** KATA NAMA
+ **rakan kongsi** partner
+ **kongsi gelap** triad society

**berkongsi** KATA KERJA
_to share_
◊ _Mereka berkongsi bilik semasa belajar di kolej._ They shared a room when they were studying at college.

**pekongsi** KATA NAMA
_partner_
◊ _Dia hadir bersama pekongsi perniagaannya, Max Hampshire._ She arrived with her business partner Max Hampshire.

**perkongsian** KATA NAMA
_partnership_

**konkrit** KATA NAMA
_concrete_
◊ _lantai konkrit_ concrete floor

**konon** KATA PENEGAS
_of all things_
◊ _Suara pun sumbang, ada hati hendak menjadi penyanyi konon._ She hasn't got a good voice but she wants to be a singer, of all things!
+ **Katanya, datuknya sakit konon, rupa-rupanya dia menipu.** He alleged that his grandfather was ill, but apparently he was lying.
+ **Kami mendapat berita kononnya Fuad kemalangan.** We received news that Fuad was involved in an accident.
+ **Kononnya di tasik ini dahulu ada seekor naga.** People say that long ago there was a dragon in this lake.

**konotasi** KATA NAMA
_connotation_
◊ _konotasi negatif_ negative connotation

**konsentrasi** KATA NAMA
_concentration_

**konsep** KATA NAMA
_concept_

**konsert** KATA NAMA
_concert_
◊ _konsert secara langsung_ a live concert

**konservatif** KATA ADJEKTIF
_conservative_
◊ _Manusia akan menjadi lebih konservatif apabila usia mereka semakin meningkat._ People tend to be more conservative as they get older.

**konsisten** KATA ADJEKTIF
_consistent_
◊ _sokongannya yang konsisten terhadap perdagangan bebas_ his consistent

support of free trade

**konsonan** KATA NAMA
_consonant_

**konsortium** KATA NAMA
_consortium_

**konstabel** KATA NAMA
_constable_

**konsul** KATA NAMA
_consul_
◊ _Konsul Malaysia di Zurich_ the Malaysian Consul in Zurich

**konsulat** KATA NAMA
_consulate_

**kontang** KATA ADJEKTIF
_dry_
+ **kering-kontang** parched

**konteks** KATA NAMA
_context_
◊ _konteks sejarah_ historical context

**kontena** KATA NAMA
_container_

**kontinjen** KATA NAMA
_contingent_

**kontra** KATA NAMA
+ **pro dan kontra** pros and cons

**kontrak** KATA NAMA
_contract_

**kontraktor** KATA NAMA
_contractor_
◊ _kontraktor pembinaan_ building contractor

**kontras** KATA NAMA
_contrast_
◊ _sebuah televisyen dengan warna yang lebih terang dan kontras yang lebih baik_ a television with brighter colours and better contrast

**kontroversi** KATA NAMA
_controversy_ (JAMAK **controversies**)
◊ _satu kontroversi politik tentang penyalahgunaan hak asasi manusia_ a political controversy over human rights abuses
+ **menimbulkan kontroversi** controversial

**kontroversial** KATA ADJEKTIF
_controversial_
◊ _isu-isu kontroversial_ controversial issues

**kontur** KATA NAMA
_contour_
+ **garisan kontur** contour

**konvensional** KATA ADJEKTIF
_conventional_
◊ _cara-cara perancangan keluarga yang konvensional_ conventional family planning methods

**konvensyen** KATA NAMA
_convention_
◊ _Konvensyen Geneva_ the Geneva

Convention

**konvokesyen**   KATA NAMA
_convocation_

**koordinasi**   KATA NAMA
_co-ordination_
◊ _kekurangan koordinasi antara orang awam dengan pihak polis_  the lack of co-ordination between the public and the police

**koordinat**   KATA NAMA
_co-ordinate_

**kopak**
**mengopak**   KATA KERJA
1  _to open_
◊ _Kenny mengopak buah kelapa itu dengan tangannya yang kuat._  Kenny opened the coconut with his strong hands.
2  _to break open_
◊ _Hamid mengopak pintu depan rumahnya dengan sebilah kapak._  Hamid broke open the front door of his house with an axe.
**terkopak**   KATA KERJA
1  _to be opened_
◊ _Buah kelapa itu sudah terkopak._  The coconut has been opened.
2  _to be wrecked_
◊ _Pintu depan rumahnya sudah terkopak._  The front door of his house has been wrecked.

**kopek**
**mengopek**   KATA KERJA
_to open_
◊ _Kenny mengopek buah kelapa itu dengan tangannya yang kuat._  Kenny opened the coconut with his strong hands.
**terkopek**   KATA KERJA
_to peel off_
◊ _Cat dinding itu sudah terkopek._  The paint on the wall has peeled off.

**koperal**   KATA NAMA
_corporal_

**koperasi**   KATA NAMA
_co-operative_
◊ _koperasi guru_  teachers' co-operative

**kopi**   KATA NAMA
_coffee_
◊ _kopi kisar_  ground coffee  ◊ _kopi O_ black coffee  ◊ _kopi susu_  white coffee

**kopra**   KATA NAMA
_copra_

**korban**   KATA NAMA
_sacrifice_
◊ _Gadis-gadis sunti itu dijadikan korban untuk tuhan mereka._  The virgins were given as sacrifices to their god.
♦ **lembu korban** (_untuk sambutan Aidiladha_) sacrificial cow
**berkorban**   KATA KERJA

_to sacrifice one's life_
◊ _Dia sanggup berkorban untuk menyelamatkan anaknya._  He's willing to sacrifice his life to save his son.
**mengorbankan**   KATA KERJA
_to sacrifice_
◊ _Askar-askar Malaysia sanggup mengorbankan nyawa mereka demi mempertahankan negara._  Malaysian soldiers are ready to sacrifice their lives in order to protect their country.  ◊ _Jamil mengorbankan seekor lembunya pada hari Isnin yang lalu._  Jamil sacrificed one of his cows last Monday.
**pengorbanan**   KATA NAMA
_sacrifice_
◊ _Pengorbanan wanita tua itu tidak dihargai oleh anak-anaknya._  The old lady's sacrifices were not appreciated by her children.
**terkorban**   KATA KERJA
_to be killed_
◊ _Kecuaian pemandu bas itu telah menyebabkan tiga orang terkorban._  Three people were killed due to the bus driver's negligence.

**Korea**   KATA NAMA
_Korea_
♦ **bahasa Korea**  Korean
♦ **penduduk Korea**  Korean

**korek**   KATA KERJA
_to dig_
◊ _Korek satu lubang sedalam 20 cm._ Dig a hole 20 cm deep.
**mengorek**   KATA KERJA
_to dig_
◊ _Mereka mengorek lubang untuk menanam pokok rambutan itu._  They dug a hole to plant the rambutan tree.
**pengorek**   KATA NAMA
_spade_

**koridor**   KATA NAMA
_corridor_

**kornea**   KATA NAMA
_cornea_

**koronari**   KATA ADJEKTIF
_coronary_
◊ _arteri koronari_  coronary artery

**koroner**   KATA NAMA
_coroner_

**korporat**   KATA NAMA
_corporate_
◊ _tokoh korporat_  corporate figure
**mengkorporatkan**   KATA KERJA
_to make ... into  a corporation_
◊ _Mereka akan mengkorporatkan universiti itu._  They're going to make the university into a corporation.

**korpus**   KATA NAMA

K

*corpus* (JAMAK **corpuses**)
◊ *korpus yang terdiri daripada dua ratus juta perkataan* a corpus of two hundred million words

**korus** KATA NAMA
*chorus* (JAMAK **choruses**)

**kos** KATA NAMA
*cost*
◊ *kos pengeluaran* cost of production
♦ **kos overhed** overheads
♦ **kos purata** average cost
♦ **kos tetap** fixed cost

**kosa** KATA NAMA
♦ **kosa kata** vocabulary
(JAMAK **vocabularies**)

**kosinus** KATA NAMA
*cosine* (*matematik*)

**kosmetik** KATA NAMA
*cosmetics*

**kosmik** KATA ADJEKTIF
*cosmic*
◊ *radiasi kosmik* cosmic radiation
◊ *sinar kosmik* cosmic ray

**kosmopolitan** KATA ADJEKTIF
*cosmopolitan*
◊ *bandar raya kosmopolitan* cosmopolitan city

**kosong** KATA ADJEKTIF
1 *empty*
◊ *kotak kosong* empty box
2 *zero*
3 *vacant*
♦ **jawatan kosong** vacancy

**kekosongan** KATA NAMA
1 *vacancy* (JAMAK **vacancies**)
◊ *Kekosongan ini perlu diisi dengan segera.* This vacancy should be filled immediately.
2 *emptiness*
◊ *kekosongan kawasan gurun itu* the emptiness of the desert
♦ **Setelah melihat kesakitan anaknya yang amat sangat, tiba-tiba dia terasa kekosongan dalam jiwanya.** After seeing his child in dreadful pain he suddenly felt an emotional emptiness.

**mengosongkan** KATA KERJA
1 *to empty*
◊ *Saya mengosongkan bakul itu.* I emptied the basket.
2 *to vacate*
◊ *Dia mengosongkan flat itu dan tinggal bersama kawannya.* He vacated the flat and went to stay with friends.

**pengosongan** KATA NAMA
*evacuation*
◊ *Pengosongan kawasan itu perlu dilakukan dengan segera.* Evacuation of the area must be carried out without

delay.
♦ **Pengosongan jawatan dilakukan untuk mengurangkan kos.** Downsizing was carried out to cut costs.

**kostum** KATA NAMA
*costume*

**kot** KATA NAMA
*coat*
♦ **kot luar** overcoat

**kota** KATA NAMA
1 *fort*
2 *city* (JAMAK **cities**)
◊ *kota Melaka* the city of Malacca
♦ **kota raya** city

**mengotakan** KATA KERJA
*to keep*
◊ *Kita mesti mengotakan janji-janji kita.* We must keep our promises.

**kotak** KATA NAMA
*box* (JAMAK **boxes**)
♦ **kotak rokok** cigarette packet

**berkotak-kotak** KATA KERJA
*checked*
◊ *Dia memakai baju biru dan skirt yang berkotak-kotak.* She's wearing a blue shirt and a checked skirt.

**kotej** KATA NAMA
*cottage*
◊ *Jones mempunyai sebuah kotej di Scotland.* Jones has a cottage in Scotland.

**kotor** KATA ADJEKTIF
1 *dirty*
2 *obscene*
◊ *kata-kata kotor* obscene words

**kekotoran** KATA NAMA
*dirtiness*
◊ *Masalah kekotoran masih terus berlaku di setiap kawasan di ibu kota.* Every part of the city still suffers from the problem of dirtiness.
♦ **Kekotoran udara membahayakan kesihatan kita.** Air pollution endangers our health.

**mengotori** KATA KERJA
*to make ... dirty*
◊ *Kesan lumpur pada kasut Billy mengotori lantai.* The mud on Billy's shoes made the floor dirty.

**mengotorkan** KATA KERJA
*to make ... dirty*
◊ *Anak-anak anda telah mengotorkan rumah saya.* Your children made my house dirty.

**pengotor** KATA ADJEKTIF, KATA NAMA
*someone who doesn't care about cleanliness*
♦ **Dia seorang yang pengotor.** He doesn't care about cleanliness.

**pengotoran** KATA NAMA
_pollution_
◊ *Mereka mencari jalan mengatasi masalah pengotoran air.* They're looking for ways to overcome water pollution.
**kotoran** KATA NAMA
_dirt_
◊ *Saya mula membersihkan kotoran itu.* I started to clean the dirt up.
♦ **kesan kotoran** stain
**koyak** KATA ADJEKTIF
_torn_
◊ *Dia masih memakai baju yang koyak itu.* He still wears that torn shirt.
♦ **koyak rabak** badly torn
**mengoyak** KATA KERJA
_to gape_ (*luka*)
♦ **Jamil mengoyak dua surat itu.** Jamil ripped the letter in two.
**mengoyakkan** KATA KERJA
_to tear_
◊ *Adik lelaki saya mengoyakkan buku latihan saya.* My brother tore my exercise book.
**mengoyak-ngoyakkan** KATA KERJA
_to rip up_
**terkoyak** KATA KERJA
_to be torn_
◊ *Bajunya terkoyak.* His shirt was torn.
**K.P.** SINGKATAN (= *kad pengenalan*)
_ID card_
**kraf** KATA NAMA
_craft_
◊ *industri kraf tradisional* traditional craft industry
**kraf tangan** KATA NAMA
_handicraft_
**krayon** KATA NAMA
_crayon_
**kreatif** KATA ADJEKTIF
_creative_
♦ **daya kreatif** creativity
**kreativiti** KATA NAMA
_creativity_
**kredit** KATA NAMA
_credit_
◊ *membayar tunai atau membeli secara kredit* to pay cash or buy on credit
♦ **kad kredit** credit card
**mengkreditkan** KATA KERJA
_to credit_
◊ *Pihak bank mengkreditkan sebanyak RM10 ke dalam akaunnya.* The bank credited RM10 to his account.
**kren** KATA NAMA
_crane_
**kriket** KATA NAMA
_cricket_
**krim** KATA NAMA

_cream_
◊ *krim putar* whipped cream ◊ *krim cukur* shaving cream
♦ **krim pelindung matahari** sunblock
**berkrim** KATA KERJA
♦ **kek berkrim** cream cake
**krisis** KATA NAMA
_crisis_ (JAMAK **crises**)
◊ *krisis ekonomi* economic crisis
◊ *krisis kewangan* financial crisis
◊ *krisis politik* political crisis
**Krismas** KATA NAMA
_Christmas_
♦ **Selamat Hari Krismas (1)** Merry Christmas (*ucapan*)
♦ **Selamat Hari Krismas (2)** Christmas Greetings (*pada kad ucapan, dll*)
**kristal** KATA NAMA
_crystal_
**Kristian** KATA NAMA
_Christian_
♦ **agama Kristian** Christianity
**kriteria** KATA NAMA
_criterion_ (JAMAK **criteria**)
**kritik** KATA NAMA
_criticism_
**mengkritik** KATA KERJA
_to criticize_
◊ *Murid-murid tidak patut mengkritik guru mereka.* Students should not criticize their teachers.
**pengkritik** KATA NAMA
_critic_
◊ *Pengkritik itu telah memuji persembahan Kenny.* The critic had praised Kenny's performance.
**kritikan** KATA NAMA
_criticism_
**kritikal** KATA ADJEKTIF
_critical_
◊ *Dia berada dalam keadaan yang kritikal.* He is in a critical condition.
**kritis** KATA ADJEKTIF
_critical_
◊ *pemikiran kritis* critical thinking
**krom** KATA NAMA
_chrome_
**kromosom** KATA NAMA
_chromosome_
◊ *Setiap sel dalam badan kita mengandungi 46 kromosom.* Each cell of our bodies contains 46 chromosomes.
**kronik** KATA ADJEKTIF
_chronic_
◊ *penyakit kronik* chronic disease
**ku** KATA GANTI NAMA *rujuk* **aku**
**kuaci** KATA NAMA
1 _dried melon seeds_
2 _sunflower seeds_

**K**

**kuah**  KATA NAMA
  _gravy_  (JAMAK **gravies**)
♦ **kuah salad**  salad dressing
**kuak (1)**  KATA NAMA
  _moo_
  **menguak**  KATA KERJA
  _to moo_
**kuak (2)**  KATA NAMA
♦ **kuak dada**  breaststroke
♦ **kuak kupu-kupu**  butterfly stroke
♦ **kuak lentang**  backstroke
  **menguakkan**  KATA KERJA
  _to draw_  (tirai)
    ◊ _Dia menguakkan tirai itu dan
    membiarkan cahaya matahari masuk ke
    dalam bilik._ She drew the curtains and
    let the sunlight stream into the room.
  **terkuak**  KATA KERJA
  _open_
    ◊ _tingkap yang terkuak_ an open
    window
**kuala**  KATA NAMA
  _estuary_  (JAMAK **estuaries**)
**kuali**  KATA NAMA
  _wok_
♦ **kuali leper**  pan
**kualitatif**  KATA ADJEKTIF
  _qualitative_
**kualiti**  KATA NAMA
  _quality_
    ◊ _kualiti yang tinggi_ high quality
  **berkualiti**  KATA KERJA
  _of ... quality_
    ◊ _Jam tangan ini berkualiti tinggi._ This
    watch is of high quality.
♦ **terjemahan yang berkualiti**  high quality
  translation
**kuang**  KATA NAMA
♦ **burung kuang**  pheasant
**kuantitatif**  KATA ADJEKTIF
  _quantitative_
    ◊ _penyelidikan kuantitatif dan
    kualitatif_ quantitative and qualitative
    research
**kuantiti**  KATA NAMA
  _quantity_  (JAMAK **quantities**)
**kuap**
  **menguap**  KATA KERJA
  _to yawn_
    ◊ _Mereka tidak henti-henti menguap
    kerana terlalu mengantuk._ They couldn't
    stop yawning because they were so
    sleepy.
**kuarantin**  KATA NAMA
  _quarantine_
  **mengkuarantin**  KATA KERJA
  _to quarantine_
♦ **dikuarantin**  in quarantine
**kuari**  KATA NAMA

  _quarry_  (JAMAK **quarries**)
    ◊ _kuari batu kapur_ a limestone quarry
**kuartet**  KATA NAMA
  _quartet_
**kuasa**  KATA NAMA
  1 _power_
    ◊ _Perdana Menteri mempunyai kuasa
    untuk memecat dan melantik menteri
    kanan._ The Prime Minister has the power
    to dismiss and appoint senior ministers.
  2 _force_
    ◊ _kuasa letupan_ the force of the
    explosion
♦ **kuasa angin**  wind power
♦ **kuasa Barat**  Western power
♦ **kuasa elektrik**  electricity
♦ **kuasa kuda**  horsepower
♦ **kuasa tiga**  cube
♦ **Tuhan yang Maha Kuasa**  God the
  Almighty
  **berkuasa**  KATA KERJA
  1 _to have the authority_
    ◊ _Ann berkuasa membuat keputusan
    bagi pihak syarikat._ Ann has the
    authority to make decisions on behalf of
    the company.
  2 _in power_
    ◊ _Mereka berkuasa selama 18 tahun._
    They were in power for 18 years.
♦ **negara yang paling berkuasa di dunia**
  the most powerful country in the world
♦ **pihak berkuasa**  the authorities
  **kekuasaan**  KATA NAMA
  _power_
    ◊ _Kekuasaan Raja itu dapat dilihat
    melalui empayarnya yang luas._ The
    King's extensive empire shows what
    power he had.
  **menguasai**  KATA KERJA
  1 _to conquer_
    ◊ _Portugis telah berjaya menguasai
    Melaka pada tahun 1511._ The
    Portuguese succeeded in conquering
    Malacca in 1511.
  2 _to control_
    ◊ _Ahli sihir dapat menguasai fikiran
    seseorang._ Witches can control an
    individual's mind.
  3 _to master_
    ◊ _Azlin dapat menguasai bahasa Jepun
    dalam masa yang singkat._ Azlin
    mastered Japanese quite quickly.
  **penguasa**  KATA NAMA
  _superintendent_
♦ **penguasa polis**  police superintendent
  **penguasaan**  KATA NAMA
  1 _command_
    ◊ _Penguasaan bahasa Jepun saya
    sangat lemah._ My command of Japanese

is very poor.

2 _control_

◊ _Penguasaan tentera di daerah itu menimbulkan kebimbangan penduduk._ The military control in the district worried the people.

**kuat**   KATA ADJEKTIF

1 _strong_

◊ _seorang lelaki tua yang kuat_  a strong old man

2 _loud_

◊ _bunyi yang kuat_  a loud noise

♦ **bekerja kuat**  to work hard

♦ **sakit kuat**  critically ill

♦ **Tarik tali itu kuat-kuat.**  Pull hard on the rope.

♦ **Tolak kuat-kuat.**  Push hard.

**kekuatan**   KATA NAMA

_strength_

◊ _Kekuatan Ali membimbangkan lawannya._  Ali's strength worries his opponent.

**memperkuat**   KATA KERJA

_to strengthen_

◊ _Kerajaan cuba memperkuat kuasa tentera._  The government is trying to strengthen the armed forces.

**menguatkan**   KATA KERJA

1 _to strengthen_

◊ _Dia cuba menguatkan kedudukannya dalam Parlimen._  She's trying to strengthen her position in Parliament.

2 _to raise_

◊ _Pengacara itu menguatkan suaranya supaya dapat didengari oleh semua orang._ The compere raised his voice so that he could be heard by everyone.

**sekuat**   KATA ADJEKTIF

sekuat _harus diterjemahkan mengikut konteks._

◊ _Tendangan Ken tidak sekuat tendangan George._  Ken could not kick as hard as George could.  ◊ _Tiupan angin hari ini tidak sekuat tiupan angin kelmarin._ The wind today is not as strong as it was yesterday.  ◊ _Geraldine menjerit sekuat hatinya apabila begnya diragut._  Geraldine shouted as loud as she could when her bag was snatched.  ◊ _Dia berlari sekuat hati._  She ran as fast as she could.

**kuat kuasa**

**berkuat kuasa**   KATA KERJA

_to take effect_

◊ _Permit pembalakan baru itu berkuat kuasa pada bulan Julai._  The new logging permits will take effect in July.

**menguatkuasakan**   KATA KERJA

_to enforce_

◊ _Kerajaan berjanji akan_

_menguatkuasakan undang-undang baru untuk mengawal institusi kewangan._  The government promised to enforce a new law to control the financial institutions.

**penguat kuasa**   KATA NAMA

_authority_ (JAMAK **authorities**)

♦ **penguat kuasa lalu lintas**  traffic police

**penguatkuasaan**   KATA NAMA

_enforcement_

◊ _penguatkuasaan perjanjian damai_ enforcement of the peace treaty

**kubah**   KATA NAMA

_dome_

**kubang**   KATA NAMA  _rujuk_ **kubangan**

**berkubang**   KATA KERJA

_to wallow_

◊ _Kerbau itu berkubang di dalam lumpur._ The buffalo wallowed in the mud.

**kubangan**   KATA NAMA

_mud hole_

**kubis**   KATA NAMA

_cabbage_

♦ **bunga kubis**  cauliflower

**kuboid**   KATA NAMA

_cube_

**kubu**   KATA NAMA

_fort_

**berkubu**   KATA KERJA

_to make a fortification_

◊ _Mereka berkubu di Bagan Serai._ They made a fortification at Bagan Serai.

**berkubukan**   KATA KERJA

_to make a fortification of_

◊ _Mereka berkubukan batang pokok kelapa._  They made a fortification of coconut tree trunks.

**kubur**   KATA NAMA

_grave_

**perkuburan**   KATA NAMA

_cemetery_ (JAMAK **cemeteries**)

♦ **tanah perkuburan**  cemetery

**kubus**   KATA NAMA

_cube_

**kucai**   KATA NAMA

_chives_

**kucar-kacir**   KATA ADJEKTIF

_chaotic_

◊ _ekonomi yang kucar-kacir_  a chaotic economy

♦ **keadaan yang kucar-kacir**  havoc

◊ _Pergaduhan itu menyebabkan keadaan yang kucar-kacir di mahkamah ._ The fighting caused havoc in the court.

♦ **Gangguan elektrik menyebabkan sistem keselamatan yang baru itu kucar-kacir.**  The power failure left the new security system in disarray.

**mengucar-ngacirkan**   KATA KERJA

_to cause havoc_

**K**

◊ *Perusuh mengucar-ngacirkan pusat bandar itu.* Rioters caused havoc in the centre of the town. ◊ *Pergolakan ekonomi Asia telah mengucar-ngacirkan pasaran saham dunia.* The uncertainties of the Asian economy caused havoc on world stock markets.

**kucing** KATA NAMA
*cat*
◊ *kucing Parsi* a Persian cat
♦ **anak kucing** kitten

**kucup**
**berkucup** KATA KERJA
*to kiss*
◊ *Jangan berkucup di khalayak ramai.* Don't kiss in public.
**berkucupan** KATA KERJA
*to kiss*
◊ *Mereka sedang berkucupan di dalam kereta.* They're kissing in the car.
**mengucup** KATA KERJA
*to kiss*
◊ *Joseph memberanikan diri mengucup gadis itu.* Joseph plucked up the courage to kiss the girl.
**kucupan** KATA NAMA
*kiss* (JAMAK **kisses**)

**kuda** KATA NAMA
*horse*
♦ **kuda betina** mare
♦ **anak kuda** foal
♦ **kuda belang** zebra
♦ **kuda laut** seahorse
♦ **kuda padi** pony (JAMAK **ponies**)
♦ **kuda pusing** merry-go-round
**kekuda, kuda-kuda** KATA NAMA
*trestle*
♦ **kekuda pakaian** clothes horse

**kudap**
**kudapan, kudap-kudap** KATA NAMA
*snack*

**kudis** KATA NAMA
*sore*

**kudrat** KATA NAMA
*energy*
◊ *Mereka sudah tua dan kudrat mereka semakin berkurangan.* They are old and their energy is diminishing. ◊ *Dia masih menyumbangkan kudratnya kepada negara walaupun usianya sudah tua.* Despite his great age he still devotes his energies to the country.

**kudung** KATA ADJEKTIF
*mutilated*
◊ *Tangan kiri pengemis itu kudung.* The beggar's left hand is mutilated.

**kudup** KATA NAMA
*bud*

**kudus** KATA ADJEKTIF

*holy*
◊ *doa yang kudus* holy prayer

**kufur** KATA NAMA
*infidel* (padanan terdekat)

**kugiran** KATA NAMA
*guitar band*

**kuih** KATA NAMA
*Malaysian cake*
♦ **kuih-muih** an assortment of Malaysian cakes

**kuil** KATA NAMA
*temple*

**kuilt** KATA NAMA
*quilt*

**kuinin** KATA NAMA
*quinine*
◊ *Kuinin digunakan untuk menyembuhkan penyakit malaria.* Quinine is used to treat malaria.

**kuis**
**menguis** KATA KERJA
1 *to kick* (dengan kaki)
◊ *Pak Samad menguis daun-daun kering itu ke tepi.* Pak Samad was kicking the dried leaves aside.
2 *to scratch*
◊ *Ayam-ayam itu menguis tanah untuk mencari cacing.* The chickens scratched the ground for worms.

**kuit**
**menguit** KATA KERJA
1 *to flick*
◊ *Rosnah menguit rambutnya yang menutupi matanya.* Rosnah flicked back the hair that covered her eyes.
2 *to move*
◊ *Semua orang terperanjat apabila tangan lelaki yang disahkan mati itu tiba-tiba menguit.* Everyone was startled when the hand of the man who had been confirmed dead suddenly moved.
**menguitkan** KATA KERJA
*to move*
◊ *Pesakit itu tidak mampu menguitkan jarinya.* The patient couldn't move his fingers.
♦ **Kitie membuat isyarat kepada Hody dengan menguitkan jarinya.** Kitie beckoned Hody with her fingers.

**kuiz** KATA NAMA
*quiz* (JAMAK **quizzes**)

**kujur**
**sekujur** KATA ADJEKTIF
*whole*
◊ *sekujur badan* the whole body

**kuku** KATA NAMA
1 *fingernail* (pada jari)
2 *toenail* (pada jari kaki)
3 *claw*

◊  *kuku harimau*  tiger's claw
♦  **Dia menjalankan pemerintahan kuku besi.**  He ruled with an iron hand.
♦  **berus kuku**  nailbrush
    (JAMAK **nailbrushes**)
♦  **pengasah kuku**  nailfile
♦  **pengilat kuku**  nail varnish
    (JAMAK **nail varnishes**)
**kukuh**  KATA ADJEKTIF
    *firm*
    ◊  *pentas yang kukuh*  a firm platform
♦  **Alasannya sungguh kukuh.**  His reasoning is perfectly sound.
♦  **dengan kukuh**  strongly  ◊  *dibina dengan kukuh*  strongly built
    **kekukuhan**  KATA NAMA
    *strength*
    ◊  *kekukuhan dolar Amerika berbanding mata wang asing*  the strength of the US dollar against other currencies
    ◊  *kekukuhan mental*  mental strength
    **memperkukuh**  KATA KERJA
    *to strengthen*
    **mengukuhkan**  KATA KERJA
    *to strengthen*
    ◊  *untuk mengukuhkan kedudukannya di Parlimen*  to strengthen his position in Parliament  ◊  *Lawatannya bertujuan mengukuhkan hubungan kedua-dua negara tersebut.*  His visit is intended to strengthen ties between the two countries.
    **pengukuhan**  KATA NAMA
    *strengthening*
**kukup**  KATA NAMA
    *sandbar*
♦  **kukup salji**  snowdrift
**kukur**  KATA NAMA
    *coconut grater*
    **mengukur**  KATA KERJA
    *to grate*
    ◊  *mengukur kelapa*  to grate coconut
**kukus**  KATA NAMA
    *steam*
    **mengukus**  KATA KERJA
    *to steam*
    ◊  *Emak Sandy sedang mengukus ikan di dapur.*  Sandy's mother is steaming fish in the kitchen.
**kulai**
    **terkulai**  KATA KERJA
    *to sag*
    ◊  *Dahan yang patah itu terkulai.*  The broken branch sagged from the tree.
♦  **Tangan Rosli yang patah itu terkulai.**  Rosli's broken arm hung loosely by his side.
**kulat**  KATA NAMA
    *fungus*  (JAMAK **fungi**)
    **berkulat**  KATA KERJA

*mouldy*
    ◊  *roti yang berkulat*  mouldy bread
**kuliah**  KATA NAMA
    *lecture*
    ◊  *dewan kuliah*  lecture hall
**kulit**  KATA NAMA
    1  *skin*
    2  *shell*  (*pada kerang dan lain-lain*)
    3  *leather*
    ◊  *beg kulit*  leather bag
♦  **kulit buku**  cover of a book
♦  **kulit kepala**  scalp
♦  **orang kulit putih**  white people
    **berkulit**  KATA KERJA
    *to have ... skin*
    ◊  *Dia berkulit gelap.*  He's got dark skin.
♦  **orang yang berkulit cerah**  people with fair skin
♦  **buku berkulit lembut**  paperback
**kultur**  KATA NAMA
    *culture*
    ◊  *kultur sel manusia*  a culture of human cells
**kulum**
    **mengulum**  KATA KERJA
    *to hold ... in one's mouth*
    ◊  *Bobby mengulum pil-pil itu.*  Bobby held the pills in his mouth.
**kuman**  KATA NAMA
    *germs*
    ◊  *Klorin digunakan untuk membunuh kuman.*  Chlorine is used to kill germs.
**kumandang**
    **berkumandang**  KATA KERJA
    *to fill*
    ◊  *Lagu "Oh Carol" berkumandang di udara.*  The song "Oh Carol" filled the air.
**kumat-kamit**
    **terkumat-kamit**  KATA KERJA
    *to move*
    ◊  *Mulut Sarah terkumat-kamit berkata sesuatu, tetapi suaranya tidak kedengaran.*  Sarah's lips moved to say something, but no sound came.
**kumbah**
    **kumbahan**  KATA NAMA
♦  **air kumbahan**  sewage
**kumbang**  KATA NAMA
    *beetle*
♦  **kumbang kura-kura**  ladybird
**kumin**  KATA NAMA
    *particle*
**kumpul**  KATA KERJA
    *to collect*
    ◊  *Cepat, pergi kumpul kayu api!*  Quick, go and collect some firewood!
    **berkumpul**  KATA KERJA
    *to gather*
    ◊  *Kami berkumpul di rumah Jessica*

**K**

*pada waktu petang.* In the evenings, we gathered in Jessica's house.

♦ **Bolehkah kita berkumpul malam ini?** Could we get together tonight?
**mengumpulkan** KATA KERJA

[1] *to gather*
◊ *Penyiasat persendirian itu menggunakan perakam suara untuk mengumpulkan maklumat.* The private detective used a tape recorder to gather information.

[2] *to collect*
◊ *Kami telah mengumpulkan wang yang cukup untuk membantu Helen.* We've collected enough money to help Helen.
**pengumpul** KATA NAMA
*collector*
◊ *pengumpul setem* stamp collector
**pengumpulan** KATA NAMA
*collection*
◊ *pengumpulan sampah dari rumah setiap minggu* the weekly collection of household refuse
**terkumpul** KATA KERJA
*collected*
◊ *Wang yang terkumpul tidak cukup untuk membiayai rawatan bayi itu.* The money collected was not enough to pay for the baby's treatment.
**kumpulan** KATA NAMA

> *rujuk juga* **kumpulan** PENJODOH BILANGAN

[1] *group*
◊ *kumpulan Hak Asasi Manusia* the Human Rights Group ◊ *ahli kumpulan pencinta alam* members of an environmental group
♦ **kumpulan muzik** band
[2] *gang*
◊ *Kumpulan itu disyaki terlibat dalam satu kes rompakan.* The gang is suspected of being involved in a robbery.
**kumpulan** PENJODOH BILANGAN

> *rujuk juga* **kumpulan** KATA NAMA

[1] *group*
◊ *satu kumpulan kecil penyokong bola sepak* a small group of football supporters
[2] *gang*
◊ *Dia diserang oleh sekumpulan anak-anak muda.* He was attacked by a gang of youths.
♦ **sekumpulan pemuzik** a band of musicians
**berkumpul** KATA KERJA
*in groups*
◊ *Pelajar-pelajar itu bekerja secara berkumpulan.* The students work in groups.

**kumuh**
**kumuhan** KATA NAMA
*excreta*
**kumur**
**berkumur** KATA KERJA
*to rinse one's mouth*
**kunci** KATA NAMA
[1] *key*
[2] *lock*
♦ **Bukalah kunci pintu itu.** Unlock the door.
♦ **anak kunci** key
♦ **ibu kunci** padlock
♦ **kunci air** water gate
♦ **kunci kira-kira** balance sheet
**berkunci** KATA KERJA
*to be locked*
◊ *Pintu itu berkunci.* The door is locked.
**mengunci** KATA KERJA
[1] *to lock*
◊ *Sudahkah anda mengunci pintu depan?* Have you locked the front door?
[2] *to wind*
◊ *Saya sudah mengunci jam loceng saya.* I've wound my alarm clock.
**terkunci** KATA KERJA
*to be locked*
◊ *Saya terkunci di dalam bilik itu.* I was locked in the room. ◊ *Pintu itu terkunci dari luar.* The door was locked from the outside.
**kuncup** KATA ADJEKTIF

> *rujuk juga* **kuncup** KATA NAMA

*closed*
♦ **Bunga itu masih kuncup lagi.** The flower still hasn't opened.
**menguncup** KATA KERJA
[1] *to close*
◊ *Bunga seri pagi menguncup pada waktu malam.* The morning glory flower closes at night.
[2] *to contract*
◊ *Saluran darah kita mengembang dan menguncup untuk mengepam darah ke seluruh badan.* Our blood vessels expand and contract to pump blood to all parts of our body.
**penguncupan** KATA NAMA
*contraction*
◊ *pengembangan dan penguncupan saluran darah* the expansion and contraction of blood vessels
**kuncup** KATA NAMA

> *rujuk juga* **kuncup** KATA ADJEKTIF

*bud*
**kuning** KATA ADJEKTIF
*yellow*
♦ **kuning air** beige
♦ **kuning keperang-perangan** amber

- **kuning telur** egg yolk
- **demam kuning** yellow fever
  **kekuningan** KATA ADJEKTIF
  _yellowish_
  ◊ *sehelai baju yang berwarna kekuningan* a yellowish shirt
- **perang kekuningan** blonde
  **kekuning-kuningan** KATA ADJEKTIF
  _yellowish_
  ◊ *Baju putih Tom telah menjadi kekuning-kuningan.* Tom's white shirt has turned yellowish.
  **menguning** KATA KERJA
  _to ripen_
  ◊ *Kami sedang menunggu padi di sawah itu menguning.* We're waiting for the rice in the paddy field to ripen.

**kunjung**
  **kunjung-mengunjungi** KATA KERJA
  _to visit each other_
  **berkunjung** KATA KERJA
  _to visit_
  ◊ *Kami akan berkunjung ke rumah Siti esok.* We'll visit Siti tomorrow.
  **mengunjungi** KATA KERJA
  _to visit_
  ◊ *Ifran hendak mengunjungi emaknya yang tinggal di Seremban.* Ifran wanted to visit his mother in Seremban.
  **pengunjung** KATA NAMA
  _visitor_
  **kunjungan** KATA NAMA
  _visit_
  ◊ *kunjungan Perdana Menteri ke Kanada* the Prime Minister's visit to Canada

**kuno** KATA ADJEKTIF
  _ancient_
  ◊ *kepercayaan kuno* ancient beliefs
  ◊ *masyarakat kuno* ancient society
- **bahasa kuno** archaic language

**kuntum** PENJODOH BILANGAN
  **kuntum** tidak ada terjemahan dalam bahasa Inggeris.
  ◊ *dua kuntum bunga* two flowers

**kunyah**
  **mengunyah** KATA KERJA
  _to chew_
  ◊ *mengunyah dan menelan* chewing and swallowing

**kunyit** KATA NAMA
  _turmeric_

**kuota** KATA NAMA
  _quota_
  ◊ *sistem kuota* quota system

**kupas**
  **mengupas** KATA KERJA
  _to peel_
  ◊ *Prani duduk di dapurnya dan mula*

*mengupas ubi kentang.* Prani sat down in the kitchen and began peeling potatoes.
  **mengupaskan** KATA KERJA
  _to peel_
  ◊ *Emak mengupaskan saya beberapa biji bawang untuk saya memasak kari.* My mother peeled some onions for me to make a curry.
  **pengupas** KATA NAMA
  _peeler_
  **terkupas** KATA KERJA
  _to peel_
  ◊ *Kulit pada tangannya yang melecur sudah mula terkupas.* The skin on his scalded hand has begun to peel.

**kupon** KATA NAMA
  _coupon_

**kuprum** KATA NAMA
  _copper_

**kupu-kupu** KATA NAMA
  _butterfly_ (JAMAK **butterflies**)
- **kuak kupu-kupu** butterfly stroke

**kura-kura** KATA NAMA
  _tortoise_

**kurang** KATA ADJEKTIF
  _less_
  ◊ *kanak-kanak yang kurang bernasib baik* the less fortunate children
- **kurang ajar** insolent
- **semakin kurang** less and less
- **lebih kurang** about ◊ *Panjangnya lebih kurang satu meter.* It's about a metre in length.
  **berkurang** KATA KERJA
  _to diminish_
  ◊ *Peranan Jennifer dalam syarikat itu sudah berkurang.* Jennifer's role in the company has diminished.
  **berkurangan** KATA KERJA
  _to decrease_
  ◊ *Pendapatan syarikat itu semakin berkurangan.* The company's income is steadily decreasing.
- **Sumber alam kita semakin berkurangan.** Our natural resources are diminishing.
  **kekurangan** KATA NAMA
  _shortage_
  ◊ *kekurangan bekalan makanan* food shortage
- **Dia hidup dalam keadaan yang serba kekurangan.** He lives in poverty.
  **mengurang** KATA KERJA
  _to decrease_
  ◊ *Pertumbuhan populasi mengurang sebanyak 1.4% setiap tahun.* Population growth is decreasing by 1.4% each year.
  **mengurangkan** KATA KERJA

_to reduce_
◊ _Kita patut mengurangkan pengambilan gula._  We should reduce our consumption of sugar.
**pengurangan**  KATA NAMA
_decrease_
◊ _pengurangan sebanyak 40 peratus_  a decrease of 40 per cent
♦ **Pengurangan gaji para pekerja memang tidak dijangka.**  The cut in the employee's pay was unexpected.
**sekurang-kurangnya**  KATA ADJEKTIF
_at least_
◊ _Sekurang-kurangnya 15 buah kereta mewah dipamerkan._  At least 15 luxurious cars were exhibited.
**kurap**  KATA NAMA
_ringworm_
**kurikulum**  KATA NAMA
_curriculum_
◊ _kurikulum sekolah_  school curriculum
**kurma**  KATA NAMA
_date palm_
♦ **buah kurma**  date
**kurnia**  KATA NAMA
1 _award_
◊ _Jeffery menerima kurnia daripada Sultan Kedah._  Jeffery received an award from the Sultan of Kedah.
2 _gift_
◊ _kurnia Tuhan_  a gift from God
**mengurniakan**  KATA KERJA
_to award_
◊ _Sultan itu mengurniakan satu pingat kepada saya._  The Sultan awarded me a medal.
**pengurniaan**  KATA NAMA
_conferment_
♦ **Pengurniaan gelaran Datuk itu merupakan penghargaan atas sumbangan beliau dalam bidang pendidikan.**  The title of Datuk was conferred on him in recognition of his contributions in the field of education.
♦ **Upacara pengurniaan anugerah akan bermula pada pukul sepuluh.**  The awards ceremony will begin at ten o'clock.
**kurniaan**  KATA NAMA
_gift_
◊ _Bayi itu merupakan kurniaan Tuhan._  The baby's a gift from God.
**kursor**  KATA NAMA
_cursor_
**kursus**  KATA NAMA
_course_
♦ **kursus kilat**  crash course
♦ **kursus selang kerja**  sandwich course
**berkursus**  KATA KERJA
_to take a course_

◊ _Dia akan berkursus di institut itu tidak lama lagi._  He'll be taking a course in that institute soon.
**kurun**  KATA NAMA
_century_ (JAMAK **centuries**)
◊ _akhir kurun kelapan belas_  the late eighteenth century
**berkurun-kurun**  KATA BILANGAN
_for centuries_
**kurung**
**berkurung**  KATA KERJA
_to lock_
◊ _Dia berkurung di dalam biliknya selama dua jam._  She locked herself in the room for two hours.
♦ **perintah berkurung**  curfew
**mengurung**  KATA KERJA
_to confine_
◊ _Emak Joshua mengurungnya dalam bilik._  Joshua's mother confined him to his room.
**pengurungan**  KATA NAMA
_confinement_
◊ _Saras berada dalam pengurungan tentera selama empat bulan._  Saras was held in confinement by the military for four months.
**terkurung**  KATA KERJA
_to be confined_
◊ _Winnie terkurung dalam rumah itu selama beberapa minggu._  Winnie was confined to the house for some weeks.
**kurungan**  KATA NAMA
1 _cage_ (untuk haiwan)
2 _prison_ (untuk orang)
3 _brackets_
♦ **kurungan bawah tanah**  dungeon
**kurus**  KATA ADJEKTIF
_thin_
♦ **kurus kering**  skinny
**mengurus**  KATA KERJA
_to get thinner_
◊ _Badannya semakin mengurus._  She's getting thinner.
**menguruskan**  KATA KERJA
♦ **menguruskan badan**  to lose weight
◊ _Rebecca bersenam untuk menguruskan badannya._  Rebecca is exercising in order to lose weight.
**kusam**  KATA ADJEKTIF
_pale_
◊ _Ibu bapa Suzanna bimbang apabila melihat betapa kusam wajahnya itu._  Suzanna's parents were worried when they saw how pale her face was.
**kekusaman**  KATA NAMA
_paleness_
◊ _Kekusaman wajah Sofia membimbangkan ibu bapanya._  The

paleness of Sofia's face worried her
parents.

**kusta** KATA NAMA
_leprosy_
♦ **penyakit kusta** leprosy

**kusut** KATA ADJEKTIF
_tangled_
◊ *Mereka mentertawakan rambutnya
yang kusut itu.* They laughed at her
tangled hair.
♦ **Fikiran Brian kusut.** Brian was
confused.
♦ **kusut-masai** tangled
**kekusutan** KATA NAMA
_confusion_
◊ *Kekusutan fikirannya menyebabkan
dia tidak dapat menumpukan perhatian
pada kerjanya.* He couldn't concentrate
on his work due to the confusion in his
mind.
**mengusutkan** KATA KERJA
_to get ... tangled up_
◊ *Adik saya telah mengusutkan semua
benang saya.* My brother has got my
thread all tangled up.
♦ **Campur tangan Zaid hanya akan
mengusutkan lagi hal itu.** Zaid's
interference will only complicate the matter
further.

**kusyen** KATA NAMA
_cushion_

**kutil** KATA NAMA
_wart_

**kutip**
**mengutip** KATA KERJA
① _to pick up_
◊ *Nenek mengutip syilingnya dari lantai.*
My grandmother picked her coins up from
the floor.
② _to collect_
◊ *Mereka mengutip derma untuk
mangsa gempa bumi di Taiwan.* They
collected donations for the victims of the
earthquake in Taiwan.
**pengutip** KATA NAMA
_collector_

♦ **pengutip sampah** refuse collector
**pengutipan** KATA NAMA
_collection_
◊ *Pengutipan derma itu bertujuan untuk
membantu kanak-kanak istimewa.* The
collection is in aid of children with special
needs.
**kutipan** KATA NAMA
_collection_
◊ *masa kutipan* collection time

**kutu** KATA NAMA
_louse_ (JAMAK **lice**)
♦ **kutu rayau** loiterer

**kutub** KATA NAMA
_pole_
♦ **Kutub Selatan** South Pole
♦ **Kutub Utara** North Pole

**kutuk**
**mengutuk** KATA KERJA
_to condemn_
◊ *Mereka mengutuk majikan mereka
kerana tidak menjaga kebajikan mereka.*
They condemned their employer for not
taking care of their welfare.
**terkutuk** KATA ADJEKTIF
_despicable_
◊ *Jangan terjerumus dalam kegiatan
yang terkutuk itu.* Don't expose yourself
to risk in that despicable activity.
♦ **perbuatan yang terkutuk** sinful act
**kutukan** KATA NAMA
_condemnation_
◊ *Kutukannya tidak melemahkan
semangat Wati.* Her condemnation hasn't
dampened Wati's spirits.

**kuyu** KATA ADJEKTIF
_heavy_
◊ *Mata Wee Lam kuyu selepas
semalaman tidak tidur.* Wee Lam's eyelids
were heavy after a whole night without
sleep.

**kuyup** KATA ADJEKTIF
♦ **basah kuyup** soaking wet

**KWSP** SINGKATAN (= *Kumpulan Wang
Simpanan Pekerja*)
_EPF_ (= *Employees Provident Fund*)

# L

**laba** KATA NAMA
*profit*

**labah-labah** KATA NAMA
*spider*

**label** KATA NAMA
*label*
  **berlabel** KATA KERJA
  *labelled*
  ◊ *tidak berlabel* not labelled
  **melabel** KATA KERJA
  *to label*
  **pelabelan** KATA NAMA
  *labelling*
  ◊ *Pelabelan harga harus dilakukan dengan berhati-hati.* Price labelling should be done carefully.

**labi-labi** KATA NAMA
*terrapin*

**labu** KATA NAMA
*pumpkin*
♦ **labu air** marrow
♦ **labu sayung** pitcher

**labuci** KATA NAMA
*sequins*

**labuh** KATA ADJEKTIF
*hanging down* (*tirai*)
♦ **skirt labuh** long skirt
  **berlabuh** KATA KERJA
  *to dock*
  ◊ *Kapal itu berlabuh di Pelabuhan Klang.* The ship docked in Port Klang.
  **pelabuhan** KATA NAMA
  *harbour*
♦ **Pelabuhan Klang** Port Klang

**labur**
  **melabur** KATA KERJA
  *to invest*
  ◊ *Dia bercadang hendak melabur dalam pasaran saham.* She intends to invest in the stock market.
  **melaburkan** KATA KERJA
  *to invest*
  ◊ *Dia melaburkan beribu-ribu ringgit dalam syarikat itu.* He invested thousands of ringgits in that company.
  **pelabur** KATA NAMA
  *investor*
  **pelaburan** KATA NAMA
  *investment*
  ◊ *pelaburan asing* foreign investment

**laci** KATA NAMA
*drawer*
  **berlaci** KATA KERJA
  *with drawer*

**lacur** KATA ADJEKTIF
*immoral*
♦ **perempuan lacur** prostitute
  **pelacur** KATA NAMA
  *prostitute*

**pelacuran** KATA NAMA
*prostitution*

**lada** KATA NAMA
  ① *pepper*
  ◊ *lada hitam* black pepper
  ② *chilli* (JAMAK **chillies** atau **chillis**)
  ◊ *lada merah* red chilli

**ladam** KATA NAMA
*horseshoe*

**ladang** KATA NAMA
*plantation*
  ◊ *ladang kelapa sawit* oil-palm plantation ◊ *ladang getah* rubber plantation
♦ **ladang ternak** ranch (JAMAK **ranches**)
♦ **ladang tenusu** dairy farm
  **berladang** KATA KERJA
  *to farm*
  ◊ *Dia sudah berladang selama 20 tahun.* He has been farming for 20 years.
♦ **Berladang merupakan aktiviti penting di Indonesia.** Farming is an important activity in Indonesia.
  **peladang** KATA NAMA
  *farmer*
  **perladangan** KATA NAMA
  *plantation*
  ◊ *sektor perladangan* the plantation sector

**lafaz** KATA NAMA
*utterance*
  **melafazkan** KATA KERJA
  *to say*
  ◊ *melafazkan doa* to say a prayer
♦ **melafazkan ikrar** to make a pledge

**laga** KATA NAMA
*fighting* (*ayam, lembu*)
  ◊ *pertandingan laga ayam* cock fighting competition
  **berlaga** KATA KERJA
  ① *to fight*
  ◊ *Mereka melihat dua ekor lembu itu berlaga.* They watched the two bulls fighting.
  ② *to collide*
  ◊ *Sebuah kereta berlaga dengan lori minyak di simpang itu.* A car collided with a petrol tanker at the corner of the road.
♦ **Ahli persatuan itu dinasihatkan supaya tidak berlaga sesama sendiri.** Members of the association are urged not to compete against each other.
  **perlagaan** KATA NAMA
  *fighting*
  ◊ *perlagaan ayam* cock fighting

**lagak** KATA NAMA
*manner*
  **berlagak** KATA KERJA
  *to show off*

**pelagak** KATA NAMA
*show-off* (*tidak formal*)
♦ **pelagak ngeri** stuntman
(JAMAK **stuntmen**)
**lagi** KATA PENEGAS
  1 *more*
  ◊ *satu hari lagi* one more day
  2 *again*
  ◊ *Dia lewat lagi.* He's late again.
  3 *and*
  ◊ *Dia peramah lagi baik hati.* She is
kind and friendly.
♦ **Kereta api itu belum tiba lagi.** The train
has not arrived yet.
♦ **Penjelasan mereka itu mencelarukan
lagi fikiran saya.** Their explanation made
me even more confused.
♦ **Perbuatannya itu telah menambahkan
lagi kemarahan ibunya.** His action has
made her mother even angrier.
♦ **Anda tidak perlu risau lagi.** You don't
have to worry any more.
♦ **Adakah gula-gula yang tinggal lagi?**
Are there any sweets left?
♦ **Sejak kecil lagi ibu mengajar saya
supaya menghormati orang tua.** From
my childhood onwards my mother taught
me to respect my elders.
♦ **Dia sudah tidak mampu untuk bekerja
lagi.** She is no longer able to work.
**lagi-lagi** KATA HUBUNG
*especially*
  ◊ *Tempat ini tidak begitu selamat, lagi-
lagi pada waktu malam.* This place is not
very safe, especially at night.
♦ **Lagi-lagi orang yang sama
menimbulkan masalah kepada kami.**
It's always the same person who's
causing us problems.
**selagi** KATA HUBUNG
*as long as*
  ◊ *Selagi mereka tidak melanggar
peraturan, menteri itu akan terus
menyokong mereka.* As long as they
don't break the rules, the minister will
continue to support them.
♦ **Selagi anda belum menyiapkan kerja
rumah, anda tidak boleh keluar
bermain.** Until you finish your homework,
you cannot go out to play.
**lagipun** KATA HUBUNG
*especially as*
  ◊ *Janganlah memarahinya, lagipun dia
telah berusaha.* Don't scold her,
especially as she's worked so hard.
**lagu** KATA NAMA
*song*
♦ **lagu kebangsaan** national anthem
**lagun** KATA NAMA

*lagoon*
**lah** KATA PENEGAS
  *lah tidak diterjemahkan ke dalam
bahasa Inggeris.*
  ◊ *Janganlah bersedih!* Don't be sad!
**lahap** KATA ADJEKTIF
*greedy* (*ketika makan*)
♦ **dengan lahap** greedily ◊ *Dia makan
dengan lahap sekali.* He ate greedily.
**melahap** KATA KERJA
*to scoff* (*tidak formal*)
  ◊ *Adik saya melahap semua sandwic itu.*
My brother scoffed all the sandwiches.
**lahar** KATA NAMA
*lava*
**lahir** KATA KERJA
*to be born*
  ◊ *Amy lahir pada tahun 1999.* Amy was
born in 1999.
♦ **tarikh lahir** date of birth
♦ **bayi yang baru lahir** a newborn baby
♦ **pada lahirnya** on the face of it ◊ *Pada
lahirnya perkara itu nampak seperti masuk
akal...* On the face of it that seems to
make sense...
**kelahiran** KATA NAMA
*birth*
♦ **sijil kelahiran** birth certificate
**melahirkan** KATA KERJA
*to express*
  ◊ *melahirkan idea* to express an idea
♦ **melahirkan anak** to give birth
**lai** KATA NAMA
♦ **buah lai** pear
**laici** KATA NAMA
*lychee*
**lain** KATA ADJEKTIF
  1 *other*
  ◊ *Tidak ada cara lain.* There's no other
way.
♦ **Kita perlu memikirkan orang lain.** We
must think of others.
  2 *else*
  ◊ *Kalau anda tidak membeli buku itu
sekarang, orang lain akan membelinya.*
If you don't buy the book now, somebody
else will buy it. ◊ *Tidak ada orang lain
yang mengetahui perkara ini.* Nobody
else knows about this.
♦ **lain daripada yang lain** unique
♦ **dan lain-lain** et cetera
**berlainan** KATA KERJA
*different*
**kelainan** KATA NAMA
*difference*
**melainkan** KATA HUBUNG
  1 *unless*
  ◊ *Dia tidak akan berjaya melainkan dia
berusaha.* She will not succeed unless

she works hard.

2 *except*

◊ *Tidak ada sesiapa yang datang melainkan dia.* Nobody came except him.

**selain** KATA HUBUNG

*apart from*

**lajak**

**terlajak** KATA KERJA

*to overshoot*

◊ *Kapal terbang itu terlajak dari landasannya.* The plane overshot the runway.

♦ **Basikal Zamri terlajak ke dalam semak kerana breknya rosak.** Zamri's bicycle skidded into the bushes because the brakes weren't working.

**laju** KATA ADJEKTIF

*fast*

♦ **had laju** speed limit

**kelajuan** KATA NAMA

*speed*

**lajur** KATA NAMA

*column*

◊ *baris dan lajur* rows and columns

**lak** KATA NAMA

*sealing-wax*

**lakar**

**melakar** KATA KERJA

*to sketch*

◊ *Dia sedang melakar pelan rumah itu.* He's sketching a plan of the house.

**melakarkan** KATA KERJA

*to sketch*

◊ *Dia melakarkan pelan rumah itu.* She sketched a plan of the house.

**lakaran** KATA NAMA

*sketch* (JAMAK **sketches**)

**laki** KATA NAMA

(*tidak formal*)

*husband*

**laki-laki** KATA NAMA *rujuk* **lelaki**

**laknat** KATA NAMA

*curse*

**lakon** KATA NAMA

♦ **lakon layar** screenplay

**berlakon** KATA KERJA

*to act*

**melakonkan** KATA KERJA

*to play*

◊ *Kumari melakonkan watak Cinderella.* Kumari played the role of Cinderella.

**pelakon** KATA NAMA

1 *actor* (*lelaki*)

2 *actress* (JAMAK **actresses**) (*perempuan*)

♦ **barisan pelakon** cast

**lakonan** KATA NAMA

*play* (*drama*)

♦ **Lakonannya amat baik.** Her acting was

very good.

**lakri** KATA NAMA

*sealing-wax*

**laksamana** KATA NAMA

*admiral*

**laksana** KATA SENDI

(*sastera lama*)

*like*

◊ *Wajahnya laksana bidadari.* She looks like an angel.

**melaksanakan** KATA KERJA

*to implement*

**pelaksana** KATA NAMA

*a person who implements something*

**pelaksanaan** KATA NAMA

*implementation*

**terlaksana** KATA KERJA

*to be implemented*

◊ *Peraturan itu tidak terlaksana.* The regulation was not implemented.

**laku** KATA ADJEKTIF

> *rujuk juga* **laku** KATA NAMA

1 *in demand*

◊ *Beg jenis ini sangat laku.* This type of bag is in great demand.

2 *valid*

◊ *Wang kertas ini tidak laku kerana sudah koyak.* This bank note is not valid because it's torn.

**laku** KATA NAMA

> *rujuk juga* **laku** KATA ADJEKTIF

*manner*

♦ **tingkah laku** behaviour ◊ *Tingkah laku Mirah buruk sekali.* Mirah's behaviour is very bad.

**berlaku** KATA KERJA

*to happen*

**kelakuan** KATA NAMA

*behaviour*

**berkelakuan** KATA KERJA

*to behave*

◊ *Jangan berkelakuan seperti itu.* Don't behave like that.

**melakukan** KATA KERJA

*to do*

◊ *melakukan sesuatu* to do something

♦ **melakukan jenayah** to commit a crime

**memperlakukan** KATA KERJA

*to treat*

◊ *Dia memperlakukan anak tirinya seperti hamba.* She treats her stepdaughter like a slave.

**pelaku** KATA NAMA

*agent* (*linguistik*)

**selaku** KATA SENDI

*as*

◊ *Selaku pengerusi persatuan ini saya ingin mengucapkan ribuan terima kasih atas sokongan anda.* As the society chairman, I would like to thank all of you for your support.

**laku musnah**  KATA NAMA
*vandalism*
  **pelaku musnah**  KATA NAMA
  *vandal*

**lalai**  KATA ADJEKTIF
*careless*
  **kelalaian**  KATA NAMA
  *carelessness*

**lalak**
  **melalak**  KATA KERJA
  *to howl*  (*menangis*)

**lalang**  KATA NAMA
*tall grass*

**lalat**  KATA NAMA
*fly*  (JAMAK  **flies**)

**lali**  KATA ADJEKTIF
  ① *light-headed*
  ◊ *Dia berasa lali selepas mengambil ubat itu.*  She felt light-headed after taking the medicine.
  ② *used to*
  ◊ *Saya sudah lali dengan janji-janji seperti itu.*  I'm used to hearing promises like that.
  **melalikan**  KATA KERJA
  *to tranquillize*
  ◊ *Doktor haiwan itu melalikan harimau tersebut sebelum merawatnya.*  The vet tranquillized the tiger before treating it.
  ♦ **Ubat ini boleh melalikan anda.**  This medicine can make you feel light-headed.
  **pelali**  KATA NAMA
  ♦ **ubat pelali**  anaesthetic
  **pelalian**  KATA NAMA
  *anaesthetizing*
  ◊ *pelalian pesakit*  the anaesthetizing of the patient

**lalu**  KATA ADJEKTIF
  > rujuk juga **lalu** KATA HUBUNG, KATA KERJA

*previous*
  ◊ *pengalamannya yang lalu*  his previous experience
  ♦ **minggu lalu**  last week
  ♦ **Dia tinggal di sini dua tahun yang lalu.**  She lived here two years ago.

**lalu**  KATA HUBUNG
  > rujuk juga **lalu** KATA ADJEKTIF, KATA KERJA

*and*
  ◊ *Dia mengambil dompetnya lalu memasukkannya ke dalam beg.*  She took her purse and put it in her bag.

**lalu**  KATA KERJA
  > rujuk juga **lalu** KATA ADJEKTIF, KATA HUBUNG

*to pass by*
  ◊ *Dia lalu di hadapan bank itu dalam perjalanannya ke sekolah.*  She passed by the bank on her way to school.
  **berlalu**  KATA KERJA
  *to pass*
  ◊ *Satu tahun sudah berlalu sejak saya dinaikkan pangkat.*  A year has passed since I was promoted.
  **melalui**  KATA KERJA
  > rujuk juga **melalui** KATA SENDI

  *to pass through*
  ◊ *Kami melalui Gopeng untuk ke Ipoh.*  We pass through Gopeng to get to Ipoh.
  **melalui**  KATA SENDI
  > rujuk juga **melalui** KATA KERJA

  *through*
  ◊ *Saya berkenalan dengannya melalui kakak saya.*  I got to know her through my sister.

**terlalu**  KATA PENGUAT
*too*
  ◊ *terlalu pendek*  too short
  **keterlaluan**  KATA ADJEKTIF
  *outrageous*
  ◊ *Sikapnya yang keterlaluan itu telah menimbulkan kemarahan rakannya.*  His outrageous behaviour angered his friend.

**laluan**  KATA NAMA
*passage*
  ♦ **kata laluan**  password
  ♦ **laluan pejalan kaki**  pavement

**lalu-lalang**  KATA KERJA
  *to move along*  (*kenderaan*)
  ◊ *Banyak kenderaan yang lalu-lalang di jalan besar itu.*  Many vehicles were moving along the main road.
  ♦ **Ramai orang lalu-lalang di kaki lima itu.**  Many people were walking along the pavement.

**lalu lintas**  KATA NAMA
*traffic*
  ◊ *kesesakan lalu lintas*  traffic jam

**lama**  KATA ADJEKTIF
  ① *old*
  ◊ *sebuah rumah lama*  an old house
  ② *long time*
  ◊ *Sudah lama dia berada di situ.*  She has been there for a long time.
  ♦ **tidak lama dahulu**  not long ago
  ♦ **tidak lama kemudian**  soon afterwards
  ♦ **tidak lama lagi**  soon
  **lama-lama**  KATA ADJEKTIF
  *too long*
  ◊ *Jangan fikir lama-lama!*  Don't think too long!
  **lama-kelamaan**  KATA ADJEKTIF
  *eventually*
  ◊ *Lama-kelamaan dia akan faham*

**L**

*juga.* Eventually he will understand.

**selama** KATA SENDI
*for*
◊ *selama dua hari* for two days
♦ **Selama ini saya begitu mempercayainya.** All this time I've trusted him.
**selama-lamanya** KATA ADJEKTIF
*forever*

**laman** KATA NAMA
[1] *compound*
◊ *Emak saya sedang menyiram pokok di laman.* My mother is watering the plants in our compound.
[2] (*komputer*) *home page*
♦ **laman belakang** backyard
♦ **laman Web** web page

**lamar**
**melamar** KATA KERJA
*to propose*
**lamaran** KATA NAMA
*proposal*

**lambai**
**melambai** KATA KERJA
*to wave*
◊ *Dia melambai ke arah saya.* She waved to me.
**melambaikan** KATA KERJA
*to wave*
◊ *Dia melambaikan tangannya.* She waved her hand.
**lambaian** KATA NAMA
*wave*

**lambak** KATA NAMA, PENJODOH BILANGAN
*pile*
◊ *satu lambak sampah* a pile of rubbish
♦ **jualan lambak** jumble sale
**berlambak-lambak** KATA BILANGAN
[1] *many* (*benda yang boleh dikira*)
[2] *much* (*benda yang tidak boleh dikira*)

**lambang** KATA NAMA
*symbol*
**melambangkan** KATA KERJA
*to symbolize*
◊ *Warna merah melambangkan keberanian.* Red symbolizes courage.

**lambat** KATA ADJEKTIF
[1] *slow*
◊ *Komputer ini sangat lambat.* This computer is very slow.
♦ **Dia berjalan lambat.** She walked slowly.
♦ **Mesin itu bergerak dengan lambat.** The machine moved slowly.
[2] *late*
◊ *Dia datang lambat.* He came late.
♦ **lambat-laun** eventually
**melambatkan** KATA KERJA
*to slow*

◊ *Kemelesetan ekonomi telah melambatkan pertumbuhan sektor pembinaan.* The economic downturn has slowed the growth of the construction sector.
**terlambat** KATA KERJA
*late*
◊ *Kereta api itu terlambat 40 minit.* The train was 40 minutes late.
♦ **Segala-galanya sudah terlambat!** It's too late!

**lambung**
**melambung** KATA KERJA
*to toss*
◊ *melambung duit syiling* to toss a coin
♦ **Harga ikan melambung tinggi pada musim tengkujuh.** The price of fish rocketed during the rainy season.
**melambungkan** KATA KERJA
*to toss*
◊ *Dia melambungkan bola itu kepada kawannya.* He tossed the ball to his friend.

**lamin**
**kelamin** KATA NAMA
*couple*
♦ **bilik kelamin** a double room
**pelamin** KATA NAMA
*bridal dais* (JAMAK **bridal daises**)

**lampai** KATA ADJEKTIF
*slim*
♦ **Gadis itu tinggi lampai.** That girl is tall and slim.

**lampau** KATA ADJEKTIF
*past*
♦ **masa lampau** the past
**melampau** KATA ADJEKTIF
*outrageous*
◊ *Sikapnya yang melampau itu telah menimbulkan kemarahan rakannya.* His outrageous behaviour angered his friend.
**melampaui** KATA KERJA
*to overstep*
◊ *Dia sudah melampaui batas.* He has overstepped the limit.
**pelampau** KATA NAMA
*extremist*
**terlampau** KATA PENGUAT
*too*
◊ *harga yang terlampau tinggi* prices that are too high

**lampin** KATA NAMA
*nappy* (JAMAK **nappies**)

**lampir**
**melampirkan** KATA KERJA
*to attach*
◊ *Anda perlu melampirkan sijil anda bersama borang permohonan.* You have to attach your certificates to the

application form.

**lampiran**  KATA NAMA

1  *attachment* (*pada surat, borang*)

2  *appendix* (JAMAK **appendices**

atau **appendixes**)

**lampu**  KATA NAMA

*light*

♦ **lampu minyak**  oil lamp

♦ **lampu jalan**  street lamp

♦ **lampu isyarat**  traffic lights

♦ **lampu sorot**  spotlight

♦ **lampu suluh**  torchlight

**lampung**

**pelampung**  KATA NAMA

*float*

**lamun**

**melamun**  KATA KERJA

*to daydream*

♦ **dilamun cinta**  to be in love

**lamunan**  KATA NAMA

*fantasy* (JAMAK **fantasies**)

**lanar**  KATA NAMA

*alluvium*

♦ **tanah lanar**  alluvium

**lanca**  KATA NAMA

*rickshaw*

**lancang**  KATA ADJEKTIF

*blunt*

♦ **Mulut budak nakal itu sangat lancang.**

The naughty boy is very rude.

**lancar**  KATA ADJEKTIF

*smoothly*

◊  *Rancangan itu berjalan lancar.*  The

plan went smoothly.

**melancarkan**  KATA KERJA

*to launch*

◊  *Datuk bandar melancarkan kempen

kebersihan itu kelmarin.*  The mayor

launched the clean-up campaign

yesterday.

**kelancaran**  KATA NAMA

1  *smoothness*

◊  *kelancaran enjin*  the smoothness of

the engine

♦ **Suruhanjaya Pilihan Raya

bertanggungjawab memastikan

kelancaran pilihan raya.**  The Election

Commission is responsible for ensuring

the smooth running of the elections.

2  *fluency*

◊  *kelancaran percakapan budak itu*  the

fluency of the child's speech

**pelancaran**  KATA NAMA

*launching*

**lancong**

**melancong**  KATA KERJA

*to tour*

◊  *Tracy sedang melancong di Eropah.*

Tracy is touring Europe.

♦ **pergi melancong**  to go on a tour

**pelancong**  KATA NAMA

*tourist*

♦ **pemandu pelancong**  a tour guide

**pelancongan**  KATA NAMA

*tourism*

**landa**

**melanda**  KATA KERJA

*to hit*

◊  *Ribut melanda kampung itu tiga hari

yang lalu.*  A storm hit the village three

days ago.

**landai**  KATA ADJEKTIF

*gentle*

◊  *cerun yang landai*  a gentle slope

♦ **Bukit itu landai.**  The hill slopes gently.

**landak**  KATA NAMA

*porcupine*

♦ **landak kecil**  hedgehog

**landas**

**berlandaskan**  KATA KERJA

*based on*

◊  *Mereka belajar berlandaskan sukatan

pelajaran yang rasmi.*  Their studies are

based on the official syllabus.

**landasan**  KATA NAMA

*track*

◊  *landasan kereta api*  railway track

♦ **landasan kapal terbang**  runway

**landskap**  KATA NAMA

*landscape*

**langgan**

**melanggan**  KATA KERJA

*to subscribe*

◊  *Masnah melanggan majalah 'Dewan

Siswa'.*  Masnah subscribes to the

magazine 'Dewan Siswa'.

**pelanggan**  KATA NAMA

*customer*

**langganan**  KATA NAMA

*subscription*

**langgar**  KATA KERJA

♦ **kena langgar**  to get run over

♦ **kemalangan langgar lari**  a hit-and-run

accident

**berlanggar**  KATA KERJA

*to collide*

◊  *Bas itu berlanggar dengan sebuah

teksi kelmarin.*  The bus collided with a

taxi yesterday.

**berlanggaran**  KATA KERJA

*to collide*

◊  *Beberapa buah kereta berlanggaran

di lebuh raya.*  Several cars collided on the

highway.

**melanggar**  KATA KERJA

1  *to crash into*

◊  *Teksi itu melanggar tiang lampu.*

The taxi crashed into a lamppost.

**L**

[2] *to hit*
◊ *Lori itu melanggar seekor lembu.* The lorry hit a cow.
♦ **melanggar undang-undang** to break the law
**pelanggaran** KATA NAMA
*infringement*
◊ *Guru besar mengambil berat tentang masalah pelanggaran disiplin ini.* This infringement of discipline was taken seriously by the headmaster.
**perlanggaran** KATA NAMA
*collision*
◊ *Satu perlanggaran yang dahsyat telah berlaku di Jalan Mahameru.* There was a terrible collision in Jalan Mahameru.
**terlanggar** KATA KERJA
*to hit*
◊ *Kereta itu terlanggar seekor anjing.* The car hit a dog.
**langit** KATA NAMA
*sky* (JAMAK *skies*)
♦ **pencakar langit** skyscraper
**lelangit** KATA NAMA
*palate*
**melangit** KATA KERJA
*sky-high*
◊ *harga yang melangit* sky-high prices
♦ **hasrat yang tinggi melangit** high ambition
**langkah** KATA NAMA
*step*
◊ *Kanak-kanak itu mengambil langkah pertamanya kelmarin.* The child took its first steps yesterday.
♦ **langkah berjaga-jaga** precautionary measure
♦ **langkah kanan** lucky
♦ **langkah kiri** unlucky
**melangkah** KATA KERJA
*to step*
◊ *Dia cuba melangkah ke hadapan.* He tried to step forward.
**melangkahkan** KATA KERJA
♦ **melangkahkan kaki** to step
**langkau** KATA KERJA
*to skip*
◊ *Langkau beberapa muka surat sebelum melukis gambar yang kedua.* Skip a few pages before drawing the second picture.
♦ **Langkau satu baris.** Leave a line.
**melangkau** KATA KERJA
*to skip*
◊ *Dia tidak sengaja melangkau satu muka surat.* He accidentally skipped a page.
**langkup**
**terlangkup** KATA KERJA

*to lie face-down*
◊ *Buku itu terlangkup di atas meja.* The book was lying face-down on the table.
**langsai** KATA ADJEKTIF
*settled*
◊ *Hutangnya sudah langsai.* His debt has been settled.
**melangsaikan** KATA KERJA
*to settle*
◊ *melangsaikan hutang* to settle one's debt
**langsat** KATA NAMA
*langsat*
♦ **kuning langsat** pale yellow
**langsing (1)** KATA ADJEKTIF
*slim*
◊ *badan yang langsing* a slim figure
**kelangsingan** KATA NAMA
*slim*
◊ *Kelangsingan badannya dikagumi ramai.* Her slim figure was admired by many.
**melangsingkan** KATA KERJA
♦ **melangsingkan badan** to slim
**langsing (2)** KATA ADJEKTIF
*high-pitched*
◊ *bunyi yang langsing* a high-pitched sound
**kelangsingan** KATA NAMA
*high-pitched*
◊ *Kelangsingan suaranya mempesonakan para penonton.* Her high-pitched voice captivated the audience.
**langsir** KATA NAMA
*curtain*
**langsung** KATA ADJEKTIF
┌─────────────────────────────────────┐
│ *rujuk juga* **langsung** KATA PENEGAS │
└─────────────────────────────────────┘
*direct*
◊ *kesan langsung* direct effect
♦ **tidak langsung** indirect ◊ *kesan tidak langsung* indirect effect
♦ **lintas langsung** a live broadcast
♦ **secara langsung (1)** directly (*kesan, perbuatan*)
♦ **secara langsung (2)** live (*program*)
♦ **siaran langsung** a live broadcast
**berlangsung** KATA KERJA
*to take place*
◊ *Konsert itu berlangsung di Dewan Sri Pinang.* The concert took place in Dewan Sri Pinang.
**melangsungkan** KATA KERJA
*to hold*
◊ *melangsungkan pertandingan ratu cantik* to hold a beauty contest
♦ **Pasangan itu akan melangsungkan perkahwinan mereka pada tahun ini.** The couple will get married this year.
**langsung** KATA PENEGAS

> rujuk juga **langsung** KATA ADJEKTIF

_at all_
◊ _Dia langsung tidak makan._ He didn't
eat at all.

**lanjur**
**terlanjur** KATA KERJA
_to go too far_
◊ _Perbuatannya sudah terlanjur._ He has
gone too far.
**keterlanjuran** KATA NAMA
_act of going too far_
♦ **Keterlanjuran kali ini tidak dapat
dimaafkan.** This time you have gone too
far and can't be excused.

**lanjut** KATA ADJEKTIF
_further_
◊ _maklumat lanjut_ further information
♦ **Dia masih mampu berjalan ke pekan
walaupun usianya sudah lanjut.** He is
still capable of walking to town despite his
advanced age.
**berlanjutan** KATA KERJA
_to last_
◊ _Mesyuarat itu berlanjutan selama dua
jam._ The meeting lasted for two hours.
**melanjutkan** KATA KERJA
_to continue_
◊ _Pelajar itu berjaya melanjutkan
pelajarannya ke USM._ The student
managed to continue her studies at USM.
**selanjutnya** KATA ADJEKTIF
_next_
◊ _Apakah tindakan selanjutnya?_ What
is the next action to be taken?
♦ **Berita selanjutnya selepas ini...** More
news after this...
**lanjutan** KATA ADJEKTIF
_advanced_
◊ _matematik lanjutan_ advanced
mathematics
♦ **Lanjutan daripada itu,...**
Subsequently,...

**lantai** KATA NAMA
_floor_
**berlantaikan** KATA KERJA
_to have ... floor_
◊ _Rumahnya berlantaikan batu marmar._
Her house has a marble floor.

**lantang** KATA ADJEKTIF
1 _loud and clear_
◊ _suaranya yang lantang_ her loud and
clear voice
2 _outspoken_
◊ _Ada beberapa pihak yang begitu
lantang mengkritik pihak pentadbiran._
Several groups are very outspoken in their
criticism of the administration.
**kelantangan** KATA NAMA
_outspokenness_

◊ _Kelantangannya membahaskan isu-
isu yang sensitif sering menimbulkan
kontroversi._ His outspokenness in
discussing sensitive issues has often
created controversy.

**lantar (1)**
**pelantar** KATA NAMA
_platform_
**lantaran** KATA HUBUNG
_because of_
◊ _Ramai yang terkorban lantaran virus
yang membawa maut itu._ Many died
because of the deadly virus.
♦ **Dia malas. Lantaran itu dia dihukum.**
He was lazy. Therefore he was punished.

**lantar (2)**
**terlantar** KATA KERJA
_to lie_
◊ _Dia terlantar di hospital selama dua
minggu._ He lay in hospital for two
weeks.
♦ **Dia terlantar di atas katilnya selama
dua tahun.** He was bedridden for two
years.

**lantas** KATA BANTU

> rujuk juga **lantas** KATA HUBUNG

_immediately_
◊ _Mereka lantas berlari apabila
terdengar salakan anjing._ They ran
away immediately when they heard the
dog bark.

**lantas** KATA HUBUNG

> rujuk juga **lantas** KATA BANTU

_and_
◊ _Dia naik marah, lantas terus pergi ke
biliknya._ He got angry and went straight
to his room. ◊ _Dia mengambil surat itu
lantas menghulurkannya kepada saya._
She took the letter and handed it to me.

**lantik** KATA KERJA
_to appoint_
◊ _Lantiklah pelajar yang berkebolehan
untuk menjadi ketua pengawas._ Appoint
a capable student to be Head Prefect.
**melantik** KATA KERJA
_to appoint_
◊ _Cikgu Hamidi melantik Faridah
sebagai ketua perpustakawan._ Cikgu
Hamidi appointed Faridah as Chief
Librarian.
**pelantikan** KATA NAMA
_appointment_
◊ _surat pelantikan_ letter of appointment
♦ **upacara pelantikan** installation
◊ _Kami menghadiri upacara pelantikan
Jaafar sebagai Presiden kelab itu._ We
attended Jaafar's installation as President
of the club.

**lantun**

L

**melantun** KATA KERJA
*to bounce*
◊ *Bola itu melantun.* The ball bounced.
**melantunkan** KATA KERJA
*to bounce*
◊ *Azman berlatih melantunkan bola di padang.* Azman practised bouncing the ball in the field.
**lantunan** KATA NAMA
*bounce*

**lanun** KATA NAMA
*pirate*
**melanun** KATA KERJA
*to be a pirate*
♦ **kegiatan melanun** piracy

**lanyak**
**melanyak** KATA KERJA
1 *to crush*
◊ *Kenderaan mereka dilanyak oleh sebuah kereta kebal.* Their vehicle was crushed by a tank.
2 *to beat up*
◊ *Lima orang samseng melanyak seorang pemuda di tepi jalan itu.* Five gangsters beat up a young man at the roadside.

**lap** KATA KERJA
*to wipe*
**mengelap** KATA KERJA
*to wipe*
◊ *mengelap meja* to wipe the table
♦ **mengelap lantai** to mop the floor
**pengelap** KATA NAMA
*a means of wiping*
♦ **kain pengelap pinggan** a drying-up cloth

**lapah**
**melapah** KATA KERJA
*to skin*
◊ *Mereka melapah rusa itu selepas menembaknya.* They shot the deer and then skinned it.

**lapan** KATA BILANGAN
*eight*
♦ **lapan hari bulan Januari** the eighth of January
**kelapan** KATA BILANGAN
*eighth*

**lapan belas** KATA BILANGAN
*eighteen*
♦ **lapan belas hari bulan Mei** the eighteenth of May
**kelapan belas** KATA BILANGAN
*eighteenth*

**lapang** KATA ADJEKTIF
1 *spacious*
◊ *Dewan itu sangat lapang.* The hall is very spacious.
♦ **Mereka mengumpul air hujan di**

**kawasan hutan yang lapang.** They collected rainwater in a clearing.
2 *leisure*
◊ *masa lapang* leisure time
**kelapangan** KATA NAMA
♦ **ada kelapangan** free ◊ *Jika ada kelapangan, jemputlah ke rumah kami.* If you are free, do come over to our house.
**melapangkan** KATA KERJA
*to clear*
◊ *melapangkan kawasan semak* to clear the undergrowth
♦ **Saya melapangkan masa untuk bersama keluarga saya.** I make time to be with my family.
♦ **Dia pergi ke Bukit Fraser untuk melapangkan fikiran.** She went to Fraser's Hill to relax.
**lapangan** KATA NAMA
*field*
◊ *Dia menceburkan diri dalam lapangan penyelidikan saintifik sejak muda lagi.* He has been involved in the field of scientific research since he was young.
♦ **lapangan terbang** airport

**lapan puluh** KATA BILANGAN
*eighty*
**kelapan puluh** KATA BILANGAN
*eightieth*

**lapan segi** KATA ADJEKTIF
*octagonal*
♦ **bekas yang berbentuk lapan segi** an octagonal container

**lapar** KATA ADJEKTIF
*hungry*
◊ *Saya sangat lapar.* I'm very hungry.
**berlapar** KATA KERJA
*to go hungry*
◊ *Dia sanggup berlapar untuk menguruskan badannya.* She was willing to go hungry in order to lose weight.
**kelaparan** KATA NAMA
*starvation*
◊ *Ramai orang yang mati akibat kelaparan.* Many people are dying of starvation.

**lapik** KATA NAMA
*lining*
◊ *Dia menggunakan surat khabar sebagai lapik.* He used newspapers as a lining.
♦ **lapik meja** tablecloth
♦ **lapik perut** something light eaten to dull one's hunger
**berlapik** KATA KERJA
*to be lined*
◊ *Tin biskut itu tidak berlapik.* The biscuit tin is not lined.

**berlapikkan** KATA KERJA
_to be lined with_
◊ *Bakul itu berlapikkan sehelai kain.*
The basket is lined with a piece of cloth.
**melapik** KATA KERJA
_to cover_
◊ *Dia melapik meja itu dengan alas meja.* She covered the table with a tablecloth.
**melapikkan** KATA KERJA
_to line_
◊ *Dia melapikkan sehelai kain pada laci itu.* She lined the drawer with a piece of cloth.
**pelapik** KATA NAMA
_lining_

**lapis** KATA NAMA, PENJODOH BILANGAN
_layer_
◊ *Dia memakai beberapa lapis baju kerana terlalu sejuk.* She wore several layers of clothing because it was very cold.
♦ **kek lapis** layer cake
**berlapis** KATA KERJA
_to have layers_
◊ *Baju itu berlapis dua.* The dress has two layers.
**berlapiskan** KATA KERJA
_with ... layer_
♦ **kek yang berlapiskan aiskrim** an ice cream layer cake
**berlapis-lapis** KATA KERJA
_many layers_
◊ *Dia memakai berlapis-lapis pakaian.* She wore many layers of clothing.
**melapis** KATA KERJA
_to cover_
◊ *Dia melapis kertas pada dinding itu.* He used paper to cover the wall.
**melapiskan** KATA KERJA
_to cover_
◊ *Dia melapiskan dinding itu dengan poster.* He covered the wall with posters.
**lapisan** KATA NAMA, PENJODOH BILANGAN
[1] _layer_
◊ *lapisan ozon* the ozone layer
◊ *lapisan salji yang masih baru* a fresh layer of snow
♦ **"sesuai ditonton oleh semua lapisan masyarakat"** "suitable for general viewing"
♦ **semua lapisan masyarakat** people from all walks of life
[2] _coat_
◊ *dua lapisan cat* two coats of paint

**lapor** KATA KERJA
_to report_
**melaporkan** KATA KERJA
_to report_

◊ *Saya telah melaporkan kejadian itu kepada pihak berkuasa.* I've reported the incident to the authorities.
♦ **melaporkan diri** to report ◊ *Para kadet dikehendaki melaporkan diri pada awal pagi.* Cadets are required to report early in the morning.
**laporan** KATA NAMA
_report_

**lapuk** KATA ADJEKTIF
[1] _obsolete (idea)_
[2] _rotten (barang, pakaian)_
♦ **hutang lapuk** bad debt
**berlapuk** KATA KERJA
_mouldy_

**lara** KATA ADJEKTIF
_heartbroken_
◊ *Hatinya begitu lara apabila kedua orang tuanya meninggalkannya.* He was heartbroken when his parents left him.
♦ **penglipur lara** storyteller
**melara** KATA KERJA
_to be a misery_
◊ *Dia hidup melara sejak anaknya diculik.* Her life has been a misery since her child was kidnapped.
♦ **kanak-kanak yang miskin dan melara** poor and suffering children

**laram** KATA ADJEKTIF
_stylish_
**melaram** KATA KERJA
_dressed to kill_
◊ *Dia selalu melaram.* She's always dressed to kill.

**larang**
**melarang** KATA KERJA
[1] _to forbid_
◊ *Dia melarang anaknya tidur lewat.* She forbids her child to stay up late.
[2] _to prohibit_
◊ *Peraturan sekolah melarang murid-murid menyimpan kuku panjang.* The school rules prohibit students from having long fingernails.
♦ **"Dilarang Merokok"** "No Smoking"
**larangan** KATA NAMA
_ban_
◊ *Terdapat larangan merokok di tempat-tempat awam.* There's a ban on smoking in public places.
♦ **kawasan larangan** prohibited area
♦ **kawasan larangan merokok** non-smoking area

**laras (1)** KATA NAMA
_pitch (nada muzik)_
**melaraskan** KATA KERJA
_to adjust (suhu, ketinggian)_
◊ *Anda boleh melaraskan ketinggian kerusi itu.* You can adjust the height of

L

the chair.

**menyelaraskan** KATA KERJA

1 *to co-ordinate*

◊ *menyelaraskan tugas-tugas sukarelawan* to co-ordinate the duties of the volunteers

2 *to standardize*

◊ *menyelaraskan sukatan pelajaran* to standardize the school syllabus

♦ **menyelaraskan harga mengikut permintaan** to adjust the price according to demand

♦ **menyelaraskan gerak tari** to synchronize the dance steps

**penyelaras** KATA NAMA

*co-ordinator*

**pelarasan** KATA NAMA

*adjustment*

◊ *pelarasan cukai* tax adjustment

**penyelarasan** KATA NAMA

1 *standardization*

◊ *penyelarasan sukatan pelajaran* the standardization of the school syllabus

2 *co-ordination*

◊ *Penyelarasan tugas amat penting untuk menjayakan projek ini.* The co-ordination of duties is very important to the success of this project.

**selaras** KATA ADJEKTIF

*in accordance with*

◊ *Perkara yang diajar oleh guru harus selaras dengan sukatan pelajaran.* What is taught by the teacher should be in accordance with the school syllabus.

**laras (2)** KATA NAMA

*barrel*

◊ *laras senapang* gun barrel

♦ **laras suhu** thermostat

*laras juga digunakan sebagai penjodoh bilangan untuk senapang dan tidak ada terjemahan dalam bahasa Inggeris.*

◊ *selaras senapang* a gun

**larat** KATA ADJEKTIF

*able*

◊ *Anda larat hendak meneruskan perlumbaan ini?* Are you able to continue the race?

♦ **Saya sudah tidak larat lagi.** I'm too tired to carry on.

**melarat** KATA KERJA

*to worsen*

◊ *Penyakit barahnya sudah melarat.* His cancer has worsened.

♦ **Hidupnya melarat sejak suaminya meninggal dunia.** Her life has been difficult since the death of her husband.

**lari** KATA KERJA

*to run*

♦ **lari pecut** sprint

♦ **lari-lari anak** to trot

**berlari** KATA KERJA

*to run*

**berlari-lari** KATA KERJA

*to run around*

◊ *Kanak-kanak itu berlari-lari di tepi pantai.* The children were running around on the beach.

♦ **berlari-lari anak** to trot

**melarikan** KATA KERJA

1 *to run off with*

◊ *Pencuri itu melarikan wang tunai sebanyak RM50,000.* The thieves ran off with RM50,000 in cash.

2 *to kidnap*

◊ *Lelaki yang bertopeng itu telah melarikan isteri jutawan itu.* The masked man kidnapped the millionaire's wife.

♦ **melarikan diri** to escape

**pelari** KATA NAMA

*runner*

♦ **pelari pecut** sprinter

**pelarian** KATA NAMA

*refugee*

**selari** KATA ADJEKTIF

*parallel*

◊ *dua garisan yang selari* two parallel lines

**larian** KATA NAMA

*run*

◊ *Larian Jambatan Pulau Pinang* the Penang Bridge Run

**laris** KATA ADJEKTIF

*in demand*

◊ *Pisang goreng di gerai Pak Dollah laris.* The fried bananas at Pak Dollah's stall are in demand.

**melariskan** KATA KERJA

*to boost sales of*

◊ *Barangan percuma diberikan untuk melariskan jualan ubat gigi itu.* Gifts are provided to boost sales of toothpaste.

**larut** KATA ADJEKTIF

rujuk juga **larut** KATA KERJA

*late*

◊ *larut malam* late at night

**berlarutan** KATA KERJA

*to drag on*

◊ *Perhimpunan hari itu berlarutan sehingga pukul sepuluh.* Assembly that day dragged on until ten o'clock.

**larut** KATA KERJA

rujuk juga **larut** KATA ADJEKTIF

*to dissolve*

◊ *Gula dan garam larut di dalam air.* Sugar and salt dissolve in water.

**melarutkan** KATA KERJA

*to dissolve*

◊ *melarutkan gula di dalam air* to dissolve sugar in water
**pelarut** KATA NAMA
*solvent*
**larutan** KATA NAMA
*solution*
**lasah**
　**melasah** KATA KERJA
　*to beat up*
　◊ *Lelaki itu melasah budak kecil tersebut.* The man beat up the little boy.
**lasak (1)** KATA ADJEKTIF
◆ **tahan lasak (1)** durable ◊ *Khemah itu dibuat daripada kain kanvas yang tahan lasak.* The tent is made of durable canvas.
◆ **tahan lasak (2)** tough ◊ *Pemuda itu memang tahan lasak.* The young man is certainly tough.
**lasak (2)** KATA ADJEKTIF
　*energetic*
　◊ *Anak Mun Yee sangat lasak.* Mun Yee's child is very energetic.
　**kelasakan** KATA NAMA
　*restlessness*
◆ **Kelasakan budak itu meletihkan ibu bapanya.** The child is so energetic that he wears his parents out.
**laser** KATA NAMA
　*laser*
**lastik** KATA NAMA
　*catapult*
　**melastik** KATA KERJA
　*to hit ... with a catapult*
　◊ *melastik burung* to hit a bird with a catapult
**lata** KATA NAMA
　*waterfall*
**latah** KATA NAMA
　*psychoneurosis*
　**melatah** KATA KERJA
　*to rave (padanan terdekat)*
　◊ *Mak Ngah melatah kerana terkejut apabila mendengar bunyi mercun meletup.* Mak Ngah started to rave because she was startled when she heard the firecrackers exploded.
**latar** KATA NAMA
　*background*
　◊ *muzik latar* background music
　**berlatarkan** KATA KERJA
　*to have ... in the background*
　◊ *Gambar itu berlatarkan pemandangan pantai yang indah.* The picture has a beautiful seaside scene in the background.
**latar belakang** KATA NAMA
　*background*
　◊ *latar belakang keluarga* family

background
　**berlatarbelakangkan** KATA KERJA
　*to have ... in the background*
　◊ *Lukisan itu berlatarbelakangkan gunung-ganang.* The picture has mountains in the background.
◆ **Cerita itu berlatarbelakangkan kehidupan di desa.** The story is set in the country.
**latih** KATA KERJA
　*to train*
◆ **latih tubi** to drill
　**berlatih** KATA KERJA
　*to train*
　◊ *Dia sedang berlatih untuk Sukan Olimpik.* She is training for the Olympics.
　**melatih** KATA KERJA
　*to train*
　◊ *Dia melatih pekerja-pekerjanya untuk menjalankan tugas itu.* He trains his employees to perform the task.
◆ **Cik Azlina melatih kami bermain pingpong.** Miss Azlina coaches us in table tennis.
　**pelatih** KATA NAMA
　① *trainer (orang yang melatih)*
　② *trainee (orang yang dilatih)*
　**terlatih** KATA ADJEKTIF
　*trained*
　◊ *doktor terlatih* a trained doctor
　**latihan** KATA NAMA
　① *exercise*
　◊ *latihan matematik* mathematics exercise
　② *training*
　◊ *latihan untuk pemain badminton negara* training for the national badminton players
　③ *practice*
　◊ *latihan kriket* cricket practice
**Latin** KATA NAMA
　*Latin*
◆ **bahasa Latin** Latin ◊ *Dia sedang belajar bahasa Latin.* He's learning Latin.
**latitud** KATA NAMA
　*latitude*
**lauk** KATA NAMA
　*dishes accompanying rice (penjelasan umum)*
◆ **lauk-pauk** many types of dishes
**laung** KATA KERJA
　*to cry out*
　**melaung** KATA KERJA
　*to cry out*
　◊ *Ling Ling melaung dengan gembira.* Ling Ling cried out with joy.
　**melaungkan** KATA KERJA
　*to shout out*
　◊ *Mereka melaungkan nama-nama*

L

*orang yang ditahan.*  They shouted out the names of those detained.
**melaung-laungkan**  KATA KERJA
*to call for*
◊ *Kerajaan sedang melaung-laungkan pembelian barangan buatan tempatan.* The government is calling for the purchase of local products.
**laungan**  KATA NAMA
*cry* (JAMAK **cries**)
◊ *Laungan Khoon Leng menakutkan jiran-jirannya.*  Khoon Leng's cries frightened her neighbours.

**laut**  KATA NAMA
*sea*
♦ **Laut China Selatan**  the South China Sea
**pelaut**  KATA NAMA
*seaman* (JAMAK **seamen**)
**lautan**  KATA NAMA
*ocean*
♦ **Lautan Hindi**  the Indian Ocean

**lawa**  KATA ADJEKTIF
*attractive*
**melawa**  KATA KERJA
*to dress up*
◊ *Mary melawa untuk menghadiri majlis hari jadi kawannya.*  Mary dressed up for her friend's birthday party.

**lawak**  KATA NAMA
> rujuk juga **lawak** KATA ADJEKTIF

*joke*
◊ *Lawaknya itu menyinggung perasaan saya.*  His joke offended me.
♦ **Muthusamy suka membuat lawak.** Muthusamy likes to joke.
**melawak**  KATA KERJA
*to joke*
◊ *Dia suka melawak dengan kawan-kawannya.*  He likes to joke with his friends.
**pelawak**  KATA NAMA
*comedian*
◊ *Cita-citanya adalah untuk menjadi seorang pelawak di Las Vegas.*  His ambition is to be a comedian in Las Vegas.

**lawak**  KATA ADJEKTIF
> rujuk juga **lawak** KATA NAMA

*funny*
◊ *Cerita itu sungguh lawak.*  That's a very funny story.

**lawan**  KATA KERJA
> rujuk juga **lawan** KATA NAMA

1 *to fight*
2 *to compete*
**berlawan**  KATA KERJA
1 *to fight*
◊ *Ahmad berlawan dengan Amin di padang sekolah.*  Ahmad fought with Amin on the school field.  ◊ *Sidek suka*

*berlawan dengan Afzal.*  Sidek likes fighting with Afzal.
2 *to compete*
◊ *Sanjay akan berlawan dengan Adrian dalam perlumbaan itu.*  Sanjay will compete with Adrian in the race.
♦ **Perancis berlawan dengan Brazil dalam perlawanan akhir Piala Dunia 1998.** France played Brazil in the final of the World Cup 1998.
**berlawanan**  KATA KERJA
*to have opposing ...*
◊ *Mereka berlawanan pendapat.*  They have opposing views.
♦ **perkataan berlawanan**  antonym
**melawan**  KATA KERJA
1 *to fight*
◊ *melawan penyakit barah*  to fight against cancer
2 *to compete*
◊ *Syarikat kami mengeluarkan produk baru itu untuk melawan syarikat-syarikat lain.*  Our company brought out the new product to compete with other companies.
♦ **Pasukan badminton Malaysia melawan pasukan badminton Indonesia kelmarin.** Malaysia played Indonesia at badminton yesterday.
♦ **melawan balik**  to fight back
**perlawanan**  KATA NAMA
*match* (JAMAK **matches**)
◊ *perlawanan persahabatan*  a friendly match
♦ **perlawanan semula**  a rematch

**lawan**  KATA NAMA
> rujuk juga **lawan** KATA KERJA

*opponent*
◊ *Albert berjaya mengalahkan lawannya.*  Albert succeeded in defeating his opponent.
♦ **pihak lawan**  opponent
♦ **Saya tidak akan berlawan dengan kamu. Kamu bukan lawan saya.**  I'm not going to fight you. You are no match for me.

**lawas**  KATA ADJEKTIF
*having no difficulty in urinating or defecating*
**pelawas**  KATA NAMA
*fibrous food*
◊ *Betik merupakan sejenis pelawas.* Papayas are a type of fibrous food.

**lawat**
**melawat**  KATA KERJA
*to visit*
◊ *Angie melawat ke Zoo Negara bersama keluarganya.*  Angie visited the National Zoo with her family.
**melawati**  KATA KERJA
*to visit*

◊ *Shanti melawati ibu bapa saya semasa cuti sekolah.* Shanti visited my parents during the school holidays.

**pelawat** KATA NAMA
*visitor*

**lawatan** KATA NAMA
*visit*

◊ *lawatan ke rumah orang-orang tua* a visit to the old people's home

♦ **lawatan sambil belajar** study trip

**layak** KATA ADJEKTIF
*qualified*

◊ *Puan Lim memang layak memegang jawatan penyelia petang.* Madam Lim is certainly qualified to hold the post of afternoon supervisor.

**kelayakan** KATA NAMA
*qualification*

◊ *Dia mempunyai kelayakan untuk menjadi pengurus.* She has the qualifications to be a manager.

**berkelayakan** KATA KERJA
*qualified*

◊ *Dia berkelayakan.* He is qualified.

♦ **Dia berkelayakan untuk mendapat biasiswa.** He qualifies for a scholarship.

**melayakkan** KATA KERJA

♦ **melayakkan diri** to qualify ◊ *Sulaiman melayakkan diri ke peringkat akhir.* Sulaiman qualified for the finals.

◊ *Pasukan itu gagal melayakkan diri ke peringkat akhir.* The team failed to qualify for the finals.

**layan** KATA KERJA
*to serve*

♦ **layan diri** self-service

**melayan, melayani** KATA KERJA

1 *to serve*

◊ *Jurujual itu melayan pelanggannya dengan mesra.* The salesgirl served her customers in a friendly manner.

2 *to treat*

◊ *Guru itu melayan anak muridnya dengan baik.* The teacher treats his pupils well.

♦ **Permohonan yang lewat tidak akan dilayan.** Late applications will not be accepted.

♦ **Anda akan dilayan sebentar lagi.** You will be attended to shortly.

**pelayan** KATA NAMA

1 *waiter* (*lelaki*)

2 *waitress* (JAMAK **waitresses**) (*perempuan*)

3 (*komputer*) *server*

**layanan** KATA NAMA
*service*

◊ *Layanan di hotel itu amat memuaskan.* The service at that hotel is very good.

♦ **Kami tidak memerlukan sebarang layanan istimewa.** We don't require any special treatment.

**layang** KATA ADJEKTIF

♦ **surat layang** anonymous letter

**layang-layang** KATA NAMA
*kite*

**melayang** KATA KERJA
*to glide*

◊ *Burung itu melayang di udara.* The bird glided through the air.

♦ **Kertas itu melayang ditiup angin.** The piece of paper floated on the wind.

♦ **Fikirannya melayang ke tempat lain.** His thoughts drifted off elsewhere.

**terlayang-layang** KATA KERJA
*to float*

◊ *Daun-daun itu terlayang-layang di udara.* The leaves are floating through the air.

**layar** KATA NAMA
*sail*

♦ **kapal layar** sailing boat

♦ **layar perak** the silver screen

**belayar** KATA KERJA
*to sail*

**melayari** KATA KERJA
*to sail*

◊ *Azhar melayari Lautan Atlantik dengan kapal layarnya.* Azhar sailed the Atlantic Ocean in his sailing boat.

**melayarkan** KATA KERJA
*to sail*

◊ *Dia melayarkan botnya di Lautan Pasifik.* He sailed his boat in the Pacific Ocean.

**pelayar** KATA NAMA
*sailor*

**pelayaran** KATA NAMA
*voyage*

◊ *Pelayaran ke Pulau Langkawi mengambil masa dua hari.* The voyage to Langkawi takes two days.

♦ **pelayaran persiaran** cruise

**layu** KATA ADJEKTIF
*to wilt*

◊ *Bunga itu sudah layu.* The flower has wilted.

**layur**

**melayur** KATA KERJA
*to scorch*

◊ *Emak melayur daun pisang di atas api.* Mother scorched the banana leaves over the fire.

**lazat** KATA ADJEKTIF
*delicious*

**kelazatan** KATA NAMA
*delicious taste*

◊ *Kelazatan makanan Italy memang*

L

*sudah diketahui umum.* The delicious taste of Italian cuisine is well-known.

♦ **Kelazatan masakan ibu tidak ada tandingannya.** There's nothing so delicious as one's mother's cooking.
**melazatkan** KATA KERJA
*to make ... tasty*
◊ *Rempah perlu ditambah untuk melazatkan masakan itu.* Spices need to be added to make the dish tasty.

**lazim** KATA ADJEKTIF
*common*
♦ **lazimnya** usually
**kelaziman** KATA NAMA
*habit*
◊ *Sudah menjadi kelazimannya untuk tidur awal.* He is in the habit of going to bed early.

**lebah** KATA NAMA
*bee*

**lebam** KATA ADJEKTIF
*bruised*
◊ *Kakinya lebam selepas terjatuh dari basikal.* Her leg was bruised when she fell off her bicycle.
**melebam** KATA KERJA
*to bruise*
◊ *Badannya senang melebam.* She bruises easily.

**lebar** KATA ADJEKTIF
| rujuk juga **lebar** KATA NAMA |
*wide*
◊ *Sungai itu sangat lebar.* The river is very wide.
**kelebaran** KATA NAMA
*width*
**melebar** KATA KERJA
*to broaden*
◊ *Denai itu melebar menjadi jalan.* The trails broadened into roads.
**melebarkan, memperlebar** KATA KERJA
*to widen*
◊ *melebarkan sungai* to widen a river
**selebar** KATA ADJEKTIF
*as wide as*
♦ **Jalan itu hanya selebar lima kaki.** The road is only five feet wide.

**lebar** KATA NAMA
| rujuk juga **lebar** KATA ADJEKTIF |
*width*
◊ *panjang x lebar* length by width

**lebat** KATA ADJEKTIF
1 *heavy*
◊ *hujan lebat* heavy rain
2 *thick*
◊ *rambut yang lebat* thick hair
**melebatkan** KATA KERJA
*to thicken*

◊ *Dia menggunakan tonik rambut untuk melebatkan rambutnya.* He uses hair tonic to thicken his hair.

**lebih** KATA ADJEKTIF
*more*
◊ *Anda perlu lebih rajin.* You need to be more hardworking. ◊ *Dia memerlukan lebih masa untuk menyiapkan kerja itu.* He needs more time to complete the work.

*Biasanya akhiran* **-er** *digunakan untuk menunjukkan makna* **lebih** *dalam bahasa Inggeris.*

◊ *lebih kaya* richer ◊ *lebih cerah* brighter ◊ *lebih tinggi* taller
♦ **lebih baik** better
♦ **kerja lebih masa** to work overtime
**lebih-lebih** KATA PENEGAS
♦ **lebih-lebih lagi** moreover
♦ **lebih-lebihnya** at most ◊ *Dia bukannya pandai memasak, lebih-lebihnya dia hanya tahu memasak nasi.* She's not good at cooking, at most she can only cook rice.
**berlebihan** KATA KERJA
*excessive*
◊ *Pengambilan gula yang berlebihan boleh menyebabkan kencing manis.* The excessive intake of sugar can cause diabetes.
♦ **Lemak yang berlebihan membahayakan kesihatan.** Excess fat is bad for one's health.
**kelebihan** KATA NAMA
1 *advantage*
◊ *Mereka mempunyai kelebihan semasa membeli rumah.* They have an advantage when buying houses.
2 *strength*
◊ *Bolehkah anda beritahu saya kelebihan dan kelemahan anda?* Can you tell me your strengths and weaknesses?
**melebih, melebih-lebih** KATA KERJA
*extreme*
◊ *Dia tidak mempunyai kawan kerana sikapnya yang melebih-lebih itu.* He has no friends because of his extreme behaviour.
**melebihi** KATA KERJA
*to exceed*
◊ *melebihi had laju* to exceed the speed limit
**melebihkan** KATA KERJA
*to increase*
◊ *melebihkan usaha* to increase efforts
**selebihnya** KATA ADJEKTIF
*remainder*
◊ *Simpan makanan yang selebihnya ke dalam peti sejuk.* Put the remainder of the food into the fridge.
♦ **Anda boleh menyimpan wang yang**

**selebihnya.** You may keep the change.
**terlebih** KATA KERJA
*too much*
◊ *terlebih gula dalam kek* too much sugar in the cake
♦ **Dia terlebih membayar wang kepada pekedai itu.** He overpaid the shopkeeper.
♦ **terlebih dahulu** first of all ◊ *Terlebih dahulu, saya ingin mengucapkan ribuan terima kasih kepada para hadirin.* First of all, I would like to express my thanks to all of you.

**lebir**
  **melebir** KATA KERJA
  *to sag*
  ◊ *Skirt itu tidak akan melebir selepas dicuci.* The skirt will not sag after washing.

**lebuh** KATA NAMA
*street*
♦ **lebuh raya** highway

**lebur** KATA KERJA
  *to melt down*
  **meleburkan** KATA KERJA
  *to melt down*
  ◊ *Duit syiling dileburkan untuk membuat barang kemas.* Coins were melted down to make jewellery.
  **peleburan** KATA NAMA
  *melting*
♦ **Peleburan logam dijalankan di kilang itu.** The metal is melted down in that factory.
  **leburan** KATA NAMA
  *molten*
  ◊ *leburan logam* molten metal

**lecah** KATA ADJEKTIF
*muddy*
◊ *Padang sekolah itu lecah selepas hujan.* The school field was muddy after the rain.

**leceh** KATA ADJEKTIF
*troublesome*

**lecek** KATA ADJEKTIF
*mashed*
◊ *kentang lecek* mashed potatoes
  **melecek** KATA KERJA
  *to mash*
  ◊ *Lia melecek kentang dengan garpu.* Lia mashed the potatoes with a fork.

**lecet**
  **melecet** KATA KERJA
  *to blister*
  ◊ *Kakinya melecet selepas dia memakai kasut barunya.* Her feet were blistered from wearing her new shoes.

**lecup**
  **melecup** KATA KERJA

1 *to be scalded*
◊ *Jarinya melecup terkena minyak panas.* Her finger was scalded by hot oil.
2 *to be burnt*
◊ *Jarinya melecup terkena seterika yang panas itu.* Her finger was burnt by the hot iron.

**lecur** KATA NAMA
*burn*
◊ *kesan-kesan lecur* burn marks
  **melecur** KATA KERJA
  1 *to be scalded*
  ◊ *Jarinya melecur terkena minyak panas.* Her finger was scalded by hot oil.
  2 *to be burnt*
  ◊ *Jarinya melecur terkena seterika yang panas itu.* Her finger was burnt by the hot iron.

**ledak**
  **meledak** KATA KERJA
  *to explode*
  ◊ *Bom tangan itu meledak dengan tiba-tiba.* The hand grenade exploded suddenly.
  **meledakkan** KATA KERJA
  *to blow up*
  ◊ *Pihak komunis meledakkan markas tentera itu.* The communists blew up the army post.
  **peledak** KATA NAMA
♦ **bahan peledak** explosive
  **ledakan** KATA NAMA
  *explosion*

**leftenan** KATA NAMA
*lieutenant*

**lega** KATA ADJEKTIF
*relieved*
♦ **Leganya!** What a relief!
  **kelegaan** KATA NAMA
  *relief*
  ◊ *Penurunan harga barang memberikan kelegaan kepada orang ramai.* The reduction in prices brought relief to the public.
  **melegakan** KATA KERJA
  *to relieve*
  ◊ *Minumlah lebih banyak air untuk melegakan sakit kerongkong anda.* Drink more water to relieve your sore throat.

**legam** KATA ADJEKTIF
♦ **hitam legam** pitch-black

**legap** KATA ADJEKTIF
*opaque*

**legar** KATA ADJEKTIF
♦ **ruang legar** concourse
  **berlegar-legar** KATA KERJA
  1 *to circle*
  ◊ *Kapal terbang itu berlegar-legar sambil menunggu kebenaran untuk mendarat.*

**L**

The plane circled, awaiting permission to land.

② *to hang around*

◊ *Dia suka berlegar-legar di pusat membeli-belah.* She likes to hang around shopping complexes.

**legeh** KATA NAMA
*watershed*

**legenda** KATA NAMA
*legend*

**leher** KATA NAMA
*neck*

♦ **tali leher** tie

♦ **rantai leher** necklace

**lejang** KATA NAMA

♦ **enjin empat lejang** four-stroke engine

**lejar** KATA NAMA
*ledger*

**leka** KATA ADJEKTIF
*engrossed*

◊ *Sammy leka membaca majalah di perpustakaan.* Sammy was engrossed in the magazines in the library.

♦ **Dia mengingatkan kakitangannya agar tidak leka dalam menjalankan tanggungjawab mereka.** He reminded his staff not to neglect their duties.

**kelekaan** KATA NAMA
*preoccupation*

◊ *Saya semakin bosan dengan kelekaan Mawar terhadap origami.* I'm getting tired of Mawar's preoccupation with origami.

♦ **Kelekaan Minah menonton filem itu menyebabkan ikan yang digorengnya hangus.** Minah was so engrossed in the film that the fish she was frying got burnt.

**melekakan** KATA KERJA
*engrossing*

◊ *Permainan itu melekakan.* The game was engrossing.

**terleka** KATA KERJA
*to be enthralled*

◊ *Jika anda datang ke tempat ini anda pasti terleka dengan keindahan alam semula jadinya.* If you come here, you'll be enthralled by the beautiful scenery.

♦ **Kuasa dan pengaruh sering membuat manusia terleka.** Power and influence often make people negligent.

**lekak** KATA ADJEKTIF

♦ **lekak-lekuk** bumpy

**lekang** KATA ADJEKTIF
*cracked*

◊ *Cat rumah saya lekang kerana terdedah kepada cuaca.* The paint on my house cracked because it was exposed to the weather.

♦ **Rambutan itu lekang.** The flesh of that rambutan is easily detached from its

stone.

**lekar** KATA NAMA
*pot stand*

**lékar** KATA NAMA
*lacquer*

**lekas** KATA ADJEKTIF
*quick*

◊ *Lekas, siapkan kerja anda!* Quick, finish your work!

♦ **Saya perlu lekas habiskan kerja saya.** I have to finish my work quickly.

**selekas-lekasnya** KATA ADJEKTIF
*the earliest*

◊ *Selekas-lekasnya pameran itu boleh diadakan adalah pada bulan Mac.* The earliest the exhibition can be held is in March.

**lekat**

**melekat** KATA KERJA
*to stick*

◊ *Magnet itu melekat pada papan putih.* The magnet sticks to the whiteboard.

**melekatkan** KATA KERJA
*to stick*

◊ *Dia melekatkan setem pada sampul surat itu.* He stuck the stamp on to the envelope.

**pelekat** KATA NAMA
*adhesive*

♦ **Dia membeli sekeping pelekat Doraemon.** He bought a Doraemon sticker.

**terlekat** KATA KERJA
*to be stuck*

◊ *Magnet itu terlekat pada besi.* The magnet is stuck to the metal.

**lekit**

**melekit** KATA KERJA
*sticky*

◊ *Kanji itu melekit.* The starch is sticky.

**lekuk** KATA NAMA

① *pothole* (*pada jalan*)

② *dent* (*pada kereta, tin*)

**berlekuk** KATA KERJA
*full of potholes*

◊ *Jalan itu berlekuk.* The road is full of potholes.

**melekukkan** KATA KERJA
*to dent*

◊ *Dia melekukkan tin itu dengan penukul.* He dented the tin with a hammer.

**lelah** KATA ADJEKTIF

> rujuk juga **lelah** KATA NAMA

*exhausted*

◊ *Saya mudah berasa lelah.* I get exhausted easily.

**berlelah-lelah** KATA KERJA
*to toil*

◊ *Setelah berlelah-lelah bekerja siang*

*dan malam, akhirnya usaha mereka berhasil juga.*  After toiling day and night, their efforts finally paid off.

**kelelahan**   KATA ADJEKTIF

> *rujuk juga* **kelelahan** KATA NAMA

*very tired*
◊ *Dia kelelahan.*  She was very tired.

**kelelahan**   KATA NAMA

> *rujuk juga* **kelelahan** KATA ADJEKTIF

*fatigue*
◊ *Diana berehat sebentar untuk menghilangkan kelelahannya.*  Diana rested for a while to recover from her fatigue.

**melelahkan**   KATA KERJA

*tiring*
◊ *Latihan bola sepak itu sangat melelahkan.*  The football practice was very tiring.

**lelah**   KATA NAMA

> *rujuk juga* **lelah** KATA ADJEKTIF

*asthma*
♦ **penyakit lelah**  asthma

**lelaki**   KATA NAMA

*man* (JAMAK **men**)
♦ **Jantina: lelaki**  Sex: male

**kelelakian**   KATA NAMA

*manliness*
♦ **sifat kelelakian**  masculine characteristics

**lelangit**   KATA NAMA

*palate*

**lelap**   KATA ADJEKTIF

*sound asleep*
◊ *Dia sudah lelap sejak pukul lapan tadi.*  He has been sound asleep since eight o'clock.

**melelapkan**   KATA KERJA

♦ **melelapkan mata**  to sleep ◊ *Dia tidak dapat melelapkan mata sepanjang malam.*  She couldn't sleep the whole night.

**terlelap**   KATA KERJA

*to fall asleep*
◊ *Jaya terlelap di atas sofa.*  Jaya fell asleep on the sofa.

**leleh**

**meleleh**   KATA KERJA

*to trickle*
◊ *Air mata meleleh di pipi orang tua itu.*  Tears trickled down the old man's cheek.
♦ **Air liur bayi itu meleleh.**  The baby is drooling.

**lelehan**   KATA NAMA

*trickle*
◊ *lelehan air matanya yang tidak henti-henti*  the continual trickle of her tears

**lelong**   KATA NAMA

*auction*

**melelong, melelongkan**   KATA KERJA

*to auction off*
◊ *Lukisan itu dilelong untuk tabung amal.*  The painting was auctioned off for charity.
◊ *Pihak bank akan melelongkan kereta itu.*  The bank will auction off the car.

**pelelong**   KATA NAMA

*auctioneer*

**lelongan**   KATA NAMA

*lot*

**leluasa**

**berleluasa**   KATA KERJA

1  *to be out of control*
◊ *Pembalakan haram semakin berleluasa.*  Illegal logging is getting more and more out of control.

2  *widespread*
◊ *Kes kecurian semakin berleluasa.*  Theft cases are becoming more widespread.

**lemah**   KATA ADJEKTIF

*weak*
◊ *Dia lemah dalam mata pelajaran sains.*  He is weak in science. ◊ *Badannya lemah kerana sudah beberapa hari dia tidak makan.*  Her body is weak because she hasn't eaten for several days.
♦ **lemah semangat**  easily discouraged

**kelemahan**   KATA NAMA

*weakness* (JAMAK **weaknesses**)
◊ *Terdapat beberapa kelemahan dalam kemahiran mengajar mereka.*  There are some weaknesses in their teaching skills.

**melemahkan**   KATA KERJA

*to weaken*
◊ *Dadah itu melemahkan daya tahan seseorang.*  The drug weakens a person's resistance.

**lemah lembut**   KATA ADJEKTIF

*gentle*

**berlemah lembut**   KATA KERJA

*to be gentle*
◊ *Wanita itu berlemah lembut dengan anaknya.*  The woman was gentle with her child.

**lemah lesu**   KATA ADJEKTIF

*frail*
◊ *Badan pesakit itu lemah lesu.*  The patient's body is frail.

**lemak**   KATA NAMA

*fat*

**berlemak**   KATA KERJA

*fatty*
◊ *makanan yang berlemak*  fatty food

**lemas**   KATA KERJA

1  *to drown* (*dalam air*)
2  *to suffocate* (*tidak dapat bernafas*)
♦ **mati lemas**  to drown

**kelemasan**   KATA KERJA

L

_to suffocate_
◊ _Koperal Smith mati kelemasan apabila dia dikunci di dalam but sebuah kereta._ Corporal Smith suffocated when he was locked in the boot of a car.
**melemaskan**    KATA KERJA
1 _to drown_
◊ _Dia cuba melemaskan jutawan itu di dalam bilik air._ He tried to drown the millionaire in the bathroom.
2 _to suffocate_
◊ _Asap tebal di dalam rumah itu telah melemaskan mangsa kebakaran tersebut._ The thick smoke in the house suffocated the victims of the fire.
**lembaga**    KATA NAMA
1 _board_
◊ _lembaga pengarah_  board of directors
2 _figure_
◊ _Saya ternampak satu lembaga di belakang rumah datuk saya._ I noticed a figure behind my grandfather's house.
**perlembagaan**    KATA NAMA
_constitution_
**berperlembagaan**    KATA KERJA
_constitutional_
◊ _raja berperlembagaan_  constitutional monarch
**lembah**    KATA NAMA
_valley_
**lembam**    KATA ADJEKTIF
_weak_
◊ _Pelajar itu agak lembam._  That student is quite weak.
**lembang**
**lembangan**    KATA NAMA
_basin_
◊ _Lembangan Amazon_  the Amazon basin
**lembap**    KATA ADJEKTIF
1 _damp_
◊ _rambut yang lembap_  damp hair
◊ _kain lembap_  a damp cloth
♦ **kapas yang lembap**  a moist piece of cotton
♦ **panas dan lembap**  hot and humid
2 _slow_
◊ _Dia agak lembap dalam pelajarannya._ He is quite slow in his studies.
**kelembapan**    KATA NAMA
_humidity_
◊ _Kepanasan dan kelembapan itu menjengkelkan._ The heat and humidity were insufferable.
♦ **kelembapan udara**  humidity
♦ **kelembapan ekonomi**  sluggishness of the economy
**melembapkan**    KATA KERJA
_to dampen_

◊ _Dia melembapkan kain itu dengan air._ She dampened the cloth with water.
**pelembap**    KATA NAMA
_moisturizer_
**lembapan**    KATA NAMA
_moisture_
**lembar**    PENJODOH BILANGAN
_sheet_
◊ _selembar kertas_  a sheet of paper
♦ **selembar benang**  a length of thread
**lembaran**    KATA NAMA

> _rujuk juga_ **lembaran** PENJODOH BILANGAN

_page_
◊ _lembaran terakhir buku itu_  the last page of the book
♦ **lembaran kerja**  spreadsheet
**lembaran**    PENJODOH BILANGAN

> _rujuk juga_ **lembaran** KATA NAMA

_sheet_
◊ _dua lembaran kertas_  two sheets of paper
**lembayung**    KATA NAMA
_violet_
**lembik**    KATA ADJEKTIF
_soft_
◊ _Coklat itu lembik kerana tidak dimasukkan ke dalam peti sejuk._ The chocolate has gone soft because it was not put into the fridge.
**melembikkan**    KATA KERJA
_to soften_
◊ _Dia melembikkan adunan tepung itu dengan memasukkan lebih banyak air._ She softened the dough by adding more water.
**lembing**    KATA NAMA
1 _spear_
2 _javelin_ (_alat_)
♦ **acara rejam lembing**  javelin
**melembing**    KATA KERJA
_to spear_
◊ _Orang tua itu melembing seekor rusa._ The old man speared a deer.
**lembu**    KATA NAMA
_cow_
♦ **lembu betina**  cow
♦ **lembu jantan**  bull
♦ **anak lembu**  calf (JAMAK **calves**)
**lembung**
**melembung**    KATA KERJA
_to inflate_
◊ _Jaket keselamatan itu melembung apabila Phillip menarik tali pintalnya._ The lifejacket inflated when Phillip pulled the cord.
**lembut**    KATA ADJEKTIF
_soft_
**berlembut**    KATA KERJA

*to be gentle*
◊ *Ibu bapa harus berlembut dengan anak-anak mereka.* Parents should be gentle with their children.
**kelembutan** KATA NAMA
*gentleness*
◊ *Kelembutan Ayu menawan hati pemuda itu.* Ayu's gentleness captured the young man's heart.
**melembutkan** KATA KERJA
*to soften*
◊ *Perapi ini boleh melembutkan rambut.* This conditioner can soften the hair.
**pelembut** KATA NAMA
*softener*

**lemon** KATA NAMA
*lemon*

**lemoned** KATA NAMA
*lemonade*

**lempang**
**melempang** KATA KERJA
*to slap*

**lempar** KATA KERJA
*to throw*
♦ **lempar cakera** discus
**melempar, melemparkan** KATA KERJA
*to throw*
◊ *Dia melempar batu itu.* He threw the stone.
♦ **melemparkan tuduhan** to make an accusation
**melempari** KATA KERJA
*to throw repeatedly*
**pelempar** KATA NAMA
*thrower*
◊ *Pelempar cakera itu sudah keletihan.* The discus thrower is exhausted.
**lemparan** KATA NAMA
*throw*
◊ *Lemparannya tepat pada sasaran.* Her throw was right on target.

**lena** KATA ADJEKTIF
*sound asleep*
◊ *Bayi itu tidur dengan lena.* The baby is sound asleep.
**terlena** KATA KERJA
*to fall asleep*
◊ *Alicia terlena di dalam bas.* Alicia fell asleep in the bus.

**lencana** KATA NAMA
*badge*

**lencong**
**melencong** KATA KERJA
*to make a detour*
◊ *Vincent melencong ke pusat membeli-belah dalam perjalanannya balik ke rumah.* Vincent made a detour to the shopping mall on his way home.
♦ **melencong daripada topik**

**perbincangan** to digress from the topic under discussion
**melencongkan** KATA KERJA
*to turn*
◊ *Dia melencongkan keretanya ke kiri di simpang itu.* He turned left at the junction.
**lencongan** KATA NAMA
*diversion*
♦ **"Lencongan di hadapan"** "Diversion"

**lencun** KATA ADJEKTIF
♦ **basah lencun** soaking wet

**lendir** KATA NAMA
*mucus*
◊ *Siput babi menghasilkan lendir untuk bergerak.* Snails produce mucus to help them move.
**berlendir** KATA KERJA
*slimy*

**lengah**
**berlengah, berlengah-lengah** KATA KERJA
*to dilly-dally*
◊ *Cepat! Jangan berlengah-lengah.* Hurry up! Don't dilly-dally. ◊ *Dia membuat keputusan itu tanpa berlengah-lengah lagi.* She made the decision immediately, without dilly-dallying any further.
**melengah-lengahkan** KATA KERJA
*to delay*
◊ *Dave dimarahi oleh penyelianya kerana melengah-lengahkan kerjanya.* Dave was reprimanded by his supervisor for delaying the work.

**lengan** KATA NAMA
① *arm*
② *sleeve* (*pada baju*)
♦ **tanpa lengan** sleeveless
**berlengan** KATA KERJA
*-sleeved*
◊ *baju kemeja berlengan pendek* a short-sleeved shirt
♦ **Bajunya berlengan panjang.** His shirt has long sleeves.
♦ **baju-T yang tidak berlengan** a sleeveless T-shirt

**lengang** KATA ADJEKTIF
*quiet*
◊ *sebuah bandar yang kecil lagi lengang* a quiet little town
♦ **Gerai itu lengang sahaja.** There are hardly any customers at the stall.
**melengangkan** KATA KERJA
*to make ... very quiet*
◊ *Cuti selama tiga hari itu telah melengangkan bandar raya Kuala Lumpur.* The three days' holiday made Kuala Lumpur very quiet.

**lengas**

L

**berlengas** KATA KERJA

1 _sweaty_

◊ _Badannya berlengas kerana dia tidak mandi sepanjang hari._ He's sweaty because he hasn't had a bath all day.

2 _slimy_

◊ _Tangan Fatimah berlengas selepas makan durian._ Fatimah's hand is slimy from eating durians.

♦ **Lantai itu berlengas selepas Bibi menumpahkan susunya.** The floor is sticky because Bibi spilt her milk.

**lenggang** KATA NAMA

_swaying motion_

◊ _Siti menari dengan lenggang yang lemah lembut._ Siti danced with a gentle swaying motion.

♦ **lenggang-lenggok** swaying movement

◊ _Penari itu menawan hati penonton dengan lenggang-lenggoknya yang lemah gemalai._ The dancer enchanted the audience with her graceful swaying movements.

**berlenggang, melenggang** KATA KERJA

_to swing one's arms while walking_

♦ **Dia berjalan sambil melenggang.** She swings her arms as she walks.

♦ **Hari ini dia melenggang sahaja ke sekolah.** He didn't take anything with him to school today.

**lenggok** KATA NAMA

1 _body movement_ (ketika menari)

2 _gait_ (ketika berjalan)

**berlenggok, melenggok** KATA KERJA

_to sway_

◊ _Para penari itu melenggok dengan lemah gemalai._ The dancers swayed gracefully.

**melenggok-lenggokkan** KATA KERJA

_to sway_

◊ _Ah Yee melenggok-lenggokkan badannya mengikut rentak muzik._ Ah Yee swayed her body to the rhythm of the music.

**lengkap** KATA ADJEKTIF

_complete_

♦ **tidak lengkap** incomplete

**berlengkap** KATA KERJA

_to get ready_

◊ _Azlin berlengkap untuk pergi ke sekolah._ Azlin got ready for school.

**berlengkapkan** KATA KERJA

_equipped_

◊ _Dia mendapat kerja itu dengan berlengkapkan ilmu pengetahuan dan pengalaman._ He got the job because he was equipped with knowledge and experience.

**kelengkapan** KATA NAMA

_equipment_

**melengkapi** KATA KERJA

_to equip_

◊ _Pejabatnya dilengkapi dengan komputer._ His office is equipped with computers.

**melengkapkan** KATA KERJA

_to equip_

◊ _Sani melengkapkan dirinya dengan seni mempertahankan diri._ Sani equipped himself with the art of self-defence.

♦ **pelekat yang diperlukan untuk melengkapkan koleksi tersebut** the stickers needed to complete the collection

**pelengkap** KATA NAMA

_complement_

◊ _Gula ialah pelengkap kepada kopi._ Sugar is a complement to coffee.

**perlengkapan** KATA NAMA

_kit_

◊ _Saya terlupa membawa perlengkapan gimnasium saya._ I've forgotten my gym kit.

**lengkok** KATA NAMA

_curve_

**berlengkok** KATA KERJA

_to curve_

◊ _Jalan itu berlengkok._ The road curves.

**lengkung** KATA NAMA

_curve_

**melengkung** KATA KERJA

_to curve_

◊ _Garisan itu melengkung ke bawah._ The line curves downwards.

**lengkungan** KATA NAMA

_curve_

**lenguh** KATA ADJEKTIF

> _rujuk juga_ **lenguh** KATA NAMA

_to ache_

◊ _Kaki saya lenguh kerana terlalu banyak berjalan._ My legs are aching from too much walking.

♦ **lenguh-lenguh** to ache all over

◊ _Badan saya lenguh-lenguh kerana mengangkat kotak yang berat itu._ I'm aching all over from carrying that heavy box.

**lenguh** KATA NAMA

> _rujuk juga_ **lenguh** KATA ADJEKTIF

_moo_

**melenguh** KATA KERJA

_to moo_

◊ _Lembu melenguh._ Cows moo.

**lensa** KATA NAMA

_lens_ (JAMAK **lenses**)

**lentang** KATA ADJEKTIF

♦ **kuak lentang** backstroke (_acara renang_)

**lentik** KATA ADJEKTIF

*to curl*
◊ *Bulu matanya lentik.* Her eyelashes curl.
**melentikkan** KATA KERJA
1 *to curl (bulu mata)*
2 *to bend ... back*
◊ *Joe boleh melentikkan jarinya.* Joe can bend his fingers back.

**lenting**
**melenting** KATA KERJA
*to lose one's temper*
◊ *Dia melenting apabila dia mendapat tahu perkara yang sebenar.* She lost her temper when she found out the truth.

**lentok**
**melentok** KATA KERJA
*to bend*
◊ *Pokok bunga itu melentok ke arah pancaran cahaya matahari.* The flower bent towards the sunlight.
◆ **Pokok kelapa melentok-lentok apabila ditiup angin.** The coconut trees swayed in the wind.
**melentokkan** KATA KERJA
*to lean*
◊ *Sheila melentokkan kepalanya di bahu saya.* Sheila leant her head on my shoulder.
**terlentok** KATA KERJA
*to be slumped*
◊ *Dia terlentok di kerusi itu kerana keletihan.* She was slumped in the chair from exhaustion.

**lentur** KATA KERJA
*to sag*
◊ *Dawai itu lentur apabila panas.* The wire sags when it is hot.
◆ **mudah lentur** flexible
**melentur** KATA KERJA
*to sag*
◊ *Kabel-kabel elektrik di tepi jalan melentur pada siang hari.* Electric cables by the roadside sag in the daytime.
**melenturkan** KATA KERJA
*to bend*
◊ *Orang kuat itu melenturkan besi itu dengan tangannya.* The strong man bent the iron bar with his hands.

**lenyap** KATA KERJA
*to vanish*
◊ *Kapal lanun itu lenyap di kawasan Segitiga Bermuda.* The pirate ship vanished in the Bermuda Triangle.
**melenyapkan** KATA KERJA
*to make ... vanish*
◊ *Lelaki itu cuba melenyapkan Jambatan Pulau Pinang dengan silap matanya.* The man tried to make the Penang Bridge vanish with his magic.

◆ **Pihak pemberontak cuba melenyapkan kuasa raja itu.** The rebels tried to eliminate the power of the king.
◆ **Dia melenyapkan diri di celah-celah orang ramai.** He disappeared in the crowd.

**lenyek**
**melenyek** KATA KERJA
*to mash*
◊ *Cheryl melenyek ubi keladi untuk membuat kek.* Cheryl mashed the yam to make a cake.

**Leo** KATA NAMA
*Leo (bintang zodiak)*

**lepak** KATA ADJEKTIF
*loitering*
◊ *budaya lepak* culture of loitering
**melepak** KATA KERJA
*to loiter*
◊ *Pemuda itu suka melepak di taman itu.* That young man is always loitering in the park. ◊ *Remaja tidak digalakkan melepak.* Teenagers are discouraged from loitering.

**lepas** KATA ADJEKTIF
1 *last*
◊ *minggu lepas* last week
2 *past*
◊ *Sudah lepas tengah malam.* It's past midnight.
3 *to escape*
◊ *Mereka tidak dapat lepas daripada hukuman.* They cannot escape from punishment.
◆ **lepas tangan** to let go
**berlepas** KATA KERJA
*to take off*
◆ **balai berlepas** departure lounge
**kelepasan** KATA NAMA
◆ **hari kelepasan** holiday
◆ **hari kelepasan am** public holiday
**melepasi** KATA KERJA
*over*
◊ *Dia melompat melepasi halangan itu.* He jumped over the hurdle.
**melepaskan** KATA KERJA
*to release*
◊ *Perampas kapal terbang itu telah melepaskan orang tebusannya.* The hijacker has released his hostages.
◆ **melepaskan diri** to escape
**pelepasan** KATA NAMA
*exemption*
◊ *pelepasan cukai* tax exemption
**selepas** KATA HUBUNG
*after*
◊ *Johari ingin melanjutkan pelajarannya ke universiti selepas STPM.* After the STPM, Johari wants to continue his

L

studies at university.
**terlepas** KATA KERJA
*to get away*
◊ *Pencuri itu tidak akan terlepas kali ini.*
The thief will not get away this time.
♦ **Saya terlepas bas ke sekolah kerana bangun lewat.** I missed the bus to school because I overslept.
**lepasan** KATA NAMA
♦ **lepasan SPM** a holder of the SPM
♦ **lepasan universiti** graduate
**leper** KATA ADJEKTIF
*flat*
**meleperkan** KATA KERJA
*to flatten*
**lepuh** KATA NAMA
*blister*
◊ *Ada lepuh pada jarinya.* There's a blister on her finger.
**melepuh** KATA KERJA
*to blister*
◊ *Kakinya melepuh apabila terkena percikan air panas.* His leg blistered when some hot water splashed on it.
**lerai**
**meleraikan** KATA KERJA
*to separate*
◊ *Pihak polis terpaksa meleraikan kedua-dua pihak yang sedang berlawan itu.* The police had to separate the two opposing parties who were fighting.
**terlerai** KATA KERJA
*to be separated*
◊ *Akhirnya terlerai juga kedua-dua pihak yang bergaduh itu.* The two opposing parties were finally separated.
♦ **kasih sayang ibu bapa yang tidak akan terlerai** the undying love of parents
**lereng** KATA NAMA
*slope*
♦ **lereng bukit** hillside
**lereng-lereng** KATA NAMA
*castor*
**leret**
**berleret-leret** KATA KERJA
*in long rows*
◊ *Rumah teres dibina berleret-leret.* Terraced houses are built in long rows.
**meleret-leret** KATA KERJA
*long-winded*
◊ *Ucapannya meleret-leret dan sungguh membosankan.* His speech was long-winded and very boring.
**lesap** KATA KERJA
*to disappear*
◊ *Dia terkejut apabila mendapati wang dalam akaun banknya telah lesap.* She was shocked to find that the money in her bank account had disappeared.

**melesapkan** KATA KERJA
*to embezzle*
◊ *Dia dipecat kerana melesapkan wang syarikatnya.* He was sacked for embezzling the company's money.
**lesbian** KATA NAMA
*lesbian*
**lesen** KATA NAMA
*licence*
◊ *lesen memandu* driving licence
**berlesen** KATA KERJA
*licensed*
◊ *pengurup wang berlesen* licensed money-changer
**pelesenan** KATA NAMA
*licensing*
◊ *Lembaga Pelesenan* Licensing Board
**lesu** KATA ADJEKTIF
*worn out*
**kelesuan** KATA NAMA
*fatigue*
**lesung** KATA NAMA
1 *mortar* (*untuk menumbuk*)
2 *socket* (*sendi*)
♦ **lesung pipit** dimple
**letak** KATA NAMA
*position*
♦ **tempat letak kereta** car park
**meletakkan** KATA KERJA
*to put*
◊ *Sofia meletakkan begnya di bawah meja.* Sofia put her bag under the desk.
♦ **meletakkan jawatan** to resign
♦ **meletakkan kereta** to park
**peletakan** KATA NAMA
♦ **peletakan senjata** ceasefire
♦ **peletakan jawatan** resignation
**terletak** KATA KERJA
*situated*
◊ *Sekolah saya terletak di bandar.* My school is situated in town.
**leter**
**berleter** KATA KERJA
*to nag*
◊ *Nenek tua itu suka berleter.* That old lady is always nagging.
**meleteri** KATA KERJA
*to nag*
◊ *Emak saya selalu meleteri saya kerana tidak menolongnya.* My mother always nags at me for not helping her.
**leteran** KATA NAMA
*nagging*
◊ *Steven menerima leteran neneknya dengan sabar.* Steven tolerated his grandmother's nagging patiently.
**letih** KATA ADJEKTIF
*tired*
◊ *Saya sudah letih.* I'm tired.

♦ **letih lesu** exhausted
**keletihan**   KATA ADJEKTIF

> rujuk juga **keletihan** KATA NAMA

*very tired*
◊ *Dia keletihan.* She was very tired.
**keletihan**   KATA NAMA

> rujuk juga **keletihan** KATA ADJEKTIF

*fatigue*
◊ *Dana berehat sebentar untuk menghilangkan keletihannya.* Dana rested for a while to recover from her fatigue.
**meletihkan**   KATA KERJA
*to tire*
◊ *Beban kerja yang berat itu meletihkan saya.* The heavy workload tires me.
♦ **hari yang panjang dan meletihkan** a long and tiring day

**letup**
**meletup**   KATA KERJA
*to explode*
◊ *Bom itu meletup dengan tiba-tiba.* The bomb exploded suddenly.
**meletupkan**   KATA KERJA
*to blow up*
◊ *Pihak pengganas cuba meletupkan sebuah hospital kelmarin.* The terrorists tried to blow up a hospital yesterday.
**letupan**   KATA NAMA
*explosion*
◊ *Letupan itu sangat kuat.* The explosion was very loud.
♦ **bahan letupan** explosive

**letus**
**meletus**   KATA KERJA
1 *to break out* (perang, wabak)
2 *to erupt* (gunung berapi)
**letusan**   KATA NAMA
*eruption*
◊ *letusan gunung berapi* a volcanic eruption

**leukemia**   KATA NAMA
*leukaemia*

**lewa**   KATA ADJEKTIF
♦ **sambil lewa** half-heartedly ◊ *Dia menjalankan kerjanya sambil lewa.* He did his job half-heartedly.

**lewat**   KATA ADJEKTIF
*late*
◊ *Hari sudah lewat, dia masih belum pulang.* It's late, and she's still not back.
♦ **Buku itu dipulangkan lewat.** The book was overdue.
**kelewatan**   KATA NAMA
*delay*
◊ *Kelewatan itu disebabkan oleh cuaca yang buruk.* The delay was due to bad weather.
**melewati**   KATA KERJA

1 *to pass*
◊ *Setiap hari mereka melewati rumah itu.* They pass that house every day.
2 *to go beyond*
◊ *Para peserta tidak dibenarkan melewati garisan kuning sebelum wisel ditiup.* Participants are not allowed to go beyond the yellow line before the whistle is blown.
**melewatkan**   KATA KERJA
*to delay*
◊ *Dia sengaja melewatkan perjalanannya.* He delayed his journey on purpose.
**selewat-lewatnya**   KATA ADJEKTIF
*at the latest*
◊ *Projek ini perlu disiapkan selewat-lewatnya pada bulan hadapan.* This project has to be completed by next month at the latest.
**terlewat**   KATA KERJA
*late*
◊ *Hari ini dia terlewat lagi ke sekolah.* She was late for school again today.

**liang**   KATA NAMA
*small hole*
◊ *Cahaya matahari masuk melalui liang-liang pada dinding rumah papan itu.* Sunlight comes in through the small holes in the wall of the wooden house.
♦ **liang roma** pores
♦ **liang lahad** grave

**liar**   KATA ADJEKTIF
1 *wild*
◊ *bunga-bunga liar* wild flowers
◊ *binatang liar* wild animals
2 *stray*
◊ *seekor kucing liar* a stray cat
**berkeliaran**   KATA KERJA
*to roam*
◊ *Banyak binatang buas berkeliaran di kawasan ini.* Many wild animals roam this area.

**liat**   KATA ADJEKTIF
*tough*
◊ *Daging itu liat.* The meat is tough.
♦ **tanah liat** clay

**libat**
**melibatkan**   KATA KERJA
*to involve*
◊ *Projek itu melibatkan 30 orang pelajar.* The project involves 30 students.
**penglibatan**   KATA NAMA
*involvement*
◊ *Penglibatannya dalam sukan menjadikan badannya sentiasa sihat.* His involvement in sports keeps him fit.
**terlibat**   KATA KERJA
*to be involved*

L

◊ *Dia turut terlibat dalam kempen itu.*
He was also involved in that campaign.
**Libra** KATA NAMA
*Libra (bintang zodiak)*
**licik** KATA ADJEKTIF
*cunning*
◊ *Dia licik.* He's cunning.
**licin** KATA ADJEKTIF
1 *slippery*
◊ *"Awas! Lantai licin!"* "Caution!
Slippery floor!"
2 *smooth*
◊ *kulit yang licin* smooth skin
♦ **Rancangan mereka berjalan dengan
licin.** Their plan went smoothly.
**kelicinan** KATA NAMA
*smooth running*
◊ *Suruhanjaya Pilihan Raya
bertanggungjawab memastikan kelicinan
pilihan raya.* The Election Commission
is responsible for ensuring the smooth
running of the elections.
**melicinkan** KATA KERJA
*to make ... smooth*
◊ *Krim ini boleh melicinkan kulit anda.*
This cream can make your skin smooth.
♦ **Dia melicinkan kayu itu dengan kertas
pasir.** He sandpapered the wood.
**pelicin** KATA NAMA
*lubricant*
**lidah** KATA NAMA
*tongue*
**lidi** KATA NAMA
*vein of palm frond*
**melidi** KATA KERJA
♦ **kurus melidi** skinny
**lif** KATA NAMA
*lift*
**liga** KATA NAMA
*league*
◊ *Liga Bola Sepak Malaysia* Malaysian
Football League
**ligas**
**meligas** KATA KERJA
*to trot (kuda)*
**ligat** KATA ADJEKTIF
*rapidly*
◊ *Gasing itu berputar ligat di atas tanah.*
The top spun rapidly on the ground.
**lihat** KATA KERJA
*to look*
◊ *Lihatlah saya!* Look at me!
♦ **Lihat di sebelah.** Please turn over.
**kelihatan** KATA KERJA
*to look*
◊ *Jamnya kelihatan mahal.* Her watch
looks expensive.
♦ **Dia tidak kelihatan sejak hari Isnin.**
She has not been seen since Monday.

♦ **Selepas hujan beberapa hari, matahari
mula kelihatan.** After a few days of rain,
it became sunny again.
**melihat** KATA KERJA
1 *to look*
◊ *Bayi itu melihat jam pada dinding.* The
baby looked at the clock on the wall.
2 *to see*
◊ *Dia tidak dapat melihat selama
beberapa hari.* For several days he was
unable to see.
♦ **dapat dilihat** visible ◊ *Rumah itu dapat
dilihat dari jalan.* The house is visible from
the road.
♦ **tidak dapat dilihat** invisible
**melihat-lihat** KATA KERJA
*to look around*
◊ *Dia melihat-lihat dahulu sebelum
memilih hadiah untuk kawannya.* She
looked around before selecting a gift for
her friend.
**memperlihatkan** KATA KERJA
*to display*
◊ *Dia memperlihatkan bakatnya dalam
satu pameran khas.* He displayed his
talent in a special exhibition.
**penglihatan** KATA NAMA
*eyesight*
◊ *Penglihatannya semakin pulih.* His
eyesight is improving.
♦ **deria penglihatan** the sense of sight
♦ **Pada penglihatan saya, dia seorang
murid yang rajin.** From what I've seen,
she seems a hardworking pupil.
**liku** KATA NAMA
*bend*
**berliku-liku** KATA KERJA
*winding*
◊ *Jalan ke Bukit Fraser berliku-liku.* The
road to Fraser's Hill is winding.
**lilin** KATA NAMA
1 *candle*
◊ *Dia menyalakan sebatang lilin.* She lit
a candle.
2 *wax*
◊ *Patung itu dibuat daripada lilin.* The
statue is made of wax.
**lilit** PENJODOH BILANGAN
*length*
◊ *Bapa saya membeli beberapa lilit tali.*
My father bought a few lengths of rope.
**melilit** KATA KERJA
*to coil up*
◊ *Ulat gonggok melilit apabila disentuh.*
Millipedes coil up when they're touched.
**melilitkan** KATA KERJA
*to wind*
◊ *Penculik itu melilitkan tali pada badan
tebusan itu.* The kidnapper wound a rope

round the hostage.

**lilitan**  KATA NAMA
_circumference_
◊  *Lilitan bulatan itu ialah lima meter.*  The circumference of that circle is five metres.

**lima**  KATA BILANGAN
_five_
♦  **lima hari bulan Mac**  the fifth of March
**berlima**  KATA BILANGAN
_five of_
◊  *Mereka berlima merupakan kawan karib.*  The five of them are close friends.
**kelima**  KATA BILANGAN
_fifth_
◊  *tempat kelima*  the fifth place
**kelima-lima**  KATA BILANGAN
_all five_
◊  *Kelima-lima buah kereta itu berwarna merah.*  All five cars were red.

**lima belas**  KATA BILANGAN
_fifteen_
♦  **lima belas hari bulan Mei**  the fifteenth of May
**kelima belas**  KATA BILANGAN
_fifteenth_

**lima puluh**  KATA BILANGAN
_fifty_
**kelima puluh**  KATA BILANGAN
_fiftieth_

**lima segi**  KATA ADJEKTIF
_pentagonal_
♦  **logo yang berbentuk lima segi**  a pentagonal logo

**limau**  KATA NAMA
_orange_
♦  **limau bali**  pomelo
♦  **limau mandarin**  mandarin
♦  **limau nipis**  lime
♦  **limau tangerin**  tangerine

**limbung**
**limbungan**  KATA NAMA
_dock_
♦  **limbungan kapal**  shipyard

**limpa**  KATA NAMA
_spleen_

**limpah**
**melimpah, melimpah-limpah**
KATA KERJA
_to overflow_
◊  *Air di dalam besen itu melimpah.*  The water in the basin overflowed.  ◊  *Air sungai itu melimpah-limpah kerana hujan tidak berhenti-henti.*  The river overflowed its banks because of the incessant rain.
**melimpahkan**  KATA KERJA
_to cause ... to overflow_
♦  **Semoga Tuhan melimpahkan rezeki ke atas kamu.**  May God bless you

abundantly.
**melimpahi**  KATA KERJA
_to overflow_
◊  *Air longkang melimpahi jalan raya itu.*  The water from the drain overflowed onto the road.
**limpahan**  KATA NAMA
_overflow_
◊  *Limpahan air sungai telah merosakkan tanaman di situ.*  The overflow from the river damaged crops in the area.

**limunan**  KATA ADJEKTIF
_invisible_
◊  *orang limunan*  an invisible man

**linang**
**berlinang**  KATA KERJA
_to trickle_  (air mata)
♦  **Air matanya berlinang apabila dia terkenangkan peristiwa sedih itu.**  She wept when she remembered the sad incident.
**linangan**  KATA NAMA
_drop_
♦  **linangan air mata**  teardrops

**lincah**  KATA ADJEKTIF
_energetic_
◊  *Anak Karen sangat lincah.*  Karen's child is very energetic.
♦  **Pemain bola jaring itu sangat lincah.**  That netball player is very agile.
**kelincahan**  KATA NAMA
_agility_
◊  *Wahina terpegun melihat kelincahannya.*  Wahina was surprised at his agility.
♦  **Kelincahan budak itu meletihkan ibu bapanya.**  The child is so energetic that he wears his parents out.

**lincir**  KATA ADJEKTIF
_smooth_
**melincirkan**  KATA KERJA
_to lubricate_
◊  *Minyak itu digunakan untuk melincirkan pergerakan mesin.*  The oil is used to lubricate machinery.
**pelincir**  KATA NAMA
_lubricant_
♦  **minyak pelincir**  lubricating oil

**lindung**
**berlindung**  KATA KERJA
_to shelter_
◊  *Mereka berlindung di dalam pondok telefon semasa hujan.*  They sheltered in the phone booth when it rained.
♦  **tempat berlindung**  shelter
**melindungi**  KATA KERJA
_to protect_
◊  *Dia melindungi budak yang hendak dipukul oleh pengasuhnya itu.*  She

**L**

protected the child who was about to be hit by the babysitter.

**pelindung**   KATA NAMA
_protector_

♦ **pelindung cahaya matahari**   sunshade

**perlindungan**   KATA NAMA
_protection_

**berselindung**   KATA KERJA
_to hide_
◊ *Jangan berselindung lagi. Rahsia anda sudah terbongkar.*   Don't hide it anymore. Your secret is out.

**terlindung**   KATA KERJA
_sheltered_
◊ *Kawasan itu terlindung daripada cahaya matahari pada waktu pagi.*   That area is sheltered from the morning sun.

**linen**   KATA NAMA
_linen_

**lingkar**   PENJODOH BILANGAN
_length_
◊ *Saya membeli beberapa lingkar tali.*   I bought a few lengths of rope.

**berlingkar**   KATA KERJA
_to lay coiled_
◊ *Ular sawa itu berlingkar di atas pokok.*   The python lay coiled in the tree.

**melingkar**   KATA KERJA
_to coil up_
◊ *Ulat gonggok melingkar apabila disentuh.*   Millipedes coil up when they're touched.

**melingkari**   KATA KERJA
_to coil around_
◊ *Ular itu melingkari ayam tersebut sebelum menelannya.*   The snake coiled itself around the chicken before swallowing it.

**melingkarkan**   KATA KERJA
_to coil_
◊ *Dia melingkarkan dawai itu pada tiang lampu.*   He coiled the wire around the lamppost.

**lingkaran**   KATA NAMA
_coil_
◊ *lingkaran ubat nyamuk*   mosquito coil

**lingkung**

**melingkungi**   KATA KERJA
_to surround_
◊ *Tembok batu melingkungi seluruh kota itu.*   A stone wall surrounds the city.

♦ *Arahan itu melingkungi seluruh kawasan kampung.*   The instruction applies to the whole village.

**lingkungan**   KATA NAMA
_range_

♦ *Pemuda itu berusia dalam lingkungan dua puluhan.*   The young man is in his twenties.

**lingkup**

**melingkupi**   KATA KERJA
_to include_
◊ *Tanggungjawabnya melingkupi pembahagian dan pengawalan dana syarikat itu.*   His responsibilities include the allocation and control of company funds.

**lintah**   KATA NAMA
_leech_   (JAMAK **leeches**)

♦ **lintah bulan**   slug

♦ **lintah darat**   loan shark

**lintang**   KATA NAMA
_width_

♦ **garis lintang**   horizontal line

**melintang**   KATA KERJA
_horizontal_

**lintang-pukang**   KATA ADJEKTIF
_helter-skelter_
◊ *berlari lintang-pukang*   to run helter-skelter

**lintas**   KATA NAMA
_to walk past_

♦ **lintas langsung**   a live broadcast

**melintas**   KATA KERJA
1  _to cross_
◊ *Nazrin membantu nenek tua itu melintas jalan.*   Nazrin helped the old lady to cross the road.
2  _to walk past_
◊ *Seorang lelaki melintas di hadapan rumah itu.*   A man walked past the house.

**melintasi**   KATA NAMA
_across_
◊ *Kapal terbang itu terbang melintasi Sarawak.*   The plane flew across Sarawak.
◊ *jambatan terapung melintasi Tasik Washington di Seattle*   the floating bridge across Lake Washington in Seattle

♦ *Mereka berarak melintasi Dataran Merdeka.*   They marched past Dataran Merdeka.

**terlintas**   KATA KERJA
_to cross_
◊ *Perkara itu tidak pernah terlintas dalam fikiran saya.*   The matter has never crossed my mind.

**lintasan**   KATA NAMA
.   _crossing_
◊ *lintasan kereta api*   level crossing
◊ *lintasan pejalan kaki*   pedestrian crossing

**lipan**   KATA NAMA
_centipede_

**lipas**   KATA NAMA
_cockroach_   (JAMAK **cockroaches**)

**lipat**   KATA KERJA
_to fold_

**berlipat**   KATA KERJA

_to be folded_
◊ *Pakaiannya masih belum berlipat.*
His clothes have not been folded.
**berlipat-lipat** KATA KERJA
♦ **berlipat-lipat ganda**  to increase greatly
◊ *Dia mendapat keuntungan yang berlipat-lipat ganda pada tahun ini.* His profits increased greatly this year.
**melipat** KATA KERJA
_to fold_
◊ *Dia melipat kertas itu membentuk seekor burung.* She folded the paper into the shape of a bird.
**lipatan** KATA NAMA
_fold_
◊ *Lipatan baju itu tidak kemas.* That dress has untidy folds.
**lipat ganda** KATA ADJEKTIF
_double_
**berlipat ganda** KATA KERJA
1 _to double_
◊ *Jumlah wangnya berlipat ganda selepas dia menjual saham-saham itu.* His money has doubled since he sold those shares.
2 _to increase greatly_
◊ *Keuntungan syarikat itu berlipat ganda pada tahun lepas.* The company's profits increased greatly last year.
**melipatgandakan** KATA KERJA
_to redouble_
◊ *Pelajar harus melipatgandakan usaha untuk mendapat keputusan yang lebih baik.* Students should redouble their efforts in order to achieve better results.
**lipur**
**penglipur** KATA NAMA
♦ **penglipur lara**  storyteller
**liput**
**meliputi** KATA KERJA
_to cover_
◊ *Salji yang tebal meliputi jalan raya itu.* A thick layer of snow covered the road.
**liputan** KATA NAMA
_coverage_
◊ *Berita itu mendapat liputan yang meluas.* The news received extensive coverage.
**lirik** KATA NAMA
_lyrics_
◊ *lirik lagu* song lyrics
♦ **lirik mata**  sidelong look
**melirik** KATA KERJA
_to give ... a sidelong look_
◊ *Dia melirik ke arah lelaki itu.* She gave the man a sidelong look.
**lisan** KATA ADJEKTIF
_oral_
◊ *ujian lisan* an oral test

**lisu** KATA NAMA
_pleat_
**lisut** KATA ADJEKTIF
1 _wrinkled_ (*kulit*)
2 _wilted_ (*tumbuhan*)
**litar** KATA NAMA
_circuit_
◊ *litar elektrik* electric circuit ◊ *litar perlumbaan* racing circuit
♦ **litar pintas**  short-circuit
**liter** KATA NAMA
_litre_
**litup**
**melitupi** KATA KERJA
_to cover_
◊ *Salji melitupi puncak gunung itu.* Snow covered the mountain top.
**litupan** KATA NAMA
_covering_
◊ *Litupan salji di puncak Gunung Fuji kelihatan sangat cantik.* The covering of snow on the peak of Mount Fuji looks very beautiful.
**liur** KATA NAMA
♦ **air liur**  saliva
**liut** KATA ADJEKTIF
♦ **cakera liut**  floppy disk
**liwat** KATA NAMA
_sodomy_
**meliwat** KATA KERJA
_to sodomize_
**loba** KATA ADJEKTIF
_greedy_
◊ *Walaupun dia kaya, dia seorang yang loba.* Although he is rich, he is greedy.
**kelobaan** KATA NAMA
_greed_
◊ *Kelobaannya terhadap kuasa dan wang ringgit menyebabkan orang ramai menyisihnya.* His greed for power and money caused people to cold-shoulder him.
**melobakan** KATA KERJA
_to be greedy for_
◊ *Peniaga itu terlalu melobakan keuntungan sehingga sanggup menipu pelanggan-pelanggannya.* The businessman was so greedy for profits that he was willing to cheat his customers.
**lobak** KATA NAMA
_radish_
♦ **lobak merah**  carrot
♦ **lobak putih**  white radish
**lobi** KATA NAMA
_lobby_ (JAMAK **lobbies**)
**melobi** KATA KERJA
_to lobby_
◊ *Ahli politik itu sedang melobi untuk*

**L**

*mendapatkan undi.* The politician is lobbying for votes.

**locak**

**melocak** KATA KERJA
*to shake*
◊ *Air di dalam cawan itu melocak.* The water in the cup shook.

**loceng** KATA NAMA
*bell*
♦ **loceng pintu** doorbell

**log** KATA KERJA

> *rujuk juga* **log** KATA NAMA

♦ **log masuk** (*komputer*) to log in/on
♦ **log keluar** (*komputer*) to log off/out

**log** KATA NAMA

> *rujuk juga* **log** KATA KERJA

*log*
♦ **buku log** log book

**logam** KATA NAMA
*metal*

**loghat** KATA NAMA
1. *dialect*
2. *accent*
◊ *loghat orang Inggeris* an English accent

**berloghat** KATA KERJA
*to speak in the ... dialect*
◊ *Nik Asma berloghat Kelantan.* Nik Asma speaks in the Kelantan dialect.

**logik** KATA ADJEKTIF

> *rujuk juga* **logik** KATA NAMA

*logical*
◊ *Penjelasan yang diberikan oleh Samantha adalah logik.* The explanation given by Samantha is logical.
♦ **tidak logik** illogical

**logik** KATA NAMA

> *rujuk juga* **logik** KATA ADJEKTIF

*logic*
◊ *Tidak ada logik dalam hujahnya.* There's no logic in his arguments.

**logo** KATA NAMA
*logo* (JAMAK **logos**)

**loh** KATA NAMA
♦ **batu loh** slate

**loji** KATA NAMA
*plant*
◊ *loji kimia* chemical plant

**lokar** KATA NAMA
*locker*

**lokasi** KATA NAMA
*location*

**lokek** KATA ADJEKTIF
*stingy*
◊ *Janganlah lokek sangat!* Don't be so stingy!

**loket** KATA NAMA
*locket*

**lolong**

**melolong** KATA KERJA
*to howl*
◊ *Anjing itu melolong di tengah malam.* The dog howled in the middle of the night.
◊ *Budak itu melolong kesakitan.* The boy howled with pain.

**lolongan** KATA NAMA
*howling*
◊ *Lolongan anjing-anjing itu menyakitkan telinga saya.* The howling of the dogs was painful to hear.

**lolos** KATA KERJA
1. *to slip off*
◊ *Cincinnya lolos dari jarinya.* Her ring slipped off her finger.
2. *to escape* (*dari kurungan, kepungan*)

**meloloskan** KATA KERJA
1. *to take off* (*cincin, gelang, dll*)
2. *to escape*
◊ *Haiwan itu berjaya meloloskan diri daripada kepungan orang ramai.* The animal managed to escape from the crowd that encircled it.
♦ **Pencuri itu meloloskan badannya melalui tingkap yang kecil.** The thief squeezed through a tiny window.

**lombong** KATA NAMA
*mine*
◊ *lombong emas* a gold mine

**melombong** KATA KERJA
*to mine*
◊ *Mereka melombong bijih timah di Lembah Kinta.* They mined tin in Lembah Kinta.

**perlombongan** KATA NAMA
*mining*
◊ *sektor perlombongan* the mining sector

**pelombong** KATA NAMA
*miner*

**lompat** KATA KERJA
*to jump*
♦ **lompat galah** pole vault
♦ **lompat jauh** long jump
♦ **lompat kijang** triple jump
♦ **lompat tinggi** high jump

**berlompatan** KATA KERJA
*to jump*
◊ *Mereka berlompatan kegembiraan apabila mendengar berita itu.* They jumped for joy when they heard the news.

**melompat** KATA KERJA
*to jump*
◊ *Tupai itu melompat dari sebatang pokok ke sebatang pokok.* The squirrel jumped from tree to tree.

**melompati** KATA KERJA
*to jump over*

◊ *Mereka melompati pagar itu.* They jumped over the fence.

**melompat-lompat** KATA KERJA

[1] *to jump*

◊ *melompat-lompat kegembiraan* to jump for joy

[2] *to hop* (*haiwan*)

**pelompat** KATA NAMA

*jumper*

**lompatan** KATA NAMA

*jump*

◊ *Susie membuat lompatan yang tertinggi.* Susie did the highest jump.

**loncat**

**berloncatan** KATA KERJA

*to jump*

◊ *Para pelajar berloncatan kegembiraan apabila mereka mendapat keputusan SPM yang cemerlang.* The students jumped for joy when they obtained excellent SPM results.

**meloncat** KATA KERJA

*to leap*

◊ *Katak itu meloncat ke arah budak lelaki itu.* The frog leapt towards the boy.

**meloncat-loncat** KATA KERJA

*to jump*

◊ *meloncat-loncat kegembiraan* to jump for joy

**terloncat** KATA KERJA

*to jump*

◊ *Dia terloncat apabila mendengar bunyi loceng itu.* He jumped at the sound of the bell.

**loncatan** KATA NAMA

*jump*

◊ *Dia memenangi kejuaraan itu dengan membuat loncatan setinggi 2.37 meter.* She won the championship with a jump of 2.37 metres.

♦ **Loncatannya tidak cukup tinggi untuk menangkap bola itu.** He didn't leap high enough to catch the ball.

♦ **batu loncatan** stepping stone

**longgar** KATA ADJEKTIF

*loose-fitting*

◊ *Seluar saya longgar.* My trousers are loose-fitting.

**kelonggaran** KATA NAMA

[1] *laxity*

◊ *Kelonggaran undang-undang telah menyebabkan meningkatnya kadar jenayah.* The laxity of the law has led to a rise in the crime rate.

[2] *concession*

◊ *Guru besar memberikan kelonggaran kepada murid-murid untuk pulang awal kelmarin.* The headmaster made a concession and allowed the students to go

home early yesterday.

**melonggarkan** KATA KERJA

*to loosen*

◊ *Akiko cuba melonggarkan skru pada mejanya.* Akiko tried to loosen the screw on her table.

**longgok** KATA NAMA, PENJODOH BILANGAN

*pile*

◊ *Kalailetchumi membeli selonggok durian.* Kalailetchumi bought a pile of durians.

♦ **menjual secara longgok** to sell in bulk

**berlonggok-longgok** KATA BILANGAN

*piles*

◊ *Durian berlonggok-longgok di tepi jalan pada musim buah-buahan.* There are piles of durians by the roadside during the fruit season.

**melonggokkan** KATA KERJA

*to pile ... up*

◊ *Buruh itu melonggokkan batu bata itu berhampiran dengan tapak pembinaan.* The labourer piled the bricks up near the construction site.

**longgokan** KATA NAMA

*heap*

◊ *Terdapat beberapa longgokan sampah di seberang jalan.* There are several heaps of rubbish on the other side of the road.

**longkang** KATA NAMA

*drain*

**longlai** KATA ADJEKTIF

♦ **lemah longlai (1)** weak ◊ *Dia berasa lemah longlai dan tidak berdaya untuk berdiri.* She felt weak and was unable to stand.

♦ **lemah longlai (2)** graceful ◊ *penari balet yang lemah longlai* a graceful ballerina

**lonjak**

**berlonjak-lonjak** KATA KERJA

*to jump up and down*

◊ *Kanak-kanak itu berlonjak-lonjak kegembiraan apabila mereka melihatnya.* The children jumped up and down with joy when they saw him.

**melonjak** KATA KERJA

*to jump up*

◊ *Wei Ling melonjak untuk menangkap bola itu.* Wei Ling jumped up to catch the ball.

♦ **Menjelang 1999 ekonomi melonjak naik.** By 1999 the economy was booming.

**lonjong** KATA ADJEKTIF

*pointed*

◊ *Rumahnya mempunyai bumbung yang lonjong.* His house has a pointed roof.

♦ **pinggan yang berbentuk lonjong** an

oval-shaped plate

**lontar**　KATA KERJA
*to throw*

♦ **lontar peluru**　shot put
　**melontar**　KATA KERJA
　*to throw*
　◊　*Budak yang nakal itu melontarnya dengan batu.*　The naughty boy threw a stone at her.
　**melontarkan**　KATA KERJA
　*to throw*
　◊　*Jerry melontarkan batu ke arah burung gagak itu.*　Jerry threw a stone at the crow.
　**lontaran**　KATA NAMA
　*throw*
　◊　*lontaran percuma*　a free throw

**lopak**　KATA NAMA
*puddle*
◊　*Myra terjatuh ke dalam lopak.*　Myra fell into the puddle.

**lopong**　KATA ADJEKTIF
*empty*
　**melopong**　KATA KERJA
　*agape*
　◊　*Dia berdiri memandang Audrey dengan mulut yang melopong.*　She stood looking at Audrey with her mouth agape.
　**terlopong**　KATA KERJA
　*with mouth agape*
　◊　*Budak-budak itu terlopong mendengar cerita Pak Mat.*　The children listened to Pak Mat's story with their mouths agape.

**lorek**　KATA KERJA
*to shade*
　**berlorek**　KATA KERJA
　*shaded*
　◊　*bahagian yang berlorek*　shaded area
　**melorek**　KATA KERJA
　*to shade*
　◊　*Dia melorek peta itu dengan pensel warna.*　She shaded the map with coloured pencils.

**lori**　KATA NAMA
*lorry*　(JAMAK **lorries**)
♦ **lori tangki**　tanker

**lorong**　KATA NAMA
1 *lane*　(di jalan raya)
2 *alley*
◊　*Pencuri itu bersembunyi di sebatang lorong yang sunyi.*　The thief hid in a quiet alley.
3 *aisle*
◊　*Lorong di panggung wayang itu sangat kotor.*　The aisle in the cinema is very dirty.

**lorot**
　**melorot**　KATA KERJA
　*to drop down*

◊　*Seluarnya melorot kerana terlalu longgar.*　His trousers dropped down because they were too loose.

**losen**　KATA NAMA
*lotion*

**lot**　KATA NAMA
*lot*
◊　*Dia membeli dua lot saham.*　He bought two lots of shares.

**loteng**　KATA NAMA
*attic*
◊　*Dia menyimpan barang-barang lamanya di loteng.*　She keeps her old things in the attic.

**loteri**　KATA NAMA
*lottery*　(JAMAK **lotteries**)

**loya**　KATA ADJEKTIF
*sick*
◊　*Pn. Lee berasa loya semasa mengandung.*　Mrs Lee felt sick when she was pregnant.
　**meloya**　KATA KERJA
　*to feel nauseous*
♦ **Orang sakit mudah meloya.**　People who are ill are prone to feelings of nausea.
　**meloyakan**　KATA KERJA
　*to nauseate*
　◊　*Bau sampah di tepi jalan itu meloyakan saya.*　The smell of rubbish by the roadside nauseates me.

**loyang**　KATA NAMA
*brass*

**luah**
　**meluahkan**　KATA KERJA
　*to pour out*
　◊　*Jamilah meluahkan segala isi hatinya yang terpendam itu kepada ibu bapanya.*　Jamilah poured out her heart to her parents.
　**luahan**　KATA NAMA
　*outburst*
　◊　*Luahan hati nenek itu menyentuh perasaan gadis itu.*　The girl was moved by the old woman's outburst.

**luak**　KATA ADJEKTIF
*decreased*
◊　*Kacang di dalam botol itu sudah luak.*　The number of peanuts in the jar has decreased.

**luang**
　**meluangkan**　KATA KERJA
　*to spare*
　◊　*Ibu bapa harus meluangkan lebih banyak masa untuk anak-anak mereka.*　Parents should spare more time for their children.
　**peluang**　KATA NAMA
　*opportunity*　(JAMAK **opportunities**)
　◊　*peluang keemasan*　golden

opportunity

**terluang** KATA KERJA

*free*

◊ *Masa yang terluang harus digunakan dengan sebaik-baiknya.* Your free time should be used wisely.

**luap**

**meluap** KATA KERJA

*to boil over*

◊ *Sup di atas dapur itu sudah meluap.* The soup on the stove has boiled over.

**pemeluapan** KATA NAMA

*condensation*

**luar** KATA ADJEKTIF

> rujuk juga **luar** KATA ARAH

*outer*

◊ *lapisan luar* outer layer

♦ **kegiatan luar** outdoor activities

♦ **orang luar** foreigner

♦ **luar bandar** rural

♦ **luar dugaan** unexpected

♦ **luar negara** abroad ◊ *pergi ke luar negara* to go abroad

**luaran** KATA NAMA

1 *appearance* (untuk orang)

◊ *Jangan menilai seseorang dari luarannya sahaja.* Don't judge a person by their appearance.

2 *outside*

◊ *Jika dilihat dari luaran, buku ini nampak menarik.* From the outside this book looks interesting.

3 *external*

◊ *rangsangan luaran* external stimuli

**luar** KATA ARAH

> rujuk juga **luar** KATA ADJEKTIF

♦ **di luar** outside ◊ *pokok mangga di luar bilik darjah* the mango tree outside the classroom

♦ **ke luar** out ◊ *Jangan buang sampah ke luar bas ini.* Don't throw rubbish out of the bus.

**luar biasa** KATA ADJEKTIF

*extraordinary*

◊ *Sungguh luar biasa!* How extraordinary!

**luas** KATA ADJEKTIF

*wide*

◊ *sawah yang luas terbentang* wide paddy fields

**keluasan** KATA NAMA

*area*

◊ *Keluasan tanah itu ialah lima puluh hektar.* The area of the land is fifty hectares.

**meluas** KATA KERJA

*widespread*

◊ *Kejadian jenayah di kalangan remaja semakin meluas.* Crime among

teenagers is becoming widespread.

**meluaskan, memperluas** KATA KERJA

*to widen*

◊ *Membaca buku dapat meluaskan pengetahuan.* Reading can widen your knowledge.

**seluas** KATA ADJEKTIF

*as wide as*

◊ *Dapurnya hampir seluas ruang tamu saya.* Her kitchen is almost as wide as my living room.

♦ **Kawasan hutan negara itu hanya tinggal seluas 5,000 kilometer persegi.** The country has just 5,000 square kilometres of forest left.

**luat**

**meluat** KATA KERJA

*disgusted*

◊ *Saya meluat melihat perangai lelaki itu.* I'm disgusted by that man's behaviour.

**lubang** KATA NAMA

*hole*

**lubuk** KATA NAMA

*deep part*

◊ *Budak itu lemas di lubuk sungai itu.* The boy drowned in a deep part of the river.

**lucah** KATA ADJEKTIF

*obscene*

◊ *Dia mengeluarkan kata-kata yang lucah.* He uttered obscene words.

♦ **filem lucah** pornographic film

**kelucahan** KATA NAMA

*obscenity*

**lucu** KATA ADJEKTIF

*funny*

**kelucuan** KATA NAMA

*humour*

◊ *Kelucuan pengacara itu menarik perhatian ramai.* The compere's humour attracted a lot of attention.

**melucukan** KATA KERJA

*funny*

◊ *Filem itu sungguh melucukan.* The film is very funny.

**lucut**

**melucutkan** KATA KERJA

1 *to strip*

◊ *Andy telah dilucutkan jawatan sebagai Presiden.* Andy was stripped of his post as President.

2 *to strip off* (pakaian)

◊ *Sharmila melucutkan pakaiannya di bilik mandi.* Sharmila stripped off her clothes in the bathroom.

**perlucutan** KATA NAMA

*dismissal*

◊ *Perlucutan jawatannya memang tidak dijangka.* His dismissal from his post was

**L**

unexpected.

**terlucut** KATA KERJA

*to slip off*

◊ *Cincinnya terlucut dari jarinya.* Her ring slipped off her finger.

**ludah** KATA NAMA

*spittle*

**meludah** KATA KERJA

*to spit*

◊ *Dia meludah ke dalam singki.* He spat into the sink.

♦ **"Jangan meludah"** "Please do not spit"

**meludahi** KATA KERJA

*to spit at*

◊ *Susanti meludahi lelaki yang menengkingnya itu.* Susanti spat at the man who shouted at her.

**meludahkan** KATA KERJA

*to spit*

◊ *Dia meludahkan gula-gula getah itu ke dalam tong sampah.* He spat the chewing gum into the dustbin.

**luhur** KATA ADJEKTIF

*noble*

◊ *hati yang luhur* a noble heart

**keluhuran** KATA NAMA

*supremacy*

◊ *keluhuran Perlembagaan* the supremacy of the Constitution

**luka** KATA KERJA

> rujuk juga **luka** KATA NAMA

*injured*

◊ *Tangannya luka apabila dia terjatuh ke dalam longkang.* His hand was injured when he fell into the drain.

**kelukaan** KATA NAMA

*wound*

◊ *Hatinya begitu sakit sehingga masa yang panjang diperlukan untuk menyembuhkan kelukaan itu.* She has been so deeply hurt that it will take a long time for the wounds to heal.

**melukai, melukakan** KATA KERJA

*to hurt*

◊ *Gadis itu telah melukai hati ibunya.* The girl hurt her mother's feelings.

**luka** KATA NAMA

> rujuk juga **luka** KATA KERJA

*wound*

◊ *Lukanya semakin pulih.* Her wound is healing.

**lukah** KATA NAMA

*fish trap* (terjemahan umum)

**lukis** KATA KERJA

*to draw*

♦ **seni lukis** visual art

**melukis** KATA KERJA

1 *to draw* (dengan pen, pensel)

◊ *Dia melukis sekuntum bunga.* He

drew a flower.

♦ **pertandingan melukis** drawing competition

2 *to paint* (dengan cat)

◊ *Hobi saya ialah melukis.* My hobby is painting.

**pelukis** KATA NAMA

*artist*

**lukisan** KATA NAMA

1 *drawing*

◊ *Lukisan kanak-kanak itu cantik.* The child's drawing is pretty.

2 *painting*

◊ *Lukisan itu sangat mahal.* That painting is very expensive.

**luluh** KATA ADJEKTIF

♦ **hancur luluh** devastated (hati, perasaan) ◊ *Hancur luluh hati Maria. Dia tidak menduga bahawa Amir sanggup berbuat demikian.* Maria was devastated. She never imagined that Amir would be capable of such a thing.

**lulus** KATA KERJA

*to pass*

◊ *Juliana lulus dalam peperiksaannya.* Juliana has passed her examination.

**kelulusan** KATA NAMA

1 *approval*

◊ *Mereka memerlukan kelulusan pihak polis untuk berkhemah dalam hutan.* They need police approval to camp in the jungle.

2 *qualification*

◊ *kelulusan PMR* a PMR qualification

**berkelulusan** KATA KERJA

*to hold*

◊ *Dia berkelulusan STPM.* He holds the STPM.

♦ **Dia berkelulusan universiti.** She's a graduate.

♦ **Dia seorang yang berkelulusan tinggi.** He has very good qualifications.

**meluluskan** KATA KERJA

*to approve*

◊ *Kerajaan telah meluluskan pembinaan sekolah di kawasan itu.* The government has approved the building of a school in that area.

**lulusan** KATA NAMA

1 *graduate*

◊ *Semua pekerja syarikat itu merupakan lulusan universiti.* All that company's employees are university graduates.

2 *holder*

◊ *lulusan SPM* a holder of the SPM

**lumayan** KATA ADJEKTIF

*handsome*

◊ *keuntungan yang lumayan* a handsome profit

♦ **hadiah yang lumayan** fantastic prizes

**lumba** KATA NAMA
*race*
♦ **lumba kuda** horse-racing
♦ **kereta lumba** racing car
♦ **kuda lumba** racehorse
**berlumba** KATA KERJA
*to race*
◊ *Kedua-dua pasukan itu akan berlumba di padang sekolah.* The two teams will race on the school field.
**pelumba** KATA NAMA
*racer*
**perlumbaan** KATA NAMA
*race*

**lumpuh** KATA ADJEKTIF
*paralysed*
**kelumpuhan** KATA NAMA
*paralysis*
◊ *kelumpuhan kaki* paralysis of the leg
**melumpuhkan** KATA KERJA
*to paralyse*
◊ *Syarikat itu cuba melumpuhkan perniagaan pesaingnya.* That company is trying to paralyse its competitor's business. *Virus itu telah melumpuhkan kakinya.* The virus paralysed his legs.

**lumpur** KATA NAMA
*mud*
**berlumpur** KATA KERJA
*muddy*

**lumrah** KATA ADJEKTIF
*normal*
◊ *Persaingan merupakan sesuatu yang lumrah di sekolah.* Competition is a normal thing at school.

**lumur**
**berlumuran** KATA KERJA
*covered*
◊ *Kasutnya berlumuran lumpur.* His shoes are covered in mud.
♦ **berlumuran darah** bloody
**melumuri** KATA KERJA
*to spread*
◊ *Ritah melumuri rambutnya dengan minyak zaitun.* Ritah spread olive oil on her hair.
**melumurkan** KATA KERJA
*to spread*
◊ *Sofi melumurkan losen pada kakinya.* Sofi spread the lotion on her legs.

**lumut** KATA NAMA
*moss*
**berlumut** KATA KERJA
*mossy*
◊ *Dinding rumahnya berlumut.* The walls of his house are mossy.

**lunak** KATA ADJEKTIF
*mellow*
◊ *Suaranya sungguh lunak.* Her voice

is very mellow.
**kelunakan** KATA NAMA
*mellow*
◊ *Kelunakan suara penyanyi itu diakui ramai.* The singer's mellow voice has been widely acclaimed.

**lunas** KATA ADJEKTIF
*settled*
◊ *Hutangnya sudah lunas.* His debt has been settled.
**melunaskan** KATA KERJA
*to pay*
◊ *Dia telah melunaskan semua bilnya.* He has paid all his bills.

**luncur** KATA KERJA
♦ **luncur air (1)** water-skiing
♦ **luncur air (2)** surfing
♦ **papan luncur air** surfboard
♦ **luncur ais** ice skating
♦ **luncur angin** hang-gliding
♦ **luncur salji** skiing
**meluncur** KATA KERJA
1 *to slide down*
◊ *Mereka meluncur di atas papan gelongsor itu.* They slid down the slide.
2 *to speed*
◊ *Kereta itu meluncur di jalan raya.* The car is speeding along the road.
**meluncuri** KATA KERJA
*to speed*
◊ *Sebuah kenderaan meluncuri jalan yang lurus itu.* A vehicle sped along the straight road.
**peluncur** KATA NAMA
*glider*

**lundi** KATA NAMA
*grub*

**lungkup**
**terlungkup** KATA KERJA
*upside down*
◊ *Pinggan itu terlungkup.* The plate is upside down.

**lunjur**
**berlunjur** KATA KERJA
*to sit with outstretched legs*
◊ *Maria berlunjur di atas lantai.* Maria sat with outstretched legs on the floor.
**melunjurkan** KATA KERJA
*to stretch ... out*
◊ *Rosli melunjurkan kakinya di atas meja itu.* Rosli stretched his legs out on the table.

**luntur** KATA ADJEKTIF
1 *to fade (kerana sudah lama)*
◊ *Warna bajunya sudah luntur.* The colour of his shirt has faded.
2 *to run (kerana dibasuh)*
◊ *Warna baju itu luntur apabila dicuci.* The colour of the dress runs when it is

**L**

washed.

**melunturkan** KATA KERJA
*to discolour*
◊ *Bahan kimia itu boleh melunturkan warna daun.* The chemical can discolour leaves.

**peluntur** KATA NAMA
*bleach*

**lupa** KATA KERJA
*to forget*

**melupakan** KATA KERJA
*to forget*
◊ *Chee Wing cuba melupakan kisah silamnya.* Chee Wing tried to forget his past.

♦ **tidak dapat dilupakan** unforgettable
◊ *pengalaman yang tidak dapat dilupakan* an unforgettable experience

**pelupa** KATA ADJEKTIF
*absent-minded*
◊ *Dia pelupa.* He's absent-minded.

**terlupa** KATA KERJA
*to forget*
◊ *Kam Weng terlupa menutup paip itu.* Kam Weng forgot to turn off the tap.

**lupus** KATA ADJEKTIF
*to disappear*
◊ *Kegembiraannya lupus apabila isterinya meninggalkannya.* His feeling of happiness disappeared when his wife left him.

**pelupusan** KATA NAMA
*disposal*
◊ *pelupusan sampah* garbage disposal

**luput** KATA ADJEKTIF
*to fade*
◊ *Kenangan pahit itu sudah luput daripada ingatannya.* That painful memory has faded from his mind.

♦ **tarikh luput** expiry date

**lurah** KATA NAMA
*valley*

**luru**

**meluru** KATA KERJA
*to dash*

◊ *Kristine meluru ke arah saya.* Kristine dashed towards me.

**luruh** KATA KERJA
*to fall*
◊ *Daun-daun pokok itu sudah mula luruh.* The leaves of that tree have begun to fall.

♦ **musim luruh** autumn

**lurus** KATA ADJEKTIF
*straight*

**meluruskan** KATA KERJA
*to straighten*

**lurut**

**melurut** KATA KERJA
1 *to rub ... with one's fingers*
◊ *Pendandan rambut itu melurut rambut saya.* The hairdresser rubbed my hair with her fingers.
2 *to smooth ... with one's fingers*
◊ *Lingam melurut hujung kertas yang terlipat itu.* Lingam smoothed the folded edge of the paper with his fingers.

**lusa** KATA ADJEKTIF
*the day after tomorrow*

**lusuh** KATA ADJEKTIF
1 *worn out*
◊ *Baju lama itu sudah lusuh.* .That old shirt is worn out.
2 *crumpled*
◊ *Baju itu lusuh kerana belum diseterika.* That shirt is crumpled because it hasn't been ironed.

**melusuhkan** KATA KERJA
*to wear ... out*
◊ *Dia melusuhkan bajunya dalam masa tiga bulan sahaja.* He wore his shirt out in only three months.

**lut cahaya** KATA ADJEKTIF
*translucent*

**lut sinar** KATA ADJEKTIF
*transparent*

**lutut** KATA NAMA
*knee*

**melutut** KATA KERJA
*to kneel*

# M

**maaf** KATA NAMA
_forgiveness_
◊ _Saya datang ke sini untuk memohon maaf daripada tuan._ I came here to ask your forgiveness.
♦ **memohon maaf** to apologize ◊ _Saya memohon maaf daripada anda semua._ I apologize to all of you.
♦ **Saya minta maaf.** I'm sorry.
♦ **Maaf.** Excuse me.
♦ **Maaf, saya tidak bermaksud begitu.** I'm sorry, I didn't mean that.
**bermaaf-maafan** KATA KERJA
_to forgive one another_
**kemaafan** KATA NAMA
_forgiveness_
◊ _memohon kemaafan_ to ask for forgiveness ◊ _Saya masih mengharapkan kemaafan daripadanya._ I'm still hoping for her forgiveness.
**memaafi** KATA KERJA
_to forgive_
◊ _Mary enggan memaafi sahabatnya._ Mary refused to forgive her friend.
**memaafkan** KATA KERJA
_to forgive_
◊ _Mariam sanggup memaafkan kesalahan Siti._ Mariam is willing to forgive Siti's wrongdoing.
♦ **Maafkan saya.** Forgive me.
♦ **Maafkanlah dia.** Please forgive her.
**pemaaf** KATA ADJEKTIF
_forgiving_
◊ _seorang yang pemaaf_ a forgiving person

**mabuk** KATA ADJEKTIF
_drunk_
♦ **mabuk laut** seasick
♦ **mabuk udara** airsick
♦ **mabuk asmara** to be madly in love
**kemabukan** KATA KERJA
_to be drunk_
◊ _Dia kemabukan di majlis itu._ He was drunk at the party.
**memabukkan** KATA KERJA
_intoxicating_
◊ _minuman yang memabukkan_ intoxicating drinks
**pemabuk** KATA NAMA
_drunkard_

**Mac** KATA NAMA
_March_
◊ _pada 22 Mac_ on 22 March
♦ **pada bulan Mac** in March
**macam** KATA HUBUNG

rujuk juga **macam** KATA NAMA

1 _as ... as if_
◊ _Begnya berat macam berisi batu._ Her bag is as heavy as if it was full of stones.

2 _like_
◊ _Lelaki itu nampak macam seorang pelakon yang terkenal._ The guy looks like a famous actor.
**bermacam-macam** KATA KERJA
_all sorts of_
◊ _Kita dapat melihat bermacam-macam jenis pelajar di sekolah._ We could see all sorts of students in the school.
**macam** KATA NAMA

rujuk juga **macam** KATA HUBUNG

_kind_
◊ _Halimatul memasak tiga macam makanan untuk kami._ Halimatul cooked three kinds of dish for us.
**madah** KATA NAMA
_eulogy_ (JAMAK **eulogies**) (_padanan terdekat_)
**bermadah** KATA KERJA
_to sing somebody's praises_ (_memuji-muji seseorang_)
◊ _Awaluddin bermadah seperti seorang penyair._ Awaluddin sang her praises like a poet.
**madrasah** KATA NAMA
1 _Muslim school_
2 _Muslim prayer-house_ (_penjelasan umum_)
**madu** KATA NAMA
_honey_
**mafela** KATA NAMA
_muffler_
**maghrib** KATA NAMA
_sunset_
♦ **sembahyang maghrib** Muslim prayer at sunset
**maging** KATA NAMA
_carnivore_
**magis** KATA ADJEKTIF
_magical_
**magnet** KATA NAMA
_magnet_
**maha** KATA PENGUAT
_most_
◊ _Mereka memanggil Tuhan sebagai 'Maha Suci'._ They call God 'Most Pure'.
♦ **satu perlawanan yang maha hebat** an absolutely fantastic game
**mahaguru** KATA NAMA
_master_
**mahakarya** KATA NAMA
_masterpiece_
**Maha Kuasa** KATA ADJEKTIF
_Almighty_
◊ _Yang Maha Kuasa_ the Almighty
◊ _Tuhan yang Maha Kuasa_ God the Almighty
**mahal** KATA ADJEKTIF
_expensive_

**maharaja**   KATA NAMA
*emperor*

**maharajalela**
**bermaharajalela**   KATA KERJA
[1] *to tyrannize*
◊ *Pencuri-pencuri itu bermaharajalela di kampung itu kerana tidak ada orang yang berani melawan.* The thieves tyrannize the village because nobody dares to oppose them.
[2] *to be rampant*
◊ *Virus itu masih bermaharajalela di kawasan itu.* The virus is still rampant in that area.

**maharani**   KATA NAMA
*empress* (JAMAK **empresses**)

**mahasiswa**   KATA NAMA
*university student*

**mahasiswi**   KATA NAMA
*university student*

**mahir**   KATA ADJEKTIF
[1] *skilful*
◊ *Dia mahir dalam pertukangan kayu.* He's skilful at woodwork.
[2] *skilled*
◊ *seorang doktor yang mahir* a skilled doctor
♦ **tidak mahir** unskilled
**kemahiran**   KATA NAMA
*skill*
**berkemahiran**   KATA KERJA
*skilled*
◊ *Dia seorang doktor yang berkemahiran.* He's a skilled doctor.
**memahirkan**   KATA KERJA
*to train*
◊ *Anda mesti memahirkan otak anda untuk menjawab soalan dengan cepat.* You must train your brain to answer questions fast.
♦ **memahirkan diri** to improve one's skill
◊ *Mereka cuba memahirkan diri dalam permainan itu.* They are trying to improve their skill at the game.

**mahkamah**   KATA NAMA
*court*

**mahkota**   KATA NAMA
*crown*
**memahkotai**   KATA KERJA
*to crown*
◊ *Sultan itu memahkotai putera baginda dengan gelaran Raja Pancar Alam.* The Sultan crowned his son with the title Raja Pancar Alam.

**mahligai**   KATA NAMA
*palace*

**mahu**   KATA BANTU
*to want*
◊ *Saya mahu makan aiskrim.* I want some ice cream.

**kemahuan**   KATA NAMA
*wish* (JAMAK **wishes**)
◊ *Pengarah itu mengikut sahaja kemahuan Manisha.* The director complied with Manisha's wishes.

**mahukan**   KATA KERJA
*to want*
◊ *Saya mahukannya semula dalam masa tiga hari.* I want it back within three days.

**semahu-mahunya**   KATA ADJEKTIF
*wilfully*
◊ *Seorang pemerintah tidak patut bertindak semahu-mahunya.* A ruler should not act wilfully.

**mahupun**   KATA HUBUNG
*even though*
◊ *Mahupun dia sudah tua dia masih kuat.* Even though he's old, he is still strong.
♦ **Saya tidak minum kopi mahupun teh.** I don't drink coffee or tea.
♦ **Mereka tidak boleh membaca mahupun menulis.** They can neither read nor write.

**main**   KATA KERJA
*to play*
◊ *Jangan main di situ!* Don't play there!
**bermain**   KATA KERJA
*to play*
◊ *bermain badminton* to play badminton
**bermain-main**   KATA KERJA
*to play*
◊ *Kanak-kanak sedang bermain-main di padang.* Children were playing in the field.
♦ **Kenangan bersama ibunya bermain-main dalam ingatan Renukha.** Memories of being with her mother filled Renukha's thoughts.
**memainkan**   KATA KERJA
*to play*
◊ *memainkan lagu* to play a tune
**mempermainkan**   KATA KERJA
[1] *to make fun of*
◊ *Mereka suka mempermainkan pelajar baru itu.* They enjoy making fun of the new student.
[2] *to take advantage of*
◊ *Lelaki itu selalu mencuba mempermainkan wanita muda.* That man is always trying to take advantage of young women.
[3] *to use*
◊ *Majikan mereka hanya mempermainkan mereka sahaja.* Their employer was just using them.
**permainan**   KATA NAMA

*game*

- **permainan tenis** tennis
  **sepermainan** KATA ADJEKTIF
  *to be playmates*
  ◊ *Shahrul, Alan dan Manimaran sepermainan sejak kecil lagi.* Shahrul, Alan and Manimaran were playmates when they were young.
- **teman sepermainan** playmate
  **pemain** KATA NAMA
  *player*
  ◊ *pemain cakera padat* CD player
  ◊ *pemain piring hitam* record player
  ◊ *pemain tenis* tennis player
- **pemain biola** violinist
- **pemain bola sepak** footballer
- **pemain boling** bowler
- **pemain dram** drummer
- **pemain pertahanan** defender
- **pemain piano** pianist
  **mainan** KATA NAMA
  *toy*
  ◊ *pisau mainan* toy knife
- **alat mainan** toy
  **majalah** KATA NAMA
  *magazine*
  **majikan** KATA NAMA
  *employer*
  **majistret** KATA NAMA
  *magistrate*
  **majlis** KATA NAMA
  1. *council*
  ◊ *majlis perbandaran* town council
  2. *party* (JAMAK **parties**)
  ◊ *majlis hari jadi* birthday party
  ◊ *Majlis itu dihadiri oleh para graduan universiti.* The party was attended by university graduates.
- **majlis perkahwinan** wedding reception
  **majmuk** KATA ADJEKTIF
  *compound*
  ◊ *kata nama majmuk* compound noun
- **masyarakat majmuk** multiracial society
  **major** KATA ADJEKTIF
  *major*
  **majoriti** KATA NAMA
  *majority* (JAMAK **majorities**)
  **maju** KATA ADJEKTIF
  1. *to move forward*
  ◊ *Mereka sudah maju beberapa langkah, meninggalkan saya di belakang.* They have moved a few steps forward, leaving me behind.
  2. *advanced*
  ◊ *Rakyat negara Jepun lebih maju daripada rakyat di negara ini.* The Japanese are more advanced than the people of this country.
  3. *developed*

◊ *beberapa negeri yang maju di Malaysia* several developed states in Malaysia ◊ *negara-negara maju* developed countries
**kemajuan** KATA NAMA
*improvement*
◊ *Saya dapat melihat kemajuan dalam prestasi kerjanya.* I could see some improvement in his work.
**memajukan** KATA KERJA
*to develop*
◊ *memajukan industri muzik* to develop the music industry
**pemaju** KATA NAMA
*developer*
**mak** KATA NAMA
(*tidak formal*)
*mum*
- **mak cik** auntie **atau** aunty
  (JAMAK **aunties**)
  **maka** KATA HUBUNG
  *so*
  ◊ *Bapanya sakit, maka dia terpaksa berhenti sekolah.* His father was sick, so he had to leave school.
  **makalah** KATA NAMA
  *article*
  **makam** KATA NAMA
  (*untuk orang yang dihormati*)
  *grave*
  **makan** KATA KERJA
  *to eat*
- **makan malam** dinner
- **makan tengah hari** lunch
  **memakan** KATA KERJA
  1. *to eat*
  2. *to take*
  ◊ *Perkara itu memakan masa yang lama.* It takes a long time.
- **Sudah jelas, projek ini akan memakan belanja yang besar.** Clearly this project will cost money.
- **boleh dimakan** edible
  **pemakanan** KATA NAMA
  *nutrition*
  ◊ *kesan pemakanan yang tidak sempurna* the effects of poor nutrition
- **pemakanan yang sihat** a healthy diet
  **makanan** KATA NAMA
  *food*
- **makanan laut** seafood
  **makaroni** KATA NAMA
  *macaroni*
  **makbul** KATA ADJEKTIF
  *granted*
  ◊ *hajat yang makbul* a wish that was granted
- **doa yang makbul** prayers that were answered

M

♦ **ubat yang makbul** effective medicine
**memakbulkan** KATA KERJA
*to grant*
◊ *Guru besar memakbulkan permintaan para pelajar untuk mengadakan sebuah konsert.* The headmaster granted the students' request to hold a concert.

♦ **Tuhan akan memakbulkan doa kamu itu.** God will answer your prayer.
**termakbul** KATA KERJA
*to come true*
◊ *Impiannya untuk menjadi seorang pelukis yang kaya sudah termakbul.* His dream of becoming a rich painter has come true.

♦ **Doanya sudah termakbul.** His prayer has been answered.

**makhluk** KATA NAMA
*creature*
♦ **makhluk asing** alien
♦ **makhluk halus** ghost

**maki** KATA NAMA
♦ **caci maki** swear words
**memaki** KATA KERJA
*to swear at*
◊ *Dia dimarahi guru kerana memaki kawannya.* He was scolded by the teacher for swearing at his friend.
**makian** KATA NAMA
*swear words*
♦ **Siew Moi menangis apabila dia mendengar kata-kata makian itu.** Siew Moi cried when she heard the swear words.

**maki hamun** KATA NAMA
*curses*
**memaki hamun** KATA KERJA
*to be abusive*
◊ *Dia mula memaki hamun.* He became abusive.

**makin** KATA BANTU
*to become more ...*
◊ *Hidupnya makin susah.* His life is becoming more difficult.
♦ **Wang kami makin kurang.** We have less and less money.
♦ **Makin kami mencuba, makin susah jadinya.** The more we try, the harder it becomes.
♦ **Makin lama ayah makin sakit.** Father's health is getting worse.
**semakin** KATA BANTU *rujuk* **makin**

**maklum** KATA ADJEKTIF
[1] *to know*
◊ *Seperti yang anda sedia maklum...* As you already know...
[2] *after all*
◊ *Saya fikir anda mungkin kenal seseorang. Maklumlah anda mempunyai ramai kenalan.* I thought you might know somebody. After all, you're the man with connections.

♦ **Maklumlah, orang kaya sepertinya tentu tidak akan makan dengan kita.** Of course a rich person like him is not going to eat with us.
**memaklumkan** KATA KERJA
*to inform*
◊ *Mereka memaklumkan berita itu kepada kami.* They informed us of the news.
**makluman** KATA NAMA
*notice*
◊ *makluman tentang penukaran alamat Kumpulan Wang Simpanan Pekerja* a notice about the change of address of the Employees' Provident Fund
♦ **untuk makluman anda** for your information

**maklumat** KATA NAMA
*information*

**makmal** KATA NAMA
*laboratory* (JAMAK **laboratories**)

**makmur** KATA ADJEKTIF
*prosperous*
◊ *Malaysia ialah sebuah negara yang makmur.* Malaysia is a prosperous country.
♦ **aman dan makmur** peaceful and prosperous
**kemakmuran** KATA NAMA
*prosperity*
◊ *kemakmuran ekonomi negara kita* our country's economic prosperity
♦ **keamanan dan kemakmuran** peace and prosperity
**memakmurkan** KATA KERJA
*to make ... prosperous*
◊ *Kerajaan sedang berusaha untuk memakmurkan daerah-daerah yang miskin.* The government is trying to make the poor areas prosperous.

**makna** KATA NAMA
*meaning*
◊ *Berikan makna perkataan "benci" dalam bahasa Inggeris.* Give the meaning of the word "benci" in English.
**bermakna** KATA KERJA
*to mean*
◊ *Perkataan 'suki' dalam bahasa Jepun bermakna 'suka'.* The Japanese word 'suki' means 'to like'. ◊ *Jika saya gagal kali ini, bermakna sudah tiga kali berturut-turut saya gagal.* If I fail this time, it means that I've failed three times in a row.
♦ **satu peristiwa yang penuh bermakna** a meaningful event

**makrifat** KATA NAMA

_deep knowledge_

**maksiat** KATA NAMA
_vice_
◊ _Mereka yang terlibat dengan maksiat boleh didakwa._ Those who are involved in vice can be prosecuted.
**bermaksiat** KATA KERJA
_to commit a sinful act_
◊ _Mereka mendakwa dia bermaksiat dengan gadis itu._ They accused him of committing a sinful act with the girl.
**kemaksiatan** KATA NAMA
_vice_
◊ _"Kemaksiatan ini harus dihentikan," kata menteri itu._ "This vice has to be stopped," said the minister.

**maksimum** KATA NAMA
_maximum_
**memaksimumkan** KATA KERJA
_to maximize_
◊ _memaksimumkan keuntungan_ to maximize profits

**maksud** KATA NAMA
1 _reason_
◊ _Saya tidak tahu maksud kedatangannya._ I don't know his reasons for coming.
2 _meaning_
◊ _Apakah maksud semua ini?_ What's the meaning of all this?
**bermaksud** KATA KERJA
_to mean_
◊ _Saya tidak bermaksud memarahi anda._ I didn't mean to scold you.
**memaksudkan** KATA KERJA
_to mean_
◊ _Saya tidak mengerti perkara yang dimaksudkannya._ I don't understand what he meant.
♦ **Gadis itulah yang dimaksudkan oleh Enid semalam.** That was the girl Enid meant last night.

**maktab** KATA NAMA
_college_
♦ **sebuah maktab perguruan** a teacher training college

**maktub** KATA NAMA
_holy book_
**termaktub** KATA KERJA
_to be recorded_
♦ **Peraturan itu termaktub dalam undang-undang universiti.** The rule is in the university's statutes.

**malah** KATA HUBUNG
1 _but_
◊ _Khan bukan sahaja baik, malah dia juga seorang yang pemaaf._ Khan is not only a good person, but also a forgiving one.

2 _in fact_
◊ _Dia enggan makan, malah minum pun dia tidak mahu._ He refuses to eat, in fact he won't even drink.
**malahan** KATA HUBUNG _rujuk_ **malah**

**malaikat** KATA NAMA
_angel_

**malam** KATA NAMA
_night_
♦ **pada pukul sepuluh malam** at ten o'clock in the evening
♦ **selamat malam** goodnight (_sebelum tidur atau berpisah_)
**malam-malam** KATA ADJEKTIF
1 _at night_
◊ _Hantu biasanya berkeliaran malam-malam._ Ghosts usually roam at night.
2 _late at night_
◊ _Malam-malam begini dia masih belum pulang._ It's late at night, but he still hasn't come home.
**bermalam** KATA KERJA
_to spend the night_
◊ _Sepupu saya akan bermalam di rumah saya hari ini._ My cousin will spend the night at my house tonight.
**semalam** KATA ADJEKTIF
1 _last night_
2 _yesterday_ (_kelmarin_)
**semalaman** KATA ADJEKTIF
_all night_
◊ _Nylea tidak tidur semalaman kerana menjaga ibunya yang sakit._ Nylea stayed up all night to take care of her sick mother.

**malang** KATA ADJEKTIF
_unfortunate_
◊ _orang yang malang_ unfortunate people
**kemalangan** KATA KERJA
| _rujuk juga_ **kemalangan** KATA NAMA |
_to be involved in an accident_
◊ _Betulkah Farid dan isterinya kemalangan?_ Is it true that Farid and his wife were involved in an accident?
**kemalangan** KATA NAMA
| _rujuk juga_ **kemalangan** KATA KERJA |
_accident_
**malangnya** KATA PENEGAS
_unfortunately_
◊ _Malangnya, saya tidak sempat berjumpa dengannya._ Unfortunately, I didn't have the chance to meet him.

**malap** KATA ADJEKTIF
_dim_
◊ _cahaya lilin yang malap_ dim candlelight
♦ **dengan malap** dimly
**kemalapan** KATA NAMA
_dimness_

M

**memalapkan** KATA KERJA
*to dim*
◊ *Enrique memalapkan lampu biliknya sebelum tidur.* Enrique dimmed his bedroom light before going to bed.

**malapetaka** KATA NAMA
*catastrophe*
◊ *Peperangan itu merupakan satu malapetaka.* The war was a catastrophe.

**malar** KATA ADJEKTIF
*constant*
◊ *Larutan ini perlu disimpan di dalam bilik khas pada suhu yang malar.* This solution must be kept in a special room at a constant temperature.

**malas** KATA ADJEKTIF
1 *lazy*
2 *reluctant*
◊ *Saya berasa malas hendak pergi berjumpa dengannya.* I feel reluctant to go and see him.

**bermalas-malas** KATA KERJA
*to laze about*
◊ *Dia bermalas-malas di pantai itu.* He was lazing about on the beach.

**kemalasan** KATA NAMA
*laziness*
◊ *Pelajar itu memang terkenal dengan kemalasannya.* That student is well-known for his laziness.

**pemalas** KATA ADJEKTIF
*lazy*
◊ *Dia pemalas.* He's lazy.

**Malaysia** KATA NAMA
*Malaysia*
♦ **rakyat Malaysia** Malaysian

**malim** KATA NAMA
*Muslim scholar*
♦ **malim kapal** helmsman (JAMAK **helmsmen**)

**malu** KATA ADJEKTIF
| rujuk juga **malu** KATA NAMA |
1 *ashamed*
◊ *Kamu patut malu dengan perbuatan kamu itu.* You should be ashamed of what you did.
2 *embarrassed*
◊ *Pemuda itu kelihatan agak malu.* The young man looked a bit embarrassed.
3 *shy*
◊ *Jangan malu untuk menyatakan pendapat anda.* Don't be shy about giving your opinion.
♦ **Timbalan presiden itu terpaksa meletakkan jawatan dalam keadaan malu.** The vice president had to resign in disgrace.

**malu-malu** KATA ADJEKTIF
*shy*

◊ *Jangan malu-malu. Jemputlah masuk.* Don't be shy. Please come in.

**kemaluan** KATA NAMA
*sexual organ*

**kemalu-maluan** KATA ADJEKTIF
*shyly*
◊ *Budak lelaki itu tersenyum kemalu-maluan.* The boy smiled shyly.

**memalukan** KATA KERJA
1 *to embarrass*
◊ *Dia telah memalukan saya di hadapan semua orang.* She embarrassed me in front of everybody.
2 *embarrassing*
◊ *situasi yang memalukan* an embarrassing situation
3 *disgraceful*
◊ *perbuatan yang memalukan* a disgraceful act

**pemalu** KATA ADJEKTIF
*shy*
◊ *Dia agak pemalu orangnya.* He's a bit shy.

**malu** KATA NAMA
| rujuk juga **malu** KATA ADJEKTIF |
1 *disgrace*
◊ *Tindakannya hanya akan membawa malu kepada keluarganya.* Her behaviour will only bring disgrace to her family.
2 *embarrassment*
◊ *Dia memalingkan mukanya kerana malu.* She turned her face away in embarrassment.

**mamah**

**memamah** KATA KERJA
*to chew*
◊ *Danielle memamah sekeping gula-gula tofi sambil matanya tertumpu pada kaca televisyen.* Danielle was chewing a piece of toffee while watching television.

**mamalia** KATA NAMA
*mammal*

**mampat** KATA ADJEKTIF
*compressed*
◊ *tanah yang mampat* compressed soil

**kemampatan** KATA NAMA
*compression*
◊ *Periksa kemampatan tanah di situ.* Check the compression of the soil over there.

**memampatkan** KATA KERJA
*to compress*
◊ *Gas apakah yang boleh dimampatkan?* What type of gas can be compressed?

**pemampat** KATA NAMA
*compressor*

**pemampatan** KATA NAMA
*compression*

♦ **Pemampatan tanah itu dilakukan oleh sebuah mesin khas.** A special machine is used to compress the soil.

**mampu** KATA ADJEKTIF
1 _can afford_
◊ _Rageni mampu makan di restoran mewah setiap hari._ Rageni can afford to eat in a smart restaurant every day.
2 _can_
◊ _Kucing itu mampu makan dua ekor ikan sekali gus._ The cat can eat two fish at once.
  **kemampuan** KATA NAMA
  _ability_ (JAMAK **abilities**)
  ◊ _Saya mengagumi kemampuannya mendaki gunung itu seorang diri._ I admired his ability to climb the mountain by himself.
  **berkemampuan** KATA KERJA
  _wealthy_
  ◊ _seorang yang berkemampuan_ a wealthy person

**mana** KATA TANYA
_where_
◊ _Di manakah beg saya?_ Where is my bag? ◊ _Ke manakah anda hendak pergi?_ Where are you going?
♦ **yang mana** which ◊ _Pen yang mana anda mahu?_ Which pen do you want?
♦ **Yang mana satu?** Which one?
**manakan, manatah** KATA HUBUNG
_how could_
◊ _Kalau tidak berusaha, manakan saya boleh berjaya seperti sekarang._ If I didn't work hard, how could I be as successful as I am today?
**mana-mana** KATA GANTI NAMA
1 _any_
◊ _Pilihlah mana-mana buku yang anda suka._ Choose any book you like.
2 _anywhere_
◊ _Adakah anda nampak adik saya di mana-mana?_ Have you seen my brother anywhere? ◊ _Anda hendak pergi ke mana-mana selepas ini?_ Are you going anywhere after this?
♦ **Anda hendak pergi ke mana? - Tidak ke mana-mana.** Where are you going? - Nowhere.

**manakala** KATA HUBUNG
_while_
◊ _Mariam sedang membaca buku manakala Cristin sedang makan._ Mariam is reading while Cristin is eating.

**manalagi** KATA HUBUNG
_moreover_
◊ _Dia tidak datang kerana keretanya rosak, manalagi anaknya sakit hari ini._ He's not coming because his car

broke down. Moreover, his child is sick today.

**mancis** KATA NAMA
_match_ (JAMAK **matches**)
◊ _sekotak mancis_ a box of matches
♦ **mancis api** match

**mancung** KATA ADJEKTIF
_pointed_
◊ _hidung mancung_ pointed nose

**Mandarin** KATA NAMA
_Mandarin_
♦ **bahasa Mandarin** Mandarin

**mandat** KATA NAMA
_mandate_
◊ _Mandat daripada PBB perlu diperoleh sebelum melaksanakan sebarang rancangan._ A mandate from the UN is necessary before any plan can be implemented.

**mandatori** KATA ADJEKTIF
_mandatory_
◊ _hukuman mati mandatori_ mandatory death sentence

**mandi** KATA KERJA
_to have a bath_
◊ _Mereka mandi tiga kali sehari._ They have a bath three times a day.
♦ **mandi air panas** to have a hot bath
♦ **mandi buih** to have a bubble bath
♦ **mandi hujan** to have a shower
  **bermandikan** KATA KERJA
  _to be soaked with_
  ◊ _Tubuhnya bermandikan darah._ His body was soaked with blood.
♦ **Dewan itu bermandikan cahaya.** The hall was filled with light.
  **memandikan** KATA KERJA
  _to bath_
  ◊ _Setiap hari saya memandikan kucing saya, Miki._ Every day I bath my cat Miki.

**mandul** KATA ADJEKTIF
_infertile_
◊ _Kajian itu mendapati bahawa seorang daripada lapan wanita adalah mandul._ The study found that one woman in eight was infertile.
  **kemandulan** KATA NAMA
  _infertility_
  ◊ _Kemandulan merupakan salah satu punca perceraian._ Infertility is one of the causes of divorce.

**mandur** KATA NAMA
_foreman_ (JAMAK **foremen**)

**manfaat** KATA NAMA
_benefit_
◊ _Apakah manfaat menggunakan Internet?_ What are the benefits of using the Internet?
  **bermanfaat** KATA KERJA

**M**

---

_beneficial_
◊ _kesan-kesan yang bermanfaat_
beneficial effects

**mangga (1)** KATA NAMA
_mango_ (JAMAK **mangoes** atau
**mangos**)

**mangga (2)** KATA NAMA
_padlock_

**manggis** KATA NAMA
_mangosteen_

**mangkin**
   **pemangkin** KATA NAMA
   _catalyst_
   ◊ _pemangkin kepada perubahan_ a
   catalyst for change

**mangkuk** KATA NAMA
_bowl_

**mangsa** KATA NAMA
   1 _victim_ (_manusia_)
   2 _prey_ (_haiwan_)
   **pemangsa** KATA NAMA
   _predator_
   ♦ **haiwan pemangsa** predatory animal

**mangu**
   **termangu-mangu** KATA KERJA
   _dumbfounded_
   ◊ _Jean termangu-mangu apabila Kelvin
   memarahinya dengan tidak semena-mena._
   Jean was dumbfounded when Kelvin
   scolded her for no reason.
   ♦ **Mereka termangu-mangu apabila saya
   mengajukan soalan itu kerana mereka
   tidak memahaminya.** They were
   speechless when I asked them the
   question because they didn't understand it.

**mani** KATA NAMA
_semen_

**manik** KATA NAMA
_bead_

**manipulasi** KATA NAMA
_manipulation_
   **memanipulasikan** KATA KERJA
   _to manipulate_

**manis** KATA ADJEKTIF
_sweet_
   ◊ _Kopi ini terlalu manis._ This coffee is
   too sweet.
   ♦ **seorang gadis yang manis** a pretty
   girl
   ♦ **Jangan usik gadis itu, tidak manis
   dipandang orang.** Don't tease the girl.
   It doesn't look nice.
   ♦ **jari manis** ring finger
   **kemanisan** KATA NAMA
   _sweetness_
   **memaniskan** KATA KERJA
   _to sweeten_
   **manisan** KATA NAMA
   1 _honey_

   2 _sweet cakes_

**manja** KATA ADJEKTIF
   1 _pampered_
   ◊ _anak manja_ a pampered child
   2 _close_ (_padanan terdekat_)
   ◊ _Jessica sangat manja dengan
   bapanya._ Jessica is very close to her
   father.
   **bermanja** KATA KERJA
   _to be close_ (_padanan terdekat_)
   ◊ _Saliza ingin bermanja dengan ibunya._
   Saliza wants to be close to her mother.
   **memanjakan** KATA KERJA
   _to pamper_
   ◊ _Lailatul terlalu memanjakan anak-
   anaknya._ Lailatul pampered her children
   too much.

**mansuh** KATA ADJEKTIF
   1 _abolished_
   ◊ _sistem yang baru mansuh_ a system
   that has just been abolished
   2 _terminated_
   ◊ _Kontrak kita sudah mansuh._ Our
   contract has been terminated.
   **memansuhkan** KATA KERJA
   1 _to rescind_
   ◊ _Kerajaan merancang untuk
   memansuhkan undang-undang itu._ The
   government plans to rescind the law.
   2 _to terminate_
   ◊ _Syarikat itu mahu memansuhkan
   kontrak mereka dengan kami._ The
   company wants to terminate their contract
   with us.
   **pemansuhan** KATA NAMA
   1 _abolition_
   ◊ _pemansuhan sistem aparteid_ the
   abolition of the apartheid system
   2 _termination_
   ◊ _pemansuhan kontrak_ termination of
   a contract

**mantap** KATA ADJEKTIF
   _stable_
   ◊ _Ekonomi negara itu mantap._ The
   country's economy is stable.
   **kemantapan** KATA NAMA
   _stability_
   ◊ _Kemantapan sistem demokrasi masih
   boleh diperdebatkan._ The stability of the
   democratic system is still debatable.
   **memantapkan** KATA KERJA
   _to stabilize_
   ◊ _Kerajaan mahu memantapkan kadar
   pertukaran._ The government wants to
   stabilize exchange rates.
   **pemantapan** KATA NAMA
   _stabilization_
   ◊ _pemantapan harga makanan_ the
   stabilization of food prices

**mantera** KATA NAMA
*incantation*

**mantik** KATA NAMA
*logic*
- **ilmu mantik** logic

**manusia** KATA NAMA
*human being*
- **badan manusia** human body
(JAMAK **human bodies**)
**kemanusiaan** KATA NAMA
*humanitarian*
◊ *bantuan kemanusiaan* humanitarian aid
- **hak kemanusiaan** human rights
- **ilmu kemanusiaan** humanities
- **sifat kemanusiaan** humanity

**manuskrip** KATA NAMA
*manuscript*

**mapan** KATA ADJEKTIF
*stable*
◊ *ekonomi yang mapan* a stable economy

**mara** KATA KERJA
*to advance*
◊ *Pihak pemberontak sedang mara ke ibu kota negara itu.* The rebel forces are advancing on the country's capital.
**kemaraan** KATA NAMA
*advance*
◊ *Pertahanan itu bertujuan untuk menyekat kemaraan musuh.* The defences are intended to obstruct the enemy's advance.

**marah** KATA ADJEKTIF
*angry*
◊ *Saya sangat marah sekarang!* I'm very angry now!
**kemarahan** KATA NAMA
*anger*
◊ *Hui Chin tidak suka menunjukkan kemarahannya.* Hui Chin doesn't like showing her anger.
**memarahi** KATA KERJA
*to scold*
◊ *Devita memarahi adiknya kerana enggan membaca buku.* Devita scolded her sister because she refused to read.
**pemarah** KATA ADJEKTIF
*hot-tempered*
◊ *Dia pemarah orangnya.* He's a hot-tempered person.

**marak** KATA KERJA
*to flare up*
◊ *Api itu marak apabila Adi menuangkan minyak ke atasnya.* The fire flared up when Adi poured oil on it.
- **Keinginannya untuk mencari ibu kandungnya semakin marak setiap hari.** Her desire to find her real mother

is growing more intense every day.
**kemarakan** KATA NAMA
*Biasanya* **kemarakan** *tidak diterjemahkan.*
◊ *Pihak bomba cuba mengawal kemarakan api itu.* The fire brigade tried to control the fire.
**memarakkan** KATA KERJA
*to make ... flare up*
◊ *Mereka memarakkan api itu dengan menuangkan petrol ke atasnya.* They made the fire flare up by pouring petrol on it.

**maraton** KATA NAMA
*marathon*

**margin** KATA NAMA
*margin*
◊ *margin keuntungan* profit margin

**mari** KATA KERJA
*let*
◊ *Mari kita pergi ke panggung wayang.* Let's go to the cinema.
- **Mari!** Let's go!
- **Mari ke sini.** Come here.
- **Dia selalu datang ke mari.** He always comes here.

**Marikh** KATA NAMA
*Mars*

**marin** KATA NAMA
*marine*
◊ *polis marin* marine police

**marjerin** KATA NAMA
*margarine*

**markah** KATA NAMA
*mark*
◊ *Dia mendapat markah yang sangat tinggi dalam ujian itu.* She got very high marks in the test.
**pemarkahan** KATA NAMA
*marking*
◊ *Pemarkahan itu dilakukan oleh dua orang guru.* The marking is done by two teachers.

**markas** KATA NAMA
*base*
◊ *markas tentera* military base
**bermarkas** KATA KERJA
*based*
◊ *Tentera itu bermarkas di Sungai Ara.* The soldiers are based at Sungai Ara.

**marmar** KATA NAMA
*marble*

**martabat** KATA NAMA
*status*
◊ *Jururawat tidak pernah mendapat martabat yang sama seperti doktor.* Nurses have never enjoyed the same status as doctors.
**bermartabat** KATA KERJA

**M**

of ... status

◊ *lelaki dan wanita yang bermartabat tinggi* women and men of high status

**memartabatkan** KATA KERJA

*to improve the status of*

◊ *Penerbitan sebuah kamus yang baik dapat membantu memartabatkan bahasa Melayu.* The publication of a good dictionary may help improve the status of the Malay language.

**maruah** KATA NAMA

*dignity*

◊ *Orang yang mengakui kesalahannya tidak akan kehilangan maruah, sebaliknya akan lebih dihormati.* People who admit their faults do not lose dignity; on the contrary they gain respect.

**masa** KATA NAMA

*time*

♦ **masa silam** past
♦ **lebih masa** overtime
♦ **Saya mahukannya semula dalam masa tujuh hari.** I want it back within seven days.

**semasa** KATA HUBUNG

1 *while*

◊ *Dia datang semasa saya sedang makan.* He came while I was eating.

2 *during*

◊ *Saya pergi ke Langkawi semasa cuti sekolah.* I went to Langkawi during the school holidays.

**masak** KATA KERJA

*to cook*

♦ **tukang masak** a cook
♦ **telur setengah masak** half-boiled egg
♦ **masak-memasak** to cook ◊ *Mereka sedang belajar masak-memasak.* They are learning how to cook.

**masak-masak, semasak-masaknya** KATA ADJEKTIF

*carefully*

◊ *Fikirlah masak-masak.* Think carefully.

**memasak** KATA KERJA

*to cook*

◊ *Ibu sedang memasak makanan kegemaran saya.* Mother is cooking my favourite dishes.

**memasakkan** KATA KERJA

*to cook*

◊ *Ibu memasakkan saya makanan kegemaran saya.* Mother cooks me my favourite dishes.

**masakan** KATA NAMA

1 *cooking*

2 *dish*

◊ *masakan vegetarian* a vegetarian dish

**masalah** KATA NAMA

*problem*

**bermasalah** KATA KERJA

*to have a problem*

♦ **kanak-kanak yang bermasalah** problem child

**permasalahan** KATA NAMA

*problems*

◊ *permasalahan disiplin pelajar* the problems of student discipline

**masam** KATA ADJEKTIF

*sour*

◊ *buah yang masam* sour fruits

♦ **Mukanya masam apabila kami mengatakan bahawa kami tidak mahu bermain dengannya.** She looked sour when we said that we didn't want to play with her.

**bermasam** KATA KERJA

♦ **bermasam muka** on bad terms

◊ *Walaupun mereka berjiran, mereka selalu bermasam muka.* Although they are neighbours, they are on bad terms.

**kemasam-masaman** KATA ADJEKTIF

*slightly sour*

◊ *Makanan itu rasanya manis dan kemasam-masaman.* The food is a mixture of sweet and slightly sour flavours.

**memasamkan** KATA KERJA

♦ **memasamkan muka** to make a sour face ◊ *Dia berpaling dan memasamkan mukanya.* She turned away and made a sour face.

**maserba** KATA NAMA

*omnivore*

**masih** KATA BANTU

*still*

◊ *Saya masih marah akan dia.* I'm still angry with him.

**Masihi** KATA ADJEKTIF

*Christian*

♦ **agama Masihi** Christianity
♦ **1000 tahun Masihi** 1000 AD
♦ **sebelum Masihi** BC

**masin** KATA ADJEKTIF

*salty*

**masing-masing** KATA ADJEKTIF

*respective*

◊ *Murid-murid itu diminta supaya masuk ke kelas masing-masing.* The pupils are required to go to their respective classrooms.

**masjid** KATA NAMA

*mosque*

**mas kahwin** KATA NAMA

*dowry* (JAMAK **dowries**)

**maskara** KATA NAMA

*mascara*

**maskot** KATA NAMA

*mascot*

**mastautin**

  **bermastautin** KATA KERJA

  *to reside*

  ◊ *Dia sudah bermastautin di Malaysia sejak 15 tahun yang lalu.* She has resided in Malaysia for the past 15 years.

  **pemastautin** KATA NAMA

  *resident*

  ◊ *pemastautin tetap* permanent resident

  **permastautinan** KATA NAMA

  *settlement*

  ◊ *permastautinan imigran Cina di Amerika* the settlement of Chinese immigrants in America

**masuk** KATA KERJA

  ① *to come in*

  ◊ *Sila masuk.* Please come in.

  ② *to go in*

  ◊ *Dia masuk untuk berjumpa dengan majikannya.* He went in to see his employer.

  ♦ **masuk campur** to interfere

  ♦ **"Dilarang masuk"** "No entry"

  ♦ **masuk ke dalam** to enter ◊ *Saya terjaga apabila Vivian masuk ke dalam bilik saya.* I woke up when Vivian entered my room.

  ♦ **masuk akal** to make sense ◊ *Perkara itu masuk akal.* It makes sense.

  ◊ *Perkara itu tidak masuk akal.* It doesn't make sense.

  **kemasukan** KATA NAMA

  ① *admission*

  ◊ *Para pelajar memohon kemasukan ke universiti tempatan.* Students apply for admission to local universities.

  ② *entrance*

  ◊ *yuran kemasukan* entrance fee

  **memasuki** KATA KERJA

  *to enter*

  ◊ *Dia berjaya memasuki universiti.* She succeeded in entering university.

  **memasukkan** KATA KERJA

  ① *to enter*

  ◊ *Mereka tidak memasukkan nama saya dalam senarai itu.* They didn't enter my name on the list.

  ② *to put down*

  ◊ *Jangan lupa memasukkan alamat anda.* Don't forget to put down your address.

  ③ *to put ... into*

  ◊ *Janisa memasukkan garam ke dalam kopi lelaki itu.* Janisa put salt into the man's coffee.

  **termasuk** KATA HUBUNG

  *including*

  ◊ *Semua orang tidak setuju, termasuk saya.* Everybody disagreed, including me.

  ♦ **tidak termasuk** excluding

  **masukan** KATA NAMA

  *entry* (JAMAK **entries**)

**masyarakat** KATA NAMA

  *society* (JAMAK **societies**)

  **bermasyarakat** KATA KERJA

  *to live in a society*

  ◊ *Di sini mereka bukan sahaja dapat menimba ilmu, tetapi juga belajar bermasyarakat.* Here they can not only gain knowledge, but also learn to live in a society.

  **kemasyarakatan** KATA NAMA

  *social*

  ◊ *nilai-nilai kemasyarakatan* social values ◊ *sains kemasyarakatan* social science

**masyghul** KATA ADJEKTIF

  *sorrowful*

  ◊ *Sultan itu masyghul sejak kehilangan puteri baginda.* The Sultan was sorrowful after losing his daughter.

**masyhur** KATA ADJEKTIF

  *famous*

  ◊ *penyanyi yang masyhur* a famous singer

  **termasyhur** KATA ADJEKTIF *rujuk* **masyhur**

  **kemasyhuran** KATA NAMA

  *fame*

  ◊ *Buku itu menceritakan kemasyhuran Raja Chulalongkorn dari negara Thai.* The book tells of the fame of King Chulalongkorn of Thailand.

**mata (1)** KATA NAMA

  ① *eye*

  ② *point*

  ◊ *mata penamat* match point

  ♦ **mata air** spring

  ♦ **mata pena** nib

  ♦ **mata pisau** blade

  ♦ **mata pelajaran** subject

  ♦ **mata wang** currency (JAMAK **currencies**)

  **mata-mata** KATA NAMA

  *police*

  ♦ **mata-mata gelap** detective

**mata (2)**

  **semata-mata** KATA PENEGAS

  *solely*

  ◊ *Dia belajar semata-mata kerana ibu bapanya.* She studied solely for the sake of her parents.

**matahari** KATA NAMA

  *sun*

**matang** KATA ADJEKTIF

  ① *ripe*

M

◊ *Buah mangga yang sudah matang manis rasanya.* Ripe mangoes are sweet.

2 *mature*

◊ *seorang gadis yang matang* a mature girl

♦ **tidak matang** immature

**mematangkan** KATA KERJA

*to ripen*

◊ *Anda boleh mematangkan buah tomato dalam masa satu hari sahaja.* You can ripen tomatoes in a single day.

♦ **mematangkan fikiran** to develop one's thinking

**kematangan** KATA NAMA

*maturity*

◊ *Ucapannya itu menunjukkan kematangannya.* The speech showed her maturity.

**matematik** KATA NAMA

*mathematics*

**materai** KATA NAMA

*seal*

**memeterai** KATA KERJA

1 *to stamp ... with a seal*

2 *to ratify*

◊ *memeterai perjanjian* to ratify an agreement

**materialistik** KATA ADJEKTIF

*materialistic*

**mati** KATA KERJA

*to die*

♦ **mati lemas** to be drowned

**bermati-matian** KATA KERJA

*with all one's might*

◊ *Rakyat berjuang bermati-matian untuk mendapatkan kemerdekaan.* The people fought for independence with all their might.

**kematian** KATA KERJA

> rujuk juga **kematian** KATA NAMA

*to lose*

◊ *Puan Sumina baru sahaja kematian suaminya.* Puan Sumina has just lost her husband.

**kematian** KATA NAMA

> rujuk juga **kematian** KATA KERJA

*death*

**mematikan** KATA KERJA

*to turn off*

◊ *Dia mematikan telefon bimbitnya sebelum masuk ke dalam dewan.* She turned off her mobile phone before entering the hall.

**matlamat** KATA NAMA

*aim*

◊ *Matlamat saya adalah untuk mencipta rekod dunia yang baru.* My aim is to set a new world record.

**maun** KATA NAMA

*herbivore*

**maut** KATA KERJA

> rujuk juga **maut** KATA NAMA

*to die*

◊ *Dua puluh orang maut dalam kemalangan itu.* Twenty people died in the accident.

**maut** KATA NAMA

> rujuk juga **maut** KATA KERJA

*death*

◊ *Askar-askar itu tidak gentar menghadapi maut.* The soldiers were not afraid to face death.

♦ **kemalangan maut** a fatal accident

♦ **kawasan maut** black spot

♦ **penyakit yang boleh membawa maut** a fatal disease

**mawar** KATA NAMA

*rose*

**maya (1)** KATA ADJEKTIF

*virtual*

◊ *UNITAR ialah sebuah universiti maya.* UNITAR is a virtual university.

**maya (2)**

**bermaya** KATA KERJA

*to be able*

◊ *Sebelum kemalangan itu ayah saya masih bermaya untuk berjalan.* Before the accident, my father was still able to walk.

♦ **tidak bermaya** weak

**mayat** KATA NAMA

*corpse*

**mayones** KATA NAMA

*mayonnaise*

**mazhab** KATA NAMA

*sect*

♦ **mazhab Methodist** Methodist

**medan** KATA NAMA

*arena*

◊ *medan politik* political arena

♦ **medan perang** battlefield ◊ *Ramai pemuda terkorban di medan perang.* Many young men were killed on the battlefield.

♦ **medan bandar** town square

♦ **"medan selera"** "food court"

**media** KATA NAMA

*media*

◊ *media massa* mass media

**mega** KATA NAMA

*cloud*

**megah** KATA ADJEKTIF

1 *majestically*

◊ *Bangunan menara berkembar tersergam megah di tengah bandar raya.* The twin towers stood out majestically in the middle of the city.

♦ **Ketika itu namanya tidak disebut**

dengan sebegitu megah seperti hari ini. At that time her name was not as famous as it is today.
♦ **Jalur Gemilang berkibar megah di puncak Gunung Everest.** The Malaysian flag flutters proudly on the peak of Mount Everest.
2 *proud*
◊ *Dia berasa megah kerana dipuji oleh gurunya.* He felt proud when the teacher praised him.
**bermegah, bermegah-megah** KATA KERJA
*to boast*
◊ *Dia suka bermegah-megah dengan kejayaan anak lelakinya.* He likes to boast about his son's success.
♦ **bermegah diri** vain ◊ *Saya rasa dia seorang yang bermegah diri dan sombong.* I think he is vain and arrogant.
**kemegahan** KATA NAMA
*pride*
◊ *Jambatan Pulau Pinang merupakan kemegahan rakyat Malaysia.* The Penang Bridge is the pride of all Malaysians.

**Mei** KATA NAMA
*May*
◊ *pada 5 Mei* on 5 May
♦ **pada bulan Mei** in May

**meja** KATA NAMA
*table*

**Mekah** KATA NAMA
*Mecca*

**mekanik** KATA NAMA
*mechanic*

**mekanikal** KATA ADJEKTIF
*mechanical*

**mekap** KATA NAMA
*make-up*
**bermekap** KATA KERJA
*to make oneself up*
◊ *Dayang mengambil masa setengah jam untuk bermekap.* Dayang took half an hour to make herself up.
**memekapkan** KATA KERJA
*to make ... up*
◊ *Mereka memekapkan pelakon lelaki itu sebagai perempuan tua.* They made the actor up as an old woman.

**mekar** KATA KERJA
*to bloom*
◊ *Bunga-bunga sedang mekar di taman.* Flowers are blooming in the garden.

**mel** KATA NAMA
*mail*
◊ *mel udara* air mail
♦ **mel elektronik** e-mail

**Melaka** KATA NAMA
*Malacca*

**melarat** KATA ADJEKTIF
1 *destitute*
◊ *kanak-kanak yang hidup melarat di jalanan* destitute children who live on the streets
2 *miserable*
◊ *Hidupnya melarat selepas kematian ibu bapanya.* Her life was miserable after the death of her parents.
**kemelaratan** KATA NAMA
*poverty*
◊ *Berita itu memaparkan kemelaratan hidup pendatang asing.* The report describes the poverty in which immigrants live.

**Melayu** KATA ADJEKTIF
*Malay*
◊ *budaya Melayu* the Malay culture
♦ **bahasa Melayu** Malay
♦ **orang Melayu** Malay
**kemelayuan** KATA ADJEKTIF
*Malay*
◊ *Gadis itu masih mengekalkan sifat-sifat kemelayuannya.* The girl still kept her Malay characteristics.
**memelayukan** KATA KERJA
*to modify into Malay*
◊ *memelayukan istilah asing yang tidak ada padanan dalam bahasa Melayu* to modify into Malay foreign terms that have no Malay equivalent

**meleset (1)** KATA ADJEKTIF
*wrong*
◊ *Tekaan anda meleset.* You've guessed wrong.

**meleset (2)** KATA ADJEKTIF
*declining*
◊ *ekonomi dunia yang meleset* the declining world economy
**kemelesetan** KATA NAMA
*depression*
◊ *kemelesetan ekonomi* economic depression

**melodi** KATA NAMA
*melody* (JAMAK **melodies**)

**melulu** KATA ADJEKTIF
*recklessly*
◊ *Jangan membuat tindakan melulu.* Don't act recklessly. ◊ *Dia selalu bertindak melulu.* He always acts recklessly.

**melur** KATA NAMA
*jasmine*

**memang** KATA PENEGAS
*indeed*
◊ *Anda memang sangat bijak!* You are indeed very clever!
♦ **Memang tidak dapat dinafikan...** It certainly can't be denied...

**sememangnya** KATA PENEGAS
*certainly*
◊ *Ketua kita sememangnya sangat berkebolehan.* Our leader is certainly very capable.

**memek** KATA NAMA
♦ **memek muka** facial expression

**memori** KATA NAMA
*memory* (JAMAK **memories**)

**mempelai** KATA NAMA
1 *bride* (*perempuan*)
2 *bridegroom* (*lelaki*)

**mempelam** KATA NAMA
*mango* (JAMAK **mangoes** atau **mangos**)

**mena**
**semena-mena** KATA ADJEKTIF
♦ **dengan tidak semena-mena** for no reason ◊ *Dia meninggalkan saya dengan tidak semena-mena.* He left me for no reason.

**menang** KATA ADJEKTIF
| rujuk juga **menang** KATA KERJA |
*winning*
◊ *Pasukan yang menang akan menerima satu juta ringgit.* The winning team will receive one million ringgits.

**kemenangan** KATA NAMA
*victory* (JAMAK **victories**)

**memenangi** KATA KERJA
*to win*
◊ *Anda mesti memenangi pertandingan itu!* You must win the competition!

**memenangkan** KATA KERJA
*to take the side of*
◊ *Punita selalu memenangkan anak bongsunya.* Punita always takes the side of her youngest child.

**pemenang** KATA NAMA
*winner*

**menang** KATA KERJA
| rujuk juga **menang** KATA ADJEKTIF |
*to win*
◊ *Dia begitu bersemangat untuk menang.* He was very motivated to win.

**menantu** KATA NAMA
1 *daughter-in-law*
(JAMAK **daughters-in-law**)
(*perempuan*)
2 *son-in-law* (JAMAK **sons-in-law**)
(*lelaki*)
♦ **anak menantu** children and in-laws

**bermenantukan** KATA KERJA
*to have ... as a son-in-law/daughter-in-law*
♦ **Dia mahu bermenantukan orang kaya.** She wants her children to marry into a rich family.

**menara** KATA NAMA
1 *tower*
◊ *"menara berkembar"* "the twin

towers"
2 *steeple* (*untuk gereja*)
3 *minaret* (*untuk masjid*)
◊ *Menara masjid itu disalut dengan emas.* The minaret of the mosque is covered in gold.

**mendak** KATA KERJA
| rujuk juga **mendak** KATA NAMA |
*to settle*
◊ *Pasir-pasir halus mendak di dasar kolam itu.* Fine sand settled at the bottom of the pool.

**memendakkan** KATA KERJA
*to settle*
◊ *Alat ini digunakan untuk memendakkan bendasing dalam minyak tersebut.* This instrument is used to settle the impurities in the oil.

**pemendakan** KATA NAMA
*sedimentation*

**mendak** KATA NAMA
| rujuk juga **mendak** KATA KERJA |
*sediment*

**mendap** KATA KERJA
*to settle*
◊ *Pasir-pasir halus mendap di dasar kolam itu.* Fine sand settled at the bottom of the pool.

**pemendapan** KATA NAMA
*sedimentation*

**mendapan** KATA NAMA
*sediment*

**mendiang** KATA NAMA
(*untuk orang bukan Íslam*)
*the late*
◊ *mendiang Tun Tan Cheng Lok* the late Tun Tan Cheng Lok

**mendung** KATA ADJEKTIF
*cloudy*

**mengah**
**termengah-mengah** KATA KERJA
*to pant*
◊ *Datuk saya termengah-mengah ketika menaiki tangga itu.* My grandfather was panting as he climbed the stairs.

**mengkal** KATA ADJEKTIF
1 *half-ripe* (*buah*)
2 *to fume inwardly*
◊ *Hati saya mengkal mendengar rungutannya.* I fumed inwardly when I heard his complaints.

**bermengkal** KATA KERJA
♦ **bermengkal hati** to seethe with anger
◊ *Salamiah bermengkal hati apabila dia mendengar kata-kata anaknya.* Salamiah seethed with anger when she heard her son's remarks.

**memengkalkan** KATA KERJA
♦ **memengkalkan hati** to annoy

◊ *Perbuatannya itu betul-betul memengkalkan hati saya.* Her behaviour really annoys me.

**mengkelan** KATA KERJA
*to get food stuck in one's throat*
◊ *Makan perlahan-lahan supaya anda tidak mengkelan.* Eat slowly to avoid getting food stuck in your throat.
**termengkelan** KATA KERJA *rujuk* **mengkelan**

**meningitis** KATA NAMA
*meningitis (penyakit)*

**mentah** KATA ADJEKTIF
1. *raw*
◊ *sayur mentah* raw vegetables
2. *not well cooked*
◊ *Nasi yang dimasaknya itu mentah.* The rice that she prepared was not well cooked.
3. *inexperienced*
◊ *graduan universiti yang masih mentah* inexperienced university graduates
♦ **Dia masih mentah dalam hal ini.** She's still new to this business.
♦ **minyak mentah** crude oil
**mentah-mentah** KATA ADJEKTIF
1. *raw*
◊ *Mereka makan ikan itu mentah-mentah.* They ate the fish raw.
2. *completely*
◊ *Andika menolak pelawaan saya mentah-mentah.* Andika rejected my offer completely.

**mental** KATA NAMA
*mental*
◊ *penyakit mental* mental illness

**mentang**
**mentang-mentang** KATA HUBUNG
*just because*
◊ *Mentang-mentang dia kaya, dia berasa dia mempunyai hak untuk melayan kami dengan buruk.* Just because he's rich, he thinks he has the right to treat us badly.

**mentari** KATA NAMA
*sun*

**mentega** KATA NAMA
*butter*
◊ *mentega kacang* peanut butter

**menteri** KATA NAMA
*minister*
**kementerian** KATA NAMA
*ministry* (JAMAK **ministries**)

**mentimun** KATA NAMA
*cucumber*

**mentol** KATA NAMA
*bulb*
◊ *mentol lampu* light bulb

**mentua** KATA NAMA
*parents-in-law*

♦ **mentua-taya** in-laws
♦ **bapa mentua** father-in-law (JAMAK **fathers-in-law**)
♦ **ibu mentua** mother-in-law (JAMAK **mothers-in-law**)

**menu** KATA NAMA
*menu*
♦ **menu bantu** (*komputer*) help menu

**menung**
**bermenung, termenung** KATA KERJA
*to contemplate*
♦ **termenung memikirkan sesuatu** to contemplate something ◊ *Venukrishna duduk di dalam keretanya sambil termenung memikirkan masa depannya.* Venukrishna sat in his car and contemplated his future.

**merah** KATA ADJEKTIF
*red*
♦ **merah jambu** pink
♦ **merah manggis** maroon
♦ **merah tua** dark red
**kemerah-merahan** KATA ADJEKTIF
*reddish*
◊ *biru kemerah-merahan* reddish blue
♦ **Pipinya kemerah-merahan apabila marah.** Her face goes red when she's angry.
**memerah** KATA KERJA
*to redden*
◊ *Langit memerah menjelang senja.* The sky reddens when sunset is approaching.
**memerahi** KATA KERJA
*to redden*
◊ *Julia memerahi bibirnya dengan gincu.* Julia reddened her lips with lipstick.
♦ **Dia suka memerahi kukunya.** She likes to paint her nails red.
**pemerah** KATA NAMA
♦ **pemerah pipi** blusher

**merak** KATA NAMA
*peacock*

**merana** KATA KERJA
*miserable*
◊ *Jika dia tiada, meranalah saya.* If he goes away, I'll be miserable.
♦ **hidup merana** to live in misery

**mercu** KATA NAMA
*peak*
◊ *Natasha sedang berada di mercu kerjayanya.* Natasha is at the peak of her career.
♦ **mercu kejayaan seseorang** the height of somebody's success
♦ **mercu tanda** landmark

**mercun** KATA NAMA
*firecracker*

**merdeka** KATA ADJEKTIF

**M**

_independent_
◊   _Malaysia ialah sebuah negara yang merdeka._  Malaysia is an independent country.
**memerdekakan**  KATA KERJA
1   _to grant independence to_
◊   _Belanda memerdekakan Indonesia pada tahun 1949._  The Dutch granted independence to Indonesia in 1949.
2   _to free_
◊   _Orang kaya itu enggan memerdekakan hambanya._  The rich man refused to free his slave.
**kemerdekaan**  KATA NAMA
_independence_
◊   _Tunku Abdul Rahman berjuang menuntut kemerdekaan._  Tunku Abdul Rahman fought for independence.
**merdu**  KATA ADJEKTIF
_melodious_
◊   _Lily memiliki suara yang sungguh merdu._  Lily has a very melodious voice.
**kemerduan**  KATA NAMA
_sweetness_
◊   _kemerduan suaranya_  the sweetness of her voice
**mereka**  KATA GANTI NAMA
1   _they_
◊   _Mereka akan sampai hari ini._  They will arrive today.
2   _their_
◊   _Kereta mereka sangat cantik._  Their car is very beautiful.
3   _them_
◊   _Saya akan pergi dengan mereka._  I will go with them.
♦   **milik mereka**  theirs ◊ _Kereta itu milik mereka._  The car is theirs.
**meriah**  KATA ADJEKTIF
_jolly_
◊   _sebuah majlis yang meriah_  a jolly party
♦   **lebih ramai lebih meriah**  the more the merrier
♦   **upacara yang meriah**  a grand ceremony
**kemeriahan**  KATA NAMA
_festivity_
◊   _Kami dapat merasakan kehangatan dan kemeriahan majlis itu._  The warmth and festivity of the occasion were palpable.
**memeriahkan**  KATA KERJA
_to enliven_
◊   _Kehadiran penyanyi terkenal itu memeriahkan lagi majlis ini._  The appearance of the famous singer further enlivened the party.
**meriam**  KATA NAMA
_cannon_

**merit**  KATA NAMA
_merit_
**merkuri**  KATA NAMA
_mercury_
**merosot**  KATA KERJA
_to decline_
◊   _Pelajaran Aminuddin semakin merosot sejak kejadian itu._  Aminuddin's academic performance has declined increasingly since the incident.
**kemerosotan**  KATA NAMA
_decline_
◊   _Kemerosotan harga minyak kelapa sawit membimbangkan negara-negara pengeluar._  The decline in the price of palm oil worries the countries that produce it.
♦   **kemerosotan ekonomi**  economic recession
**merpati**  KATA NAMA
_pigeon_
**mersik**  KATA ADJEKTIF
_shrill_
◊   _suara yang mersik_  shrill voice
**mesej**  KATA NAMA
_message_
**mesin**  KATA NAMA
_machine_
◊   _mesin basuh_  washing machine
◊   _mesin faks_  fax machine
◊   _mesin jahit_  sewing machine
♦   **mesin cetak**  printer
♦   **mesin daftar tunai**  cash register
♦   **mesin fotokopi**  photocopier
♦   **mesin judi**  slot machine
♦   **mesin kira**  calculator
♦   **mesin kira saku**  pocket calculator
♦   **mesin juruwang automatik**  cash dispenser
♦   **mesin pencuci pinggan mangkuk**  dishwasher
♦   **mesin pengering pakaian**  tumble dryer
♦   **mesin pengisar**  blender
♦   **mesin rumput**  lawnmower
♦   **mesin taip**  typewriter
**mesingan**  KATA NAMA
_machine gun_
**meskipun**  KATA HUBUNG
_even though_
◊   _Meskipun dia miskin, dia kuat berusaha._  Even though he is poor, he is very hardworking.
**mesra**  KATA ADJEKTIF
1   _well mixed_
◊   _Kesemua bahan-bahan itu dicampur sehingga mesra._  All the ingredients are added until they are well mixed.
2   _warm_
◊   _seorang yang mesra_  a warm

person
3 *amicably*
◊ *Kami berbual mesra seperti sudah kenal lama.* We chatted amicably as if we'd known each other for a long time.
♦ **tidak mesra** unfriendly
♦ **mesra pengguna** user-friendly
**bermesra** KATA KERJA
*to get on well*
◊ *Adik saya sudah boleh bermesra dengan orang gaji kami yang baru.* My little brother is now able to get on well with our new maid.
**kemesraan** KATA NAMA
*intimacy*
◊ *Dia cemburu melihat kemesraan kami.* He became jealous of our intimacy.
**mesti** KATA BANTU
*must*
◊ *Anda mesti belajar rajin-rajin.* You must study hard.
**semestinya** KATA PENEGAS
1 *ought to be*
◊ *Semestinya pertunjukan itu akan berjaya.* The show ought to be a success.
2 *of course*
◊ *Semestinya saya marah dengan kamu.* Of course I'm angry with you.
♦ **tidak semestinya** not necessarily
**kemestian** KATA NAMA
*must*
◊ *Lawatan ini merupakan satu kemestian.* This trip is a must.
**memestikan** KATA KERJA
*to oblige*
◊ *Para pelajar dimestikan mengambil peperiksaan ini.* Students are obliged to take this examination.
**mesyuarat** KATA NAMA
*meeting*
**bermesyuarat** KATA KERJA
*to hold a meeting*
◊ *Mereka akan bermesyuarat pada hujung minggu ini.* They will hold a meeting this weekend.
**metabolisme** KATA NAMA
*metabolism*
**meter** KATA NAMA
1 *metre* (*unit ukuran*)
◊ *dua juta meter padu air* two million cubic metres of water
2 *meter*
◊ *meter teksi* taxi meter
**meterai** KATA NAMA *rujuk* **materai**
**metrik** KATA ADJEKTIF
*metric*
**mewah** KATA ADJEKTIF
1 *luxurious*
◊ *cara hidup yang mewah* luxurious

lifestyle
2 *luxury*
◊ *kereta mewah* luxury car
**bermewah** KATA KERJA
*to spend extravagantly*
◊ *Dia bermewah dengan wang ayahnya.* He spends his father's money extravagantly.
**kemewahan** KATA NAMA
*luxury*
◊ *Gadis itu hidup dalam kemewahan tetapi dia tidak bahagia.* The girl lives in luxury but she's not happy.
**mi** KATA NAMA
*noodles*
**miang** KATA ADJEKTIF
1 *itchy* (*badan*)
2 *prurient* (*orang*)
**migrain** KATA NAMA
*migraine*
**mikrocip** KATA NAMA
*microchip*
**mikrofon** KATA NAMA
*microphone*
**mikroskop** KATA NAMA
*microscope*
**milik** KATA NAMA
*property*
◊ *Buku-buku ini milik pihak sekolah.* These books are the property of the school.
♦ **milik Geetha** Geetha's ◊ *Telefon bimbit itu milik Geetha.* The mobile phone is Geetha's.
♦ **milik kami** ours ◊ *Majalah-majalah itu milik kami.* The magazines are ours.
♦ **milik mereka** theirs ◊ *Gambar itu milik mereka.* The picture is theirs.
♦ **miliknya (1)** hers (*perempuan*)
◊ *Pen itu miliknya.* The pen is hers.
♦ **miliknya (2)** his (*lelaki*) ◊ *Jam itu miliknya.* The watch is his.
♦ **milik saya** mine ◊ *Buku merah itu milik saya.* The red book is mine.
**memiliki** KATA KERJA
*to own*
◊ *Ayahnya memiliki sebuah kelab golf.* His father owns a golf club.
**pemilik** KATA NAMA
*owner*
♦ **pemilik tanah** landowner
**pemilikan** KATA NAMA
*ownership*
◊ *peningkatan pemilikan rumah di Malaysia* the growth of home ownership in Malaysia
**milik negara** KATA ADJEKTIF
*nationalized*
◊ *syarikat milik negara* nationalized

**M**

company
**memiliknegarakan** KATA KERJA
*to nationalize*
◊ *Kerajaan bercadang untuk memiliknegarakan syarikat-syarikat itu.* The government is planning to nationalize those companies.
**mililiter** KATA NAMA
*millilitre*
**milimeter** KATA NAMA
*millimetre*
**mimpi** KATA NAMA
*dream*
♦ **mimpi ngeri** nightmare
**bermimpi** KATA KERJA
*to dream*
◊ *Ah Mun bermimpi dia berkahwin dengan anak raja.* Ah Mun dreamt that she married a prince.
♦ **bermimpi ngeri** to have nightmares
**bermimpikan, memimpikan** KATA KERJA
*to dream about*
◊ *Semalam saya bermimpikan anda.* Last night I dreamt about you.
**termimpi** KATA KERJA
*to dream*
◊ *Saya tidak pernah termimpi akan menjadi seorang pelakon.* I never dreamt that I would become an actor.
**termimpi-mimpi** KATA KERJA
*to keep dreaming about*
◊ *Dia begitu cintakan gadis itu sehingga termimpi-mimpi tentangnya.* He loves the girl so much that he keeps dreaming about her.
**termimpikan** KATA KERJA
*to dream*
◊ *Dia tidak pernah termimpikan wang sebanyak itu.* She had never dreamt that she would have so much money.
**minat** KATA NAMA
*interest*
**berminat** KATA KERJA
*to be interested*
◊ *Saya tidak berminat menonton cerita perang.* I'm not interested in watching war films.
**meminati** KATA KERJA
*to be interested in*
◊ *Fariz meminati bidang sukan.* Fariz is interested in sport.
**peminat** KATA NAMA
1 *fan*
◊ *peminat bola sepak* football fan
2 *admirer*
◊ *Gadis itu menerima sejambak bunga daripada seorang peminat rahsia.* The girl received a bouquet of flowers from a secret admirer.
**minda** KATA NAMA
*mind*
**minggu** KATA NAMA
*week*
◊ *setiap minggu* every week
♦ **hari minggu** weekend
♦ **hujung minggu** weekend
**berminggu-minggu** KATA BILANGAN
*for weeks*
◊ *Saya sudah menanti berita ini berminggu-minggu lamanya.* I've been waiting for the news for weeks.
**mingguan** KATA ADJEKTIF
*weekly*
**mini** KATA ADJEKTIF
*mini-*
◊ *pasar mini* mini-market
**minimum** KATA ADJEKTIF
*minimum*
**miniskirt** KATA NAMA
*miniskirt*
**minit** KATA NAMA
*minute*
**minoriti** KATA ADJEKTIF
*minority*
♦ **golongan minoriti** the minority
**minta** KATA NAMA

> *rujuk juga* **minta** KATA PERINTAH

♦ **Saya minta maaf.** I'm sorry.
♦ **Saya minta diri.** Excuse me, I must go now.
**meminta** KATA KERJA
*to ask*
◊ *meminta kebenaran* to ask for permission
♦ **meminta doa** to say a prayer
**meminta-minta** KATA KERJA
*to beg*
◊ *Lelaki itu meminta-minta di jalan.* The man was begging on the street.
**peminta** KATA NAMA
♦ **peminta sedekah** beggar
**permintaan** KATA NAMA
*request*
**minta** KATA PERINTAH

> *rujuk juga* **minta** KATA KERJA

*please*
◊ *Minta anda semua bertenang!* Please remain calm!
**minum** KATA KERJA
*to drink*
**meminum** KATA KERJA
*to drink*
**peminum** KATA NAMA
*alcoholic*
**minuman** KATA NAMA
*drink*
◊ *minuman ringan* soft drink

**minyak**   KATA NAMA
  _oil_
♦ **minyak tanah**  paraffin
♦ **minyak wangi**  perfume
  **berminyak**   KATA KERJA
  ① _oily_
  ② _greasy_
**miring**   KATA ADJEKTIF
  ① _sloping_
  ◊ _lantai yang miring_  sloping floor
  ② _to tilt_
  ◊ _Bot itu miring ke kanan lalu tenggelam._
  The boat tilted to the right and sank.
**misai**   KATA NAMA
  ① _moustache_ (pada manusia)
  ② _whiskers_ (pada binatang)
**misal**   KATA NAMA
  _example_
♦ **misal kata**  supposing  ◊ _Misal kata
  rancangan ini gagal?_  Supposing the
  plan fails?
  **misalan**   KATA NAMA  rujuk **misal**
  **misalnya**   KATA HUBUNG
  _for example_
**misi**   KATA NAMA
  _mission_
  ◊ _satu misi yang mustahil_  an impossible
  mission
**miskin**   KATA ADJEKTIF
  _poor_
  **kemiskinan**   KATA NAMA
  _poverty_
  ◊ _Selama ini mereka hidup dalam
  kemiskinan._  All this time they have lived
  in poverty.
**misteri**   KATA NAMA
  _mystery_ (JAMAK **mysteries**)
♦ **penuh misteri**  mysterious
**mitologi**   KATA NAMA
  _mythology_
**mitos**   KATA NAMA
  _myth_
  ◊ _Kisah itu merupakan satu mitos._  The
  story is a myth.
**modal**   KATA NAMA
  _capital_ (dalam ekonomi)
  **pemodal**   KATA NAMA
  _capitalist_
**model**   KATA NAMA
  _model_
**modem**   KATA NAMA
  _modem_
**moden**   KATA ADJEKTIF
  _modern_
  **kemodenan**   KATA NAMA
  _modernity_
♦ _Hotel itu menarik perhatian ramai
  kerana kemodenannya._  The hotel
  attracts a lot of people because it is

modern.
  **memodenkan**   KATA KERJA
  _to modernize_
  ◊ _Kerajaan mempunyai rancangan
  untuk memodenkan industri kraf tangan._
  The government is planning to modernize
  the crafts industry.
  **pemodenan**   KATA NAMA
  _modernization_
  ◊ _program pemodenan lima tahun_
  a five-year modernization programme
**moga**
  **moga-moga, semoga**   KATA HUBUNG
  _that_
  ◊ _Dia berharap semoga anaknya
  terselamat dari gempa bumi itu._  She
  hoped that her daughter had not been
  harmed by the earthquake.
**mogok**   KATA KERJA
  | rujuk juga **mogok** KATA NAMA |
  _to go on strike_
  ◊ _Para pekerja itu mogok kerana gaji
  mereka dipotong._  The workers went on
  strike because their salaries were
  reduced.
  **pemogokan**   KATA NAMA
  _strike_
  ◊ _Pemogokan mereka hanya sia-sia
  sahaja._  It's useless for them to go on
  strike.
  **pemogok**   KATA NAMA
  _striker_
**mogok**   KATA NAMA
  | rujuk juga **mogok** KATA KERJA |
  _strike_
  ◊ _Mogok mereka sudah berakhir._  Their
  strike is over.
**mohon**   KATA KERJA
♦ **Saya mohon maaf.**  I'm sorry.
♦ **Saya mohon diri.**  Excuse me, I must
  go now.
  **bermohon**   KATA KERJA
  _to ask ... permission_
  ◊ _Saya bermohon kepada tuan rumah
  untuk pulang lebih awal._  I asked the
  host's permission to go home early.
  **memohon**   KATA KERJA
  _to apply_
  ◊ _Saya ingin memohon jawatan itu._  I'd
  like to apply for the position.
♦ **Saya memohon supaya dia
  melepaskan saya.**  I asked him to let me
  go.
  **pemohon**   KATA NAMA
  _applicant_
  **permohonan**   KATA NAMA
  _application_
  ◊ _borang permohonan_  application form
**mohor**   KATA NAMA

M

_seal_
- ♦ **cap mohor** royal seal
- ♦ **cincin mohor** signet ring

**molek** KATA ADJEKTIF
_pretty_
◊ _Rupa gadis itu sungguh molek._ That girl is very pretty.

**molekul** KATA NAMA
_molecule_

**monarki** KATA NAMA
_monarchy_ (JAMAK **monarchies**)

**monitor** KATA NAMA
_monitor_

**monolog** KATA NAMA
_monologue_

**monopoli** KATA NAMA
_monopoly_ (JAMAK **monopolies**)
**memonopoli** KATA KERJA
_to monopolize_
◊ _Seperti biasa, Johnson memonopoli perbincangan itu._ As usual, Johnson monopolized the discussion.

**monsun** KATA NAMA
_monsoon_

**montel** KATA ADJEKTIF
_chubby_
◊ _Dia mempunyai dua orang anak perempuan yang montel._ She has two chubby daughters.

**montok** KATA ADJEKTIF
_plump_
◊ _tubuh yang montok_ a plump body

**monumen** KATA NAMA
_monument_

**monyet** KATA NAMA
_monkey_

**mop** KATA NAMA
_mop_

**mor** KATA NAMA
- ♦ **tanah mor** moor

**moral** KATA NAMA
_morals_
**bermoral** KATA KERJA
_to have morals_
◊ _Mereka tidak bermoral._ They have no morals.
- ♦ **tidak bermoral** immoral

**motel** KATA NAMA
_motel_

**motif** KATA NAMA
_motive_

**motivasi** KATA NAMA
_motivation_
**bermotivasi** KATA KERJA
_motivated_
◊ _Pekerja-pekerja syarikat itu sangat bermotivasi._ The company employees are highly motivated.
**memotivasikan** KATA KERJA

_to motivate_
◊ _Majikan itu tidak tahu memotivasikan para pekerjanya._ The employer doesn't know how to motivate his employees.

**moto** KATA NAMA
_motto_ (JAMAK **mottoes** atau **mottos**)
◊ _Moto kami ialah "hidup bererti bebas"._ Our motto is "life is freedom".

**motobot** KATA NAMA
_motorboat_

**motokar** KATA NAMA
_car_

**motor** KATA NAMA
_motor_

**motosikal** KATA NAMA
_motorcycle_

**moyang** KATA NAMA
1. _great-grandfather_ (lelaki)
2. _great-grandmother_ (perempuan)

**mua** KATA ADJEKTIF
_spoiled_
◊ _Min menjadi mua kerana segala kehendaknya dituruti._ Min became spoiled because she got whatever she asked for.
- ♦ **Jangan biarkan pekerja kamu datang lewat nanti mualah mereka.** Don't let your employees come to work late, or they'll take advantage of it.
**memuakan** KATA KERJA
_to spoil_
◊ _Dia menyesal kerana terlalu memuakan anaknya._ She regretted that she had spoilt her child.

**muafakat** KATA KERJA

> _rujuk juga_ **muafakat** KATA NAMA

_to agree_
◊ _Para pekerja sudah muafakat untuk mogok._ The employees have agreed to go on strike.
**bermuafakat** KATA KERJA
_to confer_
◊ _Penduduk kampung bermuafakat untuk membina sebuah masjid._ The villagers were conferring about building a mosque.
**memuafakatkan** KATA KERJA
_to discuss_
◊ _Kami perlu memuafakatkan perkara itu dengan ahli jawatankuasa yang lain._ We need to discuss this matter with the other committee members.
**permuafakatan** KATA NAMA
_agreement_
◊ _permuafakatan antara Brunei dengan Malaysia_ an agreement between Brunei and Malaysia

**muafakat** KATA NAMA

> _rujuk juga_ **muafakat** KATA KERJA

_agreement_
◊ _Sehingga hari ini masih tidak ada muafakat antara mereka._ So far there is still no agreement between them.

**muak** KATA ADJEKTIF
1 _bored_
◊ _Saya semakin muak dengan lagu ini._ I'm getting increasingly bored with this song.
2 _sick_
◊ _Dia berasa muak kerana makan terlalu banyak kek._ She's feeling sick because she ate too much cake.
♦ **Saya sudah muak dengan perangainya itu.** I'm fed up with his attitude.

**mual** KATA ADJEKTIF
_sick_
◊ _Makanan itu membuat saya berasa mual._ The food makes me feel sick.
◊ _Perangai orang tua itu membuat saya berasa mual._ The old man's behaviour makes me sick.
**memualkan** KATA KERJA
_to make ... feel sick_
◊ _Bau itu memualkan saya._ The smell makes me feel sick.

**mualaf** KATA NAMA
_convert to Islam_

**muara** KATA NAMA
_estuary_ (JAMAK **estuaries**)

**muat** KATA ADJEKTIF
1 _big enough_
◊ _Walaupun kecil, kotak itu masih muat untuk beberapa barang lagi._ Although the box is small, it's still big enough to take a few more things.
2 _to fit_
◊ _Baju ini sudah tidak muat dengan saya lagi._ I can't fit into this dress any more.
**memuat** KATA KERJA
_to load_
♦ **memuat naik** to upload (_komputer_)
♦ **memuat turun** to download (_komputer_)
**memuati** KATA KERJA
_to load_
◊ _Pekerja itu memuati lori itu dengan kelapa._ The worker loaded the lorry with coconuts.
**memuatkan** KATA KERJA
1 _to load_
◊ _Mereka memuatkan barang-barang itu ke dalam kereta._ They loaded the goods into the car.
2 _to place_
◊ _Mereka memuatkan berita itu pada muka hadapan surat khabar hari ini._ They placed the news on the front page of today's newspaper.

**termuat** KATA KERJA
_to be carried_
◊ _Berita-berita keganasan termuat pada dada akhbar._ The reports of atrocities are carried on the front pages of the papers.
♦ **Semua lagu yang termuat dalam album tersebut ialah lagu baru.** All the songs in the album are new.
**muatan** KATA NAMA
_load_
◊ _Lori itu membawa satu muatan simen._ The lorry carried a load of cement.
♦ **kapal muatan** cargo ship

**mubaligh** KATA NAMA
_missionary_ (JAMAK **missionaries**)

**muda** KATA ADJEKTIF
1 _young_
◊ _Dia masih muda dan cantik._ She's still young and beautiful.
2 _light_
◊ _hijau muda_ light green
3 _unripe_
◊ _buah yang masih muda_ unripe fruit
♦ **muda-mudi** youngsters ◊ _Muda-mudi sekarang sangat sukar dikawal._ Youngsters nowadays are very hard to control.
**pemuda** KATA NAMA
_young man_ (JAMAK **young men**)

**mudah (1)** KATA ADJEKTIF
_easy_
◊ _Hal ini mudah sahaja._ This is very easy.
♦ **mudah diurus** manageable
**kemudahan** KATA NAMA
_facility_ (JAMAK **facilities**)
**memudahkan** KATA KERJA
_to make it easy_
◊ _Ayah membelikan saya kereta ini untuk memudahkan saya ke tempat kerja._ My father bought me this car to make it easy for me to get to work.
**mempermudah** KATA KERJA
_to simplify_
◊ _mempermudah sistem lama yang kompleks_ to simplify the complex old system

**mudah (2)**
**mudah-mudahan** KATA HUBUNG
_hopefully_
◊ _Mudah-mudahan dia berjaya._ Hopefully he'll succeed.

**mudah alih** KATA ADJEKTIF
_portable_
◊ _komputer mudah alih_ portable computer

**mudarat** KATA NAMA
_harm_

M

◊ *membawa mudarat* to cause harm
**kemudaratan** KATA NAMA
*harm*
♦ **Ubat ini boleh membawa kemudaratan kepada tubuh badan.** This medicine can harm the body.
**memudaratkan** KATA KERJA
1 *to harm*
◊ *Produk itu boleh memudaratkan persekitaran.* The product will harm the environment.
2 *harmful*
◊ *Merokok boleh mendatangkan kesan yang memudaratkan kepada tubuh anda.* Smoking can have harmful effects on your body.

**mudi**
**pemudi** KATA NAMA
*young woman* (JAMAK **young women**)

**mudik**
**bermudik** KATA KERJA
*to go upstream*
◊ *Mereka bermudik di sungai itu sejak dua hari yang lalu.* They have been going upstream for the past two days.
**memudiki** KATA KERJA
*to go upstream*
◊ *Mereka memudiki sungai itu untuk pergi ke Kampung Kencana.* They went upstream to get to Kampung Kencana.
**memudikkan** KATA KERJA
*to sail ... upstream*
◊ *memudikkan kapal* to sail a boat upstream

**mudin** KATA NAMA
*person who performs a circumcision*

**muflis** KATA ADJEKTIF
*bankrupt*

**mufrad** KATA ADJEKTIF
*singular*

**muhibah** KATA ADJEKTIF
*harmonious*
◊ *masyarakat yang muhibah* a harmonious society
♦ **hidup dengan muhibah** to live in harmony

**muhrim** KATA NAMA
*relations who are prohibited by Islam from marrying each other*

**muhsin** KATA ADJEKTIF
*righteous*
◊ *ahli politik yang muhsin* a righteous politician

**mujarab** KATA ADJEKTIF
*effective*
◊ *Benarkah ubat ini sangat mujarab?* Is it true that this medicine is very effective?
**kemujaraban** KATA NAMA

*effectiveness*
◊ *Ramai ahli sains meragui kemujaraban ubat itu.* Many scientists doubt the effectiveness of the medicine.

**mujur** KATA ADJEKTIF
*it's lucky*
◊ *Mujur aku tidak pulang, kalau tidak aku akan terperangkap dalam hujan.* It's lucky I didn't go home, otherwise I would have been caught in the rain.

**muka** KATA NAMA
*face*
♦ **muka surat** page
♦ **pada hari muka** in the future
**bermuka** KATA KERJA
♦ **bermuka dua** two-faced
**bermuka-muka** KATA KERJA
*hypocritical*
◊ *Leela pandai bermuka-muka.* Leela is hypocritical.
**bersemuka** KATA KERJA
*to face*
◊ *Saya terpaksa bersemuka dengan majikan saya untuk membincangkan hal ini.* I had to face my employer to discuss the matter.
**mengemukakan** KATA KERJA
1 *to put forward*
◊ *Kami akan mengemukakan cadangan itu esok.* We will put forward the proposal tomorrow.
2 *to raise*
◊ *Anda boleh mengemukakan sebarang bantahan sekarang.* You can raise any objections now.
**permukaan** KATA NAMA
*surface*
**terkemuka** KATA ADJEKTIF
*famous*
◊ *Dia seorang ahli politik yang terkemuka di negara itu.* He was a famous politician in that country.

**mukadimah** KATA NAMA
*introduction*

**mukim** KATA NAMA
1 *permanent resident* (penduduk tetap)
2 *district* (kawasan)
**bermukim** KATA KERJA
*to stay*
◊ *Mereka bermukim di kampung itu sejak dua tahun yang lalu.* They have been staying in the village for the past two years.

**mukjizat** KATA NAMA
*miracle performed by a prophet*

**muktamad** KATA ADJEKTIF
*final*
◊ *keputusan muktamad* final decision
♦ **tidak muktamad** indecisive ◊ *Keputusan pertandingan itu tidak muktamad.* The

outcome of the competition was indecisive.

**mula** KATA KERJA

> rujuk juga **mula** KATA NAMA

_to start_
◊ *Saya mula menyanyi ketika berusia tujuh tahun.* I started singing when I was seven years old.

**mula-mula** KATA ADJEKTIF
1 _first of all_
◊ *Mula-mula masukkan tepung dan gula.* First of all add sugar and flour.
2 _first_
◊ *Dia yang mula-mula sekali sampai.* He was the first to arrive.

**bermula** KATA KERJA
_to start_
◊ *Pertandingan itu akan bermula sebentar lagi.* The competition will start in just a few minutes.

**memulakan** KATA KERJA
_to start_
◊ *Dia yang memulakan perkelahian itu.* He's the one who started the argument.

**permulaan** KATA NAMA
_initial_
◊ *pada peringkat permulaan* at the initial stage

**semula** KATA ADJEKTIF
_again_
◊ *Saya akan datang semula esok.* I'll come again tomorrow.

**mulai** KATA SENDI
1 _began_
◊ *Bangunan itu dibina mulai tahun 1998.* The construction of the building began in 1998.
2 _from...onwards_
◊ *mulai hari ini* from today onwards

**mula** KATA NAMA

> rujuk juga **mula** KATA KERJA

_beginning_
◊ *Saya sudah tahu perangainya begitu sejak dari mula lagi.* I knew he was like that from the very beginning.

**mulia** KATA ADJEKTIF
_honourable_
◊ *Dia seorang yang mulia.* He's an honourable man.

**kemuliaan** KATA NAMA
1 _nobility_
◊ *Raja itu disanjung kerana kemuliaan sifat baginda.* The king was praised for his nobility of character.
2 _honour_
◊ *Saya tidak dapat lagi berkhidmat dengan kemuliaan di bawah kerajaan ini.* I can't serve with honour under this government any longer.

**memuliakan** KATA KERJA

_to honour_
◊ *Anda mesti memuliakan janji anda.* You must honour your pledge.

**multinasional** KATA ADJEKTIF
_multinational_

**multivitamin** KATA NAMA
_multivitamin_

**mulut** KATA NAMA
_mouth_
♦ **kebersihan mulut** oral hygiene

**mumia** KATA NAMA
_mummy_ (JAMAK **mummies**)

**munasabah** KATA ADJEKTIF
_reasonable_
◊ *Alasan anda agak munasabah.* Your excuse is quite reasonable.
♦ **tidak munasabah** unreasonable

**muncul** KATA KERJA
_to appear_
◊ *Tiba-tiba sahaja dia muncul di hadapan saya.* Suddenly he appears in front of me.

**kemunculan** KATA NAMA
_appearance_
◊ *kemunculannya di konsert itu* his appearance at the concert

**muncung** KATA NAMA
_muzzle_
◊ *muncung senapang* the muzzle of a gun

**memuncungkan** KATA KERJA
_to purse_
◊ *Dia memuncungkan bibirnya kerana tidak berpuas hati.* She pursed her lips in disapproval.

**mundar-mandir** KATA ADJEKTIF
_to and fro_
◊ *Chin Min berjalan mundar-mandir di luar wad kecemasan itu.* Chin Min walks to and fro outside the emergency ward.

**mundur** KATA ADJEKTIF
1 _backward_
◊ *masyarakat yang mundur* a backward society
♦ **negara-negara mundur** poor countries
2 _to retreat_
◊ *Askar-askar itu terpaksa mundur kerana mereka tidak dapat melawan lagi.* The soldiers had to retreat because they couldn't resist any more.

**kemunduran** KATA NAMA
_backwardness_
◊ *Dia berasa sangat hairan dengan kemunduran negaranya pada masa itu.* He was astonished at the backwardness of his country at that time.

**mungkar** KATA ADJEKTIF
_sinful_
◊ *perbuatan yang mungkar* a sinful act

M

**kemungkaran**  KATA NAMA
*sinfulness*
◊ *Dia insaf dengan segala kemungkaran yang dilakukannya.*  He acknowledged his sinfulness.

**mungkin**  KATA BANTU
[1] *maybe*
◊ *mungkin tidak*  maybe not
[2] *might*
◊ *Guru itu mungkin datang pada bila-bila masa sahaja.*  The teacher might come at any time.
♦ **secepat mungkin**  as soon as possible
♦ **tidak mungkin**  impossible

**kemungkinan**  KATA NAMA
*possibility* (JAMAK **possibilities**)
◊ *Kita harus memikirkan segala kemungkinan sebelum memulakan projek ini.*  We have to think about all the possibilities before we start this project.

**berkemungkinan**  KATA KERJA
*possibly*
◊ *Pelajar-pelajar yang berkemungkinan terlibat dalam kegiatan itu akan ditangkap.*  Students who may possibly have been involved in the activity will be arrested.

**mungkir**  KATA KERJA
*to break*
◊ *mungkir janji*  to break a promise
♦ **Jika saya mungkir dia akan menyaman saya.**  If I break my promise he'll sue me.

**memungkiri**  KATA KERJA
*to break*
◊ *memungkiri janji*  to break a promise

**muntah**  KATA KERJA
| rujuk juga **muntah** KATA NAMA |
| --- |
*to vomit*
◊ *Dia muntah selepas makan makanan itu.*  She vomited after she ate the food.

**memuntahkan**  KATA KERJA
*to vomit*
◊ *Penghidap bulimia akan makan dengan banyak dan kemudian memuntahkannya.*  Sufferers from bulimia will eat large amounts of food and then vomit.

**muntah**  KATA NAMA
| rujuk juga **muntah** KATA KERJA |
| --- |
*vomit*

**murah**  KATA ADJEKTIF
*cheap*
♦ **murah hati**  generous
♦ **murah rezeki**  fortunate

**bermurah**  KATA KERJA
♦ **bermurah hati**  to be generous
◊ *Menteri itu cukup bermurah hati membenarkan kami menginap di rumah beliau.*  The minister was generous enough to let us stay at his house.

**kemurahan**  KATA NAMA
♦ **kemurahan hati**  generosity  ◊ *Semua orang tahu tentang kemurahan hatinya.*  Everybody knows about his generosity.

**memurahkan**  KATA KERJA
♦ **memurahkan harga**  to lower the price
♦ **Semoga Tuhan memurahkan rezeki anda.**  May God bless you abundantly.

**pemurah**  KATA ADJEKTIF
*generous*
◊ *seorang yang pemurah*  a generous person

**murahan**  KATA ADJEKTIF
*cheap*
◊ *barang murahan*  cheap goods

**mural**  KATA NAMA
*mural*

**muram**  KATA ADJEKTIF
*gloomy*
◊ *Kenapakah dia kelihatan begitu muram?*  Why does she look so gloomy?

**bermuram**  KATA KERJA
*gloomy*
◊ *Dia bermuram sahaja sejak kelmarin.*  She has been gloomy ever since yesterday.

**kemuraman**  KATA NAMA
*gloom*
◊ *Apabila kami melihat kemuraman pada wajahnya kami tidak menegurnya.*  When we saw the gloom on his face we just ignored him.

**murid**  KATA NAMA
*pupil*

**murka**  KATA ADJEKTIF
(untuk raja, tuhan)
*angry*

**kemurkaan**  KATA NAMA
*anger*
◊ *Raja itu tidak pernah menunjukkan kemurkaan baginda.*  The king has never showed his anger.

**murni**  KATA ADJEKTIF
*pure*
♦ **Saya tidak menyangka hatinya begitu murni.**  I never thought he had such an unselfish attitude.
♦ **cita-cita yang murni**  a noble ambition
♦ **niat yang murni**  a good intention

**kemurnian**  KATA NAMA
*purity*
◊ *kemurnian hatinya*  the purity of his heart

**murung**  KATA ADJEKTIF
*sombre*
◊ *Wajahnya murung secara tiba-tiba.*  Her face suddenly became sombre.

**bermurung**  KATA KERJA
*to be sombre*
◊ *Dia bermurung sejak kehilangan*

*pekerjaannya*. She has been sombre since she lost her job.
**kemurungan**   KATA NAMA
_sadness_
◊ *Kemurungannya benar-benar membuat saya risau.* Her sadness makes me very worried.
**musabaqah**   KATA NAMA
_competition_
**musafir**   KATA NAMA
_traveller_
**bermusafir**   KATA KERJA
_to travel_
◊ *Dia bermusafir dari satu tempat ke satu tempat yang lain.* He travels from one place to another.
**musang**   KATA NAMA
_civet_
**musim**   KATA NAMA
_season_
◊ *di luar musim* out of season
◊ *musim hujan* rainy season
◊ *musim kemarau* dry season
♦ **musim bunga** spring
♦ **musim luruh** autumn
♦ **musim panas** summer
♦ **musim sejuk** winter
**bermusim**   KATA KERJA
_seasonal_
◊ *tanaman bermusim* seasonal crops
**muslihat**   KATA NAMA
_trick_
◊ *Itu hanyalah satu muslihat.* It was just a trick.
♦ **tipu muslihat (1)** trickery ◊ *Dia menggunakan tipu muslihat untuk memenangi perlawanan itu.* He used trickery to win the competition.
♦ **tipu muslihat (2)** tricks ◊ *Jangan terpedaya dengan tipu muslihatnya.* Don't fall for his tricks.
**Muslim**   KATA NAMA
(JAMAK **Muslimin**)
_Muslim_
**Muslimah**   KATA NAMA
(JAMAK **Muslimat**)
_Muslim woman_ (JAMAK **Muslim women**)
**musnah**   KATA ADJEKTIF
_destroyed_
◊ *Rumahnya musnah dalam kebakaran itu.* His house was destroyed in the fire.
**kemusnahan**   KATA NAMA
_destruction_
◊ *Tentera-tentera itu telah melakukan banyak kemusnahan.* The soldiers have caused a lot of destruction.
**memusnahkan**   KATA KERJA
_to destroy_

◊ *Kritikan-kritikan seperti itu boleh memusnahkannya.* Such criticism could destroy her.
**pemusnah**   KATA NAMA
_destroyer_
**pemusnahan**   KATA NAMA
_destruction_
◊ *Beberapa ribu orang tentera terlibat dalam pemusnahan bandar itu.* Several thousand soldiers were involved in the destruction of the city.
**mustahak**   KATA ADJEKTIF
_important_
**mustahil**   KATA ADJEKTIF
_impossible_
**mustajab**   KATA ADJEKTIF
_effective_
◊ *Ubat ini sungguh mustajab.* This medicine is very effective.
♦ **doa yang mustajab** prayers that were answered
**musuh**   KATA NAMA
_enemy_ (JAMAK **enemies**)
♦ **musuh ketat** rival
**bermusuh, bermusuhan**   KATA KERJA
_to be enemies_
◊ *Mereka sudah bermusuh sejak sepuluh tahun yang lalu.* They have been enemies for the last ten years.
♦ **Maria bermusuh dengan Mariana.** Maria was on bad terms with Mariana.
♦ **Saya tidak mahu bermusuh dengan anda.** I don't want to be your enemy.
**memusuhi**   KATA KERJA
_to oppose_
◊ *En. Taylor tidak marah dan kecewa kepada orang yang pernah memusuhinya.* Mr Taylor was not bitter towards those who had opposed him.
**permusuhan**   KATA NAMA
_enmity_ (JAMAK **enmities**)
◊ *Anak-anak yang akan menderita kerana permusuhan ibu bapa.* Children are the ones who will suffer from the enmity between their parents.
**musyawarah**   KATA NAMA
_discussion_
◊ *Syarikat itu akan mengadakan musyawarah dengan para pekerjanya.* The company will hold discussions with its workers.
**bermusyawarah**   KATA KERJA
_to discuss_
◊ *Mereka sedang bermusyawarah tentang...* They are discussing...
♦ **Mereka dapat menyelesaikan masalah itu dengan bermusyawarah.** They managed to solve the problem through discussion.

M

**musykil** KATA ADJEKTIF
   1 _to find it hard to understand_
   ◊ _Saya sangat musykil kenapa baru sekarang dia menimbulkan isu tersebut._ I found it very hard to understand why it was only now that he raised the issue.
   2 _dissatisfied_
   ◊ _Saya musykil dengan keputusannya._ I'm dissatisfied with his decision.
♦ **Kami menerima banyak pertanyaan daripada orang ramai yang musykil tentang projek itu.** We received a lot of questions from the public, who were concerned about the project.
   **kemusykilan** KATA NAMA
   1 _question_
   ◊ _kemusykilan agama_ questions about religious matters
   2 _dissatisfaction_
   ◊ _Dia menyatakan kemusykilannya tentang hal itu._ He expressed his dissatisfaction about the matter.
♦ **Pemohon boleh mengemukakan kemusykilan mereka kepada pegawai yang bertugas.** Applicants can raise any problems with the officials on duty.

**Musytari** KATA NAMA
   _Jupiter_

**mutakhir** KATA ADJEKTIF
   _latest_
   ◊ _berita mutakhir_ the latest news

**mutiara** KATA NAMA
   _pearl_

**mutlak** KATA ADJEKTIF
   _absolute_
   ◊ _hak mutlak_ an absolute right

**mutu** KATA NAMA
   _quality_
   **bermutu** KATA KERJA
   _of ... quality_
   ◊ _Jam tangan ini bermutu tinggi._ This watch is of high quality.
♦ **kertas yang bermutu** high quality paper

**muzakarah** KATA NAMA
   _discussion_
   **bermuzakarah** KATA KERJA
   _to discuss_
   ◊ _Raja-raja sedang bermuzakarah tentang penyatuan umat Islam._ The kings were discussing the unification of Muslims.
♦ **Sultan itu memanggil menteri-menteri baginda ke istana untuk bermuzakarah.** The Sultan called his ministers to the palace for a discussion.

**muzik** KATA NAMA
   _music_
♦ **ahli muzik** musician
   **pemuzik** KATA NAMA
   _musician_

**muzikal** KATA ADJEKTIF
   _musical_
   ◊ _drama muzikal_ musical drama

**muzium** KATA NAMA
   _museum_

**Myanmar** KATA NAMA
   _Myanmar_
♦ **orang Myanmar** Burmese

# N

**nabi** KATA NAMA
*prophet*
  **kenabian** KATA NAMA
*prophetic*
  ◊ *kuasa kenabian* prophetic powers

**nada** KATA NAMA
*tone*
  ◊ *nada dail* dialling tone

**nadi** KATA NAMA
*pulse*

**nafas** KATA NAMA
*breath*
  ♦ **menghela nafas** to breathe in
  ♦ **menghembus nafas** to breathe out
  **bernafas** KATA KERJA
*to breathe*
  **pernafasan** KATA NAMA
  1 *breathing*
  ◊ *Asap yang tebal itu mengganggu pernafasannya.* The thick smoke affected his breathing.
  2 *respiratory*
  ◊ *orang yang mempunyai masalah pernafasan yang serius* people with severe respiratory problems
  ♦ **alat bantuan pernafasan** respirator
  **senafas** KATA ADJEKTIF
*without pausing for breath*
  ◊ *Dia membaca perenggan itu dengan senafas sahaja.* He read the paragraph without pausing for breath.

**nafi** KATA KERJA
*to deny*
  ♦ **"Saya tidak pernah bertemu dengannya," nafi Andrew.** "I haven't seen her before," said Andrew.

> **deny** *tidak boleh digunakan dalam bentuk cakap ajuk seperti dalam bahasa Melayu. Oleh itu perkataan yang lebih umum digunakan, iaitu* **say** *yang bermaksud* **kata**.

  **menafikan** KATA KERJA
*to deny*
  ◊ *Norin menafikan kedua-dua tuduhan itu.* Norin denied both the accusations.
  **penafian** KATA NAMA
*denial*
  ◊ *Penafian Presiden itu berkenaan skandalnya mendapat liputan meluas.* The President's denial regarding the scandal received wide coverage.

**nafkah** KATA NAMA
  1 *livelihood*
  ◊ *Ayah saya terpaksa bekerja keras untuk mencari nafkah.* My father had to work hard for his livelihood.
  2 *expenses*
  ◊ *Menurut undang-undang Islam, suami perlu memberikan nafkah kepada isteri.* According to Islamic law, a husband should pay for his wife expenses.
  ♦ **Salim memberikan nafkah kepada bekas isteri dan anak-anaknya setiap bulan.** Salim pays maintenance to his ex-wife and his children every month.

**nafsu** KATA NAMA
*desire*
  ◊ *Nafsunya untuk belajar sudah hilang sejak dia mula bekerja.* He has lost his desire to study since he started working.
  ♦ **nafsu makan** appetite
  **bernafsu** KATA KERJA
*to have the desire*
  ◊ *Mereka tidak bernafsu lagi untuk menamatkan perlawanan itu.* They no longer have any desire to end the match.
  ♦ **Dia memandang gadis yang cantik itu dengan penuh bernafsu.** He looked at the beautiful girl with intense desire.

**naga** KATA NAMA
*dragon*

**nahas** KATA NAMA
*accident*
  ◊ *nahas jalan raya* road accident
  ♦ **nahas kapal terbang** plane crash
  ♦ **Mereka yang enggan berpindah dari kawasan yang berbahaya itu hanya mencari nahas.** Those who have refused to move from the danger area are simply asking for trouble.

**nahu** KATA NAMA
*grammar*

**naib** KATA NAMA
*vice*
  ◊ *naib presiden* vice-president

**naif** KATA ADJEKTIF
  1 *simple*
  ◊ *Puisi yang naif ini mudah difahami.* This simple poem is easy to understand.
  2 *naive*
  ◊ *Walaupun usianya muda, dia tidaklah begitu naif.* Although she is still young, she's not that naive.
  **kenaifan** KATA NAMA
  1 *simplicity*
  ◊ *kenaifan hidup seseorang* the simplicity of someone's life
  2 *naivety*
  ◊ *Jangan ambil kesempatan atas kenaifan orang lain.* Don't take advantage of people's naivety.

**naik** KATA KERJA
  1 *to increase*
  ◊ *Harga kelapa naik berikutan kekurangan bekalan.* The price of coconuts increased because they were in short supply.
  ♦ **Mereka naik ke atas.** They went

upstairs.

♦ **naik berang** angry

② *to take*

◊ *Mereka terpaksa naik teksi ke tempat itu.* They had to take a taxi to get there.

◊ *naik bas* to take a bus

**menaik** KATA KERJA

*ascending*

◊ *susunan menaik* ascending order

**menaiki** KATA KERJA

① *to take*

◊ *Mereka menaiki kereta api ke Kuala Lumpur.* They took a train to Kuala Lumpur.

② *to climb*

◊ *menaiki tangga* to climb the stairs

**menaikkan** KATA KERJA

*to increase*

◊ *Para peniaga diberi amaran supaya tidak menaikkan harga gula.* Traders were warned not to increase the price of sugar.

**kenaikan** KATA NAMA

*increase*

◊ *kenaikan cukai* increase in taxes

♦ **kenaikan gaji** a pay rise

♦ **kenaikan pangkat** promotion

**najis** KATA NAMA

① *unclean things* (*dalam agama Islam*)

② *filth*

♦ **najis kecil** urine

♦ **najis besar** faeces

**nakal** KATA ADJEKTIF

*naughty*

**kenakalan** KATA NAMA

*naughtiness*

◊ *Kenakalannya memeningkan kepala saya.* His naughtiness gives me a headache.

**nakhoda** KATA NAMA

*captain*

**naluri** KATA NAMA

*instinct*

◊ *Jangan sekali-kali mempertikaikan naluri seorang ibu.* Never question a mother's instinct.

♦ **Kanak-kanak mempunyai naluri untuk bermain.** It's natural for children to play.

**nama** KATA NAMA

*name*

♦ **nama julukan** nickname

♦ **nama keluarga** family name

♦ **nama panggilan** nickname

♦ **nama samaran** pseudonym

♦ **nama tengah** middle name

♦ **nama timangan** pet name

♦ **Dia masih belum mempunyai nama dalam industri muzik.** He hasn't yet made a name in the music industry.

♦ **Dia sedang mencipta nama sebagai penulis novel.** She was beginning to make a name for herself as a novelist.

**bernama** KATA KERJA

*to be named*

◊ *seorang lelaki yang bernama John T. Benson* a man named John T. Benson

♦ **Jalan itu bernama Jalan Sultan Azlan Shah.** The name of the road is Jalan Sultan Azlan Shah.

♦ **Siapakah yang bernama Siti Nurhidayah?** Who is Siti Nurhidayah?

♦ **Kucing saya bernama Miki.** My cat's name is Miki.

**kenamaan** KATA ADJEKTIF

*important*

◊ *Kelab itu hanya dibuka untuk orang-orang kenamaan.* The club is only open to important people.

**menamai** KATA KERJA

*to name*

◊ *Mereka mahu menamai anak lelaki mereka Nazwan.* They want to name their son Nazwan.

**menamakan** KATA KERJA

① *to name*

◊ *Mereka berkeras untuk menamakan anak perempuan mereka Effa Nazima.* They insisted on naming their daughter Effa Nazima.

② *to nominate*

◊ *Ahli persatuan itu menamakan En. Sonaimuthu sebagai presiden.* The members of the association nominated Mr Sonaimuthu as president.

♦ **Sahabat seperti inilah yang dinamakan sahabat sejati.** That's what I call a real friend.

**penama** KATA NAMA

*proposer*

◊ *Hanya ahli persatuan sahaja layak menjadi penama.* Only members of the organization qualify as proposers.

♦ **Dia menamakan anak lelakinya sebagai penama hartanya.** He named his son as the heir to his wealth.

**penamaan** KATA NAMA

*naming*

♦ **upacara penamaan anak** the naming ceremony

♦ **penamaan calon bagi pilihan raya kecil** the nomination of candidates for the by-election

**ternama** KATA ADJEKTIF

*well-known*

◊ *penulis ternama* a well-known writer

**nampak** KATA KERJA

*to see*

◊ *Saya nampak dia mencuri buku kamu.*

I saw him stealing your book.
♦ **Rumah itu nampak kecil dari jauh.**
The house looks small from a distance.
**nampaknya** KATA PENEGAS
_to seem_
◊ *Nampaknya dia tidak akan datang hari ini.* It seems that he's not coming today.
**menampakkan** KATA KERJA
_to show_
◊ *Dia tersenyum dan menampakkan giginya yang putih bersih.* She smiled, showing her white teeth.
**ternampak** KATA KERJA
_to notice_
◊ *Saya ternampak beberapa helai baju yang cantik di kedai itu.* I noticed some beautiful clothes in that shop.
**namun** KATA HUBUNG
_but_
◊ *Dia sakit, namun dia masih mahu pergi ke sekolah.* He is ill, but he still wants to go to school.
♦ **namun begitu** nevertheless
♦ **nanah** KATA NAMA
_pus_
**bernanah** KATA KERJA
_to suppurate_
◊ *Luka pada lututnya bernanah.* The wound on his knee is suppurating.
**nanas** KATA NAMA
_pineapple_
**nangka** KATA NAMA
_jackfruit_
**nanti** KATA ADJEKTIF

> rujuk juga **nanti** KATA KERJA, KATA HUBUNG

_later_
◊ *Jika anda malas, anda sendiri yang akan menyesal nanti.* If you are lazy, you'll be the one who regrets it later.
♦ **Lila bercita-cita untuk menjadi seorang doktor apabila dia besar nanti.** Lila wants to be a doctor when she grows up.
**nanti** KATA HUBUNG

> rujuk juga **nanti** KATA ADJEKTIF, KATA KERJA

_or_
◊ *Jangan merenung matanya, nanti kamu akan dimarahinya.* Don't stare him in the eyes or he'll tell you off.
**nanti** KATA KERJA

> rujuk juga **nanti** KATA ADJEKTIF, KATA HUBUNG

_to wait_
◊ *Nanti sekejap, saya belum siap lagi.* Wait a minute, I'm not ready yet.
**menanti** KATA KERJA

1. _to wait_
◊ *Saya menanti di majlis itu berjam-jam lamanya.* I waited at the party for hours.
2. _to await_
◊ *Sebuah kereta Mercedes Benz menanti pemenang pertandingan itu.* A Mercedes-Benz awaits the winner of the competition.
**menantikan** KATA KERJA
_to wait for_
◊ *Bertahun-tahun lamanya saya menantikan kehadiran hari ini.* I've waited for this day for years.
**menanti-nanti** KATA KERJA
_to wait_
◊ *Dia menanti-nanti di bilik itu dengan perasaan cemas.* He was waiting nervously in the room.
**menanti-nantikan** KATA KERJA
_to wait and wait_
◊ *Saya menanti-nantikan kehadirannya di situ.* I waited and waited for him there.
**ternanti-nanti** KATA KERJA
_to wait anxiously_
◊ *Saya ternanti-nanti keputusan peperiksaan itu.* I'm waiting anxiously for the results of the exam.
**penantian** KATA NAMA
_waiting_
◊ *Dia merasakan penantiannya selama ini sia-sia sahaja.* She feels that her waiting all this while has just been futile.
♦ **Penantian itu satu penyeksaan.** Waiting is torture.
**napkin** KATA NAMA
_nappy_ (JAMAK **nappies**)
**naratif** KATA NAMA
_narrative_
**nasi** KATA NAMA
_rice_
**nasib** KATA NAMA
_fate_
◊ *Dia menerima nasib yang sama dengan kawan-kawannya.* He suffered the same fate as his friends.
♦ **Lenny Tan memenangi pertandingan itu hanya kerana nasib.** Lenny Tan won the competition by sheer good luck.
♦ **mencuba nasib** to try one's luck
♦ **nasib baik** luck
♦ **nasib malang** bad luck
**bernasib** KATA KERJA
♦ **bernasib baik** to be lucky ◊ *Kamu bernasib baik kerana lulus peperiksaan itu.* You are lucky to have passed the examination.
♦ **tidak bernasib baik** to be unlucky
♦ **bernasib malang** to be unlucky ◊ *Dia bernasib malang kerana tidak memenangi*

N

*pertandingan itu.* She was unlucky not to win the competition.

♦ **Mereka yang kurang bernasib baik boleh mencuba lagi pada tahun hadapan.** Those who are less fortunate can try again next year.

**nasihat** KATA NAMA
*advice*
◊ *Ann tidak mendengar nasihat Ian.* Ann did not listen to Ian's advice.
**menasihati, menasihatkan** KATA KERJA
*to advise*
◊ *Bapa saudara Wei Nien menasihatinya supaya selalu membaca buku.* Wei Nien's uncle advised her to do a lot of reading.
**penasihat** KATA NAMA
*adviser*

**nasional** KATA ADJEKTIF
*national*

**nasionalis** KATA NAMA
*nationalist*

**nasionalisme** KATA NAMA
*nationalism*

**naskhah** KATA NAMA

> *rujuk juga* **naskhah** PENJODOH BILANGAN

[1] *manuscript*
◊ *naskhah asal novel itu* the original manuscript of the novel
[2] *bill*
◊ *Naskhah itu telah diluluskan oleh Parlimen.* The bill was approved by Parliament.

**naskhah** PENJODOH BILANGAN

> *rujuk juga* **naskhah** KATA NAMA

*copy* (JAMAK **copies**)
◊ *Saya membeli senaskhah novel yang bertajuk "Emma" dan dua naskhah novel yang bertajuk "Persuasion".* I bought one copy of "Emma" and two copies of "Persuasion".

**Nasrani** KATA NAMA
[1] *Christian*
♦ **agama Nasrani** Christianity
♦ **penganut agama Nasrani** Christian
[2] *Eurasian*
◊ *gadis berketurunan Nasrani* a Eurasian girl

**nat** KATA NAMA
*nut*

**Natal** KATA NAMA
♦ **Hari Natal** Christmas

**natijah** KATA NAMA
*consequence*
◊ *Barah paru-paru yang dihidapnya merupakan natijah daripada menghisap rokok.* His lung cancer was a consequence of cigarette smoking.

**naung**

**bernaung** KATA KERJA
[1] *to shelter*
◊ *Mereka bernaung di dalam gua itu semasa ribut melanda.* They sheltered in the cave during the storm.
[2] *to be under the protection of*
◊ *Kedah pernah bernaung di bawah negara Siam.* Kedah was once under the protection of Siam.

**menaungi** KATA KERJA
*to protect*
◊ *Gua itu menaungi kami daripada panahan petir.* The cave protected us from the lightning. ◊ *Kerajaan itu bersetuju untuk menaungi pelarian-pelarian Bosnia.* The government agreed to protect the Bosnian refugees.

**penaung** KATA NAMA
*patron*
◊ *Puan Sri Adha akan menjadi penaung pertubuhan itu.* Puan Sri Adha will be the patron of the organization.

**penaungan** KATA NAMA
*protection*
◊ *Negara-negara yang kecil mencari penaungan daripada negara yang lebih besar.* Small countries seek protection from larger ones.

**naungan** KATA NAMA
*protection*
◊ *Semua negara di bawah naungan Siam dikehendaki membayar ufti.* All countries under the protection of Siam were required to pay tribute.
♦ **negeri naungan** protectorate

**nazak** KATA ADJEKTIF
*dying*
◊ *Dia mendapat telegram yang mengatakan bahawa bapanya sedang nazak.* He received a telegram saying that his father was dying.

**nazar** KATA NAMA
*vow*
♦ **membayar nazar** to fulfil a vow
**bernazar** KATA KERJA
*to make a vow*
◊ *Rozalina bernazar untuk berpuasa selama sehari jika dia lulus ujian itu.* Rozalina made a vow to fast for a day if she passed the test.

**nazir** KATA NAMA
*inspector*
◊ *nazir sekolah* school inspector

**negara** KATA NAMA
*country* (JAMAK **countries**)
◊ *negara-negara sedang membangun* developing countries
♦ **negara-negara Dunia Ketiga** the Third World

♦ **dalam negara** internal ◊ *hal-ehwal dalam negara* internal affairs
♦ **luar negara** abroad ◊ *Kim ingin belajar di luar negara.* Kim wants to study abroad.
**kenegaraan** KATA NAMA
*national*
◊ *isu-isu kenegaraan* national issues
**negarawan** KATA NAMA
*statesman* (JAMAK **statesmen**)
**negatif** KATA NAMA
*negative*
**negeri** KATA NAMA
*state*
♦ **dalam negeri** internal ◊ *hal-ehwal dalam negeri* internal affairs
**kenegerian** KATA NAMA
*state*
◊ *hal-hal kenegerian* state affairs
**Negro** KATA NAMA
*black*
**nekad** KATA ADJEKTIF
*obstinate*
◊ *Darshini sudah nekad dengan keputusannya.* Darshini was obstinate about her decision.
**nelayan** KATA NAMA
*fisherman* (JAMAK **fishermen**)
**nenas** KATA NAMA
*pineapple*
**nenda** KATA NAMA
(*bahasa istana, persuratan*)
*grandmother*
> **nenda** *juga digunakan untuk merujuk kepada diri sendiri terutama dalam surat. Dalam keadaan ini,* **nenda** *diterjemahkan dengan menggunakan kata ganti nama diri.*
◊ *Nenda akan pulang pada bulan hadapan.* I'm coming home next month.
◊ *Tolong jemput nenda di lapangan terbang.* Please pick me up at the airport.
◊ *Sampaikan salam nenda kepada Salim.* Please give my regards to Salim.
**nenek** KATA NAMA
*grandmother*
♦ **nenek moyang** ancestors
**neon** KATA NAMA
*neon*
**Neptun** KATA NAMA
*Neptune*
**neraca** KATA NAMA
*scales*
**neraka** KATA NAMA
*hell*
**nescaya** KATA ADJEKTIF
*certainly*
◊ *Jika kamu benar-benar bersalah, nescaya kamu akan dihukum.* If you

really are guilty, you will certainly be punished.
**nestapa** KATA NAMA
*sorrow*
◊ *Dia hidup dalam nestapa sepanjang hayatnya.* She lived the rest of the days in sorrow.
♦ **duka nestapa** sorrow
♦ **berduka nestapa** to be grief-stricken
◊ *Sejak kematian anaknya, wanita itu sentiasa berduka nestapa.* Since her child's death, the woman has been grief-stricken.
**net** KATA NAMA
♦ **kain net** net
**neurotik** KATA ADJEKTIF
*neurotic*
**neutral** KATA ADJEKTIF
*neutral*
**nganga** KATA KERJA
*to open one's mouth wide*
◊ *Jangan nganga, nanti mulut kamu dimasuki lalat.* Don't open your mouth wide or a fly will get in.
**menganga** KATA KERJA
*to open one's mouth wide*
♦ **Jika kamu menolak tawaran itu kamu sendiri yang akan menganga kelak.** If you reject the offer, it will be your loss.
**mengangakan** KATA KERJA
*to open ... wide*
◊ *mengangakan mulut* to open one's mouth wide
**ternganga** KATA KERJA
⓵ *with mouth agape*
◊ *Dia ternganga mendengar cerita Carmen.* He listened with mouth agape to Carmen's story.
⓶ *wide open*
◊ *Dia terkejut apabila melihat pintu hadapan rumahnya ternganga.* She was shocked to see that her front door was wide open.
**ngaum**
**mengaum** KATA KERJA
*to roar*
◊ *Harimau itu mengaum.* The tiger roared.
**ngauman** KATA NAMA
*roar*
◊ *Kami terdengar ngauman singa itu dari kejauhan.* We heard the lion's roar from a distance.
**ngeri** KATA ADJEKTIF
*horrified*
◊ *Saya berasa sungguh ngeri apabila mendengar kisah itu.* I was really horrified when I heard the story.
**mengerikan** KATA ADJEKTIF

**N**

*gruesome*
◊ *pembunuhan yang mengerikan* a gruesome murder

**ngiang**
  **mengiang-ngiang, terngiang-ngiang** KATA KERJA
  *to buzz*
  ◊ *Nyamuk itu mengiang-ngiang di telinga saya.* The mosquito was buzzing at my ears.
♦ **Nasihat orang tua itu terngiang-ngiang di telinganya.** The old man's advice kept ringing in his ears.

**ngiau**
  **mengiau** KATA KERJA
  *to miaow*
  ◊ *Kucing mengiau.* Cats miaow.
  **ngiauan** KATA NAMA
  *miaowing*

**ngilu** KATA ADJEKTIF
  *to grate on one's ears*
  ◊ *Ketika dia bangun, bunyi kerusinya membuat saya berasa ngilu.* The sound of his chair when he got up grated on my ears.
♦ **Saya berasa ngilu apabila tergigit ketulan ais itu.** My teeth ached when I bit into the ice.

**niaga** KATA NAMA
  *business* (JAMAK **businesses**)
♦ **barang niaga** merchandise
♦ **kapal niaga** merchant ship
  **berniaga** KATA KERJA
  *to be a trader*
  ◊ *Dia dan kawan-kawannya berniaga di Jalan Chow Kit.* He and his friends were traders in Chow Kit road.
  **peniaga** KATA NAMA
  *trader*
  **perniagaan** KATA NAMA
  *business* (JAMAK **businesses**)
♦ **ahli perniagaan** businessman (JAMAK **businessmen**)

**niat** KATA NAMA
  *intention*
  ◊ *niat baik* good intention ◊ *niat buruk* bad intention
  **berniat** KATA KERJA
  *to intend*
  ◊ *Saya percaya dia berniat untuk menipu anda.* I believe that he intended to cheat you.
♦ **Saya tahu kamu berniat baik.** I know you mean well.
  **terniat** KATA KERJA
  *to intend*
  ◊ *Sharmin tidak terniat untuk melukakan hati ibunya.* Sharmin didn't intend to hurt her mother's feelings.

**nikah** KATA NAMA
  *marriage*
♦ **akad nikah** marriage vow
  **bernikah** KATA KERJA
  *to get married*
  **menikahi** KATA KERJA
  *to marry*
  ◊ *Dia mahu menikahi gadis itu.* He wants to marry the girl.
  **menikahkan** KATA KERJA
  *to marry*
  ◊ *Ustaz Hamidi bersetuju untuk menikahkan kami esok.* Ustaz Hamidi agreed to marry us tomorrow.
  **pernikahan** KATA NAMA
  *marriage*
  ◊ *Pernikahan mereka berakhir dengan tragedi.* Their marriage ended in tragedy.

**nikmat** KATA ADJEKTIF
  | *rujuk juga* **nikmat** KATA NAMA |
  *delightful*
  ◊ *percutian yang sungguh nikmat* a most delightful holiday
♦ **Tetamu itu dihidangkan dengan buah-buahan yang nikmat.** The guest was served delicious fruits.
  **kenikmatan** KATA NAMA
  *pleasure*
  ◊ *kemudahan dan kenikmatan yang diperoleh daripada teknologi moden* the convenience and pleasure provided by modern technology
  **menikmati** KATA KERJA
  *to enjoy*
  ◊ *Kita beruntung kerana dapat menikmati keamanan di negara sendiri.* We are lucky that we enjoy peace in our own country.

**nikmat** KATA NAMA
  | *rujuk juga* **nikmat** KATA ADJEKTIF |
  [1] *God's gift*
  ◊ *Kamu patut bersyukur dengan segala nikmat yang diberikan kepada kamu.* You should be thankful for all God's gifts to you.
  [2] *pleasure*
  ◊ *Hal-hal yang sangat sederhana pun memberinya nikmat.* She gets pleasure from the simplest things. ◊ *Dia memperoleh nikmat daripada tarian balet dan tarian moden.* She gets pleasure from ballet and contemporary dancing.
♦ **nikmat hidup** blessings

**nila** KATA NAMA
  [1] *blue*
  [2] *blue dye*

**nilai** KATA NAMA
  *value*
  ◊ *Nilai pelaburannya sudah bertambah*

*sebanyak RM50,000.* The value of his investment has increased by RM50,000.

+ **nilai tukaran wang asing** exchange rate

+ **Beri saya nilai yang tepat!** Give me the exact figures!

**bernilai** KATA KERJA

1 *valuable*
◊ *Rantai ini sangat bernilai.* This necklace is very valuable.

2 *worth*
◊ *Cincin perkahwinannya bernilai RM1000.* Her wedding ring is worth RM1000.

**menilai** KATA KERJA

*to evaluate*
◊ *Setiap guru dikehendaki menilai prestasi pelajar mereka.* All teachers are required to evaluate their students' performance.

**penilaian** KATA NAMA

*evaluation*
◊ *laporan penilaian pelajar* student evaluation report

**ternilai** KATA KERJA

+ **tidak ternilai** priceless

**nilam** KATA NAMA

*sapphire*

**nilon** KATA NAMA

*nylon*

**nipah** KATA NAMA

*palm tree* (terjemahan umum)

**nipis** KATA ADJEKTIF

*thin*
◊ *Langsir itu nipis.* The curtain is thin.

**menipis** KATA KERJA

1 *to be depleted*
◊ *Lapisan ozon semakin menipis.* The ozone layer is being depleted.

2 *to get thinner*
◊ *Buku nota saya semakin menipis kerana dia asyik mengoyak muka suratnya.* My notebook was getting thinner and thinner because he kept tearing the pages out.

**menipiskan** KATA KERJA

*to deplete*
◊ *bahan-bahan yang boleh menipiskan lapisan ozon* substances that could deplete the ozone layer

+ **Raksa boleh menipiskan lapisan kulit.** Mercury can make the skin become thinner.

**nisan** KATA NAMA

*tombstone*

**nisbah** KATA NAMA

*ratio*

**nista** KATA ADJEKTIF

*disgraceful*

◊ *perbuatan yang sungguh nista* a most disgraceful act

+ **kata-kata nista** insults

**nistaan** KATA NAMA

*insult*
◊ *Saya tidak tahan dengan cacian dan nistaannya.* I cannot stand his jeers and insults.

**nobat** KATA NAMA

*royal drum*

**menobatkan** KATA KERJA

*to install*
◊ *Sultan itu menobatkan putera baginda sebagai pengganti baginda.* The Sultan installed his son as his successor.

**penobatan** KATA NAMA

*installation*
◊ *Istiadat penobatan raja itu telah diadakan pada minggu lepas.* The installation ceremony of the king was held last week.

**noda** KATA NAMA

*stain*
◊ *Dia cuba membersihkan noda yang terdapat pada pakaiannya.* She tried to remove the stains on her dress.

+ **noda pada wajah** facial blemish

**menodai** KATA KERJA

1 *to disgrace*
◊ *Dia telah menodai nama baik sekolahnya dengan perbuatan buruknya itu.* He has disgraced his school's good name by his despicable action.

2 *to rape*
◊ *Lelaki itu dituduh menodai pelajar itu.* The man was accused of raping the student.

**ternoda** KATA KERJA

*to have lost one's virginity*
◊ *Gadis itu sudah ternoda.* The girl has lost her virginity.

**noktah** KATA NAMA

*full stop*

**nombor** KATA NAMA

*number*

+ **nombor pengenalan peribadi** personal identification number

+ **nombor telefon** telephone number

+ **plat nombor** number plate

**penomboran** KATA NAMA

*numbering*

**norma** KATA NAMA

*norm*

**normal** KATA ADJEKTIF

*normal*

**menormalkan** KATA KERJA

*to normalize*
◊ *rawatan untuk menormalkan tekanan darah* treatment to normalize

**N**

blood pressure
**nostalgia**  KATA NAMA
*nostalgia*
**nota**  KATA NAMA
*note*
**notis**  KATA NAMA
*notice*
**novel**  KATA NAMA
*novel*
**novelis**  KATA NAMA
*novelist*
**November**  KATA NAMA
*November*
◊ *pada 6 November*  on 6 November
**nujum**  KATA NAMA
*astrology*
♦ **ilmu nujum**  astrology
♦ **ahli nujum**  soothsayer
**nukilan**  KATA NAMA
*quotation*
◊ *nukilan daripada novel Keris Mas*
a quotation from Keris Mas' novel
**nuklear**  KATA NAMA
*nuclear*
**nuri**  KATA NAMA
*parrot*
**nurani**  KATA NAMA
♦ **hati nurani (1)**  heart enlightened by
God  (*Islam*)
♦ **hati nurani (2)**  innermost feelings
**nusa**  KATA NAMA
[1] *island*
[2] *motherland*
♦ **berjuang untuk nusa dan bangsa**  to
fight for one's country
**Nusantara**  KATA NAMA
*Malay Archipelago*
**nutrien**  KATA NAMA
*nutrient*
**nya**  KATA GANTI NAMA
[1] *her* (*perempuan*)
◊ *Kawan-kawan Poh Lian suka
mempersendakannya.*  Poh Lian's
friends like to mock her.  ◊ *Alice
mengambil bukunya.*  Alice took her book.
[2] *him* (*lelaki*)
◊ *Sam sedang membaca buku dan dia
tidak mahu sesiapa pun menggangunya.*
Sam is reading and doesn't want anybody
to disturb him.
[3] *his* (*lelaki*)
◊ *Jamal sedang cuba memperbaiki
komputernya.*  Jamal is trying to fix his
computer.
[4] *its*
◊ *Burung itu sedang memberi makanan
kepada anak-anaknya.*  The bird is feeding
its young.  ◊ *PBB perlu memainkan
peranannya sebagai sebuah badan dunia.*

The UN needs to play its role as a
worldwide organization.

*nya juga digunakan sebagai
penekanan dan tidak mempunyai
terjemahan dalam bahasa Inggeris
jika digunakan bersendirian.*
◊ *Mereka sudah tinggal di situ beberapa
tahun lamanya.*  They have been living
there for years.  ◊ *Agaknya dia tidak akan
datang hari ini.*  I suppose he's not coming
today.

*nya juga boleh digunakan untuk
memberikan penekanan kepada
kata adjektif yang membawa
maksud sungguh atau amat.*
◊ *Sakitnya kaki saya!*  My leg's so
painful!  ◊ *Sakitnya hati saya!*  I am so
angry!  ◊ *Cepatnya awak sampai.*  You
arrived very quickly.

*nya juga digunakan untuk
menjadikan perkataan yang bukan
kata nama sebagai kata nama.*
◊ *Lajunya kereta api baru itu ialah 90
kilometer sejam.*  The speed of the new
train is 90 kilometres per hour.
◊ *Perginya tetamu saya tidak diduga.*
My guest's departure was unexpected.
◊ *pentingnya kedudukan laksamana
itu*  the importance of the admiral's
position
**nyah**  KATA KERJA
*to get out*
◊ *Nyah kau dari sini!*  Get out of here!
**mengenyahkan**  KATA KERJA
[1] *to drive ... out*
◊ *Kerajaan negara itu mengenyahkan
gerila dengan menggunakan kekerasan.*
The country's government drove the
guerrillas out by force.
♦ **mengenyahkan bau**  to deodorize
[2] *to eradicate*
◊ *mengenyahkan penyakit*  to
eradicate the disease
**nyahcas**  KATA NAMA
*discharge*
◊ *nyahcas elektrik*  electric discharge
**mengenyahcas**  KATA KERJA
*to discharge*
◊ *mengenyahcas elektrik*  to discharge
electricity
**nyahkod**  KATA KERJA
*to decode*
**nyala**  KATA NAMA
*flame*
♦ **nyala api**  flame
**bernyala, menyala**  KATA KERJA
*to burn*
◊ *Api itu masih bernyala ketika bomba
sampai.*  The fire was still burning when

the fire brigade arrived.

♦ **Tiba-tiba sahaja lampu itu menyala.**
Suddenly the light came on.

♦ **Jangan buang rokok yang masih bernyala dalam hutan.** Don't throw away lighted cigarette ends in the forest.
**menyalakan** KATA KERJA
*to light*
◊ *Ayah menolong ibu menyalakan lilin.*
Father helped mother to light the candle.
**nyalaan** KATA NAMA
*flame*

♦ **nyalaan api** flame

**nyaman** KATA ADJEKTIF
*invigorated*
◊ *Saya rasa nyaman tinggal di sini.* I feel invigorated living here.

♦ **udara yang nyaman** invigorating air

♦ **Minuman ini rasanya sungguh nyaman.**
This drink is very refreshing.
**menyamankan** KATA KERJA
*to cool*
◊ *Air itu menyamankan kulit saya.* The water cooled my skin.

♦ **udara yang menyamankan** invigorating air
**penyaman** KATA NAMA

♦ **penyaman udara** air conditioner

**nyamuk** KATA NAMA
*mosquito* (JAMAK **mosquitoes** atau **mosquitos**)

**nyanyi**
**menyanyi** KATA KERJA
*to sing*
◊ *Dia gemar menyanyi.* She loves to sing.
**menyanyikan** KATA KERJA
*to sing*
◊ *menyanyikan sebuah lagu* to sing a song
**penyanyi** KATA NAMA
*singer*

♦ **penyanyi utama** lead singer

♦ **penyanyi solo** soloist
**nyanyian** KATA NAMA
*singing*

**nyanyuk** KATA ADJEKTIF
*senile*

**nyaring** KATA ADJEKTIF
*high-pitched* (*suara*)

**nyaris**
**nyaris-nyaris** KATA ADJEKTIF
*almost*
◊ *Yee Lin nyaris-nyaris gagal dalam ujian itu.* Yee Lin almost failed the test.

**nyata** KATA ADJEKTIF
*clear*
◊ *bukti yang nyata* clear evidence

♦ **tak nyata** intangible ◊ *aset tak nyata*

intangible asset (*perakaunan*)
**kenyataan** KATA NAMA
*statement*
◊ *Pengetua membuat kenyataan bahawa beliau akan meletakkan jawatan.* The principal made a statement to the effect that he would resign.

♦ **Kamu harus menghadapi kenyataan hidup dengan sabar.** You have to face the facts of life with patience.
**menyatakan** KATA KERJA
[1] *to clarify*
◊ *Terima kasih kerana membenarkan saya menyatakan keadaan sebenarnya.*
Thank you for allowing me to clarify the situation.
[2] *to state*
◊ *Pelajar itu menyatakan bahawa dia tidak meniru dalam peperiksaan.* The student stated that he didn't cheat in the exam.
**penyata** KATA NAMA
[1] *statement*
◊ *penyata kewangan* financial statement
[2] *report*
◊ *penyata bulanan* monthly report
**penyataan** KATA NAMA
*statement*
◊ *Novel itu merupakan penyataan rasa tidak puas hatinya.* The novel was a statement of his dissatisfaction.
**pernyataan** KATA NAMA
*announcement*
◊ *Menteri itu membuat pernyataan kelmarin.* The minister made an announcement yesterday.

**nyawa** KATA NAMA
*life* (JAMAK **lives**)
**bernyawa** KATA KERJA
*to be alive*
**senyawa** KATA KERJA
*to combine*
◊ *Kedua-dua gas itu sudah senyawa.*
The two gases have combined.
**bersenyawa** KATA KERJA
*to mate*
◊ *Haiwan-haiwan itu sedang bersenyawa.* The animals are mating.
**mensenyawakan** KATA KERJA
*to fertilize*
◊ *mensenyawakan telur* to fertilize an egg
**persenyawaan** KATA NAMA
*fertilization*

**nyenyak** KATA ADJEKTIF
*sound asleep*
◊ *Dia sudah nyenyak.* She's sound asleep.

**nyiur** KATA NAMA
*coconut*

N

# O

**oat** KATA NAMA
*oats*

**objek** KATA NAMA
*object*

**objektif** KATA ADJEKTIF

> rujuk juga **objektif** KATA NAMA

*objective*
◊ *Anda harus bersikap objektif dalam membuat keputusan itu.* You should be objective in making the decision.

**objektif** KATA NAMA

> rujuk juga **objektif** KATA ADJEKTIF

*objective*
◊ *Apakah objektif projek ini?* What's the objective of this project?

**obor** KATA NAMA
*torch* (JAMAK **torches**)

**Ogos** KATA NAMA
*August*
◊ *pada 5 Ogos* on 5 August
♦ **pada bulan Ogos** in August

**oh** KATA SERUAN
*oh*
◊ *Oh, dia sudah pergi!* Oh, he's gone!
♦ **oh ya** by the way ◊ *Oh ya, jangan lupa datang awal esok!* By the way, don't forget to come early tomorrow!

**oi** KATA SERUAN
*oi*
◊ *Oi! Diamlah!* Oi! Shut up!

**okey** KATA ADJEKTIF
(tidak formal)
*okay*
◊ *Saya okey, jangan risau.* I'm okay, don't worry.

**oksigen** KATA NAMA
*oxygen*

**Oktober** KATA NAMA
*October*
◊ *pada 21 Oktober* on 21 October
♦ **pada bulan Oktober** in October

**olah (1)**
**seolah-olah** KATA SENDI
*as if*
◊ *Dia berlagak seolah-olah dia orang kaya.* He acted as if he were rich.
♦ **Maria seolah-olah sedang bermimpi.** Maria looks as if she's daydreaming.

**olah (2)**
**mengolah** KATA KERJA
*to form*
◊ *mengolah satu ayat baru* to form a new sentence

**olahraga** KATA NAMA
*athletics*

**olahragawan** KATA NAMA
*sportsman* (JAMAK **sportsmen**)

**olahragawati** KATA NAMA
*sportswoman* (JAMAK **sportswomen**)

**oleh** KATA SENDI
*by*
◊ *ditulis oleh* written by
**memperoleh** KATA KERJA
*to achieve*
◊ *memperoleh kejayaan* to achieve success
♦ **memperoleh keuntungan** to gain profit
**perolehan** KATA NAMA
*earnings*
◊ *perolehan tertahan* retained earnings

**Olimpik** KATA NAMA
♦ **Sukan Olimpik** the Olympics

**olok**
**olok-olok** KATA ADJEKTIF
*joking*
♦ **Jangan main-main! Perkara ini bukan olok-olok.** Be serious! This is no joke.
♦ **perkahwinan olok-olok** sham marriage
**memperolok-olokkan** KATA KERJA
*to mock*
◊ *Mereka selalu memperolok-olokkan saya.* They are always mocking me.

**ombak** KATA NAMA
*wave*
**berombak** KATA KERJA
*wavy*
◊ *Rambut Helmi berombak.* Helmi has wavy hair.
♦ **Laut sentiasa berombak.** There are always waves in the sea.

**omel**
**mengomel** KATA KERJA
*to grumble*
◊ *Raymond mengomel kerana kami mengambil masa yang lama untuk menyiapkan kerja itu.* Raymond grumbled because we took a long time to finish the job.
**omelan** KATA NAMA
*grumbling*
◊ *Saya tidak tahan dengan omelannya.* I can't stand his grumbling.

**omnivor** KATA NAMA
*omnivore*

**opera** KATA NAMA
*opera*

**operasi** KATA NAMA
*operation*
◊ *operasi menyelamat* rescue operation
**beroperasi** KATA KERJA
*to open*
◊ *Kedai itu beroperasi 24 jam sehari.* The shop is open 24 hours a day.
**operator** KATA NAMA
*operator*
♦ **Operator kilang bekerja mengikut syif.** Factory workers work in shifts.

**opsyen** KATA NAMA

_option_
◊ _Apakah opsyen lain yang anda ada?_
What other options do you have?

**optik** KATA NAMA
_optics_
♦ **pakar optik** optician

**optimis** KATA NAMA
_optimist_

**optimistik** KATA ADJEKTIF
_optimistic_

**optimum** KATA ADJEKTIF
_optimum_
◊ _pengeluaran pada tahap optimum_
optimum production
**mengoptimumkan** KATA KERJA
_to optimize_
◊ _mengoptimumkan pengeluaran_ to
optimize production

**orak**
**mengorak** KATA KERJA
♦ **mengorak langkah** to take the first step
◊ _Dia telah mengorak langkah_
_menjadi seorang peniaga yang berjaya._
He has taken the first steps towards
becoming a successful businessman.

**orang** KATA NAMA

> _rujuk juga_ **orang** PENJODOH
> BILANGAN

1 _person_
◊ _orang yang boleh dipercayai_
reliable person
2 _people_
◊ _orang Sepanyol_ Spanish people
♦ **orang kaya** the rich
♦ **orang miskin** the poor
♦ **orang tua** the aged
♦ **orang yang terselamat** survivors
♦ **Orang tua kami sudah berpindah ke**
**bandar.** Our parents have moved to the
town.
**orang-orang** KATA NAMA
_scarecrow_
◊ _Orang-orang digunakan untuk_
_menakutkan burung di sawah padi._
Scarecrows are used to frighten birds in
paddy fields.
**seorang** KATA ADJEKTIF
_the only person_
◊ _Hanya dia seorang yang tidak datang_
_ke sekolah hari ini._ He's the only person
who is absent today.
♦ **seorang diri** to be alone ◊ _Irene_
_seorang diri di dalam rumah itu._ Irene is
alone in the house.
**berseorangan** KATA KERJA
_to be alone_
◊ _Saya ingin berseorangan._ I would like
to be alone.
♦ **Saya membuat projek itu berseorangan.**

I carried out the project by myself.
**keseorangan** KATA KERJA
_lonely_
◊ _Saya keseorangan._ I'm lonely.
**perseorangan** KATA NAMA
_singles_
◊ _perlawanan perseorangan lelaki_ men's
singles match
♦ **orang perseorangan** individual
**seseorang** KATA GANTI NAMA
_somebody_ atau _someone_
◊ _Saya memerlukan seseorang untuk_
_membantu saya._ I need someone to help
me.
♦ **Jika seseorang itu ingin berjaya, dia**
**mestilah berusaha bersungguh-**
**sungguh.** If a person wants to succeed,
he must try hard.

**orang** PENJODOH BILANGAN

> _rujuk juga_ **orang** KATA NAMA
> **orang** _tidak ada terjemahan dalam_
> _bahasa Inggeris._

◊ _dua orang pelajar_ two students
◊ _tiga orang pekerja_ three workers

**orbit** KATA NAMA
_orbit_
**mengorbit** KATA KERJA
_to orbit_
◊ _satelit yang mengorbit bumi_ a satellite
that orbits the earth

**oren** KATA ADJEKTIF

> _rujuk juga_ **oren** KATA NAMA

_orange_
◊ _beg berwarna oren_ an orange bag

**oren** KATA NAMA

> _rujuk juga_ **oren** KATA ADJEKTIF

_orange_
◊ _jus oren_ orange juice

**organ** KATA NAMA
_organ_
◊ _organ pembiakan_ reproductive
organ

**organik** KATA ADJEKTIF
_organic_
◊ _pertanian organik_ organic farming

**organisasi** KATA NAMA
_organization_

**organisma** KATA NAMA
_organism_
◊ _organisma hidup_ living organism

**orientasi** KATA NAMA
_orientation_
◊ _minggu orientasi untuk pelajar-pelajar_
_universiti_ orientation week for university
students
**berorientasikan** KATA KERJA
_-oriented_
◊ _ekonomi yang berorientasikan pasaran_
_terbuka_ open market-oriented economy

O

**orkestra** KATA NAMA
  *orchestra*
**orkid** KATA NAMA
  *orchid*
**otak** KATA NAMA
  *brain*
  **berotak** KATA KERJA
  *intelligent*
♦ **tidak berotak** brainless
**otot** KATA NAMA
  *muscle*
  **berotot** KATA KERJA
  *muscular*

**output** KATA NAMA
  *output*
**ovari** KATA NAMA
  *ovary* (JAMAK **ovaries**)
**overdraf** KATA NAMA
  *overdraft*
**ovum** KATA NAMA
  *ovum* (JAMAK **ova**)
**ozon** KATA NAMA
  *ozone*
  ◊ *lapisan ozon* ozone layer

# P

**pacak** KATA NAMA
  [1] _stake (tiang pancang)_
  [2] _skewer (pencucuk)_
  **memacakkan** KATA KERJA
  _to drive_
  ◊ _Para pekerja memacakkan tiang-tiang itu ke dalam tanah._ The workers drove the poles into the ground.
  **terpacak** KATA KERJA
  _to be stuck into_
  ◊ _Tiang-tiang terpacak di dalam tanah._ Poles were stuck into the ground.
  ♦ **Gregory terpacak di situ.** Gregory was rooted to the spot.

**pacat** KATA NAMA
  _land leech_ (JAMAK **land leeches**)

**pacu** KATA NAMA
  _spur_
  **memacu** KATA KERJA
  _to spur_
  ◊ _Jackie memacu kudanya._ Jackie spurred her horse.
  ♦ **memacu kenderaan** to accelerate
  ◊ _Perompak-perompak itu memacu kenderaan mereka apabila dikejar oleh polis._ The robbers accelerated when they were chased by the police.
  **pemacu** KATA NAMA
  _drive_
  ◊ _pemacu cakera_ disk drive

**pad** KATA NAMA
  _pad_

**pada** KATA SENDI
  [1] _at_
  ◊ _Jill bekerja pada waktu malam untuk menambahkan pendapatannya._ Jill works at night to supplement her income.
  [2] _in_
  ◊ _Faridah biasa tidur pada waktu petang._ Faridah usually sleeps in the afternoon.
  ◊ _Pada pendapat saya, harga itu terlalu mahal._ In my opinion, the price is too high.
  [3] _on_
  ◊ _Soo Chin tidak pergi ke sekolah pada hari Isnin._ Soo Chin didn't go to school on Monday.
  [4] _with_
  ◊ _Wang saya ada pada bapa saya._ My money is with my father.
  **berpada-pada** KATA KERJA
  _to be moderate_
  ◊ _Permintaan anda perlulah berpada-pada._ Your request should be moderate.
  ♦ **Berbuat baik berpada-pada.** Don't be too nice.
  **memadai** KATA KERJA
  _sufficient_
  ◊ _Peraturan-peraturan ini tidak memadai untuk mengawal syarikat itu._ These regulations are not sufficient to regulate the company.
  ♦ **Diet cara Barat seharusnya sudah memadai bagi kebanyakan orang.** The western diet should be perfectly adequate for most people.

**padah** KATA NAMA
  _consequence_
  ◊ _Menipu orang buruk padahnya._ If you cheat people you will suffer the consequences.

**padahal** KATA HUBUNG
  [1] _but actually_
  ◊ _Dia enggan mengakui kesalahannya, padahal semua orang sudah tahu perkara yang sebenar._ He refused to admit that he was wrong, but actually everybody already knows the truth.
  [2] _although_
  ◊ _Sunny tewas dalam perlawanan karate itu, padahal lawannya jauh lebih kecil daripadanya._ Sunny was defeated in the karate event, although his opponent was far smaller than him. ◊ _Gadis itu rendah akhlaknya, padahal ibu bapanya orang beriman._ The girl has low morals, although her parents are very religious.

**padam** KATA KERJA
  [1] _extinguished_
  ◊ _Api itu telah padam._ The fire is extinguished.
  [2] _to clean_
  ◊ _Tolong padam papan hitam._ Please clean the blackboard.
  **memadamkan** KATA KERJA
  [1] _to put out_
  ◊ _Ahli-ahli bomba itu berjaya memadamkan api._ The firemen succeeded in putting out the fire.
  [2] _to rub out_
  ◊ _Susie memadamkan jawapannya._ Susie rubbed out her answer.
  ♦ **memadamkan papan hitam** to clean the blackboard
  **pemadam** KATA NAMA
  _rubber_
  ♦ **pemadam api** fire extinguisher
  **terpadam** KATA KERJA
  _to go off_
  ◊ _Semua lampu terpadam._ All the lights went off.

**padan** KATA ADJEKTIF
  _to suit_
  ◊ _Potongan rambut itu tidak padan dengannya._ That hairstyle doesn't suit her.
  **berpadanan** KATA KERJA
  _to match_

◊ *Gaji yang Ken peroleh berpadanan dengan pengalamannya.* Ken's salary matches his experience.

**memadankan** KATA KERJA
*to match*
◊ *Hisham memadankan baju itu dengan seluar barunya.* Hisham matched the shirt with his new trousers.

**sepadan** KATA ADJEKTIF
1 *to fit*
◊ *Carilah kerja yang sepadan dengan kelayakan anda.* Look for a job which fits your qualifications.
2 *to match*
◊ *Warna-warna ini tidak sepadan.* These colours don't match.
3 *compatible*
◊ *Danny dan isterinya memang sepadan.* Danny and his wife are very compatible.

♦ **Dia sedang mencari bakal suami yang sepadan dengannya.** She's looking for a husband of the same status as her.

**padanan** KATA NAMA
*equivalent*
◊ *Para penterjemah sedang mencari padanan bagi perkataan itu.* The translators are looking for the equivalent of the word.

**padang** KATA NAMA
*field*
♦ **padang golf** golf course

**padat** KATA ADJEKTIF
1 *chock-full*
◊ *Guni beras ini padat.* This sack of rice is chock-full.
2 *packed*
◊ *Stadium itu padat dengan orang.* The stadium is packed with people.

**kepadatan** KATA NAMA
*density* (JAMAK **densities**)
◊ *Wendy membuat anggaran kepadatan penduduk di kawasan itu.* Wendy estimated the population density in that area.

**memadatkan** KATA KERJA
*to stuff*
◊ *Rosli memadatkan beg plastik itu dengan kertas.* Rosli stuffed the plastic bag with paper.

**paderi** KATA NAMA
*priest*

**padi** KATA NAMA
*paddy*

**padu** KATA ADJEKTIF
*solid*
◊ *Konkrit itu akan kekal padu seperti batu.* The concrete will stay as solid as a rock.

♦ **masyarakat yang bersatu padu** a united society
**berpadu** KATA KERJA
*to unite*
♦ **Mereka berpadu tenaga untuk menentang penjajah.** They united to fight against the colonizers.

**memadukan** KATA KERJA
*to combine*
◊ *Mereka memadukan usaha untuk menjayakan projek itu.* They combined their efforts to make the project a success.

**sepadu** KATA ADJEKTIF
*integrated*
◊ *Cara hidup Barat sudah sepadu dalam diri Aris.* Aris has become integrated into the Western way of life.

**bersepadu** KATA KERJA
*integrated*
◊ *Pendekatan yang lebih bersepadu diperlukan untuk mengatasi masalah itu.* A more integrated approach is needed to solve the problem.

**menyepadukan** KATA KERJA
*to integrate*
◊ *Jack sedang menyepadukan aktiviti kedua-dua buah syarikat itu.* Jack is integrating the activities of the two companies.

**perpaduan** KATA NAMA
*solidarity*
◊ *perpaduan kaum* the solidarity of all ethnic groups

**paduan** KATA NAMA
*combination*
◊ *paduan usaha* combination of efforts

**Paduka** KATA NAMA
*Excellency*

**pagar** KATA NAMA
*fence*
♦ **pagar hidup** hedge
**memagari** KATA KERJA
*to fence*
◊ *William memagari kebun itu untuk mengelakkannya daripada dimasuki kambing.* William fenced the garden to keep goats out.

**pagi** KATA NAMA
*morning*
◊ *Selamat pagi.* Good morning.
**pagi-pagi** KATA ADJEKTIF
*early in the morning*
♦ **Pagi-pagi lagi Kamariah sudah bangun.** Kamariah woke up when it was still early.

**pagoda** KATA NAMA
*pagoda*

**pagut**
**memagut** KATA KERJA
*to peck*

◊ *Burung itu memagut cacing itu.* The bird pecked the worm.

**paha** KATA NAMA
*thigh*

**pahala** KATA NAMA
*reward from God*

**pahat** KATA NAMA
*chisel*
**memahat** KATA KERJA
*to chisel*
◊ *Hoong memahat kayu itu menjadi seekor kucing.* Hoong chiselled a cat out of wood.

**pahit** KATA ADJEKTIF
*bitter*
◊ *buah yang pahit* á bitter fruit
◊ *pengalaman yang pahit* bitter experience
**kepahitan** KATA NAMA
*bitter taste*
◊ *Leela tidak tahan dengan kepahitan ubat itu.* Leela couldn't stand the bitter taste of the medicine.
♦ **Sally mengeluh apabila dia teringat tentang kepahitan hidupnya.** Sally sighed when she recalled her sufferings.

**pahlawan** KATA NAMA
*warrior*

**pai** KATA NAMA
*pie*
◊ *pai epal* apple pie

**pain** KATA NAMA
*pint* (unit ukuran untuk cecair)

**paip** KATA NAMA
1 *pipe*
2 *tap*
◊ *air paip* tap water
♦ **tukang paip** plumber
♦ **paip salir** drainpipe

**pajak** KATA NAMA
*monopoly*
♦ **pajak gadai** pawn shop
**memajak** KATA KERJA
1 *to lease*
◊ *Mahat memajak tanah daripada abang saya untuk menanam sayur.* Mahat leases land from my brother to grow vegetables.
2 *to pawn*
◊ *Kenny memajak jam tangannya.* Kenny pawned his watch.
**memajakkan** KATA KERJA
*to lease*
◊ *Mahmud mahu memajakkan tanahnya kepada penduduk kampung.* Mahmud wanted to lease his land to the villagers.
**pemajak** KATA NAMA
*a person who leases from somebody*

**pemajakan** KATA NAMA
*leasing*
◊ *Abang saya menentang pemajakan tanah itu kepada En. Joe.* My elder brother opposed the leasing of the land to Mr Joe.

**pak** KATA NAMA
(*tidak formal*)
*father*
♦ **pak cik** uncle

**pakai** KATA KERJA *rujuk* **memakai**
**berpakaian** KATA KERJA
*to dress*
◊ *Kelly selalu berpakaian kemas.* Kelly always dresses neatly.
♦ **seorang wanita yang berpakaian serba hitam** a woman dressed in black
**memakai** KATA KERJA
*to wear*
◊ *Aaron memakai baju biru ke majlis itu.* Aaron wore a blue shirt to the party.
♦ **Sultan itu memakai nama Sultan Alauddin Riayat Syah.** The sultan used the name Sultan Alauddin Riayat Syah.
**memakaikan** KATA KERJA
*to dress*
◊ *Saya memandikannya dan memakaikannya pakaian yang bersih.* I bathed her and dressed her in clean clothes.
♦ **Sarina sedang memakaikan anak lelakinya pakaian.** Sarina is dressing her son.
**pemakaian** KATA NAMA
*use*
◊ *pemakaian perkataan yang sesuai* the use of appropriate words
**terpakai** KATA KERJA
*used*
◊ *sampul surat yang terpakai* used envelope ◊ *kereta terpakai* used car
**pakaian** KATA NAMA
*clothes*
♦ **pakaian dalam** underwear
♦ **pakaian kotor** laundry
♦ **pakaian penyelam** wetsuit
♦ **pakaian renang** swimming costume
♦ **pakaian seragam** uniform
♦ **pakaian sukan** sportswear

**pakai buang** KATA ADJEKTIF
*disposable*
◊ *kain lampin pakai buang* disposable nappies

**pakar** KATA NAMA
*expert*
♦ **pakar bedah** surgeon
♦ **pakar kaki** chiropodist
♦ **pakar optik** optician
♦ **pakar sakit jiwa** psychiatrist

P

**kepakaran** KATA NAMA
*expertise*
◊ *Dia terkenal dengan kepakarannya dalam bidang ekonomi.* He is well-known for his expertise in economics.

**pakat**
**berpakat** KATA KERJA
1 *to discuss*
◊ *Kami berpakat membuka sebuah restoran.* We discussed opening a restaurant.
2 *to plot*
◊ *Mereka berpakat untuk menjatuhkan Presiden.* They plotted to bring down the President.
**sepakat** KATA KERJA
*to agree*
◊ *Kami sepakat dengan keputusan itu.* We agree with the decision.
♦ **kata sepakat** consensus ◊ *mencapai kata sepakat* to reach a consensus
**bersepakat** KATA KERJA
*to agree*
◊ *Kami semua bersepakat memilih Jonathan sebagai ketua.* All of us agreed to choose Jonathan as leader.
**kesepakatan** KATA NAMA
*agreement*
◊ *Guru-guru berjaya mencapai kesepakatan dalam mesyuarat itu.* The teachers reached an agreement at the meeting.
**pakatan** KATA NAMA
1 *agreement*
◊ *pakatan damai* peace agreement
2 *plot*
◊ *pakatan untuk menggulingkan kerajaan* a plot to overthrow the government

**pakej** KATA NAMA
*package*
◊ *pakej bantuan ekonomi* economic aid package

**paksa** KATA ADJEKTIF
*forced*
◊ *kerja paksa* forced labour ◊ *buruh paksa* forced labourer
**memaksa** KATA KERJA
*to force*
◊ *Guru itu tidak memaksa para pelajar untuk menghadiri kelas tambahan pada hari Sabtu.* The teacher didn't force the students to attend the extra class on Saturday.
**pemaksaan** KATA NAMA
*coercion*
◊ *Pekerja-pekerja menentang pemaksaan yang cuba dilakukan oleh*
syarikat itu terhadap mereka. The workers resisted the company's attempt at coercion.
**terpaksa** KATA KERJA
*to be compelled*
◊ *Penny terpaksa bekerja sehingga waktu malam untuk menghabiskan kerjanya.* Penny was compelled to work until it was night to finish her work.
♦ **Kami terpaksa berjalan kaki apabila kereta kami rosak.** We had to walk when our car broke down.
**paksaan** KATA NAMA
*force*
◊ *Masalah ini tidak dapat diselesaikan dengan paksaan.* This problem couldn't be solved by using force.

**paksi** KATA NAMA
*axis* (JAMAK **axes**)

**paku** KATA NAMA
*nail*
◊ *paku besi* iron nail ◊ *paku payung* wide-headed nail
♦ **paku tekan** drawing pin
**memaku** KATA KERJA
*to drive a nail*
◊ *Mohan memaku pintu itu.* Mohan drove a nail into the door.
**memakukan** KATA KERJA
*to nail*
◊ *Kamal memakukan sebatang kayu pada dinding.* Kamal nailed a piece of wood to the wall.
**terpaku** KATA KERJA
*to fix on*
◊ *Mata Elaine terpaku pada iklan itu.* Elaine's eyes were fixed on the advertisement.
♦ **Kanak-kanak itu terpaku di hadapan televisyen.** The children were glued to the television.
♦ **Carrie diam terpaku apabila mendengar berita itu.** Carrie was struck dumb when she heard the news.

**paku pakis** KATA NAMA
*fern*

**pala** KATA NAMA
♦ **buah pala** nutmeg

**palam** KATA NAMA
*plug*
♦ **penyesuai palam** adaptor

**palang** KATA NAMA
1 *crossbar*
2 *cross* (JAMAK **crosses**)
◊ *sepasang anting-anting yang berbentuk palang* a pair of cross-shaped earrings
**memalang** KATA KERJA
*to bolt*

◊ *Aminah memalang pintu sebelum masuk tidur.* Aminah bolts the door before going to bed.

**paling (1)** KATA PENGUAT

*most*

◊ *hadiah yang paling mahal* the most expensive present ◊ *yang paling cantik* the most beautiful

*Biasanya* **paling** *diterjemahkan sebagai* **kata adjektif berbentuk superlatif** *dalam bahasa Inggeris.*

◊ *pelajar yang paling pandai* the cleverest student ◊ *yang paling hodoh* the ugliest

**paling (2)**

**berpaling** KATA KERJA

*to turn*

◊ *Umi berpaling ke kanan untuk bercakap dengan kawannya.* Umi turned to the right to talk to her friend.

♦ **berpaling tadah** to betray ◊ *Kumpulan itu mengenakan hukuman berat terhadap ahlinya yang berpaling tadah.* The association will punish severely members who betray it.

♦ **Dia berlalu dari situ tanpa berpaling lagi.** She walked away without turning back.

**memalingkan** KATA KERJA

♦ **memalingkan muka** to turn one's face away ◊ *Juliet memalingkan mukanya kerana malu.* Juliet turned her face away in embarrassment.

**palit**

**berpalitan** KATA KERJA

*to be smudged*

◊ *Muka perempuan itu berpalitan kotoran.* The woman's face was smudged with dirt.

**memalitkan** KATA KERJA

*to smear*

◊ *Budak lelaki itu memalitkan cat pada tangan kawannya.* The boy smeared his friend's hand with paint.

**palma** KATA NAMA

*palm*

**palsu** KATA ADJEKTIF

*false*

◊ *dokumen palsu* false document ◊ *gigi palsu* false teeth

♦ **wang palsu** fake money

♦ **rambut palsu** wig

**kepalsuan** KATA NAMA

*falsehood*

◊ *Mereka tidak dapat membezakan antara kebenaran dengan kepalsuan.* They couldn't differentiate between truth and falsehood.

♦ **Pihak polis sedang menyiasat**

tentang kebenaran dan kepalsuan maklumat tersebut. The police are investigating the truth or falsity of the information.

♦ **Jangan terpengaruh dengan kenyataan yang berunsur fitnah dan kepalsuan.** Don't be influenced by statements which are slanderous and dishonest.

♦ **Dia menganggap bahawa dunia ini penuh dengan kepalsuan.** He thinks that the world is full of dishonesty.

**memalsukan** KATA KERJA

*to forge*

◊ *Orang yang memalsukan pasport akan dikenakan hukuman berat.* People who forge passports will be punished severely.

**pemalsuan** KATA NAMA

*forgery*

◊ *pemalsuan lukisan Van Gogh* the forgery of Van Gogh's paintings

**palu**

**memalu** KATA KERJA

*to beat*

◊ *Farid memalu gendang itu.* Farid beat the drum.

**paluan** KATA NAMA

*beating*

◊ *Semua orang yang berada di dalam rumah mendengar paluan gendang itu.* Everyone in the house heard the beating of the drum.

**palung** KATA NAMA

1 *puddle* (*tanah lekuk berair*)

2 *trough* (*bekas makanan/minuman haiwan*)

**pam** KATA NAMA

*pump*

**mengepam** KATA KERJA

1 *to pump*

◊ *Bapa saya sedang mengepam tayar keretanya.* My father is pumping up his car tyres.

2 *to flush*

◊ *mengepam tandas* to flush the toilet

**pengepaman** KATA NAMA

*pumping*

◊ *pengepaman air* the pumping of water

**pamah** KATA NAMA

*lowlands*

**pamer**

**mempamerkan** KATA KERJA

*to display*

◊ *Mereka sedang mempamerkan lukisan-lukisan itu di dalam dewan.* They are displaying the paintings in the hall.

**pameran** KATA NAMA

_exhibition_
◊ _pameran buku_  book exhibition

**pampang**
**terpampang**  KATA KERJA
_to be prominently displayed_
◊ _Poster penyanyi itu terpampang di pusat membeli-belah itu._  Posters of the singer are prominently displayed in the shopping centre.

**pampas**
**pampasan**  KATA NAMA
_compensation_
◊ _Majikan itu membayar pampasan kepada para pekerja yang cedera._  The employer paid compensation to the injured workers.

**pampat**  KATA ADJEKTIF
_compressed_
**memampatkan**  KATA KERJA
_to compress_
◊ _Mesin ini digunakan untuk memampatkan gas itu._  This machine is used to compress the gas.
**pemampat**  KATA NAMA
_compressor_

**panah**  KATA NAMA
_bow_
♦ **anak panah**  arrow
**memanah**  KATA KERJA
_to shoot_
◊ _George memanah seekor burung._  George shot a bird.
**pemanah**  KATA NAMA
_archer_

**panas**  KATA ADJEKTIF
_hot_
◊ _secawan kopi yang panas_  a cup of hot coffee
**kepanasan**  KATA NAMA
_heat_
◊ _Saya tidak tahan dengan kepanasan di luar._  I can't stand the heat outside.
**memanaskan**  KATA KERJA
_to heat up_
◊ _Valerie sedang memanaskan sup._  Valerie is heating up the soup.
♦ **memanaskan badan**  to warm up ◊ _Atlit itu sedang memanaskan badannya sebelum perlumbaan itu bermula._  The athlete is warming up before the start of the race.
**pemanas**  KATA NAMA
_heater_
♦ **alat pemanas**  heater
**pemanasan**  KATA NAMA
_heating_
◊ _bil pemanasan_  heating bills
♦ **pemanasan global**  global warming
**panau**  KATA NAMA

_a skin disease_  (penjelasan umum)

**panca**  KATA NAMA
_five_

**pancaindera**  KATA NAMA
_senses_

**pancalogam**  KATA NAMA
_alloy_

**pancalumba**  KATA NAMA
_pentathlon_

**pancang**  KATA NAMA
_stake_
♦ **pancang khemah**  tent peg
**memancangkan**  KATA KERJA
_to drive_
◊ _Pelajar-pelajar memancangkan tiang ke dalam tanah untuk mendirikan khemah._  The students drove a pole into the ground to pitch a tent.
**terpancang**  KATA KERJA
_to be stuck into_
◊ _Tiang-tiang terpancang di dalam tanah._  Poles had been stuck into the ground.

**pancar**
**berpancaran**  KATA KERJA
_to gush_
◊ _Air dari paip itu berpancaran keluar apabila dilanggar oleh sebuah kereta._  Water gushed out of the pipe when a car ran into it.
**memancar**  KATA KERJA
_to shine brightly_
◊ _Cahaya matahari sedang memancar._  The sun is shining brightly.
♦ **Darah memancar keluar dari luka lelaki itu.**  Blood spurted out of the man's wound.
**memancarkan**  KATA KERJA
♦ **memancarkan cahaya**  to shine
◊ _Matahari memancarkan cahaya ke dalam bilik Amin._  The sun shone into Amin's room.
**pemancar**  KATA NAMA
_transmitter_
◊ _pemancar radio_  radio transmitter
**terpancar**  KATA KERJA
_to shine_
◊ _Kegembiraan terpancar pada wajahnya._  Happiness shone from her face.
♦ **Cahaya yang terpancar dari lampu suluh itu sangat terang.**  The torch gives a very bright light.
**pancaran**  KATA NAMA
1 _ray_
◊ _Pancaran cahaya matahari boleh menembusi air sedalam 10 kaki._  The sun's rays can penetrate water up to 10 feet.

**2** _beam_
◊ _pancaran cahaya daripada sebuah kereta_ a beam of light from a car

**pancaragam** KATA NAMA
_brass band_

**pancaroba** KATA NAMA
_confusion_
◊ _Hidup ini penuh dengan pancaroba._ Life is full of confusion.

**pancing** KATA NAMA
_fishing rod_
**memancing** KATA KERJA
_to fish_
◊ _Johari sedang memancing di sungai._ Johari is fishing in the river.
♦ **memancing undi untuk seseorang** to canvass for somebody
**pemancing** KATA NAMA
_angler_
**pancingan** KATA NAMA
_bait_
◊ _Nick menggunakan cacing sebagai pancingannya._ Nick used worms as his bait.

**pancit** KATA ADJEKTIF
_punctured_
◊ _Bobby menukar tayar yang pancit itu._ Bobby changed the punctured tyre.

**pancung** KATA KERJA
_to behead_
♦ **hukuman pancung** execution by beheading
♦ **menjatuhkan hukuman pancung** to sentence to be beheaded ◊ _Raja itu menjatuhkan hukuman pancung ke atas pemberontak-pemberontak itu._ The king sentenced the rebels to be beheaded.
**memancung** KATA KERJA
_to behead_
◊ _Dia diarahkan supaya memancung kepala pengkhianat itu._ He was ordered to behead the traitor.

**pancur** KATA NAMA _rujuk_ **pancuran**
**memancur** KATA KERJA
_to spout_
◊ _Minyak memancur keluar dari paip itu._ Oil spouted out of the pipe.
**terpancur** KATA KERJA
_to spurt_
◊ _Darah mangsa kemalangan itu terpancur ke baju John._ Blood from the accident victim spurted on to John's shirt.
**pancuran** KATA NAMA
_spout_

**pancut** KATA KERJA
♦ **air pancut** fountain
**memancut** KATA KERJA
_to spurt_
◊ _Darah memancut keluar dari luka_

_Ronald._ Blood spurted out of Ronald's wound.

**memancutkan** KATA KERJA
_to squirt_
◊ _Kanak-kanak yang nakal itu memancutkan air ke arah guru-guru tersebut._ The naughty children squirted the teachers with water.
**pancutan** KATA NAMA
_spurt_

**panda** KATA NAMA
_panda_

**pandai** KATA ADJEKTIF
_clever_
**kepandaian** KATA NAMA
_intelligence_
◊ _Guru-guru selalu memuji kepandaian Joshua._ The teachers always praise Joshua's intelligence.
**memandai-mandai** KATA KERJA
_wilful_
◊ _Dia selalu memandai-mandai dan tidak mendengar nasihat orang._ He is very wilful and never listens to advice.

**pandang** KATA KERJA
_to look_
◊ _Jangan pandang lelaki itu._ Don't look at the man.
♦ **alat pandang dengar** audio visual aid
**berpandangan** KATA KERJA
_to exchange looks_
◊ _Kami berpandangan dan bertukar senyuman._ We exchanged looks and smiles.
♦ **Seseorang usahawan perlulah berpandangan jauh.** An entrepreneur needs to be far-sighted.
**memandang** KATA KERJA
**1** _to look_
◊ _Budak yang nakal itu tidak berani memandang wajah ibunya._ The naughty child didn't dare to look at his mother.
**2** _to regard_
◊ _Para pekerja memandang Omar sebagai penyelamat syarikat mereka._ The workers regarded Omar as the saviour of their company.
♦ **Jangan memandang rendah pada kebolehannya.** Don't underestimate her abilities.
**memandangkan** KATA HUBUNG
_since_
◊ _Memandangkan tempat itu dekat sahaja, kami berjalan kaki ke sana._ Since the place was quite near, we walked.
**pemandangan** KATA NAMA
_scenery_
◊ _Pemandangan di tempat ini sangat cantik._ The scenery is very beautiful here.

**terpandang** KATA KERJA
*to see*
◊ *Apabila dia memalingkan mukanya, dia terpandang gadis itu.* When he turned, he saw the girl.

**pandangan** KATA NAMA
1 *look*
◊ *Dia memandang saya dengan pandangan yang kurang menyenangkan.* He gave me a nasty look.
♦ **Pandangannya menakutkan saya.** The look on his face scared me.
2 *opinion*
◊ *Pada pandangan saya, Lynda ialah calon yang lebih sesuai.* In my opinion, Lynda is a more suitable candidate.

**pandu**
**berpandu** KATA KERJA
♦ **peluru berpandu** guided missile
**berpandukan** KATA KERJA
*with the help*
◊ *Kami belajar berpandukan buku teks dan nota.* We study with the help of text books and notes.
**memandu** KATA KERJA
*to drive*
♦ **Gina memandu kereta ke pejabat setiap hari.** Gina drives to the office every day.
**pemandu** KATA NAMA
1 *driver*
◊ *pemandu teksi* taxi driver
♦ **pemandu kereta** motorist
2 *guide*
◊ *pemandu pelancong* tour guide
**panduan** KATA NAMA
*guide*
◊ *Edward menjadikan nasihat guru itu sebagai panduan hidupnya.* Edward uses the teacher's advice as his guide in life.
♦ **garis panduan** guideline
♦ **buku panduan telefon** telephone directory
♦ **perkhidmatan panduan telefon** directory enquiries

**pandu puteri** KATA NAMA
*girl guide*

**panel** KATA NAMA
*panel*
♦ **ahli panel** panellist

**panggang** KATA ADJEKTIF
*roast*
◊ *ayam panggang* roast chicken
**memanggang** KATA KERJA
*to roast*
◊ *Kami memanggang ayam di rumah Charlie.* We roasted some chickens at Charlie's house.
**pemanggang** KATA NAMA
*grill*

**panggil** KATA KERJA
*to call*
◊ *Jangan panggil nama julukan saya di hadapan orang lain.* Don't call me by my nickname in front of other people.
**memanggil** KATA KERJA
*to call*
◊ *Guru itu memanggil pelajar-pelajarnya keluar.* The teacher called the students to come out.
**panggilan** KATA NAMA
1 *call*
◊ *panggilan jarak jauh* long-distance call ◊ *panggilan tempatan* local call
♦ **Saya tidak mendengar panggilan emak.** I didn't hear mother calling.
2 *nickname*
◊ *Jack tidak biasa dengan panggilan barunya.* Jack is not used to his new nickname.

**panggung** KATA NAMA
*theatre*
**memanggungkan** KATA KERJA
*to stage*
◊ *Mereka akan memanggungkan drama itu pada hari Sabtu.* They'll stage the play on Saturday.
**panggungan** KATA NAMA
*platform*

**pangkah** KATA NAMA
*cross* (JAMAK **crosses**)
**memangkah** KATA KERJA
*to put a cross*
◊ *Nina memangkah aktiviti-aktiviti yang tidak disukainya.* Nina puts a cross against the activities that she doesn't like.

**pangkal** KATA NAMA
*base*
◊ *Yusuf meletakkan satu tanda pada pangkal pokok itu.* Yusuf put a mark at the base of the tree.
♦ **pangkal senapang** rifle butt
**berpangkal** KATA KERJA
*to stem*
◊ *Perubahan sikap Eddie berpangkal daripada perceraian ibu bapanya.* Eddie's change of attitude stems from his parents' divorce.
**pangkalan** KATA NAMA
*base*
◊ *pangkalan tentera* army base
♦ **pangkalan data** database
**berpangkalan** KATA KERJA
*based*
◊ *Angkatan tentera itu berpangkalan di Lumut.* The troops are based at Lumut.

**pangkas**
**memangkas** KATA KERJA
*to trim*

◊ *memangkas rambut seseorang* to trim someone's hair ◊ *Jordan sedang memangkas rumput di taman.* Jordan is trimming the grass in the garden.
**pemangkas** KATA NAMA
*shears*
◊ *Pemangkas ini tumpul.* These shears are blunt.

**pangkat** KATA NAMA
*rank*
◊ *pangkat yang tinggi* a high rank
♦ **Amanda dinaikkan pangkat menjadi pengurus.** Amanda was promoted to manager.
**berpangkat** KATA KERJA
*of ... rank*
◊ *pegawai-pegawai berpangkat rendah* officers of lower rank
♦ **Dia seorang pegawai berpangkat tinggi.** He's a high rank officer.

**pangku**
**memangku** KATA KERJA
1 *to place ... on one's lap*
◊ *Faridah memangku bayi itu.* Faridah placed the baby on her lap.
2 *to act as*
◊ *Karen memangku jawatan pengurus apabila En. Hadi pergi bercuti.* Karen acted as manager when Mr Hadi was away on holiday.
**pemangku** KATA NAMA
*acting*
◊ *Pemangku Presiden* Acting President
**pangkuan** KATA NAMA
*lap*
◊ *Budak kecil itu duduk di atas pangkuan emaknya.* The child is sitting on her mother's lap.
♦ **Akhirnya Josephine pulang ke pangkuan keluarganya.** In the end Josephine returned to her family.

**panglima** KATA NAMA
*commander*

**pangsa** PENJODOH BILANGAN
*segment*
◊ *lima pangsa durian* five durian segments

**pangsapuri** KATA NAMA
*block of luxury flats*

**panik** KATA ADJEKTIF
*to panic*
◊ *Jangan panik!* Don't panic!
♦ **keadaan panik** panic

**panjang** KATA ADJEKTIF
*long*
♦ **panjang akal** resourceful
**berpanjangan** KATA KERJA
*to last*
◊ *Mesyuarat itu berpanjangan*

*sehingga lima jam.* The meeting lasted for five hours. ◊ *Saya berharap hubungan kita akan berpanjangan.* I hope that our relationship will last.
**memanjangkan** KATA KERJA
*to make ... longer*
◊ *Jamilah memanjangkan karangannya.* Jamilah made her composition longer.
♦ **Dia selalu berdoa semoga dia dan keluarganya dipanjangkan umur.** He always prays that God will give him and his family long life.

**sepanjang** KATA ARAH

> *rujuk juga* **sepanjang** KATA SENDI

*along*
◊ *Pokok-pokok kelapa dapat dilihat di sepanjang jalan itu.* Coconut trees can be seen all along the road.
**sepanjang** KATA SENDI

> *rujuk juga* **sepanjang** KATA ARAH

*whole*
◊ *Lily tidak bekerja sepanjang tahun ini.* Lily isn't working for the whole of this year.
♦ **cuaca yang panas sepanjang tahun** hot weather the whole year round

**panjat** KATA KERJA
*to climb*
◊ *Jangan panjat pokok.* Don't climb trees.
**memanjat** KATA KERJA
*to climb*
◊ *Khalid memanjat pokok itu untuk memetik buahnya.* Khalid climbed the tree to pluck the fruit.
**pemanjat** KATA NAMA
*climber*

**panji** KATA NAMA
*flag*

**pankreas** KATA NAMA
*pancreas* (JAMAK **pancreases**)

**pantai** KATA NAMA
*beach* (JAMAK **beaches**)
♦ **Pantai Timur** East Coast
♦ **Pantai Barat** West Coast

**pantang** KATA KERJA

> *rujuk juga* **pantang** KATA NAMA

1 *to dislike*
◊ *Sui Kin memang pantang dicabar.* Sui Kin really dislikes being challenged.
2 *can't stand*
◊ *Mereka memang pantang melihat orang lain bersenang-lenang.* They can't stand it when they see other people being happy.
♦ **Siew Mui pantang menyidai baju putih di luar rumah pada waktu malam.** Siew Mui is superstitious about hanging white clothes outside the house at night.
**berpantang** KATA KERJA

P

_to go without_
◊ _Milah terpaksa berpantang daripada makan sayur-sayuran selepas pembedahan itu._ Milah had to go without vegetables after the operation.

**pantang** KATA NAMA

rujuk juga **pantang** KATA KERJA
_something that could bring bad luck_

♦ **Menyapu lantai pada hari pertama Tahun Baru Cina dianggap pantang oleh kebanyakan orang Cina.** Most Chinese people consider sweeping the floor on the first day of the Chinese New Year unlucky.

♦ **pantang larang** cultural restrictions
◊ _Setiap masyarakat ada pantang larangnya yang tersendiri._ Every society has its own cultural restrictions.

**pantas** KATA ADJEKTIF
_quick_
◊ _pergerakan yang pantas_ a quick move

♦ **Dia berlari dengan pantas.** She ran quickly.

**kepantasan** KATA NAMA
_speed_
◊ _Ken tidak dapat menandingi kepantasan Alvin bekerja._ Ken could not compete with Alvin's speed of work.

**memantaskan** KATA KERJA
_to quicken_
◊ _Polly memantaskan langkahnya kerana hari sudah lewat petang._ Polly quickened her pace because it was already late in the afternoon.

**pantomim** KATA NAMA
_pantomime_

**pantul**
**memantulkan** KATA KERJA
_to reflect_
◊ _Gelas dapat memantulkan cahaya._ Glass can reflect light.

**pantulan** KATA NAMA
_reflection_
◊ _pantulan cahaya_ reflection of light

**pantun** KATA NAMA
_pantun_
**berpantun** KATA KERJA
_to recite a pantun_
◊ _Murid-murid dalam kelas itu sedang berpantun._ The pupils in the class are reciting pantuns.

♦ **Dia mahir berpantun.** He is good at pantun recitation.

**pemantun** KATA NAMA
_a composer of pantun_

**papa** KATA ADJEKTIF
_poor_
◊ _Orang kaya itu telah menjadi papa._

The rich man became poor.
♦ **papa kedana** very poor

**papah**
**berpapah** KATA KERJA
_to be supported_
◊ _Nizam terpaksa berjalan berpapah kerana kakinya cedera teruk._ Nizam needed to be supported when he walked, because his leg was badly injured.

**memapah** KATA KERJA
_to help_
◊ _Daud memapah datuknya ke tandas._ Daud helped his grandfather to the toilet.

**papan** KATA NAMA

rujuk juga **papan** PENJODOH BILANGAN

1 _board_
2 _plank_

♦ **papan gelongsor** slide
♦ **papan hitam** blackboard
♦ **papan kekunci** keyboard
♦ **papan kenyataan** noticeboard
♦ **papan luncur** skateboard
♦ **papan luncur air** surfboard
♦ **papan pemotong** chopping board
♦ **papan serpih** chipboard
♦ **papan tanda** sign

**papan** PENJODOH BILANGAN

rujuk juga **papan** KATA NAMA

**papan** tidak ada terjemahan dalam bahasa Inggeris.

◊ _sepapan mercun_ a firecracker

**papar** KATA ADJEKTIF
_flat_
◊ _permukaan yang papar_ a flat surface

**memaparkan** KATA KERJA
_to depict_
◊ _Cerita itu memaparkan kesusahan hidup petani._ The story depicts the difficulty of a farmer's life.

**pemaparan** KATA NAMA
_disclosure_
◊ _Pemaparan kisah peribadinya telah merosakkan reputasinya._ Disclosures about his private life damaged his reputation.

**terpapar** KATA KERJA
_to be displayed_
◊ _Rencana yang terpapar di papan kenyataan itu sungguh menarik._ The article displayed on the notice board is very interesting.

**para (1)** KATA BILANGAN

**para** menunjukkan jamak dan tidak diterjemahkan ke dalam bahasa Inggeris jika hadir tanpa perkataan lain.

◊ _para pelajar_ students ◊ _para guru_ teachers

**para (2)**
  **para-para**  KATA NAMA
    _shelf_ (JAMAK **shelves**)
**parah**  KATA ADJEKTIF
    _serious_
  ♦ **cedera parah**  seriously injured
**paramedik**  KATA NAMA
    _paramedic_
**parang**  KATA NAMA
    _machete_
**parap**  KATA NAMA
    _initials_
    ◊ _Frank menjumpai sebatang pensel
    dengan parap Y.S.P. di atasnya._ Frank
    found a pencil with the initials Y.S.P. on it.
  **memarap**  KATA KERJA
    _to initial_
    ◊ _Dia memarap baucar itu._ She initialled
    the voucher.
**paras**  KATA ADJEKTIF

> rujuk juga **paras** KATA NAMA

    _level_
    ◊ _Kawasan itu tidak paras._ The area
    is not level.
  **separas**  KATA ADJEKTIF
    _level_
    ◊ _Nick hampir separas dengan saya
    apabila dia duduk._ Nick was almost
    level with me when he sat down.
**paras**  KATA NAMA

> rujuk juga **paras** KATA ADJEKTIF

    1 _face_
    ◊ _Ketiga-tiga orang gadis itu mempunyai
    paras yang menarik._ The three girls have
    pretty faces.
    2 _level_
    ◊ _Paras air di tasik itu telah naik._ The
    level of the lake has risen.
**parasit**  KATA NAMA
    _parasite_
**parau**  KATA ADJEKTIF
    _hoarse_
    ◊ _Suara Ian menjadi parau kerana dia
    selalu menjerit._ Ian's voice became
    hoarse because he always shouted.
**pari (1)**  KATA NAMA
  ♦ **ikan pari**  stingray
**pari (2)**
  **pari-pari**  KATA NAMA
    _fairy_ (JAMAK **fairies**)
**parih**
  **memarih**  KATA KERJA
    1 _to throw the dice_
    2 _to deal_
    ◊ _Dalton memarih lima keping daun
    terup kepada setiap pemain._ Dalton dealt
    out five cards to each player.
**parit**  KATA NAMA
    _ditch_ (JAMAK **ditches**)

**perparitan**  KATA NAMA
    _drainage_
    ◊ _sistem perparitan_  drainage system
**parlimen**  KATA NAMA
    _parliament_
**parti**  KATA NAMA
    _party_ (JAMAK **parties**)
    ◊ _parti politik_  political party
**partikel**  KATA NAMA
    _particle_
**paru**
  **paru-paru**  KATA NAMA
    _lungs_
  ♦ **barah paru-paru**  lung cancer
**paruh (1)**  KATA NAMA
    _beak_
**paruh (2)**
  **separuh**  KATA ADJEKTIF, KATA BILANGAN
    _half_
    ◊ _separuh harga_  half price ◊ _Dia
    memberi adiknya separuh kek itu._ He
    gave his brother half the cake.
  ♦ **separuh akhir**  semi-final
**parut (1)**  KATA NAMA
    _scar_
    ◊ _Parut pada dahinya jelas kelihatan._
    The scar on his forehead is clearly
    visible.
  **berparut**  KATA KERJA
    _to have a scar_
    ◊ _Kakinya berparut._ He has scars on
    his leg.
  ♦ **Dahinya berparut selepas kemalangan
    itu.** His forehead was scarred after the
    accident.
**parut (2)**  KATA NAMA
    _grater_
  **memarut**  KATA KERJA
    _to grate_
    ◊ _Emak sedang memarut kelapa._ My
    mother is grating coconut.
  **pemarut**  KATA NAMA
    _grater_
**pas**  KATA NAMA
    _pass_ (JAMAK **passes**)
**pasak**  KATA NAMA
    _wedge_
  **memasakkan**  KATA KERJA
    _to wedge_
    ◊ _Saya menutup pintu bangsal itu dan
    memasakkannya dengan kayu._ I shut the
    shed door and wedged it with a piece of
    wood.
**pasang (1)**  KATA KERJA
  ♦ **air pasang**  high tide
  ♦ **pasang surut**  ebbing tide
**pasang (2)**  KATA KERJA
    _to switch on_
    ◊ _Tolong pasang lampu itu._ Please

P

switch on the light.

**memasang**   KATA KERJA

1 *to switch on*

◊ *Karim memasang lampu.*   Karim switched on the light.

2 *to fit*

◊ *William memasang kipas dalam semua bilik di rumahnya.*   William fitted fans in all the rooms in his house.

**memasangkan**   KATA KERJA

1 *to switch on*

◊ *Karina memasangkan ibunya lampu.* Karina switched on the light for her mother.

2 *to attach*

◊ *Para angkasawan itu akan memasangkan satelit tersebut sebuah motor.*   The astronauts will attach a motor to the satellite.

**pemasangan**   KATA NAMA

*installation*

◊ *pemasangan kabel elektrik*   the installation of electric cables

**pasang (3)**   PENJODOH BILANGAN

*pair*

◊ *dua pasang kasut*   two pairs of shoes

♦ **sepasang kekasih**   a pair of lovers

**berpasangan**   KATA KERJA

*in pairs*

◊ *Cawan-cawan itu dijual secara berpasangan.*   Those cups are sold in pairs.

**pasangan**   KATA NAMA

*partner*

♦ **Ronald ingin menjadikan Julia sebagai pasangan hidupnya.**   Ronald wants Julia to be his wife.

♦ **pasangan pengantin**   bride and groom

♦ **pasangan kekasih**   a pair of lovers

**pasar**   KATA NAMA

*market*

◊ *pasar borong*   wholesale market

◊ *pasar gelap*   black market ◊ *pasar malam*   night market

♦ **pasar lambak**   jumble sale

♦ **pasar raya**   supermarket

♦ **pasar raya besar**   hypermarket

**memasarkan**   KATA KERJA

*to market*

◊ *Syarikat itu akan memasarkan kamus barunya tidak lama lagi.*   The company will market its new dictionary soon.

**pemasaran**   KATA NAMA

*marketing*

◊ *Kami sedang membincangkan cara-cara pemasaran buku itu.*   We are discussing ways of marketing that book.

**pasaran**   KATA NAMA

*market*

◊ *pasaran buruh*   labour market

**pasif**   KATA ADJEKTIF

*passive*

**pasir**   KATA NAMA

*sand*

♦ **pasir jerlus**   quicksand

**berpasir**   KATA KERJA

*sandy*

◊ *lorong berpasir*   a sandy path

**pasport**   KATA NAMA

*passport*

**pasteur**   KATA ADJEKTIF

*pasteurized*

◊ *susu pasteur*   pasteurized milk

**pempasteuran**   KATA NAMA

*pasteurization*

◊ *pempasteuran susu*   the pasteurization of milk

**pasti**   KATA ADJEKTIF

*sure*

◊ *Saya pasti jawapan itu betul.*   I am sure that the answer is correct.

**kepastian**   KATA NAMA

*assurance*

◊ *Dia meminta kepastian.*   He asked for an assurance.

**memastikan**   KATA KERJA

*to ensure*

◊ *Eileen memastikan bahawa syarat-syarat itu terkandung dalam kontrak itu.* Eileen ensured that the conditions were included in the contract.

**pastri**   KATA NAMA

*pastry*

**pasu**   KATA NAMA

*pot*

**pasuk**

**berpasukan**   KATA KERJA

*in teams*

**pasukan**   KATA NAMA

| *rujuk juga* **pasukan** PENJODOH BILANGAN |
|---|

*team*

◊ *pasukan bola sepak*   football team

**pasukan**   PENJODOH BILANGAN

| *rujuk juga* **pasukan** KATA NAMA |
|---|

1 *troop*

◊ *sepasukan tentera*   a troop of soldiers

◊ *sepasukan pengakap*   a troop of scouts

2 *team*

◊ *sepasukan pemain*   a team of players

♦ **sepasukan gajah**   a herd of elephants

**patah**   KATA ADJEKTIF

| *rujuk juga* **patah** PENJODOH BILANGAN |
|---|

*to break*

◊ *Ranting itu patah.*   The twig broke.

♦ **Kakinya patah dalam kemalangan itu.**

He broke his leg in the accident.
* **patah hati** to be heartbroken
  **berpatah** KATA KERJA
* **berpatah balik** to turn back ◊ *Harun tidak berpatah balik walaupun dia terlupa mengambil payungnya.* Harun didn't turn back even though he had forgotten to take his umbrella.
  **mematahkan** KATA KERJA
  *to break*
  ◊ *Wahid mematahkan ranting-ranting kayu untuk membuat unggun api.* Wahid broke some twigs to make a fire. ◊ *Kata-kata itu tidak dapat mematahkan semangat Keat.* Those words were unable to break Keat's spirit.

**patah** PENJODOH BILANGAN

> rujuk juga **patah** KATA ADJEKTIF
> patah tidak ada terjemahan dalam bahasa Inggeris.

◊ *tiga patah perkataan* three words

**paten** KATA NAMA
*patent*

**pateri** KATA NAMA
*solder*
**mematerikan** KATA KERJA
*to solder*
◊ *Lelaki itu mematerikan dawai itu pada terminal telefon.* The man soldered the wire to the telephone terminal.

**pati** KATA NAMA
*essence*
◊ *pati vanila* vanilla essence

**patriotik** KATA ADJEKTIF
*patriotic*

**patuh** KATA KERJA
*to obey*
◊ *Kita mesti patuh pada undang-undang.* We must obey the law. ◊ *patuh pada ajaran agama* to obey religious teachings
**kepatuhan** KATA NAMA
*obedience*
◊ *Kepatuhan pelajar akan memudahkan lagi proses pengajaran.* Obedience on the part of students facilitates the process of instruction.
**mematuhi** KATA KERJA
*to obey*
◊ *Para pelajar harus mematuhi peraturan sekolah.* Students must obey school rules.

**patuk**
**mematuk** KATA KERJA
1. *to bite*
◊ *Rina pengsan apabila ular itu mematuk kakinya.* Rina passed out when the snake bit her leg.
2. *to peck*
◊ *Burung itu mematuk cacing itu.* The bird pecked the worm.

**patung** KATA NAMA
*statue*

**patut** KATA BANTU
*should*
◊ *Ivan patut belajar lebih tekun lagi.* Ivan should study harder.
**berpatutan** KATA KERJA
*reasonable*
◊ *harga yang berpatutan* a reasonable price
**sepatutnya** KATA BANTU
*should*
◊ *Zurina sepatutnya datang awal.* Zurina should come early. ◊ *Gajinya sepatutnya dinaikkan.* His pay should be increased.

**paun (1)** KATA NAMA
*pound* (mata wang negara Britain)

**paun (2)** KATA NAMA
*pound* (ukuran berat)

**paus** KATA NAMA
* **ikan paus** whale

**paut** KATA NAMA
* **sangkut-paut** interconnection
  **berpaut** KATA KERJA
  *to cling*
  ◊ *Budak kecil itu berpaut pada tangan emaknya kerana takut.* The child clung on to her mother's hand because she was scared.
  **berpautan** KATA KERJA
  *connected*
  ◊ *Kes pembunuhan itu berpautan dengan penculikan itu.* The murder was connected with the kidnapping.
  **memaut** KATA KERJA
  *to cling*
  ◊ *Joe memaut tiang itu supaya dia tidak jatuh.* Joe clung to the pole so as not to fall.
  **terpaut** KATA KERJA
  *to fix on*
  ◊ *Mata budak kecil itu terpaut pada alat mainan itu.* The child's eyes were fixed on the toy.
* **Hatinya sudah terpaut pada gadis itu.** He has fallen in love with the girl.
  **pautan** KATA NAMA
  *link* (komputer)

**pawagam** KATA NAMA (= panggung wayang gambar)
*cinema*

**pawang** KATA NAMA
*traditional healer*

**paya** KATA NAMA
*swamp*

**payah** KATA ADJEKTIF
*difficult*
◊ *kehidupan yang payah* a difficult life

P

**berpayah-payah** KATA KERJA
*to toil*
◊ *Ali berpayah-payah di ladang setiap hari sedangkan abangnya bersenang-lenang di rumah.* Ali toils in the fields every day while his brother enjoys himself at home.

**kepayahan** KATA NAMA
*difficulty* (JAMAK **difficulties**)
◊ *Kami terharu apabila mendengar tentang kepayahan hidup orang tua itu.* We were touched when we heard about the difficulties that the old man faced.

**payau** KATA ADJEKTIF
*brackish*
◊ *air yang payau* brackish water

**payudara** KATA NAMA
*breast*
◊ *barah payudara* breast cancer

**payung** KATA NAMA
*umbrella*
♦ **payung terjun** parachute

**berpayung** KATA KERJA
*to use an umbrella*
◊ *Freddie tidak berpayung kerana hujan renyai-renyai sahaja.* Freddie didn't use an umbrella because it was only drizzling.

**berpayungkan** KATA KERJA
*to use ... as an umbrella*
◊ *Lim terpaksa berpayungkan failnya apabila hujan turun tiba-tiba.* Lim had to use his file as an umbrella when it suddenly started raining.

**memayungi** KATA KERJA
*to shelter ... with umbrella*
◊ *Guru itu memayungi Asmah ke perhentian bas.* The teacher sheltered Asmah with his umbrella as far as the bus stop.

**PBB** SINGKATAN (= *Pertubuhan Bangsa-bangsa Bersatu*)
*UN* (= *United Nations*)

**pear** KATA NAMA
*pear*

**pecah** KATA ADJEKTIF
[1] *broken*
♦ **Mangkuk itu pecah berkecai.** The bowl broke into pieces.
[2] *cracked*
◊ *bibir yang pecah* cracked lips

**berpecah** KATA KERJA
*to break up into*
◊ *Pelajar-pelajar itu berpecah kepada tiga kumpulan.* The students broke up into three groups.
♦ **Rakyat Malaysia dinasihatkan supaya jangan berpecah.** The Malaysian people were urged to be united.

**memecah** KATA KERJA

♦ **memecah masuk** to break into
◊ *Pencuri yang memecah masuk ke dalam rumah Daud telah ditangkap.* The thief who broke into Daud's house has been caught.

**memecahkan** KATA KERJA
*to break*
◊ *Faridah memecahkan gelas itu secara tidak sengaja.* Faridah broke the glass accidentally.

**pemecahan** KATA NAMA
*breaking*
◊ *pemecahan rekod* the breaking of the record

**perpecahan** KATA NAMA
*break-up*
◊ *perpecahan dalam keluarga* a family break-up

**pecahan** KATA NAMA
*fraction*
◊ *Berikan jawapan anda dalam bentuk pecahan.* Give your answers in fractions.

**pecah belah**

**berpecah belah** KATA KERJA
*to disintegrate*
◊ *Pada masa itu, empayar tersebut mula berpecah belah.* During that time, the empire began to disintegrate.
♦ **Persatuan itu sudah berpecah belah.** The society has broken up.

**memecahbelahkan** KATA KERJA
*to divide*
◊ *Pihak pemberontak gagal memecahbelahkan rakyat negara itu.* The rebels did not succeed in dividing the people of the country.

**pecat** KATA KERJA
*to dismiss*
◊ *Jangan pecat dia. Berilah dia satu peluang lagi.* Don't dismiss him. Give him another chance.

**memecat** KATA KERJA
*to dismiss*
◊ *Valerie memecat pekerja yang malas itu.* Valerie dismissed the lazy worker.

**pemecatan** KATA NAMA
*dismissal*
◊ *Pekerja-pekerja itu mogok kerana membantah pemecatan Leela.* The workers went on strike in protest at Leela's dismissal.

**pecut**

**memecut** KATA KERJA
*to speed*
♦ **Ayob didenda kerana memecut.** Ayob was fined for speeding.

**pedal** KATA NAMA
*pedal* (*basikal, kereta, mesin*)
♦ **pedal minyak** accelerator

**pedang** KATA NAMA
*sword*

**pedap**
   **memedap** KATA KERJA
   *to dab*
   ◊ *Dia memedap lukanya dengan sapu tangan.* He dabbed at the wound with a napkin.

**pedas** KATA ADJEKTIF
   1 *hot*
   ◊ *Masakan emaknya sangat pedas.* Her mother's cooking is very hot.
   2 *harsh*
   ◊ *Ibunya tersinggung dengan kata-katanya yang pedas itu.* His mother was hurt by his harsh words.
   **kepedasan** KATA NAMA
   *hot*
   ◊ *Ching tidak tahan dengan kepedasan makanan itu.* Ching couldn't stand the hot food.
   **memedaskan** KATA KERJA
   *to make ... hot*
   ◊ *Norzila memedaskan mi itu dengan memasukkan sedikit sos cili.* Norzila made the noodles hot by adding some chilli sauce.

**pedati** KATA NAMA
   *cart*

**pedih** KATA ADJEKTIF
   *to sting*
   ◊ *Mata saya pedih.* My eyes stung.
   **kepedihan** KATA NAMA
   *smart*
   ◊ *Joanne membiarkan sahaja luka itu walaupun masih terasa kepedihannya.* Joanne ignored her wound although she could still feel the smart.
   **memedihkan** KATA KERJA
   *to sting*
   ◊ *Syampu ini tidak memedihkan mata kanak-kanak.* This shampoo won't make children's eyes sting.
   **pemedih** KATA NAMA
  ◆ **gas pemedih mata** tear gas

**pedoman** KATA NAMA
   *guide*
   ◊ *Alex menjadikan nasihat itu sebagai pedomannya.* Alex takes the advice as his guide.

**peduli** KATA KERJA
   *to care*
   ◊ *George tidak peduli akan perasaan kawannya.* George didn't care about his friend's feelings.
   **mempedulikan** KATA KERJA
   *to care*
   ◊ *Erica tidak mempedulikan kata-kata jirannya.* Erica didn't care about her

neighbour's remarks.

**pegaga** KATA NAMA
   *a creeping herb* (*penjelasan umum*)

**pegang**
   **berpegang** KATA KERJA
   *to hold onto*
   ◊ *Jaya berpegang pada tali itu untuk mengelakkan dirinya daripada terjatuh.* Jaya held onto the rope to prevent himself from falling.
  ◆ **Sharon berpegang teguh pada prinsipnya.** Sharon held firmly to her principles.
  ◆ **berpegang pada janji** to keep one's promises
   **berpegangan** KATA KERJA
   *to hold*
   ◊ *Murid-murid berpegangan tangan dan masuk ke dalam kelas.* The pupils held hands and walked into the classroom.
   **memegang** KATA KERJA
   *to hold*
   ◊ *Syarifah memegang tangan anak lelakinya semasa mereka melintas jalan.* Syarifah held her son's hand while they crossed the road. ◊ *Jane memegang jawatan itu selama tiga tahun.* Jane held the post for three years.
   **pemegang** KATA NAMA
   *holder*
   ◊ *pemegang saham* share holder
   **pegangan** KATA NAMA
   *guide*
   ◊ *Marie menjadikan falsafah itu sebagai pegangannya.* Marie uses that philosophy as her guide.

**pegas** KATA NAMA
   *spring*

**pegawai** KATA NAMA
   *officer*

**peguam** KATA NAMA
   *lawyer*
  ◆ **peguam bela** defence counsel
  ◆ **peguam cara** solicitor

**pegun**
   **terpegun** KATA KERJA
   *stunned*
   ◊ *Oliver terpegun melihat kecantikan gadis itu.* Oliver was stunned by the girl's good looks.

**pejal** KATA ADJEKTIF
   *solid*
  ◆ **batu pejal** granite
  ◆ **Bayi mula makan makanan pejal dalam usia empat hingga enam bulan.** A baby starts eating solids at the age of four to six months.
   **memejalkan** KATA KERJA
   *to solidify*

◊ *Syarikat itu akan memejalkan bahan buangan itu di dalam sebuah kilang yang berteknologi tinggi.* The company will solidify the waste in a high-tech factory.

**pejam** KATA KERJA
_to close_
◊ *Kita tidak boleh pejam mata sahaja dengan sikap mereka yang keterlaluan ini.* We cannot simply close our eyes to their excesses.
♦ **Masa berlalu begitu pantas. Pejam celik! Sudah tiga tahun kami belajar di sini.** Time passes so quickly. We've been studying here for three years but it seems like the twinkling of an eye.
**memejamkan** KATA KERJA
_to shut_
◊ *Annie memejamkan matanya kerana dia tidak mahu melihat babak itu.* Annie shut her eyes because she didn't want to watch that scene.
**terpejam** KATA KERJA
_shut_
◊ *Mata William terpejam dan dia kelihatan seperti sedang tidur.* William's eyes were shut and he seemed to have fallen asleep.

**peka** KATA ADJEKTIF
_sensitive_
◊ *Seorang guru perlu peka terhadap keperluan pelajar-pelajarnya.* A teacher must be sensitive to the needs of his students.
**kepekaan** KATA NAMA
_sensitivity_
◊ *Florence disukai ramai kerana kepekaannya terhadap perasaan orang lain.* Florence was well-liked because of her sensitivity towards the feelings of others.

**pekak** KATA ADJEKTIF
_deaf_
**memekakkan** KATA KERJA
_to deafen_
♦ **bunyi yang memekakkan telinga** a deafening noise

**pekan** KATA NAMA
_town_

**pekasam** KATA NAMA
_pickled food_

**pekat** KATA ADJEKTIF
_thick_
◊ *sos yang pekat* thick sauce
♦ **jus epal yang pekat** concentrated apple juice
**kepekatan** KATA NAMA
_concentration_

◊ *kepekatan asid* the concentration of acid
♦ **Air ditambah untuk mengurangkan kepekatan cecair itu.** Water is added to dilute the liquid.
**memekat** KATA KERJA
_to thicken_
◊ *Kacau sehingga sos itu memekat.* Stir the sauce until it thickens.
**memekatkan** KATA KERJA
_to thicken_
◊ *Sandy memekatkan campuran itu dengan memasukkan sedikit tepung jagung.* Sandy thickened the mixture with cornflour.

**pekerti** KATA NAMA
_behaviour_
◊ *Dia perlu mengubah pekertinya yang buruk.* He has to change his bad behaviour.
♦ **seorang yang berbudi pekerti mulia** a person with a fine character

**pekik**
**memekik** KATA KERJA
_to yell_
◊ *Budak lelaki yang nakal itu memekik dan menjerit sekuat hatinya.* The naughty boy yelled and shouted as loud as he could.
**terpekik** KATA KERJA
_to give a sudden yell_
◊ *Kami terkejut apabila mendengar dia terpekik.* We were startled when he gave a sudden yell.
♦ **Dia terpekik terlolong seperti orang yang tidak siuman.** He was yelling and screaming like a lunatic.
**terpekik-pekik** KATA KERJA
_to yell and yell_
◊ *Budak-budak itu terpekik-pekik apabila bapa mereka berpura-pura hendak memukul mereka.* The children yelled and yelled when their father pretended to hit them.
**pekikan** KATA NAMA
_scream_
◊ *Pekikan Susie mengejutkan kawan-kawannya.* Susie's screams startled her friends.

**pelahang**
**terpelahang** KATA KERJA
_wide open_
◊ *Nasri membiarkan pintu itu terpelahang.* Nasri left the door wide open.

**pelam** KATA NAMA
_mango_ (JAMAK **mangoes** atau **mangos**)

**pelamin** KATA NAMA

_bridal dais_ (JAMAK **bridal daises**)

**pelampung** KATA NAMA
_float_
♦ **pelampung keselamatan** lifebelt

**pelan** KATA NAMA
_plan_
◊ _pelan sebuah taman_ a plan of a garden

**pelana** KATA NAMA
_saddle_

**pelanduk** KATA NAMA
_mouse deer_

**pelangi** KATA NAMA
_rainbow_

**pelantar** KATA NAMA
1 _long bench_ (JAMAK **long benches**)
2 _platform_ (_untuk pekerja cari gali minyak_)
♦ **pelantar minyak** oil rig

**pelanting**
**terpelanting** KATA KERJA
_to be thrown off_
◊ _Dia terpelanting dari kudanya._ He was thrown off the horse.
♦ **Dia terpelanting keluar dari keretanya ketika kemalangan itu berlaku.** He was thrown out of his car in the accident.
♦ **Pukulan itu menyebabkan budak itu terpelanting.** The blow sent the child flying.
♦ **Cincin Joey terpelanting ke dalam longkang.** Joey's ring fell into the drain.

**pelat** KATA NAMA
_accent_

**pelawa**
**mempelawa** KATA KERJA
_to invite_
◊ _Angeline mempelawa kawan-kawannya ke rumahnya._ Angeline invited her friends to her house.
**pelawaan** KATA NAMA
_invitation_
◊ _Dia menerima pelawaan kami._ He accepted our invitation.

**pelbagai** KATA ADJEKTIF
_various_

**pelecok**
**terpelecok** KATA KERJA
_to sprain_
◊ _Diana jatuh dan kakinya terpelecok._ Diana fell and sprained her ankle.

**pelekat** KATA NAMA
1 _gum_
2 _sticker_

**pelepah** KATA NAMA
_frond_

**pelesir**
**berpelesiran** KATA KERJA
_to enjoy oneself_

◊ _Henry berpelesiran di pusat membeli-belah setiap hari._ Henry enjoyed himself at the shopping centre every day.

**pelihara**
**memelihara** KATA KERJA
_to look after_
◊ _Kita harus memelihara alam sekitar._ We should look after the environment.
♦ **Kelly memelihara dua ekor kucing.** Kelly has two pet cats.
**peliharaan** KATA NAMA
1 _pet_
◊ _Anjing peliharaan Janice semakin gemuk._ Janice's pet dog is getting fatter.
2 _foster_
◊ _Anak peliharaan Lily sangat baik._ Lily's foster child is very good.
**pemelihara** KATA NAMA
_breeder_
◊ _Bapa Janet seorang pemelihara kuda yang terkenal._ Janet's father was a well-known horse breeder.
**pemeliharaan** KATA NAMA
1 _rearing_
◊ _pemeliharaan binatang_ rearing of animals
2 _conservation_
◊ _pemeliharaan alam sekitar_ conservation of the environment
**terpelihara** KATA KERJA
_to be well-maintained_
◊ _Kami berharap taman itu akan terus terpelihara._ We hope that the garden will always be well-maintained.

**pelik** KATA ADJEKTIF
_strange_
◊ _Satu perkara yang pelik telah berlaku._ A strange thing happened.
**kepelikan** KATA NAMA
_peculiarity_ (JAMAK **peculiarities**)
◊ _Salah satu kepelikan yang ada pada dirinya ialah dia gemar memakai kasut berwarna jingga._ One of his peculiarities is that he likes to wear orange shoes.
**memelikkan** KATA KERJA
_to puzzle_
◊ _Perubahan sikapnya secara tiba-tiba itu memang memelikkan kami._ His sudden changes of attitude really puzzled us.

**pelipis** KATA NAMA
_temple_

**pelita** KATA NAMA
_lamp_

**pelohong**
**terpelohong** KATA KERJA
_wide open_
◊ _Nasri membiarkan pintu itu terpelohong._ Nasri left the door wide

P

open.

♦ **Sebuah lubang terpelohong di bumbung itu.** A hole gaped in the roof.

**pelopor** KATA NAMA
*pioneer*
◊ *Mereka merupakan pelopor projek raksasa itu.* They were the pioneers of the huge project.
**mempelopori** KATA KERJA
*to pioneer*
◊ *Kami mempelopori projek itu.* We pioneered the project.

**pelosok** KATA NAMA
*corner*
◊ *Penyanyi itu terkenal di seluruh pelosok negara.* The singer is famous in every corner of the land.

**peluang** KATA NAMA
*opportunity* (JAMAK **opportunities**)
**berpeluang** KATA KERJA
*to have the opportunity*

**peluh** KATA NAMA
*sweat*
**berpeluh** KATA KERJA
*to sweat*
◊ *Viknes berpeluh selepas bermain badminton.* Viknes sweats after a game of badminton.

**peluk** KATA KERJA
*to hug*
♦ **bantal peluk** bolster
**berpeluk** KATA KERJA
*to hug*
◊ *Mereka saling berpeluk.* They were hugging each other.
♦ **Tidak elok berpeluk di khalayak ramai.** Hugging in public is impolite.
♦ **berpeluk tubuh (1)** to fold one's arms
♦ **berpeluk tubuh (2)** lazy
**berpelukan** KATA KERJA
*to hug each other*
◊ *Kami berpelukan dan menangis sebelum meninggalkan tempat itu.* We hugged each other and cried before leaving the place.
**memeluk** KATA KERJA
[1] *to hug*
◊ *Beth memeluk kawannya.* Beth hugged her friend.
[2] *to convert*
◊ *Dia memeluk agama Kristian pada tahun 1998.* He converted to Christianity in 1998.
**pemeluk** KATA NAMA
*follower*
♦ **pemeluk agama Buddha** Buddhist
♦ **pemeluk agama Hindu** Hindu
♦ **pemeluk agama Islam** Muslim
♦ **pemeluk agama Kristian** Christian

**pelukan** KATA NAMA
*embrace*
◊ *Yvonne gembira berada dalam pelukan emaknya.* Yvonne was happy to be in her mother's embrace.

**peluru** KATA NAMA
*bullet*

**peluwap**
**memeluwap** KATA KERJA
*to condense* (*wap, gas*)
**pemeluwapan** KATA NAMA
*condensation*

**pelvis** KATA NAMA
*pelvis* (JAMAK **pelvises**)

**pemidang** KATA NAMA
*frame*

**pemiutang** KATA NAMA
*creditor*

**pempan**
**terpempan** KATA KERJA
*dumbfounded*
◊ *Rosnah berdiri terpempan di situ sebaik sahaja dia menerima berita itu.* Rosnah stood there dumbfounded after receiving the news.

**pen** KATA NAMA
*pen*
♦ **pen penyerlah** highlighter

**pena** KATA NAMA
*pen*
♦ **pena mata bulat** ballpoint pen

**penalti** KATA NAMA
*penalty* (JAMAK **penalties**)

**penat** KATA ADJEKTIF
*tired*
◊ *Karim berehat sebentar kerana terlalu penat.* Karim rested for a while because he was very tired.
**kepenatan** KATA ADJEKTIF
> rujuk juga **kepenatan** KATA NAMA

*exhausted*
◊ *Walaupun mereka kepenatan, mereka masih meneruskan kerja itu.* Although they are exhausted, they are still continuing to work.
**kepenatan** KATA NAMA
> rujuk juga **kepenatan** KATA ADJEKTIF

*tiredness*
◊ *Minna terpaksa membatalkan semua rancangannya kerana kepenatan.* Minna had to cancel all her plans because of tiredness.
**memenatkan** KATA KERJA
*to tire*
◊ *Roy menaiki bus kerana memandu kereta memenatkannya.* Roy takes a bus because driving tires him.

**penat lelah** KATA NAMA
*efforts*

◊ *Lee gembira kerana penat lelahnya selama ini telah mendatangkan hasil.* Lee was happy because his efforts all that time had paid off.

**berpenat lelah** KATA KERJA
*to work hard*
◊ *Paman tidur selepas berpenat lelah di ladang sepanjang hari.* Paman slept after working hard on the farm all day.

**penawar** KATA NAMA
*antidote*

**pencak** KATA NAMA
*self-defence*
◊ *kursus-kursus pencak* self-defence courses

**berpencak** KATA KERJA
*to practise martial arts*
♦ **Hassan berpencak sejak kecil lagi.** Hassan has been learning martial arts since he was young.
♦ **Abdul suka berpencak.** Abdul likes martial arts.

**pencar**
**berpencar** KATA KERJA
*scattered*
◊ *Henry mengutip alat mainan yang berpencar di atas lantai.* Henry picked up the toys that were scattered over the floor.

**memencar** KATA KERJA
*to disperse*
◊ *Selepas majlis itu, semua orang mula memencar.* After the party, everyone began to disperse.

**memencarkan** KATA KERJA
*to scatter*
◊ *Nancy memencarkan kelopak bunga ros di atas kubur.* Nancy scattered rose petals over the grave.

**pencen** KATA NAMA
*pension*
**berpencen** KATA KERJA
*pensionable*
◊ *kerja yang berpencen* pensionable job

**pencil**
**memencilkan** KATA KERJA
*to isolate*
◊ *Rizman memencilkan dirinya di dalam bilik.* Rizman isolated himself in his room.

**pemencilan** KATA NAMA
*isolating*
◊ *Pemencilan diri daripada orang lain tidak dapat menyelesaikan masalah ini.* Isolating yourself from others will not solve this problem.

**terpencil** KATA KERJA
*isolated*
◊ *kawasan terpencil* isolated areas

**pendam**

**memendamkan** KATA KERJA
1 *to hide*
◊ *Zaridah memendamkan sahaja perasaan sedihnya.* Zaridah simply hid her sadness.
2 *to bury*
◊ *Ahmad memendamkan kotak itu di belakang rumahnya.* Ahmad buried the box behind his house.

**terpendam** KATA KERJA
*suppressed*
◊ *Linda berasa lega selepas meluahkan isi hatinya yang terpendam.* Linda felt relieved after pouring out her suppressed feelings.
♦ **bakat terpendam** hidden talent

**pendap**
**memendap** KATA KERJA
*to shut oneself up*
◊ *Dollah memendap di dalam biliknya sepanjang hari.* Dollah shut himself up in his room all day.

**memendapkan** KATA KERJA
*to shut oneself up*
◊ *Judy memendapkan dirinya di dalam bilik.* Judy shut herself up in her room.

**pendek** KATA ADJEKTIF
*short*
**memendekkan** KATA KERJA
*to shorten*
◊ *Julia akan memendekkan masa persembahan itu.* Julia will shorten the time of the presentation.

**pemendekan** KATA NAMA
*shortening*
♦ **Pemendekan tempoh percutiannya adalah di luar jangkaan saya.** I was surprised when she cut short her holiday.

**pendekar** KATA NAMA
*warrior*

**pendeta** KATA NAMA
*scholar*

**penganan** KATA NAMA
*various Malaysian cakes*

**pengantin** KATA NAMA
*bridal couple*
♦ **pengantin lelaki** bridegroom
♦ **pengantin perempuan** bride
♦ **pasangan pengantin** bridal couple
♦ **pengapit pengantin lelaki** best man
♦ **pengapit pengantin perempuan** bridesmaid

**pengap** KATA ADJEKTIF
*stuffy*
◊ *Bilik itu pengap.* The room is stuffy.
**memengapkan** KATA KERJA
*to make ... feel suffocated*
◊ *Bilik yang tidak bertingkap itu memengapkan kami.* The windowless

P

room made us feel suffocated.

**pengaruh**  KATA NAMA
*influence*
◊ *Jaya mempunyai pengaruh yang kuat ke atas para pekerjanya.*  Jaya has a strong influence over his workers.
**berpengaruh**  KATA KERJA
*influential*
◊ *Osman mempunyai ramai kawan yang berpengaruh.*  Osman has a lot of influential friends.
**mempengaruhi**  KATA KERJA
*to influence*
◊ *Lucy cuba mempengaruhi kawannya supaya menyertai kumpulan itu.*  Lucy tried to influence her friend to join that group.
**terpengaruh**  KATA KERJA
*to be influenced*
◊ *Stella terpengaruh dengan kata-kata orang itu.*  Stella was influenced by that person's words.

**penggal**  KATA NAMA
> *rujuk juga* **penggal** PENJODOH BILANGAN

*term*
◊ *Sam sangat sibuk pada penggal ini.*  Sam is very busy this term.
**memenggal**  KATA KERJA
*to behead*
◊ *Dia diarahkan supaya memenggal kepala pengkhianat itu.*  He was ordered to behead the traitor.

**penggal**  PENJODOH BILANGAN
> *rujuk juga* **penggal** KATA NAMA

*section*
◊ *lima penggal tebu*  five sections of sugar cane

**penggawa**  KATA NAMA
*headman* (JAMAK **headmen**)

**penghulu**  KATA NAMA
*headman* (JAMAK **headmen**)

**pengsan**  KATA ADJEKTIF
*to faint*
◊ *Neneknya pengsan selepas mendengar berita itu.*  Her grandmother fainted on hearing the news.

**penguin**  KATA NAMA
*penguin*

**peni**  KATA NAMA
*penny* (JAMAK **pence**) (*syiling Britain*)

**pening**  KATA ADJEKTIF
> *rujuk juga* **pening** KATA NAMA

*dizzy*
◊ *Kepala Cindy masih sakit dan dia berasa pening.*  Cindy's head still hurt and she felt dizzy.
**kepeningan**  KATA NAMA
*dizziness*

◊ *Ubat ini juga boleh menyebabkan kepeningan.*  This medicine can also cause dizziness.
**memeningkan**  KATA KERJA
*to give somebody a headache*
◊ *Soalan itu memeningkannya.*  The question gave him a headache.
♦ **memeningkan kepala**  to give somebody a headache

**pening**  KATA NAMA
> *rujuk juga* **pening** KATA ADJEKTIF

*dizziness*

**penisilin**  KATA NAMA
*penicillin*

**peniti**  KATA NAMA
*pin*

**penjara**  KATA NAMA
*prison*
**memenjarakan**  KATA KERJA
*to imprison*
◊ *Polis memenjarakan perompak-perompak itu.*  The police imprisoned the robbers.
**pemenjaraan**  KATA NAMA
*imprisonment*
◊ *pemenjaraan selama lima tahun*  five years' imprisonment

**penjuru**  KATA ARAH
*corner*
◊ *Tuliskan perkataan itu pada penjuru sebelah kiri bahagian atas kertas itu.*  Write the word in the top left hand corner of the paper.

**pensel**  KATA NAMA
*pencil*
♦ **kotak pensel**  pencil case
♦ **pengasah pensel**  pencil sharpener

**pentas**  KATA NAMA
*stage*
◊ *Murid-murid sedang menghiaskan pentas.*  The pupils are decorating the stage.
**mementaskan**  KATA KERJA
*to stage*
◊ *Ahli-ahli Persatuan Bahasa Melayu akan mementaskan drama itu esok.*  The members of the Malay Language Society will stage that play tomorrow.
**pementasan**  KATA NAMA
*staging*
◊ *pementasan drama*  the staging of a play

**penting**  KATA ADJEKTIF
*important*
◊ *Maklumat itu penting.*  The information is important.
**kepentingan**  KATA NAMA
*benefit*
◊ *Wahab menyimpan wang demi*

*kepentingan anak-anaknya.* Wahab saves money for the benefit of his children.
**mementingkan** KATA KERJA
*to care*
◊ *Kadir lebih mementingkan isterinya daripada kawan-kawannya.* Kadir cares more about his wife than about his friends.
♦ **mementingkan diri** selfish
**terpenting** KATA ADJEKTIF
*the most important*
**penuh** KATA ADJEKTIF
*full*
◊ *Tangki itu sudah penuh.* The tank is full.
♦ **Dewan itu penuh sesak dengan orang.** The hall is packed with people.
**memenuhi** KATA KERJA
*to fulfil*
◊ *Mandy memenuhi semua keperluan kerja itu.* Mandy fulfilled all the requirements for the job.
**memenuhkan** KATA KERJA
*to fill*
◊ *Ani memenuhkan cawannya dengan kopi.* Ani filled her cup with coffee.
**sepenuh** KATA ADJEKTIF
♦ **sepenuh hati** wholeheartedly
◊ *Joanne menyokong keputusan itu dengan sepenuh hati.* Joanne supported the decision wholeheartedly.
♦ **sepenuh perhatian** undivided attention
♦ **kerja sepenuh masa** a full-time job
**sepenuhnya** KATA ADJEKTIF
*fully*
◊ *Ray menggunakan kemudahan-kemudahan yang disediakan dengan sepenuhnya.* Ray fully utilizes the facilities provided.
♦ **Lelaki itu memberikan maklumat yang sepenuhnya kepada pihak polis.** The man gave full details to the police.
**penyangak** KATA NAMA
*villain*
**penyek** KATA ADJEKTIF
*flattened*
◊ *tong dram minyak yang sudah penyek* flattened oil drums
**memenyekkan** KATA KERJA
*to flatten*
◊ *Dia memenyekkan tin itu sebelum memasukkannya ke dalam beg plastik.* He flattened the can before putting it into the plastic bag.
**penyu** KATA NAMA
*turtle*
**pepah**
**memepah** KATA KERJA
*to hit with a stick*
◊ *Larry memepah anjing itu.* Larry hit

the dog with a stick.
**pepak** KATA ADJEKTIF
*full*
◊ *Almari itu pepak dengan pakaian.* The cupboard is full of clothes.
**peparu** KATA NAMA
*lungs*
**pepat** KATA ADJEKTIF
*level*
◊ *Buluh itu dipotong sehingga pepat.* The bamboo is cut until it is level.
**memepat** KATA KERJA
*to trim*
◊ *Kawan saya memepat rambut saya.* My friend trims my hair.
**pepatah** KATA NAMA
*saying*
**pepatung** KATA NAMA
*dragonfly* (JAMAK **dragonflies**)
**pepejal** KATA NAMA
*solid*
**pepenjuru** KATA NAMA
*diagonal*
**pepijat** KATA NAMA
*bug*
◊ *pepijat alaf* millennium bug
**perabot** KATA NAMA
*furniture*
**perada** KATA NAMA
*glitter*
**peragawan** KATA NAMA
*male model*
**peragawati** KATA NAMA
*female model*
**perah**
**memerah** KATA KERJA
*to squeeze*
◊ *Emak sedang memerah jus oren di dapur.* My mother is squeezing oranges in the kitchen.
♦ **Pekerja-pekerja itu memerah susu lembu dengan tangan.** The workers milked cows by hand.
♦ **memerah otak** to think hard
♦ **memerah tenaga** to work hard
**perahan** KATA NAMA
*juice*
◊ *perahan lemon* lemon juice
**perahu** KATA NAMA
*boat* (terjemahan umum)
♦ **perahu layar** sailing boat
**perajurit** KATA NAMA
*soldier*
**perak** KATA NAMA
*silver*
**peram**
**memeram** KATA KERJA
*to ripen by storing*
◊ *memeram buah* to ripen fruits by

P

storing them
**terperam** KATA KERJA
_to be kept in one's heart_
♦ **Rahsia itu sudah lama terperam di dalam hatinya.** She has kept the secret to herself for a long time.

**peran** KATA NAMA
_clown_
**peranan** KATA NAMA
_role_
◊ _Ibu bapa memainkan peranan yang penting dalam hal ini._ The parents played an important role in this matter.
**berperanan** KATA KERJA
_to play the role_
◊ _Jamilah juga berperanan sebagai pembimbing kepada pelajarnya._ Jamilah also played the role of a guide to her students.

**perang** KATA NAMA
_war_
◊ _perang dunia_ world war ◊ _perang saudara_ civil war
**berperang** KATA KERJA
_to fight_
◊ _Mereka berperang untuk membebaskan negara mereka daripada penjajahan._ They fought to free their country from colonization.
**memerangi** KATA KERJA
_to fight_
◊ _Askar-askar itu memerangi pihak musuh yang menyerang mereka._ The soldiers fought against the attacking enemy. ◊ _Pengurus itu berusaha memerangi rasuah dalam syarikatnya._ The manager worked hard to fight bribery in his company.
**peperangan** KATA NAMA
_war_
◊ _Peperangan mengorbankan banyak nyawa._ War destroys many lives.

**pérang** KATA ADJEKTIF
_brown_
**keperang-perangan** KATA ADJEKTIF
_brownish_

**perangai** KATA NAMA
_behaviour_
◊ _perangai yang baik_ good behaviour
**berperangai** KATA KERJA
_to behave_
◊ _Budak nakal itu selalu berperangai buruk._ That naughty child is always behaving badly.

**perangkap** KATA NAMA
_trap_
**memerangkap** KATA KERJA
_to trap_
◊ _Charlie memerangkap seekor_

pelanduk. Charlie trapped a mouse deer.
◊ _Pihak polis memerangkap pembunuh itu._ The police trapped the killer.
**terperangkap** KATA KERJA
_to be trapped_
◊ _Ghani melepaskan burung yang terperangkap di dalam jaring itu._ Ghani freed the bird that was trapped in the netting.

**perangkawan** KATA NAMA
_statistician_

**peranjat**
**memeranjatkan** KATA KERJA
_to startle_
◊ _Bunyi itu memeranjatkan saya._ The noise startled me. ◊ _Anda memeranjatkan saya!_ You startled me!
**terperanjat** KATA KERJA
_startled_
◊ _Kelly terperanjat apabila melihat mereka berkucupan._ Kelly was startled when she saw them kissing.

**peranti** KATA NAMA
_device_
◊ _peranti elektronik_ electronic device

**perantis** KATA NAMA
_apprentice_
◊ _perantis tukang kayu_ an apprentice carpenter

**perap**
**memerap** KATA NAMA
_to shut oneself up_
◊ _Sally memerap di dalam bilik selepas pulang dari sekolah._ Sally shut herself up in her room after school.
**memerapkan** KATA KERJA
_to marinate_
◊ _Dia memerapkan ayam itu dengan sos tiram dan madu._ She marinated the chicken with oyster sauce and honey.
**terperap** KATA KERJA
_to be shut up_
◊ _Ben lebih suka keluar daripada terperap sahaja di dalam bilik._ Ben would rather go out than just be shut up in his room.

**peras**
**memeras** KATA KERJA
1 _to exploit_
◊ _Penyelia itu didakwa kerana memeras pekerja-pekerjanya._ The supervisor was charged with exploiting his workers.
2 _to extort_
◊ _Pegawai itu memeras wang daripada lelaki itu._ The officer extorted money from that man.
♦ **Para pelajar memeras otak untuk menjawab soalan itu dengan betul.** The students racked their brains to answer the

question correctly.

**pemeras** KATA NAMA
_extortionist_

**perasan** KATA KERJA
_to notice_
◊ _Sue tidak perasan yang mukanya kotor._ Sue didn't notice that her face was dirty.

**peras ugut** KATA NAMA
_extortion_
◊ _Lelaki itu didakwa melakukan peras ugut._ The man has been charged with extortion.

**memeras ugut** KATA KERJA
_to extort money_
◊ _Pelajar yang memeras ugut kawan-kawannya itu telah dibuang sekolah._ The student who extorted money from his friends has been expelled.

**perawan** KATA NAMA
_virgin_

**perca** KATA NAMA
_remnants_
♦ **perca kain** remnants ◊ _Kedai itu biasanya menjual perca kain dengan murah._ The shop usually sells remnants cheaply.

**percaya** KATA KERJA
1 _to believe_
◊ _Saya percaya usahanya akan mendatangkan hasil._ I believe his efforts will pay off.
2 _to trust_
◊ _Yusri percaya kepada bapanya._ Yusri trusts his father.

**kepercayaan** KATA NAMA
1 _belief_
◊ _kepercayaan agama_ religious beliefs
2 _trust_
◊ _Anda telah mengkhianati kepercayaan mereka._ You've betrayed their trust.

**mempercayai** KATA KERJA
1 _to believe_
◊ _Saya mempercayai kata-katanya._ I believe what he says.
2 _to trust_
◊ _Dia mempercayai pekerja-pekerjanya._ He trusted his employees.

**percik**
**berpercikan** KATA KERJA
_to splatter_
◊ _Air dari lopak berpercikan apabila lori melalui jalan itu._ Water splattered out of potholes when lorries went along the road.
**memercik** KATA KERJA
_to splash_
◊ _Air daripada paip itu memercik di atas lantai._ Water from the tap splashed on to the floor.

**memercikkan** KATA KERJA
_to splash_
◊ _Carrie memercikkan air ke muka kawannya._ Carrie splashed water on her friend's face.
**percikan** KATA NAMA
_splash_ (JAMAK **splashes**)
◊ _percikan darah_ splashes of blood
**terpercik** KATA KERJA
_to splash_
◊ _Air daripada paip itu terpercik ke bajunya._ Water from the tap splashed onto his shirt.

**percuma** KATA ADJEKTIF
_free_
◊ _tiket percuma_ free ticket

**perdana** KATA ADJEKTIF
_first_
◊ _Kilang perdana itu masih beroperasi._ The first factory is still in operation.
♦ **Perdana Menteri** Prime Minister

**perdu** KATA NAMA
_base of a tree_

**perempuan** KATA NAMA
_woman_ (JAMAK **women**)
♦ **anak perempuan** daughter
♦ **adik perempuan** sister
♦ **perempuan simpanan** mistress (JAMAK **mistresses**)

**perencah** KATA NAMA
_seasoning_

**perenggan** KATA NAMA
_paragraph_

**pergi** KATA KERJA
_to go_
◊ _Hui Yee akan pergi ke Ipoh pada minggu hadapan._ Hui Yee will go to Ipoh next week.
**pemergian** KATA NAMA
_departure_
◊ _pemergian Presiden ke Helsinki_ the President's departure for Helsinki

**perhati**
**memerhatikan** KATA KERJA
1 _to gaze_
◊ _Leela memerhatikan bangunan lama itu._ Leela gazed at the old building.
2 _to observe_
◊ _Polis memerhatikan gerak-geri lelaki itu._ The police observed the man's movements.
♦ **Perhatikan bangunan lama itu.** Look at that old building.
**pemerhati** KATA NAMA
_observer_
**pemerhatian** KATA NAMA
_observation_
◊ _Ahli sains itu membuat pemerhatian tentang pergerakan planet._ The scientist

made an observation of the movement of the planets.

**perhatian** KATA NAMA

*attention*

◊ *Para pelajar patut menumpukan perhatian dalam kelas.* Students should pay attention in class.

**peri (1)** KATA BANTU

*how*

◊ *Farid tidak tahu peri pentingnya isu itu.* Farid didn't know how important the issue was.

**peri (2)**

**berperi-peri** KATA KERJA

*in earnest*

◊ *Henry berperi-peri mengatakan bahawa dia akan membantu saya.* Henry was in earnest when he said he would help me.

**memerikan** KATA KERJA

*to describe*

◊ *Jenny memerikan kecantikan taman itu.* Jenny described the beauty of the garden.

**pemeri** KATA NAMA

*narrator*

**pemerian** KATA NAMA

*description*

◊ *Pemerian Joe tentang bangunan itu amat jelas.* Joe's description of that building was vivid.

**terperi** KATA KERJA

♦ **tidak terperi** beyond description

◊ *Kecantikannya tidak terperi.* Her beauty was beyond description.

**peria** KATA NAMA

*bitter gourd*

**peribadi** KATA ADJEKTIF

*personal*

◊ *pembantu peribadi* personal assistant

♦ **pengawal peribadi** bodyguard

♦ **Secara peribadi, saya tidak setuju.** Personally I don't agree.

**keperibadian** KATA NAMA

*personality* (JAMAK **personalities**)

◊ *keperibadian yang baik* pleasant personality

**peribahasa** KATA NAMA

*proverb*

**peribumi** KATA NAMA

*native*

**perigi** KATA NAMA

*well*

**perihal** KATA NAMA

> rujuk juga **perihal** KATA HUBUNG

*state*

◊ *Zen bertanggungjawab ke atas perihal kewangan syarikat itu.* Zen is responsible for the financial state of the company.

**memerihalkan** KATA KERJA

*to describe*

◊ *Norhayati memerihalkan majlis itu kepada sahabat penanya.* Norhayati described the party to her penfriend.

**pemerihalan** KATA NAMA

*description*

◊ *Brenda mendengar pemerihalannya dengan sepenuh perhatian.* Brenda listened intently to his description.

**perihal** KATA HUBUNG

> rujuk juga **perihal** KATA NAMA

*about*

◊ *Mereka sedang bercakap perihal rancangan mereka pada minggu hadapan.* They are talking about their plans for next week.

**perikemanusiaan** KATA NAMA

*humanity*

◊ *Ucapannya memperlihatkan kematangan dan perikemanusiaan.* Her speech showed maturity and humanity.

**berperikemanusiaan** KATA KERJA

*humane*

◊ *masyarakat yang berperikemanusiaan* humane society

♦ **tidak berperikemanusiaan** inhuman

**periksa** KATA KERJA

*to check*

◊ *Tolong periksa beg anda sebelum pulang.* Please check you bags before leaving.

**memeriksa** KATA KERJA

1 *to examine*

◊ *Pegawai itu memeriksa pasport Nancy dan mengecapnya.* The officer examined Nancy's passport and stamped it.

2 *to investigate*

◊ *Saya akan memeriksa hal itu.* I'll investigate the matter.

**pemeriksa** KATA NAMA

1 *examiner*

◊ *Guru itu merupakan salah seorang pemeriksa kertas sejarah.* The teacher is one of the examiners for the history paper.

2 *inspector*

◊ *pemeriksa kualiti* quality inspector

**pemeriksaan** KATA NAMA

*examination*

◊ *Tom dibenarkan keluar dari hospital selepas pemeriksaan yang selanjutnya dilakukan.* Tom was discharged from the hospital after further examination.

**peperiksaan** KATA NAMA

*examination*

**perilaku** KATA NAMA

*action*

**perinci**
   **memperincikan**  KATA KERJA
   *to scrutinize*
   ◊  *Sam memperincikan laporan itu untuk membuat anggaran yang lebih tepat.* Sam scrutinized the report so as to make a more accurate estimate.
   **pemerincian**  KATA NAMA
   *detailed analysis*
   ◊  *Alan berharap pemerincian kertas kerjanya boleh meyakinkan pelaburnya.* Alan hoped that the detailed analysis of his proposal would convince his investors.
   **perincian**  KATA NAMA
   *detail*
   ◊  *Mereka akan membincangkan perincian syarat-syarat itu.* They will discuss the details of the conditions.
   **terperinci**  KATA ADJEKTIF
   *detailed*
   ◊  *laporan yang terperinci* a detailed report

**peringkat**  KATA NAMA
   1  *level*
   ◊  *pertandingan catur peringkat kebangsaan* national level chess competition
   2  *stage*
   ◊  *peringkat akhir proses itu* the final stage of the process
♦  **peringkat separuh akhir**  semi-finals
   **berperingkat**  KATA KERJA
   *in stages*
   ◊  *Produk itu dibuat berperingkat.* The product was made in stages.
♦  **secara berperingkat**  in stages
   **memeringkatkan**  KATA KERJA
   *to divide ... into different stages*
   ◊  *Pengurus itu memeringkatkan kerja-kerja itu.* The manager divided the work into different stages.
   **pemeringkatan**  KATA NAMA
   *grading*
   ◊  *sistem pemeringkatan tiga tingkat* a three-tier grading system

**perintah**  KATA NAMA
   *order*
   ◊  *Dia mengikut perintah leftenan itu.* He obeyed the lieutenant's orders.
   **memerintah**  KATA KERJA
   1  *to rule*
   ◊  *Raja itu memerintah dalam tempoh yang singkat sahaja.* The king ruled for only a short time.
   2  *to order*
   ◊  *En. Hashim tidak suka memerintah para pekerjanya.* Mr Hashim doesn't like to order his employees around.
   **memerintahkan**  KATA KERJA

   *to command*
   ◊  *Dia memerintahkan tenteranya supaya melakukan serangan.* He commanded his troops to attack.
   **pemerintah**  KATA NAMA
   *ruler*
   **pemerintahan**  KATA NAMA
   *government*
   ◊  *sistem pemerintahan* system of government
♦  **pemerintahan beraja**  monarchy (JAMAK **monarchies**)

**perisa**  KATA NAMA
   *flavour*

**perisai**  KATA NAMA
   *shield*

**peristiwa**  KATA NAMA
   *event*

**perit**  KATA ADJEKTIF
   *smarted*
   ◊  *Luka pada tangan saya terasa perit apabila terkena air.* The cut on my hand smarted when it got wet.
♦  **Peristiwa itu terlalu perit untuk dikenang.**  The incident was too painful to remember.
♦  **Mereka terpaksa menghadapi cabaran yang begitu perit.**  They had to face a very difficult challenge.
   **keperitan**  KATA NAMA
   *difficulty* (JAMAK **difficulties**)
   ◊  *William tabah menghadapi keperitan hidupnya.* William faced the difficulties in his life with determination.
   **memeritkan**  KATA KERJA
   *to sting*
   ◊  *Krim itu memeritkan kulit saya yang sensitif.* The cream stung my sensitive skin.
♦  **Dia mendapati latihan ketenteraan itu sangat mencabar dan memeritkan.**  He found the military training very challenging and tough.

**periuk**  KATA NAMA
   *pot*
♦  **periuk belanga**  pots and pans
♦  **periuk nasi**  rice cooker
♦  **periuk tanah**  earthenware pot
♦  **periuk api**  land mine

**perkakas**  KATA NAMA
   *tool*
   **perkakasan**  KATA NAMA
   1  *tools*
   2  *hardware* (komputer)

**perkara**  KATA NAMA
   *matter*
   ◊  *satu perkara yang penting* an important matter
   **seperkara**  KATA HUBUNG

P

◆ **seperkara lagi** furthermore
◊ *Seperkara lagi, saya ingin memaklumkan bahawa tempat duduk adalah terhad.* Furthermore, I wish to inform you that the number of seats is limited.

**perkasa** KATA ADJEKTIF
*brave*
◊ *lelaki yang perkasa* a brave man
◆ **gagah perkasa** brave

**perkosa**
**memperkosa** KATA KERJA
*to rape*
◊ *Lelaki yang memperkosa gadis itu telah ditangkap oleh polis.* The man who raped the girl has been arrested by the police.
**perkosaan** KATA NAMA
*rape*
◊ *Kes perkosaan semakin meningkat di negara ini.* Cases of rape are on the increase in this country.

**perlahan** KATA ADJEKTIF
1 *slow*
◊ *pergerakan yang perlahan* a slow movement
2 *soft*
◊ *suara yang perlahan* a soft voice
◆ **Karim bergerak dengan perlahan.** Karim moved slowly.
**perlahan-lahan** KATA ADJEKTIF
1 *slowly*
◊ *Karim bergerak perlahan-lahan.* Karim moved slowly.
2 *quietly*
◊ *Dia membuka pintu itu perlahan-lahan.* He quietly opened the door.
**memperlahankan** KATA KERJA
1 *to slow ... down*
◊ *Ali memperlahankan keretanya.* Ali slowed his car down.
2 *to lower*
◊ *Irene memperlahankan suaranya kerana teman sebiliknya sedang tidur.* Irene lowered her voice because her roommate was asleep.

**perli** KATA ADJEKTIF
◆ **kata-kata perli** teasing ◊ *Wendy tidak tahan dengan kata-kata perli kawannya.* Wendy couldn't tolerate her friend's teasing.
**memerli, memperli** KATA KERJA
*to tease*
◊ *Amy suka memerli kawannya yang malas itu.* Amy likes to tease her lazy friend.

**perlu** KATA BANTU
*to have to*
◊ *Anda perlu memfailkan semua*

*dokumen ini.* You have to file all these documents.
◆ **Para tetamu perlu berpakaian formal.** Guests are required to wear formal attire.
◆ **Anda perlu faham masalah saya.** You should understand my problem.
◆ **Anda perlu menghadiri majlis itu.** You must attend the reception.
◆ **tidak perlu** unnecessary
**keperluan** KATA NAMA
*necessity* (JAMAK **necessities**)
◊ *keperluan asas* basic necessity
**memerlukan** KATA KERJA
*to need*
◊ *Billy memerlukan seorang pengasuh untuk menjaga anaknya.* Billy needed a babysitter to take care of his child.

**permai** KATA ADJEKTIF
*beautiful*
◊ *pemandangan tasik yang sungguh permai* a very beautiful view of the lake

**permaidani** KATA NAMA
*carpet*

**permaisuri** KATA NAMA
*queen*

**permata** KATA NAMA
*gem*

**permatang** KATA NAMA
*ridge* (di sawah)

**permit** KATA NAMA
*permit*

**pernah** KATA BANTU
1 *have ... before*
◊ *Saya pernah pergi ke sana.* I have been there before. ◊ *Saya pernah mendengar lagu ini.* I've heard this song before.
2 *have ever*
◊ *terbaik yang pernah saya lihat* the best I have ever seen
◆ **Dia tidak pernah mempercayai saya.** He never believed me.

**peronyok**
**memperonyok** KATA KERJA
*to crumple*
◊ *Felicia memperonyok nota itu lalu membuangnya.* Felicia crumpled the note and threw it away.
**terperonyok** KATA KERJA
*crumpled*
◊ *Pakaian seragamnya terperonyok.* His uniform was crumpled.

**perosok**
**terperosok** KATA KERJA
*to slip into*
◊ *Kaki Weng Ki terperosok ke dalam longkang.* Weng Ki's foot slipped into the drain.

**Perpatih** KATA NAMA

♦ **Adat Perpatih**  Matrilineal Law
**persada**  KATA NAMA
♦ **persada tanah air**  motherland
**persegi**  KATA NAMA
  *square*
  ◊ *6000 kilometer persegi*  6000 square kilometres
**persis**  KATA ADJEKTIF
  *exactly*
  ◊ *Rupa Andy persis rupa abangnya.* Andy looks exactly like his brother.
  ◊ *Osman meninggalkan rumahnya persis pukul tiga petang.*  Osman left his house at exactly three in the afternoon.
**personaliti**  KATA NAMA
  *personality*  (JAMAK **personalities**)
  ◊ *personaliti yang baik*  pleasant personality
**personel**  KATA NAMA
  *personnel*
**perspektif**  KATA NAMA
  *perspective*
**pertama**  KATA ADJEKTIF
  *first*
  ◊ *sekolah pertama di Malaysia*  the first school in Malaysia
**pertiwi**  KATA NAMA
  *motherland*
♦ **ibu pertiwi**  motherland
**pertua**  KATA NAMA
♦ **Yang Dipertua**  Governor ◊ *Yang Dipertua Pulau Pinang*  the Governor of Penang
**peruk**
  **memeruk**  KATA KERJA
  *to shove*
  ◊ *Alex memeruk buku-bukunya itu ke dalam laci.*  Alex shoved the books into the drawer.
  **terperuk**  KATA KERJA
  *to be shoved*
  ◊ *Alat-alat mainannya terperuk di dalam kotak itu.*  His toys were shoved into the box.
♦ **Elsie terperuk di dalam biliknya selepas pulang dari sekolah.**  After school Elsie shut herself up in her room.
**perungus**  KATA ADJEKTIF
  *hot-tempered*
  ◊ *Dia seorang yang perungus.*  He's a hot-tempered person.
**perut**  KATA NAMA
  *stomach*
**perwira**  KATA NAMA
  *hero*  (JAMAK **heroes**)
**pesan**  KATA NAMA
  *will*
  ◊ *Mahmud akan menunaikan pesan datuknya yang baru meninggal dunia.*

Mahmud will carry out the will of his recently deceased grandfather.
♦ **Halim selalu mengingati pesan ibunya supaya tidak bercakap bohong.**  Halim always remembered his mother's exhortation not to tell lies.
  **berpesan**  KATA KERJA
  *to tell*
  ◊ *Ina berpesan kepada anak lelakinya supaya jangan nakal.*  Ina told her son that he mustn't be naughty.
  **memesan**  KATA KERJA
  *to order*
  ◊ *Vincent memesan dua buah buku komputer dari kedai itu.*  Vincent ordered two computer books from the shop.
  **pesanan**  KATA NAMA
  1 *advice*
  ◊ *Alison mendengar pesanan gurunya.* Alison listened to her teacher's advice.
  2 *order*
  ◊ *Saya membuat pesanan untuk kereta itu kelmarin.*  I placed an order for that car yesterday.
  3 *will*
  ◊ *Mahmud akan menunaikan pesanan datuknya yang baru meninggal dunia.* Mahmud will carry out the will of his recently deceased grandfather.
♦ **Halim selalu mengingati pesanan ibunya supaya tidak bercakap bohong.** Halim always remembered his mother's exhortation not to tell lies.
**pesat**  KATA ADJEKTIF
  *rapid*
  ◊ *perkembangan yang pesat*  rapid development
♦ **Bandar itu berkembang dengan pesat.** The city is developing rapidly.
  **kepesatan**  KATA NAMA
  *rapidity*
  ◊ *kepesatan pembangunan bandar itu* the rapidity of the town's development
♦ **kepesatan ekonomi**  the rapid growth of the economy
  **memesatkan**  KATA KERJA
  *to speed up*
  ◊ *usaha-usaha untuk memesatkan pertumbuhan ekonomi*  efforts to speed up the growth of the economy
**pesawat**  KATA NAMA
  1 *machine*
  2 *aeroplane*
♦ **pesawat pengebom**  bomber
**pesimis**  KATA NAMA
  *pessimist*
**pesimistik**  KATA ADJEKTIF
  *pessimistic*
**pesisir**  KATA NAMA

P

*shore*
**pesisiran** KATA NAMA
*shore*
**pesona** KATA NAMA
*spell*
**mempesona** KATA KERJA
*captivating*
◊ *senyuman yang mempesona* a captivating smile
**mempesonakan** KATA KERJA
*to captivate*
◊ *Kecantikan penyanyi itu mempesonakan kami.* The singer's beauty captivated us.
**terpesona** KATA KERJA
*to be captivated*
◊ *Anda akan terpesona dengan keindahan lanskap di tempat ini.* You'll be captivated by the beauty of the landscape. ◊ *Saya terpesona dengan kecantikannya.* I was captivated by her beauty.
**pesong**
**memesongkan** KATA KERJA
① *to turn*
◊ *Peter memesongkan keretanya ke sebelah kiri jalan itu.* Peter turned left off the road.
② *to change*
◊ *Henry memesongkan tajuk perbualan kerana tidak mahu terus membincangkan soal itu.* Henry changed the subject because he didn't want to discuss the matter any further.
♦ **Mereka cuba memesongkan fikiran remaja dengan dakyah mereka.** They are trying to lead teenagers' minds astray with their propaganda.
**pemesongan** KATA NAMA
*deviation*
◊ *pemesongan dari topik asal* deviation from the original topic
**terpesong** KATA KERJA
① *to deviate*
◊ *Rancangan pengurus itu telah terpesong daripada rancangan asalnya.* The manager has deviated from his original plan.
② *to stray*
◊ *Karangan Jean terpesong daripada tajuk.* Jean's composition strayed from the topic.
**pesta** KATA NAMA
① *fair*
♦ **tapak pesta** fairground
♦ **pesta ria** funfair
② *festival*
◊ *pesta filem* film festival
**berpesta** KATA KERJA

*to celebrate*
◊ *Kami berpesta sepanjang malam itu.* We celebrated the whole night.
**pesuruhjaya** KATA NAMA
*commissioner*
**peta** KATA NAMA
*map*
**memetakan** KATA KERJA
*to draw a map*
◊ *Hashim memetakan kawasan tempat tinggalnya.* Hashim drew a map of the area where he lived.
**pemeta** KATA NAMA
*cartographer*
**pemetaan** KATA NAMA
*mapping*
◊ *Pemetaan kawasan itu telah siap.* The mapping of that area has been done.
**petah** KATA ADJEKTIF
*fluent*
◊ *Lee Tin petah berbahasa Jepun.* Lee Tin is fluent in Japanese.
**kepetahan** KATA NAMA
*fluency*
◊ *Kepetahan Azlin berbahasa Jerman memudahkan dia mendapat kerja itu.* Azlin's fluency in German made it easy for her to get the job.
**petak** KATA NAMA
> rujuk juga **petak** PENJODOH BILANGAN

*square*
**berpetak-petak** KATA KERJA
*checked*
◊ *Dia memakai baju kuning dan skirt yang berpetak-petak.* She's wearing a yellow shirt and a checked skirt.
**petak** PENJODOH BILANGAN
> rujuk juga **petak** KATA NAMA

*plot*
◊ *sepetak sawah padi* a plot of paddy
**petaka** KATA NAMA
*mishap*
**petang** KATA NAMA
① *(sebelum pukul 6)* *afternoon*
② *(antara pukul 6-7)* *evening*
**petas** KATA NAMA
*firecrackers*
**peti** KATA NAMA
*trunk*
♦ **peti besi/simpanan** safe
♦ **peti sejuk** refrigerator
♦ **peti surat** post box (JAMAK **post boxes**)
**petik** KATA KERJA
*to pick*
◊ *Jangan petik bunga di taman saya.* Don't pick the flowers in my garden.
**memetik** KATA KERJA
① *to pick*

◊ *Saya memetik sebiji mangga untuk isteri saya.* I picked a mango for my wife.

♦ **Lelaki itu duduk bersendirian di sudut itu sambil memetik gitarnya.** The man sat alone in the corner and plucked his guitar.

2 *to quote*
◊ *Seri memetik satu ayat daripada buku itu.* Seri quoted a sentence from the book.

3 *to snap*
◊ *Nora menyanyi sambil memetik jarinya.* Nora sang and snapped her fingers.

**memetikkan**   KATA KERJA
*to pick*
◊ *Saya memetikkan isteri saya sebiji mangga.* I picked my wife a mango.

**pemetik**   KATA NAMA
1 *trigger* (*untuk senapang*)
2 *switch* (JAMAK **switches**)

♦ **pemetik api** cigarette lighter

**petikan**   KATA NAMA
*passage*
◊ *Baca petikan yang diberikan.* Read the passage given.

**petir**   KATA NAMA
*thunder and lightning*

**petisyen**   KATA NAMA
*petition*

**petola**   KATA NAMA
*sponge gourd*

**petrol**   KATA NAMA
*petrol*
♦ **petrol berplumbum** leaded petrol
♦ **petrol tanpa plumbum** unleaded petrol

**petua**   KATA NAMA
*tip*
◊ *petua penjagaan kulit* skin care tips
**berpetua**   KATA KERJA
*to give a tip*
◊ *Nenek Bibi berpetua kepadanya tentang cara-cara penjagaan muka.* Bibi's grandmother gave her a tip on facial care.
**dipetuakan**   KATA KERJA
*recommended*
◊ *Ikutlah cara rawatan yang telah dipetuakan.* Follow the recommended treatment.

**piagam**   KATA NAMA
*charter*
◊ *Fasal 50 Piagam Pertubuhan Bangsa-bangsa Bersatu* Article 50 of the United Nations Charter
**memiagamkan**   KATA KERJA
*to state in a charter*
◊ *Organisasi itu telah memiagamkan semua fasal-fasalnya.* The organization has stated all its articles in the charter.

**piala**   KATA NAMA

*trophy* (JAMAK **trophies**)

**piano**   KATA NAMA
*piano* (JAMAK **pianos**)

**piat (1)**
**memiat**   KATA KERJA
*to twist*
◊ *Larry memiat pemegang beg itu.* Larry twisted the handle of the bag.

**piat (2)**   KATA NAMA
♦ **piat-piut** descendants

**piatu**   KATA ADJEKTIF
*orphan*

**piawai**   KATA ADJEKTIF
*standard*
◊ *suhu piawai* standard temperature
**memiawaikan**   KATA KERJA
*to standardize*
◊ *Kilang itu telah memiawaikan komponen-komponen model tersebut.* The factory has standardized the components of the model.
**pemiawaian**   KATA NAMA
*standardization*
◊ *pemiawaian kualiti barangan* standardization of the quality of goods
**piawaian**   KATA NAMA
*standard*
◊ *sistem piawaian kualiti barangan* system of standards for the quality of goods

**pic**   KATA NAMA
♦ **buah pic** peach (JAMAK **peaches**)

**picagari**   KATA NAMA
*syringe*

**picit**   KATA NAMA
*squeeze*
♦ **lampu picit** torch (JAMAK **torches**)
♦ **tukang picit (1)** masseur (*lelaki*)
♦ **tukang picit (2)** masseuse (*perempuan*)
**memicit**   KATA KERJA
1 *to squeeze*
◊ *Kelly memicit jari kawannya.* Kelly squeezed her friend's finger.
2 *to press*
◊ *Richard memicit loceng pintu itu.* Richard pressed the doorbell.
3 *to knead*
◊ *Ah Ling memicit bahu kakaknya.* Ah Ling kneaded her sister's shoulder.
**picitan**   KATA NAMA
*squeeze*
♦ **Picitan Lily yang kuat pada tangan saya menyebabkan saya menjerit.** Lily squeezed my hand so hard that I screamed.

**picu**   KATA NAMA
*trigger*
◊ *Lelaki itu memetik picu pistolnya.* The man pulled the trigger of his pistol.

P

**pidato** KATA NAMA
  *speech* (JAMAK **speeches**)
  **berpidato** KATA KERJA
  *to make a speech*
    ◊ *Kamariah berpidato dalam bahasa Inggeris.* Kamariah made a speech in English.
  **mempidatokan** KATA KERJA
  *to make a speech*
    ◊ *Pelajar itu mempidatokan tentang pencemaran alam sekitar.* The student made a speech about environmental pollution.
  **pemidato** KATA NAMA
  *speaker*
**pihak** KATA NAMA
  *party* (JAMAK **parties**)
    ◊ *pihak ketiga* third party
♦ **pihak lawan** opponent
♦ **pihak media** the media
♦ **bagi pihak** on behalf
  **berpihak, memihak** KATA KERJA
  *to side*
    ◊ *Ibu saya selalu berpihak kepada adik lelaki saya.* My mother always sides with my younger brother.
♦ **Anda selalu memihak kepadanya.** You always take his side.
  **memihakkan** KATA KERJA
  *to side*
    ◊ *Henry selalu memihakkan anak perempuannya.* Henry always sides with his daughter.
**pijak**
  **pijak-pijak** KATA NAMA
  *pedal*
  **memijak** KATA KERJA
  *to tread*
    ◊ *Saya memijak kakinya secara tidak sengaja.* I accidentally trod on his foot.
  **memijakkan** KATA KERJA
♦ **memijakkan kaki** to set foot ◊ *Neil Armstrong ialah orang yang pertama memijakkan kakinya di atas bulan.* Neil Armstrong was the first person to set foot on the moon.
  **terpijak** KATA KERJA
  *to accidentally step*
    ◊ *Saya terpijak kakinya.* I accidentally stepped on his foot.
**pijama** KATA NAMA
  *pyjamas*
**pijar** KATA ADJEKTIF
  *hot*
    ◊ *minyak yang pijar* hot oil ◊ *Tangan saya terasa pijar selepas memotong cili itu.* My hands feel hot after chopping those chillies.
**pijat** KATA NAMA

*bedbug*
**pikat**
  **memikat** KATA KERJA
  [1] *to attract*
    ◊ *Pakej percutian itu ditawarkan untuk memikat pelancong.* The holiday package was offered in order to attract tourists.
  [2] *to snare*
    ◊ *Rahim memikat seekor burung kelmarin.* Rahim snared a bird yesterday.
  [3] *to make advances*
    ◊ *Sammy mahu memikat gadis itu.* Sammy wanted to make advances to the girl.
  **pemikat** KATA NAMA
  *admirer*
    ◊ *Gadis itu mempunyai ramai pemikat.* The girl has many admirers.
  **terpikat** KATA KERJA
  *attracted*
    ◊ *Robert sudah terpikat pada gadis itu.* Robert was attracted to the girl.
**piknik** KATA NAMA
  *picnic*
  **berpiknik** KATA KERJA
  *to picnic*
    ◊ *Kami berpiknik di tasik itu.* We picnicked at the lake.
**pikul** KATA NAMA
  *picul* (ukuran berat)
  | bersamaan dengan kira-kira 62.5 kg |
  **memikul** KATA KERJA
  [1] *to carry on the shoulder*
    ◊ *Lelaki itu memikul seguni beras.* The man was carrying a sack of rice on his shoulder.
  [2] *to shoulder*
    ◊ *Dia memikul tanggungjawab menjaga adik lelakinya.* He shouldered the responsibility of caring for his brother.
  **memikulkan** KATA KERJA
  *to carry*
    ◊ *Karim memikulkan bapanya peti itu.* Karim carried the trunk for his father.
  **pikulan** KATA NAMA
  *load*
    ◊ *Pikulannya sangat berat.* His load is very heavy.
**pil** KATA NAMA
  *pill*
    ◊ *pil tidur* sleeping pill
**pili** KATA NAMA
  *tap*
    ◊ *air pili* tap water
**pilih** KATA KERJA
  *to choose*
    ◊ *Pilihlah warna yang lebih terang.* Choose a brighter colour.
♦ **pilih kasih** to be biased

**memilih** KATA KERJA
1 _to elect_
◊ _Para pelajar memilih ketua darjah
mereka sendiri._ The students elected
their own monitor.
2 _to choose_
◊ _Dia memilih warna baju yang lebih
terang untuk anak perempuannya._ She
chose a blouse with brighter colours for
her daughter.
**memilihkan** KATA KERJA
_to choose_
◊ _Guru itu memilihkan pelajar-
pelajarnya buku rujukan._ The teacher
chose the reference book for her students.
**pemilih** KATA NAMA
_elector (dalam pilihan raya)_
♦ **Dia seorang yang pemilih.** She's choosy.
**pemilihan** KATA NAMA
_choice_
◊ _Semua orang berpuas hati dengan
pemilihan Sullivan sebagai bendahari._
Everyone was satisfied with the choice
of Sullivan as treasurer.
**terpilih** KATA KERJA
_to be elected_
◊ _Dia terpilih sebagai wakil rakyat._ He
was elected as the people's
representative.
♦ **calon yang terpilih** the elected
candidate
**pilihan** KATA NAMA
_choice_
◊ _berbagai warna pilihan_ a wide choice
of colours
♦ **pilihan raya** election
**pilin** KATA ADJEKTIF
_spiral_
◊ _Cindy menuruni tangga pilin itu._ Cindy
went down the spiral staircase.
**berpilin** KATA KERJA
_twisted_
◊ _tali yang berpilin_ a twisted rope
**memilin** KATA KERJA
_to twine_
◊ _Kamal memilin kain itu menjadi tali
dan menggunakannya untuk turun ke
bawah._ Kamal twined the cloth into a
length of rope and used it to lower himself
to the ground.
**pilu** KATA ADJEKTIF
_sad_
◊ _Saya menangis selepas mendengar
cerita pilu lelaki itu._ I wept when I heard
the man's sad story.
**kepiluan** KATA NAMA
_sorrow_
◊ _Kata-kata tidak dapat menggambarkan
kepiluan saya._ Words cannot express my

sorrow.
**memilukan** KATA KERJA
_to sadden_
◊ _Kekejaman di negara itu memilukan
hatinya._ The cruelty in the country
saddens her.
**pimpin**
**memimpin** KATA KERJA
1 _to lead somebody by the hand_
♦ **Vincent memimpin kawannya ke dalam
biliknya.** Vincent led his friend to his
room.
2 _to guide_
◊ _Seorang jurulatih yang berpengalaman
akan memimpin pasukan kami._ An
experienced coach will guide our team.
**pemimpin** KATA NAMA
_leader_
**kepemimpinan** KATA NAMA
_leadership_
◊ _ciri-ciri kepemimpinan_ leadership
qualities
**pimpinan** KATA NAMA
_guidance_
◊ _Wen Loong mendapat keputusan
yang baik di bawah pimpinan guru itu._
Wen Loong got good results under the
guidance of the teacher.
**kepimpinan** KATA NAMA
_leadership_
◊ _George memuji kepimpinannya
semasa krisis itu._ George praised her
leadership during the crisis.
**pin** KATA NAMA
_pin_
**mengepin** KATA KERJA
_to pin_
◊ _Linda mengepin bunga itu pada
gaunnya._ Linda pinned the flower onto
her dress.
**pinang (1)** KATA NAMA
_areca nut_
**pinang (2)**
**meminang** KATA KERJA
_to propose_
◊ _Keluarga Idham meminang Amelia
kelmarin._ Idham's parents proposed to
Amelia yesterday.
**peminang** KATA NAMA
_suitor_
**peminangan** KATA NAMA
_proposal_
◊ _Nenek Siti sangat gembira apabila
dia mengetahui tentang peminangan itu._
Siti's grandmother was delighted when she
heard about the proposal.
**pinangan** KATA NAMA
_proposal_
◊ _Junaidah menerima pinangan Rashidi._

P

Junaidah accepted Rashidi's proposal.

**pinar**

**berpinar-pinar** KATA KERJA
*to see stars*
◊ *Matanya berpinar-pinar setelah kepalanya dipukul oleh seorang perompak.* He saw stars after being hit on the head by a robber.

**pincang** KATA ADJEKTIF

[1] *lame*
◊ *Kaki orang tua itu pincang.* The old man is lame.

[2] *spoiled*
◊ *Upacara penganugerahan hadiah itu akan pincang jika beliau tidak hadir.* The prize-giving ceremony will be spoiled if he's absent.

**kepincangan** KATA NAMA
*shortcoming*
◊ *Buku itu ada kepincangannya.* The book has its shortcomings.
◊ *kepincangan dalam sistem kewangan negara* shortcomings in the country's monetary system

♦ **Dia akan mendedahkan segala kepincangan yang berlaku dalam politik negara itu.** He will expose all the injustices that occur in the country's politics.

♦ **kepincangan ekonomi** imbalance in the economy

**pinda**

**meminda** KATA KERJA
*to amend*
◊ *Kerajaan telah meminda Akta itu.* The government has amended the Act.

**pemindaan** KATA NAMA
*amendment*
◊ *hak-hak untuk pemindaan* rights of amendment

**pindaan** KATA NAMA
*amendment*
◊ *pindaan pada rang undang-undang* an amendment to the bill

**pindah**

**berpindah** KATA KERJA
*to move*
◊ *Chui Fen telah berpindah ke Kuala Lumpur.* Chui Fen has moved to Kuala Lumpur.

♦ **berpindah-randah** to move frequently

**memindah** KATA KERJA

♦ **memindah naik** to upload

♦ **memindah turun** to download

**memindahkan** KATA KERJA

[1] *to move*
◊ *Ranjit memindahkan meja itu ke dalam biliknya.* Ranjit moved the table into his room.

[2] *to transfer*
◊ *Nick mahu memindahkan sedikit wang ke dalam akaun anak perempuannya.* Nick wanted to transfer some money to his daughter's account.

**pemindahan** KATA NAMA
*transfer*
◊ *pemindahan teknologi* technology transfer

♦ **pemindahan jantung** a heart transplant

**perpindahan** KATA NAMA
*move*
◊ *Pengurus itu telah mengumumkan perpindahan syarikatnya ke Ipoh.* The manager has announced his company's move to Ipoh.

**pinga**

**terpinga-pinga** KATA KERJA
*dumbfounded*
◊ *Jean terpinga-pinga apabila Kelvin memarahinya dengan tidak semena-mena.* Jean was dumbfounded when Kelvin scolded her for no reason.

**pingat** KATA NAMA
*medal*

**pinggan** KATA NAMA
*plate*

♦ **pinggan mangkuk** crockery

**pinggang** KATA NAMA
*waist*

♦ **buah pinggang** kidneys

♦ **tali pinggang** belt

**pinggir** KATA NAMA
*edge*
◊ *pinggir bandar* edge of town

**meminggiri** KATA KERJA
*to be on the fringes*
◊ *bandar kecil penduduk kulit hitam yang meminggiri bandar raya tersebut* black townships located on the fringes of the city

♦ **Rumput dan bunga-bunga liar meminggiri kolam itu.** There was grass and wild flowers by the edge of the pond.

**meminggirkan** KATA KERJA
*to neglect*
◊ *Mereka tidak sepatutnya meminggirkan masalah itu.* They should not neglect that problem.

**peminggiran** KATA NAMA
*boundary* (JAMAK **boundaries**)
◊ *peminggiran negara* national boundary

**pinggiran** KATA NAMA

*rujuk juga* **pinggiran** KATA ADJEKTIF

*edge*
◊ *pinggiran tasik* edge of a lake

**pinggiran** KATA ADJEKTIF

*rujuk juga* **pinggiran** KATA NAMA

_unimportant_
◊ _perkara-perkara pinggiran_
unimportant matters
**pinggul**   KATA NAMA
_buttock_
**pingpong**   KATA NAMA
_table tennis_
**pinjam**
   **meminjam**   KATA KERJA
   _to borrow_
   ◊ _Saya meminjam pen Phui Yin._ I
   borrowed Phui Yin's pen.
   **meminjamkan**   KATA KERJA
   _to lend_
   ◊ _Phui Yin meminjamkan pennya
   kepada saya._ Phui Yin lent me her pen.
   **peminjam**   KATA NAMA
   ① _borrower_ (orang yang meminjam)
   ② _lender_ (orang yang memberikan
   pinjaman)
   **peminjaman**   KATA NAMA
   ① _borrowing_
   ◊ _James memenuhi semua syarat
   peminjaman itu._ James fulfilled all the
   borrowing requirements.
   ② _lending_
   ◊ _Jabatan itu menguruskan
   peminjaman wang kepada orang yang
   layak._ The department manages the
   lending of money to those qualified to
   borrow.
   **pinjaman**   KATA NAMA
   _loan_
   ◊ _Billy memohon pinjaman daripada
   bank._ Billy applied for a loan from the
   bank.
**pinta**
   **meminta**   KATA KERJA
   _to request_
   ◊ _Pengurus meminta supaya mesyuarat
   itu ditangguhkan._ The manager requested
   that the meeting be postponed.
   **pintaan**   KATA NAMA
   _request_
   ◊ _Andrew menyanyi atas pintaan para
   jemputan._ Andrew sang at the request
   of the guests.
**pintal**   KATA ADJEKTIF
   ♦ **roda pintal**  spinning wheel
   **berpintal-pintal**   KATA KERJA
   _tangled_
   ◊ _benang yang berpintal-pintal_  a
   tangled thread
   **memintal**   KATA KERJA
   _to spin_
   ◊ _Selina sedang memintal benang
   sayat._ Selina is spinning the wool.
   **pemintal**   KATA NAMA
   ① _spindle_ (perkakas)

② _spinner_ (orang)
**pintar**   KATA ADJEKTIF
   _clever_
   ◊ _Cik Kartika sangat pintar._  Miss
   Kartika is very clever.
   **kepintaran**   KATA NAMA
   _intelligence_
   ◊ _Masalah-masalah itu dapat
   diselesaikan kerana kepintaran Kamarul._
   Thanks to Kamarul's intelligence it was
   possible to solve the problems.
   **terpintar**   KATA ADJEKTIF
   _cleverest_
   ◊ _Syarifah ialah pelajar yang terpintar
   di dalam kelas._  Syarifah is the cleverest
   student in the class.
**pintas**   KATA ADJEKTIF
   ♦ **jalan pintas**  short cut
   **memintas**   KATA KERJA
   ① _to take a short cut_
   ◊ _Jay sesat selepas memintas jalan itu._
   Jay got lost after taking a short cut.
   ② _to overtake_
   ◊ _Kereta merah itu memintas kereta-
   kereta di hadapan._  The red car overtook
   the cars in front.
   ③ _to interrupt_
   ◊ _Tommy sedang bercakap tetapi
   isterinya memintas._  Tommy was speaking
   but his wife interrupted.
   **pemintasan**   KATA NAMA
   _taking a short cut_
   ◊ _Pemintasan jalan itu menjimatkan
   masa mereka._  They saved time by taking
   a short cut.
   **sepintas**   KATA ADJEKTIF
   ♦ **sepintas lalu**  briefly (_huraian,
   penjelasan_)
   ♦ **Veronica melihat lukisan-lukisan itu
   sepintas lalu.**  Veronica took a glance at
   the paintings.
   **pintasan**   KATA NAMA
   _short cut_
**pintu**   KATA NAMA
   | _rujuk juga_ **pintu** PENJODOH BILANGAN |
   _door_
   ◊ _pintu belakang_  back door
   ♦ **pintu gerbang**  archway
   ♦ **pintu keluar**  exit
   ♦ **pintu masuk**  entrance
   ♦ **pintu pagar**  gate
**pintu**   PENJODOH BILANGAN
   | _rujuk juga_ **pintu** KATA NAMA |
   | **pintu** _tidak ada terjemahan dalam
   bahasa Inggeris._ |
   ◊ _sepintu kedai_  one shop  ◊ _dua pintu
   rumah_  two houses
**pipi**   KATA NAMA
   _cheek_

P

**pipih**   KATA ADJEKTIF
   _flat_
   ◊   _papan yang pipih_   a flat piece of plank
   **memipihkan**   KATA KERJA
   _to flatten_
   ◊   _Budak lelaki itu memipihkan
   plastisinnya._   The boy flattened his
   plasticine.
**pipit**   KATA NAMA
   _sparrow_
**piramid**   KATA NAMA
   _pyramid_
**piring**   KATA NAMA
   _saucer_
♦   **piring satelit**   satellite dish
♦   **piring terbang**   flying saucer
**piring hitam**   KATA NAMA
   _record_
   ◊   _pemain piring hitam_   record player
**pisah**
   **berpisah**   KATA KERJA
   ☐1 _to be apart_
   ◊   _Mereka berjumpa setelah berpisah
   selama tiga tahun._   They met after being
   apart for three years.
♦   **Mereka berpisah selepas majlis itu.**
   They parted after the party.
   ☐2 _to break up_
   ◊   _Willy telah berpisah dengan teman
   wanitanya._   Willy has broken up with his
   girlfriend.
   **memisahkan**   KATA KERJA
   _to separate_
   ◊   _Guru itu memisahkan dua orang
   pelajar yang bergaduh itu._   The teacher
   separated the two students who were
   fighting.
   **pemisahan**   KATA NAMA
   _separation_
   ◊   _Pemisahan dua jabatan itu bertujuan
   untuk memudahkan pentadbiran syarikat._
   The separation of the two departments is
   to facilitate the administration of the
   company.
   **perpisahan**   KATA NAMA
   ☐1 _separation_
   ◊   _Perpisahan mereka tidak diduga._
   Their separation was unexpected.
   ☐2 _farewell_
   ◊   _majlis perpisahan_   farewell party
   **terpisah**   KATA KERJA
   _separate_
   ◊   _Tempat duduk guru terpisah daripada
   tempat duduk pelajar._   The teacher's seat
   is separate from those of the pupils.
♦   **Akhirnya mereka terpisah juga.**   They
   eventually separated.
**pisang**   KATA NAMA
   _banana_

**pisau**   KATA NAMA
   _knife_   (JAMAK   **knives**)
♦   **pisau cukur**   razor
♦   **pisau lipat**   penknife
**Pisces**   KATA NAMA
   _Pisces_   (bintang zodiak)
**pistol**   KATA NAMA
   _pistol_
**pita**   KATA NAMA
   _tape_
   ◊   _pita video_   videotape   ◊   _pita ukur_
   tape measure
♦   **pita suara**   vocal cords
**pitam**   KATA KERJA
   _to have a blackout_
   ◊   _Pelajar itu pitam semasa hendak
   memasuki kelas._   The student had a
   blackout on her way into the classroom.
**piuh**
   **berpiuh**   KATA KERJA
   _twisted_
   ◊   _tali yang berpiuh_   a twisted rope
**piut**   KATA NAMA
   _descendant of the fifth generation_
♦   **piat-piut**   descendants
**piutang**   KATA NAMA
   _loan_
   ◊   _Michael telah menjelaskan piutangnya._
   Michael has paid back the loan.
   **pemiutang**   KATA NAMA
   _creditor_
**piuter**   KATA NAMA
   _pewter_
   ◊   _pinggan piuter_   pewter plate
**piza**   KATA NAMA
   _pizza_
**plag**   KATA NAMA
   _plug_
**plagiat**
   **memplagiat**   KATA KERJA
   _to plagiarize_
   ◊   _Dia dituduh memplagiat novel orang
   lain._   He was accused of plagiarizing
   someone else's novel.
**plak**   KATA NAMA
   _plaque_
   ◊   _Plak terbentuk pada permukaan gigi._
   Plaque forms on the surface of the teeth.
   ◊   _Plak itu dibuat sempena pembukaan
   bangunan itu._   The plaque was made to
   commemorate the opening of the building.
**planet**   KATA NAMA
   _planet_
**plasma**   KATA NAMA
   _plasma_
**plaster**   KATA NAMA
   _plaster_
**plastik**   KATA NAMA
   _plastic_

**plastisin**  KATA NAMA
  _Plasticine®_
**plat**  KATA NAMA
  _plate_
  ◊ _plat nombor_  number plate
**platform**  KATA NAMA
  _platform_
**platun**  KATA NAMA
  _platoon_
**playar**  KATA NAMA
  _pliers_
**plot**  KATA NAMA
  _plot_
  ◊ _Plot drama itu sangat menarik._  The
  plot of the play is very interesting.
  **memplot**  KATA KERJA
  _to plot_
  ◊ _Kami memplot lapan titik pada graf itu._
  We plotted eight points on the graph.
  **memplotkan**  KATA KERJA
  _to create the plot_
  ◊ _Henderson memplotkan filem itu._
  Henderson created the plot of the film.
**plumbum**  KATA NAMA
  _lead_
  ♦ **tanpa plumbum**  lead-free
  **berplumbum**  KATA KERJA
  _leaded_
  ◊ _petrol berplumbum_  leaded petrol
**Pluto**  KATA NAMA
  _Pluto_
**pneumonia**  KATA NAMA
  _pneumonia_
**pohon (1)**  KATA NAMA
  _tree_
  **pepohon**  KATA NAMA
  _trees_
**pohon (2)**  KATA KERJA  _rujuk_ **mohon**
**pokai**  KATA ADJEKTIF
  (_tidak formal_)
  _broke_ (_tidak formal_)
**poker**  KATA NAMA
  _poker_
**pokok**  KATA NAMA
  _tree_
  ♦ **Pokoknya, saya tidak menyukainya.**
  Basically, I just don't like him.
  **berpokok**  KATA KERJA
  _to stem_
  ◊ _Masalah anak lelakinya berpokok
  daripada dadah._  His son's problems stem
  from drugs.
**pola**  KATA NAMA
  _pattern_
  ◊ _Pola baju Jimmy sangat istimewa._  The
  pattern on Jimmy's shirt is very unusual.
  **berpolakan**  KATA KERJA
  _to follow a pattern_
  ◊ _Pembunuhan ini berpolakan_

_pembunuhan-pembunuhan pada bulan
yang lepas._  This murder follows the
pattern of last month's murders.
**polio**  KATA NAMA
  _polio_
**poligami**  KATA NAMA
  _polygamy_
**poliklinik**  KATA NAMA
  _polyclinic_
**polimer**  KATA NAMA
  _polymer_
**polis**  KATA NAMA
  _police_
**polisi**  KATA NAMA
  _policy_ (JAMAK **policies**)
**politeknik**  KATA NAMA
  _polytechnic_
**politena**  KATA NAMA
  _polythene_
**politik**  KATA NAMA
  _politics_
  ♦ **parti politik**  political party
  ♦ **ahli politik**  politician
  **berpolitik**  KATA KERJA
  _to take part in politics_
  ◊ _Dia tidak menggalakkan anak
  perempuannya berpolitik._  She didn't
  encourage her daughter to take part in
  politics.
**pondan**  KATA NAMA
  _transvestite_
**pondok**  KATA NAMA
  _hut_
  ♦ **pondok telefon**  telephone booth
**ponteng**  KATA KERJA
  _to be absent without leave_ (_pekerja_)
  ♦ **Jangan ponteng sekolah.**  Don't play
  truant.
  **memonteng**  KATA KERJA
  [1] _to play truant_
  ◊ _Barbara didenda kerana memonteng
  sekolah._  Barbara was punished for
  playing truant from school.
  [2] _to be absent without leave_
  ◊ _Pekerja itu dipecat kerana memonteng
  kerja._  The worker was dismissed
  because he was absent without leave from
  his job.
**pop**  KATA ADJEKTIF
  _pop_
**popular**  KATA ADJEKTIF
  _popular_
  ◊ _fesyen yang popular_  a popular
  fashion
  ♦ **tidak popular**  unpopular
  **kepopularan**  KATA NAMA
  _popularity_
  ◊ _Lagu ini selalu dimainkan kerana
  kepopularan penyanyinya._  This song is

P

always played because of the popularity of the singer.

**mempopularkan** KATA KERJA

*to popularize*

◊ *Mereka cuba mempopularkan muzik klasik.* They tried to popularize classical music.

**populasi** KATA NAMA

*population*

**porak-peranda** KATA ADJEKTIF

*chaotic*

◊ *Kampung itu menjadi porak-peranda.* The village became chaotic.

♦ **Rumah tangga mereka porak-peranda kerana keganasannya.** Their marriage was on the rocks because of his violence.

**memporak-perandakan** KATA KERJA

*to cause chaos*

◊ *Berita itu boleh memporak-perandakan syarikat ini.* That news could cause chaos to this company.

♦ **Mereka menggunakan taktik itu untuk memporak-perandakan rakyat.** They used those tactics to create confusion among the population.

**portal** KATA NAMA

*portal*

**porter** KATA NAMA

*porter*

**Portugis** KATA NAMA

*Portuguese*

♦ **orang Portugis** Portuguese

**pos** KATA NAMA

*post*

◊ *Anda akan menerima buku anda melalui pos.* You will receive your book through the post.

♦ **bayaran pos** postage

**mengepos** KATA KERJA

*to post*

◊ *Saya mengepos sepucuk surat kepada Stanley.* I posted a letter to Stanley.

**posisi** KATA NAMA

*position*

♦ **posisi tubuh** posture

**positif** KATA ADJEKTIF

*positive*

**poskad** KATA NAMA

*postcard*

**poskod** KATA NAMA

*postcode*

**posmen** KATA NAMA

*postman* (JAMAK **postmen**)

**poster** KATA NAMA

*poster*

**post-mortem** KATA NAMA

*post-mortem*

**postur** KATA NAMA

*posture*

**potensi** KATA NAMA

*potential*

◊ *Sekolah itu membantu para pelajarnya mencapai potensi mereka yang sebenarnya.* The school helps the students to achieve their real potential.

**berpotensi** KATA KERJA

*capable*

◊ *pekerja yang berpotensi* a capable worker

**potong** KATA KERJA

> rujuk juga **potong** PENJODOH BILANGAN

*to cut*

◊ *Tolong potong tomato itu.* Please cut the tomato.

♦ **potong-memotong** to overtake each other

**memotong** KATA KERJA

1 *to cut*

◊ *memotong rambut seseorang* to cut somebody's hair

♦ **Lily memotong sehelai reben untuk anak perempuannya.** Lily cut off a length of ribbon for her daughter.

2 *to reduce*

◊ *Kedai itu memotong harga barangnya.* The shop reduced the prices of its goods.

3 *to overtake*

◊ *Kereta merah itu memotong kereta-kereta di hadapan.* The red car overtook the cars in front.

4 *to interrupt*

◊ *Budak lelaki yang nakal itu memotong percakapan emaknya.* The naughty boy interrupted his mother while she was talking.

**memotongkan** KATA KERJA

*to cut*

◊ *Lily memotongkan anak perempuannya reben.* Lily cut her daughter a length of ribbon.

**pemotong** KATA NAMA

*cutter*

**pemotongan** KATA NAMA

*cut*

◊ *Pemotongan gaji pekerja tidak dapat dielakkan.* A cut in the employees' salaries was unavoidable.

**potongan** KATA NAMA

*slices*

◊ *potongan kek* slices of cake

♦ **potongan badan** figure

♦ **potongan harga** discount

**potong** PENJODOH BILANGAN

> rujuk juga **potong** KATA KERJA

*slice*

◊ *sepotong daging* a slice of meat

**potret** KATA NAMA
*portrait*

**pra** AWALAN
*pre-*

**praakhir** KATA ADJEKTIF
*penultimate*

**prakata** KATA NAMA
*preface*

**praktik** KATA NAMA
*practice*
  **mempraktikkan** KATA KERJA
  *to practise*
  ◊ *Ken mempraktikkan perkara-perkara yang dipelajarinya.* Ken practised the things that he had learned.

**praktikal** KATA ADJEKTIF
*practical*
  ◊ *cadangan yang praktikal* a practical suggestion

**praktis** KATA ADJEKTIF
*practical*
  ◊ *cara yang praktis* a practical way

**pramugara** KATA NAMA
*steward*

**pramugari** KATA NAMA
*air hostess* (JAMAK **air hostesses**)

**prasangka** KATA NAMA
*prejudice*
  ◊ *Dia berharap pihak berkuasa akan menyiasat kes itu tanpa prasangka.* He hoped the authorities would investigate the case without prejudice.
  **berprasangka** KATA KERJA
  *prejudiced*
  ◊ *Saya tidak berprasangka terhadapnya.* I am not prejudiced against him.

**prasejarah** KATA ADJEKTIF
*prehistoric*

**prasekolah** KATA ADJEKTIF
*pre-school*

**prasyarat** KATA NAMA
*prerequisite*

**prejudis** KATA NAMA
*prejudice*

**premis** KATA NAMA
*premises*

**presiden** KATA NAMA
*president*

**preskripsi** KATA NAMA
*prescription*
  **mempreskripsikan** KATA KERJA
  *to prescribe*
  ◊ *Doktor itu mempreskripsikan antibiotik untuk saya.* The doctor prescribed a course of antibiotics for me.

**prestasi** KATA NAMA
*performance*
  ◊ *Kajian itu melihat prestasi 18 orang pakar bedah.* The study looked at the performance of 18 surgeons.

**prestij** KATA NAMA
*prestige*
  **berprestij** KATA KERJA
  *prestigious*
  ◊ *sekolah yang berprestij* a prestigious school

**prihatin** KATA KERJA
*concerned*
  **berprihatin** KATA KERJA
  *concerned*
  ◊ *Kami berprihatin terhadap keselamatan para pelajar.* We were concerned about the students' safety.
  **keprihatinan** KATA NAMA
  *concern*
  ◊ *keprihatinan seorang guru terhadap para pelajarnya* a teacher's concern for his students

**primer** KATA ADJEKTIF
*primary*
  ◊ *industri primer* primary industry

**primitif** KATA ADJEKTIF
*primitive*

**prinsip** KATA NAMA
*principle*

**prisma** KATA NAMA
*prism*

**pro** KATA NAMA
*pro* (JAMAK **pros**)
  ◊ *pro dan kontra* the pros and cons

**produk** KATA NAMA
*product*

**produktiviti** KATA NAMA
*productivity*

**profesion** KATA NAMA
*profession*

**profesional** KATA ADJEKTIF
*professional*
  ♦ *secara profesional* professionally

**profesor** KATA NAMA
*professor*

**profil** KATA NAMA
*profile*

**program** KATA NAMA
  1 *programme* (radio, televisyen)
  2 *program* (komputer)
  **memprogramkan** KATA KERJA
  *to programme*
  ◊ *Wayne memprogramkan mesin itu berhenti selepas dua jam.* Wayne programmed the machine to shut down after two hours.

**progresif** KATA ADJEKTIF
*progressive*

**projek** KATA NAMA
*project*

**projektor** KATA NAMA
*projector*

P

**promosi** KATA NAMA
*promotion*
**mempromosikan** KATA KERJA
*to promote*
◊ *Syarikat itu sedang mempromosikan barangannya.* The company is promoting its products.

**propaganda** KATA NAMA
*propaganda*
**mempropagandakan** KATA KERJA
*to propagandize*
◊ *Sekumpulan orang memasuki kampung itu untuk mempropagandakan ideologi mereka.* A group of people went into the village to propagandize their ideology.

**prosa** KATA NAMA
*prose*

**prosedur** KATA NAMA
*procedure*

**proses** KATA NAMA
*process* (JAMAK **processes**)
**memproses** KATA KERJA
*to process*
**pemproses** KATA NAMA
*processor*
♦ **pemproses kata** word processor
**pemprosesan** KATA NAMA
*processing*
◊ *Kemajuan dalam bidang komunikasi mengubah corak pemprosesan maklumat.* The advances in communications altered the nature of information processing.
♦ **pemprosesan kata** word processing

**prospek** KATA NAMA
*prospect*

**prospektus** KATA NAMA
*prospectus* (JAMAK **prospectuses**)

**protein** KATA NAMA
*protein*

**protokol** KATA NAMA
*protocol*

**protraktor** KATA NAMA
*protractor*

**pruf** KATA NAMA
*proofs*

**psikoanalisis** KATA NAMA
*psychoanalysis*
♦ **ahli psikoanalisis** psychoanalyst

**psikologi** KATA NAMA
*psychology*
♦ **ahli psikologi** psychologist

**puak** KATA NAMA
*tribe*

**puaka** KATA NAMA
*evil spirit*
**berpuaka** KATA KERJA
*haunted*
◊ *rumah berpuaka* a haunted house

**puan** KATA GANTI NAMA
> *rujuk juga* **puan** KATA NAMA
> *untuk wanita yang sudah berkahwin yang tidak dikenali, baru dikenali dan yang perlu dihormati*

① *madam*
◊ *Boleh saya tolong puan?* Can I help you madam?
② *you*
◊ *Puan hendak pergi ke mana?* Where would you like to go? ◊ *Puan tinggal di mana?* Where are you staying?
③ *your*
◊ *Adakah ini beg puan?* Is this your bag?

**puan** KATA NAMA
> *rujuk juga* **puan** KATA GANTI NAMA

*Mrs*
◊ *Puan Miles* Mrs Miles

**puas** KATA ADJEKTIF
① *satisfied*
◊ *Mereka tidak pernah puas dengan segala yang dimiliki oleh mereka.* They are never satisfied with what they have.
♦ **Saya berasa puas kerana dapat mengalahkannya.** I am happy because I was able to defeat him.
② *tired of*
◊ *Fiona sudah puas mencari anak patung kesayangan adik perempuannya itu.* Fiona was tired of looking for her sister's favourite doll. ◊ *Andrew mengatakan bahawa dia belum puas berlakon.* Andrew said he wasn't tired of acting yet.
**berpuas** KATA KERJA
♦ **berpuas hati** satisfied ◊ *Kami berpuas hati dengan layanan mereka.* We were satisfied with their service.
♦ **tidak berpuas hati** dissatisfied
**kepuasan** KATA NAMA
*satisfaction*
◊ *Larry menyatakan kepuasannya terhadap berita itu.* Larry expressed his satisfaction at the news.
**memuaskan** KATA KERJA
*to satisfy*
◊ *Dia ingin memuaskan kehendak mereka.* He wanted to satisfy their demands.
♦ **Layanan pekedai itu memuaskan hati pelanggan.** The customers were pleased with the service they got from the shopkeeper.
♦ **tidak memuaskan** unsatisfactory

**puasa** KATA NAMA
*fast*
**berpuasa** KATA KERJA
*to fast*

**puas-puas** KATA ADJEKTIF
*as much as one wants*
- **Herman bermain puas-puas pada hari itu.** Herman played as long as he wanted to that day.
- **Dorothy makan puas-puas di majlis itu.** Dorothy ate her fill at the party.
  **sepuas-puas** KATA ADJEKTIF
- **sepuas-puasnya** as much as one wants
- **Roy tidur sepuas-puasnya pada hari Ahad.** Roy slept as long as he wanted to on Sunday.

**pub** KATA NAMA
*pub*

**publisiti** KATA NAMA
*publicity*

**pucat** KATA ADJEKTIF
*pale*
- **pucat lesi** very pale
  **kepucatan** KATA NAMA
  *pallor*
- **Emak Jenny bimbang melihat kepucatan pada muka Jenny.** Jenny's mother was worried by how pale she was.

**pucuk** KATA NAMA

> *rujuk juga* **pucuk** PENJODOH BILANGAN

*shoot*
- **Negara itu maju di bawah pucuk pimpinan beliau.** The country progressed with him as supreme leader.

**pucuk** PENJODOH BILANGAN

> *rujuk juga* **pucuk** KATA NAMA
> **pucuk** *tidak ada terjemahan dalam bahasa Inggeris.*

◊ *sepucuk surat* a letter ◊ *sepucuk senapang* a gun

**pudar** KATA ADJEKTIF
1 *dim*
◊ *cahaya yang pudar* a dim light
2 *to fade*
◊ *Warna skarfnya telah pudar.* The colour of her scarf has faded.
**kepudaran** KATA NAMA
*dimness*
◊ *Kepudaran lampu di dalam bilik itu menyebabkan kami sukar untuk membaca.* The dimness of the light in the room made it difficult for us to read.
**memudar** KATA KERJA
*to fade*
◊ *Bulan memudar ketika fajar menyingsing.* When dawn broke the moon faded.
- **Semangatnya memudar selepas mendengar kata-kata itu.** He was depressed when he heard these remarks.
**memudarkan** KATA KERJA
*to fade*

◊ *Cahaya matahari memudarkan warna bajunya.* The sunlight faded his clothes.

**pudina** KATA NAMA
*peppermint*

**puding** KATA NAMA
*pudding*

**puing** KATA NAMA
*ruins*
◊ *Gambar-gambar puing bangunan itu terdapat dalam buku ini.* There are pictures of the ruins of that building in this book.

**puisi** KATA NAMA
*poetry*
**berpuisi** KATA KERJA
*to write poetry*

**puja** KATA NAMA
*worship*
**memuja** KATA KERJA
*to worship*
◊ *Perayaan itu merupakan salah satu cara mereka memuja Tuhan mereka.* The festival is one of the ways in which they worship their God. ◊ *Sudah lama dia memuja gadis itu.* He had worshipped the girl for a long time.
- **Walaupun penyanyi itu sangat tua, masih ada peminat yang memujanya.** Although the singer is very old, there are still fans who idolize him.
**pemuja** KATA NAMA
*worshipper*
**pemujaan** KATA NAMA
*worship*
◊ *tempat pemujaan* place of worship
**pujaan** KATA NAMA
*idol*
◊ *penyanyi pujaan ramai* a singer who is a popular idol

**pujangga** KATA NAMA
*great writer*

**puji** KATA NAMA
*praise*
- **puji-pujian** compliments ◊ *Vincent memujuk Doris dengan puji-pujiannya.* Vincent got Doris into a good mood by showering her with compliments.
**kepujian** KATA NAMA
*credit*
◊ *Pelajar itu mendapat kepujian dalam mata pelajaran sejarah.* The student got a credit for history.
**memuji** KATA KERJA
*to praise*
◊ *Pengurus itu memuji para pekerjanya.* The manager praised his workers.
**memuji-muji** KATA KERJA
*to sing somebody's praises*
◊ *Sudah bertahun-tahun dia asyik*

P

*memuji-muji engkau.* He's been singing your praises for years.

**terpuji** KATA ADJEKTIF
*praiseworthy*
◊ *perbuatan yang terpuji* praiseworthy deed

**pujian** KATA NAMA
*compliment*
◊ *Pamela tersenyum apabila mendengar pujian itu.* Pamela smiled when she heard the compliment.

♦ **Pekerja-pekerja itu menerima pujian daripada pengurus mereka.** The workers received commendations from their manager.

**pujuk** KATA NAMA
*persuasion*
**memujuk** KATA KERJA
*to persuade*
◊ *Kawan saya memujuk saya ke majlis itu.* My friend persuaded me to go to the party. ◊ *Anim memujuk budak perempuan itu supaya berhenti menangis.* Anim persuaded the girl to stop crying.

**pemujukan** KATA NAMA
*persuasion*
◊ *Pemujukan tidak berguna lagi apabila Ellis sudah membuat keputusan.* Attempts at persuasion are useless when Ellis has already made up her mind.

**pujukan** KATA NAMA
*persuasion*
♦ **Lisa tidak akan mendengar pujukan kawannya lagi.** Lisa would not listen to her friend's attempts to persuade her anymore.

**pukal** KATA NAMA
*bulk*
◊ *Peniaga itu membeli secara pukal daripada pemborong.* The trader buys in bulk from the wholesaler.

**pukat** KATA NAMA
*drag net*
**memukat** KATA KERJA
*to fish with a drag net*
**pemukat** KATA NAMA
*fisherman* (JAMAK **fishermen**)

**pukau** KATA NAMA
*spell*
◊ *Juruwang yang terkena pukau itu menyerahkan semua wang kepada lelaki itu.* The cashier surrendered all the money to the man who cast a spell on her.
**memukau** KATA KERJA
*to cast a spell*
◊ *Lelaki itu telah memukaunya.* He cast a spell on her.
♦ **Nyanyiannya sungguh memukau.** Her singing is really enchanting.

**terpukau** KATA KERJA
*to be captivated*
◊ *Wan terpukau dengan kejelitaan gadis itu.* Wan was captivated by the girl's beauty.

**pukul** KATA KERJA
| rujuk juga **pukul** KATA NAMA |
*to hit*
◊ *Jangan pukul anak-anak anda.* Don't hit your children.
**memukul** KATA KERJA
1. *to hit*
◊ *Albert memukul bola itu dengan kuat.* Albert hit the ball hard.
2. *to beat*
◊ *Farid dan kawan-kawannya memukul gendang apabila penghulu mereka tiba.* Farid and his friends beat drums when their headman arrived.
**pemukul** KATA NAMA
1. *batsman* (JAMAK **batsmen**) (*pemain*)
2. *bat* (*alat*)
**pemukulan** KATA NAMA
*hitting*
◊ *Andrew belajar cara pemukulan bola yang betul.* Andrew learned the correct way of hitting a ball.
**pukulan** KATA NAMA
1. *blow*
◊ *Kenny pengsan selepas terkena pukulan itu.* Kenny fainted from the blow.
2. *beat*
◊ *Kanak-kanak itu suka mendengar bunyi pukulan gendang.* The child likes listening to the beat of the drum.

**pukul** KATA NAMA
| rujuk juga **pukul** KATA KERJA |
*o'clock*
◊ *pukul enam* six o'clock

**pula** KATA PENEGAS
*Dalam kebanyakan kes, **pula** tidak diterjemahkan ke dalam bahasa Inggeris.*
◊ *Kelmarin kakaknya datang. Hari ini dia pula yang akan datang.* Yesterday her sister came. Today she's coming.
◊ *Apa pula barang yang dibawanya pada hari ini?* I wonder what she's brought today.

**pulang** KATA KERJA
*to return*
◊ *...empat hari selepas pulang ke Malaysia* ...four days after returning to Malaysia
**kepulangan** KATA NAMA
*return*
◊ *John menunggu kepulangan anaknya.* John waited for his son's return.

**memulangkan** KATA KERJA
*to return*
◊ *Michael memulangkan raket itu kepada kawannya.* Michael returned the racket to his friend.
**pemulangan** KATA NAMA
*returning*
♦ **Pemulangan buku itu perlu dilakukan dalam jangka masa seminggu.** The book has to be returned within a week.
**terpulang** KATA KERJA
*up to*
◊ *Keputusan muktamad terpulang kepada anda.* The final decision is up to you.
**pulangan** KATA NAMA
*return*
◊ *pulangan ke atas modal* return on capital

**pulas**
**memulas** KATA KERJA
1 *to twist*
◊ *Guru itu memulas telinga budak lelaki yang nakal itu.* The teacher twisted the naughty boy's ears.
2 *to wring out*
◊ *Robert memulas baju yang basah itu.* Robert wrung out the wet shirt.
3 *to turn*
◊ *Mahmud memulas skru hingga rak itu rapat pada dinding.* Mahmud turned the screw until the shelf was tight against the wall.

**pulau** KATA NAMA
*island*
**kepulauan** KATA NAMA
*archipelago* (JAMAK **archipelagos** atau **archipelagoes**)
◊ *kepulauan Samui* Samui archipelago
♦ **Kepulauan Canary** the Canary Islands
**memulaukan** KATA KERJA
*to boycott*
◊ *Mereka memulaukan barangan yang mengandungi bahan-bahan yang menipiskan lapisan ozon.* They boycotted products containing substances that deplete the ozone layer.
♦ **Jangan memulaukannya.** Don't ostracize him.
**pemulauan** KATA NAMA
*boycott*
◊ *Penduduk telah menghentikan pemulauan ke atas barangan kedai itu.* The villagers ended their boycott of the shop's goods.
**terpulau** KATA KERJA
*to be ostracized*
◊ *Farid terpulau kerana sikapnya yang mementingkan diri sendiri.* Farid was

ostracized because of his selfish behaviour.

**Pulau Pinang** KATA NAMA
*Penang*
**pulih** KATA KERJA
*to recover*
◊ *Selina pulih selepas makan ubat itu.* Selina recovered after taking the medicine.
**memulihkan** KATA KERJA
1 *to cure*
◊ *Doktor itu telah memulihkan penyakit jutawan itu.* The doctor has cured the millionaire's illness.
2 *to restore*
◊ *Askar-askar itu dibawa masuk untuk memulihkan ketenteraman.* The army has been brought in to restore order.
**pemulihan** KATA NAMA
*recovery*
◊ *Kami tidak menjangka pemulihannya begitu cepat.* We didn't expect that his recovery would be so speedy.
♦ **kelas pemulihan** remedial class (JAMAK **remedial classes**)

**pulihara**
**memulihara** KATA KERJA
*to restore*
◊ *Mereka sedang memulihara bangunan lama itu.* They are restoring the old building.
**pemuliharaan** KATA NAMA
*conservation*
◊ *projek pemuliharaan gajah* elephant conservation project

**pulpa** KATA NAMA
*pulp*
**puluh** KATA BILANGAN
♦ **sepuluh** ten
♦ **sepuluh hari bulan Mac** tenth of March
♦ **kesepuluh** tenth
**berpuluh-puluh** KATA BILANGAN
*dozens*
◊ *Berpuluh-puluh orang berkumpul di padang itu kelmarin.* Dozens of people gathered on the field yesterday.
♦ **berpuluh-puluh tahun** many decades
**perpuluhan** KATA NAMA
*decimal*
◊ *sistem perpuluhan* decimal system
♦ **tiga perpuluhan tujuh** three point seven
**persepuluh** KATA BILANGAN
*tenth*
◊ *tiga persepuluh* three-tenths
**puluhan** KATA NAMA
**puluhan** *diterjemahkan mengikut konteks.*
◊ *dua puluhan* twenties ◊ *lima puluhan* fifties

P

**pulun**
> **berpulun-pulun** KATA KERJA
> *to billow*
>> ◊ *Saya nampak asap berpulun-pulun dari cerobong kilang.* I saw smoke billowing from factory chimneys.

**pulut** KATA NAMA
> *glutinous rice*

**pun** KATA PENEGAS
> 1 *also*
>> ◊ *Adik lelaki saya pun mendapat keputusan yang baik dalam peperiksaannya.* My brother also got good results in his examination.
> 2 *even*
>> ◊ *Kerja yang senang pun dia tidak dapat buat.* He couldn't even do an easy task.

**punah** KATA ADJEKTIF
> *all destroyed*
>> ◊ *Bangunan-bangunan itu punah dalam peperangan.* The buildings were all destroyed in the war.
> ♦ **punah-ranah** all completely destroyed

> **kepunahan** KATA NAMA
> *destruction*
>> ◊ *Kepunahan di bandar itu teruk.* The destruction in that city is terrible.

> **memunahkan** KATA KERJA
> *to destroy completely*
>> ◊ *Letupan itu memunahkan bangunan-bangunan di sana.* The explosion destroyed the buildings there completely.

> **pemunahan** KATA NAMA
> *destruction*
>> ◊ *Kerja-kerja pembinaan menyebabkan pemunahan pokok-pokok.* The construction work resulted in the destruction of trees.

**punai** KATA NAMA
> *pigeon* (*padanan terdekat*)

**punat** KATA NAMA
> 1 *boil*
> 2 *knob*

**punca** KATA NAMA
> 1 *source*
>> ◊ *Surat khabar ialah punca maklumat yang utama bagi projek ini.* The newspaper is the main source of information for this project.
> 2 *cause*
>> ◊ *Punca perceraian mereka tidak diketahui orang.* The cause of their divorce is unknown.

> **berpunca** KATA KERJA
> *to stem*
>> ◊ *Masalah-masalah itu berpunca daripada peraturan yang tidak ketat.* The problems stem from not having strict rules.

**puncak** KATA NAMA
> *peak*

> **memuncak** KATA KERJA
> *to soar*
>> ◊ *Harga buku-buku itu telah memuncak.* The price of the books has soared.
> ♦ **Perasaan marah pekerja itu memuncak setelah mendengar kata-kata penyelia itu.** The worker's anger mounted when he heard the supervisor's words.

> **memuncakkan** KATA KERJA
> *to increase*
>> ◊ *Kata-kata guru itu memuncakkan semangat para pelajar.* The teacher's words increased the student's enthusiasm.
> ♦ **Penindasan-penindasan itu memuncakkan kemarahan pekerja.** The oppressive conditions inflamed the workers' anger.

**pundi** KATA NAMA
> *pouch* (JAMAK **pouches**)
> ♦ **pundi kencing** bladder

**punggah**
> **memunggah** KATA KERJA
> *to unload*
>> ◊ *Jamal memunggah barang-barang dari bot itu.* Jamal unloaded the goods from the boat.

> **pemunggahan** KATA NAMA
> *unloading*
> ♦ **Kerja-kerja pemunggahan itu dilakukan pada waktu pagi.** The goods were unloaded in the morning.

> **punggahan** KATA NAMA
> 1 *dock* (*tempat*)
> 2 *cargo* (JAMAK **cargoes**) (*muatan*)

**pungguk** KATA NAMA
> *owl*

**punggung** KATA NAMA
> *buttocks*

**pungut**
> **memungut** KATA KERJA
> 1 *to collect*
>> ◊ *Para pelajar memungut derma untuk kanak-kanak miskin.* The students collected donations for poor children.
> 2 *to pick up*
>> ◊ *Leng See memungut pemadamnya yang jatuh di atas lantai.* Leng See picked up her rubber, which had fallen on the floor.
> 3 *to harvest*
>> ◊ *Hassan menolong bapanya memungut hasil tanaman.* Hassan helped his father to harvest the crops.

> **memungutkan** KATA KERJA
> *to collect*
>> ◊ *Para pelajar memungutkan kanak-kanak miskin derma.* The students

collected donations for poor children.

**pemungut**   KATA NAMA

*collector*

◊ *pemungut cukai*   tax collector

**pemungutan**   KATA NAMA

*collecting*

◊ *Pemungutan derma merupakan salah satu cara untuk membantu mangsa-mangsa kebakaran itu.*   Collecting donations is one way to help the victims of the fire.

**pungutan**   KATA NAMA

*collection*

◊ *pungutan tandatangan*   collection of signatures

**puntal**

  **berpuntal-puntal**   KATA KERJA

  *twisted*

  ◊ *benang yang berpuntal-puntal*   twisted thread

  **memuntal**   KATA KERJA

  *to wind*

  ◊ *Badut itu memuntal tali di sekeliling pinggangnya.*   The clown wound the rope round his waist.

**puntung**   KATA NAMA, PENJODOH BILANGAN

  1 *butt*

  ◊ *puntung rokok*   cigarette butt

  2 *piece*

  ◊ *beberapa puntung kayu api*   a few pieces of firewood

**punya**   KATA NAMA

♦ **dia punya (1)**   hers   *(perempuan)*

  ◊ *Beg itu dia punya.*   That bag is hers.

♦ **dia punya (2)**   his   *(lelaki)*   ◊ *Beg itu dia punya.*   That bag is his.

♦ **kami punya**   ours   ◊ *Kereta itu kami punya.*   That car is ours.

♦ **mereka punya**   theirs   ◊ *Buku-buku itu mereka punya.*   Those books are theirs.

♦ **saya punya**   mine   ◊ *Pen ini saya punya.*   This pen is mine.

♦ **Kok Kin punya**   Kok Kin's   ◊ *Bola ini Kok Kin punya.*   This is Kok Kin's ball.

**kepunyaan**   KATA NAMA

♦ **kepunyaan kami**   ours   ◊ *Kereta itu kepunyaan kami.*   That car is ours.

♦ **kepunyaan mereka**   theirs   ◊ *Buku-buku itu kepunyaan mereka.*   Those books are theirs.

♦ **kepunyaannya (1)**   hers   *(perempuan)*

  ◊ *Beg itu kepunyaannya.*   That bag is hers.

♦ **kepunyaannya (2)**   his   *(lelaki)*

  ◊ *Beg itu kepunyaannya.*   That bag is his.

♦ **kepunyaan saya**   mine   ◊ *Pen ini kepunyaan saya.*   This pen is mine.

♦ **kepunyaan Kok Kin**   Kok Kin's   ◊ *Bola ini kepunyaan Kok Kin.*   This is Kok Kin's ball.

**mempunyai**   KATA KERJA

*to have*

◊ *Saya mempunyai sebuah kereta.*   I have a car.   ◊ *Dia mempunyai seekor kucing.*   She has a cat.

**pemunya**   KATA NAMA

*owner*

◊ *Pemunya kedai itu baik hati.*   The owner of the shop is kind.

**pupa**   KATA NAMA

  *pupa* (JAMAK **pupae**)

**pupu**

  **sepupu**   KATA NAMA

  *cousin*

  **bersepupu**   KATA KERJA

  *related as cousins*

♦ **Mereka bersepupu.**   They are cousins.

**pupuk**

  **memupuk**   KATA KERJA

  1 *to encourage*

  ◊ *Guru itu memupuk sikap bertanggungjawab di kalangan pelajar.*   The teacher encouraged a sense of responsibility among the students.

  2 *to fertilize*

  ◊ *Petani itu menggunakan baja untuk memupuk tanah.*   The farmer used manure to fertilize the soil.

  **pemupukan**   KATA NAMA

  *promoting*

  ◊ *Pemupukan sikap bekerjasama di kalangan pelajar merupakan matlamat aktiviti itu.*   The activity aims at promoting co-operation among students.

**pupus**   KATA ADJEKTIF

  *extinct*

  ◊ *Spesies itu akan pupus jika langkah-langkah tidak diambil untuk melindunginya.*   The species will become extinct if no steps are taken to protect it.

  **kepupusan**   KATA NAMA

  *extinction*

  ◊ *Projek itu dirancang untuk mengelakkan kepupusan panda.*   The project is designed to prevent the extinction of pandas.

  **memupuskan**   KATA KERJA

  *to cause the extinction*

  ◊ *Pemburuan yang berleluasa akan memupuskan spesies itu.*   Uncontrolled hunting will cause the extinction of that species.

**pura-pura**

  **berpura-pura**   KATA KERJA

  *to pretend*

  ◊ *Florence berpura-pura tidur apabila emaknya memasuki biliknya.*   Florence

pretended to be asleep when her mother
came into her room.

**purata** KATA NAMA
*average*

**purba** KATA ADJEKTIF
*ancient*

**purbakala** KATA NAMA
*ancient times*

**purdah** KATA NAMA
*veil*

**purnama** KATA NAMA
1. *full moon*
2. *month*
◊ *tiga purnama* three months

**pusaka** KATA NAMA
1. *heirloom* (*barang kemas*)
2. *legacy* (*rumah, tanah*)
♦ **rumah pusaka** ancestral home
♦ **tanah pusaka** ancestral land

**pusar**
  **berpusar** KATA KERJA
  *to revolve*
  ◊ *Plot ini berpusar tentang kehidupan
  seorang pemuda.* This plot revolves
  around the life of a young man.
  **memusar** KATA KERJA
  *to revolve*
  ◊ *Kipas itu memusar dengan perlahan.*
  The fan revolved slowly.
  **pusaran** KATA NAMA
♦ **pusaran air** whirlpool
♦ **pusaran angin** whirlwind

**pusara** KATA NAMA
*cemetery* (JAMAK **cemeteries**)

**pusat** KATA NAMA
1. *navel*
2. *centre*
◊ *pusat bandar* town centre ◊ *pusat
rekreasi* leisure centre
♦ **pusat hiburan** amusement arcade
♦ **pusat jagaan kanak-kanak** nursery
(JAMAK **nurseries**)
  **berpusat** KATA KERJA
  1. *based*
  ◊ *Pejabatnya berpusat di Kuala
  Lumpur.* Her office is based in Kuala
  Lumpur.
  2. *to concentrate*
  ◊ *Perbincangan mereka berpusat
  pada isu kewangan.* Their discussion
  concentrated on the financial issue.
  **memusat** KATA KERJA
  *to concentrate*
  ◊ *Guru itu memusat pada soalan-
  soalan objektif.* The teacher concentrated
  on objective questions.
  **memusatkan** KATA KERJA
  *to focus*
  ◊ *Pekerja-pekerja memusatkan*

*perhatian mereka pada projek utama
itu.* The workers focused their attention
on the main project.
  **pemusatan** KATA NAMA
  *concentrating*
♦ **Pemusatan masa kepada projek ini
menyebabkan projek lain tergendala.**
The allocation of extra time to this project
caused a standstill in the other projects.

**pusing** KATA KERJA
*to turn*
◊ *Sekarang pusing kanan ke Jalan
Bintang.* Now turn right into Jalan
Bintang.
  **berpusing** KATA KERJA
  *to turn*
  ◊ *Tukang tembikar membentuk tanah liat
  sambil roda itu berpusing.* The potter
  shaped the clay as the wheel turned.
  **berpusing-pusing** KATA KERJA
  *to spin*
  ◊ *Lee memandang kipas yang
  berpusing-pusing itu.* Lee looked at the
  spinning fan.
  **memusingkan** KATA KERJA
  *to turn*
  ◊ *William menunggu wanita itu
  memusingkan mukanya.* William waited
  for the woman to turn her face.
♦ **Angka-angka itu memusingkan kepala
saya.** All those figures make my head
spin.
  **pusingan** KATA NAMA
  *round*
  ◊ *pusingan pertama* round one
♦ **piala pusingan** challenge trophy
♦ **membuat pusingan U** to do a U-turn

**pustaka** KATA NAMA
1. *book*
2. *library* (JAMAK **libraries**)
  **perpustakaan** KATA NAMA
  *library* (JAMAK **libraries**)
  **pustakawan** KATA NAMA
  *librarian*

**pusu**
  **berpusu-pusu** KATA KERJA
  *to crowd*
  ◊ *Beribu-ribu penunjuk perasaan
  berpusu-pusu di jalan raya.* Thousands
  of demonstrators crowded the streets.

**putar**
  **berputar** KATA KERJA
  1. *to rotate*
  ◊ *Bumi berputar mengelilingi matahari.*
  The Earth rotates round the sun.
  2. *to spin*
  ◊ *Cakera itu berputar 3600 kali seminit.*
  The disc spins 3600 times a minute.
  **berputar-putar** KATA KERJA

_to spin_
◊ *Kamal suka melihat gasing berputar-putar di atas tanah.* Kamal likes to watch the tops spinning on the ground.
**memutar** KATA KERJA
_to turn_
◊ *Lee memutar skru hingga rak itu rapat pada dinding.* Lee turned the screw until the shelf was tight against the wall.
**memutarkan** KATA KERJA
_to turn_
◊ *Enjin itu memutarkan kipas.* The engine turned a propeller.
**pemutar** KATA NAMA
◆ **pemutar skru** screwdriver
**putaran** KATA NAMA
_rotation_
◊ *putaran bumi pada paksinya* the rotation of the earth upon its axis
**putar belit** KATA NAMA
_trick_
◊ *Hati-hati dengan putar belitnya.* Beware of his tricks.
**berputar belit** KATA KERJA
_to break one's word_
◊ *Ann tidak boleh dipercayai, dia suka berputar belit.* You can't trust Ann, she's always breaking her word.
**memutarbelitkan** KATA KERJA
_to twist_
◊ *Elaine telah memutarbelitkan kata-kata saya.* Elaine has twisted my words.
**putera** KATA NAMA
_prince_
◆ **Putera Mahkota** Crown Prince
**diputerakan** KATA KERJA
_to be born_
◊ *Raja itu diputerakan pada tahun 1817.* The king was born in 1817.
**keputeraan** KATA NAMA
_birth_
◆ **Raja itu akan meraikan hari keputeraan baginda pada bulan hadapan.** The king will celebrate his birthday next month.
**puteri** KATA NAMA
_princess_ (JAMAK **princesses**)
◆ **Puteri Mahkota** Crown Princess
**putih** KATA ADJEKTIF
[1] _white_
◆ **putih melepak** white as snow
[2] _fair_
◊ *kulit putih* fair skin
◆ **putih telur** egg white
**keputihan** KATA ADJEKTIF
_whitish_
◊ *debu yang keputihan* a whitish dust
**memutih** KATA KERJA
[1] _to go grey_
◊ *Rambut Eddie memutih.* Eddie was

going grey.
[2] _to fade_
◊ *Bajunya memutih selepas dicuci beberapa kali.* Her blouse faded after a few washes.
**memutihkan** KATA KERJA
_to whiten_
◊ *Sally menggunakan ubat gigi itu untuk memutihkan giginya.* Sally uses the toothpaste to whiten her teeth.
**putik** KATA NAMA
_young fruit_
**puting** KATA NAMA
_teat_
◆ **puting beliung** tornado
(JAMAK **tornadoes** atau **tornados**)
**putus** KATA ADJEKTIF
[1] _to snap_
◊ *Benang itu sudah putus.* The thread snapped.
[2] _severed_
◊ *Jari pekerja itu putus dalam kemalangan itu.* The worker's finger was severed in the accident.
**keputusan** KATA NAMA
[1] _decision_
◊ *keputusan muktamad* final decision
[2] _result_
◊ *Dia berpuas hati dengan keputusan peperiksaannya.* He was satisfied with his examination results.
**memutuskan** KATA KERJA
[1] _to cut_
◊ *Wahid memutuskan dawai itu.* Wahid cut the wire.
[2] _to break off_
◊ *Robin ingin memutuskan hubungannya dengan teman wanitanya.* Robin wanted to break off his relationship with his girlfriend.
[3] _to decide_
◊ *Saya memutuskan untuk belajar bahasa Jepun.* I decided to study Japanese.
**pemutus** KATA NAMA
◆ **kata pemutus** final say
◆ **kuasa pemutus** power to decide
**terputus** KATA KERJA
_to be cut off_
◊ *Talian telefon di rumahnya terputus.* The telephone line in his house was cut off.
**putus asa**
**berputus asa** KATA KERJA
_to give up hope_
◊ *Jangan berputus asa kerana anda akan berjaya.* Don't give up hope: you will succeed.
**puyuh** KATA NAMA
_quail_

P

# Q

**qadak** KATA NAMA
*God's decree*

**qadar** KATA NAMA
*destiny*

**qari** KATA NAMA
(*lelaki*)
*Koran reader*

**qariah** KATA NAMA
(*perempuan*)
*Koran reader*

**Quran** KATA NAMA
*Koran*

# R

## raba

**meraba, meraba-raba**  KATA KERJA

☐ *to touch*

◊ *Dia meraba tengkuknya yang sakit.* He touched the back of his neck where he felt the pain.

② *to grope*

◊ *Ali meraba-raba di dalam bilik yang gelap itu untuk mencari dompetnya.* Ali groped for his wallet in the dark room.

**teraba-raba**  KATA KERJA

*to grope*

◊ *Kami teraba-raba dalam gelap apabila bekalan elektrik terputus.* We were groping around in the dark after the electricity was cut off.

## rabak  KATA ADJEKTIF

*torn*

◆ *Seluarnya habis rabak digigit anjing itu.* His trousers have been ripped by the dog.

◆ **koyak rabak**  badly torn

**merabak**  KATA KERJA

*to tear*

◊ *Dia merabak pakaian itu.* He tore the clothes.

## rabik  KATA ADJEKTIF

*tattered*

◊ *baju lamanya yang sudah rabik*  his old tattered shirt

## Rabu  KATA NAMA

*Wednesday*

◊ *pada hari Rabu*  on Wednesday

## rabun  KATA ADJEKTIF

*poor*

◊ *Dia sudah tua dan matanya sudah rabun.* He is old and his eyesight is poor.

◆ **rabun dekat**  long-sighted

◆ **rabun jauh**  short-sighted

## rabung  KATA NAMA

*ridge of a roof*

## racau

**meracau, meracau-racau**  KATA KERJA

*delirious*

◊ *Datuknya yang demam itu mula meracau.* His grandfather, who had a fever, became delirious.

◆ **Fatimah meracau ketika tidur.** Fatimah was talking in her sleep.

## racik

**meracik**  KATA KERJA

*to shred*

## racun  KATA NAMA

*poison*

◆ **racun serangga**  insecticide

**beracun**  KATA KERJA

*poisonous*

◊ *tumbuh-tumbuhan yang beracun*  poisonous plants

**keracunan**  KATA KERJA

---

rujuk juga **keracunan**  KATA NAMA

*to be poisoned*

◊ *Lima belas orang pelajar yang keracunan itu telah dikejarkan ke hospital.* The fifteen students who were poisoned have been rushed to hospital.

**keracunan**  KATA NAMA

rujuk juga **keracunan**  KATA KERJA

*poisoning*

◊ *langkah-langkah untuk mencegah keracunan makanan*  steps to prevent food poisoning

**meracun**  KATA KERJA

*to poison*

◊ *Dia meracun tikus-tikus di dalam rumahnya.* He poisoned the rats in his house.

**meracuni**  KATA KERJA

*to put poison on*

◊ *Dia meracuni makanan itu untuk membunuh tikus.* He puts poison on the food to kill rats.

◆ **meracuni fikiran seseorang**  to poison somebody's mind

**peracun**  KATA NAMA

*poisoner*

## radak

**meradak**  KATA KERJA

*to stab*

◊ *Pahlawan itu meradak perut musuhnya dengan tombak.* The warrior stabbed his enemy in the stomach with a lance.

## radang  KATA NAMA

*inflammation*

◊ *radang kerongkong*  throat inflammations

◆ **naik radang**  to become furious

◆ **radang paru-paru**  pneumonia

◆ **radang tonsil**  tonsillitis

**meradang**  KATA KERJA

*furious*

◊ *Dia meradang kerana anaknya bercakap bohong.* She was furious because her son told lies.

## radar  KATA NAMA

*radar*

## radas  KATA NAMA

*apparatus* (JAMAK **apparatuses**)

◊ *Radas di dalam makmal perlu dijaga dengan baik.* The apparatus in the laboratory should be looked after properly.

## radiasi  KATA NAMA

*radiation*

## radiator  KATA NAMA

*radiator*

## radikal  KATA ADJEKTIF

*radical*

## radio  KATA NAMA

*radio* (JAMAK **radios**)

**radioaktif** KATA ADJEKTIF
*radioactive*

**rafia** KATA NAMA
*raffia*
◊　*tali rafia* raffia string

**raga (1)** KATA NAMA
*basket*
◊　*Emak membawa raga ke pasar.*
Mother takes a basket to the market.

**raga (2)** KATA NAMA
*body* (JAMAK **bodies**)
◊　*jiwa dan raga* body and soul
**memperagakan** KATA KERJA
*to display*
◊　*Amin memperagakan barang-barang antik itu dalam pameran tersebut.* Amin displayed the antiques in the exhibition.
♦　**memperagakan pakaian** to model clothes
**peragaan** KATA NAMA
*display*
◊　*Kami berpeluang melihat peragaan barang-barang purba di kompleks itu.* We have the opportunity to look at the display of ancient artefacts at the complex.
♦　**peragaan pakaian** modelling

**ragam** KATA NAMA
*behaviour*
◊　*Ragam setiap pelajar berbeza.* The behaviour of each student is different.
♦　**berbagai ragam manusia** all sorts of people
**beragam, beragam-ragam** KATA KERJA
*all sorts of*
◊　*Kita dapat melihat beragam-ragam pelajar di sekolah itu.* We could see all sorts of students in the school.
♦　**pakaian beragam** fancy dress
**meragam** KATA KERJA
*to play up*
◊　*Komputernya selalu meragam.* His computer is always playing up.
◊　*Keretanya meragam lagi.* His car's playing up again. ◊　*Anak perempuannya meragam dan tidak mahu makan.* His daughter was playing up and refusing to eat.
**seragam** KATA ADJEKTIF
*unified*
◊　*sistem cukai yang seragam* a unified system of taxation
♦　**pakaian seragam** uniform
**keseragaman** KATA NAMA
*unanimity*
◊　*Semua keputusan memerlukan keseragaman.* All decisions would require unanimity.
♦　**keseragaman sukatan pelajaran di sekolah** the uniformity of the school

syllabus
**menyeragamkan** KATA KERJA
*to unify*
◊　*Mereka akan menyeragamkan sistem cukai yang ada sekarang.* They will unify the present system of taxation.
**penyeragaman** KATA NAMA
*uniformity*
♦　**Peraturan dalam syarikat itu memerlukan penyeragaman.** The regulations of the company need to be uniform.

**ragbi** KATA NAMA
*rugby*

**ragi** KATA NAMA
*yeast*

**ragu**
**ragu-ragu** KATA ADJEKTIF
*doubtful*
◊　*Guru itu ragu-ragu tentang tindakan yang patut diambil ke atas Roy.* The teacher is doubtful about what action should be taken against Roy.
♦　**Mereka tidak ragu-ragu melantik Hassan sebagai bendahari.** They have no doubts about choosing Hassan as the treasurer.
**keraguan** KATA NAMA
*doubt*
◊　*Selama ini, dia hidup dalam keraguan.* All this time, she lived in doubt.
**meragui** KATA KERJA
*to doubt*
◊　*Jangan meragui kesetiaannya.* Never doubt his loyalty.
**meragukan** KATA KERJA
*to have doubts*
◊　*Perkara itu masih meragukan saya.* I still have doubts about it.

**ragum** KATA NAMA
*vice* (*alat*)

**ragut**
**meragut** KATA KERJA
*to snatch*
◊　*Pencuri yang meragut beg Linda telah ditangkap.* The thief who snatched Linda's bag has been caught.
♦　**meragut rumput** to graze ◊　*Lembu-lembu sedang meragut rumput di padang.* Cows are grazing in the field.
♦　**Kemalangan tersebut meragut nyawa seorang budak lelaki.** The accident claimed a young boy's life.
**peragut** KATA NAMA
*snatcher*

**rahang** KATA NAMA
*jaw*

**rahib** KATA NAMA
1️⃣ *Christian monk* (*lelaki*)

2    *Christian nun* (*perempuan*)

**rahim**  KATA NAMA
*womb*

**rahmat**  KATA NAMA
*blessing*
◊ *Saya percaya, pasti ada rahmat di sebalik kejadian ini.* I believed that there must be some blessing in what had happened.
♦ **Semoga anda dilimpahi rahmat daripada Tuhan.** May God bless you abundantly.
**merahmati**  KATA KERJA
*to bless*
◊ *Semoga Tuhan merahmati anda semua.* May God bless you all.

**rahmatullah**  KATA NAMA
♦ **kembali ke rahmatullah**  to pass away

**rahsia**  KATA NAMA
*secret*
◊ *Rahsia Ali sudah terbongkar.* Ali's secret has been revealed.
**berahsia**  KATA KERJA
*to keep secrets*
◊ *Sandy tidak pernah berahsia dengan ibu bapanya.* Sandy never kept secrets from her parents.
**merahsiakan**  KATA KERJA
*to conceal*
◊ *Dia merahsiakan jumlah pendapatannya.* He concealed the amount of his salary.

**rai**
**keraian**  KATA NAMA
*celebration*
◊ *Penny bercadang mengadakan keraian untuk hari jadinya.* Penny plans to have a celebration for her birthday.
**meraikan**  KATA KERJA
*to celebrate*
◊ *Rita membuat persediaan untuk meraikan hari Krismas.* Rita made some preparations to celebrate Christmas.

**raih**
**meraih**  KATA KERJA
1  *to buy*
◊ *Dia meraih sayur daripada petani-petani.* He bought vegetables from farmers.
2  *to win*
◊ *Lee meraih pingat emas dalam acara renang.* Lee won a gold medal in the swimming event.
♦ **Wanita itu meraih anak kecil itu ke dalam pelukannya.** The woman pulled the child into her arms.
**peraih**  KATA NAMA
*trader*

**rait**  KATA NAMA
*tick*
♦ **tanda rait**  tick
♦ **menandakan rait**  to tick ◊ *Tandakan rait di dalam kotak yang berkenaan.* Tick the appropriate box.

**raja**  KATA NAMA
*king*
♦ **Raja Muda**  Crown Prince
♦ **raja sehari**  bridal couple
**kerajaan**  KATA NAMA
*government*
**merajai**  KATA KERJA
*to rule*
◊ *Putera Henry akan merajai negara itu.* Prince Henry will rule the country.

**rajah**  KATA NAMA
*diagram*

**rajin**  KATA ADJEKTIF
*hardworking*
**kerajinan**  KATA NAMA
*diligence*
◊ *Joshua dipuji kerana kerajinannya.* Joshua was praised for his diligence.

**rajuk**
**merajuk**  KATA KERJA
*to sulk*
◊ *Roy merajuk kerana kami tidak membantunya.* Roy sulked because we didn't help him.
**perajuk**  KATA ADJEKTIF
*sulky*
◊ *Dia memang perajuk orangnya.* She's really a sulky person.

**rak**  KATA NAMA
*shelf* (JAMAK **shelves**)
♦ **rak buku**  bookshelf
(JAMAK **bookshelves**)

**rakam**  KATA KERJA
*to record*
◊ *Rakam suara anda sekarang.* Record your voice now.
**merakamkan**  KATA KERJA
*to record*
◊ *Dia sedang merakamkan suaranya.* She's recording her voice.
**perakam**  KATA NAMA
*recorder*
◊ *perakam video kaset* video cassette recorder ◊ *perakam pita* tape recorder
**perakaman**  KATA NAMA
*recording*
◊ *Komputer amat berguna untuk perakaman data.* Computers are really useful for recording data.
**rakaman**  KATA NAMA
*recording*
◊ *rakaman suara* voice recording

**rakan**  KATA NAMA

R

_friend_
- **rakan kongsi** *partner
- **rakan sekelas** classmate
- **rakan sekerja** colleague

**raket** KATA NAMA
_racket_
◊ *raket badminton* badminton racket

**rakit** KATA NAMA
_raft_
**berakit** KATA KERJA
_to travel by raft_
◊ *Dia berakit ke sebuah kampung yang berdekatan.* He travelled by raft to a nearby village.

**raksa** KATA NAMA
_mercury_

**raksasa** KATA ADJEKTIF

> _rujuk juga **raksasa** KATA NAMA_

_mammoth_
◊ *projek raksasa* a mammoth project

**raksasa** KATA NAMA

> _rujuk juga **raksasa** KATA ADJEKTIF_

_monster_

**rakus** KATA ADJEKTIF
_greedy_
◊ *Budak lelaki yang rakus itu cuba makan sebanyak yang boleh.* The greedy boy tried to eat as much as he could.
**kerakusan** KATA NAMA
_greed_
◊ *Wilson dimarahi kerana kerakusannya.* Wilson was scolded for his greed.
**perakus** KATA NAMA
_greedy person_

**rakyat** KATA NAMA
_the citizens_
**kerakyatan** KATA NAMA
_citizenship_
◊ *Jill sedang memohon kerakyatan Malaysia.* Jill is applying for Malaysian citizenship.

**ralat** KATA NAMA
_error_
◊ *Guru tersebut membetulkan ralat dalam kertas peperiksaan itu.* The teacher corrected the error in the examination paper.

**ramah** KATA ADJEKTIF
_friendly_
◊ *Mereka menegur kami dengan ramah.* They greeted us in a friendly way.
- **ramah pengguna** user-friendly
**keramahan** KATA NAMA
_friendliness_
◊ *Annie disukai kerana keramahannya.* Annie is well-liked because of her friendliness.
**peramah** KATA ADJEKTIF

_friendly_
◊ *Norizan seorang yang peramah.* Norizan is friendly.

**ramah mesra** KATA ADJEKTIF
- **dengan ramah mesra** amicably ◊ *Dia melayan kami dengan ramah mesra.* She treated us amicably.
**beramah mesra** KATA KERJA
_to have a friendly conversation_
◊ *Saya sempat beramah mesra dengannya sebelum berpisah.* I managed to have a friendly conversation with him before we parted.
- **Penyanyi itu menghabiskan masa dua jam untuk beramah mesra dengan peminatnya.** The singer spent two hours meeting with her fans.
- **Beliau mengadakan majlis beramah mesra bersama rakyat di dewan itu.** He held a welcoming reception for citizens in the hall.

**ramah-tamah** KATA ADJEKTIF
- **dengan ramah-tamah** amicably ◊ *Dia melayan kami dengan ramah-tamah.* She treated us amicably.
**beramah-tamah** KATA KERJA
_to have a friendly conversation_
◊ *Saya sempat beramah-tamah dengannya sebelum berpisah.* I managed to have a friendly conversation with him before we parted.
- **Dia dikenali di kampung itu kerana sikapnya yang suka beramah-tamah.** She's well-known in the village because she's very friendly.

**ramai** KATA ADJEKTIF
_many_
◊ *ramai orang* many people
**beramai-ramai** KATA BILANGAN
_in groups_
◊ *Mereka beramai-ramai datang ke rumahnya.* They went to his house in groups.
- **Datanglah beramai-ramai ke rumah saya.** Everyone is invited to my house.
**keramaian** KATA NAMA
_celebration_
◊ *Mereka mengadakan keramaian untuk menyambut kepulangan penghulu.* They held a celebration to welcome the headman home.
**meramaikan** KATA KERJA
_to enliven_
◊ *Para pelajar dijemput untuk meramaikan upacara pembukaan majlis itu.* Students are invited, so as to enliven the opening ceremony of the gathering.
**seramai** KATA ADJEKTIF

*a total of*
◊ *Seramai tiga puluh orang pelajar menyertai pertandingan itu.* A total of thirty students took part in the competition.

**ramal**
**meramal** KATA KERJA
*to tell*
◊ *meramal nasib seseorang* to tell somebody's fortune
♦ **Orang tua itu pandai meramal.** The old man is good at fortune telling.
**meramalkan** KATA KERJA
*to predict*
◊ *Dia meramalkan gajinya akan naik sebanyak sepuluh peratus.* He predicts that his salary will increase by ten per cent.
**peramal** KATA NAMA
*fortune-teller*
**ramalan** KATA NAMA
*forecast*
◊ *ramalan cuaca* weather forecast
♦ **Ramalannya sungguh tepat.** Her prediction was very accurate.
♦ **soalan ramalan peperiksaan** mock examination questions

**rama-rama** KATA NAMA
*butterfly* (JAMAK **butterflies**)

**ramas**
**meramas** KATA KERJA
1 *to knead*
◊ *Aminah sedang meramas adunan di dapur.* Aminah is kneading dough in the kitchen.
2 *to squash in the hand*
♦ **Andy dimarahi kerana meramas sepotong kek.** Andy was told off for squashing a piece of cake.

**rambang** KATA ADJEKTIF
♦ **secara rambang** at random
♦ **rambang mata (1)** bewildered ◊ *Para pembeli boleh menjadi rambang mata kerana terlalu banyak pilihan.* Shoppers may become bewildered because there is too much choice.
♦ **rambang mata (2)** (*sifat*) lecherous

**rambu** KATA NAMA
*fringe*
◊ *Mereka menjahit rambu pada langsir itu.* They sewed fringes on the curtains.

**rambut** KATA NAMA
*hair*

**rambutan** KATA NAMA
*rambutan*

**rami** KATA NAMA
*jute*

**rampai** KATA NAMA
♦ **bunga rampai** various kinds of sweet smelling flowers and leaves

♦ **rumput rampai** various kinds of grass
**rampaian** KATA NAMA
*exercise*
◊ *buku rampaian* exercise book
◊ *Biasanya guru itu memberikan rampaian yang lebih pada masa cuti.* The teacher usually gives more exercises during the holidays.

**rampas**
**merampas** KATA KERJA
1 *to snatch*
◊ *Pencuri yang merampas wangnya kelmarin telah ditangkap.* The thief who snatched her money yesterday has been caught.
2 *to seize*
◊ *Pihak polis merampas semua barang curian di dalam rumah itu.* The police seized all the stolen goods in the house.
◊ *merampas kuasa* to seize power
3 *to hijack* (*kapal terbang*)
**perampas** KATA NAMA
1 *snatcher*
2 *hijacker* (*kapal terbang*)
**perampasan** KATA NAMA
*seizure*
◊ *Pemberita itu melaporkan perampasan barang-barang haram di sebuah gudang.* The reporter reported the seizure of illegal goods at the warehouse. ◊ *perampasan kuasa* seizure of power
**rampasan** KATA NAMA
*the items seized*
◊ *Rampasan pihak polis itu bernilai RM30,000.* The items seized by the police are worth RM30,000.
♦ **rampasan perang** the items seized during a war
♦ **rampasan kuasa** coup d'état

**ramping** KATA ADJEKTIF
*slim*
◊ *Badannya ramping.* She is slim.
♦ **Pinggang Aishah ramping.** Aishah has a small waist.
**merampingkan** KATA KERJA
♦ *to slim*
◊ *Saya sedang cuba merampingkan badan.* I'm trying to slim.
♦ **Dia bersenam untuk merampingkan badannya.** She exercises in order to get slim.

**ramu**
**meramu** KATA KERJA
*to collect*
◊ *Dia masuk ke dalam hutan untuk meramu rotan.* He went into the jungle to collect rattan.
**ramuan** KATA NAMA
*ingredients*

R

**ran** KATA NAMA
*tree-hut*

**rana**
  **merana** KATA KERJA
  *miserable*
  ◊ *Jika ayah dan ibu tiada, meranalah saya.* If mum and dad go away, I'll be miserable.
♦ **hidup merana** to live in misery
  ◊ *Henry hidup merana semenjak anaknya diculik.* Henry has lived in misery ever since his child was kidnapped.

**ranap** KATA ADJEKTIF
  *flattened*
  ◊ *Kedai Wahab ranap ditimpa sebatang pokok.* Wahab's shop was flattened when a tree fell on it.
  **meranapkan** KATA KERJA
  *to flatten*
  ◊ *Pokok kelapa yang tumbang itu meranapkan reban ayam tersebut.* The coconut tree that fell down flattened the chicken coop.

**rancak** KATA ADJEKTIF
  *lively*
  ◊ *Ahmad suka mendengar lagu yang rancak.* Ahmad likes to listen to lively songs.
  **kerancakan** KATA NAMA
  *liveliness*
  ◊ *Kerancakan lagu itu menyebabkan Billy terasa ingin menari.* The liveliness of the song made Billy feel like dancing.

**rancang**
  **merancang** KATA KERJA
  *to plan*
  ◊ *Dia merancang untuk melanjutkan pelajarannya di universiti.* She plans to continue her studies at university.
  **perancang** KATA NAMA
  *planner*
  ◊ *Leon merupakan perancang utama projek itu.* Leon is the main planner of that project.
  **perancangan** KATA NAMA
  *planning*
  ◊ *Benny bertanggungjawab dalam perancangan projek itu.* Benny is responsible for the planning of that project.
  **terancang** KATA KERJA
  1 *planned*
  ◊ *Kerja yang terancang itu sudah siap.* The planned work has been completed.
  2 *organized*
  ◊ *janayah terancang* organized crime
  **rancangan** KATA NAMA
  *plan*
  ◊ *Kenny telah membatalkan rancangannya untuk pergi berkelah.* Kenny cancelled his plan to go on a picnic.
♦ **rancangan televisyen** television programme

**randuk**
  **meranduk** KATA KERJA
  *to wade*
  ◊ *Askar-askar itu terpaksa meranduk sungai yang dalam itu.* The soldiers had to wade across the deep river.

**rang** KATA NAMA
♦ **rang undang-undang** bill

**ranggi** KATA NAMA
  *petal*

**rangka** KATA NAMA
  *skeleton*
  ◊ *rangka manusia* a human skeleton
♦ **rangka bangunan** framework of a building
♦ **rangka karangan** a draft of a composition
  **merangka** KATA KERJA
  *to arrange*
  ◊ *Pengurus itu merangka jadual kerja untuk pekerja-pekerjanya.* The manager arranged the work schedule for each of his employees.
  **perangkaan** KATA NAMA
  *statistics*

**rangkai** PENJODOH BILANGAN
  *bunch* (JAMAK **bunches**)
  ◊ *beberapa rangkai buah langsat* several bunches of langsats
  **berangkai-rangkai** KATA BILANGAN
  *bunches*
  ◊ *Berangkai-rangkai buah rambutan dapat dilihat di atas pokok itu.* Bunches of rambutans can be seen on the tree.
  **merangkaikan** KATA KERJA
  *to tie ... into a bunch*
  ◊ *Lelaki itu sedang merangkaikan buah rambutannya.* The man is tying his rambutans into bunches.
  **rangkaian** KATA NAMA
  *channel*
♦ **rangkaian komputer** computer network

**rangkak**
  **merangkak** KATA KERJA
  *to crawl*
  ◊ *Kura-kura itu merangkak ke dalam kolam.* The tortoise crawled into the pond.

**rangkap (1)**
  **merangkap** KATA KERJA
  *to catch ... with one's hands*
  ◊ *Abu cuba merangkap nyamuk itu.* Abu tried to catch the mosquito with his hands.
  **perangkap** KATA NAMA
  *trap*

◊ *Pemburu itu telah memasang perangkap.* The hunter has set a trap.

**rangkap (2)** PENJODOH BILANGAN
*stanza*
◊ *tiga rangkap pantun* three stanzas of pantuns
**merangkap** KATA HUBUNG
*cum*
◊ *penyambut tetamu merangkap kerani* receptionist cum clerk

**rangkul**
**merangkul** KATA KERJA
1 *to win*
◊ *Keat merangkul pingat emas dalam pertandingan itu.* Keat won a gold medal in the competition.
2 *to embrace*
◊ *Wanita itu merangkul anak kecil yang sedang menangis itu.* The woman embraced the child who was crying.

**rangkum**
**merangkum** KATA KERJA
*to carry ... in one's arms*
◊ *Pelajar itu merangkum buku-buku teks ke pejabat.* The student carried the textbooks to the office in his arms.
**merangkumi** KATA KERJA
*to comprise*
◊ *Jumlah itu merangkumi semua perbelanjaan termasuk yuran.* The amount comprises all the expenses including the fees.
**terangkum** KATA KERJA
*to be included*
◊ *Pelepasan cukai terangkum dalam Belanjawan Malaysia 1998.* Tax exemption is included in the 1998 Malaysia budget.

**rangsang**
**merangsang** KATA KERJA
*to stimulate*
◊ *langkah-langkah untuk merangsang ekonomi negara* steps to stimulate the country's economy
**perangsang** KATA NAMA
1 *inspiration*
◊ *Ibu bapa perlu menjadi perangsang kepada anak-anak.* Parents should be an inspiration to their children.
2 *encouragement*
◊ *Kawan-kawan saya memberi banyak perangsang kepada saya untuk meneruskan pelajaran.* My friends gave me a lot of encouragement to continue my studies.
**rangsangan** KATA NAMA
*stimulation*
◊ *rangsangan fizikal* physical stimulation

**rangup** KATA ADJEKTIF
*crispy*
**ranjang** KATA NAMA
*bed*
**ranjau** KATA NAMA
*spike*
◊ *Dia meletakkan ranjau pada pagar di sekeliling rumahnya.* He placed spikes on the fence around his house.
♦ **ranjau hidup** the trials of life
**rantai** KATA NAMA
*chain*
◊ *Dia mengikat anjingnya dengan rantai.* He tied his dog up with a chain.
♦ **rantai leher** necklace
♦ **rantai tangan** bracelet
**merantai** KATA KERJA
*to chain up*
◊ *Dia merantai anjingnya di belakang rumah.* He chained up his dog behind the house.

**rantau** KATA NAMA
*region*
♦ **anak rantau (1)** a coastal dweller
♦ **anak rantau (2)** a foreigner
**merantau** KATA KERJA
*to go abroad*
◊ *Bapa Rashid merantau selama dua tahun.* Rashid's father went abroad for two years.
**perantau** KATA NAMA
*traveller*
**perantauan** KATA NAMA
*abroad*
♦ **Julie selalu menulis surat kepada kawannya yang berada di perantauan.** Julie writes often to her friend who lives abroad.
**serantau** KATA ADJEKTIF
*regional*
◊ *kerjasama serantau* regional co-operation

**ranting** KATA NAMA
*twig*
**ranum** KATA ADJEKTIF
*overripe*
◊ *Buah mangga itu ranum.* The mango is overripe.
**rapat** KATA ADJEKTIF
*close*
◊ *Hubungan mereka rapat.* Their relationship is close.
**merapati** KATA KERJA
*to approach*
◊ *Dia cuba merapati saya.* He tried to approach me.
**merapatkan** KATA KERJA
*to strengthen*
◊ *Aktiviti ini dapat merapatkan*

R

*hubungan antara guru dengan pelajar.* This activity can strengthen the relationship between teachers and students.

**rapi**  KATA ADJEKTIF

1 *tidy*

◊ *Rambut Wilson masih rapi walaupun sudah berjam-jam dia berada di luar.* Wilson's hair is still tidy even though he's been outside for hours.

2 *neatly*

◊ *Dia menyikat rapi rambutnya.* He combed his hair neatly. ◊ *berpakaian rapi* neatly dressed

♦ **Istana itu dikawal rapi.** The castle is well guarded.

**merapikan**  KATA KERJA

*to tidy*

◊ *Dia merapikan biliknya setiap pagi.* She tidies her room every morning.

**perapi**  KATA NAMA

*conditioner*

**rapuh**  KATA ADJEKTIF

*brittle*

◊ *tulang yang rapuh* brittle bones

**ras**  KATA NAMA

*race*

**rasa**  KATA KERJA

> *rujuk juga* **rasa** KATA NAMA

1 *to think*

◊ *Saya rasa kesan ini tidak akan tanggal.* I think the stain will never come out. ◊ *Saya rasa dia akan datang.* I think he'll come.

2 *to feel*

◊ *Saya tidak rasa hendak keluar malam ini.* I don't feel like going out tonight.

♦ **Saya rasa, nama itu pernah saya dengar.** The name sounded familiar to me.

♦ **Saya rasa begitulah.** I think so.

♦ **Saya rasa tidak.** I don't think so.

**berasa**  KATA KERJA

*to feel*

◊ *Dia berasa panas.* She feels hot.

**merasa**  KATA KERJA

*to taste*

◊ *Gina merasa kek itu dan mendapati kek itu tidak cukup manis.* Gina tasted the cake and found that it was not sweet enough.

**merasai**  KATA KERJA

*to taste*

◊ *Jonathan merasai makanan yang dimasak oleh kawannya.* Jonathan tasted the food cooked by his friend.

**merasakan**  KATA KERJA

*to feel*

◊ *Ken dapat merasakan kegembiraan*

*kawannya.* Ken can feel his friend's happiness.

**perasa**  KATA NAMA

*seasoning*

◊ *Emak saya membubuh sedikit perasa dalam masakannya.* My mother puts some seasoning in her cooking.

**perasaan**  KATA NAMA

*feeling*

◊ *Dia tidak memahami perasaan kawannya.* She doesn't understand her friend's feelings.

**terasa**  KATA KERJA

*to feel*

◊ *Dia terasa bahang matahari yang panas.* He felt the heat of the hot sun.

◊ *Saya terasa hendak makan aiskrim.* I feel like eating ice cream.

♦ **seorang yang mudah terasa** a sensitive person

**rasanya, rasa-rasanya** KATA PENEGAS

*suppose*

◊ *Rasanya dia akan menghadiri mesyuarat itu.* I suppose he will attend the meeting.

♦ **Rasanya, nama itu pernah saya dengar.** The name sounded familiar to me.

♦ **Rasanya begitulah.** I think so.

♦ **Rasanya tidak.** I don't think so.

**rasa**  KATA NAMA

> *rujuk juga* **rasa** KATA KERJA

*taste*

◊ *deria rasa* sense of taste

♦ **rasa sakit** a feeling of pain

**rasi**

**serasi**  KATA ADJEKTIF

1 *compatible*

◊ *Ahmad dan Aminah dapat hidup dengan gembira kerana mereka serasi.* Ahmad and Aminah can live happily together because they are compatible.

2 *suitable*

◊ *Ubat ini serasi dengan saya.* This medicine is suitable for me.

**keserasian**  KATA NAMA

*compatibility*

◊ *Mereka dapat bekerja bersama kerana ada keserasian.* They were able to work together because of their compatibility.

**rasialisme**  KATA NAMA

*racism*

**rasional**  KATA ADJEKTIF

*rational*

**rasmi**  KATA ADJEKTIF

1 *official*

◊ *bahasa rasmi* official language

2 *formal*

◊ *surat rasmi* formal letter

♦ **tidak rasmi** unofficial

**merasmikan** KATA KERJA
*to officiate*
◊ *Datuk Manaf dijemput untuk merasmikan upacara pembukaan itu.* Datuk Manaf was invited to officiate at the opening ceremony.
**perasmian** KATA NAMA
*inauguration*
◊ *upacara perasmian* inauguration ceremony

**rasuah** KATA NAMA
*bribe*
**merasuahi** KATA KERJA
*to bribe*
◊ *Ronald melakukan kesalahan dengan merasuahi polis.* Ronald committed a crime in bribing the police.

**rasuk**
**merasuk** KATA KERJA
*to tempt*
◊ *Mahmud cuba merasuk kawan-kawannya menghisap rokok.* Mahmud tried to tempt his friends to smoke.
♦ **Dia bermimpi dirasuk hantu.** He dreamt that he was possessed by spirits.

**rasul** KATA NAMA
*messenger of God*

**rata** KATA ADJEKTIF
*flat*
◊ *tanah yang rata* flat land
♦ **Dia membahagikan wangnya sama rata kepada anak-anaknya.** He divided up his money evenly among his children.
**kerataan** KATA NAMA
*flatness*
◊ *Dengan kerataan tanah itu, anda dapat melihat berbatu-batu jauhnya.* The flatness of the land means that you can see for miles. ◊ *Perhatikan kerataan dan kesuburan tanah merah itu.* Notice the flatness and fertility of the red soil.
**meratakan** KATA KERJA
*to level*
◊ *Pekerja-pekerja sedang meratakan jalan.* Workers are levelling the road.
**merata-rata** KATA ADJEKTIF
*everywhere*
◊ *Jangan buang sampah di merata-rata tempat.* Don't throw rubbish everywhere.
**serata** KATA ADJEKTIF
♦ **serata tempat** everywhere ◊ *Dia mencari kucingnya di serata tempat.* He searched for his cat everywhere.

**ratah**
**meratah** KATA KERJA
*to eat ... without rice*
◊ *Dia meratah ayam itu.* He ate the chicken without rice.

**ratap**

**meratap** KATA KERJA
*to wail*
◊ *Ibu Ani memujuknya supaya berhenti meratap.* Ani's mother coaxed her to stop wailing.
**meratapi** KATA KERJA
*to bewail*
◊ *Dia meratapi kematian datuknya.* She bewailed the death of her grandfather.

**ratifikasi** KATA NAMA
*ratification*
**meratifikasi, meratifikasikan** KATA KERJA
*to ratify*

**ratu** KATA NAMA
*queen*

**ratus** KATA BILANGAN
*hundred*
♦ **seratus** a hundred
♦ **keseratus** hundredth
**beratus-ratus** KATA BILANGAN
*hundreds*
◊ *Beratus-ratus orang berkumpul di padang itu kelmarin.* Hundreds of people gathered at the field yesterday.
**peratus** KATA NAMA
*per cent*
◊ *Gaji Nora meningkat sebanyak sepuluh peratus.* Nora's pay has increased by ten per cent.
**peratusan** KATA NAMA
*percentage*
◊ *Peratusan pelajar yang memasuki universiti telah meningkat.* The percentage of students entering university has increased.
**ratusan** KATA BILANGAN
*hundreds*
◊ *Beliau menderma ratusan ringgit kepada tabung itu.* He donated hundreds of ringgits to the fund.

**raung**
**meraung** KATA KERJA
*to howl*
◊ *Anjing itu meraung sepanjang malam.* The dog howled all night. ◊ *Dia meraung kesakitan.* He howled with pain.
**meraung-raung** KATA KERJA
*to howl*
◊ *Kenny meraung-raung apabila terjatuh dari basikalnya.* Kenny howled when he fell off his bicycle.
**raungan** KATA NAMA
*howling*
◊ *Raungan Ali mengejutkan jirannya.* Ali's howling frightened his neighbours.

**raup** KATA NAMA
*scoop*
◊ *seraup pasir* a scoop of sand

R

**meraup** KATA KERJA
_to scoop up_
◊ *Dia meraup tepung dari guni itu.* He scooped up some flour from the sack.

**raut**
**meraut** KATA KERJA
_to smooth_
◊ *Dia meraut buluh itu dengan pisau.* He smoothed the bamboo with a knife.

**rawak** KATA ADJEKTIF
♦ **secara rawak** at random

**rawan** KATA ADJEKTIF

rujuk juga **rawan** PENJODOH BILANGAN

_melancholy_
◊ *Hatinya rawan apabila mendengar berita itu.* She felt melancholy when she heard the news.
**merawankan** KATA KERJA
_to fill with melancholy_
◊ *Keadaan lelaki tua itu merawankan hati Lily.* The old man's condition filled Lily with melancholy.

**rawan** PENJODOH BILANGAN

rujuk juga **rawan** KATA ADJEKTIF
**rawan** tidak ada terjemahan dalam bahasa Inggeris.

◊ *serawan jala* a fishing net

**rawat**
**merawat** KATA KERJA
_to treat_
◊ *Doktor itu sedang merawat pesakitnya.* The doctor is treating his patient.
**rawatan** KATA NAMA
_treatment_
◊ *rawatan rambut* hair treatment
♦ **unit rawatan rapi** intensive care unit

**raya** KATA ADJEKTIF

Biasanya **raya** hadir di belakang perkataan lain.

◊ *bandar raya* city ◊ *jalan raya* road ◊ *lebuh raya* highway
**merayakan** KATA KERJA
_to celebrate_
◊ *Mereka merayakan hari Krismas setiap tahun.* They celebrate Christmas every year.
**perayaan** KATA NAMA
_celebration_
◊ *Perayaan itu sangat meriah.* The celebration is very joyful.

**rayap**
**merayap** KATA KERJA
_to crawl_
◊ *Semut merayap di atas meja yang kotor itu.* Ants are crawling all over the dirty table.

**rayau**
**merayau, merayau-rayau** KATA KERJA

_to wander around_
◊ *Alice suka merayau di pusat membeli-belah selepas sekolah.* Alice likes to wander around the shopping centre after school.
**perayau** KATA NAMA
_loiterer_

**rayu** KATA KERJA
_to plead_
◊ *"Tolong jangan hukum saya," rayu Rizal.* "Please don't punish me," pleaded Rizal.
**merayu** KATA KERJA
① _to appeal_
◊ *Aaron cuba merayu kepada gurunya.* Aaron tried to appeal to his teacher.
② _to beg_
◊ *Saya merayu supaya dia pulang bersama saya.* I begged him to come home with me.
**rayuan** KATA NAMA
_appeal_
◊ *Rayuannya telah ditolak.* His appeal was rejected.
♦ **Mereka tidak mempedulikan rayuan ibu tua itu.** They ignored the old lady's pleas.

**RDKS** SINGKATAN (= *Rangkaian Perkhidmatan Digital Bersepadu*)
_ISDN_ (= Integrated Service Digital Network)

**reaksi** KATA NAMA
_reaction_
◊ *Reaksinya biasa sahaja.* His reaction was normal.

**reaktor** KATA NAMA
_reactor_

**realisasi** KATA NAMA
_realization_
**merealisasikan** KATA KERJA
_to realize_
◊ *Rakyat perlu bekerjasama untuk merealisasikan Wawasan 2020.* Citizens should co-operate to realize Vision 2020.

**realistik** KATA ADJEKTIF
_realistic_
◊ *matlamat yang realistik* a realistic goal
♦ **tidak realistik** unrealistic

**realiti** KATA NAMA
_reality_ (JAMAK **realities**)

**rebah** KATA KERJA
_to collapse_
◊ *Tiang itu telah rebah.* The pole has collapsed.
**merebahkan** KATA KERJA
♦ **merebahkan diri/badan** to collapse
◊ *Ann merebahkan badannya di atas*

*katil kerana keletihan.* Ann collapsed on the bed because she was so tired.

**rebak**
   **merebak**  KATA KERJA
   _to spread_
   ◊  *Berita itu merebak dengan cepat.*
   The news spread fast.
   ♦ **Sekarang penyakit itu telah merebak ke kawasan tersebut.**  The disease has now spread to that area.

**reban**  KATA NAMA
   _coop_

**rebana**  KATA NAMA
   _drum with skin on one side only_

**reben**  KATA NAMA
   _ribbon_

**rebung**  KATA NAMA
   _bamboo shoot_

**rebus**  KATA ADJEKTIF
   _boiled_
   ♦ **telur rebus**  hard-boiled egg
   **merebus**  KATA KERJA
   _to boil_
   ◊  *Minah merebus ubi kayu untuk sarapan paginya.*  Minah boiled tapioca for her breakfast.
   **rebusan**  KATA NAMA
   _something that is boiled_
   ♦ **Mandy membuang air rebusan itu.**  Mandy poured away the boiled water.

**rebut**
   **berebut**  KATA KERJA
   _to scramble_
   ◊  *Pelajar-pelajar berebut tempat duduk di dalam dewan.*  The students scrambled for seats in the hall.
   ♦ **Dua beradik itu bergaduh kerana berebut kuasa.**  The two siblings became enemies when they struggled for power.
   ♦ **berebut harta**  to compete for wealth
   **berebut-rebut**  KATA KERJA
   _to scramble_
   ◊  *Para pelajar berebut-rebut hendak menaiki bas.*  The students were scrambling to get into the bus. ◊ *Pelabur asing berebut-rebut untuk melabur di negara ini.*  Foreign investors were scrambling to invest in this country.
   **merebut**  KATA KERJA
   _to snatch_
   ◊  *Budak lelaki yang nakal itu merebut buku kawannya.*  The naughty boy snatched his friend's book.
   ♦ **Pasukan mereka berjaya merebut piala itu daripada pasukan lawan.**  Their team succeeded in winning the cup from the opponent's team.
   **perebutan**  KATA NAMA
   _struggle_

◊  *Syarikat itu masih kucar-kacir akibat perebutan kuasa.*  The company is still torn by power struggles. ◊ *perebutan takhta*  a struggle for the throne

**reda**  KATA KERJA
   _to subside_
   ◊  *Hujan masih belum reda lagi.*  The rain has not subsided yet.
   ◊  *Kemarahannya belum reda.*  His anger has not yet subsided.
   **meredakan**  KATA KERJA
   _to calm_
   ◊  *Kata-katanya tidak dapat meredakan kemarahan Amy.*  His words could not calm Amy's anger.

**réda**  KATA ADJEKTIF
   _willing_
   ◊  *Ada anak yang reda untuk menjaga orang tua mereka dan ada juga yang sebaliknya.*  Some children are willing to take care of their parents and others are not.
   ♦ **dengan reda**  willingly ◊ *menerima sesuatu dengan reda*  to accept something willingly
   ♦ **Saya reda dengan segala yang berlaku.**  I willingly accept what happened.
   **meredai**  KATA KERJA
   _to consent_
   ◊  *Ibu meredai pemergian saya.*  My mother consented to my leaving.
   **keredaan**  KATA NAMA
   _consent_
   ◊  *mencari keredaan Tuhan*  to look for God's consent
   ♦ **Saya menerima segala yang berlaku dengan penuh keredaan.**  I willingly accept everything that has happened.

**redah**
   **meredah**  KATA KERJA
   _to wade through_
   ◊  *Askar-askar itu terpaksa meredah beberapa batang sungai.*  The soldiers had to wade through several rivers.
   ◊  *meredah hujan*  to wade through the rain

**redup**  KATA ADJEKTIF
   _cloudy_
   ◊  *Cuaca hari ini redup.*  It's cloudy today.

**regang**  KATA ADJEKTIF
   _taut_
   ◊  *Dawai itu perlu ditarik sehingga regang.*  The wire needs to be pulled until it is taut.
   **meregangkan**  KATA KERJA
   _to tauten_
   ◊  *senaman untuk meregangkan otot muka*  exercises to tauten facial muscles

**regu**  KATA NAMA

**R**

_team_
**beregu**  KATA NAMA
_doubles_ (tenis, badminton)
◊ *beregu campuran*  mixed doubles
**rehat**  KATA NAMA
_rest_
♦ **waktu rehat**  interval
**berehat**  KATA KERJA
_to rest_
◊ *Dia berehat pada waktu malam.*  He
rests at night.
**merehatkan**  KATA KERJA
_to rest_
◊ *Dia perlu merehatkan lututnya.*  He
has to rest his knee.
♦ **Dia duduk di bawah pokok untuk
merehatkan diri.**  She sat under the tree
to rest.
**rejam**  KATA KERJA
♦ **rejam lembing**  the javelin
**merejam**  KATA KERJA
_to stone_
◊ *Di negara itu, orang yang berzina akan
direjam sampai mati.*  In that country
people who commit adultery are stoned to
death.
**rejimen**  KATA NAMA
_regiment_
**reka**
**mereka**  KATA KERJA
1 _to make up_
◊ *Dia mereka sebuah cerita untuk
menipu kawannya.*  He made up a story
to cheat his friend.
2 _to invent_
◊ *Siapakah yang mereka kapal terbang?*
Who invented the aeroplane?
**mereka-reka**  KATA KERJA
_to make up_
◊ *Saya cuba mereka-reka satu alasan.*
I tried to make up an excuse.
**pereka**  KATA NAMA
_designer_
◊ *pereka fesyen*  fashion designer
◊ *pereka dalaman*  interior designer
**rekaan**  KATA NAMA
_invention_
◊ *Cerita itu hanya rekaan.*  The story is
just an invention.
**reka bentuk**  KATA NAMA
_design_
◊ *reka bentuk rumah*  house design
**mereka bentuk**  KATA KERJA
_to design_
◊ *Dia mereka bentuk bangunan itu.*  He
designed the building.
**pereka bentuk**  KATA NAMA
_designer_
**reka cipta**  KATA NAMA

_invention_
◊ *Reka ciptanya sangat berguna.*  His
invention is very useful.
**mereka cipta**  KATA KERJA
_to invent_
◊ *Dia mereka cipta sebuah kamera
yang canggih.*  He invented a
sophisticated camera.
**pereka cipta**  KATA NAMA
_inventor_
**rekah**
**merekah**  KATA KERJA
1 _to crack_
◊ *Tanah itu kering sehingga merekah.*
The land was so dry that it cracked.
2 _to split open_
◊ *Dua biji durian yang dibelinya
merekah.*  Two of the durians that he
bought have split open.
**rekahan**  KATA NAMA
_crack_
◊ *Dia menyapu simen pada rekahan
dinding itu.*  He sealed the crack in the
wall with cement.
**reka letak**  KATA NAMA
_layout_ (hasil penerbitan)
**rekat**
**merekat**  KATA KERJA
_to stick_
◊ *Setem itu tidak merekat pada
sampul surat.*  The stamp won't stick to
the envelope.
**merekatkan**  KATA KERJA
1 _to paste_
◊ *Dia merekatkan poster itu pada
dinding.*  She pasted the poster on to the
wall.
2 _to seal_
◊ *Ali merekatkan sampul surat itu.*  Ali
sealed the envelope.
**perekat**  KATA NAMA
_paste_
**rekod**  KATA NAMA
_record_
◊ *memecahkan rekod*  to break the
record
**merekodkan**  KATA KERJA
_to record_
◊ *Dia perlu merekodkan semua bayaran
yang dibuat.*  She needs to record all the
payments made.
**rekoder**  KATA NAMA
_recorder_
**rekreasi**  KATA NAMA
_recreation_
**berekreasi**  KATA KERJA
_to relax_
♦ **bekerja sambil berekreasi**  to combine
work with relaxation

**rekrut** KATA NAMA
*recruit*

**rel** KATA NAMA
*rail*

**rela** KATA ADJEKTIF
*willing*
◊ *Dia rela melakukannya sendiri.* She is willing to do it herself.
**kerelaan** KATA NAMA
*willingness*
♦ **Nicole membantu mereka atas kerelaannya sendiri.** Nicole helped them of her own free will.
**merelai** KATA KERJA
*to consent*
◊ *Rosnah merelai pemergian anaknya ke bandar.* Rosnah consented to let her daughter move to the city.
**merelakan** KATA KERJA
*to allow*
◊ *Emak merelakan saya bekerja di bandar.* My mother allowed me to work in town.

**relaks** KATA ADJEKTIF
*relaxed*
◊ *Saya berasa lebih relaks.* I felt a lot more relaxed.
**merelakskan** KATA KERJA
*to relax*
♦ **Saya mendapati memasak merelakskan.** I find cooking relaxing.

**relang** KATA NAMA
*ring*
♦ **relang leher** (*anjing, kucing*) collar

**relau** KATA NAMA
*furnace*

**relevan** KATA ADJEKTIF
*relevant*
♦ **tidak relevan** irrelevant

**remaja** KATA ADJEKTIF, KATA NAMA
*adolescent*

**remang**
**meremang** KATA KERJA
♦ **bulu roma meremang** one's hair stands on end ◊ *Setiap kali dia lalu di hadapan rumah itu dia terasa bulu romanya meremang.* Every time he passes the house he feels his hair stand on end.
◊ *Bulu romanya meremang sebaik sahaja dia masuk ke dalam bilik itu.* As soon as she entered the room her hair stood on end.

**rembang** KATA NAMA
♦ **rembang tengah hari** exactly at noon
♦ **rembang petang** late afternoon

**rembat**
**merembat** KATA KERJA
*to whip*
◊ *Dia merembat kuda tua itu yang*

*berhenti untuk minum air.* He whipped the old horse, which had stopped to drink.

**rembes**
**merembes** KATA KERJA
*to ooze*
◊ *Darah merembes keluar dari lukanya.* Blood is oozing from his wound.
**rembesan** KATA NAMA
*trickle*
◊ *rembesan air mata yang tidak henti-henti* the continual trickle of tears

**remeh** KATA ADJEKTIF
*trivial*
◊ *masalah yang remeh* a trivial problem
♦ **remeh-temeh** trivial

**rempah** KATA NAMA
*spice*
♦ **rempah-ratus** all kinds of spices
**berempah** KATA KERJA
*spicy*

**rempuh**
**berempuh-rempuh** KATA KERJA
*to scramble*
◊ *Pelajar berempuh-rempuh memasuki dewan.* Students are scrambling into the hall.
**merempuh** KATA KERJA
*to push one's way*
◊ *Mereka merempuh masuk ke dalam pasar raya yang baru dibuka itu.* They pushed their way into the new supermarket.
♦ **Kami terpaksa merempuh pintu itu.** We had to break the door open.

**remuk** KATA ADJEKTIF
*smashed*
◊ *Kereta itu remuk apabila dilanggar oleh sebuah lori.* The car was smashed when it was hit by a lorry.
**meremukkan** KATA KERJA
*to crush*
◊ *Andrew meremukkan tin kosong itu.* Andrew crushed the empty can.

**renang** KATA NAMA
*swimming*
♦ **kolam renang** swimming pool
**berenang** KATA KERJA
*to swim*
♦ **Dia suka berenang.** She likes swimming.
**perenang** KATA NAMA
*swimmer*

**rencah**
**perencah** KATA NAMA
*seasoning*

**rencana** KATA NAMA
1 *article*
◊ *Dia telah membaca rencana itu.* He has read the article.

R

② _agenda_
◊ _Rancangan itu tidak termasuk dalam rencana kami._ The plan was not on our agenda.

③ _dictation_
◊ _latihan rencana_ dictation exercises

**merencanakan** KATA KERJA

① _to write an article_
◊ _Peterlah yang merencanakan sejarah bandar itu._ It was Peter who wrote an article about the history of the city.

② _to plan_
◊ _Kami tidak merencanakan semua ini. Itu hanya satu kebetulan._ We didn't plan all this, it's just a coincidence.

**perencana** KATA NAMA
_planner_

**perencanaan** KATA NAMA

① _planning_
◊ _Dia bertanggungjawab ke atas perencanaan projek itu._ She is responsible for the planning of the project.

② _dictation_

**rencat**

**kerencatan** KATA NAMA
_state of being stunted_

♦ _Wanita yang hamil itu dinasihatkan mengambil ubat itu agar tumbesaran kandungannya tidak mengalami kerencatan._ The woman was advised to take the medicine so that the growth of the baby she was carrying would not be restricted.

**merencatkan** KATA KERJA
_to stunt_
◊ _Pemakanan yang tidak teratur boleh merencatkan pertumbuhan bayi dalam kandungan._ An unbalanced diet can stunt the development of the baby in the womb.

**terencat** KATA KERJA
_stunted_
◊ _Tumbesaran kanak-kanak itu terencat._ The child's growth was stunted.

♦ **kanak-kanak yang terencat akal** children with mental disability

**rencong** KATA ADJEKTIF
_curved_
◊ _Dia menggunakan sebatang buluh yang rencong untuk membunuh haiwan itu._ He used a curved bamboo stick to kill the animal.

**renda** KATA NAMA
_lace_
**berenda** KATA KERJA
_with lace_
♦ **alas berenda** a lace cover

**rendah** KATA ADJEKTIF
① _low_
◊ _bangunan yang rendah_ low building

② _short_
◊ _Diana lebih rendah daripada Jenny._ Diana is shorter than Jenny.

♦ **rendah diri** humble
♦ **rendah hati** humble
♦ **rendah lemak** low-fat
♦ **sekolah rendah** primary school

**kerendahan** KATA NAMA
_low_
◊ _kerendahan akhlak_ low morals

**merendah** KATA KERJA
♦ **merendah diri** humble

**merendahkan** KATA KERJA
① _to lower_
◊ _Dia merendahkan nada suaranya._ He lowered his voice.

② _to reduce_
◊ _Dia merendahkan harga kamera itu._ He reduced the price of the camera.

**rendam** KATA KERJA
_to soak_
◊ _Tolong rendam kain itu ke dalam air panas._ Please soak the cloth in hot water.

**berendam** KATA KERJA
_to wallow_
◊ _Badak air suka berendam di dalam lumpur._ The hippopotamus likes to wallow in the mud.

**merendam, merendamkan** KATA KERJA
_to soak_
◊ _Dia merendamkan pakaiannya ke dalam air._ She soaks her clothes in the water.

**terendam** KATA KERJA
_soaking_
◊ _Dia terlupa membasuh pakaiannya yang terendam sejak kelmarin._ She forgot to wash her clothes which had been soaking since the day before.

**rendang** KATA ADJEKTIF
_fried_
◊ _ayam rendang_ fried chicken

**merendang** KATA KERJA
_to fry_
◊ _Emak sedang merendang ayam._ My mother is frying chicken.

**reneh**

**mereneh** KATA KERJA
_to boil_
◊ _Shila sedang mereneh sup._ Shila is boiling soup.

**renek** KATA ADJEKTIF
_short_
♦ **pokok renek** shrub

**renga** KATA NAMA
_maggot_

**rengek**

**merengek, merengek-rengek**
KATA KERJA

*to whine*
◊   *Kanak-kanak itu asyik merengek meminta emaknya membeli alat mainan itu.*  The child kept whining and asking her mother to buy the toy.

**rengekan**   KATA NAMA
*whining*
◊   *Rengekan budak itu menjengkelkan saya.*  The child's whining annoyed me.

**renggang**   KATA ADJEKTIF
☐ *ajar*
◊   *Pintu itu renggang.*  The door was ajar.
☐ *strained*
◊   *Hubungan Wendy dengan jirannya renggang.*  Wendy's relationship with her neighbour is strained.

**kerenggangan**   KATA NAMA
*tension*
◊   *kerenggangan antara kedua-dua buah negara itu*  the tension between the two countries
♦   **Kerenggangan hubungan mereka berpunca daripada pertengkaran itu.**  Their relationship is strained because of the fight.

**merenggang**   KATA KERJA
*to drift apart*
◊   *Persahabatan Yvonne dengan Henry mulai merenggang.*  Yvonne and Henry began to drift apart.

**merenggangkan**   KATA KERJA
*to strain*
◊   *Pergaduhan itu merenggangkan lagi hubungan mereka.*  The fight strained their relationship even more.

**renggut**
**merenggut**   KATA KERJA
*to snatch*
◊   *Seorang pencuri telah merenggut beg tangan Lucy.*  A thief has snatched Lucy's handbag.

**rengsa**   KATA ADJEKTIF
*listless*
◊   *Dia berasa rengsa dan tidak bermaya.*  He is listless and weak.

**merengsakan**   KATA KERJA
*to irritate*
◊   *Cili boleh merengsakan kulit.*  Chillies can irritate the skin.

**kerengsaan**   KATA NAMA
*listlessness*
◊   *Ubat ini boleh menghilangkan kerengsaan.*  This medicine can cure listlessness.

**rengus**
**merengus**   KATA KERJA
*to be angry*
◊   *Sally merengus apabila emaknya menyuruhnya pergi ke kedai.*  Sally

became angry when her mother asked her to go to the shop.

**perengus**   KATA ADJEKTIF
*grumpy*
◊   *seorang yang perengus*  a grumpy person

**renjat**
**renjatan**   KATA NAMA
*shock*
◊   *mangsa renjatan*  a shock victim

**renjer**   KATA NAMA
*ranger*

**renjis**
**merenjis, merenjiskan**   KATA KERJA
*to sprinkle*
◊   *Dia merenjis air pada seluarnya.*  She sprinkled some water on her trousers.

**perenjis**   KATA NAMA
*sprayer*

**renjisan**   KATA NAMA
*sprinkling*
◊   *renjisan air*  a sprinkling of water

**rentak**   KATA NAMA
☐ *beat*
◊   *Mereka menari mengikut rentak muzik.*  They danced to the beat of the music.
☐ *stamp* (*hentakan kaki*)

**serentak**   KATA ADJEKTIF
*simultaneously*
◊   *Mereka pulang serentak.*  They left simultaneously.  ◊   *Mereka menjawab serentak.*  They answered simultaneously.

**rentang**
**merentang**   KATA KERJA
*to stretch*
◊   *Kabel itu merentang sepanjang beberapa batu.*  The cable stretched for several miles.

**merentangi**   KATA KERJA
*across*
◊   *Penduduk kampung membina sebuah jambatan merentangi sungai itu.*  The villagers built a bridge across the river.

**merentangkan**   KATA KERJA
*to stretch*
◊   *Dia merentangkan dawai itu.*  He stretched out the wire.

**terentang**   KATA KERJA
☐ *outstretched*
◊   *tangan yang terentang*  outstretched hands
☐ *to stretch*
◊   *Sawah-sawah padi itu terentang beberapa batu luasnya.*  The paddy fields stretched for several miles.

**rentap**
**berentap-rentap**   KATA KERJA
*to fight*
◊   *Mereka berentap-rentap untuk*

R

*mendapatkan tiket.* They are fighting for tickets.

**merentap**   KATA KERJA

*to grab*

◊ *Kamal merentap tangan Molly lalu menariknya ke dalam kereta.* Kamal grabbed Molly's hand and dragged her into the car.

**rentas**   KATA ADJEKTIF

*horizontal*

♦ **rentas desa**   cross-country

**merentas**   KATA KERJA

*to cross*

◊ *Askar-askar itu merentas hutan untuk pergi ke markas pihak musuh.* The soldiers crossed the jungle to get to the enemy base.

**rentet**

**rentetan**   KATA NAMA

[1] *string*

◊ *rentetan kata* a string of words

[2] *series*

◊ *rentetan peristiwa yang pelik* a series of strange events

**rentung**   KATA ADJEKTIF

*burnt to ashes*

◊ *Bangunan itu rentung dalam kebakaran tersebut.* The building was burnt to ashes in the fire.

**renung (1)**

**merenung**   KATA KERJA

*to stare at*

◊ *Dia merenung bayi itu.* She stared at the baby.

**merenungi**   KATA KERJA

*to gaze at*

◊ *Dia merenungi wajahnya dalam cermin.* She gazes at herself in the mirror.

**renungan**   KATA NAMA

*gaze*

◊ *Renungan lelaki itu menakutkan Nicole.* The man's gaze scared Nicole.

**renung (2)**

**merenung**   KATA KERJA

*to ponder*

◊ *Dia duduk di situ sambil merenung nasibnya.* She sits there and ponders her fate.

**merenungkan**   KATA KERJA

*to ponder*

◊ *Dia berbaring di atas katil sambil merenungkan kata-kata emaknya.* She lay on the bed and pondered her mother's words.

**renungan**   KATA NAMA

*contemplation*

◊ *Dia begitu asyik dalam renungannya.* He was lost in contemplation.

**renyah**   KATA ADJEKTIF

*taxing*

◊ *kerja yang renyah* a taxing job

**renyai**   KATA ADJEKTIF

♦ **hujan renyai**   drizzle

**renyuk**   KATA ADJEKTIF

*crumpled*

◊ *baju yang renyuk* a crumpled shirt

**merenyukkan**   KATA KERJA

*to crumple*

◊ *Dia merenyukkan kertas itu dan membuangnya ke dalam tong sampah.* He crumpled the paper and threw it into the dustbin.

**repek**

**merepek**   KATA KERJA

*to talk nonsense*

◊ *Jangan merepek.* Don't talk nonsense.

**replika**   KATA NAMA

*replica*

**reptilia**   KATA NAMA

*reptile*

**republik**   KATA NAMA

*republic*

**reput**   KATA ADJEKTIF

*rotten*

◊ *kayu reput* a rotten stick

**reputasi**   KATA NAMA

*reputation*

♦ **mempunyai reputasi yang baik** reputable

**rerambut**   KATA NAMA

*capillary* (JAMAK **capillaries**)

**resah**   KATA ADJEKTIF

*restless*

◊ *Dia resah menantikan keputusan ujian itu.* She was restless while waiting for the test results.

**keresahan**   KATA NAMA

*restlessness*

◊ *Keresahannya dapat dilihat dengan jelas.* His restlessness can be clearly seen.

**meresahkan**   KATA KERJA

*to make ... restless*

◊ *Temu duga itu meresahkannya.* The interview made him restless.

**resam**   KATA NAMA

*custom*

**resap**

**meresap**   KATA KERJA

*to soak*

◊ *Air meresap ke dalam tanah yang kering itu.* Water soaked into the dry soil.

**meresapi**   KATA KERJA

*to soak into*

◊ *Air hujan meresapi tanah itu dengan cepat.* Rain soaked into the soil so fast.

**resapan** KATA NAMA
_absorption_
◊ *resapan air* water absorption

**resipi** KATA NAMA
_recipe_

**resit** KATA NAMA
_receipt_

**resmi** KATA NAMA
_innate character_

**respirasi** KATA NAMA
_respiration_

**respons** KATA NAMA
_response_

**restoran** KATA NAMA
_restaurant_

**restu** KATA NAMA
_blessing_
◊ *Kami tidak akan berkahwin selagi ayah belum memberikan restunya.* We won't get married unless father gives his blessing.
**merestui** KATA KERJA
_to bless_
♦ **Ibu merestui perkahwinan saya dengan Manisha.** My mother gave her blessing to my marriage with Manisha.

**retak** KATA ADJEKTIF
| *rujuk juga* **retak** KATA NAMA |
_cracked_
◊ *Mangkuk itu sudah retak.* The bowl has cracked.
**keretakan** KATA NAMA
_crack_
◊ *Keretakan pada pinggan itu jelas kelihatan.* The crack on the plate is obvious.
♦ **keretakan rumah tangga** a rift between a married couple
**meretak** KATA KERJA
_to crack_
◊ *Dinding itu sudah mula meretak.* The wall had begun to crack.
**retakan** KATA NAMA
_crack_
◊ *Retakan pada dinding itu jelas.* The crack on the wall is obvious.

**retak** KATA NAMA *rujuk* **retakan**
| *rujuk juga* **retak** KATA ADJEKTIF |

**retas** KATA KERJA
_to come undone_
◊ *Beberapa jahitan pada bajunya sudah retas.* A few stitches on his shirt have come undone.
**meretas** KATA KERJA
_to unpick stitches_
◊ *Siti meretas jahitan pada seluarnya.* Siti unpicked the stitches on her trousers.

**reumatisme** KATA NAMA
_rheumatism_

**revolusi** KATA NAMA
_revolution_

**revolver** KATA NAMA
_revolver_

**rewang**
**merewang** KATA KERJA
_to ramble_

**rezeki** KATA NAMA
1 _livelihood_
◊ *Perempuan tua itu menganyam tikar untuk mencari rezeki.* The old lady weaves mats for her livelihood.
2 _good fortune_
◊ *"Janganlah anda iri hati dengan kejayaan Omar, itu rezekinya," kata Ali.* "Don't be jealous of Omar's success, that's his good fortune," said Ali.

**ria** KATA ADJEKTIF
_happy_
♦ **bersuka ria** to have fun

**riadah** KATA NAMA
1 _exercise_
◊ *melakukan riadah* to do exercises
2 _recreation_
◊ *pusat riadah* recreation centre
**beriadah** KATA KERJA
_to exercise_
♦ **Setiap petang Ali beriadah di taman.** Every evening Ali does exercises in the garden.

**riak** KATA ADJEKTIF
| *rujuk juga* **riak** KATA NAMA |
_proud_
◊ *orang yang riak* a proud person

**riak** KATA NAMA
| *rujuk juga* **riak** KATA ADJEKTIF |
_ripple_
◊ *riak air* the ripple of the water

**riang** KATA ADJEKTIF
_cheerful_
**keriangan** KATA NAMA
_joy_
◊ *Dia tersenyum apabila melihat keriangan kanak-kanak itu.* She smiled when she saw the children's joy.
**meriangkan** KATA KERJA
♦ **meriangkan hati** joyful ◊ *muzik yang meriangkan hati* joyful music
♦ **meriangkan hati seseorang** to make somebody happy ◊ *Dia membeli hadiah itu untuk meriangkan hati anak perempuannya.* He bought the present to make his daughter happy.
**periang** KATA ADJEKTIF
_cheerful_
◊ *Dia seorang yang periang.* She's a cheerful person.

**riba** KATA NAMA

**R**

*lap*

**meriba** KATA KERJA
*to place ... on one's lap*
◊ *Emak meriba bayi itu.* Mother places the baby on her lap.

**ribu** KATA BILANGAN
*thousand*
♦ **seribu** a thousand
♦ **keseribu** thousandth
**beribu-ribu** KATA BILANGAN
*thousands*
◊ *Beribu-ribu orang berkumpul di padang kelmarin.* Thousands of people gathered at the field yesterday.
**ribuan** KATA BILANGAN
*thousands*
◊ *Dia menderma ribuan ringgit kepada tabung itu.* She donated thousands of ringgits to the fund.

**ribut** KATA NAMA
*storm*
♦ **ribut petir** thunderstorm
♦ **ribut salji** blizzard
♦ **ribut taufan** hurricane

**ricau**

**mericau** KATA KERJA
*to twitter*
◊ *Burung itu sedang mericau.* The bird is twittering.

**ridip** KATA NAMA
*fin (sirip)*

**rimas** KATA ADJEKTIF
*uncomfortable*
◊ *Dia rimas apabila berada di dalam bilik yang kecil itu.* He feels uncomfortable in the small room.
**merimaskan** KATA KERJA
*to make ... uncomfortable*
◊ *Bilik yang penuh sesak itu merimaskan saya.* The crowded room made me uncomfortable.

**rimba** KATA NAMA
*jungle*

**rimbun** KATA ADJEKTIF
*leafy*
◊ *pokok-pokok yang rimbun* leafy trees
**rimbunan** KATA NAMA
*leafy tree*

**rindu** KATA ADJEKTIF
*to miss*
◊ *Dia rindu akan emaknya.* She misses her mother.
♦ **rindu akan kampung halaman** to be homesick
**kerinduan** KATA NAMA
*longing*
◊ *Imelda bercakap tentang kerinduannya terhadap ibu bapanya.* Imelda spoke of her longing for her

parents.

**merindui, merindukan** KATA KERJA
*to miss*
◊ *Johari sangat merindukan keluarganya.* Johari misses his family very much.

**ringan** KATA ADJEKTIF
  ① *light*
◊ *Beg itu ringan.* The bag is light.
◊ *hukuman yang ringan* light punishment
  ② *easy*
◊ *kerja yang ringan* easy work
♦ **makanan dan minuman ringan** light refreshments
♦ **ringan mulut** friendly
♦ **ringan tangan** helpful
♦ **ringan tulang** hardworking
**meringankan** KATA KERJA
  ① *to ease*
◊ *Sekarang dia dapat meringankan beban hutang keluarganya.* Now he can ease the family's burden of debt.
  ② *to mitigate*
◊ *Dia berharap hakim akan meringankan hukumannya.* He hopes that the judge will mitigate his punishment.

**ringgit** KATA NAMA
*ringgit*
◊ *lima ringgit* five ringgits

**ringkas** KATA ADJEKTIF
*short*
◊ *Jawapan itu ringkas dan tepat.* The answer is short and accurate.
♦ **secara ringkas** briefly
**meringkaskan** KATA KERJA
*to summarize*
◊ *Dia meringkaskan karangan itu menjadi seratus patah perkataan sahaja.* She summarized the composition in just a hundred words.
**ringkasan** KATA NAMA
*summary* (JAMAK **summaries**)
◊ *Pelajar-pelajar dikehendaki menulis ringkasan cerita itu.* The students are required to write a summary of the story.

**ringkik** KATA NAMA
*neigh*
**meringkik** KATA KERJA
*to neigh*
◊ *Kuda itu meringkik.* The horse neighed.

**ringkuk**
**meringkuk** KATA KERJA
*to languish*
◊ *meringkuk dalam penjara* to languish in jail

**rintang**

**merintangi** KATA KERJA
*across*
◊ *Mereka membina sebuah jambatan merintangi sungai itu.* They built a bridge across the river.
**perintang** KATA NAMA
*barricade*
◊ *Beberapa batang jalan di kawasan itu telah ditutup dengan perintang.* A few roads in that area have been closed off with barricades.
**rintangan** KATA NAMA
*obstacle*
◊ *Dia menghadapi banyak rintangan sebelum mencapai kejayaan.* He faced a lot of obstacles before achieving success.

**rintih**
**merintih** KATA KERJA
1 *to groan*
◊ *Chin merintih kesakitan apabila terjatuh dari basikalnya.* Chin groaned with pain when he fell off his bicycle.
2 *to complain about*
◊ *Para pekerja merintih tentang ketidakadilan dalam syarikat mereka.* The workers complained about the lack of justice in their company.
**rintihan** KATA NAMA
1 *groaning*
◊ *Rintihan Judy membimbangkan bapanya.* Judy's groaning worried her father.
2 *complaint*
◊ *Pemimpin harus mengambil tahu rintihan rakyat.* A leader should be concerned about the citizens' complaints.

**rintik** KATA NAMA
*spot*
◊ *Rintik-rintik merah mula kelihatan pada kulit Fiona.* Red spots started to appear on Fiona's skin.
♦ **rintik hujan** rain drops
♦ **hujan rintik-rintik** drizzle
**berintik-rintik** KATA KERJA
*with spots*
◊ *kain hitam berintik-rintik putih* black cloth with white spots
**merintik-rintik** KATA KERJA
*to drip*
◊ *Peluh merintik-rintik di dahinya.* Sweat was dripping from his forehead.
♦ **Hujan merintik-rintik sepanjang petang itu.** It drizzled the whole afternoon.

**rintis**
**merintis** KATA KERJA
1 *to clear a way*
◊ *Mereka merintis hutan untuk membuat jalan.* They cleared a way through the

jungle to build a road.
2 *to pioneer*
◊ *Mereka merintis projek itu.* They pioneered the project.
**perintis** KATA NAMA
*pioneer*
◊ *Mereka merupakan perintis kepada projek itu.* They were the pioneers of the project.

**risalah** KATA NAMA
*leaflet*

**risau** KATA ADJEKTIF
*worried*
◊ *Dia risau kerana anak perempuannya masih belum pulang.* He is worried because his daughter still hasn't come back.
**kerisauan** KATA NAMA
*worry* (JAMAK **worries**)
◊ *Kerisauannya dapat dilihat dengan jelas dari air mukanya.* His worry could clearly be seen on his face.
**merisaukan** KATA KERJA
*to worry*
◊ *Masalah itu merisaukannya.* The problem worried him.

**risik** KATA NAMA *rujuk* **risikan**
**merisik** KATA KERJA
*to investigate*
◊ *Polis sedang merisik kes rompakan yang berlaku di Jalan Helang.* The police are investigating the robbery at Jalan Helang.
♦ **Kelmarin ada orang datang merisik kakak saya.** Yesterday someone came to our house to ask whether my sister was marriageable.
**perisik** KATA NAMA
*spy* (JAMAK **spies**)
**perisikan** KATA NAMA
*spying*
◊ *Mereka mengetahui projek itu secara terperinci melalui perisikan.* They found out details of the project by spying.
**risikan** KATA NAMA
*investigation*
◊ *risikan pihak polis* investigation by the police

**risiko** KATA NAMA
*risk*
**berisiko** KATA KERJA
*risky*
◊ *Pelaburan itu berisiko.* The investment is risky.
♦ **berisiko tinggi** high risk ◊ *projek yang berisiko tinggi* a high risk project

**ritma** KATA NAMA
*rhythm*

**riuh** KATA ADJEKTIF

R

_loud_
◊ *Suasana di stadium itu riuh dengan sorakan para penonton.* The stadium was loud with the spectators' cheers.
♦ **riuh-rendah** very noisy
**keriuhan** KATA NAMA
_noise_
◊ *Dia tidak mendengar keriuhan itu.* She didn't hear the noise.
**meriuhkan** KATA KERJA
_to enliven_
◊ *Lagu yang rancak itu meriuhkan suasana majlis tersebut.* The lively song enlivened the party.

**riwayat** KATA NAMA
_legend_
♦ **riwayat hidup** biography (JAMAK **biographies**)
**meriwayatkan** KATA KERJA
_to narrate_
◊ *Dia meriwayatkan kehidupan pahlawan itu kepada kami.* He narrated to us the life of the warrior.

**rizab** KATA NAMA
_reserve_
◊ *rizab tunai* cash reserve
♦ **hutan rizab** forest reserve
**merizabkan** KATA KERJA
_to reserve_
◊ *Kerajaan merizabkan tanah itu untuk membina kilang.* The government reserved the land to build factories.

**RKL** SINGKATAN (= *Rangkaian Kawasan Luas*)
_WAN_ (= *Wide Area Network*)

**RKS** SINGKATAN (= *Rangkaian Kawasan Setempat*)
_LAN_ (= *Local Area Network*)

**roboh** KATA KERJA
_to collapse_
◊ *Pondok itu telah roboh.* The hut has collapsed.
**merobohkan** KATA KERJA
_to destroy_
◊ *Ribut telah merobohkan pondok itu.* The storm has destroyed the hut.
**perobohan** KATA NAMA
_demolition_
◊ *perobohan bangunan-bangunan lama* the demolition of old buildings
**robohan** KATA NAMA
_ruins_
◊ *robohan bangunan* the ruins of a building

**robot** KATA NAMA
_robot_

**rock** KATA NAMA
_rock_

**roda** KATA NAMA

_wheel_

**rodok**
**merodok** KATA KERJA
[1] _to stab_
[2] _to gore_ (*binatang yang bertanduk*)

**rogol** KATA NAMA
_rape_
**merogol** KATA KERJA
_to rape_
**perogol** KATA NAMA
_rapist_

**roh** KATA NAMA
[1] _soul_
◊ *Dia berdoa untuk kesejahteraan roh suaminya yang telah meninggal dunia.* She prayed for the soul of her late husband.
[2] _spirit_
◊ *roh jahat* evil spirit

**rohani** KATA NAMA
_spiritual_
◊ *nilai-nilai rohani* spiritual values
**kerohanian** KATA NAMA
_spirituality_

**rohaniah** KATA NAMA
_spiritual_
◊ *nilai-nilai rohaniah* spiritual values

**roket** KATA NAMA
_rocket_

**rokok** KATA NAMA
_cigarette_
**merokok** KATA KERJA
_to smoke_
◊ *Dia tidak merokok.* He doesn't smoke.
♦ **kawasan dilarang merokok** non-smoking area
**perokok** KATA NAMA
_smoker_

**romantik** KATA ADJEKTIF
_romantic_

**rombak**
**merombak** KATA KERJA
[1] _to reform_
◊ *Pengurus baru itu merombak sistem pentadbiran syarikatnya.* The new manager reformed the company's administrative system.
[2] _to reshuffle_
◊ *Beliau bercadang untuk merombak kabinetnya.* He plans to reshuffle his Cabinet.
**perombakan** KATA NAMA
_reorganization_
◊ *perombakan sistem perundangan* the reorganization of the legal system
**rombakan** KATA NAMA
_reshuffle_
◊ *rombakan kabinet* Cabinet reshuffle

**rombong**
   **rombongan**   KATA NAMA
   *excursion*

**rompak**
   **merompak**   KATA KERJA
   *to rob*
   ◊   *Mereka ditangkap kerana merompak sebuah bank.*   They were arrested for robbing a bank.
   **perompak**   KATA NAMA
   *robber*
   **rompakan**   KATA NAMA
   *robbery* (JAMAK **robberies**)

**ronda**
   **meronda**   KATA KERJA
   *to patrol*
   ◊   *Setiap petang polis akan meronda di kawasan itu.*   Every evening the police will patrol the area.
   **peronda**   KATA NAMA
   *patrol*
   ◊   *kapal peronda*   patrol ship
   **rondaan**   KATA NAMA
   *patrolling*
   ◊   *Rondaan polis dapat menjamin keselamatan penduduk di kawasan itu.*   Patrolling by the police can guarantee the safety of residents in the area.
   ♦   **membuat rondaan**   to be on patrol

**rongak**   KATA ADJEKTIF
   ♦   **gigi rongak**   missing tooth
   (JAMAK **missing teeth**)
   ♦   **Giginya rongak.**   He has a tooth missing.

**rongga**   KATA NAMA
   *cavity* (JAMAK **cavities**)
   ◊   *rongga hidung*   nasal cavity
   **berongga**   KATA KERJA
   *hollow*
   ◊   *pokok yang berongga*   a hollow tree

**ronta**
   **meronta-ronta**   KATA KERJA
   *to struggle*
   ◊   *Dia meronta-ronta untuk melepaskan dirinya.*   He struggled to free himself.

**ronyok**   KATA ADJEKTIF
   *crumpled*
   ◊   *kain yang ronyok*   crumpled cloth
   **meronyokkan**   KATA KERJA
   *to crumple*
   ◊   *Dia meronyokkan kertas itu dan membuangnya ke dalam tong sampah.*   He crumpled the paper and threw it into the dustbin.

**ropol**   KATA NAMA
   *frill*
   ◊   *Dia menjahit ropol pada kain langsir.*   She sewed some frills on to the curtain.
   **beropol**   KATA KERJA
   *frilled*

   ◊   *baju yang beropol*   a frilled shirt

**ros**   KATA NAMA
   *rose*

**rosak**   KATA ADJEKTIF
   ① *to break down*
   ◊   *kereta yang rosak*   a car that has broken down
   ② *rotten*
   ◊   *buah-buahan yang rosak*   rotten fruit
   ③ *wrecked*
   ◊   *kapal kargo yang rosak*   a wrecked cargo ship
   **kerosakan**   KATA NAMA
   *breakdown* (*kereta, mesin*)
   ♦   **kerosakan gigi**   tooth decay
   **merosakkan**   KATA KERJA
   ① *to damage*
   ◊   *Sinaran matahari boleh merosakkan rambut anda.*   Sunlight can damage your hair.
   ② *to spoil*
   ◊   *Jangan biarkan kesilapan merosakkan kehidupan anda.*   Don't let mistakes spoil your life.
   **perosak**   KATA NAMA
   *destroyer*
   ♦   **haiwan perosak**   pest

**rosot**
   **kemerosotan**   KATA NAMA
   *decline*
   ◊   *kemerosotan prestasi pelajar-pelajar*   a decline in the performance of the students ◊ *kemerosotan ekonomi*   a decline in the economy
   **merosot**   KATA KERJA
   ① *to fall*
   ◊   *Harga akan merosot lagi pada akhir tahun ini.*   Prices will fall again at the end of this year.
   ② *to deteriorate*
   ◊   *Kesihatannya yang semakin merosot membimbangkan ibu bapanya.*   Her deteriorating health worried her parents.

**rotan**   KATA NAMA
   ① *rattan*
   ◊   *bakul rotan*   rattan basket
   ② *cane*
   **merotan**   KATA KERJA
   *to cane*
   ◊   *Dia merotan anak lelakinya yang nakal.*   He caned his naughty son.

**roti**   KATA NAMA
   *bread*
   ♦   **roti bakar**   toast

**ru**   KATA NAMA
   *casuarina*

**ruam**   KATA NAMA
   *rash* (JAMAK **rashes**)

**ruang**   KATA NAMA

*space*
- **ruang tamu**  living room
  **ruangan**  KATA NAMA
  1. *space*
  ◊ *ruangan kosong*  empty space
  2. *column*
  ◊ *ruangan hiburan*  entertainment column

**ruap**
  **meruap**  KATA KERJA
  *to boil over*
  ◊ *Sup itu telah meruap.*  The soup has boiled over.

**ruas**  KATA NAMA
  | *rujuk juga* **ruas** PENJODOH BILANGAN |
  *the space between two joints*
  ◊ *ruas buluh*  the space between two joints in a length of bamboo  ◊ *ruas tebu* the space between two joints in a length of sugar cane

**ruas**  PENJODOH BILANGAN
  | *rujuk juga* **ruas** KATA NAMA |
  *section*
  ◊ *seruas tebu*  a section of sugar cane

**rubah**  KATA NAMA
  *fox* (JAMAK **foxes**)

**rugi**  KATA KERJA
  *to lose*
  ◊ *Dia telah rugi sebanyak RM20,000 dalam perniagaannya.*  He lost RM20,000 in his business.
- **Jika anda menolak tawaran itu, anda sendiri yang akan rugi.**  If you reject the offer, it will be your loss.
  **kerugian**  KATA KERJA
  | *rujuk juga* **kerugian** KATA NAMA |
  *to lose*
  ◊ *Syarikat kami kerugian sebanyak RM1 juta.*  Our company lost the sum of RM1 million.
  **kerugian**  KATA NAMA
  | *rujuk juga* **kerugian** KATA KERJA |
  *loss* (JAMAK **losses**)
  ◊ *Kerugian syarikat itu berjumlah RM10,000.*  The company's losses totalled RM10,000.
  **merugikan**  KATA KERJA
  *to make ... lose money*
  ◊ *Ketidakcekapannya telah merugikan syarikat itu.*  His incompetence has made the company lose money.
- **Pelaburan itu telah merugikan Roy.**  Roy suffered a loss in the investment.

**ruji**  KATA ADJEKTIF
  *staple*
  ◊ *makanan ruji*  staple food

**rujuk**  KATA KERJA
  *to refer*
  ◊ *Sila rujuk muka surat 20.*  Please

refer to page 20.
  **merujuk**  KATA KERJA
  *to refer*
  ◊ *Dia merujuk kepada buku notanya.*  He referred to his notebook.
  **rujukan**  KATA NAMA
  *reference*
  ◊ *bahan rujukan*  reference material

**rukun**  KATA NAMA
  *principle*
  ◊ *Doktrin itu berdasarkan tiga rukun yang asas.*  The doctrine was based on three fundamental principles.
- **rukun negara**  code of good citizenship
- **rukun tetangga**  neighbourhood association
  **kerukunan**  KATA NAMA
  *peace*

**rum**  KATA NAMA
  *rum* (*minuman keras*)

**rumah**  KATA NAMA
  *house*
- **rumah anjing**  kennel
- **rumah api**  lighthouse
- **rumah ibadat**  temple
- **rumah kaca**  greenhouse
- **rumah orang tua**  old people's home
- **rumah pangsa**  block of flats
- **rumah pemuliharaan**  conservatory (JAMAK **conservatories**)
- **rumah penginapan**  inn
- **rumah sakit**  hospital
- **rumah sakit jiwa**  mental hospital
- **rumah tetamu**  guesthouse
  **berumahkan**  KATA KERJA
  *to live in*
  ◊ *Lelaki itu berumahkan pondok buruk.*  The man lives in an old hut.
  **perumahan**  KATA NAMA
  *housing*
  ◊ *projek perumahan*  housing project
  **serumah**  KATA ADJEKTIF
  *in the same house*
  ◊ *Ah Ling tinggal serumah dengan neneknya.*  Ah Ling lives in the same house as her grandmother.
- **kawan serumah**  housemate

**rumah tangga**  KATA NAMA
  1. *household*
  ◊ *Suami saya memberikan wang kepada saya untuk menguruskan rumah tangga.*  My husband gave me cash to manage the household.
  2. *marriage*
  ◊ *keharmonian dalam rumah tangga* harmony in marriage
  **berumah tangga**  KATA KERJA
  *to get married*
  ◊ *Ken akan berumah tangga pada*

*hujung tahun ini.* Ken will get married at
the end of this year.
**rumbia**    KATA NAMA
*sago palm*
**Rumi**    KATA NAMA
*Roman*
**rumit**    KATA ADJEKTIF
*complicated*
◊    *Perkara itu menjadi semakin rumit.*
The matter has become more complicated.
**kerumitan**    KATA NAMA
*difficulty* (JAMAK **difficulties**)
◊    *kerumitan mendapat maklumat yang
tepat* the difficulty of getting accurate
information
**merumitkan**    KATA KERJA
*to complicate*
◊    *Campur tangannya hanya merumitkan
lagi hal itu.* His interference only
complicated the matter further.
**rumpai**    KATA NAMA
*weed*
♦   **rumpai laut**   seaweed
**rumpair**    KATA NAMA
*algae*
**rumpun**    KATA NAMA, PENJODOH BILANGAN
   **rumpun** *mempunyai pelbagai
   terjemahan.*
◊    *dua rumpun buluh* two bamboo
thickets ◊   *satu rumpun bahasa* a
language family ◊   *satu rumpun bunga*
a cluster of flowers
**berumpun-rumpun**   KATA BILANGAN
*clusters*
◊    *Bunga yang berumpun-rumpun dapat
dilihat di atas pokok itu.* Clusters of
flowers could be seen on the tree.
**serumpun**   KATA ADJEKTIF
*of the same family*
◊    *bahasa serumpun* language of the
same family
**rumput**    KATA NAMA
*grass* (JAMAK **grasses**)
♦   **rumput kering**   hay
♦   **mesin rumput**   lawnmower
**berumput**   KATA KERJA
*grassy*
**rumus**    KATA NAMA
*formula*
**merumuskan**    KATA KERJA
*to summarize*
◊    *Jadual 3.1 merumuskan maklumat
yang diberikan di atas.* Table 3.1
summarizes the information given above.
**rumusan**    KATA NAMA
*summary* (JAMAK **summaries**)
◊    *Dia menulis rumusan cerita itu.* She
wrote a summary of the story.
**runcing**    KATA ADJEKTIF

*sharpened*
◊    *Dia membawa sebatang buluh runcing
bersamanya ke dalam hutan.* He took a
sharpened length of bamboo into the
jungle with him.
♦   **keadaan yang runcing**   a critical
situation
**meruncing**    KATA KERJA
*to become critical* (*keadaan*)
♦   **Hubungan mereka semakin meruncing.**
Their relationship is getting strained.
**meruncingkan**    KATA KERJA
*to sharpen*
◊    *Bapa sedang meruncingkan kayu itu.*
Father is sharpening the stick.
**runcit**    KATA ADJEKTIF
*of all kinds*
♦   **barang-barang runcit**   groceries
**peruncit**    KATA NAMA
*retailer*
**runding**    KATA NAMA
♦   **pakar runding**   consultant
**berunding**    KATA KERJA
*to negotiate*
◊    *Mereka akan berunding tentang harga
bangunan itu.* They will negotiate the
price of the building.
**merundingkan**    KATA KERJA
*to negotiate*
◊    *Mereka akan merundingkan syarat-
syarat dalam perjanjian itu.* They will
negotiate the conditions in the agreement.
**perundingan**    KATA NAMA
*negotiations*
**rundingan**    KATA NAMA
*talk*
◊    *rundingan damai* peace talks
**runduk**
**merunduk**    KATA KERJA
*to stoop*
◊    *Dia merunduk untuk mengutip batu itu.*
He stooped to pick up the stone.
**rungkai**
**merungkaikan**    KATA KERJA
*to untie*
◊    *Dia merungkaikan tali bungkusan itu.*
He untied the string of the parcel.
**rungut**    KATA KERJA
*to grumble*
◊    *"Makanan di sini tidak sedap," rungut
emak.* "The food here doesn't taste nice,"
mother grumbled.
**merungut**    KATA KERJA
*to grumble*
◊    *Pelajar-pelajar merungut apabila guru
itu memberi mereka kerja rumah.* The
students grumbled when the teacher gave
them homework.
**perungut**    KATA NAMA

**R**

*grumbler*

**rungutan** KATA NAMA
*complaint*
◊ *Rungutannya tidak dipedulikan.* His complaint was disregarded.

**runsing** KATA ADJEKTIF
*worried*
◊ *Masalah itu menyebabkannya runsing.* The problem makes him worried.

**kerunsingan** KATA NAMA
*worry* (JAMAK **worries**)
◊ *Kerunsingan Kate menyebabkannya tidak tidur sepanjang malam.* Kate's worries gave her a sleepless night.

**merunsingkan** KATA KERJA
*to worry*
◊ *Jane yang selalu ponteng sekolah, merunsingkan ibu bapanya.* Jane, who always plays truant, worries her parents.

**runtuh** KATA KERJA
*to collapse*
◊ *Rumah itu runtuh dalam ribut taufan semalam.* The house collapsed in yesterday's hurricane.

♦ **tanah runtuh** landslide

♦ **runtuhan salji** avalanche

**keruntuhan** KATA NAMA
1 *collapse*
◊ *Berita keruntuhan bangunan lama itu mengejutkan orang ramai.* The news of the collapse of the old building shocked the public.
2 *fall*
◊ *Pemimpin yang tidak berkebolehan merupakan salah satu faktor keruntuhan kerajaan itu.* The incompetence of its leaders was one of the factors that caused the fall of the kingdom.

♦ **keruntuhan akhlak** a decline in morals

♦ **keruntuhan rumah tangga** a marital break-up

**meruntuhkan** KATA KERJA
*to cause ... to collapse*
◊ *Ribut telah meruntuhkan titi itu.* The storm caused the bridge to collapse.

**rupa** KATA NAMA
*look*
◊ *Dia menyambut Sally dengan rupa yang ceria.* He greeted Sally with a happy look.

♦ **Dave mengahwini Jessica hanya kerana paras rupanya.** Dave only married Jessica for her looks.

♦ **Rupa gadis itu cantik.** The girl is beautiful.

**berupa** KATA KERJA
*to be shaped like*
◊ *Logo syarikat itu berupa sebuah bintang.* The company's logo is shaped

like a star.

♦ **Dia memberikan bantuan berupa makanan kepada mangsa-mangsa kebakaran itu.** She gave aid in the form of food to the fire victims.

**keserupaan** KATA NAMA
*resemblance*
◊ *Keserupaan wajah mereka mengejutkan Jane.* Their physical resemblance startled Jane.

**menyerupai** KATA KERJA
*to resemble*
◊ *Wajah Aminah menyerupai wajah emaknya.* Aminah resembles her mother.

**merupai** KATA KERJA
*to resemble*
◊ *Binatang yang dilukisnya itu merupai kucing.* The animal she drew resembles a cat.

**merupakan** KATA KERJA
*to be*
◊ *Jam tangan itu merupakan hadiah hari jadinya.* The watch was her birthday present.

**serupa** KATA ADJEKTIF
*like*
◊ *Wajah Amy kelihatan serupa dengan kawannya.* Amy looks like her friend.

**rupanya** KATA PENEGAS
*apparently*
◊ *Rupanya, dialah pencuri itu.* Apparently he is the thief.

**rupa-rupanya** KATA PENEGAS
*actually*
◊ *Jawapan yang disangka betul itu, rupa-rupanya salah.* The answer thought to be right was actually wrong.

**rupawan** KATA ADJEKTIF
*pretty*
◊ *Gadis rupawan itu ialah jiran saya.* That pretty girl is my neighbour.

**rusa** KATA NAMA
*deer* (JAMAK **deer**)

♦ **anak rusa** fawn

♦ **rusa kutub** reindeer

**rusuh** KATA ADJEKTIF
*chaotic*
◊ *Keadaan menjadi rusuh apabila pihak tentera mengambil alih pemerintahan negara itu.* The situation became chaotic when the military took over the country.

**kerusuhan** KATA NAMA
*riot*
◊ *Mereka cuba mengatasi masalah kerusuhan di kawasan itu.* They tried to put down the riot in that area.

**merusuh** KATA KERJA
*to riot*
◊ *Pelajar-pelajar yang merusuh itu*

*telah ditangkap.* The students who rioted were arrested.

**merusuhkan**  KATA KERJA

*to cause a disturbance*

◊  *Penunjuk-penunjuk perasaan merusuhkan kawasan itu.* The demonstrators caused a disturbance in that area.

**perusuh**  KATA NAMA

*rioter*

**rusuhan**  KATA NAMA

*riot*

◊  *Mereka diberi amaran supaya tidak melibatkan diri dalam rusuhan itu.* They were warned not to take part in the riot.

**rusuk**  KATA NAMA

*rib*

◊  *sangkar rusuk*  rib cage

♦  **tulang rusuk**  rib

**merusuk**  KATA KERJA

*to stab ... in the side*

◊  *Fatimah merusuk pencuri itu dengan pisaunya.* Fatimah stabbed the burglar in the side with her knife.

**rutin**  KATA NAMA

*routine*

◊  *rutin harian*  daily routine

**ruyung**  KATA NAMA

*the thick outer bark of palms*

R

# S

**saat**  KATA NAMA
*second*
♦ **saat yang paling menggembirakan**
the happiest moment
**saban**  KATA ADJEKTIF
*every*
◊ *Faridah datang ke tempat ini saban minggu.*  Faridah comes to this place every week.
**sabar**  KATA ADJEKTIF
*patient*
◊ *Dia tetap sabar walaupun ketika kanak-kanak itu nakal.*  He remains patient even when the children misbehave.
♦ **dengan sabar** patiently ◊ *Rishma menunggu di situ dengan sabar.*  Rishma waited there patiently.
♦ **Sabar! Sabar! Jangan panik.**  Please calm down! Don't panic.
♦ **tidak sabar** impatient
♦ **tidak sabar-sabar**  to look forward to
**bersabar**  KATA KERJA
*to be patient*
◊ *Harap bersabar. Doktor akan merawat anda sebentar lagi.*  Please be patient. The doctor will attend to you shortly.
**kesabaran**  KATA NAMA
*patience*
◊ *Dia tidak mempunyai kesabaran untuk membuat kerja-kerja sebegitu.*  He doesn't have the patience for such work.
♦ **Juliana menunggu dengan penuh kesabaran.**  Juliana waited patiently.
♦ **ketidaksabaran** impatience
**penyabar**  KATA ADJEKTIF
*patient*
◊ *Dia seorang yang penyabar.*  He's a patient person.
**sabit (1)**  KATA NAMA
*sickle*
◊ *Bapa menggunakan sabit untuk memotong rumput.*  Father used a sickle to cut the grass.
**menyabit**  KATA KERJA
*to cut*
◊ *menyabit rumput*  to cut the grass
**sabit (2)**
**menyabitkan**  KATA KERJA
♦ **menyabitkan bersalah**  to convict
◊ *Dia disabitkan bersalah atas pembunuhan tersebut.*  She was convicted of the murder.
**Sabtu**  KATA NAMA
*Saturday*
◊ *pada hari Sabtu*  on Saturday
**sabun**  KATA NAMA
*soap*
**bersabun**  KATA KERJA
*soapy*
◊ *Pinggan itu masih bersabun.*  The plate is still soapy.
**sabung**  KATA NAMA
*fighting*
◊ *sabung ayam*  cock-fighting
**sabung-menyabung**  KATA KERJA
*to flash*
◊ *Kilat sabung-menyabung di langit.*  Lightning was flashing in the sky.
**menyabung**  KATA KERJA
♦ **menyabung ayam**  to hold a cock-fight
◊ *Mereka menyabung ayam di padang itu.*  They are holding a cock-fight in the field.
♦ **menyabung nyawa**  to sacrifice one's life ◊ *Dia sanggup menyabung nyawa demi ibunya.*  He's willing to sacrifice his life for his mother.
**sabut**  KATA NAMA
*coir*
**sadai**
**bersadai**  KATA KERJA
*to bask*
◊ *Anthony bersadai di bawah cahaya matahari.*  Anthony basked in the sun.
**tersadai**  KATA KERJA
*to be beached*
◊ *Bot itu tersadai di tebing sungai.*  The boat was beached on the river bank.
**saderi**  KATA NAMA
♦ **daun saderi**  celery
**sadung**
**menyadung**  KATA KERJA
*to trip*
◊ *Dia cuba menyadung saya.*  She tried to trip me.
**tersadung**  KATA KERJA
*to trip*
◊ *Rama tersadung dan kakinya tercedera.*  Rama tripped and hurt his leg.
**sadur**  KATA NAMA
*plating*
♦ **tepung sadur**  batter
**bersadur**  KATA KERJA
*-plated*
◊ *cincin yang bersadur emas*  a gold-plated ring
**menyadur**  KATA KERJA
*to coat*
◊ *menyadur cincin dengan emas*  to coat a ring with gold
**penyaduran**  KATA NAMA
*plating*
◊ *proses penyaduran emas*  gold-plating process
**saduran**  KATA NAMA
*plating*
♦ **sagat**  KATA NAMA

*grater*
**menyagat**  KATA KERJA
*to grate*
**Sagitarius**  KATA NAMA
*Sagittarius (bintang zodiak)*
**sagu**  KATA NAMA
*sago*
**sagu hati**  KATA NAMA
　①  *compensation (sebagai ganti rugi)*
　②  *reward (sebagai penghargaan)*
◆  **hadiah sagu hati**  consolation prize
**sah**  KATA ADJEKTIF
　①  *valid*
　◊  *sah untuk tiga bulan*  valid for three
months
　②  *legal*
　◊  *isteri yang sah*  legal wife
**mengesahkan**  KATA KERJA
*to confirm*
　◊  *Doktor mengesahkan bahawa
keadaan pesakit itu sudah bertambah
baik.*  The doctor has confirmed that the
patient's condition is improving.
◆  **Pastikan anda mengesahkan jumlahnya
sebelum membayar bil.**  Make sure you
verify the amount before paying the bill.
◆  **Semua salinan sijil perlu disahkan.**
All copies of certificates must be
certified.
**pengesahan**  KATA NAMA
*confirmation*
　◊  *selepas dia menerima pengesahan
tentang kenaikan pangkatnya*  after he
received confirmation of his promotion
◆  **Majikan boleh meminta pengesahan
bertulis yang menyatakan bahawa
saudara itu benar-benar sakit.**  An
employer can demand written
certification that the relative is really ill.
**sahabat**  KATA NAMA
*friend*
　◊  *sahabat karib*  best friend
◆  **sabahat pena**  penfriend
**bersahabat**  KATA KERJA
*to be friends*
　◊  *Mereka bersahabat sejak kecil lagi.*
They have been friends since they were
very young.
**persahabatan**  KATA NAMA
*friendship*
**sahaja**  KATA PENEGAS
*only*
　◊  *Saya memerlukan dua buah buku
sahaja.*  I only need two books.
　*Kadang-kadang* **sahaja** *tidak
diterjemahkan.*
　◊  *Ke mana sahaja saya pergi, saya pasti
bertemu dengannya.*  Wherever I go, I'm
sure to meet him.

**bersahaja**  KATA KERJA
　①  *simple*
　◊  *cara hidup yang bersahaja*  a simple
lifestyle
　②  *natural*
　◊  *Lakonannya amat bersahaja.*  His
acting was very natural.
◆  **"Saya tidak tahu," jawabnya bersahaja.**
"I don't know," was his non-committal reply.
**saham**  KATA NAMA
*share*
◆  **pemegang saham**  shareholder
**sahih**  KATA ADJEKTIF
*proven*
　◊  *Memang sahih, dialah pencuri itu.*  It
has been proven that he is the thief.
**kesahihan**  KATA NAMA
*validity*
　◊  *kesahihan laporan itu*  the validity of
the report
**sahsiah**  KATA NAMA
*character*
　◊  *seorang wanita yang mempunyai
sahsiah yang mulia*  a woman of
honourable character
**sahut**  KATA KERJA
*to reply*
　◊  *"Aku di sini," sahut Azmani.*  "I'm here,"
replied Azmani.
**menyahut**  KATA KERJA
*to answer*
　◊  *Wai Yee tidak menyahut apabila
dipanggil oleh bapanya.*  Wai Yee didn't
answer when her father called.
◆  **menyahut cabaran**  to accept a challenge
**saing**  KATA NAMA
◆  **daya saing**  competitiveness
◆  **berdaya saing**  competitive  ◊ *seorang
kanak-kanak yang berdaya saing*  a
competitive child
**bersaing**  KATA KERJA
*to compete*
　◊  *Kami bersaing dengan syarikat-
syarikat lain untuk mendapatkan kontrak
itu.*  We competed with other companies to
get the contract.
**menyaingi**  KATA KERJA
*to compete*
　◊  *Produk ini mampu menyaingi produk
lain di pasaran.*  This product is able to
compete with other products on the
market.
**pesaing**  KATA NAMA
　①  *rival*
　◊  *Lelaki itu merupakan salah seorang
pesaing saya dalam pertandingan ini.*  The
guy is one of my rivals in the contest.
　②  *competitor*
　◊  *Dialah pesaing yang paling saya*

**S**

*geruni.* He was the competitor I feared the most.

**persaingan** KATA NAMA
*competition*
◊ *persaingan hebat* stiff competition

**saingan** KATA NAMA
*competitor*
◊ *Bank itu ingin mengatasi saingannya.* The bank wants to outdo its competitor.

♦ **Kecantikannya memang tidak ada saingan.** Her beauty is unmatched.

**sains** KATA NAMA
*science*
◊ *sains gunaan* applied science
◊ *sains komputer* computer science

♦ **ahli sains** scientist

**saintifik** KATA ADJEKTIF
*scientific*

**saintis** KATA NAMA
*scientist*

**saiz** KATA NAMA
*size*

**saja** KATA PENEGAS *rujuk* **sahaja**

**sajak** KATA NAMA
*poem*
**bersajak** KATA KERJA
*to recite a poem*
**penyajak** KATA NAMA
*poet*

**saji** KATA NAMA
*food*
♦ **tudung saji** cover for food
**menyajikan** KATA KERJA
*to serve*
◊ *menyajikan makanan* to serve food
**sajian** KATA NAMA
*food*

**saki** KATA NAMA
♦ **saki-baki** remnant ◊ *saki-baki sebuah bangunan lama* the remnants of an old building
♦ **saki-baki makanan** leftovers

**sakit** KATA ADJEKTIF
① *to hurt*
◊ *Kaki saya sakit.* My leg hurts.
② *painful*
◊ *Sakitnya bukan kepalang.* It is extremely painful.
♦ **Hati saya sakit.** I'm hurt.
♦ **sakit dada** chest pain
♦ **sakit perut** stomach ache
♦ **Dia sakit.** He is ill.
♦ **jatuh sakit** to fall sick
**kesakitan** KATA NAMA
*pain*
◊ *membantu menghilangkan kesakitan* to ease the pain
**menyakiti** KATA KERJA
*to hurt*

◊ *Saya tidak berniat untuk menyakiti hatinya.* I didn't mean to hurt her feelings.
**menyakitkan** KATA KERJA
*painful*
◊ *kecederaan yang menyakitkan* a painful injury
♦ **menyakitkan hati (1)** to hurt ◊ *Kata-kata Adrian menyakitkan hati ibunya.* What Adrian said hurt his mother.
♦ **menyakitkan hati (2)** to spite ◊ *Dia melakukannya hanya untuk menyakitkan hati saya.* He did it just to spite me.
**penyakit** KATA NAMA
① *illness*
◊ *penyakit mental* mental illness
② *disease*
◊ *penyakit jantung* heart disease
**pesakit** KATA NAMA
*patient*
◊ *Pesakit itu memerlukan penjagaan rapi.* The patient needs a lot of care.

**saksama** KATA ADJEKTIF
*fair*
◊ *perbicaraan yang saksama* a fair trial
**kesaksamaan** KATA NAMA
*justice*
◊ *Undang-undang baru itu akan menjamin kesaksamaan untuk golongan kulit hitam.* The new legislation would guarantee justice for black people.
♦ **kurangnya kesaksamaan perbicaraan** the lack of a fair trial

**saksi** KATA NAMA
*witness* (JAMAK **witnesses**)
**menyaksikan** KATA KERJA
① *to watch*
◊ *Ramai orang datang untuk menyaksikan persembahan beliau.* Many people came to watch his performance.
② *to witness*
◊ *Sesiapa yang menyaksikan kejadian itu diminta menghubungi polis.* Anyone who witnessed the incident is requested to contact the police.

**saksofon** KATA NAMA
*saxophone*

**sakti** KATA ADJEKTIF
*supernatural*
◊ *kuasa sakti* supernatural powers
**kesaktian** KATA NAMA
*supernatural powers*
◊ *Ramai orang percaya akan kesaktian ahli sihir itu.* Many people believe in the witch's supernatural powers.

**saku** KATA NAMA
*pocket*
◊ *Dia berdiri sambil menyeluk saku.* He stood with his hands in his pockets.

- **wang saku** pocket money
- **penyeluk saku** pickpocket

**salad** KATA NAMA

*salad*

- **daun salad** lettuce

**salah** KATA ADJEKTIF

*wrong*

◊ *jawapan yang salah* a wrong answer

- **Tentukan sama ada pernyataan-pernyataan di bawah "Betul" atau "Salah".** State whether the following statements are "True" or "False".
- **Semua ini salah kamu!** It was all your fault!
- **salah satu** one of ◊ *Salah satu daripada gambar itu sudah rosak.* One of the photos is spoilt.

**bersalah** KATA KERJA

*guilty*

◊ *Saya berasa bersalah atas perbuatan saya.* I felt guilty for what I had done.

- **perasaan bersalah** guilt
- **tidak bersalah** innocent

**kesalahan** KATA NAMA

1 *offence*

◊ *satu kesalahan yang boleh membawa hukuman mati* an offence that carries the death penalty

2 *mistake*

◊ *Jangan ulang kesalahan itu lagi.* Don't make that mistake again.

- **Dia sanggup memaafkan kesalahan Didi.** She is willing to forgive Didi's wrongdoing.

**menyalahi** KATA KERJA

*against*

◊ *Perbuatan anda ini menyalahi undang-undang.* What you are doing is against the law.

**menyalahkan** KATA KERJA

*to blame*

◊ *Saya cuma menyalahkan diri saya sendiri.* I'm just blaming myself.

**mempersalahkan** KATA KERJA

*to blame*

- **Dia harus dipersalahkan dalam hal ini.** He should get the blame for this.

**pesalah** KATA NAMA

*offender*

**salah anggap** KATA KERJA

*to misjudge*

**salah faham** KATA KERJA

| rujuk juga **salah faham** KATA NAMA |

*to misunderstand*

◊ *Mungkin saya salah faham terhadap anda.* Maybe I misunderstood you.

**salah faham** KATA NAMA

| rujuk juga **salah faham** KATA KERJA |

*misunderstanding*

**salah guna**

**menyalahgunakan** KATA KERJA

*to misuse*

◊ *Dia telah menyalahgunakan kedudukannya.* She misused her position.

- **Dia menyalahgunakan kuasanya.** He abused his power.

**penyalahgunaan** KATA NAMA

*abuse*

◊ *penyalahgunaan dadah* drug abuse

**salah sangka** KATA KERJA

*to misjudge*

**salah tafsir** KATA NAMA

*misinterpretation*

**menyalahtafsirkan** KATA KERJA

*to misinterpret*

**salai** KATA ADJEKTIF

*smoked*

◊ *ikan salai* smoked fish

**menyalai** KATA KERJA

*to smoke*

◊ *menyalai ikan* to smoke fish

**salak** KATA NAMA *rujuk* **salakan**

**menyalak** KATA KERJA

*to bark*

**salakan** KATA NAMA

*bark*

**salam** KATA NAMA

*greetings*

◊ *"Salam dari Malaysia"* "Greetings from Malaysia"

- **Sampaikan salam saya kepadanya.** Give him my regards.

**bersalam** KATA KERJA

*to shake hands*

◊ *Fairuz bersalam dengan pak ciknya.* Fairuz shook hands with his uncle.

**bersalam-salaman** KATA KERJA

*to shake hands*

◊ *Mereka bersalam-salaman.* They were shaking hands.

**salap** KATA NAMA

*ointment*

- **salap bibir** lip salve

**salasilah** KATA NAMA

*family tree*

**salib** KATA NAMA

*cross* (JAMAK **crosses**)

- **patung salib** crucifix (JAMAK **crucifixes**)

**salin**

**bersalin** KATA KERJA

*to give birth*

**menyalin** KATA KERJA

1 *to change*

- **Dia mandi dan menyalin pakaiannya.** She showered and changed.
- **bilik menyalin pakaian** changing room

2 *to copy down*

S

◊　*Murid-murid sedang menyalin nota.*
The pupils are copying down notes.
**penyalinan** KATA NAMA
*copying*
**persalinan** KATA NAMA
*a change of clothes*
**salinan** KATA NAMA
*copy* (JAMAK **copies**)
◊　*Saya memerlukan lima salinan sijil
anda.* I need five copies of your
certificate.

**saling** KATA BANTU

> **saling** digunakan bersama kata
> kerja dan biasanya diterjemahkan
> dengan **each other** atau mengikut
> konteks.

◊　*Mereka saling membantu untuk
menyiapkan kerja itu.* They helped each
other to get the work finished. ◊ *Kami
saling berutus surat.* We write to each
other. ◊ *saling tolak-menolak* to push
each other ◊ *Mereka saling memahami.*
They have a mutual understanding.

**salir**
**menyalir, menyalirkan** KATA KERJA
*to channel*
◊　*menyalirkan air ke sawah padi*
to channel water to the paddy fields
**penyaliran** KATA NAMA
*drainage*
**saliran** KATA NAMA
1　*drainage*
◊　*Sistem saliran itu tidak berfungsi akibat
hujan yang terlalu lebat.* The drainage
system has collapsed owing to excessively
heavy rainfall.
2　*channel (saluran)*

**salji** KATA NAMA
*snow*
◊　*Apabila salji mulai cair,...* When the
snow starts to melt,...
♦ **ribut salji** blizzard

**salmon** KATA NAMA
♦ **ikan salmon** salmon

**salun** KATA NAMA
*salon*
◊　*salun kecantikan* beauty salon

**salur** KATA NAMA
♦ **salur darah** blood vessel
♦ **salur kencing** urinary tract
♦ **salur nadi** artery (JAMAK **arteries**)
**menyalurkan** KATA KERJA
*to channel*
◊　*keputusan untuk menyalurkan bantuan
kewangan ke kawasan tersebut* the
decision to channel financial aid into the
region
**penyaluran** KATA NAMA
*channelling*

◊　*penyaluran bantuan makanan ke
Korea Utara* the channelling of food aid
to North Korea
**saluran** KATA NAMA
*channel*
◊　*saluran komunikasi* channel of
communication

**salut**
**bersalut** KATA KERJA
*-plated*
◊　*bersalut perak* silver-plated
**menyalut** KATA KERJA
*to coat*
◊　*Saya menyalut ikan itu dengan tepung
yang sudah dibubuh perasa.* I coated the
fish with seasoned flour.
**menyaluti** KATA KERJA
*to cover*
◊　*habuk yang menyaluti meja* dust that
covers the table

**sama** KATA ADJEKTIF
*same*
◊　*Kami belajar di sekolah yang sama.*
We studied in the same school.
♦ **hak yang sama** equal rights
♦ **Perkara itu sama penting.** That matter
is equally important.
**sama-sama** KATA PENEGAS
*together*
◊　*Kita akan sama-sama menghadapi
cabaran ini.* We will face the challenge
together.
♦ **Kami sama-sama telah bersetuju untuk
pergi ke Venice.** All of us had agreed to
go to Venice.
♦ **Terima kasih. - Sama-sama.** Thank you.
- You're welcome.
**bersama, bersama-sama** KATA SENDI,
KATA ADJEKTIF
*with*
◊　*Ila pergi ke sekolah bersama Rani.*
Ila goes to school with Rani.
♦ **Kami pergi menunggang basikal
bersama-sama.** We go for bicycle rides
together.
♦ **usaha bersama** combined efforts
**bersamaan** KATA KERJA
*to be equivalent to*
◊　*Satu liter bersamaan dengan seribu
mililiter.* One litre is equivalent to a
thousand millilitres.
**kesamaan** KATA NAMA
*equality (dari segi status)*
**menyamai** KATA KERJA
*similar*
◊　*Jawapan Rachel menyamai jawapan
saya.* Rachel's answer is similar to mine.
♦ **Wajah Jamal menyamai wajah bapanya.**
Jamal looks like his father.

**menyamakan** KATA KERJA
_to equalize_
◊ _menyamakan kadar upah antara negara_ to equalize wages internationally
**penyamaan** KATA NAMA
_standardization_
◊ _penyamaan kadar bunga_ standardization of interest rates
♦ **Rais berjaya mendapatkan mata penyamaan pada akhir perlawanan.** Rais scored a late equalizer.
**persamaan** KATA NAMA
_resemblance_
◊ _persamaan antara Johari dengan Zaidi_ the resemblance between Johari and Zaidi
♦ **Tammy tidak dapat menyelesaikan persamaan matematik itu.** Tammy couldn't solve the mathematical equation.
♦ **Kami mempunyai banyak persamaan.** We've got a lot in common.
**sesama** KATA SENDI
_among_
◊ _Para menteri sedang berbincang sesama mereka tentang perkara tersebut._ The ministers are discussing the matter among themselves.
**sama ada** KATA HUBUNG
[1] _whether_
◊ _Kami tidak pasti sama ada perkara itu benar atau tidak._ We are not sure whether it is true or not.
[2] _if_
◊ _Saya tidak pasti sama ada saya boleh datang atau tidak._ I'm not sure if I can make it.
**samak** KATA NAMA
_tannin_
**menyamak** KATA KERJA
_to tan_
◊ _proses menyamak belulang haiwan_ the process of tanning animal hides
**saman** KATA NAMA
_summons_
♦ **surat saman** (_letak kereta_) ticket
**menyaman** KATA KERJA
_to sue_
◊ _Penyanyi itu telah menyaman tabloid tersebut._ The singer sued the tabloid.
◊ _Jika saya mungkir janji dia akan menyaman saya._ If I break my promise he'll sue me.
**samar** KATA ADJEKTIF
_dim_
**samar-samar** KATA ADJEKTIF
_dim_
◊ _dalam cahaya yang samar-samar_ in the dim light

♦ **Rumah itu nampak samar-samar dari jauh.** From a distance the house was only dimly visible.
**menyamar** KATA KERJA
_to disguise_
◊ _Mulan menyamar sebagai lelaki supaya dia dapat keluar berperang._ Mulan disguised herself as a man so that she could go out and fight.
**penyamar** KATA NAMA
_imposter_
**penyamaran** KATA NAMA
_disguise_
**samaran** KATA NAMA
_camouflage_
♦ **nama samaran** pseudonym
**sama rata** KATA ADJEKTIF
_equally_
◊ _membahagikan keuntungan sama rata_ to divide the profits equally
**sambal** KATA NAMA
_blended chilli_
**sambar**
**menyambar** KATA KERJA
[1] _to swoop and carry away_
◊ _Burung helang itu menyambar ayam Mak Timah._ The hawk swooped and carried away Mak Timah's chicken.
[2] _to grab_
◊ _Dia menyambar bungkusan itu daripada saya._ He grabbed the parcel from me.
♦ **Guruh berdentum dan kilat pun menyambar.** Thunder boomed and lightning flashed.
**sambil** KATA HUBUNG
_while_
◊ _Ibu bercakap sambil memasak._ Mother talked while she was cooking.
**sambilan** KATA NAMA
_part-time_
◊ _kerja sambilan_ part-time job
♦ **Dia bekerja secara sambilan.** She works part-time.
♦ **pekerja sambilan** casual worker
**sambil lalu** KATA ADJEKTIF
_half-heartedly_
◊ _Dia membuat kerja sambil lalu sahaja._ He did his job half-heartedly.
♦ **Zarina membaca buku itu sambil lalu.** Zarina glanced through the book.
**sambung**
**bersambung** KATA KERJA
[1] _to be connected_
◊ _Pejabatnya bersambung dengan bangunan lama itu._ His office is connected to the old building.
♦ **Jalan ini bersambung dengan lebuh raya itu.** This road joins the highway.

S

2   *to continue*
◊   *Perbicaraan tersebut bersambung hari ini.*   The trial continues today.
♦   **"bersambung..."**   "to be continued..."
**menyambung**   KATA KERJA
*to go on with*
◊   *Beliau menyambung ucapannya.*   He went on with his speech.
**menyambungkan**   KATA KERJA
*to join ... together*
◊   *menyambungkan tali*   to join ropes together
**penyambung**   KATA NAMA
*extension*
◊   *wayar penyambung*   extension lead
**penyambungan**   KATA NAMA
*joining*
◊   *penyambungan ayat-ayat menjadi satu ayat yang kompleks*   the joining of sentences to make a complex sentence
**sambungan**   KATA NAMA
*connection*
◊   *Periksa sambungan paip itu untuk mencari kebocoran.*   Check the connections in the pipe to find the leak.

**sambut**
**menyambut**   KATA KERJA
*to welcome*
◊   *menyambut tetamu*   to welcome one's guests
♦   **menyambut cabaran**   to accept a challenge
♦   **menyambut Tahun Baru Cina**   to celebrate Chinese New Year
**penyambut**   KATA NAMA
♦   **penyambut tetamu**   receptionist
**sambutan**   KATA NAMA
*celebration*
◊   *sambutan Hari Kebangsaan*   celebration of National Day
♦   **Filem itu mendapat sambutan hangat.**   The film was very popular.

**sami**   KATA NAMA
*monk*

**sampah**   KATA NAMA
*rubbish*
**menyampah**   KATA KERJA
*disgusted*
◊   *Saya sungguh menyampah dengan gelagatnya.*   I'm disgusted with his behaviour.

**sampai**   KATA KERJA
rujuk juga **sampai** KATA HUBUNG
*to arrive*
◊   *Dia sudah sampai di lapangan terbang.*   He has arrived at the airport.
♦   **sampai hati**   to have the heart   ◊   *Saya tidak sampai hati hendak menolak.*   I didn't have the heart to say no.

**kesampaian**   KATA ADJEKTIF
*fulfilled*
♦   **tidak kesampaian**   unfulfilled   ◊   *matlamat yang tidak kesampaian*   an unfulfilled objective
**menyampaikan**   KATA KERJA
*to deliver*
◊   *menyampaikan ucapan*   to deliver a speech
♦   **menyampaikan berita**   to present the news
**penyampai**   KATA NAMA
*presenter*
♦   **penyampai berita**   newscaster
**penyampaian**   KATA NAMA
*presentation*
◊   *penyampaian kertas cadangan*   presentation of the proposal
♦   **majlis penyampaian anugerah**   awards ceremony

**sampai**   KATA HUBUNG
rujuk juga **sampai** KATA KERJA
*until*
◊   *Brian belajar sampai pukul 2 pagi.*   Brian studied until 2 a.m.

**sampan**   KATA NAMA
*boat*

**sampang**   KATA NAMA
*lacquer*

**sampel**   KATA NAMA
*sample*
◊   *sampel percuma*   free sample
**pensampelan**   KATA NAMA
*sampling*

**samping**   KATA ARAH
*beside*
◊   *Saya berdiri di samping ibu saya.*   I was standing beside my mother.
♦   **di samping itu**   apart from that   ◊   *Di samping itu, saya juga ingin membeli sebuah rumah.*   Apart from that, I also want to buy a house.
**sampingan**   KATA ADJEKTIF
*side*
◊   *kesan sampingan*   side effects
♦   **kerja sampingan**   sideline
♦   **hasil sampingan**   by-products

**sampuk**
**menyampuk**   KATA KERJA
*to interrupt*
◊   *Jangan menyampuk semasa orang lain bercakap.*   Don't interrupt when other people are talking.
♦   **disampuk hantu**   to be possessed by a spirit

**sampul**   KATA NAMA
♦   **sampul surat**   envelope

**samseng**   KATA NAMA
*gangster*

**samudera**  KATA NAMA
*ocean*

**samun**  KATA NAMA
- **kena samun**  to be mugged  ◊ *Dia kena samun di pusat bandar.*  He was mugged in the city centre.
- **kes samun**  mugging
  **menyamun**  KATA KERJA
  *to mug*
  **penyamun**  KATA NAMA
  *mugger*
  **penyamunan**  KATA NAMA
  *mugging*

**sana**  KATA GANTI NAMA
*there*
  ◊ *"Duduk di sana."*  "Sit there."
  ◊ *Saya pergi ke sana seminggu sekali.*  I go there once a week.

**sanak saudara**  KATA NAMA
*relatives*
  ◊ *melawat sanak saudara*  to visit relatives

**sandang**
  **menyandang**  KATA KERJA
  *to hold*
  ◊ *menyandang jawatan Presiden*  to hold the office of President

**sandar**
  **bersandar**  KATA KERJA
  *to lean*
  ◊ *bersandar pada dinding*  to lean against the wall
  **menyandar**  KATA KERJA
  *to lean*
  ◊ *Eileen menyandar pada meja itu.*  Eileen is leaning against the table.
  **menyandarkan**  KATA KERJA
  *to lean*
  ◊ *menyandarkan sesuatu pada dinding*  to lean something against the wall
- **Dayana menyandarkan badannya pada dinding.**  Dayana was leaning against the wall.
  **tersandar**  KATA KERJA
  *to be leaning against*
  ◊ *Tangga itu tersandar pada dinding.*  The ladder was leaning against the wall.
  **sandaran**  KATA NAMA
  *prop*
- **sandaran pada kerusi**  backrest
- **fail sandaran**  a backup file (*komputer*)

**sandiwara**  KATA NAMA
*play*

**sandung**
  **tersandung**  KATA KERJA
  *to trip*
  ◊ *Dia tersandung lalu jatuh.*  She tripped and fell.

**sandwic**  KATA NAMA
*sandwich* (JAMAK **sandwiches**)

**sangat**  KATA PENGUAT
*very*
  ◊ *Meja itu sangat besar.*  The table is very big.
- **orang yang hidup dalam keadaan yang sangat miskin**  people living in extreme poverty
  **tersangat**  KATA PENGUAT
  *extremely*
  ◊ *Telefon bimbit ini tersangat mahal.*  This mobile phone is extremely expensive.

**sangga**  KATA NAMA
*prop*
  **penyangga**  KATA NAMA
  *prop*

**sanggul**  KATA NAMA
*bun*
  ◊ *Dia membuat sanggul pada rambutnya.*  She wears her hair in a bun.

**sanggup**  KATA BANTU
  1  *willing*
  ◊ *Dia sanggup memikul tanggungjawab tersebut.*  She's willing to take the responsibility.
  2  *to have the heart*
  ◊ *Saya tidak menyangka bahawa dia sanggup melakukan perkara itu.*  I never thought he would have the heart to do it.
  **kesanggupan**  KATA NAMA
  *willingness*
  ◊ *Walaupun mereka tidak pernah bersekolah, mereka menunjukkan kesanggupan untuk belajar.*  Although they have never been to school before, they show a willingness to study.
- **Dia menyatakan kesanggupannya untuk menjaga bayi itu.**  She said that she's willing to take care of the baby.

**sangka**  KATA KERJA
*to think*
  ◊ *Mereka sangka saya akan pergi ke Paris.*  They think I'm going to Paris.
  **menyangka**  KATA KERJA
  *to think*
  ◊ *Kami menyangka bahawa kerja ini dapat disiapkan lebih awal.*  We thought the work could be finished earlier.
  **sangkaan**  KATA NAMA
  *guess* (JAMAK **guesses**)
  ◊ *Sangkaan saya memang tepat.*  My guess was correct.

**sangkal**  KATA KERJA
*to deny*
- **"Saya tidak pernah bertemu dengannya," sangkal Margaret.**  "I haven't seen her before," said Margaret.

S

deny *tidak boleh digunakan dengan cakap ajuk seperti dalam bahasa Melayu. Oleh itu perkataan yang lebih umum digunakan, iaitu* **say** *yang bermaksud* **kata.**

**menyangkal**  KATA KERJA
*to deny*
◊ *Menteri itu menyangkal laporan yang mengatakan bahawa beliau akan meletakkan jawatan.* The minister denied reports that he was going to resign.

**sangkar**  KATA NAMA
*cage*

**sangkut**
**bersangkutan**  KATA KERJA
*related*
◊ *Kedua-dua perkara itu tidak bersangkutan langsung.* The two matters are not at all related.
**menyangkut**  KATA KERJA
*to hang*
◊ *Dia menyangkut gambar itu pada dinding.* She hung the picture on the wall.
**penyangkut**  KATA NAMA
*hanger*
**tersangkut**  KATA KERJA
*to get caught*
◊ *Baju saya tersangkut pada pintu.* My dress got caught on the door.
♦ **Projek kami tersangkut pada tahap itu.** Our project got stuck at that stage.

**sangsi**  KATA KERJA
*to doubt*
◊ *Tidak ada sesiapa pun yang sangsi akan kejujurannya.* Nobody doubted her honesty.
♦ **rasa sangsi**  doubt
**kesangsian**  KATA NAMA
*doubt*
◊ *penuh kesangsian* full of doubts
**penyangsi**  KATA NAMA
*suspicious person*

**sanjung**
**menyanjung**  KATA KERJA
*to respect*
◊ *Mereka tetap menyanjungnya.* They still respect him.
♦ **pemimpin yang disanjung tinggi** a greatly respected leader
**sanjungan**  KATA NAMA
*esteem*

**santai**
**bersantai**  KATA KERJA
*to relax*
◊ *Angela bersantai di tepi pantai.* Angela is relaxing on the beach.
♦ **Saya tidak mempunyai masa untuk bersantai.** I don't have time for relaxation.

**santan**  KATA NAMA
*coconut milk*

**santun**  KATA ADJEKTIF
*polite*
♦ **sopan santun**  polite
**kesantunan**  KATA NAMA
*politeness*

**sanubari**  KATA NAMA
*soul*

**sapa**  KATA KERJA
*to greet*
♦ **Mereka tidak bertegur sapa.** They are not on speaking terms.
**menyapa**  KATA KERJA
*to greet*
◊ *Dia menyapa saya sewaktu kami bertembung di luar dewan itu.* He greeted me when we bumped into each other outside the hall.
♦ **Saya enggan menyapanya.** I am unwilling to talk to him.
**sapaan**  KATA NAMA
*greeting*
◊ *Dia tidak menjawab sapaan saya.* He didn't acknowledge my greeting.

**sapu**  KATA NAMA
*broom*
♦ **sapu tangan**  handkerchief
**menyapu**  KATA KERJA
*to sweep*
◊ *Azmin sedang menyapu lantai.* Azmin is sweeping the floor.
♦ **menyapu bedak**  to apply powder
♦ **menyapu cat pada dinding**  to paint the wall
♦ **menyapu habuk**  to dust
♦ **menyapu mentega pada roti**  to butter bread
**menyapukan**  KATA KERJA
*to spread*
◊ *Sapukan bahagian atas kek itu dengan krim putar.* Spread the top of the cake with whipped cream.
**penyapu**  KATA NAMA
*broom*
**sapuan**  KATA NAMA
*spread*
◊ *sapuan keju* cheese spread
◊ *sapuan coklat* chocolate spread

**sara**  KATA NAMA
♦ **sara hidup**  livelihood ◊ *Ayah saya terpaksa bekerja keras untuk mencari sara hidup.* My father had to work hard for his livelihood.
♦ **kos sara hidup**  cost of living
**bersara**  KATA KERJA
*to retire*
◊ *Bapa saya akan bersara pada tahun hadapan.* My father is going to retire next year.

**menyara** KATA KERJA
*to support*
◊ *menyara keluarga* to support one's
family
**pesara** KATA NAMA
*pensioner*
**persaraan** KATA NAMA
*retirement*
**saraf** KATA NAMA
*nerve*
**saran**
**menyarankan** KATA KERJA
1 *to suggest*
◊ *Saya menyarankan agar mereka
bertolak awal.* I suggested they set off
early.
2 *to call on*
◊ *Pihak berkuasa menyarankan supaya
orang ramai...* The authorities called on
the people to...
**saranan** KATA NAMA
*call*
◊ *saranan Perdana Menteri untuk
mengukuhkan ekonomi* the Prime
Minister's call to strengthen the economy
**sarang** KATA NAMA
*nest*
◊ *sarang burung* bird's nest
♦ **sarang labah-labah** cobweb
♦ **sarang lebah** beehive
♦ **Pihak polis menyerbu sarang
perompak itu.** The police raided the
robbers' den.
**sarap**
**sarapan** KATA NAMA
*breakfast*
**bersarapan** KATA KERJA
*to have breakfast*
**sarat** KATA ADJEKTIF
*to be loaded*
◊ *Lori itu sarat dengan muatan.* The
lorry is loaded with goods.
♦ **Dia sedang sarat mengandung.** She
is due to give birth at any moment.
**sardin** KATA NAMA
*sardine*
**sari** KATA NAMA
1 *essence*
2 *sari*
♦ **sari kata** subtitles
**saring**
**menyaring** KATA KERJA
1 *to filter*
◊ *menyaring air* to filter water
2 *to screen*
◊ *Syarikat itu akan menyaring semua
calon.* The company will screen all the
candidates.
**penyaring** KATA NAMA

*filter*
◊ *penyaring air* water filter ◊ *penyaring
kopi* coffee filter
**penyaringan** KATA NAMA
*screening*
◊ *proses penyaringan calon* the
process of screening the candidates
**saringan** KATA NAMA
*the heats*
♦ **acara saringan** the heats
**sarjan** KATA NAMA
*sergeant*
**sarjana** KATA NAMA
*scholar*
♦ **Ijazah Sarjana** master's degree
♦ **Ijazah Sarjana Muda** bachelor's
degree
**sarkas** KATA NAMA
*circus* (JAMAK **circuses**)
**sarung** KATA NAMA
1 *sarong* (kain)
2 *sheath* (untuk pisau, parang)
♦ **sarung bantal** pillowcase
♦ **sarung kaki** socks
♦ **sarung tangan** glove
**menyarungkan** KATA KERJA
1 *to sheathe*
◊ *menyarungkan pisau* to sheathe a
knife
2 *to put on*
◊ *menyarungkan pakaian* to put on
one's clothes ◊ *Dia menyarungkan
seluarnya.* He put on his trousers.
◊ *Khairil menyarungkan cincin itu ke
jari Amelia.* Khairil put the ring on
Amelia's finger.
**sasar**
**sasaran** KATA NAMA
*target*
◊ *Tembakannya menepati sasaran.*
His shot was right on target.
**saspens** KATA NAMA
*suspense*
**sastera** KATA NAMA
*literature*
**kesusasteraan** KATA NAMA
*literature*
**sasterawan** KATA NAMA
*laureate*
**sasul**
**tersasul** KATA KERJA
*to make a slip of the tongue*
♦ **Maafkan saya, saya tersasul.** I'm sorry,
that was a slip of the tongue.
♦ **Dia tersasul menyebut nama lelaki itu
di hadapan kawannya.** She
accidentally mentioned the man's name
in front of her friend.
**sate** KATA NAMA

S

*satay*

**satelit**  KATA NAMA
*satellite*

**satu**  KATA BILANGAN

[1] *one*

♦ **satu hari bulan Januari**  the first of January

[2] *a/an*

◊ *satu longgok sampah*  a pile of rubbish  ◊ *Ini bukanlah satu masalah yang mudah untuk diselesaikan.*  This is not an easy problem to solve.

♦ **satu per satu/satu demi satu**  one by one  ◊ *Suziana mengambil tisu dari kotak itu satu demi satu.*  Suziana took the tissues from the box one by one.

**satu-satu**  KATA ADJEKTIF
*one by one*

◊ *Dia mengambil barang-barang itu satu-satu.*  He took the things one by one.

**satu-satunya**  KATA ADJEKTIF
*the only*

◊ *Inilah satu-satunya pilihan yang saya ada.*  This is the only choice I have.

**bersatu**  KATA KERJA
*to unite*

◊ *Kita harus bersatu dalam menghadapi segala cabaran.*  We should unite to face the challenges.

**kesatuan**  KATA NAMA
*union*

◊ *kesatuan sekerja*  trade union

♦ **Kesatuan Eropah**  European Union

**menyatukan**  KATA KERJA
*to unite*

◊ *Rakyat Malaysia harus menyatukan tenaga mereka.*  Malaysians should unite their efforts.

**penyatuan**  KATA NAMA
*unification*

◊ *penyatuan Jerman Barat dengan Jerman Timur*  the unification of West Germany and East Germany

**persatuan**  KATA NAMA

[1] *society* (JAMAK  **societies**)
◊ *ahli-ahli Persatuan Komputer*  members of the Computer Society

[2] *association*
◊ *Persatuan Badminton*  Badminton Association

**satu padu**

**bersatu padu**  KATA KERJA
*to unite*

◊ *Kita mesti bersatu padu menentang musuh.*  We must unite against our enemies.

**menyatupadukan**  KATA KERJA
*to unite*

◊ *Kerajaan sedang berusaha untuk menyatupadukan rakyat.*  The government is trying to unite the population.

**saudagar**  KATA NAMA
*merchant*

**saudara**  KATA NAMA

> *rujuk juga* **saudara** KATA GANTI NAMA

*relation*

◊ *Diane bukan saudara saya.*  Diane is no relation to me.

♦ **saudara-mara**  relatives  ◊ *Anda masih ada saudara-mara yang tinggal di Paris?*  Do you still have relatives in Paris?

♦ **bapa saudara**  uncle

♦ **ibu saudara**  aunt

♦ **abang saudara**  cousin

♦ **kakak saudara**  cousin

♦ **adik saudara**  cousin

**persaudaraan**  KATA NAMA
*relationship*

◊ *Persaudaraan saya dengan Yen Lee terjalin sejak kami di bangku sekolah lagi.*  My relationship with Yen Lee began when we were still at school.

♦ **tali persaudaraan**  relationship

**saudara**  KATA GANTI NAMA

> *rujuk juga* **saudara** KATA NAMA
>
> **saudara** *digunakan untuk lelaki yang tidak dikenali atau yang baru dikenali. Selain itu* **saudara** *juga digunakan dalam bahasa persuratan.*

[1] *you*
◊ *Saudara hendak pergi ke mana?*  Where do you want to go?

[2] *your*
◊ *Adakah ini beg saudara?*  Is this your bag?

♦ **Saudara, duit saudara tercicir!**  Excuse me, you've dropped your money!

♦ **saudara-saudari sekalian**  ladies and gentlemen

**saudari**  KATA GANTI NAMA

> **saudari** *digunakan untuk wanita yang tidak dikenali atau yang baru dikenali. Selain itu* **saudari** *juga digunakan dalam bahasa persuratan.*

[1] *you*
◊ *Saudari ingin pergi ke Paris atau ke Tokyo?*  Where would you like to go, Paris or Tokyo?

[2] *your*
◊ *Adakah ini buku saudari?*  Is this your book?

♦ **Saudari, dompet saudari tercicir!**  Miss, you've dropped your purse!

**sauh**  KATA NAMA
*anchor*

◊ *membuang sauh*  to drop anchor

**bersauh**   KATA KERJA
*to anchor*
◊   *Bot itu bersauh di pelabuhan itu.* The boat anchored in the harbour.

**saujana**   KATA ADJEKTIF
♦   **saujana mata memandang**   as far as the eye can see

**sauk**   KATA NAMA
*net*
◊   *sauk ikan*   fishing net   ◊   *sauk rama-rama*   butterfly net
**menyauk**   KATA KERJA
*to net*
◊   *menyauk ikan*   to net fish

**sauna**   KATA NAMA
*sauna*

**sawah**   KATA NAMA
*paddy field*
♦   **sawah padi**   paddy field
**bersawah**   KATA KERJA
*to grow rice*
◊   *Penduduk kampung itu mencari rezeki dengan bersawah.* The villagers earn their living by growing rice.
**pesawah**   KATA NAMA
*rice farmer*

**sawan**   KATA NAMA
*epilepsy*
♦   **sawan babi**   epilepsy
♦   **kena sawan**   to have an epileptic fit

**sawang**   KATA NAMA
*cobweb*

**sawat**   KATA NAMA
*mechanical*
◊   *tenaga sawat*   mechanical energy
**pesawat**   KATA NAMA
1  *machine*
2  *aeroplane*
♦   **pesawat pengebom**   bomber

**sawi**   KATA NAMA
*mustard*

**sawit**   KATA NAMA
♦   **kelapa sawit**   oil palm
♦   **minyak sawit**   palm oil

**saya**   KATA GANTI NAMA
1  *I*
*I mesti ditulis dalam huruf besar.*
◊   *Saya suka pergi melancong.* I like travelling.
*Apabila lebih daripada satu orang disebut, I selalu hadir akhir sekali.*
◊   *Saya dan Yati bermain badminton.* Yati and I play badminton.   ◊   *Saya, Lili dan Hilda*   Lili, Hilda and I
2  *me*
◊   *Beri buku itu kepada saya.* Give me the book.
3  *my*
◊   *Cita-cita saya adalah untuk belayar*

*mengelilingi dunia.* My ambition is to sail round the world.

**sayang**   KATA ADJEKTIF
> *rujuk juga* **sayang** KATA NAMA, KATA PENEGAS

*to love*
◊   *Frances begitu sayang akan ibu bapanya.* Frances loves her parents very much.
**kesayangan**   KATA ADJEKTIF
*pet*
◊   *arnab kesayangan saya*   my pet rabbit
◊   *pelajar kesayangan guru*   teacher's pet
♦   **binatang kesayangan**   pet
♦   **Anak tunggal Jenny merupakan anak kesayangannya.** Jenny's only son is the apple of her eye.
**menyayangi**   KATA KERJA
*to love*
◊   *Anda tidak akan menyayangi orang lain sebagaimana anda menyayangi bayi anda.* You'll never love anyone the way you love your baby.
**penyayang**   KATA ADJEKTIF
*caring*
◊   *Atikah seorang isteri yang penyayang lagi pengasih.* Atikah is a caring and loving wife.   ◊   *masyarakat penyayang*   caring society
**sayangnya**   KATA PENEGAS
*it's a pity*
◊   *Sayangnya, saya tidak dapat berjumpa dengannya.* It's a pity that I didn't have the chance to meet him.
♦   **Sayangnya, dia sudah pergi buat selama-lamanya.** It's a shame that he's gone forever.
**tersayang**   KATA ADJEKTIF
*beloved*
◊   *isteri saya yang tersayang*   my beloved wife

**sayang**   KATA NAMA
> *rujuk juga* **sayang** KATA ADJEKTIF, KATA PENEGAS

*darling*
◊   *Sayang, marilah makan bersama.* Darling, come and eat with me.

**sayang**   KATA PENEGAS
> *rujuk juga* **sayang** KATA ADJEKTIF, KATA NAMA

*it's a pity*
◊   *Sayang, saya tidak dapat berjumpa dengannya.* It's a pity that I didn't have the chance to meet him.   ◊   *Sayang sekali, anda tidak dapat menghadiri majlis makan malam itu.* It's a great pity that you couldn't go to the dinner that night.

**sayap**   KATA NAMA
*wing*

S

**sayat hati**
  **menyayat hati** KATA ADJEKTIF
  _heartbreaking_
    ◊ _cerita yang menyayat hati_ a heartbreaking story
**sayu** KATA ADJEKTIF
  _sad_
    ◊ _Sayu rasanya hati saya hendak meninggalkan kampung ini._ I feel sad at leaving the village.
**sayup** KATA ADJEKTIF
  _unclear_
  ♦ **Pemandangan Jambatan Pulau Pinang sayup mata memandang.** The Penang Bridge was dimly visible in the distance.
  **sayup-sayup** KATA ADJEKTIF
  _unclear_
    ◊ _Suara Hamid sayup-sayup kedengaran._ Hamid's voice was unclear.
**sayur** KATA NAMA
  _vegetable_
  ♦ **sayur-mayur/sayur-sayuran** vegetables
**Scorpio** KATA NAMA
  _Scorpio (bintang zodiak)_
**se** AWALAN

  > se yang bermaksud satu biasanya digunakan bersama penjodoh bilangan atau untuk menunjukkan tempoh.

  **1** _a/an_
    ◊ _sebuah buku_ a book ◊ _sekaki payung_ an umbrella ◊ _sepasang kasut_ a pair of shoes ◊ _sebulan_ a month ◊ _sehari_ a day ◊ _seminggu_ a week ◊ _setahun_ a year

  > se juga biasanya bermaksud **sama** apabila menjadi awalan kepada kata adjektif.

  **2** _as ... as_
    ◊ _sekuat_ as strong as ◊ _secantik_ as pretty as
**sebab** KATA HUBUNG

  > rujuk juga **sebab** KATA NAMA

  _because_
    ◊ _Juan dihormati ramai sebab dia seorang yang baik hati._ Juan is highly respected because he's kind-hearted.
  ♦ **oleh sebab** because of
  **menyebabkan** KATA KERJA
  _to cause_
    ◊ _Angin yang kuat menyebabkan api merebak dengan cepat._ The strong wind caused the fire to spread very quickly.
  **penyebab** KATA NAMA
  _cause_
**sebab** KATA NAMA

  > rujuk juga **sebab** KATA HUBUNG

  _reason_
    ◊ _atas sebab-sebab keselamatan_ for

safety reasons
**sebak** KATA KERJA
  _to be grieved_
    ◊ _Saya sebak melihat keadaan orang tua itu._ I was grieved to see the old man's condition.
**sebal** KATA ADJEKTIF
  _to irk_
    ◊ _Hati saya sungguh sebal apabila melihat orang tua itu diperlakukan seperti itu oleh anaknya sendiri._ It irks me to see the old lady being treated like that by her own child.
  ♦ **Kami meninggalkan tempat itu dengan hati yang sebal.** We left the place feeling resentful.
**sebar** KATA KERJA
  _to spread_
    ◊ _Jangan sebar khabar angin._ Don't spread rumours.
  **menyebarkan** KATA KERJA
  **1** _to scatter_
    ◊ _menyebarkan benih_ to scatter the seeds
  **2** _to spread_
    ◊ _Mereka datang ke negeri itu untuk menyebarkan agama Islam._ They came to the country to spread the Islamic religion. ◊ _menyebarkan fitnah_ to spread slanderous reports
  **penyebaran** KATA NAMA
  _propagation_
    ◊ _penyebaran agama Buddha_ the propagation of Buddhism
  **tersebar** KATA KERJA
  _to spread_
    ◊ _Berita itu sudah tersebar luas._ The news has spread far and wide.
  **sebaran** KATA NAMA
  ♦ **surat sebaran** leaflet
  ♦ **sebaran am** mass media
**sebat** KATA KERJA
  _to cane_
  ♦ **kena sebat** to be caned
  ♦ **hukuman sebat** corporal punishment
  **menyebat** KATA KERJA
  _to cane_
    ◊ _Pesalah itu disebat._ The offender was caned.
  ♦ **Sarah menyebat anaknya dengan tali pinggang.** Sarah whipped her son with a belt.
  **sebatan** KATA NAMA
  _stroke_
  ♦ **Pesalah itu dikenakan 10 sebatan.** The offender was given 10 strokes of the cane.
**seberang** KATA ARAH
  _across_
    ◊ _Megat berada di seberang jalan._

Megat was across the road.

**menyeberang** KATA KERJA

_to cross_

◊ *Kita harus berhati-hati semasa menyeberang jalan.* We have to be careful when crossing the road.

**menyeberangi** KATA KERJA

_to cross_

◊ *Bee Hua menyeberangi sungai itu dengan rakit.* Bee Hua crossed the river on a raft.

**penyeberangan** KATA NAMA

_crossing_

◊ *penyeberangan selama 10 jam* a 10-hour crossing

**sebu** KATA ADJEKTIF

_very full_

◊ *Perut saya terasa sebu selepas saya menghabiskan semua makanan itu.* I'm very full after finishing all the food.

**sebut** KATA KERJA

_to pronounce_

◊ *Sebut perkataan itu betul-betul.* Pronounce the word correctly.

♦ **sebut harga** quotation

**menyebut** KATA KERJA

1 _to mention_

◊ *Hazlina langsung tidak menyebut tentang ahli keluarganya.* ◊ Hazlina didn't even mention any of her relations.

2 _to pronounce_

◊ *Jayanthi cuba menyebut perkataan itu dengan tepat.* Jayanthi tried to pronounce the word correctly.

**menyebut-nyebut** KATA KERJA

_to go on about_

◊ *Dia asyik menyebut-nyebut tentang kawan-kawannya.* He is always going on about his friends.

**tersebut** KATA GANTI NAMA

1 _that_ (JAMAK **those**)

◊ *Kapal tersebut datang dari New Zealand.* That ship comes from New Zealand. ◊ *Pelajar-pelajar tersebut tinggal di Kampung Gelam.* Those students live in Kampung Gelam.

2 _the_

◊ *Rumah-rumah tersebut dibina dua tahun yang lalu.* The houses were built two years ago.

**sebutan** KATA NAMA

_pronunciation_

◊ *Mereka belajar tentang sebutan perkataan "turquoise".* They learnt the pronunciation of the word "turquoise".

**sedan (1)**

**tersedan-sedan** KATA KERJA

_to sob_

♦ **Irene menangis tersedan-sedan.**

Irene was sobbing.

**sédan (2)** KATA NAMA

_saloon car_ (AS **sedan**)

**sedang (1)** KATA BANTU

> **sedang** *biasanya diwakili dengan* **present continuous tense** *dalam bahasa Inggeris kecuali apabila perkataan* **sedang** *diikuti dengan kata sendi.*

◊ *Sook Yee sedang membuat kerja rumahnya.* Sook Yee is doing her homework. ◊ *Ibu sedang membersihkan dapur.* Mother is cleaning the kitchen.

♦ **Revathy sedang dalam perjalanan ke Singapura.** Revathy is on her way to Singapore.

♦ **Produk itu sedang dalam proses pelabelan.** The product is in the process of being labelled.

**sedang (2)**

**sedangkan** KATA HUBUNG

1 _even though_

◊ *Teresa enggan membantu kami, sedangkan dia tahu kami sangat memerlukannya.* Teresa refused to help us, even though she knew that we really needed her.

2 _if_

◊ *Sedangkan nabi ampunkan umatnya, inikan pula kita manusia biasa.* If the prophet Muhammad could forgive his people, how much more forgiving should we ordinary mortals be. ◊ *Sedangkan orang yang susah seperti dia pun boleh menghulurkan derma, apatah lagi kita.* If a poor man like him can give money to charity, then we certainly should too.

♦ **Anda tidak patut meminta bantuan sedangkan anda sendiri boleh melakukannya.** You shouldn't ask for help, when you can do it yourself.

♦ **Sedangkan hendak berjalan pun dia tidak mampu, inikan pula hendak berlari.** He can't even walk, let alone run.

**sedap** KATA ADJEKTIF

_delicious_

◊ *Makanan ini sungguh sedap.* This food is really delicious.

♦ **sedap didengar** nice to hear

♦ **Kami berasa tidak sedap hati.** We don't like the look of it.

**menyedapkan** KATA KERJA

_to make ... tasty_

◊ *Masukkan lebih banyak rempah untuk menyedapkan masakan itu.* Add more spices to make the dish tasty.

♦ **Kata-kata itu menyedapkan hati bapanya.** The words comforted her father.

**S**

**sedar** KATA ADJEKTIF

1 *aware*

◊ *Kami sedar bahawa rokok membahayakan kesihatan.* We are aware that cigarettes are harmful to health.

♦ **Dia masih tidak sedar akan kesilapannya.** He is still unaware of his mistake.

2 *to realize*

◊ *Saya sedar, saya tidak layak untuk bertanding dengan orang seperti anda.* I realize I'm not qualified to compete with someone like you.

3 *conscious*

◊ *Dia masih sedar semasa doktor itu tiba.* He was still conscious when the doctor arrived.

**kesedaran** KATA NAMA

*awareness*

◊ *meningkatkan kesedaran tentang kepentingan pendidikan* to increase awareness of the importance of education

**menyedari** KATA KERJA

*to realize*

◊ *Saya mula menyedari betapa pentingnya pemakanan yang seimbang.* I am beginning to realize the importance of a balanced diet.

**menyedarkan** KATA KERJA

*to make ... aware*

◊ *satu kempen untuk menyedarkan masyarakat tentang kepentingan sungai kita* a campaign to make people aware of the importance of our river

♦ **Dia cuba menyedarkan kanak-kanak yang pengsan itu.** She tried to revive the child who had fainted.

♦ **tidak sedarkan diri** unconscious

◊ *Dia sudah tidak sedarkan diri semasa ambulans tiba.* He was unconscious by the time the ambulance arrived.

**sedekah** KATA NAMA

*alms*

**sederhana** KATA ADJEKTIF

*medium*

◊ *ketinggian yang sederhana* medium height

♦ **Kehidupan mereka sederhana sahaja.** They lead a simple life.

♦ **latihan yang sederhana** moderate exercise

**kesederhanaan** KATA NAMA

*simplicity*

◊ *kesederhanaan dalam kehidupan* simplicity in life

**sedia** KATA ADJEKTIF

*ready*

◊ *Saya sudah sedia untuk bertolak ke Pulau Pinang.* I'm ready to leave for

Penang.

♦ **"Sedia berkhidmat"** "Ready to serve"

♦ **Saya sedia membantu.** I'm willing to help.

**bersedia** KATA KERJA

1 *to be prepared*

◊ *Kami bersedia untuk menghadapi segala cabaran.* We are prepared to face the challenges.

2 *ready*

◊ *Dia sudah bersedia untuk pergi ke sekolah.* He's ready to go to school.

**menyediakan** KATA KERJA

*to prepare*

◊ *menyediakan soalan peperiksaan* to prepare the examination questions

♦ **menyediakan tempat tinggal** to accommodate

**persediaan** KATA NAMA

*preparation*

◊ *persediaan seseorang untuk menghadapi peperiksaan* one's preparation for an examination

**sedia kala** KATA ADJEKTIF

*normal*

◊ *Jangan bimbang, keadaan akan kembali seperti sedia kala.* Don't worry, the situation will soon be back to normal.

**sedih** KATA ADJEKTIF

*sad*

◊ *Saya berasa sedih hendak meninggalkan tempat ini.* I feel sad to leave this place.

♦ **Saya tidak mahu membuatnya sedih lagi.** I don't want to upset her any more.

♦ **dengan sedih** sadly

**bersedih** KATA KERJA

*to be sad*

◊ *Janganlah bersedih.* Don't be sad.

**kesedihan** KATA NAMA

*sadness*

◊ *kesedihan yang terpancar pada wajahnya* the sadness that was visible on his face

**menyedihkan** KATA KERJA

1 *to sadden*

◊ *Tingkah lakunya itu menyedihkan saya.* His behaviour saddens me.

2 *saddening*

◊ *pengalaman yang menyedihkan* a saddening experience

♦ **keadaan sekeliling yang sungguh menyedihkan** a distressing scene

**sedu** KATA NAMA

*hiccups*

◊ *Minum air yang banyak untuk menghilangkan sedu.* Drink lots of water to get rid of hiccups.

♦ **sedu-sedan** sobbing

**tersedu**  KATA KERJA
*to have hiccups*
◊  *Bayi itu tersedu.*  The baby's got hiccups.
**tersedu-sedu**  KATA KERJA
*to sob*
♦  **menangis tersedu-sedu**  to sob
**sedut**
  **menyedut**  KATA KERJA
  ① *to suck in*
  ◊  *menyedut air*  to suck in water
  ② *to inhale*
  ◊  *menyedut udara segar*  to inhale fresh air
  **penyedut**  KATA NAMA
♦  **penyedut minuman**  straw
  **tersedut**  KATA KERJA
  *to inhale*
  ◊  *tersedut asap*  to inhale smoke
  **sedutan**  KATA NAMA
  ① *extract (buku, dokumen, dll)*
  ② *clip (filem)*
  ◊  *sedutan filem "Batman"*  a clip of the film "Batman"
**segah**  KATA ADJEKTIF
  *bloated*
  ◊  *Dia berasa segah selepas menghabiskan semua makanan di atas meja.*  He felt bloated after he finished up all the food on the table.
**segak**  KATA ADJEKTIF
  *smart*
  ◊  *Dia kelihatan segak dengan sutnya.*  He looked smart in his suit.
♦  **Raju berpakaian segak.**  Raju dresses smartly.
**segala**  KATA BILANGAN
  *all*
  ◊  *Segala usahanya membuahkan hasil.*  All his efforts have paid off.
  **segala-galanya**  KATA ADJEKTIF
  *everything*
  ◊  *Dia telah kehilangan segala-galanya.*  He lost everything.
**segan**  KATA ADJEKTIF
  *shy*
  ◊  *Jangan segan untuk menyatakan pendapat anda.*  Don't be shy about giving your opinion.
♦  **Dia segan hendak memakai skirt yang pendek itu.**  She felt self-conscious about wearing the short skirt.
  **menyegani**  KATA KERJA
  *to respect*
  ◊  *Kami betul-betul menyegani wanita yang berani itu.*  We really respect that courageous lady.
♦  **seorang guru yang disegani**  a respected teacher

**segar**  KATA ADJEKTIF
  *fresh*
  ◊  *buah-buahan segar*  fresh fruits
  ◊  *udara segar*  fresh air  ◊  *Peristiwa itu masih segar dalam ingatan Eleanor.*  The incident is still fresh in Eleanor's mind.
  **kesegaran**  KATA NAMA
  *freshness*
  **menyegarkan**  KATA KERJA
  *to refresh*
  ◊  *Losen itu menyejukkan dan menyegarkan kulit.*  The lotion cools and refreshes the skin.
♦  **minuman yang menyegarkan** refreshing drinks
**segera**  KATA ADJEKTIF
  *prompt*
  ◊  *Perkara itu memerlukan tindakan segera.*  The matter needs prompt action.
♦  **mee segera**  instant noodles
♦  **Lakukannya dengan segera.**  Do it immediately.
  **menyegerakan**  KATA KERJA
  *to speed up*
  ◊  *Beberapa langkah diambil untuk menyegerakan projek itu.*  Several steps were taken to speed up the project.
**segi**  KATA NAMA
  ① *side*
  ◊  *Lukiskan sebuah rajah yang mempunyai lima segi.*  Draw a figure with five sides.
  ② *point of view*
  ◊  *Dari segi kewangan...*  From the financial point of view...  ◊  *Dari segi agama...*  From religious point of view...
♦  **Dalam banyak segi...**  In many respects...
♦  **dari segi undang-undang**  legally
  **persegi**  KATA ADJEKTIF
  *square*
  ◊  *lapan kaki persegi*  eight square feet
**segi empat**  KATA NAMA
  *square*
♦  **segi empat panjang**  oblong
♦  **segi empat sama**  square
♦  **segi empat tepat**  rectangle
♦  **meja yang berbentuk segi empat tepat**  a rectangular table
**segi tiga**  KATA NAMA
  *triangle*
**sejahtera**  KATA ADJEKTIF
  *prosperous*
  **kesejahteraan**  KATA NAMA
  *prosperity*
  ◊  *keamanan dan kesejahteraan*  peace and prosperity
**sejak**  KATA SENDI
  *since*
  ◊  *Projek itu sudah bermula sejak*

**S**

*tahun 1999.* The project has been running since 1999.

**sejarah** KATA NAMA
*history*
♦ **Buku itu merupakan satu kajian sejarah mengenai...** The book is a historical study of...
　**bersejarah** KATA KERJA
　*historic*
　◊ *bangunan bersejarah* historic building
　◊ *hari yang bersejarah* a historic day

**sejat** KATA KERJA
*to evaporate*
◊ *Petrol lebih mudah sejat berbanding air.* Petrol evaporates more readily than water.
　**menyejatkan** KATA KERJA
　*to cause ... to evaporate*
　◊ *Matahari boleh menyejatkan air.* The sun can cause water to evaporate.
　**penyejatan** KATA NAMA
　*evaporation*

**sejuk** KATA ADJEKTIF
*cold*
◊ *Bilik ini semakin sejuk.* The room is getting cold.
　**kesejukan** KATA NAMA
　| *rujuk juga* **kesejukan** KATA KERJA |
　*cold*
　◊ *Kesejukan itu semakin terasa.* I began to feel the cold.
　**kesejukan** KATA KERJA
　| *rujuk juga* **kesejukan** KATA NAMA |
　*cold*
　◊ *Dia kelaparan dan kesejukan.* He is hungry and cold.
　**menyejukkan** KATA KERJA
　① *to chill*
　◊ *Sejukkan buah-buahan itu sehingga tiba masa hidangan.* Chill the fruit until serving time.
　② *to cool*
　◊ *Losen itu menyejukkan dan menyegarkan kulit.* The lotion cools and refreshes the skin.
　**penyejuk** KATA NAMA
　*cooler*
♦ **penyejuk beku** freezer

**sekali** KATA PENGUAT *rujuk* **kali**
**sekali gus** *rujuk* **kali**
**sekalipun** KATA HUBUNG, KATA PENEGAS *rujuk* **kali**
**sekam** KATA NAMA
*husk* (*padi, dll*)
**sekarang** KATA ADJEKTIF
*now*
**sekat**
　**menyekat** KATA KERJA
　*to block*

◊ *menyekat aliran sungai* to block the stream
♦ **Bapa cuba menyekat kebebasan kami.** Father tried to restrict our freedom.
♦ **menyekat perbelanjaan harian** to limit everyday expenses
　**penyekatan** KATA NAMA
　*restriction*
　◊ *Penyekatan aliran wang yang dilaksanakan oleh kerajaan...* Government restrictions on cash flow...
　**tersekat** KATA KERJA
　*to be stuck*
　◊ *Penutup ini tersekat.* This lid is stuck.
　◊ *Laci ini tersekat.* This drawer is stuck.
♦ **sampah yang tersekat di dalam longkang itu** the rubbish that is blocking the drain
　**tersekat-sekat** KATA KERJA
　*choked*
　◊ *"Kenapa Ben buat begitu?" tanya Ema dengan suara yang tersekat-sekat.* "Why did Ben do that?" Ema asked in a choked voice.
♦ **Pegawai itu menjawab dalam bahasa Jerman yang tersekat-sekat.** The officer replied in halting German.
　**sekatan** KATA NAMA
　*barrier*
　◊ *Duti dan cukai merupakan sekatan yang paling jelas terhadap perdagangan bebas.* Duties and taxes are the most obvious barrier to free trade.
♦ **sekatan jalan raya** road block
♦ **sekatan ekonomi** economic sanctions

**sekolah** KATA NAMA
*school*
◊ *sekolah swasta* a private school
◊ *sekolah campur* a mixed school
　**bersekolah** KATA KERJA
　*to go to school*
　◊ *Dia bersekolah di England.* He went to school in England.
♦ **... kanak-kanak di India, yang bersekolah dan yang tidak bersekolah.** ... Indian children, both schooled and unschooled.
　**persekolahan** KATA NAMA
　*schooling*
　◊ *Zanita menyambung persekolahannya di luar negara.* Zanita continues her schooling abroad.
♦ **alam persekolahan** schooldays

**sekongkol**
　**bersekongkol** KATA KERJA
　*to plot*
　◊ *Mereka bersekongkol untuk menggulingkan Presiden.* They plotted to bring down the President.

**seks** KATA NAMA
*sex*
◊ *pendidikan seks* sex education
♦ **hubungan seks** sexual intercourse

**seksa**
**menyeksa** KATA KERJA
*to torture*
**penyeksaan** KATA NAMA
*torture*
◊ *Penantian itu satu penyeksaan.* Waiting is torture.
**seksaan** KATA NAMA
*torture*
◊ *mangsa seksaan* victims of torture

**seksi** KATA ADJEKTIF
*sexy*

**seksisme** KATA NAMA
*sexism*

**seksual** KATA ADJEKTIF
*sexual*
◊ *gangguan seksual* sexual harassment
**keseksualan** KATA NAMA
*sexuality*

**sektor** KATA NAMA
*sector*

**sekunder** KATA ADJEKTIF
*secondary*

**sekutu** KATA NAMA
*ally* (JAMAK **allies**)
◊ *Negara itu merupakan sekutu Amerika Syarikat.* That country is an ally of the United States.
**bersekutu** KATA KERJA
*to ally*
◊ *Negara itu bersekutu dengan Jerman.* That country allied itself with Germany.
♦ **Negara-negara Bersekutu** the Allies
**persekutuan** KATA NAMA
*federal*
◊ *kerajaan persekutuan* federal government

**sel** KATA NAMA
*cell*
◊ *sel-sel darah* blood cells

**selada** KATA NAMA
*cress*

**selak** KATA NAMA
*bolt*
**menyelak** KATA KERJA
*to bolt*
◊ *Dia mengunci dan menyelak pintu itu.* He locked and bolted the door.

**sélak**
**menyelak** KATA KERJA
[1] *to draw*
◊ *Siva menyelak langsir itu.* Siva drew the curtain.
[2] *to flip through*

◊ *menyelak muka surat sesebuah buku* to flip through the pages of a book
**menyelak-nyelak** KATA KERJA
*to leaf through*
◊ *Caroline sedang menyelak-nyelak majalah di ruang tamu.* Caroline is leafing through the magazine in the living room.
**terselak** KATA KERJA
*to open*
◊ *Semasa dia menaiki tangga, belah pada ceongsamnya terselak dan menampakkan kakinya.* As she went upstairs, the slit in her ceongsam opened and revealed her leg.
♦ **Kain sarungnya terselak apabila ditiup angin yang kuat itu.** Her sarong came open in the strong wind.

**selalu** KATA BANTU
*always*
◊ *Alasannya selalu sama sahaja.* His excuse is always the same.
♦ **Mereka selalu pergi bercuti di New Zealand.** They often go to New Zealand for their holidays.
♦ **Ganesh selalu pergi ke restoran tersebut.** Ganesh goes to that restaurant regularly.

**selam** KATA NAMA
*diving*
◊ *peralatan selam* diving equipment
♦ **kapal selam** submarine
**menyelam** KATA KERJA
*to dive*
◊ *menyelam ke dalam laut* to dive into the sea
♦ **Ronald suka menyelam.** Ronald loves diving.
**menyelami** KATA KERJA
*to understand*
◊ *Juliana cuba menyelami isi kandungan laporan itu.* Juliana tried to understand the report.
♦ **Gere ingin menyelami isi hati teman wanitanya.** Gere would like to read his girlfriend's thoughts.
**penyelam** KATA NAMA
*diver*
**penyelaman** KATA NAMA
*dive*

**selamat** KATA ADJEKTIF
*safe*
◊ *Adakah dia selamat?* Is she safe?
♦ **Saya berasa selamat apabila berada di rumah.** I felt secure when I was at home.
♦ **Selamat jalan!** Have a good journey!
♦ **Selamat maju jaya!** Good luck!
♦ **Selamat tinggal!** Goodbye!

S

♦ **Selamat petang!** Good evening!
**keselamatan** KATA NAMA
1 *safety*
◊ *keselamatan jalan raya* road safety
2 *security*
◊ *langkah-langkah keselamatan*
security measures
**menyelamat** KATA KERJA
*rescue*
◊ *operasi menyelamat* rescue operation
♦ **usaha menyelamat** rescue
**menyelamatkan** KATA KERJA
*to save*
◊ *Penduduk kampung menyelamatkan budak itu daripada dilanggar.* The villagers saved the child from being knocked down.
♦ **Ahli bomba menyelamatkan 10 orang dari bangunan yang sedang terbakar itu.** The firemen rescued 10 people from the burning building.
**penyelamat** KATA NAMA
*saviour*
◊ *penyelamat negaranya* the saviour of his country
♦ **Dia selalu menjadi penyelamat saya setiap kali saya dimarahi oleh ayah.** He always came to my rescue when I was reprimanded by my father.
♦ **pasukan penyelamat** rescue team
♦ **anggota penyelamat** lifeguard
**terselamat** KATA KERJA
*to be saved*
◊ *Nasib baik semua penumpang terselamat.* Luckily, all the passengers were saved.
♦ **Lima orang terselamat daripada kebakaran itu.** Five people were rescued from the fire.
**selamba** KATA ADJEKTIF
*impassive*
◊ *Wajah Suraya selamba sahaja.* Suraya's face was impassive.
♦ **"Saya tidak tahu," jawabnya selamba.** "I don't know," he replied impassively.
♦ **Dengan selamba, dia memberitahu saya bahawa saya dipecat.** With a poker face, he told me that I was fired.
**selang** KATA ADJEKTIF
*every*
◊ *Anda harus makan ubat itu selang empat jam.* You should take the medicine every four hours.
♦ **Trisha kembali ke Malaysia selang beberapa tahun selepas itu.** Trisha came back to Malaysia a few years after that.
**selang-seli**
**berselang-seli** KATA KERJA

*to alternate*
◊ *corak segi empat berwarna hitam yang berselang-seli dengan bulatan berwarna putih* a pattern of black squares alternating with white circles
**selaput** KATA NAMA
*membrane*
**menyelaputi** KATA KERJA
*to cover*
◊ *salji yang menyelaputi puncak gunung itu* the snow that covers the mountain top
**selar** KATA NAMA
♦ **tanda selar** brand
**menyelar** KATA KERJA
1 *to brand*
◊ *menyelar lembu* to brand cattle
2 *to criticize*
◊ *Beliau menyelar tindakan syarikat itu.* He criticized the company's action.
**Selasa** KATA NAMA
*Tuesday*
◊ *pada hari Selasa* on Tuesday
**selasih** KATA NAMA
*basil*
**selat** KATA NAMA
*straits*
◊ *Selat Melaka* the Straits of Malacca
**selatan** KATA ADJEKTIF
| *rujuk juga* **selatan** KATA ARAH |
*southern*
◊ *daerah selatan* southern district
**selatan** KATA ARAH
| *rujuk juga* **selatan** KATA ADJEKTIF |
*south*
◊ *di selatan London* in the south of London
**selekeh** KATA ADJEKTIF
*untidy*
**selekoh** KATA NAMA
*corner*
◊ *satu selekoh tajam* a sharp corner
♦ **jalan yang mempunyai banyak selekoh tajam** a twisty road
**selendang** KATA NAMA
*shawl*
**selenggara**
**menyelenggarakan** KATA KERJA
*to maintain*
◊ *Rumah-rumah lama memerlukan perbelanjaan yang banyak untuk diselenggarakan.* Old houses are expensive to maintain.
♦ **Kilang-kilang itu tidak diselenggarakan dengan baik.** The factories were badly managed.
♦ **menyelenggarakan pameran** to organize an exhibition
**penyelenggaraan** KATA NAMA
*maintenance*

◊ *penyelenggaraan bangunan-bangunan bersejarah* the maintenance of historic buildings

**selera** KATA NAMA
*appetite*
◊ *hilang selera* loss of appetite
♦ **pembuka selera** appetizer
**menyelerakan** KATA KERJA
*appetizing*
◊ *makanan yang menyelerakan* appetizing food

**selerak**
**berselerak** KATA KERJA
*strewn*
◊ *Surat khabar berselerak di dalam bilik itu.* Newspapers were strewn about the room. ◊ *Bilik itu berselerak dengan buku dan pakaian.* The room was strewn with books and clothes.
♦ **Bilik itu berselerak.** The room was very untidy.
**menyelerakkan** KATA KERJA
*to scatter*
◊ *Sandy menyelerakkan buku-bukunya di atas lantai.* Sandy scattered her books on the floor.

**selesa** KATA ADJEKTIF
*comfortable*
◊ *tempat yang selesa* somewhere comfortable
♦ **tidak selesa** uncomfortable
**keselesaan** KATA NAMA
*comfort*
◊ *Nikmatilah keselesaan tempat ini.* Enjoy the comfort of this place.
♦ **ketidakselesaan** discomfort

**selesai** KATA ADJEKTIF
*completed*
◊ *Projek itu sudah selesai.* The project has been completed.
**menyelesaikan** KATA KERJA
1 *to settle*
◊ *Sudahkah anda menyelesaikan salah faham antara mereka?* Have you settled the misunderstanding between them?
2 *to solve*
◊ *menyelesaikan masalah* to solve a problem
♦ **Saya tidak dapat menyelesaikan soalan itu.** I couldn't make sense of the question.
**penyelesaian** KATA NAMA
1 *solution*
◊ *satu penyelesaian yang mudah dan berkesan* a simple and effective solution
2 *settlement*
◊ *penyelesaian konflik sebelas tahun itu* a settlement of the eleven year conflict

**selesema** KATA NAMA
*flu*

**seleweng**
**menyeleweng** KATA KERJA
*to deviate*
◊ *menyeleweng dari tajuk* to deviate from the topic
♦ **urusan perniagaan yang menyeleweng** corrupt business practices
**menyelewengkan** KATA KERJA
*to embezzle*
◊ *Pengarah itu menyelewengkan wang sebanyak RM30 juta.* The director embezzled RM30 million.
**penyelewengan** KATA NAMA
*corruption*
◊ *Pengedaran makanan ke negara itu tergendala kerana ada penyelewengan.* Distribution of food throughout the country is being hampered by corruption.

**selia**
**menyelia** KATA KERJA
*to supervise*
◊ *Dia bertanggungjawab menyelia pekerja-pekerja di kilang itu.* He's responsible for supervising the workers at the factory.
**penyelia** KATA NAMA
*supervisor*
**penyeliaan** KATA NAMA
*supervision*
◊ *bekerja di bawah penyeliaan seseorang* to work under somebody's supervision

**selidik**
**menyelidik, menyelidiki** KATA KERJA
*to research*
◊ *Alice menghabiskan masa selama 12 tahun untuk menyelidik orang utan.* Alice spent 12 years researching the orang utan.
**penyelidik** KATA NAMA
*researcher*
◊ *penyelidik pasaran* market researcher
**penyelidikan** KATA NAMA
*research*
◊ *penyelidikan ke atas senjata nuklear* research on nuclear weapons
♦ **penyelidikan dan pembangunan** research and development

**selimut** KATA NAMA
*blanket*

**selinap**
**menyelinap** KATA KERJA
*to slip*
◊ *Dia menyelinap masuk ke dalam bilik itu.* He slipped into the room.
**menyelinapkan** KATA KERJA
*to slip*
♦ **Perompak itu menyelinapkan dirinya**

S

**di celah-celah orang ramai.** The robber slipped away into the crowd.

**selindung**
  **berselindung** KATA KERJA
  _to hide_
  ◊ *Mereka berselindung di sebalik pokok.* They hid behind the tree.
♦ **Usahlah anda berselindung lagi. Saya sudah tahu segala-galanya.** No point in your trying to cover up any more. I know everything.
  **terselindung** KATA KERJA
  _to be hidden_
  ◊ *Kesedihannya terselindung di sebalik senyumannya.* Her sadness was hidden by her smile.

**selipar** KATA NAMA
  _slipper_

**selisih** KATA NAMA
  _difference_
  ◊ *selisih antara dua jumlah* the difference between two amounts
  **berselisih** KATA KERJA
  ① _to disagree_
  ◊ *Mereka masih boleh berkomunikasi walaupun selalu berselisih.* They can still communicate even though they constantly disagree with each other.
  ② _to bump into_
  ◊ *Saya berselisih dengan beberapa orang rakan ketika hendak pulang.* I bumped into a few of my friends on my way back.
  **perselisihan** KATA NAMA
  _disagreement_
  ◊ *perselisihan antara negara-negara* disagreements between countries

**selisih faham** KATA NAMA
  _disagreement_
  **berselisih faham** KATA KERJA
  _to disagree_
  ◊ *Mereka masih boleh berkomunikasi walaupun selalu berselisih faham.* They can still communicate even though they constantly disagree with each other.
♦ **Mereka berselisih faham.** They had a disagreement.
  **perselisihan faham** KATA NAMA
  _disagreement_
  ◊ *Mereka cuba menyelesaikan perselisihan faham mereka.* They tried to settle their disagreements.

**selit**
  **menyelitkan** KATA KERJA
  _to insert_
  ◊ *Dia menyelitkan unsur-unsur jenaka dalam puisinya.* He inserted humorous elements into his poetry.
♦ **Dia menyelitkan surat itu di bawah**

**pintu.** He put the letter under the door.

**seliuh**
  **terseliuh** KATA KERJA
  _to sprain_
  ◊ *Kakinya terseliuh.* He sprained his ankle.
♦ **kaki yang terseliuh** a sprained ankle

**selo** KATA NAMA
  _cello_ (JAMAK **cellos**)

**seloka** KATA NAMA
  > *puisi yang mengandungi ajaran, sindiran atau jenaka*
  _didactic or satirical poem_ (*terjemahan umum*)

**selok-belok** KATA NAMA
  _ins and outs_
  ◊ *Dia cuba mempelajari selok-belok urusan perniagaan itu.* He tried to learn the ins and outs of running the business.

**selongkar**
  **menyelongkar** KATA KERJA
  _to ransack_
  ◊ *Pencuri itu menyelongkar biliknya untuk mencari benda-benda berharga.* The thief ransacked her room looking for valuables.
♦ **Dia menyelongkar bilik itu tetapi tidak dapat mencari kuncinya.** He scoured the room but couldn't find his keys.

**seloroh** KATA NAMA
  _joke_
  **berseloroh** KATA KERJA
  _to joke_
  ◊ *Trevor berseloroh dengan kawan-kawannya.* Trevor was joking with his friends.

**seluar** KATA NAMA
  _trousers_
♦ **seluar dalam** underwear
♦ **seluar jean** jeans
♦ **seluar panjang** trousers
♦ **seluar pendek** shorts
♦ **seluar renang** swimming trunks
  **berseluar** KATA KERJA
  _to wear a pair of trousers_
♦ **Dia memakai baju sejuk berwarna hijau dan berseluar jean.** She was dressed in a green sweater and jeans.

**selubung** KATA NAMA
  _veil_
  **menyelubungi** KATA KERJA
  _to fill with_
  ◊ *Hatinya diselubungi kebahagiaan.* Her heart was filled with happiness.

**seludup**
  **menyeludup** KATA KERJA
  _to enter illegally_
  ◊ *Dia ditangkap kerana cuba menyeludup ke dalam negara jiran.* He

was arrested for trying to enter a neighbouring country illegally.

♦ **Dia menyeludup ke dalam rumah itu.** He entered the house stealthily.

**menyeludupkan** KATA KERJA

*to smuggle*

◊ *menyeludupkan dadah ke dalam negara jiran* to smuggle drugs into a neighbouring country

**penyeludup** KATA NAMA

*smuggler*

◊ *penyeludup senjata api* arms smuggler

**penyeludupan** KATA NAMA

*smuggling*

◊ *penyeludupan dadah* drug smuggling

**seluk**

**menyeluk** KATA KERJA

♦ **menyeluk saku (1)** to put one's hand in one's pocket

♦ **Jonathan berdiri sambil menyeluk sakunya.** Jonathan stood with his hands in his pockets.

♦ **menyeluk saku (2)** to pick ◊ *Dia cuba menyeluk saku perempuan tersebut.* He is trying to pick the woman's pocket.

**penyeluk** KATA NAMA

♦ **penyeluk saku** pickpocket

**selumbar** KATA NAMA

*splinter*

**seluruh** KATA ADJEKTIF

*entire*

◊ *Seluruh rumah ini penuh dengan semut!* The entire house is full of ants!

♦ **Seluruh badan saya dibasahi peluh.** I'm sweating all over.

♦ **di seluruh negara** nationwide

**keseluruhan** KATA ADJEKTIF

1 *whole*

◊ *Kami tidak memahami keseluruhan cerita itu.* We didn't understand the whole story.

2 *entire*

◊ *Keseluruhan projek itu dikendalikan olehnya.* The entire project was managed by her.

♦ **pada keseluruhannya** on the whole

**menyeluruh** KATA ADJEKTIF

*full*

◊ *Stesen televisyen itu membuat liputan yang menyeluruh tentang kejadian tersebut.* The TV station provided full coverage of the incident.

**selusup**

**menyelusup** KATA KERJA

*to infiltrate*

◊ *Pemberita itu menyelusup ke dalam syarikat itu untuk mendapatkan maklumat.* The reporter infiltrated the company to get

information.

♦ **menyelusup ke kubu musuh** to enter an enemy fort by stealth

**selut** KATA NAMA

*mud*

**semadi**

**bersemadi** KATA KERJA

(*sesudah meninggal dunia*)

*to rest*

◊ *Dia berdoa agar kedua orang tuanya bersemadi dengan aman.* He prayed that his parents might rest in peace.

**semai**

**menyemai** KATA KERJA

*to sow*

◊ *menyemai benih* to sow seed

**semaian** KATA NAMA

*seedling*

♦ **tapak semaian** nursery

(JAMAK **nurseries**)

**semak** KATA NAMA

*undergrowth*

◊ *Pencuri itu bersembunyi dalam semak.* The thief hid in the undergrowth. ◊ *Dia sedang membersihkan semak di belakang rumahnya.* He's clearing the undergrowth behind his house.

**sémak**

**menyemak** KATA KERJA

1 *to mark*

◊ *menyemak kertas peperiksaan* to mark exam papers

2 *to check*

◊ *menyemak untuk memastikan tiada kesilapan* to check to make sure there is no mistake

♦ **menyemak imbas** (*komputer*) to browse

**penyemak** KATA NAMA

*examiner*

**penyemakan** KATA NAMA

*marking*

◊ *Penyemakan kertas peperiksaan telah tertangguh.* The marking of the exam papers was delayed.

♦ **Penyemakan laporan itu dibuat oleh pengarah syarikat.** It was the company director who checked the report.

**semakan** KATA NAMA

*reference*

♦ **semakan semula** revision

**semangat** KATA NAMA

*spirit*

◊ *Saya mengagumi semangatnya.* I admired her spirit.

♦ **meningkatkan semangat** to boost morale

**bersemangat** KATA KERJA

*motivated*

◊ *Mereka begitu bersemangat untuk*

**S**

*menang.* They were very motivated to win.

**semarak**
  **bersemarak** KATA KERJA
  *to grow stronger*
  ◊ *Kasihnya terhadap gadis itu semakin hari semakin bersemarak.* His love towards her is growing stronger and stronger.
  ♦ **semangat yang bersemarak** a burning desire
  ♦ **Semangatnya untuk berjaya bersemarak.** He has a burning desire to succeed.
  **menyemarakkan** KATA KERJA
  *to boost*
  ◊ *Kemenangan itu telah menyemarakkan semangat pasukan kami.* The win boosted our team's morale.

**semat** KATA NAMA
  *pin*
  **menyemat** KATA KERJA
  *to pin*

**sembah** KATA NAMA
  *respect*
  ◊ *Sembah patik pada Tuanku!* My humble respects to Your Majesty!
  **menyembah** KATA KERJA
  *to worship*
  ◊ *menyembah Tuhan* to worship God
  ♦ **menyembah raja** to pay one's respects to the King
  **mempersembahkan** KATA KERJA
  *to present*
  ◊ *Teater Kebangsaan akan mempersembahkan teater Uda dan Dara versi baru.* The National Theater is going to present a new version of Uda and Dara.
  ♦ **mempersembahkan sebuah drama** to put on a play
  ♦ **Penari-penari itu mempersembahkan tarian tradisi India.** The dancers are performing an Indian traditional dance.
  **persembahan** KATA NAMA
  *show*
  ◊ *satu persembahan oleh Persatuan Bahasa Inggeris* a show by the English Language Society

**sembahyang** KATA NAMA
  *prayer*
  **bersembahyang** KATA KERJA
  *to pray*

**sembam**
  **tersembam** KATA KERJA
  *to lie prone*
  ◊ *Bob terjatuh dari kerusi dan tersembam di atas lantai.* Bob fell from the chair and lay prone on the floor.
  ♦ **Dia jatuh tersembam.** He fell flat on

his face.

**sembang** KATA NAMA
  *chat*
  **bersembang** KATA KERJA
  *to chat*
  ◊ *Jui Yee sedang bersembang dengan ibunya.* Jui Yee is chatting with her mum.

**sembap** KATA ADJEKTIF
  *bloated*
  ◊ *Mukanya sembap.* His face was bloated.

**sembarang** KATA ADJEKTIF
  ♦ **bukan sembarang** no ordinary ◊ *Dia bukan sembarang orang.* He's no ordinary man.
  **sembarangan** KATA ADJEKTIF
  *arbitrary*
  ◊ *Jangan buat keputusan sembarangan.* Don't make an arbitrary decision.

**sembelih**
  **menyembelih** KATA KERJA
  *to slaughter*
  **penyembelih** KATA NAMA
  *butcher*
  **penyembelihan** KATA NAMA
  *slaughter*
  ♦ **tempat penyembelihan** abattoir

**sembelit** KATA NAMA
  *constipation*

**sembilan** KATA BILANGAN
  *nine*
  ♦ **sembilan hari bulan Februari** the ninth of February
  **kesembilan** KATA BILANGAN
  *ninth*

**sembilan belas** KATA BILANGAN
  *nineteen*
  **kesembilan belas** KATA BILANGAN
  *nineteenth*

**sembilan puluh** KATA BILANGAN
  *ninety*
  **kesembilan puluh** KATA BILANGAN
  *ninetieth*

**semboyan** KATA NAMA
  *siren*

**sembuh** KATA KERJA
  *to recover*
  ◊ *Suziana sudah sembuh sepenuhnya.* Suziana is fully recovered.
  ♦ **Kami tidak tahu sama ada dia akan sembuh atau tidak.** We are not sure whether she will pull through or not.
  **menyembuhkan** KATA KERJA
  *to cure*
  ◊ *Doktor itu cuba menyembuhkan penyakitnya.* The doctor tried to cure his illness.

**sembul**

**tersembul**  KATA KERJA
*to bulge*
◊ *Matanya tersembul.* His eyes were bulging.
**sembunyi**  KATA KERJA
*to hide*
**sembunyi-sembunyi**  KATA ADJEKTIF
♦ **secara sembunyi-sembunyi**  stealthily
◊ *Dia masuk ke dalam rumah itu secara sembunyi-sembunyi.* He entered the house stealthily.
♦ **bermain sembunyi-sembunyi**  to play hide-and-seek
**bersembunyi**  KATA KERJA
*to hide*
◊ *Budak itu bersembunyi di belakang almari.* The child hid behind the cupboard.
**menyembunyikan**  KATA KERJA
*to hide*
◊ *Mereka menyembunyikan diri di sebalik pokok.* They hid themselves behind a tree. ◊ *Saya tidak dapat menyembunyikan hal itu daripada bapa saya.* I couldn't hide that matter from my dad.
**penyembunyian**  KATA NAMA
*hiding*
◊ *penyembunyian barang-barang kemas* the hiding of the jewellery
**persembunyian**  KATA NAMA
*hiding place*
♦ **tempat persembunyian**  hiding place
**tersembunyi**  KATA KERJA
*hidden*
◊ *Rumah itu tersembunyi di sebalik pokok-pokok.* The house was hidden by trees.
**sembur**
**menyembur**  KATA KERJA
*to spray*
◊ *menyembur tanaman dengan racun serangga* to spray the plants with insecticide ◊ *Dinding itu disembur dengan beberapa lapisan cat.* The wall was sprayed with several coats of paint.
**menyemburkan**  KATA KERJA
*to spray*
◊ *menyemburkan racun serangga pada tanaman* to spray the plants with insecticide
**penyembur**  KATA NAMA
*spray*
◊ *penyembur serangga* insect spray
**semburan**  KATA NAMA
*spray*
◊ *semburan badan* body spray
**semenanjung**  KATA NAMA
*peninsula*
**semenjak**  KATA SENDI  *rujuk* **sejak**

**sementara**  KATA ADJEKTIF
| *rujuk juga* **sementara** KATA HUBUNG |
*temporary*
◊ *kerja sementara* temporary job
♦ **Kedai itu ditutup buat sementara waktu.** The shop was temporarily closed.
**sementara**  KATA HUBUNG
| *rujuk juga* **sementara** KATA ADJEKTIF |
*while*
◊ *Saya akan cuba bereskan semua perkara ini, sementara saya masih ada di sini.* I will try to settle everything while I'm still here.
♦ **Pergilah mandi dahulu. Sementara itu, saya akan masak sarapan pagi.** Take your bath first. Meanwhile, I'll cook the breakfast.
**semester**  KATA NAMA
*semester*
**sempadan**  KATA NAMA
*border*
◊ *sempadan antara dua negara* border between two countries ◊ *Internet telah mencipta satu dunia tanpa sempadan.* The Internet has created a world without borders.
♦ **Kasih sayangnya terhadap gadis itu tidak ada sempadannya.** His love for her was boundless.
**sempang**  KATA NAMA
*hyphen*
**sempat**  KATA ADJEKTIF
*in time*
◊ *Saya sempat menonton konsert itu.* I was in time to attend the concert.
♦ **Saya sempat berbual dengannya kelmarin.** I managed to talk to him yesterday.
**kesempatan**  KATA NAMA
[1] *opportunity* (JAMAK **opportunities**)
◊ *Saya ingin mengambil kesempatan ini untuk mengucapkan terima kasih...* I would like to take this opportunity to thank...
[2] *advantage*
◊ *Dia cuba mengambil kesempatan atas kelemahan gadis itu.* He tried to take advantage of the girl's weakness.
**sempena**  KATA HUBUNG
*in celebration of*
◊ *Majlis itu diadakan sempena ulang tahun perkahwinan mereka.* The party was held in celebration of their wedding anniversary. ◊ *upacara penanaman pokok alaf baru yang diadakan sempena Hari Habitat Sedunia* the millennium tree planting event, held in celebration of World Habitat Day

S

♦ **Nama jalan ini diambil sempena nama Sultan Azlan Shah.** The road is named after Sultan Azlan Shah.

♦ **perarakan sempena memperingati Malcolm X** a march in commemoration of Malcom X

**bersempena** KATA HUBUNG

♦ **bersempena dengan** in celebration of
◊ *Majlis itu diadakan bersempena dengan ulang tahun perkahwinan mereka.* The party was held in celebration of their wedding anniversary. ◊ *upacara penanaman pokok alaf baru yang diadakan bersempena dengan Hari Habitat Sedunia* the millennium tree planting event, held in celebration of World Habitat Day

**sempit** KATA ADJEKTIF

*narrow*
◊ *jalan yang sempit* narrow street

♦ **berfikiran sempit** narrow-minded

**kesempitan** KATA NAMA

| rujuk juga **kesempitan** KATA KERJA |
*narrowness*
◊ *kesempitan muara sungai itu* the narrowness of the river mouth

♦ **kesempitan wang** financial straits

**kesempitan** KATA KERJA

| rujuk juga **kesempitan** KATA NAMA |

♦ **kesempitan wang** to be financially pressed ◊ *Saya kesempitan wang.* I'm financially pressed.

**sempoa** KATA NAMA

*abacus* (JAMAK **abacuses**)

**sempurna** KATA ADJEKTIF

*perfect*
◊ *sebuah keluarga yang sempurna* a perfect family

♦ **Anyaman itu dibuat dengan sempurna.** The weaving was perfectly executed.

**kesempurnaan** KATA NAMA

*perfection*
◊ *Semua orang mencari kesempurnaan dalam hidup.* Everyone looks for perfection in life.

**menyempurnakan** KATA KERJA

*to complete*
◊ *Ghani cuba menyempurnakan kajian yang ditinggalkan oleh bapanya.* Ghani tried to complete the research left unfinished by his father.

♦ **menyempurnakan tugas** to carry out one's duty

♦ **Sultan itu telah menyempurnakan majlis tersebut.** The Sultan officiated at the ceremony.

**semua** KATA BILANGAN

*all*

◊ *Semua buku itu ditulis dalam bahasa Inggeris.* All the books were in English.

♦ **Semua yang saya lakukan adalah untuk kebaikan anda.** Everything I have done is for your own good.

**kesemua** KATA BILANGAN

*all*
◊ *Kesemua buku itu dilabel dengan tanda merah.* All the books were labelled with red tags.

**semula jadi** KATA ADJEKTIF

*natural*
◊ *naluri semula jadi* natural instinct

♦ **alam semula jadi** nature

**semut** KATA NAMA

*ant*

**kesemutan** KATA ADJEKTIF

*pins and needles*

**sen** KATA NAMA

*cent*

**senak** KATA ADJEKTIF

*bloated*
◊ *Perut saya terasa senak selepas saya makan semua makanan itu.* I felt bloated after eating all the food.

**senam**

**bersenam** KATA KERJA

*to exercise*

**senaman** KATA NAMA

*exercise*

**senang** KATA ADJEKTIF

*easy*
◊ *satu tugas yang senang* an easy task

♦ **Saya tidak senang hari ini.** I'm not free today.

♦ **senang hati** happy

♦ **senang-lenang (1)** very happy

♦ **senang-lenang (2)** to enjoy oneself

**bersenang-senang** KATA KERJA

*to rest*
◊ *Dia sedang duduk bersenang-senang di ruang tamu.* He is resting in the sitting room.

**kesenangan** KATA NAMA

*comfort*
◊ *hidup dalam kesenangan* to live in comfort

**menyenangi** KATA KERJA

*to like*
◊ *Saya menyenanginya.* I like him.

♦ **Dia tidak menyenangi kehadiran saya.** He dislikes my presence.

**menyenangkan** KATA KERJA

1 *to make ... easier*
◊ *Komputer dapat menyenangkan hidup kita.* Computers can make our life easier.

2 *comfortable*
◊ *suasana yang menyenangkan* a

comfortable environment
- **tidak menyenangkan** unpleasant

**senantiasa** KATA BANTU rujuk **sentiasa**

**senapang** KATA NAMA
*gun*
- **senapang patah** shotgun

**senarai** KATA NAMA
*list*
◊ *Kami sedang membuat senarai barang-barang yang ingin dibeli.* We are making a list of things that we want to buy.
- **senarai makanan** menu

**menyenaraikan** KATA KERJA
*to list*
◊ *Pelajar diminta menyenaraikan sukan yang digemari oleh mereka.* The students were asked to list the sports they liked.

**penyenaraian** KATA NAMA
*listing*
- **Penyenaraian nama peserta dibuat mengikut susunan abjad.** The contestants' names were listed alphabetically.

**tersenarai** KATA KERJA
*to be listed*
◊ *Namanya tersenarai dalam borang itu.* His name was listed in the form.

**senarai hitam** KATA NAMA
*blacklist*

**menyenaraihitamkan** KATA KERJA
*to blacklist*
◊ *Kami telah menyenaraihitamkan nama murid yang melanggar peraturan sekolah.* We have blacklisted the students who broke the school rules.

**senario** KATA NAMA
*scenario* (JAMAK **scenarios**)

**senda** KATA NAMA
- **gurau senda** joke

**bersenda** KATA KERJA
*to joke*

**mempersendakan** KATA KERJA
*to tease*
◊ *Natasha mempersendakan Jean di hadapan kawan-kawannya.* Natasha teased Jean in front of her friends.

**sendat** KATA ADJEKTIF
*tight*
◊ *Seluar jeannya terlalu sendat.* His jeans are too tight.
- **Beg itu sudah sendat kerana terlalu banyak benda di dalamnya.** The bag is bulging because there are too many things in it.

**sendawa** KATA NAMA
*belch*

**bersendawa** KATA KERJA
*to belch*
◊ *Alex bersendawa selepas makan.*

Alex belched after his meal.

**sendeng** KATA ADJEKTIF
*tilting*
◊ *Meja itu sendeng.* The table was tilting.

**menyendeng** KATA KERJA
*to tilt*
◊ *Almari itu menyendeng ke arah dinding.* The cupboard tilts towards the wall.

**menyendengkan** KATA KERJA
*to tilt*
◊ *James menyendengkan kerusi ke belakang dan melunjurkan kakinya.* James tilted the chair back and stretched his legs.

**sendi** KATA NAMA
*joint*
◊ *Sendinya terasa sakit apabila dia bersenam.* His joints ache when he exercises.
- **sendi pintu** hinge
- **kata sendi** conjunction

**sendiri** KATA ADJEKTIF
1 *own*
◊ *Buat kerja anda sendiri. Jangan ganggu orang lain.* Get on with your own work, don't disturb the others.
2 *myself*
◊ *Saya sendiri yang akan bertanggungjawab ke atas apa-apa yang berlaku.* I will hold myself responsible for anything that might happen.
3 *herself* (perempuan)
◊ *Kakak saya membuat baju itu sendiri.* My sister made the clothes herself.
4 *himself* (lelaki)
◊ *Norman membuat kek itu sendiri.* Norman baked the cake himself.
5 *itself*
◊ *Hidup itu sendiri merupakan satu proses pembelajaran.* Life itself is a learning process.
6 *ourselves*
◊ *Kami menanam sayur-sayur itu sendiri.* We plant the vegetables ourselves.
7 *themselves*
◊ *Kanak-kanak itu tidak boleh hidup dengan sendiri.* The children can't live by themselves.
8 *yourself*
◊ *Anda sendiri yang akan memikul tanggungjawab itu.* You will bear the responsibility yourself.
- **Dia sendiri yang meminta untuk pergi ke Switzerland.** He is the one who wants to go to Switzerland.
- **Dia mahu menjawab telefon itu sendiri.**

**S**

He wants to answer the phone personally.

◆ **Mesin itu berjalan dengan sendiri.** The machine operates automatically.
**bersendirian** KATA KERJA
*to be alone*
◊ *Saya suka bersendirian.* I love to be alone.

◆ **hidup bersendirian** to live alone
**menyendiri** KATA KERJA
*to be alone*
◊ *Dia suka menyendiri.* He loves to be alone.
**persendirian** KATA NAMA
*private*
◊ *kawasan persendirian* private property
**tersendiri** KATA ADJEKTIF
*own*
◊ *Saya mempunyai cara saya yang tersendiri untuk berjaya.* I have my own ways of succeeding.

◆ **Dia mempunyai gayanya yang tersendiri.** She has her own individual style.
**sendirian** KATA ADJEKTIF
*alone*
◊ *Dia sendirian di dalam bilik itu.* He is alone in the room.
**senduk** KATA NAMA
*ladle*
**sengaja** KATA BANTU
*deliberately*
◊ *Dia sengaja memarahi saya.* He deliberately scolded me.

◆ **Dia sengaja berbuat begitu.** He did that on purpose.

◆ **Dia tidak sengaja menendang saya.** She had accidentally kicked me.

◆ **Perkara itu berlaku secara tidak sengaja.** It happened by accident.
**menyengajakan** KATA KERJA
**menyengajakan** *biasanya digunakan dalam bentuk pasif.*
◊ *wanita-wanita yang menjadi mangsa diskriminasi yang disengajakan* women who are the victims of intentional discrimination
**sengal** KATA NAMA
*painful*
◊ *Kaki saya terasa sengal.* My leg feels painful.

◆ **penyakit sengal tulang** rheumatism
**sengap** KATA ADJEKTIF
*silent*
◊ *Victoria sengap sahaja semasa berada di situ.* Victoria was silent while she was there.
**penyengap** KATA ADJEKTIF
*silent* (*orang*)

◆ **alat penyengap** silencer
**sengat** KATA NAMA
*sting*
◊ *sengat lebah* bee sting
**menyengat** KATA KERJA
*to sting*
◊ *Kala jengking itu menyengat kaki Jaime.* The scorpion stung Jaime's leg.
**penyengat** KATA NAMA
*stinging insect*
**sengatan** KATA NAMA
*sting*
◊ *mangsa sengatan lebah* victim of a bee sting
**sengau** KATA ADJEKTIF
*nasal*
◊ *suaranya yang sengau* his nasal voice
**senget** KATA ADJEKTIF
*tilting*
◊ *Meja itu senget.* The table was tilting.
**senggang** KATA ADJEKTIF
*free*
◊ *masa senggang* free time
**senggara** *rujuk* **selenggara**
**sengguk**
**menyengguk** KATA KERJA
*to nod*
◊ *Dave tidak berkata apa-apa, cuma menyengguk sahaja.* Dave said nothing but simply nodded.
**tersengguk-sengguk** KATA KERJA
*to nod off*
◊ *Pelajar-pelajar itu kelihatan tersenguk-sengguk dalam kelas geografi.* The students could be seen nodding off during the geography class.
**sengih**
**tersengih** KATA KERJA
*to grin*
**sengit** KATA ADJEKTIF
*fierce*
◊ *Syarikat itu menghadapi persaingan sengit daripada syarikat-syarikat lain.* The company faces fierce competition from other companies. ◊ *satu pertempuran yang sengit* a fierce battle
**sengkak** KATA ADJEKTIF
*bloated*
◊ *Perut saya sudah sengkak dan saya tidak dapat menghabiskan makanan ini lagi.* I feel bloated and can't finish this food.
**sengkang** KATA NAMA
*hyphen*
**sengketa** KATA NAMA
*dispute*
**bersengketa** KATA KERJA
*to feud*

◊ *Kedua-dua keluarga itu sudah lama bersengketa.* These two families have been feuding for a long time.

**persengketaan** KATA NAMA
*dispute*
◊ *persengketaan antara dua kumpulan itu* the dispute between the two groups

**sengkuang** KATA NAMA
*yam bean*

**sengsara** KATA ADJEKTIF
*miserable*
◊ *kehidupan yang sengsara* a miserable life

**kesengsaraan** KATA NAMA
*misery* (JAMAK **miseries**)
◊ *kesengsaraan pada masa mudanya* the miseries of his youth

**seni** KATA ADJEKTIF

> rujuk juga **seni** KATA NAMA

*tiny*
◊ *Bakteria merupakan sejenis organisma seni.* Bacteria are a kind of tiny organism.

**seni** KATA NAMA

> rujuk juga **seni** KATA ADJEKTIF

*art*
◊ *karya-karya seni* works of art
♦ **seni bina** architecture
♦ **seni lakon** acting
♦ **seni lukis** visual art
♦ **seni muzik** music

**kesenian** KATA NAMA
*artistry*
◊ *keseniannya sebagai seorang penulis* his artistry as a writer

**seniman** KATA NAMA
*artist*
♦ **seniman jalanan** busker

**seniwati** KATA NAMA
*artist*

**senja** KATA NAMA
*dusk*

**senja kala** KATA NAMA
*dusk*

**senjata** KATA NAMA
*weapon*
♦ **senjata api** firearm
**bersenjata** KATA KERJA
*armed*
**bersenjatakan** KATA KERJA
*to use ... as a weapon*
◊ *Mereka bersenjatakan pisau semasa melakukan rompakan itu.* For the robbery they used knives as weapons.

**senonoh** KATA ADJEKTIF

> senonoh *biasanya digunakan bersama kata nafi* **tidak**.

◊ *pakaian yang tidak senonoh* inappropriate clothes ◊ *berkelakuan*

*tidak senonoh* to behave improperly

**sensasi** KATA ADJEKTIF

> rujuk juga **sensasi** KATA NAMA

*sensational*
◊ *berita sensasi* sensational news
◊ *surat khabar yang sentiasa mempunyai cerita yang sensasi* a newspaper whose stories are always sensational

**sensasi** KATA NAMA

> rujuk juga **sensasi** KATA ADJEKTIF

*sensation*

**sensitif** KATA ADJEKTIF
*sensitive*
◊ *Ibu bapa mestilah sensitif terhadap keperluan anak mereka.* Parents must be sensitive to their child's needs.

**kesensitifan** KATA NAMA
*sensitivity*

**sentak**
**tersentak** KATA KERJA
*startled*
◊ *Saya tersentak apabila ada orang tiba-tiba menjerit di belakang saya.* I was startled when I suddenly heard somebody shouting behind me.

**sental**
**menyental** KATA KERJA
*to rub*
◊ *menyental badan dengan sabun* to rub soap on one's body

**sentap**
**menyentap** KATA KERJA
*to tug*
◊ *Nancy menyentap rambut kawannya.* Nancy tugged her friend's hair.
♦ **menyentap nyawa** to cause death

**senteng** KATA ADJEKTIF
*short*
◊ *skirt yang senteng* a short skirt

**sentiasa** KATA BANTU
*always*
◊ *Saya akan sentiasa mengingati pesanan ibu saya.* I'll always remember my mother's advice.
♦ **Kami sentiasa diingatkan supaya mengurangkan pengambilan gula.** We are constantly being reminded to cut down on our sugar intake.

**sentimental** KATA ADJEKTIF
*sentimental*

**sentimeter** KATA NAMA
*centimetre*

**sentosa** KATA ADJEKTIF
*peaceful*

**sentuh**
**bersentuh** KATA KERJA
*to touch*
◊ *Tangannya bersentuh dengan tangan*

S

*kanak-kanak itu.* Her hand touches the hand of the child.

**bersentuhan** KATA KERJA

*to touch*

◊ *Apabila dua wayar itu bersentuhan, percikan api akan terhasil.* When the two wires touch, sparks appear.

**menyentuh** KATA KERJA

*to touch*

◊ *Budak itu cuba menyentuh arnab itu.* The child tried to touch the rabbit.

♦ **satu babak yang menyentuh perasaan** a touching scene

**sentuhan** KATA NAMA

[1] *touching*

◊ *Virus itu tidak merebak melalui sentuhan.* The virus is not passed on through touching.

[2] *touch*

◊ *sentuhan yang lembut* a gentle touch

**senyap** KATA ADJEKTIF

[1] *silent*

◊ *Dia senyap sahaja semasa berada di situ.* She was silent while she was there.

[2] *quiet*

◊ *Bilik itu betul-betul senyap.* The room is really quiet.

**senyap-senyap** KATA ADJEKTIF

*quietly*

◊ *Mereka masuk ke dalam bilik itu secara senyap-senyap.* They entered the room quietly.

**kesenyapan** KATA NAMA

*quietness*

**senyum** KATA KERJA

*to smile*

**tersenyum** KATA KERJA

*to smile*

**senyuman** KATA NAMA

*smile*

**sepah**

**bersepah, bersepah-sepah** KATA KERJA

*scattered*

◊ *Buku-buku itu bersepah di atas lantai.* The books were scattered across the floor.

♦ **barang-barang yang bersepah itu** the things which were scattered about

**menyepahkan** KATA KERJA

*to scatter*

◊ *Mereka menyepahkan majalah itu di atas meja.* They scattered the magazines on the table.

**sepai**

**bersepai** KATA KERJA

*to shatter*

◊ *Pinggan itu bersepai di atas lantai.* The plate shattered on the floor.

♦ **Cermin itu pecah bersepai.** The glass shattered into small pieces.

**sepak**

**menyepak** KATA KERJA

*to slap*

◊ *Saya menyepaknya dengan kuat.* I slapped him hard.

**sépak** KATA NAMA

*kick*

♦ **bola sepak** football

**menyepak** KATA KERJA

*to kick*

**sepakan** KATA NAMA

*kick*

◊ *sepakan penalti* penalty kick

**sepana** KATA NAMA

*spanner*

**sepanduk** KATA NAMA

[1] *banner* (daripada kain)

[2] *placard* (daripada papan, kadbod)

**separa** KATA ADJEKTIF

*semi-*

◊ *susu separa lemak* semi-skimmed milk

**sepatu** KATA NAMA

*shoe*

**seperti** KATA SENDI

[1] *like*

◊ *Dia kelihatan seperti seorang pelakon terkenal.* He looks like a famous actor.

[2] *such as*

◊ *buah-buahan import seperti buah anggur dan pic* imported fruits such as grapes and peaches

**sepet** KATA ADJEKTIF

♦ **mata sepet** narrow eyes

♦ **Matanya sepet.** She has narrow eyes.

**sepi** KATA ADJEKTIF

*quiet*

◊ *jalan yang sepi* quiet street

**kesepian** KATA KERJA

| rujuk juga **kesepian** KATA NAMA |

*lonely*

**kesepian** KATA NAMA

| rujuk juga **kesepian** KATA KERJA |

*loneliness*

◊ *Kesepian ialah sesuatu yang menakutkan.* Loneliness is a frightening thing.

**sepit** KATA NAMA

[1] *chopsticks*

[2] *claw* (ketam, kala jengking)

♦ **sepit rambut** hair clip

**menyepit** KATA KERJA

[1] *to hold ... with chopsticks*

[2] *to nip*

◊ *Ketam itu menyepit jari saya dengan sepitnya.* The crab nipped my finger with its claw.

**penyepit** KATA NAMA

*chopsticks*

♦ **penyepit baju** clothes peg

**tersepit** KATA KERJA
_to get caught_
◊ _Tumit kasutnya tersepit pada lubang kecil itu._ Her heel got caught in the little hole.

♦ **Saya tersepit antara dua orang kawan baik.** I was torn between two good friends.

♦ **Jarinya tersepit pada pintu.** His finger was pinched in the door.

**sepoi** KATA NAMA

♦ **angin sepoi-sepoi bahasa** a gentle breeze

**September** KATA NAMA
_September_
◊ _pada 20 September_ on 20 September

♦ **pada bulan September** in September

**sepuluh** KATA BILANGAN
_ten_

♦ **sepuluh hari bulan Ogos** tenth of August
**kesepuluh** KATA BILANGAN
_tenth_

**serabut** KATA NAMA
_fibre_

**serah**
**menyerah** KATA KERJA
_to yield_
◊ _menyerah kepada nasib_ to yield to one's fate

♦ **menyerah diri** to surrender

♦ **menyerah kalah** to surrender
**menyerahkan** KATA KERJA
1 _to hand over_
◊ _menyerahkan surat memohon maaf_ to hand over a letter of apology

♦ **Dia menyerahkan buku itu kepada Nicholas.** He handed the book to Nicholas.
2 _to hand in_
◊ _Kami diminta supaya menyerahkan bungkusan itu kepada pihak polis._ We were asked to hand in the package to the police.
**penyerahan** KATA NAMA
_handover_
◊ _penyerahan Hong Kong kepada negara China pada tahun 1997_ the handover of Hong Kong to China in 1997

**serai** KATA NAMA
_lemongrass_

**serak** KATA ADJEKTIF
_hoarse_
◊ _suara Zainal yang serak_ Zainal's hoarse voice

**seram** KATA ADJEKTIF
_one's hair stands on end_
◊ _Setiap kali dia lalu di hadapan rumah itu dia terasa seram._ Every time he passes the house he feels his hair stand on end.

♦ **Filem itu membuat saya berasa seram sejuk.** The film makes my blood run cold.

♦ **Seram bulu romanya sebaik sahaja dia masuk ke dalam bilik itu.** As soon as she entered the room her hair stood on end.

♦ **cerita seram** thriller

♦ **filem seram** horror film
**menyeramkan** KATA KERJA
_eerie_
◊ _bunyi yang menyeramkan_ an eerie sound

**serambi** KATA NAMA
_veranda_

**serampang** KATA NAMA
_harpoon_

**seranah** KATA NAMA
_curse_
**menyeranah** KATA KERJA
_to curse_

**serang** KATA NAMA
_attack_

♦ **serang balas** counter-attack

♦ **serang hendap** ambush
(JAMAK **ambushes**)
**menyerang** KATA KERJA
_to attack_
◊ _Mereka cuba menyerang bandar itu._ They attempted to attack the town.
◊ _sejenis virus yang menyerang tanaman_ a virus that attacks crops

♦ **Dapur kami diserang semut.** Our kitchen was invaded by ants.
**penyerang** KATA NAMA
1 _attacker_
2 _striker_ (bola sepak)
**serangan** KATA NAMA
_attack_
◊ _serangan mendadak_ sudden attack

♦ **serangan udara** air raid

**serangga** KATA NAMA
_insect_
◊ _pencegah serangga_ insect repellent

**serap**
**menyerap** KATA KERJA
_to absorb_
◊ _Tumbuh-tumbuhan menyerap karbon dioksida dari udara._ Plants absorb carbon dioxide from the air.
**penyerapan** KATA NAMA
_absorption_
◊ _Vitamin C meningkatkan penyerapan zat besi daripada makanan._ Vitamin C increases the absorption of iron from food.

**serapah** KATA NAMA _rujuk_ **seranah**
**serat** KATA NAMA

**S**

*fibre*

**serba** KATA ADJEKTIF
*all*
◊ *Mereka memakai pakaian serba putih.*
They dressed up all in white.
♦ **Mereka hidup dalam serba kekurangan.**
They live in poverty.
♦ **serba-serbi** various kinds of
♦ **serba tahu** knowledgeable

**serban** KATA NAMA
*turban*

**serbaneka** KATA ADJEKTIF
*various*

**serba salah** KATA ADJEKTIF
*to feel bad*
◊ *Saya serba salah kerana membiarkan dia membuat semua kerja itu.* I feel bad about letting him do all the work.
♦ **Saya serba salah hendak memberitahu dia perkara itu.** I found it awkward to tell her about it.

**serbu**
**menyerbu** KATA KERJA
*to raid*
◊ *Askar-askar itu menyerbu ibu negara Bosnia.* The troops raided the capital of Bosnia.
♦ **Orang ramai menyerbu masuk ke dalam pasar raya itu.** The people rushed into the supermarket.
**serbuan** KATA NAMA
*raid*
◊ *serbuan oleh sepuluh orang anggota polis bersenjata* a raid by ten armed police

**serbuk** KATA NAMA
*powder*
◊ *serbuk kopi* coffee powder

**serdak** KATA NAMA
*crumbs*
◊ *serdak roti* bread crumbs

**serempak**
**terserempak** KATA KERJA
*to run into*
◊ *Dia terserempak dengan Nicole di pintu masuk sekolah.* He ran into Nicole at the school entrance.

**seret**
**menyeret** KATA KERJA
*to drag*
◊ *Sham menyeret kerusinya ke ruang tamu.* Sham dragged his chair to the living room.

**sergah**
**menyergah** KATA KERJA
*to scare ... with a loud voice*
◊ *menyergah seseorang* to scare somebody with a loud voice
**sergahan** KATA NAMA

*startlingly loud voice*
♦ **Saya terkejut mendengar sergahan Lina itu.** I was startled by Lina's loud voice.

**sergam**
**tersergam** KATA KERJA
*to stand out*
◊ *Bangunan itu tersergam megah di tengah bandar raya.* The building stood out majestically in the middle of the city.

**seri** KATA KERJA
| rujuk juga **seri** KATA NAMA |
*to draw*
◊ *Pahang dan Perak seri satu sama.* Pahang and Perak drew one-all.
♦ **Perlawanan pusingan kedua berakhir dengan keputusan seri.** The second round of the game ended in a tie.

**seri** KATA NAMA
| rujuk juga **seri** KATA KERJA |
*brightness*
◊ *Anda pasti kagum melihat seri warna-warna itu.* You'll be impressed with the brightness of the colours.
♦ **menambahkan seri** to brighten up
◊ *Warna merah jambu ini dapat menambahkan seri bilik ini.* This pink will brighten up the room. ◊ *Gincu dapat menambahkan seri pada wajah wanita.* Lipstick will brighten up a woman's face.
**berseri, berseri-seri** KATA KERJA
[1] *radiant*
◊ *Wajah pengantin itu nampak berseri-seri pada hari perkahwinannya.* The bride looked truly radiant on her wedding day.
[2] *to brighten*
◊ *'Oh, saya suka sekali!' jerit Nani dan wajahnya berseri-seri.* 'Oh, I'd love to!' cried Nani, her face brightening.
**menyerikan** KATA KERJA
*to brighten up*
◊ *Warna merah jambu ini dapat menyerikan bilik ini.* This pink will brighten up the room.
♦ **Persembahan daripada penyanyi terkenal itu telah menyerikan lagi majlis ini.** When the famous singer performed, the party became even livelier.

**serigala** KATA NAMA
*wolf* (JAMAK **wolves**)

**serik** KATA ADJEKTIF
*to dare not*
◊ *Shafril sudah serik menaiki lif kerana dia pernah terperangkap di dalamnya sekali.* Shafril dare not take the lift because he got stuck in it once.
♦ **Dia tidak serik bermain mercun.** He still dares to play with fireworks.

**sering** KATA BANTU
*often*

◊ *Saya sering pergi bercuti di Sepanyol.* I often go to Spain for my holidays.

**sering kali** KATA BANTU
*frequently*
◊ *Walaupun sudah sering kali dia mencuba, dia masih gagal melakukannya.* Although she had tried frequently, she still could not do it.

**serius** KATA ADJEKTIF
*serious*
◊ *Doktor mengatakan bahawa keadaannya serius.* The doctor said his condition was serious. ◊ *Saya menganggap ini satu perkara yang serius.* I regard this as a serious matter.

**serkap** KATA NAMA
*fish trap* (terjemahan umum)
♦ **serkap jarang** wild guess
**menyerkap** KATA KERJA
*to pounce*
◊ *Dia menyerkap lelaki yang bersembunyi di dalam semak itu.* He pounced on the man hiding in the bushes.

**serkup** KATA NAMA
*cover*
**menyerkup** KATA KERJA
*to cover*
◊ *menyerkup makanan yang ada di atas meja* to cover the food that is on the table

**serlah**
**menyerlah, terserlah** KATA KERJA
*outstanding*
◊ *sumbangan beliau yang menyerlah* his outstanding contribution
♦ **kecantikannya yang terserlah** her striking beauty
♦ **bakatnya yang terserlah** his glowing talent
**menyerlahkan** KATA KERJA
*to show*
◊ *Isabel mendapat satu peluang untuk menyerlahkan bakatnya dalam bidang nyanyian.* Isabel got a chance to show her talent as a singer.

**serokan** KATA NAMA
*inlet*

**serombong** KATA NAMA
*chimney*

**serong** KATA ADJEKTIF
*diagonal*
♦ **berfikiran serong** dirty-minded
**seronok** KATA ADJEKTIF
*to enjoy*
◊ *Saya seronok kerana dapat menghabiskan masa bersamanya.* I enjoyed being able to spend time with her.
♦ **Sungguh seronok dapat berpesta beramai-ramai.** It's very enjoyable having a party.

**berseronok** KATA KERJA
*to enjoy oneself*
◊ *Mereka sedang berseronok di majlis hari jadi Lisa.* They are enjoying themselves at Lisa's birthday party.

**keseronokan** KATA NAMA
*pleasure*
◊ *Dia mendapat keseronokan dengan menonton cerita-cerita seram.* Watching horror movies gave him great pleasure.

**menyeronokkan** KATA KERJA
*fun*
◊ *masa yang menyeronokkan* a fun time
♦ **Memasak memang sesuatu yang menyeronokkan.** Cooking is a pleasant pastime.

**serpih**
**serpihan** KATA NAMA
*chip*
◊ *serpihan-serpihan kayu* wood chips

**serta** KATA HUBUNG
*and*
◊ *Saya dan Lili serta beberapa orang kawan akan pergi ke Australia.* Lili and I and a few of our friends are going to Australia.

**berserta** KATA HUBUNG
*and*
◊ *Borang ini berserta dengan sijil hendaklah dihantar sekali.* The form and the certificates need to be sent together.

**menyertai** KATA KERJA
*to join*
◊ *Pei Ling ingin menyertai kelab renang.* Pei Ling would like to join the swimming club. ◊ *Dia menyertai syarikat itu tiga bulan yang lalu.* He joined the company three months ago.
♦ **Dia ingin menyertai pertandingan itu.** He would like to participate in the competition.

**menyertakan** KATA KERJA
*to enclose*
◊ *Elizabeth menyertakan sekeping gambar bersama suratnya.* Elizabeth enclosed a photo with her letter.

**penyertaan** KATA NAMA
*participation*
◊ *penyertaan dalam aktiviti keagamaan* participation in religious activities

**peserta** KATA NAMA
*contestant*

**serta-merta** KATA ADJEKTIF
*immediately*
◊ *Pihak polis bergegas ke tempat kejadian dengan serta-merta.* The police

S

rushed to the scene immediately.

**seru** KATA NAMA

♦ **tanda seru** exclamation mark

**menyeru** KATA KERJA

1 *to call*

◊ *Dia menoleh ke belakang apabila saya menyeru namanya.* She looked back when I called her name.

2 *to call on*

◊ *Kerajaan menyeru supaya rakyat membeli barangan buatan tempatan.* The government called on the people to buy local products.

**seruan** KATA NAMA

*call*

◊ *seruan oleh kerajaan supaya membeli barangan buatan tempatan* the call by the government to buy local products

♦ **kata seruan** exclamation

**seruling** KATA NAMA

*flute*

**serunai** KATA NAMA

*flute*

**servis** KATA NAMA

*service*

◊ *pusat servis kereta* car service centre

**menservis** KATA KERJA

*to service*

◊ *Pastikan bahawa mesin itu diservis setahun sekali.* Make sure the machine is serviced annually.

**sesak** KATA ADJEKTIF

*congested*

◊ *tempat yang penuh sesak dengan orang ramai* a place that was congested with people

♦ **Dadanya terasa sesak apabila dia berjalan terlalu cepat.** His chest felt tight from walking too fast.

♦ **Saya sedang sesak sekarang ini.** (*tidak formal*) I'm pressed for cash.

**kesesakan** KATA NAMA

*congestion*

◊ *kesesakan lalu lintas* traffic congestion

**sesal** KATA ADJEKTIF

*regretful*

◊ *Rajoo tidak berasa gementar atau sesal akan tindakannya.* Rajoo didn't feel nervous, or regretful about his actions.

**menyesal** KATA KERJA

*to regret*

◊ *Idris menyesal kerana tidak belajar bersungguh-sungguh.* Idris regretted that he hadn't studied hard.

**menyesali** KATA KERJA

*to regret*

◊ *Dia menyesali perbuatannya.* He

regretted what he had done.

**penyesalan** KATA NAMA

*regret*

◊ *Dia menyatakan penyesalannya kerana memarahi ibunya.* He expressed his regret at having got angry with his mother.

**sesalan** KATA NAMA

*regret*

◊ *Satu-satunya sesalan dalam hidup saya ialah saya tidak memaafkan kesalahannya.* My only regret in life is that I didn't forgive him.

**sesat** KATA KERJA

*to get lost*

◊ *Dia sesat kerana jalan di bandar itu sudah berubah.* He got lost because the roads in the town had changed.

♦ **sesat jalan** to get lost

♦ **ajaran sesat** false teaching

**menyesatkan** KATA KERJA

*to lead astray*

◊ *Mereka cuba menyesatkan fikiran remaja dengan dakyah mereka.* They are trying to lead teenagers' minds astray with their propaganda.

**tersesat** KATA KERJA

*to get lost*

◊ *Kami takut tersesat.* We were afraid of getting lost.

**sesi** KATA NAMA

*session*

**sesuai** KATA ADJEKTIF

1 *suitable*

◊ *pekerjaan yang sesuai* a suitable job

♦ **pakaian yang sesuai untuk ke majlis makan malam** appropriate dress for a dinner

2 *to suit*

◊ *Potongan rambut itu tidak sesuai dengannya.* That hairstyle doesn't suit her.

♦ **tidak sesuai** unsuitable

**bersesuaian** KATA KERJA

*to fit*

◊ *Carilah kerja yang bersesuaian dengan kelayakan anda.* Look for a job which fits your qualifications.

**kesesuaian** KATA NAMA

*suitability*

**menyesuaikan** KATA KERJA

*to suit*

◊ *Restoran itu mengubah resipinya untuk menyesuaikannya dengan cita rasa tempatan.* The restaurant adapted its recipes to suit local tastes.

♦ **Anda harus belajar menyesuaikan diri dengan persekitaran yang baru.** You have to learn to adapt yourself to the new environment.

**set** KATA NAMA
*set*
◊ *satu set kunci* a set of keys

**setem** KATA NAMA
*stamp*

**seterika** KATA NAMA
*iron*
**menyeterika** KATA KERJA
*to iron*

**seteru** KATA NAMA
*enemy* (JAMAK **enemies**)
**berseteru** KATA KERJA
*to be enemies*
◊ *Mereka sudah berseteru sejak sepuluh tahun yang lalu.* They have been enemies for the last ten years.
♦ **Maria berseteru dengan Ricky.** Maria was not on good terms with Ricky.

**setia** KATA ADJEKTIF
1 *faithful*
◊ *seorang suami yang setia* a faithful husband
2 *loyal*
◊ *seorang pekerja yang setia* a loyal employee
**kesetiaan** KATA NAMA
*loyalty*
◊ *"kesetiaan kepada raja dan negara"* "loyalty to king and country"
♦ **ketidaksetiaan** disloyalty

**setiausaha** KATA NAMA
*secretary* (JAMAK **secretaries**)

**setinggan** KATA NAMA
*squatter*
♦ **rumah setinggan** squat

**setuju** rujuk **tuju**

**sewa** KATA NAMA
*rent*
♦ **sewa beli** hire purchase
**menyewa** KATA KERJA
*to rent*
◊ *Dia menyewa sebuah rumah di Taman Pelangi.* He rents a house in Taman Pelangi.
**menyewakan** KATA KERJA
*to rent*
◊ *Dia menyewakan bilik itu kepada pelajar universiti.* He rented the room to university students.
**penyewa** KATA NAMA
*tenant*
**penyewaan** KATA NAMA
*lease*
◊ *Penyewaan rumah ini hanya untuk satu tahun sahaja.* The lease of the house is only for one year.

**sfera** KATA NAMA
*sphere*

**Siam** KATA NAMA
*Siam*
♦ **orang Siam** Siamese
♦ **kembar Siam** Siamese twins

**siang (1)** KATA NAMA
*daytime*
**siang-siang** KATA ADJEKTIF
*from the start*
◊ *Siang-siang lagi saya sudah beritahu anda supaya jangan mempercayainya.* I told you right from the start not to trust him.
♦ **Siang-siang lagi dia sudah sampai.** He arrived very early.

**siang (2)**
**menyiang** KATA KERJA
*to clean*
◊ *menyiang ikan* to clean the fish

**siap** KATA ADJEKTIF
1 *complete*
◊ *Kerja-kerja membaik pulih gereja itu sudah siap.* The work of restoring the church is complete.
2 *ready*
◊ *"Makan malam sudah siap," kata Aishah.* "Dinner is ready," said Aishah.
**bersiap** KATA KERJA
*to be ready*
◊ *Mereka sudah bersiap untuk bertolak ke Las Vegas.* They are ready to leave for Las Vegas.
**menyiapkan** KATA KERJA
*to finish*
◊ *Clairol cuba menyiapkan laporan itu minggu ini.* Clairol is trying to finish the report this week.
♦ **Dia sedang menyiapkan makan malam di dapur.** She is preparing dinner in the kitchen.
**persiapan** KATA NAMA
*preparation*

**siapa** KATA TANYA
*who*
◊ *Siapakah yang memenangi pertandingan itu?* Who won the competition?
♦ **Saya hendak mengirim telegram. - Kepada siapa?** I want to send a telegram. - To whom?
♦ **Pen ini milik siapa?** Whose pen is this?
**sesiapa** KATA GANTI NAMA
*anybody* atau *anyone*
◊ *Dia tidak mahu bercakap dengan sesiapa.* She doesn't want to talk to anybody.

**siar (1)**
**menyiarkan** KATA KERJA
1 *to broadcast*
◊ *Konsert itu akan disiarkan secara*

S

*langsung di televisyen*. The concert will
be broadcast live on television.
2 *to publish*
◊ *Majalah tersebut menyiarkan gambar
itu di muka depan*. The magazine
published the photo on its cover.
**penyiar**  KATA NAMA
(*juruhebah*)
*broadcaster*
**penyiaran**  KATA NAMA
*broadcasting*
◊ *jadual penyiaran* broadcasting
schedule
**siaran**  KATA NAMA
*broadcast*
◊ *Siaran itu tergendala*. The broadcast
was interrupted.
**siar (2)**
**bersiar-siar**  KATA KERJA
*to go for a walk*
◊ *Kami pergi bersiar-siar selepas makan
malam*. We went for a walk after dinner.
♦ **Mereka pergi bersiar-siar dengan kereta
baru Amy.** They went for a drive in Amy's
new car.
♦ **Mereka ingin pergi bersiar-siar di
Melaka.** They would like to go sightseeing
in Malacca.
**persiar**  KATA NAMA
♦ **kapal persiar** yacht
**persiaran**  KATA NAMA
♦ **bas persiaran** coach (JAMAK **coaches**)
♦ **pelayaran persiaran** cruise
**siasat**
**menyiasat**  KATA KERJA
*to investigate*
◊ *Pihak polis sedang menyiasat punca
letupan itu*. Police are investigating the
cause of the explosion.
**penyiasat**  KATA NAMA
*detective*
**penyiasatan, siasatan**  KATA NAMA
*investigation*
◊ *Dia menjalankan penyiasatan ke atas
kes itu*. He carried out an investigation
into the case.
**sia-sia**  KATA ADJEKTIF
1 *useless*
◊ *Sia-sia sahaja bertanya kepadanya
soalan itu*. It's useless asking her that
question.
2 *wasted*
◊ *usaha yang sia-sia* wasted effort
♦ **Semua bantahannya sia-sia sahaja.** All
her complaints were in vain.
**mensia-siakan**  KATA KERJA
1 *to waste*
◊ *Dia tidak akan mensia-siakan
masanya*. He won't waste his time.

2 *to neglect*
◊ *Saya tidak akan mensia-siakan anak
saya*. I won't neglect my child.
**siat**
**menyiat**  KATA KERJA
*to skin*
◊ *menyiat kulit lembu* to skin a cow
**sibuk**  KATA ADJEKTIF
*busy*
◊ *Phil sibuk dengan kerjanya*. Phil is
busy with his work. ◊ *jalan raya yang
sibuk* a busy road
**kesibukan**  KATA NAMA
*bustle*
◊ *kesibukan bandar raya itu* the bustle
of the city
**menyibuk**  KATA KERJA
*nosy*
♦ **jiran mereka yang suka menyibuk**
their nosy neighbours
**penyibuk**  KATA NAMA
*busybody* (JAMAK **busybodies**)
**sidai**
**menyidai**  KATA KERJA
*to hang ... out*
◊ *menyidai baju* to hang the washing
out
**penyidai**  KATA NAMA
*clothes line*
**sidang**  KATA NAMA
*session*
◊ *sidang pertama* first session
♦ **sidang akhbar** press conference
**bersidang**  KATA KERJA
*to be in conference*
◊ *Menteri-menteri itu sudah bersidang
selama empat jam*. The ministers were in
conference for four hours.
**persidangan**  KATA NAMA
*conference*
◊ *Persidangan itu dihadiri oleh 150
orang delegasi*. The conference was
attended by 150 delegates.
**sifar**  KATA BILANGAN
*zero*
**sifat**  KATA NAMA
*character*
◊ *Setiap orang mempunyai sifat yang
tersendiri*. Everybody has their own
character.
♦ **sifat-sifat fizikal** physical
characteristics
♦ **sifat kepemimpinan** leadership qualities
**menyifatkan**  KATA KERJA
*to describe*
◊ *Dia menyifatkan perbuatan itu sebagai
perbuatan yang kejam*. He described the
action as cruel.
**sifir**  KATA NAMA

_multiplication table_

**sihat**  KATA ADJEKTIF
_healthy_
♦ **tidak sihat**  unhealthy
  **kesihatan**  KATA NAMA
  _health_
  **menyihatkan**  KATA KERJA
♦ **menyihatkan badan**  good for one's
  health  ◊ _Senaman dapat menyihatkan
  badan._  Exercise is good for your health.
  ◊ _Makanan yang seimbang dapat
  menyihatkan badan._  A balanced diet is
  good for your health.

**sihir**  KATA NAMA
  _black magic_
♦ **ahli sihir**  witch (JAMAK **witches**)
  **menyihirkan**  KATA KERJA
  _to use black magic_
  ◊ _Pak Ali menyihirkan anak perempuan
  Pak Hamad._  Pak Ali used black magic on
  Pak Hamad's daughter.

**sijil**  KATA NAMA
  _certificate_

**sikap**  KATA NAMA
  _attitude_
  ◊ _Sikapnya menjengkelkan saya._  His
  attitude irritates me.

**sikat**  KATA NAMA
| rujuk juga **sikat** PENJODOH BILANGAN |
  _comb_
  **menyikat**  KATA KERJA
  _to comb_

**sikat**  PENJODOH BILANGAN
| rujuk juga **sikat** KATA NAMA |
  _bunch_ (JAMAK **bunches**)
  ◊ _dua sikat pisang_  two bunches of
  bananas

**siku**  KATA NAMA
  _elbow_
  **sesiku**  KATA NAMA
  _set square_

**sila (1)**  KATA PERINTAH
  _please_
  ◊ _Sila masuk._  Please come in.
  **mempersilakan**  KATA KERJA
  _to invite_
  ◊ _Zita mempersilakan tetamunya duduk._
  Zita invited the guests to take their seats.
  ◊ _Dengan segala hormatnya, saya ingin
  mempersilakan Tuan Chong untuk
  memberikan ucapannya._  I would like very
  respectfully to invite Mr Chong to deliver
  his speech.

**sila (2)**
  **bersila**  KATA KERJA
  _to sit cross-legged_
  ◊ _Mereka duduk bersila di atas lantai._
  They sat cross-legged on the floor.

**silam**  KATA ADJEKTIF

_bygone_
  ◊ _zaman silam_  a bygone age
♦ **belajar daripada kesilapan masa silam**
  to learn from the mistakes of the past
♦ **kisah silam**  past  ◊ _Dia cuba
  melupakan kisah silamnya._  He tried to
  forget his past.

**silang**  KATA NAMA
  _cross_ (JAMAK **crosses**)
♦ **silang kata**  crossword
  **menyilangkan**  KATA KERJA
  _to cross_
♦ **Jamali duduk sambil menyilangkan
  kakinya.**  Jamali sits with his legs
  crossed.
  **persilangan**  KATA NAMA
  _intersection_
  ◊ _titik persilangan_  point of intersection

**silap**  KATA ADJEKTIF
  [1] _mistaken_
  ◊ _Kalau tidak silap saya, dia akan datang
  pada pukul empat._  If I'm not mistaken, he
  will come at four.
  [2] _wrong_
  ◊ _"Sangkaan anda silap," kata Nancy._
  "You thought wrong," Nancy said.
  **kesilapan**  KATA NAMA
  _mistake_
  ◊ _Jangan ulang kesilapan itu lagi._  Don't
  make that mistake again.
  **tersilap**  KATA KERJA
  _to make a mistake_
  ◊ _Maafkan saya. Saya tersilap._  I'm
  sorry, I made a mistake.

**silap mata**  KATA NAMA
  _magic_
♦ **ahli silap mata**  magician

**silat**  KATA NAMA
  _type of Malay martial art_ (penjelasan
  umum)

**silau**  KATA ADJEKTIF
  _dazzled_
  ◊ _Mata saya silau terkena pancaran
  cahaya._  I was dazzled by the lights.
  **menyilaukan**  KATA KERJA
♦ **menyilaukan mata**  to dazzle
  ◊ _Cahaya matahari menyilaukan mata
  saya._  The sun dazzled me.

**silih ganti**
  **bersilih ganti**  KATA KERJA
  _to take turns_
  ◊ _Mereka bersilih ganti menjaga ibu
  mereka._  They take turns to look after
  their mother.
♦ **Masalah datang bersilih ganti.**
  Problems kept on appearing one after
  another.

**silinder**  KATA NAMA
  _cylinder_

S

**siling**   KATA NAMA
*ceiling*

**simbah**
   **menyimbah**   KATA KERJA
   *to splash*
   ◊   *menyimbah air pada muka*   to splash
   water on one's face

**simbol**   KATA NAMA
   *symbol*

**simen**   KATA NAMA
   *cement*
   **bersimen**   KATA KERJA
   *in plaster*
   ◊   *Kakinya bersimen.*   Her leg's in
   plaster.

**simis**   KATA NAMA
   *underskirt*

**simpan**   KATA KERJA
   *to keep*
   ◊   *Anda boleh simpan bakinya.*   You can
   keep the change.
♦   **hutan simpan**   forest reserve
   **menyimpan**   KATA KERJA
   1  *to save*
   ◊   *Ibu bapa digalakkan menyimpan wang
   untuk anak-anak.*   Parents are
   encouraged to save money for their
   children.
   2  *to put*
   ◊   *Julie menyimpan buku itu di dalam
   almari.*   Julie put the book in the cupboard.
   3  *to keep*
   ◊   *menyimpan rahsia*   to keep a secret
   4  *to grow*
   ◊   *menyimpan rambut*   to grow one's
   hair
♦   **Dia menyimpan daging itu di dalam peti
   sejuk.**   She stored the meat in the fridge.
♦   **menyimpan dendam terhadap
   seseorang**   to bear a grudge against
   somebody
   **menyimpankan**   KATA KERJA
   *to save*
   ◊   *Ibu menyimpankan saya wang saku
   itu.*   Mother saved the pocket money for
   me.
♦   **Saya menyimpankan ayah sup itu.**   I
   kept the soup for my father.
   **penyimpanan**   KATA NAMA
   *storage*
   ◊   *penyimpanan sisa toksik*   the storage
   of toxic waste
   **tersimpan**   KATA KERJA
   *to be kept*
♦   **Rahsia itu sudah lama tersimpan dalam
   hatinya.**   She has kept the secret to
   herself for a long time.
   **simpanan**   KATA NAMA
   *savings*

◊   *Dia menggunakan simpanannya
untuk membeli sebuah rumah.*   He used
his savings to buy a house.
♦   **Semua barang kemas anaknya ada
   dalam simpanannya.**   All her child's
   jewellery was kept by her.
♦   **simpanan tetap**   fixed deposit
♦   **perempuan simpanan**   mistress
   (JAMAK **mistresses**)
♦   **peti simpanan**   safe

**simpang**   KATA NAMA
   *junction*
   **menyimpang**   KATA KERJA
   *to turn off*
   ◊   *Haslina tidak terus ke pejabat,
   sebaliknya dia menyimpang ke pusat
   membeli-belah.*   Haslina didn't go straight
   to her office, instead she turned off for the
   shopping centre.
♦   **Karangannya telah menyimpang dari
   tajuk.**   His essay deviated from the
   topic.
   **penyimpangan**   KATA NAMA
   *deviation*
   **persimpangan**   KATA NAMA
   *intersection*   (jalan, lebuh raya)
♦   **persimpangan jalan**   crossroads

**simpang-siur**   KATA NAMA
   *lots of turnings*
   ◊   *Jalan besar itu mempunyai simpang-
   siur.*   The main road has lots of turnings.
   **bersimpang-siur**   KATA KERJA
   *to have lots of turnings*

**simpati**   KATA NAMA
   *sympathy*
   ◊   *Dia tidak mendapat simpati daripada
   orang ramai.*   She didn't receive any
   sympathy from the public.
♦   **berasa simpati terhadap seseorang**   to
   feel sorry for somebody
   **bersimpati**   KATA KERJA
   *to sympathize*
   ◊   *Saya bersimpati dengan anda.*   I
   sympathize with you.

**simpuh**
   **bersimpuh**   KATA KERJA
   *to sit with one's legs drawn up beside one*

**simpul**   KATA NAMA
   *knot*
   **kesimpulan**   KATA NAMA
   *conclusion*
   ◊   *Murid-murid itu sedang menulis
   kesimpulan untuk karangan mereka.*   The
   pupils are writing the conclusion of their
   composition.   ◊   *Saya membuat
   kesimpulan bahawa...*   I've come to the
   conclusion that...
   **menyimpul**   KATA KERJA
   *to knot*

**menyimpulkan** KATA KERJA

1 *to knot*

2 *to conclude*

◊ *Pada dasarnya, saya dapat menyimpulkan bahawa ucapannya sangat membosankan.* Basically I concluded that his speech was very boring.

**simpulan** KATA NAMA

*knot*

♦ **simpulan bahasa** idiom

**sinambung**

**kesinambungan** KATA NAMA

*continuity*

◊ *Setiap perenggan harus ada kesinambungan dengan perenggan sebelumnya.* Every paragraph should show some continuity with the previous paragraph.

**sinar** KATA NAMA *rujuk* **sinaran**

**bersinar, menyinar** KATA KERJA

*to shine*

◊ *Awal pagi lagi, matahari sudah bersinar terang.* The sun shone brightly early in the morning.

♦ **Matanya bersinar penuh minat.** Her eyes brightened with interest.

♦ **Mata Jacquelyn yang bersinar itu menawan hati saya.** I was captivated by the radiance in Jacquelyn's eyes.

**bersinar-sinar** KATA KERJA

*to shine*

♦ **Lampu yang berwarna-warni bersinar-sinar menerangi kegelapan malam itu.** Multicoloured lamps lit up the darkness of the night.

**menyinari** KATA KERJA

*to illuminate*

◊ *lampu-lampu yang menyinari jalan raya* lamps that illuminate the road

**sinaran** KATA NAMA

*beam*

◊ *sinaran cahaya daripada sebuah kereta* a beam of light from a car

♦ **sinaran matahari** sunshine

**sinar-x** KATA NAMA

*X-ray*

**sindiket** KATA NAMA

*syndicate*

**sindir** KATA NAMA *rujuk* **sindiran**

**menyindir** KATA KERJA

*to insinuate*

◊ *Adakah anda menyindir saya bahawa saya ini berbau?* Are you insinuating that I smell?

**sindiran** KATA NAMA

*insinuation*

**sindrom** KATA NAMA

*syndrome*

**singa** KATA NAMA

*lion*

♦ **singa betina** lioness (JAMAK **lionesses**)

**Singapura** KATA NAMA

*Singapore*

♦ **orang Singapura** Singaporean

**singgah** KATA KERJA

1 *to call at*

◊ *Kapal itu singgah di Pelabuhan Klang untuk mengisi minyak.* The ship called at Port Klang to take on oil.

2 *to stop by*

◊ *Casey singgah di rumah kawannya dalam perjalanan ke perpustakaan.* Casey stopped by her friend's house on the way to the library.

**persinggahan** KATA NAMA

*stopover*

◊ *Kapal terbang itu akan membuat persinggahan di Denver.* The flight will make a stopover in Denver.

**singgahsana** KATA NAMA

*throne*

**singgung**

**menyinggung** KATA KERJA

*to hurt*

◊ *Dia takut kata-katanya akan menyinggung perasaan Alicia.* He is afraid that his words will hurt Alicia's feelings.

**tersinggung** KATA KERJA

1 *to be hurt*

◊ *Jess tersinggung dengan kata-katanya.* Jess was hurt by his words.

2 *offended*

◊ *Nadia seorang yang mudah tersinggung.* Nadia is easily offended.

**singkap**

**menyingkap** KATA KERJA

*to discover*

◊ *menyingkap rahsia kecantikannya* to discover the secret of her beauty

◊ *Dia ingin menyingkap rahsia di sebalik kejayaan usahawan itu.* He wants to discover the secret of the businessman's success.

**singkat** KATA ADJEKTIF

*short*

◊ *Bagaimanakah anda dapat melakukannya dalam masa yang begitu singkat?* How could you do it in such a short time?

**singkatan** KATA NAMA

*abbreviation*

◊ *Singkatan untuk United Kingdom ialah UK.* The abbreviation for United Kingdom is UK.

♦ **AIDS ialah singkatan untuk "Acquired Immune Deficiency Syndrome".** AIDS stands for Acquired Immune Deficiency

**S**

Syndrome.

**singki** KATA NAMA
*sink*

**singkir**
**menyingkirkan** KATA KERJA
*to expel*
◊ *Pihak sekolah menyingkirkan pelajar itu kerana meniru.* The school expelled the student for cheating.
♦ **Dia disingkirkan dari pasukan itu.** He was thrown out of the team.
**penyingkiran** KATA NAMA
*expulsion*
◊ *Penyingkirannya dari sekolah menaikkan kemarahan ibu bapanya.* His expulsion from the school angered his parents.

**singsing**
**menyingsing** KATA KERJA
*to roll*
◊ *menyingsing lengan baju* to roll up one's sleeves
♦ **fajar menyingsing** dawn

**sini** KATA GANTI NAMA
*here*
◊ *Sila bayar di sini.* Please pay here.

**sinis** KATA ADJEKTIF
*cynical*
◊ *pandangan yang sinis* a cynical expression
♦ **sebuah novel yang mengandungi unsur-unsur sinis** a satirical novel

**sinonim** KATA NAMA
*synonym*

**sinopsis** KATA NAMA
*synopsis*

**sinus** KATA NAMA
*sine* (matematik)

**sipi** KATA ADJEKTIF
*to miss narrowly*
♦ **Tumbukannya yang sipi itu tidak kena kepala saya.** His blow narrowly missed my head.

**sipu**
**tersipu-sipu** KATA KERJA
*embarrassed*
◊ *Dia tersipu-sipu apabila kami mengusiknya dengan pemuda itu.* She was embarrassed when we teased her about him.

**siput** KATA NAMA
*snail*
♦ **siput sudu** mussel

**siram**
**menyiram** KATA KERJA
*to water*

**sirap** KATA NAMA
*syrup*

**sirat**

**tersirat** KATA KERJA
*implied*
◊ *makna tersirat* implied meaning

**siren** KATA NAMA
*siren*

**siri** KATA NAMA
*series*
◊ *Perdana Menteri akan mengadakan satu siri lawatan ke Eropah.* The Prime Minister will make a series of visits to Europe.

**sirih** KATA NAMA
*betel*

**sirip** KATA NAMA
*fin*
◊ *sirip yu* shark's fin

**sisa** KATA NAMA
*waste*
◊ *sisa toksik* toxic waste
♦ **sisa makanan** leftovers

**sisi** KATA ARAH
*side*
◊ *Sita duduk di sisi saya.* Sita sat by my side.
♦ **Di sesetengah negara, perbuatan ini salah di sisi undang-undang.** In some countries this is against the law.

**sisih**
**menyisih** KATA KERJA
*to shun*
◊ *Penduduk kampung menyisihnya kerana perangainya yang pelik itu.* The villagers shunned him because of his weird ways.
**tersisih** KATA KERJA
*to be isolated*
◊ *Dia benci kerana dirinya begitu tersisih daripada rakan-rakan sekerjanya.* He hates being so isolated from his colleagues.

**sisik** KATA NAMA
*scales*

**sisip**
**menyisipkan** KATA KERJA
*to insert*
◊ *menyisipkan 'er' pada perkataan 'sabut' untuk membentuk perkataan 'serabut'* to insert 'er' into the word 'sabut' to form the word 'serabut'
♦ **Dia sedang menyisipkan bajunya ke dalam seluar.** He is tucking in his shirt.
**sisipan** KATA NAMA
*infix* (JAMAK **infixes**)

**sisir (1)** KATA NAMA
rujuk juga **sisir** PENJODOH BILANGAN
*comb*
♦ **sisir sikat** teeth of a comb
**menyisir** KATA KERJA
*to comb*

**sisir** PENJODOH BILANGAN

> rujuk juga **sisir** KATA NAMA

_bunch_ (JAMAK **bunches**)
◊ _dua sisir pisang_ two bunches of bananas

**sisir (2)**
  **persisiran** KATA NAMA
  _shore_

**sistem** KATA NAMA
  _system_

**siswa** KATA NAMA
  _undergraduate_

**siswazah** KATA NAMA
  _graduate_

**situ** KATA GANTI NAMA
  _there_
◊ _"Duduk di situ."_ "Sit there." ◊ _Saya pergi ke situ seminggu sekali._ I go there once a week.

**situasi** KATA NAMA
  _situation_

**siul** KATA NAMA
  _whistle_
  **bersiul** KATA KERJA
  _to whistle_
  **siulan** KATA NAMA
  _whistle_

**siuman** KATA ADJEKTIF
  _sane_
 ◆ **tidak siuman** insane

**sivik** KATA NAMA
  _civics_

**sivil** KATA ADJEKTIF
  _civil_
◊ _undang-undang sivil_ civil law

**skala** KATA NAMA
  _scale_
◊ _gempa bumi yang berukuran 5.5 pada skala Richter_ an earthquake measuring 5.5 on the Richter scale ◊ _Peta itu pada skala 1:10,000._ The map is on a scale of 1:10,000.
  **berskala** KATA KERJA
  _-scale_
◊ _berskala besar_ large-scale
◊ _berskala penuh_ full-scale ◊ _berskala kecil_ small-scale

**skandal** KATA NAMA
  _scandal_

**skarf** KATA NAMA
  _scarf_ (JAMAK **scarfs** atau **scarves**)

**sketsa** KATA NAMA
  _sketch_ (JAMAK **sketches**)

**ski** KATA NAMA
  _ski_

**skim** KATA NAMA
  _scheme_

**skirt** KATA NAMA
  _skirt_

**skop** KATA NAMA
  _scope_
◊ _Kami akan meluaskan skop buku ini pada edisi kedua._ We will extend the scope of this book in the second edition.

**skor** KATA NAMA
  _score_
◊ _Malaysia menang dalam perlawanan itu dengan skor 15-7, 15-8._ The match was won by Malaysia with a score of 15-7, 15-8.

**skrin** KATA NAMA
  _screen_

**skrip** KATA NAMA
  _script_

**skru** KATA NAMA
  _screw_

**skuasy** KATA NAMA
  _squash_

**skuter** KATA NAMA
  _scooter_

**slaid** KATA NAMA
  _slide_

**slanga** KATA NAMA
  _slang_

**slogan** KATA NAMA
  _slogan_
◊ _Penunjuk perasaan melaung-laungkan pelbagai slogan._ The demonstrators were shouting slogans.

**snek** KATA NAMA
  _snack_

**snekbar** KATA NAMA
  _snack bar_

**snuker** KATA NAMA
  _snooker_

**soal** KATA NAMA
  _matter_
◊ _soal kewangan_ financial matters
 ◆ **soal selidik** questionnaire
  **mempersoalkan** KATA KERJA
  _to question_
◊ _Jangan mempersoalkan tindakannya._ Don't question his actions.
  **menyoal** KATA KERJA
  _to question_
◊ _Pihak polis menyoal lelaki yang terlibat dalam rompakan itu._ The police questioned the man who was involved in the robbery.
  **persoalan** KATA NAMA
  _question_
◊ _Persoalannya sekarang, adakah ini yang benar-benar kita hendaki?_ The question now is: is this what we really want?
  **soalan** KATA NAMA
  _question_
◊ _Soalan ini pernah keluar suatu ketika_

**S**

*dahulu.* This question has come up before, some time ago.

**soal jawab** KATA NAMA
*question and answer*
◊ *sesi soal jawab* question and answer session

**bersoal jawab** KATA KERJA
[1] *to debate*
◊ *Para menteri sedang bersoal jawab tentang keberkesanan sistem pentadbiran.* The ministers were debating the efficiency of the administrative system.
[2] *to argue*
◊ *Tidak ada orang mahu bersoal jawab dengan Zaiman.* Nobody felt inclined to argue with Zaiman.

**soal siasat** KATA NAMA
*interrogation*
◊ *Carl hanya mendiamkan diri semasa soal siasat itu dijalankan.* Carl remained silent during the interrogation.

**menyoal siasat** KATA KERJA
*to interrogate*

**soda** KATA NAMA
*soda*

**sodok**
**menyodok** KATA KERJA
*to shovel*
◊ *menyodok salji* to shovel snow
**penyodok** KATA NAMA
*shovel*

**sofa** KATA NAMA
*sofa*

**sogok** KATA NAMA *rujuk* **sogokan**
**menyogok** KATA KERJA
*to bribe*
◊ *Dia dituduh menyogok pegawai itu.* He was accused of bribing the official.
**sogokan** KATA NAMA
*bribe*
◊ *Pegawai itu menerima sogokan daripada peniaga itu.* The officer received bribes from the businessman.

**soket** KATA NAMA
*socket*

**sokong** KATA NAMA
*prop*
**menyokong** KATA KERJA
*to support*
◊ *Dia menyokong pasukan itu.* He supports that team.
♦ **Pekerja-pekerjanya akan sentiasa menyokongnya.** His employees will always back him up.
**penyokong** KATA NAMA
*supporter*
◊ *penyokong pasukan badminton negara* supporters of the national badminton team

**sokongan** KATA NAMA
*support*
◊ *Kami akan sentiasa memberikan sokongan padu kepada anda.* We will always give you our full support.

**solek** KATA NAMA
♦ **alat solek** make-up
♦ **meja solek** dressing table
**bersolek** KATA KERJA
*to make oneself up*
◊ *Dia mengambil masa berjam-jam lamanya untuk bersolek.* She spends hours making herself up.
**menyolekkan** KATA KERJA
*to make ... up*
◊ *Maria membantu menyolekkan pengantin itu.* Maria helped to make the bride up.
**solekan** KATA NAMA
*make-up*
◊ *Biasanya dia hanya mengenakan solekan yang nipis.* Normally she doesn't wear much make-up.

**solo** KATA ADJEKTIF
*solo*
◊ *penyanyi solo* a solo singer

**sombong** KATA ADJEKTIF
*proud*
◊ *Dia menuduh lelaki itu sombong dan bongkak.* She accused him of being proud and arrogant.
**kesombongan** KATA NAMA
*arrogance*
**penyombong** KATA NAMA
*snob*

**sondol**
**menyondol** KATA KERJA
[1] *to gore*
◊ *Budak lelaki itu disondol oleh seekor badak sumbu.* The boy was gored by a rhinoceros.
[2] *to head*
◊ *Dia menyondol bola itu kepada Ali.* He headed the ball to Ali.

**songket** KATA NAMA
*a cloth woven with silver or gold thread*

**songkok** KATA NAMA
*Malay headdress* (JAMAK **Malay headdresses**) (*terjemahan umum*)

**songsang** KATA ADJEKTIF
*inverse*
◊ *imej songsang* an inverse image
**menyongsangkan** KATA KERJA
*to invert*
◊ *Saya menyongsangkan nombor 6 menjadi nombor 9.* I inverted the number 6 to make a number 9.
**penyongsangan** KATA NAMA
*inversion*

**songsangan** KATA NAMA
*inverse* (*matematik*)
**sopan** KATA ADJEKTIF
*polite*
◊ *budak yang sopan* a polite child
♦ **Bolehkah anda berpakaian lebih sopan?** Can't you dress more decently?
♦ **sopan santun** polite
♦ **tidak sopan** impolite
**bersopan** KATA KERJA
*to be polite*
◊ *Kita mesti bersopan ketika bercakap dengan orang yang lebih tua.* We should be polite when we talk to elderly people.
**kesopanan** KATA NAMA
*politeness*
**soprano** KATA NAMA
*soprano* (JAMAK **sopranos**)
**sorak** KATA NAMA
*cheering*
◊ *Sorak mereka memekakkan telinga saya.* Their cheering deafened me.
♦ **sorak-sorai** cheer
**bersorak** KATA KERJA
*to cheer*
◊ *Kanak-kanak itu bersorak dan menyanyi.* The children cheered and sang.
**sorakan** KATA NAMA *rujuk* **sorak**
**sorok**
**menyorok** KATA KERJA
*to hide*
◊ *Anak kucing itu menyorok di bawah meja.* The kitten hid under the table.
**menyorokkan** KATA KERJA
*to hide*
◊ *Penjenayah itu menyorokkan mukanya dengan tapak tangannya.* The criminal hid his face in his hands. ◊ *Elaine cuba menyorokkan perasaan sedihnya.* Elaine tried to hide her sadness.
**tersorok** KATA KERJA
*hidden*
◊ *Rumah itu tersorok di sebalik pokok-pokok.* The house was hidden by trees.
**sorong** KATA NAMA
♦ **kereta sorong** wheelbarrow
**menyorong** KATA KERJA
*to push*
◊ *menyorong troli* to push a trolley
**sos** KATA NAMA
*sauce*
♦ **sos biji sawi** mustard
**sosej** KATA NAMA
*sausage*
**sosial** KATA ADJEKTIF
*social*
◊ *masalah sosial* social problem
**bersosial** KATA KERJA

*to socialize*
◊ *Dia selalu keluar dan bersosial dengan kawan-kawannya.* He always goes out and socializes with his friends.
**sosialis** KATA ADJEKTIF, KATA NAMA
*socialist*
**sosialisme** KATA NAMA
*socialism*
**sosiologi** KATA NAMA
*sociology*
**sotong** KATA NAMA
*squid*
♦ **sotong kurita** octopus (JAMAK **octopuses**)
**soya** KATA NAMA
*soya*
◊ *kacang soya* soya beans
**span** KATA NAMA
*sponge*
**spektrum** KATA NAMA
*spectrum*
**spekulasi** KATA NAMA
*speculation*
**sperma** KATA NAMA
*sperm*
**spesies** KATA NAMA
*species*
**spesimen** KATA NAMA
*specimen*
**SPM** KATA NAMA (= *Sijil Pelajaran Malaysia*) *MCE* (= *Malaysian Certificate of Education*) (*padanan terdekat*)
**spontan** KATA ADJEKTIF
*spontaneous*
◊ *reaksi spontan* spontaneous reaction
♦ **secara spontan** spontaneously
**spora** KATA NAMA
*spore*
**spring** KATA NAMA
*spring*
◊ *Spring pada tilam akan menyokong tulang belakang anda.* The springs in the mattress will support your spine.
**stabil** KATA ADJEKTIF
*stable*
◊ *kedudukan kewangan yang stabil* stable financial situation
♦ **tidak stabil** unstable
**kestabilan** KATA NAMA
*stability*
◊ *kestabilan politik* political stability
♦ **ketidakstabilan** instability
**menstabilkan** KATA KERJA
*to stabilize*
◊ *Langkah ini akan menstabilkan kadar tukaran wang.* This measure will stabilize exchange rates.
**penstabilan** KATA NAMA
*stabilization*

**S**

**stadium** KATA NAMA
*stadium*

**stalagmit** KATA NAMA
*stalagmite*

**stalaktit** KATA NAMA
*stalactite*

**stamina** KATA NAMA
*stamina*

**stapler** KATA NAMA
*stapler*

**statistik** KATA NAMA
*statistics*
◊ *Statistik rasmi menunjukkan bahawa...* Official statistics show that...

**status** KATA NAMA
*status*

**stereng** KATA NAMA
*steering wheel*

**stereo** KATA NAMA
*stereo* (JAMAK **stereos**)

**steril** KATA ADJEKTIF
*sterile*
**mensteril** KATA KERJA
*to sterilize*
◊ *Susu itu disteril dan kemudian dibotolkan.* The milk was sterilized and sealed in bottles.
**pensterilan** KATA NAMA
*sterilization*
◊ *pempasteuran dan pensterilan susu* the pasteurization and sterilization of milk

**stesen** KATA NAMA
*station*
◊ *stesen radio* radio station ◊ *stesen jana kuasa* power station ◊ *stesen minyak* petrol station
♦ **stesen kerja** workstation (*komputer*)

**stetoskop** KATA NAMA
*stethoscope*

**stim** KATA NAMA
*steam*
◊ *enjin stim* steam engine

**stok** KATA NAMA
*stock*
◊ *Dia menyimpan stok itu di belakang kedai.* He keeps the stock at the back of the shop.

**stoking** KATA NAMA
*stocking*

**ston** KATA NAMA
*stone*
| *Satu ston adalah lebih kurang 6.3 kg.* |

**stor** KATA NAMA
*store*

**STPM** KATA NAMA (= *Sijil Tinggi Persekolahan Malaysia*)
*HSC* (= *Higher School Certificate*) (*padanan terdekat*)

**strategi** KATA NAMA
*strategy*
◊ *Strategi pemasaran syarikat itu memang berkesan.* The company's marketing strategy works well.

**strategik** KATA ADJEKTIF
*strategic*
◊ *lokasi yang strategik* a strategic location

**straw** KATA NAMA
*straw*

**strawberi** KATA NAMA
*strawberry* (JAMAK **strawberries**)

**strok** KATA NAMA
*stroke*

**struktur** KATA NAMA
*structure*

**studio** KATA NAMA
*studio* (JAMAK **studios**)

**sua**
**bersua** KATA KERJA
*to meet*
◊ *Saya bersua dengan Alex kelmarin.* I met Alex yesterday.
♦ **bersua muka** to meet
♦ **Dalam perjalanan ke Gunung Kinabalu, kami bersua dengan banyak masalah.** On our way to Mount Kinabalu, we encountered a lot of problems.

**suai kenal** KATA NAMA
*orientation*
◊ *minggu suai kenal* orientation week

**suam** KATA ADJEKTIF
*warm*
♦ **suam-suam kuku** lukewarm

**suami** KATA NAMA
*husband*
**mempersuami** KATA KERJA
*to marry*
◊ *Dia ingin mempersuami lelaki itu.* She would like to marry him.
**mempersuamikan** KATA KERJA
*to marry ... off*
◊ *En. Lee akan mempersuamikan Kathryn dengan lelaki kaya itu.* Mr Lee will marry Kathryn off to the rich man.

**suap** PENJODOH BILANGAN
♦ **sesuap nasi** a little ball of rice held in the fingers
♦ **makan suap** to receive bribes
**menyuap** KATA KERJA
*to feed*
◊ *Dia menyuap anaknya biskut.* She fed her child a biscuit.
♦ **Dia cuba menyuap pegawai itu.** He tried to bribe the officer.
**menyuapkan** KATA KERJA
*to feed*
◊ *Dia menyuapkan bubur ke mulut anaknya.* She fed the child porridge.

**suara** KATA NAMA
*voice*
◊ *Cecilia merendahkan suaranya apabila bercakap dengan ibunya.* Cecilia lowered her voice when talking to her mother.
♦ **suara hati** conscience
**bersuara** KATA KERJA
*to speak*
◊ *Dia cuba bersuara, tetapi...* He tried to speak, but...
♦ **kebebasan bersuara** freedom of speech
**menyuarakan** KATA KERJA
*to voice*
◊ *Kita harus berani menyuarakan pendapat.* We should have the courage to voice our opinion.

**suasana** KATA NAMA
*atmosphere*
◊ *suasana yang tenang* a peaceful atmosphere

**suatu** KATA BILANGAN
1 *one*
◊ *Suatu hari...* One day...
2 *a/an*
◊ *Ini bukanlah suatu masalah!* This is not a problem! ◊ *Ini bukanlah suatu masalah yang mudah untuk diselesaikan.* This is not an easy problem to solve.
♦ **Pada suatu ketika dahulu,...** Once upon a time,...
**sesuatu** KATA GANTI NAMA
*something*
◊ *Dia menyedari bahawa ada sesuatu yang tidak kena.* He realized there was something wrong.

**subahat** KATA NAMA
*accomplice*
**bersubahat** KATA KERJA
1 *to collaborate*
◊ *Dia dituduh bersubahat dengan pihak komunis.* He was accused of having collaborated with the communists.
2 *to abet*
◊ *Isterinya dihukum penjara tujuh tahun kerana bersubahat dengannya.* His wife was sentenced to seven years imprisonment for abetting him.

**subang** KATA NAMA
*earrings*

**subjek** KATA NAMA
*subject*

**subsidi** KATA NAMA
*subsidy* (JAMAK **subsidies**)

**subuh** KATA NAMA
*dawn*
♦ **sembahyang subuh** dawn prayers

**subur** KATA ADJEKTIF
*fertile*
**kesuburan** KATA NAMA

*fertility*
**menyuburkan** KATA KERJA
*to fertilize*

**suci** KATA ADJEKTIF
*sacred*
◊ *tempat-tempat suci* sacred sites
**kesucian** KATA NAMA
*purity*

**sudah** KATA BANTU
*already*
◊ *Dia sudah pergi.* He had already gone.

Kadang-kadang **sudah** *hanya diterjemahkan dengan menggunakan* **present perfect tense** *atau* **past perfect tense**.

◊ *Frankie sudah lulus ujian memandu.* Frankie has passed his driving test. ◊ *Dia sudah berbincang dengan pekerjanya.* He had spoken to his employees.
♦ **Sudahlah tu, jangan cakap lagi.** That's enough now, don't talk about it any more.
**kesudahan** KATA NAMA
*ending*
♦ **Bagaimanakah kesudahan cerita itu?** How does the story end?
**menyudahi** KATA KERJA
*to end*
◊ *Dia menyudahi ucapannya dengan mengucapkan selamat maju jaya kepada para penonton.* He ended his speech by wishing the audience success.
**menyudahkan** KATA KERJA
*to finish*
◊ *Azwin ingin menyudahkan kerja rumahnya malam ini.* Azwin would like to finish his homework tonight.
**sesudah** KATA HUBUNG
*after*
◊ *Sila pulangkan borang itu sesudah anda menandatanganinya.* Please return the form after signing it.

**sudi** KATA ADJEKTIF
*willing*
◊ *Saya sudi menjawab sebarang pertanyaan anda.* I'm willing to answer all your questions.
**kesudian** KATA NAMA
*willingness*
◊ *Walaupun dia sangat sibuk, dia menunjukkan kesudiannya untuk membantu.* Although he's very busy, he showed a willingness to help.
♦ **Terima kasih di atas kesudian anda menghadiri majlis ini.** Thanks for agreeing to attend this party.

**sudu** KATA NAMA
*spoon*

**sudut** KATA ARAH

S

---

rujuk juga **sudut** KATA NAMA
*corner*
◊ *Tuliskan perkataan itu pada sudut sebelah kiri bahagian atas kertas itu.* Write the word in the top left hand corner of the paper.
♦ **Dari sudut pandangan saya, ...** From my point of view, ...
**sudut** KATA NAMA

rujuk juga **sudut** KATA ARAH
*angle*
◊ *pada sudut 30 darjah* at a 30 degree angle
♦ **sudut 90 darjah** right angle
**sugi** KATA NAMA
*toothpick*
**sugul** KATA ADJEKTIF
*downhearted*
◊ *Dia nampak sugul.* He looks downhearted.
**suhu** KATA NAMA
*temperature*
**suis** KATA NAMA
*switch* (JAMAK **switches**)
**sujud**
**bersujud** KATA KERJA
*to prostrate oneself*
◊ *Semasa bersembahyang, Abdullah sujud beberapa kali.* While praying, Abdullah prostrated himself several times.
**suka** KATA ADJEKTIF
*to like*
◊ *Amanda tidak suka bergantung pada orang lain.* Amanda doesn't like relying on others.
♦ **Gina suka membaca majalah.** Gina loves reading magazines.
♦ **Gary suka akan gadis itu.** Gary is fond of the girl.
**kesukaan** KATA NAMA
*favourite*
◊ *makanan kesukaan saya* my favourite food
**menyukai** KATA KERJA
*to like*
◊ *Saya menyukainya kerana dia cantik.* I like her because she's beautiful.
♦ **Dia memang disukai ramai.** She is well-liked.
♦ **Keputusan itu tidak disukai ramai.** It was an unpopular decision.
♦ **tidak menyukai seseorang** to dislike somebody
**sesuka** KATA ADJEKTIF
*as one likes*
♦ **Buatlah sesuka hati anda.** Do as you like.
**sukacita** KATA ADJEKTIF
*glad*

◊ *Dengan sukacitanya dimaklumkan bahawa...* We are glad to inform you that...
**sukan** KATA NAMA
*sport*
♦ **ahli sukan (1)** sportsman (JAMAK **sportsmen**) (*lelaki*)
♦ **ahli sukan (2)** sportswoman (JAMAK **sportswomen**) (*perempuan*)
**kesukanan** KATA NAMA
♦ **semangat kesukanan** sportsmanship
**sukar** KATA ADJEKTIF
1 *difficult*
◊ *Keputusan itu merupakan keputusan yang sangat sukar untuk dibuat.* It was a very difficult decision to make.
2 *hard*
◊ *Herba ini sukar didapati.* This herb is hard to find.
♦ **Mendaki bukit merupakan aktiviti yang sukar.** Hill-walking is a tough activity.
**kesukaran** KATA NAMA
*difficulty* (JAMAK **difficulties**)
◊ *kesukaran mendapatkan maklumat yang tepat* the difficulty of getting accurate information
**menyukarkan** KATA KERJA
*to complicate*
◊ *Tindakan ini akan menyukarkan tugas kami.* This action will complicate our task.
**sukarela** KATA ADJEKTIF
*voluntary*
◊ *kerja-kerja sukarela* voluntary work
**sukarelawan** KATA NAMA
(*lelaki*)
*volunteer*
**sukarelawati** KATA NAMA
(*perempuan*)
*volunteer*
**suka ria**
**bersuka ria** KATA KERJA
*to enjoy oneself*
◊ *Mereka sedang bersuka ria di majlis itu.* They are enjoying themselves at the party.
**suka-suka** KATA ADJEKTIF
*for fun*
◊ *Saya mengambil ujian itu hanya kerana suka-suka.* I took the test just for fun.
**bersuka-suka, bersuka-sukaan** KATA KERJA
*to have fun*
◊ *Mereka semua pergi bersuka-suka.* They have all gone out to have fun.
**sukat**
**menyukat** KATA KERJA
*to measure*
**sukatan** KATA NAMA

_measurement_
◊ _sukatan tekanan darah_ measurement of blood pressure
♦ **sukatan pelajaran** syllabus
(JAMAK **syllabuses**)

**suku** KATA NAMA
_quarter_
◊ _Keuntungan akan diagihkan pada suku tahun pertama._ The profits will be distributed in the first quarter of the year.
◊ _suku akhir_ quarter-final
♦ **suku kata** syllable

**sulam** KATA NAMA _rujuk_ **sulaman**
**menyulam** KATA KERJA
_to embroider_
◊ _Vanessa menyulam sekuntum bunga pada sapu tangan itu._ Vanessa embroidered a flower on the handkerchief.
**sulaman** KATA NAMA
_embroidery_ (JAMAK **embroideries**)
◊ _Sulaman pada saku seluar jean itu sangat menarik._ The embroidery on the pocket of the jeans is very pretty.

**sulfur** KATA NAMA
_sulphur_

**suling** KATA ADJEKTIF
_distilled_
◊ _air suling_ distilled water
**penyulingan** KATA NAMA
_distillation_

**sulit** KATA ADJEKTIF
_confidential_
♦ **hubungan sulit** illicit affair
**kesulitan** KATA NAMA
_inconvenience_
◊ _Kami meminta maaf di atas segala kesulitan._ We apologize for the inconvenience.
**menyulitkan** KATA KERJA
_to complicate_
◊ _Tindakan ini akan menyulitkan tugas kami._ This action will complicate our task.

**sultan** KATA NAMA
_sultan_
**kesultanan** KATA NAMA
_sultanate_

**sultanah** KATA NAMA
_sultana (permaisuri)_

**suluh** KATA NAMA
♦ **lampu suluh** torchlight
**menyuluh** KATA KERJA
_to shine_
◊ _Junaidah menyuluh muka kawannya dengan lampu picit._ Junaidah shone a torch in her friend's face.

**sulung** KATA ADJEKTIF
_eldest_

**sulur**
**menyulur** KATA KERJA

_to twine around_
◊ _Tumbuhan itu menyulur pada pagar._ The plant twined around the fence.

**sumbang** KATA ADJEKTIF
| _rujuk juga_ **sumbang** KATA NAMA |
[1] _improper_
◊ _kelakuan yang sumbang_ improper behaviour
♦ **berkelakuan sumbang** to behave improperly
[2] _off-key_
◊ _Nyanyiannya sumbang._ His singing was off-key.
**menyumbang** KATA KERJA
_to contribute_
◊ _menyumbang ke arah masa depan negara_ to contribute to the future of the country
**menyumbangkan** KATA KERJA
_to contribute_
◊ _Mereka digalakkan supaya menyumbangkan idea-idea baru._ They are encouraged to contribute new ideas.
♦ **Mereka semua menyumbangkan tenaga untuk menjayakan projek itu.** They all pooled their energy to make the project a success.
**penyumbang** KATA NAMA
_contributor_
**sumbangan** KATA NAMA
_contribution_
◊ _sumbangan kepada masyarakat_ contribution to society

**sumbang** KATA NAMA
| _rujuk juga_ **sumbang** KATA ADJEKTIF |
♦ **sumbang saran** think-tank

**sumbat** KATA NAMA _rujuk_ **penyumbat**
**menyumbat** KATA KERJA
_to stuff_
◊ _Ibu menyumbat bantal itu dengan kapas._ Mother stuffed the pillow with cotton.
♦ **Dia menyumbat botol itu dengan gabus.** He corked the bottle.
**penyumbat** KATA NAMA
_plug_
◊ _Lubang itu telah ditutup dengan penyumbat._ A plug had been inserted in the hole.
**tersumbat** KATA KERJA
_to be blocked_
◊ _Paip itu tersumbat._ The pipe is blocked.

**sumber** KATA NAMA
[1] _source_
◊ _sumber pendapatan utama_ a major source of income
[2] _resource_
◊ _sumber-sumber alam seperti_

**S**

petroleum　natural resources such as petroleum

**sumbing**　KATA ADJEKTIF
*chipped*
　◊ *cawan yang sumbing* a chipped cup
♦ **bibir yang sumbing**　hare-lipped

**sumpah**　KATA NAMA
[1] *oath*
　◊ *Akmar mengangkat sumpah di dalam kandang saksi.* Akmar took the oath in the witness box.
[2] *curse*
♦ **sumpah seranah**　curses
**bersumpah**　KATA KERJA
*to swear*
　◊ *Saya bersumpah bahawa saya tidak melakukannya.* I swear that I didn't do it.
**menyumpah**　KATA KERJA
*to curse*
　◊ *Ahli sihir itu menyumpah putera raja itu menjadi seekor monyet.* The witch cursed the prince and turned him into a monkey.
**sumpahan**　KATA NAMA
*curse*
　◊ *Putera itu menjadi katak akibat sumpahan ahli sihir itu.* The prince turned into a frog as a result of the witch's curse.

**sumpit**　KATA NAMA
*blowpipe*
**menyumpit**　KATA KERJA
*to shoot ... with a blowpipe*

**sumsum**　KATA NAMA
*marrow*

**sunat**　KATA NAMA
*circumcision* (khatan)
**bersunat**　KATA KERJA
*to be circumcised*
　◊ *Dia bersunat mengikut agama Islam.* He had been circumcised as required by Islamic law.
♦ **Upacara bersunat akan diadakan pada petang ini.** The circumcision ceremony will be held this evening.
**menyunat**　KATA KERJA
*to circumcise*
　◊ *Doktor itu menyunat beberapa orang budak lelaki di kliniknya.* The doctor circumcised several boys in his clinic.

**sungai**　KATA NAMA
*river*
　◊ *tebing sungai* river bank
♦ **anak sungai**　stream

**sungguh**　KATA PENGUAT
*very*
　◊ *Saya sungguh gembira hari ini.* I'm very happy today.
♦ **Anda sungguh berani!** You're really brave!

**bersungguh-sungguh**　KATA KERJA
[1] *earnest*
　◊ *usaha yang bersungguh-sungguh* earnest efforts
[2] *in earnest*
　◊ *Henry bersungguh-sungguh apabila dia mengatakan bahawa dia akan membantu saya.* Henry was in earnest when he said he would help me.
[3] *hard*
　◊ *Mereka belajar dengan bersungguh-sungguh.* They study hard.
**kesungguhan**　KATA NAMA
*seriousness*
　◊ *Keikhlasan dan kesungguhannya dikagumi ramai.* He was admired for his sincerity and seriousness.
**sesungguhnya**　KATA PENEGAS
*indeed*
　◊ *Sesungguhnya Perdana Menteri Ireland memang jarang melawat ke Belfast.* It's rare indeed for an Irish Prime Minister to visit Belfast.
♦ **Sesungguhnya, segala usahanya itu tidak sia-sia.** His efforts were certainly not wasted.

**sungguhpun**　KATA HUBUNG
*although*
　◊ *Sungguhpun dia sibuk, dia tetap melawat ibunya setiap hari.* Although he is busy, he still visits his mother every day.

**sungkur**
**tersungkur**　KATA KERJA
*to fall flat on one's face*
　◊ *Lelaki itu tergelincir lalu tersungkur.* The man slipped and fell flat on his face.

**sungut (1)**
**sesungut**　KATA NAMA
(*pada serangga*)
*feeler*

**sungut (2)**
**bersungut**　KATA KERJA
*to complain*
　◊ *Dia selalu bersungut tentang suaminya.* She's always complaining about her husband.
**sungutan**　KATA NAMA
*complaint*

**sunti**　KATA ADJEKTIF
♦ **anak dara sunti/gadis sunti**　young girl

**suntik**
**menyuntik**　KATA KERJA
*to inject*
　◊ *Doktor itu menyuntik pesakit itu dengan ubat bius.* The doctor injected the patient with anaesthetic.
**menyuntikkan**　KATA KERJA
*to inject*

◊ *Doktor itu menyuntikkan ubat bius kepada pesakit itu.* The doctor injected anaesthetic into the patient.
**suntikan** KATA NAMA
*injection*
◊ *Jururawat itu memberikan satu suntikan kepada kanak-kanak itu.* The nurse gave the child an injection.

**sunting**
**menyunting** KATA KERJA
*to edit*
◊ *menyunting artikel* to edit an article
♦ **menyunting bunga** to pluck flowers
**penyunting** KATA NAMA
*editor*
**penyuntingan** KATA NAMA
*editing*

**suntuk** KATA ADJEKTIF
*late*
◊ *Masa sudah suntuk, kita harus berkemas.* It's late, we should pack our things.
♦ **sehari suntuk** a whole day
**kesuntukan** KATA KERJA
*pressed*
◊ *Saya kesuntukan masa.* I'm pressed for time.

**sunyi** KATA ADJEKTIF
*quiet*
◊ *jalan yang sunyi* a quiet street
♦ **Kehidupan kita tidak sunyi daripada masalah.** Our lives are not free from problems.
♦ **berasa sunyi** to feel lonely
**kesunyian** KATA NAMA
[1] *silence*
◊ *Dia menarik nafas dalam-dalam sambil menikmati kesunyian itu.* She breathed deeply, savouring the silence.
[2] *loneliness*
◊ *Saya takut akan kesunyian.* I have a fear of loneliness.

**sup** KATA NAMA
*soup*

**supaya** KATA HUBUNG
*so that*
◊ *Dia bekerja keras supaya tidak dipandang rendah.* She works hard so that people won't look down on her.

**superlatif** KATA ADJEKTIF
*superlative*

**surai (1)** KATA NAMA
*mane* (bulu pada tengkuk kuda, singa)

**surai (2)**
**bersurai** KATA KERJA
*to disperse*
◊ *Penunjuk perasaan bersurai dengan aman.* The demonstrators dispersed peacefully.

♦ **Mesyuarat bersurai!** The meeting is adjourned!
**menyuraikan** KATA KERJA
*to disperse*
◊ *Pihak polis menggunakan gas pemedih mata untuk menyuraikan penunjuk perasaan.* The police used tear gas to disperse the demonstrators.

**suram** KATA ADJEKTIF
[1] *gloomy*
◊ *bilik yang suram* a gloomy room
[2] *dim* (cahaya)
**kesuraman** KATA NAMA
*gloom*
◊ *Rumah itu diselubungi kesuraman.* The house was wrapped in gloom.
♦ **kesuraman ekonomi** economic depression

**surat** KATA NAMA
*letter*
♦ **surat beranak** birth certificate
♦ **surat khabar** newspaper
♦ **surat layang** anonymous letter
♦ **surat sakit** sick note
♦ **surat-menyurat** correspondence
♦ **alamat surat-menyurat** postal address
**bersurat** KATA KERJA
♦ **batu bersurat** tablet
**persuratan** KATA NAMA
*literature*
◊ *persuratan bahasa Inggeris* English literature
**tersurat** KATA KERJA
[1] *preordained*
◊ *Segala yang berlaku sudah tersurat.* Everything that happens has been preordained.
[2] *explicit*
◊ *makna yang tersurat* explicit meaning

**surau** KATA NAMA
*Muslim chapel* (padanan terdekat)

**suria** KATA NAMA
*sun*
♦ **kereta yang menggunakan kuasa suria** solar-powered car

**surih** KATA NAMA
♦ **kertas surih** tracing paper
**menyurih** KATA KERJA
*to trace*
◊ *Kathy menyurih gambar-gambar dalam buku cerita itu.* Kathy traced the pictures from the storybook.

**suri rumah** KATA NAMA
*housewife* (JAMAK **housewives**)

**suruh**
**menyuruh** KATA KERJA
*to tell*
◊ *Ibu menyuruh saya mencuci pinggan mangkuk.* Mother told me to wash the

S

dishes.
**suruhan**  KATA NAMA
_command_
♦ **orang suruhan**  minion
**suruhanjaya**  KATA NAMA
_commission_
**surut**  KATA ADJEKTIF
1. _to subside_
◊ _Kami menunggu sehingga banjir surut._  We waited for the flood to subside.
2. _to ebb_ (air laut)
♦ **air surut**  low tide
♦ **pasang surut**  ebbing tide
**susah**  KATA ADJEKTIF
_difficult_
◊ _soalan yang susah_  difficult question
♦ **Tingkah lakunya susah untuk dijelaskan.**  His behaviour is hard to explain.
♦ **susah hati**  upset
**bersusah**  KATA KERJA
♦ **bersusah payah**  to try hard ◊ _Dia bersusah payah untuk memperbaiki kehidupannya sekarang._  He is trying hard to improve his life.
♦ **bersusah hati**  upset ◊ _Dia masih bersusah hati._  She's still upset.
**kesusahan**  KATA NAMA
_difficulty_ (JAMAK **difficulties**)
◊ _Kami terharu apabila mendengar tentang kesusahan yang dihadapi oleh orang tua itu._  We were touched when we heard about the difficulties that the old man faced.
♦ **hidup dalam kesusahan**  to live in poverty
**menyusahkan**  KATA KERJA
_to trouble_
◊ _Jangan menyusahkan ibu kamu dengan benda-benda sebegitu._  Don't trouble your mother with such things.
**susastera**
**kesusasteraan**  KATA NAMA
_literature_
**susila**
**kesusilaan**  KATA NAMA
_courtesy_
◊ _kesopanan dan kesusilaan_ politeness and courtesy
**susu**  KATA NAMA
_milk_
**menyusu**  KATA KERJA
_to feed_
◊ _Apabila seseorang bayi dahaga, ia akan menyusu dengan lebih kerap._  When a baby is thirsty, it feeds more often.
**menyusui, menyusukan**  KATA KERJA
_to breast-feed_

◊ _Ibu-ibu patut belajar cara menyusukan bayi mereka._  Mothers need to learn how to breast-feed their babies.
**penyusuan**  KATA NAMA
_feeding_
◊ _Saya tidak tahu langsung mengenai penjagaan atau penyusuan bayi._  I knew absolutely nothing about handling or feeding a baby.
♦ **kebaikan penyusuan ibu**  the benefits of breast-feeding
**susuk**  KATA NAMA
_figure_ (lembaga)
♦ **susuk tubuh**  figure
**susul**
**menyusul**  KATA KERJA
_to follow_
◊ _Berita bahasa Inggeris akan menyusul selepas ini._  The English news will follow.
◊ _Anda pergilah dulu, saya akan menyusul kemudian._  You go first and I'll follow.
**menyusuli**  KATA KERJA
_to follow_
◊ _Kata kerja transitif harus disusuli dengan objek._  A transitive verb must be followed by an object.
**susulan**  KATA NAMA
_sequel_
**susun**
**menyusun**  KATA KERJA
_to arrange_
◊ _menyusun tempat duduk_  to arrange the chairs
**penyusun**  KATA NAMA
_compiler_
◊ _penyusun kamus_  compiler of a dictionary
**penyusunan**  KATA NAMA
_arrangement_
◊ _penyusunan buku mengikut susunan abjad_  the arrangement of books in alphabetical order
**tersusun**  KATA KERJA
_to be arranged_
◊ _Buku-buku itu tersusun rapi._  The books were neatly arranged.
**susunan**  KATA NAMA
_order_
◊ _mengikut susunan menaik_  in ascending order
♦ **susunan kerusi di sekeliling meja makan**  the arrangement of chairs around a dining table
**susun atur**  KATA NAMA
_layout_ (bangunan, dll)
**susup**
**menyusup**  KATA KERJA
1. _to slip_

◊ *Perompak itu menyusup di celah-celah orang ramai.* The thief slipped into the crowd.

② *to infiltrate*

◊ *Seorang pengintip telah menyusup ke dalam syarikat ini.* A spy has infiltrated the company.

**penyusupan** KATA NAMA
*infiltration*

**susur** KATA ADJEKTIF
*edge*

◊ *Mereka berjalan di susur pantai.* They were walking along the edge of the shore.

♦ **susur bandar** outskirts
♦ **susur tangga** banister

**menyusur, menyusuri** KATA KERJA
*to go along the edge of*

♦ **Mereka berjalan menyusuri pantai itu pada waktu senja.** At dusk they walked along the beach at the water's edge.

♦ **Perahu yang menyusur pantai...** A boat sailing close to the shoreline...

**susur galur** KATA NAMA
*genealogy*

**menyusur galur** KATA KERJA
*to trace*

**susut** KATA KERJA
*to lose*

◊ *Berat badannya semakin susut.* He is losing weight.

♦ **susut nilai** depreciation

**menyusut** KATA KERJA
*to decrease*

◊ *Nilai rumah itu semakin menyusut.* The value of the house is decreasing.

**penyusutan** KATA NAMA
*devaluation*

◊ *penyusutan nilai mata wang* devaluation of a currency

**sut** KATA NAMA
*suit*

**sutera** KATA NAMA
*silk*

**swasta** KATA ADJEKTIF
*private*

◊ *Sektor swasta harus bekerjasama dengan kerajaan.* The private sector should co-operate with the government.

**menswastakan** KATA KERJA
*to privatize*

◊ *Kerajaan ingin menswastakan beberapa buah hospital.* The government would like to privatize several hospitals.

**penswastaan** KATA NAMA
*privatization*

◊ *penswastaan perkhidmatan pos* the privatization of postal services

**syabas** KATA SERUAN

♦ **Syabas!** Well done!

**syair** KATA NAMA
*poem*

**bersyair** KATA KERJA
*to recite a poem*

◊ *Dia bersyair.* He recited a poem.

**penyair** KATA NAMA
*poet*

**syaitan** KATA NAMA
*devil*

**syak** KATA KERJA

> rujuk juga **syak** KATA NAMA

*to suspect*

◊ *Saya syak dia yang mengambil barang itu.* I suspect that he's the one who took it.

♦ **Tidak syak lagi, dialah pencuri itu.** There's no doubt about it, he's the thief.

**mengesyaki** KATA KERJA
*to suspect*

◊ *Pihak polis mengesyaki bahawa lelaki itu mungkin seorang pengedar dadah.* The police suspect him of being a drug trafficker.

**syak** KATA NAMA

> rujuk juga **syak** KATA KERJA

*doubt*

◊ *Saya tidak menaruh sebarang syak terhadapnya.* I don't have any doubts about him.

**syampu** KATA NAMA
*shampoo*

**bersyampu** KATA KERJA
*to shampoo*

◊ *memakai perapi selepas bersyampu* to use conditioner after shampooing

**mensyampu** KATA KERJA
*to shampoo*

**syarah**

**bersyarah** KATA KERJA

① *to give a talk*
② *to lecture*

**pensyarah** KATA NAMA

① *speaker*
② *lecturer* (di kolej, universiti)

**syarahan** KATA NAMA
*talk*

◊ *Pegawai daerah itu akan mengadakan syarahan di kampung ini.* The district officer will hold a talk in the village.

**syarat** KATA NAMA
*condition*

◊ *tertakluk kepada syarat-syarat tertentu* subject to certain conditions

**bersyarat** KATA KERJA
*conditional*

◊ *satu tawaran bersyarat* a conditional offer

**mensyaratkan** KATA KERJA
*to stipulate*

◊ *Kerajaan telah mensyaratkan*

**S**

*bahawa...* The government has stipulated that...

**syariah** KATA NAMA
*Islamic law*
♦ **mahkamah syariah** Islamic court
♦ **hukum syariah** Islamic law

**syarikat** KATA NAMA
*company* (JAMAK **companies**)
**persyarikatan** KATA NAMA
*consolidation*

**syer** KATA NAMA
*share*

**syif** KATA NAMA
*shift*

**syiling** KATA NAMA
*coin*

**syor** KATA NAMA
*suggestion*
**mengesyorkan** KATA KERJA
*to suggest*
◊ *Saya mengesyorkan agar mereka bertolak awal.* I suggested they set off early.

**syukur** KATA NAMA
*thanks to God*
♦ **Syukur kepada Tuhan...** Thank God...
**bersyukur** KATA KERJA
*to be thankful*
◊ *Kita harus bersyukur.* We should be thankful.
**kesyukuran** KATA NAMA
*gratitude*
◊ *Dia menyatakan kesyukurannya kerana pembedahan itu berjalan lancar.* He expressed his gratitude for the successful operation.
**mensyukuri** KATA KERJA
*to be thankful for*
◊ *Kita patut mensyukuri keamanan yang kita nikmati.* We should be thankful for the peace we are enjoying.

**syurga** KATA NAMA
1 *heaven*
2 *paradise*

# T

**taakul** KATA NAMA
*reason*
**menaakul** KATA KERJA
*to reason*
◊ *Dia menaakul bahawa kesimpulan itu benar.* He reasoned that the conclusion was true.
**penaakulan** KATA NAMA
*reasoning*
◊ *daya penaakulan seorang kanak-kanak* the reasoning power of a child

**taat** KATA ADJEKTIF
1 *loyal*
◊ *Rakyat sangat taat kepada raja mereka.* The people are very loyal to their king.
2 *faithful*
◊ *taat kepada Tuhan* faithful to God
♦ **taat setia** loyal
**ketaatan** KATA NAMA
*loyalty*
◊ *Kami ada sebab untuk meragui ketaatannya.* We have reasons to doubt his loyalty.

**tab** KATA NAMA
♦ **tab mandi** bath (AS **bathtub**)

**tabah** KATA ADJEKTIF
*to persevere*
◊ *Kita mesti tabah ketika menghadapi kesukaran.* We must persevere in the face of difficulties.
♦ **tabah hati** resolute ◊ *orang yang tabah hati* a resolute person
**ketabahan** KATA NAMA
*fortitude*
◊ *Ketabahan Nathan melawan penyakit kanser menjadi inspirasi kepada semua orang.* Nathan's fortitude in fighting cancer was an inspiration to everybody.

**tabal**
**menabalkan** KATA KERJA
*to install*
◊ *Sultan Selangor ditabalkan sebagai Yang di-Pertuan Agong pada 23 September 1999.* The Sultan of Selangor was installed as the Yang di-Pertuan Agong on 23 September 1999.
**penabalan** KATA NAMA
*installation*
◊ *Istiadat penabalan Yang di-Pertuan Agong diadakan di Istana Negara.* The installation ceremony of the Yang di-Pertuan Agong was held at Istana Negara.
**pertabalan** KATA NAMA
*installation*
◊ *Ahli-ahli kabinet menyaksikan pertabalan Sultan Salahuddin sebagai Yang di-Pertuan Agong yang kesebelas.*

Members of the Cabinet witnessed Sultan Salahuddin's installation as the eleventh Yang di-Pertuan Agong.

**tabiat** KATA NAMA
*habit*

**tabib** KATA NAMA
*healer*

**tabik** KATA NAMA
*salute*
◊ *tabik pengakap* the scouts' salute
♦ **memberikan tabik hormat** to salute
**menabik** KATA KERJA
*to salute*
◊ *Askar itu menabik kepada pegawai atasannya.* The soldier saluted his superior officer.

**tabika** KATA NAMA (= *taman bimbingan kanak-kanak*)
*playgroup*

**tabir** KATA NAMA
*curtain*

**tablet** KATA NAMA
*tablet*

**tabloid** KATA NAMA
*tabloid*

**tabu** KATA NAMA
*taboo*

**tabung** KATA NAMA
1 *money box*
2 *fund*
◊ *tabung kebajikan* welfare fund
♦ **tabung amanah** trust
♦ **tabung uji** test tube
**menabung** KATA KERJA
*to save up*
◊ *Mereka sedang menabung untuk membeli sebuah rumah.* They are saving up to buy a house.
**menabungkan** KATA KERJA
*to deposit*
◊ *Betty menabungkan RM100 untuk anaknya.* Betty deposited RM100 for her child.
**tabungan** KATA NAMA
*savings*
◊ *Tabungannya sudah berjumlah sepuluh ribu ringgit.* His savings amount to ten thousand ringgits.

**tabur**
**bertaburan** KATA KERJA
*scattered*
◊ *Gambar-gambar itu bertaburan di atas meja.* The photos were scattered on the table.
**menabur, menaburkan** KATA KERJA
*to scatter*
◊ *Eva menaburkan cebisan kertas berwarna-warni ke atas pentas.* Eva scattered small pieces of coloured paper

on the stage.

♦ **Mereka menabur bunga pada pasangan pengantin itu.** They threw flowers over the bridal couple.

**penaburan** KATA NAMA

_sowing_

◊ _penaburan biji benih_ the sowing of seeds

**taburan** KATA NAMA

_distribution_

◊ _taburan penduduk_ population distribution

**tadah** KATA NAMA

_receptacle_

**menadah** KATA KERJA

_to catch_

◊ _Dia meletakkan sebuah baldi di bawah pili itu untuk menadah air yang menitis keluar._ She put a bucket under the tap to catch the drips.

**tadahan** KATA NAMA

_catchment_

◊ _kawasan tadahan hujan_ rain catchment area

**tadbir**

**mentadbirkan** KATA KERJA

_to administer_

◊ _badan yang mentadbirkan negara_ the body that administers the country

**pentadbir** KATA NAMA

_administrator_

**pentadbiran** KATA NAMA

_administration_

◊ _Pentadbiran jabatan itu amat efisien._ The administration of the department is very efficient.

♦ **kerja-kerja pentadbiran** administrative work

**tadi** KATA ADJEKTIF

_just now_

◊ _Saya berjumpa dengannya tadi._ I met him just now.

♦ **pagi tadi** this morning

♦ **petang tadi** this afternoon

♦ **malam tadi** last night

**tadika** KATA NAMA (= _taman didikan kanak-kanak_)

_kindergarten_

**tafakur** KATA NAMA

_meditation_

**bertafakur** KATA KERJA

_to meditate_

**tafsir** KATA NAMA

_interpretation_

♦ **salah tafsir** misinterpretation

**mentafsirkan** KATA KERJA

① _to explain_

◊ _Peguam itu mentafsirkan undang-undang tersebut kepada pelanggannya._

The lawyer explained the law to his client.

② _to interpret_

◊ _Dia cuba mentafsirkan puisi itu._ He tried to interpret the poem.

**pentafsir** KATA NAMA

_interpreter_

◊ _Dia terkenal sebagai pentafsir utama karya Mozart._ She's well-known as the foremost interpreter of Mozart.

**pentafsiran** KATA NAMA

_interpretation_

◊ _pentafsiran ayat-ayat al-Quran_ the interpretation of Koranic verses

**tafsiran** KATA NAMA

_interpretation_

◊ _satu tafsiran yang tepat_ an accurate interpretation

**tagak**

**bertagak-tagak** KATA KERJA

_to dawdle_

◊ _Dia bertagak-tagak untuk menulis esei bagi pertandingan itu._ He dawdled over writing an essay for the competition.

**tagan** KATA NAMA

_bet_

**tagih**

**ketagih** KATA ADJEKTIF

_addicted_

◊ _Dia ketagih dadah._ He's addicted to drugs.

**ketagihan** KATA ADJEKTIF

| rujuk juga **ketagihan** KATA NAMA |

_addicted_

◊ _Dia ketagihan dadah._ He's addicted to drugs.

**ketagihan** KATA NAMA

| rujuk juga **ketagihan** KATA ADJEKTIF |

_addiction_

◊ _Dia membantu Asrul melawan ketagihan dadahnya._ She helped Asrul fight his drug addiction.

**menagih** KATA KERJA

_to crave_

◊ _Gadis itu menagih perhatiannya._ The girl craves his attention.

♦ **Dia menagih dadah.** He's addicted to drugs.

♦ **menagih hutang** to demand payment of a debt

**penagih** KATA NAMA

_addict_

◊ _penagih dadah_ drug addict

**penagihan** KATA NAMA

_addiction_

◊ _penagihan dadah di kalangan remaja_ drug addiction among teenagers

**tahan** KATA ADJEKTIF

① _to last_

◊ _Bateri ini tahan dua kali lebih lama_

*daripada bateri lain*. This battery lasts twice as long as other batteries.

♦ **tahan lama** durable ◊ *barangan yang tahan lama* durable goods

♦ **tahan lasak** hardy ◊ *haiwan yang tahan lasak* a hardy animal

② *to stand*
◊ *Saya tidak tahan lagi dengan perangainya itu*. I can't stand his attitude any more.

**bertahan** KATA KERJA
*to hang on*
◊ *Mereka bertahan demi memenangi piala itu*. They hung on to win the Cup.

♦ **juara bertahan** defending champion

**ketahanan** KATA NAMA
*endurance*
◊ *daya ketahanan seorang atlit* an athlete's power of endurance

♦ **daya ketahanan badan terhadap penyakit** the body's resistance to disease

**menahan** KATA KERJA
① *to stop*
◊ *Dia tidak dapat menahan air matanya daripada mengalir*. She couldn't stop her tears from flowing.

② *to prevent*
◊ *Benteng dibina untuk menahan air sungai daripada melimpah*. Embankments were built to prevent the river from overflowing its banks.

③ *to support*
◊ *Kayu tebal digunakan untuk menahan pentas itu*. Thick pieces of wood were used to support the stage.

♦ **menahan nafas** to hold one's breath

♦ **Polis telah menahan tiga orang lelaki semalam**. The police detained three men last night.

♦ **Debra tidak dapat menahan kepanasan matahari lalu pengsan**. Debra couldn't withstand the heat of the sun and fainted.

**mempertahankan** KATA KERJA
*to defend*
◊ *Askar-askar itu berjuang untuk mempertahankan negara mereka*. The soldiers fought to defend their country.

**penahanan** KATA NAMA
*detention*
◊ *penahanan pendatang tanpa izin* the detention of illegal immigrants

**pertahanan** KATA NAMA
*defence*
◊ *Menteri Pertahanan* the Defence Minister

♦ **pemain pertahanan** defender

♦ **pertahanan diri** self-defence

**tertahan-tahan** KATA KERJA

*halting*
◊ *Janet menceritakan kisahnya yang sedih dengan suara yang tertahan-tahan*. Janet related her sad story in a halting voice.

**tahanan** KATA NAMA
① *prisoner*
◊ *Pengganas itu mengambil empat orang tahanan*. The terrorist took four prisoners.

♦ **tahanan politik** political detainee

② *detention*
◊ *Dia diseksa semasa dalam tahanan*. He was tortured while in detention.

♦ **Dia berada dalam tahanan polis**. He's in police custody.

**tahap** KATA NAMA
*stage*
◊ *tahap pertama* the first stage

**bertahap-tahap** KATA KERJA
*in stages*
◊ *Projek itu dilaksanakan bertahap-tahap*. The project was implemented in stages.

**tahi** KATA NAMA
*faeces*

♦ **tahi lalat** mole

♦ **tahi telinga** ear wax

**tahniah** KATA NAMA
*congratulations*
◊ *Tahniah atas kejayaan anda*. Congratulations on your success.

♦ **kad ucapan tahniah** a congratulatory card

♦ **mengucapkan tahniah** to congratulate

**tahu** KATA KERJA
*to know*
◊ *Saya tahu jawapannya*. I know the answer.

♦ **Saya tidak tahu-menahu langsung.** I haven't the least idea.

**mengetahui** KATA KERJA
*to know*
◊ *Sudah lama saya mengetahui perkara itu*. I've known that for a long time.

**pengetahuan** KATA NAMA
*knowledge*
◊ *pengetahuan am* general knowledge

**berpengetahuan** KATA KERJA
*knowledgeable*
◊ *orang yang berpengetahuan* a knowledgeable person

**setahu** KATA ADJEKTIF

♦ **setahu saya** as far as I know

**tahun** KATA NAMA
*year*
◊ *tahun lompat* leap year

♦ **setahun sekali** annually ◊ *Syarikat-syarikat mengemukakan laporan kepada* *pemegang saham setahun sekali.* Companies report to their shareholders annually.

**bertahun-tahun** KATA BILANGAN
*for years*
◊ *Sudah bertahun-tahun kami tinggal di sini.* We've lived here for years.

**tahunan** KATA ADJEKTIF
*annual*
◊ *sukan tahunan sekolah* the annual school sports

**taip** KATA NAMA
♦ **mesin taip** typewriter
**menaip** KATA KERJA
*to type*
◊ *Setiausaha itu mampu menaip 100 patah perkataan seminit.* The secretary can type 100 words per minute.

**menaipkan** KATA KERJA
*to type*
◊ *Frank menaipkan kakaknya sepucuk surat.* Frank typed a letter for his sister.

**penaip** KATA NAMA
*typist*

**taja**
**menaja** KATA KERJA
*to sponsor*
◊ *Datin Irena akan menaja pakaian untuk pertunjukan fesyen itu.* Datin Irena will sponsor the clothes for the fashion show.

**penaja** KATA NAMA
*sponsor*
**penajaan** KATA NAMA
*sponsorship*
◊ *Penajaan sesuatu acara, ada kalanya lebih berkesan daripada pengiklanan.* The sponsorship of an event can be more effective than advertising.

**tajaan** KATA NAMA
*sponsorship*
◊ *Badan-badan sukan memerlukan tajaan untuk menjalankan program latihan mereka.* Sports bodies need sponsorship to run their training programmes.
♦ **"tajaan NST"** "sponsored by NST"

**tajak** KATA NAMA
*hoe*
**menajak** KATA KERJA
*to hoe*
◊ *Petani itu sedang menajak di ladang anggur itu.* The farmer is hoeing in the vineyard.

**tajam** KATA ADJEKTIF
*sharp*
**ketajaman** KATA NAMA
*sharpness*
◊ *Ramai orang mengagumi ketajaman fikirannya.* Many people admire the

sharpness of his mind.

**menajamkan** KATA KERJA
*to sharpen*
◊ *Dia menajamkan pensel itu dengan sebilah pisau.* He sharpened the pencil with a knife.

**tajuk** KATA NAMA
*title*
◊ *tajuk sebuah lagu* the title of a song
♦ **tajuk berita** headline
**bertajuk** KATA KERJA
*entitled*
◊ *Buku itu bertajuk 'Air'.* The book is entitled 'Air'.

**takal** KATA NAMA
*pulley*

**takat** KATA NAMA
*level*
◊ *Air sungai itu sudah naik sehingga takat berbahaya.* The river has risen to a dangerous level.
♦ **takat lebur** melting point
**setakat** KATA HUBUNG
*up to*
◊ *Setakat ini, kami masih belum menerima sebarang berita daripadanya.* Up to now, we haven't received any news from him.
♦ **Buatlah setakat yang boleh.** Do what you can.

**takbir** KATA NAMA
*praises to God*
**bertakbir** KATA KERJA
*to praise God*

**takbur** KATA ADJEKTIF
*arrogant*
◊ *Budak yang takbur itu kalah dalam pertandingan itu.* The arrogant child lost the competition.
**ketakburan** KATA NAMA
*pride*
◊ *Ketakburannya akan menyebabkan kejatuhannya.* His pride will be his downfall.

**takdir** KATA NAMA
*fate*
◊ *Kita tidak dapat melawan takdir.* We cannot go against fate.
♦ **takdir Tuhan** God's will
**mentakdirkan** KATA KERJA
*to determine*
◊ *Tuhanlah yang mentakdirkan segala-galanya.* God determines everything.
♦ **Mereka sudah ditakdirkan hidup dalam kemiskinan.** They were fated to live in poverty.

**takhta** KATA NAMA
*throne*

**takik** KATA NAMA

_notch_ (JAMAK **notches**)
◊   _Takik pada batang pokok itu sedalam 5 cm._   The notch in the tree trunk is 5 cm deep.
**menakik**   KATA KERJA
_to cut a notch_
◊   _Ayah saya menakik dahan pokok itu untuk mengikat buaian._   My father cut a notch in the branch of the tree so he could tie a swing to it.
**takikan**   KATA NAMA
_notch_ (JAMAK **notches**)
◊   _Vicky terkejut apabila dia melihat ada takikan pada meja barunya._   Vicky was shocked to see notches in her new table.

**takjub**   KATA ADJEKTIF
_amazed_
◊   _Kanak-kanak itu begitu takjub dengan pertunjukan silap mata itu._   The children were amazed by the magic show.
**menakjubkan**   KATA KERJA
_to amaze_
◊   _Dia menakjubkan semua orang dengan kekuatan fizikalnya._   He amazed everybody with his physical strength.
♦   **Saiz kasut lelaki itu sungguh menakjubkan.**   The size of that man's shoes is amazing.

**taklimat**   KATA NAMA
_briefing_

**takluk**   KATA KERJA
_to bow to_
◊   _Melaka akhirnya takluk kepada kuasa Barat._   Malacca finally bowed to the power of the West.
♦   **negeri takluk British**   British colony
**menakluki**   KATA KERJA
_to conquer_
◊   _Orang Belanda menakluki negeri Melaka pada tahun 1641._   The Dutch conquered Malacca in 1641.
**penakluk**   KATA NAMA
_conqueror_
**penaklukan**   KATA NAMA
_conquest_
◊   _penaklukan Eropah oleh Napoleon_ the conquest of Europe by Napoleon
**tertakluk**   KATA KERJA
_subject to_
◊   _Tarikh ini tertakluk kepada perubahan._ This date is subject to alteration.

**takrif**   KATA NAMA
_definition_
**mentakrifkan**   KATA KERJA
_to define_
◊   _Dia tidak dapat mentakrifkan makna perkataan 'fotosintesis'._   She couldn't define the meaning of the word 'photosynthesis'.

**pentakrifan**   KATA NAMA
_defining_
◊   _Cara pentakrifan anda tidak betul._ Your way of defining is incorrect.

**taksa**   KATA ADJEKTIF
_ambiguous_
**ketaksaan**   KATA NAMA
_ambiguity_ (JAMAK **ambiguities**)

**taksir**   KATA KERJA
_to assess_
◊   _salah taksir_   to assess wrongly
**menaksir**   KATA KERJA
_to assess_
◊   _Mereka sedang menaksir jumlah perbelanjaan yang dikeluarkan untuk pameran itu._   They are assessing expenditure on the exhibition.   ◊   _Guru itu akan menaksir pencapaian pelajar pada akhir tahun._   The teacher will assess the achievements of the students at the end of the year.
**penaksiran**   KATA NAMA
_assessment_
◊   _Penaksiran itu dijalankan mengikut panduan yang disediakan._   The assessment was carried out according to the guidelines provided.
**taksiran**   KATA NAMA
_assessment_
◊   _Juruukur itu membuat taksiran untuk nilai tanah itu._   The surveyor made an assessment of the value of the land.
♦   **cukai taksiran**   assessment tax

**taktik**   KATA NAMA
_tactic_

**takuk**   KATA NAMA
  1   _deep notch_
◊   _Takuk pada batang pokok itu membolehkan Joe memanjatnya._   The deep notch in the tree trunk enabled Joe to climb it.
  2   _stage_
◊   _Mereka masih berada di takuk lama, walaupun sudah bertahun-tahun belajar dengan guru itu._   They are still at the same stage as before, despite studying with that teacher for years.
**menakuk**   KATA KERJA
_to cut a deep notch_
◊   _Ayah saya menakuk dahan pokok itu untuk dijadikan tangga._   My father cut deep notches in the branch of the tree to make steps.

**takung**   KATA NAMA
_container_
◊   _Penoreh getah itu menggunakan takung untuk mengumpul susu getah._ The rubber tapper used a container to collect the latex.

**T**

**bertakung** KATA KERJA
*stagnant*
◊ *Nyamuk membiak di dalam air yang bertakung.* Mosquitoes breed in stagnant water.

**menakung** KATA KERJA
*to collect*
◊ *Dia menakung air hujan untuk mencuci keretanya.* He collected rainwater to wash his car with.

**penakungan** KATA NAMA
*collecting*
◊ *Tayar-tayar lama perlu dibakar untuk mengelakkan penakungan air.* Old tyres should be burnt to prevent water from collecting in them.

**takungan** KATA NAMA
*container*
◊ *takungan air* water container

**takut** KATA ADJEKTIF
*afraid*
◊ *Jangan takut!* Don't be afraid!
◊ *Budak itu takut hendak tidur seorang.* The child was afraid to sleep alone.

**ketakutan** KATA KERJA

> rujuk juga **ketakutan** KATA NAMA

*frightened*
◊ *Dia masih lagi ketakutan, walaupun peristiwa ngeri itu sudah berakhir.* She's still frightened, even though the terrifying incident is over now.

**ketakutan** KATA NAMA

> rujuk juga **ketakutan** KATA KERJA

*fear*
◊ *Pelarian-pelarian itu hidup dalam ketakutan.* The refugees lived in fear.

**menakutkan** KATA KERJA
① *to frighten*
◊ *Jangan menakutkan saya.* Don't frighten me.
② *frightening*
◊ *pengalaman yang menakutkan* a frightening experience

**penakut** KATA NAMA
*coward*

**takut-takut** KATA ADJEKTIF
*worried*
◊ *Dia takut-takut hendak melintas jalan sejak kemalangan itu.* He's worried about crossing the road since the accident.

**menakut-nakutkan** KATA KERJA
*to scare*
◊ *Dia menakut-nakutkan kanak-kanak itu dengan cerita hantu.* He scared the children with ghost stories.

**takwim** KATA NAMA
*calendar*

**takziah** KATA NAMA
*condolence*

◊ *Kim menghantar surat takziah kepada Hank yang baru kehilangan isterinya.* Kim sent a letter of condolence to Hank, who had just lost his wife.
♦ **mengucapkan takziah** to express condolences

**takzim** KATA ADJEKTIF
*respectful*
◊ *salam takzim* respectful greetings
♦ **Dia berucap dengan penuh takzim.** She spoke respectfully.

**tala (1)** KATA NAMA
*reverberation*
◊ *Jason mendengar bunyi tala pintu yang ditutup dengan kuat.* Jason heard the reverberation of the door being slammed.
♦ **tala bunyi** tuning fork

**menala** KATA KERJA
*to tune*
◊ *Phoebe menala tali-tali biola itu supaya sama dengan nada E, A, D dan G.* Phoebe tuned the strings of the violin to E, A, D and G.

**menyetalakan** KATA KERJA
*to get ... in tune*
◊ *Pemain-pemain orkestra perlu menyetalakan alat-alat muzik mereka sebelum membuat persembahan.* The players in the orchestra have to get their instruments in tune before a performance.

**penala** KATA NAMA
*tuning fork*

**penalaan** KATA NAMA
*tuning*
♦ **Penalaan piano konsert itu dibuat setiap bulan.** The concert piano is tuned every month.

**setala** KATA ADJEKTIF
*in tune*
◊ *Bunyi klarinet itu tidak setala dengan bunyi biola itu.* The clarinet is not in tune with the violin.

**tala (2)**

**menala** KATA KERJA
*to punch*
◊ *Dia menala dinding itu untuk melepaskan kemarahannya.* He punched the wall to vent his anger.

**talak** KATA NAMA
*divorce for Muslims*
♦ **menjatuhkan talak** to divorce ◊ *Hassan menjatuhkan talak ke atas isterinya selepas berkahwin selama dua tahun.* Hassan divorced his wife after two years of marriage.

**talam** KATA NAMA
*tray*

**tali** KATA NAMA

1. *rope*
2. *string*
◊ *Penjual sayur itu mengikat sayur dengan tali rafia.* The grocer tied the vegetables with raffia string.
3. *strap* (*pada baju, beg, jam tangan*)
♦ **tarik tali** tug-of-war
♦ **tali air** canal
♦ **tali kasut** shoelace
♦ **tali leher** tie
♦ **tali leher kupu-kupu** bow tie
♦ **tali pinggang** belt
♦ **tali pinggang keledar** seat belt
**bertali** KATA KERJA
*with straps*
◊ *sehelai baju luar bertali* a pair of overalls with straps
**pertalian** KATA NAMA
*relationship*
◊ *Pertalian mereka menjadi renggang selepas pertengkaran itu.* Their relationship became less close after the quarrel.
♦ **pertalian antara ibu dengan anak** the bond between mother and child
♦ **Dia mempunyai banyak pertalian dengan orang yang berkuasa.** He has many connections with powerful people.
**talian** KATA NAMA
*line*
◊ *Semua talian telefon terputus.* All the telephone lines went dead.
♦ **dalam talian** online
**talkum** KATA NAMA
*talcum*
◊ *bedak talkum* talcum powder
**talu**
**bertalu-talu** KATA KERJA
*repeatedly*
◊ *Dia memukul saya bertalu-talu.* He hit me repeatedly.
**talun**
**bertalun-talun** KATA KERJA
*to echo*
◊ *Suaranya bertalun-talun di lembah itu.* Her voice echoed in the valley.
**tamadun** KATA NAMA
*civilization*
**bertamadun** KATA KERJA
*civilized*
♦ **tidak bertamadun** uncivilized
**tamak** KATA ADJEKTIF
*greedy*
**ketamakan** KATA NAMA
*greed*
**taman** KATA NAMA
1. *garden* (*di rumah*)
2. *park* (*tempat awam*)
◊ *taman tema* theme park

♦ **taman permainan** playground
**tamat** KATA KERJA
*to end*
◊ *Wayang itu tamat pada pukul sembilan.* The film ended at nine o'clock.
**menamatkan** KATA KERJA
*to end*
◊ *Dia menamatkan ucapannya dengan sebuah sajak.* He ended his speech with a poem.
♦ **Beliau menamatkan perlumbaan itu dalam masa dua jam.** He completed the race in two hours.
♦ **Dia sudah menamatkan pengajiannya di universiti.** She has graduated from the university.
**penamat** KATA NAMA
*ending*
♦ **garisan penamat** finishing line
♦ **mata penamat** match point
**penamatan** KATA NAMA
*termination*
◊ *penamatan kontrak* the termination of a contract
**tambah** KATA KERJA
*plus*
◊ *satu tambah satu* one plus one
**bertambah** KATA KERJA
*to increase*
◊ *Jumlah ahli persatuan itu sudah bertambah.* The society's membership has increased.
♦ **bertambah baik** to improve
**menambah, menambahkan**
KATA KERJA
*to add*
◊ *Mereka menambahkan air untuk mencairkan larutan itu.* They added water to dilute the solution.
♦ **menambahkan pengetahuan seseorang** to increase somebody's knowledge
**penambahan** KATA NAMA
*increase*
◊ *Penambahan jumlah tayangan pada hari Rabu hanya dilakukan untuk filem ini.* The increase in the number of showings on Wednesday is for this movie only.
**pertambahan** KATA NAMA
*increase*
◊ *pertambahan jumlah penduduk bandar* the increase in the urban population
**tambahan** KATA NAMA
*addition*
◊ *Pita ini ialah tambahan kepada buku itu.* This cassette is an addition to the book.
♦ **bahan bacaan tambahan** additional reading materials
♦ **Tambahan pula,...** Furthermore,...

**T**

**tambak** KATA NAMA
*embankment*
◊ *Mereka membina sebuah tambak di tebing sungai itu.* They built an embankment on the river bank.
♦ **Tambak Johor** the Johore Causeway
**tambang** KATA NAMA
*fare*
**tambat**
**bertambat** KATA KERJA
1 *to be tethered*
♦ **Lembu-lembu yang tidak bertambat itu berkeliaran di merata tempat.** The cows, which were untethered, roamed everywhere.
2 *to be moored*
◊ *Sampan itu bertambat di jeti itu.* The boat was moored at the jetty.
**menambat** KATA KERJA
1 *to tether* (haiwan)
2 *to moor* (perahu)
♦ **wanita yang telah menambat hatinya** the woman who captured his heart
♦ **Kecantikan puteri itu menambat hati masyarakat dunia.** The princess's beauty captivated the world.
**penambat** KATA NAMA
*a means of tying things*
♦ **tali penambat** rope
**tertambat** KATA KERJA
1 *to be tethered*
◊ *Seekor lembu tertambat pada sebatang pokok di belakang rumah Pak Kassim.* A cow was tethered to a tree behind Pak Kassim's house.
2 *to be moored*
◊ *Sampan itu masih tertambat di jeti tersebut.* The boat is still moored to the jetty.
♦ **Hatinya sudah tertambat pada gadis itu.** He has fallen in love with that girl.
**tamborin** KATA NAMA
*tambourine*
**tambun** KATA ADJEKTIF
*plump*
**tambur** KATA NAMA
*bass drum*
**tampak** KATA KERJA
*to look*
◊ *Dia tampak hebat.* She looks fantastic.
**menampakkan** KATA KERJA
*to show*
◊ *Dia tidak menampakkan ketakutannya.* He didn't show his fear.
**tampaknya** KATA PENEGAS
*to seem*
◊ *Tampaknya semua orang sedang sibuk.* Everybody seems to be busy.

**tampal** KATA NAMA
*patch* (JAMAK **patches**)
◊ *Dia meletakkan tampal pada lubang itu.* He put a patch over the hole.
**bertampal** KATA KERJA
*patched*
◊ *sehelai seluar jean yang bertampal* a pair of patched jeans
♦ **Dahinya bertampal dengan plaster.** He had some sticking-plaster on his forehead.
♦ **Dinding itu bertampal dengan poster.** The wall had posters stuck on it.
**menampal** KATA KERJA
1 *to patch*
◊ *Dia menampal selimut yang koyak itu.* She patched the torn blanket.
2 *to stick*
◊ *Deena menampal setem pada sampul surat itu.* Deena stuck a stamp on the envelope.
**penampalan** KATA NAMA
*sticking*
◊ *Dilarang melakukan kerja-kerja penampalan poster.* The sticking of posters is prohibited.
**tampalan** KATA NAMA
*patch* (JAMAK **patches**)
◊ *Dia menggunting perca kain itu untuk membuat tampalan pada seluar jeannya.* He cut the scraps of cloth to make patches for his jeans.
**tampan** KATA ADJEKTIF
rujuk juga **tampan** KATA KERJA
*handsome*
**tampan** KATA KERJA
rujuk juga **tampan** KATA ADJEKTIF
*to block*
◊ *Tampan bola itu!* Block the ball!
**menampan** KATA KERJA
*to block*
◊ *Pemain itu menampan bola itu dengan tangannya.* The player blocked the ball with his hands.
**tampang** KATA NAMA
*slice*
◊ *Dia makan dua tampang roti untuk sarapan pagi.* He ate two slices of bread for breakfast.
**menampang** KATA KERJA
*to slice*
◊ *Helen menampang lobak merah itu.* Helen sliced the carrots.
**tampar** KATA NAMA
♦ **kena tampar** to be slapped
♦ **bola tampar** volleyball
**menampar** KATA KERJA
*to slap*
◊ *Saya menampar mukanya dengan kuat.* I slapped him hard across the face.

**penampar** KATA NAMA
*slap*
◊ *Saya akan beri kamu penampar jika kamu masih biadab.* I'll give you a slap if you continue to be rude.

**tamparan** KATA NAMA
*slap*
◊ *Kelly menerima satu tamparan daripada abangnya.* Kelly got a slap from her brother.

♦ **Perceraian itu merupakan tamparan yang hebat kepadanya.** The divorce was a big blow to him.

**tampi**
**menampi** KATA KERJA
(*padi, gandum*)
*to winnow*
**penampi** KATA NAMA
*sieve*

**tampil** KATA KERJA
*to step forward*
◊ *Dia tampil untuk menerima pingatnya.* He stepped forward to receive his medal.

♦ **tampil ke hadapan** to step forward
**menampilkan** KATA KERJA
*to show*
◊ *Dia tidak berani menampilkan dirinya di majlis itu.* She didn't dare to show herself at the party.

**penampilan** KATA NAMA
*appearance*
◊ *penampilan yang bergaya* a stylish appearance

**tampon** KATA NAMA
*tampon*

**tampuk** KATA NAMA
*calyx* (JAMAK **calyxes**)

♦ **tampuk pimpinan** the highest position
◊ *Beliau memegang tampuk pimpinan negara.* He holds the highest position in the country.

**tampung (1)** KATA NAMA
*patch* (JAMAK **patches**)
◊ *Emak saya menjahit tampung pada lengan kemeja yang koyak itu.* My mother sewed a patch on the torn sleeve of the shirt.

**menampung** KATA KERJA
*to patch*
◊ *Kakak saya menampung selimut yang koyak itu dengan secebis kain.* My sister patched the torn blanket with a piece of cloth.

**tampung (2)**
**menampung** KATA KERJA
1 *to collect*
◊ *Bekas ini adalah untuk menampung air yang menitis dari kepala paip itu.* This container is to collect water that drips from

the tap.
2 *to accommodate*
◊ *Bas itu dapat menampung seramai 30 orang penumpang.* The bus can accommodate 30 passengers.
3 *to support*
◊ *Dia terpaksa bekerja siang dan malam untuk menampung keluarganya.* He had to work night and day to support his family.
◊ *Kotak ini tidak dapat menampung berat buku-buku tersebut.* This box cannot support the weight of the books.

♦ **Syarikat itu menampung kerugian yang besar pada tahun pertama.** The company suffered great losses in its first year.

**tamu** KATA NAMA
*guest*
**bertamu** KATA KERJA
*to visit*
◊ *Wilson dan keluarganya bertamu ke rumah saya.* Wilson and his family visited my house.

**tan** KATA NAMA
*ton*

**tanah** KATA NAMA
1 *soil*
◊ *tanah yang subur* fertile soil
2 *land*
◊ *Dia membeli sebidang tanah untuk membina sebuah rumah.* He bought a piece of land to build a house.
3 *ground*
◊ *Mereka duduk di atas tanah.* They sat on the ground.

♦ **tanah air** motherland
♦ **tanah pusaka** ancestral land

**tanak** KATA NAMA
♦ **tukang tanak** cook
♦ **minyak tanak** coconut oil
**menanak** KATA KERJA
*to cook rice*

**tanam** KATA KERJA
♦ **bercucuk tanam** to cultivate the land
◊ *Penduduk kampung itu mencari rezeki dengan bercucuk tanam.* The villagers earn their living by cultivating the land.
◊ *Dia suka bercucuk tanam pada waktu lapang.* He likes to spend his free time cultivating his land.

♦ **tanam-menanam** planting
**menanam** KATA KERJA
1 *to plant*
◊ *Kavita menanam pokok bunga di halaman rumahnya.* Kavita plants flowers in her garden.
2 *to bury*
◊ *Anjing itu menanam seketul tulang di dalam tanah.* The dog buried a bone in

the ground.

**penanaman** KATA NAMA

_cultivation_

◊ _penanaman buah-buahan dan sayur-sayuran_ the cultivation of fruit and vegetables

**tanaman** KATA NAMA

_crop_

♦ **hasil tanaman** crop
♦ **tanaman tutup bumi** cover crop
♦ **tanam-tanaman** plants

**tanda** KATA NAMA

1 _mark_

◊ _Letakkan tanda merah pada kertas itu._ Put a red mark on the paper.

2 _sign_

◊ _tanda bahagi dalam matematik_ the division sign in mathematics

♦ **tanda baca** punctuation
♦ **tanda nama** name tag
♦ **tanda petikan** quotation marks
♦ **tanda sengkang** hyphen
♦ **tanda seru** exclamation mark
♦ **tanda soal** question mark
♦ **papan tanda** sign

**menandai** KATA KERJA

_to mark_

◊ _Edna menandai kotak itu dengan tanda pangkah._ Edna marked the box with a cross.

**menandakan** KATA KERJA

_to mark_

◊ _Shelly menandakan tanda pangkah pada kotak itu._ Shelly marked the box with a cross. ◊ _Bunyi gendang itu menandakan ketibaan tetamu kehormat itu._ The sound of the drum marked the arrival of the guest of honour.

**penanda** KATA NAMA

_marker_

**petanda** KATA NAMA

_sign_

◊ _petanda buruk_ bad sign

**tandan** PENJODOH BILANGAN

_bunch_ (JAMAK **bunches**)

◊ _dua tandan pisang_ two bunches of bananas

**tandang**

**bertandang** KATA KERJA

_to visit_

◊ _Mereka bertandang ke rumah saya._ They visited my house.

**tandas** KATA NAMA

_toilet_

♦ **tandas lelaki** gents
♦ **tandas perempuan** ladies

**tandatangan** KATA NAMA

_signature_

**menandatangani** KATA KERJA

_to sign_

◊ _Mereka akan menandatangani perjanjian itu esok._ They will sign the agreement tomorrow.

**tanding**

**bertanding** KATA KERJA

_to compete_

◊ _Mereka akan bertanding dalam acara 100m._ They will compete in the 100m event.

**menandingi** KATA KERJA

_to match_

◊ _Arnold cuba menandingi kehebatan abangnya dalam permainan catur._ Arnold tried to match his brother's excellence in chess.

**mempertandingkan** KATA KERJA

_to enter ... for a competition_

◊ _Orang ramai dipelawa mempertandingkan kucing Siam mereka._ The public are invited to enter their Siamese cats for the competition. ◊ _Setiap komposer mempertandingkan dua buah lagu dalam pertandingan itu._ Each composer entered two songs for the competition.

**pertandingan** KATA NAMA

_competition_

♦ **pertandingan akhir** final

**setanding** KATA ADJEKTIF

_on a par_

◊ _Taraf permainan Larry tidak setanding dengan taraf permainan juara dunia itu._ Larry's game is not on a par with the world champion's.

**tandingan** KATA NAMA

_match_

◊ _Akhirnya juara itu menemui tandingannya._ Finally the champion met his match.

♦ **Kecantikannya tiada tandingan.** Her beauty is unmatched.

**tandu** KATA NAMA

1 _litter_ (_untuk golongan bangsawan pada masa dahulu_)

2 _stretcher_ (_untuk orang sakit_)

**menandu** KATA KERJA

1 _to carry ... in a litter_

2 _to carry ... on a stretcher_

◊ _Mereka menandu pemain yang cedera itu ke luar padang._ They carried the injured player off the field on a stretcher.

**tanduk** KATA NAMA

_horn_

**menanduk** KATA KERJA

1 _to gore_

◊ _Budak itu ditanduk oleh seekor lembu jantan._ The boy was gored by a bull.

2 _to head_ (_dalam permainan_)

**tandus**  KATA ADJEKTIF
_barren_
◊ *kawasan pergunungan yang tandus*
barren mountain areas
**ketandusan**  KATA NAMA
_barrenness_
◊ *ketandusan kawasan itu*  the
barrenness of the area
**tangan**  KATA NAMA
_hand_
**menangani**  KATA KERJA
_to handle_
◊ *Dia menangani masalah itu dengan
baik.* She handled the problem well.
**penangan**  KATA NAMA
_slap_
◊ *Dia menerima penangan daripada
emaknya kerana biadab.* He received a
slap from his mother for being rude.
**penanganan**  KATA NAMA
_handling_
◊ *Penanganan hal ini memerlukan
kemahiran.* The handling of this matter
requires skill.
**tangen**  KATA NAMA
_tangent (matematik)_
**tangga**  KATA NAMA
1 _stairs (dalam bangunan)_
2 _steps_
◊ *Tangga rumah Pak Kasim dibuat
daripada batang pokok yang ditakuk.* The
steps of Pak Kasim's house consist of a
tree trunk with notches cut in it.
3 _ladder_
◊ *Pekerja itu menggunakan tangga untuk
memanjat ke atas bumbung.* The worker
used a ladder to climb onto the roof.
♦ **tangga bergerak**  escalator
♦ **tangga kecemasan**  fire escape
**tanggak**  rujuk **tagak**
**tanggal**  KATA KERJA

> rujuk juga **tanggal** KATA NAMA

_to peel_
◊ *Kertas hias dinding itu sudah mula
tanggal.* The wallpaper has begun to peel.
**menanggalkan**  KATA KERJA
_to take off_
◊ *Dia menanggalkan topinya.* She took
her hat off.
**tanggal**  KATA NAMA

> rujuk juga **tanggal** KATA KERJA

_date_
♦ **Beliau meninggal dunia pada tanggal
22 Februari 1990.** He passed away on
22 February 1990.
**tanggam**  KATA NAMA
_dovetail_
**tanggap**  KATA KERJA
♦ **salah tanggap**  to misunderstand

◊ *Jangan salah tanggap.* Don't
misunderstand.
**menanggap**  KATA KERJA
_to perceive_
◊ *Mereka tidak dapat menanggap
bahawa iklan itu ialah satu tipu helah.*
They failed to perceive that the
advertisement was a trick.
**tanggapan**  KATA NAMA
_perception_
◊ *tanggapan mereka terhadap orang
asing*  their perception of foreigners
♦ **tanggapan pertama saya**  my first
impression
**tangguh**  KATA NAMA
_postponement_
◊ *Eddy meminta tangguh dua hari untuk
menyiapkan projek itu.* Eddy asked for a
two-day postponement of the deadline to
complete the project.
**bertangguh**  KATA KERJA
_to delay_
◊ *Jangan bertangguh lagi.* Don't delay
any longer.
**menangguhkan**  KATA KERJA
_to postpone_
◊ *Mereka menangguhkan mesyuarat itu
sehingga minggu hadapan.* They
postponed the meeting until next week.
**penangguhan**  KATA NAMA
_postponement_
◊ *Penangguhan itu disebabkan oleh
hujan.* The postponement was due to
rain.
**tangguk**  KATA NAMA
_fishing scoop (terjemahan umum)_
**menangguk**  KATA KERJA
_to catch with a fishing scoop_
**tanggung**
**menanggung**  KATA KERJA
1 _to shoulder_
◊ *Dia terpaksa menanggung beban
menjaga semua ahli keluarganya.* She
had to shoulder the burden of caring for
her entire family.
2 _to bear_
◊ *Dia tidak dapat menanggung
kesunyian itu.* He couldn't bear the
loneliness.
3 _to support_
◊ *Dia terpaksa bekerja keras untuk
menanggung adik-beradiknya.* He has to
work hard to support his siblings.
♦ **menanggung hutang yang banyak**  to
incur huge debts
**tanggungan**  KATA NAMA
_dependant_
◊ *Dia mempunyai tiga orang
tanggungan.* He has three dependants.

T

**tanggungjawab**   KATA NAMA
_responsibility_
**bertanggungjawab**   KATA KERJA
_responsible_
◊   _seorang pelajar yang bertanggungjawab_   a responsible student
◊   _Adnan bertanggungjawab menjalankan tugas itu._   Adnan is responsible for carrying out that task.
♦   **tidak bertanggungjawab**   irresponsible
**mempertanggungjawabkan**   KATA KERJA
_to entrust_
◊   _Guru itu mempertanggungjawabkan tugas itu kepada ketua kelas tersebut._ The teacher entrusted the duty to the class monitor. ◊ _Pengurus itu mempertanggungjawabkan setiausahanya dengan tugas menyediakan kad jemputan._ The manager entrusted his secretary with the task of preparing the invitation cards.

**tangis**   KATA NAMA   _rujuk_ **tangisan**
**menangis**   KATA KERJA
_to cry_
**tangisan**   KATA NAMA
_crying_
◊   _Dia tidak dapat tidur kerana diganggu oleh tangisan bayinya._   She couldn't sleep because of her baby's crying.

**tangkai**   KATA NAMA

> _rujuk juga_ **tangkai** PENJODOH BILANGAN

[1]   _stem_
◊   _Michelle memotong tangkai bunga itu dengan gunting._   Michelle cut the stem of the flower with a pair of scissors.
[2]   _handle_
◊   _tangkai cawan_   the handle of a cup

**tangkai**   PENJODOH BILANGAN

> _rujuk juga_ **tangkai** KATA NAMA
> **tangkai** _tidak ada terjemahan dalam bahasa Inggeris._

◊   _Tiga tangkai bunga ros berharga enam ringgit._   Three roses cost six ringgits.

**tangkal**   KATA NAMA
_amulet_

**tangkap**
**menangkap**   KATA KERJA
[1]   _to catch_
◊   _Dia tidak dapat menangkap bola itu._ He couldn't catch the ball.
♦   **menangkap ikan**   to fish
[2]   _to arrest_
◊   _Polis telah menangkap pencuri itu._ The police have arrested the thief.
**penangkapan**   KATA NAMA
_arrest_
◊   _Berita penangkapan perogol itu_

_melegakan penduduk kampung._   The news of the arrest of the rapist came as a great relief to the villagers.
♦   **penangkapan ikan di laut dalam** deep-sea fishing
**tertangkap**   KATA KERJA
_able to be caught_
♦   **Arnab itu tidak tertangkap oleh helang tersebut.**   The eagle couldn't catch the rabbit.
♦   **Dengan tertangkapnya ketua lanun itu, perairan Malaysia kembali aman.**   With the arrest of the pirate captain, Malaysian waters are peaceful again.
**tangkapan**   KATA NAMA
_catch_
♦   **hasil tangkapan nelayan**   the fisherman's catch

**tangkas**   KATA ADJEKTIF
_agile_
◊   _Dia sungguh tangkas, walaupun badannya besar._   He's very agile although he's heavily built.
**ketangkasan**   KATA NAMA
_agility_
◊   _Serena terpegun melihat ketangkasannya._   Serena was surprised at his agility.

**tangki**   KATA NAMA
_tank_

**tangkis**
**menangkis**   KATA KERJA
_to fend off_
◊   _Dia mengangkat tangannya untuk menangkis pukulan itu._   He raised his hand to fend off the blow.
**tangkisan**   KATA NAMA
_deflection_
◊   _Tangkisan penjaga gol itu memberikan kemenangan kepada Arsenal._   The deflection by the goalkeeper ensured Arsenal's victory.

**tangkup**
**menangkup**   KATA KERJA
[1]   _to close_
◊   _Pintu lif itu menangkup sebelum kami sempat keluar._   The door of the lift closed before we could get out.
[2]   _to cover_
◊   _Dia menangkup mukanya dengan tangan sambil menangis._   She covered her face with her hands while she cried.
**menangkupkan**   KATA KERJA
_to put ... face-down_
◊   _Dia menangkupkan bukunya ke atas meja._   She put her book face-down on the table.
**tertangkup**   KATA KERJA
_to overturn_

◊ *Beberapa kotak buku telah tertangkup.* Several cartons of books had overturned.

**tanglung** KATA NAMA
*lantern*

**tangsi** KATA NAMA
*barracks*

♦ **tali tangsi** catgut

**tani**
**bertani** KATA KERJA
*to farm*
◊ *Mereka sudah bertani di kawasan itu selama 45 tahun.* They have farmed in the area for 45 years.
**petani** KATA NAMA
*farmer*
**pertanian** KATA NAMA
*agriculture*

**tanjak** KATA NAMA
*headdress* (JAMAK **headdresses**)
(*terjemahan umum*)
**tanjakan** KATA NAMA
*ramp*

**tanjung** KATA NAMA
*cape*

**tanpa** KATA SENDI
*without*

**tanya** KATA KERJA
*to ask*
◊ *"Anda hendak ke mana?" tanya En. Talib.* "Where are you going?" asked Mr Talib.
**bertanya** KATA KERJA
*to ask*
◊ *"Apakah tema kempen itu?" Ravi bertanya.* "What is the theme of the campaign?" Ravi asked.

♦ **bertanya khabar** to ask after ◊ *Nenek itu selalu bertanya khabar Halim.* The old lady always asks after Halim.
**bertanyakan** KATA KERJA
*to ask*
◊ *bertanyakan arah kepada seseorang* to ask somebody for directions
**menanya** KATA KERJA
*to ask*
◊ *Elizabeth menanya Ying Ying sama ada dia nampak anjingnya atau tidak.* Elizabeth asked Ying Ying if she had seen her dog.
**menanyakan** KATA KERJA
*to ask*
◊ *Guru itu menanyakan sebab pelajar itu tidak hadir.* The teacher asked why the student was absent.
**pertanyaan** KATA NAMA
*question*
**tertanya-tanya** KATA KERJA
*to wonder*
◊ *Mereka tertanya-tanya tentang kesan*

sampingan ubat itu. They wondered about the side-effects of the drug.

**tapa** KATA NAMA
*meditation*
**bertapa** KATA KERJA
*to meditate in seclusion*
**pertapa** KATA NAMA
*hermit*

**tapai** KATA NAMA
*fermented rice* (*terjemahan umum*)
**menapai** KATA KERJA
*to ferment*
**penapaian** KATA NAMA
*fermentation*

**tapak** KATA NAMA
*site*
◊ *tapak perkhemahan* camp site
♦ **tapak kaki** sole
♦ **bunyi tapak kaki** footstep
♦ **kesan tapak kaki** footprint
♦ **tapak semaian** nursery
(JAMAK **nurseries**)
♦ **tapak sulaiman** starfish
♦ **tapak tangan** palm
♦ **tapak Web** website
**bertapak** KATA KERJA
*to settle*
◊ *Ramai pelarian bertapak di negara itu.* Many refugees settled in that country.
♦ **Syarikat itu sudah lama bertapak di Malaysia.** The company has been in Malaysia for a long time.

**tapis**
**bertapis** KATA KERJA
*refined*
**menapis** KATA KERJA
1 *to filter*
◊ *Emak saya menapis air itu sebelum memasaknya.* My mother filtered the water before boiling it.
2 *to strain*
◊ *Dia menapis kopi itu sebelum menghidangkannya.* She strained the coffee before serving it.
3 *to censor*
◊ *menapis adegan-adegan ganas dalam filem* to censor violent scenes in a movie
**penapis** KATA NAMA
1 *filter*
◊ *penapis air* water filter
2 *strainer*
◊ *penapis teh* a tea strainer
**penapisan** KATA NAMA
1 *filtering*
◊ *penapisan air* the filtering of water
♦ **kilang penapisan minyak** oil refinery
2 *censorship*
◊ *penapisan filem* film censorship

T

**tapisan** KATA NAMA
1. *strained*
   ◊ *tapisan kopi*  strained coffee
2. *filtered*
   ◊ *tapisan air*  filtered water
♦ **tapisan minyak petroleum**  refined petroleum

**tar** KATA NAMA
*tar*
♦ **minyak tar**  tar
♦ **batu tar**  Tarmac ®

**tara** KATA NAMA
♦ **tiada taranya**  unmatched ◊ *Kecantikan puteri itu tiada taranya.*  The beauty of the princess was unmatched.
   **setara** KATA ADJEKTIF
   *equivalent*
   ◊ *Jawatannya sekarang setara dengan jawatan penyelia.*  His position now is equivalent to that of a supervisor.

**taraf** KATA NAMA
1. *standard*
   ◊ *taraf hidup*  standard of living
2. *status*
   ◊ *Percy hanya bergaul dengan orang yang sama taraf dengannya.*  Percy only mixes with people of the same status as him.
   **bertaraf** KATA KERJA
   *of ... standard*
   ◊ *bertaraf antarabangsa*  of international standard
♦ **kualiti yang bertaraf tinggi**  high quality
   **setaraf** KATA ADJEKTIF
   1. *equivalent*
   ◊ *kelulusan profesional yang setaraf dengan Ijazah Sarjana Muda*  a professional qualification that is equivalent to a first degree
   2. *of the same status*
   ◊ *golongan yang setaraf*  people of the same status

**tarah** KATA ADJEKTIF
*smooth*
◊ *kayu yang tarah*  a smooth stick
**menarah** KATA KERJA
*to smooth*
◊ *Pak Pandir menarah kayu itu supaya tidak ada selumbar.*  Pak Pandir smoothed the wood so that there wouldn't be any splinters on it.

**tari** KATA NAMA
*dance*
♦ **tari-menari**  various dances
♦ **majlis tari-menari**  a dance
**menari** KATA KERJA
*to dance*
◊ *Dia sedang menari dengan abangnya.*  She's dancing with her brother.

**menari-nari** KATA KERJA
*to dance*
◊ *Dia menari-nari di tepi jalan itu.*  He danced by the roadside.
**penari** KATA NAMA
*dancer*
**tarian** KATA NAMA
*dance*

**tarif** KATA NAMA
*tariff*
◊ *Kerajaan mengenakan tarif ke atas barangan import.*  The government imposes tariffs on imported goods.

**tarik** KATA KERJA
*to pull*
♦ **tarik tali**  tug-of-war
**menarik** KATA ADJEKTIF
| rujuk juga **menarik** KATA KERJA |
1. *interesting*
   ◊ *perwatakan yang menarik*  an interesting character ◊ *cerita yang menarik*  an interesting story
2. *attractive*
   ◊ *Dia mempunyai rupa yang menarik.*  She has an attractive face.
**menarik** KATA KERJA
| rujuk juga **menarik** KATA ADJEKTIF |
*to pull*
◊ *Nancy menarik rambut kawannya.*  Nancy pulled her friend's hair.
♦ **menarik diri**  to pull out
♦ **menarik nafas**  to breathe in
♦ **menarik perhatian**  to attract attention
**penarikan** KATA NAMA
*withdrawal*
◊ *penarikan dirinya daripada perlawanan itu*  his withdrawal from the match
**tertarik** KATA KERJA
*attracted*
◊ *Saya amat tertarik dengan keikhlasannya.*  I was very attracted by her sincerity.
**tarikan** KATA NAMA
*attraction*
◊ *Tempat itu terkenal sebagai tempat tarikan pelancong.*  That place is a well-known tourist attraction.
♦ **daya tarikan**  charm
♦ **tarikan graviti**  the pull of gravity

**tarikh** KATA NAMA
*date*
♦ **tarikh lahir**  date of birth
**bertarikh** KATA KERJA
*dated*
◊ *sepucuk surat yang bertarikh 31 Mei 1975*  a letter dated 31 May 1975

**taring** KATA NAMA
1. *fang*
   ◊ *Anjing yang garang itu menunjukkan*

*taringnya.* The fierce dog showed its
fangs.
2 *tusk*
◊ *taring babi hutan* a wild boar's tusk
♦ **gigi taring** canine tooth
**tartan** KATA NAMA
*tartan*
**taruh** KATA NAMA
*bet*
◊ *Taruh minimum bagi permainan itu
ialah tiga puluh ringgit.* The minimum bet
for the game is thirty ringgits.
**bertaruh** KATA KERJA
*to bet*
◊ *Tom bertaruh bahawa Jerry akan
sampai dahulu.* Tom bet that Jerry would
arrive first.
**menaruh** KATA KERJA
*to place*
◊ *Doris menaruh segala harapannya
pada anak tunggalnya.* Doris placed all
her hopes on her only child.
♦ **Khairil menaruh hati padanya.** Khairil
is fond of her.
**mempertaruhkan** KATA KERJA
*to bet*
◊ *Dia mempertaruhkan sebanyak
RM500 ke atas kuda itu.* He bet RM500
on the horse.
**pertaruhan** KATA NAMA
*bet*
◊ *Dia kalah dalam pertaruhan itu.* He
lost the bet.
**taruhan** KATA NAMA
*bet*
**tarung**
**bertarung** KATA KERJA
1 *to fight*
◊ *Pahlawan itu bertarung untuk
mempertahankan negaranya.* The
warrior fought to defend his country.
2 *to compete*
◊ *Dia akan bertarung dengan juara
dunia itu esok.* He will compete with the
world champion tomorrow.
**mempertarungkan** KATA KERJA
*to lay down*
◊ *Dia sanggup mempertarungkan
nyawanya untuk menyelamatkan
anaknya.* She's willing to lay down her
life to save her child.
**pertarungan** KATA NAMA
*clash* (JAMAK **clashes**)
◊ *Pertarungan antara dua bekas juara
dunia itu akan diadakan pada malam ini.*
The clash between the two former world
champions will take place tonight.
**tas** KATA NAMA
♦ **tas tangan** handbag

**tasik** KATA NAMA
*lake*
**taska** KATA NAMA (= *taman asuhan kanak-
kanak*)
*nursery* (JAMAK **nurseries**)
**tataacara** KATA NAMA
*programme*
◊ *tataacara majlis itu* the programme
for the ceremony
**tatabahasa** KATA NAMA
*grammar*
**tatacara** KATA NAMA
*procedure*
**tatah** KATA NAMA
*stud*
**bertatah, bertatahkan** KATA KERJA
*studded*
◊ *gelang tangan emas yang bertatahkan
berlian* a gold bracelet studded with
diamonds
**tatakerja** KATA NAMA
*rules of work*
**tatalatar** KATA NAMA
*settings*
**tatanegara** KATA NAMA
*governance*
**tatang**
**bertatang, menatang** KATA KERJA
*to carry ... on the palm*
◊ *Pelayan itu boleh menatang dulang
sambil berjalan dengan cepat.* The waiter
can walk quickly while carrying a tray on
his palm.
**tatap**
**menatap** KATA KERJA
*to scrutinize*
◊ *Rosita menatap wajah pemuda itu.*
Rosita scrutinized the young man's face.
**tatapan** KATA NAMA
1 *look*
◊ *Tatapan emaknya cukup untuk
mendiamkannya.* His mother's look was
enough to shut him up.
2 *scrutiny*
◊ *Kehidupan peribadinya menjadi
tatapan pihak media.* His private life came
under media scrutiny.
**tatarakyat** KATA NAMA
*civics*
**tatasusila** KATA NAMA
*etiquette*
**tatatertib** KATA NAMA
*rules*
◊ *Mengikut tatatertib syarikat, anda tidak
dibenarkan merokok di kawasan itu.*
According to company rules, you are not
allowed to smoke in that area.
♦ **tindakan tatatertib** disciplinary action
**tatih**

T

**bertatih-tatih** KATA KERJA
*to toddle*
◊ *Kanak-kanak itu bertatih-tatih di sekeliling bilik.* The child toddled around the room.

**tatu** KATA NAMA
*tattoo*

**taubat** KATA NAMA
*repentance*
**bertaubat** KATA KERJA
*to repent*

**taufan** KATA NAMA
*typhoon*

**tauge** KATA NAMA
*bean sprouts*

**tauhu** KATA NAMA
*bean curd*

**taulan** KATA NAMA
*friend*

**tauliah** KATA NAMA
*letter of appointment*
◊ *Duta itu menerima tauliah daripada Sultan.* The ambassador received his letter of appointment from the Sultan.
**bertauliah** KATA KERJA
*certified*
◊ *penyelam yang bertauliah* a certified diver
♦ **akauntan yang bertauliah** chartered accountant
**mentauliahkan** KATA KERJA
*to authorize*
◊ *Menteri itu mentauliahkan timbalannya untuk membuat keputusan bagi pihaknya.* The minister authorized his deputy to make decisions on his behalf.

**taun** KATA NAMA
*cholera*

**Taurus** KATA NAMA
*Taurus (bintang zodiak)*

**taut**
**bertaut** KATA KERJA
1 *to close*
◊ *Pintu lif itu bertaut sebelum saya sempat masuk.* The door of the lift closed before I could get in.
2 *to hold onto*
◊ *Pendaki itu bertaut pada tali yang dilemparkan kepadanya.* The climber held onto the rope that was thrown to him.
**menautkan** KATA KERJA
*to close*
◊ *Dia menautkan kelopak matanya.* She closed her eyes.
**pertautan** KATA NAMA
*union*
◊ *Persatuan baru itu tertubuh hasil daripada pertautan dua buah kelab itu.* The new society was formed as a result of the union of the two clubs.

**tautan** KATA NAMA
*relation*
◊ *Kes kecurian itu tidak ada tautannya dengan Joko.* The theft case has no relation to Joko.

**tawa**
**mengetawakan, mentertawakan** KATA KERJA
*to laugh at*
◊ *Jangan mentertawakan orang.* Don't laugh at others.
**tertawa** KATA KERJA
*to laugh*
◊ *Dia tertawa apabila mendengar khabar angin tentang dirinya itu.* He laughed when he heard the rumour about himself.

**tawan**
**menawan** KATA KERJA
*to capture*
◊ *Orang Belanda menawan negeri Melaka pada tahun 1641.* The Dutch captured Malacca in 1641. ◊ *Pemidato itu gagal menawan perhatian pendengarnya.* The speaker failed to capture the attention of his listeners.
♦ **seorang gadis yang menawan** a charming young lady
♦ **menawan hati** to captivate ◊ *Kecantikan puteri itu menawan hati masyarakat dunia.* The princess's beauty captivated the world.
**penawanan** KATA NAMA
*capture*
◊ *Penawanan bandar itu oleh pemberontak-pemberontak tersebut...* The capture of the town by the rebels...
**tertawan** KATA KERJA
1 *to be controlled*
◊ *Tanah Melayu tertawan oleh tentera Jepun semasa Perang Dunia Kedua.* Malaya was controlled by the Japanese army during World War Two.
2 *smitten*
◊ *Fred tertawan dengan anak perempuan jirannya.* Fred was smitten with his neighbour's daughter.
**tawanan** KATA NAMA
*prisoner*

**tawar (1)** KATA ADJEKTIF
*tasteless*
◊ *makanan yang tawar* tasteless food
♦ **tawar hati** to get discouraged
**menawarkan** KATA KERJA
*to dilute*
◊ *Nirmala menambahkan air untuk menawarkan minuman itu kerana terlalu manis.* Nirmala added water to dilute

the drink because it was too sweet.

♦ **menawarkan hati**   to discourage
     **penawar**   KATA NAMA
     *antidote*

**tawar (2)**
     **tawar-menawar**   KATA KERJA
     *to haggle*

♦ **"Tidak boleh tawar-menawar"**   "No haggling"
     **menawar**   KATA KERJA
     *to make an offer*
     ◊ *Dia menawar untuk membeli baju itu dengan harga dua puluh ringgit.*   She made an offer of twenty ringgits for the dress.
     **menawarkan**   KATA KERJA
     *to offer*
     ◊ *Syarikat itu menawarkan perkhidmatan penterjemahan.*   The company offers translation services.
     **penawaran**   KATA NAMA
     *supply*
     ◊ *permintaan dan penawaran*   demand and supply
     **tawaran**   KATA NAMA
     *offer*
     ◊ *tawaran yang baik*   a good offer

**tayang**
     **menayang-nayang**   KATA KERJA
     *to show off*
     ◊ *Dia suka menayang-nayang cincin berliannya.*   She likes to show off her diamond ring.
     **menayangkan**   KATA KERJA
     *to show*
     ◊ *Pawagam itu sedang menayangkan sebuah filem seram.*   The cinema is showing a horror film.
     **penayangan**   KATA NAMA
     *screening*
     ◊ *Penayangan filem itu tidak sesuai diadakan pada waktu petang.*   The film is unsuitable for screening in the early evening.
     **tayangan**   KATA NAMA
     *show*
     ◊ *tayangan larut malam*   late night show

**tayar**   KATA NAMA
     *tyre*

**teater**   KATA NAMA
     *theatre*

**tebal**   KATA ADJEKTIF
     *thick*
     ◊ *buku yang tebal*   a thick book
     ◊ *kabut yang tebal*   thick fog
     **menebal**   KATA KERJA
     *to thicken*
     ◊ *Cuaca yang sejuk itu menyebabkan kabut menebal.*   The cold weather caused

the fog to thicken.
     **menebalkan**   KATA KERJA
     *to make ... thicker*
     ◊ *Pelajar itu menebalkan buku projeknya dengan memasukkan kertas-kertas kosong.*   The student made his project book thicker by inserting blank sheets of paper.

**tebang**
     **menebang**   KATA KERJA
     *to cut down*
     ◊ *Pihak berkuasa menebang pokok-pokok di situ untuk projek pembangunan.*   The authorities cut down the trees there for a development project.
     **penebang**   KATA NAMA
     *lumberjack* (orang)
     **penebangan**   KATA NAMA
     *felling*
     ◊ *penebangan pokok*   the felling of trees

**tebar**
     **bertebar, bertebaran**   KATA KERJA
     *scattered*
     ◊ *Munira mengutip alat mainan yang bertebaran itu.*   Munira picked up the scattered toys.
     **menebar, menebarkan**   KATA KERJA
     1   *to cast*
     ◊ *Nelayan itu menebar jalanya ke laut.*   The fisherman cast his fishing net into the sea.
     2   *to scatter*
     ◊ *Mahmud menebar makanan ayam ke atas tanah.*   Mahmud scattered chicken feed on the ground.

**tebas**
     **menebas**   KATA KERJA
     *to clear*
     ◊ *Mereka menebas hutan untuk bercucuk tanam.*   They cleared the forest for agriculture.

**tebat**
     **menebat**   KATA KERJA
     *to insulate*
     ◊ *Wayar itu ditebat dengan getah.*   The wire is insulated with rubber.
     **penebat**   KATA NAMA
     *insulator*

**tebing**   KATA NAMA
     *bank*
     ◊ *tebing sungai*   river bank

**tebu**   KATA NAMA
     *sugar cane*

**tebuan**   KATA NAMA
     1   *wasp* (kecil)
     2   *hornet* (besar)

**tebuk**   KATA NAMA
     *hole*
     **menebuk**   KATA KERJA

T

*to punch holes in*
◊ *Dia menebuk kertas itu sebelum memasukkannya ke dalam fail.* She punched holes in the paper before putting it into the file.

**penebuk** KATA NAMA
*punch* (JAMAK **punches**)
◊ *Buat dua lubang dengan menggunakan penebuk lubang itu.* Make two holes with the hole punch.

**tebukan** KATA NAMA
*perforation*
◊ *tebukan pada bahagian tepi kertas* perforation at the edge of the paper

**tebus**

**menebus** KATA KERJA
1 *to redeem*
◊ *Pastikan anda mengetahui jumlah wang yang diperlukan untuk menebus barang itu.* Make sure you know the amount of money needed to redeem the item.

2 *to ransom*
◊ *Dia menebus anak lelakinya dengan wang berjumlah RM1 juta.* He ransomed his son for RM1 million.

♦ **melakukan sesuatu untuk menebus dosa** to do something as a penance

**penebusan** KATA NAMA
*redemption*
◊ *penebusan pinjaman itu* the redemption of the loan

**tebusan** KATA NAMA
*hostage*
♦ **wang tebusan** ransom

**tebus guna**

**menebus guna** KATA KERJA
*to reclaim*
◊ *Mereka menebus guna banyak tanah dari laut.* They have reclaimed a lot of land from the sea.

**teduh** KATA ADJEKTIF
*shady*
◊ *Tempat itu teduh.* The place is shady.

♦ **tempat teduh** shade ◊ *Suhu di tempat teduh boleh mencapai sehingga 34 darjah Celsius.* Temperatures in the shade can reach 34 degrees Celsius.

**berteduh** KATA KERJA
*to shelter*
◊ *Kami berteduh di bawah sebatang pokok yang besar.* We sheltered under a big tree.

♦ **tempat berteduh** shelter ◊ *Pertubuhan itu menyediakan tempat berteduh untuk isteri yang didera.* The organization provides shelter for battered wives.

**meneduhi** KATA KERJA

*to shade* (*daripada cahaya matahari*)
**tega** KATA BANTU
*to have the heart*
◊ *Saya tidak menyangka bahawa dia tega melakukan perkara itu.* I never thought he would have the heart to do it.

**tegah**

**menegah** KATA KERJA
*to forbid*
◊ *Ibu bapa Brenda menegahnya pulang ke rumah lewat dari pukul sepuluh malam.* Brenda's parents forbade her to come home later than ten o'clock.

♦ **"Ditegah meludah"** "Please do not spit"

**tegak** KATA ADJEKTIF
*upright*
◊ *berdiri tegak* to stand upright
♦ **sudut tegak** right angle

**menegak** KATA KERJA
*vertical*
◊ *garis menegak* vertical line

**menegakkan** KATA KERJA
*to erect*
◊ *Baharom menegakkan pagar di sekeliling rumahnya.* Baharom erected a fence around his house.

♦ **menegakkan keadilan** to uphold justice

**penegak** KATA NAMA
*defender*
◊ *penegak keadilan* defender of justice

**tegang** KATA ADJEKTIF
1 *taut*
◊ *Ampaian itu ditarik sehingga tegang dan diikat kuat.* The clothes line is pulled taut and secured. ◊ *Kulitnya masih tegang sungguhpun dia sudah berusia 50 tahun.* Her skin is still taut although she's 50 years old.

2 *stiff*
◊ *Rawatan ini baik untuk otot-otot yang tegang.* This treatment is good for stiff muscles.

3 *tense*
◊ *suasana yang tegang* a tense atmosphere

♦ **Keadaan menjadi tegang apabila menteri itu mengumumkan perletakan jawatan beliau.** The situation became critical when the minister announced his resignation.

**bertegang** KATA KERJA
♦ **bertegang leher** to quarrel ◊ *Saya tidak mahu bertegang leher dengannya.* I don't want to quarrel with him.

**ketegangan** KATA NAMA
*tension*

**menegang** KATA KERJA

_to tense_
◊ *Ototnya menegang.* His muscles
tensed.
♦ **Hubungan kedua-dua buah negara itu
mula menegang.** The relationship
between the two countries is becoming
tense.
♦ **Perhubungan mereka semakin
menegang.** Their relationship is getting
strained.
**menegangkan** KATA KERJA
_to tighten_
◊ *krim yang menegangkan kulit* a
cream that tightens the skin
♦ **Nathalie menegangkan tali itu untuk
dijadikan ampaian.** Nathalie pulled the
rope tight to make a clothes line.
**tegap** KATA ADJEKTIF
_well-built_
◊ *Atlit itu berbadan tegap.* The athlete
is well-built.
♦ **tegap dan cergas** athletic
**tegar** KATA ADJEKTIF
_hard_
**ketegaran** KATA NAMA
_stubbornness_
◊ *ketegaran orang kampung yang
enggan berpindah* the stubbornness of
the villagers who refuse to move
**menegarkan** KATA KERJA
_to harden_
◊ *Catkan kadbod itu dengan dua atau
tiga lapis varnis untuk menegarkannya.*
Give the cardboard two or three coats of
varnish to harden it.
**tegas** KATA ADJEKTIF
_firm_
◊ *Suaranya tegas.* His voice was firm.
◊ *Tindakan tegas akan diambil ke atas
pesalah.* Firm action will be taken against
the offender.
**bertegas** KATA KERJA
_to be firm_
◊ *Dia terpaksa bertegas dengan budak
lelaki yang nakal itu.* She had to be firm
with the naughty boy.
**ketegasan** KATA NAMA
_strictness_
◊ *Ketegasan guru itu menakutkan
murid-murid.* The teacher's strictness
frightened the pupils.
**menegaskan** KATA KERJA
[1] _to emphasize_
◊ *Vicky menegaskan perbezaan antara
dua buah negara itu.* Vicky emphasized
the difference between the two countries.
[2] _to insist_
◊ *Dia menegaskan bahawa dia tidak
bersalah.* She insisted she was innocent.

**penegasan** KATA NAMA
_emphasis_
◊ *Ujian ini memberikan penegasan pada
tatabahasa.* This test places the
emphasis on grammar.
**teguh** KATA ADJEKTIF
_strong_
**keteguhan** KATA NAMA
_strength_
**meneguhkan** KATA KERJA
_to strengthen_
**peneguhan** KATA NAMA
_strengthening_
**teguk** PENJODOH BILANGAN
_gulp_
◊ *beberapa teguk air* a few gulps of
water
**meneguk** KATA KERJA
_to gulp down_
◊ *Imran meneguk tiga gelas air setelah
berlari sejauh 10 kilometer.* Imran gulped
down three glasses of water after running
10 kilometres.
**tegun** KATA KERJA
_to stop for a moment_
**tertegun** KATA KERJA
_stunned_
**tegur**
**menegur** KATA KERJA
[1] _to greet_
◊ *Dia tidak menegur saya.* She didn't
greet me.
[2] _to admonish_
◊ *Guru itu menegur pelajar itu kerana
ponteng kelas.* The teacher admonished
the student for playing truant.
[3] _to correct_
◊ *Kawan-kawan saya selalu menegur
saya apabila saya membuat kesilapan.*
My friends always correct me when I
make mistakes.
**teguran** KATA NAMA
[1] _greeting_
◊ *Dia tidak membalas teguran saya.*
He didn't return my greeting.
[2] _rebuke_
◊ *Pelajar yang nakal itu tidak
menghiraukan teguran gurunya.* The
naughty student ignored his teacher's
rebuke.
[3] _correction_
◊ *Ibu bapa harus memberikan tunjuk
ajar dan teguran kepada anak-anak.*
Parents should give their children
guidance and correction.
**tegur sapa** KATA NAMA
_greeting_
**bertegur sapa** KATA KERJA
_on speaking terms_

T

◊ *Mereka tidak bertegur sapa.* They're not on speaking terms.

**menegur sapa** KATA KERJA

*to greet*

◊ *Claudia selalu menegur sapa pelanggan-pelanggannya dengan ramah.* Claudia always greets her customers in a friendly manner.

**teh** KATA NAMA

*tea*

**teka** KATA KERJA

*to guess*

◊ *"Teka jawapannya dan menangilah hadiah yang lumayan!"* "Guess the answer and win fantastic prizes!"

**meneka** KATA KERJA

*to guess*

◊ *Dia tidak dapat meneka isi kandungan kotak hitam itu.* She couldn't guess what was in the black box.

**tekaan** KATA NAMA

*guess* (JAMAK **guesses**)

◊ *tekaan yang tepat* an accurate guess

**tekad** KATA NAMA

*determination*

◊ *Anda memerlukan tekad untuk berjaya.* You need determination in order to succeed.

**bertekad** KATA KERJA

*determined*

◊ *Dia bertekad hendak melanjutkan pelajarannya.* She's determined to continue her studies.

**tekak** KATA NAMA

1 *soft palate*

◊ *bunyi yang dihasilkan pada bahagian tekak* sounds produced at the soft palate

2 *throat*

◊ *sakit tekak* sore throat

**bertekak** KATA KERJA

*to quarrel*

◊ *adik-beradik yang selalu bertekak* siblings who are always quarrelling

**tekan** KATA KERJA

*to press*

♦ **tekan tubi** press-ups

**menekan** KATA KERJA

*to press*

**menekankan** KATA KERJA

*to stress*

◊ *Ibu bapa harus menekankan kepentingan pendidikan.* Parents should stress the importance of education.

**penekanan** KATA NAMA

*stress*

◊ *Penekanan terhadap peperiksaan jelas kelihatan dalam sistem pendidikan hari ini.* The stress on examinations can be seen clearly in the education system today.

**tertekan** KATA KERJA

*pressured*

◊ *berasa tertekan* to feel pressured

**tekanan** KATA NAMA

*pressure*

◊ *tekanan darah* blood pressure

**tekap** KATA NAMA

♦ **kertas tekap** tracing paper

**menekap** KATA KERJA

1 *to cover*

◊ *Dia menekap mukanya dengan tangannya.* She covered her face with her hands.

2 *to trace*

◊ *Helena menekap gambar-gambar dalam buku cerita itu.* Helena traced pictures out of the storybook.

**menekapkan** KATA KERJA

*to cover*

◊ *Dia menekapkan tangannya pada telinganya.* She covered her ears with her hands.

**tekat** KATA NAMA

*embroidery*

**menekat** KATA KERJA

*to embroider*

**teka-teki** KATA NAMA

*riddle*

**berteka-teki** KATA KERJA

*to play riddles*

◊ *Guru itu berteka-teki dengan pelajar-pelajarnya selepas peperiksaan.* The teacher played riddles with his students after the exams.

♦ **Anak perempuan Anna suka berteka-teki.** Anna's daughter loves riddles.

**teknik** KATA NAMA

*technique*

**teknikal** KATA ADJEKTIF

*technical*

**teknologi** KATA ADJEKTIF

> rujuk juga **teknologi** KATA NAMA

*technological*

◊ *masalah teknologi* a technological problem

**teknologi** KATA NAMA

> rujuk juga **teknologi** KATA ADJEKTIF

*technology*

♦ **teknologi maklumat** information technology

**teko** KATA NAMA

*pot*

♦ **teko kopi** coffee pot

♦ **teko teh** teapot

**teks** KATA NAMA

*text*

**teksi** KATA NAMA

*taxi*

**tekstil**   KATA NAMA
_textile_

**tekun**   KATA ADJEKTIF
_diligent_
**ketekunan**   KATA NAMA
_diligence_

**tekup**
**menekup**   KATA KERJA
_to cover_
◊   _Dia menekup mukanya dengan tangannya._   She covered her face with her hands.
**menekupkan**   KATA KERJA
_to cover_
◊   _Dia menekupkan tangannya pada telinganya._   She covered her ears with her hands.

**telaah**   KATA NAMA
_study_
**menelaah**   KATA KERJA
_to revise_
◊   _Thiaga menelaah sebelum menghadapi peperiksaan._   Thiaga revised before the exams.
**penelaah**   KATA NAMA
_researcher_

**teladan**   KATA NAMA
_example_
◊   _"Kepimpinan Melalui Teladan"_   "Leadership by Example"
**meneladani**   KATA KERJA
_to follow ... example_
◊   _Kanak-kanak biasanya akan meneladani ibu bapa mereka._   Children will usually follow their parents' example.

**telaga**   KATA NAMA
_well_

**telagah**
**bertelagah**   KATA KERJA
1  _to argue_
◊   _Mereka bertelagah dengan pengadil._   They argued with the referee.
2  _to feud_
◊   _Kedua-dua keluarga ini sudah lama bertelagah._   These two families have been feuding for a long time.
**pertelagahan**   KATA NAMA
1  _argument_
◊   _Pertelagahan antara Paul dengan Pauline berlaku di kantin._   The argument between Paul and Pauline took place in the canteen.
2  _feud_
◊   _pertelagahan antara dua buah negara_   a feud between the two countries

**telah (1)**   KATA BANTU
_already_
◊   _Dia telah memberitahu suaminya tentang kejadian itu._   She had already

told her husband about the incident.

_Kadang-kadang **telah** hanya diterjemahkan dengan menggunakan_ **present perfect tense** _atau_ **past perfect tense.**

◊   _Saya telah menjumpai tempat itu._   I've found the place.   ◊   _Emak saya telah berbincang dengan mereka pada hujung minggu yang lalu._   My mother had spoken to them last weekend.
**setelah**   KATA HUBUNG
_after_
◊   _Setelah bekerja selama 5 tahun, Minnie mampu membeli sebuah rumah._   After working for 5 years, Minnie could afford to buy a house.

**telah (2)**
**menelah**   KATA KERJA
_to predict_
◊   _Kami tidak dapat menelah reaksi guru itu._   We couldn't predict the teacher's reaction.
**penelah**   KATA NAMA
_fortune-teller_
**telahan**   KATA NAMA
_prediction_
◊   _Telahannya tidak tepat._   His prediction was inaccurate.

**telan**   KATA KERJA
_to swallow_
◊   _Jangan telan!_   Don't swallow it!
**menelan**   KATA KERJA
_to swallow_
◊   _Dia menelan makanan itu tanpa mengunyahnya._   He swallowed the food without chewing it.
♦   **menelan belanja**   to cost   ◊   _Projek itu menelan belanja berjuta-juta ringgit._   The project cost millions of ringgits.

**telangkup**   KATA ADJEKTIF
_upside down_
◊   _Kotak itu telangkup di atas lantai._   The box was upside down on the floor.
**menelangkupkan**   KATA KERJA
_to turn ... upside down_
◊   _Dia menelangkupkan gelas itu selepas mencucinya._   He turned the glass upside down after washing it.

**telanjang**
**bertelanjang**   KATA KERJA
_naked_

**telanjur**   KATA KERJA
_to overdo_
◊   _Dia sudah telanjur melakukannya._   He has overdone it.
♦   **Dia telanjur mengatakan perkara itu.**   He made a slip of the tongue.
♦   **Percakapannya sudah telanjur.**   He said too much.

**T**

**ketelanjuran** KATA NAMA
*doing something to excess*
♦ **Ketelanjuran anda kali ini tidak dapat dimaafkan.** This time you have gone too far and your behaviour is unpardonable.

**telap** KATA ADJEKTIF
*porous*
♦ **tanah yang telap air** porous soil

**telapak** KATA NAMA
♦ **telapak tangan** palm
♦ **telapak kaki** sole

**telatah** KATA NAMA
*behaviour*

**telefon** KATA NAMA
*telephone*
♦ **telefon awam** public phone
♦ **telefon bimbit** mobile phone
**menelefon** KATA KERJA
*to telephone*

**telefonis** KATA NAMA
*telephonist*

**telegraf** KATA NAMA
*telegraph*

**telegram** KATA NAMA
*telegram*

**telekomunikasi** KATA NAMA
*telecommunications*

**teleku**
**berteleku** KATA KERJA
*to rest one's chin on one's hands*

**telekung** KATA NAMA
*long prayer veil*

**teleng** KATA ADJEKTIF
*tilted*
**menelengkan** KATA KERJA
*to tilt*
◊ *Idah menelengkan kepala anaknya untuk melihat luka itu.* Idah tilted her child's head to look at the wound.

**telentang** KATA KERJA
*to lie supine*
◊ *Dia telentang di atas katilnya.* He lay supine on his bed.

**teleskop** KATA NAMA
*telescope*

**televisyen** KATA NAMA
*television*
◊ *televisyen kabel* cable television

**telinga** KATA NAMA
*ear*

**telingkah**
**bertelingkah** KATA KERJA
*to quarrel*
◊ *Mereka bertelingkah dengan pekedai itu.* They quarrelled with the shopkeeper.
**pertelingkahan** KATA NAMA
*quarrel*
◊ *Khairel tidak mahu terlibat dalam*

*pertelingkahan mereka.* Khairel doesn't want to get involved in their quarrel.
♦ **pertelingkahan adik-beradik** sibling rivalry

**teliti** KATA ADJEKTIF
*careful*
♦ **dengan teliti** carefully
♦ **orang yang teliti** a meticulous person
♦ **pemeriksaan yang teliti** a thorough examination
**meneliti** KATA KERJA
*to scrutinize*
◊ *Mereka meneliti lukisan itu selama dua hari.* They scrutinized the painting for two days.
**penelitian** KATA NAMA
*observation*
◊ *Dari penelitian saya,...* From my observation,...

**telor** KATA NAMA
*accent*

**teluk** KATA NAMA
*bay*

**teluki** KATA NAMA
♦ **bunga teluki** carnation

**telungkup**
**menelungkup** KATA KERJA
*to lie prone*
◊ *Budak perempuan itu menelungkup di atas lantai.* The girl lay prone on the floor.
**menelungkupkan** KATA KERJA
*to turn ... upside down*
◊ *Dia menelungkupkan gelas itu selepas mencucinya.* He turned the glass upside down after washing it.
**tertelungkup** KATA KERJA
*to lie prone*
◊ *Budak lelaki itu tertelungkup di atas tanah.* The boy lay prone on the ground.
♦ **Dia jatuh tertelungkup di atas lantai.** She fell face-down on the floor.

**telunjuk** KATA NAMA
♦ **jari telunjuk** index finger

**telur** KATA NAMA
*egg*
**bertelur** KATA KERJA
*to lay an egg*
♦ **Ramai orang pergi ke Terengganu untuk melihat penyu bertelur.** A lot of people go to Terengganu to watch turtles lay their eggs.

**telus** KATA ADJEKTIF
*to pass through*
♦ **Cahaya matahari telus menerusi langsir itu.** The sun shines through the curtain.

**telut**
**bertelut** KATA KERJA
*to kneel*

**tema**  KATA NAMA
*theme*

**teman**  KATA NAMA
*companion*

♦ **teman lelaki**  boyfriend

♦ **teman wanita**  girlfriend

**menemani**  KATA KERJA
*to accompany*

**temasya**  KATA NAMA
*event*
◊ *Temasya sukan itu berlangsung kelmarin.*  The sporting event took place yesterday.

**bertemasya**  KATA KERJA
*to party*
◊ *Kami bertemasya hingga larut malam.*  We partied late into the night.

**tembaga**  KATA NAMA
*copper*

**tembak**  KATA KERJA
*to shoot*

♦ **tembak-menembak**  exchange of fire

♦ **peristiwa tembak-menembak**  exchange of fire

**bertembak-tembakan**  KATA KERJA
*to shoot at one another*
◊ *Polis dan perompak itu bertembak-tembakan di tengah-tengah jalan raya.*  The police and the robber were shooting at one another in the middle of the road.

**menembak**  KATA KERJA
*to shoot*

**menembakkan**  KATA KERJA
*to fire*
◊ *menembakkan peluru berpandu*  to fire a guided missile

**penembak**  KATA NAMA
*shooter*

**penembakan**  KATA NAMA
*shooting*
◊ *Peristiwa penembakan anggota polis itu masih menimbulkan tanda tanya.*  The shooting of that policeman has still not been cleared up.

**tertembak**  KATA KERJA
*to be shot*
◊ *Dua orang polis tertembak dalam kejadian itu.*  Two policemen were shot in the incident.

**tembakan**  KATA NAMA
*shot*
◊ *Tembakannya tidak mengenai sasaran.*  His shot missed the target.

**tembakau**  KATA NAMA
*tobacco*

**tembam**  KATA ADJEKTIF
*chubby*
◊ *pipi yang tembam*  chubby cheeks

**temberang**  KATA KERJA

| rujuk juga **temberang** KATA NAMA |

*to lie*
◊ *Dia asyik temberang sahaja.*  He's always lying.

**temberang**  KATA NAMA

| rujuk juga **temberang** KATA KERJA |

*lie*
◊ *Jangan dengar temberangnya.*  Don't listen to his lies.

**tembikai**  KATA NAMA
*watermelon*

**tembikar**  KATA NAMA
*pottery*

♦ **cawan-cawan tembikar**  china cups

**tembok**  KATA NAMA
*wall*

♦ **Tembok Besar China**  the Great Wall of China

**tembuk**

**menembuk**  KATA KERJA
*to punch holes in*
◊ *Dia menembuk kertas itu sebelum memasukkannya ke dalam fail.*  She punched holes in the paper before putting it into the file.

**tembung**

**bertembung**  KATA KERJA
1️⃣ *to bump into*
◊ *Kami bertembung dengan bekas guru kami di pasar raya.*  We bumped into our former teacher at the supermarket.
2️⃣ *to collide*
◊ *Dua buah kereta api bertembung di Gemas awal pagi tadi.*  Two trains collided at Gemas early this morning.

**pertembungan**  KATA NAMA
*crash* (JAMAK **crashes**)
◊ *Tiada orang yang tercedera dalam pertembungan itu.*  Nobody was injured in the crash.

♦ **pertembungan jadual waktu**  a clash in the timetable

**tembus**

**menembusi**  KATA KERJA
*to penetrate*
◊ *X-ray dapat menembusi banyak objek.*  X-rays can penetrate many objects.
◊ *Syarikat itu sedang cuba menembusi pasaran antarabangsa.*  The company is trying to penetrate the international market.

♦ **Senjata itu menembusi paru-parunya.**  The weapon pierced his lung.

**penembusan**  KATA NAMA
*penetration*
◊ *Tembok itu dibina untuk menghalang penembusan pihak musuh.*  The wall was built to block enemy penetration.

**tempa**  KATA NAMA

**T**

♦ **besi tempa** wrought iron
**menempa** KATA KERJA
*to forge*
◊ *Kemahiran diperlukan untuk menempa pedang.* Skill is needed to forge a sword.
**penempa** KATA NAMA
*blacksmith*

**tempah** KATA NAMA
♦ **wang tempah** deposit
**menempah** KATA KERJA
① *to book*
◊ *Dia menempah sebuah bilik di hotel mewah itu.* She booked a room at the luxury hotel.
② *to order*
◊ *Orang kaya itu menempah sebuah meja antik dari negara China.* The rich man ordered an antique table from China.
**penempahan** KATA NAMA
*booking*
♦ **Penempahan tiket hanya boleh dibuat mulai minggu hadapan.** Tickets can only be booked next week.
**tempahan** KATA NAMA
① *booking*
◊ *tempahan awal* advance booking
② *order*
◊ *Tempahan itu diterima kelmarin.* The order was received yesterday.

**tempang** KATA ADJEKTIF
*lame*
◊ *Sebelah kakinya tempang.* She was lame in one leg.

**tempat** KATA NAMA
*place*
♦ **tempat kejadian** scene
♦ **tempat letak kereta** car park
**bertempat** KATA KERJA
*to take place*
◊ *Pameran tersebut bertempat di muzium itu.* The exhibition took place at the museum.
**menempatkan** KATA KERJA
*to place*
◊ *Dia menempatkan anaknya di sebuah sekolah berasrama.* He placed his child in a boarding school.
♦ **menempatkan semula** to relocate
**menyetempatkan** KATA KERJA
*to localize*
◊ *Mereka sedang cuba untuk menyetempatkan konflik tersebut.* They are attempting to localize the conflict.
**penempatan** KATA NAMA
*settlement*
◊ *penempatan orang Portugis* settlement by the Portuguese
**tempatan** KATA ADJEKTIF
*local*

◊ *panggilan tempatan* local call

**tempayan** KATA NAMA
*large earthenware vessel*
(*penjelasan umum*)

**tempek**
**bertempek-tempek** KATA KERJA
*plastered*
◊ *Kemejanya bertempek-tempek dengan lumpur.* His shirt was plastered with mud.
**menempek** KATA KERJA
*to spread*
◊ *Dia menempek krim pada mukanya.* She spread cream over her face.
♦ **menempek bedak** to powder

**tempel**
**bertempel** KATA KERJA
*to be stuck*
◊ *Label itu bertempel pada mata pisau.* The label is stuck to the blade.
**menempelkan** KATA KERJA
*to stick*
◊ *Kami menempelkan poster itu pada tingkap.* We stuck the poster on the window.
**penempelan** KATA NAMA
*sticking*
♦ **Kerja-kerja penempelan poster dilakukan oleh pihak penganjur.** The posters were put up by the organizers.
**tempelan** KATA NAMA

*tempelan merujuk kepada semua benda yang ditempelkan dan tidak ada terjemahan yang khusus dalam bahasa Inggeris.* **tempelan** *perlu diterjemahkan mengikut konteks.*

◊ *Ada banyak tempelan pada dinding bangunan itu semasa kempen pilihan raya diadakan.* A lot of posters were stuck on the wall of the building during the election campaign. ◊ *Emaknya terkejut melihat tempelan pada dahinya.* His mother was surprised to see the dressing on his forehead.

**tempeleng** KATA NAMA
*slap*
**menempeleng** KATA KERJA
*to slap*

**tempiar**
**bertempiaran** KATA KERJA
*to scatter*
◊ *Orang ramai bertempiaran apabila mereka mendengar bunyi satu das tembakan.* The crowd scattered when they heard a shot being fired.
♦ **Mereka lari bertempiaran.** They ran helter-skelter.

**tempias** KATA NAMA
*spray*
◊ *tempias daripada air terjun* the

spray from the waterfall
**bertempias, bertempiasan** KATA KERJA
_to fly into_
◊   _Air bertempiasan ke udara apabila ombak memukul batu itu._ Spray flew into the air when the waves hit the rock.
**menempiasi** KATA KERJA
_to blow into_
◊   _Hujan menempiasi anjung rumah._ The rain was blowing into the porch.
**menempiaskan** KATA KERJA
_to make ... spray_
◊   _Ribut taufan itu menempiaskan air hujan ke dalam bangunan itu._ The typhoon made the rain spray into the building.
**tempik**
**bertempik** KATA KERJA
_to shout_
◊   _Dia bertempik supaya suaranya dapat didengari._ He shouted so that he could be heard.
**menempikkan** KATA KERJA
_to shout_
◊   _Shelby menempikkan nama abangnya._ Shelby shouted her brother's name.
**tempikan** KATA NAMA
_shout_
◊   _Tempikan itu menakutkan saya._ The shout frightened me.
**tempoh** KATA NAMA
_period_
**tempuh**
**menempuh, menempuhi** KATA KERJA
_to face_
◊   _Kita mesti tabah menempuhi segala cabaran hidup._ We must face life's challenges with perseverance.
**tempuling** KATA NAMA
_harpoon_
**tempur**
**bertempur** KATA KERJA
_to battle_
◊   _Beribu-ribu orang bertempur dengan pihak polis._ Thousands of people battled with the police.
**menempur** KATA KERJA
_to attack_
◊   _Pengganas-pengganas itu menempur kampung itu._ The terrorists attacked the village.
**pertempuran** KATA NAMA
_battle_
◊   _Ayahnya terkorban dalam pertempuran itu._ Her father lost his life in that battle.
♦   **Beberapa pertempuran telah berlaku antara pihak polis dengan penunjuk perasaan.** There have been a number of clashes between police and

demonstrators.
**tempurung** KATA NAMA
_shell_
◊   _tempurung kelapa_ coconut shell
**temu**
**bertemu** KATA KERJA
_to meet_
◊   _Awang berpeluang bertemu dengan pemimpin terkenal itu._ Awang had a chance to meet the famous leader.
**menemui** KATA KERJA
[1] _to meet_
◊   _Pengarah itu bersetuju untuk menemui wartawan-wartawan tersebut._ The director agreed to meet the reporters.
[2] _to discover_
◊   _Para saintis masih belum menemui penawar untuk penyakit AIDS._ Scientists still haven't discovered a cure for AIDS.
**mempertemukan** KATA KERJA
_to bring together_
◊   _Persidangan itu telah mempertemukan pakar-pakar perubatan dari seluruh dunia._ The conference brought together medical specialists from all over the world.
**penemuan** KATA NAMA
_discovery_ (JAMAK **discoveries**)
**pertemuan** KATA NAMA
_meeting_
**temu bual** KATA NAMA
_interview_
**bertemu bual** KATA KERJA
_to interview_
◊   _Wartawan itu akan bertemu bual dengan salah seorang pensyarah universiti._ The reporter is going to interview one of the university lecturers.
**menemu bual** KATA NAMA
_to interview_
◊   _Wartawan itu akan menemu bual salah seorang pensyarah universiti._ The reporter is going to interview one of the university lecturers.
**penemu bual** KATA NAMA
_interviewer_
**temu duga** KATA NAMA
_interview_
**bertemu duga** KATA KERJA
_to interview_
◊   _Pengurus itu akan bertemu duga dengan pemohon-pemohon kerja itu._ The manager will interview the applicants for the job.
**menemu duga** KATA KERJA
_to interview_
◊   _Pengurus itu akan menemu duga pemohon-pemohon kerja itu._ The manager will interview the applicants for the job.

T

**penemu duga** KATA NAMA
*interviewer*

**temu janji** KATA NAMA
*appointment*

**temu ramah** KATA NAMA
*interview*
**bertemu ramah** KATA KERJA
*to interview*
◊ *Wartawan itu akan bertemu ramah dengan salah seorang saintis itu.* The reporter is going to interview one of the scientists.
**menemu ramah** KATA KERJA
*to interview*
◊ *Mereka akan menemu ramah salah seorang pensyarah universiti itu.* They are going to interview one of the university lecturers.
**penemu ramah** KATA NAMA
*interviewer*

**tenaga** KATA NAMA
*energy*
♦ **tenaga kerja** workforce
**bertenaga** KATA KERJA
*energetic*
◊ *Dia sangat bertenaga.* She's very energetic.

**tenang** KATA ADJEKTIF
*calm*
**bertenang** KATA KERJA
*to keep calm*
◊ *Cubalah bertenang supaya anda dapat berfikir dengan jelas.* Try to keep calm so that you can think clearly.
♦ **Bertenang!** Calm down!
**ketenangan** KATA NAMA
*calmness*
◊ *ketenangan air laut* the calmness of the sea
♦ **ketenangan jiwa** inner peace
**menenangkan** KATA KERJA
*to calm*
◊ *Dia cuba menenangkan dirinya.* She tried to calm herself.
**penenang** KATA NAMA
♦ **ubat penenang** tranquillizer

**tenat** KATA ADJEKTIF
*critical*
◊ *Penyakit barahnya semakin tenat.* His cancer is getting critical.
♦ **sakit tenat** critically ill
♦ **Pesakit itu sedang tenat.** The patient is critically ill.

**tenda** KATA NAMA
1 *canvas* (JAMAK **canvases**)
2 *(pada katil) canopy*
(JAMAK **canopies**)

**tendang** KATA KERJA
*to kick*

◊ *Tendang bola itu!* Kick the ball!
**menendang** KATA KERJA
*to kick*
◊ *Zahid menendang bola itu.* Zahid kicked the ball.
**tendangan** KATA NAMA
*kick*
◊ *tendangan sudut* corner kick

**tengadah**
**menengadah** KATA KERJA
*to look up*
◊ *Kanak-kanak itu menengadah ke arah ibunya.* The child looked up at his mother.
**menengadahkan** KATA KERJA
*to lift*
◊ *Budak lelaki itu menengadahkan mukanya untuk memandang bapanya.* The boy lifted his face to look at his father.

**tengah** KATA ADJEKTIF
┌─────────────────────────────────┐
│ *rujuk juga* **tengah** KATA ARAH │
└─────────────────────────────────┘
*middle*
◊ *Butang tengah pada kemejanya sudah tanggal.* The middle button on his shirt has come off.
♦ **bahagian tengah** middle
♦ **tengah hari (1)** noon *(pukul 12)*
♦ **tengah hari (2)** afternoon *(selepas pukul 12)*
♦ **tengah malam** midnight
**menengah** KATA ADJEKTIF
♦ **kelas menengah** intermediate class
♦ **sekolah menengah** secondary school
**mengetengahkan** KATA KERJA
1 *to raise*
◊ *En. Khoo mengetengahkan isu itu dalam mesyuarat tersebut.* Mr Khoo raised the issue at the meeting.
2 *to put forward (cadangan, idea)*
**pertengahan** KATA NAMA
*middle*
♦ **pertengahan jalan** halfway
♦ **pertengahan umur** middle-aged
♦ **cuti pertengahan semester** mid-semester holiday
**setengah** KATA ADJEKTIF, KATA BILANGAN
*half*
◊ *setengah daripada harga itu* half the price ◊ *setengah buku roti* half a loaf of bread
**setengah-setengah, sesetengah** KATA BILANGAN
*some*
◊ *Sesetengah orang kerap jatuh sakit.* Some people often fall ill.

**tengah** KATA ARAH
┌──────────────────────────────────────┐
│ *rujuk juga* **tengah** KATA ADJEKTIF │
└──────────────────────────────────────┘
*middle*
◊ *Jangan berhenti di tengah jalan.*

Don't stop in the middle of the road.
◊ *Vivian mengalihkan bakul itu ke tengah.* Vivian moved the basket to the middle.
**tengah-tengah** KATA ARAH
*very middle*
◊ *Dia berdiri di tengah-tengah padang.* She stood in the very middle of the field.

**tenggak**
**menenggak** KATA KERJA
*to swallow*

**tenggala** KATA NAMA
*plough*
**menenggala** KATA KERJA
*to plough*

**tenggara** KATA NAMA
*south-east*

**tenggek**
**bertenggek, menenggek** KATA KERJA
*to perch*
◊ *Seekor burung bertenggek di atas dawai elektrik itu.* A bird perched on the electricity cable.
**menenggekkan** KATA KERJA
*to perch*
◊ *Evelyn menenggekkan lampu itu pada sebuah tin di atas almari.* Evelyn perched the lamp on a tin on top of the cupboard.
**tertenggek** KATA KERJA
*perched*
◊ *Lilin itu tertenggek di atas rak.* The candle was perched on the shelf.

**tenggelam** KATA KERJA
*to sink*
◊ *Kapal itu tenggelam.* The ship sank.
**menenggelami** KATA KERJA
*to submerge*
◊ *Air bah telah menenggelami seluruh kampung itu.* The flood water submerged the whole village.
**menenggelamkan** KATA KERJA
*to sink*
◊ *Ribut yang kencang itu telah menenggelamkan kapal itu.* The storm sank the ship.

**tenggiling** KATA NAMA
*armadillo* (JAMAK **armadillos**)

**tengik** KATA ADJEKTIF
*rancid* (bau)

**tengkar**
**bertengkar** KATA KERJA
*to argue*
**pertengkaran** KATA NAMA
*argument*

**tengking** KATA NAMA
*shout*
**mengking** KATA KERJA
*to shout at*
◊ *Rani terkejut apabila kakaknya*

*menengkingnya.* Rani was startled when her sister shouted at her.

**tengkolok** KATA NAMA
*headdress* (JAMAK **headdresses**)
(*terjemahan umum*)

**tengkorak** KATA NAMA
*skull*

**tengkujuh** KATA NAMA
*rainy season*
♦ **musim tengkujuh** rainy season

**tengkuk** KATA NAMA
*nape*

**tengok** KATA KERJA
*to look at*
◊ *Tengok rumah itu!* Look at that house!
**menengok** KATA KERJA
1 *to look at*
◊ *Kogila menengok anjing itu.* Kogila looked at the dog.
2 *to visit*

**tenis** KATA NAMA
*tennis*

**tenor** KATA NAMA
*tenor* (*penyanyi lelaki bersuara tinggi*)

**tentang** KATA SENDI
*about*
**bertentang** KATA KERJA
*opposite*
◊ *Jennie duduk bertentang dengan Joe ketika bersarapan.* Jennie sat opposite Joe during breakfast.
♦ **bertentang mata** to stare at each other
**bertentangan** KATA KERJA
1 *opposite*
◊ *Rumah itu bertentangan dengan sebuah pasar raya.* The house is opposite a supermarket.
2 *contrary*
◊ *Keputusannya bertentangan dengan kehendak ibu bapanya.* His decision is contrary to his parents' wishes.
**menentang** KATA KERJA
*to go against*
◊ *Ramlah selalu menentang kehendak ibu bapanya.* Ramlah always goes against her parents' wishes.
♦ **Askar-askar itu berperang untuk menentang musuh negara mereka.** The soldiers fought against their country's enemy.
♦ **Mary akan menentang Martina dalam perlawanan esok.** Mary will compete against Martina in tomorrow's match.
**penentang** KATA NAMA
*opponent*
◊ *penentang-penentang ujian nuklear* opponents of nuclear tests
**penentangan** KATA NAMA
*resistance*

T

◊ *penentangan terhadap perubahan* resistance to change

**tentangan** KATA NAMA
*opposition*
◊ *Pihak pemaju menerima tentangan hebat daripada penghuni di situ.* The developer met strong opposition from the local residents.

♦ **Pemain itu memberikan tentangan yang hebat sebelum tewas.** The player put up a good fight before losing.

**tentera** KATA NAMA
[1] *military* (*pasukan*)
[2] *soldier* (*orang*)
♦ **tentera darat** army (JAMAK **armies**)
♦ **tentera laut** navy (JAMAK **navies**)
♦ **tentera udara** air force
**ketenteraan** KATA NAMA
*military*
◊ *tindakan ketenteraan* military action

**tenteram** KATA ADJEKTIF
*peaceful*
◊ *Waktu pagi di kampung biasanya sunyi dan tenteram.* Mornings in the village are usually quiet and peaceful.
♦ **Hatinya tenteram ketika berada di kampung itu.** She feels at peace in the village.
**ketenteraman** KATA NAMA
*peace*
◊ *Mereka berusaha mengembalikan ketenteraman di situ.* They worked hard to restore peace there.
**menenteramkan** KATA KERJA
*to calm*
◊ *Dia cuba menenteramkan keadaan.* He tried to calm the situation.

**tentu** KATA ADJEKTIF
*sure*
◊ *Dia tentu akan marah.* She's sure to be angry.
♦ **Sudah tentu!** Of course!
♦ **tidak tentu** uncertain
**ketentuan** KATA NAMA
♦ **ketentuan hidup** one's lot in life ◊ *Kita mesti tabah menghadapi ketentuan hidup.* We must face our lot in life with perseverance.
♦ **ketidaktentuan** uncertainty (JAMAK **uncertainties**)
**menentu** KATA KERJA
♦ **tidak menentu** uncertain ◊ *keadaan yang tidak menentu* an uncertain situation
**menentukan** KATA KERJA
*to decide*
◊ *Ayah merekalah yang menentukan tempat percutian mereka.* Their father decides where they go on holiday.

**penentu** KATA NAMA
*determinant*
♦ **penentu masa** timer
**penentuan** KATA NAMA
*determination*
◊ *penentuan polisi syarikat* the determination of the company's policy
♦ **Dia percaya bahawa hidup dan mati ialah penentuan Tuhan.** He believes that life and death are in God's hands.
**tertentu** KATA ADJEKTIF
[1] *specific*
◊ *cara memasak yang tertentu* a specific method of cooking
[2] *certain*
◊ *Anak patung itu hanya dijual di kedai-kedai tertentu.* The doll is only sold in certain shops.

**tenuk** KATA NAMA
*tapir*

**tenun**
**menenun** KATA KERJA
*to weave*
**penenun** KATA NAMA
*weaver*
**penenunan** KATA NAMA
*weaving*
◊ *Kerja-kerja penenunan biasanya dilakukan oleh kaum wanita.* Weaving is usually done by the womenfolk.
**tenunan** KATA NAMA
*weave*
◊ *kain dengan tenunan yang halus* fabrics with a close weave

**tenung**
**menenung** KATA KERJA
*to stare*
◊ *Juliana menenung wajah kawannya.* Juliana stared at her friend.
♦ **menenung nasib seseorang** to tell somebody's fortune ◊ *Pak Husin menenung nasib anak orang kaya itu.* Pak Husin told the fortune of the rich man's child.

**tenusu** KATA NAMA
*dairy*
◊ *hasil tenusu* dairy products

**tenyeh**
**menyeh** KATA KERJA
*to knead*
◊ *Dia menyeh bahu emaknya.* She kneaded her mother's shoulders.
**menyeh** KATA KERJA
[1] *to squash*
◊ *Bayi itu menyeh kek itu ke mukanya.* The baby squashed the cake on to its face.
[2] *to stub out*
◊ *menyeh puntung rokok* to

stub out a cigarette

**teori** KATA NAMA
*theory* (JAMAK **theories**)

**tepat** KATA ADJEKTIF
1 *exact*
◊ *Beritahu saya jumlah yang tepat.* Tell me the exact figure.
♦ **Waktu sekarang tepat pukul empat.** The time now is exactly four o'clock.
2 *correct*
◊ *Sangkaan saya memang tepat.* My guess was correct.
3 *accurate*
◊ *ukuran yang tepat* accurate measurement
♦ **tidak tepat** inaccurate

**bertepatan** KATA KERJA
*to match*
◊ *fesyen yang bertepatan dengan cita rasa remaja* fashion that matches the taste of teenagers

**ketepatan** KATA NAMA
*accuracy*

**menepati** KATA KERJA
*to fulfil*
◊ *Para peserta mesti menepati syarat pertandingan.* Participants must fulfil the conditions of the competition.
♦ **Balingan pemain itu menepati sasaran.** The player's throw was right on target.
♦ **Kita mesti menepati masa.** We must be punctual.

**tepi** KATA ADJEKTIF
> *rujuk juga* **tepi** KATA ARAH

♦ **bahagian tepi** side ◊ *Label itu dilekatkan pada bahagian tepi kotak itu.* The label is stuck on the side of the box.

**mengetepikan** KATA KERJA
*to put aside*
◊ *Sarah menutup buku itu dan mengetepikannya.* Sarah closed the book and put it aside. ◊ *Saya mengetepikan perasaan peribadi saya.* I put my personal feelings aside.
♦ **Jangan mengetepikan pelajar itu.** Don't ostracize the student.
♦ **Cindy berjaya mengetepikan pemain tersebut.** Cindy succeeded in eliminating the player.

**tepi** KATA ARAH
> *rujuk juga* **tepi** KATA ADJEKTIF

*side*
◊ *Jalan di tepi.* Walk at the side of the road. ◊ *Dia mengalihkan bakul itu ke tepi.* He moved the basket to one side.
◊ *Dia duduk di tepi.* She sat to one side.
♦ **"Ke tepi," kata pegawai itu.** "Move aside," said the officer.
♦ **Dia duduk di tepi emaknya.** She sat

beside her mother.

**tepis**
**menepis** KATA KERJA
*to deflect*
◊ *Penjaga gol mereka menepis bola itu.* Their goalkeeper deflected the ball.

**tepu** KATA ADJEKTIF
*saturated*

**tepuk** KATA KERJA
*to clap*
◊ *Tepuk tangan anda.* Clap your hands.

**bertepuk** KATA KERJA
♦ **bertepuk tangan** to applaud

**menepuk** KATA KERJA
1 *to clap*
◊ *Margaret menepuk tangannya.* Margaret clapped her hands.
2 *to pat*
◊ *Dia menepuk bahu kawannya.* He patted his friend on the shoulder.

**tepukan** KATA NAMA
*applause*

**tepung** KATA NAMA
*flour*

**menepung** KATA KERJA
*to grind*
◊ *Mereka menggunakan mesin itu untuk menepung lada hitam.* They use the machine to grind pepper.

**tera** KATA NAMA
*seal*
◊ *dokumen yang mempunyai tera rasmi syarikat* a document bearing the official seal of the company

**tertera** KATA KERJA
*to be printed*
◊ *Namanya tertera pada kad itu.* His name was printed on the card.

**terajang** KATA NAMA
*kick*

**menerajang** KATA KERJA
*to kick*
◊ *Nancy menerajang kaki perompak itu.* Nancy kicked the robber's leg.

**teraju** KATA NAMA
*top leadership*
♦ **teraju pemerintahan** highest authority

**menerajui** KATA KERJA
*to lead*

**terampil** KATA ADJEKTIF
*skilful*
◊ *Mereka terampil dan cerdik.* They are skilful and intelligent.

**keterampilan** KATA NAMA
*skill*
◊ *Dia menunjukkan keterampilannya dalam bidang sukan.* She showed her skill in sports.

T

**terang** KATA ADJEKTIF
*bright*
◊ *cahaya matahari yang terang* bright sunlight ◊ *baju merah yang terang* a bright red shirt
♦ **tulisan yang terang** clear handwriting
♦ **terang hati** quick to learn
♦ **terang-benderang** very bright
**terang-terang, terang-terangan**
KATA ADJEKTIF
*openly*
◊ *Sekarang, kita boleh bercakap secara terang-terang tentang penyakit AIDS.* We can now talk openly about AIDS.
♦ **secara terang-terangan** blatant
◊ *diskriminasi secara terang-terangan* blatant discrimination
**keterangan** KATA NAMA
1 *statement*
2 *testimony* (di mahkamah)
**menerangi** KATA KERJA
*to illuminate*
◊ *Tidak ada lampu jalan yang menerangi jalan itu.* No streetlights illuminated the street.
**menerangkan** KATA KERJA
*to explain*
**penerangan** KATA NAMA
*explanation*
◊ *Penerangannya jelas sekali.* His explanation was very clear.

**terap**
**menerapkan** KATA KERJA
*to apply*
◊ *Guru besar itu telah menerapkan idea-idea baru ini di sekolahnya.* The headmaster has applied these new ideas to his school.
**penerapan** KATA NAMA
*application*
◊ *penerapan sesuatu konsep* the application of a concept

**terapi** KATA NAMA
*therapy* (JAMAK **therapies**)

**teras** KATA NAMA
*essence*
◊ *Kerajinan itu teras kejayaan.* Diligence is the essence of success.
♦ **teras bumi** the earth's core
**berteraskan** KATA KERJA
*based on*
◊ *Kesimpulan mereka berteraskan keputusan eksperimen tersebut.* Their conclusion is based on the results of the experiment.

**teratai** KATA NAMA
*lotus* (JAMAK **lotuses**)

**teratak** KATA NAMA
*hut*

**terbang** KATA KERJA
*to fly*
◊ *Kapal terbang itu terbang menembusi awan.* The plane flew through the clouds.
**berterbangan** KATA KERJA
*to fly*
◊ *Burung-burung berterbangan di udara.* Birds are flying in the sky.
♦ **Cebisan-cebisan kertas berterbangan ditiup angin kencang.** Pieces of paper were flying about in the strong wind.
**menerbangkan** KATA KERJA
*to fly*
◊ *PBB akan menerbangkan bantuan makanan ke Somalia dengan segera.* The UN will fly food aid to Somalia immediately.
**penerbangan** KATA NAMA
*flight*
♦ **syarikat penerbangan** airline

**terbit** KATA KERJA
*to rise*
◊ *Matahari sudah terbit.* The sun has risen.
**menerbitkan** KATA KERJA
1 *to arouse*
◊ *Kata-kata itu menerbitkan rasa sedih di hatinya.* Those words aroused feelings of sadness in her.
2 *to publish*
◊ *Syarikat itu akan menerbitkan sebuah majalah baru.* The company is going to publish a new magazine.
**penerbit** KATA NAMA
*publisher*
**penerbitan** KATA NAMA
*publication*
◊ *Penerbitan buku itu menelan belanja yang banyak.* The publication of the book costs a lot.
**terbitan** KATA NAMA
*published*
◊ *buku terbitan tempatan* a locally published book

**terendak** KATA NAMA
♦ **terendak lampu** lampshade

**teres** KATA NAMA
*terrace*
♦ **rumah teres** terraced house

**teriak** KATA NAMA *rujuk* **teriakan**
**berteriak** KATA KERJA
1 *to shout*
◊ *Dia terpaksa berteriak supaya suaranya dapat didengari.* She had to shout to make herself heard.
2 *to cry*
◊ *"Awak silap!" dia berteriak.* "You are wrong!" he cried.
**meneriak** KATA KERJA

*to cry*
◊ *Dia meneriak 'tidak' apabila mendengar berita itu.* He cried 'no' when he heard the news.
♦ **Kelly meneriak memanggil kawannya yang berada di seberang jalan.** Kelly called to her friend who was across the road.
**meneriakkan** KATA KERJA
*to shout out*
◊ *Mereka meneriakkan nama-nama orang yang ditahan.* They shouted out the names of those detained.
**teriakan** KATA NAMA
*call*
◊ *Saya terdengar teriakannya dari bilik saya.* I heard her call from my room.

**terik** KATA ADJEKTIF
1 *scorching*
◊ *hari panas terik* a scorching hot day
2 *tight*
◊ *seluar jean yang terik* tight jeans
**menerikkan** KATA KERJA
*to tighten*
◊ *Dia menerikkan simpul itu.* She tightened the knot.

**terima**
**menerima** KATA KERJA
1 *to receive*
◊ *Saya telah menerima surat anda yang bertarikh 7 November.* I have received your letter of November 7.
2 *to accept*
◊ *June menerima nasihat saya.* June accepted my advice.
♦ **tidak dapat diterima** unacceptable
**penerima** KATA NAMA
1 *recipient* (orang)
2 *receiver* (alat)
**penerimaan** KATA NAMA
*acceptance*
◊ *penerimaan tawaran kerja* the acceptance of a job offer

**terima kasih** KATA NAMA
*thank you*
**berterima kasih** KATA KERJA
*grateful*
◊ *Dia berterima kasih kepada penyokong-penyokongnya.* He was grateful to his supporters.

**terima pakai**
**menerima pakai** KATA KERJA
*to adopt*
◊ *Syarikat itu telah menerima pakai sistem yang baru itu.* The company has adopted the new system.

**terjang** KATA NAMA
*attack*
**menerjang** KATA KERJA

*to attack*
◊ *Lanun-lanun menerjang kampung itu.* Pirates attacked the village.

**terjemah**
**menterjemah** KATA KERJA
*to translate*
◊ *menterjemah secara hurufiah* to translate literally
**menterjemahkan** KATA KERJA
*to translate*
◊ *Lee Tin menterjemahkan buku itu daripada bahasa Inggeris kepada bahasa Jepun.* Lee Tin translated the book from English into Japanese.
**penterjemah** KATA NAMA
*translator*
**penterjemahan** KATA NAMA
*translation*
◊ *Kami mengkhusus dalam bidang penterjemahan.* We specialized in translation.
**terjemahan** KATA NAMA
*translation*
◊ *terjemahan yang bermutu* a good quality translation

**terjun** KATA KERJA
1 *to plunge*
◊ *Dia terjun ke dalam air.* He plunged into the water.
2 *to jump*
◊ *"Jangan terjun!" jerit Carrie.* "Don't jump!" shouted Carrie.
♦ **air terjun** waterfall
♦ **terjun air** diving
**penerjun** KATA NAMA
1 *parachutist* (dengan payung terjun)
2 *diver* (ke dalam air)
**terjunan** KATA NAMA
*jump*
◊ *Dia seorang penerjun yang telah melakukan lebih daripada 150 terjunan.* He was a parachutist who had done over 150 jumps.

**terkam**
**menerkam** KATA KERJA
*to pounce*
◊ *Kucing itu menerkam ke arah burung merpati tersebut.* The cat pounced on the pigeon.
♦ **Saya terkejut apabila Ling menerkam ke arah saya.** I had a shock when Ling leapt at me.
**terkaman** KATA NAMA
*the act of pouncing*
♦ **Pelanduk itu mati akibat terkaman harimau itu.** The mouse deer died when the tiger pounced on it.

**terkup**
**menerkup** KATA KERJA

*to catch*
◊ *Jack menerkup semut itu dengan mangkuk.* Jack caught the ant under a bowl.

**terminal** KATA NAMA
*terminal*

**termometer** KATA NAMA
*thermometer*

**termos** KATA NAMA
*Thermos* ® (JAMAK **Thermoses**)

**ternak** KATA NAMA *rujuk* **ternakan**
　**menternak** KATA KERJA
　*to breed*
　◊ *Abidin menyara hidupnya dengan menternak ikan.* Abidin breeds fish for a living.
　**penternak** KATA NAMA
　*breeder*
　**penternakan** KATA NAMA
　*breeding*
　◊ *Dia dapat menambahkan pendapatannya melalui penternakan ayam.* He supplements his income with chicken breeding.
　**ternakan** KATA NAMA
　*livestock*

**teroka**
　**meneroka** KATA KERJA
　[1] *to clear*
　◊ *Mereka meneroka hutan itu untuk membuat penempatan.* They cleared the forest for settlement.
　[2] *to explore*
　◊ *Kami akan meneroka kawasan itu.* We will explore the area.
　**peneroka** KATA NAMA
　*settler*
　**penerokaan** KATA NAMA
　*exploration*
　◊ *penerokaan teori-teori mereka* the exploration of their theories

**teropong** KATA NAMA
　*binoculars*
　**meneropong** KATA KERJA
　*to look at ... through a pair of binoculars*
　◊ *Vincent meneropong rumah itu.* Vincent looked at the house through a pair of binoculars.

**terowong** KATA NAMA
　*tunnel*

**terpa**
　**menerpa** KATA KERJA
　*to rush*
　◊ *Mereka menerpa ke pintu apabila mendengar bunyi loceng.* They rushed to the door when they heard the bell.
　♦ **Saya terkejut apabila Wai Ling menerpa ke arah saya.** I had a shock when Wai Ling leapt at me.

**tertib** KATA ADJEKTIF
　*well-mannered*
　◊ *pelajar yang tertib* a well-mannered student
　♦ **Rancangan itu berjalan dengan tertib.** The plan was carried out in an orderly manner.
　♦ **tertib menaik** ascending order
　♦ **tertib menurun** descending order

**teruk** KATA ADJEKTIF
　[1] *bad*
　◊ *hari yang teruk* a bad day
　[2] *serious*
　◊ *kecederaan yang teruk* a serious injury
　♦ **lebih teruk** worse ◊ *Kerjanya lebih teruk daripada kerja saya.* His work was even worse than mine.

**terumbu** KATA NAMA
　*reef*

**teruna** KATA NAMA
　*young man* (JAMAK **young men**)

**terung** KATA NAMA
　*brinjal*
　♦ **terung ungu** aubergine

**terup** KATA NAMA
　*card game*
　♦ **daun terup** playing card

**terus** KATA BANTU
　[1] *straight*
　◊ *Saya terus pergi berjumpa doktor.* I went straight to the doctor.
　[2] *to keep on*
　◊ *Dia terus mencuba.* He kept on trying.
　[3] *immediately*
　◊ *Dia sungguh kacak. Saya terus jatuh hati padanya.* He was so handsome, I fell for him immediately.
　♦ **Mereka berazam untuk terus bekerja apabila sampai masa untuk mereka bersara.** They are determined to continue working when they reach retirement age.
　**terus-menerus** KATA ADJEKTIF
　[1] *continuously*
　◊ *Jamuna bercakap terus-menerus selama satu jam.* Jamuna talked continuously for an hour.
　[2] *away*
　◊ *Dia masih bekerja terus-menerus di perpustakaan.* He was still working away in the library.
　♦ **Rancangan televisyen itu disiarkan secara terus-menerus.** The television programme was screened live.
　♦ **Dia terus-menerus menyalahkan saya.** He kept blaming me.
　**berterusan** KATA KERJA

1. *to persist*
◊ *Masalah itu akan berterusan jika tidak ada langkah diambil untuk menyelesaikannya.* The problem will persist if no steps are taken to solve it.

2. *continuous*
◊ *penilaian yang berterusan* a continuous assessment

**menerusi** KATA KERJA
*through*
◊ *Kami berjalan menerusi padang itu untuk sampai ke rumahnya.* We walked through the field to get to her house.

**meneruskan** KATA KERJA
*to continue*
◊ *Kami meneruskan perbincangan kami.* We continued our discussion.

**seterusnya** KATA ADJEKTIF
*next*
◊ *dua jam yang seterusnya* the next two hours

**terusan** KATA NAMA
*canal*

**terus terang** KATA ADJEKTIF, KATA KERJA
1. *frankly*
◊ *Anda boleh bercakap terus terang dengan saya.* You can talk frankly to me.

♦ **menjawab dengan terus terang** to give a straight answer
2. *frank*
◊ *Biar saya terus terang dengan anda.* Let me be frank with you.

**berterus terang** KATA KERJA
*frank*
◊ *Biar saya berterus terang dengan anda.* Let me be frank with you.

♦ **Dia berterus terang dengan saya tentang perkara itu.** He told me about the matter frankly.

**tesaurus** KATA NAMA
*thesaurus* (JAMAK **thesauruses**)

**testimoni** KATA NAMA
*testimony* (JAMAK **testimonies**)

**tetak**
**menetak** KATA KERJA
*to chop*
◊ *Ben menetak kayu di belakang rumahnya.* Ben chopped wood behind his house.

**tetamu** KATA NAMA
*guest*

**tetangga** KATA NAMA
*neighbour*
♦ **rukun tetangga** neighbourhood association

**tetanus** KATA NAMA
*tetanus*

**tetap** KATA ADJEKTIF
rujuk juga **tetap** KATA BANTU

1. *permanent*
◊ *kerja tetap* a permanent job
2. *fixed*
◊ *bilangan tempat duduk yang tetap* a fixed number of seats

♦ **secara tetap** regularly ◊ **bernafas secara tetap** to breathe regularly

**ketetapan** KATA NAMA
*resolution*
◊ *ketetapan PBB* the UN resolution

**menetap** KATA KERJA
*to settle*
◊ *Karim menetap di Kuala Lumpur.* Karim settled in Kuala Lumpur.

**menetapi** KATA KERJA
*to fulfil*
◊ *Jamal menetapi syarat-syarat peraduan itu.* Jamal fulfilled the conditions of the contest.

**menetapkan** KATA KERJA
1. *to fix*
◊ *Sekolah itu telah menetapkan tarikh peperiksaan akhirnya.* The school has fixed the date of the final examination.
2. *to assign*
◊ *Pengurus itu menetapkan tugas untuk pekerja-pekerjanya.* The manager assigned tasks to his staff.

**penetapan** KATA NAMA
*determination*
◊ *penetapan polisi syarikat* the determination of the company's policy

♦ **penetapan harga barang-barang** to fix the price of goods

**tetap** KATA BANTU
rujuk juga **tetap** KATA ADJEKTIF
*still*
◊ *Daud tetap mempercayai Ani walaupun sudah beberapa kali Ani menipunya.* Daud still trusts Ani even though she has lied to him several times.

**tetapi** KATA HUBUNG
*but*
◊ *Dia malas tetapi bijak.* He is lazy but clever.

**tetas**
**menetas** KATA KERJA
1. *to unpick stitches*
◊ *Latifah menetas jahitan pada seluarnya.* Latifah unpicked the stitches on her trousers.
2. *to hatch*
◊ *Telur-telur itu akan menetas selepas seminggu.* The eggs will hatch after a week.

**menetaskan** KATA KERJA
*to incubate*
◊ *Burung-burung itu pulang ke sarang untuk menetaskan telur.* The birds

T

returned to their nests to incubate the eggs.

**penetasan**    KATA NAMA

_incubation_

◊ _penetasan telur_   the incubation of eggs

**tetikus**    KATA NAMA

_mouse_ (_komputer_)

**tetingkap**    KATA NAMA

_window_ (_komputer_)

**tetua**    KATA NAMA

_freckles_

**tewas**    KATA ADJEKTIF

_defeated_

◊ _Judith tewas dalam pertandingan itu._ Judith was defeated in the competition.

**ketewasan**    KATA NAMA

_defeat_

◊ _Ketewasan pasukan kami adalah di luar jangkaan._ The defeat of our team was unexpected.

**menewaskan**    KATA KERJA

_to defeat_

◊ _Pasukan bola sepak kami berjaya menewaskan pasukan mereka._ Our football team succeeded in defeating theirs.

**Thailand**    KATA NAMA

_Thailand_

**tiada**    KATA ADJEKTIF

1 _no_

◊ _Saya tiada masa untuk berjumpa dengannya._ I have no time to see him.

2 _to pass away_

◊ _"Dia sudah tiada," kata Jamal dengan suara yang perlahan._ "She has passed away," said Jamal quietly.

**ketiadaan**    KATA NAMA

_absence_

◊ _Mereka hanya berkelakuan begitu semasa ketiadaan saya._ They only behave that way in my absence.

**tiang**    KATA NAMA

1 _pillar_ (_pada bangunan_)

2 _pole_

♦ **tiang gol**  goalpost

♦ **tiang lampu**  lamppost

**tiap**

**setiap, tiap-tiap**    KATA BILANGAN

1 _each_

◊ _Pinggan-pinggan itu berharga RM2 setiap satu._ The plates cost RM2 each.

2 _every_

◊ _Kami pergi ke Kuala Lumpur setiap tahun._ We go to Kuala Lumpur every year.

**tiarap**

**meniarap**    KATA KERJA

_to lie prone_

◊ _Bob meniarap di atas lantai._ Bob lay

prone on the floor.

**meniarapkan**    KATA KERJA

_to turn ... upside down_

◊ _Dia meniarapkan gelas itu selepas mencucinya._ He turned the glass upside down after washing it.

**tertiarap**    KATA KERJA

_to fall face-down_

◊ _Dia tertiarap di atas lantai._ She fell face-down on the floor.

**tiba (1)**    KATA KERJA

_to arrive_

◊ _Saya tiba di rumah Suet Si pada pukul lapan._ I arrived at Suet Si's house at eight o'clock.

**ketibaan**    KATA NAMA

_arrival_

◊ _Penduduk kampung itu menunggu ketibaan penghulu mereka._ The villagers are waiting for the arrival of their headman.

**setiba**    KATA HUBUNG

♦ **setibanya**  with the arrival ◊ _Setibanya musim peperiksaan para pelajar mengulang kaji setiap hari._ With the arrival of the examination season, the students spend every day revising.

**tiba (2)**

**tiba-tiba**    KATA ADJEKTIF

_suddenly_

◊ _Tiba-tiba sahaja dia menangis._ She suddenly burst out crying. ◊ _Dia memberhentikan keretanya dengan tiba-tiba._ He stopped his car suddenly.

**tibi**    KATA NAMA

_tuberculosis_

**tidak**    KATA NAFI

1 _not_

◊ _Saya tidak akan pergi ke majlis itu._ I will not go to the party.

2 _no_

◊ _Anda hendak pergi? - Tidak._ Do you want to go? - No.

**menidakkan**    KATA KERJA

_to deny_

◊ _Jeremy menidakkan dakwaan itu._ Jeremy denied the accusation.

**tidak-tidak**    KATA ADJEKTIF

_absurd_

◊ _Jangan beritahu ibu anda perkara yang tidak-tidak itu._ Don't tell your mother those absurd things.

**setidak, setidak-tidaknya**    KATA ADJEKTIF

_at least_

◊ _Setidak-tidaknya, dengarlah nasihatnya._ At least listen to her advice.

**tidur**    KATA KERJA

_to sleep_

◊ _Jamal sedang tidur._ Jamal is sleeping.

**berseketiduran**    KATA KERJA

*to make love*
**menidurkan** KATA KERJA
*to put ... to bed*
◊ *Fatin menidurkan bayinya sebelum keluar.* Fatin put her baby to bed before going out.
**meniduri** KATA KERJA
*to sleep with*
**tertidur** KATA KERJA
*to fall asleep*
◊ *Adrian tertidur di atas sofa itu.* Adrian fell asleep on the sofa.

**tiga** KATA BILANGAN
*three*
♦ **tiga hari bulan Jun** the third of June
**bertiga** KATA BILANGAN
*three of*
◊ *Mereka bertiga kawan baik.* The three of them are good friends.
**ketiga** KATA BILANGAN
*third*
**ketiga-tiga** KATA BILANGAN
*all three*
◊ *Ketiga-tiga orang pelajar itu mendapat biasiswa.* All three students received scholarships.
**sepertiga** KATA BILANGAN
*one third*
◊ *sepertiga kek itu* one third of the cake

**tiga belas** KATA BILANGAN
*thirteen*
♦ **tiga belas hari bulan Julai** the thirteenth of July
**ketiga belas** KATA BILANGAN
*thirteenth*

**tiga puluh** KATA BILANGAN
*thirty*
♦ **tiga puluh hari bulan Ogos** the thirtieth of August
**ketiga puluh** KATA BILANGAN
*thirtieth*

**tiga segi** KATA ADJEKTIF
*triangular*
♦ **bekas yang berbentuk tiga segi** a triangular container

**tikai**
**bertikai** KATA KERJA
*to quarrel*
◊ *Mereka bertikai tentang perkara-perkara yang remeh.* They quarrelled about unimportant things.
**mempertikaikan** KATA KERJA
*to dispute*
◊ *Fauzi mempertikaikan dakwaan-dakwaan itu.* Fauzi disputed the allegations.
**pertikaian** KATA NAMA
*dispute*
◊ *Dia telah menyelesaikan pertikaian*

*antara mereka berdua.* He has resolved the dispute between them.

**tikam**
**bertikam, bertikaman** KATA KERJA
*to stab at each other*
◊ *Hang Tuah dan Hang Jebat saling bertikaman.* Hang Tuah and Hang Jebat were stabbing at each other.
**menikam** KATA KERJA
*to stab*
◊ *Pencuri itu menikam perutnya.* The thief stabbed him in the stomach.
**pertikaman** KATA NAMA
*duel*
◊ *Peristiwa pertikaman antara Hang Jebat dengan Hang Tuah masih diperkatakan sehingga ke hari ini.* The duel between Hang Jebat and Hang Tuah is still discussed to this day.
**tertikam** KATA KERJA
*to be stabbed*
◊ *Polis yang tertikam itu telah meninggal dunia.* The policeman who was stabbed has died.
**tikaman** KATA NAMA
*thrust*
◊ *Dia cuba mengelakkan tikaman itu.* He tried to avoid the thrust.
♦ **Dia mati akibat tikaman itu.** He died from that stab wound.

**tikar** KATA NAMA
*mat*

**tiket** KATA NAMA
*ticket*

**tikus** KATA NAMA
① *mouse* (JAMAK **mice**) (*kecil*)
② *rat* (*besar*)
♦ **tikus belanda** guinea pig

**tilam** KATA NAMA
*mattress* (JAMAK **mattresses**)

**tilik** KATA NAMA
♦ **tukang tilik** fortune-teller
**menilik** KATA KERJA
① *to observe*
② *to predict*
♦ **menilik nasib seseorang** to tell somebody's fortune
♦ **Dia menilik nasib di Taiping.** He does fortune telling in Taiping.
**penilik** KATA NAMA
*fortune-teller*
**tilikan** KATA NAMA
① *observation*
② *prediction*
◊ *Tilikannya sangat tepat.* Her predictions are very accurate.

**timah** KATA NAMA
*tin*

**timang**

T

**menimang, menimang-nimang**
KATA KERJA
_to dandle_
◊ *Pak Ali menimang cucunya.* Pak Ali dandled his grandchild.
♦ **Mereka baru sahaja menimang cahaya mata.** They've just got a new baby.
**timangan, timang-timangan** KATA NAMA
♦ **anak timang-timangan** a favourite child
♦ **nama timang-timangan** pet name

**timba** KATA NAMA
_water dipper_
**menimba** KATA KERJA
_to draw_ *(padanan terdekat)*
◊ *Munirah menimba air dari perigi.* Munirah drew water from the well.
♦ **Kami pergi ke sekolah untuk menimba ilmu.** We go to school to gain knowledge.

**timbal**
**menimbal, menimbali** KATA KERJA
_to make ... commensurate_
◊ *Hakim menimbal hukuman dengan kesalahan yang dilakukan oleh penjenayah itu.* The judge made the punishment commensurate with the criminal's offence.
**setimbal** KATA ADJEKTIF
_just_
◊ *ganjaran yang setimbal* a just reward
♦ **Hukuman itu harus setimbal dengan kesalahan.** The punishment should be commensurate with the offence.
**timbalan** KATA NAMA
_deputy_ *(JAMAK* **deputies***)*
◊ *Timbalan Perdana Menteri* Deputy Prime Minister

**timbang**
**menimbang** KATA KERJA
_to weigh_
◊ *Ken menimbang bungkusan itu.* Ken weighed the parcel. ◊ *Garry menimbang pendapat kawannya.* Garry weighed his friend's opinion.
**mempertimbangkan** KATA KERJA
1 _to consider_
◊ *Pengurus itu mempertimbangkan cadangan pekerjanya.* The manager considered her employee's suggestion.
2 _to weigh_
◊ *Garry mempertimbangkan pendapat kawannya.* Garry weighed his friend's opinion.
**penimbang** KATA NAMA
_scales_
**pertimbangan** KATA NAMA
_consideration_
◊ *Cadangannya masih dalam pertimbangan lembaga pengarah.* His suggestion is still under consideration by the board of directors.

**timbang rasa** KATA NAMA
_consideration_
◊ *Sesetengah orang langsung tidak mempunyai timbang rasa.* Some people have absolutely no consideration.
**bertimbang rasa** KATA KERJA
_considerate_
◊ *pelajar yang bertimbang rasa* a considerate student
♦ **tidak bertimbang rasa** thoughtless

**timbang tara** KATA NAMA
_arbitration_
**penimbang tara** KATA NAMA
_arbitrator_

**timbul** KATA KERJA
1 _to float_
◊ *Saya nampak sekeping wang kertas lima puluh ringgit timbul di atas air.* I saw a fifty-ringgit note floating in the water.
2 _to come up_
◊ *Perkara itu timbul semasa mesyuarat hari ini.* The subject came up at the meeting today.
♦ **Perselisihan faham itu timbul kerana...** The misunderstanding occurred because...
**menimbulkan** KATA KERJA
1 _to arouse_
◊ *Kejadian itu menimbulkan kemarahan ramai orang.* The incident aroused a lot of anger.
♦ **Pembatalan mesyuarat itu menimbulkan tanda tanya.** The cancellation of the meeting raised questions.
2 _to cause_
◊ *Percubaan-percubaan itu mungkin akan menimbulkan masalah.* The attempts are likely to cause problems.

**timbun** KATA NAMA, PENJODOH BILANGAN
_pile_
◊ *setimbun pasir* a pile of sand
**bertimbunan, bertimbun-timbun**
KATA BILANGAN
1 _piles_
◊ *Sampah sarap bertimbun-timbun di belakang rumahnya.* There are piles of rubbish behind his house.
2 _to pile up_
◊ *Kerja-kerjanya bertimbunan selepas dia balik dari cuti.* Her work had piled up when she came back from the holidays.
**menimbunkan** KATA KERJA
_to pile ... up_
◊ *Leena menimbunkan buku-bukunya di dalam stor.* Leena piled her books up in the storeroom.
**penimbunan** KATA NAMA
_piling up_

**tertimbun** KATA KERJA
*to be buried*
◊ *Rumah-rumah itu tertimbun oleh tanah runtuh.* The houses were buried by the landslide.
**timbunan** KATA NAMA, PENJODOH BILANGAN
*pile*
◊ *satu timbunan pasir* a pile of sand

**timbus**
**menimbus** KATA KERJA
*to fill*
◊ *Pekerja-pekerja itu menimbus lubang di jalan itu.* The workers filled the holes on the road.
**tertimbus** KATA KERJA
*to be buried*
◊ *Rumah-rumah itu tertimbus oleh tanah runtuh.* The houses were buried by the landslide.

**timpa**
**bertimpa-timpa** KATA KERJA
*to come one after another*
◊ *Masalahnya datang bertimpa-timpa.* His problems came one after another.
**menimpa** KATA KERJA
*to fall on*
◊ *Dahan itu menimpa kereta Sam.* The branch fell on Sam's car.
♦ **Kehidupan rakyat menjadi sukar apabila musim kemarau menimpa.** The people faced difficulties when they were hit by the dry season.
♦ **Nasib malang menimpa dirinya.** Misfortune befell him.

**timpal**
**setimpal** KATA ADJEKTIF
*just*
◊ *ganjaran yang setimpal* a just reward
♦ **Hukuman itu harus setimpal dengan kesalahan.** The punishment should be commensurate with the offence.

**timpuh**
**bertimpuh** KATA KERJA
*to sit with one's legs drawn up beside one*

**timun** KATA NAMA
*cucumber*

**timur** KATA ADJEKTIF
┌─────────────────────────────────┐
│ rujuk juga **timur** KATA ARAH │
└─────────────────────────────────┘
*eastern*
◊ *negara-negara Timur* Eastern countries
**ketimuran** KATA NAMA
*eastern*
◊ *nilai-nilai ketimuran* eastern values

**timur** KATA ARAH
┌──────────────────────────────────────┐
│ rujuk juga **timur** KATA ADJEKTIF │
└──────────────────────────────────────┘
*east*
◊ *beberapa batu ke timur* a few miles

to the east
♦ **timur laut** north-east
♦ **Timur Tengah** the Middle East

**tin** KATA NAMA
*tin*
◊ *pembuka tin* tin opener
♦ **makanan di dalam tin** tinned food
**mengetinkan** KATA KERJA
*to tin*
◊ *Kilang itu mengetinkan sardin.* The factory tins sardines.
**pengetinan** KATA NAMA
*the work of tinning something*
♦ **Pengetinan sardin dijalankan di kilang itu.** Sardines are tinned at the factory.

**tindak**
**bertindak** KATA KERJA
*to act*
◊ *Jangan bertindak terburu-buru.* Don't act in haste.
**tindakan** KATA NAMA
*action*
◊ *Tindakan Kok Kin dipuji oleh guru.* Kok Kin's action was praised by the teacher.
♦ **Itu satu tindakan yang bijak!** That was a good move!

**tindak balas** KATA NAMA
*reaction*
◊ *tindak balas kimia* chemical reaction
**bertindak balas** KATA KERJA
*to react*
◊ *Kalsium bertindak balas dengan air.* Calcium reacts with water.

**tindan**
**bertindan** KATA KERJA
*to overlap*
◊ *Kajian dua orang pelajar itu bertindan.* The research of the two students overlapped.
♦ **Buku-buku bertindan di atas meja.** Books were heaped on the table.
**menindankan** KATA KERJA
*to pile ... up*
◊ *Zurina menindankan fail-failnya di atas meja.* Zurina piled her files up on the table.

**tindas**
**menindas** KATA KERJA
*to oppress*
◊ *Dia menuduh kerajaan menindas golongan minoriti.* He accused the government of oppressing minority groups.
**penindas** KATA NAMA
*oppressor*
**penindasan** KATA NAMA
*oppression*
◊ *penindasan politik* political oppression
◊ *Ada negara yang masih melakukan*

penindasan terhadap kaum wanita. There
are still countries that practise the
oppression of women.

**tertindas** KATA KERJA
*oppressed*
◊ *pekerja-pekerja yang tertindas*
oppressed workers

**tindih**

**bertindih** KATA KERJA
[1] *one on top of the other*
◊ *Kotak-kotak itu disusun bertindih di
atas meja.* The boxes were arranged
one on top of the other on the table.
[2] *to overlap*
◊ *Kajian dua orang pelajar itu bertindih.*
The research of the two students
overlapped.

**menindih** KATA KERJA
[1] *to put on top*
◊ *David menindih kertas-kertas itu
dengan sebuah buku.* David put a book
on top of the papers.
[2] *to pin*
◊ *Karim menindih adik lelakinya di atas
tanah semasa mereka bergaduh.* Karim
pinned his brother to the ground while
they were fighting.
[3] *to oppress*
◊ *Majikan yang jahat itu menindih
pekerja-pekerjanya.* The bad employer
oppressed his workers.

**penindih** KATA NAMA
♦ **penindih kertas** paperweight

**pertindihan** KATA NAMA
*overlap*
◊ *pertindihan tugas* an overlap of duties

**tindik**

**bertindik** KATA KERJA
*pierced*
◊ *Telinga Chui Fen bertindik.* Chui Fen's
ears are pierced.

**menindik** KATA KERJA
*to have one's ... pierced*
◊ *Lee Ann menindik telinga semasa dia
berumur sembilan tahun.* Lee Ann had
her ears pierced when she was nine years
old.

**tinggal** KATA KERJA
[1] *to live*
◊ *Ina tinggal di Kuala Lumpur.* Ina lives
in Kuala Lumpur.
[2] *left*
◊ *Ema menghabiskan makanan yang
tinggal di atas meja.* Ema finished the
food left on the table.
[3] *to stay*
◊ *Janice tinggal di rumah apabila kami
pergi bekerja.* Janice stayed at home
when we went to work.

[4] *to forget*
◊ *Dia tidak pernah tinggal
sembahyang.* He has never forgotten to
pray.

**ketinggalan** KATA KERJA
[1] *to be left behind*
◊ *Dia mengulang kaji setiap hari supaya
tidak ketinggalan dalam pelajarannya.*
She revised every day so that she wouldn't
be left behind in her studies.
[2] *to miss*
◊ *Billy ketinggalan bas kerana dia
bangun lewat.* Billy missed the bus
because he woke up late.
♦ **ketinggalan zaman** outdated

**meninggal** KATA KERJA
*to die*
♦ **meninggal dunia** to die

**meninggalkan** KATA KERJA
[1] *to leave*
◊ *Kami akan meninggalkan tempat ini
esok.* We will leave this place
tomorrow.
[2] *to neglect*
◊ *Lisa terlalu sibuk bekerja sehingga
meninggalkan tanggungjawabnya sebagai
seorang ibu.* Lisa was so busy working
she neglected her duties as a mother.

**peninggalan** KATA NAMA
[1] *heirloom* (*barang kemas*)
[2] *legacy* (JAMAK **legacies**) (*rumah, dll*)
◊ *Kubu itu merupakan peninggalan
Portugis.* The fort is a legacy of the
Portuguese.

**tertinggal** KATA KERJA
*to be left behind*
◊ *Pelari itu tertinggal jauh di belakang.*
The runner was left far behind. ◊ *Penny
mengambil payungnya yang tertinggal itu.*
Penny fetched her umbrella, which she
had left behind.
♦ **Kerjanya tertinggal kerana masalah
kesihatan.** Her work was held up
because she was ill.

**tinggalan** KATA NAMA *rujuk*
**peninggalan**

**tinggi** KATA ADJEKTIF
[1] *tall*
◊ *lelaki yang tinggi* a tall man
[2] *high*
◊ *pangkat yang tinggi* a high rank
♦ **Harga barangan di kedai itu terlalu
tinggi.** The prices in that shop were
extortionate.

**ketinggian** KATA NAMA
*height*
◊ *Ramai orang kagum melihat
ketinggian bangunan itu.* Many people
were impressed by the height of the

building.

**meninggi** KATA KERJA

1 _to grow taller_

◊ _Pokok itu sudah meninggi._ The tree has grown taller.

2 _to rise_

◊ _Suara Zidah meninggi kerana dia marah._ Zidah's voice rose because she was angry.

**meninggikan** KATA KERJA

_to raise_

◊ _Kilang itu telah meninggikan mutu barangannya._ The factory raised the quality of its goods. ◊ _Guru itu meninggikan suaranya._ The teacher raised her voice.

♦ **meninggikan diri** to boast ◊ _Mereka tidak menyukai Raja kerana dia selalu meninggikan diri._ They don't like Raja because he's always boasting.

**setinggi** KATA ADJEKTIF

_as tall as_

♦ **setinggi dua meter** to be two metres tall

♦ **suhu setinggi 30 darjah** a temperature of 30 degrees

**tertinggi** KATA ADJEKTIF

_highest_

♦ **Majlis Tertinggi** the Supreme Council

**tinggung**

**bertinggung, meninggung** KATA KERJA

_to squat_

◊ _Vincent bertinggung di tepi kolam._ Vincent squatted beside the pond.

**tingkah (1)** KATA NAMA

_strange behaviour_

◊ _Rosnah berasa takut apabila melihat tingkah perempuan itu._ Rosnah was scared when she saw the woman's strange behaviour.

♦ **tingkah laku** behaviour

**tingkah (2)**

**meningkah** KATA KERJA

_to dispute_

◊ _Leong meningkah kata-kata ketuanya._ Leong disputed what his leader had said.

**tingkap** KATA NAMA

_window_

**tingkat** KATA NAMA

1 _floor_

♦ **tingkat satu** the ground floor (AS **the first floor**)

♦ **tingkat dua** the first floor (AS **the second floor**)

♦ **tingkat atas** upstairs

♦ **tingkat bawah** downstairs ◊ _Dia pergi ke tingkat bawah._ He went downstairs.

2 _storey_

◊ _Bangunan itu mempunyai tiga tingkat._ The building has three storeys.

♦ **rumah teres dua tingkat** a two-storey terraced house

**bertingkat** KATA KERJA

_multi-storey_

◊ _tempat letak kereta bertingkat_ a multy-storey car park

**bertingkat-tingkat** KATA KERJA

_multi-storey_

◊ _bangunan yang bertingkat-tingkat_ a multi-storey building

**meningkat** KATA KERJA

_to increase_

◊ _Jumlah penduduk di kampung itu telah meningkat._ The population of the village has increased.

**meningkatkan** KATA KERJA

_to increase_

◊ _Pengurus itu meningkatkan jumlah pekerja dalam syarikatnya._ The manager increased the number of workers in his company.

♦ **Penghulu itu mahu meningkatkan taraf hidup penduduknya.** The headman wanted to raise the standard of living of the villagers.

**mempertingkatkan** KATA KERJA

1 _to increase_

◊ _Syarikat itu ingin mempertingkatkan jualannya._ The company wanted to increase its sales.

2 _to improve_

◊ _Mereka telah mempertingkatkan mutu perkhidmatan mereka._ They have improved their service.

**peningkatan** KATA NAMA

_increase_

◊ _Peningkatan kes kecurian membimbangkan penduduk di kawasan itu._ The increase in cases of theft worried residents of the area.

♦ **Peningkatan kualiti barangan memuaskan hati pengguna.** The improvement in the quality of goods satisfied the consumers.

**tingkatan** KATA NAMA

_form_

◊ _tingkatan lima_ form five

**tinjau**

**meninjau** KATA KERJA

1 _to check up on_

◊ _Guru itu meninjau aktiviti-aktiviti persatuan itu._ The teacher checked up on the activities of the society.

2 _to visit_

◊ _Menteri itu akan meninjau kampung kami._ The minister will visit our village.

3 _to monitor_

◊ _Pihak polis meninjau kegiatan kongsi gelap itu._ The police monitored the

T

activities of the secret society.

♦ **Kami akan meninjau pendapat para pekerja sebelum melaksanakan rancangan itu.** We will survey the workers before implementing the plan.

**meninjau-ninjau** KATA KERJA
*to look out for*
◊ *Ben meninjau-ninjau mencari kawannya di pusat membeli-belah yang sesak itu.* Ben looked out for his friend among the crowds in the shopping centre.

**peninjau** KATA NAMA
*market researcher*

**peninjauan** KATA NAMA
*survey*
◊ *Peninjauan masalah itu perlu dilakukan dengan segera.* A survey of the problem must be done immediately.

**tinjauan** KATA NAMA
*survey*
◊ *membuat satu tinjauan* to conduct a survey

♦ **tinjauan pendapat** opinion poll

**tinju** KATA NAMA
1 *fist*
♦ **kena tinju** to be punched
2 *boxing* (sukan)

**bertinju** KATA KERJA
*to box*
◊ *William bertinju dan bermain ragbi di sekolah.* William boxed and played rugby at school.

**meninju** KATA KERJA
*to punch*
◊ *Thomas meninju pencuri itu.* Thomas punched the thief.

**peninju** KATA NAMA
*boxer*

**tip** KATA NAMA
*tip*
♦ **memberikan tip** to tip

**tipikal** KATA ADJEKTIF
*typical*

**tipis** KATA ADJEKTIF
1 *thin*
◊ *kain yang tipis* a thin material
2 *slim*
◊ *peluang yang tipis* a slim chance

**menipis** KATA KERJA
*to get thinner*
◊ *Guru itu memarahi Yusuf kerana buku latihannya semakin menipis.* The teacher scolded Yusuf because his exercise book was getting thinner.

♦ **Lapisan ozon semakin menipis.** The ozone layer is becoming depleted.

**menipiskan** KATA KERJA
*to thin*

◊ *Dahlia menipiskan sup itu dengan menambahkan air ke dalamnya.* Dahlia thinned the soup with water.

♦ **CFC boleh menipiskan lapisan ozon.** CFCs can deplete the ozone layer.

**tipu** KATA NAMA
*deceit*

♦ **tipu daya/helah/muslihat (1)** trickery
◊ *Dia menggunakan tipu daya untuk memenangi perlawanan itu.* He won the competition using trickery.

♦ **tipu daya/helah/muslihat (2)** tricks
◊ *Jangan terpedaya dengan tipu muslihatnya.* Don't fall for his tricks.

**menipu** KATA KERJA
*to cheat*
◊ *Lelaki itu menipu wang isterinya.* The man cheated his wife out of her money.

**penipu** KATA NAMA
*cheat*

**penipuan** KATA NAMA
*deception*
◊ *Dia telah melaporkan penipuan tersebut.* She has reported the deception.

**tertipu** KATA KERJA
*to be cheated*
◊ *Wendy tidak sedar bahawa dia sudah tertipu.* Wendy didn't realize that she had been cheated.

**tirai** KATA NAMA
*curtain*

**tiram** KATA NAMA
*oyster*

**tiri** KATA ADJEKTIF
♦ **ayah tiri** stepfather
♦ **ibu tiri** stepmother
♦ **abang tiri** stepbrother
♦ **kakak tiri** stepsister
♦ **adik tiri (1)** stepbrother (*lelaki*)
♦ **adik tiri (2)** stepsister (*perempuan*)

**tiris** KATA KERJA
*to leak*
◊ *Botol itu tiris.* The bottle leaks.

**tiru**
**meniru** KATA KERJA
1 *to copy*
◊ *Guru itu mendenda Khalid kerana meniru dalam peperiksaan.* The teacher punished Khalid for copying in the examination.
2 *to imitate*
◊ *Joshua meniru cara lelaki itu bercakap.* Joshua imitated the way the man spoke.

**tertiru-tiru** KATA KERJA
*to copy unconsciously*
◊ *Dia tertiru-tiru tabiat buruk kawannya.* He copied his friend's bad habits unconsciously.

**peniru** KATA NAMA
1. *copycat*
2. *cheat* (dalam peperiksaan)
3. *forger* (lukisan)

**peniruan** KATA NAMA
*copying*
◊ *Peniruan idea orang lain tidak dibenarkan.* Copying other people's ideas is not allowed.

**tiruan** KATA NAMA
*imitation*
◊ *kulit tiruan* imitation leather
♦ **getah tiruan** synthetic rubber

**tirus** KATA ADJEKTIF
*pointed*
◊ *kayu yang tirus* a pointed stick

**tisu** KATA NAMA
*tissue*

**titah** KATA NAMA
(untuk raja, sultan)
1. *command*
◊ *Tun Perak terpaksa akur pada titah Sultan.* Tun Perak had to obey the Sultan's command.
2. *speech* (JAMAK **speeches**)
◊ *Ratu Elizabeth akan menyampaikan titah baginda esok.* Queen Elizabeth will deliver her speech tomorrow.

**bertitah** KATA KERJA
*to speak*
◊ *Putera Alias bertitah di hadapan rakyat baginda kelmarin.* Prince Alias spoke in front of his people yesterday.

**menitahkan** KATA KERJA
*to command*
◊ *Raja itu menitahkan pahlawan baginda berjuang menentang musuh.* The king commanded his warriors to fight the enemy.

**titi** KATA NAMA
*narrow bridge*

**meniti** KATA KERJA
*to walk across*
◊ *Dia meniti titian yang berdekatan dengan rumahnya.* She walked across the bridge near her house.

**titian** KATA NAMA
*narrow bridge*

**titik (1)** KATA NAMA
1. *dot*
◊ *Dia menyambung titik-titik pada rajah itu.* She joined up the dots on the diagram.
2. *drop*
◊ *beberapa titik air* a few drops of water

**menitik** KATA KERJA
*to drip*
◊ *Air itu tumpah lalu menitik ke atas lantai.* The water spilt and dripped on to

the floor.
♦ **Air matanya menitik.** She wept.

**menitikkan** KATA KERJA
*to drip*
◊ *Budak lelaki itu menitikkan lilin ke atas meja.* The boy dripped candle wax onto the table.
♦ **Ibu menitikkan ubat ke dalam telinga Mat.** Mother put ear drops into Mat's ears.

**titik (2)** KATA NAMA
1. *full stop*
2. *point*
◊ *titik peralihan* turning point ◊ *titik permulaan* starting point ◊ *titik perpuluhan* decimal point

**titik berat**
**menitikberatkan** KATA KERJA
*to emphasize*
◊ *Kita perlu menitikberatkan disiplin di kalangan pelajar.* We need to emphasize discipline on the part of students.

**titik tolak** KATA NAMA
*starting point*
◊ *Titik tolak sesuatu perbincangan...* The starting point of a discussion...
◊ *Titik tolak kepada masalah yang lebih besar...* The starting point of a bigger problem...

**bertitik tolak** KATA KERJA
1. *to begin*
◊ *Didikan anak-anak mestilah bertitik tolak dari rumah.* Children's education should begin at home.
2. *to stem*
◊ *Masalah itu bertitik tolak daripada sikap kamu sendiri.* The problem stems from your own attitude.

**titis** KATA NAMA
*drop*
◊ *beberapa titis air* a few drops of water
♦ **ubat titis** drop

**menitis** KATA KERJA
*to drip*
◊ *Air itu tumpah lalu menitis ke atas lantai.* The water spilt and dripped on to the floor.
♦ **Air matanya menitis.** She wept.

**menitiskan** KATA KERJA
*to drip*
◊ *Budak nakal itu menitiskan lilin ke atas meja.* The naughty boy dripped candle wax onto the table.
♦ **Ibu menitiskan ubat ke dalam telinga Ken.** Mother put ear drops into Ken's ears.

**titisan** KATA NAMA
*drops*
◊ *titisan air* drops of water

T

♦ **titisan air mata** teardrops

**tiub** KATA NAMA
*tube*

**tiup**
**bertiup** KATA KERJA
*to blow*
◊ *Angin bertiup dari arah timur.* The wind blew from the east.
**meniup** KATA KERJA
1 *to blow*
◊ *meniup wisel* to blow a whistle
♦ **Kertas-kertas itu ditiup angin.** The papers were blown by the wind.
2 *to blow out*
◊ *Dia meniup lilin itu.* She blew out the candle.
**meniupkan** KATA KERJA
*to blow*
◊ *Angin yang kencang itu meniupkan topinya ke dalam sungai.* The strong wind blew his hat into the river.
**peniup** KATA NAMA
♦ **peniup saksofon** saxophonist
♦ **peniup trompet** trumpeter
**tiupan** KATA NAMA
*blowing*
◊ *tiupan angin* the blowing of the wind
♦ **Saya dapat merasakan tiupan angin.** I could feel the wind.
♦ **tiupan trompet** the blast of a trumpet
♦ **Saya dapat mendengar tiupan saksofon itu.** I could hear the sound of the saxophone.
♦ **alat tiupan** wind instrument

**tocang** KATA NAMA
1 *plait (yang didandan)*
2 *ponytail (tidak didandan)*

**tohmah**
**tohmahan** KATA NAMA
*unfounded accusations*
◊ *Dia marah kerana dirinya sering menjadi bahan tohmahan.* He is angry about being the object of unfounded accusations.
**mentohmah** KATA KERJA
*to accuse wrongfully*
◊ *Saya ditohmah oleh kawan saya sendiri.* I was wrongfully accused by my own friend.

**tohor** KATA ADJEKTIF
*shallow*
◊ *Kolam kanak-kanak itu agak tohor.* The children's pool is quite shallow.

**toko** KATA NAMA
*shop*
♦ **toko buku** bookshop

**tokoh** KATA NAMA
*figure*
◊ *Majlis itu dihadiri oleh beberapa orang tokoh politik.* The reception was attended by a number of political figures.
**ketokohan** KATA NAMA
*quality* (JAMAK **qualities**)
◊ *Ketokohannya sebagai seorang pemimpin diketahui ramai.* His qualities as a leader are well-known.

**tokok**
**menokok** KATA KERJA
1 *to add*
◊ *Dia menokok sedikit gula ke dalam kopi itu.* She added a little sugar to the coffee.
2 *to increase*
◊ *menokok ilmu pengetahuan* to increase knowledge

**tokok tambah** KATA NAMA
*exaggeration*
◊ *Seperti kebanyakan cerita mengenai beliau, cerita ini juga mempunyai unsur-unsur tokok tambah.* Like many stories about him, it smacks of exaggeration.
**bertokok tambah** KATA KERJA
*to grow*
◊ *Wang yang dilaburkannya telah bertokok tambah.* The money he invested has grown.
♦ **Kesakitan itu semakin bertokok tambah.** The pain is getting worse.
**menokok tambah** KATA KERJA
*to exaggerate*
◊ *Dia hanya menokok tambah.* He's just exaggerating.

**toksik** KATA ADJEKTIF
*toxic*

**tol** KATA NAMA
*toll*

**tolak** KATA KERJA
1 *minus*
◊ *satu ribu tolak tiga ratus* one thousand minus three hundred
2 *to push*
♦ **saling tolak-menolak** to push each other
**bertolak** KATA KERJA
*to leave*
◊ *Kami akan bertolak ke Paris pada minggu hadapan.* We are leaving for Paris next week.
**bertolak-tolakan** KATA KERJA
*to push each other*
◊ *Para pelajar bertolak-tolakan di kantin.* The pupils were pushing each other in the canteen.
**menolak** KATA KERJA
1 *to push*
◊ *Mereka menolaknya masuk ke dalam kereta.* They pushed him into the car.
2 *to reject*

◊ *Dia menolak tawaran saya.*  He rejected my offer.
**penolakan**  KATA NAMA
_rejection_
◊ *penolakan permohonan*  the rejection of an application
**tolakan**  KATA NAMA
_push_ (JAMAK **pushes**)
◊ *Dia terjatuh akibat tolakan yang kuat.*  She fell because she was given a hard push.

**tolak ansur**  KATA NAMA
_compromise_
◊ *Mereka menyelesaikan masalah itu dengan tolak ansur.*  They solved the problem by coming to a compromise.
**bertolak ansur**  KATA KERJA
_to compromise_
◊ *Kita harus bertolak ansur sedikit.*  We should compromise a little.

**toleh**
**menoleh**  KATA KERJA
_to turn_
◊ *Miller menoleh ke arah Sarah dan mengenyitkan matanya.*  Miller turned towards Sarah and winked.
♦ **menoleh ke belakang**  to look back
◊ *Dia menoleh ke belakang apabila saya memanggil namanya.*  She looked back when I called her name.
**menolehkan**  KATA KERJA
_to turn_
◊ *menolehkan muka*  to turn one's face

**toleran**  KATA ADJEKTIF
_tolerant_
◊ *Mereka perlu lebih toleran.*  They need to be more tolerant.

**toleransi**  KATA NAMA
_tolerance_
◊ *toleransi dan pemahaman beliau terhadap sifat semula jadi manusia yang pelbagai*  his tolerance and understanding of diverse human nature
**bertoleransi**  KATA KERJA
_tolerant_
◊ *Mereka perlu lebih bertoleransi.*  They need to be more tolerant.
♦ **Mereka tidak bertoleransi dengan kami.**  They did not behave tolerantly towards us.

**tolok**  KATA ADJEKTIF
♦ **tidak ada tolok bandingnya**  unmatched
◊ *Kecantikannya tidak ada tolok bandingnya.*  Her beauty is unmatched.
♦ **Kemahiran mengukirnya tidak ada tolok bandingnya.**  His carving skill is unrivalled.

**tolong**  KATA KERJA

rujuk juga **tolong** KATA NAMA, KATA PERINTAH

_to help_
◊ *Tolonglah saya.*  Please help me.
♦ **Tolong! Tolong!**  Help! Help!
♦ **tolong-menolong**  to help each other
**menolong**  KATA KERJA
_to help_
◊ *Dia banyak menolong saya.*  He helps me a lot.
**penolong**  KATA NAMA
_assistant_
**pertolongan**  KATA NAMA
_help_
◊ *Terima kasih atas pertolongan anda.*  Thank you for your help.
♦ **pertolongan cemas**  first aid

**tolong**  KATA NAMA

rujuk juga **tolong** KATA KERJA, KATA PERINTAH

_help_
◊ *Saya terdengar ada orang menjerit meminta tolong.*  I heard someone screaming for help.

**tolong**  KATA PERINTAH

rujuk juga **tolong** KATA KERJA, KATA NAMA

_please_
◊ *Tolong senyap.*  Please be quiet.

**tomato**  KATA NAMA
_tomato_ (JAMAK **tomatoes**)

**tombak**  KATA NAMA
_lance_
**menombak**  KATA KERJA
_to stab ... with a lance_
◊ *Dia menombak musuhnya.*  He stabbed his enemy with a lance.

**tomboi**  KATA NAMA
_tomboy_

**tombol**  KATA NAMA
_knob_

**tompok**  KATA NAMA
_spot_
◊ *Mereka cuba membersihkan tompok-tompok hitam pada dinding itu.*  They tried to clean the black spots off the wall.
♦ **beberapa tompok gam**  a few blobs of glue
**bertompok, bertompok-tompok**  KATA KERJA
_to have patches_
◊ *Badan kucing itu bertompok-tompok hitam dan kuning.*  The cat has black and yellow patches.

**tong**  KATA NAMA
_barrel_
♦ **tong gas**  gas cylinder
♦ **tong sampah**  dustbin

**tonggeng**

T

**menonggeng** KATA KERJA
*to bend over*
◊ *Budak itu menonggeng.* The boy bent over.

**menonggengkan** KATA KERJA
*to turn ... upside down*
◊ *Dia menonggengkan gelas itu selepas mencucinya.* He turned the glass upside down after washing it.

**tertonggeng** KATA KERJA
*upside down*
◊ *imej tertonggeng* upside down image

**tongkang** KATA NAMA
*barge*

**tongkat** KATA NAMA
*cane*

**bertongkat** KATA KERJA
*to use a walking stick to walk*
◊ *Selepas kemalangan itu Dania terpaksa bertongkat ke sekolah.* After the accident Dania had to use a walking stick to walk to school.

**tongkol** KATA NAMA

> rujuk juga **tongkol** PENJODOH BILANGAN

*block of wood*
♦ **tongkol jagung** corn cob

**tongkol** PENJODOH BILANGAN

> rujuk juga **tongkol** KATA NAMA

*head*
◊ *tiga tongkol jagung* three heads of maize

**tonik** KATA NAMA
*tonic*

**tonjol** KATA NAMA
*swelling*

**menonjol** KATA KERJA
1 *to bulge*
◊ *Otot-ototnya menonjol apabila dia mengangkat besi angkat berat itu.* His muscles bulged when he lifted the weight.

2 *to be obvious*
◊ *Hanya setelah dia mendapat jawatan itu, barulah niat jahatnya mula menonjol.* It was only after he obtained the position that his evil intentions began to be obvious.
♦ **Ardiana ialah peserta yang paling menonjol antara semua peserta itu.** Ardiana is the most outstanding amongst all the contestants.
♦ **Ciri-ciri kepimpinannya menonjol sejak di sekolah menengah lagi.** His leadership qualities have been apparent ever since he was at secondary school.

**menonjolkan** KATA KERJA
1 *to show off*
◊ *Dia cuba menonjolkan bakatnya*

*dalam penulisan novel.* She tried to show off her talent for novel writing.
2 *to project*
◊ *Dia berjaya menonjolkan dirinya sebagai seorang pemimpin yang baik.* He succeeded in projecting himself as a good leader.
3 *to stick out*
◊ *Adik menonjolkan kepalanya ke luar tingkap.* My brother stuck his head out of the window.

**tonsil** KATA NAMA
*tonsils*

**tonton**
**menonton** KATA KERJA
*to watch*
◊ *menonton televisyen* to watch television

**mempertontonkan** KATA KERJA
*to perform*
◊ *Pelajar-pelajar itu akan mempertontonkan sebuah drama di Panggung Negara.* The students will perform a play at the National Theatre.

**penonton** KATA NAMA
*audience*

**tontonan** KATA NAMA
*viewing*
♦ **"untuk tontonan umum"** "for general viewing"

**topang** KATA NAMA
*support*
◊ *Letakkan topang itu di bawah siling.* Put the support under the ceiling.
♦ **topang ketiak** crutch
(JAMAK **crutches**)

**bertopang** KATA KERJA
♦ **bertopang dagu** to rest one's chin on one's hand

**menopang** KATA KERJA
*to support*
◊ *Kami menggunakan tiang kayu itu untuk menopang siling.* We used the wooden post to support the ceiling.

**penopang** KATA NAMA
*support*
◊ *sebatang kayu tebal yang dijadikan penopang* a thick wooden bar which was used as a support

**topeng** KATA NAMA
*mask*

**bertopeng** KATA KERJA
*to wear a mask*
◊ *Pencuri itu bertopeng ketika kejadian itu.* The thief wore a mask during the incident.
♦ **orang yang bertopeng** a masked man

**bertopengkan** KATA KERJA
*to hide behind a mask*

◆ **Dia hanya bertopengkan kebaikan untuk menutup kejahatannya.** He's just using a mask of virtue to hide his evil deeds.

**topi**  KATA NAMA

1. *hat*
2. *cap*

◊ *topi besbol* a baseball cap

◆ **topi keledar** crash helmet (*motosikal*)
◆ **topi keselamatan** safety helmet

**toreh**

**menoreh**  KATA KERJA

1. *to tap*

◊ *Pak Abu menoreh getah di kebun itu.* Pak Abu taps rubber in the plantation.

2. *to scratch*

◊ *Budak yang nakal itu menoreh anak patung itu dengan pisau tajam.* The naughty boy scratched the doll with a sharp knife.

**penoreh**  KATA NAMA

*rubber tapper*

◆ **penoreh getah** rubber tapper

**torehan**  KATA NAMA

*incision*

◊ *Torehan pada pokok getah itu agak dalam.* The incision on the rubber tree is quite deep.

**tradisi**  KATA NAMA

*tradition*

**tradisional**  KATA ADJEKTIF

*traditional*

**trafik**  KATA NAMA

*traffic*

**tragedi**  KATA NAMA

*tragedy* (JAMAK **tragedies**)

**tragik**  KATA ADJEKTIF

*tragic*

**trak**  KATA NAMA

*truck*

**traktor**  KATA NAMA

*tractor*

**transformasi**  KATA NAMA

*transformation*

**transistor**  KATA NAMA

*transistor*

**trek**  KATA NAMA

*track*

**trem**  KATA NAMA

*tram*

**trend**  KATA NAMA

*trend*

**trengkas**  KATA NAMA

*shorthand*

**trofi**  KATA NAMA

*trophy* (JAMAK **trophies**)

**troli**  KATA NAMA

*trolley*

**trombon**  KATA NAMA

*trombone*

**trompet**  KATA NAMA

*trumpet*

**tropika**  KATA ADJEKTIF

*tropical*

**tua**  KATA ADJEKTIF

*old*

◊ *lelaki tua* old man

◆ **Abang saya dua tahun lebih tua daripada saya.** My brother is two years older than I am.

◆ **isteri tua** first wife

◆ **Dia kelihatan semakin tua sejak beberapa tahun ini.** He seemed to have aged in the last few years.

**penuaan**  KATA NAMA

*ageing*

◊ *proses penuaan* ageing process

**tertua**  KATA ADJEKTIF

*oldest*

**tuah**  KATA NAMA

*luck*

◊ *membawa tuah* to bring luck

**bertuah**  KATA KERJA

*lucky*

**tuai**  KATA NAMA

*reaping knife* (JAMAK **reaping knives**)

**menuai**  KATA KERJA

*to harvest*

◊ *Penduduk kampung itu menuai padi dua kali setahun.* The villagers harvest the paddy twice a year.

**penuai**  KATA NAMA

*harvester*

**penuaian**  KATA NAMA

*harvesting*

**tuaian**  KATA NAMA

*harvest*

◊ *tuaian yang tidak memuaskan* poor harvest

◆ **satu tan padi tuaian** a ton of harvested paddy

**tuala**  KATA NAMA

*towel*

◊ *tuala wanita* sanitary towel

◆ **tuala makan** serviette

**tualang**

**petualang**  KATA NAMA

1. *backpacker* (*pengembara*)
2. *opportunist*

**tuam**  KATA NAMA

*poultice*

**menuam**  KATA KERJA

*to put a poultice on*

**tuan**  KATA GANTI NAMA

> rujuk juga **tuan** KATA NAMA
> untuk orang lelaki yang dihormati

1. *sir*

◊ *Terima kasih tuan.* Thank you sir.

◊ *Tuan, ada panggilan telefon untuk tuan.* Sir, there's a phone call for you.
2 *you*
◊ *Tuan hendak pergi ke mana?* Where would you like to go? ◊ *Tuan tinggal di mana?* Where are you staying?
3 *your*
◊ *Adakah ini beg tuan?* Is this your bag?

♦ **Tuan-tuan dan puan-puan.** Ladies and gentlemen.
**bertuankan** KATA KERJA
*to serve*
◊ *Mereka tidak mahu bertuankan lelaki kaya itu.* They don't want to serve that rich man.
**pertuanan** KATA NAMA
(*zaman dahulu*)
*aristocrat*

♦ **Dewan Pertuanan** the House of Lords

**tuan** KATA NAMA

*rujuk juga* **tuan** KATA GANTI NAMA
*master*
◊ *Tuan saya tidak membenarkan saya keluar.* My master does not allow me to go out.

♦ **Tuan Rezza tidak ada di dalam pejabat.** Mr Rezza is not in his office.
♦ **tuan punya** owner
♦ **tuan rumah (1)** host
♦ **tuan rumah (2)** landlord (*lelaki*)
♦ **tuan rumah (3)** landlady
(JAMAK **landladies**) (*wanita*)

**tuang**
**menuang, menuangkan** KATA KERJA
*to pour*
◊ *Salmahani menuang teh ke dalam gelas.* Salmahani poured tea into the glass.
**menuangi** KATA KERJA
*to pour*
◊ *Tiara menuangi cawan itu dengan air mineral.* Tiara poured mineral water into the cup.

**tuanku** KATA GANTI NAMA
1 *Your Majesty* (*untuk raja, permaisuri*)
2 *Your Highness* (*untuk kerabat diraja*)

**tuba** KATA NAMA
*fish poison*
**menuba** KATA KERJA
*to poison*
◊ *Pemuda itu ditangkap kerana menuba ikan di dalam kolam itu.* The young man was arrested for poisoning the fish in the pond.
**penuba** KATA NAMA

♦ **penuba ikan** a fish poisoner

**tubi**

**bertubi-tubi** KATA KERJA
1 *repeatedly*
◊ *Dia memukul anaknya bertubi-tubi.* He beat his son repeatedly.
2 *persistently*
◊ *bertanya bertubi-tubi* to ask persistently

♦ **soalan yang bertubi-tubi** persistent questions

**tubuh** KATA NAMA
*body* (JAMAK **bodies**)
**bersetubuh** KATA KERJA
*to make love*
**menubuhkan** KATA KERJA
1 *to form*
◊ *menubuhkan sebuah syarikat* to form a company
2 *to build*
◊ *Universiti itu akan menubuhkan sebuah pusat kaunseling.* The university will build a counselling centre.

♦ **Syarikat itu telah ditubuhkan oleh...** The company was founded by...
**penubuhan** KATA NAMA
*formation*
◊ *penubuhan kerajaan baru di Pakistan* the formation of the new government of Pakistan
**pertubuhan** KATA NAMA
*organization*
**tertubuh** KATA KERJA
*to be formed*
◊ *Persatuan itu tertubuh hasil daripada penyatuan dua buah kelab itu.* The society was formed as a result of the union of the two clubs.

♦ **dengan tertubuhnya** with the establishment ◊ *Dengan tertubuhnya hospital ini...* With the establishment of this hospital...

**tuding**
**menuding** KATA KERJA
*to point*
◊ *Mereka menuding ke arah saya.* They pointed at me.
**menudingkan** KATA KERJA
*to point*
◊ *menudingkan jari* to point one's finger

**tuduh** KATA KERJA
*to accuse*
**menuduh** KATA KERJA
*to accuse*
◊ *Dia menuduh saya mencuri ayamnya.* He accused me of stealing his chicken.

♦ **tuduh-menuduh** to blame each other
**penuduh** KATA NAMA
*accuser*
**tertuduh** KATA NAMA

_accused_
◊ *yang tertuduh* the accused
**tuduhan** KATA NAMA
_accusation_
◊ *Bill menafikan tuduhan yang dibuat terhadapnya.* Bill denied the accusation made against him.
**tudung** KATA NAMA
1 _headscarf_ (JAMAK **headscarves**) (*terjemahan umum*)
◊ *Gadis itu memakai tudung.* The girl wears a headscarf.
2 _cover_
◊ *tudung jag* jug cover
♦ **tudung botol** bottle top
♦ **tudung kepala** headscarf
♦ **tudung meja** tablecloth
♦ **tudung saji** food cover
**bertudung** KATA KERJA
_to wear a headscarf_
◊ *Gadis itu bertudung.* The girl wears a headscarf.
♦ **gadis-gadis yang bertudung** girls who cover their heads
**menudung** KATA KERJA
_to cover_
◊ *Mereka menudung makanan itu dengan pinggan yang besar.* They covered the food with a big plate.
**menudungi** KATA KERJA
_to cover_
◊ *Dia membuka selendang yang menudungi wajahnya.* She took off the veil that covered her face.
**menudungkan** KATA KERJA
_to cover_
◊ *Dia menudungkan kepalanya dengan topi.* She covered her head with a cap.
**tertudung** KATA KERJA
_to be covered_
◊ *Kami tidak dapat melihat rantainya kerana tertudung oleh selendangnya.* We couldn't see her necklace because it was covered by her veil.
**tugas** KATA NAMA
1 _duty_ (JAMAK **duties**)
◊ *tugasnya sebagai seorang doktor* her duty as a doctor
2 _task_
◊ *Saya ada satu tugas penting untuk anda.* I have an important task for you.
**bertugas** KATA KERJA
1 _to work_
◊ *Shah bertugas di sebuah syarikat penerbitan.* Shah works in a publishing company.
2 _on duty_
◊ *Pegawai polis itu ditembak ketika sedang bertugas.* The police officer was

shot while on duty.
♦ **tidak bertugas** off duty
**menugaskan** KATA KERJA
_to assign_
♦ **Guru itu menugaskan kami menulis sebuah esei.** The teacher set us an essay to write.
**petugas** KATA NAMA
_staff on duty_
◊ *Sila lapor diri kepada petugas di bilik itu.* Please report to the staff on duty in the room.
♦ **petugas sukarela** volunteer
**tugasan** KATA NAMA
_assignment_
**tugu** KATA NAMA
_monument_
♦ **tugu peringatan** memorial
**tuhan** KATA NAMA

*Perkataan **tuhan** atau **god** bermula dengan huruf besar sekiranya merujuk kepada tuhan dalam agama.*

1 _Allah_ (*Islam*)
2 _God_ (*Kristian, Yahudi, umum*)
◊ *Saya percaya adanya Tuhan.* I believe in God.
**bertuhan** KATA KERJA
_to believe in God_
◊ *masyarakat yang bertuhan* a society which believes in God
**bertuhankan** KATA KERJA
_to have ... as one's God_
♦ **Dia bertuhankan wang dan kuasa.** Money and power are his god.
**ketuhanan** KATA NAMA
_divinity_
**mempertuhankan** KATA KERJA
_to deify_
◊ *orang yang mempertuhankan kekayaan* people who deify wealth
**tuil** KATA NAMA
_lever_
◊ *Mereka menggunakan tuil untuk mengangkat benda yang berat itu.* They used a lever to lift the heavy object.
**menuil** KATA KERJA
_to lever_
◊ *Akhirnya mereka berjaya menuil batu yang besar itu ke tepi jalan.* Finally they managed to lever the rock to the side of the road.
**tuisyen** KATA NAMA
_tuition_
**tujah**
**menujah** KATA KERJA
1 _to poke_
◊ *Dia menujah meja itu dengan garpu.* He poked the table with a fork.
2 _to stab_

T

◊ *Tertuduh menujah perut si mati dengan sebilah pisau.* The accused stabbed the victim in the stomach with a knife.

**tuju**

  **menuju, menujui** KATA KERJA

    1 *to head*

    ◊ *Kereta itu menuju ke arah saya.* The car was heading towards me.

    2 *towards*

    ◊ *berjalan menuju matahari terbit* to walk towards the sunrise

    3 *to lead*

    ◊ *jalan yang menuju ke lebuh raya* the street that leads to the highway

  ♦ **Akhirnya mereka tiba ke tempat yang dituju.** Finally they arrived at their destination.

  **menujukan** KATA KERJA

    1 *to dedicate*

    ◊ *Saya ingin menujukan lagu ini kepada ibu dan bapa saya.* I'd like to dedicate this song to my parents.

    2 *to address*

    ◊ *Surat itu ditujukan kepada saya.* The letter is addressed to me.

  ♦ **Kata-katanya itu ditujukan kepada saya.** What he said was aimed at me.

  **setuju, bersetuju** KATA KERJA

    *to agree*

    ◊ *Jika kamu hendak hidup, kamu harus bersetuju dengan rancangan saya.* If you want to go on living, you'd better agree with my plan.

  ♦ **tidak bersetuju** to disagree

  **menyetujui, mempersetujui** KATA KERJA

    *to agree with*

    ◊ *Jika kamu hendak hidup, kamu harus menyetujui rancangan saya.* If you want to go on living, you'd better agree with my plan.

  ♦ **pada waktu yang dipersetujui** at the agreed time

  **persetujuan** KATA NAMA

    *agreement*

    ◊ *Kami memerlukan persetujuan pengantin perempuan.* We need the bride's agreement.

  **tertuju** KATA KERJA

    1 *to be directed*

    ◊ *Soalan itu tertuju kepada ahli panel yang kedua.* The question was directed to the second panellist.

    2 *on*

    ◊ *Fikirannya sentiasa tertuju kepada isu tersebut.* His mind was always on that issue.

  **tujuan** KATA NAMA

    1 *purpose*

◊ *Kami tidak tahu tujuan mesyuarat ini diadakan.* We don't know the purpose of the meeting.

    2 *intention*

    ◊ *Tujuannya baik.* His intentions are good.

  **bertujuan** KATA KERJA

    *to intend*

    ◊ *Saya tidak pernah bertujuan untuk menentang ayah saya sendiri.* I never intended to go against my own father.

**tujuh** KATA BILANGAN

  *seven*

  ♦ **tujuh hari bulan Januari** the seventh of January

  **ketujuh** KATA BILANGAN

    *seventh*

**tujuh belas** KATA BILANGAN

  *seventeen*

  ♦ **tujuh belas hari bulan Julai** the seventeenth of July

  **ketujuh belas** KATA BILANGAN

    *seventeenth*

**tujuh puluh** KATA BILANGAN

  *seventy*

  **ketujuh puluh** KATA BILANGAN

    *seventieth*

**tukang** KATA NAMA

  *craftsman* (JAMAK **craftsmen**)

  ♦ **tukang cuci** cleaner

  ♦ **tukang emas** goldsmith

  ♦ **tukang gunting rambut** barber

  ♦ **tukang jahit** tailor

  ♦ **tukang kasut** cobbler

  ♦ **tukang kayu** carpenter

  ♦ **tukang kebun** gardener

  ♦ **tukang masak** cook

  **bertukang** KATA KERJA

    *to work as a craftsman*

    ◊ *Dia suka bertukang.* He enjoys working as a craftsman.

  **ketukangan** KATA NAMA

    *craftsmanship*

    ◊ *Kreativiti dan ketukangan orang zaman purba...* The creativity and craftsmanship of the people of ancient times...

  **pertukangan** KATA NAMA

    *craftwork*

    ◊ *Walaupun ayahnya seorang tukang, Khalil tidak tahu langsung tentang pertukangan.* Although his father is a craftsman, Khalil doesn't know anything about craftwork.

  ♦ **pertukangan kayu** woodwork

  ♦ **seni pertukangan** craftsmanship

**tukar**

  **bertukar** KATA KERJA

    1 *to exchange*

◊ *Kami berjabat tangan dan bertukar senyuman.* We shook hands and exchanged smiles.

② *to change*

◊ *Keretanya selalu bertukar.* He is always changing his car. ◊ *Saya perlu mandi dan bertukar pakaian.* I need to have a bath and change my clothes.

③ *to turn*

◊ *Kegembiraannya bertukar menjadi duka apabila suaminya meninggal dunia.* Her happiness turned to sadness when her husband died.

④ *to be transferred*

◊ *Guru itu akan bertukar ke Sarawak pada minggu hadapan.* The teacher will be transferred to Sarawak next week.

**bertukar-tukar** KATA KERJA
*to exchange*

◊ *Kami gemar bertukar-tukar fikiran.* We like to exchange ideas.

**menukar** KATA KERJA
*to change*

◊ *menukar pekerjaan* to change jobs

♦ **bahagian-bahagian yang boleh ditukar ganti** interchangeable parts

**menukarkan** KATA KERJA

① *to transfer*

◊ *Ibu saya menukarkan pemilikan tanah itu kepada abangnya.* My mother transferred the ownership of the land to her brother. ◊ *Pengurus itu menukarkan pekerjanya ke Pulau Pinang.* The manager transferred his employee to Penang.

② *to exchange*

◊ *Saya menukarkan buku itu dengan sekeping cakera padat.* I exchanged the book for a CD.

**penukaran** KATA NAMA

① *change*

◊ *PBB mengalu-alukan penukaran sistem perundangan di negara itu.* The UN welcomed the change in the country's legal system.

② *conversion*

◊ *penukaran landasan kereta api lama kepada laluan basikal* the conversion of disused rail lines into cycle routes

**pertukaran** KATA NAMA

① *exchange*

◊ *program pertukaran pelajar* student exchange programme

② *transfer*

♦ **Pekerja itu tidak bersetuju dengan pertukarannya ke tempat itu.** The employee didn't agree to being transferred to that place.

③ *change*

◊ *Ketibaan musim hujan membawa pertukaran cuaca yang besar.* The coming of the rainy season brings a big change in the weather.

**tukaran** KATA NAMA
*substitute*

♦ **tukaran wang kecil** loose change

**tukul** KATA NAMA
*hammer*

**penukul** KATA NAMA
*hammer*

**tulang** KATA NAMA
*bone*

♦ **tulang belakang** backbone
♦ **tulang kering** shin
♦ **tulang rusuk** rib
♦ **tulang selangka** collarbone
♦ **tulang sumsum** bone marrow

**tular**

**menular** KATA KERJA
*to spread*

◊ *Virus penyakit itu menular ke kampung-kampung.* The virus spread to the villages. ◊ *Kita tidak patut membiarkan budaya tidak sihat menular dalam masyarakat kita.* We must not allow unhealthy culture to spread in our society.

**penularan** KATA NAMA
*spread*

◊ *Penularan ideologi Karl Marx...* The spread of Karl Marx's ideology...

**tulen** KATA ADJEKTIF
*pure*

**ketulenan** KATA NAMA
*purity*

◊ *Ketulenan air ini telah dijamin.* The purity of this water is guaranteed.

**menulenkan** KATA KERJA
*to purify*

◊ *menulenkan air* to purify water

**penulenan** KATA NAMA
*purification*

◊ *penulenan emas* the purification of gold

**tuli** KATA ADJEKTIF
*deaf*

**tulis** KATA KERJA
*to write*

♦ **kapur tulis** chalk

**bertulis** KATA KERJA
*written*

◊ *sepucuk surat yang bertulis dengan dakwat hitam* a letter written in black ink

♦ **sepucuk surat yang bertulis tangan** a handwritten letter

♦ **secara bertulis** in writing

**menulis** KATA KERJA
*to write*

◊ *Saya sedang menulis sebuah novel.*

T

I'm writing a novel.

**menuliskan** KATA KERJA

_to write_

◊ *Nenek meminta saya menuliskannya sepucuk surat.* Grandmother asked me to write a letter for her.

**penulis** KATA NAMA

_writer_

**penulisan** KATA NAMA

_writing_

◊ *Dia sudah mula berasa sedikit bosan dengan penulisan novel.* She had begun to be a little bored with novel writing.

**tertulis** KATA KERJA

_to be written_

◊ *Namanya tertulis di kulit buku itu.* His name is written on the cover of the book.

**tulisan** KATA NAMA

_writing_

◊ *Saya tidak dapat membaca tulisannya.* I can't read his writing.

**tulus** KATA ADJEKTIF

1 _sincere_

◊ *Surat itu diakhiri dengan ucapan terima kasih yang tulus ikhlas.* The letter ended with expressions of sincere gratitude.

2 _honest_

◊ *Dia menderma wang itu dengan hati yang tulus.* He donated the money with honest motives.

**ketulusan** KATA NAMA

_sincerity_

◊ *Saya kagum dengan ketulusannya.* I was impressed with his sincerity.

**tumbang** KATA KERJA

_to fall_

◊ *Pokok itu tumbang di tengah jalan.* The tree fell into the middle of the road.

◊ *Kerajaan itu tumbang pada abad ke-13.* That kingdom fell in the 13th century.

♦ **pokok yang tumbang itu** the fallen tree

**menumbangkan** KATA KERJA

1 _to overthrow_

◊ *Pihak revolusi cuba menumbangkan kerajaan.* The revolutionaries tried to overthrow the government.

2 _to defeat_

◊ *Jeremy menumbangkan Daniel dalam perlawanan itu.* Jeremy defeated Daniel in the fight.

**tumbesar**

**tumbesaran** KATA NAMA

_growth_

◊ *Kalsium penting untuk tumbesaran kanak-kanak.* Calcium is important for children's growth.

**tumbuh** KATA KERJA

_to grow_

◊ *Pokok itu sudah tumbuh.* The plant has grown.

♦ **tumbuh gigi** to teethe

**ketumbuhan** KATA NAMA

_growth_

◊ *Doktor mengesahkan bahawa ada ketumbuhan dalam otaknya.* The doctor confirmed that there was a growth in his brain.

**menumbuhi** KATA KERJA

_to grow on_

♦ **Halaman rumahnya sudah ditumbuhi lalang.** His compound was overgrown with weeds.

**menumbuhkan** KATA KERJA

_to make ... grow_

◊ *Ubat ini boleh menumbuhkan semula rambut anda.* This preparation can make your hair grow again.

**pertumbuhan** KATA NAMA

_growth_

◊ *pertumbuhan ekonomi* economic growth

**tumbuhan** KATA NAMA

_plant_

**tumbuk**

**bertumbuk** KATA KERJA

_to fight_

◊ *Pelajar-pelajar itu bertumbuk di dalam kelas.* The students were fighting in the class.

**menumbuk** KATA KERJA

1 _to punch_

◊ *Kamal menumbuk perut Kamil.* Kamal punched Kamil in the stomach.

2 _to pound_

◊ *menumbuk cili* to pound chili

**menumbukkan** KATA KERJA

_to pound_

◊ *Saya menumbukkan ibu bawang putih.* I pounded some garlic for mother.

**penumbuk** KATA NAMA

_fist_

**tumbukan** KATA NAMA

_blow_

◊ *Ali mengalahkan lawannya dengan satu tumbukan.* Ali defeated his opponent with one blow.

**tumis** KATA ADJEKTIF

_fried_

◊ *bawang tumis* fried onion

**menumis** KATA KERJA

_to fry_

◊ *Biasanya ibu akan menumis bawang putih dahulu.* Normally mother fries the garlic first.

**tumit** KATA NAMA

_heel_
**bertumit**  KATA KERJA
♦ **bertumit tinggi**  high-heeled  ◊ _kasut bertumit tinggi_  high-heeled shoes
**tumpah**  KATA KERJA
_to spill_
◊ _Minuman itu tumpah di atas lantai._ The drinks spilled onto the floor.
**menumpahkan**  KATA KERJA
_to spill_
◊ _Dia sengaja menumpahkan kuah itu ke baju saya._  She purposely spilled the gravy on my dress.
**tertumpah**  KATA KERJA
_to be spilt_
◊ _Air di dalam baldi itu tertumpah ke atas lantai._  The water in the pail was spilt on the floor.
**tumpahan**  KATA NAMA
_spillage_
◊ _tumpahan minyak_  oil spillage
**tumpang**  KATA KERJA
♦ **"Tumpang lalu"**  "Excuse me"
**menumpang**  KATA KERJA
1 _to put up_
◊ _Saya akan menumpang di rumah bapa saudara saya._  I'll be putting up at my uncle's house.
2 _to get a lift_
◊ _Kamal menumpang kereta kawannya ke pejabat._  Kamal got a lift to the office in his friend's car.
**menumpangkan**  KATA KERJA
1 _to put ... up_
◊ _Dia enggan menumpangkan kami di rumahnya._  He refused to put us up at his house.
2 _to give ... a lift_
◊ _Clark menumpangkan Kent ke tempat kerjanya._  Clark gave Kent a lift to his office.
**penumpang**  KATA NAMA
_passenger_
**tumpangan**  KATA NAMA
♦ **tempat tumpangan**  lodging
♦ **rumah tumpangan**  budget hotel
**tumpas**  KATA KERJA
_to be defeated_
◊ _Walaupun dia bijak, akhirnya dia tumpas juga._  For all his cleverness, he was defeated in the end.
**menumpaskan**  KATA KERJA
_to defeat_
◊ _Saya menumpaskan dia di gelanggang itu._  I defeated him in the ring.
**tumpat**  KATA ADJEKTIF
_solid_
◊ _Cincin ini lebih tumpat daripada yang itu._  This ring is more solid than that one.

**ketumpatan**  KATA NAMA
_density_
◊ _ketumpatan bulan_  the density of the moon
**tumpu**
**menumpukan**  KATA KERJA
_to concentrate_
♦ **menumpukan perhatian**  to concentrate
**penumpuan**  KATA NAMA
_concentration_
◊ _Kerja ini memerlukan banyak penumpuan._  This work needs a lot of concentration.
**tertumpu**  KATA KERJA
_to be concentrated_
◊ _Perhatian saya tertumpu pada perkara itu sahaja sepanjang hari._  My attention was concentrated on that subject the whole day.
**tumpuan**  KATA NAMA
_focus_ (JAMAK **focuses**)
◊ _Sistem baru itu merupakan tumpuan perbincangan kami._  The new system was the focus of our discussion.
♦ **mengganggu tumpuan**  to distract
◊ _Bermain permainan video kadang-kadang mengganggu tumpuannya daripada membuat kerja rumah._  Playing video games sometimes distracts him from his homework.
**tumpul**  KATA ADJEKTIF
_blunt_
◊ _pisau tumpul_  blunt knife
**tunai**  KATA NAMA
_cash_
◊ _kad tunai_  cash card
♦ **bayar tunai**  to pay cash
♦ **wang tunai**  cash
**menunaikan**  KATA KERJA
1 _to carry out_
◊ _Saya akan menunaikan kewajipan saya._  I'll carry out my obligation.
2 _to fulfil_
◊ _menunaikan janji_  to fulfil a promise
**tunang**  KATA NAMA
1 _fiancé_ (_lelaki_)
2 _fiancée_ (_perempuan_)
**bertunang**  KATA KERJA
_engaged_
◊ _Mereka sudah bertunang._  They were engaged.
**pertunangan**  KATA NAMA
_engagement_
**tunangan**  KATA NAMA  _rujuk_ **tunang**
**tunas**  KATA NAMA
_shoot_
♦ **Tunas Puteri**  Brownie
**bertunas**  KATA KERJA
_to sprout_

T

◊ *Pokok itu sudah mula bertunas.*
The tree is beginning to sprout.

**tunda (1)**
  **menunda**  KATA KERJA
  *to tow*
  ◊ *Pihak polis menunda kereta itu ke balai polis.* The police towed the car to the police station.
  **penunda**  KATA NAMA
◆ **kapal penunda**  tug boat
◆ **trak penunda**  tow truck
◆ **penunda kereta**  tow truck driver

**tunda (2)**
  **menunda**  KATA KERJA
  *to put off*
  ◊ *menunda mesyuarat*  to put off a meeting
  **menunda-nunda**  KATA KERJA
  *to procrastinate*
  ◊ *Orang yang suka menunda-nunda dalam kerjanya akan ketinggalan.* People who are always procrastinating get left behind.
  **penundaan**  KATA NAMA
  *postponement*
  ◊ *Penundaan program itu tidak dapat dielakkan.* The postponement of the programme is inevitable.
  **tertunda**  KATA KERJA
  *to be postponed*
  ◊ *Rancangannya tertunda.* His plan was postponed.

**tunduk**  KATA KERJA
  1 *to bow*
  2 *to surrender*
  ◊ *Iraq terpaksa tunduk kepada PBB setelah tewas dalam perang Teluk.* Iraq had to surrender to the United Nations after being defeated in the Gulf War.
  **menunduk**  KATA KERJA  *rujuk* **tunduk**
  **menundukkan**  KATA KERJA
  1 *to bow*
  ◊ *menundukkan kepala*  to bow one's head
  2 *to defeat*
  ◊ *Tentera British telah menundukkan tentera Jepun dalam peperangan itu.* The British army defeated the Japanese in that battle.

**tunggak**  KATA NAMA
  *foundation*
  ◊ *tunggak kejayaan*  the foundation of success
  **menunggak**  KATA KERJA
◆ **menunggak hutang**  to be in arrears
  **tunggakan**  KATA NAMA
  *arrears*

**tunggal**  KATA NAMA
  *sole*

◊ *waris tunggal*  sole heir  ◊ *ejen tunggal*  sole agent
◆ **anak tunggal dalam keluarga**  the only child in the family
◆ **ibu tunggal**  a single mother

**tunggang (1)**
  **menunggangkan**  KATA KERJA
  *to pour*
  ◊ *Emak menunggangkan kuah di dalam mangkuk itu ke dalam periuk.* Mother poured the gravy that was in the bowl into the pot.

**tunggang (2)**
  **menunggang**  KATA KERJA
  *to ride*
  ◊ *menunggang kuda*  to ride a horse
  ◊ *menunggang basikal*  to ride a bicycle
◆ **Kami pergi menunggang kuda.** We went horse riding.
  **penunggang**  KATA NAMA
  *rider*
◆ **penunggang kuda**  horse-rider
◆ **penunggang basikal**  cyclist
◆ **penunggang motosikal**  motorcyclist

**tunggang-langgang**  KATA ADJEKTIF
  1 *helter-skelter*
  ◊ *berlari tunggang-langgang*  to run helter-skelter
  2 *topsy-turvy*
  ◊ *Dunia ini sudah menjadi tunggang-langgang.* The world has turned topsy-turvy.

**tunggu**  KATA KERJA
  *to wait*
  ◊ *"Tunggu saya!"* "Wait for me!"
  **menunggu**  KATA KERJA
  *to wait*
  ◊ *Saya akan menunggu anda di sini.* I'll wait for you here.
◆ **bilik menunggu**  waiting room
  **penunggu**  KATA NAMA
  *spirit*
  ◊ *penunggu pokok besar*  spirit of the big tree
◆ **Rumah itu ada penunggu.** The house is haunted.
  **penungguan**  KATA NAMA
  *waiting*

**tunggul**  KATA NAMA
  *stump*

**tunjal**
  **menunjal**  KATA KERJA
  *to poke* (*dengan jari*)
  ◊ *Dia menunjal kepala saya.* He poked me in the head.

**tunjang**  KATA NAMA
◆ **akar tunjang**  taproot
  **bertunjang**  KATA KERJA
◆ **bertunjang pada**  based on  ◊ *Kritikan*

*ini bertunjang pada analisis yang teliti.*
This criticism is based on careful analysis.
**bertunjangkan**   KATA KERJA
*based on*
◊   *Kesimpulan ini bertunjangkan bukti-bukti yang kukuh.*   This conclusion is based on firm evidence.

**tunjuk**   KATA KERJA
♦   **tunjuk ajar**   guidance
**menunjuk**   KATA KERJA
*to point*
◊   *Dilla menunjuk ke arah lelaki itu.*   Dilla pointed at the man.
**menunjukkan**   KATA KERJA
1   *to point*
◊   *Dia menunjukkan jarinya ke arah saya.*   He pointed his finger at me.
2   *to show*
◊   *Gina tidak menunjukkan sebarang tanda ketakutan.*   Gina did not show any sign of fear.
**menunjuk-nunjuk**   KATA KERJA
*to show off*
◊   *Dia suka menunjuk-nunjuk.*   He likes to show off.
**penunjuk**   KATA NAMA
*indicator*
**petunjuk**   KATA NAMA
*clue*
◊   *Dia tidak memberikan sebarang petunjuk kepada kami.*   He didn't give us any clue.
♦   **Saya mendapat petunjuk dalam mimpi saya semalam.**   I received guidance in a dream last night.
**pertunjukan**   KATA NAMA
*show*
◊   *pertunjukan udara*   air show
**tunjuk perasaan**   KATA NAMA
*demonstration*
**menunjuk perasaan**   KATA KERJA
*to demonstrate*
**penunjuk perasaan**   KATA NAMA
*demonstrator*

**tuntun**
**menuntun**   KATA KERJA
*to take ... by the hand and lead*
◊   *Dia menuntun Dickens ke dalam rumah.*   He took Dickens by the hand and led him into the house.

**tuntut**
**menuntut**   KATA KERJA
1   *to demand*
◊   *menuntut hak*   to demand rights
2   *to study*
◊   *Dia menuntut di sebuah kolej swasta.*   He is studying at a private college.
**penuntut**   KATA NAMA
*student*

**tuntutan**   KATA NAMA
*demand*
◊   *Tuntutan mereka tidak dapat dipenuhi.*   Their demands cannot be fulfilled.
♦   **Tuntutan insurans wanita itu masih sah.**   The woman's insurance claim is still valid.

**tunu**
**penunu**   KATA NAMA
♦   **penunu Bunsen**   bunsen burner

**tupai**   KATA NAMA
*squirrel*

**turap**   KATA NAMA
*plaster*
**berturap**   KATA KERJA
*surfaced*
◊   *jalan berturap*   surfaced road
**menurap**   KATA KERJA
1   *to plaster*
◊   *menurap tembok*   to plaster the wall
2   *to surface*
◊   *menurap jalan*   to surface the road

**turas**   KATA ADJEKTIF
*filter*
◊   *kertas turas*   filter paper
**menuras**   KATA KERJA
*to filter*
◊   *Para pelajar dikehendaki menuras campuran itu.*   The students are required to filter the mixture.
**penuras**   KATA NAMA
*filter*
◊   *penuras kopi*   coffee filter
**penurasan**   KATA NAMA
*filtration*
◊   *Enzim ini akan memudahkan proses penurasan.*   This enzyme would make filtration easier.
**turasan**   KATA NAMA
*filtered substance*

**turun**   KATA KERJA
1   *to drop*
◊   *Suhu di bilik turun kepada 21 darjah Celsius.*   The temperature in the room dropped to 21 degrees Celsius.
2   *to get down*
◊   *Turun dari situ!*   Get down from there!
♦   **Kami akan turun di stesen kereta api Tanjung Malim.**   We'll get off at Tanjung Malim railway station.
♦   **Dia turun ke bawah.**   He went downstairs.
♦   **turun-temurun**   from generation to generation
**keturunan**   KATA NAMA
*descendants*
**menurun**   KATA KERJA
*to decline*
◊   *Jumlah pekerja telah menurun*

T

*sebanyak 10%.* The number of staff has declined by 10%.

**menuruni** KATA KERJA

*to go down*

◊ *menuruni bukit* to go down the hill

**menurunkan** KATA KERJA

1 *to take down*

◊ *Wai Ling menurunkan kotak dari atas almari itu.* Wai Ling took down the box from the cupboard.

2 *to lower*

◊ *menurunkan harga* to lower the price

3 *to drop*

◊ *Teksi itu menurunkan kami di simpang jalan.* The taxi dropped us at the corner of the road.

♦ **Dia menurunkan tandatangannya.** He signed his name.

♦ **menurunkan ilmu** to pass on one's knowledge

**penurunan** KATA NAMA

1 *reduction*

◊ *penurunan harga minyak* the reduction of oil prices

2 *decrease*

◊ *penurunan dalam bilangan orang muda yang menganggur* a decrease in the number of young people out of work

♦ **penurunan nilai** devaluation

**turut** KATA KERJA

*also*

◊ *Kamu turut terlibat dalam hal ini.* You were also involved in this matter.

Biasanya **turut** *tidak diterjemahkan ke dalam bahasa Inggeris.*

◊ *Cynthia turut menyanyi bersama kami.* Cynthia sang along with us. ◊ *Saya turut bersimpati dengan anda.* I sympathize with you.

♦ **Mereka turut serta dalam perarakan itu.** They took part in the procession.

**berturut-turut** KATA KERJA

*consecutive*

◊ *dua hari berturut-turut* two consecutive days

**menurut** KATA KERJA

1 *to obey*

◊ *Kamu tidak menurut arahan saya.* You didn't obey my instructions. ◊ *Kalau saya menurut kata hati saya...* If I obeyed my feelings...

2 *according to*

◊ *Menurut En. Smith...* According to Mr Smith...

**menuruti** KATA KERJA

*to follow*

◊ *Hamidah menuruti kami ke kereta.* Hamidah followed us to the car.

**turutan** KATA NAMA

*sequence*

**tus**

**mengetus, mengetuskan** KATA KERJA

*to drain* (*sayur, beras*)

**tusuk**

**menusuk** KATA KERJA

1 *to pierce*

◊ *Mereka menusuk kadbod itu dengan gunting.* They pierced the cardboard with scissors.

2 *to stab*

◊ *Dia menusuk tangan lawannya dengan pisau.* He stabbed his opponent in the hand with a knife.

**tertusuk** KATA KERJA

*to be stabbed*

◊ *Polis yang tertusuk itu telah meninggal dunia.* The policeman who was stabbed has died.

**tusukan** KATA NAMA

*thrust*

◊ *Dia cuba mengelakkan tusukan itu.* He tried to avoid the thrust.

♦ **Dia mati akibat tusukan itu.** He died from that stab wound.

**tutup** KATA KERJA

*to close*

◊ *Tolong tutup pintu itu.* Please close the door.

**bertutup** KATA KERJA

*covered*

◊ *bekas yang bertutup* covered container

**menutup** KATA KERJA

1 *to close*

◊ *Kamisah menutup kedainya pada hari Jumaat.* Kamisah closes her shop on Fridays.

2 *to cover*

◊ *Dia menutup mukanya dengan surat khabar.* She covered her face with a newspaper.

3 *to turn off*

◊ *menutup lampu* to turn off the light

♦ **menutup rahsia** to keep a secret

**penutup** KATA NAMA

1 *cover*

2 *closing*

◊ *ucapan penutup* closing remarks

♦ **penutup cerita** ending of a story

♦ **Sebagai penutup saya ingin mempersilakan...** To round things off I'd like to call upon...

**penutupan** KATA NAMA

*closing*

◊ *Sejak penutupan kilang keluli tersebut....* Since the closing of the steelworks... ◊ *upacara penutupan Sukan Komanwel 1998* the closing

ceremony of the Commonwealth Games
1998
**tertutup**   KATA KERJA
*closed*
◊   *Pintu itu sudah tertutup.*   The door was
closed.
**tutor**   KATA NAMA
*tutor*
**tutor**   KATA NAMA
*utterance*
**bertutur**   KATA KERJA
*to speak*
◊   *bertutur dalam bahasa asing*   to
speak a foreign language

**menuturkan**   KATA KERJA
*to utter*
◊   *Mereka berpisah tanpa menuturkan
sepatah perkataan pun.*   They parted
without uttering a word.
**penutur**   KATA NAMA
*speaker*
**pertuturan**   KATA NAMA
*speech*
◊   *Doktor itu mengkaji perkembangan
pertuturan kanak-kanak.*   The doctor
studied the development of speech in
children.
**TV**   KATA NAMA
*TV*

T

# U

**ubah**

**berubah** KATA KERJA
_to change_
◊ _Didi sudah banyak berubah sejak dia belajar di luar negara._ Didi has changed a lot since she studied overseas. ◊ _Dia sesat kerana jalan di bandar itu sudah berubah._ He got lost because the roads in the town had changed.

**berubah-ubah** KATA KERJA
_changeable_
◊ _Cuaca yang berubah-ubah menyebabkan ramai orang jatuh sakit._ The changeable weather caused many people to fall ill.

♦ **ekonomi yang tidak berubah-ubah** stagnant economies

**mengubah** KATA KERJA
_to change_
◊ _Anda perlu mengubah sikap anda jika hendak berjaya._ You have to change your attitude if you want to succeed.

**pengubahan** KATA NAMA
_turning_
◊ _kerja-kerja pengubahan rumah P. Ramlee menjadi sebuah muzium_ the work of turning P. Ramlee's house into a museum

**perubahan** KATA NAMA
_change_
◊ _Perubahan pada jadual waktu peperiksaan telah menimbulkan kekeliruan._ Changes in the exam timetable caused some confusion.

**ubahsuai**

**mengubahsuai, mengubahsuaikan** KATA KERJA
_to modify_
◊ _Ahli-ahli kelab memang bersetuju untuk mengubahsuai polisi pengambilan ahli baru mereka._ The club members did agree to modify their recruitment policy.

♦ **Mereka membelanjakan beribu-ribu ringgit untuk mengubahsuaikan rumah mereka.** They spent thousands of ringgits on adapting their house.

**pengubahsuaian** KATA NAMA
_modification_
◊ _pengubahsuaian yang dibuat pada sesebuah bangunan_ modification of a building

**uban** KATA NAMA
_grey hair_

**beruban** KATA KERJA
_to go grey_
◊ _Emak saudara saya sudah beruban._ My aunt has already gone grey.

**ubat** KATA NAMA
_medicine_

♦ **ubat yang dimakan** oral medication
♦ **ubat batuk** cough mixture
♦ **ubat gigi** toothpaste
♦ **ubat penahan sakit** painkiller
♦ **ubat penenang** tranquillizer
♦ **ubat-ubatan** medications ◊ _Farmasi itu membekalkan ubat-ubatan terkini._ That pharmacy supplies the latest medications.

**berubat** KATA KERJA
_to undergo treatment_
◊ _Bapa saya lebih suka berubat di kampung._ My father prefers to undergo treatment in the village.

♦ **bedak berubat** medicated powder

**mengubat, mengubati** KATA KERJA
_to treat_
◊ _Doktor haiwan itu cuba mengubati luka pada kaki gajah itu._ The vet tried to treat the wound on the elephant's leg.

♦ **penyakit yang tidak dapat diubati** an incurable disease

**pengubatan** KATA NAMA
_treatment_
◊ _Pengubatan tradisional sungguh berkesan._ Traditional treatment is very effective.

**perubatan** KATA NAMA
_medicine_
◊ _Dia memilih perubatan sebagai bidang kerjayanya._ He pursued a career in medicine.

♦ **sekolah perubatan** medical school

**ubatan** KATA NAMA
_magic spell_

**ubi** KATA NAMA
_tuber_

♦ **ubi kayu** tapioca
♦ **ubi kentang** potato (JAMAK **potatoes**)

**ubin** KATA NAMA
_tile_

♦ **batu ubin** tile

**ubur-ubur** KATA NAMA
_jellyfish_ (JAMAK **jellyfish**)

**ucap** KATA NAMA
_utterance_

♦ **ucap selamat** good wishes

**berucap** KATA KERJA
_to speak_
◊ _Guru besar selalu berucap semasa perhimpunan sekolah._ The headmaster always speaks during the school assembly.

**mengucap** KATA KERJA
_to pronounce the Islamic profession of faith_

**mengucapkan** KATA KERJA
_to wish_
◊ _Pelajar-pelajar mengucapkan_

*"Selamat Pagi" kepada guru kelas mereka.* The students wished their class teacher "Good Morning".

♦ **mengucapkan terima kasih** to thank
**pengucap** KATA NAMA
*speaker*
◊ *Pengucap itu pandai berjenaka.* The speaker has a good sense of humour.
**ucapan** KATA NAMA
*speech* (JAMAK **speeches**)
◊ *ucapan yang membosankan* a boring speech

♦ **kad ucapan** greetings card
**udang** KATA NAMA
*prawn*

♦ **udang karang** lobster
♦ **udang kering** dried shrimps
**udara** KATA NAMA
[1] *air*
◊ *udara yang tercemar* polluted air
[2] *sky*
◊ *Burung-burung berterbangan di udara.* Birds are flying in the sky.

♦ **ke udara** to go on the air ◊ *Rancangan itu akan ke udara pada pukul empat.* The programme will go on the air at four o'clock.
**ufti** KATA NAMA
*tribute*
**ufuk** KATA NAMA
*horizon*
**mengufuk** KATA KERJA
*horizontal*
**ugut** KATA KERJA
*to threaten*
◊ *Jangan ugut saya!* Don't threaten me!
**mengugut** KATA KERJA
*to threaten*
◊ *Lelaki itu mengugut gadis itu dengan sebilah pisau.* The man threatened the girl with a knife. ◊ *Oliver mengugut akan membongkarkan rahsia kawannya.* Oliver threatened to expose his friend's secret.
**pengugut** KATA NAMA
*person who threatens*
**ugutan** KATA NAMA
*threat*
◊ *Saya tidak takut akan ugutannya.* I'm not afraid of his threats.
**ujar** KATA KERJA

> rujuk juga **ujar** KATA NAMA

*to say*
◊ *"Berhati-hati," ujar Pak Din kepada Haris.* "Be careful," said Pak Din to Haris.
**mengujarkan** KATA KERJA
*to utter*
◊ *Mereka beredar tanpa mengujarkan sepatah perkataan pun.* They departed

without uttering a word.
**ujaran** KATA NAMA
*utterance*
◊ *Peminat-peminatnya mempercayai setiap ujarannya.* Her fans believed her every utterance.
**ujar** KATA NAMA

> rujuk juga **ujar** KATA KERJA

*utterance*
♦ *Saya tidak dapat mendengar ujarnya.* I couldn't hear what he was saying.
**uji** KATA KERJA
*to test*
◊ *Ujilah kepanasan air itu.* Test the temperature of the water.
**menguji** KATA KERJA
*to test*
◊ *Latihan itu bertujuan untuk menguji pemahaman pelajar tentang subjek tersebut.* The exercise was meant to test the students' understanding of the subject.
**penguji** KATA NAMA
*tester*
**teruji** KATA KERJA
*tested*
◊ *kaedah yang telah dicuba dan teruji* a tried and tested method
**ujian** KATA NAMA
*test*
◊ *ujian memandu* driving test ◊ *ujian lisan* oral test
**uji bakat** KATA NAMA
*audition*
**menguji bakat** KATA KERJA
*to audition*
**uji kaji** KATA NAMA
*experiment*
◊ *melakukan uji kaji* to carry out an experiment
**ukir** KATA NAMA
♦ **seni ukir** sculpture
♦ **tukang ukir** sculptor
**mengukir** KATA KERJA
*to carve*
◊ *Pak Dollah suka mengukir buluh.* Pak Dollah likes to carve in bamboo.
**mengukirkan** KATA KERJA
*to carve*
◊ *Tukang masak hotel itu mengukirkan seekor kuda daripada ais.* The hotel chef carved a horse out of ice.
**pengukir** KATA NAMA
*sculptor*
**terukir** KATA KERJA
*carved*
◊ *Tetamunya selalu mengagumi lukisan pemandangan yang terukir pada dinding rumahnya.* His visitors always admire the scene carved on the wall of his house.

* **senyuman manis yang terukir pada wajahnya** the sweet smile that was etched on her face
**ukiran** KATA NAMA
_carving_
◊ *Pasu itu dihias dengan ukiran yang halus.* The vase is decorated with fine carving.

**ukur** KATA NAMA
* **pita ukur** tape measure
**mengukur** KATA KERJA
_to measure_
◊ *Kamala mengukur lebar rekahan itu.* Kamala measured the width of the crack.
**pengukur** KATA NAMA
_surveyor_
* **kayu pengukur** yardstick
**pengukuran** KATA NAMA
_measurement_
* **Pengukuran ketinggian pelajar dilakukan setiap tahun.** The students' height is measured every year.
**ukuran** KATA NAMA
_measurement_
◊ *Beri saya ukuran berat badan anda yang tepat.* Give me an accurate measurement of your weight.

**ulam** KATA NAMA
_raw leaves or fruits eaten with rice_

**ulama** KATA NAMA
_Muslim scholar_

**ulang** KATA KERJA
_to repeat_
◊ *Ini panggilan terakhir. Saya ulang, ini panggilan terakhir.* This is the last call. I repeat: This is the last call.
* **ulang tahun** anniversary (JAMAK **anniversaries**)
**berulang** KATA KERJA
_to repeat_
◊ *Kami tidak mahu tragedi itu berulang.* We don't want that tragedy to be repeated.
* **berulang kali** repeatedly
**berulang-ulang** KATA KERJA
_repetitive_
◊ *kerja yang berulang-ulang* repetitive work ◊ *Muzik yang berulang-ulang itu sungguh membosankan.* That repetitive music is very boring.
**mengulang, mengulangi** KATA KERJA
_to repeat_
◊ *Pelajar yang gagal dalam mata pelajaran matematik dikehendaki mengulang seluruh peperiksaan itu.* Students who fail mathematics are required to repeat the whole exam.
◊ *Anda perlu mengulangi senaman ini sebanyak 8 kali.* You have to repeat this exercise 8 times.

**pengulangan** KATA NAMA
_repetition_
◊ *Karangan yang mempunyai terlalu banyak pengulangan...* Compositions containing too many repetitions...
**ulangan** KATA NAMA
_repetition_
* **siaran ulangan** repeat

**ulang-alik** KATA ADJEKTIF
_to go there and back repeatedly_
◊ *Perjalanan ulang-alik itu sungguh memenatkan.* Going there and back repeatedly was very tiring.
* **bas ulang-alik** shuttle bus
* **tiket ulang-alik** return ticket
**berulang-alik** KATA KERJA
① _to commute_
② _to travel to and from_
◊ *Perahu itu berulang-alik ke pulau itu.* The boat travels to and from the island.

**ulang kaji** KATA NAMA
_revision_
**mengulang kaji** KATA KERJA
_to revise_
◊ *Mereka sedang mengulang kaji untuk menghadapi peperiksaan.* They are revising for their exam.

**ular** KATA NAMA
_snake_
* **ular sawa** python
* **ular tedung** cobra

**ulas (1)** PENJODOH BILANGAN
_segment_
◊ *dua ulas oren* two segments of orange
* **seulas bawang putih** a clove of garlic

**ulas (2)**
**mengulas** KATA KERJA
① _to commentate_
◊ *Dia mengulas untuk TV3.* He commentates for TV3.
② _to comment_
◊ *Pihak polis enggan mengulas lanjut tentang kes itu.* The police refused to comment further on the case.
**pengulas** KATA NAMA
_commentator_
**pengulasan** KATA NAMA
_commentary_ (JAMAK **commentaries**)
◊ *Gaya pengulasan Lalitha berbeza daripada orang lain.* Lalitha's style of commentary is different from other people's.
**ulasan** KATA NAMA
① _commentary_ (JAMAK **commentaries**)
◊ *Dia memberikan ulasan yang berterusan.* He gave a running commentary. ◊ *En. Vishnu akan menulis satu ulasan tentang masyarakat dan*

*budaya India.* Mr Vishnu will be writing a commentary on Indian society and culture.

2  *comment*
◊  *Saya sedang menunggu ulasan anda tentang topik ini.* I'm waiting for your comments on this topic.

3  *review (buku, filem)*

**ulat**  KATA NAMA
*caterpillar*

**uli**

**menguli**  KATA KERJA
*to knead*
◊  *Punita menunjukkan cara menguli adunan itu kepada anak perempuannya.* Punita showed her daughter how to knead the dough.

**ulir**  KATA NAMA
*thread*
◊  *ulir pada skru* the thread on a screw

**ulser**  KATA NAMA
*ulcer*

**ultralembayung**  KATA NAMA
*ultraviolet*
◊  *cahaya ultralembayung* ultraviolet light

**ulung**  KATA ADJEKTIF
*outstanding*
◊  *pemimpin yang ulung* an outstanding leader

**terulung**  KATA ADJEKTIF
*the most outstanding*
◊  *atlit yang terulung sehingga kini* the most outstanding athlete so far

**umat**  KATA NAMA
*followers of a religion*
♦  **umat Islam**  Muslims
♦  **umat Kristian**  Christians
♦  **umat manusia**  mankind

**umbang-ambing**

**terumbang-ambing**  KATA KERJA
*to bob up and down*
◊  *Rakit itu terumbang-ambing di sungai.* The raft was bobbing up and down on the river.
♦  **Kapal itu terumbang-ambing dipukul ombak.** The ship was tossed up and down by the waves.

**umbi**  KATA NAMA
*tuber*

**umpama**  KATA SENDI
*as ... as*
◊  *Wajahnya cantik umpama bidadari.* She is as beautiful as an angel.
♦  **umpama kata**  supposing ◊ *Umpama kata anda memenangi RM1 juta...* Supposing you won RM1 million...

**mengumpamakan**  KATA KERJA
*to liken*
◊  *Dia mengumpamakan perkahwinan*

*sebagai perhambaan.* She likens marriage to slavery.

**perumpamaan**  KATA NAMA
*idiom*

**seumpama**  KATA ADJEKTIF
*similar*
◊  *Sikap Cathy seumpama sikap abangnya.* Cathy's attitude is similar to her brother's.
♦  **dan yang seumpamanya**  and the like
♦  **Pak Mahat tidak dapat bersabar lagi dengan hinaan seumpama itu.** Pak Mahat couldn't tolerate such humiliation any longer.
♦  **Perbuatan seumpama ini tidak digalakkan dalam Islam.** Such action is not encouraged in Islam.

**umpamanya**  KATA SENDI
*for example*
◊  *Pilihlah warna yang terang umpamanya warna merah.* Pick bright colours, for example red.

**umpan**  KATA NAMA
*bait*

**berumpankan**  KATA KERJA
*with ... as bait*
◊  *Amin memancing ikan dengan berumpankan udang.* Amin went fishing with prawns as bait.

**mengumpan**  KATA KERJA
*to lure*
◊  *Dia cuba mengumpan tupai itu dari pokok itu dengan kacang tanah.* He tried to lure the squirrel from the tree with peanuts.

**umpat**  KATA NAMA
*gossip*
♦  **umpat-umpatan**  gossiping ◊ *Umpat-umpatan itu menyebabkan hubungannya dengan jirannya menjadi renggang.* All the gossiping strained her relationship with her neighbour.

**mengumpat**  KATA KERJA
*to gossip*
◊  *Jiran-jirannya selalu mengumpat tentang dirinya.* Her neighbours are always gossiping about her.

**pengumpat**  KATA NAMA
*gossip*
◊  *Mereka menjauhkan diri daripada pengumpat itu.* They kept their distance from the gossip.

**umpatan**  KATA NAMA
*gossip*
◊  *Saya benar-benar marah apabila mendengar umpatan itu.* I was really angry when I heard the gossip.

**umpil**

**mengumpil**  KATA KERJA

U

_to lever_
◊ _Pekebun itu mengumpil keluar seketul batu dari tanah._ The farmer levered a rock out of the ground.
**pengumpil** KATA NAMA
_lever_

**umrah** KATA NAMA
_short pilgrimage to Mecca_ (_penjelasan umum_)

**umum** KATA ADJEKTIF
_general_
**mengumumkan** KATA KERJA
_to announce_
◊ _Jurulatih itu mengumumkan nama pemain-pemain yang terpilih untuk mewakili sekolah._ The coach announced the name of the players selected to represent the school.
♦ **"Mengumumkan ketibaan..."** "Announcing the arrival of..."
**pengumuman** KATA NAMA
_announcement_

**umur** KATA NAMA
_age_
◊ _semasa umur tiga tahun_ at the age of three
♦ **Umur datuk saya 90 tahun.** My grandfather is 90 years old.
♦ **di bawah umur** under age
**berumur** KATA KERJA
_aged_
◊ _Hanya orang yang berumur 18 tahun ke atas layak menyertai peraduan ini._ Only those aged 18 years and over are eligible to enter the contest.
♦ **Saya berumur 14 tahun.** I'm 14 years old.
♦ **seorang kanak-kanak yang berumur 10 tahun** a 10-year-old child
♦ **sudah berumur (1)** aged ◊ _Dia sudah berumur._ She has aged.
♦ **sudah berumur (2)** elderly ◊ _seorang lelaki yang sudah berumur_ an elderly man
**seumur** KATA ADJEKTIF
_same age_
◊ _Karen seumur dengan sepupunya._ Karen is the same age as her cousin.
♦ **jaminan seumur hidup** lifetime guarantee
♦ **Saya akan mengenang jasa anda seumur hidup.** I'll be grateful to you for the rest of my life.
♦ **hukuman penjara seumur hidup** life imprisonment

**uncang** KATA NAMA
_pouch_ (JAMAK **pouches**)
♦ **uncang teh** tea bag

**undan** KATA NAMA

♦ **burung undan** pelican
**undang (1)**
**mengundang** KATA KERJA
_to invite_
◊ _Dia mengundang kami ke majlis perkahwinannya._ She invited us to her wedding.
**undangan** KATA NAMA
⎡1⎤ _guest_
⎡2⎤ _invitation_

**undang (2)**
**undang-undang** KATA NAMA
_law_
**perundangan** KATA NAMA
_legislation_
♦ **badan perundangan** legislative body

**undi** KATA NAMA
_vote_
**mengundi** KATA KERJA
_to vote_
◊ _Ramai orang tidak keluar mengundi semasa pilihan raya yang lepas._ Many people did not vote at the last election.
**pengundi** KATA NAMA
_voter_
**pengundian** KATA NAMA
_voting_
◊ _Calon tidak dibenarkan berada di dalam dewan semasa pengundian dijalankan._ Candidates are not allowed in the hall during voting.

**undur** KATA KERJA
_to move back_
◊ _Sila undur ke belakang._ Please move back.
**berundur, mengundur** KATA KERJA
_to move back_
◊ _Dia berundur untuk memberikan laluan kepada ibunya._ He moved back to let his mother pass.
♦ **Askar-askar itu berundur.** The soldiers retreated.
**mengundurkan** KATA KERJA
_to reverse_ (_kenderaan_)
◊ _Dia mengundurkan kereta._ He reversed the car.
**pengunduran** KATA NAMA
_withdrawal_ (_tentera_)

**unggas** KATA NAMA
_birds_

**unggis**
**mengunggis** KATA KERJA
_to nibble_
◊ _Arnab itu sedang mengunggis sebiji lobak merah._ The rabbit was nibbling a carrot.

**unggul** KATA ADJEKTIF
_excellent_
**keunggulan** KATA NAMA

*excellence*
**unggun** KATA NAMA
*a pile of firewood*
+ **unggun api** bonfire
   **menggunakan** KATA KERJA
   *to build a pile of*
   ◊ *Pengakap-pengakap itu menggunakan kayu di padang sekolah.* The scouts built a pile of wood on the school field.
   **unggunan** KATA NAMA *rujuk* **unggun**
**ungkai**
   **mengungkai** KATA KERJA
   ① *to untie*
   ◊ *Dia mengungkai ikatan pada rambutnya.* She untied her hair.
   ② *to undo*
   ◊ *Rosnah mengungkai beg plastik itu lalu mengeluarkan sebungkus kacang tanah.* Rosnah undid the plastic bag and took out a packet of peanuts.
   **terungkai** KATA KERJA
   *to come undone*
   ◊ *Tali kasut anda sudah terungkai.* Your shoelaces have come undone.
+ **Dia membiarkan rambutnya terungkai.** She let her hair hang loose.
**ungkap**
   **mengungkap, mengungkapkan** KATA KERJA
   *to express*
   ◊ *Dia tidak dapat mengungkapkan pendapatnya dengan jelas.* He couldn't express his opinion clearly.
   **pengungkapan** KATA NAMA
   *expression*
   ◊ *Dia mempunyai gaya pengungkapan yang tersendiri.* He has a unique style of expression.
   **terungkap** KATA KERJA
   *to be expressed*
+ **Rasa gembiranya tidak terungkap dengan kata-kata.** Words could not express her happiness.
   **ungkapan** KATA NAMA
   *expression*
   ◊ *Jangan gunakan ungkapan yang kasar.* Don't use coarse expressions.
**ungkil**
   **mengungkil** KATA KERJA
   *to lever*
   ◊ *Pekebun itu mengungkil keluar seketul batu dari tanah.* The farmer levered a rock out of the ground.
   **pengungkil** KATA NAMA
   *lever*
**ungkit**
   **mengungkit, mengungkit-ungkit** KATA KERJA

*to drag ... up*
   ◊ *Saya tidak mahu mengungkit kejadian itu lagi.* I don't want to drag that incident up again.
**ungu** KATA ADJEKTIF
   *purple*
   **keungu-unguan** KATA ADJEKTIF
   *purplish*
   ◊ *bunga yang berwarna biru keungu-unguan* purplish-blue flowers
**uniform** KATA NAMA
   *uniform*
   **beruniform** KATA KERJA
   *to wear a uniform*
   ◊ *Pelajar-pelajar mesti beruniform ke sekolah.* Students must wear uniforms to school.
+ **unit beruniform** uniformed units
**unik** KATA ADJEKTIF
   *unique*
   **keunikan** KATA NAMA
   *uniqueness*
**unit** KATA NAMA
   *unit*
**universiti** KATA NAMA
   *university* (JAMAK **universities**)
**unjur**
   **mengunjurkan** KATA KERJA
   *to stretch out*
   ◊ *Penumpang-penumpang kelas pertama dapat mengunjurkan kaki mereka dengan selesa.* First-class passengers can stretch out their legs in comfort.
   **terunjur** KATA KERJA
   *to stretch out*
   ◊ *Helmi duduk di atas sofa itu dengan kakinya terunjur.* Helmi sat on the sofa with his legs stretched out.
**unsur** KATA NAMA
   *element*
   **berunsur** KATA KERJA
   *to contain elements of*
   ◊ *Laporan ini jelas berunsur fitnah dan propaganda.* This report clearly contains elements of slander and propaganda.
   ◊ *Ada kalanya berunsur tidak diterjemahkan ke dalam bahasa Inggeris.*
   ◊ *teks berunsur sastera* literary text
   ◊ *teks berunsur sains* scientific text
   **berunsurkan** KATA KERJA
   *to contain elements of*
   ◊ *Ideanya berunsurkan Marxisme.* His ideas contain elements of Marxism.
**unta** KATA NAMA
   *camel*
**untai** KATA NAMA
   *rujuk juga* **untai** PENJODOH BILANGAN

U

_thread for stringing beads_
**beruntai-untai**  KATA BILANGAN
_strings_
◊  *Jalan raya itu dihias dengan lampu
yang beruntai-untai menjelang musim
perayaan.*  The street was decorated with
strings of lights as the festive season
approached.
**teruntai**  KATA KERJA
_to dangle_
◊  *Anting-anting berlian teruntai pada
telinganya.*  Diamond earrings dangled
from her ears.
**untaian**  KATA NAMA
_chain_
◊  *untaian peristiwa yang pelik*  a bizarre
chain of events

**untai**  PENJODOH BILANGAN
> _rujuk juga_ **untai** KATA NAMA
_string_
◊  *seuntai manik*  a string of beads
*Kadang-kadang **untai** tidak
diterjemahkan.*
◊  *Dia memakai seuntai rantai berlian
ke majlis makan malam itu.*  She wore a
diamond necklace to the dinner.

**unting (1)**  KATA NAMA
1  _bundle_
2  _hank_ (*untuk tali*)
**unting-unting**  KATA NAMA
_tail of a kite_

**unting (2)**
**unting-unting**  KATA NAMA
_plumb line_
♦  **tali unting-unting**  plumb line

**untuk**  KATA HUBUNG
> _rujuk juga_ **untuk** KATA SENDI
_to_
◊  *Emak saya pergi ke bandar untuk
membeli makanan.*  My mother went to
town to buy some food.
**memperuntukkan**  KATA KERJA
_to allocate_
◊  *Pihak sekolah telah memperuntukkan
wang berjumlah RM3000 untuk membantu
pelajar-pelajar miskin.*  The school
authorities have allocated RM3000 to help
poor students.
**peruntukan**  KATA NAMA
_allocation_
◊  *Semua sekolah akan menerima
peruntukan sumber-sumber baru.*  All
schools will receive an allocation of new
resources.

**untuk**  KATA SENDI
> _rujuk juga_ **untuk** KATA HUBUNG
_for_
◊  *Devi menjahit sehelai baju untuk
kawannya.*  Devi made a dress for her

friend.

**untung**  KATA NAMA
_profit_
◊  **untung bersih**  net profit ◊  **untung
kasar**  gross profit
**beruntung**  KATA KERJA
_fortunate_
◊  *Kami sangat beruntung kerana
mendapat tiket percuma ke konsert itu.*
We were very fortunate to get free tickets
for the concert.
**keuntungan**  KATA NAMA
_profit_
◊  *Syarikat itu mendapat keuntungan
sebanyak RM5 juta.*  The company made
a profit of RM5 million.
**menguntungkan**  KATA KERJA
1  _to benefit_
◊  *Projek ini akan menguntungkan
seluruh masyarakat.*  This project will
benefit the whole of society.
2  _profitable_
◊  *perniagaan yang menguntungkan*
a profitable business
3  _beneficial_
◊  *aktiviti-aktiviti yang menguntungkan*
beneficial activities

**upacara**  KATA NAMA
_ceremony_ (JAMAK **ceremonies**)
◊  *upacara pembukaan*  opening
ceremony
♦  **upacara pengebumian**  burial

**upah**  KATA NAMA
_wage_
◊  *Para pekerja akan dibayar upah.*
Workers will be paid a wage.
**mengupah**  KATA KERJA
_to hire_
◊  *Puan Wong mengupah seorang
pembantu rumah.*  Mrs Wong hired a
maid.
**pengupah**  KATA NAMA
_employer_
**upahan**  KATA ADJEKTIF
_hired_
◊  *buruh upahan*  hired labourer
◊  *pembunuh upahan*  hired killer

**upaya**  KATA NAMA
_way_
◊  *Kami sudah habis upaya untuk
menyelesaikan masalah itu.*  We've tried
every way we know to solve the problem.
♦  **Dia hilang upaya setelah ditimpa
kemalangan.**  He became incapacitated
after having an accident.
♦  **Saya akan mencuba sedaya upaya saya
untuk menyiapkan lukisan itu esok.**  I
will try my best to complete the painting by
tomorrow.

**berupaya**  KATA KERJA
_to be capable of_
◊ *Dia berupaya makan tiga mangkuk nasi sehari.*  He's capable of eating three bowls of rice a day.
♦ **tidak berupaya**  incapable
**keupayaan**  KATA NAMA
_capability_ (JAMAK **capabilities**)
◊ *Semua orang mempunyai keupayaan fizikal dan mental yang berbeza.*  Everybody has different physical and mental capabilities.
♦ **ketidakupayaan**  inability
**berkeupayaan**  KATA KERJA
_capable_
◊ *Mesin itu berkeupayaan mengangkat beban seberat 5 tan.*  The machine is capable of lifting a 5-ton load.
♦ **berkeupayaan tinggi**  powerful ◊ *sistem komputer yang berkeupayaan tinggi*  a powerful computer system

**urai**
**mengurai**  KATA KERJA
_to hang loose_
◊ *rambutnya yang panjang mengurai*  her long hair which was hanging loose
**menguraikan**  KATA KERJA
_to untie_
◊ *Pekerja itu menguraikan sepanduk yang tergantung di pintu masuk dewan.*  The worker untied the banner hanging at the entrance to the hall.
♦ **menguraikan perjanjian**  to terminate an agreement
**penguraian**  KATA NAMA
_separation_
◊ *penguraian molekul kepada atom-atom*  the separation of molecules into atoms
**terurai**  KATA KERJA
1 _to be untied_
◊ *Tali pada bungkusan itu sudah terurai.*  The string of the parcel has been untied.
2 _loose_
◊ *Dia kelihatan jelita dengan rambutnya terurai.*  She looks beautiful with her hair loose.

**Uranus**  KATA NAMA
_Uranus_
**urat (1)**  KATA NAMA
_vein_
♦ **urat saraf**  nerve
**urat (2)**  PENJODOH BILANGAN
_piece_
◊ *dua urat benang*  two pieces of thread
♦ **dua urat rambut**  two hairs
**urat (3)**
**mengurat**  KATA KERJA
_to chase_
◊ *Tony sedang mengurat Mary.*  Tony is chasing Mary.

**ura-ura**  KATA NAMA
_proposal_
◊ *Ada ura-ura untuk membina sebuah taman permainan di situ.*  There is a proposal to build a playground there.
**berura-ura**  KATA KERJA
_to plan_
◊ *Mereka berura-ura hendak mengadakan jamuan perpisahan di Hotel Hilton.*  They plan to have a farewell party at the Hilton Hotel.

**urbanisasi**  KATA NAMA
_urbanization_
**mengurbanisasikan**  KATA KERJA
_to urbanize_

**urup**
**mengurup**  KATA KERJA
_to exchange_
◊ *Anda boleh mengurup mata wang asing di bank.*  You can exchange foreign currency at the bank.
**pengurup**  KATA NAMA
_money changer_
♦ **pengurup wang**  money changer

**urus**  KATA KERJA
_to manage_
◊ *Uruslah masa anda dengan baik dan anda akan berjaya.*  Manage your time well and you will succeed.
**mengurus, menguruskan**  KATA KERJA
_to manage_
◊ *Isterinya sangat pandai mengurus rumah.*  His wife manages the home well.
◊ *Chee Seng akan menguruskan projek itu.*  Chee Seng will manage the project.
♦ **Saya akan menguruskan hal ini.**  I'll handle this.
**pengurus**  KATA NAMA
_manager_
♦ **pengurus mayat**  undertaker
**pengurusan**  KATA NAMA
_management_
◊ *Dia bertanggungjawab terhadap pengurusan zoo itu.*  He is responsible for the management of the zoo.
**terurus**  KATA KERJA
_organized_
◊ *Pastikan semua hal terurus dengan baik.*  Make sure everything is well organized.
♦ **tidak terurus**  disorganized
♦ **Dia menyikat rambutnya yang tidak terurus itu.**  He combed his untidy hair.
♦ **Rumah Aini tidak terurus sejak dia pergi bercuti beberapa bulan di Paris.**  Aini's house has been neglected since she went for a few months' holiday in Paris.

**U**

**urusan** KATA NAMA
_matter_
◊ _Saya hendak membincangkan satu urusan penting dengan anda._ I have an important matter to discuss with you.

♦ **urusan perniagaan** business matters
♦ **En. Ramesh berada di Pahang kerana urusan perniagaan.** Mr Ramesh is in Pahang on business.
**berurusan** KATA KERJA
_to deal_
◊ _Dia perlu berurusan dengan ramai pelanggan._ She has to deal with many clients.

**urus janji** KATA NAMA
_deal_

**urus niaga** KATA NAMA
_transaction_

**urus setia** KATA NAMA
_secretariat_

**urut (1)** KATA KERJA
_to massage_
♦ **tukang urut (1)** masseur (_lelaki_)
♦ **tukang urut (2)** masseuse (_perempuan_)
**berurut** KATA KERJA
_to have a massage_
♦ **Vicky pergi berurut di kampung untuk merawat kakinya yang terseliuh.** Vicky went for a massage in the village to treat her sprained ankle.
**mengurut** KATA KERJA
_to massage_
◊ _Dia mengurut kakinya yang sakit._ She massaged her aching feet.
**pengurutan** KATA NAMA
_massage_
◊ _Pengurutan bukanlah rawatan jangka panjang untuk mengatasi masalah tekanan._ Massage isn't a long-term cure for stress.

**urut (2)** .
**urutan** KATA NAMA
_sequence_
◊ _urutan nombor_ a sequence of numbers

**usah** KATA PERINTAH
_don't_
◊ _Usah bimbang._ Don't worry.
♦ **Tak usahlah anda pergi.** Don't go.
**usahkan** KATA HUBUNG
_let alone_
◊ _Usahkan belajar, hendak membuka buku pun dia malas._ He doesn't even open his books, let alone study.

**usaha** KATA NAMA
_effort_
◊ _Kejayaannya itu dicapai atas usahanya sendiri._ His success was achieved through his own efforts.

♦ **daya usaha** initiative
♦ **usaha mencari** search ◊ _Usaha mencari gadis itu telah dihentikan._ The search for the girl was abandoned.
**berusaha** KATA KERJA
_to make an effort_
◊ _Saya akan berusaha menghubunginya hari ini._ I'll make an effort to contact her today.
♦ **berusaha bersungguh-sungguh** to work hard
**mengusahakan** KATA KERJA
_to work_
◊ _Suhaila menghabiskan banyak masa mengusahakan kraf tangannya._ Suhaila spends a lot of time working on her handicraft. ◊ _Dia mengupah mereka untuk mengusahakan ladangnya._ He hired them to work his field.
♦ **mengusahakan kedai** to run a shop
**pengusaha** KATA NAMA
_entrepreneur_
♦ **pengusaha kilang** manufacturer
**pengusahaan** KATA NAMA
_management_
◊ _En. Muthu berpengalaman dalam pengusahaan ladang getah._ Mr Muthu is experienced in the management of rubber plantations.
**perusahaan** KATA NAMA
_industry_ (JAMAK **industries**)
◊ _perusahaan tempatan_ local industry

**usaha sama** KATA NAMA
_joint venture_
◊ _Perniagaan ini merupakan usaha sama antara Cherie dengan kakaknya._ The business is a joint venture between Cherie and her sister.

**usahawan** KATA NAMA
_entrepreneur_
**keusahawanan** KATA NAMA
_entrepreneurship_
◊ _perdagangan dan keusahawanan_ commerce and entrepreneurship
♦ **ciri-ciri keusahawanan** entrepreneurial qualities

**usang** KATA ADJEKTIF
[1] _shabby_
◊ _rumah yang usang_ a shabby house
◊ _pakaian yang usang_ shabby clothes
[2] _obsolete_
◊ _perkataan yang usang_ obsolete word
◊ _komputer yang usang_ obsolete computers
**keusangan** KATA NAMA
_shabbiness_
◊ _keusangan bangunan itu_ the shabbiness of the building

**usap**

**mengusap** KATA KERJA
*to wipe*
◊ *Miranda mengusap air matanya dengan tisu.* Miranda wiped away her tears with a tissue. ◊ *Timothy mengusap peluh dari mukanya.* Timothy wiped the sweat from his face.

**mengusapi** KATA KERJA
*to stroke*
◊ *Aishah mengusapi tangan neneknya.* Aishah stroked her grandmother's hand.
◊ *Rogayah menonton televisyen sambil mengusapi kucingnya.* Rogayah was watching TV and stroking her cat.

**usapan** KATA NAMA
*caress* (JAMAK **caresses**)
◊ *Usapan emaknya menenangkan perasaannya.* Her mother's caresses calmed her.

**usia** KATA NAMA
*age*
◊ *semasa usia tiga tahun* at the age of three
♦ **Usia datuk saya 90 tahun.** My grandfather is 90 years old.
♦ **Apabila usia kita semakin lanjut,...** As we get older,...

**berusia** KATA KERJA
*aged*
◊ *Hanya orang yang berusia 18 tahun ke atas layak menyertai peraduan ini.* Only those aged 18 years and over are eligible to enter the contest.
♦ **Saya berusia 14 tahun.** I'm 14 years old.
♦ **seorang kanak-kanak yang berusia 10 tahun** a 10-year-old child

**usik** KATA KERJA
*to disturb*
◊ *Jangan usik barang-barang saya.* Don't disturb my things.

**mengusik, mengusik-usik** KATA KERJA
1 *to tease*
◊ *Dia suka mengusik sepupunya.* He likes to tease his cousin.
2 *to touch*
◊ *Saya melarangnya mengusik komputer saya.* I told him not to touch my computer.

**pengusik** KATA NAMA
*teaser*

**usikan** KATA NAMA
*teasing*
◊ *Dia tidak tahan dengan usikan rakan-rakan sekelasnya.* She couldn't stand the teasing of her classmates.

**usir**
**mengusir** KATA KERJA
1 *to chase*
◊ *Nasir mengusir anjing liar itu.* Nasir

chased the stray dog away.
♦ **Anak yang tidak mengenang jasa itu telah mengusir ayahnya dari rumah.** The ungrateful child drove his father out of the house.
2 *to evict*
◊ *Pemaju itu mengusir penyewa-penyewa dari rumah mereka.* The developer evicted the tenants from their homes.

**ustaz** KATA NAMA
(lelaki)
*religious teacher*

**ustazah** KATA NAMA
(perempuan)
*religious teacher*

**usul** KATA NAMA
*proposal*
◊ *Dia mengemukakan usul itu kepada penyelianya.* He put the proposal to his supervisor.

**mengusulkan** KATA KERJA
*to propose*
◊ *Saya mengusulkan agar lawatan itu diadakan pada 24 Oktober.* I propose that the visit be held on 24 October.

**pengusul** KATA NAMA
*proposer*

**usung**
**mengusung** KATA KERJA
*to carry ... on a stretcher*
◊ *Ahli pertolongan cemas mengusung pemain yang tercedera itu keluar dari padang.* First-aiders carried the injured player off the field on a stretcher.

**pengusung** KATA NAMA
*stretcher-bearer*

**usungan** KATA NAMA
1 *stretcher* (untuk pesakit)
2 *litter* (untuk golongan bangsawan pada masa dahulu)

**usus** KATA NAMA
*intestine*

**utama** KATA ADJEKTIF
*main*
◊ *Tarikan utama pelancong ialah pantai yang indah.* The main tourist attraction is the beautiful beaches.
♦ **watak utama** leading character

**keutamaan** KATA NAMA
*priority*
◊ *lorong keutamaan* priority lane
◊ *Warga tua akan diberi keutamaan.* Senior citizens will be given priority.

**mengutamakan** KATA KERJA
*to give priority to*
◊ *Ibu bapa harus mengutamakan keperluan anak-anak mereka.* Parents should give priority to the needs of their

**U**

children.

**terutama**　KATA HUBUNG

*especially*

◊　*Maureen suka akan haiwan terutama arnab.*　Maureen likes animals, especially rabbits.

♦　**terutama sekali**　especially

♦　**Tuan Yang Terutama**　His Excellency

**utara (1)**　KATA ADJEKTIF

> rujuk juga **utara** KATA ARAH

*northern*

◊　*kawasan utara*　northern region

**utara**　KATA ARAH

> rujuk juga **utara** KATA ADJEKTIF

*north*

◊　*beberapa ratus batu ke utara*　several hundred miles to the north

**utara (2)**

**mengutarakan**　KATA KERJA

1 *to voice*

◊　*Ramai penghuni mengutarakan rasa tidak puas hati mereka.*　Many residents voiced their dissatisfaction.

2 *to suggest*

◊　*Guru itu mengutarakan agar Jeya diberi peluang mewakili sekolah.*　The teacher suggested that Jeya be given a chance to represent the school.

**Utarid**　KATA NAMA

*Mercury*

**utas**　KATA NAMA

> rujuk juga **utas** PENJODOH BILANGAN

*thread for stringing beads*

**utas**　PENJODOH BILANGAN

> rujuk juga **utas** KATA NAMA
>
> **utas** *tidak ada terjemahan dalam bahasa Inggeris.*

◊　*tiga utas kalung berlian*　three diamond necklaces ◊　*seutas jam tangan* a watch

**utuh**　KATA ADJEKTIF

*sound*

◊　*hujah yang utuh*　a sound argument

**keutuhan**　KATA NAMA

*strength*

◊　*keutuhan persahabatan mereka*　the strength of their friendship

♦　**keutuhan negara**　the country's integrity

**mengutuhkan**　KATA KERJA

*to strengthen*

◊　*polisi-polisi yang akan mengutuhkan ekonomi negara*　policies that will strengthen the country's economy

**utus**

**berutus**　KATA KERJA

♦　**berutus surat**　to correspond ◊　*Kami kerap berutus surat.*　We correspond frequently.

**mengutus**　KATA KERJA

*to send*

◊　*Saya baru sahaja mengutus surat kepada datuk saya kelmarin.*　I sent a letter to my grandfather only yesterday.

◊　*Dia selalu mengutus berita tentang anak-anaknya.*　She always sends news about her children.

**perutusan**　KATA NAMA

1 *delegation*

◊　*perutusan Malaysia ke Afrika Selatan* Malaysia's delegation to South Africa

2 *message*

◊　*Beliau membaca perutusan Ratu Elizabeth semasa upacara pembukaan itu.* He read Queen Elizabeth's message during the opening ceremony.

**utusan**　KATA NAMA

*delegate*

**uzur**　KATA ADJEKTIF

*infirm*

# V

**vagina** KATA NAMA
*vagina*

**vaksin** KATA NAMA
*vaccine*
**memvaksin** KATA KERJA
*to vaccinate*
**pemvaksinan** KATA NAMA
*vaccination*

**vakum** KATA NAMA
*vacuum*
**memvakum** KATA KERJA
*to vacuum*

**van** KATA NAMA
*van*

**vandalisme** KATA NAMA
*vandalism*
◊ *Polis menangkap pemuda yang melakukan vandalisme itu.* The police arrested the young man who had committed the vandalism.

**vanila** KATA NAMA
*vanilla*

**variasi** KATA NAMA
*variety*
◊ *koleksi CDnya yang kurang variasi* the lack of variety in his CD collection

**varnis** KATA NAMA
*varnish*
◊ *menyapu varnis pada meja* to apply varnish to a table

**vas** KATA NAMA
*vase*

**vegetarian** KATA NAMA
*vegetarian*

**vektor** KATA NAMA
*carrier*
♦ **vektor pembawa penyakit** the organism carrying the disease

**velodrom** KATA NAMA
*racetrack* (*lumba basikal*)

**versi** KATA NAMA
*version*
◊ *Filem animasi 'Tarzan' mempunyai versi bahasa Melayu.* There's a Malay version of the animated film 'Tarzan'.

**vertebra** KATA NAMA
*vertebra*

**vertikal** KATA ADJEKTIF
*vertical*

**veteran** KATA NAMA
*veteran*

**veto** KATA NAMA
*veto*
◊ *kuasa veto* power of veto

**video** KATA NAMA
*video* (JAMAK **videos**)

**vila** KATA NAMA
*villa*

**viola** KATA NAMA
*viola*

**violet** KATA NAMA
*violet*

**Virgo** KATA NAMA
*Virgo* (*bintang zodiak*)

**virus** KATA NAMA
*virus* (JAMAK **viruses**)

**visa** KATA NAMA
*visa*

**visi** KATA NAMA
*vision*

**visual** KATA ADJEKTIF
*visual*

**vitamin** KATA NAMA
*vitamin*

**vodka** KATA NAMA
*vodka* (*minuman keras*)

**vokal** KATA NAMA
*vowel*
♦ **huruf vokal** vowels

**vokalis** KATA NAMA
*vocalist*

**vokasional** KATA ADJEKTIF
*vocational*
◊ *sekolah vokasional* vocational school

**volt** KATA NAMA
*volt*

**voltan** KATA NAMA
*voltage*

**volum** KATA NAMA
*volume*

**wabak** KATA NAMA
*epidemic*
◊ *Wabak demam kuning sedang merebak di kawasan itu.* A yellow fever epidemic is spreading through the area.
◊ *Jenayah di kalangan pelajar merupakan wabak yang berbahaya.* Student crime constitutes a dangerous epidemic.

**wacana** KATA NAMA
*discourse* (linguistik)

**wad** KATA NAMA
*ward*
♦ **wad kecemasan** casualty (JAMAK **casualties**)

**wadah** KATA NAMA
⬚1⬚ *container*
⬚2⬚ *means*
◊ *Kamus boleh digunakan sebagai wadah untuk menambahkan perbendaharaan kata seseorang.* A dictionary can be used as a means of expanding a person's vocabulary.

**wafat** KATA KERJA
(*untuk nabi, rasul*)
*to pass away*
**kewafatan** KATA NAMA
*death*
◊ *kewafatan Nabi Muhammad* the death of the Prophet Muhammad

**wah** KATA SERUAN
*wow*
◊ *'Wah, cantiknya rumah itu!'* 'Wow! What a beautiful house.'

**wahai** KATA SERUAN
wahai *tidak ada terjemahan dalam bahasa Inggeris.*
◊ *Wahai pelajar-pelajar sekalian,...* Students,... ◊ *Wahai anak-anakku,...* My children,...

**wahana** KATA NAMA
*medium*
◊ *Filem boleh digunakan sebagai wahana untuk menyampaikan mesej.* Films can be used as a medium for conveying messages.

**wahyu** KATA NAMA
*revelation*
◊ *Dia mendakwa mendapat wahyu daripada Tuhan melalui mimpinya.* He claimed to have received a divine revelation through his dream.

**wain** KATA NAMA
*wine* (minuman keras)

**waja** KATA ADJEKTIF
♦ **besi waja** steel
♦ **hati waja** a stout heart
♦ **semangat waja** a resolute spirit

**wajadiri** KATA NAMA
*self-defence*

**wajah** KATA NAMA
*face*

**wajar** KATA ADJEKTIF
*should*
◊ *Orang muda wajar menghormati orang yang lebih tua.* Young people should respect their elders.
♦ **Tindakan pihak polis menahan perusuh-perusuh itu memang wajar.** The police did the right thing when they arrested the demonstrators.
♦ **Tindakan anda itu memang wajar.** You did the right thing.
♦ **tidak wajar** unreasonable

**kewajaran** KATA NAMA
*appropriateness*
◊ *Saya meragui kewajaran di sebalik tindakannya itu.* I doubted the appropriateness of his action.

**sewajar** KATA ADJEKTIF
⬚1⬚ *in accordance with*
◊ *Perkara yang diajar oleh guru harus sewajar dengan sukatan pelajaran.* What is taught by the teacher should be in accordance with the school syllabus.
⬚2⬚ *appropriate*
◊ *Saya patut mendapat jawatan yang sewajar dengan kelayakan saya.* I should have been given a position appropriate to my qualifications.

**sewajarnya** KATA ADJEKTIF
⬚1⬚ *accordingly*
◊ *Mereka patut mendapat layanan yang sewajarnya.* They should be treated accordingly.
⬚2⬚ *naturally*
◊ *Apabila sesuatu yang tidak diingini berlaku, sewajarnya kita akan berasa kecewa.* When things go wrong, we naturally feel disappointed.
⬚3⬚ *proper*
◊ *Orang cacat harus diberi hak yang sewajarnya dalam masyarakat.* The disabled should be given proper rights in society.
♦ **Sewajarnya anda berfikir dahulu sebelum bertindak.** You ought to think before you act.

**wajib** KATA ADJEKTIF
⬚1⬚ *compulsory*
◊ *mata pelajaran wajib* compulsory subject
⬚2⬚ *obliged*
◊ *Para pelajar wajib mengambil kursus ini.* Students are obliged to take this course.

**berwajib** KATA KERJA
♦ **pihak yang berwajib** those in charge

◊ *Mereka akan meminta bantuan daripada pihak yang berwajib.* They will ask assistance from those in charge.

**kewajipan**  KATA NAMA
*obligation*
◊ *Kamu mempunyai kewajipan untuk menyiapkan kerja ini pada masanya.* You have an obligation to finish the work on time.

**berkewajipan**  KATA KERJA
*responsible*
◊ *Ibu bapa berkewajipan untuk membesarkan anak-anak mereka.* Parents are responsible for bringing up their children.

**mewajibkan**  KATA KERJA
*to oblige*
◊ *peraturan untuk mewajibkan pelajar mengikuti program orientasi* a rule obliging students to follow the orientation programme

**wakaf**  KATA NAMA
1 *donation*
2 *Muslim religious body*

**mewakafkan**  KATA KERJA
*to donate*
◊ *Pak Salman mewakafkan tanahnya untuk mendirikan masjid.* Pak Salman donated his land towards the building of a mosque.

**wakil**  KATA NAMA
*representative*
♦ **wakil jualan**  sales representative

**mewakili**  KATA KERJA
*to represent*
◊ *Mereka akan mewakili Malaysia dalam pertandingan itu.* They will represent Malaysia in the competition.

**mewakilkan**  KATA KERJA
*to appoint ... as representative*
◊ *Anda tidak dibenarkan mewakilkan orang lain dalam mesyuarat itu.* You are not allowed to appoint anyone else as your representative at the meeting.

**perwakilan**  KATA NAMA
1 *representation*
◊ *Filipina tidak mempunyai perwakilan dalam mesyuarat itu.* The Philippines have no representation at the meeting.
2 *delegation*
◊ *perwakilan Malaysia ke Amerika Syarikat* the Malaysian delegation to the United States

**berperwakilan**  KATA KERJA
*representative*
◊ *kerajaan berperwakilan* representative government

**waktu**  KATA NAMA
*time*

**sewaktu**  KATA HUBUNG
*when*
◊ *Dia pulang sewaktu kami hendak keluar.* He came home when we were about to go out.

**walau**  KATA HUBUNG
*even*
◊ *Aku akan mencari engkau walau dalam mimpi.* I'll look for you even in my dreams.
♦ **Walau apa pun yang terjadi saya tidak akan mengalah.** No matter what happens, I will not give up.

**walau bagaimanapun**  KATA HUBUNG
*however*
◊ *Gempa bumi kali ini agak kuat. Walau bagaimanapun tidak ramai orang yang tercedera.* The earthquake was quite powerful. However, not many people were injured.

**walaupun**  KATA HUBUNG
1 *even*
◊ *Charmaine selalu menelefon saya, walaupun selepas waktu tengah malam.* Charmaine kept phoning me, even after midnight.
2 *although*
◊ *Walaupun dia buta dia tidak pernah meminta simpati.* Although he is blind, he never asks for sympathy.
♦ **walaupun begitu**  nevertheless
◊ *Mereka sangat miskin. Walaupun begitu, anak-anak mereka selalu berpakaian kemas.* They were very poor. Nevertheless their children were always well dressed.

**walhal**  KATA HUBUNG
1 *but in fact*
◊ *Dia menyangka kerja kami mudah, walhal kerja itu begitu susah.* He thinks our job is simple, but in fact it's very difficult.
2 *even though*
◊ *Dia masih suka membaca buku itu, walhal sudah dua kali dia membacanya.* He still enjoys reading the book, even though he has already read it twice.

**wali**  KATA NAMA
1 *bride's guardian, who gives her in marriage*
2 *guardian* (penjaga anak yatim)
3 *saint*

**berwalikan**  KATA KERJA
*to have ... as the person who gives one away at one's wedding*
♦ **Kamalia berwalikan abangnya semasa perkahwinannya.** Kamalia's brother gave her away at her wedding.

**mewalikan**  KATA KERJA
*to give somebody away at a wedding*

W

◊ *Pak Mahat mewalikan perkahwinan anaknya.* Pak Mahat gave his daughter away at her wedding.

**walimatulurus**  KATA NAMA
*wedding reception*

**wang**  KATA NAMA
*money*
♦ **wang kecil**  change
♦ **wang kertas**  banknote
♦ **wang simpanan**  savings
♦ **wang tebusan**  ransom
♦ **wang tunai**  cash
**kewangan**  KATA NAMA
*financial*
◊ *hal-hal kewangan*  financial matters
♦ **Menteri Kewangan**  Finance Minister

**wangi**  KATA ADJEKTIF
*fragrant*
◊ *bau yang wangi*  fragrant smell
**mewangi**  KATA KERJA
*fragrant*
◊ *Udara di situ mewangi dengan haruman bunga melur.* The air was fragrant with the scent of jasmine.
**mewangikan**  KATA KERJA
*to scent*
◊ *Haruman bunga mawar mewangikan taman itu.* Roses scent the garden.
**pewangi**  KATA NAMA
*perfume*
**wangian**  KATA NAMA
*fragrance*

**wanita**  KATA NAMA
*woman* (JAMAK **women**)
**kewanitaan**  KATA NAMA
*feminity*
♦ **sifat-sifat kewanitaan**  feminine characteristics

**wap**  KATA NAMA
*steam*
**berwap**  KATA KERJA
*to steam*
◊ *Kopi itu masih panas dan berwap.* The coffee is still hot and steaming.
**mengewap**  KATA KERJA
[1] *to vaporize*
◊ *Cecair itu mengewap dan membentuk sejenis gas.* The liquid vaporized and formed a kind of gas.
[2] *to boil over*
◊ *Sup itu telah mengewap.* The soup has boiled over.

**warak**  KATA ADJEKTIF
*pious*
◊ *Dia seorang yang warak.* He's a pious person.
**kewarakan**  KATA NAMA
*piety*
◊ *Pemuda itu terkenal kerana kebaikan*

*dan kewarakannya.* The young man is known for his goodness and piety.

**waran**  KATA NAMA
*warrant*

**waras**  KATA ADJEKTIF
[1] *sane*
[2] *rational*
◊ *tindakan yang waras*  a rational act
♦ **tidak waras**  insane
**kewarasan**  KATA NAMA
*sanity*
◊ *Dia masih dapat mengekalkan kewarasannya dalam keadaan begitu.* He was still able to preserve his sanity in that situation.
♦ **ketidakwarasan**  insanity

**warden**  KATA NAMA
*warden*

**warga**  KATA NAMA
*member*
♦ **warga kota**  city dweller
♦ **warga tua**  the elderly
**warganegara**  KATA NAMA
*citizen atau national*
**kewarganegaraan**  KATA NAMA
*citizenship*

**waris**  KATA NAMA
[1] *heir*
◊ *Imran ialah satu-satunya waris Pak Salleh.* Imran is Pak Salleh's sole heir.
[2] *guardian*
◊ *Anda dikehendaki meminta tandatangan waris anda.* You are required to obtain your guardian's signature.
**mewarisi**  KATA KERJA
*to inherit*
◊ *Dia tidak mempunyai anak untuk mewarisi hartanya.* He has no children to inherit his wealth.
**mewariskan**  KATA KERJA
*to bequeath*
◊ *Pak Salleh mewariskan semua kekayaannya kepada Imran.* Pak Salleh bequeathed all his wealth to Imran.
**pewaris**  KATA NAMA
*heir*
**warisan**  KATA NAMA
*inheritance*

**warkah**  KATA NAMA
*letter*

**warna**  KATA NAMA
*colour*
**berwarna**  KATA KERJA
*in colour*
◊ *Baju itu berwarna putih.* The shirt is white in colour.

> *Biasanya **berwarna** tidak diterjemahkan ke dalam bahasa Inggeris.*

◊ *Pen ini berwarna merah.* This pen is red. ◊ *beg berwarna merah* a red bag
**mewarna** KATA KERJA
*to colour in*
♦ **peraduan mewarna** colouring competition
**mewarnai, mewarnakan** KATA KERJA
*to colour in*
◊ *Adik saya sedang mewarnakan lukisannya.* My brother is colouring in his drawing.
♦ **mewarnakan rambut** to dye one's hair
**pewarna** KATA NAMA
*colouring*
◊ *pewarna tiruan* artificial colouring
**warna-warni** KATA ADJEKTIF
*multicoloured*
**berwarna-warni** KATA KERJA
*multicoloured*
**warta** KATA NAMA
*news*
♦ **warta berita** (*di televisyen, radio*) various items of news
**mewartakan** KATA KERJA
*to report*
**pewarta** KATA NAMA
*reporter*
**pewartaan** KATA NAMA
*reporting*
**wartawan** KATA NAMA
*journalist*
**kewartawanan** KATA NAMA
*journalism*
**warung** KATA NAMA
*stall*
◊ *warung kopi* coffee stall
**wasap** KATA NAMA
*fumes*
◊ *wasap ekzos kereta* car exhaust fumes
**wasi** KATA NAMA
*executor* (*orang yang menunaikan wasiat*)
**wasiat** KATA NAMA
*will*
**berwasiat** KATA KERJA
*to leave a final message*
◊ *Dia berwasiat kepada anak-anaknya sebelum dia meninggal dunia.* He left a final message for his children before he died.
**mewasiatkan** KATA KERJA
*to bequeath*
◊ *Frank telah mewasiatkan hartanya kepada isterinya.* Frank bequeathed his property to his wife.
**waspada** KATA KERJA
*cautious*
◊ *Para saintis perlu waspada ketika*

*menggunakan bahan kimia.* Scientists need to be cautious in their use of chemicals.
**berwaspada** KATA KERJA *rujuk* **waspada**
**wassalam** KATA SERUAN
[1] *with best wishes* (*di akhir surat*)
[2] *thank you* (*di akhir ucapan*)
**waswas** KATA ADJEKTIF

| *rujuk juga* **waswas** KATA NAMA |
|---|
[1] *to doubt*
◊ *Kamu tidak perlu waswas dengan kata-kata saya.* You shouldn't doubt what I say.
[2] *worried*
◊ *Saya masih berasa waswas selagi lelaki itu tidak ditangkap.* I'm still worried while that man remains at large.
**waswas** KATA NAMA

| *rujuk juga* **waswas** KATA ADJEKTIF |
|---|
*hesitation*
◊ *Mereka menandatangani perjanjian itu tanpa waswas.* They signed the contract without hesitation.
**watak** KATA NAMA
*character*
◊ *Saya menghormatinya kerana wataknya yang warak.* I respect him for his pious character. ◊ *Erna memegang watak Wati dalam filem itu.* Erna played the character of Wati in the film.
**perwatakan** KATA NAMA
*character*
◊ *Dia mempunyai perwatakan sebagai seorang pemimpin.* He has the character of a leader.
**watan** KATA NAMA
*homeland*
**watikah** KATA NAMA
(*rasmi*)
*letter of authorization*
♦ **watikah pelantikan** letter of appointment
**watt** KATA NAMA
*watt*
**wau** KATA NAMA

| *rujuk juga* **wau** KATA SERUAN |
|---|
*kite*
**wau** KATA SERUAN

| *rujuk juga* **wau** KATA NAMA |
|---|
*wow*
◊ *Wau, cantiknya rantai ini!* Wow, that's a lovely necklace.
**wawancara** KATA NAMA
*interview*
**berwawancara** KATA KERJA
*to have an interview*
**mewawancara** KATA KERJA
*to interview*

W

**pewawancara** KATA NAMA
*interviewer*

**wawasan** KATA NAMA
*vision*

**wayang** KATA NAMA
*movie*
- **wayang Cina** Chinese opera
- **wayang gambar** film

**wayar** KATA NAMA
*wire*

**Web** KATA NAMA (= *the World Wide Web*)
*the Web* (= *the World Wide Web*)

**wenang**
**sewenang-wenang** KATA ADJEKTIF
*arbitrary*
◊ *Jangan buat keputusan sewenang-wenang sahaja.* Don't make an arbitrary decision.

**weskot** KATA NAMA
*waistcoat*

**wibawa**
**berwibawa, berkewibawaan** KATA KERJA
*authoritative*
◊ *seorang pemimpin yang berwibawa* an authoritative leader
**kewibawaan** KATA NAMA
*authority*
◊ *Kewibawaannya sebagai pengarah bersandar pada pengalamannya yang luas.* His authority as director is based on his wide experience.

**wilayah** KATA NAMA
*territory* (JAMAK **territories**)
◊ *wilayah Rusia* Russian territory

**Wilayah Persekutuan** KATA NAMA
*Federal Territory*

**wira** KATA NAMA
*hero* (JAMAK **heroes**)
**keperwiraan** KATA NAMA
*heroism*

**wirawan** KATA NAMA
*hero* (JAMAK **heroes**)

**wirawati** KATA NAMA
*heroine*

**wisel** KATA NAMA
*whistle*

**wiski** KATA NAMA
*whisky* (*minuman keras*)

**wisma** KATA NAMA
*building*

**wizurai** KATA NAMA
*viceroy*

**writ** KATA NAMA
*writ* (*undang-undang*)

**wuduk** KATA NAMA
*water to purify oneself with before performing a religious duty*
**berwuduk** KATA KERJA
*to purify oneself before performing a religious duty*

**wujud** KATA ADJEKTIF
*exist*
**kewujudan** KATA NAMA
*existence*
**mewujudkan** KATA KERJA
*to create*
◊ *Pergaduhan mereka mewujudkan masalah di sekolah itu.* Their quarrel created problems in the school.

**WWW** KATA NAMA (= *Jaringan Sejagat*)
*WWW* (= *World Wide Web*)

# X

**xilofon** KATA NAMA
  *xylophone* (alat muzik)
**x-ray** KATA NAMA
  *X-ray*
  ◊ *Dia dinasihatkan supaya menjalani x-ray pada bahagian abdomennya.* She was advised to have an X-ray taken of her abdomen.
**mengx-ray** KATA KERJA
  *to X-ray*
  ◊ *Mereka mengx-ray lengan saya.* They X-rayed my arm.

# Y

**ya** KATA PEMBENAR
*yes*

**Y.A.B.** SINGKATAN (= *Yang Amat Berhormat*)
*The Most Honourable*

**Yahudi** KATA ADJEKTIF

> rujuk juga **Yahudi** KATA NAMA

*Jewish*
◊ pesta Yahudi Jewish festival

**Yahudi** KATA NAMA

> rujuk juga **Yahudi** KATA ADJEKTIF

*Jew*
♦ **agama Yahudi** Judaism
♦ **orang Yahudi** Jew

**yakin** KATA ADJEKTIF
*confident*
◊ Yusniza yakin dia akan berjaya dalam peperiksaan itu. Yusniza is confident that she'll pass the examination.
♦ **Saya tidak yakin.** I'm not convinced.
**keyakinan** KATA NAMA
*confidence*
◊ Saya telah hilang semua keyakinan padanya. I have lost all confidence in him.
♦ **keyakinan diri** self-confidence
**berkeyakinan** KATA KERJA
*confident*
◊ Dia seorang yang berkeyakinan. He's a confident person.
**meyakini** KATA KERJA
*convinced*
◊ Saya meyakini keupayaannya. I am convinced of his ability.
**meyakinkan** KATA KERJA
*to convince*
◊ Saya akan cuba meyakinkannya. I'll try to convince him.
♦ **Kata-katanya sungguh meyakinkan.** She spoke very convincingly.

**yakni** KATA HUBUNG
*that is*
◊ Buku ini akan dijual terus kepada pembaca, yakni pelajar. The book will be sold directly to its readers, that is students.

**Y.A.M.** SINGKATAN (= *Yang Amat Mulia*)
*His Royal Highness*

**Yamtuan** KATA NAMA
*the Ruler of Negeri Sembilan*

**yang** KATA HUBUNG
　1 *that*
◊ Kami telah membuat keputusan tentang nama yang hendak kami berikan kepadanya. We've already decided on the name that we want to give her. ◊ Saya terlupa membawa buku yang saya pinjam daripada kamu. I forgot to bring the book that I borrowed from you.
♦ **"Yang mana satu?"** "Which one?"
　2 *who*

◊ Guru yang mengajar kita bahasa Inggeris itu sudah meletakkan jawatan. The teacher who taught us English has resigned.
　3 *whom*
◊ Salah seorang penulis yang sangat menarik minat saya ialah Jeffrey Archer. One writer in whom I am very interested is Jeffrey Archer.
　4 *whose*
◊ gadis yang namanya Sharifah Nora the girl whose name is Sharifah Nora
　Kadang-kadang **yang** tidak ada terjemahan dalam bahasa Inggeris.
◊ Dia seorang pelajar yang rajin. He's a hardworking pupil. ◊ kereta yang mahal an expensive car

**yatim** KATA NAMA
*orphan*
♦ **anak yatim** orphan
♦ **yatim piatu** orphan

**yayasan** KATA NAMA
*foundation*

**Y.B.** SINGKATAN (= *Yang Berhormat*)
*the Honourable*

**Y.Bhg** SINGKATAN (= *Yang Berbahagia*)
*the Honourable*

**Y.B.M.** SINGKATAN (= *Yang Berhormat Mulia*)
*the Honourable*

**Y.D.P.** SINGKATAN (= *Yang Dipertua*)
*governor*

**yis** KATA NAMA
*yeast*

**Y.M.** SINGKATAN (= *Yang Mulia*)
　1 *His Highness* (lelaki)
　2 *Her Highness* (perempuan)

**yoga** KATA NAMA
*yoga*
♦ **senaman yoga** yoga
**beryoga** KATA KERJA
*to practise yoga*

**yogurt** KATA NAMA
*yogurt*

**yoyo** KATA NAMA
*yo-yo* (JAMAK **yo-yos**)

**yu** KATA NAMA
♦ **ikan yu** shark

**Yunani** KATA ADJEKTIF

> rujuk juga **Yunani** KATA NAMA

*Greek*
◊ tamadun Yunani Greek civilization

**Yunani** KATA NAMA

> rujuk juga **Yunani** KATA ADJEKTIF

*Greek*
♦ **bahasa Yunani** Greek
♦ **orang Yunani** the Greeks

**yuran** KATA NAMA
*fee*

# Z

**zahir** KATA NAMA
*outside*
◊ *Jika dilihat dari zahirnya, buku ini nampak menarik.* From the outside this book looks interesting.
♦ **pada zahirnya** on the face of it ◊ *Pada zahirnya perkara itu nampak seperti masuk akal.* On the face of it that seems to make sense.

**zaitun** KATA NAMA
*olive*
◊ *minyak zaitun* olive oil

**zakar** KATA NAMA
*penis* (JAMAK **penises**)

**zakat** KATA NAMA
*tithe* (padanan terdekat)

**zalim** KATA ADJEKTIF
*wicked*
**kezaliman** KATA NAMA
*cruelty*
◊ *kezaliman para firaun* the cruelty of the pharaohs
**menzalimi** KATA KERJA
*to oppress*
◊ *Raja itu menzalimi rakyatnya.* The king is oppressing his people.

**zaman** KATA NAMA
1 *age*
◊ *Wang sangat penting pada zaman moden ini.* Money is very important in this modern age.
2 *period*
◊ *zaman yang paling banyak peperangan dalam sejarah* the period with the most wars in history
♦ **zaman purba** ancient times
♦ **zaman ais** Ice Age
♦ **zaman batu** Stone Age
♦ **zaman pertengahan** the Middle Ages
♦ **zaman penjajahan British** the period of British colonization
♦ **ketinggalan zaman (1)** out of date (benda, fesyen)
♦ **ketinggalan zaman (2)** behind the times (mengenai orang)
**zaman-berzaman** KATA BILANGAN
*through the ages*
◊ *Kain sarung sudah digunakan sejak zaman-berzaman.* The sarong has been used through the ages.
**berzaman-zaman** KATA BILANGAN
*for ages*
◊ *Rumah itu dibiarkan kosong berzaman-zaman lamanya.* The house has been left empty for ages.

**zamrud** KATA NAMA
*emerald*

**zarah** KATA NAMA
*particle*
◊ *zarah elektron* electron particles
♦ **Saya tidak akan mengampunkan dosanya walau sebesar zarah sekalipun.** I will never forgive his wrongdoings, no matter how small.

**zat** KATA NAMA
*nutrient*
◊ *Vitamin dan protein merupakan zat yang paling penting.* Vitamins and proteins are the most essential nutrients.
♦ **zat makanan** vitamin
**berzat** KATA KERJA
*nutritious*
◊ *Kanak-kanak memerlukan makanan yang berzat setiap hari.* Children need nutritious food every day.

**ziarah** KATA NAMA
*visit*
◊ *ziarah ke makam Mahsuri* a visit to Mahsuri's grave
**berziarah** KATA KERJA
*to visit*
◊ *Mereka berziarah ke Taj Mahal.* They visited the Taj Mahal.
♦ **Guru saya akan berziarah ke rumah saya esok.** My teacher is coming to my house tomorrow.
**menziarahi** KATA KERJA.
*to visit*
◊ *Mereka menziarahi saya di hospital kelmarin.* They visited me in hospital yesterday.
**penziarah** KATA NAMA
*visitor*

**zigot** KATA NAMA
*zygote*

**zikir** KATA NAMA
*Muslim chant*
**berzikir** KATA KERJA
*to chant*
◊ *Orang Islam berzikir dan bersembahyang.* Muslims chant and pray.

**zina** KATA NAMA
*fornication*
◊ *Zina merupakan kesalahan yang berat di negara-negara Islam.* Fornication is a serious offence in Islamic countries.
♦ **melakukan zina selepas berkahwin** to commit adultery
**berzina** KATA KERJA
1 *to fornicate* (pasangan yang belum berkahwin)
2 *to commit adultery*

**zink** KATA NAMA
*zinc*

**zip** KATA NAMA
*zip*
**mengezip** KATA KERJA
*to zip*

**mengezipkan** KATA KERJA
*to zip* (*fail komputer*)

**zirafah** KATA NAMA
*giraffe*

**zodiak** KATA NAMA
*zodiac*

**zohor** KATA NAMA
*midday*
♦ **sembahyang zohor** midday prayers

**zon** KATA NAMA
*zone*
◊ *zon waktu* time zone

**zoo** KATA NAMA
*zoo* (JAMAK **zoos**)

**zoologi** KATA NAMA
*zoology*

**Zuhal** KATA NAMA
*Saturn*

**Zuhrah** KATA NAMA
*Venus*

**zuriat** KATA NAMA
*descendant*
◊ *Fariz merupakan satu-satunya zuriat Pak Leman.* Fariz is the only descendant of Pak Leman.

# Abbreviations/*Singkatan*

Abbreviations in this dictionary/*Singkatan dalam kamus ini*

**dll**   dan lain-lain ~ etc (et cetera)

**dsb**   dan sebagainya ~ etc (et cetera)

**AS**    Amerika Syarikat ~ US (United States)

---

**ABIM**  Angkatan Belia Islam Malaysia

**ABU**  Asian Broadcasting Union (Kesatuan Penyiaran Asia)

**ADB**  Asian Development Bank (Bank Pembangunan Asia)

**ADUN**  Ahli Dewan Undangan Negeri

**AFNP**  Applied Food and Nutrition Programme (Program Amalan Makanan dan Pemakanan)

**AIDS**  Acquired Immune Deficiency Syndrome (Sindrom Kurang Daya Tahan Penyakit)

**AMN**  Ahli Mangku Negara

**ANGKASA**  Angkatan Kerjasama Kebangsaan

**ANM**  Arkib Negara Malaysia

**ASAS 50**  Angkatan Sasterawan 1950

**ASEAN**  Association of Southeast Asian Nations (Pertubuhan Negara-negara Asia Tenggara)

**ASN**  Amanah Saham Nasional

**ATPC**  Association of Tin Producing Countries (Persatuan Negara-negara Pengeluar Bijih Timah)

**BA**  Bachelor of Arts (Sarjana Muda Sastera)

**BAM**  Badminton Association of Malaysia (Persatuan Badminton Malaysia)

**BBC**  British Broadcasting Corporation

**BCBB**  Bumiputra Commerce Bank Berhad

**BERNAMA**  Berita Nasional Malaysia

**BGP**  Bintang Gagah Perkasa

**BHMF**  Borneo Housing Mortgage Finance (Syarikat Permodalan Bercagar Borneo Berhad)

**BKPMB**  Bank Kemajuan Perusahaan Malaysia Berhad

**BNM**  Bank Negara Malaysia

**BPMB**  Bank Pembangunan Malaysia Berhad

**BPM**  Bank Pertanian Malaysia

**BSN**  Bank Simpanan Nasional

**CAP**  Consumer Association of Penang (Persatuan Pengguna Pulau Pinang)

**CCITT**  Co-ordinating Council for Industrial Technology Transfer (Majlis Penyelarasan untuk Pemindahan Teknologi Industri)

**CFTC**  Commonwealth Fund for Technical Co-operation (Tabung Komanwel untuk Kerjasama Teknikal)

**CGC**  Credit Guarantee Corporation (Perbadanan Jaminan Kredit)

**CIAST**  Centre for Instructor and Advanced Skill Training (Pusat Latihan Pengajar dan Ketukangan Lanjutan)

**CUEPACS**  Congress of Unions of Employees in the Public and Civil Services (Kongres Kesatuan Sekerja dalam Perkhidmatan Awam)

**DARA**  Pahang Tenggara Development Authority (Lembaga Kemajuan Pahang Tenggara)

**DEB**  Dasar Ekonomi Baru

**DK**  Darjah yang Maha Utama Kerabat Diraja Malaysia

**DMN**  Darjah Utama Seri Mahkota Negara

**DO**  District Officer (Pegawai Daerah)

**DPN**  Dewan Perancang Nasional; Dasar Pertanian Negara

**DPR**  Dewan Perwakilan Rakyat

**DSLB**  Domestic Shipping Licensing Board (Lembaga Pelesenan Perkapalan Dalam Negeri)

**DYMM**  Duli Yang Maha Mulia

**DYTM**  Duli Yang Teramat Mulia

**ECAFE**  Economic Commission for Asia and the Far East (Suruhanjaya Ekonomi bagi Asia dan Timur Jauh)

**EEZ**  Exclusive Economic Zone (Zon Ekonomi Eksklusif)

**EN.**  Encik

**EON**  Edaran Otomobil Nasional

**EPF**  Employees Provident Fund (Kumpulan Wang Simpanan Pekerja)

**EPU**  Economic Planning Unit (Unit Perancang Ekonomi)

**EU**  European Union (Kesatuan Eropah)

**FAM**  Football Association of Malaysia (Persatuan Bola Sepak Malaysia)

**FAMA**  Federal Agricultural Marketing Authority (Lembaga Pemasaran Pertanian Persekutuan)

**FAO**  Food and Agriculture Organisation (Pertubuhan Makanan dan Pertanian)

**FELCRA**  Federal Land Consolidation and Rehabilitation Authority (Lembaga Pemulihan dan Penyatuan Tanah Persekutuan)

**FELDA**  Federal Land Development Authority (Lembaga Kemajuan Tanah Persekutuan)

**FIC**  Foreign Investment Committee (Jawatankuasa Pelaburan Asing)

**FIFA**  Federation of International Football Associations (Persekutuan Persatuan Bola Sepak Antarabangsa)

**FIMA**  Food Industries of Malaysia

(Perindustrian Makanan Malaysia)
**FINAS** Perbadanan Filem Nasional
**FMC** Federation Military College
**FRIM** Forest Research Institute of Malaysia
(Institut Penyelidikan Perhutanan Malaysia)
**FRS** Fellow of the Royal Society
**FRU** Federal Reserve Unit
**GAPENA** Gabungan Persatuan Penulis Nasional
**GATT** General Agreement on Tariffs and Trade
(Perjanjian Am Mengenai Perdagangan dan Tarif)
**GCE** General Certificate of Education
**GPIM** Gabungan Pelajar-pelajar Islam Malaysia
**GPMS** Gabungan Pelajar-pelajar Melayu Semenanjung
**HICOM** Heavy Industries Corporation of Malaysia (Perbadanan Industri Berat Malaysia)
**HIV** Human Immunodeficiency Virus
**HMO** Health Management Organization (Pertubuhan Pengurusan Kesihatan)
**HMS** Her (His) Majesty's Ship
**Hon.** The Honourable, Honorary (Yang Berhormat (YB); Kehormat)
**Hon. Sec.** Honorary Secretary (Setiausaha Kehormat)
**HTML** hypertext mark-up language (bahasa penanda hiperteks)
**HTTP** hypertext transfer protocol (protokol pemindahan hiperteks)
**IBF** International Badminton Federation (Persatuan Badminton Antarabangsa)
**IBRD** International Bank for Reconstruction and Development (Bank Antarabangsa untuk Pembangunan dan Pembangunan Semula)
**IsDB** Islamic Development Bank (Bank Pembangunan Islam)
**IKM** Institut Kemahiran MARA
**ILO** International Labour Organisation (Pertubuhan Buruh Antarabangsa)
**ILP** Institut Latihan Perindustrian
**IMF** International Monetary Fund (Dana Kewangan Antarabangsa)
**IMR** Institute of Medical Research (Institut Penyelidikan Perubatan)
**INTAN** Institut Tadbiran Awam Negara
**IPTAR** Institut Penyiaran Tun Abdul Razak
**ISA** Internal Security Act (Akta Keselamatan Dalam Negeri)
**ISDN** Integrated Services Digital Network (Rangkaian Perkhidmatan Digital Bersepadu)
**ISIS** Institute of Strategic and International Studies (Institut Kajian Strategi dan Antarabangsa)
**ISP** Internet Service Provider (Pembekal Khidmat Internet)
**ITC** International Tin Council (Majlis Timah Antarabangsa)
**ITU** International Telecommunication Union
**JKR** Jabatan Kerja Raya
**JMN** Johan Mangku Negara

**JOA** Jabatan Orang Asli
**JP** Jaksa Pendamai (Justice of the Peace)
**JPA** Jabatan Perkhidmatan Awam; Jabatan Penerbangan Awam
**JPJ** Jabatan Pengangkutan Jalan
**KBSM** Kurikulum Bersepadu Sekolah Menengah
**KBSR** Kurikulum Bersepadu Sekolah Rendah
**KDN** Kementerian Dalam Negeri
**KDNK** Keluaran Dalam Negara Kasar
**KEDA** Kedah Regional Development Authority (Lembaga Kemajuan Wilayah Kedah)
**KEJORA** Johor Tenggara Development Authority (Lembaga Kemajuan Johor Tenggara)
**KEMENTAH** Kementerian Pertahanan
**KESEDAR** South Kelantan Development Authority (Lembaga Kemajuan Kelantan Selatan)
**KETENGAH** Terengganu Tengah Regional Development Authority (Lembaga Kemajuan Terengganu Tengah)
**KKMB** Kompleks Kewangan Malaysia Berhad
**KKGSK** Kesatuan Kebangsaan Guru-guru Sekolah Kebangsaan
**KLSE** Kuala Lumpur Stock Exchange (Bursa Saham Kuala Lumpur)
**KMN** Kesateria Mangku Negara
**KOBENA** Koperasi Belia Nasional
**K.P.** kad pengenalan
**KPPMS** Kesatuan Pelajar-pelajar Melayu Selangor
**KWSG** Kumpulan Wang Simpanan Guru
**KWSP** Kumpulan Wang Simpanan Pekerja
**LAN** Local Area Network (Rangkaian Kawasan Setempat)
**LKM** Lembaga Kraftangan Malaysia
**LKIM** Lembaga Kemajuan Ikan Malaysia
**LKTP** Lembaga Kemajuan Tanah Persekutuan
**LKW** Lembaga Kemajuan Wilayah
**LLM** Lembaga Lebuh raya Malaysia
**LPN** Lembaga Padi dan Beras Negara
**LPP** Lembaga Pertubuhan Peladang
**LPPKN** Lembaga Penduduk & Pembangunan Keluarga Negara
**LTN** Lembaga Tembakau Negara
**LUTH** Lembaga Urusan dan Tabung Haji
**MA** Master of Arts (Sarjana Sastera)
**MADA** Muda Agricultural Development Authority (Lembaga Kemajuan Pertanian Muda)
**MAGERAN** Majlis Gerakan Rakyat
**MAHA** Malaysian Agri-Horticultural Association
**MAJUIKAN** Lembaga Kemajuan Ikan Malaysia
**MAJUTERNAK** Lembaga Kemajuan Ternakan Negara
**MAMPU** Manpower Administrative Modernization and Planning Unit (Unit Perancangan dan Pemodenan Pentadbiran Tenaga Manusia)
**MARA** Majlis Amanah Rakyat
**MARDEC** Malaysian Rubber Development Corporation (Perbadanan Kemajuan Getah

Malaysia Berhad)

**MARDI** Malaysian Agriculture Research and Development Institute (Institut Penyelidikan dan Kemajuan Pertanian Malaysia)

**MATTRA** Malaysian Transnational Trading Corporation (Perbadanan Perdagangan Antarabangsa Malaysia)

**MB** Menteri Besar

**MBM** Majlis Belia Malaysia

**MBSB** Malaysian Buildings Society Berhad (Persatuan Pembinaan Malaysia Berhad)

**MCC** Milk Collecting Centre (Pusat Pengumpulan Susu)

**MD** Doctor of Medicine

**MECIB** Malaysia Export Credit Insurance Berhad (Insurans Kredit Eksport Malaysia Berhad)

**MEXPO** Malaysia Export Trade Centre (Pusat Dagangan Eksport Malaysia)

**MIDA** Malaysian Industrial Development Authority (Lembaga Kemajuan Perindustrian Malaysia)

**MIDF** Malaysian Industrial Development Finance (Syarikat Permodalan Kemajuan Perusahaan Malaysia Berhad)

**MIMOS** Malaysian Institute of Microelectronics System (Institut Sistem Elektronik Mikro Malaysia)

**MINDEF** Ministry of Defence (Kementerian Pertahanan)

**MISC** Malaysian International Shipping Corporation (Syarikat Perkapalan Antarabangsa Malaysia)

**MKSAK** Majlis Kebajikan dan Sukan Anggota-anggota Kerajaan

**MMC** Malaysia Mining Corporation (Perbadanan Perlombongan Malaysia)

**MNRB** Malaysian National Reinsurance Berhad (Syarikat Insurans Semula Negara Malaysia Berhad)

**MNSC** Malaysia National Shippers Council (Majlis Pemilik-pemilik Kapal Malaysia)

**MOM** Majlis Olimpik Malaysia

**MPIB** Malayan Pineapple Industry Board (Lembaga Perusahaan Nanas Tanah Melayu)

**MPIK** Maktab Perguruan Ilmu Khas

**MPPM** Maktab Perguruan Perempuan Melaka

**MPTI** Maktab Perguruan Temenggung Ibrahim

**MRSM** Maktab Rendah Sains MARA

**MSC** Multimedia Super Corridor (Koridor Raya Multimedia)

**MSN** Majlis Sukan Negara

**MSSM** Majlis Sukan Sekolah-sekolah Malaysia

**MTCP** Malaysian Technical Co-operation Programme (Program Kerjasama Teknikal Malaysia)

**MTN** Multilateral Trade Negotiation (Perundingan Perdagangan Berbagai Hala)

**Mus. B.** Bachelor of Music (Sarjana Sastera Muzik)

**NATO** North Atlantic Treaty Organization (Pakatan Atlantik Utara)

**NCO** Non-commanding Officer

**NCSRD** National Council for Scientific Research and Development (Majlis Kemajuan Penyelidikan Sains Malaysia)

**NGO** Non-Governmental Organization (Organisasi Bukan Kerajaan)

**NIEM** National Institute of Education Management (Institut Pengurusan Pendidikan Negara)

**NITTCB** National Industrial Training and Trade Certification Board (Lembaga Latihan Perindustrian dan Persijilan Ketukangan Kebangsaan)

**NPC** National Productivity Centre (Pusat Produktiviti Nasional)

**NUT** National Union of Teachers (Kesatuan Guru-guru Nasional)

**OCM** Olympic Council of Malaysia (Majlis Olimpik Malaysia)

**OCPD** Officer-in-Charge Police District

**OECD** Organization for Economic Co-operation and Development (Pertubuhan Kerjasama Ekonomi dan Pembangunan)

**OHMS** On Her (His) Majesty(s) Service

**OIC** Organization of Islamic Countries (Pertubuhan Negara-negara Islam)

**PABK** Perusahaan Awam Bukan Kewangan

**PATA** Pacific Area Travel Association (Persatuan Pelancongan Kawasan Pasifik)

**PBA** Perbadanan Bekalan Air

**PBB** Pertubuhan Bangsa-bangsa Bersatu

**PBMUM** Persatuan Bahasa Malaysia Universiti Malaya

**PBMUSM** Persatuan Bahasa Malaysia Universiti Sains Malaysia

**PBMUKM** Persatuan Bahasa Malaysia Universiti Kebangsaan Malaysia

**PBSM** Persatuan Bulan Sabit Malaysia

**PDPN** Pusat Daya Pengeluaran Negara

**PEMADAM** Persatuan Mencegah Penyalahgunaan Dadah Malaysia

**PENA** Persatuan Penulis Nasional

**PERDA** Penang Regional Development Authority (Lembaga Kemajuan Wilayah Pulau Pinang)

**PERKESO** Pertubuhan Keselamatan Sosial

**PERKIM** Pertubuhan Kebajikan Islam Malaysia

**PERNAS** Perbadanan Nasional Berhad

**PETRONAS** Petroleum Nasional Berhad

**PIBG** Persatuan Ibu Bapa dan Guru

**PJK** Pingat Jasa Kebaktian

**PKBM** Persatuan Kelab-kelab Belia Malaysia

**PKEN** Perbadanan Kemajuan Ekonomi Negeri

**PKNS** Perbadanan Kemajuan Negeri Selangor

**PKPIPTM** Persatuan Kebangsaan Pelajar-pelajar Islam Persekutuan Tanah Melayu

**PLD** Pusat Latihan Daerah

**PLH** Pusat Latihan Harian

**PM** Perdana Menteri, Prime Minister

**PMG** Postmaster-General

**PMN** Panglima Mangku Negara

**PMR** Penilaian Menengah Rendah

**PNB** Perbadanan Nasional Berhad

**PNSL** Perbadanan Nasional Shipping Line

Berhad

**PPG** Pusat Penyelidikan Getah
**PPK** Pertubuhan Peladang Kawasan
**PPMPB** Persatuan Pelajar Maktab Perguruan Bahasa
**PPN** Pingat Pangkuan Negara
**PPN** Pusat Pembangunan Nelayan
**PPP** People's Progressive Party, Pusat Penyelidikan Perubatan
**PROTON** Perusahaan Otomobil Nasional
**PSD** Panglima Setia Diraja
**PSM** Panglima Setia Mahkota
**PTA** Preferential Trading Arrangement (Peraturan Perdagangan Istimewa)
**PULADA** Pusat Latihan Tentera Darat
**PULAPOL** Pusat Latihan Polis
**PUSPATI** Pusat Penyelidikan Atom Tun Dr. Ismail
**RDKS** Rangkaian Perkhidmatan Digital Bersepadu
**RIDA** Rural and Industrial Development Authority (Lembaga Kemajuan Perusahaan dan Kampung)
**RIMV** Registrar and Inspector of Motor Vehicles (Pendaftar dan Pemeriksa Kenderaan Bermotor)
**RISDA** Rubber Industry Smallholders Development Authority (Pihak Berkuasa Kemajuan Pekebun Kecil Getah)
**RKL** Rangkaian Kawasan Luas
**RKS** Rangkaian Kawasan Setempat
**RMAF** Royal Malaysian Air Force
**RMN** Royal Malaysian Navy
**RRIM** Rubber Research Institute of Malaysia (Institut Penyelidikan Getah Malaysia)
**RTDC** Regional Training and Development Centre (Pusat Pembangunan dan Latihan Wilayah)
**SADC** State Agriculture Development Corporation (Perbadanan Kemajuan Pertanian Negeri)
**SAFODA** Sabah Forestry Development Authority (Lembaga Kemajuan Perhutanan Sabah)
**SALCRA** Sarawak Land Consolidation and Rehabilitation Authority (Lembaga Pemulihan dan Penyatuan Tanah Sarawak)
**SAM** Sahabat Alam Malaysia
**SEAP** Southeast Asia Peninsula
**SEATRAD** Southeast Asia Tin Research and Development (Penyelidikan dan Pembangunan Bijih Timah Asia Tenggara)
**SEB** Sabah Electricity Board (Lembaga Letrik Sabah)
**SEDAR** Socio-economic and Attitude Reorientation Institute (Institut Pembangunan Sikap dan Sosioekonomi)
**SERU** Sosio-economic Research Unit (Unit Penyelidikan Sosioekonomi)
**SESCO** Sarawak Electricity Supply Corporation (Perbadanan Bekalan Letrik Sarawak)
**SETIA** Integrated Project Management Information System (Sistem Maklumat Pengurusan Projek Bersepadu)

**SIRIM** Standards and Industrial Research Institute of Malaysia (Institut Piawaian dan Penyelidikan Perindustrian Malaysia)
**SLDB** Sarawak Land Development Board (Lembaga Kemajuan Tanah Sarawak)
**SMJK** Sekolah Menengah Jenis Kebangsaan
**SMK** Sekolah Menengah Kebangsaan
**SMN** Seri Maharaja Mangku Negara
**SMR** Standard Malaysian Rubber (Getah Mutu Malaysia)
**SOCSO** Social Security Organization (Pertubuhan Keselamatan Sosial)
**SPA** Suruhanjaya Perkhidmatan Awam
**SPM** Sijil Pelajaran Malaysia
**SPPK** Syarikat Perumahan Pegawai-pegawai Kerajaan
**SPR** Suruhanjaya Pilihan Raya
**SPVM** Sijil Pelajaran Vokasional Malaysia
**SSM** Seri Setia Mahkota
**STPM** Sijil Tinggi Persekolahan Malaysia
**TCS** Trade Commissioners Service (Perkhidmatan Suruhanjaya Perdagangan)
**TDC** Tourist Development Corporation (Perbadanan Kemajuan Pelancongan)
**TLDM** Tentera Laut Diraja Malaysia
**TNB** Tenaga Nasional Berhad
**TUDM** Tentera Udara Diraja Malaysia
**TYT** Tuan Yang Terutama
**UDA** Urban Development Authority (Perbadanan Pembangunan Bandar)
**UIA** Universiti Islam Antarabangsa
**UiTM** Universiti Teknologi MARA
**UKM** Universiti Kebangsaan Malaysia
**UM** Universiti Malaya
**UMSU** University of Malaya Student's Union
**UN** The United Nations (Pertubuhan Bangsa-bangsa Bersatu)
**UNCTAD** United Nations Conference on Trade and Development (Persidangan Pembangunan dan Perdagangan Bangsa-bangsa Bersatu)
**UNDP** United Nations Development Programme (Program Pembangunan Bangsa-bangsa Bersatu)
**UNESCO** United Nations Educational Scientific and Cultural Organization (Pertubuhan Pelajaran, Sains dan Kebudayaan Bangsa-bangsa Bersatu)
**UNICEF** United Nations International Children's Emergency Fund (Tabung Kecemasan Kanak-kanak Antarabangsa Bangsa-bangsa Bersatu)
**UNIMAS** Universiti Malaysia Sarawak
**UNO** United Nations Organization (Pertubuhan Bangsa-bangsa Bersatu)
**UPM** Universiti Putra Malaysia
**UPP** Unit Penyelarasan Pelaksanaan
**UPSI** Universiti Perguruan Sultan Idris
**UPSR** Ujian Pencapaian Sekolah Rendah
**USM** Universiti Sains Malaysia
**USIS** United States Information Service
**UTM** Universiti Teknologi Malaysia
**UUM** Universiti Utara Malaysia
**WHO** World Health Organization

(Pertubuhan Kesihatan Sedunia)

**WTO** World Trade Organization
(Pertubuhan Perdagangan Sedunia)

**WWF** World Wildlife Fund
(Tabung Hidupan Liar Sedunia)

**WWW** World Wide Web
(Jaringan Sejagat)

**Y.A.B.** Yang Amat Berhormat

**Y.A.M.** Yang Amat Mulia

**Y.B.** Yang Berhormat

**Y. Bhg** Yang Berbahagia

**Y.B.M.** Yang Berhormat Mulia

**Y.D.P.** Yang Dipertua

**Y.M.** Yang Mulia

**Y.T.M.** Yang Teramat Mulia